DER NEUE PAULY

Rezeptions- und Wissenschaftsgeschichte   Band 15/3   Sco–Z
Nachträge

DER NEUE PAULY
(DNP)

DER NEUE PAULY

Enzyklopädie der Antike

In Verbindung mit
Hubert Cancik und
Helmuth Schneider
herausgegeben
von Manfred Landfester

Rezeptions- und
Wissenschafts-
geschichte

Band 15/3 Sco–Z
Nachträge

Verlag J. B. Metzler
Stuttgart · Weimar

Die Deutsche Bibliothek – CIP-Einheitsaufnahme

Der neue Pauly : Enzyklopädie der Antike /
hrsg. von Hubert Cancik und
Helmuth Schneider.-
Stuttgart ; Weimar : Metzler
  ISBN 3-476-01470-3

Bd. 15/3. Rezeptions- und Wissenschaftsgeschichte.
  3. Sco–Z – 2003
  ISBN 3-476-01489-4

Gedruckt auf chlorfrei gebleichtem,
säurefreiem und alterungsbeständigem
Papier

ISBN 3-476-01470-3 (Gesamtwerk)
ISBN 3-476-01489-4 (Band 15/3 Sco-Z)

© 2003 J. B. Metzlersche Verlagsbuchhandlung und Carl Ernst Poeschel
Verlag GmbH in Stuttgart

Typographie und Ausstattung:
Brigitte und Hans Peter Willberg
Grafik und Typographie der Karten:
Richard Szydlak und
geoGraphisches Büro Günter Müller
Satz: pagina GmbH, Tübingen
Gesamtfertigung: Ebner & Spiegel
GmbH, Ulm
Printed in Germany

Oktober 2003
Verlag J. B. Metzler Stuttgart · Weimar
www.metzlerverlag.de
info@metzlerverlag.de

Inhaltsverzeichnis

Redaktion

Frank Bäcker
Tina Jerke
Christian Kölzer
Kerstin Pistorius
mit:
Annemarie Haas
Klaus Kokoschinsky
Gaby Kosa
Marlies Schmidt

Danksagung

Mit Band 12/2 des altertumswissenschaftlichen Teils (Bd. 1–12/2) und Band 15/3 des rezeptions- und wissenschaftsgeschichtlichen Teils (Bd. 13–15/3) ist DER NEUE PAULY nach fünfjähriger Vorarbeit innerhalb von acht Jahren vollständig erschienen. In 18 Bänden ist im wesentlichen die Konzeption realisiert worden, die in den Vorworten der beiden Teile (Bd. 1 und Bd. 13) entwickelt wurde. Entstanden ist damit eine Enzyklopädie, die zum einen den vielfältigen Zusammenhang der klassischen griechisch-römischen Kultur mit den orientalischen Kulturen sichtbar macht und zum anderen der Rezeption der Antike in ihren unterschiedlichen Formen ein eigenes Gewicht gibt.

In der Kombination von Zusammenfassung des vorhandenen Wissens und von Produktion neuen Wissens ist DER NEUE PAULY ein wichtiges Instrument der Wissenschaft geworden, das der zukünftigen Forschung neue Impulse geben wird. Ihr wissenschaftlicher Ertrag jedoch kann in der Form des Lexikons nur begrenzt sichtbar werden; er erschließt sich voll und ganz erst demjenigen, der selbst an Forschung partizipiert.

Daß es gelang, das Unternehmen in ungewöhnlich kurzer Zeit zu Ende zu führen, befriedigt und freut den Verlag und die Herausgeber. Mag auch zu Beginn gelegentlich der Zeitplan von einigen Beteiligten als Zumutung und als Gefahr für die Qualität empfunden worden sein, so hat sich doch bald herausgestellt, daß er die Intensität und Konzentration der Arbeit förderte. Durch die zeitliche Komprimierung ist außerdem die wissenschaftliche Homogenität erhöht worden, da kein Teil dem im Laufe einer langen Entstehungszeit von Großwerken zwangsläufig eintretenden wissenschaftlichen Alterungsprozeß unterworfen ist. Möglich wurde die Realisierung des ehrgeizigen Zeitplans nur dadurch, daß ein weltweiter Kreis von Autoren gewonnen werden konnte. Dadurch kam ein Werk von internationalem Charakter zustande, in den die unterschiedlichen internationalen Forschungsleistungen und Forschungstraditionen eingebracht worden sind. Die englische Übersetzung des NEUEN PAULY als BRILL'S NEW PAULY, die mit dem ersten Band 2002 begonnen wurde, bestätigt dies.

Im Vertrauen auf die Zukunftsfähigkeit und Tragfähigkeit der neuen Konzeption der Enzyklopädie hat der Verlag allein das finanzielle Risiko übernommen. Die Institutionen der Forschungsförderung in Deutschland haben diesen Mut nicht geteilt, sondern haben kleinmütig vor der Herausforderung kapituliert und sich für nicht zuständig erklärt. Umso mehr ist allen Beteiligten zu danken, die diese Herausforderung angenommen und zu einem guten Ende geführt haben. Die Reihe derer, denen wir danken müssen, ist lang und unvollständig.

Zuerst ist den Autorinnen und Autoren zu danken: ihre Leistung macht die Qualität eines Lexikons aus. Einige Autoren haben den Mut gehabt, umfangreiche Bereiche mit einer großen Zahl von Beiträgen oder in umfassenden Artikeln darzustellen; sie haben dadurch die Kohärenz dieser Bereiche erhöht.

Wir danken sodann den Fachgebietsherausgeberinnen und Fachgebietsherausgebern, die durch engagierte inhaltliche und organisatorische Arbeit zum Gelingen des Vorhabens entscheidend beigetragen haben. Die Aufgabe, ihr Fachgebiet in Lemmata zu strukturieren, Autoren zu gewinnen, die Artikel zu koordinieren und für den Druck vorzubereiten, haben sie mit großem persönlichem Einsatz erfüllt.

Ein besonderer Dank gilt den beiden Redaktionen in Tübingen und Gießen. Sie haben unter dem immer neuen Druck der Einhaltung von Umfängen und Zeitplänen eine außerordentliche Arbeitsleistung erbracht, die Tatkraft und Sachverstand, Geduld und Freundlichkeit, technisches und fachliches Können erforderte. Die Redaktionsarbeit war ein Marathonlauf gegen die Uhr, die unerbittlich den Erscheinungstermin der Bände anzeigte, mit regelmäßigen Zwischenspurts. Dabei erwies sich die Aufgabe, den notwendigen strikten Umfangsvorgaben gerecht zu werden, oft als sensibel und kompliziert. Gelegentliche Konflikte mit den Autorinnen und Autoren konnten nicht ausbleiben, sie sind aber in der Regel einvernehmlich gelöst worden.

Zu danken ist den beiden Universitäten Gießen und Tübingen, insbesondere ihren Seminaren für Klassische Philologie, die Redaktionsräume und vielfache Ressourcen zur Verfügung stellten und damit jenen universitären Nährboden einbrachten, auf dem ein ebenso sachbezogener wie schwungvoller und zielbewußter Arbeitsstil gedeihen konnte.

Nicht zu vergessen sind die Übersetzerinnen und Übersetzer, die Verantwortlichen für die Abbildungen und Karten, Graphiker, Kartographen, die Quellenprüfer, Korrektoren, EDV-Fachleute, wissenschaftlichen Hilfskräfte und Mitarbeiterinnen und Mitarbeiter, auch die in den Fachgebietsredaktionen, und die vielen Kolleginnen und Kollegen, die mit Auskünften der unterschiedlichsten Art geholfen haben.

Am 19. Oktober 2001 ist in Tübingen der langjährige Geschäftsführer des Verlags J. B. Metzler, Dr. Günther Schweizer, im Alter von nur 64 Jahren nach langjähriger Krankheit und dennoch unerwartet verstorben. Der diplomierte und promovierte Kaufmann, Verleger und Schatzmeister im Börsenverein (1992–1998) hatte großes Verständnis für die Logik von Lexika. Er war ein kluger wie menschenfreundlicher Verhandlungspartner und besaß die Fähigkeit, vertrackte Probleme entscheidbar zu machen. Mit Dankbarkeit und Trauer denken wir an viele Jahre gemeinsamer Arbeit.

Diese Reihe des Gedenkens sei mit Konrat Ziegler abgeschlossen, »einem Gerechten unter den Völkern«[1]. Sein Name steht für die Kontinuität des NEUEN PAULY zum »Kleinen Pauly« und zur großen, 83 Bände umfassenden »Realencyklopädie der Classischen Altertumswissenschaft« von Pauly-Wissowa.

Damit verglichen sind wir Zwerge auf den Schultern von Giganten, hoffend allerdings, wir möchten doch ein wenig weiter sehen als diese, denn es heißt:

Pigmei gigantum umeris impositi
plusquam ipsi gigantes vident.[2]

Verlag J. B. Metzler
Bernd Lutz
Brigitte Egger

Hubert Cancik, Universität Tübingen
Manfred Landfester, Universität Gießen
Helmuth Schneider, Universität Kassel

[1] H. GÄRTNER, Nachruf auf Konrat Ziegler, in: RE Registerband 1980, V–XIX; B. KRATZ-RITTER, Konrat F. Ziegler, ein »Gerechter unter den Völkern«, in: W. Appel (Hrsg.), Magistri et Discipuli. Xenia Toruniensia 7, 2002; P. WÜLFING, Begegnungen mit Konrat Ziegler, ebd.
[2] Bernhard von Chartres, ca. 1126 n. Chr.; Nachweise bei: R. MERTON, Auf den Schultern von Riesen. Ein Leitfaden durch das Labyrinth der Gelehrsamkeit, 1965, dt. 1983, 14; 153 ff., 204 f.; 161 Abb.: Gigant mit Pygmäe, Payerne (Schweiz/Waadt, wohl 12. Jh.). Vgl. H. VAN DIJKS/E. R. SMITS (Hrsg.), Dwergen op de schouders van reuzen. Studies over de receptie van de Oudheit in de Middeleewen, Groningen 1990.

Hinweise für die Benutzung

Anordnung der Stichwörter

Die Stichwörter sind in der Reihenfolge des deutschen Alphabetes angeordnet. I und J werden gleich behandelt; ä ist wie ae, ö wie oe, ü wie ue einsortiert. Wenn es zu einem Stichwort (Lemma) Varianten gibt, wird von der alternativen Schreibweise auf den gewählten Eintrag verwiesen. Bei zweigliedrigen Stichwörtern muß daher unter beiden Bestandteilen gesucht werden.

Informationen, die nicht als Lemma gefaßt worden sind, können mit Hilfe des Registerbandes aufgefunden werden.

Gleichlautende Stichworte sind durch Numerierung unterschieden.

Transkriptionen

Zu den im NEUEN PAULY verwendeten Transkriptionen vgl. S. VIf. und AWI Bd. 3, S. VIIIf.

Anmerkungen

Die Anmerkungen enthalten lediglich bibliographische Angaben. Im Text der Artikel wird auf sie unter Verwendung eckiger Klammern verwiesen (Beispiel: die Angabe [1. 5^{23}] bezieht sich auf den ersten numerierten Titel der Bibliographie, Seite 5, Anmerkung 23). Zur Unterscheidung von Quellen und Sekundärliteratur enthalten Bibliographien entsprechende Überschriften: QU und LIT.

Verweise

Die Verbindung der Artikel untereinander wird durch Querverweise hergestellt. Dies geschieht im Text eines Artikels durch einen Pfeil (→) vor dem Wort / Lemma, auf das verwiesen wird; wird auf homonyme Lemmata verwiesen, ist meist auch die laufende Nummer beigefügt.

Querverweise auf verwandte Lemmata sind am Schluß eines Artikels, ggf. vor den bibliographischen Anmerkungen, angegeben.

Verweisen auf Stichworte des ersten, altertumswissenschaftlichen Teiles des NEUEN PAULY ist ein AWI und Pfeil vorangestellt (AWI → Elegie).

Karten und Abbildungen

Texte, Abbildungen und Karten stehen in der Regel in engem Konnex, erläutern sich gegenseitig. In einigen Fällen ergänzen Karten und Abbildungen die Texte durch die Behandlung von Fragestellungen, die im Text nicht angesprochen werden können.

Transkriptionen

Transkriptionstabelle
Altgriechisch

α	a	Alpha
αι	ai	
αυ	au	
β	b	Beta
γ	g	Gamma; γ vor γ, κ, ξ, χ: n
δ	d	Delta
ε	e	Epsilon
ει	ei	
ευ	eu	
ζ	z	Zeta
η	ē	Eta
ηυ	ēu	
θ	th	Theta
ι	i	Iota
κ	k	Kappa
λ	l	Lambda
μ	m	My
ν	n	Ny
ξ	x	Xi
ο	o	Omikron
οι	oi	
ου	ou oder u	
π	p	Pi
ρ	r	Rho
σ, ς	s	Sigma
τ	t	Tau
υ	y	Ypsilon
φ	ph	Phi
χ	ch	Chi
ψ	ps	Psi
ω	ō	Omega
'	h	
ᾳ	ai	Iota subscriptum (analog ῃ, ῳ)

Die verschiedenen griechischen Akzente
werden in der Umschrift einheitlich durch
Akut (´) angegeben.

Transkription und Aussprache
Neugriechisch

Verzeichnet werden nur Laute und Lautkombinationen, die vom Altgriechischen abweichen.

Konsonanten

β	v	
γ	gh	vor dunklen Vokalen, wie norddt. ›Tage‹
	j	vor hellen Vokalen
δ	dh	wie engl. ›the‹
ζ	z	wie frz. ›zèle‹
θ	th	wie engl. ›thing‹

Konsonantenverbindungen

γκ	ng	
	g	am Wortanfang
μπ	mb	
	b	am Wortanfang
ντ	nd	
	d	am Wortanfang

Vokale

η	i
υ	i

Diphthonge

αι	e	
αυ	av	
	af	vor harten Konsonanten
ει	i	
ευ	ev	
	ef	vor harten Konsonanten
οι	i	
υι	ii	

Spiritus Asper wird nicht gesprochen.
Der altgriechische Akzent bleibt im allg.
an der angestammten Stelle stehen. Doch
ist die Distinktion zwischen ´, ` und ˜
verschwunden.

Transkriptionstabelle
Hebräisch Konsonanten

א	a	Alef
ב	b	Bet
ג	g	Gimel
ד	d	Dalet
ה	h	He
ו	w	Waw
ז	z	Zajin
ח	ḥ	Chet
ט	ṭ	Tet
י	y	Jud
כ	k	Kaf
ל	l	Lamed
מ	m	Mem
נ	n	Nun
ס	s	Samech
ע	ʿ	Ajin
פ	p/f	Pe
צ	ṣ	Zade
ק	q	Kuf
ר	r	Resch
שׂ	ś	Sin
שׁ	š	Schin
ת	t	Taw

Aussprache
Türkisch

Das Türkische verwendet seit 1928 die lateinische Schrift. Grundsätzlich gelten in ihr Laut-/Schriftentsprechungen wie in den europäischen Sprachen, v.a. wie im Deutschen. Im folgenden sind daher nur Abweichungen vom Deutschen aufgeführt.

C	c	wie italienisch ›giorno‹
Ç	ç	wie italienisch ›cento‹
Ğ	ğ	wie norddeutsch g in ›Tage‹, heute manchmal unhörbar
H	h	stets aussprechen, nie dt. Dehnungs-h wie in ›fehlen‹
İ	i	wie deutsch i in ›Stift‹
Ĭ, I	ĭ,ı	für das Türkische typischer, sehr offener i-Laut, nicht wie deutsches i
J	j	wie frz. ›jour‹
Ş	ş	wie dt. sch in ›Schule‹
Y	y	wie deutsches j in ›Jahr‹
Z	z	wie frz. ›zèle‹, also stets weich

Transkriptionstabelle
Arabisch, Persisch, Osmanisch

ا,ء	ʾ, ā	ʾ	ʾ	Hamza, Alif
ب	b	b	b	Bāʾ
پ	–	p	p	Pe
ت	t	t	t	Tāʾ
ث	t̲	s̲	s̲	T̲āʾ
ج	ǧ	ǧ	ǧ	Ǧīm
چ	–	č	č	Čim
ح	ḥ	ḥ	ḥ	Ḥāʾ
خ	ḫ	ḫ	ḫ	Ḫāʾ
د	d	d	d	Dāl
ذ	d̲	z̲	z̲	D̲āl
ر	r	r	r	Rāʾ
ز	z	z	z	Zāy
ژ	–	ž	ž	Že
س	s	s	s	Sīn
ش	š	š	š	Šīn
ص	ṣ	ṣ	ṣ	Ṣād
ض	ḍ	ḍ	ḍ	Ḍād
ط	ṭ	ṭ	ṭ	Ṭāʾ
ظ	ż̲	ż̲	ż̲	Ż̲āʾ
ع	ʿ	ʿ	ʿ	ʿAin
غ	ġ	ġ	ġ	Ġain
ف	f	f	f	Fāʾ
ق	q	q	q, k	Qāf
ك	k	k	k, g, ñ	Kāf
گ	–	g	g, ñ	Gāf
ل	l	l	l	Lām
م	m	m	m	Mīm
ن	n	n	n	Nūn
ه	h	h	h	Hāʾ
و	w, ū	v	v	Wāw
ي	y, ī	y	y	Yāʾ

Transkription anderer Sprachen

Akkadisch (Assyrisch-Babylonisch), Hethitisch und Sumerisch werden nach den Regeln des RLA bzw. des TAVO transkribiert. Für Ägyptisch werden die Regeln des Lexikons der Ägyptologie angewandt.

Die Transkription des Urindogermanischen erfolgt nach Rix, HGG, die der indischen Schriften nach M. Mayrhofer, Etymologisches Wörterbuch des Altindoarischen, 1992ff. Avestisch wird nach K. Hoffmann, B. Forssman, Avestische Laut- und Flexionslehre, 1996, Altpersisch nach R.G. Kent, Old Persian, ²1953 (Ergänzungen bei K. Hoffmann, Aufsätze zur Indoiranistik Bd. 2, 1976, 622ff.) transkribiert, die übrigen iranischen Sprachen nach R. Schmitt, Compendium linguarum Iranicarum, 1989, bzw. nach D.N. MacKenzie, A Concise Pahlavi Dictionary, ³1990. Bei Armenisch gelten die Richtlinien bei R. Schmitt, Grammatik des Klassisch-Armenischen, 1981, bzw. der Revue des études arméniennes. Für die Transkription kleinasiatischer Sprachen vgl. das HbdOr, für Mykenisch, Kyprisch vgl. Heubeck bzw. Masson; für italische Schriften und Etruskisch vgl. Vetter bzw. ET.

Nachträge

S

Scotland, Law of. Das Königreich Schottland (S.) wuchs zw. 850 und 1050 aus vier Völkern zusammen, den Pikten, den irischen Scoti von Dalriada, den Britonen und den Angelsachsen. Alle vier Völker haben einen Beitr. zum schottischen Recht geleistet. Den wichtigsten Beitr. lieferten jedoch die Gaelisch sprechenden Scoti mit dem irischen oder keltischen Recht. Aus dieser frühen Zeit sind nur wenige schriftliche Zeugnisse überliefert. Die meisten von ihnen betreffen Vergaben von Land in einer frühfeudalen Gesellschaft. Doch überlebten manche Einrichtungen des keltischen Rechts als Grundlage des schottischen Rechts.

Die Anf. des spezifisch schottischen Rechts liegen im 12. und 13. Jahrhundert. Es entstand Hand in Hand mit der Konsolidierung des Königreichs S., für die die Regierung von Robert the Bruce (1306–1329) von zentraler Bed. war. Die Rechtsentwicklung Schottlands war weithin Teil einer gemeineurop. Entwicklung. Von großer Wirkung auf S. waren von Anf. an die Ren. des Studiums des → Römischen Rechts in Bologna und die Entstehung des *Corpus iuris canonici*. Dazu kam der Einfluß des Lehnsrechts, teilweise vermittelt durch die *Libri feudorum*, in erster Linie aber in Gestalt des anglo-normannischen Lehnsrechts. Dabei gelang in S., ähnlich wie in England und im Unterschied zu der Lage auf dem europ. Kontinent, die Bildung eines nationalen, inneren regionalen und lokalen Grenzen überschreitenden Rechts. Allerdings ist die Entstehung eines *Common Law* in Schottland im 12. und 13. Jh. in der Rechtsprechung der Gerichte weniger gut faßbar als in England, denn zunächst fehlte es an der Einrichtung einer zentralen Gerichtsbarkeit und eines professionellen Juristenstandes. Die Rechtspflege verblieb vielmehr weitgehend in den Händen der Städte und des landbesitzenden Adels.

Das wichtigste Element des schottischen Rechts bildet das anglo-normannische Recht Englands, in erster Linie das Lehnsrecht, das bis h. die Grundlage des Bodenrechts und des Erbrechts ist. An der Spitze der Lehnspyramide stand und steht der König. Die gesetzliche Erbfolge bevorzugte den ältesten Sohn vor seinen Brüdern und weiter entfernt verwandten Männern. Bei Abwesenheit eines männlichen Erben erbten die dann berufenen Frauen zu gleichen Teilen. Außerdem übernahm S. vom engl. Recht das Amt des Sheriffs und das Amt des Justiziars als Grundlage der Funktion des heutigen Lord Justice General, der als Präsident des High Court of Justiciary seit 1672 an der Spitze der Strafgerichtsbarkeit steht. Auch die Praxis des Prozesses auf der Grundlage des Writ (schottisch *brieve*), der Prozeß *by writ and inquest*, fand Eingang in Schottland.

Das älteste schottische Rechtsbuch, das vermutlich in der ersten H. des 14. Jh. entstanden ist, wird nach seinen – dem Vorbild von Justinians Institutionen folgenden – Eingangsworten »Regiam Majestatem« genannt. Der Text besteht teilweise aus Exzerpten des engl. Traktates von Glanville aus den 80er J. des 12. Jh. und teilweise aus Auszügen aus einem röm.-kanonischen Rechtstext, den Goffredus de Trano verfaßt hat. Genuin schottisches Recht bildet die Ausnahme. Trotzdem ist »Regiam Majestatem« im MA und auch in der Neuzeit stets als nahezu offizielle Quelle des schottischen Rechts betrachtet worden.

Wie in den anderen europ. Staaten hatte im MA auch in S. die Gerichtsbarkeit der Kirche neben der staatlichen Gerichtsbarkeit große Bed. in Fragen von Ehe und Kindschaft sowie Testamenten und weiter für die Erbfolge in bewegliches Vermögen und für eidlich bekräftigte Verträge. Außerdem wirkten Kleriker in der Staatsverwaltung und der Gerichtsbarkeit an führender Stelle mit. Für den Landbesitz der Kirche bestand eine eigene Gerichtsbarkeit. Auch nach der im J. 1560 vollzogenen Trennung von Rom wendeten die staatlichen Gerichte in S. in den entsprechenden Fragen weiterhin kanonisches Recht an. Das gilt v. a. für den Prozeß im »röm.-kanonischen« Stil. Bekanntestes Beispiel für die fortdauernde Präsenz des kanonischen Rechts ist die Eheschließung durch einfachen Konsens vor Zeugen. Auf kanonisches Recht ist auch zurückzuführen, daß das schottische Recht im Unterschied zum engl. Recht für einen wirksamen Vertragsschluß keine *consideration* fordert.

Angelpunkt der schottischen Rechtsgeschichte ist die Gründung des Court of Session als obersten Gerichtshofes in Zivilsachen im J. 1532 mit der Folge der allmählichen Entstehung einer konsistenten Rechtsprechung in den Händen einer professionellen Richterschaft. Zu den bes. Leistungen des Court of Session gehört es, daß er die Lehnssachen (»fee and heritage«) an sich zog, auch solche, die bis dahin, wenn auch unter Kontrolle des Parlaments, in den Händen der Landbesitzer königlichen Geblütes und der darunterstehenden Adelsschicht der Barone gewesen waren. Endgültig beendet wurde die Herrschaft der Lehnsgerichte erst im J. 1748. Die Reformation machte die Gründung von weltlichen Gerichten, von denen aus der Rechtszug an den Court of Session ging, für Fragen von Ehe, Kindschaft, Testamenten und Erbfolge in bewegliches Vermögen erforderlich. Das bedeutete aber nicht den völligen Rückzug von Geistlichen, die in der Regel auf dem Kontinent röm. und kanonisches Recht studiert hatten, aus der Gerichtsbarkeit. Deswegen ist es keineswegs erstaunlich, daß die subsidiäre Geltung des röm. Rechts bei Fehlen einheimischer Rechtsnormen im 16. und 17. Jh. in S. oft in ähnlicher Weise gesehen und beschrieben wurde, wie in den kontinentaleurop. Ländern. Aber auch da, wo das röm. Recht nicht unmittelbar angewendet wurde, stand es immer als Quelle von Begriffen und Kategorien sowie als Objekt von Vergleichen bereit. Die Gesetzgebung des Parlaments in

Edinburgh spielte bereits im 15. Jh. eine wichtige Rolle. Zahlreiche der im 15. und 16. Jh. erlassenen *Acts of Parliament* blieben viele Jh. lang eherne Grundsätze des schottischen Rechts. Besonders stolz sind die schottischen Juristen auf den h. noch geltenden *Leases Act* von 1449, der Pächter von Land gegen die Ansprüche von Käufern und Gläubigern des Verpächters schützte.

Obwohl es Rechtsunterricht an den Fakultäten von St. Andrews, Aberdeen und Glasgow bereits seit dem ausgehenden MA gab, entstand eine wiss. Lit. nicht vor Beginn des 17. Jh. und auch dann nicht vorwiegend an den Universitäten. Streng auf die Bedürfnisse der Praxis zugeschnitten waren die zahlreichen *Practicks*, die sich ausdrücklich auf die Vermittlung von Rechtsprechung in lexikalischer Form beschränkten. Die bekanntesten *Practicks* stammen von Sir James Balfour of Pittendreich (†1583) und Sir Thomas Hope (†1646). Im 17. und 18. Jh. erschien dann eine Serie von Darstellungen des schottischen Rechts, die unter der Bezeichnung »Institutes« oder »Institutiones« fast die Autorität von Rechtsquellen besaßen. Diese Werke waren mit zeitgenössischen Erscheinungen auf dem Festland verwandt und bedienten sich in gleicher Weise röm. Systematik und röm. Begrifflichkeit. Das bedeutendste dieser Institutionenbücher wurde 1681 von dem damaligen Präsidenten des Court of Session James Dalrymple Viscount of Stair (1619–1695) publiziert, der damit zum Begründer des mod. schottischen Rechts wurde. Inhaltlich hält sich Stair streng an die Rechtsprechung des Court of Session, verwendet aber, wie er betont, für Kategorien und System die Quellen von ›Gesetz und Recht‹, womit er röm. Recht und → Naturrecht meint. Weitere *Institutions* schrieben im 18. und 19. Jh. Andrew Mac Dowell Lord Bankton, John Erskine und Georg Joseph Bell. Die engl.-schottische Personalunion von 1603 hatte nur geringe Auswirkungen auf das schottische Recht. Bei der Vereinigung der Parlamente im J. 1707 wurde S. der Fortbestand des eigenen Rechts garantiert, doch gab es von da an den Rechtszug vom Court of Session zum Oberhaus in London. Das 18. Jh. war die klass. Periode des schottischen Rechts. Dazu trug nicht unwesentlich der Einfluß der schottischen Aufklärung bei, zu der Juristen wie etwa Henry Home Lord Kames bemerkenswerte Beitr. geleistet haben.

Das 19. Jh. kennzeichnet eine zunehmende Bed. der Gesetzgebung des Parlaments in London auf dem Gebiete des Bodenrechts, des Familienrechts, des Erbrechts sowie der damals neuen Rechtsgebiete Verwaltungsrecht, Sozialrecht, Arbeitsrecht, Steuerrecht, Kommunalrecht usw., die durch eine Gesetzgebung im Stile des engl. Rechts auf für das schottische Recht nicht immer verträgliche Weise geregelt wurden. Schottland hatte zwar ein eigenes Rechtssystem, aber keinen eigenen Gesetzgeber. Dazu kam der durch die Rechtsprechung des House of Lords vermittelte wachsende Einfluß des engl. Rechts im Vertragsrecht und im Deliktsrecht. Der engl. Einfluß ist von schottischer Seite oft kritisiert worden. Doch wird h. mehr Rücksicht auf schottische Be-

sonderheiten genommen. Gleichzeitig sind die schottischen Juristen selbstbewußter geworden. Seit 1965 hat die Scottish Law Commission wirksame Mitspracherechte bei der Gesetzgebung, und seit 1999 besitzt S. wieder ein eigenes Parlament mit einer beschränkten Gesetzgebungsbefugnis.

Von großer Tragweite für das Recht des gesamten → United Kingdom waren sowohl der Beitritt zum Europarat im J. 1949 als auch der Anschluß an die Europ. Wirtschaftsunion im J. 1973. Von schottischer Seite wird gerne hervorgehoben, daß S. mit seiner *mixed jurisdiction* eine Brückenfunktion zw. dem engl. Recht und dem *Civil Law* der kontinentaleurop. Länder erfüllen kann.

1 J. W. CAIRNS, Historical Introduction, in: K. REID, R. ZIMMERMANN (Hrsg.), A History of Private Law in Scotland, 2000, Vol. I, 14–184 2 D. L. CAREY MILLER, R. ZIMMERMANN (Hrsg.), The Civilian Trad. and Scots Law: Aberdeen Quincentenary Essays, 1997 3 D. L. CAREY MILLER, D. W. MEYERS (Hrsg.), Comparative and Historical Essays in Scots Law: A Tribute to Professor Sir Thomas Smith Q. C., 1992 4 R. EVANS-JONES (Hrsg.), The Civil Law Trad. in Scotland, 1995 5 H. L. MACQUEEN, Common Law and Feudal Society in Medieval Scotland, 1993 6 K. REID, R. ZIMMERMANN (Hrsg.), A History of Private Law in Scotland, 2000, 14–184 7 O. F. ROBINSON, T. D. FERGUS, W. M. GORDON, European Legal History, 1994 8 D. H. SELLAR, A Historical Perspective, in: M. C. MESTON, D. H. SELLAR, Lord Cooper, The Scottish Legal Trad., 1991, 29–64 9 Ders., The Common Law of Scotland and the Common Law of England, in: R. R. DAVIES (Hrsg.), The British Isles 1100–1500: Comparisons Contrasts and Connections, 1988, 82–99 10 P. G. STEIN, Roman Law in Medieval Scotland, Ius Romanum Medii Aevi, Pars V 13 b, 1968, auch in: Ders., The Character and the Influence of the Roman Civil Law, 1988, 269–317 11 D. M. WALKER, A Legal History of Scotland, Vol. I–VI, 1988 ff.   KLAUS LUIG

Semiotik A. ALLGEMEIN   B. DIE SPRACHWISSENSCHAFTLICH-STRUKTURALISTISCHE TRADITION IM 20. JAHRHUNDERT
C. DIE SEMIOTIK IM ANSCHLUSS AN C. S. PEIRCE
D. SEMIOTISCHE KONZEPTIONEN IN KULTURTHEORIE, HERMENEUTIK UND ÄSTHETIK

A. ALLGEMEIN

Semiotik (engl. *semiotics*) ist die Lehre von den sprachlichen und nicht-sprachlichen Zeichen und Zeichensystemen. Gegenüber dem von frz. Autoren bevorzugten *Semiologie* hat sich im 20. Jh. der Begriff »S.« weitgehend durchgesetzt, eine inhaltliche Unterscheidung läßt sich nicht begründen [20]. Während die allg. S. die theoretischen und histor. Grundlagen der Disziplin untersucht [15. 109], analysiert die angewandte S. die Gegenstände von Einzelwiss. hinsichtlich der sie bedingenden Bezeichnungsprozesse und -systeme (Wiss., Musik, Kunst, Film, Architektur etc.). Konzeptionen der S. als universaler Wissenschaftstheorie, Methodologie oder Teildisziplin bestehen nebeneinander [23.

XI], wobei alle Ansätze eine komplexe Definition des Zeichens als einer dynamischen Verbindung von Relationen zw. Bezeichnendem, Bezeichnetem, Zeichengeber und -rezipienten zugrundelegen. In einem weiter gefaßten Begriff des Zeichens sind sowohl kulturelle wie natürliche Phänomene enthalten, die in irgendeiner Weise interpretiert werden können. In engerem Sinne sind Zeichen auf den durch Konvention bestimmten Bereich der kulturellen Kommunikation beschränkt.

Die Vorgeschichte der mod. S. wird aus einer Vielzahl von Disziplinen seit der Ant. rekonstruiert [31. 3], in denen Zeichenkonzeptionen erarbeitet wurden (mesopotamische und griech. Mantik, Medizin, Geogr., Astronomie, Gramm., Sprachtheorie, Logik und Rhet. [26]), oder die selbst, vornehmlich in der philos. Erkenntnistheorie, als Zeichentheorie angelegt wurden (vgl. [15. 109–14]). Neben den einflußreichen Beitr. des Aristoteles, der Stoiker und des ersten Semiotikers im mod. Sinne, Augustinus, sind speziell für die S. der Literaturwiss. die Analysen der Poetik zur Metaphern- und Symboltheorie relevant, da diese sich mit Sonderklassen von Zeichen beschäftigen [16]. Beispiele für explizit semiotische Modelle finden sich etwa in der aus alexandrinischer Homerexegese entwickelten christl. Allegorese und Typologie, nach deren Regeln die biblischen Texte als Bezeichnungssysteme gelesen werden, die auf verborgene Bed. verweisen.

Im 20. Jh. hat die S. einen immensen Aufschwung erlebt und kann derzeit als aussichtsreichste Konzeption einer gemeinschaftlichen Basistheorie der Kulturwiss. gelten, da alle Wiss. selbst zeichentheoretisch fundiert sind und zugleich ihre Gegenstände in semiotischen Perspektiven analysieren können. Die histor. und inhaltlich begründete Nähe der S. zur Hermeneutik und Ästhetik wird zunehmend als Möglichkeit erkannt, die S. als allg. Interpretationstheorie (U. Eco) metatheoretisch zur Integration verschiedener Ansätze der Lit.- und Kulturwiss. zu nutzen, die als Analysen jeweils anderer Relationen innerhalb des Zeichenkomplexes definiert werden können.

B. DIE SPRACHWISSENSCHAFTLICH-STRUKTURALISTISCHE TRADITION IM 20. JAHRHUNDERT

Zunächst unabhängig von der philos. Trad. haben sich im 20. Jh. die in engem Kontakt mit der mod. Kunst entstandene sowjetische S. (V. Ivanov, V. Toporov, J. Lotman) und die sprachwiss.-strukturalistischen S. entwickelt. Der Linguist F. de Saussure gilt aufgrund seiner Hinweise auf eine noch nicht existierende Wiss. vom Leben der Zeichen im sozialen Raum als Vorläufer der Semiotik. Seine dyadische Konzeption des sprachlichen Zeichens als einer von der Sprachgemeinschaft festgelegten Verbindung eines Signifikanten (Lautbild) mit einem Signifikat (Vorstellung), das sich lediglich als differentieller Wert innerhalb des Systems beschreiben läßt, hat Modellcharakter für die strukturalistischen Theorien auch nicht-sprachlicher Zeichen erlangt (vgl. [30]). In der Nachfolge Saussures wurden Inhalts- und Ausdrucksebene des Zeichens als autonome Bereiche mit eigenen Gesetzmäßigkeiten aufgefaßt, so daß gegenüber dem traditionellen *aliquid stat pro aliquo* dem Signifikant und der Form ein weit höherer Stellenwert zukam (vgl. zur Ästhetik [34. 5–10, 13 f.]). Zum Vorbild für die Analyse von Zeichensystemen in den strukturalistischen S. wurde auch die Entdeckung der Prager Phonologen, daß sich noch unterhalb der Minimaleinheiten (Phoneme) ein System universaler distinktiver Merkmale ausmachen läßt, dessen binäre Ordnung (Fehlen *versus* Vorhandensein der Merkmale) alle existierenden Sprachen zu beschreiben erlaubte (R. Jakobson). In der Prager Ästhetik (J. Mukarovský) wurde das ästhetische Zeichen als selbstreferentielle, plurifunktionale Einheit konzipiert, die nicht auf kognitive oder emotive Funktionen reduziert werden kann (Autonomie des ästhetischen Zeichens). L. Hjelmslev betont in seiner Glossematik die unauflösbare Einheit von Ausdrucks- und Inhaltsseite eines Zeichens und unterscheidet die ideale Verbindung eines Ausdrucks mit nur einem Inhalt (Denotation) von den Zeichen, auf deren Inhaltsseite mehrere Elemente stehen, die selbst Inhaltsseiten komplexerer Zeichen darstellen (Konnotation). Das dyadisch konzipierte Zeichen erweitert Hjelmslev in Schichten (stratisch) zu einer Einheit von sechs Größen: Inhalts- und Ausdrucksform, semiotisch geformte Inhalts- bzw. Ausdruckssubstanz und semiotisch amorphe Inhalts- bzw. Ausdrucksmaterie.

A.J. Greimas geht in seiner narrativen Text-S. von einer aufsteigenden Produktion des Diskurses aus und unterscheidet von einer Oberflächensyntax und -semantik eine nach binären Oppositionen analysierbare Tiefensemantik und eine Tiefensyntax aus abstrakten Aktantenkonstellationen. Aus vier konträren und kontradiktorischen Oppositionen entsteht das sog. semiotische Quadrat, das gemeinsam mit der Annahme der semantischen Kohärenz von Texten (Isotopie) zum Grundprinzip der Analyse wird. R. Barthes hat 1964 Grundlagen einer strukturalistischen S. als Unterabteilung der Linguistik entwickelt. Da Bedeutungsgebung (*signification*) sich als Akt der Vereinigung von Signifikat und Signifikant auffassen läßt, soll S. als Wiss. der Teilungen versuchen, ›die Gliederungen zu entdecken, denen die Menschen das Reale unterziehen‹ [3. 48]. Nachdem im *System der Mode* (1967) die Konnotationstheorie noch der Entlarvung ideologischer Zusätze dient, wird in *S/Z* (1970) und *Reich der Zeichen* die Idee einer ideologiefreien denotativen Bed. selbst als Mythos angesehen, der die unendliche Interpretation künstlich zu begrenzen sucht. Da die Mehrdeutigkeit (Polysemie) nicht hintergehbar ist, können einzig die Signifikanten, nicht ihre Signifikate Gegenstand der S. sein.

Die breite Rezeption der strukturalistischen S. hat zu dem oftmals beklagten Irrtum geführt, daß der Strukturalismus mit der S. gleichzusetzen sei. Dieser stellte jedoch nur eine sehr spezifische Anwendung semiotischer Perspektiven dar, deren Beschränkung auf das dyadische Zeichenmodell zum einen verbale Bedeutungssysteme privilegierte, zum anderen durch die Ausblendung des Zeichenbenutzers und seiner individuellen Interpretationsweisen den h. favorisierten Anschluß an die Hermeneutik und Ästhetik unmöglich machte. Entscheidende Schritte zur Erweiterung der sprachwiss. Trad. auf die philos. S. hatte bereits R. Jakobson gemacht, der über Augustinus unabhängig von de Saussure zu ersten semiotischen Überlegungen gekommen war [15. 29, 258].

C. DIE SEMIOTIK IM ANSCHLUSS AN C. S. PEIRCE
Als Begründer der mod. philos. S. gilt C. S. Peirce, der unter Rückgriff auf die Trad. seit der Ant. (bes. Philodem, vgl. [27. i-vi]) die S. als Universalwiss. konzipierte. Vereinfacht ist für Peirce jedes Zeichen eine Relation zw. einem wahrnehmbaren Objekt, das als Zeichen verstanden wird (Repräsentamen), der bezeichneten Sache und einer im Geist produzierten Vorstellung (Interpretant). Der Interpretant ersetzt den klass. Begriff der Bed. und meint die Wirkung des Zeichens auf den Interpreten, die unterschieden werden kann in die mögliche, die tatsächliche und schließlich die ideale Wirkung, zu der jeder Interpret bei ausreichender Dauer des faktisch unendlichen Prozesses der Semiose gelangen könnte. Zugleich ist der Interpretant der ›Schlüssel, den der Empfänger bei der Decodierung der Nachricht für das Verständnis verwendet‹ [15. 117]. Aus Philodems Schrift über die Zeichen stammt der Begriff »Semiose«, mit dem Peirce die Vorgänge zw. Zeichen, Gegenstand und Interpretant bezeichnet [25. Bd. 5. 484]. Semiose ist in der Zeicheninterpretation der unendliche Prozeß, an dessen idealem E. alle Bedeutungsdimensionen eines Zeichens entschlüsselt wären [2]. Semiotik kann daher definiert werden als ein theoretischer Diskurs über semiosische Phänomene [8. 284], als ›Disziplin, die sich mit der Grundbeschaffenheit und den grundlegenden Erscheinungsformen jeder möglichen Semiose beschäftigt‹ [25. Bd. 5. 488]. Nach der Art des Objektbezuges der Zeichen unterscheidet Peirce das Ikon (verweist aufgrund ihm eigener Eigenschaften auf ein Objekt), den Index (mit dem Objekt durch Kausalität oder raum-zeitliche Kontiguität verbunden) und das Symbol (mit dem Objekt durch ein Gesetz verbunden). Als wichtiges semiotisches Schlußverfahren von einem Einzelfall auf eine hypothetische allg. Regel hat Peirce in Anlehnung an die *apagogé* (Aristot. an. pr. 2,25) die Abduktion ausgemacht, die in analoger Weise z. B. von einem Leser bei der Entschlüsselung eines poetischen Zeichens und in der wiss. Textanalyse angewandt und von der Gemeinschaft der Zeichenbenutzer (z. B. der *scientific community*) anerkannt oder verworfen wird (U. Eco).

Im Anschluß an Peirce' Rezeption der Trias Gramm., Logik und Rhet. hat C. Morris [21] im triadischen Zeichenmodell die drei Dimensionen der S. verankert, die strenggenommen jeweils dyadische Relationen untersuchen: die Syntaktik (Relationen zw. mehreren Zeichenträgern, also die Zeichenkombinationen), die Semantik (Relationen zw. Zeichenträgern und Designata) und die an human. Rhet. orientierte [1. 154–63] Pragmatik (Relationen zw. Zeichenträger und Interpret). Die Übernahme von Kommunikationsmodellen aus Informationstheorie und Kybernetik führte hier allerdings zunächst zu einer einseitig technisch konzipierten S., die dem Druck zur Objektivierung der Methoden in den Geisteswiss. Rechnung tragen sollte [32. 14]. Gegenüber der trennenden Hierarchisierung der drei Bereiche durch Morris wird mittlerweile unter dem Einfluß der Sprechakttheorie (J. Austin, J. Searle) die Bed. der Pragmatik für alle drei Relationen betont [32. 74 f.] und dem Eindruck widersprochen, S. sei ein Verbund eigenständiger Wiss. [8. 338]. An die Stelle des semantischen Äquivalenzmodells, das die Relation zw. Zeichen und Bezeichnetem durch eine äquivalente Summe semantischer Marker auszudrücken versuchte, tritt zunehmend die Enzyklopädie-Semantik, die sich am ant. Implikationsmodell der Sprachphilos. und der pragmatischen Anlage der griech.-röm. Rhet. orientiert und in jeder Zeichendefinition auch die mentalen Aktionen des Interpreten und die soziale Dimension berücksichtigt [8. 350 f.; 18. XIV].

D. SEMIOTISCHE KONZEPTIONEN IN KULTURTHEORIE, HERMENEUTIK UND ÄSTHETIK
Die jüngeren Entwicklungen der S. sind zum einen geprägt von einer Orientierung auf eine allg. Kulturtheorie hin (U. Eco), zum anderen von einer fruchtbaren Neubestimmung des Verhältnisses zu Hermeneutik und Ästhetik. Mit dem Begriff der Interpretation als der pragmatischen Dimension der S. wird nicht nur von einer bloßen Beschreibung des Zeichens innerhalb eines Systems von Relationen abgerückt, sondern auch der bereits vor Peirce nachweisbare, enge Zusammenhang zw. Hermeneutik und Zeichentheorie erneut hervorgehoben (z. B. [28. 68 f.]). Indem das Zeichenlesen gegenüber dem Zeichengeben in den Vordergrund rückt [32. 33], schlägt z. B. die literatursemiotische Pragmatik bei der Unt. der beim Lesevorgang vollzogenen Textkonstruktion Brücken zur allg. Theorie des Verstehens [8. 27; 15. 22]. Die Klass. Philol. und Arch. arbeiten wie die neusprachliche Literaturwiss. und die Kunstwiss. mit zahlreichen Begriffen, die die Beziehungen zw. Zeichen bestimmen (z. B. Zitat, Anspielung, Variation etc., vgl. [28a. 156]) und auf jeweils unterschiedliche Symbolsysteme (Kunst, Musik, Lit. etc.) bezogen werden. Deren theoretische Explikation ist Gegenstand sowohl der S. als auch der eng mit ihr verbundenen Hermeneutik, die das Verstehen von Bildern und Symbolen untersucht [28a. 152]. Wesentliche Beitr. zu einer semiotischen Fundierung der Ästhetik wurden von N. Goodman geliefert [28a], dessen Analysen zu den Symptomen des Ästhetischen (z. B. syntaktische oder semantische Dichte, syntaktische Fülle, Exemplifikation) unter anderem das Verständnis ant. Texte in hohem Maße bereichern.

Ein einflußreicher Vertreter einer kulturtheoretisch ausgerichteten S. ist U. Eco, der schon 1968 ([7], vgl. [8]) dem Strukturalismus und dem Dekonstruktivismus die S. als kulturwiss. ausgerichtetes Forschungsprogramm gegenübergestellt hat. Semiotik als Kulturtheorie im Sinne Ecos nimmt zudem wichtige Anregungen aus der Philos. der symbolischen Formen von E. Cassirer auf (vgl. [28. 77–84]), der ebenfalls die verschiedenen Formen symbolischer Repräsentation (Mythos, Geschichte, Religion, Kunst etc.) voneinander abgrenzt und auf die ihnen gemeinsamen, zeichentheoretischen Grundlagen hin untersucht. Die so konzipierte S. ist daher nicht identisch mit Erkenntnistheorie, die ein Teilgebiet darstellt, und ebenso wenig eine erweiterte Sprachphilos., sondern als Basistheorie allen Wiss. vorgeordnet, insofern diese, einschließlich der Naturwiss., gleichberechtigte Differenzierungen in spezielle Bezeichnungssysteme darstellen. Grundlegend ist Ecos Theorie der Codes als auf kultureller Konvention beruhender Regelsysteme zur Kombination und Transformation von Zeichen. Die Verwendung von Codes zur semantischen Bestimmung eines Zeichens geschieht nicht mechanisch, sondern stellt ein histor. bedingtes Wechselspiel zw. etablierten und individuell modifizierten Enzyklopädien dar. Semiotik beschäftigt sich daher nicht lediglich mit der Decodierung oder Encodierung, sondern berücksichtigt in einer allg. Interpretationstheorie auch die Bedingungen, denen die jeweilige Wahl der Codes durch die Zeichenbenutzer unterliegt und wie sie mit ihrer Hilfe die Interpretation bewerkstelligen. Die so verstandene S. muß sich also nicht mit dem Konstatieren einer unaufhebbaren Polysemie der Zeichen zufrieden geben oder Ambivalenz als fehlerhafte Zeichenbenutzung begreifen, sondern kann die Bedingungen analysieren, unter denen verschiedene Interpretationen zustande kommen und von der Gemeinschaft der Interpreten als legitim oder unzulässig bewertet werden. Ecos S. legt gegenüber dem Postulat prinzipieller Gleichwertigkeit aller Interpretationen Wert auf eine Abstufung gemäß der Beachtung oder Mißachtung von Textsignalen, auf der die intersubjektive Vermittelbarkeit einer Deutung beruht.
→ Sprachphilosophie/Semiotik

1 K.-O. Apel, Transformation der Philos. 1, 1976
2 U. Baltzer, s. v. Semiose, in: HWdPh 9, 599–601
3 R. Barthes, Elemente der Semiologie, 1983 (frz. Orig. 1964) 4 J. Culler, The Pursuit of Signs. Semiotics, Literature, Deconstruction, 1981 5 J. Derrida, Signature, événement, contexte, in: Ders., Marges – de la philosophie, 1972 6 T. Ebert, The Origin of the Stoic Theory of Signs in Sextus Empiricus, in: Oxford Studies in Ancient Philosophy 5, 1987, 83–126 7 U. Eco, Einführung in die S., 1972 (it. 1968) 8 Ders., Die Grenzen der Interpretation, 1992 (it. Orig. 1990) 9 M. Franz, Von Gorgias bis Lukrez. Ant. Ästhetik und Poetik als Vergleichende Zeichentheorie, 1999 10 S. Gersh, Concord in Discourse. Harmonics and Semiotics in Late Classical and Early Medieval Platonism, 1996 11 A. J. Greimas, Strukturale Semantik, 1966 12 Ders., Des dieux et des hommes, 1985 13 Ders., J. Fontanille, Sémiotique des passions. Des états de choses aux états d'âme, 1991 14 L. Hjelmslev, Prolegomena to a Theory of Language, 1961 15 R. Jakobson, S. Ausgewählte Texte 1919–1982, hrsg. v. E. Holenstein, 1988 16 J. T. Kirby, Aristotle on Metaphor, in: AJPh 118, 1997, 517–554 17 P. Kragelund, Dream and Prediction in the Aeneid. A Semiotic Interpretation of the Dreams of Aeneas and Turnus, 1976 18 G. Manetti, Theories of the Sign in Classical Antiquity, 1993 (it. Orig. 1987) 19 Ders. (Hrsg.), Knowledge through Signs, Ancient Semiotic Theories and Practices, 1996 19a Ders. (Hrsg.), Signs of Antiquity/Antiquity of Signs, Versus 50/51, Sonderheft, 1988 20 S. Meier-Oeser, s. v. S., Semiologie, in: HWdPh 9, 601–08 21 C. W. Morris, Zeichen, Sprache und Verhalten, übers. v. A. Eschbach, 1973 22 Ders., Zeichen. Wert. Ästhetik, übers. v. A. Eschbach, 1975 23 W. Noeth, Hdb. der S., ²2000 23a K. Oehler (Hrsg.), Die Aktualität der ant. S., Themenheft der Zschr. für S. 4, 1982, 214–316 24 C. Ohno, Paradigmen der Bedeutungsanalyse von Aristoteles bis Greimas, in: Zschr. für S. 17, 1995, 319–53 25 C. S. Peirce, Collected Papers, 1931–58 26 R. Posner, K. Robering, T. Sebeok (Hrsg.), S./ Semiotics. Ein Hdb. zu den zeichentheoretischen Grundlagen von Natur und Kultur, Bd.1,1 (= Handbücher zur Sprach- und Kommunikationswiss. 13,1) 1997 27 Ders. (Hrsg.), Studies in Logic, Boston 1883 28 H. Schalk, Umberto Eco und das Problem der Interpretation, 2000 28a O. Scholz, Bild, Darstellung, Zeichen, 1991 29 J. Starobinski, Les mots sous les mots, les anagrammes de F. de Saussure, 1971 30 R. Tallis, Not Saussure. A Critique of Post-Saussurean Literary Theory, 1988 31 T. Todorov, Symboltheorien, übers. v. B. Gyger, 1995 (frz. Orig. 1977) 32 J. Trabant, Elemente der S., 1996 33 F. Zeitlin, Under the Sign of the Shield. Semiotics and Aeschylus' Seven against Thebes, 1982 34 P. V. Zima, Lit. Ästhetik, ²1995.

ALEXANDER ARWEILER

Semitistik   A. Definition
B. Anfänge des Studiums semitischer Sprachen in Europa (16.–18. Jahrhundert)
C. 19. Jahrhundert   D. 20. Jahrhundert

A. Definition

Unter S. wird im allgemeinen Sinne die philol., h. meist jedoch im engeren Sinne rein sprachwiss. Erforsch. der semitischen Sprachen verstanden. Ähnlich wie in der Indogermanistik werden dabei sowohl die Einzelsprachen je für sich (→ Arabistik, etc.) wie auch deren Zusammenhänge in lexikalischer, morphologischer bzw. syntaktischer Hinsicht vergleichend untersucht. Obwohl jüd. Grammatikern wie Jehūda ibn Quraiš (10. Jh.) oder Ibn Bārūn (gest. 1128) die Verwandtschaft zw. dem Hebräischen und dem Arab. bereits bekannt war und christl. Gelehrte der frühen Neuzeit wie Guillaume Postel (1510–1581), Sebastian Münster (1488–1552) und Angelo Canini (1521–1557) auch die Nähe des Aramäischen sowie Äthiopischen zu den genannten Sprachen erkannten, wurde der Name »semitisch« für die entsprechende Sprachfamilie erst von Johann Gottfried Eichhorn (1752–1827) in die Wiss. eingeführt [2. 45], der hier einer Anregung des Historikers

August Ludwig Schlözer (1735–1809) aus dem J. 1781 mit dem Hinweis auf die Völkertafel in Gn 10 folgte. Heute werden die semitischen Sprachen meist als Teil einer größeren sog. hamito-semitischen (O. Rössler u. a.) oder sog. afro-asiatischen (I. M. Diakonoff u. a.) Sprachfamilie angesehen, zu der u. a. auch das im folgenden nicht berücksichtigte Ägyptische sowie das Berberische gehören.

B. ANFÄNGE DES STUDIUMS SEMITISCHER SPRACHEN IN EUROPA (16.–18. JAHRHUNDERT)

Die für das Abendland wichtigste »semitische« Sprache war zweifellos das Hebräische als Sprache des AT. Obwohl die Juden im MA in Spanien und Frankreich bedeutende Sprachgelehrte hervorbrachten, die das Hebräische nach dem Vorbild der arab. Nationalgramm. beschrieben und eine reiche gramm. und lexikalische Lit. im Dienste der Bibelauslegung schufen, erwachte das Interesse am Hebräischen auf christl. Seite erst im Zusammenhang des Renaissancehumanismus (→ Humanismus), hier bes. der sog. christl. → Kabbala (Pico della Mirandola). Nach einem ersten Versuch (1504) von Konrad Pellikan (1478–1556) gelang es Johannes Reuchlin (1454–1522), mit seinen *Rudimenta Hebraica* (1506, Pforzheim) die hebräischen Studien nachhaltig zu fördern.

In It. studierten Gelehrte wie Egidio da Viterbo (1469–1532) und Agostino Giustiniani (1470–1536) neben dem Hebräischen auch das Arab. intensiv, dessen erste knappe Beschreibung Guillaume Postel lieferte. Von äthiopischen Mönchen in Rom erlernte Reuchlins Freund Johannes Potken (ca. 1470–1524) deren Sprache, die er irrtümlich »Chaldäisch« nannte, aber sogleich deren Verwandtschaft zum Hebräischen erkannte (*Psalterium in quatuor linguis*, 1518). Sebastian Münster konnte dann in der Einl. zu seiner aramäischen Gramm. (*Chaldaica Grammatica*, 1527) in einem Vokabelvergleich schon die Zusammengehörigkeit des Hebräischen, Aramäischen (= »Chaldäischen«), Arab. und Äthiopischen erkennen. Die wichtigste zum Aramäischen gehörige Schriftsprache, das Syrische, beschrieben erstmals 1539 Teseo Ambrogio degli Albonesi (1469–1540), Postel (1539) und Angelo Canini 1554, alle übrigens (wenngleich nicht im mod. Sinne) »sprachvergleichend«.

Bis zum E. des 17. Jh. wurden für die damals bekannten semitischen Schriftsprachen zunächst ausreichend ausführliche Gramm. und Lex. verfaßt, und zwar für das Hebräische und Biblisch-Aramäische 1609 bzw. 1615 von Johannes Buxtorf d. Ä. (1564–1629), für das Arab. 1613 (*Grammatica arabica*) von Thomas Erpenius (1584–1624) und 1653 (*Lexicon arabico-latinum*) von Jacob Golius (1596–1667), für das Syrische 1571 von Andreas Masius (1514–1573), und für das klass. Äthiopische sowie das Amharische 1661 bzw. 1698 von Hiob Ludolf (1624–1705). Im Übrigen war das 17. Jh. beherrscht von der sog. harmonischen Sprachbetrachtung der semitischen Sprachen (vgl. z. B. Johann Heinrich Hottinger, 1620–1667: *Grammatica quatuor linguarum Hebraicae, Chaldaicae, Syriacae et Arabicae Harmonica*, 1659). Dies

geschah in engem Zusammenhang mit der Bibelphilol., für die man verschiedene polyglotte Ausgaben der Bibel zur Grundlage nahm, deren wichtigste die Londoner Polyglotte (1653–1657) von Brian Walton († 1661) war. Dieser weniger histor. als vielmehr deskriptiv ausgerichteten Sprachvergleichung ist das *Lexicon Heptaglotton* (1669) von Edmundus Castellus (1606–1684) zu verdanken, das bis h. als materialreiche Vorarbeit für ein noch ungeschriebenes histor.-vergleichendes WB der semitischen Sprachen zu gelten hat. Der Holländer Albert Schultens (1686–1750) leistete v. a. auf lexikalischem Gebiet viel für den Vergleich zw. dem Hebräischen und Arab., das er irrtümlich für eine Tochtersprache des ersteren hielt und dementsprechend in der Zuschreibung »arab.« Grundbedeutungen zahlreicher Wörter des Hebräischen entschieden zu weit ging

Unter dem Einfluß der → Aufklärung gewann das Interesse am Orient neuen Auftrieb, und man sah im Studium der sem. Sprachen nicht mehr nur ein Hilfsmittel zur Bibelauslegung. Den Eigenwert des Arab. für die Geschichte und Literaturgeschichte der islamischen Welt betonte der auch als Altphilologe bedeutende Arabist Johann Jacob Reiske (1716–1774). Noch ganz im Geiste der Aufklärung und nach den Prinzipien der Gramm. von Port-Royal (1660) verfaßt ist die monumentale *Grammaire arabe* (1810; ²1831) von Antoine Isaac Silvestre de Sacy (1758–1838), die jedoch zum Ausgangspunkt für die philol. Aufarbeitung des Arab., v. a. durch Heinrich Leberecht Fleischer (1801–1888), werden sollte.

C. 19. JAHRHUNDERT

Der Aufschwung der histor. Sprachwiss. im frühen 19. Jh., ausgelöst durch die Entdeckung der Zugehörigkeit des Sanskrit zur indoeurop. Sprachfamilie (bahnbrechend hier das erste, 1816 erschienene sprachvergleichende Werk von Franz Bopp) eröffnete auch für die S. neue Perspektiven. Hinzu kam die zunehmende Verfügbarkeit epigraphischen Materials sowie, durch die Entzifferung der Keilschrift, die Erschließung des Akkadischen. Zudem wurden für die »klass.« semitischen Schriftsprachen wie Arab., Syrisch und Äthiopisch immer mehr Texte zugänglich, die eine umfassende kritische gramm. und lexikographische Bearbeitung der Einzelsprachen erlaubten. Auch die Aufzeichnung der gesprochenen semitischen Sprachen und deren Dialekte (v. a. auf dem Gebiet des Vulgärarab.) machte zunehmende Fortschritte.

Die erste vergleichende Gramm. der semitischen Sprachen nahm Ernest Renan (1823–1892), der Begründer des *Corpus Inscriptionum Semiticarum*, in Angriff. Der erste Teil, *Histoire générale des langues sémitiques* (1855), der eine Charakterisierung der sem. Sprachen, Erwägungen über ihren Ursprung, sowie eine Gesch. der semitischen Sprachen und Literaturen enthält, blieb ohne die versprochene Fortsetzung einer vergleichenden Grammatik. Renan versuchte in seiner Darstellung eine h. als überzogen geltende, stark von psychologischen Gesichtspunkten bestimmte Polarität zw. Semitisch und Indogermanisch (bzw. Arisch) und die Superiorität des letzteren nachzuweisen. Diesen Gedanken steht auch der bedeutendste Orientalist des 19. Jh., Theodor Nöldeke (1836–1930), nahe. Seine »Skizze« *Die semitischen Sprachen* (1887; ²1898) resümiert in knapper, luzider Form den Stand der damaligen Forsch. unter bewußtem Ausschluß des Akkadischen. Die *Vergleichende Gramm. der semitischen Sprachen* (1898) von Heinrich Zimmern (1862–1931) legt demgegenüber einen bes. Akzent auf diese neuerschlossene altsemitische Sprache. Der monumentale *Grundriß der vergleichenden Gramm. der semitischen Sprachen* (1908–1913) von Carl Brockelmann (1868–1956), stark von der Schule der Junggrammatiker beeinflußt, sucht methodisch den Anschluß an den Standard der Indogermanistik. Auch Einzelthemen wurden vergleichend behandelt; so legten z. B. Paul de Lagarde (1827–1891) und Jacob Barth (1851–1914) ausführliche Monographien zur Nominalbildung der semitischen Sprachen vor (1889 bzw. 1891).

Die Erforsch. der Einzelsprachen machte sowohl auf gramm. wie lexikographischem Gebiet große Fortschritte. Bedeutsam waren Nöldekes *Mandäische Gramm.* (1875), die diese aramäische Sprache histor.-vergleichend darstellte, während seine *Syrische Gramm.* (1898) ausdrücklich darauf verzichtete. Für das Hebräische wurden am wichtigsten die Grammatiken von Wilhelm Gesenius (1786–1842), 1813, in der Bearbeitung von Emil Kautzsch (1841–1910) seit 1878 (²⁸1909), Heinrich August Ewald (1803–1875; 1827 bzw. 1870), Justus Olshausen (1800–1882; 1861) und Bernhard Stade (1848–1906; 1879). Für das Arab. waren neben den tiefschürfenden Annotationen von Fleischer (*Kleinere Schriften*, 1–2, 1886–1888) zu de Sacys *Grammaire* v. a. die Grammatiken von Ewald (1803–1875; 1831–1833) und William Wright (1848–1892; 1874/5) sowie Arbeiten von Nöldeke (*Zur Gramm. des klass. Arab.*, 1896) und Hermann Reckendorf (1863–1923), der sich in seinem Werk *Die syntaktischen Verhältnisse des Arab.* (1895–1898) stark von junggrammatischen Anschauungen leiten ließ, wegweisend. Für das Äthiopische schufen August Dillmann (1823–1894) und Franz Prätorius (1847–1927) die maßgeblichen Grammatiken (1857; ²1903; 1886), letzterer auch zum Amharischen (1879) und zum Tigriña (1871). Auf dem Gebiet der Lexikographie verhalf Gesenius dem Prinzip der inneren histor. Gliederung des hebräischen Wortschatzes zum Durchbruch (*Hebräisch-dt. HWB*, 1812–1814). Friedrich Delitzsch (1850–1922), der Pionier der Assyriologie, faßte in seinen Prolegomena eines neuen hebräisch-aramäischen WB (1886) erstmals den lexikalischen Ertrag der assyriologischen Forsch. nicht nur für die Hebraistik, sondern die S. insgesamt zusammen. Für das Syrische vermochte Robert Payne Smith (1819–1895) in Zusammenarbeit mit zahlreichen Kollegen den umfangreichen, aus den Quellen erarbeiteten *Thesaurus Syriacus*, 1868–1897; Suppl. 1927) herauszugeben; mehr noch als Payne Smith berücksichtigte Carl Brockelmann in seinem knappen *Lexicon Syriacum* (1895; ²1928)

die Ergebnisse der vergleichenden semitischen Lexikographie. Für das klass. Äthiopische (Geez) schuf 1865 Dillmann das maßgebliche, auf semitistischer Grundlage beruhende Werk.

D. 20. JAHRHUNDERT

Drei Tendenzen bestimmen die semitistische Forsch. des 20. Jh.: Der Aufschwung der Epigraphik sowohl im Bereich des Nordwestsemitischen (Entdeckung des Ugaritischen und Eblaitischen) wie auch des Altsüdarab., ferner zugleich mit der Entwicklung neuer Methoden dialektologischer Feldforsch. die zunehmende Erschließung lebender Idiome (v. a. arab. Dialekte und äthiopische Sprachen) und schließlich, mit dem eben genannten oft einhergehend, die gründliche Erforsch. auch kleinerer, weniger reich bezeugter Sprachen, seien es ältere, bislang vernachlässigte Sprachen wie z. B. das Syro-Palästinische, oder bislang unbekannte schriftlose Sprachen wie die verschiedenen neuaramäischen Dialekte oder die neusüdarab. Sprachen.

Brockelmanns *Grundriß* war zwar zum Zeitpunkt seiner Vollendung schon darin veraltet, daß die Berücksichtigung des Akkadischen nicht ausreichend war; zu größeren neuen Synthesen kam es aber abgesehen von der herausragenden Einführung in die semitischen Sprachen (1928; engl. 1983) von Gotthelf Bergsträsser (1886–1933) erst nach dem II. Weltkrieg (Fleisch 1947; Levi Della Vida 1961; Moscati et al. 1964; Hetzron 1997; Lipinski 1997; Kienast 2001). Ein vergleichendes gesamtsemitisches WB bleibt ein Desiderat; bisher liegt lediglich ein unvollendetes *Dictionnaire des racines sémitiques* von D. Cohen (1970ff.) vor. Von der Behandlung zahlreicher Einzelfragen aus dem Bereich von Phonologie, Morphologie und Syntax sind hervorzuheben die Studien von M. Cohen (1924) und O. Rössler (1950) zum semitischen Verbalsystem.

Die Erforsch. der semitischen Einzelsprachen kann hier nur für die wichtigeren Sprachen grob angedeutet werden. Für das Akkadische bildete der *Grundriß der Akkadischen Gramm.* (1952; ³1995) von W. v. Soden (1908–1996) die Grundlage für alle weitere Einzelforschung. Auf lexikographischem Gebiet ist neben v. Sodens *Akkadischem HWB* (1965–1981) das noch unvollendete umfangreiche *Chicago Assyrian Dictionary* (1956ff.) zu nennen. Für das Hebräische blieb die Neubearbeitung der Gramm. von Gesenius durch Bergsträsser ein Torso; lexikographisch bedeutet das *Hebräische und Aramäische Lex. zum AT* von W. Baumgartner et al. (1967–1996) einen wichtigen Fortschritt. Auch spätere Stadien (z. B. Mischna-Hebräisch, ma. Hebräisch) bzw. Dialekte des Hebräischen (z. B. Samaritanisch) wurden nun erforscht. Auch das nächst verwandte Phönizisch-Punische und das in den 1920er J. entdeckte Ugaritische können inzwischen als gut erschlossen gelten. Für das Aramäische liegen die wesentlichen Fortschritte in der Erschließung der verschiedenen Varietäten des Altaramäischen (Reichsaramäisch, Nabatäisch, Palmyrenisch, Qumran) sowie des Neuaramäischen, hier v. a. des Neuwestaramäischen und des Neuostaramäischen (v. a. Turoyo). Ein vergleichendes aramäisches WB ist geplant. Für das Arab. ist das großangelegte lexikographische Projekt des *WB der klass. arab. Sprache* (1957 ff.) bisher nicht über die Bearbeitung der beiden Buchstaben Kâf und Lâm hinausgekommen. Für die mod. Schriftsprache schuf H. Wehr (1909–1981) ein ausgezeichnetes HWB (1952; ⁵1985). Wichtig ist die Erforsch. der christl. und jüd. Varietäten des sog. Mittelarab. durch J. Blau. Die arab. Dialekte wurden im Zusammenhang erstmals von W. Fischer und O. Jastrow (*Handbuch der arab. Dialekte*, 1980) dargestellt. Zu zahlreichen arab. Dialekten liegen inzwischen Monographien und z. T. auch Wörterverzeichnisse vor. Ein vergleichendes Dialektwörterbuch bleibt ein Desiderat. Bemerkenswert ist auch der Aufschwung, den die Erforsch. der arab. Nationalgrammatik genommen hat. Für das klass. Äthiopische (Geez) legte W. Leslau 1987 ein *Comparative Dictionary* vor, das nicht nur die semitische Etymologie, sondern auch die Entwicklung in den neueren äthiopischen Sprachen berücksichtigt, die ihrerseits als inzwischen relativ gut erschlossen gelten können Die Erforsch. der verschiedenen altsüdarab Sprachen, v. a. des Sabäischen, hat durch zahlreiche neue Funde erhebliche Fortschritte gemacht. A. F. L. Beeston verfaßte eine *Sabaic Grammar* (1984) und zusammen mit M. A. Ghul, W. W. Müller und J. Ryckmans ein *Sabaic Dictionary* (1982). Die neusüdarab. Sprachen wurden zunächst von D. H. Müller (1846–1912) und M. Bittner (1869–1918) erforscht, nach dem II. Weltkrieg in großem Umfang von T. M. Johnstone (1924–1983).

→ AWI Afroasiatisch; Ägyptisch

1 H. BOBZIN, Gesch. der arab. Philol. in Europa bis zum Ausgang des 18. Jh., in: W. FISCHER (Hrsg.), Grundriß der arab. Philol., Bd. 3, 1992, 155–187 2 G. EICHHORN, Einl. ins AT. Theil I, Leipzig 1787 3 J. FÜCK, Gesch. der Semitischen Sprachwiss., in: HbdOr I/3, 1964, 31–39 4 J. H. HOSPERS, A Hundred Years of Semitic Comparative Linguistics, in: Studia Biblica et Semitica, Th.C. Vriezen ... Dedicata, 1966, 138–151.   HARTMUT BOBZIN

Sentenz s. Aphorismus

Sepulchralkunst A. COLUMBARIUM B. ARKOSOLGRAB C. SARKOPHAG D. FIGÜRLICH DEKORIERTE GRABMALE E. STELE F. CIPPUS G. OBELISK/PYRAMIDE H. LANDSCHAFTSGRAB I. GRABSÄULE

A. COLUMBARIUM

In der frühen Kaiserzeit ist das nach ant. Grabrecht *extra muros* angelegte Columbarium, eine mit Nischen versehene Wand zur Aufnahme der Asche-Urnen, die vorherrschende Bestattungsform. Nachdem Karl d. Gr. die Feuerbestattung verboten hatte, unterlag das Columbarium-Motiv in der Neuzeit einem Bedeutungswandel: Die gewölbte Wandnische (*loculus*) wurde als Depositorium für Kleinkunst genutzt (Antiquarium). Moritz von Nassau-Siegen verband 1678 beide Auffas-

sungen (Grab- und Ausstellungsform) in seinem Grabmonument in Bergendael: Die halbkreisförmig angelegte Mauer, mittig von einer Tumba unterbrochen, ist durch *loculi* mit eingestellten Antiken gegliedert.

Erst nachdem 1726 das Columbarium samt Inventar an der Via Appia ausgegraben worden war, fand der Grabtyp, verbreitet in zahlreichen Publikationen (F. Bianchini, *Camera ed inscrizioni sepulcrali*, 1727; als Einzelmotiv bei G. B. Piranesi, *Antichità Romane*, 1756), wieder Eingang in die Sepulchralkunst. 1836 übernahm G. Semper das Columbarium-Motiv der Livia Augusta als Wandprospekt für den Mumiensaal der Dresdner Antikensammlung (zerstört). Ein 1767 gestochenes Gedenkblatt für Winckelmann (Abb. 1) zeigt seinen Sar-

Abb. 1: Gedenkblatt für J.J. Winckelmann, in: D'Hancarville, *Antiquités étrusques, grecques et romaines* ... I-IV, 1766-1767; Titelvignette, I

kophag in einem pantheonartigen Columbarium (D'Hancarville, *Antiquités etrusques, grecques et romaines tirées du Cabinett de W. Hamilton*, 1766–67). Die Wiederaufnahme der Brandbestattung und die Suche nach hygienischen Lösungen rief eine Ren. des Columbarium-Motives während der → Aufklärung bis ins 20. Jh. hervor; v. a. in den Mittelmeerländern (Barcelona, Columbarium del Este; Sevilla, Columbarium de San Fernando). Als Motiv der zeitgenössischen Arch. präsentierten F. Mulas und E. Rosato auf der Biennale di Venezia 1980 eine Columbarium-Wand [6].

Abb. 2: Giuliano da Sangallo,
Grabmal des Francesco Sassetti,
1495. SS. Trinità, Florenz

B. ARKOSOLGRAB

Von den Loculusgräbern der Katakomben zweigen Grabkammern (*cubicula*) mit angelegten Nischen ab, die dem Sarg (*solium*) und damit dem Verstorbenen einen würdigen Rahmen (*arcus*) verleihen. Diese Konnotation ließ das Arkosolgrab zur bevorzugten Grabform für Herrscher werden: vgl. Konstantin und byz. Kaiser (Apostelkirche, Konstantinopel); Dagobert I. († 639, St.-Denis, Paris), Papst Gregor III. († 741, ehem. St. Peter, Rom) und Karl d. Gr. († 814, Dom, Aachen).

In Variationen fand das Arkosolgrab v. a. in romanischen Ländern Verbreitung und wurde als ant. Würdemotiv bis ins 18. Jh. rezipiert; v. a. bei Papstgräbern (z. B. Hadrian V., † 1276, S. Francesco, Viterbo; Paul III., † 1549, St. Peter, Rom, von G. della Porta; Urban VIII., † 1644, St. Peter, Rom, von L. Bernini; Clemens XIV., † 1774, St. Peter, Rom, von A. Canova) und hochgestellten Personen (Otger u. Benedikt, um 1160, ehemals St.-Faron, Meaux; Sassetti-Grab, 1495, S. Trinità, Florenz, von G. da Sangallo; Abb. 2), wobei im 18. Jh. die schlichte Architekturfolie (im Gegensatz zum Barock) wieder der Ant. entsprach. Die Genese des Arkosolgrabes ist eng mit der Sarkophag-Aufstellung verbunden.

C. SARKOPHAG

Die Herstellung von oberirdisch aufzustellenden Sarkophagen erlebte durch den Übergang zur Körperbestattung einen enormen Aufschwung; diese ant. Trad. wurde im 5. Jh. (in Ravenna ab dem 8. Jh.) durch die Erdbeisetzung unterbrochen. Bis zur wieder einsetzenden Sarkophag-Produktion in der Proto-Ren. (1150–1250) wurde auf ant. Sarkophage zurückgegriffen (Karl d. Gr., Proserpina-Sarkophag, Aachen; Grafen v. Spoleto, S. Pietro in Valle, Rom, 8./9. Jh.). Vor allem Päpste versuchten mittels ant. Kaiser-Sarkophage ihren imperialen Anspruch zu manifestieren: Innozenz II. († 1143)

ließ sich im Hadrians-Sarkophag (verschollen) und Anastasius IV. († 1154) im sog. Helena-Sarkophag (Vatikanische Mus.) bestatten. Kirchliche Würdenträger und Herrscher übernahmen das päpstliche Privileg und gaben neue Sarkophage in Auftrag (Bischof Arnulf, † 1181, Kathedrale, Lisieux; König Heinrich III., † 1272, Westminster Abbey).

In Frankreich und Deutschland wurde im MA der Tote gewöhnlich unter der Erde mit einer darüberliegenden Platte oder Tumba bestattet; auch bei repräsentativen Grabanlagen (vgl. Kaiser- und Königsgräber im Dom von Speyer). Die Tumba simuliert den Sarkophag, ohne dessen eigentliche Funktion als »Fleischfresser« (Plin. nat. 34,131) zu übernehmen. Ab dem 14. Jh. übernahm der Adel und die reiche Bürgerschaft den all'antica geformten Sarkophag bzw. die Tumba als histor. legitimierte Würdeform (vgl. Alberto I. della Scala, † 1301, S. Maria Antica, Verona; Medici-Sarkophag, S. Lorenzo, Florenz; Petrarca-Sarkophag, nach 1374, Arquà).

Bis ins 18. Jh. läßt sich der Sarkophag nur selten, danach wieder häufiger und in Variationen nachweisen. So errichtete J. Wiedefelt 1777 für Christian IV. im Dom zu Roskilde einen aufwendig dekorierten Sarkophag, während der Sarkophag für I. Kant (1796) am Königsberger Dom schlicht ausfällt. Erhöht auf einem Sockel findet sich z. B. der Sarkophag für das Ehepaar Schmerfeld (um 1821, Altstätter Friedhof, Kassel), ins Monumentale gesteigert bei der Familie Krupp (1890–1903, Friedhof Bredeney, Essen). Als bes. Auszeichnung wurde der Porphyr-Sarkophag für Napoleon (1861, Invalidendom, Paris, von T. Visconti) in eine offene, kreisrunde Krypta integriert; die Form findet sich (nun im Freien) beim Martin Luther King Memorial (1968, Atlanta) wieder.

D. Figürlich dekorierte Grabmale

In frühchristl. Zeit unterband das allg. Bilderverbot den Typus des figürlich dekorierten Sarkophages der Etrusker und Römer. Dieser Zustand reichte mit Ausnahmen bis ins hohe MA. Erst E. des 11. Jh. (vgl. Rudolf von Schwaben, † 1080, Merseburger Dom) avancierte das figürliche Grabbild zu einer der wichtigsten Aufgaben ma. Plastik. Die möglichen ant. Voraussetzungen dafür – Mosaik [10], Sarkophag [1], Stele [7] – werden kontrovers diskutiert. Zunehmende Plastizität kennzeichnet die weitere Entwicklung der ganzfigurigen Grabreliefs, die in Frankreich und It. erst im 13. Jh. zu verzeichnen ist. Die *gisants* von Eleonore v. Aquitanien († 1204) und Heinrich II. († 1189) liegen in Fontevrault auf einem Prunkbett, Clemens IV. († 1268, S. Francesco, Viterbo) auf dem Sarkophag. Die den Grabfiguren eigene Ambivalenz (liegend/stehend, tod/lebendig) ist für das MA charakteristisch. In der etr. S. überwog hingegen die Form der (ent-)schlafenen Figur, wie etwa von J. della Quercia (Ilaria del Carretto, † 1406, Lucca, Dom) rezipiert, oder der gelagerten Figur mit erhobenem, vom Arm gestütztem Oberkörper, wie von A. Sansovino (Kardinal Ascanio Sforza, ca. 1505, S. Maria del Popolo, Rom; Abb. 3) aufgegriffen. Beide Formen fanden reichhaltigen Nachklang: V. Balbiani, nach 1580, Louvre, von G. Pilon. Bemerkenswert ist auch die engl.

Abb. 3: Andrea Sansovino, Grabmal des Kardinals Ascanio Sforza, 1505. S. Maria del Popolo, Rom

Ausprägung, Liegende und Lagernde auf einem Grabmal zu vereinen [10]; P. E. Monnots Grab der Eheleute Cecil (nach 1703, St. Martin, Stamford) und der Sarkophag-Entwurf (1786) für Friedrich d. Gr. von Johann Gottfried Schadow. Dieser ist es dann auch, der im Grabmal des Grafen von der Mark (1790, Nationalgalerie, Berlin) eine »totale« Ant. nach Form und Inhalt zitiert [2]: Der Knabe ist als Schläfer charakterisiert, wie Lessing es in *Wie die Alten den Tod gebildet* (1769) vorgegeben hatte; Tod (Thanatos) und Schlaf (Hypnos) werden als Geschwister verstanden. Diesen Todesschlaf schläft auch Königin Luise (C. D. Rauch, 1815). Die lagernde Grabfigur findet sich bis ins 20. Jh. (Grab der Paula Modersohn-Becker, 1907, Worpswede). Neben der waagerecht angeordneten Grabfigur bildet sich ab 1820 das freiplastische Grabstandbild aus, v. a. für Krieger und Feldherrn (W. Potocki, 1832, Dom zu Krakau, von B. Thorvaldsen); Mitte des 19. Jh. auch für Personen anderer Stände, bevor es sich dann im repräsentativen Figurendenkmal (→ Denkmal) auflöst.

Gemeinsam ist allen figuralen Grabtypen, daß sie die Verstorbenen und ihre Verdienste beschreiben: Anfangs stets idealisiert in Gestalt und Lebensalter, tritt vereinzelt im 14., verstärkt im 15. Jh. individuelle Bildnishaftigkeit im neuzeitlichen Sinne auf. Neben Grabfiguren schmücken Portraitmedaillons in Form der ant. *imago clipeata* und Bildnisbüsten die Grabmäler. Im Zuge der Aufklärung wird nicht nur der Person, sondern dem Phänomen Tod und damit auch der Hinterbliebenen in Form von antikischen Trauergenien (vgl. ma. *Pleurants*) gedacht. Ästhetische Betrachtungen über ant. Todesikonographie (Lessing, Herder, Winckelmann), in denen Tod und Schlaf als Geschwisterpaar (vgl. sog. Ildefonso-Gruppe, Prado, Madrid) auftreten, verankern den mit Mohnkapseln geschmückten Todesgenius in der klassizistischen S. (vgl. A. Böhmer, 1812, Kopenhagen, Thorvaldsen Museum; Stuart-Monument von Canova, s. u.). Damit waren die »Entschlafenen« dem Diesseits näher als dem Jenseits. Auf europ. Friedhöfen gehört der Genius bis ins 20. Jh. zum festen Repertoire.

E. Stele

Erst E. des 18. Jh. wurde die in der etr. und griech. S. ausgebildete, mit Inschr. und Reliefbild versehene Stele wieder aufgegriffen (Germain J. Drouais, 1789, S. Maria in Via Lata, Rom, von Claude Michallon). Die Wand-Stele folgt formal u. inhaltlich dem Epitaph (da sich die eigentliche Grablege an einem anderen Ort befindet), die Frei-Stele stehenden Friedhofsgrabplatten – jedoch antikisch, ohne christl. Konnotationen: Darstellungen des Verstorbenen in ewiger Anbetung, Szenen aus dem Leben Christi oder inschriftliche Aufforderungen, für das Seelenheil des Verstorbenen zu beten, werden durch Trauerfiguren (Allegorien oder Stifterfiguren) ersetzt, die sich an die subjektiv anteilnehmenden Gefühle des Betrachters wenden. Antike Proportionen, Darstellungen des Verstorbenen als Lebender und ihn begleitende Trauergenien setzen sich ab 1800, verstärkt um 1830 durch, nachdem der Ergänzungsband zu Stuarts und

Revetts *Antiquities of Athens* und die *Gräber der Hellenen* (1837) von O. M. v. Stackelberg mit zahlreichen griech. Stelen publiziert worden waren (Ridolfo Schadow, 1823, S. Andrea delle Fratte, Rom, von E. Wolff). Die Rahmenlosigkeit der att. Stelen-Reliefs erscheint früh bei Canova (G. Volpato, 1807, SS. Apostoli, Rom; Abb. 4).

Abb. 4: Antonio Canova, Stele für Giovanni Volpato, 1804-1807. SS. Apostoli, Rom

Die Frei-Stele findet sich anfangs verstärkt auf frz. Friedhöfen, bevor sie ab 1835 in Variationen (vgl. die von K. Fr. von Schinkel erstmalig umgesetzte palmettenbekrönte Stele für Fr. Hermbstädt, 1834, Dorotheenstädt. Friedhof, Berlin) auf zahlreichen europ. Nekropolen bis ins 20. Jh. hinein vorkommt (H. v. Marées, † 1887, Rom; A. Furtwängler, † 1907, Athen).

F. CIPPUS

Der Cippus wird erst im → Klassizismus v. a. durch G. B. Piranesis Werk *Vasi, Candelabri, Cippi, Sarcofagi* (1778) rezipiert. Vom Grabaltar unterscheidet sich der Cippus nur durch die giebelförmige Bekrönung mit Akroterien und findet sich hauptsächlich im Freien: J. J. Rousseau, Park von Ermenoville, 1778 und dessen Kenotaph, Wörlitz, 1782; General L. C. Desaix, 1800, am Rhein bei Straßburg, von Fr. Weinbrenner. Im Innenraum tritt der Cippus vereinzelt ab 1810 auf (Grab der drei Kinder Baciocchi, 1813, S. Petronio, Bologna), analog zum Sarkophag auf einem Sockel stehend, von Figuren flankiert. Die 1819 von Canova im Stuart-Monument (Kardinal Karl Eduard, St. Peter, Rom)

vorgenommene Umprägung, den Cippus obeliskenhaft nach oben zu verjüngen, wirkt bei Friedhofsgrabmälern (v. a. in England) bis ins 20. Jh. nach.

G. OBELISK/PYRAMIDE

Obwohl sich im MA die Legende ausbildete, der vatikanische Obelisk berge Caesars Asche, fand der Obelisk erst über die *Hypnerotomachia Poliphili* (1499) (→ Park VI.) wieder Eingang in die Sepulchralkunst. In der 2. H. des 16. Jh. fungierte der Obelisk als Herrschaftszeichen und als Symbol für das ewige Leben, bevor er im 17. Jh., von Frankreich ausgehend, als autonomes Grabmonument eingesetzt wurde (Herzöge von Longueville, nach 1663, François Anguier, → Paris, Louvre). Vereinzelt finden sich freistehende Obelisken im Innenraum (vgl. die Grabanlage für Wilhelm den Schweiger, Nieuw Kerk, Delft, 1609–1623 von Hendrik de Keyser); am häufigsten tritt bis zum E. des 18. Jh. der reliefhaft auf die Wand projizierte Obelisk auf. Auf dem Friedhof kehrt sich das Verhältnis um, wobei die Obeliskspitze zugunsten von Aufbauten (Urnen, Vasen) gekappt sein kann. Im 19./20. Jh. wird der Obelisk, Ruhm und Ehre symbolisierend, zu einem der wichtigsten Elemente in der S. (C. D. Rauch, † 1857, Dorotheenstädt. Friedhof, Berlin; Ludwig Feuerbach, † 1872, Johannisfriedhof, Nürnberg). In It. tritt der Obelisk, dem ant. Vorbild folgend (Obelisk für Kaiser Vespasian, 79 n. Chr.), häufig gedoppelt auf (Ferrara, Mantua).

Die Pyramide als Grabbau ist in der Meta Romuli und der Cestius-Pyramide (ca. 12 v. Chr.) vorgebildet. In der ma. S. ist die Pyramide nicht nachzuweisen; erst Raffael nutzt sie 1515 für das Chigi-Grabmal (S. Maria del Popolo, Rom) und setzt damit einen dominanten Anfangspunkt. Der barocke Grabtypus der Wand-Pyramide wird im → Klassizismus weitergeführt, jedoch in der ornamentalen und figürlichen Ausstattung stark reduziert. Dabei nähern sich die Pyramiden in ihren Ausmaßen der Form der Obelisken. Erst Canovas Grabmal für Christina v. Österreich (1805, Augustinerkirche, Wien) orientiert sich an den Proportionen der Cestius-Pyramide. Vorlagen liefern J. B. Fischer v. Erlach (*Entwurf einer hist. Arch.*, 1721), G. B. Piranesi (*Antichità Romane*, 1756, Bd. 3, T. XL; Abb. 5). Im 19. Jh. treten verstärkt pyramidale → Mausoleen, Anf. des 20. Jh. auch Ehrenmale für gefallene Soldaten bzw. Schlachten auf (vgl. Entwurf von Bruno Schmitz zum Völkerschlachtdenkmal, Leipzig, 1902, verschlankt 1910 ausgeführt; Entwurf von A. K. Burow für das sowjetische Ehrenmal im Treptower Park, 1946).

H. LANDSCHAFTSGRAB

Um 1800 treten, entsprechend den ant. Gräberstraßen und dem aus der Myth. bekannten Elysium, die verschiedenen Grabtypen in freier Natur auf. Neben verschärften hygienischen Bestimmungen im Bestattungswesen, sind es die in P. S. Bartolis *Gli Antichi Sepolcri* (1768) erneut wiedergegebenen Freigräber und Chr. Hirschfelds *Theorie der Gartenkunst* (1780), die die Anlage von Landschaftsgräbern fördern. So nutzt K. Fr. von Schinkel den Rundtempel (ohne Cella) als Grab-

Abb. 5: Giovanni Battista Piranesi,
Römischer Circus (Titelblatt von
Antichità Romane III, 1756)

gehäuse für Veronika Röstel (1813, Landsberg a.d. War-the); als Vorbild fungiert das von Winckelmann als vor-bildliches Grabmal bezeichnete Lysikrates-Denkmal (4. Jh. v. Chr., Athen). Die Tendenz, Friedhöfe Parkan-lagen anzugleichen, setzt Mitte des 19. Jh. in Amerika ein; in Hamburg Ohlsdorf entsteht 1877 der erste »Park-friedhof«, in dem die Grabmale als Stimmungsträger dienen.

I. GRABSÄULE

Die Grabsäule diente in der Ant. als Grab- und Eh-renmal. Obwohl im MA das Wissen etwa um die → Tra-janssäule als Grabmonument nicht verlorenging, wurde die Grabsäule erst wieder in der Ren., hier jedoch v. a. als Ehrenzeichen, eingesetzt. Neubelebt wurde die Grabsäule durch frz. Herzmonumente, die das bei der Balsamierung von Personen hohen Ranges entnom-mene Herz bergen [10]; sie bestehen aus einer Säule mit oben aufgestellter Urne. Grabsäulen finden sich im spä-ten 18., 19. und frühen 20. Jh. auf allen europ. Nekro-polen, wobei sich drei Varianten ausbilden: mit und ohne Kapitell, sowie in abgebrochener ruinöser Form. Während J. G. Schadow für die Gräber seiner Familie Grabsäulen ohne Kapitell entwarf (Dorotheenstädt. Friedhof, Berlin), ließ W. von Humboldt für seine Frau Caroline (†1829, Schloßpark Tegel, Berlin) von K. Fr. von Schinkel und Ch. Rauch eine Grabsäule mit ionischem (= weiblichem) Kapitell erbauen. Bereits die Grabsäule ohne Kapitell symbolisiert Endlichkeit, wenngleich nicht so evident wie die von stimmungs-vollen Ruinenlandschaften beeinflußte abgebrochene Grabsäule.

→ AWI Cippus; Grabbauten; Obelisk; Pyramide; Pyra-midengrab; Säulengrab; Stele
→ Mausoleum

1 K. BAUCH, Das ma. Grabbild, 1976 2 H.-K. BOEHLKE (Hrsg.), Wie die Alten den Tod gebildet. Wandlungen der Sepulkralkultur 1750–1850, Ausstellungskat. Bonn 1979 3 S. BÖHM, Griech. S. im röm. Klassizismus, in: JDAI Rom, 110, 1995, 405–429 4 J. B. HARTMANN, Die Genien des Lebens und des Todes. Zur Sepulchralikonographie des Klassizismus, in: Röm. Jb. der Bibliotheca Hertziana, 12, 1969, 11–38 5 I. HERKLOTZ, Sepulcra e Monumenta del Medioevo. Studi sull'arte sepolcrale in Italia, 1985 6 H. KAMMERER-GROTHAUS, Antikenrezeption und Grabkunst, in: H.-K. BOEHLKE (Hrsg.), Vom Kirchhof zum Friedhof. Wandlungsprozesse zw. 1750 und 1850, 1984, 124–136 7 H. KÖRNER, Grabmonumente des MA, 1997 8 G. E. LESSING, Wie die Alten den Tod gebildet, Berlin 1769 10 E. PANOFSKY, Grabplastik, 1964 9 P. A. MEMMESHEIMER, Das klassizistische Grabmal, 1966.

MARTINA DLUGAICZYK

Serbien I. ALLGEMEIN II. MITTELALTERLICHE KUNST UND ARCHITEKTUR

I. ALLGEMEIN
A. EINLEITUNG B. MITTELALTER
C. 18. JAHRHUNDERT D. 19.–20. JAHRHUNDERT

A. EINLEITUNG

In unmittelbaren Kontakt mit dem Kulturerbe der Ant. kamen die Serben schon bei ihrer Ansiedlung auf dem Balkan. Dank der geopolit. Lage des von ihnen besiedelten Gebietes waren sie den beiden Hälften der ant. Welt zugewandt. In den ersten Jh. ihrer Kulturent-wicklung wurde der Vorrang dem hellenischen Element gegeben, mit dem die Serben in ununterbrochener Ver-bindung standen. Seit dem 18. Jh. lassen sich in der ser-bischen Kultur, Lit. und Sprache starke Einflüsse des röm. Kulturerbes nachweisen.

B. MITTELALTER

Die ma. Kultur und Lit. in S. wurde vom helleni-schen Kulturerbe auf zweifache Art und Weise beein-flußt: unmittelbar durch byz. Quellen, und mittelbar durch Sprache und Literaturschöpfungen.

Die gegenseitige Durchdringung zweier Völker spiegelt sich in erster Linie in der Sprache wider. In der serbischen Sprache gibt es noch h. viele Elemente griech. Herkunft. Es handelt sich dabei wohl um Lehnübers. aus dem Griech., um solche Wörter, die nach griech. Wortbildungsmustern geformt wurden; viele semantische Felder der serbischen Sprache erlebten einen Bedeutungswandel, indem sie durch ähnliche griech. Wörter erweitert und bereichert wurden. Die damalige serbische Literatursprache bildete sich im Prozeß der Übers. griech. Texte ins Serbische aus. Der Einfluß des Griech. kam auf verschiedenen Ebenen zum Tragen: in Lexik, Wortbildung und Syntax beim Erarbeiten von Mitteln und Verfahren des künstlerischen Ausdrucks.

Mittels Übers. der zeitgenössischen byz. Lit. trat die serbische Kultur des MA in direkten Kontakt mit zwei großen Errungenschaften der ant. Kultur: Philos. und Rhetorik.

In den ersten Jahrzehnten des 13. Jh. bahnte der Hl. Sava ein wichtiges Zeitalter in der Geschichte der ma. serbischen Lit. an. Während seines Aufenthaltes in Saloniki ergänzte er seine Sammlung von kirchlichen und weltlichen Gesetzen durch einen kurzen Überblick über die ant. Philos., der von Epiphanius von Salamis (Epiphanius dem Zyprioten) verfaßt worden war. Die Nachfolger des Hl. Sava übersetzten in den darauffolgenden Jh. eine ganze Reihe von theologischen Abh. und Aufsätzen unterschiedlicher Thematik, die in der Spätant. unter den Namen von Pythagoras, Demokrit, Menander und anderen hervorragenden Gestalten der ant. Kultur verbreitet waren. Mitte des 13. Jh. wurde im Kloster Hilandar, wo die serbische Lit. und Übersetzungskunst prächtig gediehen, durch Vermittlung von Johannes von Damaskus die erste Übers. von Aristoteles' *Kategorien* angefertigt. Im nächsten Jh. übersetzte der Mönch Jessais mehrere Kapitel aus Platons *Symposion* und anderen Dialogen.

Im 15. Jh. brachten die Griechen mehrere Mss. ihrer ant. Dichter mit nach S., die hier abgeschrieben, gelesen und weitergegeben wurden. Davon zeugt ein in der zweiten H. des 15. Jh. in Novo Brdo verfaßtes griech. Ms., das Aischylos' Trag. *Der gefesselte Prometheus* und *Sieben gegen Theben* wie auch Pindars *Epinikien* enthält.

Neben den geistlichen Gattungen entstanden in der serbischen ma. Lit. mehrere weltliche Genres, Erzählungen und Romane. Die Sagen zu altertümlichen Themen, *Trojaroman* und *Alexanderroman*, kamen nach S. über die byz. Literatur.

Auch abendländische Ritterromane erreichten das damalige S.: *Tristan und Isolde*, *Bovo von Antona*, *Lancelot*. Deren serbische Übers. wurden nach Rußland weiterverbreitet; die serbische Fassung von *Alexandrida* kam sogar nach Georgien.

Obwohl diese Werke sehr gern gelesen wurden und einen großen Widerhall in der serbischen ma. Lit. fanden, was in Einflüssen auf die mündliche Dichtkunst bes. erkennbar wurde (in dieser Hinsicht sei in erster Linie auf den *Alexanderroman* hingewiesen), wirkten sie nicht nachhaltig auf die Volkslit. ein und brachten keine originären serbischen Erzählungen und Romane hervor.

C. 18. JAHRHUNDERT

Im Laufe des 18. Jh. ereignete sich eine große Wende in der serbischen Kultur. Die byz. Form der Rezeption wurde durch den abendländischen Kulturkreis und die lat. Sprache ersetzt. In diesem Prozeß wurde der Schulbildung eine große Bed. zuerkannt. Die Serben, die auf dem Gebiet der Habsburger Monarchie lebten, wurden an Schulen im deutschsprachigen Raum gebildet, wo sie sich die lat. Sprache als Grundlage ihrer klass. Ausbildung aneigneten. Nach diesem Bildungsmodell wurden gegen E. des 18. Jh. und zu Beginn des 19. Jh. die ersten serbischen Gymnasien eingerichtet. Diese neugegründeten Schulen bereiteten den Weg zu Originalwerken des klass. Altertums.

Nach Gründung der ersten serbisch-lat. Schulen in Belgrad, Karlowitz, Neusatz etc. wurde eine Reihe von Handbüchern für diese Schulen angeboten. Ein Teil davon stammte aus russ. Quellen und wurde in S. abgeschrieben. Zu dieser Zeit erschienen die ersten gedruckten Handbücher für Lat. – ein Lesebuch (1766) und eine Gramm. (1767).

Die Lehrbücher für Poetik und Rhet. wurden auf Lat. verfaßt und den bes. Bedürfnissen der serbischen Schulen angepaßt. Sie befaßten sich systematisch mit ant. Literaturvorlagen. Im Unterricht an serbisch-lat. Schulen im 18. Jh. wurden exemplarisch Autoritäten aus der ant. Lit. aufgegriffen (Homer, Cicero, Caesar, Titus Livius, Cornelius Nepos, Vergil, Ovid, Horaz, Aesopus, Phaedrus, Seneca u. a.).

Größte Aufmerksamkeit wurde an diesen Schulen den Regeln der Versifikation (Lehrsätze über Versfuß, Silben, Quantität usw.) wie auch der Stilistik gewidmet. Neben ant. Dichtern, die dank dieser Latinisierung des Schulwesens die Entwicklung der serbischen Lit. stark beeinflußten, zeigte sich sekundär die Wirkung anderer klassizistischer Literaturen Europas. Abgesehen von dt. Einflüssen (Voß, Klopstock usw.) wurden mit dem serbischen Klassizismus Reflexe aus dem Ungarischen und bes. aus dem Russ. verknüpft.

Der Schriftsteller, der sich im 18. Jh. um die Rezeption der ant. Lit. in S. am meisten verdient machte, war Dositej Obradović. Sein Interesse am Alt. war vorrangig auf didaktisch-aufklärerische Elemente ausgerichtet und umfaßte Philos., Rhet. und andere Literaturzweige. Obradović beschäftigte sich auch mit der röm. Klassik, obwohl in seinen Werken die griech. Klassik eine bevorzugte Stellung einnahm. Sein geistiges Vorbild war Sokrates. Von den Dichtern lobte er am meisten Homer, Pindar und Euripides, aber als belehrender Schriftsteller neigte er am stärksten zu Äsop. Unter den hellenischen Literaturgattungen befaßte er sich am meisten mit Fabeln, die er als Gattung in die serbische Lit. einführte.

Von anderen Übers. aus dem 18. Jh. sind nur noch der Brief des Imperators Diokletian (Zaharije Orphelin), *Cebetis tabula* von Kevit aus Tiwei und *Manuale* von Epiktet (übers. von Dimitrije Nikolajević Darvar) erwähnenswert.

D. 19.–20. JAHRHUNDERT

Am Anf. des 19. Jh., als serbische Publikationen zahlreicher wurden, kam das Interesse an der Ant. noch stärker zum Ausdruck. Die Lit. des griech. Alt. nahm einen bedeutenden Platz in der serbischen Presse und den einschlägigen Zeitschriften ein.

In den ersten zehn J. ihres Bestehens (1825–1835) kann die Zeitschrift *Letopis Matice srpske* als die wichtigste und tatsächlich programmatische Publikation des serbischen Klassizismus bezeichnet werden, obwohl dieser Richtung auch andere ähnliche Zeitschriften angehörten. In *Letopis Matice srpske* wurde im J. 1841 die Übers. der Fabel *Der Kampf der Frösche mit den Mäusen* von Josif Gorjanović veröffentlicht. Die Werke von Anakreon wurden mehrmals übersetzt und in der erwähnten Zeitschrift veröffentlicht (Lukijan Mušicki 1825, Jeftiije Jovanović 1828, Jakov Živanović 1830), später auch in der Zeitschrift *Golubica/Taube* (1839, 1842, 1843, 1844). Sapphos Gedichte wurden der Leserschaft von *Letopis Matice srpske* dank der Übers. von Petar Demelić und Jovan Pačić näher gebracht, während Xenophons Werke von Jevtimije Avramović (1825) übersetzt wurden.

Großen Einfluß auf die serbische Lit. des 19. Jh. übten die Werke von Plutarch aus, von denen sich schon Dositej Obradović inspirieren ließ. Von Plutarchs vergleichenden Lebensbeschreibungen waren auch Vuk Karadžić, Georgije Magarašević und Jevtimije Ivanović beeindruckt, und sie stützten sich darauf, als sie Lebensbeschreibungen berühmter Persönlichkeiten ihres Volkes und anderer Völker verfaßten. Jevtimije Ivanović alias Plutarch, Pfarrer von Karlowitz, ließ nach Schillers und Blanchards Vorlage und in Anlehnung an Plutarch unter dem Titel *Der neue Plutarch* vier Lebensbeschreibungen bedeutsamer Persönlichkeiten veröffentlichen (1809, 1834, 1840, 1841). Darunter befand sich sogar eine Beschreibung von Plutarchs Leben. Ähnlich verfuhr Vuk Karadžić, als er seine Sammlung mit Lebensbeschreibungen der serbischen Aufstandskämpfer betitelte. Der bekannte Verfasser eines Lehrbuches für die griech. Sprache, Georgije Zaharijević, übersetzte Plutarchs Werke zweimal, 1807 und 1808, und ließ sie in Buda veröffentlichen.

Zu Beginn und in der ersten H. des 19. Jh. erwachte langsam das Interesse des klassizistisch veranlagten serbischen Lesepublikums an röm. Dichtern. Im J. 1800 fertigte Nikolaj Šimić seine Übers. von Ciceros Schrift *Laelius de amicitia* an. In Buda erschien 1811 eine weitere Übers. desselben Autors – ein Teil des sechsten Bandes von Ciceros *De re publica*. Stevan Lazić ließ auch zweimal Ciceros Schriften über die Freundschaft veröffentlichen. Grigorije Magarašević' Übers. der Dichtung Ciceros gingen 1826 und 1827 in Druck. Pavle Stamatović übersetzte zum zweiten Mal *Scipios Traum* (in der *Serbischen Biene*, 1830), während Jakov Živanović einen Abschnitt aus den *Tusculanae disputationes* zuerst in *Letopis Matice srpske* (1830) und später in einem in Wien gesondert erschienenen Buch veröffentlichen ließ.

Dank Jovan Hadžić erschien Cicero in den Zeitschriften *Letopis Matice srpske* (1839), *Golubica* (1839 und 1842) und *Der Serbische Spiegel* (1864).

Jovan Hadžić veröffentlichte in *Letopis Matice srpske* (1827–1830) mehrere Schriften von Cornelius Nepos, die Vuk Karadžić als Vorbild dienten, als er am *Serbischen Plutarch* arbeitete. Matej Kostić übersetzte und veröffentlichte Nepos' Schriften in einem separaten Buch, das 1845 in Novi Sad erschien. Lukijan Mušicki schrieb 1815 über die *Dicta Catonis*. Petar Teodosijević übersetzte Werke von Sallust (1831–1833).

Vergils *Aeneis* wurde von Jovan Hadžić übersetzt. Einen Abschnitt aus dem neunten Buch, der wiederum in *Letopis Matice srpske* erschien, übersetzte Đorđe Šupica (1826 und 1831). In derselben Zeitschrift ließ Vuk Marinković das zweite Buch der *Aeneis* veröffentlichen (1826–1827). Nur zwei von den angeführten Übers. wurden in Hexametern verfaßt, die anderen dagegen im asymmetrischen epischen Vers mit zehn Versfüßen.

Den beliebtesten Dichter der serbisch-lat. Schule, Ovid, lernte die serbische Leserschaft durch die Übers. von Avram Mrazović (1818) und Vasilije Subotić (1831) kennen.

Nach Dositej wurden die Fabeln von Äsop (1826) und Phaedrus (1830) von Filip Pejić aus dem Lat. übersetzt. Mit Senecas Werken beschäftigten sich Georgije Georigijević (1825–1826) und Antonije Arnovljev (1832–1833). Martials Epigramme wurden von Jovan Hadžić übersetzt (1830), etwas später (1834) übersetzte Matej Kostić einen Brief von Plinius dem Jüngeren.

In der ersten H. des 19. Jh. war Horaz der angesehenste und am meisten übersetzte Dichter in der serbischen Literatur. Im J. 1817 wurden seine Schriften sogar von zwei Übersetzern ins Serbische übertragen: Die Übers. von Pavle Berić erschien in *Novine srpske*, während die Übers. von Lukijan Mušicki (Epist. 1,8), ›mit vielen Paraphrasen und Nachahmungen‹, aber auch in reiner Übersetzungsform, in derselben Zeitschrift und etliche J. später (1825, 1827) auch in *Letopis Matice srpske* veröffentlicht wurde. In *Novine srpske* erschien außerdem eine Übers. von Avram Mrazović (1821), während Atanasije Toedoović und Jeftimije Jovanović ihre Übers. in *Letopis Matice srpske* (1825–1826) veröffentlichen ließen. Die meisten Übers. von Horaz' Schriften kamen aber aus der Feder von Jovan Hadžić. Die *Ars poetica* ließ er als Sonderausgabe veröffentlichen (1827, 1839, 1840, 1842). Mitte des 19. Jh. veröffentlichte Jovan Sterija Popović weitere ausgezeichnete Übers. von Horaz.

Die Kultur des klass. Alt. erreichte das serbische Lesepublikum zu Beginn des 19. Jh. nicht nur vermittels dieser Übers., sondern auch auf anderen Wegen. In unterschiedlichen Büchern erschienen mehrere Texte ant. Autoren oder auch solche, die Informationen über ant. Dichter und ihre Poetik und Sprache darboten.

Es ist unübersehbar, daß das Hauptaugenmerk der serbischen Leserschaft, der intellektuellen Öffentlichkeit und der Verleger in den letzten Jahrzehnten des

19. Jh. den Bemühungen galt, sich mit der ant. Welt, mit den berühmten Republiken und den bürgerlichen Idealen Athens und Roms bekanntzumachen, denen im Zeitalter der großen europ. Revolution eine neue Bed. zukam.

In den ersten Jahrzehnten des 19. Jh. wurde die serbische Dichtung in erster Linie durch Anwendung ant. Formen gekennzeichnet, die in der serbischen Lit. bisher noch unbekannt waren. Diese ant. dichterischen Formen (Versfuß, Interesse an quantitativer Versifikation, Aufgeben des Reims, ant. strophische Formen) wurden in die serbische Lit. unmittelbar aus ant. (überwiegend lat.) Quellen aufgenommen.

In der ersten H. des 19. Jh. brachten serbische Schriftsteller einige neue Gattungen in ihre Dichtkunst ein (Ode, Epigramm, Elegie, Epistel, Satire, Epithalamium), wobei die Ode im serbischen Klassizismus (insbes. bei Lukijan Mušicki und Jovan Sterija Popović) zur lebendigen Chronik der Zeitgeschichte wurde, da sie engagiert über alle wichtigen Ereignisse und bedeutenden Persönlichkeiten dieser Zeit berichtete.

Mitte des 19. Jh. wurde in Belgrad das lat.-serbische WB von Dimitrije Isajlović herausgegeben (1850), das eines der wichtigsten lexikographischen Werke der zeitgenössischen serbischen Kultur darstellt. Der Verfasser konnte dabei dem serbischen Lesepublikum zeigen, inwieweit die lat. Sprache eine wertvolle Quelle für zahlreiche Darstellungsformen des geistigen Schaffens war. Einige grundlegende Literaturbegriffe waren in diesem WB detaillierter und präziser beschrieben und erklärt als in anderen Veröffentlichungen dieser Art.

Die serbische Rhet. im 19. Jh. war ein Ergebnis der Schulausbildung: Rhet. wurde in allen serbisch-lat. Schulen unterrichtet, und die Schüler mußten sich während eines ganzen Schuljahres mit Rhet. beschäftigen. Die ersten Handbücher für klassizistische Rhet. erschienen in S. in den 30er J. des 18. Jh. und wurden auf Lat. geschrieben.

Zu dieser Zeit wurden in serbischer Prosa Satire, Biographien und Fabeln gepflegt – drei Gattungen, die aus dem klass. Alt. stammten. Serbische Fabulisten standen im Klassizismus unter dem Einfluß ant. Fabeln. Die Biographie entwickelte sich in der serbischen Lit. nach ant. Vorbildern (Plutarch, Cornelius Nepos), wurde aber als Pantheon berühmter Persönlichkeiten des serbischen Volkes realisiert, was viele angesehene Dichter zu dieser Gattung lockte.

Das Interesse für Homer war in der serbischen Lit. des 19. Jh. bes. stark ausgeprägt. Dieses Interesse kann auf die Popularisierung von Homers Epen durch verschiedene didaktische Texte zurückgeführt werden, wie diejenigen, die Jeftimije Jovanović Anf. des 19. Jh. verfaßte. Er übersetzte zudem Homers Biographie und machte sie dadurch der serbischen Leserschaft zugänglich. Die ersten Übersetzungsversuche waren im Grunde genommen Übers. aus dem Dt. und dem Russ. bzw. Übers. des in Prosa abgefaßten Originaltextes. Anfangs war eher der Sinn von Homers Schriften zu übertragen, später aber versuchten sich an seinen Werken auch anspruchsvollere Übersetzer, die sich mehr um die ästhetische Seite sprachlicher Transposition kümmerten.

Im dritten Jahrzehnt des 19. Jh. widmete sich Petar Demelić einer ernsthaften Arbeit, die ihren Höhepunkt 1832–1833 erreichte, als der Autor das in Hexametern übersetzte erste und dritte Kapitel der *Ilias* veröffentlichte. Im 19. Jh. neigten serbische Übersetzer dazu, Homers Werke in zehnfüßigen Versen zu übertragen, wie es in der serbischen Volkslyrik üblich war; dieses Versmaß schien ihnen angemessen für ihre Übers., wobei sie meistens zum zehnfüßigen trochäischen Vers griffen.

Eine entscheidende wiss. Umwandlung in dieser Hinsicht brachte Laza Kostić in der zweiten H. des 19. Jahrhunderts. Nach Kostić' theoretischen Ansätzen sei Homer nur in einem Versmaß zu übersetzen, ›in dem ein bestimmtes Volk denselben Gegenstand besänge‹. Diese ehrwürdigen Versuche seiner Vorgänger krönte Miloš Durić in der zweiten H. des 20. Jh., als er die *Ilias* und die *Odyssee* veröffentlichte. Mit klarem Gefühl für die Tonlage und Betonung von Homers Dichtung feilte Durić an seinen Versen, um ein unverfehltes Klangbild seiner Muttersprache zustande zu bringen. Mit viel Geschick gestaltete er seinen Hexameter; wie im Original ließ er in seiner Übers. schnellere und langsamere Rhythmen erklingen.

Im 20. Jh. wurde die zur Trad. gewordene schöpferische Verarbeitung ant. Einflüsse fortgeführt, und zwar in zwei Richtungen: einer wiss. und einer literarischen.

Die führende Rolle in der wiss. Erforschung des klass. Alt. spielte der Lehrstuhl für Klass. Philol. an der Belgrader Universität. Die Professoren, die den Lehrstuhl innehatten, insbes. Milan Budimir, Miloš N. Durić, Anica Savić-Rebac und Miron Flašar, versuchten, in ihrer Forsch. auf die Untrennbarkeit der ant. Kultur von den Trad. der serbischen Kulturentwicklung hinzuweisen.

Der Belgrader Hellenistische Kreis wurde in den ersten Jahrzehnten des 20. Jh. gegründet; seine größten Errungenschaften entstanden zw. den zwei Weltkriegen und nach 1945. Nach seinen grundlegenden theoretischen Ansätzen ist dieser neue serbische Klassizismus vorwiegend hellenischer Herkunft. Für die serbische Kunstgeschichte in der zweiten H. des 20. Jh. sind die griech. Myth. und das klass. Hellas Einflußquellen ersten Ranges. Zu den wichtigsten Schriftstellern dieser Zeit zählen Miodrag Pavlović, Ivan Lalić, Jovan Hristić und Branislav Miljković, deren Verhältnis zur Kultur des Klass. Alt. im wesentlichen ein schöpferisches Aufsaugen ant. geistiger Werte darstellt.

In der zweiten H. des 19. Jh., nach der Gründung der *Serbischen Gesellschaft für Archäologie* und deren programmatischer Zeitschrift *Starinar* (»Antiquar«), erwachte in S. ein erneutes Interesse für das klass. Alt. und ant. Denkmäler. Die Gesellschaft wurde zum Anziehungspunkt für Forscher der Ant., die im darauffolgenden Jh. das Kulturerbe des Klass. Alt. auf dem Gebiet des heutigen S. von mehreren Standpunkten erläuterten; bes. darum verdient machten sich Mihailo Valtorović, Feliks Kanić, Nikola Vulić, Miloje Vasić, Dragoslav Srejović und Petar Petrović.

1 Antičke studije kod Srba (Serbische Stud. zum klass. Alt.), Balkanološki institut, Posebna izdanja, knj. 37 (Inst. für Balkanologie, Sonderreihe, Bd. 37), Beograd 1989 2 J. DERETIĆ, Kratka istorija srpske književnosti (Kurze Gesch. der serbischen Lit.), Beograd 1985 3 M. FLAŠARA, Retorski, parodistički i satirični elementi u romanima Jovana Sterije Popovića (Rhet., parodistische und satirische Elemente in den Romanen von Jovan Sterija Popović), in: Zbornik istorije književnosti SANU (Sammelwerk zur Literaturgesch., hrsg. von der Serbischen Akad. der Wiss. und Künste) 9, Beograd 1974 4 Klasicizam kod Srba (Der Klassizismus bei den Serben), Bd. I–VIII, Beograd 1965–1967 5 M. PAVIĆ, Rađanje nove srpske književnosti (Das Entstehen der neuen serbischen Lit), Beograd 1983 6 M. V. STOJANOVIĆ, Dositej i Antika (Dositej und das klass. Alt.), Beograd 1971.

DJORDJE S. KOSTIĆ/Ü: OLIVERA DURBABA

II. MITTELALTERLICHE KUNST UND ARCHITEKTUR

Verschiedenartige Nachwirkungen der Ant. in der serbischen ma. Kunst sind in der Malerei und Architektur sichtbar. In der Malerei ziemlich weit verbreitet, sind sie in der Architektur selten und erscheinen ausschließlich in dekorativen Gefügen. Die Trad. der ant. Kunst dauerte in der Gemäldestruktur von großem künstlerischem Wert fort und kam bes. in der Zeichnung, dem Kolorit und in der Komposition zum Ausdruck. Die ältesten erhaltenen Fresken in S., jene in Djurdjevi Stupovi (1171), sind in gemalten architektonischen Rahmen ausgeführt, die aus Bögen auf Säulen nach ant. Mustern bestehen. Das Ganze endet mit Darstellungen von Aposteln im Tambour der Kuppel in wirklichen architektonischen Umrahmungen, die aus auf Konsolen aufgestellten Bögen auf Kolonetten zusammengesetzt sind. Die Malerei des 13. Jh., mit Sopaćani schließend, wurde aus Elementen ant. Ursprungs entwickelt, die aus den Vorbildern der byz. Kunst in die serbische Malerei übertragen worden sind. Diese sind Komposition, Farbe, Plastizität der Formen, Physiognomie und Kleidungsweise.

Im 14. Jh. bringen die führenden Maler der byz. Welt den Stil der letzten byz. Ren. in die serbische Kunst ein. In der Malerei wird der ma. Gedanke durch den Gehalt, die ant. Überlieferung durch die Form getragen. Die Figuren werden auf eigenartige Weise im Raum aufgestellt, eine Illusion der Tiefe hervorrufend, wobei der gemalten Architektur eine bes. Rolle zukommt. Die prunkhaften Architekturformen mit komplizierten Dächern, Gewölben, Kapitellen, Säulen und Portalen sind in den Szenen im Ambiente der Ant. mit majestraler Kunstfertigkeit an christl. Themen angepaßt.

Eine ausdrücklich ant. Trad. äußerte sich in den Miniaturen des 14. Jahrhunderts. Beispiele dafür sind die Evangelistendarstellungen im Evangeliar der Serbischen Akad. der Wiss. und Künste Nr. 69. Die Figuren der Evangelisten, die Raumdarstellungen, die Architektur und die Bekleidung sind nach ant. Mustern gemalt. Jeder Evangelist ist im Arbeitszimmer in einer der möglichen Stellungen des Schreibenden dargestellt. Hinter jedem Evangelisten befindet sich ein Mädchen, das nach dem Vorbild der ant. Musen den Verfasser inspiriert. Alle Mädchengestalten sind gleich und stellen die das Evangelium kennzeichnende »Höchste Weisheit« dar. Als Vorbilder für die Belgrader Miniaturen diente die Miniaturmalerei der mittelbyz. Renaissance.

Die gemalte Architektur mit ihren aus der Ant. überlieferten Motiven war ein wichtiges Element in der Kompositionsgestaltung. Sehr häufig sind Vorraum- und Vestibülendarstellungen mit Säulen und Kapitellen, die mit einer bogen- oder architravförmigen Konstruktion enden. Die Bilder der Gebäude zentraler Konzeption sind ebenfalls hell. Herkunft.

Die ant. steinernen → Spolien wurden in der serbischen Baukunst nur ausnahmsweise verwendet. Sie haben keinen unmittelbaren Einfluß auf die Form und Verzierung in der laufenden architektonischen Praxis ausgeübt. Ein Beispiel dafür ist die Kirche des Hl. Georg in Staro Nagoričino (1312/1313). Zierarkaden, als ein ausdrücklich ant. architektonisches Motiv, sind außer in der Kuppel in Djurdjevi Stupovi auch auf Sarkophagen in den Kirchen des Patriarchats von Peć erhalten geblieben.

1 I. DJORDJEVIĆ, Die Säule und die Säulenheiligen als hell. Erbe in der byz. und serbischen Wandmalerei, in: Jb. der österreichischen Byzantinistik 32/5, 1982, 93–100 2 V. J. DJURIĆ, S. ĆIRKOVIĆ, V. KORAĆ, Pećka patrijaršija, Beograd 1990, 115–120 3 J. NEŠKOVIĆ, Djurdjevi Stupovi u Starom Rasu, Kraljevo 1984, 32–57 4 S. RADOJČIĆ, Odabrani članci i studijć, 1933–1978, Beograd/Novi Sad 1982, 65–73 5 A. STOJAKOVIĆ, Arhitektonski prostor u slikarstvu srednjovekovne Srbije, Novi Sad 1970, 85–98.

MARICA ŠUPUT

Siedlungskontinuität s. Stadt; AWI, Bd. 11, s. v.

Sizilien A. GESCHICHTE AB 1060
B. BEVÖLKERUNGSGESCHICHTE
C. DIE ÜBERSETZUNGSBEWEGUNG IN SIZILIEN

A. GESCHICHTE AB 1060

Bis E. des 12. Jh. unter normannischer Herrschaft, erlebte S. speziell ab Wilhelm I. (1154–1166) in Anpassung an westeurop. Verhältnisse einen massiven Feudalisierungsprozeß und eine kirchliche und kulturelle Umorientierung zum lat.-katholischen Christentum. Als Wilhelm II. 1189 kinderlos starb, begann eine Zeit der Instabilität, nach der schließlich die Staufer den sizilianischen Thron für sich gewannen; 1198–1250 herrschte Kaiser Friedrich II. von Hohenstaufen. Beide Epochen gelten als eine Zeit einmaliger kultureller Blüte, in der arab., gräko-byz. und lat.-romanische Elemente eine einzigartige Symbiose eingingen.

B. Bevölkerungsgeschichte

Ähnlich wie im Fall → Spaniens beruht die Bed. des ma. S. auf seiner Rolle als kulturelle Kontaktzone, die Folge einer histor. gewachsenen speziellen demographischen Gemengelage ist, welche die Existenz polyglotter und multikultureller Grenzgänger ermöglichte: Nach einer oberflächlichen Latinisierungsphase in röm. Zeit erlebte das bis dahin griech. geprägte S. in byz. Zeit (Eroberung nach kurzer Zeit ostgot. Herrschaft durch Belisarios 535) einen Regräzisierungsprozeß, der sowohl Folge der offiziellen Reichspolitik wie auch der Zuwanderung aus den östl. Reichteilen war. Er erfaßte v. a. Ost-S. mit Syrakus und Catania, wo die administrativen Zentren lagen [18; 21]. Höhepunkt dieser zunehmenden kulturellen und polit. Orientierung nach Ostrom, die auch durch die Präsenz griech. Klöster bezeugt ist, war die Eingliederung in die Kirchenprovinz Konstantinopel 733.

Als die Araber ab 827 allmählich in S. eindrangen, trafen sie somit eine überwiegend gräkophone und byzantinisierte Bevölkerung an. Die folgende demographische Islamisierung betraf nicht alle Regionen in gleichem Maß: Schwerpunkt war der Westen um Palermo (Val Mazara), wo die Araber ihre ersten Kolonien gründeten; das Val di Noto im SO war hingegen weniger betroffen; und das Val Demone im NO, bis zuletzt Zentrum christl. Widerstands, blieb fast unberührt von arab. Inbesitznahme [5. 69 ff.; 26]. Die muslimische Bevölkerung war wiederum in sich nicht homogen, sondern setzte sich aus Arabern und Berbern (Hauptsiedlungsgebiet um Agrigent) zusammen; hinzu kamen einheimische sizilianische Konvertiten. Ein lat.-arab.-griech. Psalter von ca. 1150 bezeugt schließlich auch die Existenz mozarabischer (arabophoner) Christen [16. 115]. Der latente Gegensatz zw. diesen Gruppen und intertribale Rivalitäten blieben bis zuletzt ein wesentlicher Faktor innermuslimischer Konflikte [26].

Die normannische Eroberung ab 1060 bedeutete kein E. des Islams auf S., denn den Muslimen wurde im Feudalsystem der Normannen ein je nach Eroberungsvertrag unterschiedlich günstiger, aber geschützter rechtlicher Status zugebilligt [29; 5. 69 ff.]. Sie stellten nicht nur Teile des Heeres, sondern auch große Teile der Verwaltungselite, wo der arab. Einfluß sich in Aufbau und Terminologie zeigte. So konnte die islamische Gemeinschaft auf S. ihre wirtschaftliche und kulturelle Vitalität lange beibehalten. Erst ab der Mitte des 12. Jh. begann eine Phase zunehmender sozialer Marginalisierung und rel. Verfolgung der sizilianischen Muslime, deren Unzufriedenheit sich in blutigen Aufständen (z. B. 1160 und 1189–90) entlud. Spätestens zu diesem Zeitpunkt verließ die islamische Bildungselite die Insel und flüchtete nach Nordafrika und Spanien.

Ab Anf. des 13. Jh. konzentrierte sich der arab. Widerstand v. a. auf die Gebirgsregionen, wo die zurückgebliebenen Muslime als Briganten zum sicherheitspolit. Problem wurden [5. 71 ff.]. Friedrich II. griff schließlich zu radikaleren Maßnahmen und siedelte die arab. Bevölkerung nach Lucera (Apulien) um [5. 86; 29].

Gleichzeitig begann unter den Normannen und Staufern sowohl eine Relatinisierung im kirchlichen Bereich (Wiedereingliederung in die Kirchenprovinz Rom) wie auch eine Zuwanderung vom Festland (Langobarden, Franken, Italiener, Normannen) [5. 70; 16. 114]. Sie führte aber erst allmählich zu einer Verdrängung und Assimilierung der byz.-griech. Bevölkerung, die noch lange in Ost-S. die Mehrheit bildete und in der kulturellen und administrativen Elite stark vertreten war [14]. Die aus dieser Konstellation resultierende Konvivenz gräko-byz., arabo-muslimischer und westl.-lat. Bevölkerung in normannischer und staufischer Zeit schuf somit einmalige Voraussetzungen für einen fruchtbaren Kulturkontakt. Schließlich wurden die drei wichtigsten Hochsprachen des MA (Griech., Arab., Lat.) auf S. geschrieben und verstanden, so daß ein Zugang zu den kulturellen Erzeugnissen des Islam, aus Byzanz und Westeuropa möglich war.

C. Die Übersetzungsbewegung in Sizilien

Wie die Übersetzungsbewegung in Spanien, gehört die Schule von S. in den größeren Kontext der Antikerezeption der Frühren., die vorwiegend auf Texten orientalischer Provenienz beruht [22]. In S. spielte auch ein persönliches Interesse der Fürsten (speziell Roger II. und Friedrich II.) für die ant. Naturwiss. und Philos. eine wichtige Rolle. Ein enger Kontakt bestand außerdem zu Salerno, das seit dem frühen MA ein Zentrum medizinischer Studien war, wo das griech.-arab. Wissen an das Abendland vermittelt wurde. Dort übersetzte mit der Förderung des Bischofs Alfanus der arab. Christ Constantinus Africanus († 1085) arab. Fachtexte; praktisch orientiert, verfaßte man hier auf der Basis ant. und arab. Texte zahlreiche Kompendien und Komm. für den ärztlichen Alltag. Salerno gilt traditionell als die erste Univ. des europ. Abendlandes [20; 30].

Beim Vergleich der sizilianischen Antikerezeption mit der Übersetzungsbewegung in Toledo fallen einige grundsätzliche Unterschiede auf:

1. Die Textmenge und der Kreis der beteiligten Personen in Spanien ist viel größer; in S. beschränkt sich die Übersetzungsbewegung auf einen engen Hofzirkel.

2. Des weiteren beruht der größte Teil der übersetzten Texte in Spanien/Toledo auf arab. Übers. griech. Vorlagen und reflektiert somit die orientalische Rezeption der Ant., während viele Übers. in S. auf griech. Originaltexten basieren. Dies hängt mit den griech. Sprachkenntnissen und dem kulturellen Horizont der sizilianischen Bevölkerung zusammen; offenbar waren außerdem im Gegensatz zum restlichen It. in S. und Kalabrien auch nach dem 7. Jh. noch viele ant. griech. Texte (zumeist spätant. Kompendien) im Umlauf [9. 241]. Die südit. Antikerezeption ab dem 12. Jh. steht allerdings unter dem Einfluß westeuropäischer Interessen [9; 245], was die Provenienz mancher der zugrundeliegenden griech. Hss. erklärt, die erst in normannischer Zeit aus Konstantinopel eingeführt [15. 160 ff.;

16. 106] wurden, weil sie wohl in S. nicht vorhanden waren.

3. Was die Herkunft der arab. Texte betrifft, die den Übers. aus dem Arab. zugrundeliegen, gibt es keine Untersuchungen. Ähnlich wie für die byz. gilt auch für die arab. Zeit auf S., daß sie kulturell eher konformistisch und provinziell war: Die Nähe zu Qayrawān (Tunis) bestimmte eine starke Prägung durch die konservative Rechtsschule der Malikiyya. So wurde zwar Koranwiss. gepflegt, wir wissen aber im Gegensatz zu Spanien wenig über die Entwicklung der profanen Wiss. und somit über eine Rezeption der ant. Naturwiss. und Philosophie. Einiges weist darauf hin, daß die medizinischen Schriften des Avicenna bekannt waren; über die genauen Überlieferungswege ist aber nichts bekannt [5. 41–47; 29].

a) Direkte Übers. aus dem Griech. ins Lat.: Als wichtigste Übers. aus dem Griech. wäre die des *Almagest* von Ptolemaios zu nennen, die wohl ca. 1160 in S. verfaßt wurde [15. 157 ff.]. Sie konnte sich gegen die in Spanien angefertigte Version des Gerhard v. Cremona aus dem Arab. allerdings im MA nicht behaupten und blieb deshalb lange unbekannt. Ihr Autor ist unbekannt, kam aber laut eigener Aussage aus Salerno, als er von der Ankunft der Hs. aus Konstantinopel (mitgebracht von Aristippus, s.u.) erfuhr. Interessant ist auch seine Bekundung, dafür die *Data*, *Optiká* und *Ps.-Katoptriká* des Euklid studiert zu haben – da die erhaltenen lat. Versionen dieser Texte aus dem 12. Jh. stammen und Direktübers. aus dem Griech. sind, könnten sie ebenfalls aus der Feder dieses unbekannten Autors stammen [15. 178–183]. Auch die bekannten lat. Fassungen von *De motu* des Proklos und der *Pneumatica* des Hero v. Alexandrien weisen in ein ähnliches Milieu, möglicherweise wurden sie in S. verfaßt [15. 178–183].

Bekannt ist hingegen die Gestalt des Heinrich Aristippus [12], der seit 1155 Archidiakon der Kathedrale von Catania war und unter Wilhelm II. Hofprediger wurde. 1158–1160 war er Gesandter in Konstantinopel und brachte von dort als Geschenk des Kaisers Manuel Komnenos griech. Hss. mit, u. a. auch den o.g. *Almagest* des Ptolemaios. Er selbst übersetzte Platons *Menon* und *Phaidon* zum ersten Mal ins Lat. und schuf damit die maßgebliche Fassung bis ins 15. Jh.; ihm verdanken wir auch die erste Übers. des 4. Buchs der *Meteorologica* des Aristoteles, die weite Verbreitung fand [16. 105 f.]. Im Auftrag des Königs soll er auch Gregor v. Nazianz und Diogenes Laertius übersetzt haben; diese Übers. sind aber nicht erhalten [15. 166].

Inwieweit andere philos.-naturwiss. Werke der Ant. in S. zirkulierten ist noch unklar; zusätzlich zu den erwähnten Texten scheinen auch andere »Philosophica« bekannt gewesen zu sein (s. Zit. Aristippus bei [16. 104]); das genaue Ausmaß z. B. der Aristoteles- und Plato-Rezeption in normannischer Zeit ist aber nicht erforscht.

b) Übers. aus dem Arabischen. Da die arab. Naturwiss. und Philos. im wesentlichen Produkt einer fruchtbaren Auseinandersetzung mit ihren ant. Vorbildern ist, gehört ihre Rezeption im weiteren Sinne auch zur ant. Rezeptionsgeschichte. Deshalb sollen hier auch Übers. arab. Werke erwähnt werden, die keine direkten Übertragungen griech. Texte sind, die sich aber in ant. Trad. bewegen.

Als einer der bedeutendsten Grenzgänger zw. der gräko-byz., arab. und lat. Welt in normannischer Zeit gilt der Admiral Eugenios von Palermo [11; 17] aus der Zeit Rogers II. Er gehörte zur einheimischen gräkophonen Verwaltungselite und scheint alle drei auf S. zirkulierenden Hochsprachen beherrscht zu haben. Ihm wird die Übers. der Bücher II-IV der *Optica* des Ptolemaios aus dem Arab. ins Lat. zugeschrieben, deren arab. und griech. Vorlagen nicht erhalten sind [15. 171]. Er übersetzte auch den indopersischen Fabelzyklus *Kalīla wa-Dimna* aus dem Arab. ins Griechische.

Welches Interesse v. a. Roger II. den Errungenschaften der arab. Wiss. entgegenbrachte, beweist auch seine Förderung der Arbeit des großen arab. Geographen al-Idrīsī, der sein Hauptwerk dem Normannenkönig widmete [10]. In staufischer Zeit wirkte Michael Scotus [2; 6; 28], der schon in Toledo als Übersetzer aktiv gewesen war; er verbrachte seine letzten Lebensjahre 1227–1235 als Hofastrologe bei Friedrich II. Seine Übersetzungstätigkeit beschränkte sich aber wohl auf seine Zeit in Toledo (v. a. zoologische Schriften wie *De animalibus* von Aristoteles und die *Abbreviatio Avicennae de animalibus* von Avicenna, zwar Friedrich gewidmet, aber wohl schon in Toledo verfaßt); aus sizilianischer Zeit stammen hingegen seine Originalschriften (v. a. das Astrologie-Handbuch *Liber introductorius*). Sie stellen den Versuch dar, griech.-arab. Astrologie dem christl.-lat. Horizont anzupassen [6].

Ebenfalls zum Hof von Friedrich II. gehörte ab ca. 1225 die schillernde Figur des Hofastrologen Theodor von Antiocheia [19], eines urspr. jakobitischen Syrers aus Mossul, der in Bagdad Medizin studierte und im Orient die Werke des Neuplatonikers al-Fārābī, des Avicenna, des Euklid und des Ptolemaios kennenlernte. Von seinen Werken schienen bis vor kurzem einzig die *Epistola Theodori philosophi ad Fridericum* (Grundregeln zur Erhaltung der Gesundheit) und das Falknereihandbuch *De scientia venandi per aves* (Übers. des arab. Traktats eines unbekannten Moamin, das die Grundlage zu *De arte venandi cum avibus* des Friedrich II. bildet) erhalten zu sein. Neuerdings ist aber eine Hs. in Erfurt beschrieben worden, die eine lat. Übers. der Einführung des Averroes zu seinem Komm. zu Aristoteles' *Physik* enthält; sie wird auch Theodor zugeschrieben [6]. Wichtigstes Zeugnis für das Interesse, das Friedrich der arab. Philos. und Naturwiss. entgegenbrachte, sind schließlich die *Cuestiones Sicilianae* (ed. [3]): In ihnen stellte der Kaiser verschiedenen muslimischen Herrschern sieben philos. Fragen, die schließlich von dem jungen Philosophen Ibn Sab ʿīn aus Nordafrika beantwortet wurden. Sie sind zusammen mit den Antworten in einem *unicum* in Oxford erhalten und zeigen u. a., daß sich Friedrich mit der Vereinbarkeit der Lehren des Aristoteles mit dem christl. Glauben beschäftigte.

Nach ihm setzte sein Sohn Manfred diese Trad. fort: So förderte er Hermanus Teutonicus, den Übersetzer des Mittleren Komm. von Averroes zur *Ethik* des Aristoteles; Bartolomeus von Messina wurde die Übers. des griech. Textes übertragen. Aus späterer Zeit stammt der jüd. Wissenschaftler Moses Faragut von Agrigent, der 1279 den *Continens* des Rhazes (al-Rāzī) ins Lat. übertrug [29].

→ Venedig

→ AWI Akragas; Belisarios; Eukleides [3] (Euklid); Ptolemaios IV. Literarisch tätige Personen [65] Klaudios P. III. Wirkungsgeschichte A. Almagest; Salernum; Sicilia; Syrakusai

1 D. ABULAFIA, Friedrich II. von Hohenstaufen, Herr zw. den Kulturen, 1992 2 S. ACKERMANN, s. v. Michael [30] Scotus, in: LMA, Bd. VI, 606f. 3 M. AMARI, Questions philosophiques adressées aux savants musulmans par l'Empereur Frédéric II, in: Journal Asiatique, ser. 5, I (1853), 240–274 4 Ders., Storia dei Musulmani di Sicilia, ²1933–1939 5 A. AZIZ, A history of Islamic Sicily, 1975 6 CH. BURNETT, Michael Scot and the Transmission of Scientific Culture from Toledo to Bologna via the Court of Frederick II Hohenstaufen, in: Micrologus 2, Le scienze alla corte di Federico II, 1994, 101–126 7 Q. CATAUDELLA, La cultura bizantina in Sicilia, in: Storia della Sicilia, vol. 4 (1980), 1–56 8 G. CAVALLO, La transmissione scritta della cultura greca antica in Calabria e in Sicilia tra i secoli X–XV. Consistenza, tipologia, fruizione, in: Scrittura e civiltà 4 (1980) 158–245 9 P. CORSI, s. v. Sizilien A. II. Byz. Herrschaft [2] 7. Jhd., in: LMA, Bd. VII, 1951 f. 10 C. DRECOLL, Idrisi aus S., 2000 11 V. V. FALKENHAUSEN, s. v. Eugenio da Palermo, in: Dizionario biografico degli Italiani 43 (1993), 502–505 12 E. FRANCESCHINI, s. v. Aristippo, Enrico, in: Dizionario biografico degli Italiani 4 (1962) 201–206 13 F. GABRIELI, Gli Arabi in Italia: cultura, contatti e tradizioni, 1985 14 F. GIUNTA, Bizantini e bizantinismo nella Sicilia normanna, ²1974 15 CH.H. HASKINS, Stud. in the History of Medieval Science (Harvard Historical Stud. XVII), ²1927 16 H. HOUBEN, Roger II. von S.: Herrscher zw. Orient und Okzident, 1997 17 E.M. JAMISON, Admiral Eugenius of Sicily, his Life and Work and the Authorship of the Epistola ad Petrum and the Historia Hugonis Falcandi Siculi, 1957 18 A. KAZHDAN, s. v. Sicily, in: ODB, Bd. III, 1891f. 19 B. Z. KEDAR, E. KOHLBERG, The Intercultural Career of Theodore of Antioch, in: Mediterranean Historical Review 10, 1995, 164–176 20 G. KEIL, s. v. Salerno B. Die Medizinische Schule II. Lehrinhalte und bedeutende Lehrer, in: LMA, Bd. VII, 1298–1300 21 E. KISLINGER, s. v. Sizilien A. II. Byz. Herrschaft [3] 8.–11. Jh., in: LMA, Bd. VII, 1952–1954 22 S. LUCÀ, I Normanni e la »rinascita« del secolo XII, in: Arch. stor. Calabria e Lucania 60, 1993,1–91 23 J.J. NORWICH, The Normans in the South 1030–1130, 1967 24 Ders., The Kingdom in the Sun, 1130–1194, 1970 25 A. NOTH, Die arab. Dokumente Rogers II., 1978 26 Ders., s. v. Sizilien A. III. Muslimische Periode, in: LMA, Bd. VII, 1954–1956 27 V. PASQUE et al. (Hrsg.), Le Crisi dell'alchimia/The Crises of Alchemy. (= Micrologus 3), 1995 28 L. THORNDIKE, Michael Scot, 1965 29 R. TRAINI, s. v. Siḳiliyya, in: Encyclopedia of Islam, ²1999 (= EI²;

CD-Rom) 30 G. VITOLO, s. v. Salerno B. Die Medizinische Schule, in: LMA, Bd. VII, 1297f. ISABEL TORAL-NIEHOFF

Skeptizismus A. EINLEITUNG B. MITTELALTER C. RENAISSANCE D. 17. JAHRHUNDERT E. 18. UND 19. JAHRHUNDERT F. 20. JAHRHUNDERT

A. EINLEITUNG

Während man seit Eduard Zellers *Die Philos. der Griechen* (Bd. 3/1, Tübingen 1852) zwei Formen der Skepsis – die pyrrhonische und die akad. Skepsis – unterscheidet, verwendete man vorher die Begriffe »Skepsis« und »Pyrrhonismus« als Synonyme; in Frankreich gilt dies bis heute. Die seit der Ren. geläufige Einteilung lautete: Dogmatiker (behaupten, etwas zu wissen), Akademiker (wissen – wie Sokrates –, daß sie nichts wissen), Pyrrhoniker bzw. Skeptiker (entscheiden sich für gar nichts und sind immer auf der Suche) [23. 1057f.; 20. 482, 544; 13. 69; 7. 211; 32. 105–108]. Dennoch gehört auch die Rezeption der (Neuen) Akad. zur nachant. Geschichte des S., denn die Argumentationen der Pyrrhoniker und der Akademiker weisen so große Gemeinsamkeiten auf, daß die inhaltliche Unterscheidung der beiden »Sekten« schon immer schwierig war. Zu den Texten, an denen sich die Diskussion um den S. entzündete, gehören daher nicht nur die Schriften von Diogenes Laertios (*Leben des Pyrrho* = *Vitae* 9,61–108) und Sextus Empiricus (*Pyrrhonische Skizzen*; *Gegen die Mathematiker*), sondern auch Ciceros *Academica*.

Die von Cicero entfalteten Argumente verhalfen Augustinus dazu, sich von seinem urspr. Manichäismus zu lösen: Da der Mensch kein Wissen erwerben kann, gibt der Weise keiner Sache seine Zustimmung. Anschließend überwand Augustinus auch den S. und widerlegte ihn in *Contra Academicos* (ca. 386), womit der Kirchenvater allerdings Ciceros Gedanken, die seine einzige Quelle waren, einer breiteren christl. Leserschaft bekanntmachte. Augustinus' griffigstes Argument gegen die Akademiker findet sich in *De civitate dei* (11,26): ›Auch wenn ich mich täusche, bin ich‹.

B. MITTELALTER

Ob es im MA einen S. gab, der nicht auf die griech.-röm. Quellen zurückgeht, hängt ganz davon ab, was man unter S. versteht bzw. in welchem Ausmaß man die griech.-röm. Modelle als Maßstab verwendet. Wenn al-Ghasali (1058–1111) die innere Widersprüchlichkeit der aristotelischen Physik und Metaphysik (z. B. der Kausalität) anhand von 20 Beispielen (Widersprüchen) immanent aufzeigt, so scheint eine gewisse Parallelität zum klass. S. zu bestehen, auch wenn der islamische Denker gerade nicht in der Philos., sondern in einer erneuerten Theologie die Lösung fand; Jehuda Halevis (vor 1075–1141) Polemik gegen die Philosophen (*Kusari*) ist von al-Ghasali beeinflußt.

Eine zweite Spur könnte man bis zum Buch *Kohelet* zurückverfolgen, obwohl dessen Begrenzung der Erkenntnis (Koh 8, 16f.) nicht im Wortsinn rezipiert wurde, galt doch Salomo als Verfasser des Buches, dessen Lehre als Empfehlung zur Askese gedeutet wurde. Gleichwohl läßt *Kohelet* an die »heilige Einfalt« denken (Petrus Damiani, 11. Jh.), ein Motiv, das in Nikolaus' von Kues *De docta ignorantia* (1440) als wissende Unwissenheit wiederkehrt und in Erasmus' von Rotterdam ΜΩΡΙΑΣ ΕΓΚΩΜΙΟΝ (*Lob der Torheit*, Straßburg 1511) ironisch gespiegelt wird, doch so, daß die Torheit zur Weisheit des sokratischen Nichtwissens führt. Dieses Buch rief dann im Spanien des 16. Jh. die Welle des »Erasmismo« hervor.

Ob drittens die Kritik am Rationalismus des Thomas von Aquin – die sich genauso wie das Lob der Unwissenheit auf Augustinus' Anti-Intellektualismus berufen konnte – skeptische Konsequenzen nach sich zog, ist mit Vorsicht zu beurteilen. Denn wenn der Thomas-Kritiker Duns Scotus betont, der Mensch könne weder das Wesen der Dinge noch die Gesamtheit des Seienden erkennen, so bewegt er sich im Rahmen einer christl. geprägten Philosophie. Auch die im Anschluß an Aristoteles (cat. 8b 21–24, metaph. 995a 24 ff.) gern betonte Nützlichkeit des Zweifels kann schwerlich dem S. zugeordnet werden.

Der direkte Bezug auf den S. der Ant. läßt dagegen deutliche Konturen hervortreten: Duns Scotus kritisierte Heinrich von Gent, der die von Augustinus überlieferten akad. Argumente gegen die Möglichkeit wahrer Erkenntnis zwar widerlegte, ihnen aber immerhin (indem er die Meßlatte für unfehlbare Gewißheit sehr hoch anlegte) soviel Berechtigung einräumte, daß Duns Scotus meinte, damit werde alles genauso ungewiß, wie die Akademiker behaupteten [33. Bd. 1. 552–572]. Diese Diskussion fand bei Wilhelm von Ockham keinen Niederschlag. Wegen seiner (verbreiteten) These, ein aus seiner Güte heraus täuschender Gott sei denkbar, und wegen seiner (genauso verbreiteten) Begrenzung der menschlichen Fähigkeiten, die theologischen Wahrheiten zu erkennen, wurde er früher gerne als Skeptiker bezeichnet; die neuere Forsch. lehnt dies ab [42. XIII; 33. Bd. 1. 625–629].

Dagegen vertrat Nikolaus von Autrecourt die Ansicht, die Argumente der Akademiker mündeten zwar in unhaltbare Absurditäten, seien aber an sich fehlerfrei. Die Sinne nämlich können uns keine sichere Erkenntnis über das Dasein ihrer Objekte liefern, daher kann der natürliche (nicht erleuchtete) Verstand keine sichere Erkenntnis über das Dasein materieller Substanzen gewinnen; aber auch von unseren eigenen mentalen Akten haben wir keine sichere Erkenntnis. Diese steht unter einem einzigen Kriterium der Gewißheit: der Widerspruchsfreiheit. Darum gilt für die natürliche Kausalität: Die Existenz von Wirkungen aus ihren Ursachen sicher erschließen zu wollen, schlägt genauso fehl wie der umgekehrte Weg [33. Bd. 1. 607–625]. Eine päpstliche Kommission verurteilte diese Lehren und ließ Nikolaus' Schriften verbrennen (1347). Zur gleichen Zeit konnte allerdings in England ganz Ähnliches gelehrt werden, ohne daß es zu einer Zensur kam [39].

C. Renaissance

Als Gianfrancesco Pico della Mirandola 1520 auf Sextus Empiricus und dessen skeptische (= pyrrhonische) Argumentation zurückgriff, entwickelte er ein dem ant. S. fremdes, in der Neuzeit aber immer wiederkehrendes Muster, das man dem Fideismus zuordnen kann: Der Autor identifiziert sich nicht mit dem S., hält ihn aber insofern für richtig, als der S. beweist, wie höchst mangelhaft die Möglichkeiten menschlichen Wissens sind, so daß der Verstand zur skeptischen Urteilsenthaltung gezwungen ist, wodurch der Glaube als einzige Instanz wahren Wissens bekräftigt wird [24. 559; 53. 49–54].

Omer Talon wendete in seiner auf Cicero beruhenden *Academia* (Paris 1547) das Lob der akad. Philos. zwar auch in die fideistische Richtung; vorrangig war ihm jedoch die Empfehlung einer nicht-dogmatischen, freien Denkart (*libertas philosophandi*). Ein anderer Aspekt, der in der Folgezeit immer gewichtiger werden sollte, trat zur selben Zeit bei Pierre Galland und bei Guy de Brués auf: Die skeptischen Argumente (der Akademiker) könnten der Religion gefährlich werden, bes. bei der Jugend. Darum verfaßte Galland seine Rede *Contra novam academiam Petri Rami* (Paris 1551) und Brués seine *Dialogues contre les Nouveaux Académiciens* (Paris 1557); gemeint ist beide Male die ant. Neue Akademie.

Luther erklärte 1525 (*De servo arbitrio*): ›Der heilige Geist ist kein Skeptiker; er hat nichts Zweifelhaftes oder unsichere Meinungen in unsere Herzen geschrieben, sondern Gewißheiten‹. Damit antwortete er direkt auf Erasmus, der 1524 (*De libero arbitrio*) eine Neigung zur skeptischen Urteilsenthaltung bekannt hatte, wenn auch nur in Fragen jenseits der Bibel, der Glaubensartikel und der kirchlichen Lehrsätze.

Ganz ähnlich wie Gianfrancesco Pico della Mirandola (und unter dessen Einfluß) dachten Henricus Stephanus [28] und Gentian Hervet, die 1562 (*Pyrrhonische Skizzen*) und 1569 (*Gegen die Mathematiker*) die griech.-lat. Erstdrucke der Schriften des Sextus Empiricus vorlegten. Darüber hinaus zeigt sich hier eine Verflechtung dieser Diskussion mit den aktuellen Konfessionsstreitigkeiten: Hervet z.B. bezeichnete die Protestanten (Calvinisten) als Neue Akademiker, die das Christentum verachteten, statt Urteilsenthaltung zu üben [6].

Auf dem Titel seines Buches *Quod nihil scitur* (Toulouse 1581) behauptete Francisco Sanches, daß man nichts wissen könne, um dann zu erklären, daß man auch dies nicht wissen könne. Der Nachweis, daß Wiss. (im aristotelischen Sinn) unmöglich ist, schöpft allerdings nicht aus dem ant. Skeptizismus. Als konstruktiven Ausweg, der im (oberflächlichen) Anschluß an den Akademiker Karneades angedeutet wird, schlug Sanches eine gesunde Erfahrungserkenntnis vor, die auf die traditionellen Wahrheits- und Wissenschaftsansprüche bewußt verzichtet. Das Werk von Sanches lenkt den Blick auf die Tatsache, daß die Ablehnung der Wiss. nicht schon als solche dem S. zugerechnet werden muß.

Agrippa von Nettesheim (*De incertitudine et vanitate scientiarum*, Antwerpen 1530) und Hieronymus Hirnhaim (*De typho generis humani*, Prag 1676) tadelten alle Wiss. als unzuverlässig; sie gehören aber nicht zum S. – sofern man nicht jede Form des Anti-Intellektualismus für skeptisch hält.

Montaigne arbeitete bereits sei 1571 an seinen *Essais*, als er ca. 1576 auf Sextus Empiricus stieß und in dessen Durchleuchtung der radikalen Verschiedenheit, Unsicherheit und Relativität der menschlichen Meinungen, Sitten und Gesetze das ausgedrückt fand, was er selber zu sagen vorhatte [52]. Ausführlich zitierte und verarbeitete er daher Sextus' Texte im langen zwölften Kapitel des zweiten Buches (›Apologie de Raimond Sebond‹). Mit Sextus unterschied er zw. den Akademikern (wissen die Unwissenheit) und den Pyrrhonikern (wissen auch dies nicht, sondern suchen immer weiter) und zog die letzteren vor [20. 482, 544]; ja, er dachte dem pyrrhonischen Ansatz weiter nach und schlug vor, Sätze wie ›Ich zweifele‹ bzw. ›Ich weiß nicht‹, denen ja immer noch unterstellt werden kann, sie behaupteten etwas, durch die Frage ›Was weiß ich?‹ zu ersetzen (›Que sçaye-je?‹) – und er machte dies zu seiner eigenen Devise [20. 508].

In einer weiteren Arbeitsphase wurden noch zahlreiche Zitate aus Ciceros *Academica* in die *Essais* eingefügt, was wegen der inhaltlichen Gemeinsamkeit mit Sextus (Zweifel und Unwissenheit) keine Probleme aufwarf. Es kam Montaigne nicht auf den Streit zw. zwei ant. »Sekten« an, sondern auf die beiden gemeinsame Urteilsenthaltung aufgrund der Einsicht in die Schwäche des menschlichen Verstandes, mehr noch: in die menschliche Kreatürlichkeit, die den Menschen so wenig von den Tieren unterscheidet. So wie Montaigne die Skepsis interpretierte, gebiert sie keinen direkten Fideismus, wohl aber die Offenheit eines »weißen Blattes« für die Offenbarung [20. 486]. Zugleich kann sie (mit Sextus) in Lebenspraxis umgesetzt werden: als bewußte Anpassung an die zeitlich und räumlich vorgegebenen (was nicht heißt: als berechtigt erkannten) Konventionen, zu denen auch ein bestimmter Glaube gehört. Montaigne bekannte sich ganz unmißverständlich zum Katholizismus [20. 651]. Die *Essais* wurden bes. in Frankreich ein immer wieder gedrucktes, von vielen gelesenes, epochemachendes Werk.

Fast genauso beliebt war Pierre Charrons Buch *De la Sagesse* (Bordeaux 1601), das Montaignes Ansichten wiederholte und vereinfachte, was auch für Jean-Pierre Camus' *Essay sceptique* (verfaßt 1601, gedruckt Paris 1610) gilt; beide waren treue Anhänger Montaignes, betonten die Unmöglichkeit, ein Kriterium für die Unterscheidung zw. wahren und falschen Meinungen zu finden, und sahen in der Urteilsenthaltung eine Bekräftigung des (katholischen) Glaubens. Dieser Fideismus konnte sich bei François de La Mothe Le Vayer mit der aufkommenden »Libertinage« vereinigen. La Mothe Le Vayer ließ auf kaum einem seiner Buchtitel das Adjektiv »sceptique« fehlen und hielt den S., der das Wissen zer-

störe, für die einzige ›façon de Philosopher‹, die zum Christentum führe [10. 274]. Neben diesem »christl. Skeptiker« (›Sceptique Chrêtien‹) [11. 314] gab es andere skeptische Libertins wie Samuel Sorbière, der auf den Brückenschlag zum Glauben (den er nicht leugnete) verzichtete und meinte, die meisten Menschen zweifelten – wie er – von sich aus an allem [29].

Daß der Verdacht, der skeptische Zweifel führe zum Unglauben, nicht verstummte, lag auch daran, daß sich die Konfessionen mit z.T. skeptischen Argumenten (auf der einen Seite gegen das Schriftprinzip, auf der anderen Seite gegen die Trad.) befehdeten, zugleich aber der Gegenseite deren (angeblichen) S. zum Vorwurf machten [45. Kap. 1].

D. 17. JAHRHUNDERT

Bei Pierre Gassendi steht die Verwendung skeptischer Argumente, ja, die Einsicht in die Endlichkeit menschlichen Wissens überhaupt, nicht nur im Dienst des Kampfes gegen Aristoteles und der Wiederentdeckung Epikurs als Empiristen, sondern sie unterstützt auch das Programm einer freien, für neue Entdeckungen offenen Forschung. Zu diesem Zweck wurde – im Anschluß an Charron – der Probabilismus der Akademiker, der sich bewußt auf die Erkenntnis von provisorischen Wahrscheinlichkeiten einläßt, wieder fruchtbar gemacht [35. 92; 38. 64–69]. Dasselbe geschah auch bei Gassendis Freund Marin Mersenne [37], der in erster Linie ›die Wahrheit der Wissenschaften gegen die Skeptiker oder Pyrrhoniker‹ verteidigte [18], um den Kreis der skeptischen Libertins von seiner Gottlosigkeit und Sittenlosigkeit zu heilen. Gassendi lehnte später die zehn skeptischen Tropen der Urteilsenthaltung sowie die Aufhebung aller Kriterien der Unterscheidung ab [4. Bd. 1. 72–79].

Auch in England wirkte der akad. Probabilismus nach, und zwar bei der Royal Society. Für Joseph Glanvill schreitet die neue experimentelle Wiss., die sich mit skeptischen Argumenten vom Dogmatismus befreit hat, mit Hilfe von Hypothesen erfolgreich voran [5. 145]: Diese seien wahrscheinlich – was nicht heiße, daß sie nicht auch wahr sein könnten. John Locke und Christiaan Huygens verstehen die Naturforsch. ganz ähnlich, ohne im S. ein ernstes Problem zu sehen. (Schon Thomas Hobbes hatte erklärt, die Erkenntnis der Natur könne nur Wahrscheinlichkeit erreichen; die Prinzipien der Physik könnten deshalb nur Hypothesen sein. Dies ist eine nüchterne Feststellung, die weder auf Zweifel beruht, noch diesem ausgesetzt ist.)

Diese Entwicklungslinie stellte zugleich eine Reaktion auf die neue Sicherheit dar, die Descartes 1637 durch die Widerlegung des S. gewonnen hatte; sein ›Cogito, ergo sum‹ erinnert an Augustinus. Descartes begründete damit die bis h. – und gerade in der Gegenwart – lebendige Trad., derzufolge sich jede Erkenntnistheorie ernsthaft mit dem skeptischen Zweifel auseinanderzusetzen hat, der dadurch allerdings virulent bleibt. So bezweifelte z.B. schon Descartes' Freund Mersenne, ob durch das Cogito der täuschende Gott ausgeschaltet werden könne [19. 125 f.], was einerseits auf Duns Scotus zurückverweist, andererseits heutzutage als Hilary Putnams Problem des Gehirns im Wassertank diskutiert wird: Was ich empfinde und denke, wird vielleicht durch einen Wissenschaftler dirigiert, der die zu meinem Gehirn führenden Schaltungen bedient. Und auch wenn dieser Zweifel ausgeschaltet werden könnte, bleibt (so Mersenne) die Frage offen, ob sich der Mensch nicht von sich aus täusche – trotz aller klaren und deutlichen Erkenntnis [19. 126]. Die aktuelle Diskussion formuliert diese Frage so: Woher wissen wir, daß unser Bewußtsein die Dinge adäquat repräsentiert?

Im Anti-Cartesianismus verband sich die fideistische Linie des S. mit einem empiristischen Probabilismus, und zwar bei Simon Foucher (*La Critique de la »Recherche de la vérité«*, Paris 1675) und Pierre Daniel Huet, dessen *Traité philosophique de la Foiblesse de l'Esprit humain* erst 1723 in Amsterdam gedruckt wurde, dann aber weite Verbreitung fand. Allerdings verstand sich Huet nicht selbst als Skeptiker, sondern als freier Philosoph. Er hielt aber den S. – wobei Akademiker und Skeptiker (Pyrrhoniker) für Huet zu einer und derselben »Sekte« gehören – für die einzig wahre Philos., deren erklärtes Nichtwissen die Unfähigkeit der Vernunft und damit die Richtigkeit des (katholischen) Glaubens aufzeige; die probabilistische Einstellung des Royal Society entspreche der Einsicht in die Schwäche der Vernunft.

›Der Pyrrhonismus ist das Wahre‹, behauptete Pascal [22. Bd. 2. 339. Nr. 432], doch bezog er dies nur auf die Demütigung der Vernunft, und nur insofern dient bei ihm der Pyrrhonismus der Religion. Was aber die Zweifel (z. B. an der Existenz der Außenwelt) betrifft, so sei Montaigne (aus dem Pascal seine einschlägigen Informationen bezog) im Irrtum: Das Gefühl bzw. das Herz strafe den Pyrrhonismus Lügen, und die Urteilsenthaltung sei strikt abzulehnen [43].

Auch wenn sich Pierre Bayle von den bisher genannten Vertretern des Fideismus durch seinen Calvinismus und seine Toleranz unterscheidet, so ist es doch die eher traditionelle fideistische Linie des S., die in Bayles berühmtem *Dictionnaire historique et critique* (Rotterdam 1696) gipfelt, bes. im Art. ›Pyrrhon‹ (›Remarque B‹), dessen Tendenz eindeutig darauf zielt, den Leser zur Aufnahme der Offenbarung zu bringen, und zwar dadurch, daß die Argumente der Pyrrhoniker und Akademiker (die sich kaum unterscheiden) die Schwäche der Vernunft aufzeigen. Um dies möglichst deutlich zu machen, bewies Bayle nicht nur, daß alles theoretische Nachdenken im Pyrrhonismus mündet, sondern er konfrontierte auch als erster die Vernunft direkt mit der christl. Religion. Wegen ihres Gewißheitsanspruchs hat nur die Religion – nicht die ohnehin probabilistische und auf die Erkenntnis der Phänomene sich beschränkende Naturwiss. – den Zweifel zu fürchten, denn ihre Wahrheiten (z. B. Trinität oder Abendmahlslehre) widersprechen aller vernunftgemäßen Evidenz: Sie sind falsch, wenn auch evident. Die Evidenz kann also kein Wahrheitskriterium liefern; da sie aber das einzig mögliche Kriterium ist, kann es keine Erkenntnis der Wahrheit geben. Obwohl Bayle in den ›Éclaircissements‹ der späteren Auflagen seine fideistische Absicht ganz unmißverständlich klarstellte, nahm ihm niemand ab, daß dies keine Religionskritik seitens des S. bedeute [40. 314–350]. Auf diese Weise gab Bayle, ganz gegen seine Absicht, dem frz. Materialismus wichtige Impulse.

E. 18. UND 19. JAHRHUNDERT

Wie die Außenwelt wirklich ist, können wir nicht wissen; noch nicht einmal, ob sie ist. Weil also alles Nachdenken notwendig in die totale Ungewißheit führe, bekannte sich die Philos. David Humes – ›vielleicht der geistreichste unter allen Skeptikern‹ (Kant [9. 499]) – im Ansatz zum Skeptizismus. Allerdings tritt dem Verstand die menschliche Natur mit der ihr eigenen Gewißheit entgegen, so daß der »exzessive S.« bzw. Pyrrhonismus durch lebenspraktische Überlegungen (*common sense*) zum »gemäßigten S.« bzw. zur ›akad. Philos.‹ geläutert wird, also zu Humes eigener Position, die Fähigkeiten der Sinne und des Verstandes gering einzuschätzen [8. 35 f., 132–135]. Das Fehlen eines fideistischen Auswegs trug sowohl zur Ernsthaftigkeit als auch zur gewaltigen Wirkung dieser Philos. bei.

In der frz. Aufklärung wirkte neben Montaigne der Einfluß Bayles nach, und damit der Bezug auf die Religion. Rousseaus savoyischer Vikar muß erkennen, daß das Evangelium widervernünftige Aspekte enthält, die man dennoch nicht verwerfen könne; er endet damit in einem »unfreiwilligen S.«, der sich allerdings nicht auf die Praxis beziehe [26. 627]. D'Alembert schrieb dagegen am 2.8.1770 an Friedrich II., die Leugnung einer obersten Intelligenz in der Welt, d. h. der S., sei die einzig vernünftige Einstellung [3. Bd. 24. 494].

Immanuel Kant konstruierte drei »Schritte« ›in Sachen der reinen Vernunft‹ [9. 497]: Dogmatismus, S. (verkörpert in Hume), Kritik der Vernunft. Nur die Kritik ist ein taugliches Mittel gegen den Skeptizismus. Sie bedient sich allerdings der »skeptischen Methode« (die nicht mit dem S. verwechselt werden darf), indem sie in der »Antithetik« gleichstarke Beweise einander gegenüberstellt [9. 291 f.]. Diese Methode zielt auf Gewißheit, die aber (auf dem Gebiet der theoretischen Philos.) nur die Erscheinungen, nicht die Dinge an sich betrifft. Deswegen warf man Kant vor, dennoch ein Skeptiker zu sein [54. Bd. 1. 63–65].

Überhaupt spielte der S. bei den Nachkantianern eine große Rolle, bes. bei wichtigen Gegnern Kants. Gottlob Ernst Schulze – nach dem Titel seines Hauptwerkes »Aenesidemus« genannt – vertrat einen S., der sich schließlich jedes Urteils ›über die objective Gültigkeit unserer Erkenntnisse‹ enthielt [27. 24]. Ernst Platner zweifelte an der objektiven Wahrheit aller menschlichen Vorstellungen; dieser S. sei darüber hinaus ›die einzig konsequente Philos. für die geoffenbarte Religion‹ [25. Bd. 1. 368]. Wenn Platner empfiehlt, dem Rätsel der Welt ›ruhig zuzuschauen‹ [25. Bd. 1. 354], so erinnert dies an das ant. Ziel der Seelenruhe.

Ganz deutlich tritt dieses Motiv bei Max Stirner in den Vordergrund: Der S. reinigt nicht bloß (wie die Sophistik) den Verstand, sondern darüber hinaus das Herz, indem er es von aller Teilnahme an der Welt befreit: ›Meine ganze Beziehung zur Welt ist »werth- und wahrheitslos«‹ [30. 26].

F. 20. JAHRHUNDERT

Fritz Mauthner verstand sich als Skeptiker, allerdings nur im Rahmen seiner Sprachkritik, die mit dem Wort »Wahrheit« ›nichts anzufangen weiß‹ [16. Bd. 2. 559a]. Jenseits der Sprache mit ihren Widersprüchen gab es für Mauthner aber eine auf quasi-mystische Weise fühlbare Einheit der Natur [17. 137f.]. Der II. Weltkrieg brachte in Deutschland die »skeptische Generation« (Schelsky) hervor, die von Odo Marquard eindrucksvoll vertreten wird. Er faßt den S. als Zweifel (nicht als Nichtwissen) auf und empfiehlt ihn als Chance, im Denken wie im Leben mehr Freiheit zu gewinnen [14. 5, 17, 19].

Obwohl sich E. M. Cioran zum Pyrrhonismus, ja zum Zweifel des Skeptikers an sich selbst bekannte, unterschied er sich vom klass. Skeptizismus. Denn nach Ciorans Erfahrungen führt der S. keineswegs zur Seelenruhe. Cioran erlebte den S. als eine ebenso unheilbare wie unvermeidliche Krankheit [1. 114; 2. 70, 79, 86] (was man auch als Pessimismus bezeichnen könnte).

Von Anf. an durfte in keiner Philosophiegeschichte der S. fehlen. Der erste Historiograph aber, der darüber hinaus selber als Skeptiker auftrat, war Arne Naess, der den pyrrhonischen S. wirkungsvoll aktualisierte [21]. Auch in der gegenwärtigen Erkenntnistheorie hat der S. seinen festen Platz. Besonders im angelsächsischen Raum gibt es inzwischen eine Fülle von Literatur. In der Regel wird dabei der S. als Zweifel an der Außenwelt aufgefaßt (meistens mit Berufung auf Descartes' Argumente des Traumes und des täuschenden Gottes), dem ein gemäßigter Realismus entgegengesetzt wird. Es gibt aber auch andere Positionen: Keith Lehrer [12] und Peter Unger [31] argumentieren für einen S., der darin besteht, daß wir nichts wissen. Benson Mates versteht sich als Skeptiker, weil alle wichtigen philos. Probleme unlösbar seien [15].

→ AWI Akademeia; Ainesidemos; Pyrrhon; Sextos [2]; Skeptizismus

QU 1 E. M. CIORAN, La tentation d'exister, 1956 2 Ders., La chute dans le temps, 1964 3 FRIEDRICH II., Œuvres de Frédéric le Grand, hrsg. v. J. D. E. PREUSS, 31 Bde., Berlin 1846–1857 4 P. GASSENDI, Opera omnia, 6 Bde., Lyon 1658 (Ndr. 1964) 5 J. GLANVILL, Scepsis scientifica, London 1665 (Ndr. 1978) 6 G. HERVET, Vorwort, in: Sexti Empirici Opera, hrsg. von J. A. FABRICIUS, Leipzig 1718 7 G. HORN, Historiae philos. lib. septem, Leiden 1655 8 D. HUME, An Enquiry Concerning Human Understanding (1748), in: The Philosophical Works, hrsg. von TH. H. GREEN, TH. H. GROSE, Bd. 4, London 1882 (Ndr. 1964) 9 I. KANT, Kritik der reinen Vernunft ('1781), Akad.-Ausgabe Bd. 3, 1911 10 F. DE LA MOTHE LE VAYER, Cinq dialogues faits à l'imitation des Anciens (um 1630), Mons 1671 11 Ders., Prose chagrine (1661), in: Œuvres, Bd 1, Dresden 1756 (Ndr. 1970) 12 K. LEHRER, Why not Scepticism?, in: The Philosophical Forum 2 (1970/71), 283–298 13 J. LIPSIUS, Manuductionis ad stoicam philosophiam libri tres, Antwerpen 1604 14 O. MARQUARD, Abschied vom Prinzipiellen, 1984 15 B. MATES, Skeptical Essays, 1981 16 F. MAUTHNER, WB der Philos., 2 Bde., 1910–11 17 Ders., (Selbstdarstellung), in: Die Philos. der Gegenwart in Selbstdarstellungen, hrsg. von R. SCHMIDT, Bd. 3, 1922 18 M. MERSENNE, La Vérité des sciences. Contre les Septiques (sic) ou Pyrrhoniens, Paris 1625 (Ndr. 1969) 19 Ders., Secundae Objectiones (1640/41), in: R. DESCARTES, Œuvres, hrsg. von CH. ADAM, P. TANNERY, Nouvelle présentation, Bd. 7, 1964, 121–128 20 M. DE MONTAIGNE, Essais (1580, ⁵1588), hrsg. v. A. THIBAUDET, M. RAT, 1962 21 A. NAESS, Scepticism, 1968 22 B. PASCAL, Pensées, hrsg. v. L. BRUNSCHVICG, 3 Bde., 1904 (Ndr. 1965) 23 N. PEROTTI, Cornucopie, Venedig 1501 24 G. F. PICO DELLA MIRANDOLA, Examen vanitatis doctrinae gentium (1520), in: Opera, Basel 1601 25 E. PLATNER, Philos. Aphorismen. Ganz neue Ausarbeitung, 2 Bde., Leipzig 1793 (Ndr. 1970) 26 J.-J. ROUSSEAU, Émile (1762), in: Œuvres complètes Bd. 4, 1969 27 G. E. SCHULZE, Die Hauptmomente der skeptischen Denkart über die menschliche Erkenntniß, in: Neues Mus. der Philos. und Litteratur 3/2 (1805, Ndr. 1979), 1–57 28 Sexti philosophi Pyrrhoniarum hypotyposeon lib. III, interpr. H. STEPHANO, Paris 1562 29 S. SORBIÈRE, Brief an J. du Bosc (15.1.1656), in: G. STOLLE, Anleitung zur Historie der Gelahrtheit (¹1718), Jena ⁴1736, 415f. 30 M. STIRNER, Der Einzige und sein Eigenthum, Leipzig 1845 31 P. UNGER, Ignorance. A Case for Scepticism, 1975 32 G. J. VOSSIUS, De philosophorum sectis lib., Den Haag 1657

LIT 33 M. M. ADAMS, William Ockham, 1987 34 M. ALBRECHT, s. v. Skepsis; S. II. Neuzeit, in: HWDPh, Bd. 9, 1995, Sp. 950–974 35 O. R. BLOCH, La Philos. de Gassendi, 1971 36 M. BURNYEAT (Hrsg.), The Sceptical Trad., 1983 37 P. DEAR, Marin Mersenne and the Probabilistic Roots of »Mitigated Scepticism«, in: JHPh 22 (1984), 173–205 38 W. DETEL, Scientia rerum natura occultarum. Methodologische Stud. zur Physik Pierre Gassendis, 1978 39 L. A. KENNEDY, Philosophical Scepticism in England in the Mid-Fourteenth Century, in: Vivarium 21 (1983), 35–57 40 L. KREIMENDAHL, Hauptwerke der Philos. Empirismus und Rationalismus, 1994 41 CH. LARMORE, s. v. Scepticism, in: The Cambridge History of Seventeenth-Century Philosophy, Vol. II, 1998, 1145–1192 42 G. LEFF, William of Ockham, 1975 43 R. LIMBRICK, Le Pyrrhonisme est le vrai, in: Mélanges sur la Littérature de la Ren. à la mémoire de V.-L. Saulnier, 1984, 439–448 44 G. PAGANINI (Hrsg.), The Return of Scepticism. From Descartes to the Age of Bayle, 2003 45 R. H. POPKIN, The History of Scepticism from Erasmus to Spinoza, 1979 46 Ders., The High Road to Pyrrhonism, 1980 47 R. H. POPKIN, CH. B. SCHMITT (Hrsg.), Scepticism from the Ren. to the Enlightenment, 1987 48 R. H. POPKIN, A. VANDERJAGT (Hrsg.), Scepticism and Irreligion in the Seventeenth and Eighteenth Centuries, 1993 49 R. H. POPKIN (Hrsg.), Scepticism in the History of Philosophy, 1996 50 Ders., E. DE OLASO, G. TONELLI (Hrsg.), Scepticism in the Enlightenment, 1997 51 M. D. ROTH, G. ROSS (Hrsg.), Doubting. Contemporary Perspectives on Skepticism, 1990 52 Z. S. SCHIFFMAN, Montaigne and the Rise of Scepticism in Early Modern Europe: A Reappraisal, in: Journal of the History of Ideas 45 (1984), 499–516 53 CH. B. SCHMITT, Gianfrancesco Pico della Mirandola (1469–1533) and his Critique of Aristotle, 1967 **54** H. VAIHINGER, Komm. zu Kants Kritik der reinen Vernunft, 2 Bde. (¹1881), 1922 (Ndr. 1970) **55** R. A. WATSON, J. E. FORCE (Hrsg.), The Sceptical Mode in Modern Philosophy, 1988 **56** M. WILLIAMS (Hrsg.), Scepticism, 1993. MICHAEL ALBRECHT

Sklaverei A. MITTELALTER UND HUMANISMUS
B. AUFKLÄRUNG   C. 19. JAHRHUNDERT
D. ERSTE HÄLFTE DES 20. JAHRHUNDERTS
E. ZWEITE HÄLFTE DES 20. JAHRHUNDERTS
F. AUSBLICK

A. MITTELALTER UND HUMANISMUS

Das MA schenkte trotz intensiver Antikerezeption den gesellschaftlichen Verhältnissen des Alt. keine Aufmerksamkeit. Unfreiheit und Abhängigkeit galten als selbstverständlich [43. 91–106]; vgl. aber [50. 8–11, 23–25]. Der → Aristotelismus der ma. Scholastik billigte die S. [66. 100f.]. Die Erforsch. der ant. S. begann mit dem Ren.-Humanismus (→ Humanismus I. Renaissance). Antriebsfeder war das antiquarische Bestreben, jeden Aspekt der Ant. zu erfassen. Dies galt auch für die S. als signifikantes Element der gesamten Ant. [25. 24]. Zahlreiche Details wurden anhand der lit. und juristischen Quellen eingehend untersucht [67; 101. 65]. Obwohl dabei Neutralität überwog, traten früh erste wertende Stellungnahmen auf: Giovanni Pontano (*De oboedientia*, 1472) deutete die S. generell als ›humani generis iniuria‹, billigte sie aber trotz aller moralischen Bedenken [114. 116f.]. Dieser Haltung schlossen sich die meisten human. Gelehrten an [67. 697; 99. 110; 114. 118], was damit zusammenhängt, daß durch die Kolonialisierung der amerikanischen Kontinente die S. mit neuen Größendimensionen in das Bewußtsein gerückt wurde. Urteile betrafen nun auch die Gegenwart, deren Politik mittels der aristotelischen Lehre von der »natürlichen S.« und des → Römischen Rechts verteidigt wurde [95]. Von den zahlreichen Werken, die sich dem Phänomen der S. zuwandten [30. Nr. 1–86; 103. 1–30], haben lediglich die Publikationen des Friesen Titus Popma (*De operis servorum*, 1608) und des Italieners Lorenzo Pignoria (*De servis et eorum apud veteres ministeriis commentarius*, 1613) noch Bekanntheit, letztere v. a. wegen ihrer umfangreichen und zuverlässigen Listung der einzelnen Tätigkeitsbereiche von Sklaven und ihrer deutlichen Wertungen [92. 19f.; 101. 68f.].

B. AUFKLÄRUNG

Die Neubegründung von strenger Unfreiheit in Übersee, das Engagement der Europäer im lukrativen Sklavenhandel und die Abolitionismusbewegung waren eine Ursache dafür, daß das Interesse an den ant. Formen der Abhängigkeit nicht abriß [31]; vgl. [30. Nr. 87–359; 103. 30–82]. Die Erforsch. der ant. S. – schwerpunktmäßig der röm. – fand in Deutschland in erster Linie im institutionellen Rahmen der Univ., und zwar innerhalb aller Fachrichtungen, statt. Dabei überwog die sachliche Sichtweise (mit negativem Grundtenor: So trägt z. B. bei Isaak Iselin die S. als Element der ›Barba-

rey‹ Mitschuld am Untergang des Röm. Reiches [47. 125–139; 64. 182–184]); eine Verknüpfung mit mod. Formen der Abhängigkeit gelang nur ansatzweise [47. 145–152]. Singulär ist der Ansatz von Johann Gottlieb Immermann in *Vergleichung der röm. Knechtschaft mit der Knechtschaft der Christen* (1744) [12; 47. 120–122]. Die Schrift *Ueber die Knechtschaft* (1773) des Freiherrn Joseph von Aichlburg darf als erster Versuch, die Geschichte der Unfreiheit vom Beginn ihrer Ausprägung bis in die Neuzeit hinein zu verfolgen, gewertet werden [47. 139–145]. Mit *Geschichte und Zustand der Sklaverey und Leibeigenschaft in Griechenland* (1783/1789) des Göttinger Philologen und Juristen Johann Friedrich Reitemeier (1755–1839) wird der Schritt zur polit. Aktualisierung der ant. S. vollzogen. Die von der Kasseler Société des Antiquités ausgezeichnete Schrift definierte anhand der griech. Ant. die S. als ein überholtes Gesellschaftsmodell und verlangte vehement die Aufrechterhaltung der inzwischen gewonnenen »allg. Freiheit«. Reitemeier weist sich als engagierter Vertreter der bürgerlichen Emanzipationsbewegung und des dt. Frühliberalismus aus. Seine Unt. steht dabei nicht nur in der Trad. der → Querelle des Anciens et des Modernes, sondern greift auch Überlegungen der pragmatischen Rechtsgeschichte, der Universitätsstatistik und der schottischen Aufklärung auf [47. 153–290; 54. 41–45; 100. 88–93]. Die ant. S. blieb auch in der Folgezeit ein beliebtes Thema. Mit Reitemeiers Arbeit vergleichbare Studien entstanden jedoch nicht. Hervorzuheben sind wegen ihres politisierenden Charakters allenfalls Christian Gottlob Heynes wiss. fundierter Appell zur Aufhebung des Sklavenhandels [9; 47. 313–322] sowie die Übers. der *Politik* des Aristoteles durch Johann Georg Schlosser, die in ihrer Kommentierung die Gegenwartsproblematik reflektiert [19; 47. 325–328]. Mit *Spartacus* (1793) von August Gottlieb Meißner erfuhr der Anführer des Sklavenaufstandes seine erste histor. Biographie [47. 420–424; 64. 201–219]. Damit erreichte seine beispiellose Popularität [106. 50], die bis in die Neuzeit anhält [93. 9], ihren ersten Höhepunkt [83; 84]. Der aus Moralerwägungen verstärkt negativen Bewertung der S. gegen E. des Jh. stand die Billigung durch den → Neuhumanismus entgegen. Es war Wilhelm von Humboldt, der die S. aufgrund ihrer angenommenen kulturstiftenden Funktion zu einer in Kauf zu nehmenden Notwendigkeit erklärte [10. 271; 47. 370–373; 83]. Auch wenn Humboldts Äußerungen unveröffentlicht blieben, war der Argumentationsgang so gefällig, daß ihn auch andere aufgegriffen haben [1. Xf.; 23. 111f.; 24. 126; 8. 204; 47. 373–375, 395–403].

Außerhalb Deutschlands sind die Vertreter der einflußreichen schottischen Aufklärung zu nennen: Adam Smith betrachtete die S. unter rein ökonomischen Gesichtspunkten und unterstrich ihre Ineffizienz [20. III. Kap. 2; 64. 271–275; 98. 446–448]. David Hume betonte in seinem *Essay on the Populousness of Ancient Nations* (1752) ihre negativen Auswirkungen auf das Bevölkerungswachstum und stellte zehn, h. noch schlagkräftige

Argumente gegen die hohen Sklavenzahlen des Athenaios zusammen [11. 418–422], wodurch er den Widerspruch von Robert Wallace (*A Dissertation on the Numbers of Mankind in Antient and Modern Times*, 1753) hervorrief [47. 217–219; 54. 32–35; 98. 437–441]. Eher antiquarischer Natur sind die Arbeiten der frz. Gelehrten [2; 3; 4; 6; 92. 31–33; 100. 86f.]. Auf ihre Erkenntnisse wurde zurückgegriffen, als während der Frz. → Revolution ant. Verhältnisse von Gegnern sowie Befürwortern einer Abschaffung der S. in den frz. Überseebesitzungen gleichermaßen für ihre Argumentation herangezogen wurden [109].

C. 19. JAHRHUNDERT

Die Ausweitung der Quellenbasis und insbes. die über das gesamte 19. Jh. hinweg anhaltenden öffentlichen und polit. Debatten über die Abschaffung von Sklavenhandel und Kolonial-S. brachten es mit sich, daß die histor. Perspektive einen Aufschwung erlebte [31]; vgl. [30. Nr. 360–747; 103. 82–101]. Von aktuellen Diskussionen geprägt sind Friedrich Creuzers Blicke auf die S. im »alten Rom« (1827/1836) [5; 54. 30f.] oder *An Inquiry into the State of Slavery amongst the Romans* (1833) von William Blair, eine Unt., die in engl. Sprache bis 1955 ohne Konkurrenz blieb [92. 36]. Abolitionistisches Engagement kennzeichnet die durch eine Preisaufgabe der Pariser Académie des Sciences Morales und Politiques aus dem J. 1837 veranlaßte dreibändige *Histoire de l'esclavage dans l'antiquité* (veröffentlicht 1847 bzw. ²1879) von Henri Alexandre Wallon, die als erste umfassende Monographie und Dokumentation zur ant. S. zu gelten hat. Chronologisch werden Ursprünge, Bedingungen und Auswirkungen der S. im Alten Orient, in Griechenland (Bd. 1) und in Rom (Bd. 2) dargestellt. Der dritte Band nennt Gründe für die Abschaffung [54. 36–39; 68. 560–564; 115. 98–100]. Wallons Werk bedeutet einen Einschnitt, aber keinesfalls – wie Finley (s.u.) gemeint hat [53. 135f.; 55. 292–294] – den Beginn einer bis zum E. des II. Weltkrieges reichenden Stagnation der Forschung.

Neue Impulse vermittelte Mitte des Jh. der histor. Materialismus. Karl Marx und Friedrich Engels machten die herrschende Produktionsart der materiellen Güter zum Gliederungselement der Geschichte: Das klass. Alt., in dem sie die Sklavenarbeit als bestimmende Produktionsmethode auszumachen glaubten, erklärten sie zur ›Sklavenhaltergesellschaft‹, die durch den Klassenkampf zw. Sklaven und Freien [14. 462] bzw. den freien Reichen und den freien Armen (mit den Sklaven als ›bloß passivem Piedestal‹) [15. 359] geprägt war [33. 33–36; 34. 10–12, 22–25; 63; 81; 113. 89–104]. Obwohl Marx und Engels in der Altertumswiss. bewandert waren [52; 65; 75; 94], waren ihre Einschätzungen Ergebnis einer unsachgemäßen Verallgemeinerung [62. 191] und zudem stark von Behauptungen zur Südstaaten-S. (verbreitet durch John Elliott Cairnes) beeinflußt [27. 549–567; 28. 63–69, 75–81]. Unabhängig davon kommt dem → Marxismus das Verdienst zu, die S. in den Mittelpunkt des Interesses gestellt zu haben

[30. 199; 113. 92f.]. Zwar nicht im Zentrum, aber immerhin in herausgehobener Stellung – innerhalb der Historiographie keine Selbstverständlichkeit – steht die S. in Theodor Mommsens dreibändiger *Röm. Geschichte* (1854–1856). Mommsen ist der einzige bekanntere dt. Altertumswissenschaftler, der die S. als ›Grundübel‹ [17. 511] und ›Krebsschaden‹ [17. 83] verurteilt hat. Anders dachte Friedrich Nietzsche, als er der Deutung – Argumente des Neuhumanismus aufgreifend – Anf. der 70er J. (in *Der griech. Staat*, veröffentlicht 1895) einen neuen und provokanten Akzent hinzufügte: Sklaventum gehört zum Wesen einer Kultur, die gegenwärtige wird durch ihre Ablehnung der S. zugrundegehen [46]. Nietzsches Freund Franz Overbeck stellte 1875 in *Ueber das Verhältniss der alten Kirche zur Sclaverei im röm. Reiche* [18] mit nicht weniger Provokation klar, daß es nicht das Christentum war, das die Abschaffung der S. bewirkt hat. Der gegensätzlichen Auffassung verschaffte jedoch Paul Allard mit *Les esclaves chrétiens* (1876) erhebliche Breitenwirkung [54. 15f.; 115. 100f.].

Die ant. S. war auch Gegenstand der sog. → Bücher-Meyer-Kontroverse über die ant. Wirtschaftsweise, denn in diesem Streit, in dem die nationalökonomische Theorie von der geschlossenen Hauswirtschaft (Karl Bücher) mit der Vorstellung einer frühkapitalistischen Wirtschaftsordnung im Alt. (Eduard Meyer) kollidierte, suchten beide Seiten ihre Theorien durch die S. zu belegen [97. 430–443]. Während Bücher dabei nicht über Allgemeinplätze hinauskam [76. 14], hat Meyer mit *Die S. im Alt.* (1898) die weitere Forsch. nachhaltig beeinflußt [16]. Meyer entwickelte nicht nur ein zyklisches Geschichtsmodell, sondern betonte auch, daß die S. nicht überall und zu jeder Zeit Grundlage der ant. Gesellschaftsordnung gewesen sei. Ihre Bewertung als »Krebsschaden« betrachtete er als Ausfluß der mod. Antisklavereibewegung, Sklaven hätten vielmehr zu Wohlstand und Reichtum gelangen können [38. 293, 309–311; 54. 54–57; 76. 20–25; 115. 103f.]. Nach Ansicht Finleys (s.u.) [53. 135f.; 55. 292–294] (vgl. [76. 28]) soll nach Meyers Vortrag die Sklavenforsch. für mehrere Jahrzehnte stagniert haben, was quantitativ nicht zutreffend ist (Abb. 1), wenn auch wirklich herausragende Beitr. fehlen. Beachtenswert war noch ein Aufsatz von Ludo Moritz Hartmann, der anhand von Erkenntnissen aus der Ant. in der Forderung einer Kolonialisierung des afrikan. Kontinents durch die Europäer mündet [7. 10, 15f.]. 1896 bezeichnete Max Weber in *Die sozialen Gründe des Untergangs der ant. Kultur* die ant. Kultur als *Sklavenkultur* [22. 293], die untergegangen sei, als die Versorgung der *Sklavenkasernen* mit Menschenmaterial ihr Ende fand und ein wirtschaftlicher und sozialer Wandlungsprozeß einsetzte [44].

In It. entstand in der Zeit des *Risorgimento* eine national-orientierte Sklavenforsch., in der sich lokalgeschichtliche bzw. regionale Richtungen, die politisierende Aktualisierung und das soziale Interesse der sog. ökonomisch-juristischen Schule trafen. In diesen Traditionssträngen wurzelte auch das Denken von Ettore

Jahrzehnt	Anzahl
1890-99	117
1900-09	129
1910-19	122
1920-29	165
1940-49	288
1950-59	584
1960-69	1106
1970-79	2076
1980-89	2083
1990-99	1376

Abb. 1: **Zahl der Titel zur antiken Sklaverei**
Quelle: Bibliographie-Datenbank des Mainzer
Akademievorhabens *Forschungen zur antiken
Sklaverei*. Stand: März 2003 (Gesamtzahl = 8356)

Ciccotti, der E. des Jh. (1899) mit *Il tramonto della schia-vitù nel mondo antico* eine neue Gesamtdarstellung in der Theorie der materialistischen Geschichtsauffassung wagte [89]. Einen Sonderfall stellen die Studien im russ. Zarenreich dar, die die bäuerliche Leibeigenschaft in die Diskussion einbinden: P. M. Leont'ev (1861: *O sud'be zemledel'českich klassov v Drevnem Rime*) verglich diese mit dem röm. Kolonat, M. M. Vol'skij (*Rabskaja obrabotka zemli*, 1869) zog Parallelen zw. ant. und mod. Formen der Abhängigkeit, und M. S. Kutorga (*Obščest-vennoe položenie rabov i vol'nootpuščennikov v Afinskoj res-publike*, 1884/1894) setzte griech. Sklaven und russ. Leibeigene gleich [69; 76. 9–11].

D. ERSTE HÄLFTE DES 20. JAHRHUNDERTS

Der Aufschwung der Sozial- und Wirtschaftsge-schichte durch die Einbeziehung neuer Quellen erfaßte auch die Erforsch. der S. [115. 104]. Besonders deutlich zeigt sich das hinsichtlich des Verständnisses vom Ko-lonat. Dessen Ursprung und Wesen war bereits zuvor in den Blickpunkt der Forsch. getreten (Savigny, 1822; Heisterbergk, 1876; Fustel de Coulanges, 1885), doch erst Michael Rostovtzeff gelang um die Jahrhundert-wende die Verortung [33. 9–20; 80]. Der Vermittlung Rostovtzeffs war es zu verdanken, daß William Lynn Westermann, *Professor of History* an der Columbia Univ., New York, 1935 für *Paulys Real-Encyclopädie* den Art. »S.« verfaßte (Suppl.VI, Sp. 894–1068). Zwei Umstände sind dabei signifikant: Zum einen mußten die Heraus-geber auf einen nicht-deutschsprachigen Forscher zu-rückgreifen (unter den 1096 Mitarbeitern eine recht kleine Gruppe), zum anderen wurde der Art. in die Supplementbände eingestellt, weil er in der regulären Bandfolge (III A 1 von 1927) mit einem Verweis auf den (nicht vorhandenen) Art. »Δοῦλοι« übergangen worden war. Als Westermann 1955 eine Überarbeitung in engl. Sprache vorlegte (*The Slave Systems of Greek and Roman Antiquity*), war er zum allg. anerkannten Kenner der Materie avanciert. Obwohl man Westermann Positivis-mus vorgeworfen hat, durfte sein Werk lange als die

›beste Gesamtdarstellung der Geschichte und des We-sens der ant. S.‹ [34. 33] gelten [54. 62–65; 92. 80–82].

Die Sklavenforsch. geriet in der ersten H. des 20. Jh. allerdings noch in einen anderen Innovationssog, der aus der Etablierung des Marxismus in der Sowjetunion resultierte. Obwohl man dort an Trad. des Zarenreiches hätte anknüpfen können, herrschte in den ersten J. nach der Oktoberrevolution, einer Phase der Neuorientie-rung [61. 260–262, 267], wenig Interesse für die ant. S. [76. 43–45]. Die Auseinandersetzung begann erst 1929 [76. 42, 45; 86. 9]. Bestimmend war dabei die Weiter-entwicklung der klass. Lehre durch Lenin, der das Alt. generell zur Sklavenhaltergesellschaft erklärte und den Antagonismus zw. Freien und Sklaven herausstrich [13. 466], wodurch die Abfolge der von Marx unver-bindlich gedachten sozio-ökonomischen Formationen zur histor. Gesetzmäßigkeit erklärt wurde [61. 270f.; 72. 69–74; 107. 5f.]. Nicht weniger einengend war die 1933 aufgestellte These Stalins, daß der Übergang der Sklavenhaltergesellschaft zum Feudalismus durch eine Revolution vollbracht worden sei, welche die S. als Form der Ausbeutung der Werktätigen beendet hätte [21. 498]. So konzentrierte sich das Forschungsinteresse auf die Sklavenaufstände, wobei die histor. Fakten ein Zwei-Etappen-Modell entstehen ließen, das den Erfolg der Revolution in das 3.–5. Jh. legte. Zusätzlich wurden sämtliche sozialen Bewegungen der Spätant., die Ko-lonen und sogar die Germaneneinfälle für die Revolu-tion vereinnahmt [28. 13f.; 34. 43–48; 70; 88. 135–142; 92. 72–76; 93. 14–20; 116. 24–34]. Erst die polit. Kor-rekturen des J. 1934 und die Gründung des *Vestnik drev-nej istorii*/VDI (1937) schufen die Basis für eine Beschäf-tigung mit konkreten Einzelfragen [61. 277–279, 296f.; 113. 106f., 117].

E. ZWEITE HÄLFTE DES 20. JAHRHUNDERTS

Nach dem II. Weltkrieg erlebte die Forsch. zur ant. S. eine bisher unbekannte Dynamik, die v. a. auf das Auf-einandertreffen weltanschaulicher Aspekte zurückzu-führen ist. Mit dem vom Tübinger Althistoriker Joseph Vogt (1895–1986) im Dezember 1950 an der Akad. der Wiss. und der Lit. Mainz begründeten Vorhaben »Forsch. zur ant. S.« [37. 265–268; 79; 80] entstand der sowjetischen Forsch. ernsthafte Konkurrenz. Dem Pro-jekt und seinem Initiator sind antimarxistische Tenden-zen und auch ›Schönfärberei‹ der ant. S. vorgeworfen worden [54. 65–76; 55. 296f.]; vgl. [29. 201f.; 36. 238–243; 110. 348–356], ein Diktum, das bis h. nachwirkt (s. etwa [56. 985]) und nur allmählich ein differenzierteres Bild ermöglicht [118]. Dabei können die Forsch. zur ant. S. als ›eines der größten und ertragreichsten For-schungsvorhaben der dt. Altertumswiss. nach dem II. Weltkrieg‹ gelten [40. 184]; vgl. [39. 114]. Der sich ver-schärfende Ost-West-Gegensatz trat bes. deutlich beim 11. Internationalen Kongreß der Historiker in Stock-holm (1960) zutage, wo die Meinungsunterschiede über die Bed. der ant. S. aufeinanderprallten [42. 68–75; 77. 151–154]. Die Thesen Siegfried Lauffers [74] und Friedrich Vittinghoffs [111] fanden ›lebhaften Widerspruch‹ von Seiten östl. Teilnehmer [48; 110]. In der UdSSR hatte die Forsch. nach Kriegsende zunächst Stalins Doktrin von der Sklavenrevolution weiter verfolgt [61. 285, 287], doch noch in der Stalinära begann im VDI eine Diskussion über den Untergang der Sklavenhaltergesellschaft. Eine kritische Zusammenfassung [87] verdeutlichte die unterschiedlichen Positionen und verschob die endgültige Klärung der strittigen Frage in die Zukunft [105. 11–78; 28. 14; 33. 49–57; 34. 49–56; 61. 286, 288, 290–292]. Die Entstalinisierung (seit Februar 1956) verfestigte die Neuansätze [61. 297–299]. An die Stelle der Sklavenrevolution trat als Typisierung des Epochenüberganges der unverfänglichere Terminus »Soziale Revolution«, die eine langsame Umwälzung der gesellschaftlichen Verhältnisse bewirkt haben soll [28. 17; 34. 57–66; 61. 304–307; 72; 104; 112. 285; 116. 39–54, 78–82]. 1960 wurde eine Forschungsgruppe an der Sektion für Alte Geschichte des Inst. für Allg. Geschichte an der Akad. der Wiss. der UdSSR inauguriert, die innerhalb von sieben J. eine Gesamtgeschichte der ant. S. erarbeiten sollte [88. 304–309]. Ergebnisse, die den marxistischen Standpunkt präzisieren und ›dem Leser ein umfassendes Bild der Entstehung, der Entwicklung und des Verfalls der ant. S.‹ [76. VII] bieten sollten, wurden in der Publikationsreihe Issledovanija po istorii rabstva v antičnom mire (»Forsch. zur Geschichte der S. in der ant. Welt«) vorgestellt. Die veranschlagten zehn Bände erschienen zw. 1963 und 1980, fünf davon wurden in den »Übers. ausländischer Arbeiten zur ant. S.« der Mainzer Akad. ins Dt. übertragen. Trotz der wichtigen Ergebnisse [73. 10] wurde die sowjetische Reihe ›zum Grabstein der marxistischen Konzeption von der ant. Sklavenhaltergesellschaft‹, weil deutlich wurde, daß die Vorstellung von der grundlegenden Bed. der S. nicht aufrechtzuerhalten war [57. 412]. Mit dem Projekt einher ging eine intensive Diskussion innerhalb der sowjetischen Altertumswiss., die sich zunehmend bemühte, ideologischen Ballast und starre Konzepte beiseite zu legen [88. 246–248]. Die 60er J. brachten weitreichende Neuorientierungen und die Abkehr von alten Begrifflichkeiten: So faßte man die vorkapitalistischen Klassengesellschaftsepochen unter der Bezeichnung »Frühe Klassengesellschaften« zusammen, die Sklavenhalterformation war ›keine eigene sozialökonomische Formation, sondern eine Variante in der Entwicklung der ersten Formation der Klassengesellschaft‹ [60. 1208]. Damit zeichnete sich bereits die die Folgejahre bestimmende Uneinigkeit innerhalb der östl. Forsch., der Verzicht auf dogmatische Festlegungen und eine zunehmend empirische Ausrichtung ab [45. 360f.]. Ein breiteres Meinungsspektrum in der Fachlit. und weniger Polemik gegen die westl. Forsch. waren die Folge [93. 31, 48]. Die Politik der Perestrojka konnte deshalb rasch in der Altertumswiss. Fuß fassen [29. 202f.; 73]. Die mit dem Zerfall der UdSSR beschleunigte thematische Neuorientierung des Faches Geschichte hat dann zur Abkehr vom sozial-wirtschaftlichen Themenbereich geführt. Stellvertretend für die vielen sowjetischen Sklavenforscher ist namentlich Elena M. Štaerman (1914–1991), Mitarbeiterin der Akad. der Wiss. der UdSSR, zu erwähnen. Ihre Anregungen bestimmen bis h. die russ. Altertumswiss. [61. 308–310; 108; 119. 135–139]. Auch in den östl. Satellitenstaaten nahm man sich der S. an, v. a. die polnische Altertumswiss. (in der Person von Iza Bieżuńska-Małowist, 1917–1995) verschaffte sich über die Grenzen des Ostblocks hinaus Geltung [32]. Die Sklavenforsch. der DDR-Althistorie kennzeichnet ihre stark theoretische Ausrichtung [37. 316f.]. Hervorzuheben sind Elisabeth Charlotte Welskopf, Humboldt-Univ. Berlin (1901–1979), und der Leipziger Althistoriker Rigobert Günther (1928–2000).

In der englischsprachigen Welt wurde die Forsch. durch Moses I. Finley, Cambridge (1912–1986) und dessen sociological approach geprägt [29. 204–206; 41; 96; 119. 144–148]. Finley hat nicht nur zwei Sammelbände zur ant. S. (Slavery in Classical Antiquity, 1960, und Classical Slavery, 1987) herausgegeben, sondern auch zahlreiche eigene Arbeiten zu diesem Themenbereich vorgelegt (s. die Zusammenstellung in Economy and Society in Ancient Greece, 1981). Große Bekanntheit genießt Ancient Slavery and Modern Ideology (1980), eine Sammlung von vier Vorträgen am Collège de France [106. 4f.]. Finley stand – fernab von marxistischer Denkweise – in der intellektuellen Trad. des engl. Radikalismus, sein Wirken setzt bis h. Maßstäbe [39. 336; 119. 148]. Aus der seit 1970 vom Centre de Recherches d'Histoire Ancienne an der Univ. de Franche-Comté, Besançon initiierten Kolloquien ist die von Pierre Lévêque u. a. begründete Groupe International de Recherches sur l'Esclavage dans l'Antiquité (GIREA) hervorgegangen, eine lose Vereinigung, die sich regelmäßig trifft (2002 zum 27. Kolloquium; Übersicht: [59]; http://ista.univ-fcomte.fr/girea/gir25.htm). Teilnehmer, Vortragsinhalte und Tagungsorte verdeutlichen das Bemühen, die marxistische Forsch. einzubeziehen, und die Tendenz des Unternehmens, das auch als Gegenpol zu den Mainzer Aktivitäten verstanden wurde [71. 125f.]. In Besançon hat man Dokumentensammlungen, Indices etc. angelegt [35; 90 257f.], auf deren Grundlage man einzelne Autoren mit den Verfahren der Inhaltsanalyse auf ihre Aussagen zu S. und Freilassung untersucht hat [51; 58]. Ergebnis dieser Bemühungen ist die inzwischen achtbändige Série des index thématiques des références à l'esclavage et à la dépendance (1984ff.). Ein marxistischer Standpunkt war auch der Sklavenforsch. in Japan eigen, deren Schwerpunkt auf den Sklavenrevolten lag. Geprägt war sie bis in die 80er J. von Tôru Yuge, Hidemichi Ôta und Masaoki Doi [26; 49; 85; 91; 92. 117–120].

F. AUSBLICK

Durch die Veränderungen des ausgehenden 20. Jh. hat die Erforsch. der ant. S. viel an Attraktivität verloren, wie der signifikante Rückgang der einschlägigen Publikationen verdeutlicht (Abb. 1).

Es kommen Zweifel auf, ob die ant. S. weiterhin zu den ›Hauptarbeitsgebieten der internationalen Althistorie‹ [34. IX] zu zählen ist. Die Lebendigkeit der Forsch. läßt jedoch vermuten, daß es sich um kein Auslaufmodell handelt. Die Aktivitäten an der Mainzer Akad. (Corpus der röm. Rechtsquellen zur ant. S., Handwörterbuch zur ant. S.), die Treffen von GIREA (2001: »Routes et Marchés d'esclaves«; 2002: »Jerarquías religiosas y control social en el mundo antiguo«) und das Institute for the Study of Slavery (ISOS) (ehemals: ICHOS − International Centre for the History of Slavery) an der Univ. Nottingham belegen die Wichtigkeit der Thematik. Inhaltlich wird v. a. der komparative Ansatz fruchtbringend bleiben. In diese Richtung weisen neben zahlreichen Publikationen z. B. auch das 2002 eingerichtete Graduiertenkolleg 846 der Univ. Trier (»S. − Knechtschaft und Frondienst − Zwangsarbeit. Unfreie Arbeits- und Lebensformen von der Ant. bis zum 20. Jh.«). Auch außerhalb der Wiss. dürfte das Interesse an der S. weiter vorhanden sein (s. etwa das Interview »Handelsware Mensch« in *GEO-Epoche* Nr. 5, 2001, oder das Fernseh-Feature »Spartacus« in der Reihe »ZDF Expedition« vom 3.11.2002).

→ Aristotelismus; Aufklärung; Bevölkerungswissenschaft/ Historische Demographie; Humanismus; Rußland; Sozialismus

→ AWI Colonatus; Sklavenaufstände; Sklavenhandel; Sklaverei; Spartacus

QU 1 C. A. BÖTTIGER, Sabina, oder Morgenscenen im Putzzimmer einer reichen Römerin, Leipzig 1803 2 J. L. DE BURIGNY, Premier mémoire sur les esclaves Romains, in: Mémoires de Littérature, tirés des registres de l'Acad. Royale des Inscriptions et Belles-Lettres 35, 1770, 328−359 3 Ders., Second mémoire sur les esclaves Romains, in: Mémoires de Littérature, tirés des registres de l'Acad. Royale des Inscriptions et Belles-Lettres 37, 1774, 313−339 4 J. CAPPERONIER, Recherches sur l'histoire et l'esclavage des Hilots, in: Histoire de l'Acad. Royale des Inscriptions et Belles-Lettres 23, 1756, 271−285 5 G. F. CREUZER, Blicke auf die S. im alten Rom, in: Ders., Dt. Schriften IV, Leipzig-Darmstadt 1836, 1−74 6 CH. DE BROSSES, La seconde guerre servile ou la révolte de Spartacus en Campanie, in: Mémoires de Littérature, tirés des registres de l'Acad. Royale des Inscriptions et Belles-Lettres 37, 1774, 23−86 7 L. M. HARTMANN, Zur Gesch. der ant. S., in: Dt. Zschr. für Geschichtswiss. 11, 1894, 1−17 8 A. H. L. HEEREN, Ideen über die Politik, den Verkehr und den Handel der vornehmsten Völker der alten Welt. Bd. 3,1, Wien 1917 (Göttingen ¹1812) 9 CH. G. HEYNE, E quibus terris mancipia in Graecorum et Romanorum fora advecta fuerint, Göttingen 1789 (= Opuscula academica collecta et animadversionibus locupletata IV, 1796, 120−139) 10 W. V. HUMBOLDT, Über das Studium des Alterthums, und des Griechischen insbesondre (1793), in: A. LEITZMANN (Hrsg.), Wilhelm von Humboldts Gesammelte Schriften I 1, 1903, 255−281 11 D. HUME, Essay on the Populousness of Ancient Nations, in: Ders., Political Discourses, Edinburgh 1752 (= Ders., Essays moral, political, and literary, hrsg. v. T. H. GREEN, T. H. GROSE, Bd. I, ²1882, Ndr. 1964, 381−443) 12 J. G. IMMERMANN, Vergleichung der Röm. Knechtschafft mit der Knechtschafft der Christen, Leipzig-Eisenach 1744 (= Acta scholastica V 5, 1745, 416−437) 13 W. I. LENIN, Werke, Bd. 29, 1961

14 K. MARX, F. ENGELS, Werke (MEW), Bd. 4, 1959 15 K. MARX, Werke (MEW), Bd. 16, 1962 16 E. MEYER, Die S. im Alt., in: Jb. der Gehe-Stiftung zu Dresden 3, 1899, 190−237 (= Ders., KS I, ²1924, 169−212) 17 TH. MOMMSEN, Röm. Gesch., Bd. 3, Kiel 1856 18 F. OVERBECK, Ueber das Verhältniss der alten Kirche zur S. im röm. Reiche, in: Stud. zur Gesch. der alten Kirche, Schloß-Chemnitz 1875, Ndr. 1965, 158−230 19 J. G. SCHLOSSER (Hrsg.), Aristoteles Politik und Fragment der Oeconomik (...), Lübeck-Leipzig 1798 20 A. SMITH, Wealth of Nations, London 1776 21 J. W. STALIN, Fragen des Leninismus, Moskau 1946 22 M. WEBER, Die sozialen Gründe des Untergangs der ant. Kultur, in: Die Wahrheit 6, 1896, 57−77 (= Ders., Gesammelte Aufsätze zur Sozial- und Wirtschaftsgesch., 1924, 289−311) 23 F. A. WOLF, Darstellung der Alterthums-Wiss. nach Begriff, Umfang, Zweck und Werth, in: Ders., PH. BUTTMAN (Hrsg.), Mus. der Alterthumswiss. I, Berlin 1807, 1−145 24 DERS., Vorlesungen über die Alterthumswiss. V, hrsg. v. J. D. GÜRTLER, Leipzig 1835

LIT 25 G. ALFÖLDY, Ant. S., 1988 26 J. ANNEQUIN, P. Lévêque (Hrsg.), Le monde méditerranéen et l'esclavage. Recherches japonaises, 1991 27 W. BACKHAUS, John Elliot Cairnes und die Erforsch. der ant. S., in: HZ 220, 1975, 543−567 28 Ders., Marx, Engels und die S., 1974 29 H. BELLEN, Die ant. S. als mod. Herausforderung, in: Akad. der Wiss. und der Lit. Mainz 1949−1989, 1989, 195−208 30 Ders. (†), H. HEINEN (Hrsg.), Bibliogr. zur ant. S., 2003 31 I. BIEŻUŃSKA-MAŁOWIST, Les recherches sur l'esclavage ancien et le mouvement abolitionniste européen, in: Antiquitas Graeco-Romana ac tempora nostra, 1968, 161−167 32 Dies., Les recherches polonaises sur l'esclavage dans l'Antiquité, in: Act. du colloque sur l'esclavage (Nieborów 2−6 XII 1975), 1979, 47−58 33 N. BROCKMEYER, Arbeitsorganisation und ökonomisches Denken in der Gutswirtschaft des röm. Reiches, Diss. Bochum 1668 34 Ders., Ant. S., 1979, ²1987 35 D. CELS, Présentation des premiers objectifs du Centre de Recherches, in: Act. du Colloque d'Histoire Sociale 1970, 1972, 115 36 K. CHRIST, Gesch. des Alt., Wissenschaftsgesch. und Ideologiekritik, in: CHRIST, RGW III, 1983, 228−243 37 CHRIST, RGG 38 Ders., Von Gibbon zu Rostovtzeff, ³1989 39 Ders., Neue Profile der Alten Gesch., 1990 40 Ders., Joseph Vogt und die Gesch. des Alt. (1970), in: CHRIST, RGW III, 1983, 151−195 41 E. CHRISTIANSEN, The Moses Finley Approach to Slavery and the Slave Society, in: K. ASCANI et al. (Hrsg.), Ancient History Matters. Stud. presented to J. E. Skydsgaard, 2002, 23−27 42 Comité international des sciences historiques. XIe Congr. international des sciences historiques (Stockholm 21.−28. août 1960). Rapports, 1960 43 D. B. DAVIS, The Problem of Slavery in Western Culture, 1966 44 J. DEININGER, Die sozialen Gründe des Untergangs der ant. Kultur, in: P. KNEISSL, V. LOSEMANN (Hrsg.), Alte Gesch. und Wissenschaftsgesch. FS für K. Christ, 1988, 95−112 45 Ders., Neue histor. Lit. Neue Forsch. zur ant. S. (1970−1975), in: HZ 222, 1978, 359−374 46 J. DEISSLER, Friedrich Nietzsche und die ant. S., in: H. BELLEN, H. HEINEN (Hrsg.), Fünfzig J. Forsch. zur ant. S. an der Mainzer Akad., 2001, 457−484 47 Ders., Ant. S. und Dt. Aufklärung, 2000 48 G. G. DILIGENSKIJ, Probleme der Gesch. der ant. S. auf dem 11. Internationalen Historikerkongr. in Stockholm (russ.), in: VDI 1961,2, 124−137 49 M. DOI, Post-War Japan's Stud. on Slavery in

Classical Antiquity, in: DHA 14, 1988, 35–80 **50** A. ERLER, Ältere Ansätze zur Überwindung der S., 1978
51 F. FAVORY, Présentation de l'»Index Thématique« de Besançon consacré à l'esclavage et aux formes de dépendance, in: M. CAPOZZA (Hrsg.), Schiavitù, manomissione e classi dipendenti nel monde antico, 1979, 143–159 **52** I. FETSCHER, Karl Marx und die Ant., in: Human. Bildung 8, 1983, 73–101 **53** M. I. FINLEY, »Progress« in Historiography, in: Daedalus 106,3, 1977, 125–142 **54** Ders., Die S. in der Ant, 1981 (= Ancient Slavery and Modern Ideology, 1980, ²1998) **55** Ders., Slavery and the Historians (1979), in: Ders., Ancient Slavery and Modern Ideology, ²1998, 285–309 **56** E. FLAIG, sv. S., in: HWdPh IX, 1995, 976–985 **57** E. D. FROLOV, Russkaja nauka ob antičnosti (Die russ. Altertumswiss.; russ.), 1999 **58** M. GARRIDO-HORY, Reflexions autour de l'index thematique, in: Esclavos y semilibres en la antigüeda clasica, 1989, 9–35 **59** Dies., C. PÉREZ, Esclavage et dépendance dans l'antiquité. Index des colloques du G. I. R. E. A. (1970–1990), 1993 **60** R. GÜNTHER, Herausbildung und Systemcharakter der vorkapitalistischen Gesellschaftsformationen, in: Zschr. für Geschichtswiss. 16, 1968, 1204–1211 **61** H. HEINEN, Das E. der Alten Welt im Rahmen der Gesamtentwicklung der sowjetischen Althistorie, in: Ders. (Hrsg.), Die Gesch. des Alt. im Spiegel der sowjetischen Forsch., 1980, 256–340 **62** Ders., s. v. S., in: C. D. KERNIG, Marxismus im Systemvergleich IV, 1974, 190–196 **63** H. J. HERRMANN, Die ant. S. im Urteil der Jh., in: Pädagogische Hochschule »Erich Weinert« Magdeburg 10,5, 1973, 572–597 **64** Ders., Stud. über Antikebild und Geschichtsschreibung im 18. Jh., Diss. Greifswald 1981 **65** J. IRMSCHER, Friedrich Engels studiert Altertumswiss., in: Eirene 2, 1964, 7–42 **66** B. JARRETT, Social Theories of the Middle Ages, 1968 **67** F. JOUKOVSKY, L'esclavage antique et les humanistes, in: Association G. Budé. Act. du IXe congr. II, 1975, 678–704 **68** H. KÖPSTEIN, Die byz. S. in der Historiographie der letzten 125 J., in: Klio 43–45, 1965, 560–576 **69** A. D. KONSTANTINOVA, Das Problem der ant. S. in den Werken von M. S. Kutorga (russ.), in: Voprosy Istoriografii Vseobščej Istorii (Kasan) 1, 1964, 58–88 **70** K. P. KORZEVA, Der Aufstand des Spartakus in der sowjetischen Geschichtsschreibung, in: Klio 61, 1979, 477–496 **71** H. KREISSIG, Zur S. im Alt. Eine Zwischenbilanz der internationalen Colloques sur l'esclavage, in: Jb. für Wirtschaftsgesch 1978,3, 125–138 **72** V. I. KUZIŠČIN, Der Begriff der sozialökonomischen Formation und die Periodisierung der Gesch. der Sklavenhaltergesellschaft (russ.), in: VDI 1974,3, 69–87 **73** Ders., 70 J. des Großen Oktobers und die Aufgaben der sowjetischen Altertumswiss. (russ.), in: VDI 1987,4, 3–14 **74** S. LAUFFER, Die S. in der griech.-röm. Welt, in: Gymnasium 68, 1961, 370–395 **75** P. LEKAS, Marx on Classical Antiquity, 1988 **76** J. A. LENCMAN, Die S. im myk. und homerischen Griechenland, 1966 (russ. 1963) **77** E. LEPORE, Gli studi antichi all'XI congr. internazionale di Scienze Storiche, in: PdP 83, 1962, 138–158 **78** A. MARCONE, Il colonato tardoantico nella storiografia moderna, 1988 **79** A. MAXIMOVA, Joseph Vogt und die Begründung seines Sklavereiprojekts aus russ. Sicht, in: H. BELLEN, H. HEINEN (Hrsg.), Fünfzig J. Forsch. zur ant. S. an der Mainzer Akad., 2001, 3–10 **80** Dies., J. Fogt i issledovanie antičnogo rabsta v nemeckoj istoriografii novešego vremeni (J. Vogt und die Erforsch. der ant. S. in der dt. Geschichtsschreibung der neuesten Zeit; russ.), Diss.

Kasan 2000 (Referat: 1999) **81** M. MAZZA, Marx sulla schiavitù antica, in: L. CAPOGROSSI (Hrsg.), Analisi marxista e società antiche, 1978, 107–145 **82** C. MENZE, Wilhelm von Humboldt und die ant. S., in: Vierteljahrsschrift für wiss. Pädagogik 63, 1987, 319–339 **83** E. M. MOORMANN, W. UITTERHOEVE, Lex. der ant. Gestalten, s. v. Spartacus, 1995, 653–654 **84** J. MUSZKAT-MUSZKOWSKI, Spartacus, 1909 **85** H. ÔTA, T. TAMURA, Post-War Stud. in Japan on Ancient Slavery, in: Index 10, 1981, 317–321 **86** P. PETIT, L'esclavage antique dans l'historiographie soviétique, in: Act. du Colloque d'Histoire Sociale 1970, 1972, 9–27 **87** Das Problem des Verfalls der Sklavenhalterordnung (russ.), in: VDI 1956,1, 3–14 **88** M. RASKOLNIKOFF, La recherche soviétique et l'histoire economique et sociale du monde hellénistique et romain, 1975 **89** S. RICCARDI, Die Erforsch. der ant. S. in It. vom Risorgimento bis Ettore Ciccotti, 1997 **90** N. ROULAND, L'esclavage dans l'antiquité: L'expérience du Centre de Besançon, in: Index 5, 1974/75, 257–279 **91** W. Z. RUBINSOHN, Post World-War II Japanese Historiography on Slavery and Slave Revolts in Antiquity, in: Scripta classica Israelica 13, 1994, 187–193 **92** Ders., Die großen Sklavenaufstände der Ant. 500 J. Forsch., 1993 **93** Ders., Der Spartakus-Aufstand und die sowjetische Geschichtsschreibung, 1983 **94** R. SANNWALD, Marx und die Ant., Diss. Zürich 1957 **95** CH. SCHÄFER, Die These von der natürlichen S. in ant. Philos. und span. Conquista, in: M. BAUMBACH (Hrsg.), Tradita et inventa, 2000, 111–130 **96** W. SCHEIDEL, s. v. Finley, Moses I. (1912–1986), in: P. FINKELMAN, J. C. MILLER (Hrsg.), MacMillan Encyclopedia of World Slavery I, 1998, 332 f. **97** H. SCHNEIDER, Die Bücher-Meyer Kontroverse, in: W. M. CALDER III, A. DEMANDT (Hrsg.), Eduard Meyer, 1990, 417–445 **98** Ders., Schottische Aufklärung und ant. Ges., in: P. KNEISSL, V. LOSEMANN (Hrsg.), Alte Gesch. und Wissenschaftsgesch. FS für K. Christ, 1988, 431–464 **99** H. SCHULZ-FALKENTHAL, Die spartanische Helotie als Gegenstand der Forsch. vom Anf. des 16. bis zum E. des 17. Jh., in: Wiss. Zschr. Halle 35,3, 1986, 96–107 **100** Ders., Die spartanische Helotie als Gegenstand der Forsch. im 18. Jh., in: Wiss. Zschr. Halle 36,5, 1987, 82–101 **101** Ders., Die röm. Sklavenaufstände als Gegenstand der Forsch. vom ausgehenden 15. Jh. bis zum E. des 17. Jh., in: Wiss. Zschr. Halle 37,3, 1988, 66–79 **102** Ders., Die ant. S. als Gegenstand der Forsch. vom Ausgang des 15. Jh. bis zur Mitte des 19. Jh., in: Wiss. Zschr. Halle 35,4, 1986, 64–77 **103** Ders. et al. (Hrsg.), S. in der griech.-röm. Ant. Eine Bibliogr. wiss. Lit. vom ausgehenden 15. Jh. bis zur Mitte des 19. Jh., 1985 **104** W. SEYFARTH, Der Begriff »Epoche sozialer Revolution« und die Spätant., in: Klio 49, 1967, 271–283 **105** Ders., Soziale Fragen der spätröm. Kaiserzeit im Spiegel des Theodosianus 1963 **106** B. D. SHAW, »A Wolf by the Ears«: M. I. Finley's Ancient Slavery and Modern Ideology in Historical Context, in: M. I. FINLEY, Ancient Slavery and Modern Ideology, ²1998, 3–74 **107** E. M. ŠTAERMAN, Die Bed. der Werke W. I. Lenins für die Erforsch. der Ant., in: Klio 53, 1971, 5–47 **108** (Nachruf auf) E. M. Štaerman, in: VDI 1992,3, 172–178 **109** I. STAHLMANN, Qu'on ne me cite pas les exemples des anciennes républiques! Ant. S. und Frz. Revolution, in: Klio 74, 1992, 447–455 **110** M. TSCHIRNER, Moses I. Finley, Diss. Marburg 1994 **111** F. VITTINGHOFF, Die Bed. der Sklaven für den Übergang von der Ant. ins abendländische MA, in: HZ 192, 1961, 265–272 **112** Ders., Die Sklavenfrage in der Forsch. der Sowjetunion, in:

Gymnasium 69, 1962, 279–286 **113** Ders., Die Theorie des histor. Materialismus über den ant. »Sklavenhalterstaat«, in: Saeculum 11, 1960, 89–131 **114** J. VOGT, Die Humanisten und die S., in: Ders., S. und Humanität, ²1972, 112–129 **115** Ders., Die ant. S. als Forschungsproblem von Humboldt bis h., in: Ders., S. und Humanität, ²1972, 97–111 **116** J. VOLLATH, Der Übergang von der Ant. zum MA in der nichtslawischen marxistischen Lit., 1985 **117** E. CH. WELSKOPF, Einige Probleme der S. in der griech.-röm. Welt, in: Act. Antiqua Hungaricae 12, 1964, 311–358 **118** T. E. J. WIEDEMANN, Fifty Years of Research on Ancient Slavery: The Mainz Acad. Project, in: Slavery & Abolition 21,3, 2000, 152–158 **119** Z. YAVETZ, Slaves and Slavery in Ancient Rome, 1988.   JOHANNES DEISSLER

Slavische Sprachen A. EINLEITUNG
B. ORTHODOXE SLAVEN
C. KATHOLISCHE SLAVEN
D. INTERFERENZZONEN

A. EINLEITUNG

Die slav. Sprachen bilden einen eigenständigen Zweig der idg. Sprachfamilie, der sich wie jener der balt. Sprachen um 500 v. Chr. aus dem Urbaltoslav. emanzipierte, das exklusive Isoglossen als ihre nachgrundsprachliche Vorstufe erweisen. Weit vor der ersten Aufzeichnung slav. Texte (9. Jh.) waren die Slaven mit den Bewohnern des Mittelmeerraumes in Berührung gekommen. Ob bereits Händler griech. Kolonien im Norden des Schwarzen Meeres in slav. Gebiet vordrangen, ist ungewiß. In den Sog nach Süden ziehender german. Stämme gerieten die Slaven zuerst durch die Goten. In unmittelbaren Kontakt zu den Nachfahren der ant. Kulturen traten sie jedoch erst durch ihre gewaltige Ausdehnung seit dem 5./6. Jh., die sie im Westen über die untere Elbe, im Süden bis in die Peloponnes führte. In einer von Mitteleuropa bis auf den Balkan reichenden Front waren sie damit in Gebiete vorgedrungen, die im Osten dem griech.-byz., im Westen dem lat.-röm. Kulturkreis oder seinem Einzugsbereich angehörten. Noch aus gemeinslav. Zeit datieren erste Einflüsse v. a. des Lat., doch bleiben Ursprung und Vermittlung vielfach strittig. Mit der Annahme des Christentums nimmt der Einfluß der vorrangigen Kirchensprachen sprunghaft zu. Ostslaven und auf dem Boden des oström. Reiches ansässige Südslaven fallen der Ostkirche, die übrigen Slaven der röm. Kirche zu, von der sie mit geringen Ausnahmen teils nachhaltige reformatorische Bewegungen nicht auf Dauer zu trennen vermögen.

B. ORTHODOXE SLAVEN

Die intensivste Aneignung nachant. Kultur erfolgte auf seiten der orthodoxen Slaven. Die serb., bulgar. und russ. Staaten des MA waren ganz auf die Nachfolge des byz. Staatswesens konzipiert. Die Aneignung der byz. Lit. ist anfangs nahezu ausschließlich auf das theologische Schrifttum beschränkt und betrifft ant. Erbe nur insoweit, als es in diesem aufgehoben ist. Die Übernahme der byz. Lit. stellte die vordem illiteraten Sprachen vor die Aufgabe, der entwickelten griech. Wortkunst

ebenbürtige Ausdrucksformen zu schaffen. Die ältesten Übers. der in bilingualem Milieu aufgewachsenen Griechen Kyrill und Method und ihrer slav. Mitarbeiter sind von höchster Qualität und bezeugen ein souveränes Verständnis der zu bewältigenden Aufgabe. In dieser Zeit nahm die aksl. Schriftsprache zahlreiche Fremdwörter aus dem Griech. auf (*arxangelъ, evangelъje, xrizma* usf.), denen teils Termini der röm. Amtssprache zugrundeliegen (*pretorъ* ← πραιτόριον ← lat. *praetorium* usf.), und schuf Lehnprägungen und syntaktische Calques zur Wiedergabe des griech. Vorbilds. Die Lehnprägungen umfassen Lehnübers. (*blagosloviti* ← εὐλογεῖν, *malověrъ* ← ὀλιγόπιστος, *inoplemenьnikъ* ← ἀλλόφυλος usf.) und Wörter, die unter griech. Einfluß zusätzliche Bedeutung(en) annahmen (*viděnьje* »Sehen« + »Vision« nach ὀπτασία, ὅραμα; *ležati* »liegen« + »bestimmt sein für« nach κεῖσθαι; *ašte* »wenn« + »ob« nach εἰ usf.), die syntaktischen Calques Lehnwendungen (*šьstvъje* (*sъ*)*tvoriti* ← πορείαν ποιεῖσθαι (ποιεῖν)) und Nachahmungen griech. Konstruktionen, die dem Slav. von Hause fremd sind (a.c.i., doppelter acc., Typen der verbalen Rektion usf.). Die morphologische Eingliederung der Lehnwörter, die mitunter volksetym. Abwandlung erfahren (z. B. *prit(v)orъ* für *pretorъ*), folgt teils der phonetischen (*pasxa* f. ← πάσχα n., *katapetazma* f. ← καταπέτασμα n., *lepta* f. ← λεπτά n.pl. usf.), teils der kategoriellen Vorgabe des Vorbilds (*sata* n.pl. ← σάτα n.pl., *sỹkamina* ← συκάμινος f., *ikona* ← εἰκών f. usf.). Ihre Lautgestalt verrät mitunter ihren Ursprung aus der volkssprachlichen Realisation des griech. Bibeltextes (*sǫbota* ← σάμβαττον, loc.sg. *pascě* ← gr. πάσκα). In einigen Fällen greift die Übers. auf vorlit. Fremdwörter lat. Herkunft (*misa* ← *měsa* < *mensa*; *poganъ* ← *paganus*) oder Vermittlung (*olějь* ← *oleum* ← ἔλαιον) zurück. Den sprachmächtigen Übertragungen der Anfangszeit folgte eine schon in den spätaksl. Hss. bemerkbare Wende zur buchstabengetreuen Wiedergabe des griech. Wortlauts, deren Urheber die Übersetzer der Preslaver Schule waren und die schließlich ohne Kenntnis des Originals weitgehend unverständliche Texte hervorbrachte. In dieser Phase nahm die Anzahl v. a. lexikalischer Nachahmungen des Griech. sprunghaft zu, die mitunter seltenen Wortbildungsmustern zu künstlicher Blüte verhalfen (z. B. adj. des Typs *bezumajь* zur Wiedergabe griech. adj. mit ἀ- privativum: ἄφρων usf.). Auch in der Folgezeit bleiben kirchliche und gelehrte Lit. ein wesentliches Einfallstor griech. Einflusses. Dieser Sphäre gehören hybride Bildungen des Typs serb.-ksl. *bogostigъ* ← θεοστυγής an. Dabei ist vielfach Bulgarien der Mittler griech. Lehnprägungen im Serb. (z. B. aserb. *poroda* ← abulg. *poroda* ← παράδεισος) und Russ. (z. B. aruss. *dijavolъ* ← abulg. *dijavolъ* ← διάβολος). Für das Serb. ist auch mit roman. Vermittlung ant. Wortguts aus dem Westen zu rechnen (vgl. serbokroat. *filòzof* ← it. *filosofo* ← lat. *philosophus* ← φιλόσοφος gegenüber direkt entlehntem aserb. *filosofъ*, russ. *filosof*). Da Bulgaren und Serben teils in unmittelbarer Nachbarschaft, jedenfalls aber unter dem ununterbrochenen und bis zum Fall

→ Konstantinopels dominierenden Einfluß des Griech. leben, sind die sprachlichen Kontakte in ihrem Falle nicht auf das spätant. Griech. beschränkt, sondern spiegeln die Entwicklung der gebenden Sprache von der Zeit des ersten Zusammentreffens bis in die Gegenwart. Dabei treten Übernahmen in unmittelbarem Kontakt (z. B. bulgar. *'mo're (bre)*, *'mo'ri*, serb. *mȍre (brȅ)*, *mȍri* ← μωρέ, μωρή) solche durch türk. Vermittlung zur Seite (z. B. bulgar. *'kre'vet*, serbokroat. *krȅvet* ← türk. *k(e)revet* ← κρεβάττι gegenüber bulgar. *'kre'vat* ← κρεβάττι, russ. *krovat'* ← κραββάττι(ον)). Auch hier reicht die Wortgeschichte mitunter in die lat. Vorgeschichte des griech. Lemmas zurück (z. B. bulgar. *gju'mruk*, serbokroat. *đȕmruk* ← türk. *gümrük* ← κουμέρκι(ον) ← lat. *commercium* gegenüber direkt aus dem Griech. entlehntem altserb., altbulgar. *kumerkъ*). Endlich teilen Serb. und Bulgar. für den Balkansprachbund charakteristische Strukturmerkmale des Neugriechischen. Im Falle der ostslav. Sprachen bleibt der Einfluß des Griech. dagegen nahezu ausschließlich auf die lit. Vermittlung beschränkt. Seit dem 18. Jh. geben in Rußland die petrinischen Reformen, seit dem 19. Jh. auf dem Balkan die Befreiung von der türk. Herrschaft dem Austausch der orthodoxen Slaven mit dem Westen neue Dimensionen. Im gleichen Ausmaß verstärkt sich der bis in die Gegenwart anhaltende Einfluß der Sprachen des Abendlandes, die in breiter Front einerseits das in ihnen beschlossene ant. Erbe (vgl. russ. *avto'krator* ← dt. *Autokrator* ← lat. *autocrator* ← αὐτοκράτωρ neben *samo'deržec*, einer Lehnübers. bereits aksl. Ursprungs), andererseits die auf seiner Grundlage geschaffene fachsprachliche Terminologie aller Lebensbereiche der mod. Gesellschaft weiterreichen (vgl. russ. *avtomobil'* ← dt. *Automobil* ← frz. *automobile* ← griech. αὐτός, lat. *mobilis*; russ. *'triptik* ← frz. *triptique* ← lat. *triptychum* ← τρίπτυχον usf.). Auch auf dieses Wortgut reagieren die aufnehmenden Sprachen teils durch Lehnübers. (vgl. russ. *samoxodъ* für *avtomobil'*). Es bildet nicht zuletzt die Grundlage der in sowjet. Zeit beliebten Neubildungen des Typs russ. *Likvidkom* »Liquidationskommission«, *Univermag* »Universalmagazin (Kaufhaus)«, in denen die Wortgeschichten ant. Etyma in eigenwilliger Weise zusammenlaufen.

C. Katholische Slaven

Anders das Bild bei den kathol. Slaven, bei denen das Lat. als Sprache der Kirche und von Teilen des öffentlichen Lebens fungiert und die Volkssprachen vor der Reformationszeit nur zögernd lit. Verwendung finden. Auch hier drangen seit dem Beginn der elementaren Mission und Seelsorge Termini der Kirchensprache in die Volkssprache ein, und auch hier wurde die privilegierte Fremdsprache zum Vorbild des muttersprachlichen Ausdrucks, doch fehlt es an den Auswirkungen einer umfassenden und zielgerichteten Übersetzertätigkeit. Ausgenommen ist Dalmatien, wo die an die Mission der Slavenlehrer anknüpfende Tätigkeit der Glagoljaši, die bis ins 20. Jh. die röm. Messe in slav. Sprache lesen, ein im Umfang bescheideneres, inhaltlich jedoch gleichartiges geistliches Schrifttum zeitigt. Mitunter gibt der Charakter der sprachlichen Einflüsse die Richtung zu erkennen, aus der die christl. Mission erfolgte. So setzt die älteste christl. Terminologie der Polen čech. Vermittlung voraus (poln. *anioł* ← čech. *anjel* ← lat. *angelus* ← ἄγγελος; poln. *pacierz* ← čech. *pateř* ← lat. *pater (noster)* usf.), der mitunter dt. vorangeht (poln. *kościół* ← čech. *kostel* ← ahd. *kastel* ← lat. *castellum*; poln. *opat* ← čech. *opat* ← altbair. *apat* ← lat. *abbatem*; poln. *papież* ← čech. *papež* ← ahd. *bābes* ← spätlat. *pāpes* usf.). Auch in anderen Fällen erfolgt die Übernahme lat. Wortgutes über das Deutsche. So gehen poln. *czynsz*, ačech. *čínž(e)*, *cínž(e)*, slovak. *čínža*, sloven. *čínž*, kajkav. *čȋnž* gleichermaßen über mhd./ahd. *zins* auf lat. *census* zurück. Auch hier sind teilweise weitere Zwischenstufen vorausgesetzt (z. B. poln. *żołd*, sloven. *žȯ́ld* ← mhd. *solt* ← altfrz. *solde* ← lat. *(nummus) solidus*). Der Durchbruch zu lit. Gebrauch im Gefolge von → Renaissance und Reformation stellt auch die Sprachen der kathol. Slaven vor die Erfordernis, der überkommenen Schriftsprache, von der sie bis dahin durch eine übergangslose Kluft geschieden waren, gleichwertige Ausdrucksformen zu finden. Sie kamen ihr nicht zuletzt durch Übernahmen aus dem Lat. nach, die das Typenspektrum der Lehnbildungen ausschöpfen (unter den Lehnübers. vgl. poln. *Rzeczpospolita* ← lat. *res publica*) und im Einzelfall rasch an Boden gewinnen: war in einem poln. Text des 16. Jh. nur etwa jedes 600. Wort ein Latinismus, so stieg ihre Anzahl im 17. Jh. auf jedes 60., im 18. Jh. auf jedes 33. Wort. Jahrhunderte vor der Öffnung der östl. fand damit die westl. Slavia den Anschluß an die Entwicklung der westeurop. Sprachen, die ant. Erbe nicht allein bewahren, sondern als lebendige Quelle von Ausdrucksmitteln zur Bezeichnung neuerkannter Inhalte nutzen. Allerdings führt gegenwärtig in einigen der neuentstandenen slav. Kleinstaaten nationalistischer Überschwang zu einer Wiederbelebung puristischer Gegenbewegungen (vgl. im Kroat. den Ersatz von »serb.« *telȅgram* durch *br̂zojav* »Schnellmelder« usf.)

D. Interferenzzonen

Die Scheidung der sprachlichen Entwicklung nach der kirchlichen Zugehörigkeit ihrer Träger ist keine absolute. Stets hat es Übergangszonen gegeben, in denen sich die Wege beider Seiten trafen. Bereits die Slavenlehrer stießen bei ihrer Tätigkeit in Mähren auf die sprachliche Hinterlassenschaft ihrer fränk. Vorgänger, die sich in einer Reihe westl. Termini in den aksl. Texten geltend macht (*prěfacija* ← lat. *praefatio*, *mъša* (← ahd. *missa?*) ← lat. *missa* usf.). Auch im Schrifttum der dalmatin. Glagoljaši kreuzen sich beide Traditionen. Andere Interferenzzonen sind → Weißrußland, die Ukraine und Bosnien, die Schauplatz jahrhundertelanger Auseinandersetzungen zwischen östl. und westl. Christentum und Einzugsgebiet auch außerkirchlicher Kultureinflüsse des Westens sind. Hier setzt v. a. der sprachliche Einfluß der kathol. Nachbarn den Zeugnissen slav.-griech. Sprachkontakte solche slav.-lat. Charakters entgegen (vgl. weißruss. *historyja* ← poln. *historia* ← lat. *historia* (← ἱστορία); weißruss. *dosyc' čynic'* ← poln. *dosyć*

czynić ← lat. *satisfacere* usf.).
→ Baltische Sprachen; Byzanz; Internationalismen
→ AWI Baltische Sprachen; Kirchenslavisch; Kyrillos
[8]; Slaven, Slavisierung; Slavische Sprachen

> 1 V. JAGIĆ, Entstehungsgesch. der kirchenslav. Sprache, ²1913 2 Z. KLEMENSIEWICZ, Historia języka polskiego I–III, 1961–1972 3 K. SCHUMANN, Die griech. Lehnbildungen und Lehnbed. im Altbulgar., 1958 4 M. VASMER, Greko-slavjanskie ètjudy, 1909 5 Ders., Die griech. Lehnwörter im Serbo-Kroatischen, 1944 (= 1984).
>
> CHRISTOPH KOCH

Slowakei A. ALLGEMEINES B. BILDUNG UND SCHRIFTTUM C. MUSIK, ARCHITEKTUR, BILDENDE KUNST

A. ALLGEMEINES

Mit Ausnahme des *castellum Gerulata* (h. Rusovce) lag das Gebiet der heutigen S. im Barbarikum; den Machteinfluß des röm. Imperiums sicherten die vorgeschobenen Stützpunkte (CIL III 13439: die Inschr. im Burgfelsen von Trenčín: ›Victoriae Augustoru(m) exercitus, (q)ui Laugaricione sedit, mil(ites) l(egionis) II DCCCLV‹). Die geistige Kultur der vorslawischen Bevölkerung war durch Kontakte mit der röm. Provinz Pannonien nicht beeinflußt.

B. BILDUNG UND SCHRIFTTUM

1. MITTELALTER

Die Rezeption der Ant. begann mit der Christianisierung. Eine bes. Rolle für die kulturelle Identität der Slowaken wird der byz. Mission von Konstantin-Kyrillos und Methodios zuerkannt. Sie versuchten, auch die spätant. Rechtsnormensammlungen aus → Byzanz einzuführen. Einige ant. Elemente wurden durch die Liturgie vermittelt. Nach dem Untergang von Groß-Mähren gliederte sich die S. in das multinationale Königreich Ungarn ein, wo das Lat. bis ca. 1840 als Amtssprache galt.

2. RENAISSANCE, HUMANISMUS

Mit dem Renaissancehumanismus (→ Humanismus I. Renaissance) verstärkte sich das Interesse an der Ant.; sie wurde v. a. von den Studenten der it. Univ. und den Gelehrten am ungarischen königlichen Hof vermittelt. Auf Veranlassung von König Mathias Corvinus wurde in Preßburg (h. Bratislava) eine Univ., die sog. Academia Istropolitana (1465–1490), gegründet. Nach ihrem Untergang gewann die Krakauer Univ. an Einfluß; ihre Scholaren kopierten (Juvenal durch Ch. Petschmessingsloer von Levoča, 1461) oder gaben Texte im Druck heraus (J. Baptista von Neusohl Ciceros *De inventione*, 1527; V. Ecchius Horazens Briefe, 1521–22, und Prudentius' *Peristephanon*, 1526 – für die Stadtschule Bardejov bestimmt). Die Grundsätze der ant. Metrik wurden durch Apologien (Ch. Petschmessingsloers *Laudes artis poeticae*, 1461) und Lehrbücher (V. Ecchius, *De versificationis arte*, 1521) eingeführt. Zur Zeit des Reformationshumanismus wurden die ant. Bildungselemente durch die städtischen Schulen verbreitet. Der Unterricht des Griech. begann 1539 in Bardejov, um 1550 in den Stadtschulen Trnava, Neusohl (h. Banská Bystrica) und Levoča. Griechische Autoren wurden ins Lat. übersetzt (Euripides' *Orestes* metrisch von S. Gelous Torda, 1551). Es gab auch eine indirekte Rezeption (Erasmus' *Apophthegmata* von L. Stöckel als Schulbuch bearb., gedr. 1570).

In der Dichtung dominierte die lat. Poesie in ant. Form; nur vereinzelt entstanden griech. Gedichte. Es erschienen poetische Werke mit aktuellem polit.-gesellschaftlichem Inhalt: P. Rubigallus († 1577) führte nach dem Vorbild von Vergils erster Ekloge die polit. orientierte Idylle (*Satyriscus*, 1544) und unter Ovids Einfluß die Briefe (*Pannoniae ad Germaniam*) ein; G. Koppay schöpfte die Argumente für seine niederschmetternde Kritik des Adels (*Vita aulica*, 1576) aus Lucan, Juvenal, Plutarch und den Humanisten; Vergil und Ovid waren für G. Purkircher (1530?–1577) Ausgangspunkt für die polit. Ekloge *Sacer Aristaeus Posoniensis* (1563). Die repräsentative Persönlichkeit der antikisierenden Dichtung des 16. Jh., Martin Rakovský (1535?–1579), zeichnete sich durch die Lehrgedichte *Libellus de partibus rei publicae* (1560) und *De magistratu politico* (1574) aus; sie gingen aus Platon, Aristoteles, Cicero und der Bibel hervor. In dem auf die Semantik des Namens Rakovský alludierenden *Lusus de cancris* (1555) hatte er von Plinius, Aristoteles und Äsop Gebrauch gemacht. In dem Gedicht *De phoenice* (1561) stützte er sich auf Ovid, Claudianus und Laktanz. Auch in der rel. Poesie wurden ant. Formen verwendet: Es überwiegen Hymnen (oft in Sapphischen Strophen), biblische Bücher (z. B. *Sapientia Salamonis* von G. Purkircher, 1559) und einzelne Psalmen in Hexametern, Distichen und epodischen Strophen. Ein rel.-polit. Thema erörterte *Threnus Astraeae* (1611), ein Cento von Adam Proserchomus. Das wiederbelebte Interesse für das Persönliche spiegelte sich in der Hyperproduktion der → Gelegenheitsdichtung wider. Jan Filický's *Xenia natalitia* (1604) und *Miscellanea epigrammata* (1614) hatten Horaz und Martial als Vorbilder. Der produktivste Autor, J. Bocatius († 1621; sein Hauptwerk *Hungaridos libri poematum V* stammt aus dem J. 1599) stützte sich vorwiegend auf Vergil, Horaz und Ovid, seltener auch auf Catull, Martial und Juvenal. Die Gattungen der Gelegenheitspoesie (Genethliaka, Epithalamia, Propemptika, Epizedien sind am häufigsten) werden in den gelehrten *sodalitates* gepflegt, ant. und zeitgenössische Vorbilder imitierend. Die aktivsten waren in Preßburg, Trenčin und in der Ost-S tätig; sie pflegten enge Kontakte mit tschechischen, schlesischen und dt. Dichtern. Am Rande der lit. Bewegung stand die anon. gebliebene Liederdichtung in slowakischer Sprache (*Kodex Job-Fanchali*, 1603/04); der Einfluß der Ant. ist in dem myth. Apparat und in den histor. Exempeln sichtbar. Ant. Sujets (der Homer. Zyklop, Motive von Amor und Psyche) drangen in die slowakischen Volksmärchen ein. Man führte ant. Stücke statt ma. Mysterien auf. 1518 spielten die Schüler der Stadtschule zu Prešov eine Komödie von Plautus. Bevorzugt wurde aber Terenz. Sein *Heautontimorumenos* wurde 1534 in Kremnica, der *Eunuchus* vor 1550 in Bardejov aufgeführt. Die Entwicklung der konfessionellen Verhältnisse führte bald dazu, daß biblische Spiele in der Sprache des Volkes (tschechisch, slowakisch, dt.) überwogen; die lat. blieben auf den Boden der protestantischen wie auch der katholischen Schulen begrenzt.

Geringere Kenntnisse besitzen wir über die Anwendung von ant. Vorbildern in der lat. human. Prosa. Beliebte Genres waren Dialoge, Briefe und Reden; die ant. rhet. Schemata setzen sich auch in der → Homiletik durch. An der Geburt der human. Historiographie wirkten it. Gelehrte mit; unter dem Einfluß des Werkes von A. Bonfini wurden die »ant. Gründer« der Städte tradiert – Piso für Preßburg-Bratislava, lat. Posonium, Cassius für Košice, lat. Cassovia, Terentius für Trenčin. Der Human. brachte die Entwicklung der → Philologie mit sich; da aber ein wiss. Zentrum auf Universitätsniveau und größere Druckereien nicht vorhanden waren, wirkten die slowakischen Philologen im Ausland: in Krakau J. Baptista (ca. 1480–1550), Professor der Rhet., Herausgeber und Kommentator von Cicero; in Wien J. Sambucus (1531–1584), Dichter, Geschichtsschreiber, Sammler von Hss. und Herausgeber mehrerer Autoren; in Prag L. Benedictus Nudozierinus (1555–1615), Autor der ersten wiss. tschechischen Gramm. *Grammaticae Bohemicae libri II* (1603). Der → Ciceronianismus setzte sich in seiner extremen Form nicht durch (J. Sambucus, *De imitatione Ciceroniana dialogi III*, 1561). Die lat. Bergbauterminologie wurde von P. Rubigall erarbeitet. Mit der griech. Lexikologie befaßte sich S. Gelous Torda (*De particula pros ton theon*, 1544); er widmete sich auch dem Studium einer Theognis-Hs. und der Philos. (*Oratio de beatitudine, Quaestio an honesta natura sint an vero opinione*, 1549). Ansätze zur Epigraphik beobachten wir bei P. Rubigall und J. Dernschwamm (1494–1568), dessen umfangreiche Bücher- und Hss.-Slg. die Erben an die Wiener Hofbibl. verkauften.

3. Barock und Aufklärung

Die Zeit des → Barock und der → Aufklärung war durch eine Konkurrenz zw. den Jesuiten-Univ. Trnava (1635–1777) und Košice (1657–1777) auf der einen Seite sowie den protestantischen Kollegien auf der anderen gekennzeichnet. Die kritische Philol. wurde in ihnen nicht gepflegt. Die angewandte äußerte sich in den nichtciceronianischen Konzeptionen von Comenius' Lateinunterricht; sein *Orbis sensualium pictus* erschien in Levoča (1685). Die klassizistische Antwort darauf waren die Handbücher von Mathias Bel (1684–1749) *Grammatica Latina facilitati restituta* (1717) und *Rhetorices praecepta* (1717) sowie das Wörterbuch *Latinitatis probatae et exercitae liber memorialis* (1719) nach dem Vorbild von Ch. Keller-Cellarius aus Halle. Bels Ziel war, daß ein öffentlich tätiger Mensch das reine Lat. schreibt und spricht. Auf Homer baute er die Theorie über die Ankunft der Slawen aus dem Süden auf; er identifizierte sie mit den paphlagonischen Heneten. Mit der Theorie der slawischen Herkunft des Griech. trat ca. ein Jh. später Gregor

Dankovský auf (*Homerus slavicis dialectis cognata lingua scripsit*, 1829). Die Tatsache, daß die älteste Zeitung *Nova Posoniensia* (1721–22) in Lat. erschien, zeigt die bes. Stellung des Lat. im Land. Auf diesen Grundlagen entstand auch der erste Versuch, die slowakische Sprache zu kodifizieren: Anton Bernoláks *Dissertatio philologico-critica de literis Slavorum* (1787) und *Grammatica Slavica* (1790). In der Philos. gewann im 17. Jh. das Prešover protestantische Kollegium eine führende Position. Mit dem Übergewicht des → Aristotelismus rivalisierte der Einfluß von J. Comenius und R. Bacon sowie Epikurs → Atomistik in Gassendis christianisierter Variante (I. Caban, *Existentia atomorum*, 1667); Epikurs Lehre wurde aber weiterhin heftig bekämpft (O. Plachýs Artikel *Epikurs Verzweiflung* in der gelehrten Zeitschrift *Staré noviny literního umění*, 1785). An der Univ. Trnava versuchte man den → Stoizismus zu rehabilitieren; nach der prosimetrischen Schrift von J. Kazy *Stoa vetus ac nova* (1710) wäre das Christentum die Vollendung des Stoizismus. Als guter Kenner von Platon erwies sich M. Greguss, v. a. in dem *Compendium aestheticae* (1817).

In der Poesie und Kunstprosa verlor das Lat. allmählich seine Vormachtstellung; lat. blieb die Gelegenheitsdichtung, in der geistlichen Dichtung wich der ant. Versbau dem gereimten, syllabotonischen. Das lat. Drama mit aktualisierten ant. und rel. Themen überlebte in der Schule. Es wuchs jedoch das Selbstbewußtsein der Anhänger der slowakischen Sprache, die die Vorherrschaft des Lat. kritisierten (D. Sinapius, *Neo-Forum Latino-Slavonicum*, 1678). Die Antikerezeption bei den einzelnen Autoren der Barockzeit wurde bisher nicht systematisch erforscht. Auffällig produktiv war das bukolische Genre. Das anon. Gratulationsgedicht *Ecloga pastoritia* (1658) reproduziert ganze Verse von Vergil unter Verwendung von slowakischen Realien. In der konsolatorischen *Ecloga* (1729) von J. B. Magin sind die adeligen Patrone des Dichters hinter vergilischen Namen versteckt. Vergils Hirten traten in dem allegorischen Drama aus Prešov *Decennale expirium et primum respirium status evangelici* (1682) auf. Neben dem Bukolischen ist in den moralistisch-unterhaltenden Versen des Werkes *Valaská škola mravúv stodola* (1755) von dem Franziskaner H. Gavlovič die Lektüre mehrerer ant. Autoren spürbar.

4. 19. und 20. Jahrhundert

Ján Hollý (1785–1849) baute die neue slowakische Poesie auf dem Fundament von ant. Gattungen auf. Nach Theokrits und Vergils Muster schrieb er die Idyllen *Selanky* (1835), nach Homer und Vergil verfaßte er nationale Epen (*Svatopluk*, 1833; *Cyrilo-metodiáda*, 1835), nach Ovid und den Elegikern die Klagelieder *Žalospevy*, nach Horaz und den Lyrikern die Oden *Pesňe* (in 26 Versmaßen!). Dadurch griff er in den damaligen Prosodie-Streit ein, der durch die Schrift *Počátkové českého básnictví obzvlášťě prosodie* (1818) von P. J. Šafárik und F. Palacký hervorgerufen wurde; sie lehnten die akzentuierende Prosodie als eintönig und von der dt. beeinflußt ab. An diese Prosodie hielten sich dagegen die Anakreontiker. Metrische Formen in dem sog. biblischen Tschechisch verwendeten die Klassizisten zur Zeit der nationalen Wiederbelebung (J. Kollár, *Slávy dcéra*, 1835). Die ersten Übers. ins Slowakische und Tschechische (das letztere galt bis ca. 1850 als eine der Literatursprachen) sind nach 1650 zu verzeichnen. Besonders Hollýs hervorragende Übers. von Homer, Tyrtaios, Theokrit, Vergil (*Aeneis*, 1828), Ovid und Horaz trugen dazu bei, daß in den slowakischen Übers. die quantitierende Prosodie die Oberhand gewann; diese klang erst am Anf. des 20. Jh. ab. Unter dem Einfluß des Romantizismus setzte sich nach 1850 endgültig die rhythmische Versifikation durch; in den Übers. wurde die rhythmische Nachahmung der metrischen Verse nach 1900 zur Regel. Vereinzelt wird sie in der mod. slowakischen Dichtung gebraucht. Selten erscheinen ant. Stoffe in der zeitgenössischen Poesie, häufiger im Drama (P. Karvaš, *Antigona a tí druhí*, 1962; *Experiment Damokles*, 1966) und im histor. Roman (P. Lenčo). Die Anwesenheit und Wirkungskraft der Ant. in der mod. Lit. wurden bisher nicht eingehend erforscht. Ein schwerwiegender Eingriff in den Charakter der → Bildung war die Schulreform von 1948; durch diese wurde die klass. Bildung in den Schulen de facto liquidiert. In den 60er und 80er J. kam es dennoch zu einem überraschenden Aufblühen der Übers. (der gesamte Homer, Platon, Tacitus, vieles aus Aristoteles, Aristophanes, Ovid und Horaz); über die Theorie des Übersetzens wurden Diskussionen geführt. Diese Tatsache ist auf die Gründung des Klass. Seminariums an der Comenius-Univ. in Bratislava (1922) zurückzuführen. Innerhalb der Slowakischen Akad. der Wiss. wird vom Arch. Inst. die slowakische Limes-Romanus-Forschung koordiniert, an der sich auch das Slowakische National-Mus., das Städtische Mus. Bratislava und die Comenius-Univ. beteiligen, während sich im Sprachwiss. Inst. J. Horecký mit Erfolg der lat. Phonologie widmete; der Verein der slowakischen klass. Philologen an der Slowakischen Akad. der Wiss. konzentriert sich fast ausschließlich auf die Popularisierung der klass. Studien.

C. Musik, Architektur, Bildende Kunst

Es steht nicht fest, wie der byz. Oktoechos (ein in acht Gruppen eingeteiltes System der Melodiemodelle) in seiner heimischen Variante und die kirchlichen Modi, die teilweise in modalem Volksmusiktypus erklingen, mit der spätant. Musik-Trad. zusammenhängen. Über die Architektur und bildende Kunst gibt es bisher keine themenbezogenen Studien. In der S. entstand keine selbständige, von der Ant. inspirierte Bewegung. Die ersten handwerklichen Nachahmungen von importierten Artefakten stammen aus dem 8./9. Jh. Die Anregungen kamen zuerst aus dem byz. (Zehra), dalmatischen (Chrast' nad Hornádom) und byz.-it. (Kostol'any pod Tríbečom) Milieu. Die Komposition des anon. Wandgemäldes mit der Hl. Ladislaus-Legende (Dorfkirche in Bijacovce in der Nordost-S. um 1390) erinnert an das Mosaikbild der Schlacht von Alexander dem Großen mit Dareios in Pella aus dem 4.–3. Jh. v. Chr. In den Städten überwog der Einfluß der mittel- und west-europ. Zentren; die → Gotik dominierte bis ins 16. Jh. Die it. Ren. beeinflußte die profane Architektur (Schlösser, Rathäuser, Stadtbefestigungen) und Grabmäler. Mit dem Barock wuchs das Interesse für ant. Sujets, wie die Sammlung der Gobelins »Hero und Leander« (1632) zeigt; ein Import aus dem engl. Mortlake im Primatialpalais in Bratislava. Ant. Elemente prägten die Architektur der spätbarocken Monumentalbauten, der Bürgerhäuser des Empires und der öffentlichen Gebäude des → Klassizismus (z. B. die Bauten in Bad Piešt'any).

→ AWI Kyrillos [8]; Methodios [4]
→ Bukolik/Idylle; Schulwesen; Verslehre

1 Anfänge der slavischen Musik, Bratislava 1966 2 J. Češka, R. Hošek (Hrsg.), Inscriptiones Hungariae Superioris in Slovacia Transdanubiana asservatae, Brno 1967 3 Graecolatina et Orientalia. Universitas Comeniana (Jb. 1969 ff.) 4 M. Okál, Antická metrika a prekladanie, Bratislava 1990 5 D. Škoviera, Virgile en Slovaquie à l'époque de l'humanisme latin, in: Listy filologické 106, 1983, 58–62 6 I. Štefanovíčová (Hrsg.), Mitteldonaugebiet und SO-Europa im frühen MA, Bratislava 1996 7 P. Valachovič (Hrsg.), Pramene k dejinám Slovenska a Slovákov, Bd. 1, Bratislava 1998 8 30 let výzkumu antiky v ČSSR, Praha 1976, 227–267.

DANIEL ŠKOVIERA

Slowenien I. Humanismus
II. Literatur, Kunst, Musik

I. Humanismus

In slowenisch besiedelten Ländern (Krain, Südsteiermark, Südkärnten, Görz) gab es z.Z. des → Humanismus weder größere Städte noch eine → Universität. Die Gebildeten gravitierten nach Wien, z. T. nach → Italien. So sind die aus den venezianischen Städten Istriens (Koper/Capodistria, Piran) stammenden Humanisten (z. B. P. P. Vergerius d. Ä.) dem it. Humanismus zuzuweisen. Mit ersten Anzeichen des Human. im Kernland kann man erst seit Mitte des 15. Jh. am Hofe der gefürsteten Grafen von Celje/Cilli rechnen, wo sich Einflüsse des Wiener Kreises um Aeneas Silvius bemerkbar machten, am deutlichsten in der beim Erlöschen der Dynastie 1456 entstandenen *Oratio funebris de casu illustris comitis Ulrici de Cilia* des dt. Frühhumanisten Ioannes Rot (1426–1506): eines der ersten Beispiele dieser human. Gattung außerhalb It. (typische Topoi der ant. threnetischen und paramythetischen Lit., platonisierend, ciceronischer Stil im Gegensatz zur traditionellen ma. Leichenpredigt). Die Würdenträger des 1461 gegründeten Bistums Ljubljana/Laibach erwarben die höhere, v. a. juristische Ausbildung ausnahmslos in Norditalien. Die human. Gesinnung zeigt sich zunächst im Streben nach einer reineren »Gebrauchslatinität« und im Anschaffen von Hss. und gedruckten Büchern human. Inhalts aus Italien. Zu Beginn des 16. Jh. zeichnet sich ein Kreis von human. Gebildeten um den Laibacher Bischof Christophorus Raubar (1476–1536) ab, einen typischen Ren.-Prälaten und Mäzen, der am Hof mit

Humanisten um Maximilian I. verkehrte (ihm sind die 1513 postum edierten Oden des K. Celtis dediziert). In seinem Kreis widmete man sich u.a. dem Studium der ant. Geographen. Die zentrale Stellung nahm darin der erste Sammler der ant. Inschriften im slowenischen und weiteren österreichischen Raum ein, Augustinus Prygl Tyfernus aus Laško/Tüffer († 1537), vielleicht Raubars Präzeptor während des Studiums in Padua, sein Begleiter auf diplomatischen Missionen, Antiquar und Architekt (trotz Mommsen CIL III/1,477f. identisch mit dem sog. Antiquus Austriacus). Er pflegte Beziehungen zu Mitgliedern der Academia Pontaniana in Neapel, wo er sich 1507 aufhielt und eine erweiterte Neuausgabe des *Libellus de mirabilibus civitatis Puteolorum* herausgab, und tauschte Inschriftenmaterial mit dem Epigraphiker und Architekten Ioan. Iucundus Veronensis aus. Tyfernus notierte Inschr. v.a. in Krain, Steiermark und Kärnten und vermittelte sie über Joh. Fuchsmagen u.a. an Peutinger, Apian und Aventin-Turmair. Als Architekt erbaute er das Bischofspalais für Raubar, ebenso für den Krainer Georgius Slatkonja-Chrysippus (1456–1522), Bischof in Wien und Organisator des Musiklebens am Hofe Maximilians I. Bezeichnend an seinen spärlich erhaltenen Architekturen ist die prinzipielle Verwendung der ant. *capitalis quadrata* für die Inschriftentafeln nach it. Vorbild. Weniger bedeutend sind einige Gelegenheitsgedichte und die Herausgabe von *Orationes duae luculentissimae*, Wien 1519, zu Ehren Raubars und des human. Dichters und Bischofs von Triest Petrus Bonomus (1458–1546, dieser war sehr bedeutend für den Werdegang des Begründers der slowenischen Lit. Primus Truber).

Außerhalb S. gab es eine Reihe von Humanisten, die v.a. in Wien tätig waren; ihr Einfluß auf das kulturelle Leben zeigte sich jedoch deutlich auch in ihrem Stammland. An der Wiener Univ. waren slowenische Scholaren vorwiegend aus unteren sozialen Schichten von Anfang an gut vertreten; viele dozierten als Magister z.T. ihr Leben lang in Wien. Einige waren maßgeblich am Durchbruch des Human. an der Univ. Ende des 15. Jh. beteiligt oder waren am Hof tätig, so Bernardus Perger aus Ščavnica/Stenz († 1501), der bereits 1479 nach N. Perottus die erste human. Gramm. nördlich der Alpen erstellte (*Grammatica nova*, ed. princ. Venetiis, ante 1481, bis 1500 mindestens 25 Ausgaben), 1493 seine *Oratio in funere Friderici imp.* in Wien und Rom herausgab, griech. Studien pflegte (Kontakte zu Reuchlin) und sich für die Berufung it. Humanisten an die Univ. einsetzte (deswegen von Celtis als ›perfider Slave‹ beschimpft). Der erste human. Erzieher des jungen Maximilian war Thomas Prelokar de Cilia († 1496 als Bischof von Konstanz). Neben Slatkonja (s.o.) ist der Wiener Dompropst Paulus ab Oberstain aus Radovljica/Radmannsdorf († 1544) zu nennen (*De Maximiliani laudibus epistula*, 1513, hrsg. von Ioan. Bapt. Goynaeus aus Piran, Wien 1541), befreundet mit Matthias Qualle aus Vače/Watsch, dem Verf. eines Komm. zum *Parvulus philosophiae naturalis* (Hagenau 1513), einer Kombination der traditionellen aris-

totelischen Naturphilos. nominalistischer Prägung mit Erfordernissen des human. Universitätsunterrichts. Die berühmten *Rerum Moscoviticarum commentarii* des Sigismund Herberstein (ed. princ. Wien 1549) erhielten ihre lat. Fassung durch den Krainer Lucas Agathopedius/Gutenfelder († 1564).

Das → Schulwesen in S. entsprach dem in vergleichbaren Ländern. Eine neue Qualität brachte der Schulmann Leonhardus Budina (1500–1573), Student Glareans in Basel und Korrektor in der Frobenschen Offizin (→ Schweiz), nach Laibach. In den 30er J. wurde er der erste Rektor der protestantischen Ständeschule. Ihm folgte an dieser Stelle Adam Bohorič (Bohorizh, ca. 1525–1598), Verf. der ersten Gramm. der slowenischen Sprache, *Arcticae horulae succisivae de Latinocarniolana literatura* (Wittenberg 1584, Ndr. 1970 und 1987), entstanden im Rahmen der slowenischsprachigen protestantischen Literatur. Als dritter Rektor leitete die Schule 1582–1584 N. Frischlin. 1575–1582 wirkte in Ljubljana der erste Drucker. Die besten Kräfte waren zwar in der slowenischen Lit. engagiert, doch wurde auch viel lat. geschrieben. In der Poesie überwiegt die lyrische Kleinform (Elegie, Epigramm, *carmina gratulatoria, parentalia, epithalamia* u.ä.), in der sich bes. das Jugendwerk des späteren Gegenreformators Thomas Hren/Chrönn auszeichnet (*Libellus poematum sive carminum variorum generum*, 1586). Schwach vertreten ist die Epik. In der Prosa ist bes. die Dedikation hervorzuheben, außerdem Fachschriften (Rhet., Philos., z.B. Martinus Pegius, *De tropis et schematibus l. VIII*, Ingolstadt 1564, oder Iacobus Strauss, *Erotemata in libros Aristotelis de anima*, Wien 1560), Reiselit. und Publizistik (Türkenkriege) sowie die rel. Streitschriften.

1 J. IJSEWIJN, Companion to Neo-Latin Studies, 1990, 95–100 2 P. SIMONITI, Pregled novolatinske književnosti med Slovenci v drugi polovici 16. stoletja (dt. Zusammenfassung: Die neulat. Lit. bei den Slowenen in der 2. H. des 16. Jh.), in: Živa Antika XXX (1980), 193–203 3 Ders., Humanizem na Slovenskem in slovenski humanisti do srede 16. stoletja (dt. Zusammenfassung: Der Human. in S. und die slowenischen Humanisten bis Mitte des 16. Jh.), 1979 4 Ders., Sloveniae scriptores Latini recentioris aetatis, Bibliographiae fundamenta, 1972. PRIMOŽ SIMONITI

II. LITERATUR, KUNST, MUSIK

Obwohl Kenntnisse der lat., teilweise auch der griech. Sprache in S. schon seit dem MA belegt sind, wovon u.a. versifizierte lat. Glossare oder ein *Tractatus de accentibus* aus der Kartause Bistra (jetzt MS Ljubljana NUK 46) Zeugnis ablegen, kann man von einem intensiveren Einfluß der Ant. auf die slowenische Kultur erst seit der → Aufklärung sprechen. Schon im ersten slowenischen dichterischen Almanach *Pisanice* (1779–1782) kommt eine gewisse Anakreontik zum Ausdruck. Der erste slowenische Dichter, V. Vodnik (1758–1819), nimmt sich v.a. Horaz, bes. dessen *Ars poetica* zum Vorbild; er bemüht sich, Horazens Motivik und metrische Formen nachzuahmen. Verdienste darum hat Vodniks

Mentor S. Zois, der in seiner Jugend – in Anlehnung an Petrons berühmte Novelle über die *Matrona Ephesi* (Petron. 111 ff.) – ein slowenisches Gedicht über die Witwe von Ephesos in gereimten Stanzen (*rime ottave*) verfaßt hat. Eine noch größere Rolle spielt die Ant. bei dem bedeutendsten slowenischen Dichter F. Prešeren (1800–1849): Seine Poesien sind voll von ant. Reminiszenzen, Anspielungen, Zitaten und Motiven, von denen zwei in seinem Meisterwerk, *Sonettenkranz*, eine zentrale Stellung einnehmen: das Motiv des alles überwältigenden Sängers Orpheus und das Motiv des innere Ruhe suchenden Orestes.

Die Verwendung ant. Motive kann man auch bei vielen späteren Dichtern verfolgen, z. B. bei J. Stritar, der fiktive versifizierte Briefe aus dem Jenseits mit dem Titel *Prešerens Episteln aus Elysium* mit satirisch-aktuellen Anspielungen und die dramatischen Monologe *Orestes*, *Medeia* und *Regulus' Abschied* (1870) verfaßt hat, bei dem Balladendichter A. Aškerc, in dessen Sammlung *Akropolis und Pyramiden* (1909) sich orientalische Exotik und griech. Klassik verflechten, in neuerer Zeit bei dem Dramatiker D. Smolè, der in seiner *Antigone* (1961) in den sogenannten »bleiernen Jahren« (wie man die härteste Zeit des titoistischen Regimes zu bezeichnen pflegte) ein Tabu-Thema (Verweigerung des Begräbnisses für Konterrevolutionäre und sog. Landesverräter) behandelt hat. Auch mehrere lyrische Sammlungen aus dieser Zeit sind nach mythischen Heroen betitelt (z. B. G. Strniša, *Odysseus*, 1963; F. Zagoričnik, *Agamemnon*, 1965; V. Taufer, *Prometheus*, 1968; V. Gajšek, *Troja*, 1968; A. Brvar, *Kleine Odyssee*, 1988; V. Taufer, *Odysseus und Sohn*, 1990; J. Oswald, *Achillesverse. Kein Heldenepos*, 1996). Einen Höhepunkt dieser Hingabe an die Ant. bezeichnet die Gedichtsammlung *Die Oden* von J. Kastelic (2002) mit zahlreichen Motiven aus Homer und der griech. Trag., aus griech. Myth. und röm. Geschichte.

Antike Motivik kommt auch in der Prosa vor. So beschreibt I. A. Carli in den *Letzten Tagen von Aquileia* (1876) Attilas Belagerung von Aquileia. Einer der populärsten slowenischen Romane, F. Finžgars *Unter der Sonne der Freiheit* (1909), schöpft aus dem byz. Historiker Prokopios, um Justinians prächtiges Byzanz hervorzuzaubern. J. Lovrenčič stützt sich in seiner *Karnischen Königin* (1945) auf Livius und gestaltet den Widerstand der einheimischen Bevölkerung in Istrien gegen die röm. Herrschaft. R. Rehar beschreibt in *Die Argonauten* (1943) den legendären Zug griech. Seefahrer, M. Malenšek in der *Norischen Rhapsodie* (1968) die röm. Unterjochung von Noricum, M. Mihelič in *Der Fremde in Emona* (1978) die Ereignisse in der heutigen slowenischen Hauptstadt gegen Ende des Altertums. In den meisten dieser Texte spürt man hinter den ant. Helden die zeitgenössische Umwelt; die ant. Szenerie ist oft nur »äsopische Sprache«, um der Zensur und dem polit. Druck zu entgehen. Das gilt auch für den besten dieser Romane, A. Rebulas *Im Winde der Sibylle* (1968, auch in it. Übers. 1994), der sich zu Marc Aurels Zeit ereignet

und aktuelle Ereignisse (Christenverfolgungen) beschreibt.

Von den ant. metrischen Formen versuchte schon V. Vodnik die Sapphische Strophe in die slowenische Metrik einzuführen. Noch intensiver waren die Versuche, den ant. Hexameter von quantitativen Normen zu befreien und ihn dem slowenischen akzentuierenden System anzupassen. Darüber hat es Diskussionen gegeben, die im sog. Streit um den slowenischen Sechsfüßer (1868) gipfelten. Hexameter und elegisches Distichon setzten sich v. a. in Übers. durch; im elegischen Distichon sind auch bedeutende originelle Gedichte entstanden.

Die Ant. hat auch die bildenden Künste stark beeinflußt. Um 1600 haben unbekannte flämische Meister das Schloß in Ptuj mit prächtigen Tapisserien mit Motiven aus der *Odyssee* geschmückt. 1680 hat J. W. Valvasor *Ovidii Metamorphoseos icones* mit 96 Kupferstichen herausgegeben (Ndr. 1984). Am Anfang des 19. Jh. hat sich F. Kavčič mit der ant. Motivik seiner Zeichnungen großen Ruhm erworben. 1879–80 hat J. Šubic Schliemanns Villa in Athen mit ant. Arabesken dekoriert. Berühmt sind ant. Motive im Opus des Surrealisten S. Kregar, 48 Illustrationen von M. Pregelj in der ersten slowenischen Homerübers. (1950–51) und der Zyklus *Tragos* des Bildhauers S. Batič (1984). Der größte slowenische Architekt J. Plečnik hat sich oft vom der Harmonie der monumentalen griech. Tempel inspirieren lassen.

In der Musik hat schon der erste slowenische Komponist Jacobus Gallus lat. Gedichte von Catull, Horaz und Ovid vertont (*Harmoniae Morales*, 1589–90). Im 20. Jh. sind mehrere Opern mit ant. Motiven entstanden: S. Osterc, *König Ödipus* (1925) und *Medea* (1930); D. Švara, *Kleopatra* (1937); D. Božič, *Ares-Eros* (1972) und *Lysistrate* (1975) und T. Svete, *Kriton* (2003).

Die intensive Rezeption der Ant. in der slowenischen Kultur ist einerseits dem human. Schulsystem zuzuschreiben, das in den jesuitischen Gymnasien vom E. des 16. Jh. wurzelt und trotz verschiedener ideologischer Repressionen nie völlig ausgelöscht wurde, andererseits den Übers. ant. Texte, denen man seit der Mitte des 19. Jh. immer häufiger begegnet. Zuerst waren es zerstreute, unbeholfene Übers. einzelner Gesänge aus Homer, dann erschienen in Buchform Übers. von Platons *Apologie* und *Kriton* (1862), Vergils *Georgica* (1863), Sophokles' *Aias* (1863) und *Oidipus auf Kolonos* (1892). Am Anf. des 20. Jh. folgte die übersetzerische Tätigkeit von F. Omerza, F. Bradač und F. Lukman, der eine Sammlung der Kirchenväter konzipiert hat. Bis h. sind fast alle Meisterwerke der ant. Dichtung ins Slowenische übersetzt worden, ebenso viele philos., histor. und patristische Schriften. Die größten Verdienste darum hat A. Sovrè (1885–1963), der etwa 40 bedeutende ant. Texte glänzend übersetzt und eine Monographie *Die alten Griechen* (1939) verfaßt hat. Sein Werk haben seine Schüler (A. Rebula, K. Gantar, P. Simoniti, J. Mlinarič) und andere (J. Fašalek, M. Tavčar, V. Kalan, M. Sašel-Kos) fortgesetzt. J. Košar, Übersetzer von Platons *Politeia* und *Nomoi*, hat 1961 die Sammlung *Aus der antiken Welt* gegründet, in der bisher 30 Bände erschienen sind. Es gibt auch viele lat. Übers. slowenischer Gedichte. Schon V. Vodnik hat selbst eines seiner Gedichte latinisiert (*Illyria rediviva*, 1811). Seinem Vorbild folgten J. Pajk, A. Baar und A. Sovrè. Die größten Verdienste darum hat sich S. Kopriva erworben, dessen lat. Anthologie über 200 Gedichte umfaßt (*Versus Latini*, 1989).

→ AWI Petronius [5]
→ Schulwesen

1 K. GANTAR, Die Spuren und Einflüsse der Ant. in der slowenischen Lit., in: Protokollband der Konferenz »Die Grundlagen der slowenischen Kultur«, AAWG, 2002 2 Ders., s. v. Rimska književnost (Röm. Lit.), in: Enciklopedija Slovenije 10, 1996, 225 f. 3 Ders., s. v. Latinistika, Latinska Književnost, Latinščina (Latinistik, Lat. Lit., Latinität), in: Enciklopedija Slovenije 6, 1992, 105–107 4 Ders., M. CERAR, Grško-slovenski odnosi (Griech.-slowenische Beziehungen), in: Enciklopedija Slovenije 3, 1989, 398–400 5 J. KASTELIC, I. MIKL CURK, Rimska umetnost (Röm. Kunst), in: Enciklopedija Slovenije 10, 1996, 226–232 6 J. KASTELIC, Antika, in: Enciklopedija Slovenije 1, 1987, 83–88 7 Ders., Umreti ni mogla stara Sibila – Prešeren in antika (Alte Sibylla konnte nicht sterben), Ljubljana 2000 8 B. SLAPŠAK, Rimska doba (Röm. Epoche), in: Enciklopedija Slovenije 10, 1996, 219–225.

KAJETAN GANTAR

Society of Dilettanti A. ANLASS UND GRÜNDUNG B. ZIELE C. KLASSIZISMUS D. BAUFORSCHUNG E. FÖRDERUNG DER WISSENSCHAFT

A. ANLASS UND GRÜNDUNG

Im 18. Jh. war es in gebildeten Kreisen des engl. Adels zur Gewohnheit geworden, in jungen J. oft mehrjährige Studienreisen nach It. und insbes. nach Rom zu unternehmen (*Grand Tour*). In der Folge entstand in Rom eine Kolonie von kunst- und antikenbegeisterten Engländern, die sich nicht nur dem Kunststudium, sondern auch einem ausschweifenden südl. Leben und dem Erwerb von Antiken hingaben. Rückkehrer gründeten in Erinnerung an diese Zeiten im Süden 1732 in London die S.o.D., die es nach drei J. schon auf 47 Mitglieder, überwiegend aus dem Hochadel, brachte. Voraussetzung der Mitgliedschaft war die vorangegangene Italienreise. Ausgesprochenes Ziel der Herrengesellschaft sollte die Förderung der Kunst und freundschaftlich geselliger Umgang sein [1. 2]. Letzteres scheint zunächst überwogen zu haben, da ein kritischer Zeitgenosse meinte, die Qualifikation zur Mitgliedschaft sei ›having been to Italy and the real one being drunk‹ [6. 76]. Die Leitung der S.o.D. oblag dem Sekretär, der die Sitzungen in angemieteten Clubräumen organisierte. Bei Neuaufnahmen standen ihm Würdenträger zur Seite, die eine bis h. erhaltene phantasievolle Garderobe trugen [2. 6–8]. Jede Sitzung wurde mit einem ausgiebigen Mahl eingeleitet, das in ein geselliges Gelage überging. Die Zahl der Mitglieder war auf 50 beschränkt. Die Mittel der S.o.D. sammelten sich an aus der Aufnahmegebühr, den Überschüssen aus dem Entgelt für Mahlzeiten und einer Reihe von Geldauflagen für Nichterscheinen, Ablehnung von Funktionen, Nichtablieferung eines Porträts und Beitragserhöhung bei gutdotierter Beförderung [5]. Damit sollte zunächst ein Vereinshaus erworben werden, was aber nie gelang.

B. ZIELE

Die anfangs überwiegend gesellige Ausrichtung der S.o.D. wurde schrittweise um eine kulturell ambitionierte Seite erweitert. So wurde z. B. (ohne Erfolg) die Gründung einer it. Oper in England angeregt. 1749 plante man die Einrichtung einer Kunstakad., die ebenfalls nicht zustande kam und 1768 mit der Gründung der Royal Academy überflüssig wurde. Immerhin vergab bei diesem Anlaß die S.o.D. zwei Dreijahresstipendien für Italienreisen. Bis 1761 plante sie die Einrichtung einer Abgußsammlung, um zur allg. Kunstbildung beizutragen, was aber schon wegen des fehlenden Gebäudes scheiterte. Auch das Vorhaben eines allg. Kunstmus. mußte schließlich 1785 aufgegeben werden. Die bescheidenen Mittel der S.o.D. sollten jedoch der Kunstförderung dienen.

Die später folgenreiche Neuausrichtung der Gesellschaft auf Förderung der Antikenforsch. auch außerhalb It. wurde schließlich durch zwei bedeutende neue Mitglieder angeregt: 1751 schlug das Mitglied Sir James Gray den Architekten Nicholas Revett und den Maler James Stuart als Mitglieder vor. Beide lebten und arbeiteten mehrere J. in Rom im Freundeskreis des Malers und Antikensammlers Gavin Hamilton und waren auf dessen Zuraten zu einer Forschungsreise nach Griechenland aufgebrochen. Während Revett sich den ornamentalen Besonderheiten der griech. Architektur durch exakte Bauaufnahmen widmete, war Stuart mehr für das Zeichnen von Skulpturen, Reliefs und anderen figürlichen Fundstücken zuständig. In nur drei J. Arbeit in Athen sammelten sie so viel Material, daß dessen Publikation drei voluminöse Bände erforderte. Die Reisekosten bestritten sie aus eigenem Vermögen, jedoch förderte die S.o.D. durch Subskription die Publikation schon des ersten Bandes von *The Antiquities of Athens*, der 1762 erschien und erstmals griech. Architekturformen nicht als Veduten, sondern als maßgerechte Bauaufnahmen in Europa bekannt machte.

C. KLASSIZISMUS

Insbesondere in England, das in seiner damaligen Architektur vollständig auf barocke Formen und den Palladianismus ausgerichtet war, entfaltete die Vorlage eine immense Wirkung. Als beispielhaft gilt die berühmte Villenanlage des Spencer House, des Palastes des First Earl Spencer, Mitglied der S.o.D., in London. Begonnen wurde der Bau 1755 von dem Architekten John Vardy, ebenfalls Mitglied der S.o.D., der ihn bis 1758 nach röm. und palladianischen Vorbildern ausstattete. Die Vollendung und modernere Ausstattung sollte der eben aus Griechenland zurückgekehrte James Stuart übernehmen [3]. Ihm oblag die plastische und malerische Ausstattung der unvollendeten Räume, wofür er fünf J. benötigte; er schuf eines der feinsten Beispiele des neuen Klassizismus in England. In seiner Mischung aus kaiserzeitlich röm. und griech. Motiven, wobei es zu direkten Formübernahmen aus den *Antiquities of Athens* kam, kann der Beginn des nun von England ausgehenden, stark griech. geprägten Zeitgeistes des → Greek Revival und des → Klassizismus in der europ. Architektur gesehen werden. Die → Druckwerke der *Antiquities* mit Vorlagen originaler griech. Bauformen nach dem Erscheinen des zweiten Bandes 1787 und des dritten Bandes 1816 wurden von Architekten eifrig diskutiert und formten den neuen Zeitstil.

D. BAUFORSCHUNG

Die akribisch vermessenen Architekturdetails Revetts können für die griech. Architektur als der Beginn der → Archäologischen Bauforsch. angesehen werden. Die Aufnahmen sind weitgehend zuverlässig, doch in den Übersichtsplänen und Rekonstruktionen manchmal idealisiert. Refinements wie Entasis, Kurvatur und Dorischer Eckkonflikt erkannten sie jedoch noch nicht. Stuarts Zeichnungen von plastischem Bauschmuck, Reliefs und Statuen nahm die von J. J. Winckelmann gleichzeitig geprägte Altertumswiss. als Sammlung von Originalen aus Griechenland begierig auf. Allerdings war Winckelmann vom ersten Band der *Antiquities of Athens* nicht gerade begeistert, da ihm die Auswahl der vorgestellten Gebäude zu unbedeutend erschien und die Überfülle an dargestellten Reliefskulpturen als reine Verschwendung galt. Tatsächlich ist die Darstellung der Athener Bauten bei aller Bemühung um Maßgenauigkeit noch sehr stark vom Hang zum Pittoresken geprägt, und die diffizile Überbetonung von ornamentalen Details verrät sehr deutlich, daß es den Reisenden überwiegend um Vorlagen für die Architekten ihrer Zeit ging. Im Vorwort des zweiten Bandes, der die nun wirklich bedeutenden Bauwerke der Akropolis vorstellte, begründete Stuart die eigenwillige Gebäudeauswahl des ersten Bandes mit verlegerischen Risiken, da man bei den Abnehmern stärker auf praktizierende Architekten als auf Altertumswissenschaftler gesetzt hatte. Bauliche Unregelmäßigkeiten der ant. Gebäude und technische Details beobachteten die Autoren nicht, oder berichtigten sie nach ihren Vorstellungen zum Idealzustand [4]. Auch die Identifikation der aufgenommenen Ruinen ist nicht immer zutreffend. So hielten sie z. B. das Odeion des Herodes Atticus (2. Jh. n. Chr.) für das Dionysostheater (seit dem 5. Jh. v. Chr.), und die Pnyx (5.–4. Jh. v. Chr.) für das Odeion (Abb. 1). Dies mindert jedoch nicht ihr Verdienst, als erste ein realistisches Bild der ant. griech. Architektur aus dem noch osmanisch beherrschten Griechenland vermittelt zu haben.

E. FÖRDERUNG DER WISSENSCHAFT

Der Erfolg schon des ersten Bandes der *Antiquities of Athens* von 1762 ermutigte die S.o.D., eine Expedition des Altertumswissenschaftlers Richard Chandler mit dem Architekten Nicholas Revett und dem Maler William Pars nach Ionien an die Westküste Kleinasiens zu finanzieren. Die Ergebnisse der erfolgreichen Unternehmung, die Eigentum der S.o.D. wurden, konnten schon 1769 mit dem Titel *Ionian Antiquities* publiziert werden und bereicherten die Kenntnis der ant. griech. Architektur um die ostionischen Bauformen. Die Herausgabe des zweiten Bandes der *Antiquities* 1787 und des dritten Bandes nach dem Tod der Autoren 1816 ermutigte die S.o.D. 1825–1830 zu einer überarbeiteten Neuauflage aller drei Bände. Hinzugefügt wurde ein vierter Band mit dem Titel *The Antiquities of Athens and other Places in Greece, Sicily etc.* von verschiedenen Architekten, die eine Unterstützung durch die Gesellschaft erhalten hatten. Parallel förderte sie 1811 die zweite Expedition nach Kleinasien unter der Leitung von William Gell, deren Ergebnisse 1821 und 1840 als Band II und III der *Ionian Antiquities* herausgegeben wurden. Damit hatte sich das Engagement der S.o.D. zur Wissenschaftsförderung fortentwickelt. Das glänzendste Beispiel hierfür ist das Werk von Francis C. Penrose, *An Investigation of the Principles of Athenian Architec-*

Abb. 1: Nicholas Revett bei der Bauaufnahme des Odeion des Herodes Atticus in Athen. Stich nach einem Aquarell von James Stuart, ca. 1752

ture, das durch Reisekostenzuschüsse 1846 und bis zum Druck 1860 gefördert wurde. Bis auf kleine Holzschnittvignetten wurde jetzt auf jede Vedute verzichtet, und die Architekturdarstellungen sind von technischer Perfektion bis in die letzten Details gekennzeichnet, so daß sie h. noch wiss. Bed. haben. Bereits 1888 publizierte die S.o.D. daher eine erweiterte zweite Auflage des Werkes. Diese rein wiss. Publikationen fanden zwar am E. des 19. Jh. noch ein gebildetes Großbürgertum und den Adel als Interessenten, doch führte die Verwissenschaftlichung auch zunehmend zu einer Entfremdung zw. Mäzenaten und Altertumswissenschaftlern.

Die S.o.D. förderte auch weiterhin mit Zuschüssen Expeditionen und arch. Publikationen. Allerdings ist mit der abnehmenden Finanzkraft der Adelsgesellschaft die Möglichkeit der Förderung wie am E. des 18. und 19. Jh. nicht mehr gegeben. Die S.o.D. ist h. weitgehend wieder an ihre gesellschaftlichen Wurzeln zurückgekehrt, fördert aber mit gelegentlichen Überschüssen noch die British School at Rome (→ Nationale Forschungsinstitute IV.).

→ AWI Athen; Dorischer Eckkonflikt; Entasis; Herodes [16] Atticus; Kurvatur; Optical Refinements; Parthenon; Pnyx

1 S. COLVIN (Hrsg.), History of the S.o.D., ²1914 2 R. B. FORD, The S.o.D. Its History, 1977 3 S. JONES, Roman Taste and Greek Gusto, The S.o.D. and the building of Spencer House, London, in: Antiques 141, June 1992, 968–977 4 J. LANDY, Stuart and Revett. Pioneer Archaeologists, in: Archaeology 9, 1956, 252–259 5 A. MICHAELIS, Die Ges. der Dilettanti zu London, in: Zschr. für bildende Kunst 14, 1879, 135–145 6 S. WEST, Libertinism and the Ideology of Male Friendship in the Portraits of the S.o.D., in: Eighteenth Century Life 16, 1992, 76–104. ERNST–LUDWIG SCHWANDNER

Sophistik s. Philosophie B. Überlieferung

Souvenir A. DEFINITION B. ANTIKE C. 16.–18. JAHRHUNDERT D. 19. JAHRHUNDERT E. 20. JAHRHUNDERT

A. DEFINITION

Der im späten 18. Jh. aus dem Frz. entlehnte Begriff für Erinnerung oder Andenken (lat. *subvenire* – »in den Sinn kommen, einfallen«) beschreibt Objekte, die als Teil eines bes. Ereignisses, Originals oder durch dessen Zitat als Erinnerungsträger fungieren. Souvenirs zeichnen sich meist durch einen metonymischen Charakter aus, da sie neben der Erinnerung an das Bezugsobjekt umfassendere Gedanken und Gefühle wachrufen können [33. 136]. Sich auf individuelle Erfahrungen beziehende, auratische S. im Sinne Walter Benjamins, aus einer natürlichen Umgebung stammend [1. 16], z.B. aufgelesene Steine, Muscheln etc., sind nur in fremder Umgebung zu identifizieren und besitzen für den Einzelnen einen Wiedererkennungseffekt. Sie erhalten den persönlichen Bezug, indem sie aus dem originalen Kon-

text gelöst werden und dieser durch Erzählungen ersetzt wird [33. 139].

Im Folgenden liegt der Schwerpunkt auf kommerziell hergestellten S. für Reisende mit einem kollektiven Wiedererkennungswert, handliche und transportable Gegenstände, die oft in den Bereich des → Kitschs fallen und deren Funktion auf das Evozieren von persönlicher Erinnerung beschränkt ist. Problematisch erweist sich die Benennung als S., wenn weitere Funktionen vorhanden sind, beispielsweise bei Produkten des Kunsthandwerkes oder Devotionalien, von denen apotropäische oder heilende Wirkung erwartet wird. Unter dem Titel S. wurde in den letzten J. vom Kunsthandel Ant. rezipierende Kleinkunst des 19. Jh. publiziert [7; 8]. Jedoch ist die Grenze zu anderen Rezeptionsphänomenen kaum zu ziehen. Einer verkleinerten Replik ist nur bedingt durch Qualitätsmerkmale anzusehen, ob sie als S. oder Träger ideeller Werte fungiert, indem sie als Teil der Innenausstattung eine Bildungserfahrung demonstriert, für die eine selbsterlebte Reise nicht notwendig ist [18. 31 f.].

B. ANTIKE

Anlaß für Reisen in der Ant. waren Pilgerfahrten, Handel, Bildung oder Heilkuren. Antike Funde, deren Zitatcharakter beim heutigen Betrachter die Assoziation mit S. hervorruft, besitzen meist eine weitere Funktion, so daß der Erwerb nicht ausschließlich mit dem Wunsch nach Erinnerung zu erklären ist. Vermutlich wurden während der Panathenäen Ps.-Preisamphoren verkauft, die als Behälter für Duftöl dienten. Für den Verkauf als S. sprechen schwankende Größe, Abweichungen in der Ikonographie, fehlende Siegerinschr. sowie vorgeritzte Handelsmarken [2. 20f.].

Innenausstattungen im Wohnbereich, die einen Bezug zu bekannten sakralen und urbanen Anlagen herstellten, konnten als Erinnerungsträger fungieren, reflektierten jedoch selten die persönliche Erfahrung am Bezugsort. Ausstattungen röm. Villen glichen einander und waren dem zeitgenössischen Bildungsideal verpflichtet. Bestimmte Skulpturen – griech. Philosophenporträts, Kultbilder oder Athletenstatuen – sollten einen »Ortscharakter« evozieren, wodurch Hausherr oder Besucher an kulturträchtige Plätze des griech. Lebens versetzt wurden [24. 111, 121 f.].

Geschliffene Glasflaschen aus der Zeit um 300 n. Chr., deren Verbreitung von Großbritannien über Portugal bis Tunesien reicht, geben eine Ansicht der Küste von Puteoli und Baiae wieder, die Kur- bzw. Heilbäderregion der röm. Oberschicht. Die Gefäße waren extravagante Mitbringsel und Zeugnisse für die Anwesenheit an dem exklusiven Ort [20; 26].

Bei den in Heiligtümern verkauften kleinformatigen Nachbildungen handelte es sich entweder um Devotionalien, die eine rel. Bed. besaßen, wie z.B. Schutzamulette oder um Votive, die der Gottheit geweiht wurden. In → Ephesos kam es während des Aufenthalts des Apostels Paulus (Apg 19,23 f.) zu einem Aufstand der dortigen Silberschmiede, die kleine Artemis-Tempel fertigten, da sie durch die Lehre des Paulus ihr Geschäft gefährdet sahen. Eine umfangreiche Pilgerindustrie in der Spätant. überliefern die »Menasampullen« aus dem christl. Wallfahrtsort am Grab des Heiligen im ägyptischen Karm Abu Mina (→ Wallfahrt). Kleine Mengen hl. Wassers wurden in flachen runden Tonflaschen erworben, deren gestempelter Dekor den Heiligen Menas darstellt sowie eine Segensinschr. trägt [12].

C. 16.–18. JAHRHUNDERT

Mit der veränderten Wahrnehmung der Ant. als normative Instanz im Ren.-Human. (→ Humanismus I.) des 16. Jh. setzte eine Verwissenschaftlichung der Bildungsreise ein. Es entstanden Abhandlungen zur *ars apodemica*, der Kunst des Reisens und der Verarbeitung der vor Ort gewonnenen Eindrücke [22. 116; 32] (→ Tourismus). Neben Reisetagebüchern werden enzyklopädische Sammlungen von »Erfahrungsmaterial« wie Zeichnungen, Kopien von Inschr., Mz. und Kunstwerken des jeweiligen Ortes angelegt.

Mitte des 17. Jh. benötigten die Absolventen der *Grand Tour* Reiseführer mit Blick auf die Sehenswürdigkeiten. Erstmals gebraucht Richard Lassels (1603–1668) in der Einleitung seiner 1670 erschienenen Reisebeschreibung *Voyage of Italy* den Begriff der *Grand Tour*, die notwendig sei, um Livius und Cäsar zu verstehen. Als Teil der Ausbildung zum ›Gentleman of birth and culture‹ gehörte es zum Repräsentationsritual des jungen europ. Adels, die verschiedenen Höfe Europas zu besuchen [22. 8f.; 16; 34]. Damit begab sich ein finanziell potentes Publikum auf Reise, dessen Erwerbungen den Grundstein zahlreicher Kunstsammlungen Nordeuropas legten [4. 5; 25]. Horace Walpole notiert in einem Brief an Henry Seymour Conway 1740: ›I am far gone in medals, lamps, idols, prints etc. and all the small commodities to the purchase of which I can attain; I would buy the Coliseum if I could‹ [23]. Die Wertschätzung der ant. Kunst mußte nicht auf visuellen Eindrücken vor den Originalen beruhen, sondern war dem Zeitgeschmack verpflichtet, der das Alt. als Paradigma begriff. Verschiedene Porträts adliger Reisender zeigen diese vor Antikenensembles [35. 60ff.]. Der Denkmälerkanon beschränkte sich auf einen vergleichsweise geringen Anteil der bekannten Antiken, der zudem bald in der Heimat erstanden werden konnte [18. 39]. Es gehörte zum Status eines europ. Fürsten, ant. Denkmäler zumindest in Reproduktion und Nachbildung zu besitzen, um die klass. Bildung zu indizieren. Der Bestand in den Adelshäusern zeigt keine Konzentration auf Originale. Erworben wurden auch verkleinerte Kopien mit dekorativen Qualitäten, die den persönlichen Vorstellungen und Maßen des heimischen Interieurs gerecht wurden [4. 8]. Die als S. publizierte Kleinkunst gehörte zu einer öffentlichen Lebensstilisierung, die ab dem 18. Jh. auch dem Bürgertum offenstand und in Form von Wohn- und Reisekultur demonstriert wurde [9; 18. 32; 27]. Von den Brüdern Giacomo (1731–1785) und Giovanni Zoffoli (1745–1805) konnten Kopien ant. Skulpturen in Statuettenform für den Kaminsims

erworben werden [35. 290ff.]. Architekturmodelle unterschiedlicher Materialien und Größen, wie die ab 1770 von A. Chichi (1743–1816) angefertigten Korkmodelle fungierten neben Studienzwecken auch als Tafelaufsätze [15; 35. 309f.]. Zwischen 1740 und 1778 verkaufte Giacomo Piranesi in hoher Zahl seine *Vedute di Roma*, Bestandsaufnahmen der ant. Denkmäler als Reiseerinnerungen [29]. Ansichten ant. → Ruinen, die das Spektrum der touristischen Attraktionen widerspiegeln, fanden sich auf Fächern [35. 311f.] und in Schmuck gefaßten Mikromosaiken [28; 35. 294f.; 8 Nr. 273]. Daktylotheken, Sammlungen ant. und mod. Gemmen des Gemmenschneiders Giovanni Pichler (1734–1791), erfreuten sich aufgrund ihrer Handlichkeit großer Beliebtheit [36; 35. 311, 319; 8. Nr. 218] (→ Steinschneidekunst: Gemmen). Goethe bemerkt in einem Brief an Herzog Karl-August von Weimar zu den Kameen: ›Es wird von Fremden ein ungeheuer Geld für diese Sachen, bes. für Cameen ausgegeben. Es ist freylich reitzend, faßlich, transportable. Indeß muß man nicht mehr Werth hinein legen als es hat, (...) und ein Gypskopf ist im Grunde ein würdigerer Gegenstand, als viele solcher Spielwercke‹ [10. 139. Nr. 51]. Als ›zerbrechliches Andenken‹ bot er einem Gast das Konfekt eines Weimarer Konditors mit einer Minerva-Darstellung an [10. 277. Nr. 514]. Kritik übte Goethe an der serienmäßigen Herstellung von Repliken griech. Keramik der engl. Manufaktur von Josiah Wedgwood ([19. 128]), da er Würde und Einzigartigkeit des Künstlerischen dadurch verloren glaubte [13] (→ Vasen/Vasenmalerei).

D. 19. JAHRHUNDERT

Mit den gesellschaftlichen Veränderungen E. des 18. Jh., der Hochindustrialisierung des 19. Jh. und Erfindungen wie der Eisenbahn verlor das Reisen an »Exklusivität«: Erste Pauschalreisen wurden organisiert [31. 17]. Gleichzeitig füllten große Ausgrabungsprojekte die Mus. Europas. Industrielle Entwicklungen ermöglichten die Massenproduktion von Statuenrepliken. Versteigerungen von Kleinkunst im Kunsthandel der letzten J. zeigen die kontinuierliche Beliebtheit bestimmter → Denkmäler bis ins 19. Jh., wie Architekturmodelle des Vespasians- oder des Dioskurentempels auf dem Forum Romanum [8. Nr. 214], des sog. Heratempels in → Paestum [8. Nr. 268] sowie miniatürliche Kopien des → Apoll von Belvedere [8. Nr. 210], der → Laokoongruppe [7. Nr. 369] oder der Kapitolinischen Venus [8. Nr. 239].

E. 20. JAHRHUNDERT

Ab 1923 bot die Firma »Arretina Ars« in Arezzo, dem ant. Herstellungszentrum für Terra Sigillata, Gefäße nach ant. Herstellungsweise als S. an, von denen einzelne in den Kunsthandel gelangten, wo sie durch eine Verschleierung der Herkunft als ant. beurteilt wurden [30]. Mit Beginn des Massentourismus in der zweiten H. des 20. Jh. stieg die Nachfrage nach kommerziell hergestellten Souvenirs. Der Aufenthalt im Mus. oder vor einem Monument erweist sich innerhalb der mod.

Konsumgesellschaft als zunehmend ungewöhnlich. Anschauen und Reflektieren erfordern Konzentration, die ausgestellten Objekte sind zu bestaunen; ähnlich wie bei einer Pilgerfahrt scheint der Kontakt mit der Reliquie das Ziel zu sein, doch weder Berührung noch Mitnehmen ist möglich. Abhilfe schafft der Souvenirladen, wo die zuvor nicht zu »begreifenden« Objekte ebenso in Vitrinen aufgereiht, jedoch anzufassen und käuflich zu erwerben sind [14. 29 ff.]. So ist mehr von dem Besuch ›mitzunehmen als die rein geistige Erfahrung, die man möglicherweise auch gar nicht gemacht hat‹ [14. 38].

Den jeweiligen Ort charakterisierende Andenken werden in Form von miniaturisierten Reproduktionen an den Ausgängen von Ausgrabungen oder Mus. angeboten. Eine Aufwertung kleinformatiger Repliken geschieht durch Marmor oder Bronzepatina imitierende Bemalung; Beschriftungen auf dem Sockel erhöhen den musealen Eindruck [17. 143]. Schmuckimitate, Torques oder Siegelringe sind ebenso zu erwerben wie Kopien ant. Vasen. Provinzialröm. Mus. haben sich mit Terra Sigillata-Nachbildungen oder Fibeln auf den »Alltag« röm. Legionäre spezialisiert. Unterhaltungswert besitzen Reliktimitate, die als mod. Gebrauchsart. zweckentfremdet werden: der Stein von Rosette als PC-Mousepad [6. 9M], ägypt. Sarkophage als Luftmatratze [11. 129 Nr. 87], ein neolithisches Pfeilset als Manschettenknöpfe [6. 8A] oder Weinamphoren aus dem Oppidum von Ensérune als Schlüsselanhänger.

Fungierte die Ant. bis ins 19. Jh. ästhetisch-moralisch vorbildhaft, wird sie im 20. Jh. eingereiht in die Nutzung verschiedener Kunstepochen zur überwiegend normfreien Dekoration. Antike Funde, bei denen es sich um Gebrauchsgegenstände oder Auftragsarbeiten handelt, werden im Mus. neben zeitgenössischen Kunstobjekten ausgestellt. Jedoch sind ant. Hinterlassenschaften erst aus ihrem urspr. Gebrauchs- oder Aufstellungsort, des weiteren aus dem Museumskontext bzw. der begehbaren Ruine zu lösen, bevor sie, formal verändert, als S. vermarktet werden [11. 8]. Die Lösung aus dem originären Kontext beschreibt Walter Benjamin 1936 mit dem Verlust der Aura, da sich ›der technischen (…) Reproduzierbarkeit (…) der gesamte Bereich der Echtheit‹ [1. 12 f.] entzieht. Souvenirs mit individuellem Wiedererkennungswert bewahren diese Aura, während dies bei kommerziell hergestellten nur möglich ist, wenn der Gegenstand an einen bestimmten Ort zurückgeführt werden kann. Angesichts der heutigen Möglichkeit, nahezu jeden Gegenstand unterschiedlichster Herkunft und Epoche in aller Welt oder über die Homepages der Mus. zu bestellen, erweist sich diese Situation als immer seltener. Die Notwendigkeit des S. bleibt jedoch für die Definition der eigenen Person bestehen, indem es außergewöhnlich erlebte Zeit bezeugt und einen Teil des Bes., Berühmten oder Hl. in die private Umgebung überträgt, wie auch komplementär der Einzelne mittels eines Graffitos mitunter die Beziehung zu einem bes. Ort sucht. Verleiht die Vergangenheit den Kunstsammlungen erst Authentizität, entstehen Souvenirsammlungen, um der individuellen Vergangenheit Authentizität zu verleihen [33. 151].

→ Antikensammlung; Wirtschaft und Gewerbe
→ AWI Panathenaia; Ephesos; Menas

1 W. BENJAMIN, Das Kunstwerk im Zeitalter seiner technischen Reproduzierbarkeit (1936), 1977 2 M. BENTZ, Panathenäische Preisamphoren. Eine athenische Vasengattung und ihre Funktion vom 6.–4. Jh. v. Chr. 18. Beih. AK, 1998 3 D. BOSCHUNG, H. v. HESBERG (Hrsg.), Antikenslgg. des europ. Adels im 18. Jh. als Ausdruck einer europ. Identität, Kolloquium Düsseldorf 1996, 2000 4 Dies. (Hrsg.), Aristokratische Skulpturenslgg. des 18. Jh., in: [3. 5–10] 5 G. BOTT, H. SPIELMANN (Hrsg.), Künstlerleben in Rom. Bertel Thorvaldsen (1770–1844), Ausstellungskat. Schleswig-Nürnberg 1992 6 The British Mus. Gift Collection Autumn, Bestellkat., 2000 7 Christie's South Kensington, S. of the Grand Tour, 27. Oktober 1993 8 Christie's South Kensington, S. of the Grand Tour, 19. Oktober 1994 9 R. DE LEEUW (Hrsg.), Herinneringen aan Italie Kunst en toerisme in de 18de eeuw, 1984 10 G. FEMMEL, G. HERES, Die Gemmen aus Goethes Slg., 1977 11 G. FLIEDL, U. GIERSCH et al. (Hrsg.), Wa(h)re Kunst. Der Museumsshop als Wunderkammer. Theoretische Objekte, Fakes und S., Ausstellungskat. Linz, 1997 12 B. GEORGE, Menaslegenden und Pilgerindustrie, in: Medelhavsmuseet 9, 1974, 30–39 13 S. GLASER, Kunst für den gebildeten Geschmack?, in: [5. 287–293] 14 W. GRASSKAMP, Mus. und Museumsshop, in: [11.29–38] 15 W. HELMBERGER, V. KOCKEL (Hrsg.), Rom über die Alpen tragen, 1993 16 C. HIBBERT, The Grand Tour, 1974 17 A. HILLERT, Hippokrates als medizinisches Griechenland-S., in: Hephaistos 16/17, 1998/99, 142–160 18 V. KOCKEL, »Dhieweilen wier die Antiquen nicht haben konnen…«, in: [3. 31–48] 19 I. KRAUSKOPF, Servizi etruschi – »griech.« Vasen aus Porzellan, in: R. STUPPERICH (Hrsg.), Lebendige Ant., 1995, 125–134 20 E. KÜNZL, Die Glasflasche mit dem Panorama der Stadt Puteoli im NM Prag, Eirene 27, 1990, 77–80 21 Ders., G. KOEPPEL, S. und Devotionalien. Zeugnisse des geschäftlichen, rel. und kulturellen Tourismus im ant. Römerreich, 2002 22 U. KUTTER, Reisen – Reisehdb. – Wiss. Materialien zur Reisekultur im 18. Jh., 1996 23 W. S. LEWIS, The Yale Ed. of Horace Walpole's Correspondence, Vol. 37, 1974 (Rom, 23.4.1740) 24 R. NEUDECKER, Die Skulpturenausstattung röm. Villen in It., 1989 25 H. OEHLER, Das Zustandekommen einiger engl. Antikenslgg. im 18. Jh., in: H. BECK, P. C. BOL (Hrsg.), Antikenslgg. im 18. Jh., 1981, 295–316 26 K. S. PAINTER, Roman Flasks with Scenes of Baiae and Puteoli, in: Journal of Glass Stud. 17, 1975, 54–67 27 K. PARLASCA, Antikenbegeisterung, in: [5. 33–43] 28 L. PIETILÄ-CASTRÉN, Scenes of Ancient Rome in a 19th Century Souvenir, in: Arctos 23, 1989, 145–164 29 Piranesi, Rome Recorded, Exhibitions in New York & Rome, 1990, Ausstellungskat. New York 1990 30 F. P. PORTEN PALANGE, *Arretina Ars.* Die Gesch. der arretinischen S., in: Arch. Korrespondenzblatt 22, 1992, 229–242 31 H. SPODE, Zur Gesch. des Tourismus, 1987 32 J. STAGL, M. RASSEM, Apodemiken, 1989 33 S. STEWART, On Longing, Narratives of the Miniature, the Gigantic, the S., the Collection, 1993 34 M. WIEMERS, Der Gentleman und die Kunst, 1986 35 A. WILTON, I. BIGNAMINI (Hrsg.), Grand Tour. Il fascino dell'Italia nel XVIII secolo, Ausstellungskat. Rom 1997

36 E. Zwierlein-Diehl, Antikisierende Gemmen des 16.–18. Jh., in: PACT 23, 1989, 373–403.   Ingrid Laube

Sowjetunion s. Armenien; Estland; Georgien; Lettland; Litauen; Moldova; Rußland; Ukraine; Weißrußland

Sozial- und Wirtschaftsgeschichte A. Die antike Gesellschaft im Urteil der Aufklärung B. Die antike Sozial- und Wirtschaftsgeschichte in der Altertumswissenschaft des 19. und frühen 20. Jahrhunderts: von Boeckh bis Hasebroek C. Michael I. Rostovtzeff und Moses I. Finley D. Die Entwicklung nach Finley: neue Themenstellungen und Perspektiven E. Neue Themen der Sozialgeschichte

A. Die antike Gesellschaft im Urteil der Aufklärung

Die Gesellschaft der Ant. spielte in den Diskursen der Aufklärung eine herausragende Rolle, obgleich in dem jeweiligen thematischen Zusammenhang keineswegs immer die Klärung histor. Sachverhalte im Vordergrund stand; vielmehr wurde die griech. oder röm. Gesellschaft in verschiedenen theoretischen Kontexten exemplarisch beschrieben oder histor. eingeordnet, um bestimmte philos., polit. oder ökonomische Positionen zu begründen oder aber auch abzulehnen. Bedingt durch die Denkmodelle der → Querelle des Anciens et des Modernes [71. 107–129] wurde in vielen Texten der Aufklärung die Gesellschaft der Ant. nicht isoliert betrachtet, sondern mit der Gesellschaft der Moderne konfrontiert. Dabei bestand durchaus die Möglichkeit, die ant. Sozialstruktur als vorbildlich oder gegenüber den mod. Errungenschaften als rückständig zu bezeichnen.

Insbesondere die schottische Aufklärung leistete einen wichtigen Beitrag zur Analyse der ant. Gesellschaft. Bereits 1752 vergleicht D. Hume in einem Essay über die Frage, ob in der Ant. oder im 18. Jh. mehr Menschen in Europa lebten, systematisch die ant. und die mod. Gesellschaft. Hume ist der Auffassung, daß der wichtigste Unterschied zw. ant. und mod. Wirtschaft (Ws.) in der Existenz der → Sklaverei zu suchen ist, die einen erheblichen Einfluß auf die sozialen Beziehungen in den ant. Gesellschaften ausübte: Die Menschen seien von ihrer Kindheit an gewohnt gewesen, ›to trample upon human nature‹, und so entwickelten sich die ›barbarous manners of ancient times‹ [35. 385]. Die Sklaverei hatte negative Auswirkungen auf die demographische Entwicklung, da die Sklaven meist keine Familie besaßen und die Sklavenbevölkerung sich daher nicht natürlich reproduzierte [35. 385–397]. Wirtschaftlich war das frühneuzeitliche Europa nach Hume weiter fortgeschritten als die ant. Gemeinwesen: ›Trade, manufactures, industry, were no where, in former ages, so flourishing as they are at present in Europe‹. Dies gilt gerade auch für die Städte: ›I do not remember a passage in any ancient author, where the growth of a city is ascribed to the establishment of a manufacture‹, ein Satz, den Finley noch 1973 zustimmend zitiert hat [35. 411; 22. 137]. Handel und Gewerbe waren in der Ant. demnach eher schwach entwickelt. Während Hume Ant. und Moderne dichotomisch gegenüberstellt, unternimmt A. Smith in seinen 1762 gehaltenen *Lectures on Jurisprudence* den Versuch, die ant. Gesellschaft in die Geschichte der Menschheit einzuordnen, wobei er von der vorherrschenden Methode, die lebensnotwendigen Güter zu produzieren, ausgeht. Nach Smith gab es vier ›stages of society‹, nämlich das Zeitalter der Jäger, das der Hirten, das des Ackerbaus und schließlich das Zeitalter des Handels und Gewerbes (›age of commerce‹ [64. 14–16]). Die Ant. wird damit in ein System zivilisatorischer Entwicklung eingeordnet und besitzt dieselben Strukturmerkmale wie andere Gesellschaften derselben Entwicklungsstufe. Diese Theorie wird auch den Ausführungen im *Wealth of Nations* zugrundegelegt. Smith betont ähnlich wie Hume die Existenz der Sklaverei sowie die geringe Bed. von Handel und Gewerbe in der Ant. [64; 65]. Auch bei J. Millar dient die Ant. nur als exemplarischer Fall einer frühen Gesellschaft. Neben den ant. Texten werden auch neuzeitliche Berichte über primitive Völker außerhalb Europas herangezogen, um die grundlegenden sozialen Beziehungen und Herrschaftsformen in frühen Gesellschaften zu beschreiben, nämlich die Beziehungen zw. Frau und Mann, zw. Eltern und Kindern, die Herrschaft eines *chief* über einen Stamm oder ein Dorf, die Herrschaft über ein größeres Gebiet und die Beziehung zw. dem Herrn und den Sklaven. In einzelnen Abschnitten geht Millar ausführlich auf Griechenland und Rom ein, wobei er in differenzierter Weise die Situation von Frauen und Kindern beschreibt und etwa den Wandel der Liebesbeziehungen auf die sozialen und wirtschaftlichen Entwicklungen zurückführt ([49]; vgl. [19]).

Die genannten schottischen Autoren haben die Ant. als eine Gesellschaft definiert, die unmittelbar vor dem Krieg der Griechen gegen Troia vom ›age of shepherds‹ zum Ackerbau übergegangen war und deren Gewerbe sowie Handel im Vergleich mit den Verhältnissen der Frühen Neuzeit nur gering entwickelt waren. Die ant. Gesellschaft wird kritisch beurteilt, wobei vor allem die Sklaverei abgelehnt wird. Als Gründe für diese negative Bewertung werden die nachteiligen Auswirkungen der Sklaverei auf die sozialen Beziehungen sowie die geringe Produktivität der Sklavenarbeit, die zudem technische Fortschritte verhinderte, genannt. Unter dem Aspekt der sozialen und wirtschaftlichen Verhältnisse betrachtet, stellte die Ant. kein Ideal mehr für die Gegenwart dar. In Deutschland wurden die Vorstellungen der schottischen Autoren insbesondere von J. F. Reitemeier rezipiert, der in einer Abh. über die Sklaverei in Griechenland die beklagenswerte soziale Lage und die schlechten Arbeitsbedingungen der Sklaven schonungslos beschreibt und gleichzeitig dezidiert gegen die Sklaverei Stellung bezieht [56; 75].

Ein positives Bild der röm. Gesellschaft zeichnete hingegen E. Gibbon (1737–1794) im zweiten Kap. von *The History of the Decline and Fall of the Roman Empire* [49. 25–52]. Im Abschnitt über die Sklaverei betont Gibbon, daß die Sklaven eine Freilassung erwarten konnten und seit Hadrianus zunehmend durch Gesetze vor der Willkür ihrer Herren geschützt wurden. Die große Zahl von Baudenkmälern wird als Ausdruck der Wohltätigkeit der Kaiser und von Privatpersonen gewertet. Gibbon, der sich selbst in Rom aufgehalten hatte und von den ant. Ruinen der Stadt tief beeindruckt war, weist nachdrücklich auf die Nutzbauten hin, die für die Öffentlichkeit bestimmt waren, etwa auf die Wasserleitungen und Straßen. Die röm. Herrschaft besaß zahlreiche positive Folgen (›beneficial consequences‹) für die Provinzen. Vor allem im Westen verbreitete sich der Anbau von Wein und Olivenbäumen, und durch Handwerk und Handel waren die Provinzen in der Lage, den durch die Besteuerung verlorenen Reichtum zurückzuerhalten – eine Einschätzung, die in jüngster Zeit auch von K. Hopkins geteilt wird.

In Göttingen, wo um 1800 unter dem Einfluß der Statistik ein erhebliches Interesse an der Wirtschaftsgeschichte bestand, unternahm A. H. L. Heeren den ersten Versuch einer umfassenden Darstellung der Ws. des Altertums; der fünfte Band der *Ideen über die Politik, den Verkehr und den Handel der vornehmsten Völker der alten Welt* (1817) ist den Griechen gewidmet. In einer Skizze des Homer. Zeitalters werden die Epen sozial- und wirtschaftshistor. ausgewertet; das frühe Griechenland wird als ›stark bevölkertes, und gut angebautes Land‹ bezeichnet [34. Bd. 3. 92 ff.]. Die griech. Staatswirtschaft der Zeit nach den Perserkriegen ist Thema eines eigenen Kap. [34. Bd. 3. 197–233]. Der Gegensatz zw. den griech. und mod. Zuständen wird prägnant mit folgenden Sätzen gekennzeichnet: ›Auch die Griechen fühlten es, daß man produciren müsse um zu leben, aber daß man leben solle um zu produciren, ist ihnen freylich nicht eingefallen‹ [34. Bd. 3. 197]. Die weite Verbreitung der Sklaverei führte nach Heeren zur Verachtung aller Tätigkeiten, die von Sklaven ausgeübt wurden. Dies schloß Aktivitäten angesehener Bürger im Gewerbe und Handel aber keineswegs aus. Im Abschnitt über die Münzprägung und das Steuerwesen werden die Unterschiede zum mod. Finanzsystem hervorgehoben, ohne damit der Gegenwart den Vorrang vor der Ant. einzuräumen.

B. DIE ANTIKE SOZIAL- UND WIRTSCHAFTSGESCHICHTE IN DER ALTERTUMSWISSENSCHAFT DES 19. UND FRÜHEN 20. JAHRHUNDERTS: VON BOECKH BIS HASEBROEK

Die griech. Staatswirtschaft war auch Gegenstand einer umfangreichen Monographie des Berliner Philologen A. Boeckh (1785–1867), der aber weit über diese Thematik hinausgreifend eine ausführliche Darstellung der Ws. des klass. Athen verfaßte [8; 83], denn die Beschreibung des öffentliche Finanzwesens von Athen setzt die Unt. von Geld und Preisen, Landwirtschaft, Handel und Gewerbe sowie Löhnen und Zins voraus. Das Werk war gerade auch in methodischer Hinsicht bahnbrechend, denn Boeckh wertete in einer Zeit, in der es noch keine zuverlässige Ed. griech. Inschr. gab, neben den ant. Texten das epigraphische Material umfassend für seine Fragestellung aus. Obwohl dieses Werk in Deutschland weite Anerkennung fand und 1842 ins Engl. übers. wurde, konnte es in den Altertumswiss. keine Trad. einer sozial- und wirtschaftshistor. Forsch. begründen. Erst 1869 veröffentlichte A. B. Büchsenschütz einen systematischen Überblick über die griech. Ws. [10]. Der Landwirtschaft wird unter allen Erwerbstätigkeiten eine entscheidende Bed. beigemessen, gleichzeitig konstatiert Büchsenschütz aber, daß die landwirtschaftlichen Geräte kaum fortentwickelt wurden. Er nennt als strukturelle Gegebenheiten, die die Entwicklung des Handwerks hemmten, die Produktion für den Eigenbedarf sowie die ›Mangelhaftigkeit der Transportmittel‹. Dennoch spricht er davon, daß in den ›industriellen Städten‹ zahlreiche Fabriken existierten und etwa Textilien ›fabrikmäßig angefertigt‹ wurden. Der Handel wurde durch die Gründung von Städten außerhalb Griechenlands erheblich gefördert, und zugleich erhielt das Handwerk größere Absatzchancen. Präzise unterscheidet Büchsenschütz zw. dem Verkauf durch die Produzenten, dem lokalen Kleinhandel und dem Fernhandel; auch die Position der Metoiken im Gewerbe und Handel wird betont.

Einen erheblichen Einfluß auf die wirtschaftshistor. Forsch. besaß der Vortrag von Ed. Meyer über *Die wirtschaftliche Entwicklung des Altertums* [47; 72]. Meyer wandte sich 1895 in seinen Ausführungen gegen die Theorie des Nationalökonomen K. Bücher, der die Wirtschaftsgeschichte als Abfolge von Wirtschaftsstufen aufgefaßt hatte: Als erste Stufe erscheint die Hauswirtschaft, als zweite die Stadtwirtschaft und als dritte die Volkswirtschaft. Diesen drei Stufen entsprechen Ant., MA und Neuzeit, so daß die Ws. der Ant. konsequent als Hauswirtschaft gesehen wird. Ihr Merkmal besteht nach Bücher, der sich hier auf Rodbertus und die Theorie der Oikenwirtschaft beruft, darin, ›daß der ganze Kreislauf der Ws. von der Produktion bis zur Konsumtion sich im geschlossenen Kreise des Hauses (...) vollzieht‹ [9. 16]. Meyer führt die Theorie von Bücher auf die Annahme eines kontinuierlichen Fortschritts im Mittelmeerraum zurück; diese Vorstellung hat nach Meyer zur Folge, daß für die Ant. primitivere Zustände als für das MA postuliert werden müssen. Zur Widerlegung dieser Theorien skizziert Meyer die wirtschaftliche Entwicklung der Ant., wobei er die Akzente auf den Handel und die gewerbliche Produktion legt. Seiner Auffassung nach ›nimmt der Seehandel in Griechenland‹ seit dem 8. Jh. ›einen gewaltigen Aufschwung‹, und dadurch bedingt ›entwickelt sich eine für den Export arbeitende Industrie.‹ Es entstanden ›reine Industriegebiete‹, und der

Bedarf an Arbeitskräften wurde durch einen ›zunehmenden Sklavenimport‹ [47. 104–109] gedeckt. Zusammenfassend kann Meyer von einer ›Industrialisierung der griech. Welt‹ sprechen und die wirtschaftliche Entwicklung der Ant. mit der der Neuzeit vergleichen: ›Das siebente und sechste Jh. in der griech. Geschichte entspricht in der Entwicklung der Neuzeit dem vierzehnten und fünfzehnten Jh. n. Chr.; das fünfte dem sechzehnten.‹ Der Hell. schließlich wird als eine Zeit beschrieben, die ›in jeder Hinsicht nicht mod. genug gedacht werden kann‹ [47. 118f., 141]. Gegen diese modernistische Sicht der Ant. wurden etwa von L. M. Hartmann oder M. Weber Einwände erhoben, sie setzte sich aber in den folgenden Jahrzehnten in der Althistorie weitgehend durch. Einer der wenigen Historiker, der diesen Ansichten nicht folgte, war J. Hasebroek, der die Thesen von Meyer ausführlich diskutierte und dabei zeigen konnte, daß die Existenz von Industriestädten und Großbetrieben in den Quellen nicht nachgewiesen werden kann [32. 45–73].

C. Michael I. Rostovtzeff und Moses I. Finley

Die Tatsache, daß M. I. Rostovtzeff in seiner 1926 veröffentlichten Darstellung der Sozial- und Wirtschaftsgeschichte der Principatszeit ähnliche Positionen wie Ed. Meyer vertrat, hatte auf die folgenden Forsch. zur Ws. der Ant. unübersehbare Folgen: Das Werk von Rostovtzeff faszinierte viele Altertumswissenschaftler, da es ein geschlossenes Bild der wirtschaftlichen Entwicklung des Imperium Romanum in der Zeit vom 1. bis zum 3. Jh. bot und dabei eine unglaubliche Fülle von lit., epigraphischen und arch. Quellen erschloß. Rostovtzeff war es außerdem gelungen, die Ws. der einzelnen Provinzen in seine Darstellung einzubeziehen und so den Blick über It. und Griechenland hinaus auf den Westen, auf Afrika und die Provinzen in Kleinasien und Asien zu lenken. Die Vorzüge dieses Werkes waren so beeindruckend, daß die Konzeption, die hinter den Ausführungen zu Handel und Gewerbe stand, zunächst nicht kritisch diskutiert wurde. Problematisch ist v. a. die Auffassung, grundlegend für die wirtschaftliche Entwicklung It. und später auch der Provinzen sei ein ›process of industrialization‹, ein Prozeß, der sich in It. nicht auf die großen Städte beschränkte, sondern auch die kleineren Städte erfaßte; der wirtschaftliche Aufschwung des Gewerbes in den Provinzen führte dann zum Niedergang der Produktion in Italien [58. 174]. Im 2. Jh. wurde die städtische Ws. im Imperium Romanum nicht mehr von ›modest landowners‹, sondern von ›big men, capitalists on the large scale‹ [58. 153] dominiert. Zwar sieht Rostovtzeff auch, daß die meisten Menschen im Imperium Romanum arm waren und so nur über eine geringe Kaufkraft verfügten, aber insgesamt bestand eine große Nachfrage, so daß ›mass production and factory work‹ sich durchsetzen konnten. Der Handel wiederum war nach Rostovtzeff die wichtigste Einnahmequelle der reichen, städtischen Oberschicht, die ihre Gewinne meist in Landbesitz anlegte. Es gibt bei

Rostovtzeff natürlich auch Äußerungen, in denen diese Position modifiziert wird; die Annahme, daß der Handel auf der Existenz großer Handelsgesellschaften wie im Kapitalismus beruhte, wird beispielsweise von Rostovtzeff nachdrücklich abgelehnt. Das Gesamtbild ist aber durchaus modernistisch geprägt [58. 153, 170ff.]. Anders verhält es sich mit der Beschreibung der Ws. im Zeitalter des Hell. [59. 1180–1301]. Der zusammenfassende Überblick am Ende des Werkes über den Hell. bietet kaum Anhaltspunkte für die These, Rostovtzeff habe die Unterschiede zw. der ant. und der mod. Ws. verkannt. Der Abschnitt beginnt prägnant mit der Feststellung, die Landwirtschaft sei im Hell. der wichtigste Wirtschaftszweig geblieben. Nach Rostovtzeff sind die landwirtschaftlichen Geräte kaum verbessert worden, die geringe Kaufkraft des größten Teils der Bevölkerung wird ebenso wie die Abhängigkeit vieler Städte von Getreideimporten betont. Der Handel mit Handwerkserzeugnissen erlangte im Hell. keinen größeren Umfang, und es entstanden keine größeren Handelsgesellschaften, so daß der Handel weiterhin auf individueller Tätigkeit beruhte. Die Bed. des lokalen Austausches und der lokalen Produktion wird von Rostovtzeff hervorgehoben [59]. Hier ist *in nuce* jene Argumentation erkennbar, die dann von M. I. Finley vorgetragen wurde.

Als wichtige Standardwerke der internationalen Forsch. der Zwischenkriegszeit sind neben den Arbeiten von Rostovtzeff und Hasebroeck v. a. die monumentale Quellensammlung zur röm. Ws., die unter der Leitung von T. Frank publ. wurde [23], und die Monographie zur Ws. des Ptolemaierreiches von C. Préaux [54] zu nennen.

Es wurde oft übersehen, daß A. H. M. Jones bereits 1955 und 1964 die ant. Ws. ähnlich wie später Finley beschrieben hat: Nach Jones besaßen Handel und Handwerk gegenüber der Landwirtschaft eine geringe wirtschaftliche Bedeutung. Der Landtransport war teuer und langsam, die Funktion der Märkte war begrenzt, denn die armen Bauern stellten den größten Teil der Bevölkerung, der Bedarf der Städte wurde weitgehend durch das lokale Handwerk gedeckt und die Großgrundbesitzer gingen zur Selbstversorgung über. Die Kaufleute besaßen einen geringen sozialen Status und waren selbst in größeren Städten mit einem regen Handel kaum in der Kurie vertreten [39. 35–60; 38]. Zu einer intensiven Diskussion über die ant. Ws. kam es aber erst nach der Publikation von M. I. Finleys *The Ancient Economy* [22]. Finley geht es nicht darum, die wirtschaftlichen Entwicklungen in Griechenland und Rom zu beschreiben, sondern die wirtschaftlichen Strukturen der Ant. zu untersuchen. Dabei lehnt Finley, der sich hier auf M. Weber, J. Hasebroek und K. Polanyi bezieht, eine marktwirtschaftliche Analyse der ant. Ws. ab und betont, daß der Reichtum der Städte und der Oberschichten auf Landbesitz und Agrarproduktion beruhte; die Städte werden als Konsumentenstädte charakterisiert, die keineswegs Produktionszentren für überregionale Märkte waren.

D. Die Entwicklung nach Finley: neue Themenstellungen und Perspektiven

In der folgenden Diskussion spielte Polanyis Konzeption der Ws. vorindustrieller Gesellschaften zunehmend eine wichtige Rolle: Nach Polanyi setzte sich die Marktwirtschaft, in der die gesamte Produktion als Ware auf den Markt gebracht wird, erst im 19. Jh. durch; in frühen Gesellschaften wurde der Austausch v. a. durch die Prinzipien der Reziprozität und der Redistribution geregelt; daneben war auch die Produktion für den Eigenbedarf von Bedeutung, während der Handel in der Ws. nur eine geringe Rolle spielte. Die lokalen Märkte dienten nur dem lokalen Austausch, bildeten aber kein ›selbstregulierendes System von Märkten‹, das allein von Marktpreisen gesteuert wird [53]. Die Debatte über Finleys Sicht führte zu einer scharfen Polarisierung zw. den Wirtschaftshistorikern, die geneigt waren, die Theorien von Polanyi und generell der mod. Anthropologie zu rezipieren und die ant. Ws. als Ws. einer praemod. Gesellschaft definierten, und den Althistorikern, die Finleys Modell für falsch hielten und es in einzelnen Punkten oder insgesamt zu widerlegen suchten. Wie selten in wiss. Auseinandersetzungen standen sich beide Seiten, die oft als Primitivisten oder Modernisten bezeichnet wurden, unversöhnlich gegenüber. Dabei sollte berücksichtigt werden, daß Finleys Modell die Funktion hat, die grundlegenden Strukturen der ant. Ws. zu erfassen. Es ist zu fragen, was dieses Modell für unser Verständnis der ant. Ws. leistet und in welcher Weise es modifiziert werden muß. Im einzelnen sind viele Einwände vorgetragen worden, die zu einer differenzierteren Sicht der ant. Ws. beigetragen haben; so wurde auf wirtschaftliche Entwicklungen im klass. Griechenland und im Imperium Romanum, auf die Bed. des Geldes, des Kredits und der Banken [50; 13] in der ant. Ws., auf die Rolle des Fernhandels und auf Formen ökonomischer Rationalität in der Verwaltung großer Güter [55; 46; 60] hingewiesen. Zweifellos kann die ant. Ws. nicht als primitiv bezeichnet werden, und es ist notwendig, die wirtschaftlichen Entwicklungen und ökonomisches Wachstum im Rahmen dieses Modells zu thematisieren. Dabei sind Urbanisierung, Entwicklung der Landwirtschaft, die Erschließung neuer Anbaugebiete, die Intensivierung des Handels und die Verbreitung der Geldwirtschaft als Indikatoren wirtschaftlichen Wachstums zu werten [25; 26; 31; 46]. In der neueren Forsch. besteht ferner die Tendenz, räumlich und zeitlich stark zu differenzieren und generalisierende Aussagen zur »ant.« oder »röm.« Ws. eher zu vermeiden [15]. Städte wie Athen im 4. Jh. v. Chr. oder Ostia in der Prinzipatszeit unterscheiden sich in ihrer wirtschaftlichen Funktion deutlich von den kleineren Städten, die noch agrarisch geprägt waren. Zu den neuen Fragestellungen, die nicht mehr auf die Diskussion über Finleys *Ancient Economy* zurückgehen, gehört neuerdings das Problem des Einflusses wirtschaftlicher Entwicklungen auf die Umwelt und die mediterrane Landschaft [63].

E. Neue Themen der Sozialgeschichte

Im 19. Jh. hat die marxistische Theorie postuliert, daß die Geschichte der Menschheit wesentlich von Ausbeutung und daraus resultierend von Klassenkämpfen bestimmt gewesen sei. Unter dem Eindruck dieser Position hat sich bereits vor 1914 die Althistorie den sozialen Auseinandersetzungen in der Ant. zugewandt. In derartigen Arbeiten wurde keineswegs immer ein marxistischer Standpunkt eingenommen, vielmehr sollte das ant. Beispiel die Gegenwart vor einer Verelendung der Massen warnen, die dann zwangsläufig auch zu Klassenkämpfen führen müßte [52]. In den sozialistischen Ländern wurde die Lehre von Marx selbst für die altertumswiss. Forsch. verbindlich, und dementsprechend bewegten sich die Arbeiten in einem relativ engen Themenfeld. Nach 1945 haben marxistische Anschauungen auch die westeurop. Althistorie beeinflußt, ohne aber hier zu einer dogmatischen Position zu führen [14]. Insgesamt gesehen sind soziale Konflikte in der griech. und röm. Geschichte stärker thematisiert worden, das Konzept des Klassenkampfes fand allerdings keine Zustimmung, und auch der Begriff der Klasse stieß auf Ablehnung [2]. Die Unt. zur Sozialstruktur führten zu einem differenzierteren Bild der ant. Gesellschaft und der sozialen Beziehungen; dabei stand der soziale Status im Zentrum der Überlegungen. Metoiken und Freigelassene fanden als soziale Gruppen ebenso Beachtung wie Unterschichten und Randgruppen. Wichtige Ergebnisse erbrachten auch Forsch. zur sozialen und regionalen Mobilität. Viele Anregungen erhielt die Althistorie auf dem Gebiet der ant. Sozialgeschichte von der Anthropologie und der Ethnologie [36; 79]. Insbesondere die Strukturen der griech. und röm. Familie, die Verwandtschaftsverhältnisse und die Ehe wurden intensiv erforscht. Die mod. Sozialgeschichte der Ant. zeichnet sich gegenwärtig durch eine große Themenvielfalt aus: Die soziale Lage von Müttern und Kindern, aber auch von alten Menschen wird ebenso untersucht wie die Ernährung, die oft eine Mangelernährung war [27; 29]; das Bildungsniveau, etwa die Schreib- und Lesefähigkeit, Statussymbole, demographische Phänomene wie Sterblichkeit und Lebenserwartung, Arbeitsbedingungen und Wohnverhältnisse sind Gegenstand einer Forsch., die sich dabei interdisziplinär der Fragestellungen und Methoden der mod. Sozialwiss. zu bedienen weiß.

→ AWI Metoikos

QU 1 G. Alföldy, Röm. Sozialgesch., 1975 2 Ders., Die röm. Ges., 1986 3 J. Andreau, La vie financière dans le monde romain, 1987 4 Ders., Banking and Business in the Roman World, 1999 5 J. H. D'Arms, E. C. Kopff (Hrsg.), The Seaborne Commerce of Ancient Rome, Studies in Archaeology and History, 1980 6 Ders., Commerce and Social Standing in Ancient Rome, 1981 7 M. M. Austin, P. Vidal-Naquet, Économies et sociétés en Grèce ancienne, 1972. Engl.: Economic and Social History of Ancient Greece: An Introduction, 1977 8 A. Boeckh, Die Staatshaushaltung der Athener, 1817, ³1886 9 K. Bücher,

Die Entstehung der Volkswirtschaft, Tübingen 1893 **10** A.B. BÜCHSENSCHÜTZ, Besitz und Erwerb im griech. Alt., Halle 1869 **11** P. CARTLEDGE, E.E. COHEN, L. FOXHALL (Hrsg.), Money, Labour and Land. Approaches to the economies of Ancient Greece, 2002 **12** L. CASSON, The Periplus Maris Erythraei, 1989 **13** E.E. COHEN, Athenian Economy and Society, A Banking Perspective, 1992 **14** G.E.M. DE STE. CROIX, The Class Struggle in the Ancient Greek World, 1981 **15** H.-J. DREXHAGE, H. KONEN, K. RUFFING (Hrsg.), Die Ws. des Röm. Reiches (1.–3. Jh.). Eine Einführung, 2002 **16** R. DUNCAN-JONES, The Economy of the Roman Empire, Quantitative Studies 1974 **17** Ders., Structure and Scale in the Roman Economy, 1990 **18** Ders., Money and Government in the Roman Empire, 1994 **19** A. FERGUSON, An Essay on the History of Civil Society, Edinburgh 1767 **20** M.I. FINLEY, Ancient Slavery and Modern Ideology, 1980 **21** Ders., Economy and Society in Ancient Greece, 1981 **22** Ders., The Ancient Economy, 1973, ²1984 **23** T. FRANK (Hrsg.), An Economic Survey of Ancient Rome, 5 Bde., 1933–1940 **24** J.M. FRAYN, Subsistence Farming in Roman Italy, 1979 **25** M.W. FREDERIKSEN, Theory, Evidence and the Ancient Economy, in: JRS 65, 1975, 164–171 **26** P. GARNSEY, K. HOPKINS, C.R. WHITTAKER (Hrsg.), Trade in the Ancient Economy, 1983 **27** P. GARNSEY, Famine and Food Supply in the Graeco-Roman World, 1988 **28** P. GARNSEY, Cities, Peasants and Food in Classical Antiquity, 1998 **29** P. GARNSEY, Food and Society in Classical Antiquity, 1999 **30** E. GIBBON, The History of the Decline and Fall of the Roman Empire, London 1776–1788 **31** W.V. HARRIS (Hrsg.), The Inscribed Economy. Production and Distribution in the Roman Empire in the Light of »Instrumentum Domesticum«, 1993 **32** J. HASEBROEK, Staat und Handel im alten Griechenland, 1928 **33** Ders., Griech. Wirtschafts- und Gesellschaftsgesch. bis zur Perserzeit, 1931 **34** A.H.L. HEEREN, Ideen über die Politik, den Verkehr und den Handel der vornehmsten Völker der alten Welt, Wien 1793–1796 **35** D. HUME, Of the Populousness of Ancient Nations, 1752, in: Ders., Essays, Moral, Political, and Literary, London 1875, 381–443 **36** S.C. HUMPHREYS, Anthropology and the Greeks, 1978 **37** S. ISAGER, J.E. SKYDSGAARD, Ancient Greek Agriculture, 1992 **38** A.H.M. JONES, The Later Roman Empire 284–602, 1964 **39** Ders., The Roman Economy, 1974 **40** D.P. KEHOE, The Economies of Agriculture on Roman Imperial Estates in North Africa, 1988 **41** H. KLOFT, Die Ws. der griech.-röm. Welt 1992 **42** R. MACMULLEN, Roman Social Relations 50 B.C. to A.D. 284, 1974 **43** F. DE MARTINO, Storia economica di Roma antica, 1979–1980. Dt.: Wirtschaftsgesch. des alten Rom, 1985 **44** K. MARX, F. ENGELS, Das Kommunistische Manifest, London 1848 **45** K. MARX, Grundrisse der polit. Ökonomie, 1939. 1941, 375–413 **46** D.J. MATTINGLY, J. SALMON (Hrsg.), Economies Beyond Agriculture in the Classical World, 2001 **47** ED. MEYER, Die wirtschaftliche Entwicklung des Altertums, 1895, auch in: Ders., Kleine Schriften 1, 1924, 81–168 **48** Ders., Die Sklaverei im Altertum, in: Kleine Schriften 1, 1924, 171–212 **49** J. MILLAR, The Origin of the Distinction of Ranks, Glasgow 1779 **50** P. MILLETT, Lending and Borrowing in Ancient Athens, 1991 **51** D.P.S. PEACOCK, D.F. WILLIAMS, Amphorae and the Roman Economy, 1986 **52** R. VON PÖHLMANN, Gesch. des ant. Kommunismus und Sozialismus, 2 Bde., München 1893 u. 1901; 2. Aufl.: Gesch. der sozialen Frage und des Sozialismus in der ant. Welt, 1912 **53** K. POLANYI, The Great Transformation, 1944; dt.: 1978 **54** C. PRÉAUX, L'économie royale des Lagides, 1939 **55** D. RATHBONE, Economic Rationalism and Rural Society in Third-Century A.D. Egypt, 1991 **56** J.F. REITEMEIER, Gesch. und Zustand der Sklaverey in Griechenland, Berlin 1789 **57** G. RICKMAN, The Corn Supply of Ancient Rome, 1980 **58** M.I. ROSTOVTZEFF, The Social and Economic History of the Roman Empire, 1926 **59** Ders., The Social and Economic History of the Hellenistic World, 1941 **60** W. SCHEIDEL, S. VON REDEN (Hrsg.), The Ancient Economy, 2002 **61** H. SCHNEIDER (Hrsg.), Zur Sozial- und Wirtschaftsgesch. der späten röm. Republik, 1976 **62** Ders. (Hrsg.), Sozial- und Wirtschaftsgesch. der röm. Kaiserzeit, 1981 **63** G. SHIPLEY, J. SALMON (Hrsg.), Human Landscapes in Classical Antiquity, 1996 **64** A. SMITH, Lectures on Jurisprudence, hrsg. v. R.L. MEEK, D.D. RAPHAEL, P.G. STEIN, 1978 **65** Ders., An Inquiry into the Nature and Causes of the Wealth of Nations, 1776, hrsg. v. R.H. CAMPBELL, A.S. SKINNER, 1976; dt.: Der Wohlstand der Nationen, 1974 **66** F. VITTINGHOFF (Hrsg.), Europ. Wirtschafts- und Sozialgeschichte in der röm. Kaiserzeit, 1990 = W. FISCHER u.a. (Hrsg.), Hdb. der europ. Wirtschafts- und Sozialgesch. Band 1 **67** M. WEBER, Agrarverhältnisse im Altertum, in: HWB der Staatswiss., ³1909, 52–188, und in: Ders., Gesammelte Aufsätze zur Sozial- und Wirtschaftsgesch., 1924, 1–288 **68** K.D. WHITE, Roman Farming, 1970 **69** C.R. WHITTAKER (Hrsg.), Pastoral Economies in Classical Antiquity, 1988

LIT **70** M. BEHNEN, Statistik, Politik und Staatengesch. von Spittler bis Heeren, in: H. BOOCKMANN, H. WELLENREUTHER (Hrsg.), Geschichtswiss. in Göttingen, 1987, 76–101 **71** R.R. BOLGAR (Hrsg.), Classical Influences on Western Thought A.D. 1650–1870, 1979 **72** W.M. CALDER III, A. DEMANDT (Hrsg.), Eduard Meyer, Leben und Leistung eines Universalhistorikers, 1990 **73** K. CHRIST, Röm. Gesch. und dt. Geschichtswiss., 1982 **74** Ders., Von Gibbon zu Rostovtzeff, 1972 **75** J. DEISSLER, Ant. Sklaverei und dt. Aufklärung, 2000 **76** J.R. FEARS, s.v. M. Rostovtzeff, in: BRIGGS/CALDER, 405–418 **77** CHR. HOFFMANN, s.v. Eduard Meyer, in: BRIGGS/CALDER, 264–276 **78** A. MOMOGLIANO, s.v. M.I. Rostovtzeff, in: Ders., Studies in Historiography, 1966, 91–105 **79** W. NIPPEL, Griechen, Barbaren und »Wilde«, Alte Gesch. und Sozialanthropologie, 1990 **80** E. PACK, s.v. Johannes Hasebroek, in: BRIGGS/CALDER, 142–151 **81** V. REINHARDT (Hrsg.), Hauptwerke der Geschichtsschreibung, 1997 **82** H. SCHNEIDER, Schottische Aufklärung und ant. Ges., in: P. KNEISSL, V. LOSEMANN (Hrsg.), Alte Gesch. und Wissenschaftsgesch., FS K. Christ, 1988, 431–464 **83** Ders., s.v. August Boeckh, in: M. ERBE (Hrsg.), Berlinische Lebensbilder. Geisteswissenschaftler, 1989, 37–54.
HELMUTH SCHNEIDER

Sozialismus

Sozialismus A. VORBEMERKUNG B. DEFINITION UND NACHBARBEGRIFFE C. VORLAGEN UND SOZIALISTISCHE INTERPRETATIONEN D. ANTIKER SOZIALISMUS IN ZEITGENÖSSISCHER BELEUCHTUNG

A. VORBEMERKUNG

Sozialismus bezeichnet ein Phänomen der Neuzeit. Er gilt als ein wirtschaftlicher, gesellschaftlicher und polit., auf Aktion angelegter Begriff, der Theorie und Praxis zu verschränken sucht. Mit dem Aufkommen der Industrialisierung und dem mit ihr einhergehenden Massenelend (Pauperismus) entwickelt er sich im Verlauf des 19. Jh. zu einem Gegenentwurf, der die bestehenden, als bürgerlich-kapitalistisch gedeuteten Verhältnisse in nahezu allen Lebensbereichen zu überwinden trachtet. Aufgrund dieser Multiperspektive hat man ihn einen intellektuellen Proteus genannt [50. 268], der inhaltlich kaum zu fassen ist. Entscheidend ist, daß dieser zukunftsorientierte Bewegungsbegriff [47. 923] seit Beginn stark von theoretischen Denkmodellen bestimmt war und auf histor. Vorläufer rekurrierte. Die kritischen Auseinandersetzungen mit dem Versuch, einen S. in der Ant. nachzuweisen, haben schon früh eingesetzt. Wie die demokratische Bewegung der Neuzeit sich in vielfältiger Weise auf griech. Vorbilder berief (→ Demokratie), so griffen sozialistische Theoretiker in legitimierender Absicht egalitäre Tendenzen auf, v.a. das Modell des Gemeineigentums, das im ant. Denken, insbesondere bei Platon, in unterschiedlicher Prägnanz eine Rolle gespielt hat. Jedoch entsprach den utopischen Entwürfen weder in Griechenland noch in Rom eine wirtschaftliche und soziale Realität. Auch die soziale Frage, die man in den verschiedentlich bezeugten Initiativen auf Umverteilung des Bodens und Schuldentilgung glaubte erkennen zu können [1. 6; 35; 49], hat es in einer den neuzeitlichen Verhältnissen entsprechenden Weise nicht gegeben. Es fehlten in der Ant. die industriellen Großunternehmen, das Proletariat und seine Organisation, v.a. das als bedrohlich empfundene Massenelend, welche zusammengenommen die soziale Frage und die sozialen Bewegungen provozierten. Zur Genese des mod. S. hat die Ant. nur mittelbar beitragen können. Der Begriff enthielt in seiner Verklammerung von Theorie und Praxis ein verlockendes, scheinbar mod. Deutungsmuster für alle histor. Epochen. Trotz aller anfechtbaren Deutungen liegt das Verdienst der S.-Deutungen darin, daß sie eine Fülle einschlägigen Materials bereitgestellt und die sozialen Probleme der Ant. als dynamische begriffen haben, für die es freilich eine angemessene Begrifflichkeit zu entwickeln gilt [25. 2ff.]. Insofern kann eine mod. Sozial-, Wirtschafts- und Ideengeschichte der Ant. mit Gewinn auf die vergangenen Analysen zurückgreifen.

Sprachliche Adaptionen wie der sog. Fabier-S. (Fabian Society, gegr. 1884), der sich in England nach dem Vorbild des Q. Fabius Cunctator für eine beharrliche und pragmatische Überwindung der kapitalistischen Verhältnisse einsetzte, oder der Spartakus-Bund (gegr. 1916), der nach dem I. Weltkrieg unter dem Namen des bekannten Sklavenführers für sozial-kommunistische Ideen eintrat [30. 169f., 651f.], werden nicht eigens behandelt. Auch die gesellschaftlichen und staatlichen Organisationen wie Arbeiterbewegung, Gewerkschaften, Parteien und Verbände, die sich seit dem 19. Jh. unter den Leitbegriff des S. gestellt haben, bilden keinen Gegenstand des Artikels.

Daß die sozialistischen Staaten des 20. Jh., insbesondere die → DDR nach 1945, versuchten, sich in unterschiedlicher Absicht das ant. Erbe anzueignen und für eine zukünftige sozialistische Gesellschaft fruchtbar zu machen, hängt nicht zuletzt damit zusammen, daß die Archegeten des histor. Materialismus, Marx und Engels, danach Kautsky, Bernstein und Lenin, die sozialistischen Entwürfe geschichtlich einbanden und legitimierten. In diesem histor. Kontext kam auch der Ant. als einer Sklavenhaltergesellschaft mit ihren vielfältigen Spannungen und Klassengegensätzen aber auch mit ihren großen Kulturleistungen enorme Bed. für die Gegenwart zu [46; 61. 278ff.; 33. 20ff., 23] (→ Marxismus).

B. DEFINITION UND NACHBARBEGRIFFE

Der Begriff S., der zu Beginn des 19. Jh. sowohl in England wie in Frankreich populär wurde [47. 934ff.], wurzelt in der Gelehrtensprache der Aufklärung und geht über diese auf Senecas Wesensbestimmung des Menschen als ›sociale animal et in commune genitus‹ zurück (Sen. benef. 7,1,7, [32. 23ff.]). Die röm. Formulierung des aristotelischen ζῷον πολιτικόν verleiht dem polit. Begriff eine primär gesellschaftliche Dimension, ein ›fundamentales Mißverständnis‹ (Arendt), das nichtsdestoweniger Ausgangspunkt für die Entfaltung der Überzeugung vom Menschen als eines von Natur aus geselligen Wesens war und im Rahmen der neuzeitlichen Naturrechtslehre eine reiche Ausdifferenzierung erfuhr (societas bzw. socialitas bei Hugo Grotius, Samuel Pufendorf, Christian Wolff, Gottlieb Hufeland [43. 1166ff.; 47. 924ff.]). Diese philos. und naturrechtliche Dimension verblaßt allmählich vor dem Hintergrund der gewaltigen polit. und gesellschaftlichen Veränderungen am E. des 18. Jh. Die unterschiedlichen Ansätze der sog. utopischen bzw. Frühsozialisten [12. 255ff.], z.T. geleitet von ant. Vorbildern, lassen in etwa folgende Zielvorstellungen erkennen, die sich im Begriff »S.« zusammenfinden: eine allseitige Verbesserung der unteren Schichten bzw. Klassen, geknüpft an das Ziel einer umfassenden gesellschaftlichen Gleichheit; den Vorrang des Kollektiveigentums vor dem Individualbesitz mit der Konsequenz einer Um- und Neuverteilung der Güter; das Ziel einer polit. Gleichheit auf dem Boden eines ökonomischen und sozialen Ausgleichs; in Konsequenz der Gleichheit eine sittliche und bildungsmäßige Verbesserung, eine ›Veredelung der Lage der niederen Classe‹ (L. von Stein). Politische Gleichheit, Gemeineigentum und umfassende Bildung, die es in der Ant. als Leitlinien in Ansätzen gegeben hat, ließen sich auf die eigene Zeit beziehen. In dem Bestreben, einen Gesellschaftszustand zu erreichen, ›bei dem im weiten Umfange mit den Mitteln der Gesamtheit auf der Basis des Kollektiveigentums gewirtschaftet wird‹, stimmen S. und Kommunismus überein [1. 1f.]. Für Lorenz von Stein (1815–1890), der für die Rezeption der engl. und frz. Ideen des S. in Deutschland maßgebend geworden ist [12. 419f.; 47. 947ff.], bedeutete der S. über seine Programmatik hinaus zugleich eine

Wiss., welche die Gesellschaft insgesamt zum Gegenstand haben sollte [45. 26ff.; 47. 47ff.]. In dieser Hinsicht war er Vorläufer des sog. wiss. S., wie ihn K. Marx und F. Engels propagierten [13. 8, 271ff.]. Gleichzeitig hob v. Stein den S. scharf vom Kommunismus als einer negativen und umstürzlerischen Größe ab [55. 131], wiewohl dieser in der gleichen geistesgeschichtlichen Trad. stand (Platon, Urchristentum, Th. Morus) und das Gemeineigentum sowie ein darauf ausgerichtetes Wirtschaftssystem propagierte. Gerade der Blick auf die ant. Vorlagen schien wesentliche Unterschiede freizulegen: der S. als Verdichtung des Kollektivismus und des Sozialprinzips, welcher in der platonischen Gütergemeinschaft seinen Vorläufer sah – der Kommunismus als extremer Individualismus, dem es allein um die Steigerung der Lust und um hemmungslosen Hedonismus geht, wie er sich in den *Ekklesiazusen* des Aristophanes und der dort propagierten Weiber- und Gütergemeinschaft äußerte [42. 526ff.]: ›Der kommunistische Himmel des Pöbels, die »Saturnalien der Kanaille«‹ [38. I.321]. Die Unterscheidung eines elitären Utopismus, der seinen Hauptvertreter in Platon besaß, und eines ›rohen und naiven Kommunismus‹ der unteren Schichten [23. 1ff.] hat sich nicht durchsetzen können [1. 1ff.; 41. 217f.]. Ideengeschichtlich gesehen gilt der Kommunismus als die weiterentwickelte Phase und Endstufe der auf Kollektiveigentum und Gemeinwirtschaft abzielenden sozialistischen Bestrebungen [11. 8f., 23ff.; 48. 961ff.; 30. 319ff.]; in den Denkkategorien des histor. Materialismus: die Endstufe des gesetzmäßigen und revolutionären histor. Prozesses [60. 1252ff.].

Das gewaltige Anwachsen der unteren Schichten zu Beginn des 19.Jh., die einsetzende Industrialisierung und das gewaltige Massenelend, der Pauperismus, provozierten die sog. soziale Frage [30. 553f.; 9. 246ff.; 34. 219ff.], auf die sich der S. als adäquate Antwort verstand. Der Gegensatz von Reich und Arm, von Kapital und Arbeit, die Verelendung der Unterschichten, die von Staat und Gesellschaft des 19. Jh. um der polit. und sozialen Stabilität willen Steuerungsmaßnahmen erforderten, ließen sich als eine universalgeschichtliche Chiffre verstehen, die auch auf andere Epochen, nicht zuletzt auf die Ant., Anwendung finden konnte [8; 35; 38; 49].

Als mögliche Antworten auf gravierende soziale Defizite finden dabei vornehmlich die ant. → Utopien große Aufmerksamkeit über den Kreis der Altertumswiss. hinaus [44. 44ff.]. Der Entwurf einer alternativen polit. und sozialen Ordnung, wie ihn Platons *Politeia* [5] oder Iambulos' phantastischer Reisebericht (3.Jh. v. Chr.) bieten, hatte auf Thomas Morus und seine 1516 erschienene *Utopia*, ferner auf Tommaso Campanellas (1568–1628) *Città del Sole*, und über diese auf mehrere andere Autoren der frühen Neuzeit bedeutenden Einfluß [1]. Den ant. Entwurf einer utopischen, auf Gleichheit beruhenden Gesellschaftsordnung sah man verschiedentlich als Ursprung [31] bzw. als Vorläufer des neueren S. [23] an, dessen Stammbaum mithin bis in die

Ant. zurückreicht [18]. Charles Fourier (1772–1837), einer der bedeutendsten Frühsozialisten, war der Meinung, daß im alten Griechenland eine Großproduktion existiert habe, welche unter Solon und Perikles ein Mehrprodukt habe entstehen lassen, das die materielle Grundlage für Kunst und Wiss. bildete. Somit wäre auch die Voraussetzung für einen ant. S. gegeben gewesen, dessen Umsetzung nun der Neuzeit vorbehalten sei (Fourier, *Œuvres* 3,47 [52. 77]). So fruchtbar die methodischen Bemühungen sind, die alternativen Denkmodelle auf die konkreten gesellschaftlichen Verhältnisse zu beziehen, so fragwürdig mutet die Annahme eines gesamtgeschichtlich kontinuierlichen Prozesses an, in welchem der mod. S. seine Wurzeln in der Ant. besitzt [2] (kritisch: [45]).

C. VORLAGEN UND SOZIALISTISCHE
INTERPRETATIONEN

Nur wenige zentrale ant. Quellenzeugnisse propagieren ein Gemeineigentum und eine entsprechende Gesellschaftsordnung, die als Referenzen für die eigene Zeit verwendet werden können. Lykurgs legendäre Neuordnung → Spartas und die damit verbundene Umverteilung des Grund und Bodens, die gleiche Landlose vorsah, zeitigte nach dem Bericht des Plutarch (Lykurgos 8ff.) eine Fülle segensreicher Folgen: ein Leben in völliger Gleichheit und in Gütergemeinschaft (Plut. Lykurgos 8), ferner die Beseitigung der Habgier und des Luxus (Plut. Lykurgos 8f.), eine einfache Lebensweise und eine sorgfältige auf Tugend und Sittsamkeit ausgerichtete Erziehung (Plut. Lykurgos 13ff.). Gerade diese Koppelung von Kollektiveigentum und gesellschaftlicher Moral machte Lykurg im Zeitalter der frz. Physiokraten mit ihrer »natürlichen« Hochschätzung des Privateigentums zu einem attraktiven Vor- und Gegenbild. Schon Charles Rollin (1661–1741), der human. geprägte Rektor der Pariser Univ., hatte in der Bodenreform des Lykurg ein Mittel gesehen, moralische Mißstände der Gesellschaft zu beseitigen [12. 232]. Der einflußreiche Publizist G. Bonnot de Mably (1709–1785) wandte sich in seinen vielfältigen Schriften gegen das Privateigentum als Quelle allen Übels (›Die Büchse der Pandora‹) und empfahl eine Rückkehr zu einer einfachen und überschaubaren Gütergemeinschaft, wie sie Lykurg und Platon vorgesehen hatten [12. 143ff.]. In vergleichbarer Weise verband N. Morelly in seinem *Code de la nature* (1755) die Abschaffung des Privateigentums und des Handels, mit einem staatlich verordneten Erziehungswesen, mit ländlicher Zwangsarbeit und gemeinsamen Mahlzeiten, geläufige Topoi der utopischen Lit., die v.a. aus der Lykurg-Vita des Plutarch stammten [12. 132f.].

Auch Montesquieu begreift in seinem Hauptwerk *De l'esprit des lois* (1748) eine gerechte Bodenverteilung als Mittel, Gleichheit und Einfachheit in Demokratien durchzusetzen, wie dies Lykurg und Romulus [38. II. 334f.] in Sparta und Rom erreicht hätten (Kap. 5,5). Deshalb gab es, so Montesquieu, auf dieser frühen Stufe der Entwicklung auch keinen Luxus; er stellt eine moralische Sprengkraft für Demokratien dar. Aber Montesquieu sieht auch, daß die plötzliche Umsetzung einer Bodenreform verhängnisvolle Wirkungen und eine allgemeine Umwälzung im Staate mit sich bringt (Kap. 7,2; ähnliche Vorbehalte bei Rousseau [12. 138 f.]).

Die Gütergemeinschaft, wie sie Platon in seiner *Politeia* propagierte, die an eine rigorose Aufgaben- und Arbeitsteilung auf die drei Stände gebunden war und ein anspruchsvolles Erziehungsprogramm (unter Einschluß der Frauen) vorsah [5. 145 ff.], hat dem utopischen Denken seit dem 16. Jh. entscheidende Impulse vermittelt [17. 325 ff.; 44. 47 ff.]. Die *Utopia* des Morus will in ihrem zweiten Teil eine optimale Staatsverfassung auf einer fernen Insel verwirklichen. Der Alternativentwurf, den man als eine »mod. platonische *Politeia*« [44. 52 ff.] bezeichnet hat, sieht die Aufhebung des Privat- und die Einführung des Gemeineigentums vor, daneben die Abschaffung des Geldes und die Wiedereinführung der Tauschwirtschaft, die sich vornehmlich auf Agrarprodukte bezieht. Zur Arbeit werden u. a. Sklaven herangezogen. Höchsten Stellenwert besitzen Studium und Bildung als Pflege geistiger Bedürfnisse, die das wahre menschliche Glück ausmachen (*Utopia* II, 1 ff.; [56. 1016 ff.]). Gegen den Charakter eines utopischen, an platonischem Denken orientierten → Humanismus, den die Schrift trägt, spricht nicht, daß Morus offensichtlich auch das Ideal einer ma. *vita communis* mit aufgenommen und in seinem Denkmodell verarbeitet hat [56. CLVI ff.; 36].

Der urchristl. Liebeskommunismus [58. 49 ff.; 19. 39 ff.], der seinen Ausgang von Apg 4,32 nimmt, wonach den Mitgliedern der Urgemeinde nichts Eigenes, sondern alles gemeinsam war (›erant illis omnia communia‹, vgl. auch Apg 2,42), umschreibt das Ideal einer Gemeinschaft, welche die Wiederkunft des Herrn nahe wußte und deshalb die vorhandenen Mittel brüderlich teilen konnte. Die allg. Besitzverhältnisse und Produktionsweisen der Zeit waren in dieser ephemeren Spielart einer rel. geprägten κοινωνία nicht tangiert.

Umgreifender prägte Gütergemeinschaft die jüd. Essener. Die Probanden hatten beim Eintritt ihren privaten Besitz in ein Gesamtvermögen einzubringen (δημεύειν τῷ τάγματι τὴν οὐσίαν, Ios. bell. Iud. 2,122; vgl. auch Ios. ant. Iud. 18,20 u. 22; Plin. nat. 5,73 [4. 448 ff.]), um einen auf Solidarität und Gastfreundschaft beruhenden Lebens- und Wirtschaftsstil pflegen zu können [53. 245 ff.]. Unverkennbar enthält ein derartiges, rel. motiviertes Gemeinschaftsideal sozialrevolutionäre Aspekte, die sich theoretisch entfalten und z. T. auch verwirklichen ließen.

Christliche Autoren wie Tertullian, Cyprian, Lactanz, Ambrosius, Clemens von Alexandria, Johannes Chrysostomus haben in ihren Schriften in unterschiedlicher Weise einen Ausgleich zw. Armut und Reichtum angemahnt und sind dabei dem Ideal eines Gemeineigentums z. T. sehr nahe gekommen (z. B. Lact. inst. 5,5: ›(...) cum Deus communem omnibus terram dedisset, ut communem degerent vitam‹, ähnlich Ambr. off.

1,132 mit Bezug auf Cic. off. 1,22 [38. II. 475 ff.; 7. 77 ff.; 10. 54 ff., 76 ff.]). Privatbesitz galt gegenüber dem als urspr. angenommenen Gemeineigentum als sekundär und ließ sich allenfalls als Voraussetzung für die vielfältigen Aufgaben der *caritas* rechtfertigen [59. 290 ff.; 58. 113 ff.; 16. 111 ff.; 29. 134 ff., 145, 185, 195 f.]. Auch der christl. S. bzw. die christl., bes. die katholische Soziallehre der Neuzeit geht vom Liebesgebot im NT aus und entwickelt programmatisch auf der Grundlage christl. und naturrechtlicher Maßstäbe ein zeitgenössisches Sozial- und Wirtschaftsprogramm [51. 181 ff.; 48. 968 ff.], das in der Harmonisierung von Individual- und Kollektivethik seine besonderen Schwierigkeiten besitzt. Die vielfältigen Armutsbewegungen des MA (Minoriten, Apostelbrüder, Spiritualen, Fratizellen u. a.) besaßen im Liebeskommunismus der Urgemeinde einen wesentlichen Bezugspunkt, den sie in mehr oder minder radikaler Weise umzusetzen trachteten [39].

D. Antiker Sozialismus in zeitgenössischer Beleuchtung

Der utopische Diskurs und die schemenhaften Ansätze eines sozial-kommunistischen Lebensideals nahmen im 19. Jh. eine andere Qualität an. Durch die frz. → Revolution hatte der Gedanke der Gleichheit reale polit. Konturen erhalten. Unterhalb des Bürgertums formierte sich aufgrund rasanter sozialer und ökonomischer Veränderungen ein sog. vierter Stand, der »Stand der Standlosen«, für welche die Armut nicht mehr ›individuelles, sondern kollektives Schicksal‹ war (Th. Nipperdey). Den utopischen Entwürfen wächst im Proletariat und in der sich formierenden Arbeiterbewegung eine reale Bezugsgröße zu, die in ihrer Besonderheit und ihrer potentiellen Sprengkraft unterschiedlich wahrgenommen und histor. eingeordnet wurde. Als Antwort auf die drängenden sozialen Phänomene der Zeit läßt sich der Versuch verstehen, die Wurzeln des Proletariats in der Ant. zu suchen, um von daher seine Besonderheit zu erfassen [57; 6; 37]. Der frz. Publizist A. Granier de Cassagnac (1808–1880) führte das zeitgenössische Proletariat (›die Arbeiter, die Bettler, die Diebe und die öffentlichen Mädchen‹ [15. 7]) auf die Sklaverei der Alten Welt, auf die gewerbetreibenden und ackerbauenden Freigelassenen [15. 327] zurück. Cassagnac wollte aus dem ›histor. Geschick des Sklavengeschlechtes‹ [15. 328] Handreichungen für die eigene Zeit ableiten. *Die Proletarier*, eine histor. Denkschrift H. W. Bensens aus dem J. 1847, knüpft das Aufkommen dieser lohn- und arbeitsabhängigen Schicht an die Staatsentwicklung in der Antike. Er sieht in den ›neuen Propheten der Proletarier‹, welche den S. und Kommunismus verkünden [3. 404 ff.], eine gefährliche Krankheit, welche die im Entstehen begriffene ›teutsche Nation‹ in eine tiefe Krise stürzen könnte [3. 492 ff.]. Der einflußreiche Nationalökonom B. Hildebrand (1812–1878) versteht die ›socialen Wirtschaftstheorien‹, die mit Platon und dem urchristl. Kommunismus ihren Anf. nehmen [20. 98 ff.], als notwendige, aber nur partiell zutreffende Reaktionen auf die sich entwickelnde mod. Geldwirtschaft [20. 325 f.]. Mit starkem zeitgenössischem Engagement analysiert W. Roscher (1817–1894) den S. und Kommunismus unter Einschluß ihrer ant. Ausprägung [41; 42], die er als Krisenerscheinungen ›bei den Alten im Zeitalter des sinkenden Griechentums und der ausartenden röm. Republik‹ [41. 220 f.] glaubte feststellen zu können. Schroffer Gegensatz von Arm und Reich, hohes Anspruchsdenken der niederen Klassen als Folge demokratischer Staatsverfassung, Erschütterung des Rechtsgefühls und allg. Abnahme der Religiosität und Sittlichkeit waren ihm Indikatoren des Niedergangs [41. 215 ff.].

Gegen E. des 19. Jh. hat Roschers Schüler R. von Pöhlmann diese allg. Vorbehalte weiter zugespitzt und aktualisiert [38]. Der S., die konsequente Folge des demokratischen Prozesses in Griechenland, der bis ins 6. Jh. v. Chr. zurückreicht [38. I. 126, 153], ist für Pöhlmann ein Produkt ›ganz bestimmter wirtschaftlicher, sozialer und polit. Zustände‹ [37. 34]. Plutokratisierung, Mammonismus und Kapitalherrschaft rufen den Pauperismus hervor [38. I. 205 ff.] und machen die soziale Frage zu einem zentralen Problem der griech. Polis im 4. Jh. v. Chr. [38. I. 233 f., II. 511 f.]. In welch verhängnisvoller Weise die att. Staats-S. bzw. die soziale Demokratie [38. II. 114 ff.] das Gemeineigentum auf ihre Fahnen geschrieben hat, läßt sich exemplarisch an der Güter- und Weibergemeinschaft demonstrieren, wie sie Aristophanes in seinen *Ekklesiazusen* entlarvend geschildert hat [35. II. 313 ff.]. Auch das republikanische Rom kannte Massenarmut, Klassenkämpfe und Forderungen nach Neuaufteilungen des Grundeigentums [38. II. 348 ff.], die ihr Gegenstück in den sozialrevolutionären Ideen des Christentums, in der ›sozialistischen Auffassung der Gottesherrschaft‹ [38. II. 496 f.] besitzen. Als Ideologie des Proletariers und Kleinbürgers [38. II. 503] hatte sich dieses auf dem Boden einer plutokratischen und ausbeuterischen Gesellschaft in der Kaiserzeit herausgebildet [38. II. 465]. Pöhlmanns Entlarvung des ant. S. als krisenhaftes, destruktives und zugleich illusionäres Phänomen zielt auf zeitgenössische soziale Probleme und deren »verfehlte« Lösungsvorschläge. Pöhlmann selbst stand mit seiner Erwartung auf ›Ausgleich und Versöhnung der widerstreitenden Interessen‹ und auf ›Schutz und Hebung der leidenden Klassen‹ [37. 35] den ordnungspolit. Grundsätzen einer ethisch fundierten Nationalökonomie [38. I. 482 ff.] nahe. Die Überzeugung, daß soziale und ökonomische Prozesse in der Weltgeschichte einen typischen Verlauf nehmen, aus dem man Lehren für die eigene Zeit zu ziehen vermag, teilt Pöhlmann mit anderen Gelehrten der Zeit. Sie beruht auf einem hauptsächlich an Aristoteles orientierten Menschen- und Gesellschaftsbild, dessen Kritik am Geldwucher, an der einseitigen Verteilung der Güter, an Selbstsucht des Einzelnen und Begehrlichkeit der Massen [38. I. 278 f., 468 ff.] als allgemeingültig vorgetragen wird. Der ant. S. als Menetekel und als Aufforderung zu einer energischen staatlichen Sozialpolitik fand Eingang

in die didaktischen Handreichungen für die Oberstufen der Gymnasien [27; 62] und ließ sich im Unterricht bequem aktualisieren. Als nicht weniger wirksam hat sich im 19. Jh. die Verbindung des ant. S. mit dem Christentum erwiesen. Die christl. Botschaft galt einerseits als virtuelle und nach wie vor gültige Überwindung des Massenelends [22], andererseits als notwendig unzulänglicher und schon im Ansatz verfehlter Versuch, der allgemeinen sozialen Not der Zeit wirksam zu begegnen [24] ([38. II. 508]: ›Die größte Massenillusion der Weltgeschichte‹). Kritiker verwiesen dagegen auf die eigenständigen und anders gemeinten Aktivitäten der frühchristl. Gemeinden, die sich nicht an übergreifenden Veränderungen des Sozial- und Wirtschaftslebens orientierten, sondern die Hilfstätigkeit auf konkreter und individueller Basis organisierten [59; 58. 16 ff.; 40. 302 ff.].

Das ant. Erbe hat sich in beiden Fällen, beim paganen wie beim christl. S., unter den Bedingungen des 19. und 20. Jh. wesentlich gewandelt, konkrete Formen und Ansprüche angenommen, die nach wie vor eine Herausforderung an mod. Gesellschaften darstellen.

1 G. Adler, Gesch. des S. und Kommunismus von Platon bis zur Gegenwart, 1920 2 M. Beer, Allg. Gesch. des S. und der sozialen Kämpfe, [7]1931 3 H. W. Bensen, Die Proletarier, eine histor. Denkschrift, Stuttgart 1847 4 O. Betz, The Essenes, in: Cambridge History of Judaism, 1999, 448 ff. 5 R. Bichler, Von der Insel der Seligen zu Platons Staat, Gesch. der ant. Utopie I, 1995 6 J. G. Bouctot, Histoire du communisme et du socialisme I, Paris 1889 7 L. Brentano, Die wirtschaftlichen Lehren des christl. Alt. (1902) in: Der wirtschaftende Mensch in der Gesch., 1923, 77–143 8 K. Breysig, Die soziale Entwicklung der führenden Völker Europas in der neueren und neuesten Zeit, in: Schmollers Jb. für Gesetzgebung, Verwaltung und Volkswirtschaft im Dt. Reich 20, 1896, 1091 ff. 9 G. W. Brück, Philosophen und Denker. Zur Gesch. und Wirkung der sozialen Ideen in Europa von der Ant. bis zur Neuzeit, 1988 10 L. Wm. Countryman, The Rich Christian in the Church of the Early Empire, 1980 11 K. Diehl, Über S., Kommunismus und Anarchismus, [3]1920 12 J. Droz, Histoire Générale du Socialisme, 1972 13 F. Engels, Die Entwicklung des S. von der Utopie zur Wiss. (1883), in: Marx-Engels-Werke 19, 1962, 189 ff. 14 J. Ferguson, Utopias of the Classical World, 1975 15 A. Granier de Cassagnac, Gesch. der arbeitenden und der bürgerlichen Classen, Braunschweig 1839 16 R. M. Grant, Christen als Bürger im Röm. Reich, 1981 17 J. Guy, s. v. Th. Morus, in: TRE 23, 1994, 325 ff. 18 M. Hahn, Der Stammbaum. Karl Kautskys Entwurf der Gesch. des S., in: J. Rohan et al. (Hrsg.), Marxismus und Demokratie, 1992, 361 ff. 19 M. Hengel, Eigentum und Reichtum in der frühen Kirche, 1973 20 B. Hildebrand, Die Nationalökonomie der Gegenwart und der Zukunft, Frankfurt 1848 21 Ders., Die sociale Frage der Vertheilung des Grundeigentums im Klass. Alt., in: Jb. Nationalökonomie u. Statistik 12, 1869, 1 ff. 22 J. Huber, Der S. Rückblick auf das Alterthum, München 1895 23 K. Kautsky, Vorläufer des S. I–II, Stuttgart 1894–1895 24 Ders., Der Ursprung des Christentums, 1908 25 H. Kloft (Hrsg.), Sozialmaßnahmen und Fürsorge, zur

Eigenart ant. Sozialpolitik, 1988 **26** Ders., Karl Kautsky und die Ant., in: J. ROJAHN et al. (Hrsg.), Marxismus und Demokratie, 1992, 334 ff. **27** O. LIERMANN, Polit. und sozialpolit. Vorbildung durch das klass. Alt., 1900 **28** LThK³, s.v. Armutsbewegungen, 1993, 1012 ff. **29** CH. MARKSCHIES, Zw. den Welten wandern. Strukturen des ant. Christentums, 1997 **30** T. MEYER (Hrsg.), Lexikon des S., 1986 **31** CL. MOSSÉ, Les origines antiques du socialisme, in: [11. 53 ff.] **32** H. MÜLLER, Ursprung und Gesch. des Wortes S. und seiner Verwandten, 1967 **33** R. MÜLLER, Hegel und Marx über die ant. Kultur, Philol. 116, 1972, 7 ff. **34** TH. NIPPERDEY, Dt. Gesch. 1800–1866, ⁵1991 **35** FR. OERTEL, Die soziale Frage im Alt. (1927), in: KS zur Wirtschafts- und Sozialgesch. des Alt., 1975, 19–39 **36** O. G. OEXLE, Wunschträume und Wunschzeiten. Entstehung und Funktion des utopischen Denkens im MA, Früher Neuzeit und Mod., in: J. CALLIESS (Hrsg.), Die Wahrheit des Nirgendwo, 1994, 33 ff. **37** R. VON PÖHLMANN, Das klass. Alt. in seiner Bed. für die polit. Erziehung des mod. Staatsbürgers (1891), in: Aus Alt. und Gegenwart, 1911, 1–51 **38** Ders., Gesch. des S. und der sozialen Frage in der ant. Welt I–II, ³1925 (mit einem Nachwort von Fr. Oertel) **39** J. PROHL, T. STROHM, s.v. Liebestätigkeit, RGG⁴, 5, 2002, 363 ff. **40** A. M. RITTER, Charisma und Charitas, Aufsätze zur Gesch. der alten Kirche, 1993 **41** W. ROSCHER, Grundlagen der Nationalökonomie, ²⁴1906 (bearbeitet von R. v. Pöhlmann) **42** Ders., Politik, geschichtliche Naturlehre der Monarchie, Aristokratie und Demokratie, ³1983 **43** P. RUBEN, B. BROSSMANN u.a., s.v. S., HWdPh 9, 1995, 1166 ff. **44** R. SAAGE, Utopieforschung, eine Bilanz, 1997 **45** E. SALIN, S. in Hellas, in: Festschrift E. Gothein 1925, 15 ff. **46** R. SANNWALD, Marx und die Ant., 1957 **47** W. SCHIEDER, s.v. S., in: Geschichtliche Grundbegriffe 5, 1984, 923–996 **48** Ders., s.v. Kommunismus, in: Geschichtliche Grundbegriffe 3, 1982, 455–529 **49** G. SCHMOLLER, Die soziale Frage, 1918 **50** J. A. SCHUMPETER, Kapitalismus, S. und Demokratie, ²1950 **51** H. H. SCHREY, s.v. S., in: RGG³, 6, 1962, 181 ff. **52** W. SEIDEL, J. HÖPPNER (Hrsg.), Theorien des vormarxistischen S. und Kommunismus, 1987 **53** H. STEGEMANN, Die Essener, Qumran, Johannes der Täufer und Jesus, ⁶1997 **54** L. v. STEIN, Die soziale Frage im Lichte der Philos., ²1903 **55** Ders., Der S. und Communismus des heutigen Frankreichs, Leipzig 1842 **56** E. SURTZ, J. H. HEXTER (Hrsg.), The Complete Works of St. Thomas More IV: Utopia, 1979 **57** J. J. THONISSEN, Histoire du socialisme dans l'antiquité, 1862 **58** E. TROELTSCH, Die Soziallehren der christl. Kirchen und Gruppen I, 1912 **59** G. UHLHORN, Die christl. Liebestätigkeit in der alten Kirche, Stuttgart 1882 **60** A. v. WEISS, s.v. Histor. Materialismus, in: Sowjetsystem und demokratische Ges. 2, 1968, 1252 ff. **61** E. CH. WELSKOPF, Probleme der Muße im alten Hellas, 1962 **62** H. WOLF, Gesch. des ant. S. und Individualismus, 1909.

HANS KLOFT

Spätantike s. Epochenbegriffe; Geschichtswissenschaft/Geschichtsschreibung

Spanien I. WISSENSCHAFTSGESCHICHTE
II. KULTURGESCHICHTE

I. WISSENSCHAFTSGESCHICHTE
A. VORBEMERKUNG   B. 11.–15. JAHRHUNDERT
C. 16. JAHRHUNDERT   D. 17. JAHRHUNDERT
E. 18. JAHRHUNDERT   F. 19. JAHRHUNDERT
G. ERSTE HÄLFTE DES 20. JAHRHUNDERTS
H. ZWEITE HÄLFTE DES 20. JAHRHUNDERTS

A. VORBEMERKUNG
Während die Beschäftigung mit der griech. Lit. und Kultur in S. vom MA bis in die Gegenwart gut erforscht ist, weist die Forsch. bezüglich des Lat. noch viele Lücken auf, so daß in diesem Beitr. notwendigerweise der Schwerpunkt auf der griech. Kultur liegt. Die Darstellung des MA beschränkt sich v. a. auf Kastilien, obgleich auch Material von den anderen span. Königreichen hinzugezogen wurde.

B. 11.–15. JAHRHUNDERT
1. 11./12. JAHRHUNDERT
Seit dem E. des 11. Jh. existierte in Toledo (die Stadt wurde 1085 wiedererobert) eine Übersetzer-Schule, der Bestände aus der Bibl. von Alhaquem II. (961–976) zur Verfügung standen, in der die griech. Wiss., bes. Medizin, Philos. und Astronomie, eine wichtige Stellung innehatte. Die Übersetzer stützten sich nicht auf Texte in der Originalsprache, sondern auf syr. und arab. Versionen, die in vorangegangenen Jh. entstanden waren. Obwohl in dieser Zeit die Kleriker im Unterrichtswesen die Vorherrschaft bewahrten, gab es schon einige Laien, die die Funktion eines *magister* oder *grammaticus* ausübten, womit die Säkularisation dieser Studien einsetzte.

2. 13. JAHRHUNDERT
Im 13. Jh. wurden in Kastilien die allg. Studien eingeführt. Alfonso VIII. begründete den Estudio General de Palencia (1208–1212), Alfonso IX. den von Salamanca (1218) und Alfonso X. den von Sevilla (1254), der bes. dem Lat. und Arab. gewidmet war, Sancho IV. schließlich den von Valladolid und die Escuelas Generales de Alcalá (1293). Auch die Stadträte beteiligten sich aktiv an der human. Lehre. So weiß man z. B., daß es ab dem 13. Jh. eine Grammatikschule (Lat.) in Soria gegeben hat. Deutlich läßt sich eine Hierarchie der einzelnen Fächer erkennen. In den *Partidas* Alfonsos X. nahmen Recht und Theologie den höheren, Gramm. (d. h. Lat.) und Rhet. den niedereren Platz ein. In großer Zahl wurden Richtlinien für die Organisation der Univ., Kathedralschulen und städtischen Schulen erlassen. Allerdings hatten die Univ. in der ersten Zeit keine finanzielle Autonomie. So war die Univ. Salamanca in den ersten 100 J. ihrer Existenz vom Domkapitel der Kathedrale abhängig, da sie bis 1313 keine eigenen Geldmittel besaß.

Die Beschäftigung mit der ant. Lit. schlug sich bes. in Übers. lat. Texte ins Span. nieder. In der *Primera Crónica General* Alfonsos X. finden wir zahlreiche Passagen lat.

Autoren wie z.B. von Ovid, Sueton, Lukan, Justin, Orosius, Eusebius (*Chronik*), Isidor u.a. In der *General Estoria* findet im hohem Maße Ovid Verwendung (*Metamorphosen, Heroides, Remedia amoris, Fasti*). Der fünfte Teil des Werkes enthält die Übers. der ganzen *Pharsalia* Lukans, Eustathios wird deutlich im vierten Teil verwendet, die Kenntnis von Flavius Josephus ist im ganzen Traktat sichtbar.

3. 14. JAHRHUNDERT

Auf dem Konzil von Wien (1312) wurde die Lehrtätigkeit im Griech., Hebräischen, Arab. und Chaldäischen an den Univ. von Paris, Oxford, Bologna und Salamanca geordnet. Wenige J. später wurde auf einem Konzil in Valladolid (1322) beschlossen, daß niemand ohne Lateinkenntnisse zum Kleriker geweiht werden solle. Außerdem sollte jeder Pfarrer einige lat. und span. Texte in seiner Kirche aufbewahren (gemeint waren das Credo, die Sakramente, die Zehn Gebote u.a.), um sie den Gläubigen bei den wichtigen Festen des liturgischen J. vorzulesen.

Die Städte begannen verhältnismäßig früh, sich um den Unterricht der klass. Sprachen zu kümmern. So gab es in Madrid eine Grammatikschule, die von Alfonso XI. im J. 1346 gegr. wurde. Ähnliche Einrichtungen bildeten sich in vielen Orten aus (z.B. in Alcalá, Cuenca, Guadalajara, Jerez de la Frontera), die vom Stadtrat oder von einem wohlhabenden Bürger finanziert wurden.

Unter den Übersetzern dieser Zeit muß man Juan Fernández de Heredia erwähnen, Großmeister des Ordens Hospitalaria de San Juan de Rodas, der viele J. am päpstlichen Hof von Avignon lebte (1356–1376). Er ließ die Reden des thukydideischen Geschichtswerks ins Aragonesische übersetzen, außerdem die *Parallelbiographien* Plutarchs und einen Teil der *Chronik* des Zonaras.

4. 15. JAHRHUNDERT

Das 15. Jh. war durch eine allg. Unkenntnis der lat. Sprache auch unter den Angehörigen gehobener Gesellschaftsschichten gekennzeichnet. Generell herrschte mangelndes Interesse für all das Wissen vor, das keinen praktischen Nutzen aufwies. Gegen Mitte des Jh. wurde in den *Constituciones de la Universidad de Salamanca*, die von Papst Martin V. 1422 erlassen wurden, angeordnet: *nullus audiatur nisi latine loquens* (»Keiner soll angehört werden – es sei denn, er spricht Latein!«). Obwohl Lat. an der Univ. Pflicht war, war das Niveau eher gering, wie es z.B. der Italiener Nicolás Antonio (1465) bezeugt, der die Univ. Salamanca in diesen J. besucht hatte. Zu Recht galt Kastilien als ein immer noch »barbarisches« Land, da es hinsichtlich der lat. Sprache ungebildet war. Arias Barbosa, Professor für Griech. in Salamanca, schrieb Marinerus Sículus in einem Brief, daß er in Salamanca nur zwei oder drei Hauslehrer getroffen habe, die Lat. sprachen. Marinerus Sículus betonte, daß von den 30 Professoren und 7000 Studenten in Salamanca ein einziger (Diego Ramírez de Villaescusa) Lat. beherrschte. Nebrija hatte also recht, wenn er behauptete, daß er in Salamanca als ›erster der lat. Spra-

che Raum geschaffen habe‹. Mit Stolz bezeichnete er sich selbst als Sieger über das Barbarentum. Nebrija [16] veröffentlichte seine *Introducciones Latinae*, die unter dem Titel *El Antonio* bekannt wurden, im J. 1481; in der fünften Auflage (1486) fügte er auf Anordnung der Königin Isabel der Katholischen, die 1482 im Alter von 31 J. Lat. zu studieren begonnen hatte, eine span. Übers. bei, damit auch Frauen ohne Vermittlung durch Männer etwas über die lat. Sprache lernen könnten. Die Behörden ordneten schließlich im J. 1601 die Verwendung des *Antonio* als einzigen an span. Univ. zu verwendenden Text an, zu einem Zeitpunkt, als sich die überarbeitete *Arte* Nebrijas durchsetzte. Im Hospital General de Madrid hielt sich das Monopol für dieses Lehrbuch bis 1770. Es hatte sich über ganz S. und Amerika verbreitet. Das bedeutet, daß die lat. Gramm. durch fast drei Jh. mit einem einzigen, am E. des 15. Jh. geschriebenen Werk gelehrt wurde. Folglich wurde offiziell jegliche Neuerung in der gramm. Theorie der lat. Sprache eingeschränkt, wenn nicht sogar verboten.

Die lat. Texte, die in Salamanca gelesen wurden, umfaßten Cato, den *Salterio* (150 Psalmen Davids), den *Tobías* von Mateo de Vendôme (E. 12. Jh.), die Evangelien und die *Aurora*, eine Zusammenfassung der biblischen Geschichte. Wir wissen, daß im J. 1473 auch Terenz gelesen wurde. Als Indiz dafür, daß Lektürefreiheit und Besitz von B. nicht bes. angesehen waren, kann das Niederbrennen der Bibl. von Enrique de Villena im J. 1434 nach dem Tod des Schriftstellers gelten, der Interesse für die klass. Studien gezeigt hatte.

Am E. des 15. Jh. beschlossen viele Stadträte, Unterricht in der lat. Gramm. einzuführen, damit sich die Jugendlichen in ihrem eigenen Heimatort ausbilden konnten.

Der erste Druck mit griech. Buchstaben in S. erschien in Barcelona im J. 1475: die *Rudimenta Grammaticae* des Nicolaus Perotus. Ein Blick in das Werk zeigt zur Genüge, daß die Buchdrucker wenig von dem verstanden, was sie herausgaben. Zwar wurde durch königlichen Erlaß im J. 1480 der Buchhandel von Steuerabgaben befreit in der Absicht, die Bürger zu bilden; aber durch einen anderen königlichen Erlaß im J. 1502 wurden alle Buchhändler aufgefordert, ihre B. zur Zensur den Vorsitzenden der Gerichtshöfe und den Bischöfen vorzulegen. Alle Bände einer Auflage sollten mit dem Original verglichen werden. Zu den B., die als verdächtig galten, zählten jene, welche ›nichtige und nutzlose Dinge behandelten‹. Die Umsetzung dieses Erlasses wurde bes. in Kastilien streng durchgeführt.

In dieser Zeit wurden vermehrt griech. Texte ins Span. übersetzt [57], allerdings nicht aus dem Original, sondern aus lat. Vorlagen. Juan de Mena veröffentlichte eine Übers. in Prosa, eine Teilübersetzung und Zusammenfassung (*Omero romancado*) der *Ilias Latina* des 1. Jh. n. Christus. Alfonso Fernández de Palencia, Lexikograph, Historiker, Geograph, Übersetzer aus dem Lat. ins Span., erzogen im Haus des Alonso de Cartagena, übertrug in Zusammenarbeit mit Besarión die *Parallel-*

biographien Plutarchs aus dem Lat., den *Jüdischen Krieg* sowie die zwei B. der Schrift *Gegen Apion* des Flavius Josephus (1492). Der Príncipe de Viana übersetzte die *Nikomachische Ethik* des Aristoteles (1509); in demselben Band findet sich eine anon. Übers. der Aristotelischen *Politik* und der *Ökonomie*.

C. 16. Jahrhundert

1. Allgemeine Entwicklung

An den span. Univ. wurde in dieser Zeit gewöhnlich auf Span. unterrichtet, nicht auf Lat., wie es eigentlich vorgeschrieben war (zur allg. Entwicklung [28; 29; 30; 31; 32; 44]). Trotz allem weist die Tatsache, daß in der Univ. von Valencia im Laufe des Jh. lat. Kom. aufgeführt wurden, möglicherweise auf hinreichende Lateinkenntnisse der Zuschauer hin. Carlos I. ordnete im J. 1552 die Gründung des Trilingüe de Salamanca an. Nach dem Willen des Königs sollte die Gramm., also das Studium des Lat., eine wesentliche Rolle spielen, weil sie das Fundament aller Wiss. sei. In den Statuten war verpflichtend festgelegt, nur lat., griech. oder hebräisch zu sprechen – je nachdem, für welche Sprache man sich entschieden hatte. Die Dokumente aus jener Zeit bezeugen jedoch, daß diese Pflicht nicht einmal vom Rektor selbst eingehalten wurde. König Carlos I. empfahl seinem Sohn, dem späteren Felipe II., die lat. Sprache gründlich zu lernen. Felipe zeigte allerdings keine besondere Zuneigung zum Lat., obwohl Juan de Zúñiga, Comendador de Castilla, häufig dem Prinzen dargelegt hatte, wie geeignet die lat. Sprache als lingua franca sei, um sich in den verschiedenen Königreichen des Imperiums verständigen zu können.

Einige Humanisten trugen im Laufe der Zeit zum Prestigeverlust des Lat. bei. Nebrija selbst [16] beharrte wiederholt auf der Autonomie und Würde der mod. Sprachen. Sein Ausspruch, die Sprache sei Gefährtin des Imperiums, spiegelt das Selbstverständnis eines Volkes wider, das sich als Beherrscher anderer Völker sah. Dies führte dazu, daß Lat. in einem Reich, das sich über verschiedene Länder mit unterschiedlichen Sprachen ausgebreitet hatte, als Sprache der Kommunikation und Kultur außer Gebrauch kam. So entspricht der Anteil, den die span. Humanisten zu der neulat. Lit. beigetragen haben, nicht der Rolle, die S. in Europa während des 16. und 17. Jh. spielte. Negative Auswirkungen hatte zweifellos die Anordnung Felipes II. (1559), in der er den Spaniern verbot, an ausländischen Univ. zu lehren und zu studieren, außer an denen, die von der Krone abhingen oder die ihre Genehmigung hatten (Rom, Neapel, Coimbra). Die Expansion des Reiches in Europa und Amerika führte zu einem größeren Bedarf an fähigen Personen für die Verwaltung etc., was wiederum einen Zuwachs der Studentenzahl mit sich brachte. Man schätzt, daß während des 16. Jh. ca. 90% der Bevölkerung in S. Analphabeten waren. Am E. des Jh. gab es in S. mehr als 30 Hochschulinstitute. Jede Ortschaft mit mehr als 500 Einwohnern wies eine Grammatikschule auf. Dies bedeutet, daß die Lateinstudien von der Univ. auf ein Niveau der, mod. gesprochen, mittleren Bil-

dung, d. h. des Gymnasialniveaus, verlagert wurde. Andererseits kam es durch eine wirtschaftliche Krise gegen E. des 16. Jh. zu einer Reduzierung von Arbeitsplätzen. Außerdem bewirkte die Verbreitung vieler Studienzentren in ganz S. einen Rückgang der Studentenzahlen an den traditionellen Universitäten. Während es in Salamanca im J. 1552 noch 2612 Gramm.-, Rhet.- und Griechischstudenten gab, war die Zahl im J. 1569 bereits stark gesunken. Die Schwierigkeiten wurden noch größer, als die Jesuiten begannen, sich an einigen Univ., wie in Valladolid (1584), mit Lat. und Griech. zu beschäftigen.

2. Inquisition

Die span. Inquisition, die in S. 350 J. lang existierte [8; 23; 24; 46], war fast immer in den Händen der Juristen und Theologen. Beide waren zwar Gegner der Humanisten, es wurden allerdings weder die klass. Autoren verurteilt, noch die Humanisten im allg. angegriffen; es wurden aber sehr wohl im einzelnen bestimmte herausragende Persönlichkeiten verfolgt: Nebrija hatte große Schwierigkeiten, aus denen er sich nur dank der tatkräftigen Unterstützung Cisneros befreien konnte; Brocense war in zwei Inquisitionsverfahren verwickelt, in einem Fall aufgrund der Anklage durch einen Kleriker, der an seinen Seminaren teilnahm, in denen er Plinius kommentierte. Die Inquisition hatte ihm geraten, künftig nur Lat. zu lehren und keine theologische Exegese mehr zu betreiben. Als schlimmes Vergehen Brocenses wurde die Publikation eines B. im J. 1588 mit dem Titel *De nonnullis Porphyrii aliorumque in dialectica erroribus* (»Über einige Irrtümer des Porphyrius und anderer in der Dialektik«), in dessen Prolog er empfahl, keinem Lehrenden etwas zu glauben, der nicht imstande sei, seine Lehren mit Argumenten zu beweisen.

Die mit dem 1564 in Rom erschienenen *Index librorum prohibitorum* beginnende Zensur unveröffentlichter B. und Schriften in S. führte darüber hinaus zum Verbot von zahlreichen lat. Texten und Komm. zu ant. lit. Werken, wie etwa Melanchthons Komm. zu Cicero, Ovid, Flavius Josephus und Pomponius Mela.

3. Jesuiten

Die Jesuiten widmeten sich seit 1540 der Jugenderziehung mit der deutlichen Absicht, die Romtreue in den Zeiten des Glaubensstreites zu festigen. Anfangs standen sie der griech. Sprache ablehnend gegenüber, da die Lutheraner sich in dieser Sprache gut auskannten. Später jedoch wurde es zur Leitlinie, daß ein guter Jesuit die griech. und hebräische Sprache souverän beherrschen solle, um den Protestanten entgegentreten zu können. In den *Constituciones* des J. 1558 sind folgende Studiengänge aufgezählt: ein human. Studiengang, bestehend aus Lat. und Griech., Philos., Theologie und das Studium der Hl. Schrift. In der Regel wurden Griech. und Lat. zusammen unterrichtet, aber die Intensität und die Methoden waren von Ort zu Ort sehr unterschiedlich. Die *Ratio studiorum* (»Studienplan«, 1599) empfahl, beide Sprachen von Anf. an parallel zu studieren. Ziel war, daß nach den fünf J. der human. Ausbildung der

Student auf Lat. und Griech. sprechen können sollte; der Inhalt der Texte war weniger wichtig.

In der Folgezeit erstellten die Jesuiten eine Textauswahl aus Terenz und Plautus zu Aufführungszwecken. Diese Ausgaben trugen zwar dazu bei, das Ansehen des jeweiligen Autors herabzusetzen, andererseits führten sie zu einem Aufschwung des span. Theaters. Die enorme quantitative Entwicklung der Jesuitenschulen nach 1546 zeigt die Wichtigkeit dieses Ordens und führte ihn in direkte Konkurrenz zu den Universitäten.

Ein Jesuit, der sich als Gräzist auszeichnete, war Francisco de Torres, der Werke der Kirchenväter ins Lat. übersetzte. Die bereits erwähnte Gramm. von Juan de Villalobos diente einige J. als Lehrbuch. Francisco de Toledo schrieb einige lat. Komm. zu Werken des Aristoteles (*Physik, Über die Seele, Über Werden und Vergehen*).

4. UNIVERSITÄTEN

Für die *Constituciones* der Univ. Alcalá aus dem J. 1510 war der Kardinal Cisneros verantwortlich, der sich bes. an der Theologie, aber auch an der Medizin interessiert zeigte. Er gründete die Lehrstühle für Griech., Lat. und Hebräisch. Cisneros griff auf einen Beschluß des Wiener Konzils (1311/12) zurück, in dem auf Rat von Raimundus Lullus die Lehre der in Rom, Paris, Oxford, Bologna und Salamanca unterrichteten drei Sprachen festgesetzt wurde. Die Aufmerksamkeit, die dem Griech. und Lat. gewidmet wurde, hatte ihren Grund nicht darin, daß man sie als human. Bildungsgrundlage ansah, sondern in der Absicht, das alte Christentum wiederherzustellen. In den *Constituciones* ordnete Cisneros an, daß den Jugendlichen eine Kom. des Terenz vorgelesen werde wie z. B. der *Heautontimorumenos*, die *Adelphoe* oder die *Hecyra*. Nicht vorgesehen sind dagegen Catull, Martial, die Elegien und die *Ars amandi* Ovids, die *Priapeia*, außerdem einige Oden des Horaz, der *Eunuchus* des Terenz und bestimmte Satiren des Juvenal.

Trotz dieser Wertschätzung der alten Sprachen wurde offiziell der Theologie und Medizin eindeutig größere Bed. beigemessen als dem Griech. und Hebräischen, was u. a. an unterschiedlichen Gehaltssätzen für die Gelehrten festzumachen ist. In den J. 1513–1599 wurde der Lehrstuhl für Griech. von einer Reihe einflußreicher Gelehrter bekleidet, und unter ihrer Federführung entstanden eine mehrsprachige Bibelausgabe (*Biblia Políglota*), Übers., Ed. und Handbücher, so z. B. *De Graecae linguae grammatica* (»Gramm. der griech. Sprache«, 1537) von Francisco de Vergara, das beste Handbuch der griech. Gramm., das in S. im 16. Jh. veröffentlicht wurde.

Der Colegio Trilingüe in Alcalá wurde im J. 1528 als Höhere Schule gegr., zwei J. vor dem Collège de France. Begonnen wurde nach einigen Quellen mit zwölf Schülern: vier pro Sprache (d. h. Griech., Lat. und Hebräisch). Der Aufenthalt dauerte drei J. und die Kollegiaten konnten in dieser Zeit keine anderen Fächer studieren. Die Anforderungen, um einen Studienplatz zu erlangen, waren hoch: Sprachprüfungen, Armut, Sittsamkeit und Zurückhaltung; auch das Ausbildungsniveau erreichte einen sehr hohen Stand. Ab 1565 erlaubte man, im Anschluß an die ersten drei J. weitere drei J. andere Sprachen zu studieren.

Im J. 1495 wurde der Portugiese Arias Barbosas zum Professor für Griech. an der Univ. in Salamanca [7] berufen, was wohl den Beginn des Griechischunterrichts an dieser Institution markiert. Griechisch war bes. für die Theologen notwendig, die die Sprachkenntnisse für ihre Auseinandersetzungen mit den »Ketzern« benötigten. Zu den Dozenten der Univ. zählte u. a. auch der Belgier Nicolás Clenard, der Verf. der *Institutiones absolutissimae in Graecam linguam* (Leuven 1530), eines Werks, das noch im 17. Jh. aufgelegt wurde. Seine in S. häufig verwendete Gramm. wurde nur von der Gramm. Vergaras übertroffen. Über den Lehrplan wissen wir, daß Magister Martínez zw. 1560 und 1578 in seinem Unterricht die *Andria, Heautontimorumenos, Phormio, Adelphoe* und den *Eunuchus* des Terenz gelesen hat. Außerdem lehrte er Ovid (*Metamorphosen, Tristia* und *Epistulae ex Ponto*) und die *Satiren* des Juvenal (außer der 6.); nach 1581 behandelte er v. a. Vergil, Valerius Maximus und Lorenzo Valla.

In Valladolid wurde der erste Lehrstuhl für Griech. im J. 1564 eingerichtet. 1580 beschloß der Lehrkörper, den Griechischunterricht den Jesuiten zu überlassen, die auch lat. Gramm. und Rhet. lehrten. Schließlich wurde im J. 1591 der Griechischunterricht abgeschafft. Auch die Univ. von Granada übergab im J. 1583 den Jesuiten die Lateinlehre.

Der erste Lehrstuhl für Griech. wurde in Valencia im J. 1524 begründet [25]. Während des 16. Jh. herrschte eine große Begeisterung für die griech. Sprache in Valencia vor. Pedro Juan Núñez veröffentlichte die *Institutiones Grammaticae linguae Graecae* (Valencia 1555), ein sehr klares und nützliches, mehrfach aufgelegtes Werk, das sogar die griech. Dialekte behandelte. Sein *Alphabetum Graecum* (Barcelona 1575) ist für die Wiederherstellung der ant. Phonetik sehr interessant. Lorenzo Palmireno [21; 22], ein Nachfolger Núñez', veröffentlichte im J. 1556 Komm. zu Aristophanes, Kallimachos und Oppian und die *Hieroglyphica* des Horapollon (1556) mit griech. Text und der Angabe anderer Lesarten am Rande.

Die Univ. in Zaragoza wurde von Carlos I. im J. 1542 gegründet. Pedro Simón Abril übersetzte hier ab 1574 den *Kratylos* und den *Gorgias* Platons, den *Plutos* des Aristophanes, die *Cebetis tabula*, die *Progymnasmata* von Aphthonios, einige Reden des Demosthenes und Aischines und die *Politik* des Aristoteles. Als Kriterium seiner Übers. galt für ihn, daß in einer gelungenen Übers. die Sprache des Originals keine Spur hinterlassen dürfe, die Erfindung neuer Worte sei erlaubt. Simon übersetzte bisweilen, um die Nuancen wiederzugeben, ein griech. Wort durch zwei spanische. In seiner griech. Gramm. (1586) entwirft er das didaktische Konzept, Lat. und Griech. gleichzeitig zu lernen. Es ist dies übrigens das erste auf span. verfaßte Werk, das eine zwei-sprachige Ausgabe (Lat.-Span.) des Terenz umfaßt (1577, 2. Aufl. 1583).

Im J. 1544 wurde beschlossen, einen Lehrstuhl für Griech. im Rahmen der allg. Studien in Barcelona zu gründen. Magister Francisco Escobar wirkte hier ab 1545, übersetzte die *Progymnasmata* des Aphthonios ins Lat. (1558), veröffentlichte einige *Colloquia familiaria* (1568) und die *Epitoma Historiae Romanae Livii* des Florus.

5. GRAMMATISCHE STUDIEN

In seinen *Introductiones in Latinam grammaticen* (»Ein-führungen in die lat. Gramm.«, 1508) weist Antonio de Nebrija mit Nachdruck darauf hin, daß es zu wenig griech. B. und Gramm. gebe. Diese waren so selten, daß man denjenigen für ein wahres Wunder hielt, der griech. lesen, und noch mehr denjenigen, der griech. sprechen oder verstehen konnte. Nebrija sah sich ge-zwungen, lat. Buchstaben wegen des Mangels an griech. Typen für den Druck griech. Texte zu verwenden. Er behandelt das Alphabet, die Aussprache und die Dekli-nationen. Demetrios Dukas publizierte ein Werk, in dem er die *Erotemata* des Chrysoloras zusammen mit verschiedenen Texten des Chalkondylas, Theodoros von Gaza und Herodian veröffentlicht, die sich auf die Tempora, die Syntax und die Enklitika beziehen. Die Passagen des Chrysoloras und Chalkondylas sind griech. und lat., die anderen nur griechisch. Man kann dieses B. als das erste in S. veröffentlichte didaktische Handbuch der griech. Sprache bezeichnen. Die span. Humanisten des 16. Jh. zeigten großes Interesse an der Aussprache des Altgriech., und in dem wissenschaftlichen Streit um die korrekte Lautung setzte sich gegen E. des Jh. all-mählich die erasmische Aussprache des Griech. (→ Aus-sprache I. Griechisch) durch, v.a. dank des Einflusses von Juan Núñez, El Brocense und Simón Abril.

6. UNTERRICHTSZIELE

Hier kommt Juan Luis Vives [12] eine herausragende Bed. zu, der in seinen Schriften *De ratione studii puerilis* (»Über die Art und Weise des Studium im jugendlichen Alter«, 1523) und *De tradendis disciplinis* (»Über die Ver-mittlung der Lehrgegenstände«, 1531) die ant. Sprachen als den Weg zur weiterführenden Ausbildung ansah und empfahl, diese von Kindheit an zu lernen: Man solle mit Lat. beginnen und vom 7.–16. Lebensjahr Lat. und Griech. studieren. Als griech. Lektüre empfahl er Äsop, Isokrates, Lukian und Johannes Chrysostomos, als nächste Stufe Übersetzungsübungen vom Griech. ins Lat. in Verbindung mit dem Studium von Demosthe-nes, Platon und Aristoteles. Aus dem Bereich der Dich-tung werden Homer und Hesiod, Pindar und Theokrit, von den Historikern einige B. des Thukydides, die *Hel-lenika* des Xenophon und Herodian empfohlen. Wer Gräzist werden wolle, solle außerdem Herodot, die *Hi-storia animalium* des Aristoteles und die *Historia plantarum* Theophrasts lesen. Als Lex. schlägt er Hesych vor.

Francisco de Vergaras Konzept empfiehlt, nach dem Erlernen der Gramm. Äsop, Isokrates und einige Dia-loge Lukians zu lesen, wobei immer die lat. Version ein-zusehen ist. Die nächste Stufe bildet die Lektüre von Xenophon, Heliodor, Basileios, Chrysostomos und Li-banios, auch dies immer mit einer lat. Version, dann die von Aristoteles (*Politik*, *Ethiken* und die *Historia anima-lium*), Herodian und Plutarch; es folgt das Studium von Thukydides, Platon, Demosthenes und anderen Red-nern, Sophisten, Medizinern, Mathematikern, des Pau-sanias u.a. Autoren. Am E. stehen Homer, Hesiod, So-phokles, Euripides, Aristophanes, Theokrit, Kallima-chos, Orpheus, die Epigramme und zuletzt Pindar.

Seit der 2. H. des 16. Jh. verbreitete sich allmählich die Lehre der klass. Sprachen auf spanisch. Pedro Simón Abril [13] bestand darauf, daß die Wiss. in den jeweili-gen Landessprachen unterrichtet werden sollten, indem er darauf hinwies, daß das an den Univ. gesprochene, gekünstelte Lat. von zahlreichen Fehlern durchsetzt sei. Und wenn nicht in den Landessprachen unterrichtet würde, dann solle der Unterricht wenigstens auf griech. erfolgen, da diese Sprache die Grundlage aller Wiss. dar-stelle und nicht denselben Verfallsprozeß wie das Lat. durchlaufen habe. Er bietet eine lange Liste mit den Autoren, die der Studierende lesen soll: Grammatiker, Historiker, Dichter, Redner, Philosophen, Mediziner u.a. mehr. Seiner Meinung nach soll der Grammatikun-terricht in der Landessprache erfolgen. In einer zweiten Stufe solle man die vom Professor angefertigten Übers. einsehen. Erst zuletzt solle man sich mit den Original-texten auseinandersetzen. Größten Wert legte er auf eine gute Ausbildung der Professoren, die sich vor Amtsantritt einem Eignungstest unterziehen sollten; ge-gen die, die ohne die erforderlichen Prüfungen unter-richteten, müsse vorgegangen werden.

7. TEXTKRITIK

Über das Niveau der Textkritik in dieser Periode kann keine gesicherte Aussage getroffen werden, da in S. im 16. Jh. sehr wenige B. verfaßt wurden. Die Kor-rekturen von Hernan Núñez, Antonio Agustín, Pedro Juan Núñez und El Brocense haben bis h. Anerkennung gefunden. Die Ren.-Philologen widmeten sich v.a. der sakralen Literatur. So schrieb Nebrija in seinen *Introduc-tiones latinae* (³1495), daß er sich künftig philol. mit der Hl. Schrift beschäftigen werde. Dieses Vorhaben brach-te ihm einen Inquisitionsprozeß ein, aus dem ihn Cis-neros befreite. In seiner *Apologia*, die Kardinal Cisneros gewidmet ist, forderte er das Recht, als Philologe die Hl. Schrift kommentieren zu dürfen. Als Methode, für die er die Kirchenväter selbst als Zeugen anführte, schlug er vor, bei Unsicherheiten der Textgestaltung jeweils auf die ältere Sprachstufe zurückzugreifen: also vom Lat. auf das Griech. und vom Griech. auf das Hebräische. Wichtig sei die Qualität der Manuskripte, nicht die Quantität. Cisneros schickte er seine Komm. zu 50 bi-blischen Passagen (*Tertia quinquagena*), die der Kardinal, der sich auf Hieronymus stützte, für seine mehrspra-chige Bibelausgabe, die *Políglota*, verwendete. Nebrija hat Hervorragendes in der Textkritik dieses Jh. geleistet, sowohl in seinen Komm. zur Hl. Schrift wie durch seine Anm. zu Persius und Vergil.

Der Text des NT der *Políglota* lag schon im J. 1514 vor, obgleich er erst 1520 erschien. Inzw. wurde die Ed. des Erasmus (1516) veröffentlicht, die heftig kritisiert wurde, v. a. weil sie auf einige Passagen verzichtet hatte, die nicht in den besten griech. Ms., sondern nur in der Vulgata zu finden waren, während die *Políglota* diese Texte einbezogen hatte. Der griech. Text der *Políglota* stimmt allerdings auch an ca. 900 Stellen nicht mit der Vulgata überein.

Hernán Núñez hielt die Textkritik für die wichtigste Beschäftigung eines Altphilologen. Seine Arbeiten widmen sich Seneca, *De situ orbis* von Pomponius Mela und der *Naturalis historia* des Plinius des Älteren. Als Grundlage der Textherstellung versuchte er, die besten Manuskripte zu verwenden. In seinen *Emendationes* korrigierte er auf der Basis eines später verlorenen Codex (*codex Patavinus*) zahlreiche Passagen Theokrits.

Antonio Agustín, Erzbischof von Tarragona, kaufte viele Ms., bes. griech., auf. Als Herausgeber von Varros *De lingua Latina* (1577) leistete er einige Verbesserungen des Textes, die auch von späteren Editoren berücksichtigt wurden. In der Regel wählte er die einfachsten Lesarten und modernisierte, was kein korrektes textkritisches Verfahren ist, die Archaismen. Ferner edierte er die *Constitutiones* Justinians (mit griech. Text und lat. Übers., 1567).

8. Editionen

Die zwei wichtigsten griech. Handschriftensammlungen dieses Jh., die des Diego Hurtado de Mendoza und die Antonio Agustíns, wurden von Felipe II. erworben. Als Felipe die Gründung der Bibl. El Escorial beschloß, wurde diese Maßnahme von einigen zeitgenössischen Intellektuellen heftig kritisiert, die der Meinung waren, daß eine Bibl. immer im Umfeld einer angesehenen Universitätseinrichtung anzulegen sei. Im J. 1671 zerstörte ein furchtbarer Brand 600 griech. Codices.

Es ist erstaunlich, daß gerade in Zeiten einer ökonomischen Krise in S. viele griech. Texte publ. wurden, so z.B. das NT und das AT der *Biblia Políglota Complutense* (1512–1514, Bd. 5 und 6 der Ausgabe) und die *Biblia regia* (1568–1572). Beide Werke umfaßten jeweils den griech. Text, teilweise mit der interlinearen lat. Übers. und dem Text der Vulgata und der hebräischen Übers. in eigenen Spalten. Zahlreiche Ausgaben ant. Texte dieser Zeit, die jeweils nur den griech. Text bieten, gehen direkt auf Buchdrucker zurück, so z.B. das *Symposion* Platons (Salamanca 1553), das erste in dieser Stadt gedr. B. mit griech. Lettern, und die *Variae historiae* des Lukian (1555).

9. Übersetzungen

Einige griech. Werke der Philos., Medizin, Religion und Geschichte wurden in diesem Jh. ins Lat. übertragen [5], von den Philosophen vor allen Aristoteles und Platon, aber auch einige Werke der Stoiker wie das *Encheiridion* des Epiktet, das El Brocense ins Span. übersetzte (1600; es ist mehr eine Paraphrase als eine wirkliche Übers.). Francisco de Enzinas übersetzte das NT ins

Span. (Amberg 1543). Der Text wurde jedoch aufgrund der Anm. für gefährlich gehalten, so daß er in S. und in den Niederlanden verboten war.

Von den Übersetzern griech. Autoren ins Lat. sei Francisco Valles erwähnt, Lehrstuhlinhaber für Medizin in Alcalá, der u. a. die *Meteorologika* (1558), die *Physik* des Aristoteles (1562) und *Über die Krankheiten* aus dem *Corpus Hippocraticum* (1577) übersetze. Ins Span. übersetzten u. a. Rodrigo Zamorano die sechs ersten B. der Geometrie Euklids (Sevilla 1576), Diego Gracián de Alderete die *Moralia* Plutarchs (1548), *Apophthegmata* und die Biographien des Themistokles und Furius Camillus sowie Xenophons *Kyrupädie*, den *Reiterführer (Hipparchikos)*, *Über die Reitkunst*, den *Staat der Lakedaimonier* und *Über die Jagd* (1532) und schließlich Thukydides (1564). Eine stark am Original sich orientierende Übers. der homer. *Odyssee* in Hendekasyllaben schuf Gonzalo Pérez (Amberg 1556).

D. 17. Jahrhundert
1. Allgemeine Entwicklung

In diesem Jh. [2; 3] lagen die klass. Studien darnieder. Den Gräzisten fehlte es an Druckereien, wo sie ihre Werke herausgeben konnten, so daß kaum griech. Werke erschienen. Im J. 1611 gab es keine griech. Typen in der Univ. von Salamanca; 1638 waren nur zwei Druckereien im Besitz griech. Lettern, aber niemand war in der Lage, diese richtig anzuwenden. Außerdem hatte Felipe III. 1610 seinen Untertanen verboten, im Ausland ohne vorherige Genehmigung zu publizieren. Felipe IV. ließ 1623 die Zahl der Lateinschulen reduzieren, außer in den Städten, in denen es Statthalter, Richter oder deren Stellvertreter gab. Die königliche Anordnung hatte schlimme Auswirkungen auf den Lateinunterricht. Von ca. 4000 Schulen blieben weniger als 100 übrig. Die Ablehnung des Lateinstudiums war überall bemerkbar: So forderte die Reformkommission den König auf, die Lateinschulen in den kleinen Dörfern zu schließen, um es den Bauern unmöglich zu machen, ihren Kindern eine Ausbildung zukommen zu lassen (1621).

Im selben J. verfügte Felipe IV. Restriktionen im Bereich des Buchhandels und des Buchdrucks, was den klass. Studien sehr abträglich war. Die Univ. leerten sich. Im J. 1615 z.B. hatte Fray Neófito Ródeno in Salamanca keinen einzigen Griech.-Schüler. Während im 16. Jh. die Univ. 63 Professoren für Griech. besaßen, gab es im 17. Jh. nur noch 41.

Im span. Theater des 17. Jh. finden sich zwar viele Anspielungen auf die griech. und röm. Geschichte, Myth. und Lit. und sogar Zitate in den klass. Sprachen. Da diese aber generell von Dienern und Witzbolden gesprochen werden, verdeutlicht dies eher den geringen Stellenwert der klass. Studien in dieser Zeit.

Neben der allg. schlechten ökonomischen Situation in S. trugen auch gesetzliche Maßnahmen zur schlechteren Stellung von Gelehrten im Vergleich zum vorangehenden Jh. bei. So wurde gesetzlich verboten, B. im Ausland zu drucken, deren Originalfassungen von Spaniern geschrieben wurden (1610). Ein anderes Gesetz beschränkte den Druck von unnötigen oder oberflächlichen B. (1627), weitere Gesetze setzten bes. Steuern für importiertes wie inländisches Papier ein (1626, 1632).

2. Universitäten

Am Anf. des Jh. gab es in Alcalá drei Lehrstühle für Griechisch. Die Univ. befand sich in großen finanziellen Schwierigkeiten; aufgrund der Reform von Portocarrero wurden 1615 die drei Lehrstühle auf einen reduziert, und 10% aller Gehälter mußten gestrichen werden. Die Schüler des unteren Lehrstuhls hatten ein Durchschnittsalter von 14 J. im Jahrgang 1610/11. Dies bedeutete, daß das Studium der klass. Lit. mit einer erheblichen Verspätung im Vergleich zu anderen europ. Ländern begann.

Im J. 1680 wurden in Salamanca [7] auf Geheiß von Carlos II. die drei Lehrstühle für Griech. zusammengelegt. Von den Ordinarien für Griech. heben sich in diesem Jh. nur zwei in ausreichendem Maße hervor. Baltasar de Céspedes [4], der Autor einer *Arte de gramática* und *Arte de retórica*, und Gonzalo Correas, der u. a. die *Gramática griega* (1600) veröffentlichte.

An der Univ. von Valencia gab es in dieser Zeit zwei Lehrstühle für Griech. Unter den Lehrstuhlinhabern zeichnete sich Felipe Mey aus, der eine span. Übers. der ersten sieben B. der *Metamorphosen* Ovids verfaßte. Einige Lehrstuhlinhaber für Griech. lehrten Medizin oder Chirurgie. Dokumente bezeugen die human. Bildung unter den Hochschulmedizinern bis weit ins 17. Jh. Die Unterrichtssprache für Medizin war Latein.

Trotz des Mangels an Dokumenten ist es sicher, daß es in Barcelona in diesem Jh. einen Lehrstuhl für Griech. gab. Der Lehrstuhl für Griech. wie die Lehrstühle für Theologie, Rechtswiss., Medizin, Rhet. und Hebräisch wurden normalerweise ohne Bewerbungsverfahren besetzt. In den *Constituciones* des J. 1638 wurde festgelegt, daß die Lehrstuhlinhaber für Medizin ein J. Griech. hören mußten, bevor sie ernannt wurden.

In Valladolid und Zaragoza verschwand in diesem Jh. das Griech. vollkommen.

3. Grammatische Studien

Als Beispiel für die fortdauernde Beschäftigung mit dem Griech. im 17. Jh. sei die 1676 von Fray Martín del Castillo veröffentlichte *Gramática griega* genannt, die erste für Lateinamerika verfaßte und für den Eigenunterricht konzipierte Grammatik. Sowohl Correas wie Martín del Castillo traten für die erasmische Aussprache ein, die sich allmählich unter den span. Gräzisten verbreitete. In der Morphologie wird von der falschen Annahme ausgegangen, das Lat. stamme aus dem Griechischen.

4. Unterrichtsziele

In Alcalá wählten der Rektor und zwei seiner Berater eine Woche vor Unterrichtsbeginn die griech. Texte aus, die im Unterricht behandelt werden sollten. Im Trilingüe von Salamanca mußten die Studenten der oberen Stufe im Chor die griech. Gramm. lernen. Die Fortgeschrittenen lasen einen Autor. Alle zusammen besuchten den Unterricht an der Univ. und informierten den Verantwortlichen des Colegio über den gelernten Stoff. Die Fortgeschrittenen halfen den Zurückgebliebenen mit einer einstündigen Übers. von Lukian, Chrysostomos, Basileios oder den Evangelien. Bei Festen gab es Wettkämpfe mit Versen und Briefen auf Griechisch. Die fähigeren Studenten sollten die *Rhet.* des Hermogenes oder des Aristoteles oder die *Progymnasmata* des Aphthonios oder Theon lesen. Im Colegio Imperial der Jesuiten in Madrid wurde innerhalb der lat. Prosodieunterrichts die Dekl. und Konjugationen der griech. Sprache erarbeitet. Die griech. Gramm. wurde im Rhetorikunterricht erörtert. Nach Abschluß der Grammatikstudien las man im Wechsel an einem Tag einen griech. Redner, am anderen einen Dichter. Céspedes vertrat die Meinung, daß man die Schüler sich von Anf. an mit Texten auseinandersetzen lassen müsse. Dagegen wird in den *Constituciones de las Universidades* Wert darauf gelegt, daß man vor der Lektüre die Gramm. gut beherrschen müsse. Die Anzahl der Griechischstudenten war gering. Unter ihnen gab es einige, die Griech. als Hilfssprache für Philos. oder Medizin oder als Grundlage für das Studium der Hl. Schrift belegten. Ab dem J. 1603 führte das Jesuitenkolleg in Madrid den Namen Colegio Imperial. 1625 wurden die *Reales Estudios* durch die Besetzung von 23 Lehrstühlen eingerichtet. Angesichts der vehementen Proteste aus Alcalá und Salamanca wurde jedoch vereinbart, daß die Jesuiten keine akademischen Titel vergeben durften.

5. Editionen

Der einzige griech. Text, der in S. im 17. Jh. veröffentlicht wurde, sind 15 Briefe Gregors von Nazianz durch Felipe Mey (Valencia 1605). Pedro Juan Núñez gab die *Ekloge* des Phrynichos mit lat. Übers. heraus (Amberg 1601); Juan Luis de la Cerda Vergils *Bucolica* und *Georgica* (Lyon 1619) sowie die *Aeneis* (Lyon 1612, 1617); Tomás de Pinedo schließlich *De urbibus*, ein geogr. Lex. von Stephanus aus Byzanz (Amsterdam 1678).

6. Übersetzungen

Céspedes pries die Übers. [5] als eine äußerst nützliche Übung, um die Sprache des Originaltextes und die eigene perfekt zu erlernen. Er vertrat das Prinzip der Wort-für-Wort-Übersetzung. Correas dagegen sah das Ziel der Übers. darin, auf adäquate Weise ohne Hinzufügungen oder Auslassungen das auszudrücken, was das Original meint. Er edierte das *Encheiridion* Epiktets und die *Cebetis tabula* (1630) und übersetzte Epiktet und Phokylides (1635) in V., um sie besser auswendig lernen zu können. In seinen Übers. neigte er sehr zum Paraphrasieren. Herausragende in dieser Zeit herausgegebene Übers. sind u. a. Esteban de Villegas' Übers. der Felippe III. gewidmeten *Las Amatorias* (»Liebesdichtungen«, Nájera 1618), in denen er Frg. von Anakreon, Theokrit, Erinna, Horaz u. a. zusammenstellte und José Ordoñez de Seijas geglückte Übertragung der Aristotelischen *Poetik* (1626). Die Gelehrten dieses Jh. zitieren viele lat. Komm. zu Aristoteles und auch einige zu Werken des Hippokrates und Galen. Beardsley nimmt an, daß im 17. Jh. nur zehn Übers. direkt aus dem Griech. gemacht wurden. Dazu kommen weitere 15 aus dem Lat. oder Italienischen.

E. 18. JAHRHUNDERT

1. ALLGEMEINE ENTWICKLUNG

Die Misere des 17. Jh. im Bereich der klass. Studien setzte sich nahtlos auch im 18. Jh. fort [35]. Die Univ. waren finanziell nicht genügend ausgestattet, die Lehrstühle für Griech. waren unbesetzt oder in den Händen inkompetenter Personen, den Bewerbungsverfahren mangelte es fast immer an der erforderlichen Strenge. Der generelle Ansehensverlust und der Verdacht der Ketzerei [17], der in den letzten Jh. den griech. Autoren angehaftet hatte, trugen ohne Zweifel zu dem bedauerlichen Zustand des Griech. in S. bei.

2. SCHULWESEN

Auch der Zustand des Unterrichtswesens war bedauerlich. Eine Studie im Auftrag König Felipes V. im J. 1714 zur Situation der Grammatikschulen (Lat.) in S. zeigt die finanzielle Not, den Mangel an Lehrern und die geringe Schüleranzahl. Trotz allem setzte ein Wiederaufschwung des Lateinstudiums ein. Im J. 1728 gab es in Córdoba neben der Jesuitenschule neun Hauslehrer für Latein. Allerdings bremste ein Erlaß Fernandos VI. (1747) den Aufschwung des Lateinischen. Er verbot Schulen aller Art in Ortschaften unter 300 Einwohnern. Das führte zum Wechsel im allg. Erziehungsbild in der Regierungszeit der ersten Bourbonen, die zum Vorteil der Krone und Kirche v. a. daran interessiert waren, gehorsame und fleißige Untertanen zu haben. Die Beschäftigung mit dem Lat. war das Privileg weniger. Deán Martí behauptete, daß nur einige fähig seien, mit ihm auf Lat. zu korrespondieren. Die Zahl lat. schreibender Autoren war äußerst gering. Unter Carlos III. veränderte sich glücklicherweise die Situation. Nach der statistischen Erhebung von Campomanes, eines Staatsanwalts des Königreichs, gab es im J. 1764 25000 Lateinschüler. Die Hochschätzung der klass. ant. Lit. und Sprachen, wie sie Persönlichkeiten wie Campomanes, Mayáns oder Martí pflegten, wurde abgelöst von der Vorliebe für mod., bes. frz. oder engl. Lit., wie es von Gaspar de Jovellanos oder Benito Feijoo vertreten wurde. Jovellanos z. B. hatte klare Vorstellungen über die Bedeutung des Lat., das bis jetzt die gemeinsame Sprache der europ. Gelehrten gewesen sei, für die Lehre und Ausbildung der Jugend, aber er neigte dazu, das Studium der mod. Sprachen, bes. des Span. zu fördern. Wie andere Gelehrte sprach er sich dagegen aus, daß in kleinen Dörfern Lat. gelehrt werde und daß Jugendliche aus der Arbeiterschicht dieses Studium betreiben sollten, da dies dem Staat großen Schaden zufügen könne.

3. UNIVERSITÄTEN

Während der ersten Jahrzehnte des Jh. war Salamanca die einzige Univ., die weiterhin Griech. anbot. Die Situation sollte sich im letzten Drittel des Jh. ändern, als die Behörden die klass. Studien, bes. das Griech., wieder förderten. Es entstanden einige griech. Grammatiken, darunter die einzigen auf span. publizierten neugriech.,

gute Arbeiten über Trag. und Kom., Kat. der griech. Cod. der besten Bibl. und zahlreiche, z. T. recht gute Übersetzungen. Eine königliche Verfügung aus dem J. 1786, von Campomanes unterschrieben und nicht in die Praxis umgesetzt, legte als Aufnahmevoraussetzung für verschiedenen Fakultäten eine vorhergehende Prüfung in den Fächern Lat., Griech., human. Bildung, Poetik und Rhet. fest. Campomanes selbst wollte Lehrstühle für Griech. in Santiago, Oviedo, Granada und Sevilla einrichten, die aber von den jeweiligen Univ. abgewiesen wurden.

In Alcalá war von 1698–1734 der Lehrstuhl für Griech. vakant, vermutlich wurde auch kein Unterricht erteilt. Nachdem die Jesuiten aus Madrid vertrieben worden waren, zeigte Carlos III. Interesse daran, die Lehre des Griech. wieder an der Univ. von Alcalá zu etablieren. Das Bewerbungsverfahren zur Wiederbesetzung des Lehrstuhls fand im J. 1792 statt.

Salamanca behielt den Lehrstuhl für Griech. während des ganzen Jh. Es wurde aber so gut wie keine Forschungsarbeit von den Professoren geleistet. Eine herausragende Persönlichkeit ist der Karmeliter Bernardo de Zamora, Autor einer griech. Grammatik.

In Katalonien schloß Felipe V. alle Univ. und gründete stattdessen die Univ. von Cervera (1717) mit vier Lehrstühlen für Gramm. sowie einem für Griech. und Hebräisch. Als Dozenten sollten ohne Bewerbungsverfahren Personen gewählt werden, die diese Sprachen unterrichten und leichte Gramm. auswählen oder selbst erstellen konnten, die man zum Nutzen der Studenten drucken lassen sollte. Die Ursache für dieses Verfahren muß man darin sehen, daß es in S. im Gegensatz zu Frankreich wenige Personen gab, die eine gute Ausbildung in den klass. Sprachen genossen hatten. Ab 1726 wurden die Lehrstühle für Gramm. und Griech. den Jesuiten überlassen. Der Unterricht orientierte sich an den didaktischen Plänen des Ordens: Auf der untersten Stufe wurden die Dekl. und Konjugationen unterrichtet. Die obere Stufe behandelte die Glaubenssätze, Lukian, Chrysostomos und Basileios. Im J. 1749 wurde ein Lehrstuhl für *Letras humanas* (klass. Lit.) eingerichtet, um die Schüler in das kulturelle Erbe der Ant. einzuführen. Unterrichtet wurden v. a. röm. Autoren. Nach der Vertreibung der Jesuiten verschwand Griech. aus dem Lehrplan. Die Schließung von Univ. nahm zu: Carlos III. schloß die Univ. von Pamplona (1771) und Mallorca (1778), Carlos IV. die von Toledo, Àvila, Sigüenza, Osuna, Almagro, Osma, Oñate, Iache, Gandía, Baeza und Orihuela (1807).

4. JESUITEN

Der Einfluß, den in diesem Jh. die Jesuiten in S. ausübten, läßt sich v. a. an der großen Zahl der von ihnen besetzten Lehrstühle ablesen. Zugleich beherrschten sie die oberen Schulen (*colegios mayores*). Im J. ihrer Vertreibung (1767) besaßen sie in S. 118 Häuser, Schulen und Residenzen. Statistisch gesehen wurden in den J. 1764–1767 45% der span. Jugendlichen in öffentlichen, städtischen Schulen, 20% von Hauslehrern und 35% an rel. Einrichtungen, davon 80% bei den Jesuiten, ausgebildet. Bis zum Zeitpunkt ihrer Vertreibung hatten diese die Kontrolle über den Griech.- und Lateinunterricht an den Univ. von Valencia und Zaragoza. In Sevilla und in den Reales Estudios von Madrid wurden die beiden Fächer nicht unterrichtet. In Villagarcía de Campos (Valladolid) veröffentlichten sie u. a. das *Alphabet* und die *Gramática griega* von Petisco (1759). Die Jesuiten vernachlässigten zweifellos das sorgfältige, philol. Studium der ant. Lit., da ihr Interesse in erster Linie formal war. Im Vordergrund stand die mündliche Beherrschung der Sprachen unter rhetorischen Gesichtspunkten, nicht der Inhalt der Texte. Padre Marianna, selbst ein Jesuit, kritisierte heftig die geringen Lateinkenntnisse innerhalb seines Ordens. In einigen Ortschaften konkurrierten andere rel. Orden ernsthaft mit den Jesuiten.

5. GRAMMATISCHE STUDIEN

In seinem *Método* tendierte Flórez Canesco zur erasmischen Aussprache. Als Übersetzungsübung zog er die Übers. ins Span. der ins Lat. vor. Als Lektürekanon schlug er Homer, Sappho, Alkaios, Anakreon, Aristophanes, Euripides und verschiedene Texte der Kirchenväter vor; den Ärzten empfahl er Hippokrates und Galen, den Philosophen Platon und Aristoteles. In Salamanca und Alcalá verwendete man die Gramm. von Padre Zamora bzw. die »Gramm. aus Padua«. Gelesen wurden in Salamanca Äsop, Anakreon, die *Batrachomyomachia* und die *Philippischen Reden* des Demosthenes; in Valencia Äsop, Demosthenes, Aischines und Homer.

Die am meisten verbreitete griech. Gramm. stammte aus dem Seminar von Padua (die auf Lat. geschriebene *Patavina*, ediert von Benito Monfort in Valencia 1788). Im Lateinunterricht wurde vorwiegend auswendig gelernt, die direkte Auseinandersetzung mit den lat. Texten wurde vernachlässigt. Juan Francisco Pastor Àbalos y Mendoza veröffentlichte im J. 1754 ein Handbuch für Lat. in span. Versen, einschließlich einer kritischen Auseinandersetzung mit den traditionellen Methoden; die *Arte de Gramática latina* von Escolapio Calixto Antonio Hornero erlebte 19 Auflagen bis ins J. 1904. In den Lektürekanon kehrte im 18. Jh. Terenz zurück, empfohlen von Manuel Martí sowie Mayáns und Siscar wegen der Verwendung der Volkssprache und seines schnörkellosen Stils. Mayáns legte die zweisprachige Ausgabe Simón Abrils aus dem 16. Jh. 1762 wieder auf. 1775 erschien eine weitere Terenz-Ausgabe von Rodrigo de Oviedo.

Auf Anfrage des Rats von Kastilien im J. 1756 verfaßte Manuel Bernardo de Ribera einen Ber. zu den Schulgramm., das sog. *Ave María*, mit einem Lektürekanon (Cicero, Nepos, Caesar, Livius, Phaedrus, die 4. Ekloge Vergils, Petron (ohne obszöne Ausdrücke)) u. a. mehr. Ebenfalls auf Veranlassung des Rates wurde zw. 1763–1767 das Lat.-Span. Lex. Nebrijas fertiggestellt. In *Discurso crítico-político sobre el estado de literatura de España..* (»Kritisch-polit. Unt. über den Zustand der Lit. in S.«, 1767), einem Werk, das vermutlich von Pedro Rodríguez Campomanes stammt, wird mit Nachdruck darauf

bestanden, den Lateinunterricht nicht allein auf die Gramm. zu beschränken, sondern ›human. Bildung‹ zu vermitteln, zu der explizit die griech. Sprache gehört. Ein Professor für Griech. sollte u. a. Myth., griech. und röm. Kulte und die wichtigsten Epochen der griech. und röm. Geschichte vermitteln. An jeder Univ. sollten Lehrstühle für Lat., Griech. und Hebräisch vorhanden sein. Lat. wird als Bildungsfaktor für künftige Beamten angesehen und sollte v. a. dazu dienen, Strukturen des Span. zu durchschauen. Der Unterricht erfolgte seit dem Dekret von Carlos III. in span. Sprache (1768).

6. PHILOLOGISCHE STUDIEN

Erwähnenswert sind in erster Linie die *Observationes in Aristophanis Comoedias* von Deán Martí (»Beobachtungen zu den Kom. des Aristophanes«, nach 1716); unveröffentlicht blieben seine *Notae in Theocritum* (»Anm. zu Theokrit«, wahrscheinlich 1692) und die *Animadversiones in Homerum* (»Bemerkungen zu Homer«, vermutlich 1708/9). Wichtig sind seine *Epistolarum libri duodecim* (1735). Pedro Rodríguez Campomanes, ein Jurist, veröffentlichte eine Übers. der *Periplus* Hannos (1756) mit einer ausführlichen Unt. über Karthago. Pedro Estala, Bibliothekar der Reales Estudios, ist Autor eines *Discurso sobre la tragedia antigua y moderna* (»Unt. zur ant. und mod. Trag.«, 1793), den er seiner Übers. des sophokleischen *König Ödipus* voranstellte. Erklärt wurden die polit. und moralische Funktion der ant. Trag., der griech. Chor, der rel. Charakter des ant. Theaters und die griech. Mythen, die im mod. Theater behandelt wurden. Ödipus' Schuld wurde darin gesehen, daß er Tyrann war (dies ist wohl ein Einfluß von Senecas *Oedipus*). 1794 folgte sein *Discurso sobre la comedia antigua y moderna* (»Unt. über die ant. und mod. Kom.«). Der Platz der ant. Kom. wurde in einem demokratischen Gemeinwesen gesehen, in der Monarchie wirkt sie schädlich. Behandelt wurden Plautus und Terenz, aber auch die Kom. in Frankreich, It. und Spanien. Im allg. war sein Urteil zutreffend.

7. EDITIONEN

In erster Linie erwähnen muß man hier den griech.-lat. Hippokrates von Andrés Piquer (1775) und eine zweisprachige Ausgabe von Aristoteles' *Poetik* von Goya y Muniaín (1798). Padre Scío de San Miguel war Hrsg. einer zweisprachigen, 6 Bände umfassenden Ausgabe von Johannes Chrysostomos (1773) und des Kolluthos (1770, auf den geraden Seitenzahlen findet sich der griech. Text und die wörtliche lat. Übers., auf den ungeraden die Übers. in lat. Hexametern samt der span. metr. Übers. von García de S. Antonio). Jacinto Díaz de Miranda veröffentlichte die *Selbstbetrachtungen* Marc Aurels (griech.-span., 1785, [2]1885); Ignacio López de Ayala ebenfalls zweisprachig die *Charaktere* Theophrasts (1787). Eine didaktische Funktion hatte die Anthologie der Jesuiten J. A. Navarrete und J. M. Petisco *Opuscula graeca ad usum studiosae juventutis* (»Kleine griech. Werke zum Nutzen der studierenden Jugend«, 1759, [4]1825).

8. Übersetzungen

In den Übers. überwiegen Drama, Dichtung und Literaturkritik. Eine *Ilias* in Stanzen entstand zw. 1725 und 1748, Verf. war vermutlich Duque de Sotomayor. Juan Meléndez Valdés, Ordinarius für Geisteswiss. in Salamanca seit 1780, übersetzte Epiktet und Theokrit. Der Jesuit Bartolomé Pou beendete seine Übers. von Herodot 1785, veröffentlicht wurde sie aber erst 1846; zwar eine seriöse Arbeit, aber auch durchsetzt mit Ungenauigkeiten, Auslassungen und fehlerhaften Übersetzungen. Ambrosio Rui Bamba, höherer Beamter der Biblioteca Real, übersetzte Polybios (1788) und hinterließ eine Reihe unveröffentlichter anderer Übers. mit griech. Text (die *Periplus* des Hanno und Skylax sowie Plutarchs *Über die Namen der Flüsse*). Eine nicht geglückte, erweiterte Übertragung der *Ilias* in Hendekasyllaben stammt von Ignacio García Malo (1788). Pedro Estala übersetzte Sophokles' *König Ödipus* in Hendekasyllaben (1794) und Aristophanes' *Plutos* (1794) in Oktosyllaben, die Brüder José und Bernabé Canga-Argüelles *Anakreon* in kastilischem Versmaß (1795) und 1797 eine Auswahl aus Sappho, Erinna, Alkman, Stesichoros, Alkaios, Ibykos, Simonides, Bakchylides, Archilochos und anderen Lyrikern sowie Pindar (1798 in kastilischem Versmaß). Joseph Antonio Conde, Beamter an der Biblioteca Real, veröffentlichte Anakreon (1796 in Heptasyllaben), Theokrit, Bion und Moschos (1796), Sappho, Meleagros und Musaios (1797), Kallimachos und Tyrtaios (1796 beendet, unveröffentlicht) sowie Hesiods *Werke und Tage* und *Theogonie* (1790, unveröffentlicht, seine Übers. sind befriedigend und wortgetreu). Joseph Ortiz y Sanz übersetzte Diogenes Laertios (1792, korrekte Übers.) sowie Jacinto Díaz Miranda schließlich Marc Aurel (mit Anm. und philol. Komm., 1795).

F. 19. Jahrhundert

1. Allgemeine Entwicklung

Die zahlreichen Bürgerkriege, Machtkämpfe und heftigen polit. Auseinandersetzungen, in die S. in diesem Jh. verwickelt war [37; 56], hinterließen ihre Spuren im Bildungsprogramm. Der Lateinunterricht ging zurück, das Griech. geriet unter starken Druck. Seit 1825 förderte allerdings Calomarde die sog. *Escuelas de Latinidad* (»Lateinschulen«) und *Colegios de Humanidades* (»Kolleg für Geisteswiss.«).

Gemäß einem Plan aus dem J. 1807 entfiel an den Univ. die Verpflichtung, Gramm.-, Lat.- oder Griechischunterricht einzurichten, wenn diese Fächer nicht vorhanden waren. Schlimmer war der *Plan Quintana* (1822), durch den Griech. aus dem offiziellem Lehrplan aller Univ. gestrichen wurde.

Im J. 1845 brachte für die Univ. der *Plan Pidal* die Zentralisierung und Vereinheitlichung der Lehrpläne und die Säkularisierung. Es wurden zahlreiche *Institutos de enseñanza secundaria* (»Sekundarstufen«) gegr., dagegen die Anzahl der Univ. auf zehn reduziert. In diesem Dekret wird betont, daß die klass. Studien verschwunden seien und die Lit. diese fatale Vernachlässigung widerspiegele. Ziel war es, den alten Sprachen die urspr.

Stellung im Bildungskanon wiederzugeben und sie zur generellen Lehrbasis zu machen. Die ant. Texte sollten die Jugend im lit., moralischen und philos. Sinne bilden. Auf der Oberstufe wurde die sog. *segunda enseñanza de ampliación* (»zweite Unterrichtsstufe: Erweiterung«) eingerichtet, die auf das Studium sämtlicher Fächer vorbereiten und in der Griech., Hebräisch und Arab. gelehrt werden sollte – ein Projekt, das nie in die Tat umgesetzt wurde. Griechisch war an der Univ. an der Philos. Fakultät zwei J. Pflicht, an der Naturwiss. Fakultät ein Jahr. In den sog. *Facultades Mayores* (Theologie, Rechtswiss., Medizin) war Griech. ein J. Pflicht. In der weiterführenden Ausbildungsphase wurde ein J. Griech. Pflicht für diejenigen, die in Philos. promovierten.

Der *Plan Seijas Lozano* (1850), der sich mit der Sekundarstufe befaßt, betont, daß die griech. Sprache eine der Grundlagen der Bildung sein sollte, weil, abgesehen davon, daß sie den Weg zur reinsten Quelle der Lit. eröffne und Nutzen und Erquickung bringe, die Wiss. aus dem Griech. ihre Terminologie genommen hätten. Da in S. die adäquaten Lehrmethoden für diese Materie fehlen würden, müsse man sie importieren. 1851 gehörten zwei J. Griech. zu einem Studium der Philos. und Theologie. Durch die *Ley Moyano* (1857) wurde Griech. an den Oberstufen der Schulen eingerichtet. Um den Titel eines *Bachiller en Artes* (B. A.) zu erlangen, mußte man einen Kurs in griech. Gramm. besucht haben. Griechisch sollte gleichzeitig mit Lat. und Span. unterrichtet werden. In jeder Sekundarstufe sollte es zwei Lehrstühle für Lat. und einen für Lat. und griech. Basisunterricht geben. An den zehn Univ. (Madrid, Zentrum; Barcelona, Granada, Sevilla, Salamanca, Valladolid, Santiago, Valencia, Oviedo und Zaragoza) wurden *Facultades de Filosofía y Letras* eingerichtet, an denen man zwei J. Griech. lernen mußte. Auch in Medizin wurde Griech. weiter unterrichtet. 1866 wurde Griech. aus dem Lehrplan der Sekundarstufe gestrichen, verursacht v. a. durch die geringen Lernerfolge, die durch den Mangel an ausgebildeten Gräzisten zu erklären waren. Die revolutionäre Reform des J. 1868 bedeutete eine starke Attacke gegen Lat. auf der Sekundarstufe, das nur noch Wahlfach blieb. An der Univ. wurde Theologie gestrichen und die Freiheit der Lehre propagiert. 1898 wurden die zwei Griechischkurse wieder eingeführt (täglich eine Lektion), verbunden mit einem Kurs über griech. Literatur. Gegen E. des 19. Jh. wurde Griech. nur an sechs Univ. angeboten (Madrid, Barcelona, Salamanca, Sevilla, Zaragoza).

2. Universitäten

In Madrid bestanden die Reales Estudios de San Isidro im ersten Drittel des Jh. fort: Estela, Flórez Canseco und Hermosilla lehrten dort. 1831 (endgültig 1836) wurde die Univ. von Alcalá nach Madrid verlegt. Seit Beginn des Jh. gab es zwei Lehrstühle für Griech., einen für griech. Sprache und Lit. und einen für griech. Sprache. Lehrstuhlinhaber waren u. a. Saturnino Lozano und Lázaro Bardón.

Barcelona hatte den Status einer *Universidad Literaria* (»Univ. mit philol. Fächern«) seit 1837. Die Univ. von Cervera wurde 1842 hierher verlegt. Antonio Bergnes de las Casas [52], der in Cervera die griech. Studien wiedereingeführt hatte, und Manuel Milá y Fantanals übernahmen Lehrstühle in Barcelona. Der Lehrstuhl für griech. Sprache und Lit. wurde 1845, der für griech. Sprache 1867 eingerichtet. Die Zahl der Studierenden belief sich 1858/60 auf 36. Antonio Bergnes de las Casas übernahm den Griechischlehrstuhl in den Estudios Generales de Barcelona 1836; den Lehrstuhl für Griech. an der Universidad Literaria de Barcelona übernahm er 1847. Unter seinen Fachveröffentlichungen findet sich die *Nueva gramática griega* (1833), ein nützliches Werk, das den Blick auf die mod. Strömungen der Forsch. in Europa lenkte, die *Gramática griega* (1847) und die *Crestomatía griega* (1847, eine Anthologie von 34 Autoren).

Salamanca bot (wie Granada, Oviedo, Santiago und Zaragoza) ab 1860 philol. Studien nur mit dem Abschluß des *Bachiller* (»Sekundarstufe«) an. Es gab nur einen Lehrstuhl für Griech., ab 1886 zwei. 1873 erhielt die Univ. das Recht, die *Licenciatura in Filosofía* und *Letras* zu verleihen. Diese Situation blieb bis 1936 bestehen.

Granada besaß einen Lehrstuhl für griech. Sprache und Lit. von 1850–1900. Einen zweiten Lehrstuhl für griech. Sprache gab es zw. 1867 und 1936.

In Madrid gab es außerhalb der Univ. die wichtige Institution der Real Academia Latina Matritense, die im J. 1755 zum Schutz des Lat. gegr. worden war. Seit 1767 hatte sie die Kontrolle über die Lateinprüfungen für Lehramtskandidaten. Im J. 1814 wurden ihre Aktivitäten wieder aufgenommen. Die Bibl. wurde vergrößert und ein Direktor aus den Mitgliedern des Consejo Real de Castilla ernannt. 1830 wurde sie in *Real Academia Greco-Latina* umbenannt [38; 39]. Sie förderte insbes. die griech. Studien aufgrund der Bed. des Griech. für die Terminologie der Wissenschaften. 1831 erfolgte eine Unterteilung in drei Bereiche: in Lit. und allg. Gramm., Lat. und Griechisch. Während ihrer kurzen Existenz (1831–33) hatte sie die Kontrolle über die staatlichen Professoren für Griech. und die Bewerbungsverfahren für die Griech.- und Lateinlehrstühle. Ergebnislos wurde das Projekt eines Lektürekanons griech. Autoren verfolgt. Die Academia hatte zwanzig ordentliche und 13 außerplanmäßige Mitglieder, darunter sechs Gräzisten von der Univ. Alcalá, der Biblioteca Real, den Reales Estudios und einigen rel. Orden.

3. GRAMMATISCHE STUDIEN

An mehreren Univ. wurde die griech. Gramm. von Saturnino Lozano (1849) verwendet. Lozano war seit 1845 Professor für Griech. an der Universidad de Madrid (Central), unter seinen Schülern befanden sich Lázaro Bardón [53] und Raimundo González de Andrés. Ramón M. Garriga y Nogués war Autor einer *Gramática griega* (1885–1886), ohne Zweifel die beste span. Gramm. in diesem Jahrhundert. Sie zeichnet sich v. a. in der Phonetik durch den Vergleich mit dem Lat. und Sanskrit aus. Die *Gramática griega elemental* von J. Curtius

wurde von E. Soms y Castelín, mit einem Vorwort von M. Menéndez y Pelayo, auf der Basis der 15. Auflage (1887) übersetzt. Sie verdrängte alle anderen Gramm. an den span. Universitäten. Der Consejo de Instrucción pública (»Staatliche Erziehungsrat«) erklärte sie für sehr nützlich für den Unterricht. Sie trug dazu bei, die erasmische Aussprache zu verbreiten. Escolapio Ramón Valle veröffentlichte 1859 schließlich das *Diccionario manual griego-latino-español* [48].

4. PHILOLOGISCHE STUDIEN UND EDITIONEN

R. González Andrés, Ordinarius für Griech. in Granada seit 1850, Verf. eines *Manual práctico de la lengua griega* (1859, 4. Aufl. 1864), veröffentlichte 1855 eine *Breve exposición histórica de la literatura griega* (»Kurze griech. Lit.gesch.«), die große Verwendung an den Univ. fand. Lázaro Bardón y Gómez verfaßte die *Lectiones Graecae* (1856; 2. erweiterte Aufl. 1859), die Sentenzen und Frg. in Prosa und V., ohne Anm., enthalten und ein halbes Jh. an den Univ. verwendet wurden. Antonio Bergnes de las Casas schließlich schuf die *Nueva Crestomatía Griega* (1861), in der die Texte mit gramm. Anm. und einem Anhang über geogr. und myth. Details, Institutionen u. a.m. versehen sind, ebenfalls ein an den Univ. verbreitetes Lehrwerk. Enrique Soms y Castelín behandelte alle lit. Gattungen in seinen *Autores griegos. Prosistas* (1889).

5. ÜBERSETZUNGEN

Unter den Übers., die in diese Zeit fallen, sind bes. jene von Fernando Segundo Brieva y Salvatierra hervorzuheben, der alle erhaltenen Stücke des Aischylos übertrug (1880; elegant), und José del Castillo y Ayensas Arbeit, der Anakreon, Sappho und Tyrtaios (1832) übersetzte. Eduardo Mier y Parbery gab neun Trag. des Euripides (1865) mit willkürlicher Transkription heraus. Erwähnenswert ist schließlich auch Eduardo Mier, Autor einiger *Ensayos histórico-críticos* zu Aischylos und Sophokles (1857, 1858).

G. ERSTE HÄLFTE DES 20. JAHRHUNDERTS

1. ALLGEMEINE ENTWICKLUNG

Im J. 1900 [47] wurde das Ministerio de Instrucción Pública y Bellas Artes (»Ministerium für Unterricht und die schönen Künste«) gegr.: Zu diesem Zeitpunkt gab es eine große Sensibilisierung für die Probleme im Bereich der Lehre. Die lat. Sprache und Lit. waren Pflicht in allen Gebieten der Philos., Geschichte und Lit., Griech. für die Lehramtsstudiengänge in Philos. und Pädagogik. Vulgärlat. sowie lat. und span. Philol. wurden vergleichend gelehrt. Die Studenten sollten nach dem Gesetz zwar zwei Griechischsprachkurse belegen, aber nur vier Univ. erteilten tatsächlich Griechischunterricht (Madrid, Barcelona, Salamanca, Granada). 1930 wurde die *licenciatura* (»Lizentiat als Hochschulabschluß«) im Fach Lit. in zwei Bereiche aufgeteilt: alte Sprachen (Lat. und Griech.) und semitische Sprachen. Für die alten Sprachen wurde ein Promotionsstudiengang entwikkelt. Ab 1931 wurde sowohl in Madrid wie in Barcelona der Titel des *Licenciado en Filología clásica* vergeben. Diese Regelung wurde im J. 1932 auf die anderen Univ. ausgeweitet.

Für die Sekundarstufe wurden nach dem *Plan Villalobos* (1934) fünf J. Lat. angesetzt und die Möglichkeit gegeben, Griech. für die Schüler der 6. und 7. Klasse anzubieten. 1935 konnte man klass. Philol. in Madrid, Barcelona und Salamanca studieren. Die Gründung eines Instituto de lenguas clásicas für die Ausbildung des Lehrkörpers fand 1936 statt.

2. UNIVERSITÄTEN

Unter den Lehrstuhlinhabern der Univ. in Madrid soll hier stellvertretend José Alemany Bolufer genannt werden, der neben Veröffentlichungen zur Geschichte des Span. einige Dramen des Sophokles (1921) übersetzte. Emeterio Mazorriaga y Fernández-Agüero arbeitete hier über Suffixe im Lat., Griech. und Sanskrit (1915) und veröffentlichte eine Arbeit über die Dialoge Platons (1918).

In Barcelona lehrte Luis Segalá y Estalella, Verf. zahlreicher linguistischer Arbeiten, u.a. einer *Gramática del eólico* (»Äolische Gramm.«, 1897), einer *Gramática sucinta del dialecto homérico* (»Kurzgefaßte Gramm. des homer. Dialekts«, 1904) und die Schrift *Cuadro sinóptico de la literatura griega profana* (»Überblicksdarstellung der griech. Profanlit.«, 1916). Außerdem veröffentlichte er *El Renacimiento helénico en Cataluña* (»Die Ren. des Griech. in Katalonien«, 1916) und *Resum de sintaxi latina* (»Zusammenfassung der lat. Gramm.«, 1923). Unter den Texten, die er übersetzte und herausgab, finden sich die *Ilias* (1908), die *Odyssee* (1910), Hesiods *Theogonie* (1910), Musaios' *Hero und Leander* (1915, mit katalanischer Übers.), *Homer. Hymnen, Batrachomyomachia* und andere Homer zugeschriebene Werke (1926), Homer (1927), Phaedrus und Äsop (o.J.), die *Aeneis I* (²1968) und Nepos' Biographien (ND 1973). Miral López übersetzte in Salamanca die *Gramática latina* von W. Wotsch und *La civilización griega* von H. Lamer (1924). Miguel de Unamuno y Jugo verteidigte in einigen Publikationen das Studium der alten Sprachen: Latein sei die Grundlage für alle Spanischlehrer.

In Granada verfaßte Antonio González Garbín das Werk *Cuadros sinópticos de gramática griega* (»Überblicksdarstellungen der griech. Gramm.«, 1863) und war als Hrsg. verantwortlich für die Veröffentlichung einiger ant. Werke, so etwa der *Apologie des Sokrates* des Xenophon (1871, Übers. mit Komm.), Plautus' *Aulularia und die Captivi* (1878, lat. Text, Übers. und textkritischer Apparat), der *Antigone* des Sophokles (1885, Übers. mit Interpretation und Komm.) sowie literaturwiss. Abhandlungen wie den *Estudios de literatura griega* (»Studien zur griech. Lit.«, 1889) und den *Lecciones histórico-críticas de literatura clásica latina* (»Historisch-kritische Vorlesungen zur lat. Lit.«, 1882).

3. SECCIÓN DE ESTUDIOS CLÁSICOS DEL CENTRO DE ESTUDIOS HISTÓRICOS

Im J. 1909 setzte das Unterrichtsministerium in Madrid die Abteilung für klass. Studien des Zentrums für histor. Studien ein, da sich die Behörden der mangelhaften wiss. und pädagogischen Ausbildung der Dozenten bewußt waren. Als Kommissionsleiter wurde Santiago Ramón y Cajal ernannt. Das Inst. wurde 1910 gegr. und begann 1912 unter der Leitung von Ramón Menéndez Pidal mit neun Abteilungen seine Arbeit. 1933 wurde die Sección de estudios clásicos gegründet. Zu den Zielen dieser Abteilung zählten, Informationen über auswärtige Forschungsarbeiten zugänglich zu machen, die Vorbereitung und Veröffentlichung von Forschungsarbeiten (wie z.B. textkritische Ed.), zur Ausbildung von Forschern beizutragen, eine Bibl. zu gründen, die die anderen, vom Staat finanzierten Bibl. ergänzen sollte, und ein Publikationsorgan für klass. Studien zu schaffen (*Emerita*, zum erstenmal erschienen 1933).

4. GRAMMATISCHE STUDIEN

Carlos Rossis *Gramática elemental de la lengua griega* (»Elementargramm. des Griech.«, 1901) ist leichter verständlich als die von Curtius und an den Univ. sehr verbreitet. Die Jesuiten aus dem Colegio de Veruela gaben eine *Gramática de la lengua griega* (1910) heraus. Sie ist praktisch und nützlich für die Übersetzung.

5. EDITIONEN UND ÜBERSETZUNGEN

Als Beispiele für die Ausweitung der Übersetzungs- und Editionsarbeit im S. der ersten H. des 20. Jh. mögen folgende Werke genügen: In der »Biblioteca de autores griegos y latinos« erschienen unter der Leitung von L. Segalá und C. Parpa seit 1910 in zweisprachigen Ausgaben Sappho, Erinna, Moschos, Bakchylides, Pindar, die Xenophontische *Apologie* und die *Elektra* des Sophokles. In der »Colección de autores clásicos, griegos y latinos«, unter der Leitung von L. Segalá und F. Crusat, die für den Schulgebrauch konzipiert war, erschienen die *Viten* des Nepos und die *Epoden* des Horaz. Die »Biblioteca de clásicos griegos y latinos«, geleitet von L. Segalá und I. Errandonea, entstand 1930 mit der Veröffentlichung von zwei Bänden mit guten Übers., dem griech. Text mit einem kurzen kritischen Apparat und guten Anm. (Sophokles, *König Ödipus* und *Ödipus auf Kolonos*). Die »Fundació Bernat Metge« in Barcelona verdient besondere Aufmerksamkeit. Francesc Cambó gründete sie im J. 1922. Die Stiftung vergab Auslandsstipendien, gründete eine Fachbibl., organisierte Kurse zur Textkritik und Übersetzung. Wichtigstes Ziel war es, die klass. Autoren in guten katalanischen Übers. zugänglich zu machen, in denen man den Stil des übersetzten Autors widerzuspiegeln versuchte. Herausragender Vertreter war Carles Riba, ein kritischer Dichter und Humanist, der nach 1923 Xenophons *Memorabilien*, *Oikonomikos*, *Symposion* und die *Apologie des Sokrates*, Plutarchs *Parallelbiographien*, Aischylos (in Prosa), die *Odyssee* und vier Trag. des Sophokles übersetzte. Die Fundació zählte im J. 1936 86 Bände (h. sind es mehr als 300).

H. ZWEITE HÄLFTE DES 20. JAHRHUNDERTS

Gegen E. der 60er J. des 20. Jh. verbesserte sich die Lage der klass. Studien merklich [58; 59; 60]. An den Univ. von Granada und Sevilla wurden Secciones de Filología clásica eingerichtet (1966); bis zu diesem Zeitpunkt war die Spezialisierung nur in Madrid, Barcelona und Salamanca möglich. Die wiss. Produktion der Latinisten und Gräzisten nahm deutlich zu, wie es die *Bibliografías de los estudios clásicos en España* bezeugen [9; 10; 11]. Die Forsch. über strukturalistische Linguistik wurden in S. zum ersten Mal und als Pionierarbeit auf die alten Sprachen angewendet. Die Secciones de clásicas waren gut frequentiert. Zahlreiche Institutsgründungen folgten ab der Mitte der 60er Jahre. Die Univ. haben seither einen Lehrkörper mit europ. Standard.

Das Institut Antonio Nebrija, unter der Schirmherrschaft des Consejo Superior de Investigaciones científicas, war für die Veröffentlichung der Zeitschrift *Emerita* und der *Clásicos Emerita* mit Text und Anm. verantwortlich. In seiner Hand lag auch die Leitung der griech. und lat. *Diccionarios* und auch der *Enciclopedia clásica*, in der u. a. die *Sintaxis latina* von Mariano Bassols und die *Fonética latina* von M. Bassols und Sebastián Mariner erschienen. Die Sociedad Española de Estudios Clásicos, gegr. im J. 1950, leitet die Zeitschrift *Estudio*, organisiert in Zusammenarbeit mit der FIEC seit 1956 alle fünf J. Kongresse [1], deren Beitr. sie publ., erstellt die Bibliogr. zu den klass. Studien und gibt komm. und mit Anm. versehene Schultexte von großer Nützlichkeit heraus.

Gegenwärtig gibt es an den Institutos de Bachillerato einen Lehrstuhl für Lat. und mindestens einen für Griechisch. An 18 Univ. gibt es eine Abteilung für klass. Philol. (Barcelona, Barcelona-Autonoma, Málaga, Murcia, Oviedo, País, Vasco (Vitoria), Salamanca, Santiago, Sevilla, Valencia, Valladolid, Zaragoza). Neue, der klass. Philol. gewidmete Zeitschriften sind v. a.: *Cuadernos de Filología clásica* und *Excerpta filológica*. Der Consejo Superior de Investigaciones científicas betreibt die Fertigstellung der *Diccionarios de griego y latín* und leitet die erwähnten Reihen.

1 Actas de los Congresos de la Sociedad española de Estudios clásicos (1956), 1958   2 J. ALSINA, Sobre el humanismo español en el siglo XVII, in: Humanidades 12, 1960, 53–68   3 E. DE ANDRÉS, Helenistas españoles del siglo XVII, 1988   4 G. DE ANDRÉS, El Maestro Baltasar de Céspedes, humanista salmantino, y su Discurso de las letras humanas, 1965   5 TH. S. BEARDSLEY, Hispano-classical Translations Printed between 1482 and 1699, 1970   6 A. BELL, El Renacimiento español, 1944   7 V. BELTRÁN DE HEREDIA, Cartulario de la Universidad de Salamanca, I–IV, 1970–1972   8 B. BENASSAR, L'Inquisition espagnole, XVe-XIXe siècle, 1979   9 Bibliografía de los estudios clásicos en España (1939–1955), 1956   10 Bibliografía de los estudios clásicos en España (1956–1965), 1968   11 Bibliografía de los estudios clásicos en España (1965–1984), 1991   12 C. BREVA CLARAMONTE, La didáctica de las lenguas en el Renacimiento: Juan Luis Vives y Pedro Simón Abril, 1994   13 L. DE CAÑIGRAL, Pedro Simón Abril. Textos de humanismo y didáctica, 1988   14 J. CLOSA FARRÉS, Latín medieval y latín universitario reflejados en el Tratado Ars et doctrina studendi et docendi de Alfonso de Benavente, in: Durius 5, 1977, 197–210   15 J. A. CLÚA SERENA, El humanismo en Cataluña en el siglo XIX: A. Bergnes de las Casas (1801–1879), 1995   16 C. CODOÑER, J. A. GONZÁLEZ IGLESIAS (Hrsg.), Antonio de Nebrija. Edad Media y

Renacimiento, 1994   17 M. DEFOURNEAUX, Inquisición y censura de libros en la España del siglo XVIII, 1973   18 J. DEMETRIUS, Greek Scholarship in Spain and Latin America, 1965   19 J. M. DÍAZ REGAÑÓN, Los trágicos griegos en España, 1955   20 E. ESPERABÉ DE ARTEAGA, Historia pragmática e interna de la Universidad de Salamanca, I–II, 1914–1917   21 L. ESTEBAN, Juan Lorenzo Palmireno: humanista y pedagogo, in: Perficit 8,5, 1976, 73–107   22 A. GALLEGO BARNES, Juan Lorenzo Palmireno (1524–1579). Un humanista aragonés en el Studio General de Valencia, 1982   23 R. GARCÍA CÁRCEL, Orígenes de la Inquisición española. El tribunal de Valencia (1478–1530), 1976   24 R. GARCÍA CÁRCEL, Herejía y sociedad en el siglo XVI. La Inquisición en Valencia 1530–1609, 1980   25 S. GARCÍA MARTÍNEZ, Sobre la introducción del helenismo en la Universidad de Valencia durante la primera mitad del Quinientos, en Actes du I Colloque sur le pays valencien à l'époque moderne, 1980, 363–397   26 J. E. GARCÍA MELERO (Hrsg.), Discurso crítico-político sobre el estado de literatura de España y medios de mejorar las Universidades y Estudios del Reyno, 1767, 1974   27 J. GARCÍA SORIANO, El teatro de Colegio en España, in: Boletín de la Real Acad. española 14, 1927, 235–277   28 L. GIL, El Humanismo español del siglo XVI, Actas III Congreso español de estudios clásicos (1966), 1968, I, 211–297   29 Ders., Campomanes: un helenista en el poder, 1976   30 Ders., Panorama social del humanismo español (1500–1800), 1981   31 Ders., Estudios de humanismo y tradición clásica, 1984   32 Ders., El Humanismo español: una reinterpretación, en Actualización científica en Filología griega, hrsg. v. A. MARTÍNEZ, 1984, 705–722   33 T. GONZÁLEZ ROLÁN, A. MORENO HERNÁNDEZ, P. SAQUERO SUÁREZ-SOMONTE, Humanismo y Teoría de la traducción en España e Italia en la primera mitad del siglo XV (= Estudio y edición de la Controversia Alphonsiana. Alfonso de Cartagena vs. L. Bruni y P. Cándido Decembri), 2000   34 C. HAEBLER, The early Printers of Spain and Portugal, London 1894   35 C. HERNANDO, Helenismo e Ilustración (= El griego en el siglo XVIII español), 1975   36 G. HIGUET, The Classical Trad. Greek and Roman Influences on Western Literature, ³1967   37 B. HOMPANERA, El helenismo en España durante el siglo XIX, in: La ciudad de Dios 110, 1917, 468–477; 111, 1917, 5–14, 97–107, 202–211, 301–310, 353–357; 112, 1918, 99–106, 211–214, 280–288   38 P. HUALDE, Documentos para la historia de la filología griega del siglo XIX: la censura de gramáticas y traducciones del griego y la Real Academia Greco-Latina (1830–1833), in: Epos 13, 1997, 397–416   39 P. HUALDE PASCUAL, F. HERNÁNDEZ MUÑOZ, La Real Academia Greco-Latina y un discurso griego en defensa de los estudios helénicos, in: CFC 10, 2000, 283–315   40 A. JIMÉNEZ, Historia de la universidad española, 1971   41 R. L. KAGAN, Latin in Seventeenth and Eighteenth-Century Castile, in: Rivista Istorica Italiana 75, 1973, 297–320   42 R. L. KAGAN, Students and Society in Early Modern Spain, 1974   43 E. LEGRAND, Bibliographie Hispano-Grecque, I–III, 1915–1917   44 J. LÓPEZ RUEDA, Helenistas españoles del siglo XVI, 1973   45 T. LOZOYA ELZAURDIA, El griego en la Universidad de Toledo, in: CFC 16, 1979–1980, 177–198   46 A. MÁRQUEZ, Literatura e Inquisición en España (1478–1834), 1980   47 P. MARTÍNEZ LASSO, Los estudios helénicos en la Universidad española (1900–1936), 1988   48 P. MARTÍNEZ LASSO, La confección de los diccionarios greco-hispanos en el siglo XIX: historia de un proyecto, en Cháris didaskalías (Homenaje a Luis Gil), hrsg. v. R. M. AGUILAR, M. LÓPEZ SALVÁ, I. RODRÍGUEZ ALFAGEME, 1994, 815–830 **49** M. MENÉNDEZ Y PELAYO, Bibliografía hispano-latina clásica, hrsg. v. E. SÁNCHEZ REYES, I–X, 1950–1953 **50** Ders., Biblioteca de traductores españoles, hrsg. v. E. SÁNCHEZ REYES, I–IV, 1952–1953 **51** F. J. NORTON, Printing in Spain 1501–1520, 1965 **52** S. OLIVES CANALS, Bergnes de las Casas, helenista y editor (1801–1879), 1947 **53** S. OLIVES CANALS, Don Lázaro Bardón (1817–1897). Apuntes para una historia de los estudios helénicos en España, Eclás 3, 1953–1954, 5–40 **54** P. PARRA Y GARRIGUES, Historial de la Facultad de Filosofía y Letras de la Universidad de Madrid (Ensayo bio-bibliográfico), 1966 **55** J. A. PELLICER Y SAFORCADA, Ensayo de una biblioteca de traductores españoles, Madrid 1778 **56** J. A. PÉREZ RIOJA, Humanismo español en el siglo XIX, 1977 **57** R. PROCTOR, The Printing of Greek in the Fifteenth Century, 1966 **58** F. RODRÍGUEZ ADRADOS, Problemas del griego y latín en España, in: Helmantica 7, 1956, 292–303 **59** F. RODRÍGUEZ ADRADOS, Las lenguas clásicas en la enseñanza universitaria, in: Arbor 59, 1964, 42–64 **60** F. RODRÍGUEZ ADRADOS, El momento actual de los estudios clásicos: situación y perspectivas, in: Actas VII Congreso español de estudios clásicos, 1989, I, 37–54 **61** D. RUBIO, Classical Scholarship in Spain, 1934 **62** Ders., Presencia de los autores clásicos latinos en el Renacimiento español, en Simposio sobre la Antigüedad clásica, 1969, 37–51 **63** J. E. SANDYS, A History of Classical Scholarship, ³1967 **64** J. SIMÓN PALMER, Estudio paleográfico y bibliográfico de los libros impresos en griego en España en los siglos XVI, XVII y XVIII (Memoria de Licenciatura), I–II, 1977. JUAN ANTONIO LÓPEZ FÉREZ/Ü: NATALIA PEDRIQUE UND BERNHARD ZIMMERMANN

II. KULTURGESCHICHTE
A. VORBEMERKUNG B. SPÄTANTIKE
C. MITTELALTER D. HUMANISMUS/RENAISSANCE
E. KUNST F. MUSIK G. MODERNE H. FAZIT

A. VORBEMERKUNG
Der Einfluß der klass. Welt auf die span. Kultur ist mannigfaltig. Gerade in den letzten J. sind zahlreiche Einzel-Unt. zu dieser Thematik entstanden, insbes. zur Rezeption der klass. Myth. [3]. Auch die Wege des Einflusses der ant. Kultur auf S. sind vielfältig. Spanien teilt zwar in vielen Aspekten die Geschichte des restlichen Europas, in zahlreichen Punkten ist es jedoch Sonderwege gegangen. So ist es zwar seit der klass. Ant. in die griech.-lat. Kultur eingebettet (vgl. Kritik in [14; 15] an [4; 12]) und hat durch bedeutende Schriftsteller und Herrscher einen nicht unwesentlichen Beitrag zur röm. Kultur geleistet (Seneca, Lukan, Martial, Columella, Quintilian, Trajan, Hadrian, Theodosius der Große). Sieben Jh. hindurch war jedoch ein großer Teil des Landes arab., und in der unterschiedlich langen Dauer der *Reconquista* und der unterschiedlichen Außenpolitik, die die Herrscher der verschiedenen Königreiche im heutigen S. praktiziert haben, findet sich der Schlüssel zu den gegenwärtigen sprachlichen und kulturellen Differenzen in S., das vier offizielle Sprachen besitzt, drei romanische und eine vorindoeurop., und zu der kom-

plizierten und eigentümlichen Genese der span. klass. Tradition.

B. SPÄTANTIKE
Die Durchdringung S. mit röm. Kultur ist bes. nachhaltig in den Städten und bis h. in unzähligen architektonischen Resten nachweisbar: Theater, die sich in allen wichtigen Städten finden (z. B. Mérida Augusta, Sagunto), zahlreiche Triumphbögen und Nekropolen, Wasserleitungen (Segovia) und ein ausgebautes Straßennetz (Via Augusta), Brücken (z. B. in Alcántara über den Tajo). Aber die Romanisierung verlief nicht im ganzen Territorium gleich: Sie war oberflächlicher in den ländlichen Gebieten, wie es die Erhaltung der vorröm. gesellschaftlich-wirtschaftlichen Strukturen nördl. des Flusses Tajo und die geom. Formen der Kunst des Nordwestens und einiger Gebiete der Meseta (kastilische Hochebene) zeigen, die keltischen Einfluß aufweisen und zu der sich Parallelen in anderen europ. Gebieten mit schwacher Romanisierung finden.

Die Invasionen der Westgoten ab dem J. 409 n. Chr. bedeuteten keinen Bruch mit der spätant. röm. Kultur in Spanien: Die Invasoren wurden bald integriert, wie es die Gesetze bezeugen, die auf dem röm. Recht gründen, und die Tatsache, daß sie die lat. Sprache übernahmen. Die Ankunft von Exilierten aus Nordafrika, einem sehr romanisierten Gebiet, und die Oberherrschaft von Byzanz während der 2. H. des 6. bis zum Anf. des 7. Jh. im Süden und teilweise im Osten brachten einen großen byz. Einfluß auf die Künste und Lit. der Halbinsel im 6. und 7. Jh. mit sich. Als Beispiel möge die Leistung von Isidor von Sevilla (560–636) genügen, der, den Bedürfnissen seiner Zeitgenossen entsprechend und zum Zweck der Ausbildung von Geistlichen oder zukünftigen Amtsträgern, das Erbe der Ant. zu erhalten versuchte. Seine *Etymologiae* wurden zur Enzyklopädie des MA und übten einen ungeheuren Einfluß auf die Sicht aus, die das MA von der Ant. hatte. Das germ. Element blieb in der bildenden Kunst auf die häusliche Ausstattung beschränkt, während die röm. und byz. Trad. sich in der sakralen und adligen Kunst durchsetzte.

C. MITTELALTER
Diese Situation änderte sich schlagartig für den größten Teil der Halbinsel aufgrund der langen Anwesenheit der Araber. Ihre Ankunft bedeutete die Einführung der arab. Kultur, intensive Beziehungen mit dem Osten und die Ausbildung aller Wiss. sowie der Kunst ab der 2. H. des 8. Jahrhunderts. Medizin, Astronomie und Philos. blühten auf. Erwähnt seien nur der Aristoteles-Kommentator Avempace († 1138), der in seinem *El Régimen del Solitario* (»Die Herrschaft des Einsiedlers«) ein Staatsmodell mit weitreichenden Folgen entwickelte, oder Averroes (1126–1198), der sogar von der Kirche als der qualifizierteste Kommentator des Aristoteles bezeichnet wird.

Über die Vermittlung durch die Araber übte die griech. Philos. einen großen Einfluß auf das jüd.-span. Denken aus, das in dieser Zeit einen großen Aufschwung erfuhr, angetrieben durch eine veränderte

Einstellung zur griech. Wissenschaft. Aus einer zunächst defensiven Haltung gegenüber einem angesehenen Wissen, das im Widerspruch zu der Tora stand, erwuchs ab dem Anf. des 10. Jh. eine rationalistische Strömung, die das Studium eben dieses Wissens förderte, um die Lehren der Propheten zu bestätigen und die Feinde zu widerlegen. Diese »Politik der Offenheit« setzte sich in S. durch. Die Kenntnis sowohl des klass. Arab. wie des Lat. machte aus den Juden Empfänger und Übermittler der klass. Kultur. Sie begannen ihr Werk als Übersetzer wie z. B. Hasday. Das Ergebnis waren Persönlichkeiten wie Maimonides (1135–1204), der sogar eine Überlegenheit des Aristoteles über die Rabiner vertrat. Der allg. Charakter seines umfangreichen Werkes ist deutlich universalistisch und führte zu einer Art interner Revolution innerhalb des Judentums; es kam zu harten Kontroversen im 13. Jh., die durch traditionalistische und antirationalistische frz. Juden angetrieben wurden. Die Verbrennung der Werke des Maimonides durch die Dominikaner ca. 1233 in Montpellier war eine Warnung für alle Juden. Obwohl es während des 14. und 15. Jh. noch einige wenige Denker gab, die die Ideen des Maimonides unterstützten, führte der ansteigende Druck, den die Christen auf die jüd. Gemeinden ausübten, dazu, daß sie sich zurückzogen und traditionalistische Haltungen einnahmen.

Die Bed., die man dem Erbe der Ant. beimaß, war so groß, daß man in dem nicht muslimischen S. Einrichtungen schuf, in denen man Texte aus dem Arab. und Hebräischen ins Lat. übersetzte; von diesen Übers. wurden vor der Ren. verlorene klass. Texte rekonstruiert. Aber die muslimische Schule der Malequí, eine muslimische Sekte mit einer rigiden rel. Orthodoxie, bremste die philos. Forsch., die stark vom Neuplatonismus beeinflußt waren. Es entwickelte sich die kasuistische Reflexion, die zu einem Aufschwung der Gesetzgebung beitrug. Bis h. existiert in Valencia ein Gerichtshof, der älteste Europas, der arab. Ursprungs ist: das Tribunal de las Aguas (»Wassergerichtshof«) ist für die Probleme zuständig, die die Wasserverteilung unter den Landwirten verursachen kann. Die Ausbildung der Orthodoxie der Malequí führte dazu, daß im Bereich der Lit. sich die Autoren der Historiographie und Lyr., die v. a. gepflegt wurde, widmeten. Die Lyr. erfuhr einen großen Aufschwung in der Zeit der *Reinos de Taifas* (»Königreiche von Taifas«) seit dem 11. Jh.: Das Mäzenatentum dieser muslimischen Könige brachte eine goldene Zeit der span.-arab. Lyr., die in einer klass. und einer volkstümlichen Form (*muasaja* und *zéjel*) vertreten war. Letztere ist in Vulgärarab. verfaßt, weist verschiedene Reimformen auf, in denen auch Wörter in einer romanischen Sprache eingeführt werden, oder die Komposition mit einem Schlußreim, ebenfalls in rom. Sprache, der sog. *jarcha*. Die *jarchas* belegen die Existenz einer traditionellen Lyr. in einer äußerst archa. Form der romanischen Volkssprache, die möglicherweise aus der Zeit des spätant. volkstümlichen Lat. stammt.

Auch in den bildenden Künsten und der Architektur sind verschiedene Einflüsse nachweisbar: In ihnen sind die örtlichen röm. und westgot. Trad. mit den neuen islamischen und griech.-byz. Formen vereint. Es ist symptomatisch, daß man das Gebot des Korans nicht einhielt, das die Darstellung von Lebewesen verbot. In den Gegenständen und in der Dekoration der Paläste erscheinen Tiere und Personen, wie die Darstellungen mit Elfenbein-Inkrustationen auf der Truhe von Isidoro von León (10. Jh.) oder die Szenen von Adam, Eva, David und Christus in dem Kästchen von Córdoba, das im Auftrag der Königin Blanca de Navarra (1005) angefertigt wurde. Man führte in der Architektur den Bogen byz. Herkunft wieder ein und brachte die Arbeit mit Backsteinen zu rein baulichen wie ornamentalen Zwecken zur Perfektion, eine in Vergessenheit geratene Leistung der röm. Baukunst. Als Beispiele können der Palast von Medina Azahara in Córdoba oder La Alhambra in Granada dienen, deren Name (»Die Rote«) von der Farbe der Backsteine herrührt.

Die christl. Kultur in S. hat ihre Wurzeln in der volkstümlichen lat. Kultur, die sich insbes. auf dem Lande erhalten hatte und durch eine gewisse Isolation S. vom Rest Europas begünstigt wurde. Dennoch gewann sie Einfluß auf die künstlerischen Aktivitäten. In der Zeit der durch die *Reconquista* (»Wiedereroberung«) verursachten polit. und sozialen Unruhen war die christl. Welt in S. dem Einfluß verschiedener Kulturen ausgesetzt, in denen das klass. griech.-röm. Erbe bewahrt wurde. So war ein wichtiger Faktor für die kulturelle Entwicklung der indirekte Einfluß der arab. und jüd.-span. Kultur und der direkte durch den Kontakt über das Meer mit It. und Griechenland, der nie gänzlich unterbrochen war. Eine große Wirkung hatte die Integration der Mozaraber aus den wiedereroberten Gebieten, also der Christen, die die arab. Kultur angenommen hatten. Ihr Kontakt mit den span. Arabern hatte ihnen ein hohes kulturelles Niveau und eigene künstlerische Darstellungsformen gegeben, bes. in der Sakralarchitektur. Ihre Beherrschung der Miniaturkunst ist insofern äußerst interessant, als sie in ihr den karolingischen Stil, der eine Rückkehr zu der Reinheit der klass. Vorbilder bedeutete, mit dem arab. Einfluß byz. Herkunft kombinierten. Das Ergebnis dieser kulturellen Kontakte war die Entstehung einer Künstlerschule von großer Originalität, die mit ihren Miniaturen die sog. *Beatos* ausschmückte, Hss., die die Komm. zur *Apokalypse* des Beato de Liébana, eines Mönchs des Klosters von Santo Toribio de Liébana (8. Jh.), enthielten. Diese Hss. wurden aus dem Glauben heraus angefertigt, daß das E. der Welt nahe sei, so daß bes. viele Kopien am E. des Milleniums hergestellt wurden wie der *Beato* der Kathedrale von Gerona (975) von den Künstlern Senior, Emeterio und Ende, die die erste span. Frau war, die als Malerin bekannt wurde.

Der Anregung von Alfonso X. dem Weisen (1221–1284) verdankt man Werke, die das Vorhandensein eines größeren kulturellen Interesses bezeugen, so die *Partidas*

(»Teile«), ein in sieben B. unterteiltes jur. Werk, die *Crónica General* (»Allg. Chronik«) oder die *General Estoria* (»histor. Enzyklopädie«), für deren Anfertigung der König eine große Anzahl an Cod. von lat. klass. und ma. Autoren dem Hof mit dem Ziel zukommen ließ, diese übersetzen zu lassen und in die Werke zu integrieren, was bes. deutlich in der *General Estoria* zu sehen ist. Das Konzept dieses Werkes ist typisch ma., insofern es sich sowohl histor. Daten wie auch der Bibel und der klass. Myth. bedient; aber es weist schon einen neuen Zugang zu klass. Lit. auf: Texte wie die *Heroides* und *Metamorphosen* Ovids oder die *Pharsalia* Lukans werden zur Kenntnis genommen und getreu wiedergegeben, so daß man ohne Zweifel in dieser Epoche den Beginn von span. Übers. lat. Autoren ansetzen kann. Dadurch werden Autoren wie Ovid weitgehend bekannt und auch von denjenigen benützt, die nicht über ausreichende Lateinkenntnisse verfügten.

Diese popularisierende Einstellung, die Suche nach einem breiten Publikum, kennzeichnet einen wichtigen Teil der span. Literatur. Es stellt kein Hindernis für die Rezeption durch ein breiteres Publikum dar, wenn ein Autor ein Kenner der klass. Welt ist und dies in seinem Werk deutlich zu erkennen gibt. Dies hat zur Folge, daß ein derartiges Werk auf zwei Arten gelesen werden kann: von einem gebildeteren Publikum, das die Anspielungen auf die klass. Lit. versteht, aber auch von einer breiteren Leserschaft. So ist es im Falle von *El Libro del Buen Amor* (»Das B. von der guten Liebe«) von Juan Ruiz, des Arcipreste (»Erzpriesters«) von Hita, eines grundlegenden Werks aus der 1. H. des 14. Jahrhunderts. Der Verf. bedient sich einer Gattung, die große Trad. in Europa hatte, des *goliardo* (»Vagantenlyrik«), aber er adaptiert sie für ein Werk in einheimischer Sprache, in der die Ritterwelt aus einer komischen Perspektive betrachtet wird. Integriert wird Material unterschiedlicher lit. Provenienz, vom rel. Gesang, der parodiert wird, bis zu Passagen mit Landschaftsschilderungen einer lat. elegischen Kom., des *Pamphilus*.

D. HUMANISMUS/RENAISSANCE

Juan II. von Castilla (1405–1454) setzte das kulturelle Programm von Alfonso X. fort, insbes. intensivierte er die Übersetzungstätigkeit. Er umgab sich mit Gelehrten wie Juan de Mena. All dies führte dazu, daß wir von einem einheimischen Human. in Kastilien in der ersten H. des 15. Jh. sprechen können. Ende des 15. bzw. Anf. des 16. Jh. entstand *La Celestina* (»Celestina oder die Kupplerin«) von Fernando de Rojas (1465–1541), ein Meisterwerk in Prosa, das mit *El Libro del Buen Amor* (»Das B. von der guten Liebe«) sowohl in der allg. Einstellung wie in der Verwendung der Quellen verwandt ist. Es geht in die Richtung der lat. elegischen Kom., die unter starkem Einfluß von Plautus und Terenz stehen. De Rojas schuf ein Werk in einheimischer Sprache, das zwei Arten von Publikum voraussetzt, ein breiteres und ein gebildeteres, das die häufigen Anspielungen auf klass. Lit. genießen konnte, wie z.B. in der Charakterisierung der Protagonistin, der Kupplerin, die durch die

Vermittlung der Trotaconventos im Arcipreste und der Kupplerin des *Pamphilus* ihre Herkunft von den Kupplerinnen der griech.-röm. Kom. nicht verleugnen kann.

Im Bereich des Theaters leistete Juan del Encina (1468–1529), eine wichtige Persönlichkeit in der Zeit des Übergangs vom MA zur Ren., Grundlegendes. Er war ein Mann von großer Bildung, ein Kenner sowohl der klass. wie auch der zeitgenössischen Lit. und ein guter Musiker. Seine *Arte de poesía castellana* (»Kastilische Dichtkunst«, 1496) hatte normgebende Kraft für die span. Poesie: Durch den provenzalischen Einfluß setzten sich die Vorschriften der klass. und der it. Poetik eines Dante und Petrarca durch. Dieses Bemühen um die Übertragung der klass. Kultur in die Gegenwart ist die Haupteigenschaft seiner *Bucólicas* (»Bukolische Dichtungen«), in denen er die *Eklogen* Vergils überträgt. Seine *Églogas representadas* (»Eklogen in szenischer Darst.«), sowohl die rel. wie die weltlichen, die eine wichtige Verbindung zum Theater des 16. und 17. Jh. bilden, sind eine interessante Mischung aus popularisierenden Elementen und einer klaren human. Einstellung, bes. in der neuplatonischen Auffassung des Lebens und der Liebe, in der die Suche nach Harmonie durch die Protagonisten im Vordergrund steht.

Wenn man einen hypothetischen Einfluß der lat. Liebeslit. auf die galizisch-portugiesische Lyr. außer acht läßt, muß man außerhalb von Kastilien die Aufmerksamkeit bes. auf die Lit. der *Corona de Aragón* (»Krone von Aragon«) richten, die die Verbindungen zu It. und dem Orient nie ganz abgebrochen hatte und in der Morisken (Mauren, die nach der *Reconquista* in S. blieben) und Juden länger präsent waren. Ein guter Beleg hierfür sind die umfangreichen Kenntnisse von Arnau de Vilanova (1237/38–1311), einem Arzt der königlichen Familie von Aragon, der in den traditionelleren Kreisen der Univ. nicht gut angesehen war. Ähnlich zeigten Raimon Lull und v.a. Francesc Eiximenis (1327–1408?) auf der einen Seite eine deutlich ma. und enzyklopädische Haltung, geprägt von tiefer Religiosität, auf der anderen Seite jedoch teilten sie mit der zeitgenössischen kastilischen Erneuerungsbewegung das Bestreben, das Wissen einem breiten Publikum zur Verfügung zu stellen, weshalb sie auf Katalanisch schrieben. In dem *Llibre de les dones* (»B. von den Frauen«) z.B. verspottet Eiximenis (1396), in klass. Trad. stehend, die sich über das MA erhalten hatte, die Laster der Frauen, gleichzeitig sucht er sie jedoch zu belehren. Am E. des MA wurde in der *Corona de Aragón* der provenzalische durch den it. Einfluß verdrängt, so daß im Laufe des 15. Jh. eine starke human. Bewegung entstand, deren Anhänger in Katalanisch schrieben und die klass. Texte gut kannten, deren Übers. sie sich widmeten. Antoni Vilaragut, der Seneca übersetzte, und Antoni Canals (ca. 1352–1415/1419) mit seinen Übers. von Valerius Maximus, Seneca und Petrarca kennzeichnen den Übergang vom ma. zum human. Denken und nehmen Bernat Metge vorweg (ca. 1350–1413). Metge ist ein Humanist, dessen Werke den Einfluß der klass. griech.-lat. Lit.

sowohl in der Syntax als auch in den Themen deutlich zeigen. Seine *Apologie* (ca. 1395) ist eine Nachahmung des *Secretum* Petrarcas, sein Werk *Lo somni* (»Die Träume«, 1398/99) erzählt einen angeblichen Traum, in dem er sich über persönliche, polit. und rel. Angelegenheiten mit großen Toten unterhält, mit Personen der Myth., Orpheus und Teiresias, und Juan I. de Aragón.

Die Lyr. des 15. Jh. weist eindeutige Merkmale der klass. Lit. auf, seit den Gedichten von Jordi de San Jordi (1400–1424?), der den Höhepunkt der Hoflyr. bildet, in der man schon Einflüsse der neuen it. Züge sehen kann, bis hin zur überragenden Persönlichkeit von Ausiàs March (1397–1459) und den herausragenden Dichtern der 2. H. des Jh., wie Sor Isabel de Villena, Jaume Roig, Joanot Martorell, Joan Roís de Corella, die schon vollkommen in der human. Trad. stehen.

Auch auf die Politik hat die Ant. schon immer Einfluß gehabt. Seit dem Beginn des 13. Jh. gab die gleichzeitige Rezeption der Aristotelischen Philos. und des röm. Rechts den Anstoß dazu, neuen Ideen über die Macht und die polit. Beziehungen zw. den einzelnen Völkern zur Geltung zu verhelfen – mit der Konsequenz, die Macht des Herrschers zu stärken. Alfonso de Borja (1378–1458), der spätere Papst Calixtus III. im J. 1455, war ein großer Kenner des röm. Rechts und der Aristotelischen Philos. und baute auf diesen seine Ideen über die *auctoritas* des Papsttums auf. Überzeugt davon, daß er einen starken territorialen Staat benötige, um wirklich unabhängig zu sein, begann er, den Konzepten des Aristoteles folgend, den Kampf gegen den feudalen Adel, eine Politik, die sein Neffe Alexander VI., auch er ein anerkannter Jurist, als Papst fortführte. Der größte Exponent dieser Richtung war César de Borja (Cesare Borgia), mit dem er eine solide Machtbasis im Zentrum It. herzustellen versuchte. Dies ging so weit, daß César als eine Art Erlöser des bedrängten It. galt. So sieht es Macchiavelli, der ihn bei der Abfassung seines *Il Principe* (»Der Fürst«, 1513) vor Augen hatte.

In der Architektur übte die Ant. durch die Vermittlung des Papsttums einen beträchtlichen Einfluß aus. In S. zeigte neben den bekannten it. Abh., die bald mit wichtigen Sammlungen von Abb. importiert wurden, Vitruvs *De architectura* Wirkung. Im J. 1526 veröffentlichte Diego Sagredo in Toledo *Medidas del Romano* (»Maßstäbe des Röm.«), das viele Auflagen erlebte. Es ist ein kurzes und einfaches, von Vitruv inspiriertes Handbuch, das sehr nützlich für die für die Ornamente zuständigen Handwerker war, weil sie die neuen »röm.« Richtlinien an bereits existierenden Gebäuden anwenden mußten. Dieser Einfluß war bes. bedeutend in Valencia, der zu diesem Zeitpunkt mächtigsten Stadt der *Corona de Aragón*, die in der Erneuerung der Künste durch ihre polit. und rel. Beziehungen zu It. eine herausragende Rolle spielte, und dies bes. dank der Borja-Päpste, die aus Valencia stammten und sich mit Valencianern zu umgeben pflegten. Auf ihr Betreiben kamen Künstler aus It. nach S. über den Hafen von Valencia als Eingangspforte. Noch h. kann man in Va-

lencia zahlreiche bürgerliche wie sakrale Bauten und Ornamente an Gebäuden im Stil der Ren.-Architektur inmitten einer städtischen Struktur von ma. Prägung sehen: die Kapelle aus Alabaster in der Kathedrale (1510), den Palau de la Generalitat (begonnen im J. 1482 und 1510 wieder aufgebaut), das Kloster von Santo Domingo in got. Stil, das im J. 1585 eine Fassade im Renaissancestil erhielt, die angeblich von König Felipe II. entworfen worden war, und v. a. die Lonja (»Börse«), die 1996 von der UNESCO zum Weltkulturerbe erhoben wurde. Die Lonja ist eines der wichtigsten europ. Monumente der bürgerlichen Gotik, inspiriert von der Lonja von Mallorca. Ihre Entstehungszeit liegt zw. dem 15. und 16. Jh., so daß zahlreiche Ornamente im Renaissancestil eingefügt wurden; sie besitzt einen *hortus conclusus*, einen dem klass.-röm. Modell folgenden Garten im Inneren. Die Gärten der vornehmen Häuser von Valencia, die in die Häuser integriert und in geom. Formen, mit Wasserspielen versehen, angelegt wurden, spiegeln die Überlegungen von Alberti und Serlio über die Gärten wider, die sich an den Beschreibungen des jüngeren Plinius orientieren und durch ihre Kenntnis röm. Villen geprägt sind.

Die polit. und kommerziellen Kontakte mit dem Ausland brachten Persönlichkeiten hervor, die die Ren. in S. heimisch machten, wie z. B. Garcilaso de la Vega (1501/1503–1536), dessen exquisite klass. Erziehung besaß, die den Einfluß der it. Lit. und des Ausias March mit den klass. Autoren verband. Als Beispiel diene seine *Égloga III*, in der vier Nymphen am Ufer des Tajo vier unglückliche Liebesgeschichten weben, die des Orpheus und der Eurydike, Apollons und Daphnes, der Venus und des Adonis und die des Nemoroso und der Elisa, welche den Autor und seine Geliebte symbolisieren. Garcilaso wurde durch seine Einführung neuer Metren zum Vorbild für die Dichter seiner Zeit und verhalf dadurch der klass. ant. Kultur in S. zu einer größeren Präsenz. Nur einige Namen seien angeführt: Fray Luis de León (1527–1591), in dessen Schaffen die in der Nachfolge des Horaz stehende Bewegung ihre Vollendung erreicht, die mit Garcilaso begonnen hatte. Lukian und die bukolische Dichtung wirkten auf die Dichtung wie auf die Romanschriftstellerei; zu nennen sind Autoren wie Lope de Vega, Calderón de la Barca, Góngora und Quevedo. Alle diese Schriftsteller verbinden die Rezeption der ant. Lit. mit volkstümlichen oder rel. Elementen.

E. KUNST

Aufgrund der Möglichkeit der seit der Ant. praktizierten allegorischen Interpretation wird die ant. Myth. in apologetische Schriften unterschiedlicher Art integriert – angefangen bei Exempla-Sammlungen oder Geschichten zum Gebrauch der Lehrer und Prediger bis hin zu theologischen Abh., von denen die Mythen der Ant. in Harmonie mit Gestalten der Bibel ihren Weg in die Ornamente sakraler Gebäude fanden. Seit dem MA wurde die Myth. bei den rel. Festen, die häufig pagane Feste substituierten, bes. bei denen, die mit dramatischen Elementen angereichert waren, wie auch im einsetzenden ma. Theater reichlich in der Bühnendekoration und im Schmuck, in Kostümen und in der Darstellung allegorischer Figuren eingesetzt. Wir sind über diese Feierlichkeiten einerseits durch lit. Beschreibung informiert, andererseits durch Trad., die sich bis h. mit einer relativen Stabilität erhalten haben, wie im Fall des *Misterio de Elche*, das vor kurzem von der UNESCO als Weltkulturerbe aufgenommen wurde, oder der Fronleichnamsprozession. Mit der Ren. hielt die ant. Welt Einzug in die Künste, zunächst in bes. Maße bei der in Bauwerke integrierten Skulptur, bei Reliefs und dekorativen Friesen, an Fassaden und in Höfen von Ren.-Gebäuden, in den Kirchen bei Säulen, Friesen, Gemälden und anderem. Aber auch in der Malerei hinterließ die Myth. ihre Spuren: Zwar sind in S. im 16. Jh. kaum Gemälde myth. Inhalts erhalten, die Wandmalerei jedoch, die anfangs von ausländischen Künstlern ausgeübt wurde, v. a. von Italienern, deren Stil die Spanier fortsetzten, nahm einen beträchtlichen Aufschwung. Man denke an die myth. Fresken der Ren.-Paläste wie die von Cincinati in Guadalajara, die von Becerra in El Pardo oder die im Palast des Viso del Marqués de Santa Cruz (h. Sitz des Marinearchivs und des Museo de Bazán), das wichtigste span. Monument in dieser Hinsicht, mit vielen tausend Quadratmetern an Stuckaturen und Bildern, die myth. Szenen oder die Geschichte Roms darstellen. Man kann die Präsenz der europ. Kunst am Hofe und in seinem Einflußbereich aus dem Wunsch erklären, sich in die neue Richtung des human. Denkens einzubinden und sich auf Europa hin auszurichten, eine Bewegung, die mit der kurz vorher erworbenen Einheit der Länder und der Herrschaft über die amerikanischen Gebiete einsetzte. Zeugnis sind z. B. in El Escorial die Gemälde in der Pinakothek oder die Fresken der Kapitelsäle oder in der großartigen Bibliothek. Die am häufigsten dargestellten Figuren sind Venus, die als Vorwand genommen wurde, um behutsam weibliche Akte darzustellen, und Hercules, welcher, abgesehen von seiner Identifikation mit Christus, eine bes. Beziehung zu S. hat, da er als Begründer der span. Monarchie galt. Die meisten anderen Themen sind durch die *Metamorphosen* Ovids inspiriert.

Während des 17. Jh. erlebten die künstlerischen Tätigkeiten aufgrund der Gegenreformation einen Niedergang. Die Inquisition verbot die Darstellung nackter Figuren auf öffentlichen Plätzen und in den »gemeinschaftlichen Räumen« der Häuser. Gleichzeitig ergab die wirtschaftliche Lage, daß nur das aufstrebende Bürgertum und der Hof, der sich eine gewisse Zeit als wahrer Anziehungspunkt für europ. Künstler erwies, die finanziellen Träger von Kunst jeder Art waren. Zentren waren Madrid und Sevilla, in denen die Kunst als Instrument zur Verbreitung ideologischer Werte genutzt wurde, zur Legitimation der Macht im Falle des Hofes und des Prestiges der einflußreichen Familien. Die bevorzugten Themen bleiben daher die Heroen und das Heroische, bes. Hercules und die aus Ovids *Metamor-*

phosen stammenden Motive, die allegorisch gedeutet wurden. Einen Hinweis auf die Stimmung der Zeit bietet die Vorliebe, die innerhalb der verschiedenen Liebesgeschichten der Venus Adonis genoß, bes. in den Schmerzensszenen seines Todes.

Obwohl nach der Gründung der Academia de Bellas Artes (»Akad. der schönen Künste«) in der 2. H. des 18. Jh. ein klass. ästhetischer Kanon entsprechend den Tendenzen im restlichen Europa festgelegt worden war, wobei Anton Rafael Mengs, der Direktor der Akad. von Madrid, eine wichtige Rolle spielte, zeigten einige Maler eine originelle Einstellung gegenüber den klass. Themen. Besonders deutlich ist dies bei Velázquez und Goya. Man hat den Realismus in der span. Lit. der Zeit mit den Bildern von Diego Velázquez (1599–1660) in Verbindung gebracht, dessen myth. Figuren im Kontrast zu dem gewöhnlichen Stil vergleichbarer Werke stehen. Sie scheinen gleichsam als Modelle dazusitzen, wie sein Bacchus in *El triunfo de Baco* (»Der Triumph des Bacchus«) oder *Los borrachos* (»Die Betrunkenen«), gemalt in humorvoller Art, rücksichtslos und volkstümlich. Beeinflußt von der it. Malerei der Zeit, stellt Velázquez myth. Themen dar wie *La fragua de Vulcano* (»Vulcans Schmiede«) oder seine berühmte *Venus del espejo* (»Venus vor dem Spiegel«), der erste weibliche Akt in der span. Malerei. Obwohl Velázquez mit dem Schutz von Felipe IV. rechnen konnte, malte er sie, um dem Bannstrahl der Inquisition zu entgehen, diskret von hinten, lediglich ihr Gesicht ist im Spiegel zu sehen. Gegen E. seines Lebens nahm er die myth. Thematik wieder auf. Ein gutes Beispiel seiner Herangehensweise ist *Las hilanderas* (»Die Spinnerinnen«). Das myth. Motiv, Athene und Arachne, ist sozusagen der Vorwand, um eine Szene aus dem Arbeitsleben wiederzugeben und so mit Lösungen von Problemen zu experimentieren, die Velázquez beschäftigten: der Darstellung von bewegten Formen.

Francisco Goya (1746–1828) behandelte unter dem Druck offizieller Aufträge in einer ersten Phase die Myth. auf eine akad. Art. Zu dieser Periode gehören konventionelle Werke wie *La muerte de Adonis* (»Der Tod des Adonis«, 1767/68), *Sacrificio a Pan* (»Opfer für Pan«) und *Sacrificio a Vesta* (»Opfer für Vesta«, 1771). Jedoch schon in *Hércules y Ónfale* (»Hercules und Omphale«, 1784) kann man, obwohl es in der Blütezeit des durch Mengs etablierten Neoklassizismus entstanden ist, eine bes. Behandlung des Themas beobachten. Goya wählt nicht die erotische, sondern die komische Perspektive. Seine Distanz zur akad. Ästhetik ist evident in *La maja desnuda* (»Das nackte Mädchen«, 1800), einem Akt, dessen einziger Vorgänger Velázquez' *Venus del espejo* war: Es handelt sich um eine junge Frau, die die Pose der liegenden Venus nachahmt, allerdings im wachen Zustand, mit unschicklichen Körperformen und einem unverschämten Blick, was dem Maler eine Anklage vor der Inquisition einbrachte. Denselben Abstand von der akad. Ästhetik weist *La Marquesa de Santa Cruz* (1805) auf: ein Mädchen in halb liegender Stellung, geschmückt mit einer Krone aus Blumen, wie eine

Muse dasitzend. Als Goya sich wieder Themen der klass. Welt zuwandte, tat er das in Werken, die er zum eigenen Vergnügen herstellte, in den *Pinturas Negras* (»Schwarzen Bildern«) an den Wänden seiner *Quinta del sordo* (»Landhaus des Tauben«), die sich h., mit Rahmen versehen, im Prado befinden. Goya, alt, krank, abgestoßen von der menschlichen Dummheit und Brutalität, verfolgt vom Pöbel und der Macht, reflektiert mit Bitterkeit über die Gesellschaft in *Las tres Parcas* (»Die drei Parzen«) und *Saturno*, einer Mischung aus schwarzem Humor und schrecklichem Alptraum, einem Vorläufer der künftigen Experimente des Expressionismus und Surrealismus.

F. Musik

Was die Musik und ihre Verbindung zur Ant. betrifft, so sind – mehr als die große Anzahl von Komponisten – die Reflexionen von Bartolomé Ramos de Pareja, der im J. 1482 seine *Musica practica* in Bologna veröffentlichte, v. a. aber Antonio Eximeno (1729–1808) und Esteban de Arteaga (1747–1799), die wichtigsten Vertreter enzyklopädischer Ideale, die sich für eine Reform des musikalischen Dramas einsetzten, hervorzuheben. Arteaga schrieb eine umfangreiche Geschichte des musikalischen Theaters, in der er dem lit. Text die erste Rolle zuwies, vollkommen in Übereinstimmung mit der griech. Trad., die er sehr gut kannte. Seine Komm. über die Entartung der Instrumentalmusik erinnern an die späten Texte Platons (z. B. Plat. leg. 700a). Eximeno setzte sich für die Befreiung der Musik von den komplexen Regeln der Komposition ein, die ihren Ursprung in pythagoreischen Überlegungen hatten, und schätzte bes., ganz im Einklang mit aristotelischen Interpretationen, die Möglichkeit, musikalisch Gefühle auszudrücken und den Geist anzuregen. Während für Arteaga die Musik dem Text unterworfen ist, entstehen Musik und Wort für Eximeno aus dem menschlichen Gefühl und sollen das Ziel haben, Emotionen auszudrücken. Dieser Gedanke gewann einen großen Einfluß auf die Romantik. Ein Zeitgenosse dieser Persönlichkeiten war Vicente Martín y Soler (1754–1806), ein sehr angesehener Musiker, der Musik für Ballette und Opern in it. Art komponierte.

Eine typisch span. musikalische Gattung ist die Zarzuela, in der sich gesprochene und gesungene Passagen abwechseln. Die erste, *El golfo de las sirenas* (»Der Golf der Sirenen«) von Calderón de la Barca, stammt aus dem J. 1657. In demselben J. entstand *El laurel de Apolo* (»Der Lorbeer des Apoll«). Die Thematik ist der klass. Myth. entnommen, aber auch den Geschichten von span. Königen und heldenhaften Kämpfern, ausgestattet mit einer komplizierten Bühnenmalerei und aufwendiger Theatermaschinerie. Der Aufschwung der Oper nach it. Stil leitete den Niedergang der Zarzuela ein, die mit einer Sitten zeichnenden Thematik wieder aufgenommen wurde.

G. Moderne
1. Literatur

In jüngerer Zeit haben die Strömungen in der Kunst, die mehr zur Avantgarde gehören, in unterschiedlicher Art und Weise ihren Blick auf die klass. Welt gerichtet, die für »Vergangenheit« entweder im Konzeptuellen oder Formalen steht. Die Tatsache, daß diese Künstler sich der Ant. zuwenden, ist ein Beweis der beständigen Präsenz klass. Kultur unter den Künstlern, aber auch beim Publikum, für das diese Werke bestimmt sind, wobei man ständig den Rezipientenkreis zu erweitern sucht. Dies trifft mit den Bestrebungen zusammen, Bildung allen zugänglich zu machen, und dies führt zu einer zwar nicht qualitativen, aber doch quantitativen Erweiterung des Interesses an der Ant., das seinen Niederschlag auch in verschiedenen populären Publikationen findet (Anthologien, Zusammenfassungen wichtiger klass. Werke, Lex. verschiedener Art, Zusammenstellungen von Zitaten und bestimmten Ausdrücken auf Lat. u. a. m.). Ebenso entsteht eine Vielzahl zuverlässiger Übers., die den Bedürfnissen eines allgemeineren Publikums angepaßt sind und somit die ant. Lit. breiteren Kreisen zugänglich machen.

Eine bes. Erwähnung verdienen Bearbeitungen klass. Werke oder Darstellungen der ant. Geschichte für Kinder. Im J. 1873 veröffentlichte der Verlag Bastidos e Hijo in Barcelona die *Mitología contada a los niños e historia de los grandes hombres de Grecia* (»Mythologie, erzählt für Kinder, und die Geschichte großer Persönlichkeiten aus Griechenland«), die kurze Erzählungen von Cecilia Bohl de Faber (die unter dem Pseudonym Fernán Caballero schrieb) enthält. Das B. hatte großen Erfolg und wurde in kurzer Zeit mehrmals aufgelegt. Ebenfalls erfolgreich war das B. von Antonio Moya de la Torre, *Compendio de mitología con aplicaciones morales y notas geográficas para uso de niños y especialmente para las escuelas de adultos* (»Kompendium der Myth. mit moralischer Anwendung und geogr. Anm. für den Gebrauch der Kinder und bes. für die Schulen für Erwachsenenbildung«), erschienen im Verlag von Carlos Verdejo in Valencia im J. 1882. Zu Anf. des 20. Jh. setzten sich einige Verlage als Teil ihrer Verlagspolitik zum Ziel, für Kinder und Jugendliche geeignete Erzählungen herauszugeben, so z. B. der Verlag Saturnino Calleja (1876 gegr.), der in seiner Reihe *Biblioteca Perla* Meisterwerke der Erzählkunst, z. T. in billigen und somit weit verbreiteten Ausgaben edierte. Der Verlag José Ballesta (Barcelona und Buenos Aires) begründete eine Reihe, *Cuentos Ballesta*, in der neben den *Aventuras de Telémaco* (»Abenteuer des Telemach«) auch die *Ilias* in der Übers. von Juan G. Olmedilla veröffentlicht wurde. Sehr verdienstvoll ist die Leistung des Verlags Araluce, der vier Reihen publizierte, in denen mit der klass. Trad. verbundene Texte erschienen, u. a.: *Los mejores cuentos de todos los países* (»Die besten Geschichten aus allen Ländern«), *Los grandes hechos de los grandes hombres* (»Die großen Taten großer Menschen«), *Páginas brillantes de la Historia* (»Sternstunden der Geschichte«) und *Las obras maestras al alcance de los niños* (»Meisterwerke für Kinder«). Diese B. spielten eine wichtige Rolle in der Verbreitung der Welt der Ant. unter den Kindern mehrerer Generationen, denn sie wurden wiederholt aufgelegt, wie *Flor de leyendas* (»Blume der Legenden«) des Dramaturgen Alejandro Casona (1903–1965), ein B., für das er den Premio Nacional de Literatura im J. 1934 erhielt. Casona bearbeitete einige Meisterwerke der Lit. wie die *Mahabharata*, den *Cantar del Mio Cid* (»Gesang von Mio Cid«) oder die *Ilias* für Kinder. Die Werke erfuhren eine große Verbreitung bis in die jüngste Vergangenheit hinein und trugen wesentlich zur Verbreitung der ant. Welt unter Jugendlichen bei; für viele blieben sie die einzige Annäherung an die Antike.

Als Beispiel für die Bed., die die Autoren für die kulturelle Erziehung und die Verbreitung der ant. Kultur haben, mag das Werk einer Frau dienen, die ihr ganzes Leben der pädagogischen Tätigkeit im weitesten Sinne des Wortes widmete, und bes. der Ausbildung der Frauen in einem feministischem Rahmen: Carmen de Burgos (bekannt unter dem Pseudonym Colombine), Schriftstellerin, Herausgeberin einer Zeitung und Lehrerin, Kriegskorrespondentin in Marokko und eine energische Verteidigerin der Scheidung und der Gleichberechtigung der Frau. In *La mujer fantástica* (»Die fantastische Frau«, 1924) ist die Hauptfigur, ausgestattet mit vielen Anspielungen an die homer. Helena, eine mod. Elena, ein unbesonnenes und kokettes Salonpüppchen, die durch die großen Städte Europas mit diversen Liebhabern und ihrem Ehemann reist und am Schluß von allen verlassen wird. In diesem B. stellt Colombine den negativen Aspekt der Emanzipation der Frau dar, der nur auf der sexuellen Freiheit basiert, während die Autorin in der Kurzgeschichte *La mujer fría* (»Die kalte Frau«) ein Opfer der Gesellschaft darstellt. Die Hauptfigur ist eine Person, die in klass. Wurzeln verankert ist, eine Wiedergängerin, der sie Züge der Sirene und der Galatea von Pygmalion hinzufügt, um eine originelle Gestalt zu kreieren, eine gebildete und zarte Frau, die durch die Gesellschaft zum Opfer wird.

Im Rahmen dieses Beitr. kann auf die komplexen Beziehungen zur klass. Welt im Werk von Benito Pérez Galdós, in seinen Romanen *Electra* und *Casandra*, nicht eingegangen werden, ebensowenig auf Reflexe von Horaz' Dichtungen in den Gedichten von Antonio Machado oder auf den Einfluß der klass. Lit. auf Miguel Hernández; all diese Aspekte sind weitgehend bekannt und behandelt. Im 19./20. Jh. war die klass. Welt in allen lit. Gattungen ständig präsent. Dies hat seine Ursachen in der fortschreitenden Verbreitung der Studien und in der akad. Herkunft der Schriftsteller, von denen viele sich der Lehre widmeten. Einige wichtige, unterschiedlichen Strömungen angehörende Persönlichkeiten sollen vorgestellt werden: Eduardo Pondal (1835–1917), ein Dichter aus Galizien, wollte bewußt der galizische Homer des Keltentums werden, in dem er die größte Blüte Galiziens verwirklicht sah. Um diese Epoche zu besingen, bediente er sich im Positiven der hell. (Homer

und Tyrtaios) und im Negativen der röm. Welt. Die Römer werden als Antagonisten der Kelten gesehen, als Unterdrücker dessen, der sich auflehnt, des Sklaven oder anon. Gladiators. Indem Pondal den Sturz des Helden darstellt, ruft er dazu auf, inspiriert durch die Werte der homer. und spartanischen Gesellschaft, gegen die Unterdrückung zu kämpfen. In anderer Hinsicht, aber auch mit einer gesellschaftlich-polit. Intention stellte der katalanische Schriftsteller Salvador Espriu (1913–1985) die klass. Welt dar, die ein immer wiederkehrendes Thema in seinen Werken ist, sowohl in seinen Theaterstücken wie seinen verschiedenen Antigone-Dramen (1939 und 1963/64), seiner *Fedra*, einer Übers. des Stücks von Llorenç Villalonga (1936), und *Un altra Fedra, si us plau* (»Eine andere Phädra, bitte« 1977), als auch in den Erzählungen *Ariadna al laberint grotesc* (»Ariadne im grotesken Labyrinth«,1939) und seinen Gedichten, z.B. in *Les cançons d'Ariadna* (»Ariadnes Gesänge«, 1949) oder *Les roques, el mar i el blau* (»Die Felsen, das Meer und das Blau«, 1981).

Die ersten J. des 20. Jh. können als Beginn der lit. Avantgarde in S. bezeichnet werden. Auch den Autoren, die sich ihr nicht zugehörig fühlten, war sie eine Hilfe, um ihren eigenen Stil zu finden. Die polit. Situation in S., die kurze Zeit darauf den Bürgerkrieg auslöste, setzte dieser Annäherung allerdings ein E., die meisten Schriftsteller waren zu polit. oder sozialen Kompromissen gezwungen. Dies ist z.B. der Fall bei Max Aub, der immer Interesse für die klass. Welt bewiesen hat. Interessant sind insbes. seine Reflexionen über das klass. Theater. In einem frühen kurzen Art., *Seneca Dramaturgo*, veröffentlicht im Sprachrohr der künstlerischen span. Avantgarde, *La Gaceta Literaria 26* (15. Januar 1928), nimmt er eine Rehabilitation Senecas und seiner Trag. vor und tritt vehement für die Wiederaufführung der Stücke ein. Er wandte sich direkt an die große Schauspielerin María Guerrero mit der nachdrücklichen Bitte, die Rolle der Phaedra, der Hekabe in den *Troerinnen* und der Medea zu übernehmen. Für ihn konnte das Bemühen um die Erneuerung des Theaters nur vom griech. Theater ausgehen. Aber auch in seinen Gedichten, einer Gattung, die Aub nicht sehr pflegte, zeigt er seine Beziehung zur Ant.: ›¡Ay mi Casandra, la de ojos de nube, / garza real de montes legendarios, / raíz, y tronco, y fronda milenarios, / quien te tuviera como yo te tuve!‹ (»Oh meine Kassandra, die mit den Augen wie Wolken, / Fischreiher von sagenhaften Bergen / Wurzel und Stamm und jahrtausendlanges Grün, / wer hätte dich gehabt so wie ich!«). Mit diesen V. beginnt Aub einen kleinen Gedichtband, der 1930 veröffentlicht wurde und von dem er nur Exemplare für die Schriftsteller, mit denen er befreundet war, anfertigte und bei dem die Maler Genaro Lahuerta und Pedro Sánchez mitwirkten. Diese Maler, Anhänger der künstlerischen Erneuerung, verzierten die Initialen der Gedichte, als ob es sich um ein Manuskript handelte. Die gesellschaftliche und polit. Lage S. trieb Aub ins Exil und brachte ihn dazu, neue schriftstellerische Wege zu suchen.

Viele Autoren, die eine entscheidende Rolle bei der lit. Erneuerung spielen, bezogen sich auf die klass. Welt. In manchen Fällen nahmen sie sie als Symbol einer Vergangenheit, die man überwinden wollte oder über die man reflektieren sollte, wie Juan Goytisolo, der nach einer Experimentierphase ab 1966 seine Richtung änderte und in der Trilogie *La destrucción de la España sagrada* (»Zerstörung des hl. S.«) mit dem formalen Experiment eine tiefe Kritik des traditionellen S. verband. In diesem Kontext bedient er sich der klass. Ant. als Zeichen des Überlebens von Werten, die die Trad. konstituieren, welche er eigentlich ablehnt. Gleichzeitig stellt für Luis Goytisolo die klass. Welt einen ständigen Bezugspunkt für Gefühle und Gedanken dar, was so weit geht, daß in *La cólera de Aquiles* (»Der Zorn Achills«, 1979), einem persönlichen Tagebuch einer Frau, die Belagerung Trojas zu einer Metapher der geistigen Entwicklung der Hauptfigur wird. Zugleich werden ständige Anspielungen auf klass. Texte eingefügt, die wörtlich wiedergegeben und als eigene Gedanken ausgegeben werden, gelegentlich ohne die Quelle anzugeben, wie z. B. bei einem Sappho-Frg.: ›Wie mit Recht diese Person schrieb, die ich manchmal zu hassen geneigt bin wegen der vielen Plagiate mir gegenüber, wobei sie allein in der Zeit mir zuvorkommt: du bist gekommen und ich liebte dich; und du schüttetest eine eisige Kälte auf mein in Sehnsucht entbranntes Herz. Du schienst mir ein kleines Mädchen ohne Reiz zu sein. Ich liebte dich seit langer Zeit.‹

Zeugnis für die Bed. der ant. Kultur ist das Werk von Vicente Muñoz Puelles, der mit Erfolg verschiedene Gattungen pflegte. In einigen seiner Werke bildet die klass. Welt ein zentrales Element, indem sie ständig mit der Gegenwart oder anderen Epochen in Bezug gesetzt wird, so in *Campos de Marte* (»Marsfelder«, 1985), in dem verschiedene Schriftsteller, unter ihnen Aischylos, den in ihrer Stadt herrschenden Krieg beschreiben, oder in *El legado de Hipatia* (»Der Nachlaß der Hypatia«, 2002), einer Kurzgeschichte, in der der Autor über seine Beziehung zu der Philosophin schreibt und mit der Aussage endet: ›Was ist also daran verwunderlich, daß (...) eine ausgezeichnete Frau, die die Bibl. von Alexandria zu Lebzeiten nicht retten konnte, aus einem Roman entschlüpft ist, um zu verhindern, daß die B. ihres innigen Verehrers verbrannt werden?‹

Zeichen der allg. Geltung der Ant. in breiten Schichten der Gesellschaft ist der Erfolg, den in S. der histor. Roman mit ant. Thematik hat, eine Gattung, die bis vor kurzem, abgesehen von einigen Versuchen, nicht gepflegt wurde und in den letzten Jahrzehnten äußerst erfolgreich geworden ist, angeregt durch Werke ausländischer Autoren. Zu nennen sind *El ciego de Quíos* (»Der Blinde aus Chios«) von Antonio Prieto (1996), *El libro de Michael* (»Das B. von Michael«) von Fermín Cobos (1997), *Clama el silencio* (»Es ruft die Stille«) von Salvador García Aguilar (1990) oder der Kriminalroman von José Carlos Somoza, *La caverna de las ideas* (»Die Ideengrotte«, 2000).

2. THEATER

Von allen lit. Gattungen stand zweifelsohne das Theater der klass. Welt immer am nächsten, seit der Ausbildung des weltlichen Theaters durch Autoren wie Juan del Encina, Lope de Vega und Calderón de la Barca, die immer ein ambivalentes Verhältnis zu den aristotelischen Normen der Dichtkunst wahrten. Unter formalen Gesichtspunkten stellte das griech. Theater für sie teils ein Modell dar, teils wurde es abgelehnt. In einigen Fällen suchte man bei ihm Vorbilder für die Struktur der dramatischen Texte und die sprachliche Gestaltung, in anderen Fällen lehnte man es ab. Die teilweise Unkenntnis der griech. dramatischen Gattungen führte zu der paradoxen Situation, daß man sich ihnen annäherte, obwohl man dies eigentlich vermeiden wollte. Was die Themen betrifft, machte die offene Interpretation der ant. Mythen es möglich, daß man sie ununterbrochen mit verschiedenen Zielen im Laufe der Jh. verwendete, ob als Mythenallegorese (→ Mythos) oder rein ornamental im Theater des *Siglo de Oro* (»Goldenen Jh.«), v. a. bei Lope de Vega und Calderón de la Barca, oder symbolistisch im mod. Theater. Die Verwendung von Mythen kann man im Falle der »Übers.« (wie sie in der Vergangenheit verstanden wurden, d. h., als freie Übertragungen) untersuchen, so z. B. bei Magister Hernán Pérez de Oliva (1497–1537), der sich in die lit. Tätigkeit einzuüben begann, indem er einige griech. Trag. ins Span. übertrug, unter ihnen *La venganza de Agamenón* (»Die Rache für Agamemnon«, 1583), die viel Resonanz unter den Humanisten und den zeitgenössischen Autoren fand. Es folgte die *Elektra* des Sophokles, mit zahlreichen Änderungen übertragen, die auf *La Vingança de Agamenon* (»Die Rache für Agamemnon«) von Anrique Ayres Victoria (1536) basierte und J. später von García de la Huerta in Versform mit dem Titel *Agamemnón Vengado* (»Der gerächte Agamemnon«, 1768) übertragen wurde – mit erneuten Veränderungen wie der vollständigen Abschaffung des Chores, der Einführung von Phaedra als Begleiterin der Elektra und der Auslassung des blutigen Höhepunkts am E. des Schauspiels.

Heute ist der Einfluß des ant. Theaters nachhaltig und erfolgt auf verschiedenen Wegen: Zum direkten Einfluß der griech. Werke, insofern sie zum kulturellen Hintergrund der Autoren gehören, tritt der Einfluß durch die Avantgarden des europ. Theaters hinzu, die stark von dem klass. Theater in verschiedenen Aspekten (Thematik, Konzeption der Handlung und Charaktere, rituelles Element, → Griechische Tragödie, → Theater) beeinflußt sind. Der beständige Versuch, das Theater zu erneuern, führt die Dramatiker unter Überwindung des poetologischen Regelwerks zu den urspr. Quellen der Lit. zurück, wodurch eine beständige direkte Annäherung an das griech. Theater zustandekommt. Unter den ersten Versuchen im 20. Jh. muß man Miguel de Unamuno erwähnen, dessen direkter Einfluß auf das zeitgenössische Theater nicht groß war, da seine Werke zu seiner Zeit wenig Erfolg hatten, aber sie beeinflußten, wie auch seine Reflexionen über das Theater, die späteren Autoren um so mehr. Ein Merkmal im Denken Unamunos sind die stetige Frage nach dem Wesen der span. Trad. und die Reflexion über die Religion, die ihm den tragischen Sinn des menschlichen Lebens eröffnet, was wiederum mit der Grundtendenz der griech. Trag. übereinstimmt. Sein Theater kann als Rückkehr zum klass. griech. Theater angesehen werden. Er schreibt Stücke über die Grundlagen des menschlichen Daseins, in denen er, um den tragischen Konflikt intensiver zu gestalten, Bühnenmalerei und prächtige Kostümierung, wie es zu seiner Zeit üblich war, abschafft und die ›nackte Tragik‹ verteidigt, mit der ›die Trag. in ihrer ganzen erhabenen und Ehrfurcht gebietenden Majestät‹ zeigen will. Die Zurückführung des Theaters auf den lit. Text durch die Reduzierung der übrigen Medien stellen Unamuno neben Namen wie Copeau, Claudel oder Cocteau, obwohl man keinen Einfluß von diesen Autoren annehmen muß; vielmehr sind diese Innovationen ein Resultat der eigenen Reflexionen Unamunos, die auf der Kenntnis der klass. Texte basieren. Seine Vision des Theaters ist die eines Gräzisten, der einen direkten Zugang zu den großen Trag. der Ant. hat.

Tief beeinflußt hat das griech. Denken Ramón del Valle-Inclán, wie man es in *La lámpara maravilla* (»Die Wunderlampe«) sehen kann, einer Art theoretisch-ästhetischem Manifest seiner ersten Schaffensphase, in dem er Meinungen des Aristoteles, der pythagoreischen Philos., des Neuplatonismus und gnostische Strömungen vermischt und eine Identifikation des Autors mit einem Hellseher aufgrund des mystischen, gleichsam thaumaturgischen Vorgangs vornimmt, den der Prozeß der Mythifizierung der realen Strukturen und Ereignisse durch die Lit. darstellt. Einer der Aspekte, die Valle-Inclán mit der griech. Trag. teilt, ist die Verwendung des Mythos, die in seinem Fall in einem komplexen Veränderungsprozeß seines heimatlichen Galiziens besteht. Durch diese Stilisierung nimmt er den Orten ihre in der Zeit verankerten Züge und siedelt sie in einem mythischen Raum in einer unbestimmten Vergangenheit an, die in Wirklichkeit eine archa., urspr. Zeit ist. Basis sind die Gesellschaft, die Landschaft, die Menschen und die Lebensart Galiziens, die der Autor verfremdet, um darin seine Gedanken über die menschlichen Leidenschaften, die Antriebskräfte, die das Leben regieren, auszudrükken. Zu diesem Zweck schafft er ein Modell einer geschlossenen, statischen und archa. Gesellschaft, die voll von Aberglauben und mysterienartigen Vorstellungen ist und in der eine tiefe Wechselwirkung zw. Natürlichem und Übernatürlichem besteht. Seine *Comedias bárbaras* (»Barbarische Kom.«) sind eine Trilogie, die eine klare thematische Einheit sogar in formaler Hinsicht zeigt und deshalb nur als ganze ihre vollständige Bed. entfaltet. In ihr entwickelt er die Trag. der Familie der Montenegros, deren E. Symbol für das E. einer ganzen Weltanschauung ist. In der Groteske erweitert Valle-Inclán den Blick: Die Groteske ist die klass. Trag. der

mod. Gesellschaft, wie er selbst in *Luces de bohemia* (»Lichter der Bohème«) behauptet.

Auch die Stücke von Federico García Lorca weisen enge Beziehungen zu der griech. Trag. auf, allerdings in einem anderem Sinn, als dies bei Unamuno und Valle-Inclán der Fall ist. García Lorca strebt ein totales Theater auf einem Richard Wagner entgegengesetzten Weg an. Er sucht die Vereinigung von Gesang, Tanz und Wort in Werken, die die großen Themen der menschlichen Natur behandeln und die eine Verbindung mit der Kultur des Volkes aufweisen. Im Zentrum steht ein Protagonist, der bis zum E., bis zur Vernichtung, seine Ideale in der Auseinandersetzung mit den festgesetzten Normen vertritt.

Die Erneuerungsversuche des Theaters wurden durch den Bürgerkrieg abgebrochen. Die Konsequenzen waren: Zerfall des Volkstheaters, freiwilliges oder erzwungenes Exil von Autoren und Regisseuren, Ausgrenzung derjenigen, die sich nicht den von der dominierenden Ideologie eingeführten neuen Maßstäben unterwarfen. Das Theater litt in einer bes. Weise unter der Zensur: Der direkte Kontakt mit dem Publikum machte es für die Machthaber bes. gefährlich; um so strenger verfuhr die Zensur. Die Tatsache, daß die Genehmigung für die Aufführung eines Stückes einen Tag vor der Premiere erteilt wurde, verursachte angesichts des finanziellen Schadens, den eine Ablehnung bedeutete, eine konservative Tendenz im Theaterangebot privater Theatergruppen und führte gleichzeitig zu Versuchen, die Zensur zu überlisten, wobei insbes. die mythische Verkleidung eine wichtige Rolle spielte. Autoren wie Salvador Espriu, José Bergamín, Josep Palau i Fabre, Gonzalo Torrente Ballester, Alfonso Sastre u. a. bedienten sich der ant. Mythen, um in deren Gewand die konkreten histor. Umstände zu reflektieren und anzuprangern. Die Anspielungen blieben gelegentlich von den Zensoren unbemerkt, die oft eine nur oberflächliche Überprüfung der Stücke durchführten. Darauf ist zurückzuführen, daß sie häufig die Aufführung von Stücken von Antonio Buero Vallejo erlaubten, der am grundlegendsten die Erneuerung des span. Theaters beeinflußt hat. Auch wenn er selten den griech. Mythos rezipierte – *La tejedora de sueños* (»Die Traumstickerin«, Uraufführung 1952) mit einer Penelope, die immer noch Hoffnungen hat und sich einer durch Machtgier, die Odysseus symbolisiert, zerstörten Welt entgegenstellt, ist eine Ausnahme –, folgte er dennoch konzeptionell der griech. Trag.: Seine Dramaturgie ist gekennzeichnet durch einen unumgänglichen Kompromiß mit der unmittelbaren Realität, durch die Suche nach Wahrheit und der klaren Absicht, das Bewußtsein zu beunruhigen und aufzurütteln. Mit seinem Werk suchte Buero die grundlegenden Fragen des menschlichen Lebens zu thematisieren und zur Reflexion über die Natur des Menschen anzuregen, der in dem konkreten Kontext, in den er hineingeboren ist, leben muß. Sowohl inhaltlich wie auch in der Handlungsführung selbst verdankt Buero viel der klass. Trag., die er gut kannte und deren Zusammenhang mit seinem eigenen Werk er mehrfach in einem umfangreichen und interessanten theoretischen Corpus erläuterte, in dem er über die verschiedenen Aspekte des Theaters reflekiert, angefangen bei den Darstellungsweisen bis hin zur Beziehung mit dem Publikum, und in dem er ständig seinen Blick auf die griech. Trag. wirft.

In anderen Fällen schnitt die Zensur die normalen Verbreitungswege des Theaters völlig ab, sei es, weil der Autor freiwillig ins Exil ging, sei es, weil man die Veröffentlichung zwar toleriert, die Aufführung aber verboten hatte. Dies ermöglichte immerhin die Kenntnis der Stücke innerhalb eines sehr spezifischen Publikums, des Theaters und der professionellen Leserschaft. In den ersten Jahrzehnten der Nachkriegszeit nahmen die Stücke zu, in denen Mythen bearbeitet wurden, um die Gegenwart widerzuspiegeln. Vielfach geschah dies aus einer zeitkritischen Haltung heraus, die sich in späteren Jahrzehnten erhalten hat, z. B. in der *Antígona* von J. M. Muñoz i Pujol (Uraufführung 1967), in der die polit. Korruption in S. mit einer Antigone gezeigt wird, die die Wahrheit sucht, oder in *Antígona y los perros* (»Antigone und die Hunde«) von J. Elizondo (geschrieben 1969 im Exil, span. Uraufführung 1988 unter dem Titel *Antígona entre muros*, »Antigone zw. Mauern«), in der die Hauptfigur den Kampf im Untergrund darstellt. Mit der Zeit wandelte sich die Absicht der Mythenrezeption: Man verwendet die großen Figuren des Mythos, um den Kampf gegen die etablierten Werte zu zeigen wie z. B. den Kampf der Frau um das Recht auf ihre eigene Sexualität und Würde, für man oft Phaedra, Klytaimnestra oder Medea einsetzte. Dies ist der Fall bei Lourdes Ortiz, einer Roman- und Theaterschriftstellerin und Regisseurin, die in der Regel auf die griech. Sagen zurückgreift, um sexuelle Stereotypen zu durchbrechen und die sexuelle und emotionale Freiheit aufzuwerten. Für diesen Zweck setzt sie ant. Mythen in einen zeitgenössischen Kontext in einer oft dezidiert poetischen Sprache ein und vermischt die Zeiten, Realitätsebenen und Träume, so z. B. in *Fedra* (1983), *Penteo* (1983) oder *Electra/Babel* (1995).

Die Dramaturgie der letzten J. ist durch einen Eklektizismus gekennzeichnet, was dazu führt, daß Theaterprogramme oder Verlage Stücke mit ungleichen Tendenzen zusammenbringen. Es ist dies ein Reflex der Versuche von Dramaturgen und Regisseuren, neue theatralische Ausdrucksformen zu gewinnen. Eines der häufig angewandten Mittel, die Reflexion anzuregen und auf mögliche Lösungswege hinzuweisen, besteht darin, die Theatralität des Theaters zu verstärken, d. h., auf eine mehr oder weniger explizite Art zu zeigen, daß man Theater »macht« und mit der Fiktion spielt. Daher kehrt man gerne zu den schon bekannten Stoffen zurück, zu lit. Werken, dramatischen oder auch nicht dramatischen, die auf eine neue Weise, die dadurch bes. herausgehoben wird, auf die Bühne gebracht werden. Unter diesen Stoffen nehmen die griech. Mythen einen herausragenden Platz ein. Das Publikum hat eine ge-

wisse Vorstellung davon, auch wenn sie nur vage ist, auch wenn es nur die Namen kennt oder im mythischen Gewand nur Epochen und ferne Orte evoziert werden. Dies ist der Fall bei Luis Riaza, der bei verschiedenen Gelegenheiten griech. Mythen rezipierte, z. B. in *Las jaulas* (»Die Käfige«), einer Übertragung des Ödipus-Mythos, Uraufführung 1970), *Antígona...¡cerda!* (»Antigone... Sau!«, 1983) oder *Los edipos o ese maldito hedor* (»Die Ödipusse oder dieser verdammte Gestank«, 1991) und *Calcetines, Máscaras, Pelucas y Paraguas* (»Socken, Masken, Perücken und Regenschirme«). Der Titel verweist auf Gegenstände, die bei der Aufführung verwendet werden und durch die die Figuren charakterisiert werden, die die zwei feindlichen Parteien des trojanischen Kriegs darstellen; mit ständigen, metatheatralischen Anspielungen wird dem Publikum deutlich gemacht, daß alles, wie im Theater üblich, ein szenisches Spiel ist, worauf auch der Untertitel verweist: *Antitragedia recosida con retazos de poetas muertos* (»Antitrag., zusammengeflickt aus Resten toter Dichter«).

Man hat sich an die ant. Mythen aus verschiedenen Perspektiven und mit Einstellungen, die aufgrund ihrer Verschiedenheit schwer einzuordnen sind, angenähert. Denn zu einer Richtung, die, obwohl sie die Ant. mit einem neuen Blick sieht, eine größerer Treue zu klass. Inhalten und Formen aufweist, kommen andere hinzu, die sich strikt dagegen wenden, um die Realität einer Gesellschaft zu zeigen, die sich nicht in die etablierten Muster einfügt, oder um die gesellschaftlichen Widersprüche ans Licht zu bringen bzw. über den Sinn unserer Welt nachzudenken. Um ein Beispiel zu nennen: Trotz des Problems, das es für die Forsch. bedeutet, daß viele der aufgeführten Theatertexte nicht ediert werden, kennen wir allein aus dem 20. Jh. zahlreiche span. Medeen, wie die von Francesc Pujols, *Medeia* (auf Katalanisch, 1923), *Medea la encantadora* (»Medea die Zauberin«) von J. Bergamín (1954), die *Medea* von A. Sastre (1958), *Jasó i Medea* (»Jason und Medea«) von Romà Comamala (1978), von M. Josep Ragué *Ritual per a Medea* (»Ritual, für Medea«, 1985) und viele andere. Die Art und Weise der Annäherung an die ant. Heroine ist sehr verschieden: angefangen bei der tragischen Feierlichkeit der *Medea* von J. A. Gil Albors (2001) über die Tragikom. *Medea* von F. Cabal (1998) oder *Medea es un buen chico* (»Medea ist ein guter Junge«) von Riaza (1981) mit einem Jason, der im Stile von Becketts *Warten auf Godot* nicht kommt, und bis hin zu einer Medea, die in Wirklichkeit ein Transvestit ist und in einer Welt des Realitätsverlustes lebt, oder zu *Medea dos fuxidos* (»Medea der Flüchtlinge«, 1984, unveröffentlicht) von M. Lourenzo, deren Hauptfigur eine Guerrillakämpferin ist, die von ihrem Kameraden verraten wird. Häufig rezipieren die Dramaturgen der neuen Generation die Mythen, um die Gewalt in der Welt anzuklagen. Diese Denunziation ist in der Regel nicht von einer polit. Aktion geleitet; vielmehr wird die Machtlosigkeit vor der Gewalt ausgedrückt, manchmal in einer Flucht aus der Realität, bisweilen wird die Unmöglichkeit dieser

Flucht aufgezeigt. In diese Richtung geht Rodrigo García in *Martillo* (»Hammer«, 2000). Er vereint Monologe und Dialoge über die Rache Klytaimnestras, indem er einen eher lyr. als dramatischen Text schafft, mit Randbemerkungen versehen, die sich in Text verwandeln. Ohne einen klaren chronologischen Bezugsrahmen aufzuweisen, werden in einigen Anspielungen zeitgenössische Elemente hinzugefügt: Raketen, Rollstuhl, Geschosse, japanische Touristen, die Ruinen besuchen, usw., in einer eskalierenden Gewalt, die vom Blutvergießen des Krieges bis zur Monotonie des Alltagslebens reicht. Monologe und Dialoge wechseln ab in *Los restos: Agamenón vuelve a casa* (»Die Reste: Agamemnon kehrt nach Hause zurück«, 1996) von Raúl Hernández, in der das Mädchen die Ausführung der Rache übernimmt.

In den letzten J. haben die konkreten Umstände der Theaterproduktion in S. dazu geführt, daß einige der in den verschiedenen Bereichen des Theaters Tätigen ständige Theaterensembles gründeten, in deren Repertoire Bearbeitungen und Neufassungen klass. Werke einen Ehrenplatz einnehmen. Dies ist der Fall von El Corsario unter der Leitung von Fernando Urdiales, der im J. 1999 einen hervorragenden *Edipo Rey* auf die Bühne brachte, der sich äußerst eng an den sophokleischen Text hielt, oder von Atalaya Teatro, unter der Leitung von Ricardo Iniesta, das im J. 1996 eine mit vielen Preisen ausgezeichnete *Elektra* aufführte, zusammengesetzt aus Passagen von Aischylos, Sophokles, Hofmannsthal und Heiner Müller. Hongaresa de Teatre, geleitet von Paco Zarzoso, brachte 2003 *Aquel aire infinito* (»Jene unendliche Luft«) von Lluïsa Cunillé zum ersten Mal an die Bühne, ein Stück, in dem zwei Schauspieler nacheinander Szenen aus griech. Trag. darstellen, die der Gegenwart angepaßt werden. Arden, gegr. von Chema Cardeña und Juan Carlos Garcés, arbeitet im Moment an einer *Trilogía Helénica* (»Griech. Trilogie«), von der *El Banquete* (»Das Gastmahl«, 2000) und *La Reina Asesina* (»Die Königin als Mörderin«, 2002) bereits aufgeführt wurden. Das erste Stück stellt einen Dialog zw. Alkibiades, Aristophanes, Sokrates und Diotima dar, in dem Liebe und Haß in den komplexen menschlichen Beziehungen ins Spiel gesetzt werden; *La Reina Asesina* vermischt unter Verwendung des Atriden-Stoffes Epos und Trag., um die individuellen leidenschaftlichen Konflikte darzustellen: zeitgenössische Fragestellungen in ant. Gewande.

Nicht nur die griech. Trag. oder die griech. Mythen im allg. haben Einfluß auf das zeitgenössischen Theater. An der Kom. des Aristophanes bedienten sich die Autoren, um die rituellen dionysischen Elemente des Dramas offenzulegen, v. a. in theatralischen Formen, in denen das Wort nur ein Element ist, und zwar oft nicht das privilegierte. Diese Autoren ließen sich durch die Masken, groteske Kleidung, das Durchbrechen der Illusion, die übertriebene Mimik usw. inspirieren, um das Theater als Spektakel aufzuwerten. Unter konzeptionellen Gesichtspunkten ist man sich zwar der Anleihen bewußt, die das mod. Theater bei der griech.-röm. Neuen

Kom. gemacht hat; aber man greift nicht häufig auf die ant. Kom. als Inspirationsquelle zurück. Daher ist ein Stück wie *Terentius* von Juanjo Prats, aufgeführt unter der Leitung von Pep Cortés (1997), von bes. Wichtigkeit, da man die Kom. und Biographie des Terenz verwendet hat, um eine Kom. zu kreieren, die über die Rolle des Theaterautors und der Theaterproduktion insgesamt reflektiert und in der im allg. die Rolle des Künstlers und seine Beziehung zur Macht in der heutigen Gesellschaft thematisiert werden.

3. Tanz

In den letzten J. schufen Choreographen in der klass. Ant. verwurzelte Werke. Die Präsenz des klass. Balletts mit myth. Thematik in den Veranstaltungskalendern ist häufig. Die großen ausländischen Ensembles spielen eine wichtige Rolle, v. a. das Ballet Nacional de Cuba. Spanische Künstler nehmen im Augenblick eine wichtige Rolle in den choreographischen Reformtendenzen ein, bes. seit der Gründung der Compañía Nacional de Danza im J. 1978 unter der Leitung von Antonio Gades. Als Ergebnis dieser Bemühungen wurden in den letzten J. Stücke aufgeführt, in denen eine myth. Thematik mit einer formalen Erneuerung kombiniert ist. Dies ist der Fall der *Medea* von Granados, einem aktuellen Stück, in dem span. Rhythmen mit einer innovativen Choreographie und einem Bühnenbild und Kostümen verbunden werden, in denen klass. Schlichtheit hervorgehoben wird, oder bei dem Ballett von Blanca Li *El sueño del Minotauro* (»Der Traum des Minotaurus«, Uraufführung Berlin, Februar 2001), das nicht nur in der griech. Ikonographie seine Wurzeln hat, sondern in einem Bühnenbild ohne Dekoration Szenen aus dieser so wiedergibt, als ob es sich um einen griech. Fries handeln würde, der die Atmosphäre des Mittelmeers in einer Fülle von Farben evoziert. Diese zwei letzten Stücke sind reine Tanzstücke, aber momentan werden Werke mit einer klassizistischen Tendenz kreiert, in denen der Tanz zwar ein grundlegendes, aber nicht das einzige Element ist, so z. B. *Troya, siglo XXI* (»Troja, 21. Jh.«), ein Spektakel, das als Tanz/Theater bezeichnet wird und unter der Leitung von Jorge Márquez und Gerardo Vera zum ersten Mal im Juli 2002 im Teatro Romano de Mérida aufgeführt wurde.

4. Kunst

In den bildenden Künsten der Gegenwart hat S. eine mit dem restlichen Europa vergleichbare Entwicklung in den ersten 30 J. des 20. Jh. durchgemacht, einen Prozeß, der durch den Bürgerkrieg unterbrochen wurde. Die neuen Tendenzen lösten sich jedoch nicht so sehr vom Klassizismus ab, wie es ihre Vertreter beanspruchten und wie es deutlich im Fall des Expressionismus und Surrealismus zu sehen ist: Darstellungen von Dionysos, Theseus, Ödipus, Leda, Daphne usw. füllen die Gemälde dieser Epoche von Picasso, Dalí und Miró, um nur einige der repräsentativsten Spanier zu nennen. Ein hervorragendes Beispiel ist Ramón Mateu Montesinos (1891–1981), einer der international renommiertesten span. Bildhauer. Getreu dem Programm »Klassizismus als Erneuerung der Trad. des Mittelmeeres«, in Distanz zu den europ. Avantgarden und sehr nahe an Donatello, zeigt sich die Präsenz der Klassik in Werken wie *Brindis de Bacchus* (»Trinkspruch des Bacchus«, 1917) oder *Venus del lago* (»Venus vom See«, 1934). Beeindruckend ist sein Marmorwerk *Busto de María Luisa Pinazo* (1933), dessen Ruhe und Harmonie mit klass. griechischen Werken vergleichbar ist. Pablo Picassos häufiger Rückgriff auf die klass. Myth. läßt sich aus seiner breiten Bildung wie aus den europ. Strömungen der Malerei, mit denen er in Kontakt stand, erklären. Die Weite und Komplexität seines Werkes mit myth. Thematik, einschließlich seiner Illustrationen von B. wie den *Metamorphosen* Ovids oder der *Lysistrate* des Aristophanes, machen ihn zu einem Hauptrepräsentanten der Antikerezeption in der span. bildenden Kunst des 20. Jahrhunderts. Nur zwei Figuren seien erwähnt, der Zentaur und der Faun, da beide eine Beziehung zur span. Lit. besitzen. Bisweilen werden sie von Picasso in symbolischer Mischung von Mensch und Tier dargestellt, so in den Gravierungen *Batalla de los centauros* (»Schlacht der Kentauren«) und *Los caramillos* (»Die Hirtenflöten«) und in den Gemälden an den Mauern des Schlosses Grimaldi de Antibes, speziell dem Triptychon *Sátiro, Fauno, Centauro* und dem Bacchanal *Alegría de vivir* (»Lebensfreude«), die alle eine optimistische Lebenseinstellung zeigen (1945/46). In seinen Ausbildungsjahren in Barcelona frequentierte Picasso den lit. Zirkel von Ramón Reventós, wo er die wichtigsten Vertreter des katalanischen *Noucentisme* kennenlernte, einer klassizistischen Bewegung, die Eugenio D'Ors bekannt machte und deren Anhänger sich für Erben der griech. Trad. hielten. In dieser Umgebung schrieb Reventós zwei Geschichten, *El Centaure picador* (»Der Zentaur als Pikador«) und *El capvespre d'un Faune* (»Der Nachmittag eines Fauns«), die beide deutlich durch die klass. Ant. inspiriert sind, scharfsinnig und voll von Ironie. Im J. 1946, 23 J. nach dem Tod des Autors, schlägt Picasso die Veröffentlichung dieser Geschichten vor und übernimmt die Illustrationen, für deren erste span. Publikation er das Format des Comics verwendete. Zwei J. später, in einer frz. Auflage, fertigte er zwei Illustrationen für jede Geschichte an. In beiden Fällen sind seine Zeichnungen geprägt vom klassizistischen Geist der Erzählung.

Valencia bildet in dieser Zeit eine bes. Enklave mit renommierten Künstlern. Schon immer war Valencia eine Stadt der Künstler. Die traditionelle Handwerkskunst benötigte sie für die Ausschmückung der Fächer, der Keramik, für die Arbeit in den Druckereien, den Schreinereien, der Glasherstellung usw. So existierten hier immer schon Zeichenschulen und professionelle Ateliers, aus denen anerkannte Künstler hervorgingen wie Manuel Monleón Burgos (1914–1976), ein berühmter Grafiker aus dem Atelier für Fächer und Miniaturgemälde von Mariano Pérez. Nachdem er unter Franco mehrfach im Gefängnis war, sah er sich gezwungen, als Publizist zu arbeiten. Auch Manuela Ballester Vilaseca (1908–1994) widmete sich neben der Malerei und Wandmalerei den mod., sozusagen industriellen, Künsten: der Illustration von Zeitschriften, der Herstellung von polit. Plakaten und der Fotomontage. Sie ist interessant als Vertreterin des »span. Realismus«. Sie bezeichnete sich immer als Bewunderin und Schülerin von Velázquez und behandelte ihre Themen mit klass. Schlichtheit, was ihr zahlreiche Preise und Anerkennungen während der Zeit der span. Republik und im Exil in Mexiko und der DDR verschaffte, obgleich sie als Ehefrau von Josep Renau bekannter ist als aufgrund ihres eigenen Werkes.

Die bildenden Künste gerieten, wenngleich spät, auch unter den Einfluß der Avantgarde, begünstigt durch die zaghafte Öffnung zur Außenwelt in den letzten J. Francos. Während die Mehrheit der span. bildenden Künstler den westl. Strömungen folgte, haben manche die Lebenserfahrungen in den speziellen histor. Umständen S. zu eigenen künstlerischen Haltungen geführt. In der ersten Phase des Bruches mit dem Vorbild der klass. Malerei war die Abstraktion vorherrschend, bis man in den letzten Jahrzehnten wieder zur figürlichen Darstellung zurückkehrte, wobei man verschiedene Zeichen verschiedener Herkunft zusammenführte. Die am meisten von der Diktatur verfolgte plastische Richtung war der »soziale Realismus«. Daher orientierten sich die mod. Künstler an dieser Richtung als Ablehnung der polit. Zensur; einflußreiche Gruppen entstanden, so die Grupo Hondo, Antes del Arte, der Equipo Crónica oder der Equipo Popular. Momentan ist der Einfluß des Klassizismus zweifach: Es gibt eine Rückkehr zur figürlichen Darstellung, in bes. Weise zum menschlichen Körper, dem Sinnbild des Klassizismus in den bildenden Künsten, der in verschiedenen Stilen und Vorgehensweisen dargestellt wird; gleichzeitig kehrt man zu den Themen klass. Herkunft in einem Prozeß der Erforsch. plastischer Darstellungsmittel zurück, sei es, daß man direkt auf die klass. Welt zurückgreift, sei es in emblematischer Verwendung, so in den ständigen Neubearbeitungen des Laokoon (z. B. von Armengol) oder Botticellis *Geburt der Venus* (z. B. von Martín Caballero).

Der →Comic ist eine Form der bildenden Künste, die am meisten verbreitet ist, zum einen wegen der Beliebtheit, die er bei einem großen Teil der Gesellschaft, bes. unter den Jugendlichen, genießt, zum anderen aufgrund der Häufigkeit der Veröffentlichungen, durch die sich die Strömungen des Denkens in ihm unmittelbar widerspiegeln lassen, so daß Comics gleichzeitig ein begehrtes Mittel für die Verbreitung von Wertvorstellungen sind. In S. beginnen 1958 Victor Mora und Vicente Darnis *El Jabato* (»Der Kraftmeier«) herauszugeben, dessen Hauptfigur, eingebettet in die patriotische Wertewelt der Zeit, ein iberischer Held ist, der sich zahlreichen Gefahren an fremden Orten aussetzten muß, darunter Rom und Karthago (*Esclavos en Roma*, »Sklaven in Rom«, und *¡Perseguidos!*, »Verfolgt!«), wobei wenig Wert auf eine genaue Beachtung der histor. Sachverhalte gelegt wird. In den letzten Jahrzehnten, im Rahmen von pädagogischen Reformen, sind Comics auf Lat. und Griech. entstanden, deren Verbreitung aber recht gering ist, andere auch in mod. Sprachen, die histor. zuverlässiger sind, wie *Espartaco, el hombre de Tracia* (»Spartacus, der Mann aus Thrakien«) von J. M. Nieto González (1995, unter Beratung und mit einem didaktischen Anhang von F. Lillo), in dem die bes. durch die Verfilmung bekannten Abenteuer dieses Helden auf der Basis der Berichte Plutarchs und Apions neu bearbeitet und die polit.-gesellschaftlichen Umstände des 1. Jh. v. Chr. rekonstruiert werden.

5. FILM

Die neue Kunst *par excellence* sind die Filmkunst (→ Film) und in den letzten Jahrzehnten das Fernsehen, die sich zu den »Gattungen der Massen« gewandelt haben. Antike Motive sind auch in span. Filmen präsent, wie z. B. in *No es bueno que el hombre esté solo* (»Es ist nicht gut, daß der Mann alleine ist«) von Pedro Olea (1973), in der der Hauptdarsteller die tote Ehefrau durch eine keusche Puppe ersetzt, die die Eigenschaften der Frau besitzt und deren Aufgabe es ist, das Eindringen von Frauen in das Leben des Ehemannes zu verhindern. Eine solche Statue findet sich in der Erzählung um Admet, der verspricht, eine lebensgetreue Abbildungen der Alkestis anzufertigen. Die Geschichte Pygmalions ist auch in der erotischen Puppe von *Tamaño natural* (»Natürliche Größe«) von L. García Berlanga (1973) präsent. Die Verwendung dieser Motive, die in der Klassik verwurzelt sind, hat ihren Ursprung in ihrer langen lit. Präsenz, aufgrund derer man sich oft der Beziehung zur Ant. nicht bewußt ist.

»Sandalen- und Mantelfilme« sind in S. mit Ausnahme von *Los cántabros* (»Die Kantabrer«) von Jacinto Molina (1980) nicht gedreht worden. Dieser Film, in dem der Widerstand gegen Rom behandelt wird, ist allerdings nicht weiter bekannt geworden. Historische Filme und erfolgreiche Fersehserien wie *Yo Claudio* (»Ich, Claudius«), die alle verschiedene ideologische Perspektiven aufweisen, haben das Bild der Ant. nachhaltig geprägt. Es ist möglich, ihren Einfluß in Filmen wie *Calabuig* von L. G. Berlanga (1956) zu sehen, einem span.-ital. Film (Drehbuch von E. Flaiano und Berlanga), in dem röm. Kostüme aus den Prozessionen der Karwoche vorkommen, welche die Einwohner des Dorfes als Waffen gegen die Amerikaner einsetzen. Neben rein kommerziellen Filmen haben einige europ. Regisseure Theaterstücke oder Inhalte auf die Leinwand gebracht, die auf klass. Themen basieren, so z. B. Fellini, Pasolini oder Cacoyannis. Vom span. Film können Phaedra/Hippolytos von M. Mur Oti in *Fedra* (1956) und *Fedra West* von J. L. Romero Marchent (1968) angeführt werden; in beiden Filmen ist der ant. Stoff in die Gegenwart transponiert. Im J. 2002 verfilmte F. Bellmut eine *Lysistrata*, die auf der Bearbeitung von Ralf König basiert und für ein großes Publikum gedacht ist. Die Wahl des Themas ist nicht zufällig: diese Aristophanische Kom. ist eines der beliebtesten Stücke in Schultheatern der letzten Jahre.

H. FAZIT

Der Überblick über den Einfluß, den die Welt der Ant. auf die span. Kultur genommen hat, dürfte in erster Linie gezeigt haben, daß es eine beständige, aber äußerst komplexe Auseinandersetzung mit der Ant. in S. im Lauf der Jahrhunderte gab. Immer haben die Künstler bei ihrer Reflexion über künstlerische Vermittlungsformen in der klass. Welt ihre Bezugspunkte gesucht, die sie nachahmten oder von denen sie sich absetzten, und dies nicht nur in der Lit., sondern in allen Künsten. Die Themen, Gestalten und Motive haben sich über die Jh. erhalten, ihre Interpretation und Verwendung variierten jedoch in jeder Epoche. In der Gegenwart ist die ambivalente Präsenz der klass. Welt ein Ausdruck des Krisenbewußtseins. Ihre Präsenz zeigt sich sowohl im Inhalt der lit. und plastischen Werke wie in der Form, sich den Themen anzunähern. In manchen Fällen handelt es sich um eine ungebrochene kulturelle Trad., in anderen um neue Einflüsse, die das Resultat einer erneuten Lektüre der Vergangenheit sind und die als Mittel verwendet werden, um die Gegenwart zu verstehen oder um die Ausdrucksformen zu erneuern. In der span. kulturellen Entwicklung der Gegenwart behält die klass. Welt, v. a. auch dank der Verbreitung kultureller Bildung in breiten Schichten der Gesellschaft, eine beständige und in einigen Künsten sogar zunehmende Präsenz.

→ AWI Hispania; Nachträge: Hispania; Pratinas

1 M. R. CARDOSO, La persistencia de un signo: la imagen clásica en el arte contemporáneo, in: M. C. ÁLVAREZ, R. M. IGLESIAS (Hrsg.), Contemporaneidad de los Clásicos en el umbral del Tercer Milenio, 1999, 415–422 **2** M. CERECEDA, F. CASTRO, Hacia un nuevo clasicismo. Veinte años de escultura española, 1999 **3** V. CRISTÓBAL, Mitología clásica en la literatura española: consideraciones generales y bibliografía, in: Cuad. Filol. Clás. Estudios Latinos 18, 2000, 29–76 **4** E. R. CURTIUS, Europ. Lit. u. lat. MA, 1948 **5** A. DUPLÁ, A. IRIARTE (Hrsg.), El cine y el Mundo Antiguo, 1990 **6** J. A. FERNÁNDEZ DELGADO, La tradición griega en el teatro gallego, in: EClás 109, 1996, 59–89 **7** E. FUBINI, La estética musical desde la Antigüedad hasta el siglo XX, 1988 **8** F. GARCÍA JURADO, Idealismo y parodia. Los cometidos complejos de la mitología clásica en la narrativa de Rafael Sánchez Mazas, Luis Goytisolo, Juan García Horetelano y Juan Marsé, in: EClás 120, 2001, 64–96 **9** F. GARCÍA ROMERO, Adaptaciones cinematográficas de la tragedia griega: puesta en escena antigua y moderna, in: E. GARCÍA NOVO, I. RODRÍGUEZ ALFAGEME (Hrsg.), Dramaturgia y puesta en escena en el teatro griego, 1998, 193–203 **10** L. GIL, Panorama social del Humanismo español (1500–1800), 1981 **11** C. GIMÉNEZ, La danza griega antigua y la danza contemporánea, in: Kleos 5, 2002, 217–242 **12** G. HIGHET, The Classical Tradition, 1949 **13** M. P. HUALDE, »... Soñaba con los héroes de La Ilíada«: la obra de Homero en la literatura infantil española de tema clásico (1878–1936), in: EClás 118, 2000, 69–92 **14** M. R. LIDA DE MALKIEL, Perduración de la literatura antigua en Occidente, in: Romance Philology 5, 1951/2, 99–131 **15** Ders., La tradición clásica en España, 1951, ²1975 **16** F. LILLO, Una revisión del cómic de tema clásico, in: EClás 108, 1995, 135–145 **17** Ders., El mundo clásico en la

poesía gallega de Eduardo Pondal, EClás 113, 1998, 59–76
18 A. López, A. Pociña, Medeas. Versiones de un mito
desde Grecia hasta hoy, 2 Bde., 2002 **19** R. López Torrijos,
La mitología en la pintura española del Siglo de Oro, 1995
20 R. M. Mariño, Teseo, Fedra e Hipólito a través de la
pintura, EClás 109, 1996, 93–130; Eclás 114, 1998, 77–118
21 C. Morenilla Talens, Del eterno retorno. Años
1981–1991, Kleos 1, 1994, 219–229 **22** A. R. Navarette,
La mitología a través de la pintura, Eclás 109, 1996, 93–130;
114, 1998, 77–118 **23** M. J. Ragué, Els personatges
femenins de la tragèdia grega en el teatre català del segle XX,
1990 **24** Ders., Lo que fue Troya. Los mitos griegos
en el Teatro Español Actual, 1992 **25** Ders., La
ideología del mito. Imágenes de la Guerra Civil, de la
posguerra y de la democracia surgidas a partir de los temas de
la Grecia Clásica en el teatro del siglo XX en España, Kleos 1,
1994, 63–69 **26** Ders., Clitemnestra, Medea, Fedra.
Contemporaneidad de su transgresión mítica, in: F. De
Martino, C. Morenilla (Hrsg.), El fil d'Ariadna, 2001,
367–378 **27** J. Sariol, S. Cucurella, C. Moncau, La
mitología clàssica. Literatura, art, música, 1994.

Carmen Morenilla Talens / Ü: Natalia
Pedrique, Bernhard Zimmermann

Sparta I. Bild und Deutung
II. Geschichte der Ausgrabungen

I. Bild und Deutung
A. Einleitung: Sparta als Modell B. Frühe
Neuzeit C. Aufklärung D. 19. Jahrhundert
E. Vom 19. ins 20. Jahrhundert (bis 1933)
F. Nationalsozialismus G. Nach 1945

A. Einleitung: Sparta als Modell

Außer → Rom ist kein ant. Gemeinwesen mehr be-
wundert oder abgelehnt worden als Sparta. In der von
der Ant. bis ins 20. Jh. von E. Rawson erschlossenen
›Spartan Tradition‹ [75] begegnen immer wieder »antithetische Wahrnehmungsmuster« (St. Rebenich), an
deren Beginn die klass. ant. Gegenbilder → Athen und
S. stehen. Dabei evoziert S. »Bilder« und »Geschichten«
anderer Art als das bis h. mit klass. Monumenten erinnerte »demokratische« Athen: »Spartanische« Lebensweise ist ebenso sprichwörtlich wie »spartanische Erziehung«, die mit der → Verfassung die wichtigsten
Anknüpfungspunkte ant. und mod. Interesses bilden,
dessen ant. Ausprägung als ›Le mirage Spartiate‹ [73] und
›The Legend of Sparta‹ zutreffend [88] erfaßt ist.

Zu dem gleichermaßen faszinierenden wie provo-
zierenden Modell der polit. und sozialen Ordnung S.
gehört die exklusive Herrenschicht der auf Kriegsdienst
fixierten und von wirtschaftlicher Betätigung freige-
stellten Spartiaten. Dieser privilegierten Minderheit von
Vollbürgern, den nach ihrem Selbstverständnis in allen
Lebensbereichen »Gleichen«, steht die übergroße
Mehrheit brutal unterdrückter Heloten gegenüber. Im
Umgang mit ihnen erscheint S. als ›Prototyp des klass.
griech. Polizeistaates‹ [56. 9]. Die Wahrnehmung S. ist
so stark auf diese schroffen Gegensätze fixiert, daß die
»mittlere« Gruppe der Periöken darin kaum eine Rolle
spielt.

Modellcharakter trägt auch die von äußerster Härte
geprägte Staatserziehung, die im Grunde bei der Entscheidung der Ältesten über die Aufzucht gesunder oder
die Aussetzung schwacher und mißgestalteter Kinder
beginnt. Der spartanische Erziehungsweg führt über die
Altersklassen der Jungen konsequent in das »Militärla-
ger« S., in den Alltag einer kasernierten Männergesell-
schaft. Ebenso zeigen die Frauen einen besonderen
Charakter: Die Erziehung der Mädchen ist kraft- und
körperbetont, als eine Voraussetzung für das vitale Interesse an kräftigen Nachkommen, das im Bild der heroischen, »spartanischen Mutter«, die bewußt nur tap-
fere Söhne gebären will, Ausdruck gefunden hat. Spartanische Erziehung zielt auf Tapferkeit, unbedingten
Gehorsam und Aufopferung für den Staat, für die der
Opfertod des Leonidas und seiner Spartiaten in der
Schlacht an den Thermopylen das bekannteste Beispiel
ist.

Die »Konstruktion« des spartanischen Herrschafts-
und Erziehungsmodells wird auf den legendären Gesetzgeber Lykurg zurückgeführt, ohne den der S.-My-
thos nicht zu denken ist.

In den ant. Debatten über → Mischverfassung und
Idealstaat spielt das spartanische Modell eine zentrale
Rolle. Einen breiten Raum nimmt es in der *Politik* des
Aristoteles ein. Der Staat von Platons *Nomoi* trägt Züge
des von ihm bewunderten Sparta. Auch der athenische
Autor Xenophon hat dieses Modell in seiner *Verfassung
der Spartaner* geradezu verklärt. Kein Autor hat mehr zur
Idealisierung S. in der Ant. und Moderne beigetragen als
Plutarch, der den mythischen »Gesetzgeber« Lykurg
eindrucksvoll ins Bild setzt, dessen Biographien (darunter die des Lykurgos, Lysander, Agesilaos und der »Reformkönige« Agis IV. und Kleomenes III.) ebenso wie
die *Apophtegmata Laconica* (*Sprüche der Spartaner*), die *In-
stituta Laconica* (*Bräuche der Spartaner*) und die *Apophtegmata Lacaenarum* (*Sprüche spartanischer Frauen*) die wichtigste Grundlage des S.-Mythos bilden.

Die spartanische Modellvorlage erwies sich als viel-
seitig verwendbar. Der aristokratische Ansatz der Verfassung stimulierte röm. Politiker wie Cato oder Cicero
zum Vergleich mit der eigenen Verfassung. Mit dem
oder gegen das Herrschafts- und Erziehungsmodell S.
argumentierten seit der Wiederentdeckung der ant. Autoren – zunächst mit Schwerpunkten im 16. und 18. Jh.
– Anhänger unterschiedlichster Staats- und Verfassungsformen, die frz. Aufklärer ebenso wie die Revolutionäre, Historiker, Politiker und Literaten in Europa
und Amerika, bis hin zu Vertretern totalitärer Systeme
im 20. Jh. und insbesondere den Repräsentanten des
NS-Staates. Deutliche Schwerpunkte der mod. S.-Re-
zeption liegen in Frankreich im 18. Jh. und in Deutschland im 20. Jh.; dabei verfolgt man in neuerer Zeit Ent-
wicklungslinien der »Spartan Tradition«, die nahezu
zwangsläufig zur NS-Zeit führen [51. 416; 89. Bd.
1. 137f.]

B. Frühe Neuzeit

Die Rezeptionsmöglichkeiten des MA waren eingeschränkt, da wesentliche ant. Autoren noch nicht wieder zur Verfügung standen [75. 116–129].

Die Neuentdeckung der ant. Autoren (v. a. Platon, Xenophon und Plutarch) im Ren.-Human. (→ Humanismus I.) leitet die Wiederentdeckung oder -belebung S. ein. Dieses ›Sparta Rediviva‹ [75] gewinnt seine Konturen wesentlich aus den Schriften Plutarchs, die seit dem frühen 15. Jh. ins Lat., im 16. Jh. ins Frz. und Engl. übertragen wurden. Im Vordergrund dieses Aneignungsprozesses stehen eindeutig Erziehungsinteressen, für die Plutarch reiches Material bereitstellte [75. 131 f.]. Beim Vergleich ant. und mod. Verfassungen etwa im Gefolge Machiavellis, der die Unterscheidung des Polybios zw. Rom und S. fortführte, rangiert S. weit hinter der röm. Republik [75. 142, 148]. Den Zeitgenossen Machiavellis diente im Kontext der Diskussionen über die Mischverfassung Venedig als ein nach dem Muster S. gebildetes Modell einer starken → Republik [72. 164].

Das Interesse am Erziehungsmodell S. bleibt erhalten. Darüber hinaus spielt S. seit der Reformationszeit in verfassungspolit. Diskussionen eine gewisse Rolle: Johann Calvin (1509–1564) entwarf in seiner Genfer Verfassung von 1535 das Modell einer aus der Bibel begründeten Republik gegen den absolutistischen Anspruch der Herzöge von Savoyen. Um die fürstliche Macht zu begrenzen, wies er den Ständeversammlungen eine Kontrollfunktion zu, analog zu der der spartanischen Ephoren und der röm. Volkstribune [58. 413; 72. 161 f.]. Ähnlich sollten bei Melanchthon Bischöfe – wiederum in Parallele zu den Ephoren in S. – die Königsgewalt kontrollieren [75. 159]. Das spartanische Königtum allein (oder auch im Spannungsverhältnis zu den Ephoren) wird auch in der Folgezeit diskutiert: *Vindiciae Contra Tyrannos* (1579) [75. 161 f.], Joh. Althusius, *Politica methodice digesta* (1603), H. Grotius, *De iure Belli ac Pacis* (1625) [75. 166f.] (→ Tyrannis).

Größere Bed. kommt den frühneuzeitlichen → Utopien zu: Mit Thomas Morus (1478–1535) beginnt ein Rezeptionsstrang, der bis ins 20. Jh. mit dem Gedanken der ökonomischen Gleichheit und kommunitären Lebensformen verbunden ist. Unter den ant. Autoren, deren Vorstellungen in *De optimo rei publicae statu deque nova insula Utopia* (1516) eingeflossen sind, ist Plutarch (mit seiner Lykurg- und Agis-Biographie) an erster Stelle zu nennen. Konstitutive Elemente der *Utopia* wie gleiche Landanteile, Gemeinschaftsmahlzeiten, Verachtung des Luxus und des Geldes usw. sind nach dem Vorbild von Lykurgs S. gebildet [32. 140, 147, 150, 152]. Hinter dem »Gründungsheroen« Eunomus steht nicht ein gestrenger Gesetzgeber wie Lykurg, sondern ein vitaler junger Reformkönig Agis IV., dessen Reformwerk Morus seiner eigenen Zeit vorhält [47. 348 f.].

In der weiteren Diskussion des 16. Jh. erörterte Jean Bodin (1530–1596) in den *Six livres de la République* (1576) auch die ökonomisch-egalitären und kommu-

nitären Elemente der spartanischen Gesellschaft und ihre Bed. für die Utopisten.

Der modellhafte abgeschlossene Charakter S. und seines polit. Systems führt zu einer Parallelisierung von spartanischer und jüd. Verfassung. Zu dieser, bes. seit dem 17. Jh. ausgeprägten Traditionslinie, gehört auch die Konstruktion einer ›Urverwandtschaft‹ zw. Juden und Spartanern [75. 167; 62. 37].

Einem klass. Ansatz der S.-Rezeption folgt die im England des 17. Jh. geführte Debatte über die Mischverfassung, in der die Kontrollfunktion der Ephoren – bis hin zur ›Radikalisierung des Ephorenvergleichs‹ (W. Nippel) im Bürgerkrieg – im Zusammenhang mit dem Prozeß gegen den 1659 hingerichteten König Karl I. eine zentrale Rolle spielt.

Im weiteren Kontext der Debatte entwarf James Harrington 1656 sein in der Utopie angesiedeltes *Commonwealth of Oceana*, in dem der Lykurg nachempfundene Gesetzgeber Olphaus Megaletor (d.i. Oliver Cromwell) und die wiederum (Plutarchs) Lykurg entsprechende Figur des für Landreform und -verteilung zuständigen ›Agrarian‹ eingeführt werden [61. 10]. Gegen Harringtons »S.« argumentierte u. a. Henry Stubbe mit dem Werk *The Common-Wealth of Oceana put into the Ballance and found too light. Or an account of the Republick of Sparta, with occasional animadversions upon Mr. James Harrington and the Oceanistical model* (1660), das die Umsetzbarkeit von Harringtons Programm bezweifelt und auf dem oligarchischen Charakter S. insistiert. Am E. des 17. Jh. wird die Debatte von dem »Neo-Harringtonianer« Henry Neville in seinem *Plato redivivus, or a Dialogue concerning Government* (1681) und in Walter Moyles *An essay upon the Lacedaemonian Government* (1698) fortgeführt, wobei zwar der hohe Rang Lykurgs betont, aber Harringtons Vorstellung von einem neuen Gesetzgeber nicht geteilt wird [61. 10 f.].

Im 17. Jh. hält S. auf der Theaterbühne Einzug und spielt dort eine bedeutendere Rolle als in der Lit. [75. 205]. In Frankreich und England treten dabei wiederum die Reformkönige Agis und Kleomenes wie in G. Guérin de Bouscals *Cléomene* (1640) oder seinem Stück *La Mort d'Agis* (1642) oder in J. Drydens *Cleomenes or the Spartan Heroe* (1692) in den Vordergrund. Neben ihnen figurieren Spartanerinnen in A. de Montchrestiens Tragödie *Les Lacènes* (1601/²1604), *The Spartan Ladies* (1640) in einer Kom. von L. Carlell. Spartanische Themen, zu denen natürlich auch Leonidas zählt, bieten auch Vorlagen für → Oper und Ballett [75. 202–219].

C. Aufklärung

1. Frankreich

Das 18. Jh. ist v. a. in seiner zweiten H. das große Zeitalter mod. *laconomania* [75. 227]. In Jean-Jacques Rousseau (1712–1778) treffen wir auf den mod. ›archpriest of laconism‹ [75. 242], der im Unterschied zu seinen ant. Entsprechungen – Platon und Xenophon – einen prinzipiell demokratischen Ansatz verfolgt [52. 311–337]. Sein Lakonismus verbindet sich mit einer extrem fortschrittlichen Form polit. Denkens [53. 324].

Das S.-Bild des Autodidakten Rousseau formt sich schon seit seinem siebten Lebensjahr aus der Lektüre Plutarchs und findet starken Ausdruck in dem *Discours sur les sciences et les arts* (1750), mit dem er die Preisfrage, ob der kulturelle Fortschritt die Menschheit gebessert habe, verneinte. Sein S. zeichnet einen glücklichen urtümlichen Naturzustand: Es ist eine Stadt, ›die sowohl durch ihre glückliche Unwissenheit wie durch die Weisheit ihrer Gesetze berühmt ist‹, eine ›Republik eher von Halbgöttern denn von Menschen‹. Sparta steht mit den alten Persern, den Skythen, den Germanen, mit Rom – ›in der Zeit seiner Armut und Unwissenheit‹ – und der ländlich geprägten Schweiz in einer Reihe weniger Völker, die ›durch ihre Tugend ihr eigenes Glück schufen‹. Sparta, in dem die ›Menschen tugendhaft geboren‹ werden und ›sogar die Luft des Landes ... die Tugend zu entzünden (scheint)‹, ist ›dauernder Gegenbeweis gegen eine eitle Doktrin‹, gegen Athen, in das ›geführt von den schönen Künsten – die Laster ... Einzug hielten‹. Von Athen, ›dem Land der Redner und der Philosophen gingen jene erstaunlichen Werke aus, die zu allen verderbten Zeiten als Muster dienen werden‹. Demgegenüber blieb von den Spartanern ›nur das Andenken ihrer heroischen Taten‹ [40. 19–21]. Der Rekurs auf ein frühes und unverdorbenes S. ergibt sich aus den »Luxusdebatten« im Frankreich des 18. Jh.; gegenüber dem kultivierten und damit dekadenten Athen kam S. mit seiner Strenge und seinem Lebensstil den Idealvorstellungen Rousseaus näher [59. 456–468].

Der S.-Idealisierung, die in dieser berühmten Passage begegnet, ist Rousseau stets treu geblieben. Sein besonderes Interesse an S. dokumentieren die zw. 1751 und 1753 entstandenen Fragmente einer *Histoire de Lacédémonie* und die *Parallèle entre les deux républiques de Sparte et de Rome*, den wichtigsten ant. Modellen Rousseaus.

Sparta liefert Rousseau auch das Beispiel des dem Kollektiv verpflichteten *citoyen*. Am stärksten tritt freilich in den späteren Schriften vom *Contract social* (1762) bis zu den *Considérations sur le gouvernement de Pologne* (1772) in Lykurg der Gesetzgeber als ›die Schlüsselfigur im Diskurs der Aufklärer‹ [89. Bd. 2. 122] in den Blick. Lykurg – wie Moses und Numa wirklicher Gesetzgeber – bindet die Spartaner lebenslang an ein ›joug de fer‹, ein »eisernes Joch« [39. Bd. 3. 529]; mit seiner Landverteilung verbindet er die Idee ökonomischer Gleichheit. Die Modelle S. und Rom sind unerreichbare Teile eines Traums oder einer Utopie – eben darin liegt der Grund für ihre Wirkungsmächtigkeit [59. 500].

Als entschiedenster Anwalt der Gleichheit argumentiert Gabriel Bonnot, Abbé de Mably (1709–1785), in seinen *Observations sur l'Histoire de la Grèce* (1766) gegen die Physiokraten mit dem vollkommenen Gleichheitskonzept Lykurgs, der das Streben nach Reichtum und materiellen Gütern aus S. verbannt hatte [60. 105–139]. Zutiefst von der Entbehrlichkeit des Grundbesitzes überzeugt, verwies Mably auf das Beispiel der Spartiaten, die keinen Landbesitz, sondern nur die Nutzung des Landes kannten. Die ›communauté des biens‹, die spar-

tanische Gütergemeinschaft, verkörpert in *De la législation* (1776) das Gemeinwesen natürlicher Ordnung [61. 11f.]. Dementsprechend endet S. sechshundertjährige Blüte mit der Einführung des Privateigentums im 4. Jh. [75. 248]. Mablys egalitärer S.-Kult wird im 19. Jh. von konservativer Seite heftig kritisiert [81. 199].

Zu den zeitgenössischen S.-Kritikern zählen etwa Turgot, Voltaire, Chastellux und Holbach. Mit wiss. Argumenten und einer kritischen Analyse von Plutarchs *Lykurg* setzte der Athen zugeneigte Cornelius de Pauw (1720–1799) mit seinen in Berlin (1787) und Paris (1788) erschienenen *Recherches philosophiques sur les Grecs* einen Kontrapunkt gegen die S.-Verehrung [56. 13].

Die Frz. → Revolution trug, wie ihre Festkultur (→ Festkultur/Trionfi) und zahlreiche Ant.-Referenzen zeigen, ein ant., in der radikalen Phase ein ›griech. Kostüm‹ [89. Bd. 2. 125]. In der »Konkurrenz« zw. Athen und S. holte sich der eine das aus S., was der andere aus Athen bezog. In der Zeit der *terreur* identifizierten sich die Montagnards ideologisch eindeutig mit S. (und Rom) als Ort der Freiheit [89. Bd. 2. 136f.]. ›Sparta‹, sagt am 18. Floréal des Jahres II (7. Mai 1794) Robespierre, ›leuchtet wie ein Stern in einer unendlichen Finsternis‹, die für fast ununterbrochene Tyrannei und Verbrechen steht [44. 338]. Auf das ›spartanische Freiheitsideal‹ war auch Saint-Just fixiert [86. 130].

Das ›leuchtende‹ S., dessen ›Tugend‹ und ›Gleichheit‹ faszinierten, gehörte wohl eher in den Bereich des ›Imaginären‹ [89. Bd. 2. 135]. Es sollte, so Robespierre in der Rede *Über die Grundsätze der polit. Moral*, weder im Hinblick auf ›klösterliche Strenge, noch klösterliche Korruption‹, das Vorbild der frz. Republik abgeben [44. 590]. Eine letztlich realistische, z. T. nüchterne Erinnerung an S. prägt die intensiven Debatten der Frz. Revolution über Erziehungsprogramme [68. 108f.; 89. Bd. 2. 134].

In der ant. »Bilderwelt« der Frz. Revolution ist neben Lykurg der Leonidas- und Thermopylenstoff präsent: J.-L. David gestaltete Leonidas an den Thermopylen (1799) [75. pl. 5] (→ Schlachtorte, Abb. 2) und einen Lykurg (1791) [68. 96–97].

2. NORDAMERIKA

Man mag die mit den wichtigsten »europ.« Positionen verknüpfte Debatte darüber, was die im revolutionären Aufbruch begriffene ›Neue‹ von der ›Alten Welt‹ lernen könne, als paradox ansehen, sie spricht aber für die Ambitionen der ›Gründungsväter‹ [78. 107f.]. In den Verfassungsdiskussionen tauchte S. als Modell und Gegenmodell auf im Dialog zw. John Adams (1739–1826), dem zweiten Präsidenten der USA, Verfasser von *Defence of the Constitutions of Government of the United States of America* (1787/8), und John Taylor (1753–1824), Autor der *Inquiry into the Principles and Policy of the Government of the United States* (1814) [72. 309f.].

Andere S.-Referenzen wie Bezüge zur agrarisch strukturierten alt-röm. Gesellschaft entspringen dem Ideal des ›farmer-citizen‹, das in John Dickinsons (1732–1808) *Letters from a Farmer in Pennsylvania to the*

Inhabitants of the Bristish Colonies (1767/8) zu fassen ist [78. 262 Anm. 21]. Sparta firmiert in einer bekannten Wendung als ›the land of the free and home of the brave‹ [78. 214].

Darüber hinaus begegnen zentrale Bezüge der S.-Rezeption: Lykurg, die auf Leonidas und die Thermopylen bezogene Heldenverehrung [79. 136 f., 207] ebenso wie die Vermittlerrolle Plutarchs auch für Erziehungskonzepte [78. 250–264]. Im Rahmen einer »Greek-Revival-Welle« in der Architektur entstanden im 19. Jh. auch Städte, denen Siedler den Namen S. gaben [87. 24] (→ Greek Revival).

3. DEUTSCHLAND

In Deutschland dominierten anfangs engl. und frz. Einflüsse. Das belegt die weite Verbreitung von Richard Glovers (1712–1785) Poem *Leonidas* (1737), von dem in Deutschland sogar zwei engl. Ausgaben (auch in Prosa) und seit 1776 vier dt. Übersetzungen erschienen [75. 308; 66a. 211]. Die Reihe dt. S.-Beiträge beginnt mit Johann Christoph Gottscheds *Agis. König zu Sparta* (1745/1751?), einem der klass. frz. Tragödie verpflichteten Stück mit einem Appell für moralisches und vernunftgemäßes Handeln der Herrschenden [80. 123]. Sie führt weiter über Johann Jakob Wilhelm Heinses *Ardinghello und die glückseligen Inseln* (1787) aus der Sturm-und-Drang-Zeit (→ Sturm und Drang), in dem ein Idealstaat nach Lykurg, Platon und Aristoteles projektiert wird [75. 175 f.]. Im dt. Griechenbild der → Klassik überwiegt aber die Zuneigung zu Athen, obwohl Johann Joachim Winckelmann (1717–1768), der den Grund für die Idealisierung des Griechentums legte, einen positiven Zugang zu S. fand. Hier sah er im Zusammenhang des natürlichen und einfachen Lebensstils das ›normative griech. Körperideal‹ als Voraussetzung für die vollendeten griech. Kunstwerke nahezu modellhaft verwirklicht [56. 14].

Für Johann Gottfried Herder (1744–1803) zählten Athen und S., so in den *Ideen zur Philos. der Geschichte der Menschheit* (1784), zu den ›beiden großen Gedächtnisplätze(n)‹ der Menschheit, dabei steht Athen für ›Aufklärung‹, S. für ›Patriotismus‹ [25. 545]. Von seinen frühen Schriften bis zur Sammlung *Adrastea* (1801–1803) bezieht Herder sich immer wieder auf Lykurg (und Solon), wobei Lykurg in Herders ›Abschiedswerk‹ als größter Held und Gesetzgeber präsentiert wird – in einer Zeit, in der die ›Lacedämonier äußerst rauh und unwissend (waren)‹ [24. 383]. Gemessen an der Ausbildung der Humanität überwog aber die Distanz zu S., wie auch in Friedrich Schillers bekannter Vorlesung *Die Gesetzgebung des Lykurgus und Solon* (1789): Lykurgs Staatsverfassung war zwar ein ›vollendetes Kunstwerk‹, sie hinderte aber den wesentlichen ›Zweck der Menschheit‹, die ›Fortschreitung des Geistes‹. In dieser Akzentuierung gegen einen Staat, der ›niemals Zweck‹ sein durfte [41. 82 f.], wurde Schillers Schrift in den Flugblättern des Widerstandskreises um die Geschwister Scholl zitiert [56. 16].

D. 19. JAHRHUNDERT

Im 19. Jh. kommt es als Antwort auf die Frz. Revolution zu einer Abwendung von Sparta. Sparta wird kritisiert und gerät ins Lager der Reaktion [89. Bd. 1. 137 f.]. Die Bewunderung gilt einem eher liberalen und bürgerlichen Athen; doch auch S. fand weiter Anhänger.

Mit Johann Caspar Friedrich Mansos (1760–1826) Werk *Sparta* [31] erscheint die erste mod. Geschichte Spartas. Manso verbindet Ansätze der → Aufklärung des 18. Jh. mit solchen des Liberalismus des 19. Jahrhunderts. Er schreibt über S. als ›lehrendes und warnendes Beispiel‹ für Preußen, das ähnlich zerteilt ist wie die griech. Halbinsel der Ant. [31. Bd. 3. 455]. Dabei liefert er alles andere als ein idealisiertes Bild, wenn er die Situation aller Gruppen des spartanischen Modells in der Bandbreite von ›reinste(r) Demokratie‹ (für die Spartaner) über ›strenge Aristokratie‹ (für die Periöken) bis zum ›Despotismus in seiner furchtbarsten Gestalt‹ (für die Heloten) beschreibt [31 Bd. 1. 185 f.].

Unter dem Einfluß des → Philhellenismus und der → Romantik stehen Karl Otfried Müllers (1797–1840) 1824 als Teil der unvollendet gebliebenen *Geschichten hellenischer Stämme und Städte* erschienene *Dorier*, deren Ansatz seine Wirkung bis in die 30er und 40er J. des 20. Jh. entfaltete. Konstitutiv für dieses Werk ist das von Friedrich von Schlegel (1772–1829) abgeleitete Konzept der »Stämme«, das in positiver und negativer Akzentuierung im Gegensatz von »Dorischem« und »Ionischem«, wie in der Schrift *Von den Schulen der Griech. Poesie* (1794) ausgeführt, ein Grundmuster der frühen griech. Geschichte erkennt.

Müller wollte den dorischen Stamm gewissermaßen als Individuum erfassen. In weitem Zugriff behandelt er ›Religion, Staat, Sitte und Kunst ... unter dem Titel von Geschichte‹ und ermittelt den ›Dorischen Normalstaat‹ als ›Seele‹ der griech. Geschichte. Den ›Grundcharakter des Dorischen Stammes‹ erkennt Müller im ›Streben nach der Einheit im Ganzen‹ und in der ›Anhänglichkeit an das Gegebene und Gewordene‹ [33. Bd. 2. 392–94], einer besonderen Fähigkeit zur Ein- und Unterordnung in die Gemeinschaft. Nahezu alle Lebensbereiche werden idealisiert, auch die »dunklen« Seiten S., wie die »Untertänigkeitsverhältnisse«, beschreibt Müller durchaus harmonisierend.

Zu den Kritikern seiner Position gehört Georg Wilhelm Friedrich Hegel (1770–1831), in dessen System auch im Blick auf das demokratische Athen die Freiheit des Individuums eine große Rolle spielt. Das erklärt den überaus kritischen Blick auf S. in seinen *Vorlesungen über die Philos. der Geschichte* (1822–1831): In S. ist die ›Freiheit der Individualität zurückgesetzt‹, und der Charakter der Spartaner von ›unmenschliche(r) Härte‹ bestimmt, ihr Staat gleicht einem ›Sklavenschiff‹ [22. 341 f.].

Eine ausgeprägte – eher polit. begründete – Symphatie für das freiheitliche Athen verbindet George Grote (1794–1871) mit Hegel. Die zwölfbändige *History of Greece* (1846–1856) des liberalen Politikers, die schon

1850–59 ins Deutsche übersetzt wurde, trägt einen deutlich spartakritischen Grundzug. Im Widerspruch zu K. O. Müller sieht er in S. keineswegs den vollständigen ›Typus der dorischen Principien, Tendenzen und Gefühle‹ [18. Bd. 1. 662]. Er kritisiert die Verfassung und das verrohende Erziehungssystem Lykurgs; letztlich wird auch das engagiert diskutierte Gleichheitskonzept Lykurgs eher desillusionierend beurteilt [56. 24]. Grotes kritischer Blick auf S. dominiert weithin das 19. Jh.

Im engl. Kontext stellt W. Paters (1839–1894) Essay *Lacedaemon* (1893) eine Ausnahme dar. In einem ›Tagtraum‹ [75. 362] von S. beschwört der von K. O. Müller beeinflußte Pater den ›halb mil., halb klösterlichen Geist, der an diesem Ort von strenger Schönheit herrschte‹ und findet von dort zur Parallele der engl. Public Schools [36. 224; 87. 238 f.].

In Jacob Burckhardts (1818–1897) *Griech. Kulturgeschichte* (1898–1902) begegnet S. als Modell der nahezu ›vollendeten griech. Polis‹ [56. 33]. Fasziniert von der Machtbildung S., seiner Geschlossenheit und der führenden ›aristokratischen Kaste‹, belichtet Burckhardt aber auch die Lebenswirklichkeit S., die konsequente Unterdrückung von Perioiken und Heloten und die verrohenden Züge seines Erziehungssystems. Darin wird die Distanz zur Idealisierung des Griechentums, auch der Dorier, im Sinne K. O. Müllers deutlich.

Friedrich Nietzsches (1844–1900) Bild des »Dorischen« ist u. a. von Müllers *Doriern* beeinflußt; sein griech. Staat ist mit vielfältigen Implikationen ein dorischer Staat. Seine Kritik an den grausamen Zügen S. (und an Vorstellungen Müllers) zeigt, daß er wie Burckhardt nicht zu den Bewunderern S. zählt. Die Ansätze Nietzsches und Burckhardts gewinnen außerhalb der Fach-Wiss. um und nach 1900 auch für die Auseinandersetzung mit S. größere Bedeutung.

E. VOM 19. INS 20. JAHRHUNDERT (BIS 1933)

1. WISSENSCHAFT

Der neben Th. Mommsen wichtigste Repräsentant der Alt.-Wiss. im Übergang vom 19. zum 20. Jh., Ulrich von Wilamowitz-Moellendorff (1848–1931), rühmte v. a. ›des att. Reiches Herrlichkeit‹; er lieferte in seinem Komm. zu Euripides *Herakles* nach K. Reinhardt einen ›dorischen Katechismus‹ [62. 22]. Der Autor von *Staat und Gesellschaft der Griechen* (1910) zeigt sich von dem in S. herrschenden ›Wehrstand‹ ebenso angezogen wie von dorischer Nacktheit und Knabenliebe [46. 87–89].

Die spartanische Homoerotik war für Verehrer S. lange Zeit ein schwieriges Thema. Das zeigt schon K. O. Müllers Versuch, die spartanische ›Knabenschänderei‹ [33. Bd. 2. 292] auf eine Niedergangsepoche einzugrenzen. Insofern darf man E. Bethes kontrovers diskutierte Studie *Die dorische Knabenliebe – ihre Ethik und Ideale* (1907) im wilhelminischen Deutschland durchaus als mutigen Ansatz bezeichnen [45. 230]. Bethe zeigte u. a., wie oft die Theorie vom »Idealvolk der Griechen« der wiss. Auseinandersetzung im Wege stand [8. 17–57].

Um die Wende vom 19. zum 20. Jh. spielen die im Zeitalter der Entdeckungen eröffneten ›neue(n) Möglichkeiten des Kulturvergleichs‹ [71. 48–55], die eine Idealisierung S. nicht zulassen, eine immer größere Rolle. So versuchte z. B. Martin P. Nilsson (1874–1967) in *Die Grundlagen des spartanischen Lebens* (1912) den Nachweis, daß S. ›auf primitiver Grundlage ruht‹ [34. 340].

Die im »Modell S.« angelegten v. a. mit dem Reformkönigtum verknüpften Vorstellungen zogen auch die marxistische und sozialdemokratische Bewegung an. In engem Anschluß an Engels (1820–1895) Schrift *Der Ursprung der Familie, des Privateigentums und des Staates* (1884) beschrieb August Bebel (1840–1913) in *Die Frau und der Sozialismus* (1879) den ›freie(n) Zustand der Frau unter dem Mutterrecht‹ in Sparta [3. 43].

Mit der *Geschichte des ant. Kommunismus und Sozialismus* (1893–1901), seit der zweiten Auflage von 1912 unter dem Titel *Die Geschichte der sozialen Frage und des Sozialismus in der ant. Welt*, bezog der Althistoriker Robert von Pöhlmann (1852–1914) in sehr mod. Terminologie auch zum »sozialistischen« S. Stellung. Der in seiner Disziplin den »Modernisten« zugerechnete Autor, der polit. durchaus dem eher konservativen Habitus seiner Kollegen entsprach, distanzierte sich von ant. und mod. »sozial-polit.« Konstruktionen und von dem Nachweis »kommunistischer« Spuren in frühen griech. Gesellschaften. Die Quellengrundlage der ›sozialreformatorische(n) Konzepte schien ihm ›kaum weniger problematisch (...)‹ als die ›Ansicht der Alten über die prinzipielle Gütergleichheit S.‹ [37. Bd. 1. 112]. Engagiert untersucht Pöhlmann die ›soziale Revolution‹ unter Agis und Kleomenes. Damit scheitert ein zum ›Sozialismus der Tat‹ schreitender ›Romantiker‹ Agis mit seinem ›Idealbild‹ an den ›harten Schranken der Wirklichkeit‹ [37. Bd. 1. 372, 376]. Von der Gesamtanlage her steht Pöhlmanns Werk auch gegen die Idealisierung der Griechen am Beginn des 19. Jh. (→ Sozialismus).

Die mit S. verbundenen »sozialen Fragen« werden auch nach dem I. und II. Weltkrieg diskutiert. Ernst Bux (1890–1951), dem erst ›die Terminologie der mod. Sozialdemokratie‹ das Verständnis für diese ›griech. sozialrevolutionäre Bewegung‹ ermöglichte, liest Plutarchs Biographien von Agis IV. und Kleomenes III. 1925 als ›sozialistische Novellen‹ [11. 413]. Ähnliche Dispositionen in England findet man in Naomi Mitchisons (1897–1999) fiktionalem *Black Sparta* (1928) und *The Corn King in the Spring Queen* (1931), in dem die Revolution des Kleomenes den Bezugspunkt sozialistischer S.-Bewunderung bildet und darüber hinaus eine helotenfreundliche Perspektive entwickelt wird [75. 365].

Der junge Victor Ehrenberg (1891–1976) suchte in den 1920er J. am Beginn seiner S.-Forsch. wie manch andere Zeitgenossen, z. B. die Jünger Stefan Georges, nach dem ›Typus des griech. Menschen‹. Ihn wollte er in seinem *Neugründer des Staates* (1925) [14], in dem er Hölderlin beschwor, ›aus den Tatsachen des realen Lebens, aus dem Schöpfergeist seiner großen Führer ... nachspürend wieder erstehen lassen‹ [14. VIII]. Die ›Neugründer‹-These weist die traditionell dem Gesetzgeber Lykurg zugeschriebene Reform einem Ephoren des 6. Jh. zu. Bekenntnishafte Züge begegnen bei Ehrenberg nicht nur in dem Rekurs auf die großen Männer, sondern auch im RE-Artikel »S.« von 1929, in dem er das ›Ideal disziplinierter Männlichkeit‹ von höchster ›Reinheit‹ sowie die Opferbereitschaft der Spartaner rühmt [15. 1383].

Nicht weniger bekenntnishaft lehnte Helmut Berve (1896–1973) 1925 die Neugründer-These ab. War doch der ›eigenartige Kosmos‹ S. ›nicht gemacht, sondern gewachsen aus den letzten zeitlosen Tiefen einer Volksseele‹ [5. 311]. Berve hat die früh faßbare Idealisierung S. bis zum E. des II. Weltkriegs zu immer neuen Gipfeln geführt. Zu seinem Gesamtbild der griech. Geschichte gehört die Gegenüberstellung von Stammesgruppen, unter denen Dorier und Ionier bzw. deren »Wesen« dominieren.

2. JUGENDBEWEGUNG

Schwer abzuschätzen ist, welche Wirkung dieser Umgang mit S. über die Alt.-Wiss. hinaus besaß, wobei natürlich auch die Vermittlungsfunktion des → Humanistischen Gymnasiums zu bedenken ist. Ein Reflex darauf ist im Umfeld der Jugendbewegung zu fassen, in deren ›antikisierenden Deutungen‹ [50. 127–133] S. eine große Rolle spielt. So versteht etwa der »jugendbewegte« Schweizer Naturwissenschaftler Alfred Schmid (1900–1968), Gründer des »Grauen Corps« mit elitärem Anspruch, die Jugendbewegung als eine ›Auferstehung im Geiste dorischer Jugend‹ [50. 130]. Nicht zuletzt unter Nietzsches Einfluß wurden ant. Traditionen wie ›das »Dorertum«, die Knabenliebe, der Männerbund, das Dionysische, Apollinische, Tragische‹ und ›heroisches Leben‹ aufgenommen [50. 133]. Eine Gruppe erlebt ›das Hellas der Deutschen‹ [50. 121] – so die Bildunterschrift – [23. Abb. 2] ›unter dem Oelbaum von S.‹, nimmt ein ebenso ins Bild gesetztes ›Bad im Eurotas‹ [23. Abb. 80f] und inszeniert unter Bezug auf Thukydides einen Dialog Athen versus S. [23. 79–90]. Für S. steht ›entsagungsvolle‹ oder ›strengste Zucht‹. Das ›Herrschervolk‹ stellt die ›vollendetsten Krieger‹, pflegt seinen ›Adel‹ als ›Geschenk (des) Blutes‹, die Erziehung ist von ›den Instinkten des wahren Blutadels geleitet‹. Starke Zustimmung findet die ›bewußt hervorgekehrte Zuchtwahl‹ und die ›Verleugnung der Familie‹ in der Erziehung [23. 84f.]; die in der Jugendbewegung präsente Knabenliebe wird als ›Liebe zum Helden‹ definiert, die in der ›Schlacht ihr höchstes Fest‹ feiert [23. 86f.]. Spartas Untergang wird als ein ›Verbluten‹ auf dem Schlachtfeld beschrieben [23. 89]. Hier begegnen durchweg bekannte Elemente des S.-Bildes, darunter auch die im Kontext sozialdarwinistischer und rasseideologischer Konzeptionen bes. aufschlußreiche, zeittypische Rede von der »Zuchtwahl«.

3. RASSENTHEORIE

Zum ›Erbe der 20er J.‹ [70. 89], das die Jugendbewegung nicht nur über Schule und → Universität aufgenommen hat, gehört in einer Reihe von Platonbüchern sicherlich auch Hans Friedrich Karl Günthers

(1891–1968) *Platon als Hüter des Lebens* (1928) [19]. Günther würdigt resümierend die ›mehr den Lebensgesetzen verbundene Weisheit‹ der Spartaner bzw. ›die lykurgischen Gesetze mit ihrem Zuchtgedanken‹ als Vorbild Platons [19. 68]. In Günthers *Rassengeschichte des hellenischen und röm. Volkes* [20] läuft die Geschichte S. (wie diejenige Athens) der pessimistischen Konzeption führender Rassetheoretiker wie Gobineau und Chamberlain entsprechend als Prozeß der ›Entnordung‹ und ›Entartung‹ ab. Seine ›vorwiegend nordische Herrenschicht‹ wird unter Bezug auf die Vorstellung von einer ›sélection militaire‹ durch Kriege »ausgemerzt« [20. 42; 70. 123].

Ludwig Schemann (1852–1938), der die dt. Gobineaurezeption angestoßen hat, meinte, hinsichtlich ›Rassenzucht und -hygiene‹ stünden die Spartaner an der Spitze unter den Griechen – wobei er sich auf K. O. Müllers *Dorier* [33] berief, die im Umfeld der Rassenideologen relativ häufig benutzt wurden [75. 335]. Am Anf. des 20. Jh. stellte Maurice Barrès (1862–1926) in seiner *Voyage de Sparte* [1] deutliche Bezüge zur Rassenlehre her. Unter dem Eindruck der Taygetosschluchten, in denen einst Kinder ausgesetzt wurden, beschwört er die ›traditions doriennes, graves et vigoureuses‹ und beschreibt S. als ›un prodigieux haras‹, ein »wunderbares Gestüt« [1. 198f.; 67. 44]. Griechenland insgesamt vermittelt ihm den Eindruck einer ›Gruppierung kleiner Gesellschaften zur Verbesserung der hellenischen Rasse‹ [1. 234]. Dementsprechend gilt Barrès als eine Art Vorläufer des NS-Spartabildes [67. 43f.; 75. 300].

Wie zahlreiche Titel aus den 20er J. zeigen, sind die Kindesaussetzung in S. und die Erwägungen Platons ein wichtiger Bezugspunkt in den Diskussionen über die »Vernichtung lebensunwerten Lebens« [83. 133–161].

Im Dialog mit H. F. K. Günther konzipiert der spätere NS-Reichsbauernführer und Landwirtschaftsminister Richard Walther Darré (1895–1953) sein Werk *Das Bauerntum als Lebensquell der Nordischen Rasse* (1929) [12], in dem S. weniger als »Krieger«- und »Herren«-, sondern als »Bauernstaat« vorgestellt wird. Die Möglichkeit, Großgrundbesitz anzuhäufen, führt zum wirtschaftlichen Niedergang der Spartiaten. Damit einher geht ein biologischer Verfallsprozeß, der knapper werdende Boden führt zu einer Beschränkung der Kinderzahl, die wiederum ›keine gesundheitliche Ausmerze‹ mehr zuließ [12. 173]. Deshalb findet die Neuverteilung des Landes durch das spartanische Reformkönigtum Darrés besonderes Interesse. Später begründete er seine ›Erbhofgesetzgebung‹ z. T. mit der Geschichte Spartas. Im ›Kulturverfall durch Abkehr vom Land‹ – in dieser Position sind antimodernistische und zivilisationskritische Aspekte erkennbar – und nicht in den Untergangsszenarien der Rassenlehre sieht Darré den wichtigsten Niedergangsfaktor [63. 171]. Hitler bewunderte in einer Rede vom 4.8.1929 die spartanische Herrschaftsordnung: In dem ›klarste(n) Rassestaat der Geschichte‹ unterdrückte eine rassisch hochwertige Minderheit von 6000 herrschenden Familien 340000 Heloten [26. 348].

In seinen Reden E. der 20er J. und in dem damals unveröffentlichten *Zweiten Buch* (1928) bekannte er sich unter dem Stichwort »Geburtspolitik« nachdrücklich zur Auslesepraxis S., des ersten ›völkischen‹ Staates: ›Die Aussetzung kranker, schwächlicher, mißgestalteter Kinder, d. h. deren Vernichtung war menschenwürdiger und in Wirklichkeit tausendmal humaner als der erbärmliche Irrsinn unserer heutigen Zeit, die krankhaftesten Subjekte zu erhalten‹ [27. 56].

F. NATIONALSOZIALISMUS

Die in Hitlers Äußerungen erkennbare Radikalisierung des S.-Bildes in der Zeit des → Nationalsozialismus markiert einen wichtigen Einschnitt in der »Spartan Tradition«. Nach der NS-Machtergreifung verbanden sich mit der Chiffre »S.« und den »Dorern« zahlreiche Modellvorstellungen. Das zeigt etwa Gottfried Benns Essay *Die Dorische Welt* (1934) [4], zu dem er sich von der *Dorischen Musik* Heinrich Kaminskis (1886–1946) hatte anregen lassen [65. 338]. Vor allem ›auf Nietzsches Spuren‹ konnte Benn ›aus Apollon einen präfaschistischen Gott und aus S. ein Nazideutschland avant la lettre‹ machen [82. 525 f.]. Benn beschwört eine männlich geprägte Welt der Dorer: ›Ihr Traum ist Züchtung und ewige Jugend, Göttergleichheit, großer Wille, stärkster aristokratischer Rassenglaube, Sorge über sich hinaus für das ganze Geschlecht.‹ Das Ziel der Erziehung waren ›Schlachten und Unterwerfung‹; Benn verweist auch auf die ›erotische Mystik‹ der dorischen Knabenliebe [4. 836–838].

1. WISSENSCHAFT

Der klass. Philologe Werner Jaeger (1888–1961) formt in dem *Paideia*-Buch von 1934 [28] sein S.-Bild aus Pindar. Dort fand er das ›Ideal des blonden hochrassigen Menschentypus‹ und des ›hellenischen Rasseadels‹, eine ›Adelspaideia‹ oder ›Adelslehre vom Blut‹. Tyrtaios lieferte ›die Stiftungsurkunde des spartanischen Machtstaates‹ [65. 337]. Diese aristokratische und rassistische Konzeption steht stark unter dem Eindruck der Pindarübertragung Rudolf Borchardts (1877–1945) von 1929/30, die Jaeger als ›Doreroffenbarung‹ empfand [65. 334]. Die Zeugnisse Jaegers und Borchardts, der zum Umfeld der »Konservativen Revolution« und des George-Kreises zählt, belegen eine Ren. der Dorier K. O. Müllers in den 30er und 40er J. des 20. Jahrhunderts.

Die Beschwörung S. 1933/34 gehört zum Argumentationsmuster der »Programmschriften« über die Gegenwartsbedeutung der Ant., sie korrespondiert mit entsprechenden Bekenntnissen aus dem Kreis der NS-Führungsschicht. So erstellte der gerade ernannte Landwirtschaftsminister R. W. Darré 1933 ein Manuskript über *Sparta. Ein Staatsgedanke aus Blut und Boden* (*Grundlagen, Aufstieg, Niedergang*) [65. 332]. Albert Speer, der Architekt Hitlers, brach 1935 nach Griechenland auf, um dort ›Zeugnisse der dorischen Welt‹ zu studieren [54. 298].

Die Mehrheit der dt. Althistoriker stellte sich ›im Sinne volksgebundener Wiss.‹ der Verpflichtung zu einem ›neuen S.-Bild‹, dessen Ziel ›nicht Entwicklungsdarstellung, sondern Wesensdeutung‹ sein sollte [29. 387]. Der wichtigste Beitrag stammt von Helmut Berve, der 1937 das Bild des ›aristokratischen Sparta‹ entwarf, das wesentlicher Ausdruck dorischer Stammesart ist und den ›Rassengesetzen‹ verpflichtet war. So konnte es ›zu einer blutsmäßigen Vermischung der Einwanderer mit der ansässigen Bevölkerung‹ nicht kommen, ›dazu war der Geist der Dorier zu aristokratisch exklusiv, ihr Instinkt zu rein und stark‹ [6. 15]. Die schon in Berves *Griech. Geschichte* von 1930/31 angelegten rassengeschichtlichen Bezüge sind stärker betont. Zu dieser Konzeption gehört letzten Endes auch die Rechtfertigung rassenpolitischer Maßnahmen wie die »Vernichtung lebensunwerten Lebens«. H. Berve hat als ein führender Repräsentant der Alt.-Wiss. in der NS-Zeit von 1936 bis in die letzten Kriegstage hinein S.-Vorträge vor NS-Organisationen und der Wehrmacht gehalten und angeboten [76. 473; 66. 231]. Berves kleine S.-Monographie eröffnet eine Reihe dt. »S.-Produktionen«: 1939 erschienen drei von R. W. Darré geförderte Arbeiten: Hans Lüdemanns Monographie *Sparta. Lebensordnung und Schicksal* [30], Jürgen Brakes, *Spartanische Staatserziehung* (= Quellen zur volks-polit. Erziehung) und Theodor Meiers Dissertation *Das Wesen der spartanischen Staatsordnung nach ihren lebensgesetzlichen und bodenrechtlichen Voraussetzungen*. Dazu kam noch Hans Johns *Von dem Sinn des spartanischen Staatsgedankens* und schließlich aus Frankreich Pierre Roussels *Sparte*. Nach Berve fehlte dem frz. Beitrag die wesentliche Voraussetzung für eine S.-Darstellung, ›die tiefere innere Anteilnahme an Lakedämon, seiner Art und seinem Geschick‹ [7. 11].

2. NATIONALSOZIALISTISCHE PÄDAGOGIK

Die NS-Spartakonzeption fand den Weg in die Schulen. Zu behandeln war nach der Vorgabe der Lehrpläne für den Geschichtsunterricht von 1938 ›Die Gesetzgebung S. in ihrer rassischen und bevölkerungs-polit., soldatischen und sozialistischen Ausrichtung. Der rassische Untergang S.‹ [56. 48 Anm. 203]. Noch genauer hieß es im Hinblick auf die rassen-polit. Anwendung in einem weit verbreiteten Geschichtsbuch unter dem Stichwort ›Rassischer Staatsgedanke‹ des ›sozialistische(n) Kriegerstaat(es) der dorischen Spartaner‹: ›Planmäßige Körperertüchtigung der Jungen und Mädchen, Männer und Frauen, soll nordische Herrenschicht erbgesund erhalten. Erbhofbesitzer dürfen nicht unverheiratet bleiben. Ehe mit Fremdrassigen verboten. Kinderlose Ehen aufgelöst. Schwächliche Kinder ausgesetzt. Kriegstüchtigkeit durch Gemeinschaftserziehung, Körperübungen, Waffenkampf, Abhärtung, Gehorsam, Selbstbeherrschung‹ [17. 6f.]. Damit sind Hitlers und Darrés Vorgaben umgesetzt.

Eine zentrale Rolle spielt S. in der NS-Eliteerziehung. August Heißmeyer, der Inspekteur der sog. »National-polit. Erziehungsanstalten« (Napola), fand 1938 in S., im preußischen Offizierskorps, in den Jesuitenkollegs und den engl. »public schools« die klass. Muster für die ›typenprägende Wirkung strenger Gemein-schaftserziehung‹. 1941 setzte er dann mit der Formel ›S., Rom, Preußen – Deutschland‹ einen stärkeren Akzent auf die ›soldatische Moral‹ [84. 99 f.].

Für die Adolf-Hitler-Schulen (AHS) stellte die Alt.-Wiss. eine ›Erziehungshilfe‹ [65. 347] bereit: In dem von dem Archäologen Otto-Wilhelm von Vacano (1910–1997) 1940 herausgegebenen AHS-Arbeitsheft *Sparta. Der Lebenskampf einer nordischen Herrenschicht* werden Parallelen zw. der Lebensordnung der Spartiaten und den AHS vielfach nahegelegt. Sparta liefert ›das Beispiel des Lebenskampfes einer arischen Herrenschicht in fremdem Raum, die nach strahlender Leistung zusammenbricht, weil die Kräfte des Blutes im Einsatz verbraucht und damit auch die von ihm geschaffenen Lebensordnungen sinnlos geworden sind. Was Lakedämons Adel in diesem Kampf an Tugenden entfaltet hat, was er in dienender Zucht gestaltet hat, ist unvergänglich‹ [43. 25]. In diesem Heft werden die verschiedenen Ansätze der NS-Spartakonzeption zusammengeführt. Zu Wort kommen die ant. Autoren, darunter die von Richard Harder übersetzten »Altspartanischen Kampfreden des Tyrtaios«, H. Berve, H. Lüdemann und auch die *Dorier* K. O. Müllers [65. 345–347]. Ein Leitmotiv durchzieht das ganze Heft – die Opferbereitschaft der Spartaner in der Thermopylenschlacht (→ Schlachtorte B. 2).

Das Interesse an der Aktualisierung S. blieb im II. Weltkrieg stark: R. W. Darré legte 1940 (!) die Arbeit *Vom Lebensgesetz zweier Staatsgedanken* vor, in der er Lykurg und Konfuzius verglich. Ein »interdisziplinäres« Interesse an S. belegt die bei dem NS-Pädagogen Alfred Baeumler (1887–1968) angefertigte Dissertation von A. N. Patriarcheas über *Die Erziehung der Spartanerin in ihrer polit. Wirklichkeit. Prolegomena zu jeder heutigen weiblichen Erziehung* (1943). 1942 entstand die Giessener medizinische Dissertation von W. Schaeffer zum Thema *Die Familie als erbbiologische Grundlage des Staates. Nachgewiesen an der Geschichte S.*, die sich kritisch mit den Thesen des inzw. entmachteten R. W. Darré auseinandersetzt.

3. Thermopylen

Bis in die letzten Kriegstage – wie der Appell des Reichsmarschalls H. Göring an die in Stalingrad eingeschlossenen Soldaten zeigt – wurde immer wieder pathetisch die Thermopylenschlacht beschworen. Am Beispiel des Leonidas orientierte sich noch im Februar 1945 Hitlers ›Strategie des grandiosen Untergangs‹ [66. 20]. Das NS-Spartabild trägt unverkennbar einen utopischen Grundzug, der in der Fixierung auf agrarisch strukturierte Gesellschaften urtümlicher Rasseeinheit zu fassen ist. Diese Utopie schließt die Möglichkeit zur Verwirklichung ein [63. 311 f.]. An der Legitimation der damit verbundenen Herrschaftspraxis haben führende Vertreter der Alt.-Wiss. mitgewirkt.

G. Nach 1945
1. Totalitarismuskritik

Nach den Exzessen der NS-Spartaidealisierung wurde im Kontext mit der wesentlich von Emigranten und Remigranten v. a. in der Politik-Wiss. geführten Totalitarismusdiskussion der Blick für die »totalitären« Züge S. geschärft. Diese Diskussion knüpft an Beiträge aus der Zeit des Nationalsozialismus an. So erschien 1946 der 1934 gehaltene Prager Rundfunkvortrag *Ein totalitärer Staat* des 1939 nach England emigrierten Viktor Ehrenberg, in engl. Sprache [55. 217–228]. Anspielungen auf den NS-Staat, wie die Rede von der ›engen egoistischen Herrenmoral‹, ›dem organisierten und straffreien Mord‹ an den Heloten und die ›grausamen Methoden spartanischer Eugenik‹ sind unübersehbar [13. 226, 219, 221]. Unter ähnlichen Voraussetzungen äußerte sich der 1937 in die USA emigrierte Klass. Philologe Kurt von Fritz (1900–1985) 1948 in einer ›berechtigte(n) Übertragung aus dem Amerikanischen‹ zu *Totalitarismus und Demokratie im Alten Griechenland und Rom* [16. 47]. Danach lieferte S. ›den schlagendste(n) Beweis scharfer Reglementierung des Lebens jedes einzelnen Bürgers durch den Staat ... vielleicht in der ganzen Menschheitsgeschichte‹, es steht für einen geradezu ›lückenlos(en)‹ Totalitarismus [16. 52].

In dem sich verschärfenden »Kalten Krieg« lenkt 1951 der amerikanische Graezist Lucius Rogers Shero (1891–1968) den Blick auf das ›Totalitarian‹ Sparta [42. 13]. Zu seinem Vergleichsrahmen gehört die NS-Rassenideologie und die Staatserziehung bzw. -jugend in Hitler-Deutschland und der Sowjetunion. Ein zentrales Element des totalitären S., die Kontrolle aller Lebensbereiche, findet er gewissermaßen auf beiden Seiten des »Eisernen Vorhangs« – auch in den McCarthy-Aktivitäten in den USA [42. 13–32].

Die Linien des Systemvergleichs verfolgt – bezogen auf den »Kalten Krieg« – der dt. Sachbuchautor Carl W. Weber, wobei die Vorstellung des »Eisernen Vorhangs«, der sich über S. gesenkt hat, ebenso wichtig ist wie die von ›Hellas im Kalten Krieg‹ mit der Rollenverteilung S./UdSSR bzw. Athen/USA [45. 207, 325]. Ende der 60er J. stellt Hugh Parry in einem Quellenheft *Ideals of Education: Spartan Warrior and Athenian All-round Man* (1969) auch im Bild Bezüge zw. spartanischer Disziplin und mod. Kadettenerziehung in den USA her [35. 7] und bestätigt so das antithetische Wahrnehmungsmuster.

2. Thermopylenschlacht

In Auseinandersetzung mit einem Hauptmotiv der Kriegserziehung in der NS-Zeit und ihrem S.-Bild wendet Heinrich Böll 1950 mit seiner Kurzgeschichte *Wanderer kommst du nach Spa ...* die Thermopylenszene zum Antikriegsstück: Ein schwerverwundeter Soldat liest in seinem als Notlazarett dienenden alten Gymnasium den Anf. des Epigramms auf die Gefallenen der Thermopylenschlacht. Nach Bölls späterer Interpretation kommt der junge Soldat an ›den human. »Tatort« zurück, Opfer einer »spartanischen« Barbarei‹. Böll fragt, welchen Beitrag das human. Gymnasium dazu geleistet hat [64. 211–213].

Die Thermopylenschlacht zählt bis h. zu den bekanntesten »Bildern« aus der Geschichte S., die durchaus noch in heroisch-nationalistisch-spartanischem Geist vermittelt werden können. Der 1980 in England herausgebrachte Band *The Year of Thermopylae* von Ernle Bradford (1922–1986) erschien in Deutschland unter dem Titel *Leonidas. Held der Thermopylen* (1984) und sollte dem dt. Publikum, so hieß es im Rückentitel der Ausgaben von 1984 und 1991, ›ein leuchtendes Vorbild für Opfermut, Tapferkeit und Treue‹ oder die ›sprichwörtlich gewordenen Tugenden der Tapferkeit und des Patriotismus‹ nahebringen. Die amerikanische Fassung trägt den Titel *The Battle for the West: Thermopylae* (1980) und stellt den Bezug zum Ost-West-Konflikt her. In diesem Sinne zitiert Bradford aus dem 1965 entstandenen Essay *Hot Gates* des Literaturnobelpreisträgers William Golding (1911–1993), für den Leonidas ›zu unserer Freiheit beigetragen‹ hat: ›Ein kleines Stück des Kampfes, den Leonidas geführt hat, verbirgt sich hinter der Tatsache, daß ich gehen kann, wohin ich will und schreiben kann, was ich will‹ [10. 157]. Dementsprechend resümiert Bradford, daß Leonidas und seine Spartaner dafür gekämpft haben, ›daß die individuelle Freiheit im Westen überleben konnte‹ [10. 264].

Am vorläufigen E. dieser Reihe steht Steven Pressfields inzw. verfilmter, in New York erschienener Roman *Gates of Fire* (1998), der 2001 unter dem neutralen Titel *Sparta* ins Deutsche übertragen wurde. In Verbindung von histor. Fakten und fiktionalen Elementen kommt der einzige Überlebende der Schlacht zu Wort, der u. a. die ›Geschichte seiner Unterweisung in der Lebens- und Todesphilos. Spartas‹ erzählt [38. 2] – also eher nicht dem alten S.-Bild verhaftet ist. In ähnlichem Sinne wurde ein anderes zentrales Thema, das mit der Erinnerung an S. verbunden ist, in Wolfgang Maria Bauers *Zikadenzüchter* [2] (1992) auf die Bühne gebracht. Darin nimmt sich der Bauer »Taygetos« der ausgesetzten spartanischen Kinder (der Zikaden) an.

3. TENDENZEN DER SPARTAFORSCHUNG

Nach dem II. Weltkrieg gab man Athen den Vorzug vor Sparta. Angesichts der Verstrickungen dt. Forscher in der NS-Zeit ist nachvollziehbar, daß das Thema S. nach 1945 gleichsam ›tabuisiert‹ wurde [56. 49]. Die Betroffenen selbst sahen keinen Anlaß, sich mit ihrem Beitrag zur NS-Spartaideologie (oder ihrer Rolle in der NS-Zeit) auseinanderzusetzen oder sich davon zu distanzieren: H. Berves S.-Buch von 1937 (Ndr. 1944) wurde 1966 sogar in die zweite Auflage seiner Schriftensammlung *Gestaltende Kräfte der Ant.* aufgenommen. Kritische Fragen aus der west-dt. Althistorikerzunft stellte man erst E. der 60er Jahre.

In der → DDR-Althistorie war das Problembewußtsein für derartige Fragen früher entwickelt und stärker ausgeprägt [9. 7–16]. Das zeigt die 1969 erhobene Klage ihres »Chefideologen« Rigobert Günther (1928–2000), daß ›der faschistische Staat ... die Traditionen des alt-spartanischen Staates in geradezu verbrecherischer Weise‹ mißbraucht habe [21. 118]. In ihrer Grundaussage ist die Klage fester Bestandteil der Programmatik des sozialistischen Geschichtsbildes. In der internationalen Forsch. wurden die Beiträge der Alt.-Wiss. zum NS-Spartabild durchaus registriert und vereinzelt angesprochen. Relativ früh analysierte Edouard Will in *Doriens et Ioniens. Essai sur la valeur du critère ethnique appliqué à létude de l'histoire et de la civilisation greques* (1956) u. a. die mit der S.-Konzeption Berves verbundenen Voraussetzungen. Arnaldo Momigliano (1908–1987), dessen Familie Opfer der NS-Vernichtungspolitik wurde, zog letztlich Verbindungslinien zw. dieser Vernichtungspolitik und der Konzeption Berves [54. 221]. Die dann seit den 60er J. des 20. Jh. erschienenen Arbeiten sind nüchtern gehalten, man vermeidet die für die S.-Idealisierung konstitutiven Bezüge zum Militärischen und zur Erziehung [54. 408 f.]. 1983 erschien dann die erste dt. wiss. S.-Gesamtdarstellung nach 1945 [57]. Aus dem angelsächsischen Bereich sind z. T. von der Tradition Moses Finleys geprägte Arbeiten, v. a. die von Paul Cartledge und Stephen Hodkinson hervorzuheben [51; 52; 53; 61]. Von frz. Seite wurden in den letzten J. zentrale Institutionen S. umfassend untersucht, wie Pierre Carliers *La royauté en Grèce avant Alexandre* (1984), Jean Ducats *Les hilotes* (1990) oder Nicolas Richers *Les Éphores* (1998) zeigen. Generell wächst der Einfluß ethnologischer und anthropologischer Ansätze, von denen her z. B. einzelne Elemente des Erziehungssystems erklärt werden können [77. 305–322].

Der in dem Sammelband *S.: Beyond the Mirage* (2003) programmatisch ausgedrückte und notwendig Perspektiven der Rezeption einschließende Ansatz der internationalen S.-Forsch. [77] zeigt, daß S. den Status eines »Sonderfalls« zunehmend verliert, er belegt aber auch das Fortleben nationaler S.-Traditionen. Auch von daher ist kaum vorstellbar, daß der Prozeß immer neuer S.-Rezeptionen ein E. findet. Als Chiffre für einen »starken Staat« ist S. in polit. und sozialen Bezügen mit eher negativer Konnotation bis h. präsent.

→ AWI Sparta

QU 1 M. BARRÈS, Le Voyage de Sparte (1906), in: Oeuvres complètes, tome 32, 1923 2 W. M. BAUER, Zikadenzüchter, 1992 3 A. BEBEL, Die Frau und der Sozialismus, (Zürich 1879) 1929, Ndr. 1979 4 G. BENN, Dorische Welt, in: Gesammelte Werke, Bd. 3, 1975, 824–856 5 H. BERVE, Rezension V. EHRENBERG, Neugründer des Staates, in: Gnomon 1, 1925, 305–317 6 Ders., S., 1937, ²1944 7 Ders., Vier S.-Bücher, in: Gnomon 17, 1941, 1–11 8 E. BETHE, Die dorische Knabenliebe – ihre Ethik und Ideale, in: A. K. SIEMS (Hrsg.), Sexualität und Erotik in der Ant., 1988, 17–57 9 G. BOCKISCH, Das S.-Bild in der bürgerlichen Lit., in: Miszellen zur Wiss.-Gesch. der Altertumskunde, 1980, 7–16 10 E. BRADFORD, Leonidas, Held der Thermopylen, 1984 (Taschenbuch 1991) 11 E. BUX, Zwei sozialistische Novellen bei Plutarch, in: Klio 19, 1925, 413–431 12 R. W. DARRÉ, Das Bauerntum als Lebensquell der Nordischen Rasse, ⁶1937 13 V. EHRENBERG, Ein totalitärer Staat (1934), in: K. CHRIST (Hrsg.), S. (Wege der Forsch. 622) 1986,

217–228, zuerst engl. A Totalitarian State (1946), dt. Übers. 1986 **14** Ders., Neugründer des Staates, 1925 **15** Ders., s. v. S., RE III A 1929, 1373–1453 **16** K. v. FRITZ, Totalitarismus und Demokratie im Alten Griechenland und Rom, in: A&A 3, 1948, 47–74 **17** W. GEHL, Gesch. der Ant. in Stichworten, 1938 **18** G. GROTE, History of Greece, London 1846–1856, dt. Gesch. Griechenlands, 6 Bde., Berlin 1850–1859 **19** H. F. K. GÜNTHER, Platon als Hüter des Lebens, 1928 **20** Ders., Rassengeschichte des hellenischen und röm. Volkes, 1929 **21** R. GÜNTHER, Gesch. des Alt. im sozialistischen Geschichtsbild, in: Wiss. Zschr. der Friedrich-Schiller-Univ. Jena, 18, 4, 1969, 117–120 **22** G. W. F. HEGEL, Vorlesungen über die Philos. der Gesch., ed. H. GLOCKNER (Sämtliche Werke), 1961 **23** Hellas. Tagebuch einer Reise. Im Auftrag der »Fischer«, hrsg. v. E. u. H. LEHMANN, 1929 **24** J. G. HERDER, Adrastea, Werke in zehn Bdn., Bd. 10, ed. G. ARNOLD, 2000 **25** Ders., Ideen zur Philos. der Gesch. der Menschheit, Werke in zehn Bdn., Bd. 6, ed. M. BOLLACHER, 1989 **26** A. HITLER, Reden, Schriften, Anordnungen. Bd. III, Teil 2, hrsg. und komm. von K. A. LANKHEIT et al., 1994 **27** Hitlers Zweites Buch. Ein Dokument aus dem J. 1928, hrsg. von G. L. WEINBERG, 1962 **28** W. JAEGER, Paideia, Bd. 1, 1934 **29** E. KIRSTEN, Die Entstehung des spartanischen Staates, in: Neue Jbb. für Wiss. und Jugendbildung 12, 1936, 385–400 **30** H. LÜDEMANN, S., 1939 **31** J. C. F. MANSO, Sparta. Ein Versuch zur Aufklärung der Gesch. und Verfassung dieses Staates, 3 Bde., Leipzig 1800–1805 **32** TH. MORE, Utopia, in: E. SARTZ, J. H. HEXTER (Hrsg.), The Complete Works of St. Thomas More, Bd. 4, 1965 **33** K. O. MÜLLER, Die Dorier, 2 Bde., Breslau ²1844, engl. The History and Antiquities of the Doric Race, 2 vls., Oxford 1830 **34** M. P. NILSSON, Die Grundlagen des spartanischen Lebens, in: Klio 12, 1912, 308–340 **35** H. PARRY, Ideals of Education. Spartan Warrior and Athenian All-round Man, 1969 **36** W. PATER, Lacedaemon, in: Ders., Plato and Platonism, Werke Bd. 6, 1925, 197–234 **37** R. v. PÖHLMANN, Gesch. der sozialen Frage und des Sozialismus in der ant. Welt, 2 Bde., Ndr. 1984, ³1925 **38** ST. PRESSFIELD, S., 2001 **39** J.-J. ROUSSEAU, Considérations sur le Gouvernement de Pologne, Oeuvres complètes, ed. M. LAUNAY, 1971, Bd. 3, 527–567 **40** Ders., Discours sur les Sciences et les Arts, dt.: Über Kunst und Wiss., in: Schriften zur Kulturkritik, ed. K. WEIGAND, ⁴1983 **41** F. SCHILLER, Die Gesetzgebung des Lykurgus und Solon, in: K. CHRIST (Hrsg.), S., 1986, 73–86 **42** L. R. SHERO, »Totalitarian« S., in: Crozers Quarterly 28, 1951, 13–32 **43** O.-W. v. VACANO (Hrsg.), Sparta. Der Lebenskampf einer nordischen Herrenschicht, 1940 **44** CH. VELLAY, Discours et Rapports de Robespierre, 1908 **45** C. W. WEBER, Die Spartaner. Enthüllung einer Legende, 1977 **46** U. VON WILAMOWITZ-MOELLENDORFF, Staat und Gesellschaft der Griechen, Ndr. 1994

LIT **47** TH. W. AFRICA, Thomas More and the Spartan Mirage, in: Historical Reflections 6, 1, 1979, 343–352 **48** E. BALTRUSCH, Sparta. Gesch., Ges., Kultur, 1998 **49** N. BIRGALIAS, L'Odyssée de l'éducation spartiate, 1999 **50** H. CANCIK, Jugendbewegung und klass. Ant., in: B. SEIDENSTICKER, M. VÖHLER (Hrsg.), Urgesch. der Moderne. Die Ant. im 20. Jh, 2001, 114–135 **51** P. CARTLEDGE, Agesilaos, 1987 **52** Ders., The Socratics' S. and Rousseaus, in: ST. HODKINSON, A. POWELL (Hrsg.), Sparta. New Perspectives, 1999, 311–337 **53** Ders., Spartan Reflections, 2001 **54** K. CHRIST, Hellas. Griech. Gesch. und dt. Geschichts-Wiss., 1999 **55** Ders. (Hrsg.), S., 1986

56 Ders., S.-Forsch. und S.-Bild (1986), Ndr. in: Ders., Griech. Gesch. und Wiss.-Gesch., 1996, 9–57 (mit Nachträgen 1996, 219–221) **57** M. CLAUSS, Sparta. Einführung in seine Gesch. und Zivilisation, 1983 **58** A. DEMANDT, Der Idealstaat, 1993 **59** CH. GRELL, Le Dix-huitième siècle et l'antiquité en France 1680–1789, Bde. 1–2, 1995 **60** L. G. GUERCI, Libertá degli antichi e libertá dei moderni, 1979, 105–139 **61** ST. HODKINSON, Property and Wealth in Classical S., 2000 **62** P. JANNI, La cultura di Sparta Arcaica. Ricerche I, 1965 **63** F.-L. KROLL, Utopie als Ideologie, Geschichtsdenken und polit. Handeln im Dritten Reich, 1998 **64** G. LOHSE, H. OHDE, Mitt. aus dem Lande der Lotophagen. Zum Verhältnis von Ant. und dt. Nachkriegs-Lit. II, in: Hephaistos 5/6, 1983, 163–226 **65** V. LOSEMANN, Die »Dorier« im Deutschland der dreißiger und vierziger J., in: W. M. CALDER III, R. SCHLESIER (Hrsg.), Zw. Rationalismus und Romantik, 1998, 313–348 **66** Ders., Nationalsozialismus und Ant., 1977 **66a** I. MCGREGOR MORRIS, To make a new Thermopylae: Hellenism, Greek liberation and the Battle of Thermopylae, in: Greece & Rome 47, 2, 2000, 211–230 **67** H. MARROU, Gesch. der Erziehung im klass. Alt., 1957 **68** C. MOSSÉ, L'Antiquité dans la Revolution française, 1989 **69** B. NÄF, Deutungen und Interpretationen der griech. Gesch. in den zwanziger J., in: H. FLASHAR (Hrsg.), Alt.-Wiss. in den 20er Jahren. Neue Fragen und Impulse, 1995, 275–302 **70** Ders., Von Perikles zu Hitler? Die athenische Demokratie und die dt. Althistorie bis 1945, 1986 (Europ. Hochschulschriften, Reihe 3, 308) **71** W. NIPPEL, Griechen, Barbaren und »Wilde«, 1990 **72** Ders., Mischverfassungstheorie und Verfassungsrealität in Ant. und früher Neuzeit, 1980 **73** F. OLLIER, Le mirage spartiate. Étude sur l'ántiquité grecque, Bde. I–II, 1943, Ndr. 1973 **74** J.-L. QUANTIN, Traduire Plutarque d'Amyot à Ricard; contribution à l'étude du mythe de Sparte aux XVIIIᵉ siècle, in: Histoire, Économie et Société, 1988, 243–259 **75** E. RAWSON, The Spartan Tradition in European Thought, 1969 **76** ST. REBENICH, Alte Gesch. in Demokratie und Diktatur. Der Fall Helmut Berve, in: Chiron 31, 2001, 457–496 **77** Ders., From Thermopylae to Stalingrad: The Myth of Leonidas in German Historiography, in: A. POWELL, ST. HODKINSON (Hrsg.), S.: Beyond the Mirage, 2003, 323–349 **78** M. REINHOLD, Classica Americana, The Greek and Roman Heritage in the United States, 1984 **79** C. J. RICHARD, The Founders and the Classics, 1994 **80** V. RIEDEL, Ant.-Rezeption in der dt. Lit. vom Ren.-Human. bis zur Gegenwart, 2000 **81** TH. SCHLEICH, Aufklärung und Revolution. Die Wirkungsgesch. G. B. de Mablys in Frankreich (1740–1914), 1981 **82** R. SCHLESIER, »Dionysische Kunst«. Gottfried Benn auf Nietzsches Spuren, in: Modern Language Notes 108, 1993, 517–528 **83** M. SCHMIDT, Hephaistos lebt – Unt. zur Frage der Behandlung behinderter Kinder in der Ant., in: Hephaistos 1983/4, 133–161 **84** H. SCHOLTZ, Nationalsozialistische Ausleseschulen, 1973 **85** C. M. STIBBE, Das andere S., 1996 **86** J. L. TALMON, Die Ursprünge der totalitären Demokratie, 1961 **87** O. TAPLIN, Feuer vom Olymp. Die mod. Welt und die Kultur der Griechen, 1991 **88** E. N. TIGERSTEDT, The Legend of S. in Classical Antiquity, Bde. I–III, 1965–1978 **89** P. VIDAL-NAQUET, Die griech. Demokratie von außen gesehen, 2 Bde., 1993–1996 (frz. 1990).

VOLKER LOSEMANN

II. Geschichte der Ausgrabungen
A. Lage, Quellen und Ausgrabungsgeschichte   B. Ausgrabung und Identifizierung der Hauptmonumente
C. Topographische Probleme des griechisch-römischen Sparta   D. Das byzantinische Sparta

A. Lage, Quellen und Ausgrabungsgeschichte

Die Ausgrabungsstätte des ant. S., des mächtigsten dorischen Stadtstaats, liegt auf der südl. Peloponnes am Westufer des Eurotas in Lakonien. Sie befindet sich auf fruchtbarem und ebenem Terrain mit einzelnen kleinen Erhebungen, von denen eine im Norden die Akropolis bildete. Mit Ausnahme der Gegend um die Akropolis ist ein Großteil der ant. Stätte h. von der mod. Stadt Sparti bedeckt, die im J. 1843 gegründet wurde. Im Westen wird der Horizont von der gewaltigen Gebirgskette des Taygetos beherrscht, in dessen Ausläufern man im J. 1248 die Festungsstadt Mistra errichtete.

In der ant. Trad. war S. berühmt für seine Lykurgische Verfassung, sein Erziehungssystem und seine Armee, jedoch nicht für seine Architektur oder Stadtplanung. Nach der Auffassung des Thukydides (1,10,2), der im späten fünften Jh. v. Chr. schrieb, besaß S. keine Gebäude von ausreichendem Prestige, um mit denen Athens konkurrieren zu können oder um einen tatsächlichen Eindruck von seiner polit. Macht zu dieser Zeit vermitteln zu können. Ein anderes Bild präsentiert uns Pausanias (3,11–18) in seinem Bericht über die Stadt, den er ca. 160 n. Chr. für Reisende verfaßte. Zu dieser Zeit hatte sich S. von den zufällig entstandenen Ortschaften der archa. und klass. Zeit zu einer eher konventionellen hell. und röm. Stadt entwickelt, umgeben von Befestigungen und ausgestattet mit einer Reihe von rel., öffentlichen und privaten Bauten [3]. Da diese auch einige alte Heiligtümer und Monumente umfaßten, liegt es auf der Hand, daß die röm. Stadt sich am selben Ort befand wie die frühere griech. Stadt, deren Ursprünge mindestens bis in die Eisenzeit zurückreichen. Ob sich die bronzezeitliche Stadt des Menelaos an derselben Stelle befand, ist unbekannt. Jedoch finden sich viele Beweise für eine Besiedlung in myk. Zeit in der näheren Umgebung, z. B. bei dem Menelaion im Südosten Spartas, bei Vapheio und bei Pellana [4].

Sparta wurde bereits im 18. Jh. von Reisenden korrekt lokalisiert, jedoch begann man nicht vor 1892/93 mit ersten wiss. Ausgrabungen an der Stelle des runden Gebäudes [10]. Bedeutende Kampagnen unternahm damals die British School of Athens (→ Nationale Forschungsinstitute III.) 1905–1910 in der Gegend der Akropolis und des Heiligtums der Artemis Orthia [1; 6; 7] und erneut 1924–1928 im ant. Theater [20–22]. In jüngerer Vergangenheit wurden britische Ausgrabungen von Catling 1973 am Menelaion [4] und von Waywell und Wilkes 1989–1998 bei der röm. Stoa und dem Theater durchgeführt [16–19]. Griechische Ausgrabungen wurden von 1960 an in der Gegend der Akropolis von Christou, Delivorrias, Stavrides und Steinhauer unternommen. Im Gebiet der mod. Stadt wurden von Mitgliedern des Arch. Dienstes viele Rettungsgrabungen durchgeführt, die v. a. auf Privathäuser und Bestattungen ein neues Licht warfen [4; 5; 13].

B. Ausgrabung und Identifizierung der Hauptmonumente
1. Befestigungsanlagen

Es gibt Belege für zwei verschiedene Befestigungsanlagen: Die frühere stammt aus hell. Zeit, wurde im frühen dritten Jh. begonnen, jedoch weitestgehend unter den Königen Kleomenes III (236–233 v. Chr.) und Nabis (207–192 v. Chr.) erbaut. Sie bestand aus einer ovalen Umfriedung von 48 Stadien Länge (Polybios 5,22), die, wie sich bei Ausgrabungen zeigte, aus Lehmziegelsteinen auf einem Steinsockel mit einer Abdeckung aus schwarz glasierten Ziegeln gefertigt war, vergleichbar mit den hell. Befestigungsanlagen von Mantineia, Megalopolis und Athen [6]. Die zweite Anlage – eine Mauer aus Steinen und Mörtel, die noch heute mit einer beachtlichen Höhe das Areal der Akropolis umschließt – repräsentiert eine spätröm. Konzentration der Stadt auf ein leichter zu verteidigendes Gebiet zur Zeit des Angriffs durch Alarich und die Visigoten im J. 396 n. Chr. (Abb. 1). Es wurden viele → Spolien von Monumenten verbaut, die entweder bei diesem Angriff, oder bei dem Erdbeben von 375 zerstört wurden. Diese Befestigungslinie wurde größtenteils im neunten Jh. für die byz. Stadt wiederhergestellt [9; 17].

2. Akropolis

Die spartanische Akropolis wurde als der direkt über dem Theater ansteigende ›Hügel, der am höchsten in den Himmel ragt‹ (Paus. 3,17,1) identifiziert. Dickins und Woodward legten bei ihren Ausgrabungen auf dem stark erodierten Gipfel 1906–07 die Fundamente von Spartas wichtigstem Heiligtum, dem Tempel der Athena Chalkioikos, frei, der in der zweiten Hälfte des sechsten Jh. erbaut wurde und einst eine von einem lokalen Künstler namens Gitiadas gefertigte Bronzestatue der Athene enthielt. Der Tempel war ein bescheidener Bau, etwa 20 m lang, mit Lehmziegelwänden, die mit Bronzeplatten verkleidet waren (daher das Epithet der Göttin, ›Bronzehaus‹), und einem Dach aus schwarzgefärbten Terrakottaziegeln, die mit Lakonischen Scheiben-Akroteren verziert waren [6; 20; 22]. Man fand keine Spuren von dem bei Pausanias erwähnten Tempel der Aphrodite auf der Akropolis oder von der Kolossalstatue des Zeus, jedoch brachte 1926–27 die Ausgrabung einer kleinen Portikus, die vielleicht mit dem Heiligtum der Athena Ergane verbunden war, den Torso einer eindrucksvollen Marmorstatue eines spartanischen Hopliten aus den J. 480–470 v. Chr. zutage (Abb. 2). Durch seine gehockte Kampfhaltung, den fein ausgearbeiteten Helm und die eingesetzten Augen hat er das Aussehen eines spartanischen Führers in den Perserkriegen, jedoch bleibt die traditionelle Identifizierung als ›Leonidas‹ unbewiesen [11; 20].

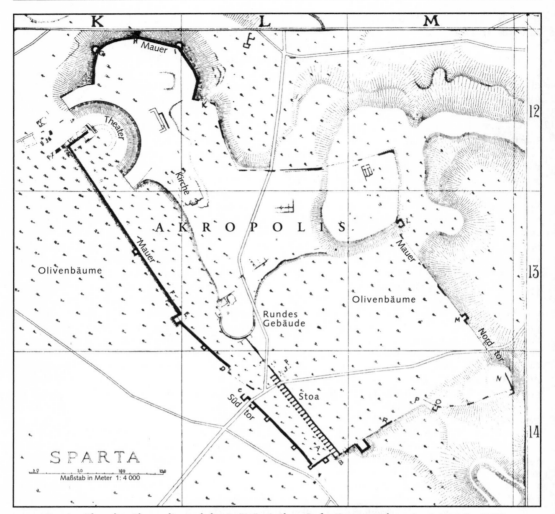

Abb. 1: **Sparta. Plan der Akropolis und der spätrömischen Befestigungsanlage** (nach W. Sejk, 1907)

3. THEATER

Am Südhang der Akropolis liegt das Theater, Spartas wichtigstes sichtbares Monument, das kurz bei Pausanias (3,14,1) erwähnt und etwas westl. der Agora lokalisiert wird. Jüngste Ausgrabungen haben eine späte Entstehungszeit im Hellenismus bestätigt, etwa um 30–20 v. Chr., als C. Iulius Eurykles Dynast in S. war. Es ist anzunehmen, daß es ein früheres Theater an gleicher Stelle ersetzt hat. Im großen Maßstab angelegt mit einem Durchmesser von 114 m für die *cavea*, war es eine ehrgeizige Konstruktion in der Trad. der älteren peloponnesischen Theater in Epidauros und Megalopolis. Es besaß eindrucksvolle Stützmauern und war mit weißem Marmor aus der Region ausgestattet. Auffallende Besonderheiten waren eine dorische Kolonnade, die die obersten Zuschauerränge umgab, sowie ein beweglicher Bühnenbau, der, wie eine dreifache Steinspur

zeigt, auf Rädern aus einem Lagerraum für Bühnenbilder in der westl. Parodos herausgerollt werden konnte. Kaiser Vespasian ersetzte diesen 78 n. Chr. durch ein eher konventionelles röm. Bühnengebäude, von dessen säulenreicher Fassade viele Fragmente an Ort und Stelle erhalten sind [2; 4; 18; 19].

4. DAS RUNDE GEBÄUDE UND DIE RÖMISCHE STOA

Die beiden aneinandergrenzenden Bauten liegen südöstl. des Theaters, aber immer noch innerhalb des Ringes der späten Mauer (Abb. 3). Das runde Gebäude erhielt seinen Namen von einer Bemerkung des Pausanias (3,12,10–11), daß ein kreisförmiger Bau, von dem behauptet wird, er sei von dem Kreter Epimenides gegründet worden, neben einer Straße liegt, die aus der Agora herausführt.

Abb. 2: Hoplitenkrieger aus der Akropolis
(sogenannter Leonidas), ca. 480-470 v. Chr.
Marmor, Höhe 85 cm. Sparta Museum Inv. 3365

Ausgrabung und Survey haben gezeigt, daß es sich
um die Einfassung eines natürlichen Felsaufschlusses mit
einem Durchmesser von 43,3 Metern handelt. Es wurden Blöcke lokalen Konglomeratgesteins verwendet,
die als dreistufige, von Orthostaten überragte Basis angelegt wurden. Das obere gepflasterte Feld enthielt in
der Mitte eine Aussparung, die entweder für einen großen Balken, der das Dach stützte, oder für die Basis einer
großen Statue gedacht war. Ein frühes Baudatum in archa. oder klass. Zeit scheint möglich, jedoch bleibt die
Identifikation unsicher. Alternativen, die auch bei Pausanias genannt werden, sind die Skias oder der Kanopus
(eine von Theodoros von Samos erbaute Tholos), der
Standort der Kolossalstatue des Demos von S., ein Tanz-
platz oder – weniger wahrscheinlich – der Kenotaph des
Brasidas, des spartanischen Befehlshabers im Peloponnesischen Krieg [9; 10; 17]

Die röm. Stoa, von der beachtliche Überreste vorhanden sind, war eine 200 m lange gewölbte Portikus
auf zwei Etagen, die aus Ziegeln gebaut und mit Steinen
verkleidet war. Das um 130 n.Chr. zur Zeit Hadrians
entstandene Gebäude diente wohl als Stütze und Begrenzung der südöstl. Ecke des Plateaus im Norden, wo
sich vielleicht die Agora befand. Die Stoa hatte mindestens 24 Räume oder Läden in ihrem unteren Stock-
werk, deren mittlere beiden mit Apsiden und Kreuz-
kuppelgewölben versehen waren und Vorrichtungen
für kunstvolle Wasserbassins besaßen. Die Südfassade
und das östl. Ende waren mit einer Säulenfront versehen, wie Löcher für Dachbalken bezeugen. Dies weist
darauf hin, daß sich dort zwei Straßen im rechten Winkel trafen. Eine Stoa dieser Größe und Ausführung wird
gewöhnlich mit einer Agora in Verbindung gebracht,
jedoch ist umstritten, ob diese im Norden oder im Süden der Portikus lag oder vielleicht sogar von dieser
geteilt wurde. Eine bedeutende Ecke polygonalen Mau-
erwerks mit großen (Verwaltungs-)Räumen, die von
Christou und Stavrides nördl. des runden Gebäudes ausgegraben wurde, könnte der südwestl. Winkel der Agora gewesen sein (Abb. 3). Wenn dies der Fall ist, könnte
sie quadratisch mit einer Seitenlänge von bis zu 200 m
gewesen sein und den größten Teil des Platzes nördl. der
röm. Stoa eingenommen haben, die ihre südöstl. Grenze gebildet hätte. Ebenso wird diskutiert, ob die röm.
Stoa die wiederaufgebaute Version der persischen Stoa
darstellt, die auf der Agora stand und von Vitruv (1,1,6)
und Pausanias (3,11,3) erwähnt wird. Diese feierte den
Sieg der Spartaner über die Perser bei Plataiai im J. 479
v. Chr. und war an der Fassade mit Statuen der besiegten
Barbarenanführer dekoriert, die halfen, das Dach zu
stützen. Es ist wahrscheinlich, daß diese berühmte Portikus an anderer Stelle auf der Agora stand, vielleicht auf
der Nordseite [12; 15; 17].

5. HEILIGTUM DER ARTEMIS ORTHIA
Einige der frühesten Schichten, die bis jetzt im Stadtbezirk Spartas ausgegraben wurden, liegen beim Heiligtum der Artemis Orthia, das mindestens auf das 8. Jh.
v. Chr. zurückgeht und ununterbrochen bis in die späte
röm. Periode in Gebrauch blieb. Bosanquet und Dawkins lokalisierten 1906–1910 am westl. Ufer des Eurotas,
etwas südl. der Brücke, den Standort des berühmten
Tempels und Altars der Artemis Orthia in Limnai (Paus.
3,16,7–10), wo die spartanische Jugend alljährlich in
Initiationszeremonien blutige Auspeitschungsrituale er-
dulden mußte. Um in der röm. Periode die Besucher-
mengen, die zu dieser Veranstaltung strömten, unter-
bringen zu können, wurde eine beeindruckende, thea-
terähnliche Tribüne erbaut, deren Fundamente noch
erhalten sind. Ein früher Tempel von ca. 700 v. Chr.
wurde 550 v. Chr. durch ein größeres, aber immer noch
relativ einfaches prostyles Gebäude ersetzt, das noch
teilweise erhalten ist. Auffällig unter den Funden waren
tausende frühgriech. Blei- und Elfenbeinfigurinen als
Gaben an die Göttin Artemis in ihrer Eigenschaft als
Herrin über die Tiere, bemerkenswerte Terrakotta-
Masken, die rudimentäre dramatische Aufführungen
bezeugen, und die vereinzelt in Steintafeln gesetzten
Bronzesicheln, die die Siegeszeichen für die Sieger der
Wettbewerbe darstellten [7; 8; 13; 14].

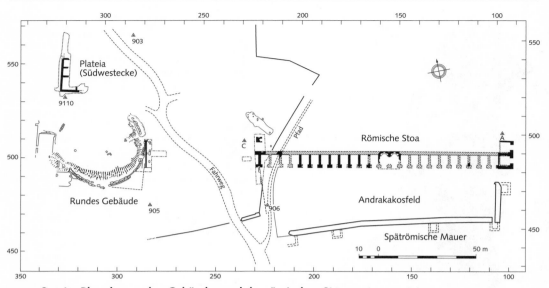

Abb. 3: **Sparta. Plan des runden Gebäudes und der römischen Stoa** (nach N. Fradgley)

C. TOPOGRAPHISCHE PROBLEME DES GRIECHISCH-RÖMISCHEN SPARTA

Beim Vergleich der wenigen identifizierten erhaltenen oder ausgegrabenen Strukturen mit dem Bericht des Pausanias zeigt sich, daß unsere Kenntnis der Top. des ant. S. immer noch sehr begrenzt ist. Gesichert sind der Verlauf der Mauer in ihren beiden Phasen und die innerhalb gelegenen Orte der Akropolis, des Theaters und der anderen oben erwähnten Monumente. Einige weitere könnten ergänzt werden, wie z. B. der Schrein des Lykurg nahe der Brücke oder das sog. Leonidaion in der mod. Stadt, das wahrscheinlich eher ein Tempel als ein Grabmal war. Unbekannt ist jedoch die genaue Lage der Agora, die Pausanias erst nach der Überquerung des Eurotas beschrieb und von der aus er seine Streifzüge in verschiedene Teile der Stadt begann. Auf der Agora befanden sich viele berühmte Monumente, darunter das Grab des Orest, des Sohns Agamemnons, sowie zwei Tempel für Julius Caesar und Augustus. Die Agora befand sich, wie oben diskutiert, wahrscheinlich auf dem Plateau im Norden der röm. Stoa, eine alternative Sichtweise würde sie jedoch südl. davon, unterhalb des mod. Leichtathletik- und Fußballstadions ansiedeln. Diese Unsicherheit hat Auswirkungen auf das wenig bekannte Straßensystem der hell. und röm. Stadt und folglich auf die Route von Pausanias Streifzügen und die Gebäude und Monumente, auf die er traf. Von den vier Stadtteilen Spartas, die aus getrennten Dörfern erwuchsen und von ant. Quellen als Mesoa, Kynosoura, Pitane und Limnai benannt werden, kann allein das letztgenannte, Limnai, definitiv im nordöstl. Gebiet der Stadt lokalisiert werden, da in ihm das Heiligtum der Artemis Orthia lag. Pitane befand sich mit großer Wahrscheinlichkeit im Nordwest-Sektor und führte zu einem Bereich mit Sportstätten, Rennbahnen und Gymnasien hinaus.

Daraus folgt, daß Mesoa und Kynosoura wahrscheinlich den südl. Teil der Stadt ausmachten, vielleicht gleichermaßen den Südosten und Südwesten, worüber jedoch kein Einvernehmen herrscht [1; 13; 15; 17]

D. DAS BYZANTINISCHE SPARTA

Ausgrabungen haben ma. Texte bestätigt, nach denen S. in byz. Zeit, v. a. zw. 900 und 1300 n. Chr. wieder aufblühte. Nach der üblicherweise zitierten Quelle der Chroniken von Monemvasia wurde S. 580 n. Chr. angesichts der slawischen Invasion von seinen Einwohnern verlassen, die entweder nach Monemvasia oder nach → Sizilien flohen. Neuere Funde von Keramik in den Schichten oberhalb des Theaters vermitteln jedoch den Eindruck, daß es eine Form kontinuierlicher Besiedlung gegeben haben muß, auch wenn das Leben dort stagnierte [18]. Im Laufe des 9. Jh. wurde der innere Ring der späten Mauer erneuert, und von den früheren Überresten wurden Häuser und Kirchen erbaut. Darunter war auch die große Basilika am Theater, die sog. Kirche des St. Nikon. In letzter Zeit wurden als Identifikation auch die Kirche, die in die röm. Stoa gebaut wurde, sowie eine weitere in der Nähe des runden Gebäudes vorgeschlagen. Das byz. Sparta erreichte seine Blütezeit während der Frankenherrschaft nach 1204. Als jedoch später im selben Jh. Mistra dem byz. Kaiser übergeben wurde, begann der Niedergang der Stadt, der schließlich in der Verlegung des Bischofssitzes nach Mistra kulminierte. Anhand von Keramikfunden ließ sich feststellen, daß die Besiedlung am Ort des griech.-röm. S. in den J 1325–1350 endete, etwa 100 J. vor dem Besuch Ciriacos aus Ancona, der den desolaten Zustand des Ortes in einem Gedicht beklagt [17].

→ AWI Sparta

1 R. C. Bosanquet, G. Dickins, Excavations at S., 1906, in: ABSA 12, 1905–6, 277–439 **2** H. Bulle, Das Theater zu S., 1937 **3** P. A. Cartledge, A. J. S. Spawforth, Hellenistic and Roman S.: a Tale of Two Cities, 1989 **4** W. G. Cavanagh, S. E. C. Walker (Hrsg.), S. in Laconia. Proceedings of the 19th British Mus. Classical Colloquium (= BSA Stud. 4), 1998 **5** C. Christou, Archaia Sparti, 1960 **6** R. M. Dawkins, A. J. B. Wace, Excavations at S., 1907, in: ABSA 13, 1906–7, 1–218 **7** R. M. Dawkins, Artemis Orthia, 1929 **8** R. Förtsch, Kunstverwendung und Kunstlegitimationen im archa. und frühklass. S., 2001 **9** E. Kourinou, Sparti: Symbole sti mnemeiaki topographia tis, 2000 **10** C. L. Meader, C. Waldstein, Reports on excavations at S. in 1893, in: AJA 8, 1893, 410–428 **11** O. Palagia, W. Coulson (Hrsg.), Sculpture from Arcadia and Laconia, 1993 **12** N. Papahatzi, Pausaniou Ellados Periegesis, II: Korinthiaka kai Lakonika, 1976 **13** C. M. Stibbe, Beobachtungen zur Top. des ant. S., in: BABesch 64, 1989, 61–99 **14** Ders., Das andere S., 1996 **15** M. Torelli, Pausania, Guida della Grecia, Libro III: la Laconia, D. Musti, M. Torelli (Hrsg.), 1991 **16** G. B. Waywell, S. and its Topography, in: BICS 43, 1999, 1–26 **17** Ders., J. J. Wilkes, Excavations at S.: the Roman Stoa, 1988–1991, Part 2, in: ABSA 89, 1994, 377–432 **18** Ders., Excavations at the Ancient Theatre of S., 1992–1994: Preliminary Report, in: ABSA 90, 1995, 435–460 **19** Ders., Excavations at the Ancient Theatre of S., 1995–1998: Preliminary Report, in: ABSA 94, 1999, 437–455 **20** A. M. Woodward, Excavations at S., 1924–1925, in: ABSA 26, 1923–1925, 116–310 **21** Ders., Excavations at S., 1926, in: ABSA 27, 1925–26, 173–254 **22** Ders., Excavations at S., 1925–1928, in: ABSA 30, 1928–30, 151–254.

GEOFFREY B. WAYWELL / Ü: FRANK BÄCKER

Sperlonga. Sperlonga, abgeleitet von lat. *spelunca*, »Grotte«, ist der neuzeitliche Name eines Ortes an der Tyrrhenischen Küste auf halbem Weg zw. Rom und Neapel. Im Alt. lag hier wahrscheinlich die lakonische Kolonie Amyklai. Bekannt ist der Ort aber deshalb, weil 1,5 km südl. des Kalksporns, auf dem sich die griech. Siedlung erhob, eine röm. Villa am Strand in ihren Bereich die weithin sichtbare Grotte einbezogen hatte, die sich am Hang des hier ins Meer abstürzenden Kalkfelsens Monte Ciannito fast in der Form einer Viertelskugel mit einem Durchmesser von etwa 21 m öffnet.

Diese Grotte gab der Villa den Namen *praetorium speluncae*, was soviel wie »Kaiservilla der Grotte« heißt. Dabei ist das kleine röm. Villengebäude, das auf einer *basis villae* vor der Grotte liegt, sicher schon in spätrepublikanischer Zeit, spätestens um 50 v. Chr. in *opus incertum* errichtet worden. Die Höhle erhielt den Namen »Grotte des Tiberius«, weil Tacitus (ann. 4,59) und Sueton (Tib. 39) inhaltlich übereinstimmend, jedoch mit eigenen Worten, berichten, daß Kaiser Tiberius im September des J. 26 n. Chr. beim Tafeln in dieser als *stibadium*, d. h. als Beckentriklinium eingerichteten Grotte durch einen Steinschlag in Lebensgefahr geriet. Man nimmt deshalb an, daß Tiberius die Villa möglicherweise von der Familie seiner aus dem nahegelegenen Fundi (h. Fondi) stammenden Mutter Livia geerbt und sie durch die Anlage einer Praetorianerkaserne und

die Ausstattung des Höhlenszenariums mit Marmorskulpturen in einen für den Aufenthalt des Kaisers und seiner Umgebung angemessenen Zustand versetzen ließ. Bis dahin dürfte die Grotte im Naturzustand verblieben sein, wie Ovid ihn (met. 3,157–162) bei der Grotte von Gargaphie beschreibt.

Gerettet wurde der Kaiser beim Steinschlag im J. 26 n. Chr. durch den Einsatz seines Gardepräfekten Seianus, der sich, während einige Bedienstete am Höhleneingang durch herabstürzende Felsbrocken erschlagen wurden, über den Kaiser gebeugt und ihn mit seinem eigenen Haupt und Händen geschützt haben soll. Nachdem die Höhle, die schon 1839 von Rossini in einem Stich dargestellt und auch von der staatlichen Denkmalbehörde Neapels oberflächlich untersucht worden war, seit September 1957 mehr oder weniger systematisch ausgegraben wurde, konnte man nachvollziehen, daß der Kaiser wohl nicht in unmittelbarer Lebensgefahr schwebte, wenn er an dem verhängnisvollen Tag mit seinen Gästen auf dem Inseltriklinium in einem großen Wasserbecken speiste, das sich aus der Rundform innerhalb der Höhle zu einem Rechteck vor der Höhle erweiterte. Das Triklinium lag unmittelbar vor dem Höhlenrand und konnte von einem Steinabbruch des Felsendachs nicht getroffen werden. Sollte es sich allerdings, was auch vermutet wurde, um einen Attentatsversuch mit Hilfe einer über dem Berghang aufgebauten Muräne gehandelt haben, wäre eine Gefährdung denkbar gewesen. Das ist zwar unwahrscheinlich, da man die Vorbereitungen dazu hätte bemerken müssen. Der Gardepräfekt durfte aber nichts ausschließen. Deshalb mußte seine Handlung den Kaiser von dessen Fähigkeiten und Opferbereitschaft überzeugt haben. Tacitus jedenfalls erklärte damit das bedenkenlose Vertrauen, das Tiberius zu Seianus gewann, und hielt den Vorfall allein deshalb für erwähnenswert. Tiberius zog sich unmittelbar nach dem Steinschlag noch im Oktober 26 n. Chr. endgültig in die *villa Jovis* nach Capri zurück. Dort ließ er u. a. die Blaue Grotte zu einem in gewisser Weise mit der Tiberiusgrotte von S. vergleichbaren Naturtheater mit myth. Marmorgruppen ausbauen. Auch andere Grotten in Capri knüpfen an dieses Vorbild an.

Über die histor. Aussage hinaus beruht die große arch. Bed. der Grotte von S. darauf, daß diese natürliche Kulisse in ein eindrucksvolles Naturtheater verwandelt wurde. Es war, wie die Signatur der Skyllagruppe bezeugt, das Werk derselben rhodischen Bildhauer Athanodoros, Hagesandros und Polydoros, denen nach Plinius (nat. 36,37) auch die meisterhafte Bildhauerarbeit der → Laokoongruppe aus dem Tituspalast, jetzt im Vatikan, zu verdanken ist. Wie den Auftritt pantomimischer Gruppen im röm. Schauspiel sah man Mythenszenen aus Marmor, die eine Botschaft an den Betrachter richten.

Mit Ausnahme der über der Höhle aufgestellten Gruppe des Ganymed erweisen sich die fünf weiteren, noch großartigeren Gruppen als Marmorkopien hell. Bronzewerke aus der ersten H. des 2. Jh. v. Chr., die auch durch andere Wiederholungen bekannt sind.

Die kunstgeschichtlich früheste der Gruppen ist die des Palladionraubs, möglicherweise eine Schöpfung des Nikeratos, Sohn des Euktemon, aus Athen, der auch als Verfertiger des Bildnisses Eumenes' II. von Pergamon aus dem J. 197 v. Chr. bekannt ist. Das Aussehen der ganzen Gruppe überliefert am genauesten das Relief eines att. Beinkastens (Ostothek) der Zeit um 150 n. Chr. aus Kastelhorizo im Athener Nationalmuseum.

Die zeitlich nächste Gruppe ist eine große rundplastische Darstellung des Skyllamythos. Dieses wahrscheinlich als Denkmal für die Gefallenen im Piratenkampf zw. 188 und 168 v. Chr. in Rhodos geschaffene einzigartige Monument stand ab dem 6. Jh. n. Chr. auf dem Hippodrom von Konstantinopel und wurde dort 1204/5 von den Kreuzfahrern zum Zweck der Münzprägung eingeschmolzen. Es existieren aber genaue Beschreibungen einer Reihe byz. Autoren, die man erst richtig beurteilen kann, seit man die offenbar sehr genaue Replik von S. kennt. Außerdem wurde die Gruppe in einem republikanischen Mosaiktondo der Zeit um 100 v. Chr. aus Gubbio in Perugia in ein zweidimensionales Bild umgesetzt. Nachbildungen der Gruppe finden sich auch auf einem Tonmodel des ausgehenden 2. Jh. v. Chr. in Didyma, einem gallisch-röm. Reliefmedaillon in Vienne aus dem 2. Jh. n. Chr. und auf einer Reihe von Kontorniatmedaillons des 4. und 5. Jh. n. Chr. Die offenbar berühmte Gruppe konnte aus rund 7000 Bruch auf Bruch aneinanderpassenden Frg. in Kunststein rekonstruiert werden. Diese Rekonstruktion hat ihre endgültige Aufstellung im Museo della Civiltà Romana in Roma-EUR gefunden. Die Skyllagruppe stand im Zentrum des ganzen Ensembles und trägt deshalb die Signatur der dafür verantwortlichen Ausführenden. Da diese auch die von Plinius (nat. 36,37) als Marmornachbildung eines hell. Bronzeoriginals bezeichnete Laokoongruppe gemeißelt haben, repräsentieren sie ein großes Kopistenatelier, das nach dem Oberflächenstil zu urteilen, alle Skulpturen von S. ausführte.

Als kunstgeschichtlich im Abstand etwa einer halben Generation anschließende Gruppen darf man die beiden urspr. wohl vom gleichen, namentlich unbekannten Meister geschaffenen Kompositionen der Blendung Polyphems und der sog. Pasquinogruppe – aus der Epoche des → Pergamonaltars 165–156 v. Chr. – ansehen. Die letztgenannte, durch viele, auch mehrere vollständige Repliken bekannte Gruppe stellte im Bronzeoriginal die im 17. Gesang der *Ilias* geschilderte Bergung des Leichnams des Patroklos dar. In S. wurde das Vorbild in Marmor maßgleich kopiert und mit wenigen sicheren Meißelhieben in eine Rettung des Leichnams und der Waffen des Achill umgewandelt. Diesen Mythos hatte erst Ovid in den *Metamorphosen* (13,337–356) geschildert, wodurch mit dem J. 8 n. Chr., als die *Metamorphosen* weitgehend abgeschlossen waren, ein *terminus post quem* der Umwandlung der Menelaos-Patroklosgruppe in eine Odysseus-Achillgruppe gegeben ist. In S. wurde der linke nachschleifende Fuß des Toten

mit durchtrennter Achillesferse dargestellt. Der Leichnam war offenbar auch nicht nackt, sondern gewappnet wiedergegeben.

Die Polyphemgruppe von S. ist durch eine Replik aus der Villa Hadriana und durch eine genaue Reliefnachbildung der Zeit um 180 n. Chr. in Catania bekannt. Die Gruppe konnte aus den Frg. in S. unter Zuhilfenahme der Repliken in Kunststeinabgüssen im Kunstmus. der Ruhr-Univ. Bochum vollständig rekonstruiert werden und erweist sich als epochales Werk auf dem kunstgeschichtlichen Weg zu der im Original um 140 v. Chr. geschaffenen Laokoongruppe.

Die fünfte Gruppe ist nur sehr frg. erhalten. Sie stellt die Heimholung Philoktets von Lemnos durch Odysseus und Diomedes dar. Von der Hauptfigur sind so viele Frg. erhalten, daß man eine röm. Bronzestatuette des Philoktet im Mus. der University of Mississippi als Wiederholung der Originalschöpfung aus der Zeit 160–150 v. Chr. erkennen kann. Der hinkende Held deutet mit der Rechten auf die Wunde an seinem Bein und hält in der Linken einen der unfehlbaren Pfeile des Herakles. Auch von den zu dieser Gruppe gehörenden Statuen des Odysseus und des Diomedes existieren Fragmente. Die zahlreichen Puntelli beweisen wiederum, daß auch diese Gruppe im Original aus Bronze bestand.

Die fünf in Marmor kopierten, hell. Gruppen, deren Aufstellungsort in der Höhle von S. genau festgestellt werden konnte (Abb. 1), ergeben im neuen Zusammenhang eine interessante Ikonologie, weil sie die bedeutenden Leistungen des Odysseus in einem bestimmten, von Ovid reflektierten und für die Zeitgenossen polit. relevanten Sinnbezug wiedergeben. Die Rettung der Waffen des Achill, die auf dem linken, östl. Zwickel zw. dem runden Becken in der Höhle und dem rechteckigen davor aufgestellt war, der Raub des Palladions auf dem rechten, im Westen gegenüberliegenden Zwickel, und die Heimholung des Philoktet von Lemnos in der linken inneren Grotte im Südosten sind die drei von Ovid (met. 13,280–285,337–356,399–403) behandelten, von Servius (Aen. 3,402f.) kurz als *fatalia troiana* bezeichneten Bedingungen für die Eroberung → Trojas, die ihrerseits die Voraussetzung für die Flucht des Aeneas und für die Begründung des röm. Volkes war. Der Seher Helenos, Bruder der Kassandra, hatte diese schicksalhaften Bedingungen Odysseus bekannt gemacht. Der Held ließ nichts unversucht, sie – z. T. gemeinsam mit Diomedes – auszuführen, wie es im Zusammenhang nur das 13. und 14. Buch der *Metamorphosen* des Ovid schildern. Bei Ovid (met. 13,730–735; 14,59–67,192–212) werden die beiden schwersten Abenteuer des Odysseus, die Blendung Polyphems und die Durchfahrt zw. Skylla und Charybdis, in neuer Weise dargestellt, in S. waren sie in der rechten hinteren Nebengrotte und im Zentrum des runden Beckens vor Augen geführt.

Die bildmächtige Botschaft der Inszenierung von S. wird vollendet durch die von der rhodischen Bildhau-

Abb. 1: Rekonstruktion der Skulpturenausstattung in der Grotte des Tiberius bei Sperlonga. Die Grotte wurde zwischen 14 und 19 n. Chr. durch die Aufstellung von sechs überlebensgroßen Marmorgruppen in ein großes Naturtheater umgewandelt. Über den Rand der Höhle trägt der Adler des Zeus Ganymed als Mundschenk zum Triklinium des Kaisers Tiberius herab, der dadurch als Jupiter auf Erden dargestellt wird. Die anderen fünf Gruppen, von Ovid im 13. Buch der *Metamorphosen* als die entscheidenden Taten des Odysseus vorgestellt, waren die Voraussetzung für die Eroberung Trojas und die endliche Heimkehr des Helden, der durch seinen Sohn Telegonos Stammvater der claudischen Familie wurde. Tiberius zeigt so, daß er als Nachkomme nicht nur des Trojaners Aeneas, des Vaters des Julus, sondern auch des Griechen Odysseus und seines Sohnes Telegonos vom Fatum zum Herrscher aller Bewohner des römischen Reiches berufen war. Die unvergleichliche Bedeutung der Funde von Sperlonga liegt nicht nur in der politisch-psychologischen Aussage über die problematische Monarchie des Tiberius (14-37 n. Chr.), sondern auch in der kunstgeschichtlichen Relevanz der Skulpturengruppen für eine überzeugende Neuordnung der Skulptur des Hellenismus

erwerkstatt im alten Stil aus phrygischem Marmor geschaffene, sechste Statuengruppe des vom Adler des Zeus durch die Luft getragenen Ganymed. Auch diesen Mythos hatte Ovid (met. 10,155–161) aktualisiert. Die Figur ist auf einem aus dem Felsen gearbeiteten Sockel über der Höhle so raffiniert aufgestellt, daß der auf dem *cornu sinistro*, dem linken E. des Inseltrikliniums ruhende Kaiser sie zu sich herabfliegen sah und zugleich bemerken mußte, daß Ganymed zum Monte Circeo (*mons Circaeus*), dem Geburtsort des Stammvaters der Claudier hinüberblickt. Wenn der Adler des Zeus dem Kaiser den Mundschenk der Götter zuträgt, wird Tiberius selbst vor aller Augen zum Jupiter auf Erden. Jedermann kann sich klarmachen, daß vom Raub Ganymeds an, der das Parisurteil auslöste und damit den Trojanischen Krieg und die Gründung des röm. Volkes heraufführte, das Fatum waltete, das schließlich auch Tiberius auf den Caesarenthron hob.

Die Bed. des Odysseus liegt auch darin, daß er es war, der schließlich die Eroberung Trojas durch das hölzerne Pferd ermöglicht hat. Als Mitglied der Familie der Claudii war Tiberius ein Nachfahre des Odysseus, da diese große Adelsfamilie sich auf den Gründer von Tusculum, Telegonos, den auf dem Mons Circaeus gegenüber von S. geborenen Sohn des Odysseus und der Kirke, zurückführte. Tiberius wurde von seinem Adoptivvater Augustus (Sut. Tib. 39) sogar als neuer Odysseus angesprochen.

Durch die Adoption war Tiberius vollwertiges Mitglied der Julischen Familie geworden, die sich auf Julus, den Sohn des Aeneas, zurückführte. Tiberius war somit die einzige Persönlichkeit seiner Zeit, die ihren Stammbaum bis auf die beiden für die Gründung Roms entscheidenden Helden Odysseus und Aeneas zurückverfolgen konnte. Außer Odysseus, den er in den fünf großen myth. Skulpturengruppen von S. feierte, verehrte er dort in plastischen Bildern die Venus Genetrix als Stammutter des röm. Volkes in einem Relief, und in einer Herme den Sohn des Aeneas und Enkel der Venus, Julus. Tiberius erschien somit als der vom Fatum bestimmte Führer des röm. Weltreichs, wo nicht nur die Nachkommen der Trojaner, sondern auch die Griechen lebten, die in Odysseus ihren herausragenden Heros sahen. Es war für die Psychologie des als Aristokraten grundsätzlich antimonarchisch gesinnten Tiberius von Bed., auf das Schicksalhafte seiner Wahl zum Nachfolger des Augustus hinzuweisen, die er schlechterdings nicht ablehnen konnte.

Das Problem, daß die hier ins Bild gesetzten Mythologeme geschlossen nur in den *Metamorphosen* Ovids begegnen, der Dichter aber kein Freund des Kaisers war, sondern im Exil in Tomis am Schwarzen Meer lebte, läßt sich durch den Hinweis darauf lösen, daß der röm. Verleger der Gedichte Ovids, Julius Montanus, ein Tischgenosse des Tiberius war und als Vermittler der Darstellung bei Ovid fungiert haben könnte. Daß die Inszenierung von S. etwas mit Ovid zu tun hat, geht jedenfalls daraus hervor, daß ein am östl. Höhlenrand aus dem Felsen gehauener Schiffsbug der Argo in einer Mosaikinschr. tiberischer Zeit als P(uppis) H(aemonia), als Schiff aus dem Holz des Haimongebirges, bezeichnet wird, eine poetische Umschreibung, die nur bei Ovid (ars. 1,6) begegnet.

Die Inszenierung von S., in der unter dem Einfluß Ovids auf die mythische Abstammung des Tiberius hingewiesen wird, ist ein Gegenstück zur Ausstattung des Augustusforums in → Rom, in dem der Vorgänger des Tiberius eine Generation zuvor unter dem Einfluß Vergils auf seine trojanischen Urahnen verwiesen hatte.

Für die Kunstgeschichte hell. Zeit haben die in S. kopierten Gruppenkompositionen eine unschätzbare Bed., weil sie es gestatten, die Skulptur des Hell. chronologisch überzeugend zu ordnen. Außer den sechs myth. Skulpturengruppen und den beiden auf den Aeneasmythos bezogenen Plastiken wurden in S. noch die Reste einer großen Zahl weiterer dekorativer Marmorskulpturen gefunden, wie man sie auch aus vergleichbaren röm. Villen kennt. Die bildhauerische Qualität ist aber in S. bes. hoch.

1 B. ANDREAE, Beobachtungen im Mus. von S., in: MDAI(R) 71, 1964, 238–244 2 Ders., Die röm. Repliken der myth. Skulpturengruppen von S., mit Beitr. v. P. C. BOL, in: Die Skulpturen von S. (= AntPl 14), 1974, 61–105 3 Ders., Praetorium Speluncae Tiberius und Ovid in S. AAWM 12, 1994 4 Ders., Praetorium Speluncae, L'antro di Tiberio a S. ed Ovidio (= Antiqua et nova. Sezione Archeologia 4), 1995 (it. Ausgabe von [3]) 5 Ders., B. CONTICELLO, Skylla und Charybdis. Zur Skyllagruppe von S. AAWM 14, 1987 6 Ders., Odysseus. Mythos und Erinnerung, Ausstellungskat. München, ²2000 7 Ders., Tre questioni conclusive a proposito del programma iconologico di S., in: Studi in onore di Gustavo Traversari (= Rivista di Archeologia. Supplementi, 2001), 1–8 (dt. Drei letzte Fragen zum ikonologischen Programm von S., in: Beih. BJ 53, 2001, 35–42 8 Ders., Hell. Skulptur, 2001 9 G. JACOPI, L'Antro di Tiberio a S., 1963 10 B. MARZULLO, Anm. zu Plinius, Naturalis Historia 36,37, in: Gymnasium 110, 2003, 1–8. BERNARD ANDREAE

Sphärenharmonie. Dem MA ist die Lehre von der S. nur ausschnittsweise und mittelbar in den spätant.-frühchristl. Darstellungen von Boëthius [6. 187f., 206, 219; 8], Macrobius [33], Martianus Capella [34. 10f., 19f., 27–29, 69–76, 453f., 469–494] (vgl. Dunchad [13]), Johannes Scotus [29]; Remigius von Auxerre [5; 35; 39], Calcidius [10. 57, 89–103, 120ff., 147–164, 263, 272f.], Cassiodor [11] und Isidor [26] (vgl. auch [27]) zugänglich. Die christl. Umdeutung der Lehre seit der Patristik (→ Patristische Theologie/Patristik) macht eine Anbindung an die Autorität der Bibel notwendig; wichtige, immer wieder zitierte Stellen sind Weish 11:20b, Hiob 38:7, 37 sowie Pss 18:2 und 148:4. Dem Gedanken einer gottgegebenen zahlhaften Ordnung des Universums entspricht darin die Vorstellung eines gemeinsamen Schöpferlobs der Himmelskörper und Engel. Jacobus von Lüttich erweitert im frühen 14. Jh. die breit rezipierte Boëthianische Dreiteilung in *musica mundana, humana* und *instrumentalis* [6. 187ff.; 7] um die Kategorie der *musica coelestis vel divina* [28], der himmlischen Musik als metaphysisches Urbild aller irdischen liturgischen Musik.

Die bereits von Ambrosius [2] kritisch hinterfragte Klangrealität der S. wird seit dem 13. Jh. unter dem Einfluß des → Aristotelismus mit neuen argumentativen Strategien diskutiert, greifbar etwa in Thomas von Aquins *De caelo*-Komm. [24; 42] oder in den *Quaestiones* des Nicholas Trevet (Trivet) [38]. In der Frühen Neuzeit stehen neben Autoren, welche die aristotelische Skepsis teilen (Johannes Tinctois [30], Francisco de Salinas [40]) solche, die sich um Annäherungen an neu erschlossene griech.-ant. Autoren wie Ptolemaios und Aristides Quintilianus bemühen [17; 18; 19].

Die Auseinandersetzung mit der platonischen Kosmologie und Seelenlehre, die im 12. Jh. in der Schule von Chartres [1; 3; 4; 21; 22] (vgl. für das frühe 12. Jh. auch [25]) eine erste Blüte erlebt hatte, erhält im späten 15. Jh. durch Marsilio Ficinos Übers. und Kommentierung des *Timaios* [14] neue Impulse. In diesen neoplatonischen Zusammenhang gehören auch die Versuche verschiedener Autoren des 17. Jh., die überlieferten Analogiebildungen zw. kosmischen, irdischen und seelischen Erscheinungen zu großangelegten Analogiesystemen auszubauen (Robert Fludd [15; 16], Athanasius Kircher [32]).

Die bereits in der Ant. vielgestaltig ausdifferenzierten Verfahren zur Berechnung der Planetentonleitern erfahren eine ähnlich breit gestreute Aufnahme in MA und Früher Neuzeit: Neben der Timaios-Tonreihe greifen Autoren auf das archa. Heptachord des Nikomachos, auf die für die ma. Musiktheorie bes. attraktive, Cicero zugeschriebene Achttonleiter und die neunstufige Skala der Varro-Trad. zurück. Johannes Keplers Entwurf einer Weltharmonik [31] liegt der Versuch zugrunde, das Denkmodell der S. in ein verändertes Bild des Kosmos zu integrieren. Seine heliozentrische Betrachtungsweise führt Kepler zu neuartigen Skalenberechnungen und zur Vorstellung einer polyphonen, aus konsonanten Terzen und Sexten gefügten Himmelsmusik. Obwohl Kepler sein Modell erstaunlich konkret an der zeitgenössischen Mehrstimmigkeit ausrichtet, hält auch er die von ihm postulierte Himmelsmusik für kein Klanggeschehen. Im Spannungsfeld zw. Protestantismus und → Aufklärung wird im 18. Jh. die Frage nach der Klanggestalt der paradiesischen Musik neuerlich zum Thema, so in Johann Matthesons kritischer Auseinandersetzung mit Johann Heinrich Buttstetts Axiom, daß die himmlische Musik aus den gleichen Klängen wie die irdische gefügt sei [9; 36; 37].

Die Dichtungstheorie der Ren. analogisiert den Dichter mit dem Schöpfergott und betrachtet das lit. Werk als einen harmonisch gefügten Mikrokosmos. Aus den dichterischen Zeugnissen ragen nicht zuletzt wegen ihres Einflusses auf die bildende Kunst die visionären Beschreibungen des Himmelsgebäudes im *Paradiso* von Dante Alighieris *Commedia* [12] hervor. Eindringliche Schilderungen begegnen auch in William Shakespeares Schauspiel *The Most Excellent Historie of the Merchant of Venice* (vor 1600) [41] und in Johann Wolfgang von Goethes Trag. *Faust* (Teil I erschienen 1808, Teil II 1832) [20]. An musikalischen Ausformungen des Themas seien das Intermedium *L'armonia delle sfere* (1589; Text von Giovanni Bardi und Ottavio Rinuccini), Sigmund Theophil Stadens *Der VII Tugenden, Planeten, Töne oder Stimmen Aufzug* (1645; Text von Georg Philipp Harsdörffer), Wolfgang Amadeus Mozarts Azione teatrale *Il sogno di Scipione* KV 126 (1771; Text von Pietro Meta-

stasio), Gustav Holsts Tondichtung *Die Planeten* (1914), Paul Hindemiths Kepler-Oper *Die Harmonie der Welt* (1956/57; Text vom Komponisten) und George Crumbs *Starchild* (1977) genannt.

Selbst die Physik des 20. Jh. sieht im ›Suchen nach der mathematischen Struktur in den Erscheinungen‹ [23] ein verbindendes Element zur mathematischen Komponente des Denkmodells der Sphärenharmonie. Dessen bes. Attraktivität für spätere Epochen liegt offenbar in der immer neu aktualisierbaren und differenzierbaren (freilich auch banalisierbaren) Verbindung von Transzendenzperspektive, Kosmologie, Mathematik, Musik, Psychologie und Morallehre begründet.

QU **1** ALANUS AB INSULIS, Anticlaudianus, hrsg. v. R. BOSSUAT, 1955 **2** AMBROSIUS, Hexaemeron, II,2, PL 14, Sp. 159 f. **3** BERNHARD VON CHARTRES, Glosae super Platonem, hrsg. u. komm. v. P. E. DUTTON, 1991 **4** Ders., De Mundi Universitate Libri Duo sive Megacosmus et Microcosmus, hrsg. v. C. S. BARACH, J. WROBEL, 1876, Ndr. 1964 **5** BERNARDUS SILVESTRIS, The Commentary on Martianus Capella's De Nuptiis Philologiae et Mercurii attributed to Bernardus Silvestris, hrsg. v. H. J. WESTRA, 1986 **6** BOËTHIUS, De institutione musica libri quinque, hrsg. v. G. FRIEDLEIN, 1867, Ndr. 1966 (hier: I,2; I,20; I,27) **7** Ders., Glossa maior in institutionem musicam Boethii, hrsg. v. M. BERNHARD, C. M. BOWER, Editionsbd. I, 1993, 82–108 **8** Ders., Consolatio philosophiae, hrsg. v. L. BIELER, 1957, 51–56 (= Corpus Christianorum, Series latina 94, lib. III, metrum IX und 10.1–43) **9** J. H. BUTTSTETT, Ut, mi, sol, re, fa, la, tota Musica et Harmonia Aeterna, Erfurt o. J. (1716), 169–176 **10** CALCIDIUS, Timaeus a Calcidio translatus commentarioque instructus, hrsg. v. J. H. WASZINK, 1962 (= Plato Latinus 4) **11** CASSIODOR, Institutiones, hrsg. v. R. A. B. MYNORS, II,5, 1937, 143 **12** DANTE ALIGHIERI, La Commedia, hrsg. v. G. PETROCCHI, 4 Bde., 1966–1967, 513–548 (= Bd. 4: Paradiso, Canto I–XXXIII passim; Bd. 3: Purgatorio, Canto XXX–XXXI) **13** DUNCHAD, Glossae in Martianum, hrsg. v. C. E. LUTZ, 1944 **14** MARSILIO FICINO, Marsilio Ficinos Übers. und Kommentierung des »Timaios«. Erstmals in: Plato, Opera, Florenz 1484–85, in der Ausgabe Basel 1532: Compendium in Timaeum, 674–703, Übers. 703–737; das Compendium auch in: MARSILIO FICINO, Opera omnia, 2 Bde., Basel 1576, Ndr. 1962, Bd. 2, 1438–1484 **15** R. FLUDD, Utriusque Cosmi Maioris scilicet et Minoris Metaphysica, Physica atque Technica Historia, 2 Bde., Oppenheim 1617–1619 (v. a. tom. I, tractatus I, lib. III und tom. II, tractatus I,1, lib. XIII) **16** Ders., Anatomiae amphitheatrum effigie triplici, Frankfurt 1623, 314 f. **17** F. GAFFURIO, Practica musice, Mailand 1496, Ndr. 1972, Frontispiz **18** Ders., De harmonia musicorum instrumentorum opus, Bd. 3, Mailand 1518, Ndr. 1972, 12–19 **19** Ders, Theorica musice, Mailand 1492, Ndr. 1967, I, 2 **20** J. W. v. GOETHE, Faust, in: Werke, Hamburger Ausgabe, Bd. 3, [10]1976, 16 (= Prolog im Himmel, V. 243–246), 147 f. (= 2. Teil, V. 4666–4678), 197 (= V. 6401), 198 (= V. 6444–6448), 291 (= V. 9625–9628) **21** GUILLAUME DE CONCHES, Glosa in Timaeum, hrsg. v. J. M. PARENT, 1938 **22** Ders., Glosae super Platonem, hrsg. v. E. JEANNEAU, 1965 **23** W. HEISENBERG, Gedanken der ant. Naturphilos. in der mod. Physik, in: Ant. 13, 1937, 118–124 **24** HIERONYMUS DE MORAVIA, Tractatus de musica, hrsg. v. S. M. CSERBA, 1935, 26–35 **25** HONORIUS VON AUTUN, De

imagine mundi, PL 172, Sp. 114–188, v.a. Sp. 140f. (=
I,80–83) **26** ISIDOR VON SEVILLA, Etymologiarum sive
originum libri XX, hrsg. v. W.M. LINDSA, 2 Bde., 1911, III,
17 **27** Ders., Liber de natura rerum, hrsg. v. J. FONTAINE,
1960, XIII, 223ff. **28** JACOBUS VON LÜTTICH, Speculum
musicae, hrsg. v. R. BRAGARD, 1955, Bd. 1, Cap. XI-XII,
37–45 **29** JOHANNES SCOTUS, Annotationes in Marcianum,
hrsg. v. C. E. LUTZ, 1939 **30** JOHANNES TINCTORIS, Liber de
arte contrapuncti (1477), hrsg. v. A. SEAY, 1975, 11f. (=
Prologus) **31** J. KEPLER, Harmonices mundi libri V, 1619,
Ndr. 1969; Neuausgabe v. M. CASPAR, in: Gesammelte
Werke, Bd. 6, 1940 **32** A. KIRCHER, Musurgia universalis
sive Ars magna consoni et dissoni in X libros digesta, 2 Bde.,
Rom 1650, Ndr. 1970, va. Titelkupfer und Buch X (= Bd. 2,
364–462) **33** MACROBIUS, Commentarii in somnium
Scipionis, hrsg. v. J. WILLIS, 2 Bde., 1963, 1. Bd., 95–109 (=
II,1–4) **34** MARTIANUS CAPELLA, De nuptiis Philologiae et
Mercurii, hrsg. v. A. DICK, J. PRÉAUX, 1969 **35** Ders., The
Berlin Commentary on Martianus Capella's De Nuptiis
Philiologiae et Mercurii, hrsg. v. H.J. WESTRA, 2 Bde.,
1994–1998 **36** J. MATTHESON, Das Beschützte Orchestre,
Hamburg 1717, Ndr. 1981, 453–491 **37** Ders., Behauptung
der himmlischen Musik aus den Gründen der Vernunft,
Kirchen-Lehre und hl. Schrift, Hamburg 1747
38 NICHOLAS TREVET, Quodlibet 11, Quaestio 19: »Vtrum
corpora celestia per suum motum causent aliquam
harmoniam«, hrsg. v. M. L. LORD (= Virgil's Ecologues,
Nicholas Trevet, and the Harmony of the Spheres«, in:
Mediaeval Studies 54, 1992, 267–273 **39** REMIGIUS VON
AUXERRE, Commentum in Martianum Capellam, hrsg. v.
C. E. LUTZ, 2 Bde., 1962–1965 **40** F. DE SALINAS, De musica
libri septem, Salamanca 1577, hrsg. v. M. S. KASTNER, 1958,
1f. (= I,1) **41** W. SHAKESPEARE, The Merchant of Venice,
V,1, V. 54–65, in: Complete Works, 1977, 232 **42** THOMAS
VON AQUIN, Commentaria in Aristotelem et alios, in: Opera
omnia, hrsg. v. R. BUSA, Bd. 4, 1980, 1–48, v.a. 33f. (= »In
libros de caelo et mundo«, v.a. lb 2 lc 14)

LIT **43** J. GODWIN (Hrsg.), The Harmony of the Spheres. A
Sourcebook of the Pythagorean Trad. in Music, 1993
44 J. HAAR, Musica mundana. Variations on a Pythagorean
Theme, Diss. Harvard Univ. 1961 **45** R. HAMMERSTEIN,
Die Musik der Engel, 1962 **46** J. HANDSCHIN, Ein ma. Beitr.
zur Lehre von der S., in: Zschr. für Musikwiss. 9, 1927,
193–206 **47** S. K. HENINGER, Touches of Sweet Harmony.
Pythagorean Cosmology and Ren. Poetics, 1974
48 D. KOENIGSBERGER, Ren. Man and Creative Thinking: A
History of Concepts of Harmony 1400–1700, 1979
49 M. L. LORD, Virgil's Ecologues, Nicholas Trevet, and the
Harmony of the Spheres, in: Mediaeval Studies 54, 1992,
186–273 **50** K. MEYER-BAER, Music of the Spheres and the
Dance of Death, 1970 **51** C. PALISCA, Humanism in Italian
Musical Thought, 1985 **52** J. PÉPIN, s.v. Harmonie der
Sphären, in: RAC 13, 1986, 594–618 **53** F. RECKOW, s.v. S.,
in: Riemann Musiklex., Sachteil, begonnen v. W. GURLITT,
fortgeführt u. hrsg. v. H.H. EGGEBRECHT, 1967, 894
54 L. RICHTER, Struktur und Rezeption ant.
Planetenskalen, in: Die Musikforsch. 52, 1999, 289–306
55 H. SCHAVERNOCH, Die Harmonie der Sphären, 1981
56 L. SPITZER, Classical and Christian Ideas of World
Harmony, in: Traditio 2, 1944, 409–464 und 3, 1945,
307–364 **57** D. P. WALKER, Keplers Himmelsmusik, in:
Hören und Rechnen in der frühen Neuzeit, hrsg. v.
F. ZAMINER (= Gesch. der Musiktheorie 6), 1987, 81–107.

                                        WOLFGANG HIRSCHMANN

Spiele A. SPIELBÜCHER VOM 15.–18.
JAHRHUNDERT B. DIDAKTISCHE SPIELE VOM
16.–19. JAHRHUNDERT C. ANTIKE ALS
ERLEBNISWELT: GESELLSCHAFTSSPIELE IN DER
ZWEITEN HÄLFTE DES 20. JAHRHUNDERTS

A. SPIELBÜCHER VOM 15.–18. JAHRHUNDERT

Antikerekurs findet sich hier weniger hinsichtlich
des Spielgegenstandes oder der Spielthematik, sondern
dient in erster Linie der Legitimation des Spielgedan-
kens durch ant. Autoritäten und der aitiologischen Begründung von S. und S.-Formen. So fungiert Pythagoras als *Protos heuretes* des ma. Zahlenkampfspiels
Rhythmomachia, Dido und Aeneas werden als Modell
höfischer S.-Kultur in frühneuzeitlichen Spielebüchern
herangezogen und Merkur als Erfinder des Kartenspiels
reklamiert: so etwa der *Poeta laureatus* Johannes Praetorius in den Erläuterungen zu seinem Spiel *Antiquiteten
Karthe* von 1662. In dieser Trad. steht auch das belieb-
teste Spielebuch des 18. Jh. im deutschsprachigen
Raum, das in vier Auflagen (1719–1755) unter dem Titel *Palamedes redivivus. Nothwendiger Unterricht, wie heutiges Tages gebräuchliche Spiele (...) nach künstlicher Wiss.
recht und wohl zu spielen* in Leipzig erschien.

B. DIDAKTISCHE SPIELE VOM 16.–19. JAHRHUNDERT

Von zentraler Bed. ist entsprechend dem zeitgenössischen Bildungskanon die Ant. als Wissensgegenstand
in didaktischen Spielen vom 16.–19. Jahrhundert. Die
Bereiche Recht, Geschichte, Myth. und Lit. werden
gleichermaßen thematisiert. Zwei Spieltypen sind hier
bes. wichtig: das Karten-S. unter Einschluß quartett-
ähnlicher Formen und das sog. Gänsespiel, ein im frühneuzeitlichen Europa und bis weit ins 19. Jh. hinein äußerst verbreitetes Würfellaufspiel.

Nach der ersten Instrumentalisierung von S.-Karten
zu didaktischen Zwecken durch den Franziskaner-
mönch Thomas Murner (1475–1537), der mit seinem
Chartiludium logicae und dem *Chartiludium institutae sum-
mariae* Grundbegriffe der Logik und des justinianischen
Rechts im Universitätsbetrieb zu vermitteln sucht, findet sich dieses Prinzip auch im *Orbis sensualium pictus* des
Johann Amos Comenius (1592–1670), um im Frankreich des 17. Jh. zur Blüte zu gelangen. Besondere Bed.
erlangen vier Kartenspiele, die 1644 von Desmarets im
Dienste der Prinzenerziehung Ludwigs XIV. entworfen
wurden. Insbesondere die S. *Les Reines renommées* und
Les Metamorphoses zielen auf Vermittlung ant. Geschichte und Mythologie. Diese S. werden europaweit rezipiert und finden rasch Nachfolger, wie die *Antiquiteten
Karthe* des Praetorius, in dem ägypt., biblische, griech.
und röm. Gegenstände dargestellt werden, oder die *Vorstellung Fürtrefflicher Maenner*, die Johann Stridbeck 1685
in Augsburg veröffentlicht und die auf jeder Karte ein
Medaillon von Figuren der griech. und röm. Ant. sowie
biographische Informationen bietet. Der Geschichte
Griechenlands gilt das *Troisième Jeu des Cartes Historiques*,
zu dessen S.-Verlauf es zwingend gehört, mit entspre-

chenden histor. Kenntnissen aufzuwarten, um den jeweiligen Stich zu erhalten. Vor allem in Form des histor. Quartetts bleibt das Genre des histor. orientierten Karten-S. bis zum Anf. des 20. Jh. präsent.

Einen Sonderfall stellen ant. Motive im Tarockspiel und anderen gängigen Karten-S. dar. Hier dürfte eher der klassizistische Zeitgeschmack als pädagogische Absichten für die Häufigkeit antiker, insbes. myth. Darstellung verantwortlich sein. Parallel zur Antike- und Griechenlandbegeisterung läßt sich hier seit den späten 70er J. des 18. Jh. eine deutliche Zunahme, ja nachgerade Dominanz myth. Sujets in diesem Bereich bürgerlicher Unterhaltungs- und S.-Kultur beobachten.

Der Visualisierung und anschaulichen Präsentation von Wissenswertem dient auch die in der Regel aus 63 Feldern zusammengesetzte Schneckenlaufbahn des Gänsespiels. Zumal vom 17.–19. Jh. wird hier neben den Gebieten rel.-moralischer Erbauung, Militärwesen und Geogr. auch die Geschichte thematisiert, deren chronologischer Gang im Fortschreiten auf der Felderreihe des Spiels bes. veranschaulicht werden kann. Hier finden sich neben Titeln wie *Nouveau jeu d'histoire universelle* (Paris 1745), *Tableau chronologique de l'histoire universelle en forme de jeu* (Paris 1767) auch spezifisch der ant. Geschichte gewidmete Editionen wie *L'histoire romaine depuis la fondation de Rome jusqu'à Constantin* mit einer Fortsetzung bis zur Zeit Karls des Großen (1773). Als dt. Beispiel für diesen Typus ließe sich etwa das ca. 1820 in Wien erschienene S. mit dem Titel *Die Weltgeschichte – Belehrendes und unterhaltendes Gesellschaftspiel für die Jugend* anführen, das eine detaillierte Periodisierung der Weltgeschichte bietet und in pointierter Weise problematische Wendepunkte der Weltgeschichte zu gänsespieltypischen Straffeldern macht. Auch die ant. Lit. und ihre didaktisch wertvollen Themen werden aufgegriffen. So erscheint 1812 das *Jeu des Fables d'Ésope* und 1814 das *Jeu historique des avantures de Télémaque*. In der zweiten H. des 19. Jh. wird allerdings auch auf diesem Feld die Veränderung kultureller und gesellschaftlicher Prämissen sichtbar. In zunehmendem Maß verdrängen Themen aus den Gebieten Geogr. und Entdeckungsreise, sowie Technik (Eisenbahn) und zeitgenössischer Geschichte ant. Sujets von den Bilderbögen der Spielproduzenten.

C. Antike als Erlebniswelt: Gesellschaftsspiele in der zweiten Hälfte des 20. Jahrhunderts

Der E. der 50er und anfangs der 60er J. des 20. Jh. beginnende Boom des Brett- und Gesellschafts-S., der nun auch explizit Erwachsene als Zielgruppe begreift, bietet zunächst wenige Ansatzpunkte unter dem Stichwort Antikerezeption. Dies hat zum einen damit zu tun, daß die frühen S. dieser neuen Brettspielgeneration abstrakte Spielmechanismen auch abstrakt darbieten, zum anderen, daß dort, wo thematische Einkleidung vorgenommen wird, v.a. auf die Bereiche Wirtschaft und Sport rekurriert wird. Einen vereinzelten Fall von Antikebezug stellt das Mitte der 60er J. erschienene, opu-

lent ausgestattete Hausser-S. *Römer gegen Karthager* dar. Das S., das die Schlacht am Metaurus (207 v. Chr.) zum Thema hat, war Teil eines großen, nie verwirklichten Projektes, histor. Schlachten in S.-Form zu präsentieren. Mit der Tendenz, das Gesellschafts-S. thematisch einzukleiden und zum Erlebnisraum werden zu lassen, die seit den späten 70er und v.a. frühen 80er J. des 20. Jh. zu beobachten ist, vollzieht sich eine qualitative Veränderung der Spieleszene. Nachdem zunächst die Bereiche Krimi, Abenteuer und Fantasy dominierten, werden seit dem Ausgang der 80er J. zunehmend histor. Sujets in den Mittelpunkt von S.-Entwürfen gestellt. Ägypten, Griechenland und Rom werden neben ma. und frühneuzeitlichen Szenarien nun vermehrt thematisiert. Einen wichtigen Ausgangspunkt markiert hier das komplexe Entwicklungsspiel *Civilisation* um ant. Hochkulturen, das zunächst in Amerika und England und 1988 auch in Deutschland erschien. Signifikante Beispiele für diese thematische Neuorientierung sind das ebenfalls 1988 publizierte *Forum Romanum*, das von seinem Autor Wolfgang Kramer zunächst als Bürgermeisterspiel konzipiert war, oder das 1989 als *Ave Caesar* verlegte Wagenrennen von Wolfgang Riedesser, das, wie die Spielplangestaltung verrät, aus einem Formel-1-Rennspiel entstanden ist. Historische und gerade auch ant. Themen sind seit dieser Zeit fester Bestandteil der Spieleszene und manifestieren sich auf dem dt. Spielemarkt in ca. 150 Titeln vom *Grossen Troja-Spielbuch* (Robert Wolf, 1986) über *Ben Hur* (Jean du Poël, 1992), die histor. Szenarien zu den *Siedlern von Catan* (Klaus Teuber) bis hin zum *Kampf der Gladiatoren* (Reiner Knizia, 2002). Gelegentlich sind durchaus Interdependenzen zur aktuellen Antikediskussion zu beobachten. So ist es sicher kein Zufall, daß sich die Medienpräsenz des Themas → Troja 2001 auch in mehreren Spieltiteln niederschlug. Einen Sonderfall stellt dabei das von Thomas Fackler entwickelte S. *Troia* dar, das im Umfeld der Ausstellung *Troia. Traum und Wirklichkeit* entstand und die arch. Befunde in spielerischer Form präsentiert.

Parallel zu den hier skizzierten Entwicklungen des Spielemarktes läßt sich seit den 80er J. auch ein verstärktes Interesse an der Rekonstruktion ant. S. und deren Vermittlung an den Spielemarkt beobachten. Insbesondere im museumsdidaktischen Bereich wurden Sammlungen ant. S. (→ Archäologischer Park) produziert. Darüber hinaus erschienen insbes. Reproduktionen und Neufassungen des *Spiels von Ur* und des ägypt. *Senet-Spiels* sowie vereinzelt des röm. Taktikspiels *Ludus Latrunculorum* und des Backgammon-Vorläufers *Duodecim Scripta* auch auf dem regulären Spielemarkt.

Von den zuletzt genannten Beispielen abgesehen, spielt der Aspekt der Vermittlung kulturellen Wissens von der Ant. allerdings im aktuellen Spielemarkt keine wesentliche Rolle; die Präsenz ant. Themen verdankt sich vielmehr dem postmodernen Reiz am exotisch-histor. Szenario.

1 PH. ARIÈS, Les jeux à la Ren., 1982 2 A. BORST, Das ma.
Zahlenkampf-S., 1986 3 H. D'ALLEMAGNE, Le noble jeu de
l'oie en France, de 1640 à 1950, 1950 4 W. ENDREI, S. und
Unterhaltung im alten Europa, 1988 5 J. FRITZ, S. als Spiegel
ihrer Zeit, 1992 6 A. GIRARD, C. QUÊTEL, L'Histoire de
France racontée par le Jeu de l'Oie, 1982 7 E. GLONEGGER,
Das S.-Buch, 1988 8 D. HOFFMANN, Kultur- und
Kunstgesch. der Spielkarte, 1995 9 D. ILMER, N. GÄDECKE,
Rhythmomachia, 1987 10 J.-M. LHÔTE, Histoire des jeux
de societé, 1994 11 J. MEHL, Les jeux au royaume de France
du XIIIᵉ au debut du XVIᵉ siècle, 1990 12 H. J. R. MURRAY,
A History of Board-Games other than Chess, 1952
13 D. PARLETT, A History of Card games, 1990
14 R. REICHARDT, Das Revolutionsspiel von 1791, 1989
15 A. RIECHE, Röm. Kinder- und Gesellschaftsspiele, 1984
16 Dies., So spielten die alten Römer, 1991
17 K. WEBERPALS, Lehrkarten aus fünf Jh., in: Spielbox
3/1992, 26–29 18 Ders., Die Religionen und das
Kartenspiel. Die Götter Griechenlands und Roms, in:
Spielbox 6/1993, 42–46 19 C. ZANGS, H. HOLLÄNDER
(Hrsg.), Mit Glück und Verstand. Zur Kunst- und
Kulturgesch. der Brett- und Kartenspiele im 15.–17. Jh.,
1994 20 M. ZOLLINGER, Bibliogr. der S.-Bücher des
15.–18. Jh., Bd. 1, 1996

Internetressourcen: 21 www.uni-marburg.de/
spiele-archiv (Dt. Spielearchiv Marburg)
22 www.moz.ac.at/user/spiel (Inst. für Spielforsch. und
Spielpädagogik, Univ. Mozarteum Salzburg)
23 www.boardgamesstudies.org (The International Society
for Board Game Studies).   HELMUT KRASSER

Spolien A. TERMINOLOGIE B. SPÄTANTIKE C. MITTELALTER D. NEUZEIT

A. TERMINOLOGIE

Von altgriech. *spolás*: Lederwams, lat. *spolia*: dem
Kriegsgegner geraubte Kleidung und Waffen, Beute
[34]; im MA trad. und in diesem Sinn allg. auf Raubgut
angewandt (Serv. Aen. 11,80; Isidor v. Sevilla, *Etymologiae* 18,375,8; Hrabanus Maurus, *De Universo* 20,2). Vor
dem Hintergrund der antiquarischen Forsch. in → Rom
konnten *spolia* bzw. *spoglie* spätestens seit dem 16. Jh.
wiederverwendete ant. Architekturteile aus »beraubten«
Gebäuden bezeichnen [46. 20, 24, 26f.; 1. 62r, 84r;
53. 70; 64. Bd. 1. 63, Bd. 2. 14, 25, 49, 59; 32]. In der
mod. Terminologie wurde der S.-Begriff auf nachant.
Objekte erweitert und im weitesten Sinn für jeden aus
seinem urspr. in einen neuen Kontext überführten Gegenstand angewandt, auch formunabhängig als Baumaterial oder Wandverkleidung. Mit dem Begriff der
spolia in re (auch fiktive oder Pseudo-S.) werden antikisierende Neuschöpfungen umschrieben [8; 59. 401;
32. 127f.; 68]. Zumeist sind mit S. – unabhängig von der
weitgefaßten Anwendung des Begriffs – ant. Architek-
turfragmente, Sarkophage, Skulpturen und Werke der
Glyptik gemeint.

S. sind Teil eines ehemals Ganzen, das sie vergegen-
wärtigen können, gleichzeitig Teil eines neuen Zusammenhangs, in den sie in gleicher oder veränderter Funktion unter bestimmten histor. Umständen gesetzt wur-

den. Für die Deutung sind in jedem Einzelfall die Provenienz, d. h. auch die Verfügbarkeit, die Art der Überführung, sowie Material, Form und sekundärer Kontext
der S. – auch Überarbeitung und bewußte Zerstörung –
zu berücksichtigen, ebenso das Verhältnis zu zeitgenössischen Werken. Häufig gilt es zunächst, S. von diesen
zu unterscheiden [17. 37–41]. Die Beweggründe für die
Verwendung von S. reichen von der Verwertung vorhandenen Materials und der ästhetischen Wertschätzung über die Profanisierung, Exorzisierung oder → Interpretatio christiana paganer Überreste bis zu einer In-
dienstnahme als Zeichen polit. Legitimation [17]. Als
Altersbeweis veranschaulichten S. Trad., Kontinuität
und (Rechts-)Autorität, als Beute den Sieg über eine
Religion oder die gegnerische Stadt. Diese Motive
dürften sich in Intention und Rezeption überschnitten
haben, gleichzeitig bleiben sie oft hypothetisch, da
Quellen bes. zu ant. S. die Ausnahme bilden bzw. Beweggründe nicht eindeutig benennen (Suger von St.
Denis, *De consecratione*, 20 [5. 105]; anders: [51. 228]).
Oft liegt nur eine jüngere Überlieferung vor, die vor
ihrem eigenen Zeithorizont zu sehen ist, da öffentlich
aufgestellte S. sich als Projektionsfläche wechselnder
Legenden anboten [51. 50f.]. Dies gilt etwa für die Benennung von Bildnissen oder die Herkunft, die vorzugsweise in Trad. und Kostenaufwand signalisierenden
Provenienzen wie → Troia, → Jerusalem oder → Rom
gesucht wurde [52. bes. 69f., 86f.]. Entsprechend di-
vergieren die Forschungsmeinungen zw. vorwiegend
ökonomisch, ästhetisch oder ideologisch motiviertem
S.-Gebrauch; andere Autoren betonen gerade dessen
Mehrdeutigkeit [31. 58].

B. SPÄTANTIKE

Ein umfangreicher Gebrauch von S. setzte im 4. Jh.
in der stadtröm. Architektur ein (»Tempel des Romulus«, nach 307; Konstantinsbogen, 315). Vorbildlich
wirkte die Verwendung in den Kolonnaden der konstantinischen Großbauten (→ Basilika). In der Folge
wurden Kirchen v. a. in Rom und anderen Städten Italiens mit S. ausgestattet (u. a. in Aquileia, Mailand, Ravenna, Grado), ebenso Bauten in Frankreich [26] und –
hier meist mit überarbeitetem S.-Material – im östl.
Mittelmeerraum und Nordafrika [13]. In → Konstantinopel bestand offenbar – mit Ausnahme des Porphyrs –
wegen der nahegelegenen Marmorbrüche kein Bedarf
an Architektur-S. [45].

Als Paradigma für die umstrittene Interpretation des
spätant. S.-Gebrauchs kann der Konstantinsbogen gelten, in den S. von Bauten Traians, Hadrians und Marc
Aurels verbaut sind; diese bezeugten bereits Vasari zufolge den Mangel an zeitgenössischen Künstlern
(Abb. 1). Gegenüber einer Deutung als polit. motivierter Erinnerung an die Vorläufer Konstantins [36; 49;
14. 15], die ohne Beleg bleibt [31], wurde von anderen
Autoren die Einsicht in die höhere Qualität der älteren
Kunst und die Zeitersparnis als Motive für den S.-Ge-
brauch angesehen [13. 8f., 99; 51. 18]; eine vermittelnde Position verbindet ästhetische und legitimierende

Abb. 1:
Konstantinsbogen, 315 n. Chr.
Ausschnitt der Nordseite mit
Spolien-Tondi, auf denen
die Kaiserporträts Hadrians
(117-138 n. Chr.) zu Bildnissen
Konstantins (306-337 n. Chr.)
umgearbeitet wurden

Aspekte [6. 107]. Die in Rom noch bis in das 7. Jh. – und dann wieder im 12. Jh. – in den Kirchen faßbaren Prinzipien der Paßgenauigkeit, farblichen Symmetrie der S.-Säulen und räumlichen Hierarchisierung durch S. erklären sich dieser Forschungsrichtung zufolge aus einer gewandelten Architekturästhetik. Die Existenz alternierender Kapitelle auch in Verbindung mit Neuanfertigungen unterstützt das Postulat einer aus dem Mangel geborenen, dann bewußt angewandten *varietas* [51; 63]. Die Idee einer ideologisch motivierten »Renaissance« im 5. Jh. [33] stieß überwiegend auf Ablehnung [13].

Die um 330 einsetzende Überführung von ägypt., griech. und röm. Kunstwerken, bes. Statuen, nach Konstantinopel suchte Eusebius als Zurschaustellung der ant. Götzen zu erklären (Eus. vita Const. 3,54). Sie gibt sich jedoch als Versuch Konstantins und seiner Nachfolger zu erkennen, nicht nur die Stadt zu verschönern (Zos. 2,31), sondern den Herrschaftsanspruch des »Zweiten Rom« zu legitimieren [4. 311-314]. Auch den Transport von S. zerstörter Bauten aus Rom nach Ravenna durch den Ostgotenkönig Theoderich (507/9, Cassiod.Var. 3,10) hat man als Versuch erkennen wollen, die eigene Herrschaft aus der imperialen Trad. zu legitimieren [6. 108]. Als Trophäen dürften die S. betrachtet worden sein, die der Vandale Geiserich nach der Plünderung Roms im J. 455 nach Afrika entführte und die 534 mit den Truppen Iustinians → Byzanz erreichten (Prok. HA 3,5,3; 4,9,5).

Für die Frage der Verfügbarkeit von S. wurde auf die spätant. Baugesetzgebung verwiesen [22; 41]. Die wiederholten Erlasse gegen die Plünderung der als *ornamenta urbium* bewerteten Bauten – zumal der wohl 356 geschlossenen Tempel – bezeugen diese als gängige Praxis. Die Differenzierung zw. städtischen und ländlichen, öffentlichen und privaten Bauten sowie lokal begründete Gesetze machen deutlich, daß es nicht ein prinzi-

pielles Verbot jeder S.-Entnahme durchzusetzen galt, sondern das Ende paganer Riten (Cod. Theod. 16,10,4 (356?); 16,10,13 (395); 16,10,25 (435): Zerstörung der Tempel und Entsühnung durch das Kreuz) und die kaiserliche Kontrolle über die Bauten (Cod. Theod. 16,10,20 (415)). Der Abriß ländlicher Tempel wurde im Osten 399 (Cod. Theod. 16,10,16), die Spoliierung nicht mehr reparabler Gebäude zugunsten öffentlicher Bauten im Westen 458 sanktioniert (Cod. Theod. Nov. Maiorian. 4). Edikte Theoderichs bezeugen sein Bemühen, ant. Gebäude als nützliche und schöne Bestandteile des Stadtbildes zu erhalten, die Reste bereits geplünderter Bauten zum Schmuck der Städte aber neu zu verwenden (Cassiod.Var. 1,25; 2,7; 3,9) [22].

C. MITTELALTER

Antike S. fanden bes. in Gebieten Verwendung, in denen pagane Überreste nie unter die Erde gekommen waren oder – oft als Wunder gedeutet – bei Grabungsarbeiten zutage traten. Die Verfügbarkeit von S. vor Ort erschwert ihre Deutung, da versatzfertige Bauglieder immer willkommen waren. Daneben sind die gezielte Nachfrage nach S., bes. aus Rom, und Transporte über weite Strecken bis nach England belegt [59. 383-398]. Auch seit der erneuten Nutzung der Carrareser Marmorbrüche im 12. Jh. blieben S. bes. in It. beliebtes Baumaterial. Neben der Verwendung von Werkstücken, deren ant. Ursprung sich nur aufgrund von Quellen erschließt – etwa im 14. Jh. am Orvietaner Dom [17. 24f.] –, erreichte der Gebrauch von ant. Säulen, Kapitellen und anderer Bauornamentik bes. im Kirchenbau großen Umfang.

Die frühma. Architektur weist bei einer generellen Tendenz zur Verwendung uneinheitlicher Bauteile ohne Beachtung der klass. Ordnungen einige Kirchen auf, in denen ant. Säulen paarig angeordnet (Sant'Angelo, Perugia, 7. Jh.?) und S. im Einklang mit antikisierenden Neuanfertigungen nach dem Prinzip räumlicher Hierarchisierung eingesetzt sind (San Salvatore, Spoleto, 7. Jh.?). Auch in den »Säulenwäldern« früher islamischer Architektur ist die Raumgliederung durch S. differenziert (Hauptmoscheen in Qairawān, Córdoba, 8.–10. Jh.). Nördlich der Alpen ließ Karl d. Gr. in der Aachener Pfalz S. aus Trier, Rom und Ravenna verwenden (Einhard, *Vita Karoli Magni*, 26; MGH SS 8, 25) [51. 123 f.]. Die Quellen unterstreichen in dem Aufwand des Transports und der Schönheit der S. den Anspruch des Bauherrn. Zugleich machen die S. im Kontext der *renovatio*-Bestrebungen Karls – Aufstellung ant. (Reiterstatue Theoderichs, »Lupa«) wie zeitgenössischer Bronzen – den legitimierenden Rekurs auf das (spät-)ant. Imperium anschaulich (→ Karolingische Renaissance). Schwieriger ist der S.-Gebrauch in der ottonischen Architektur zu erfassen, da die S. – meist Säulen und Kapitelle südalpiner wie provinzialröm. Provenienz – überwiegend in nachottonischen Bauten verbaut sind, so etwa in Magdeburg, wo sich nur noch die Grabplatte Ottos I.– vermutlich eine ravennatische (?) Wandinkrustation – *in situ* befindet [39]. Inwieweit – etwa im Hinblick auf die Herkunft aus Ravenna – karolingische Vorbilder wirksam wurden, muß offen bleiben.

Während der Bedarf an S. in der provenzalischen Romanik abnahm [26. 124 f.], war der S.-Gebrauch im 11. und 12. Jh. in It. generell verbreitet (→ Romanik). Spolien, deren Integration bereits Vasari lobte (s.o.), zeichnen in großer Vielfalt den Pisaner Dom (1064–1118) aus (Abb. 2). Ihre Herkunft u. a. aus Rom – andere sind etr., arab. und hochma. – unterstreicht die sich u. a. in Inschr. am Dom manifestierende *romanitas pisana* [58]. Für den umfangreichen S.-Gebrauch im Herrschaftsgebiet der Normannen wurde der legitimierende Charakter der S. betont [48. I. 6], jedoch ist hier auch die gute Verfügbarkeit von S. als Baumaterial zu berücksichtigen. Ein Bezug auf das päpstliche Rom läßt sich für Genua vermuten, das offenbar S. importierte [44]. Hingegen akzentuieren die lokalen S. am Modeneser Dom gemeinsam mit den an ihnen orientierten Neuschöpfungen (→ Romanik, Abb. 3) die eigene ant. Herkunft [47]. In Rom selbst florierte neben der Verarbeitung ant. Materials zu Kalk der S.-Handel [35. I. 18–29; 17. 24–30; 59. 383–398]. Unter dem Einfluß der Basilika in Montecassino (geweiht 1071), für die S. aus Rom herangeschafft worden waren (MGH SS 34, 394), erhielten seit Paschalis II. (1099–1118) zahlreiche Kirchen in Rom und Latium anspruchsvolle Ausstattungen aus S. und antikisierenden Werken, die als Ausdruck des erstarkenden Reformpapsttums und der *imitatio imperii* gewertet werden können [10]. Auch eine *renovatio* im kommunalen Bereich läßt sich mit S.-Gebrauch verbinden [11]. Einen weiteren Schwerpunkt der Verwendung ant. und ma. S. bildete Venedig [65; 50; 44. 55 f.]. Allein die Portale von S. Marco (um 1250?) sind mit 145 farbenprächtigen Säulen überzogen. Sie verweisen auf ihren Herkunftsort Byzanz, wobei der

Abb. 2: Apsis des Pisaner Doms, geweiht 1119

Vorrang einer ästhetischen Wertung oder ideologischer Konnotationen umstritten bleibt (→ Rosse von San Marco).

Im Zuge der Entwicklung des got. Architektursystems nahm der S.-Gebrauch zugunsten einer homogenen Erscheinung generell ab [51. bes. 226]. Unter den Ausnahmen sind Saint-Remi in Reims (um 1165) und der Magdeburger Dom hervorzuheben, an denen ant. Säulen prominent als Verweis und Altersbeleg präsentiert sind [39] (→ Säule/Säulenmonument, Abb. 3). Die Integration ant. Säulen in Kirchenbauten Karls II. Anjou (1289–1309) in Neapel und Lucera wurde als Rekurs auf it., speziell röm.-päpstliche Trad. gewertet [9]. Daß ein programmatischer Antikebezug nicht zwingend mit S.-Gebrauch einhergeht, wird an der Porta Capuana (beg. um 1234) Friedrichs II. deutlich [18] (anders: [42]).

Architektur-S. konnten ebenso wie städtische Symbole (Glocken, Fahnenwagen usw.) zu Trophäen werden [44]. 1072 ließ Robert Guiscard ›in signum victoriae suae‹ Säulen und Türen aus dem besiegten Palermo nach Apulien überführen (MGH SS 19, 407) [40. 87 f.]; ein Kirchenportal, das die Madrasa des Sultans an-Nāṣir Muḥammad in Kairo schmückt, stammt aus dem 1291 eroberten Akkon.

Die im at. Bilderverbot und der Furcht vor Idolatrie, aber auch in der neuplatonischen Kritik am Bildnis wurzelnde christl. Ablehnung ant. Statuen verband sich mit der Furcht und dem Faszinosum angesichts der ihnen zugeschriebenen magischen Eigenschaften. Diese Haltung führte zu einer Polemik gegen Statuen – prägnant die Kritik Walafried Strabos am Aachener Theoderich [52. 106–109] –, zu ihrer massenhaften Zerstörung (noch 1204 bei der Einnahme von Byzanz!) – genannt seien die durch Steinwürfe verunstaltete Venus in Trier und die zunächst aufgestellte, dann auf Feindesgebiet vergrabene Venus (?) in Siena [23. 41, 206–217] –, oder aber zu ihrer Vereinnahmung. Die Ikonographie des Materials [52] und der Statuentyp spielten dabei eine Rolle. Einige Antiken verdanken ihr Überleben einer *interpretatio christiana*, so die Reiterstatue des Marc Aurel in Rom, der – nicht unumstritten – bis in das 15. Jh. als Konstantin galt (→ Reiterstandbild). Seine Deutungen als kommunale Identifikationsfigur belegen, daß ant. Statuen in öffentlicher Aufstellung als Repräsentationsmedien unterschiedlichster Gruppen fungierten (→ Dioskuren). So dürften die Bronzen am Lateran diesen als kaiserlichen Palast ausgewiesen und damit die *translatio imperii* im Sinne der → Konstantinischen Schenkung verkörpert haben. Ihre polit. oder juristische Symbolfunktion konnte eine Statue auch zu einer Trophäe werden lassen, wie es dem 1315 nach Mailand verschleppten und wenige J. später zurückeroberten »Regisole« in Pavia widerfuhr. Offenbar frei von überlagernden Deutungen blieben die von Friedrich II. erworbenen Statuen, dessen Stilisierung als eifriger Antikensammler die wenigen Quellen freilich nicht erlauben [18]. Oft nur mit Mühe erkennbar sind statuare S., die gänzlich in ma. Kunstwerken adaptiert sind [55].

Für die Wiederverwendung ant. Sarkophage als Grabstätten, bes. von Hl., finden sich bereits im 4. und 5. Jh. Beispiele in Frankreich und Italien. Bis zum 12. Jh. beschränken sich sicher zu benennende Bestattungen in S.-Sarkophagen weitgehend auf Kaiser und ihre Familien (Theoderich, Karl der Gr.). In S. begrub man seit Roger I. (†1101) auch Normannenfürsten [27. 75 f.], herrscherlichen Anspruch lassen jedoch bes. ihre späteren, aus Porphyrsäulen gearbeiteten Sarkophage erkennen [12], eine Trad., an die Friedrich II. anzuschließen suchte. Seit dem späten 11. Jh. sind päpstliche Bestattungen in S.-Sarkophagen bekannt [27. 97]. Beredter Ausdruck der päpstlichen Ansprüche ist die Wahl des Porphyrsarkophags Hadrians durch Innozenz II. (†1143), d. h. des Materials, das bislang Kaisern und Märtyrern zugestanden hatte [27. 110 f.]. Im Verlauf des 13. Jh. erweiterte sich der Kreis der in S. Bestatteten. Höchstes Anspruchsniveau dokumentierte sich nun in Neuanfertigungen, während man S. oft bis zur Unkenntlichkeit überarbeitete (Grabmal Clemens IV.; †1268).

Inschriftensteine fanden bes. an Kirchen Verwendung. Die Anbringung auch kopfüber und in großer Höhe legt nahe, daß die *auctoritas* von Schrift und Alter entscheidend war, möglicherweise auch die exorzisierende Inkorporation paganer Monumente. Arabische Inschr. dürften aufgrund des Schriftbildes als »heidnisch« und ihre Verwendung als S. damit als Symbol für den Sieg über den rel. Gegner verstanden worden sein [44. 64 f.]; ähnliches gilt wohl für die in mamelukischer Zeit in Kairo als Türschwellen verbauten Hieroglyphensteine. Besonders in Rom erhielten Inschr. auch

aufgrund ihres – eingeschränkt verstandenen – Inhalts Bed., so die *Lex de imperio Vespasiani* (→ Lateinische Inschriften, Abb. 1), deren Instrumentalisierung durch die röm. Kommune Bonifaz VIII. um 1300 mit der Einmauerung der Schriftseite entgegentrat [16].

Aus Kleinplastik und Schatzkunst wurden bes. geschnittene Steine und Elfenbeine – ungeachtet ihrer oft paganen Motive – in Goldschmiedearbeiten, bes. liturgische Geräte und Buchdeckel, eingesetzt. So sind die Kanzel Heinrichs II. in Aachen (wohl vor 1014) mit Elfenbeinreliefs, Glas- und Bergkristallgefäßen, der Kölner Dreikönigenschrein mit Gemmen und Kameen besetzt [69]; das Kölner Herimannkreuz (Mitte 11. Jh.?) und das Davidsbild in Basel zeigen ant. Gesichter (Abb. 3). Zahlreiche ant., arab. und frühbyz. Glas-,

Abb. 3: Reliquiar mit der Halbfigur König Davids (Ausschnitt), dessen Gesicht eine antike Kamee mit einem Medusenkopf bildet. Ende 13. Jahrhundert (?), Krone 15. Jahrhundert. Basel, Historisches Museum

Metall- und Edelsteingefäße gelangten in Kirchenschätze, wo sie zu Reliquiaren umfunktioniert wurden [59]. Für die Deutung sind Prachtliebe, Thesaurierung, der Glaube an magische Kräfte, Exorzismus, die ma. Edelsteinallegorese – etwa der Verweis auf das himmlische Jerusalem (Apk 21,18–20) – und die *interpretatio christiana* einzelner Motive als sich überlagernde Momente zu berücksichtigen. Einige S. dürften einem programmatischen Bezug zum Dargestellten entspringen, so der Augustuskameo im Lotharkreuz (→ Herrscher, Abb. 5).

D. Neuzeit

Der frühneuzeitliche S.-Gebrauch weist Kontinuitäten zum MA auf, denn weiterhin wurden S. jenseits antiquarischen Interesses zu Legitimationszwecken eingesetzt. Gleichzeitig geht unter der zunehmenden ästhetischen Wertschätzung und histor. Würdigung der Antiken, dem Paradigma eines einheitlichen Erscheinungsbilds der Architektur und nicht zuletzt der abnehmenden Verfügbarkeit die S.-Verwendung zurück. Von Bed. bleibt sie bes. in Rom, das keine Marmorbrüche, aber (noch) S. bot [43]. Im 15. Jh. erhielten bestehende Sakralbauten (St. Peter, Lateranbasilika) und profane Neubauten (Cancelleria) S.-Säulen, die je nach Anspruch überarbeitet wurden [51. 249–257]; mit Bramantes Tempietto (um 1502) erreichte die formale Integration der S. einen Höhepunkt [43; 51. 277–280]. Gegenüber einer Präsentation der S. als solcher dominierte zunehmend das Material. Die Pracht des Buntmarmors wird geradezu prototypisch in der Kapelle Sixtus V. in S. Maria Maggiore (1585–1590) vorgeführt. Eine programmatische Deutung – die Anknüpfung an das altchristl. Rom im Zuge der Gegenreformation – bleibt hierfür umstritten [51. 329 f.; 28. 115]. Die bes. Situation Roms und zumal der Peterskirche, wo die Vergegenwärtigung der frühchristl. Trad. stets aktuell war, wird erneut an den Spiralsäulen des konstantinischen Ziboriums deutlich, die Bernini 1638 in der Vierung von Neu-St. Peter drittverwendete. Auch andernorts ist neuzeitlicher S.-Gebrauch verbürgt, so von Sebastian Münster für das Heidelberger Schloß (*Cosmographia*, 1544, lib. 3, s. v. Ingelheim), in welches um 1500 – angeblich aus Ravenna stammende – Säulen der Ingelheimer Pfalz Karls d. Gr. überführt wurden.

Mit der Entstehung der → Antikensammlung brach der Gebrauch von Statuen als S. nicht gänzlich ab. Hauptschauplatz blieb Rom, wobei Fälle privater Repräsentation durch S., wie sie dort die Casa Manilio darstellt (1468), auch in anderen Städten – so in Neapel und Florenz, wo S. individuell verschieden auf ihre Besitzer verweisen – angesiedelt sind [51. 258 f.; 57]. Auch die unter Sixtus IV. wohl aus innenpolit. Motiven auf das Kapitol verbrachten Bronzen galten noch als – so die begleitende Inschr. – ›Denkmal alter Vortrefflichkeit und Virtus‹, nicht als früh musealisierte Antike [63]. Wie zuvor kam es zu Ergänzungen, die nicht auf histor.-arch. Rekonstruktion, sondern auf Umdeutung abzielten: 1435/1445 wurde in Venedig aus dem Torso eines Philosophen eine Paulusfigur, 1565 in Rom aus einer Antike ein Petrus, und noch um 1600 ergänzte Cordier einen ant. Torso zu einer Hl. Agnes [57. 171 f.]. Ohne Ergänzung blieben die *statue parlanti* in Rom. Es war wohl gerade der fragmentarische Zustand, der etwa den »Pasquino«, um 1500 aufgestellt, zum geeigneten Sprachrohr für öffentliche Polemiken werden ließ (Abb. 4).

Auch der Gebrauch ant. Sarkophage riß in der Frühneuzeit nicht ganz ab, wie Bestattungen an Orten mit entsprechender Trad. in Pisa, Salerno und Palermo leh-

Abb. 4: A. Lafreri, »Pasquino«, aufgestellt 1501 durch Oliviero Carafa, mit angehefteten Pamphleten. Überrest einer Menelaos-Patroklos(?)-Gruppe, Stich, 1550

ren – und noch im 20. Jh. war das Begräbnis in einem S.-Sarkophag möglich (Campo Verano, Rom). Die Integration in aufwendige Grabmäler, wie etwa in Genua (F. Spinola, † 1442) und Rom zu finden (G. Alberini, † 1473), wurde in der Neuzeit hingegen zur Ausnahme [44. bes. 174 f.].

Bereits im 16. Jh. – zu erinnern ist an die Schenkung von Götterstatuen durch Pius V. auf das Kapitol [63. 433] und die Exorzisierung von Antiken unter Sixtus V. –, dann bes. im 18. Jh. erregten figürliche pagane Überreste erneut Anstoß vor dem Hintergrund der herrschenden Kirchenpolitik. Reliefs und Inschr. in Sakralbauten wurden umgedreht oder entfernt, ein Vorgehen, das bes. im 18. Jh. auf Kritik stieß [38].

Auf der Suche nach Symbolen nationaler und kultureller Identität griff die Moderne ebenfalls auf S. zurück, wobei jene neuzeitlichen Ursprungs überwiegen. Eine programmatische Verwendung fanden S. weiterhin als Trophäen, wie sie die Steine der Bastille im Pont de la Concorde oder die angeblichen Trümmer der Reichskanzlei in den Ehrenmälern der Roten Armee darstellen [52. 95 f.]. Die S. als polit.-legitimierender Verweis findet sich mit dem Liebknecht-Portal am Staatsratsgebäude der DDR (Abb. 5) im 20. Jh. ebenso wieder [40] wie ein individuell-spezifischer S.-Gebrauch: Rund 70 im Chicago Tribune Tower (1925) vermauerte Teile berühmter Gebäude, so des Kölner Doms und der Chinesischen Mauer, sollen offenbar den

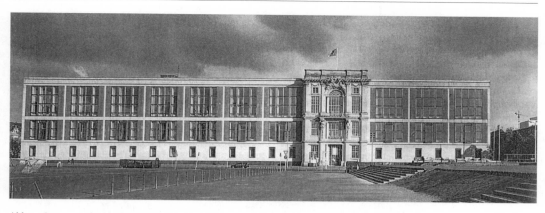

Abb. 5: Staatsratsgebäude der DDR mit dem »Liebknecht-Portal«
des 1950 gesprengten Berliner Schlosses. Berlin 1962-1964

enzyklopädischen Anspruch der Zeitung unterstreichen
[52. 81]. Als eine »verhinderte« S. kann der Hitlerkopf
aus Fichtelgebirgsporphyr gelten, der nach seiner Umarbeitung zu einem Adenauerportrait in den 1950er J.
keine Aufnahme im Kanzleramt fand [15. 402].
→ Antikensammlung; Denkmal; Kunsterwerb/
Kunstraub; Steinschneidekunst: Gemmen
→ AWI Konstantinopolis; Kriegsbeute; Obelisk; Säule/
Säulenmonument; Schlangensäule; Spätantike; Spolien

1 F. ALBERTINI, Opusculum de mirabilibus (...) Urbis
Romae, Rom 1510, 62r, 84r 2 B. ANDREAE, S. SETTIS
(Hrsg.), Colloquio sul reimpiego di sarcofagi romani nel
Medioevo Pisa 5–12 settembre 1982 (= MarbWPr 1983),
1984 3 S. BASSETT, »Excellent Offerings«: The Lausos
Collection in Constantinople, in: Art Bull. 82, 2000, 6–25
4 F. A. BAUER, Stadt, Platz und Denkmal in der Spätant.,
1996 5 B. BRENK, Sugers S., in: Arte medievale 1, 1983,
101–107 6 Ders., Spolia from Constantine to Charlemagne:
Aesthetics versus Ideology, in: Dumbarton Oaks Papers 41,
1987, 103–109 7 Ders., Türen als S. und Baureliquien, in:
T. W. GAEHTGENS (Hrsg.), Künstlerischer Austausch –
Artistic Exchange. Akten des 28. Internationalen Kongresses
für Kunstgesch. Berlin, 1993, Bd. 1, 43–51 8 R. BRILLIANT,
I piedistalli del giardino di Boboli: spolia in se, spolia in re,
in: Prospettiva 31, 1982, 2–16 9 C. BRUZELIUS, The use of
spolia in the churches of Charles II of Anjou, in: A. CADEI,
Arte d'Occidente: temi e metodi. Studi in onore di Angiola
Maria Romanini (FS A. M. Romanini), 1999, Bd. 1,
187–195 10 P. C. CLAUSSEN, Magistri doctissimi Romani.
Die röm. Marmorkünstler des MA, 1987 11 Ders.,
Renovatio Romae. Erneuerungsphasen röm. Architektur
im 11. und 12. Jh., in: B. SCHIMMELPFENNIG, L. SCHMUGGE
(Hrsg.), Rom im hohen MA, 1992, 87–125 12 J. DEÉR, The
Dynastic Porphyry Tombs of the Norman Period in Sicily,
1959 13 F. W. DEICHMANN, S. in der spätant. Architektur,
1975 14 L. DELACHENAL, Spolia. Uso e Reimpiego
dell'Antico dal III al XIV secolo, 1995 15 C. DUPEUX,
P. JEZLER, J. WIRTH (Hrsg.), Bildersturm, Ausstellungskat.
Bern 2000 16 A. ERLER, Lupa, Lex und Reiterstandbild im
ma. Rom, 1972 17 A. ESCH, S. Zur Wiederverwendung
ant. Baustücke und Skulpturen im ma. It., in: AKG 51, 1969,
1–64 18 Ders., Friedrich II. und die Ant., in: Friedrich II.
Tagung des DHI in Rom im Gedenkjahr 1994, 1996,
201–234 19 F. B. FLOOD, The Medieval Trophy As an Art
Historical Trope: Coptic and Byzantine »Altars« in Islamic
Contexts, in: Muqarnas 18, 2001, 41–72 20 I. H. FORSYTH,
Art with History: The Role of Spolia in the Cumulative
Work of Art, in: D. MOURIKE (Hrsg.), Byzantine East, Latin
West: art-historical stud. in honor of Kurt Weitzmann (FS K.
Weitzmann), 1995, 153–162 21 C. FRANZONI, La tradizione
negli occhi. L'arte del mondo romano nel Medioevo, in:
S. SETTIS (Hrsg.), La Civiltà dei Romani, 1993, Bd. 4,
268–290 22 A. GEYER, Ästhetische Kriterien in der spätant.
Baugesetzgebung, in: Boreas 16, 1993, 63–77
23 N. GRAMACCINI, Mirabilia. Das Nachleben ant. Statuen
vor der Ren., 1996 24 M. GREENHALGH, Ipsa ruina docet:
L'uso dell'antico nel Medioevo, in: [60. 1, 113–167]
25 Ders., The Survival of Roman Antiquities in the Middle
Ages, 1989 26 I. A. HERBEL, Die Verwendung ant. S. in den
Sakralbauten der Provence, 1988 27 I. HERKLOTZ,
»Sepulcra« e »Monumenta« del medioevo. Studi sull'arte
sepolcrale in Italia, 1985 28 Ders., Rezension zu [16; 23; 51],
in: Jour. für Kunstgesch. 2, 1998, 105–116 29 Ideologie e
pratiche del reimpiego nell'alto Medioevo, Congresso
Spoleto (= Settimane di studio del Centro Italiano di studi
sull'alto medioevo 46), 1999, 591–612 30 C. JÄGGI, San
Salvatore in Spoleto, 1998 31 D. KINNEY, Rape or
Restitutio of the Past? Interpreting Spolia, in: S. C. SCOTT
(Hrsg.), The Art of Interpreting, 1995, 53–62 32 Dies.,
Spolia. Damnatio and renovatio memoriae, in: Memoirs of
the American Academy in Rome 42, 1997, 117–148
33 R. KRAUTHEIMER, The Architecture of Sixtus III: A
Fifth-Century Renascence?, in: M. MEISS (Hrsg.), Essays in
honor of Erwin Panofsky (FS E. Panofsky), 1961, 291–302
34 F. LAMMERT, s. v. Spolia, RE 3,2, 1843–1845
35 R. LANCIANI, Storia degli scavi di Roma, 4 Bde.,
1902–1912 36 H. P. L'ORANGE, A. v. GERKAN, Der spätant.
Bildschmuck des Konstantinsbogens, 1939 37 C. MANGO,
Ancient Spolia in the Great Palace of Constantinople, in:
D. MOURIKE (Hrsg.), Byzantine East, Latin West:
Art-Historical Studies in Honor of Kurt Weitzmann (FS K.
Weitzmann), 1995, 645–649 38 G. MARANGONI, Delle cose
gentilesche (...) ad uso e adornamento delle chiese, Rom
1744 39 C. MECKSEPER, Magdeburg und die Ant., in:
M. PUHLE (Hrsg.), Otto d. Gr., Ausstellungskat.
Magdeburg, 2001, Bd. 1, 367–380 40 H.-R. MEIER, Vom
Siegeszeichen zum Lüftungsschacht. S. als

Erinnerungsträger in der Architektur, in: Ders.,
M. Wohlleben (Hrsg.), Bauten und Orte als Träger von
Erinnerung, 2000, 87–98 **41** Ders., Alte Tempel – neue
Kulte. Zum Schutz obsoleter Sakralbauten in der Spätant.
(...), in: B. Brenk et al. (Hrsg.), Innovation in der Spätant.,
1996, 363–376 **42** J. Meredith, The Arch at Capua: The
Strategic Use of Spolia and References to the Antique, in:
W. Tronzo (Hrsg.), Intellectual Life at the Court of
Frederick II Hohenstaufen, 1994, 109–128 **43** D. A. R.
Moore, Notes on the Use of Spolia in Roman Architecture
from Bramante to Bernini, in: C. L. Striker (Hrsg.),
Architectural Studies in Memory of R. Krautheimer, 1996,
119–122 **44** R. Müller, S. und Trophäen im ma. Genua,
2002 **45** W. Müller-Wiener, S.-Nutzung in Istanbul, in:
R. M. Boehmer, H. Hauptmann (Hrsg.), Beitr. zur
Altertumskunde Kleinasiens (FS Kurt Bittel), 1983, 369–382
46 Note d'anticaglie et spoglie et cose maravigliose et grande
sono nella cipta de Roma da vederle volentieri (1502/1513),
hrsg. v. A. Fantozzi, 1994 **47** M. C. Parra, Rimeditando
sul reimpiego: Modena e Pisa viste in parallelo, in: Scuola
Normale Superiore Pisa. Classe di Lettere Filosophia 13,
1983, 453–483 **48** P. Pensabene, Contributi per una ricerca
sul reimpiego e il »recupero« dell'antico nel Medioevo (2
Teile), in: RIA 13, 1990, 5–138 (I); 14/15, 1991/92, 305–346
(II) **49** Ders., C. Panella, Reimpiego e progettazione
architettonica nei monumenti tardo-antichi di Roma (2
Teile), in: RPAA 66, 1993/94, 111–283 (I); 67, 1994/95,
25–67 (II) **50** D. Pincus, Venice and the two Romes:
Byzantium and Rome as a Double Heritage in Venetian
Cultural Politics, in: Artibus et historiae 13, 1992, 101–114
51 J. Poeschke (Hrsg.), Ant. S. in der Architektur des MA
und der Ren., 1996 **52** T. Raff, Die Sprache der
Materialien. Anleitung zu einer Ikonologie der Werkstoffe,
1994 **53** Raffael, (...) lettera a Leone X, 1519, Hrsg. v.
F. P. DiTeodoro, 1994, 70 **54** I. Ragusa, The Re-use and
Public Exhibition of Roman Sarcophagi during the Middle
Ages and the Early Ren., 1951 **55** A. M. Romanini, Une
statue romaine dans la Vierge de Braye, in: Revue de l'Art
105, 1994, 9–18 **56** H. Saradi, The Use of Ancient Spolia in
Byzantine Monuments: The Archaeological and Literary
Evidence, in: IJCT 3, 4, 1997, 395–423 **57** G. Satzinger,
Der »Konsul« am Palazzo Gondi in Florenz. Zur
öffentlichen Inszenierung ant. Statuen um 1500, in: Röm.
Jb. für Kunstgesch. (= Röm. Jb. der Bibliotheca Hertziana)
30, 1995, 153–189 **58** G. Scalia, »Romanitas« pisana tra XI e
XII secolo, in: StM 13, 1972, 791–843 **59** S. Settis (Hrsg.),
Memoria dell'antico nell'arte italiana, 1984–1986
60 A. Shalem, Islam Christianized. Islamic Portable Objects
in the Medieval Church Treasuries of the Latin West, 1996
61 R. H. W. Stichel, Die »Schlangensäule« im Hippodrom
von Istanbul, in: MDAI(Ist) 47, 1997, 315–348
62 T. Struve, Heinrich IV., Bischof Milo von Padua und
der Paduaner Fahnenwagen, in: FMS 30, 1996, 294–314
63 C. Thoenes, Sic Romae: »Statuenstiftung« und Marc
Aurel (1996), in: Ders., Opus incertum, 2002, 431–454
64 G. Vasari, Le Vite de più Eccellenti Architetti, Pittori e
Scultore, hrsg. v. P. Barocchi, 1966f. **65** M. Vickers,
Wandering Stones: Venice, Constantinople, and Athens, in:
K.-L. Selig, E. Sears (Hrsg.), The Verbal and the Visual:
Essays in Honor of William S. Heckscher (FS W. S.
Heckscher), 1990, 225–247
66 H. Westermann-Angerhausen, S. und Umfeld in
Egberts Trier, in: Zschr. für Kunstgesch. 50, 1987, 305–336
67 V. Wiegartz, Stud. zur Rezeption ant. Bildwerke im

MA (im Druck) **68** J. Wiener, Rezension zu [51], in:
Kunstchronik 1996, Heft 4, 153–158
69 E. Zwierlein-Diehl, Die Gemmen und Kameen des
Dreikönigenschreines, 1998. REBECCA MÜLLER

Sport A. Begriff B. Rezeption in den
historischen Epochen C. Disziplinen
D. Sportliche Grundsätze und Ideale

A. Begriff

Das engl. Wort *sport* (mittelengl. *disport*) bedeutet
urspr. »Belustigung«, »Zerstreuung« und ist über das
altfrz. *desport* (*se desporter*) eine Fortentwicklung aus dem
vulgärlat. *deportare*, (sich) »zerstreuen« (klass. eigentlich:
»fortbringen«). Der mod. Sportbegriff ist jedoch nicht
auf den Freizeitsport im etym. Sinne beschränkt. Er umfaßt zusätzliche Bereiche wie den Spitzen- und Brei-
tensport, auch im Wettkampf, und ebenso den Gesund-
heitssport. Die Berufung auf die ant. »S.« betrifft demnach Begriffe mit unterschiedlicher Bed. wie etwa
otium, ludi, palaestra, Olympia, Gymnastik, Athletik, me-
dicina (conservativa) und andere.

B. Rezeption in den historischen Epochen
1. Mittelalter

Die in ant. Trad. stehenden Leibesübungen spielten
im MA keine Rolle mehr, was v. a. auf rel. Gründe zurückzuführen ist. Bereits der röm. Kaiser Theodosius
hatte 393 n. Chr. neben anderen heidnischen Kulten
auch die Olympischen Spiele verboten. Mit entschiedener Ablehnung waren ant. frühchristl. Schriftsteller,
die noch für das MA maßgeblich waren, den zeitgenössischen körperlichen Übungen entgegengetreten, mit
am deutlichsten Tertullian, der die auf den Sportstätten
betriebenen Spiele und Übungen als Teufelswerk bezeichnet: ›palaestrica diaboli negotium‹ (*De Spectaculis*
18).

Bei den ma. Leibesübungen, die gleichwohl betrieben wurden [11], scheint es keinen Bezug auf die Ant.
gegeben zu haben, ebensowenig wie bei den Turnieren.
Auch die volkstümlichen Spiele und Disziplinen sind
allenfalls punktuell mit solchen der klass. Ant. vergleichbar [3].

2. Renaissance

Mit der Hinwendung zur klass. Ant. im Zeitalter der
Ren. beachtete man nun verstärkt auch die im Alt. praktizierten Leibesübungen. Im Vordergrund des Interesses
standen hier, häufig im Rahmen eines Erziehungskon-
zepts, die Übungen und Maßnahmen zur Stärkung und
Bewahrung der körperlichen Kraft und Leistungsfähig-
keit. Dabei berief man sich oft auf Platon und den Begriff der Kalokagathia, um körperliche und geistige Bildung miteinander zu verbinden. Beispielhaft hierfür
und auch in ihrer Zeit berühmt war die Casa Giocosa,
die vom it. Humanisten Vittorino da Feltre (1378–1446)
im Auftrag der Fürstenfamilie der Gonzaga geleitete
Lehranstalt bei Mantua, in der neben geistigen Disziplinen auch Reiten, Fechten, Schwimmen, Bogen-
schießen und Ballspielen Lehrfächer waren [19. 85].

Im Zusammenhang mit den ant. Leibesübungen verwendeten die Vertreter der Ren. v. a. den griech. Begriff der »Gymnastik«, den sie freilich nicht ganz einheitlich gebrauchten. Allgemein war die Klage typisch, daß die Gymnastik der Griechen kaum mehr betrieben würde. Der dt. Humanist Joachim Camerarius hob in den *Praecepta vitae puerilis* (Basel 1536) die Wichtigkeit körperlicher Übungen für die Jugend hervor und beschrieb in seinem *Dialogus de gymnasiis* (1536) mit Anklang an den von Juvenal ausgesprochenen Wunsch ›mens sana in corpore sano‹ (»ein gesunder Geist in einem gesunden Körper«, Iuv 10,356), daß das alte griech. Gymnasium in der Gegenwart keine Entsprechung mehr hätte. Der Mediziner Hieronymus Mercurialis setzte sich in seinem in der Folgezeit stark beachteten Werk *De Arte Gymnastica* (1569) mit den ant. Medizinern Hippokrates und Galen sowie weiteren griech. und lat. Autoren auseinander, um die Kenntnisse der ant. Gymnastik für Maßnahmen zur Erhaltung der Gesundheit (*medicina conservativa*) verfügbar zu machen [20].

Insgesamt konnte sich die Gymnastik im Bildungsideal der Zeit jedoch nicht verankern, so daß gymnastische Übungen auch in den folgenden Jh. kaum Eingang in Schulordnungen und Lehrpläne des Bildungswesens fanden.

3. 18./19. JAHRHUNDERT

Im 18. Jh. ähnelten neue Forderungen nach körperlicher Übung im Erziehungs- und Bildungskonzept zunächst den entsprechenden Stimmen aus der Renaissance. Nun wurden bei der Berufung auf den ant. Sport neben dem Ausdruck »Gymnastik« auch gehäuft die Begriffe »Olympia« und »olympisch« verwendet, wobei die Idee einer Wiederaufnahme der Olympischen Spiele freilich noch nicht vorherrschte. Jean-Jacques Rousseau forderte in seinem Erziehungsroman *Emile* (1762), man müßte auch den Körper als unerläßlichen Gegenstand der Erziehung ansehen und ›die Jungen zum Laufen anreizen, zu Wettkämpfen, damit in ihnen das stolze Erlebnis Olympischer Spiele erwache‹ [18. 84]. Auch andernorts galt »olympisch« als Sammelbezeichnung für verschiedene Spiel- und Sportarten, die nach dem Vorbild der alten Griechen geübt wurden.

Unter Rousseaus Einfluß und dem der pädagogischen Bewegung der Philanthropen waren körperliche Übungen auch in Deutschland Bestandteil des allg. Bildungsideals wie auch der pädagogischen Praxis geworden. So war am Dessauer Philanthropinum, der von Johannes Bernhard Basedow 1774 gegründeten »Schule der Menschenfreunde«, die Leibeserziehung bereits von Beginn an Unterrichtsfach. Mit vielfachem Bezug auf Rousseau wie auch auf Mercurialis veröffentlichte der Pädagoge Johann Christoph Friedrich Gutsmuths das erste Lehrbuch der Leibeserziehung, seine *Gymnastik für die Jugend* (Schnepfenthal 1793), die auch im Ausland starke Beachtung fand. Darin behandelte er unter anderem die Olympischen Spiele der Ant., die ›nichts weniger als bloße Spiele‹ gewesen seien, sondern auch wesentliche Funktionen für Religion und Zusammengehörigkeitsgefühl des griech. Volkes gehabt hätten. Zugleich stellte er freundlich idealisierend den Ablauf der ant. Olympischen Spiele dar. Die Gymnastik grenzte er von der spartanischen Krypteia und den röm. Gladiatorenspielen ab. Ihre Ziele seien v. a. Gesundheit und Abhärtung, Stärke und körperliches Geschick sowie im Zusammenhang mit der Musik – hier klingt wieder das Ideal der Kalokagathia an – auch gute Bildung des Körpers und Schönheit der Seele.

Bei der Wertschätzung der ant. Festspiele sah Gutsmuths zu seiner Zeit die 1776 bis 1799 im Wörlitzer Park bei Dessau gefeierten Drehbergspiele [12. 107–111] als so etwas wie die ›wiederaufgelebten Olympischen Spiele‹ [4. 72] an. Als Vorbild für die Ausgestaltung dieser Spiele dürften u. a. vergleichbare Spiele des 17. Jh. in England gedient haben, die sog. *Olimpick Games* des Rechtsanwalts und Notars Robert Dover (1582–1652), die ab 1612 als eine Austragung verschiedener engl. Volkssportarten in den südengl. Cotswold Hills stattgefunden hatten und auch nach ihrer Einstellung 1642 lange im Gedächtnis blieben [24].

Das enorme Interesse des ausgehenden 18. Jh. für körperliche Übung nach dem Vorbild der Ant. zeigt sich auch darin, daß zur gleichen Zeit wie Gutsmuths' *Gymnastik für die Jugend* davon zunächst unabhängig Gerhard Ulrich Anton Vieths *Encyclopädie der Leibesübungen* (1794) entstand. Ihr erster Teil ist der »Geschichte der Leibesübungen« gewidmet, während der zweite ein »System der Leibesübungen« mit eingehender Darstellung der Disziplinen umfaßt. Unter anderem äußerte Vieth hier auch den Wunsch nach einer Sportstätte zu deren Ausübung, einem ›Stadium nach Art der Griechen (...) von etwa 100 Schritt Länge (...)‹.

Waren in Deutschland nationale Beweggründe bei der Befürwortung körperlicher Übungen bereits im ausgehenden 18. Jh. sichtbar, so beförderte die Auseinandersetzung mit dem Frankreich Napoleons die Idee der Körpererziehung zur »Volksbildung« in bes. Weise. 1810 erschien der Band *Deutsches Volksthum* Friedrich Ludwig Jahns, in welchem dieser die derzeitige allg. ›Demut‹ der Deutschen und speziell ihre Vernachlässigung des Körpers beklagte. Solchen Mißständen wollte er durch vaterländisches Turnen abhelfen, das zur Abschüttelung der frz. Herrschaft beitragen könnte. Das von ihm geprägte Kunstwort »Turnen« definierte er dabei als ›gymnastische Übungen treiben‹ (Brief an Feuerstein vom 25.7.1811). Wie die früheren Befürworter der körperlichen Ertüchtigung die gleichzeitige Ausbildung von Körper und Geist im ant. Sinne bejahten, tat dies auch Jahn: Mit dem Turnen wollte er der damaligen ›bloß einseitigen Vergeistigung die wahre Leibhaftigkeit zuordnen‹ [15]. Auch Jahns Zeitgenossen brachten das Turnen in Zusammenhang mit der Antike. In diesem Sinne stellte der Altphilologe Friedrich Thiersch seiner Pindar-Übers. (Leipzig 1820) eine Widmung an Jahn voran und verglich das Turnen mit den ant. Spielen, bes. den Olympischen [4. 75].

Freilich sah man sich auch in anderen europ. Ländern als Erneuerer der ant. Spiele. In Schweden waren 1834 nahe der Hafenstadt Hälsingborg die ›ersten Olympischen Spiele der Ant.‹ veranstaltet worden, nachdem sich kurz zuvor ein »Olympischer Verein« mit dem Ziel gegründet hatte, gymnastische Übungen – wohl auch nach dt. Vorbildern – in Schweden populär zu machen [7. 1127–1128].

Ab Mitte des 19. Jh. befaßte man sich verstärkt mit der sog. Agonistik, dem Streben nach Kräftemessen und Wetteifern, in welchem man eine wesentliche Eigenart der Griechen erblickte. In Deutschland nahm man »das Agonale« im Sinne einer (zumeist geistig verstandenen) Verwandtschaft mit dem Griechentum in Anspruch. Besonders in den Jahrzehnten nach dem siegreichen Krieg gegen Frankreich 1870–71 häuften sich Stimmen, die in solcher Hinsicht die Deutschen mit den Griechen und dagegen die Franzosen mit den (dem agonalen Wesen angeblich fremden) Römern gleichsetzten. Maßgeblich zur Auffassung des griech. Agons wurden die Darlegungen des Baseler Kunsthistorikers Jacob Burckhardt (postum herausgegeben in: *Griech. Kulturgeschichte*, 1898–1902) [25; 26].

In Griechenland plante man um 1838, im zw. Pyrgos und Olympia gelegenen Betrinoi alle vier J. »Olympische Spiele« (*Olýmpia*) durchzuführen, die an die Befreiungskriege gegen die Türken erinnern sollten. Diese Idee wurde zunächst nicht verwirklicht, allerdings in ähnlicher Form 1858 von Evangelis Zappas, einem rumänisch-griech. Geschäftsmann und ehemaligen Freiheitskämpfer, wieder aufgegriffen. Unterstützt wurde das Vorhaben durch eine Verordnung des griech. Königs Otto I. [5. 41–47].

Im Ausland wurden die neugriech. olympischen Ideen mit Interesse beachtet. Daß 1850 im Rahmen des Münchner Oktoberfestes gymnastische Übungen unter dem Titel »Olympische Spiele« abgehalten wurden, war sicherlich auch eine Ehrung für den bei diesem Oktoberfest anwesenden griech. König Otto I., einen Wittelsbacher [4. 73]. In England zeigte die Wenlock Olympic Society, ein aus einer Bildungsgesellschaft hervorgegangener Verein zur Förderung der Leibesübungen, reges Interesse an den neugriech. Olympien. Auch die athletischen Spiele des engl. Vereins, die Much Wenlock Games, später Olympian Games (1850–1895), beriefen sich ab 1860 zunehmend auf die Antike [24].

4. DIE OLYMPISCHEN SPIELE DER NEUZEIT

Im Gegensatz zu den verschiedenen lokalen oder nationalen, als olympisch bezeichneten Wettkämpfen hatten die heutigen vom Internationalen Olympischen Komitee (IOC) veranstalteten Spiele von Anf. an internationalen Charakter. Als Begründer gilt der Franzose Pierre Baron de Coubertin, ein Pädagoge auch mit nationalen Motiven, der die Leibesübungen im frz. Bildungs- und Erziehungssystem einerseits deshalb gestärkt sehen wollte, um die lange nachwirkende Niedergeschlagenheit seines Landes nach dem Deutsch-Französischen Krieg 1870–71 zu überwinden. Andererseits jedoch leitete ihn bei seiner Idee auch die Begeisterung an den Spielen des ant. Griechenlands. Zur Faszination dieses Gedankens, der auch in anderen Ländern Anhänger fand, hatte sicherlich auch die im 19. Jh. durch Ernst Curtius begonnene Ausgrabung von Olympia beigetragen. So war Coubertin bestrebt, eine typisch olympische Geisteshaltung (›Olympisme‹), wie sie seiner Überzeugung nach schon in der Ant. angelegt war, zu erneuern. In den später im Rückblick verfaßten *Memoires Olympiques* (1931) beschrieb er Leistungswillen, anständiges Spiel und Achtung des Gegners als ihre Kennzeichen. In diesem Sinne prägte er den Begriff der *religio athletae*, mit dem er auch auf die kultischen Ursprünge der ant. Olympien anspielte. Diese Haltung betreffe nicht nur den Sport, sondern die gesamte Lebensführung.

Die organisatorische Einrichtung der Olympischen Spiele verlief zunächst nicht auf direktem Wege. 1894 lud Coubertin als Vorsitzender des frz. Athletikverbandes Vertreter weiterer, auch ausländischer Verbände zu einem Kongreß nach Paris, der sich in erster Linie mit Fragen des Amateurismus, des von den Wettkämpfern geforderten nicht-professionellen Sporttreibens, befassen sollte. Erst auf einer zweiten Einladung benannte er die Zusammenkunft als »Kongreß für die Wiederaufnahme Olympischer Spiele«. Hier gelang es Coubertin, die Anwesenden für seine Ideen zu begeistern, so daß sie eine Wiederaufnahme Olympischer Spiele beschlossen und eine Kommission unter dem Vorsitz des Griechen Dimitrios Vikelas einrichteten, die kurz darauf in das IOC (International Olympique Comité) münden sollte. Auf Vikelas' Anstoß wurden die ersten Olympischen Spiele der Neuzeit nicht wie von Coubertin urspr. geplant für Paris, sondern für Athen vorgesehen. Freilich schrieb man bei der Abschlußsitzung der Kommission am 23.6.1894 im 13. Schlußartikel zugleich fest, daß die im vierjährigen Turnus folgenden Spiele, die ja allen Nationen offenstanden, auch an stets wechselnden Orten stattfinden sollten. Gegen Vorbehalte aus der griech. Bevölkerung, die darin einen Bruch mit der ant. Trad. sehen konnte, richtete Vikelas am 25.4. (griech. Datierung: 7.5.) 1895 einen Aufruf, in dem er darauf hinwies, daß es auch in der Ant. einzelne Spiele fern von Olympia in Thessaloniki, Alexandria und anderswo gegeben hatte [17. 111].

Der im wesentlichen erfolgreiche Verlauf der ersten Olympischen Spiele in Athen führte bei vielen Griechen, aber auch bei Vertretern anderer Länder zu Bestrebungen, die Spiele für immer in Griechenland zu belassen. Dieser Gedanke widersprach natürlich der urspr. Regelung. Ein Kompromißvorschlag Vikelas', den Austragungsort wie vorgesehen jedesmal zu ändern, aber immer zwei J. nach den eigentlichen Olympischen Spielen Zwischenspiele in Athen zu veranstalten, wurde 1906 unter reger Beteiligung etlicher Nationen verwirklicht. Jedoch hatte diese Praxis keinen weiteren Bestand.

5. OLYMPIA 1936 UND NATIONALSOZIALISMUS

Die Nationalsozialisten standen der Austragung der XI. Olympischen Spiele 1936, die fünf J. zuvor vom IOC an Deutschland vergeben worden war, urspr. ablehnend gegenüber, da sich deren internationaler Charakter mit ihrem völkischen Weltbild nicht vertrug. Dabei erklärten sie den Charakter der Spiele auch für unvereinbar mit der ant. olympischen Idee, indem es etwa im *Völkischen Beobachter* vom 19.8.1932 nach den X. Spielen in Los Angeles hieß, die Teilnahme von Juden und Negern stelle eine ›Schändung und Entwürdigung des olympischen Gedankens ohnegleichen‹ dar, und die ›alten Griechen würden sich bestimmt im Grab umdrehen (...)‹. Daß eine Ausrichtung der Spiele nach der Machtergreifung dennoch auch von Anhängern des Regimes befürwortet wurde und es schließlich zu den XI. Olympien in Berlin kam, war der Propagandawirkung zu verdanken, die man sich von solch einem Ereignis erhoffen konnte. Das Berliner Olympiastadion, das sog. Reichssportfeld, zeigte in seiner Monumentalität neben systemgerechter Dekoration und den Symbolen der mod. Olympien auch ant. Gepräge (→ Nationalsozialismus). Die Eröffnungszeremonie wurde aufwendig gestaltet und v.a. durch den Olympischen Fackellauf ergänzt, bei dem gemäß einer Idee des Organisators der Spiele, Carl Diem, die olympische Flamme, am Heratempel in Olympia in ant. Szenerie am Sonnenlicht durch ein Brennglas feierlich entzündet, von sich abwechselnden Läufern bis nach Berlin getragen und im Stadion in die dreifüßige Flammenschale gegeben wurde. In diesem Ablauf sollten Parallelen sowohl zu alten german. Sonnenwendfeiern als auch zur griech. Ant. gesehen werden [14. 165]. Berufung auf die Ant. ist schließlich im zweiteiligen Olympiafilm Leni Riefenstahls *Fest der Völker, Fest der Schönheit*, der 1938 uraufgeführt wurde, allgegenwärtig. Schon zu Beginn des Films wird der griech. Athlet mit dem german. gleichgesetzt, indem die berühmte Statue vom Diskuswerfer des Myron im Bild erscheint und sich rotierend durch Überblendungstechnik in einen german. Athleten verwandelt (Abb. 1). So wurde auch hier die Vorstellung vermittelt, daß olympischer Geist und nationalsozialistisches Menschenbild eine Einheit bildeten.

Im nationalsozialistischen Erziehungskonzept waren die Leibesübungen auf das ›Heranzüchten kerngesunder Körper‹ sowie auf die Entwicklung von ›Volkskraft‹, von ›Rassesinn und Rassegefühl‹ gerichtet [13. 400–403]. Dabei griff Hitler indirekt auch das Ideal der Kalokagathia, welches in der dt. Erziehungsgeschichte schon seit dem Human. geschätzt wurde, auf und interpretierte ›das griech. Schönheitsideal‹ als ›wundervolle Verbindung herrlicher körperlicher Schönheit mit strahlendem Geist und edelster Seele‹. Allerdings lehnte er eine geistige Ausbildung im Sinne der Humanisten, die für ihn ›ausschließlich mit geistiger Kost gefütterte Stubenhocker‹ waren, und ihr angebliches ›Einpumpen bloßen Wissens‹ entschieden ab. Griechen und Deutsche sah Hitler in einer ›größere(n) Rassegemeinschaft‹

Abb. 1: Diskuswerfer in Leni Riefenstahls Olympiafilm 1938 (Privatarchiv Leni Riefenstahl)

[13. 415]. Die nationalsozialistische Ideologie erklärte, daß im Zuge der Einwanderung idg. Stämme in Griechenland ›die griech. Einwanderer‹ typisch german. Gedankengut ›aus ihrer nordischen Heimat‹ mitgebracht hätten. Hierzu zählte v.a. der »agonale« Gedanke, das Streben nach körperlichem Wettkampf und Kräftemessen im Spiel, z.B. in Olympia, auch unabhängig vom praktischen Zweck, was eben für die nordischen Völker bes. typisch sei [8]. Solche Inanspruchnahme der griech. Agonistik für das nordische bzw. german. Wesen, die an ähnlich lautende Stimmen aus dem 19. Jh. anknüpfen konnte, führte dazu, daß man ideologiegerecht forderte, die Rasse von ›unnordischen‹ Elementen reinzuhalten [21].

Ideale Verhältnisse glaubte man insbes. in →Sparta zu erkennen. Carl Diem sah in der ›spartanische(n) Zucht das Rückgrat der altgriech. Erziehungsweisheit (...) und der Olympischen Spiele‹ (Olympia-Pressedienst 1936, 30.5.1934). Spartas ganz auf die Kriegstüchtigkeit gerichtete Lebensweise sei die ›früheste und reinste Form einer *Gymnastica bellica*‹ [8]. Daß körperliche Ertüchtigung in Sparta auch bei den Frauen üblich war, stellte eine weitere vermeintliche Parallele zum nationalsozialistischen Deutschland dar. So wurden als Orientierung für eine nationalsozialistische Leibeserziehung nicht nur Jahns *Volksthum* und natürlich Hitlers *Mein Kampf*, sondern auch Platons *Staat* empfohlen.

C. Disziplinen

1. Diskuswurf

Der Diskuswurf, bereits in Gutsmuths *Gymnastik für die Jugend* eigens abgehandelt, ist eine direkt aus der Ant. übernommene Disziplin. Besondere Verbreitung in der Neuzeit erfuhr diese Sportart, nachdem bei den I. Olympischen Spielen 1896 in Athen auf Drängen der Griechen hierin Wettkämpfe stattgefunden hatten. In Darstellungen des 20. Jh. – auf Wappen und Plakaten zu Sport und Olympia, im Bild wie etwa Riefenstahls Olympiafilm – verkörpert die Gestalt des Diskuswerfers mehr als Vertreter aller anderen Disziplinen den Sport des ant. Griechenlands.

2. Marathonlauf

Siehe AWI Bd. 3, s. v.

3. Ringen

Bei der Disziplin des Ringens, welches schon bei den Olympischen Spielen des Alt. zum Pentathlon, dem klass. Fünfkampf, gehörte, ist der ant. (und eigentlich weit früher zurückreichende) Ursprung allg. bewußt. Im mod. Ringen gibt es zwei Stilarten, einerseits den griech.-röm. oder klass. Stil und andererseits den Freistil, eine Unterscheidung, die aus dem 19. Jh. stammt. Jedoch ist die Bezeichnung »griech.-röm.« irreführend, da diese Stilart beim Ringen im Stand- und Bodenkampf – im Gegensatz zum Freistil – nur Griffe bis zur Gürtellinie zuläßt, was in Griechenland und Rom so nicht gegeben war: Hier erlaubte das Ringen, das sich in seinem Regelwerk natürlich fortwährend änderte, weitere Griffe und sah dagegen wohl meist keinen Bodenkampf vor. Bei den I. Olympischen Spielen der Neuzeit in Athen 1896 gehörte der Ringkampf, auch hier in der Bezeichnung »griech.-röm.«, zu den Sportarten, die sich deutlich auf ant. Trad. beriefen.

4. Boxen

Der Faustkampf, der sicherlich zu allen Zeiten betrieben wurde, gehörte bei den griech. Olympischen Spielen erstmals 688 v. Chr. zum Programm. Die neuzeitliche Regelung und Ausrichtung des Kampfes mit Gewichtsklassen, zeitlichen Begrenzungen und Punktsiegen hat allerdings wenig mit der ant. Praxis zu tun. Direkt auf das ant. Boxen bezog sich Gutsmuths 1793, indem er, während er das Ringen behandelte, den Faustkampf ebenso wie das Pankration als zur Menschenbildung nicht geeignet ablehnte. Bei den III. Olympischen Spielen 1904 in St. Louis wurde das Boxen olympische Disziplin. Hitler hielt diese Sportart für bes. charakterbildend im nationalsozialistischen Sinne [13. 400–403] und für typisch spartanisch (ebenso weitere Ideologen, etwa [21]), obwohl der Faustkampf in Sparta keine herausragende Bed. gehabt hatte. In der Gegenwart lehnt man das Boxen häufig als zu brutal und verrohend ab und zitiert dazu gelegentlich auch ant. Stimmen. Beispielsweise argumentierte ein amerikanischer Journalist im Zusammenhang mit einem 1982 an den Folgen eines Kampfes gestorbenen Boxers, daß bereits in Platons Staatsphilos. die Pflicht besteht, verrohende Sitten und Vergnügungen wie das Boxen zu un-

terbinden (George Will in: *Boston Globe*, 23.11.1982) [22. 123–125].

5. Mehrkämpfe

Im Vergleich zu den Einzeldisziplinen verlangt der Mehrkampf vom Athleten eine höhere Vielseitigkeit, da hier verschiedenartige Techniken anzuwenden sind. Das ant. Pentathlon, das bei den Olympischen Spielen der Griechen ausgetragen wurde, umfaßte die fünf Disziplinen Springen, Laufen, Diskus- und Speerwerfen sowie das Ringen. Offensichtlich geriet der Mehrkampf in dieser klass. Form mit dem Anbruch des MA in Vergessenheit. Die hier im volkstümlichen Sport auch üblichen Mehrkämpfe hatten allenfalls im einzelnen Gemeinsamkeiten mit dem griech. Pentathlon, und auch der Mehrkampf, den im Nibelungenlied Gunther bzw. Siegfried gegen Brünhild zu bestehen hat (Steinwurf, Springen, Speerwurf), ist ohne direkten Bezug zur Antike [3]. Im Zeitalter der Ren. wurde die einseitige körperliche Ausbildung des Berufsathleten kritisiert (Mercurialis, 1569), doch spielte das griech. Pentathlon bei den praktizierten oder empfohlenen Leibesübungen offenbar keine Rolle. An der Schule der Menschenfreunde Johannes Bernhard Basedows, dem Dessauer Philanthropinum, ist 1774 jedoch bei den zu betreibenden Sportarten auch vom »Olympischen Fünfkampf« die Rede [18. 120]. Und im 1861 gegründeten I. Wiener Turnverein wurde seit 1886 über längere Zeit der »hell. Fünfkampf« mit den klass. Disziplinen ausgetragen. 1903 wurde im gleichen Verein ein »dt.« Fünfkampf veranstaltet, dessen Disziplinen german. Trad. aufgreifen sollten, so der Hochweitsprung in Erinnerung an den »Königssprung« des Teutonenkönigs Teutobod über eine Anzahl von Pferden, der Wurf mit dem Ger (german. Speer), der Hammerwurf, der einen Bezug zum Donnergott Donar/Thor herstellte, und weiterhin der 200-Meter-Lauf und das Freiringen nach alter dt. Tradition [2]. Der Fünfkampf in seiner ant. Gestalt, der in einigen Ländern in kleinerem Rahmen durchgeführt wurde (und eventuell noch wird), kam jedoch nie in das Programm der neuzeitlichen Olympischen Spiele. Lediglich bei den »Zwischenspielen« 1906 in Athen wurde er abgehalten.

Seit 1912 findet sich im olympischen Programm das mod. Pentathlon bzw. der mod. Fünfkampf mit freilich anderen als den klass. Disziplinen, nämlich Reiten, Fechten, Schießen, Schwimmen und Laufen. Weitere Mehrkämpfe, die die verschiedensten Sportarten einschließen, werden in Anlehnung an die griech. Bezeichnung des Pentathlon entsprechend Biathlon, Triathlon, Dekathlon usw. genannt.

D. Sportliche Grundsätze und Ideale

Da dem S. häufig allgemeinere, z. B. friedenstiftende oder charakterbildende Funktionen zugewiesen werden, sind mit dem Begriff auch Ansprüche verbunden, die nicht allein beim sportlichen Treiben gelten, sondern sich ebenso auf andere Lebensbereiche auswirken sollen. Bei der Formulierung solcher »sportlichen« Prinzipien bezieht man sich wiederum oft auf die ant. Tradition.

1. Leistungsbereitschaft

Mit dem sportlichen Wettkampf eng verbunden ist das Streben nach Leistung, der Ehrgeiz, sich selbst und andere zu übertreffen und möglichst der Beste zu sein. Als Urheber dieses Strebens, welches man bes. ab dem 19. Jh. als agonistisch bezeichnete, galten die Griechen. Die Tatsache, daß es bei den ant. sportlichen Wettkämpfen nur einen Sieger gab und ein zweiter oder dritter Rang nicht sonderlich ehrenwert war, erschien für solches Leistungsstreben bezeichnend. Auch sah man den Amateur, der seinen Sport aus Leistungsstreben und nicht aus Profitgier betreibt, in ant. Trad., was verständlich macht, daß Coubertin 1894 den urspr. der Amateurfrage gewidmeten Kongreß für seine Ideen von der Wiederaufnahme der Olympischen Spiele nutzen konnte. Der Gedanke des Wettkampfes kommt auch in der Devise ›citius – altius – fortius‹ (»schneller – höher – stärker«) zum Ausdruck, die auf diesem Olympischen Gründungskongreß nach dem Wort eines Gastredners, des Dominikanerpaters Henri-Martin Didon, aufgegriffen wurde und seither olympisches Motto ist. Zwar scheint der Ruf durch die Forderung »höher« auch auf die neuzeitliche Disziplin des Hochsprungs hinzuweisen, doch wird durch die lat. Fassung ebenso die Ant. in Erinnerung gebracht. Den Willen bzw. die Zuversicht, stark und leistungsfähig zu sein, zeigen auch einige Sportvereine mit ihren lat. oder griech. Namen, so die Fußballmannschaften Fortuna Düsseldorf und Victoria Aschaffenburg, ebenso Sparta Rotterdam oder Atlas Bukarest und andere mehr [9].

Der von Coubertin und anderen Vertretern der olympischen Idee immer wieder vorgebrachte Grundsatz, es gehe beim Sport nicht so sehr um den Sieg, sondern um das Mitmachen (»Dabeisein ist alles!«), ist dagegen sehr untypisch für die Auffassungen, die uns aus ant. Quellen entgegentreten. Gleichwohl findet auch dieser Wahlspruch mit dem Philosophen Pythagoras einen ant. Gewährsmann (Porph. *Vita Pythagorae* 15). Solche Grundhaltung zeigt sich möglicherweise auch im Bedeutungswandel eines Begriffes: Das griech. Wort *Olympioníkēs* wird h. nicht mehr wie urspr. für den Olypiasieger, sondern allgemeiner für den Olympiateilnehmer gebraucht.

2. Anstand und Fairness

Ein weiterer mit Sport verknüpfter Anspruch betrifft die Anerkennung und Einhaltung der formalen Regeln ebenso wie die Achtung vor dem Gegner, dem gleiche Bedingungen und Chancen zuzubilligen sind. Damit verbunden ist die Forderung, sowohl bei Siegen als auch bei Niederlagen eine würdevolle Haltung zu zeigen. Für diese Einstellung wird allg. der Begriff der Fairneß bzw. des Fair play gebraucht, der in solchem Sinne in England seit Mitte/E. des 19. Jh. und international ab dem 20. Jh. üblich ist. Der entsprechenden Haltung recht nahe kommt der von Coubertin geprägte Begriff des Olympismus.

Die Vorstellung, daß die griech. Wettkämpfe in solchem Geiste stattfanden, läßt sich vielfach nachweisen, beispielsweise bei Gutsmuths (1793), der die ant. Olympischen Spiele sehr idealisierend beschreibt. Dabei grenzt er die Gymnastik mit ihrer erzieherischen Funktion ausdrücklich von Übungen nach Art der röm. Gladiatorenspiele ab, die zu solchen Zwecken nicht taugten. Hier deutet sich schon an, daß der Gladiator geradezu das Gegenstück zum anständigen Sportler verkörpern kann. Der Gladiator, der in der röm. Arena um Leben und Tod kämpfte, hatte natürlich wenig mit ethischen Grundsätzen im Sinn. Wenn sich h. Spieler und Mannschaften des American Football oft selbst als *gladiators* bezeichnen (etwa: Canada Football Gladiators), erinnert dies daran, daß American Football ein recht vehement ausgeübtes Mannschaftsspiel ist. Mit der Selbstdarstellung als »Gladiatoren« soll eine Härte zur Schau gestellt werden, die man sich selbst und dem Gegner gegenüber auf dem Spielfeld zeigen will. Gelegentlich vereint das Bild des Gladiators aber tatsächlich alle »unsportlichen« Eigenschaften wie Brutalität, Skrupellosigkeit, Unanständigkeit usw. So sagte der dt. Bundespräsident Richard von Weizsäcker am 16.11.1985 vor der Hauptversammlung des Nationalen Olympischen Komitees im Zusammenhang mit dem Problem des »Doping«, der Leistungssteigerung durch unerlaubte Medikamente: ›(...) Wir stehen in Gefahr, den Spitzensportler zum Gladiator herabzuwürdigen. Der Gladiator aber ist die Karikatur, das Zerrbild des freien Athleten (...)‹ [27. 103–107].

Daß man selbstverständlich auch bei den griech. Olympischen Spielen häufig bestrebt war, sich unbilligen Vorteil im Wettkampf zu verschaffen, war späteren Zeiten teilweise bewußt. Erasmus von Rotterdam erzählt in seiner Anekdotensammlung *Apophthegmata* (1532) von Wettläufern in Olympia, die beim Start die Konkurrenten übervorteilen wollen: ›Quanto maior est cura cursoribus de celeritate quam de iustitia!‹ (»Wieviel mehr sorgen sich die Läufer doch um die Schnelligkeit als um die Gerechtigkeit!«, 1,40). Freilich blieb die Vorstellung von der edlen griech. Geisteshaltung fortwährend bestehen, wie diesbezügliche Äußerungen aus den folgenden Jh. bis h. zeigen. Doch gibt es neuerdings auch andere Bewertungen. Im *Lex. der Ethik im S.* (²1998) wird zum Lemma »Kalokagathia« bei der Begriffsdeutung auch eine Passage aus Xenophons *Erinnerungen an Sokrates* interpretiert: In diesem Dialog suchen die Teilnehmer eine Definition der *kalokagathía*, und Sokrates kommt zu der Bewertung, alle Dinge seien gut (*agathá*) und schön (*kalá*), ›soweit sie für ihren Zweck nützlich sind‹ (*Memorabilia* 3,8,7), ein Schluß, der auch den Gebrauch von Doping-Mitteln im sportlichen Wettkampf rechtfertigen könnte [1].

3. Völkerverständigung

Die Erkenntnis, daß das Zusammengehörigkeitsgefühl der – ansonsten häufig uneinigen – Griechen durch ihre gemeinsamen Wettkampffeste wesentlich gestärkt wurde, drückt sich etwa in Friedrich Schillers *Kraniche des Ibykus* (1798) aus: Hier ist ›Ibykus, der Götterfreund‹, zu den Isthmischen Spielen bei Korinth unterwegs, deren Austragung ›der Griechen Stämme froh vereint‹ (V. 1–4). Der entsprechende Gedanke, daß gemeinsames sportliches Treiben zur Verständigung zw. allen Völkern beitragen kann, hat bei der internationalen Austragung der Olympischen Spiele großes Gewicht. Von Anbeginn wurde im Zusammenhang mit den Olympischen Spielen auf die ant. *ekecheiría* verwiesen, die den Teilnehmern und Zuschauern der Spiele ungeachtet aller Konflikte ungehinderten Aufenthalt sowie An- und Abreise garantierte (Vikelas, 1895 [17. 111]; Coubertin, 1931). Ähnlich betonte der Präsident des Internationalen Olympischen Komitees Juan Antonio Samaranch in einem Beitr. zu außenpolit. Fragen *Sport and Politics* (1997) die Trad. der *ekecheiría*. So ist der Gedanke an den olympischen Frieden, der in der Ant. seine Wurzeln hat, bis in die heutige Zeit gegenwärtig geblieben.

→ Körperkultur; Olympia; Stadion

1 H. Aigner, s. v. Kalokagathia, in: O. Grope, D. Mieth (Hrsg.), Lex. der Ethik im S., ²1998 2 H. Becker, Die Wiederbelebung des »hellenischen Fünfkampfes« 1886 im 1. Wiener Turnverein, 1989, in: Ders., Für einen humanen S., 1995, 80–87 3 J. Bintz, Die Leibesübungen des MA, 1880 (Ndr. 1971) 4 W. Borgers, D. R. Quanz, Olympische Spiele außerhalb Griechenlands. Deutschland, in: [5. 71–75] 5 W. Decker, G. Dolianitis, K. Lennarz (Hrsg.), 100 J. Olympische Spiele. Der neugriech. Ursprung, 1996 6 W. Decker, K. Lennarz, Die Sportstätten in Athen, in: [5. 126–131] 7 C. Diem, Weltgesch. des S. und der Leibeserziehung, 1960 8 L. Englert, Die Gymnastik und Agonistik der Griechen als polit. Leibeserziehung, 1942 9 P. Gummert, Bezüge zur Ant. in der Welt des S., in: Gymnasium 110 (im Druck) 10 J. C. F. Gutsmuths, Gymnastik für die Jugend, Schnepfenthal 1793 11 M. Hahn, Die Leibesübungen im ma. Volksleben, 1929 (Ndr. 1972) 12 E. Hirsch, Dessau-Wörlitz, ²1987 13 A. Hitler, Mein Kampf, ¹1925–1927 14 S. Jacob, S. im 20. Jh., 1994 15 F. L. Jahn, E. Eiselen, Die dt. Turnkunst, Berlin 1816 16 A. Krüger, J. McClelland (Hrsg.), Die Anf. des mod. S. in der Ren., 1984 17 K. Lennarz, Die Olympischen Spiele 1896 in Athen, in: [5. 109–117] 18 G. Lukas, Körperkultur in frühen Epochen der Menschheit, 1969 19 J. McClelland, Leibesübungen in der Ren. und die freien Künste, in: [16. 85–110] 20 P. McIntosh, Hieronymus Mercurialis' »De Arte Gymnastica«. Klassifizierung und Dogma der Leibeserziehung, in: [16. 43–57] 21 E. Mehl, Leibesübungen als Lebensform des nordischen Menschen, 1941 22 M. B. Poliakoff, Combat Sports in the Ancient World, 1987 23 J. J. Rousseau, Emile, Paris 1762 24 J. K. Rühl, Olympische Spiele außerhalb Griechenlands. England, in: [6. 60–68] 25 I. Weiler, Aien aristeuein, in: Stadion 1.2, 1975, 199–227 26 Ders., Zur Rezeption des griech. S. im Nationalsozialismus, in: B. Näf (Hrsg.), Ant. und Altertumswiss. in der Zeit von Faschismus und Nationalsozialismus, 2001 27 R. v. Weizsäcker, Grundsätze und Grenzen des S., in: Dt. Sportbund (Hrsg.), Dt. Sportbund 1982–1986. Ber. des Präsidiums, 1986.

PETER GUMMERT

Sprachgesellschaft s. Akademie

Sprachphilosophie/Semiotik A. Einleitung und Begriffsbestimmung B. Die Quellen der mittelalterlichen Sprach- und Zeichentheorie C. Die Entwicklung der Sprach- und Zeichentheorie im Mittelalter D. Neuzeit

A. Einleitung und Begriffsbestimmung

Bezüglich der Rezeptionsgeschichte der ant. Sprachphilos. und Semiotik ist zunächst zweierlei festzuhalten:

1. Die Disziplinennamen »Sprachphilos.« (Sp.) und »Semiotik« (Se.) sind in der Ant. ohne wörtliche Entsprechungen. Handelt es sich bei »Sp.« um einen erst im 18. Jh. eingeführten Terminus, so ist auch der von »σημεῖον« (*sēmeíon*, Zeichen) abgeleitete Name »Se.«, mit dem h. die allg. Wiss. von den Zeichen, Zeichensystemen und Zeichenprozessen in Natur und Kultur belegt wird, zumindest in diesem Verständnis ohne ant. Gegenstück. Das in hell. Zeit gebräuchliche Adjektiv »semiotisch« verweist nicht auf eine allg. Se. im mod. Sinn, sondern charakterisiert speziell die Diagnostik als den »semiotischen Teil« (σημειωτικὸν μέρος, *sēmeiōtikòn méros*) der Medizin [7. 18; 2. 633]. Gleichwohl ist es symptomatisch, daß die Einführung dieser Disziplinennamen jeweils unter direktem Rekurs auf ant. Theoriebildungen vollzogen wurde. So bemerkt J. G. Herder mit Hinweis auf die ›Kunst der (griech.) Grammatiker‹, daß sich am Studium der griech. Sprache ›überhaupt alle Sprachphilos. der Erde anzündete‹ [9. 131]. Zum anderen findet sich der wohl früheste Beleg des Substantivs *semeiotice* in der venezianischen Galenos-Ausgabe von 1490, wo er zur Übers. von »σημειωτικὸν μέρος« (*sēmeiōtikòn méros*, »semiotischer Teil«) verwendet wird [52. 40 f.]. Vermutlich war es diese in der frühneuzeitlichen Medizin dann geläufige Verwendung des Terminus »Se.«, die Pate stand, als J. Locke 1690 am Schluß seines *Essay concerning Human Understanding* das als Ersatz für die Logik im traditionellen Verständnis gedachte Projekt einer als »σημειοτική« bezeichneten ›doctrine of signs‹ formulierte, deren Geschäft es sei, die ›Nature of Signs, the Mind makes use of for the Understanding of Things, or conveying its Knowledge to others‹ [11. 4, 21], zu betrachten. Von hier aus führt ein mehr oder weniger direkter Weg zu Ch. S. Peirce, der als wichtigster Begründer der mod. Se. gilt [45].

Wenn also von einer Rezeption ant. Sp. und Se. die Rede ist, so kann damit nicht die Tradierung und histor. Entwicklung bereits in der Ant. ausgearbeitet vorliegender Disziplinen gemeint sein. Vielmehr geht es um die Rezeptionsgeschichte von ant. Konzepten, welche die späteren sprach- und zeichentheoretischen Ansätze nachhaltig beeinflußt und so in einem langen und komplizierten Prozeß Wesentliches zur Konstitution der mod. Sp. und Se. beigetragen haben.

2. Von der klass. Ant. her gesehen besteht kein zwingender Grund, die Rezeption der Sp. und der Se. zusammen abzuhandeln, denn hier waren die beiden Theoriefelder von Sprache und Zeichen zunächst deut-

lich voneinander geschieden. Wenngleich vereinzelt der sprachliche Ausdruck beiläufig »Zeichen« (σημεῖον) genannt wurde (Plat. soph. 262a 6; Aristot. *De Interpretatione* 1,16a 6), so bestimmen doch alle aus der ant. Philos., Rhet. und Medizin überlieferten Definitionen das σημεῖον ausschließlich als ein vom sprachlichen Ausdruck deutlich unterschiedenes, indexikalisches Zeichen, d. h. als Anzeichen oder Indiz.

Daß sich die Rezeption ant. Sprach- und Zeichentheorie gleichwohl nur im Zusammenhang begreifen läßt, ist im wesentlichen die Folge einer grundlegenden Neubestimmung des Zeichenbegriffs bei Augustinus. Denn seine späterhin vielfach als kanonisch geltende Definition des Zeichens als »Sache, die neben dem Eindruck, den sie den Sinnen mitteilt, aus sich heraus etwas anderes in das Denken kommen läßt« (›Signum (...) est res praeter speciem quam ingerit sensibus, aliud aliquid ex se faciens in cogitationem venire (...)‹; *Doctrinae christianae* 2,1) bestimmt erstmals ausdrücklich alle Arten von Zeichen, die natürlichen Indizes ebenso wie die willkürlich eingesetzten Sprachzeichen. Erst hiermit liegt ein Zeichenbegriff vor, der den Gegenstandsbereich einer sämtliche natürlichen und kulturellen Zeichenprozesse betrachtenden allg. Se. umreißen kann.

B. DIE QUELLEN DER MITTELALTERLICHEN SPRACH- UND ZEICHENTHEORIE

Hinsichtlich der Überlieferung ant. Gedankenguts zur Sp. und Se. lassen sich mehrere, zeitlich versetzte Traditionsstränge unterscheiden, die im Laufe des MA jedoch vielfach aufeinander eingewirkt und hierdurch die Entwicklung der Sp. und Se. wesentlich beeinflußt haben. Neben der Überlieferung der spätant. Gramm. durch die Werke des Aelius Donatus (4. Jh. n. Chr.) und Priscianus (5.–6. Jh. n. Chr.) ist die ma. Kenntnis der ant. Sp. und Se. insbes. über Boëthius (470–524) und Augustinus (354–430) vermittelt [54]. Weitere Impulse erfährt die Entwicklung der Se. und Sp. später von der seit dem ausgehenden 11. Jh. erfolgenden Wiederbelebung der ant. → Medizin sowie von dem Bekanntwerden weiterer Aristotelischer Schriften im 12. Jahrhundert.

1. GRAMMATIK: DONATUS UND PRISCIANUS

Im frühen MA sind der Grammatikunterricht und die linguistische Theorie insgesamt beherrscht von der *Ars grammatica* (»Gramm. Kunst«) des Donatus und der *Institutio de nomine et pronomine et verbo* (»Lehrbuch über das Nomen, Pronomen und Verb«) des Priscianus, einer gekürzten Fassung einiger Bücher seiner *Institutio de arte grammatica* (»Lehrbuch der Gramm.«; GL 4,355–402). Letztere ist die umfangreichste erhaltene lat. Sprachlehre. Überliefert in mehr als 800 ma. Hss. und zahlreichen Druckausgaben des 15. und 16. Jh., diente sie bis in die frühe Neuzeit als Standardlehrbuch für den höheren Grammatikunterricht und hat so die gramm. Terminologie bis in die Gegenwart entscheidend geprägt. Sie umfaßt 18 Bücher, von denen die 16 ersten Bücher (*de accidentibus*), im MA vielfach separat als *Priscianus maior* tradiert, die Laut- und Formenlehre sowie die Lehre von

den Redeteilen (*partes orationis*) enthalten, während die beiden letzten, der sog. *Priscianus minor*, die Syntax behandeln. Insbesondere der *Priscianus maior*, der seit dem späten 11. Jh. verstärkt diskutiert und zunehmend kritisch kommentiert wurde [35. 1–94], bildet die Grundlage und den Ausgangspunkt für zahlreiche linguistische und logisch-semantische Diskussionen des MA, in denen vielfach eine Verfeinerung und Systematisierung der terminologischen Unterscheidungen Priscians vorgenommen wird [39].

2. BOËTHIUS ALS VERMITTLER DER SPRACHPHILOSOPHIE DES ARISTOTELES

Boëthius' Übers. und Kommentierung von Teilen des Aristotelischen Organons, bes. der Schrift *Perì hermēneías* (*De interpretatione*, »Lehre vom Satz«), bilden die wichtigste – und bis ins 12. Jh. einzige – Quelle für die ma. Rezeption der aristotelischen Semantik [23]. Die diese Schrift einleitenden Ausführungen über die Signifikation der sprachlichen Ausdrücke und das Verhältnis von gesprochenem Wort, Schrift, geistigem Begriff und Sache waren von bestimmendem Einfluß und können als ›common starting point for virtually all medieval theories of semantics‹ gelten [42. 8]. Die wirkungsgeschichtlich zentralen Lehrstücke der von Boëthius überlieferten Semantik sind u. a. jenes h. als »semantisches« oder »semiotisches Dreieck« geläufige bedeutungstheoretische Modell, nach dem sich die Wörter (bzw. allg. die Zeichen) nur über die geistigen Begriffe auf die Dinge beziehen [41], sowie die These vom konventionellen (κατὰ συνθήκην, *katà synthḗkēn*, »gemäß Übereinkunft«) [26] oder willkürlichen (*secundum placitum*) [32] Charakter der Bed. sprachlicher Ausdrücke. Darüber hinaus vermittelte Boëthius der scholastischen Trad. die von Porphyrios und den spätant. Aristoteleskommentatoren ausgearbeitete Konzeption einer *triplex oratio*, einer dreifachen, geschriebenen, gesprochenen und mentalen Rede [1. 36]. Diese letztlich auf Platon (soph. 263e 2–4; Tht. 189e–190a) und Aristoteles (an. post. 1,76b 24; metaph. 4,1009a 20) zurückgehende Beschreibung des Denkens als eine Art »innere Rede« (λόγος ἐνδιάθετος, *lógos endiáthetos*) [50] hat eine umfangreiche, bis in die gegenwärtigen Diskussionen zum Verhältnis von Sprache und Denken reichende Wirkungsgeschichte [47].

3. AUGUSTINUS

Bei Augustinus verbinden sich aristotelische und platonische sowie – bes. in seinen Frühschriften *De dialectica* und *De magistro* – stoische und skeptische Elemente zu einem Neuansatz [24; 33. 33–42; 37. 48; 46. 1–34; 51], dem insofern eine Schlüsselstellung in der Geschichte der Sp. und Se. zukommt, als Sprache hier erstmals konsequent als – wenn auch wichtigster – Teilbereich des umfassenderen Phänomens der Zeichen interpretiert wird. Dies hat wesentlich dazu beigetragen, daß der Zeichenbegriff langfristig zu einem fest etablierten Thema der ma. Gramm. und Logik wurde. In der augustinischen Wissenschaftskonzeption spielt er eine zentrale Rolle, denn – so seine im MA überaus prominente These – »jede Wiss. handelt von Dingen oder von Zeichen, aber die Dinge werden durch die Zeichen gelernt« (›Omnis doctrina vel rerum est vel signorum, sed res per signa discuntur‹, *Doctrinae christianae* 1,4). Gleichwohl ist die Se. und Sp. des Augustinus durch eine Ambivalenz charakterisiert, die die Bewertung sowohl der Zeichen als auch der Bestimmung des Begriffes »Wort« (*verbum*) betrifft. Zum einen bleibt das qua Definition auf sinnliche Wahrnehmbarkeit festgelegte Zeichen stets etwas gegenüber dem Bereich des geistigen Verständnisses Äußerliches. Diese bereits in *De magistro* vorliegende Abwertung der Zeichen gegenüber der Innensphäre unmittelbarer geistiger Erkenntnis zeigt sich später in der Lehre vom mentalen Begriff als dem ›verbum mentis‹ (»Wort des Geistes«), »das weder griech. noch lat. noch irgendeiner anderen Sprache zugehörig ist« (›quod nec graecum est nec latinum, nec linguae alicuius alterius (...)‹, *De trinitate* 15,10,19) und das, als Wort im eigentlichsten Sinne (*De trinitate* 15,11,20), von den lautsprachlichen Wörtern gerade dadurch abgehoben wird, daß es selbst nicht Zeichen ist. So wie das gesprochene Wort also nicht das eigentliche Wort ist, konstituieren die eigentlichen, geistigen Worte eine Rede, die eigentlich keine ist. Denn das Denken (*cogitatio*) vollzieht sich, wenngleich es als *locutio* (Rede) charakterisiert wird, sprachfrei, insofern es unabhängig von jeder gesprochenen Sprache ist. Die mehrdeutige Weise, in der hier die Begriffsfelder von »Denken«, »Wort«, »Sprache« und »Zeichen« zugleich aufeinander bezogen und voneinander abgehoben werden, hat im MA zahlreiche Debatten angestoßen, bes. seit man um die Mitte des 13. Jh. unter (philol. freilich nicht begründeter) Berufung auf Aristoteles von der Augustinischen Zeichendefinition abzuweichen und die geistigen Begriffe selbst als Zeichen aufzufassen begann [46. 77–86].

Der Einfluß des Augustinus auf das MA und die frühe Neuzeit ist äußerst facettenreich. Hat er mit seiner skeptischen Haltung gegenüber dem Erkenntniswert etym. Spekulationen (*De dialectica*, Kap. 6) entscheidend dazu beigetragen, daß deren Wirkung auf die scholastische Trad. – trotz der *Etymologiae* des Isidorus von Sevilla – sehr gering blieb [32], so ist seine Bestimmung des Sakramentes als ›sacrae rei signum‹ (»Zeichen einer heiligen Sache«) Ausgangspunkt für intensive zeichentheoretische Analysen im Rahmen der ma. [55] und frühneuzeitlichen [46. 308–330] Sakramentaltheologie geworden.

C. Die Entwicklung der Sprach- und Zeichentheorie im Mittelalter

1. Wiederbelebung der antiken Medizin

Seit dem späten 11. Jh. erfolgt eine Wiederbelebung der ant. Medizin. Durch die in der Schule von Salerno (bes. Constantinus Africanus) und später in der Übersetzerschule von Toledo angefertigten lat. Übers. der einschlägigen Schriften der griech.-arab. Lit. werden wichtige begriffliche Differenzierungen der medizinischen Semiotik bekannt gemacht, die, wie etwa die Unterscheidung zw. dem »Gegenwärtiges anzeigen-

den«, dem an »Vergangenes erinnernden« und dem »Zukünftiges ankündigenden« Zeichen (*signum demonstrativum, signum rememorativum, signum prognosticum*) [43. 64–66], in der Lehre vom Sakramentalzeichen eine wichtige Rolle spielen (Thomas von Aquin, *Summa theologica* 3 q. 60 a 3 concl.).

2. Erweiterung der Aristoteles-Kenntnis

Um die Mitte des 12. Jh. werden mit den *Analytica priora* und *posteriora* (»erste« und »zweite Analytik«) sowie den *Sophistici Elenchi* (»Sophistische Widerlegungen«) weitere Aristotelische Werke in lat. Übers. zugänglich. Erhält die semantische Theorie des MA durch die *Sophistici Elenchi* entscheidende Impulse zu einer intensiven Erforsch. des Phänomens der Mehrdeutigkeit [28], so werden mit den *Analytika* sowohl die Aristotelische Theorie des Zeichenschlußes als auch die Aristotelische Wissenschaftstheorie bekannt. Das sich hiermit durchsetzende Verständnis von Wiss. als deduktiv begründete Erkenntnis von Notwendigem und Allgemeinem führt zu einer deutlichen Modifikation der Grammatiktheorie, in deren Rahmen um die Mitte des 13. Jh. die frühesten ausgearbeiteten Zeichenlehren des MA entstehen. Roger Bacon (ca. 1214– ca. 1293) verfaßt als Grundlegung der Gramm. einen Traktat *De signis* (»Über Zeichen«) [15], in welchem er, ausgehend von einer detaillierten Analyse des Zeichens und seiner Typologie, eine allg. Theorie der *significatio* (»Bezeichnung«) und der Funktion sprachlicher Zeichen entwirft [44; 46. 50–64]. Ungefähr zeitgleich erörtert Ps.-Robert Kilwardby in seinem Komm. zum *Priscianus maior* die Möglichkeit einer eigenständigen Wiss. von den Zeichen (›scientia de signis‹) [14. 2 ff.] sowie das Verhältnis dieser Verstandeswiss. (›scientia rationalis‹) [14. 4] zu den Realwiss. [13. 6 ff.].

War die an Donatus und Priscianus orientierte Gramm. bis ins 13. Jh. hinein im wesentlichen beschreibend und praxisorientiert, so entsteht in der zweiten Jahrhunderthälfte mit der *grammatica speculativa* (»spekulative Gramm.«) ein neuer Ansatz der Grammatiktheorie, der den Ansprüchen des aristotelischen Wissenschaftsverständnisses gerecht zu werden versucht. Ausgehend von der These, daß allen Einzelsprachen letztlich dieselbe universelle Gramm. zugrunde liegt (›omnia idiomata sunt una grammatica‹) [2. 12], unternimmt sie eine ontologische Begründung der gramm. Kategorien des Donatus und Priscianus, indem sie die aristotelische Auffassung, daß ebenso wie die Natur der Dinge auch die geistigen Begriffe bei allen Menschen identisch (›idem apud omnes‹) sind, weiterentwickelt zur These von der für alle Sprachen geltenden Isomorphie zw. den Seinsweisen der Dinge (›modi essendi‹), den Erkenntnisweisen des Intellekts (›modi intelligendi‹) und den Bezeichnungsweisen (›modi significandi‹) der verschiedenen Wortklassen (*nomina, verba, adiectiva, adverbia* etc.) und syntaktischen Bestimmungsmomente der Wörter (*numerus, casus*) [25; 53].

Eine andere, hiermit unmittelbar konkurrierende Form von Universalgramm. entwirft im frühen 14. Jh.

Wilhelm von Ockham (ca. 1285– ca. 1349). Unter Berufung auf Augustinus und Boëthius baut er die alte Vorstellung einer »inneren Rede« zu einer Theorie der mentalen Sprache (*oratio mentalis*) aus [21]. Dieser liegt nach Ockham eine bei allen Menschen identische, natürliche Mentalgramm. zugrunde, die zwar ebenso wie die *grammatica speculativa* hinsichtlich der von ihr verwendeten gramm. Kategorien an Donatus orientiert ist, im Gegensatz zu jener aber die Idee der strikten Isomorphie zw. der gramm. Struktur der Sprache und der Struktur der Realität verwirft.

D. NEUZEIT

Die Zeichenlehre der hippokratisch-galenischen Trad. wird in der Frühen Neuzeit in zahlreichen Spezialtraktaten weiter ausgearbeitet, die nicht nur als erste Schriften überhaupt Titel wie *Semiotica, Semiologia* o.ä. tragen, sondern mitunter auch generelle Erörterungen des Zeichenbegriffs enthalten [6]. Auf den nachhaltigen Erfolg dieser Trad. der medizinischen Semiotik ist es zurückzuführen, daß noch im späten 19. Jh. Hippokrates als der ›Vater und Meister aller Semiotik‹ bezeichnet werden konnte [38. 103].

Mit der vom Renaissancehumanismus vorangetriebenen Erschließung ant. Quellen werden um die Mitte des 16. Jh. die dem MA weitgehend unbekannten Werke des Sextus Empiricus, die neben Diogenes Laertios die wichtigste Quelle für die Kenntnis der epikureischen und stoischen Sprach- und Zeichentheorie darstellen, in lat. Übers. zugänglich [16; 17]. Verglichen mit der überaus reichen Entwicklung sprach- und zeichentheoretischer Entwürfe des MA sind die Folgen dieser Quellenerschließung jedoch eher gering – auch wenn Adam Bursius 1604 den ersten Versuch einer Rekonstruktion der stoischen Sprach- und Zeichentheorie unternimmt [4] oder P. Gassendi (1592–1655) zur Begründung seines empiristischen Ansatzes der Naturphilos. auf die epikureische Zeichentheorie zurückgreift [8. 1,69a u. 81b].

In der neuzeitlichen Sp. gewinnt die Erörterung der Frage nach dem Sprachursprung stärkeres Gewicht als im MA, wo, unter Übernahme der konventionalistischen Position des Aristoteles, Platon lediglich als Vertreter der irrigen These der natürlichen Signifikation sprachlicher Ausdrücke wahrgenommen wurde (Thomas von Aquin, *Expositio libri peryermenias*, 1,6,8). Wenngleich in der Frühen Neuzeit die alternativen Modelle von natürlicher oder willkürlicher Sprachbegründung weiterhin mit den Namen »Platon« und »Aristoteles« verbunden werden [20. 323–327], beginnt man nun, im Rückgriff auf Marsilio Ficinos Übers. und Kommentierung des *Kratylos*, die Komplexität der Argumentation dieses Dialogs zur Kenntnis zu nehmen und die platonische Position differenzierter zu betrachten: Sie behaupte lediglich die Natürlichkeit des menschlichen Sprachvermögens, nicht aber – mit Ausnahme der onomatopoetischen Wörter – die der Signifikation sprachlicher Ausdrücke insgesamt, und sei insofern mit der aristotelischen Auffassung durchaus vereinbar [5. 2, 50; 13. 13; 12. 210ff.].

Als durch das zunehmend ins Bewußtsein tretende Phänomen der Sprachgeschichte das aristotelische Modell der Einsetzung (*impositio, institutio*) sprachlicher Bed. als Antwort auf die Sprachursprungsfrage an Plausibilität verliert, ist es gerade die im *Kratylos* entfaltete etymologische Konzeption der »ersten Namen« (πρῶτα ὀνόματα, *prṓta onómata*), die als Theorie der Stamm- oder Wurzelwörter (*radices*) von der Sprachphilos. des Barock bis in die lautmimetischen Sprachursprungsmodelle der Aufklärung bei de Brosses [3. Bd. 2. Kap. 14], Herder [10. 70ff.] u. a. fortwirkt. Mit dem zurückgehenden Interesse an einer diachronen Sprachbetrachtung und der Ausschaltung der Frage nach dem Sprachursprung gegen E. des 19. Jh. gewinnt schließlich mit F. de Saussures Betonung der Arbitrarität des Zeichens (›arbitraire du signe‹) erneut die aristotelische Option die Oberhand [26].

Die historiographische Erschließung der Philosophiegeschichte ist zumeist unmittelbarer Reflex der jeweils gegenwärtigen philos. Interessenlage. So kann es nicht verwundern, daß gerade im 19. und frühen 20. Jh. vor dem Hintergrund der expandierenden Sp. und Se. die ersten detaillierten Studien zur ant. Sp. [40], → Sprachwissenschaft [56] und Zeichentheorie [57] entstanden, die trotz der durch die linguistische Wende in der Philos. des 20. Jh. weiter intensivierten Forschungsbemühungen teilweise noch h. als grundlegende Standardwerke gelten können. Wenngleich sich bei den histor. gebildeteren Repräsentanten der mod. Sp. und Se. mitunter direkte Stellungnahmen zu ihren ant. Vorgängern finden lassen – C.S. Peirce spricht bezüglich der epikureischen Zeichentheorie des Philodemos von Gadara von ›deeply interesting views‹ [49. 217]; U. Eco bezieht sich bei seiner Bestimmung des Zeichenbegriffs explizit auf die von ihm als die ›erste und vollständigste Theorie des Zeichens, die je formuliert worden ist‹ charakterisierte stoische Se. [31. 43f.] –, sind die ant. theoretischen und terminologischen Vorgaben bezüglich der Sp. und Se. uns vielfach so selbstverständlich geworden, daß in der Regel kaum noch bewußt wird, in welchem Maße man auf Fundamenten baut, die bereits in der Ant. gelegt wurden.

→ Semiotik
→ AWI Aristoteles; Boëthius, Anicius Manlius Severinus; Diogenes [17] Laertios; Donatus [3]; Galenos von Pergamon; Isidorus [9]; Philodemos; Platon [1]; Priscianus; Sprachtheorie

QU 1 BOËTHIUS, In librum peri hermeneias Aristotelis, secunda editio, hrsg. v. C. MEISER, Leipzig 1880 2 BOËTHIUS DACUS, Modi significandi, in: Opera, hrsg. v. J. PINBORG, H. ROOS 1969 3 C. DE BROSSES, Traité de la formation mécanique des langues, Paris 1765 4 ADAM BURSIUS, Dialectica Ciceronis, Samosci 1604 5 CONIMBRICENSES, In librum Aristotelis de interpretatione, in: Commentarii collegii Conimbricensis ... in universam dialecticam Aristotelis, Köln 1607, Ndr. 1976 6 T. FIENUS, Simiotice, sive de signis medicis tractatus, Lyon 1664 7 GALENOS, Opera omnia, hrsg. v. C. G. KÜHN, Leipzig

1821–1833 **8** P. GASSENDI, Opera omnia, Lyon 1658 **9** J. G. HERDER, Ideen zur Philos. der Gesch. der Menschheit, in: Ders., Sämtliche Werke, hrsg. v. B. SUPHAN, Bd. 14, 1877–1913; Ndr. 1967/1969 **10** Ders., Abh. über den Ursprung der Sprache (1772), in: Ders., Sämtliche Werke, hrsg. v. B. SUPHAN, Bd. 5, 1877–1913; Ndr. 1967/1969 **11** J. LOCKE, Essay concerning Human Understanding, hrsg. v. P. H. NIDDITCH, 1975 **12** R. LYNCH, Universa philosophia scholastica, Lyon 1654 **13** D. MASIUS, Commentariorum in Porphyrium et in unversam Aristotelis logicam tomus primus, Köln 1617 **14** Ps.-ROBERT KILWARDBY, The Commentary on »Priscian Maior« ascribed to Robert Kilwardby, hrsg. v. K. M. FREDBORG et al., in: CMA 15, 1975, 1–146 **15** ROGER BACON, De signis, hrsg. v. K. M. FREDBORG, L. NIELSEN, J. PINBORG, in: Traditio 34, 1978, 75–136 **16** SEXTUS EMPIRICUS, Pyrrhoniarum Hypotyposeon libri III . . . Graece nunquam, Latine nunc primum editi, übers. v. H. ESTIENNE, Genf 1562 **17** Ders., Adversus Mathematicos . . . Graece nunquam, Latine nunc primum editum, übers. v. G. HERVET, Antwerpen 1569 **18** THOMAS VON AQUIN, Expositio libri peryermenias, Opera omnia, Leonina, Bd. 1/1, ²1989 **19** Ders., Summa theologiae, Opera omnia, t. 11–12, 1903–1906 **20** C. TIMPLER, Metaphysicae systema methodicum Libri V, Hanau 1606 **21** WILHELM VON OCKHAM, Summa logicae, hrsg. v. P. BOEHNER, Opera philosophica 1, 1974

LIT **22** H. ARENS, Sprachwiss. Der Gang ihrer Entwicklung von der Ant. bis zur Gegenwart, 1969 **23** Ders., Aristotle's Theory of Language and its Trad., 1984 **24** T. BORSCHE, Zeichentheorie im Übergang von den Stoikern zu Augustin, in: Allg. Zschr. für Philos. 19, 1994, 41–52 **25** G. L. BURSILL-HALL, Speculative Grammars in the Middle Ages, 1971 **26** E. COSERIU, L'arbitraire du signe. Zur Spätgesch. eines aristotelischen Begriffs, in: Archiv für das Studium der neueren Sprachen und Literaturen 119, 1968, 81–112 **27** Ders., Die Gesch. der Sp. von der Ant. bis zur Gegenwart, 2 Bde., 1972–1975 **28** S. EBBESEN, Commentators and commentaries on Aristotle's Sophistici elenchi. A Study of post-Aristotelian ancient and medieval writings on fallacies, 1981 **29** Ders., The Odyssey of Semantics from the Stoa to Buridan, in: A. ESCHBACH, J. TRABANT (Hrsg.), History of Semiotics, 1983, 67–85 **30** Ders. (Hrsg.), Gesch. der Sprachtheorie 3: Sprachtheorie in Spätant. und MA, 1995 **31** U. ECO, Über Spiegel und andere Phänomene (it. Sugli specchi e altri saggi), 1988 **32** J. ENGELS, Origine, sens et survie du terme boécien »secundum placitum«, in: Vivarium 1, 1963, 87–114 **33** M. FUCHS, Zeichen und Wissen, 1999 **34** K. GRUBMÜLLER, Etym. als Schlüssel zur Welt? Bemerkungen zur Sprachtheorie des MA, in: Verbum et signum. Beitr. zur mediävistischen Bedeutungsforsch., hrsg. v. H. FROMM, W. HARMS, U. RUBERG, 1975, 209–230 **35** R. W. HUNT, Studies on Priscian in the Eleventh and Twelfth Century, in: Ders., Grammar in the MA, 1980, 1–94 **36** J. ISAAC, Le Peri Hermeneias en occident de Boèce à Saint Thomas, 1953 **37** B. D. JACKSON, The Theory of Signs in St. Augustine's De doctrina christiana, in: Revue des Études Augustiniennes 15, 1969, 9–49 **38** R. KLEINPAUL, Sprache ohne Worte: Idee einer allg. Wiss. der Sprache, Leipzig 1888, Ndr. 1972 **39** C. H. KNEEPKENS, The Priscianic Trad., in: S. EBBESEN (Hrsg.), Sprachtheorien in Spätant. und MA, 1995, 239–264 (mit Bibliographie) **40** L. LERSCH, Die Sprachphilos. der Alten, 3 Bde., Bonn

1831–1845 **41** H.-H. LIEB, Das »semiotische Dreieck« bei Ogden und Richards: eine Neuformulierung des Zeichenmodells von Aristoteles, in: H. GECKELER et al. (Hrsg.), Logos semantikos. Studia linguistica in honorem E. Coseriu, Bd. 1, 1981, 137–155 **42** J. MAGEE, Boethius on signification and mind, 1989 **43** A. MAIERÙ, »Signum« dans la culture médiévale, in: Miscellanea mediaevalia 13/1, 1981, 51–71 **44** T. S. MALONEY, The Semiotics of Roger Bacon, in: Mediaeval Stud. 45, 1983, 120–154 **45** S. MEIER-OESER, s. v. Semiotik; Semiologie, in: HWdPH 9, 1996, 601–608 **46** Ders., Die Spur der Zeichens. Das Zeichen und seine Funktion in der Philos. des MA und der frühen Neuzeit, 1997 **47** Ders., s. v. Wort, inneres; Rede, innere, in: HWdPH 12, 2004 **48** Ders., s. v. Wurzelwort, in: HWdPH 12, 2004 **49** K. OEHLER, Die Aktualität der ant. Semiotik, in: Zschr. für Semiotik 4, 1982, 215–219 **50** C. PANACCIO, Le discours intérieure, Paris 1999 **51** J. PINBORG, Das Sprachdenken der Stoa und Augustins Dialektik, in: Classica et Mediaevalia 23, 1962, 148–177 **52** L. ROMEO, The Derivation of »Semiotics« through the History of the Discipline, in: Semiosis 6/2, 1977, 37–49 **53** I. ROSIER, La grammaire spéculative des Modistes, 1983 **54** Dies., Aristotle and Augustine. Two Models of Occidental Medieval Semantics, in: H. S. GILL (Hrsg.), Signs and Signification, 2000, 41–62 **55** Dies., Signes et sacrements. La parole efficace, 2003 **56** H. STEINTHAL, Gesch. der Sprachwiss. bei den Griechen und Römern, mit bes. Rücksicht auf die Logik, 2 Bde., Berlin 1890 **57** G. WELTRING, Das ΣΗΜΕΙΟΝ in der aristotelischen, stoischen, epikureischen und skeptischen Philos., 1910.

STEPHAN MEIER-OESER

Sprachwissenschaft

A. EINLEITUNG   B. MITTELALTER
C. FRÜHE NEUZEIT (16.–18. JAHRHUNDERT)
D. JÜNGERE NEUZEIT (19. UND 20. JAHRHUNDERT)

A. EINLEITUNG

Antike S. entstand bei den Griechen einerseits innerhalb der Philos. (Sophisten, Platon, Aristoteles, Stoiker), andererseits bei der Behandlung homer. und späterer klass. Texte durch die alexandrinische Philol. (auf ihr fußen Grammatiker: Dionysios Thrax, Apollonios Dyskolos, mit griech. und röm. Nachfolgern). Dabei kam es in Ansätzen zu phonetischen Beobachtungen (bis hin zu Herodians Akzentlehre), ausführlicher zur Behandlung von Wortarten und ihrer Flexion (Dionysios), zur Bestimmung von Regularitäten ihrer syntaktischen Verknüpfung (Apollonios), zu gramm. Begriffs- und Terminologiebildung (Stoiker) und in hell. Zeit zu einer sprachtheoretischen Auseinandersetzung um das Obwalten von Analogie oder Anomalie in der Sprache. Objektsprachen für all das waren das Griech. und entsprechend bei röm. Grammatikern bis zum spätant. Priscian das Lateinische. Dies gilt auch für die ant. Etym.: Auf der Suche nach dem Wahren (ἔτυμον) – nicht der Herkunft – der Wörter beschränkte sie sich auf innersprachliche Vergleiche von griech. bzw. lat. Lexemen mit jeweils vage anklingenden anderen. Traktate (größtenteils verloren) und Angaben griech. Grammatiker bezogen sich darüber hinaus auf die (lit.) griech.

Dialekte; auch derlei resultierte wesentlich aus der alexandrinischen Philol., soweit diese mundartlich stilisierte Texte (Homers u. a.) aufbereitete und erläuterte. Abgesehen von gelegentlich angeführten fremdsprachigen Wörtern und Namen wurde nicht näher auf andere Sprachen eingegangen; deren Verwendungen empfanden die Griechen als unverständliche, unartikulierte, wiederholenden tierischen Lautgebungen (so βάρ-βαρ-ος, s. Aischyl. Ag. 1050–51) ähnelnde Äußerungen. Geschichtliche Sprachbetrachtung erfolgte nur sporadisch, etwa in bezug auf Wörter mit Hinweis auf solche bei älteren Autoren wie Homer oder, so von seiten Varros und anderer, auf Lexeme aus der röm. Frühzeit.

B. Mittelalter

In der S. des MA spielte unter dem Einfluß der weström. Kirche das Lat. als Objektsprache und Argumentationsbasis eine dominierende Rolle. Isidor von Sevilla (7. Jh. n. Chr.) bot mit seinen in der christl. gewendeten Trad. der ant. Etym. stehenden *Origines* (*Etymologiae*) zugleich sachlich enzyklopädische Informationen. Im Anschluß an die spätröm. Kompilationen des Donat und v. a. des Priscian abgefaßte und verwendete Gramm. des Lat. dienten pädagogischen Zwecken (im Trivium der → Artes liberales figurierte Gramm. vor Dialektik und Rhet.; um 1000 n. Chr. verfaßte z. B. Aelfric in England eine didaktische *Latin grammar* für angelsächsisch sprechende Kinder). Neben solche Aufbereitungen des Lat. trat etwa ab dem 13. Jh. eine »spekulative« Sprachbetrachtung, die – ebenfalls unter Rückgriff auf Priscian – sprachliche Theoreme einer universalen Gramm. im Rahmen der aristotelisch geprägten scholastischen Philos. aufstellte. Charakteristisch dafür sind insbes. die Traktate über *modi significandi* (in Relation zu *modi essendi* und *modi intelligendi*) des 14. Jh. der danach so benannten »Modisten«, also des Thomas von Erfurt und anderer. Diese entwickelten eine Bezeichnungslehre und Klassifikation der tradierten Wortarten nach Kategorien der aristotelischen Logik. Abseits dieser mit dem Lat. operierenden Hauptströmungen gab es im Verlauf des MA jedoch vereinzelt auch bereits mit anderen Sprachen befaßte Schriften. Der *Erste gramm. Traktat* eines isländischen Anon. aus dem 12. Jh. z. B. bot die Erweiterung des lat. Alphabets zur adäquaten Verschriftung des Altisländischen; dazu wandte der Autor auf das einheimische Lautinventar Methoden (Argumentation mit »minimalen Paaren«) an, die ihn als Vorläufer der Phonologie des 20. Jh. (s. u. D 4.2a) erscheinen lassen. Dante etwa betonte in seiner unvollendeten Schrift *De vulgari eloquentia* (Anf. 14. Jh.) nicht nur die Eigenständigkeit des It. seiner Zeit als gesprochener »Volkssprache« gegenüber dem künstlichen, nur wenigen zugänglichen Schriftlat., sondern unterschied (Kap. 8) in Europa insgesamt drei sich weiter verzweigende Gruppen derartiger »Volkssprachen«.

C. Frühe Neuzeit (16.–18. Jahrhundert)

1. Renaissance und Humanismus

Mit der Wiederentdeckung der Ant. rückte das Altgriech. wieder ins Blickfeld von Philologen und Grammatikern; erneute Aufmerksamkeit fand ferner das Hebräische, das als eine der drei biblischen Sprachen zwar bereits im MA beachtet (z. B. früh von Isidor) und gramm. beschrieben (z. B. von Roger Bacon) worden war, nun aber – auch unter dem Einfluß arab. S. – mit seinen Eigenheiten einer semitischen Sprache gründlicher analysiert wurde, z. B. von J. Reuchlin [41] in *De rudimentis hebraicis* (1506). Andererseits ergab sich infolge der Entdeckungsfahrten und missionarischer Tätigkeit die Bekanntschaft mit exotischen Sprachen aus der Neuen Welt und dem Fernen Osten. Erste Gramm. auch solcher Sprachen wurden alsbald sukzessive erarbeitet, u. a. des Quechua (Peru) 1560, des Nahuatl (Mexiko) 1571, des Guaraní (Brasilien) 1640 [1. 64; 42. 103] – Früchte gleichsam früher sprachwiss. Feldforschung. Filippo Sassetti teilte in einem seiner Briefe aus Indien, wo er sich 1583–1588 aufhielt, sogar zutreffende erste Beobachtungen von Ähnlichkeiten zw. einigen Wörtern aus dem Grundvokabular des Sanskrit einerseits und einer europ. Sprache (dem It.) andererseits mit [1. 72 f.].

2. Rationalismus und Empirismus

Im 17. Jh. und bis weit ins 18. Jh. hinein setzten in der S. erneut theoretische Betrachtungen zu Sprache schlechthin ein. Anders als im MA geschah dies nicht mehr im Zeichen aristotelisch-scholastischer, sondern hinsichtlich verschiedener Richtungen aktueller zeitgenössischer Philosophie. So suchte man einerseits nach einer universalen, den wirklichen Sprachen ungeachtet ihrer vordergründigen Unterschiede zugrundeliegenden Grammatik. Dies gilt namentlich für die dem Rationalismus frz. Prägung (Descartes u. a.) verpflichtete und aus der Schule von Port Royal erwachsene repräsentative, C. Lancelot und A. Arnauld [28] zugeschriebene *Grammaire générale et raisonnée* (1660). Gemäß ihrem signifikanten Untertitel ging es ihr um »das, was allen Sprachen gemeinsam ist, und um ihre hauptsächlichen Unterschiede dabei« (›de ce qui est commun à toutes les langues et des principales différences qui s'y rencontrent‹). Anhand ausgedehnter Beispiele aus dem Lat., Griech., Hebräischen und aus mod. europ. Sprachen wie zunächst dem Frz. schloß man auf generelle übereinzelsprachliche Gemeinsamkeiten bes. syntaktischer Art – etwa die vermeintlich elementaren sechs Kasus des Lat. – und führte sie auf angeborene, den Menschen gemeinsame Denkstrukturen zurück. Dem standen andererseits empiristische, von britischen Denkern wie dem zeitgenössischen J. Locke und später D. Hume inspirierte Vorstellungen über das Verhältnis von Erkenntnis und Sprache diametral gegenüber. Auf Grundgedanken der Gramm. von Port Royal hat sich in der 2. H. des 20. Jh. N. Chomsky für seine (generative) Transformationsgramm. (s. u. D 4.3) berufen.

3. Aufklärung und Frühromantik

Neben der alten, unterschiedlich z. B. von J. P. Süßmilch einerseits (Sprache gottgegeben), J. G. Herder andererseits (Sprache analog derjenigen bei Kindern entstanden) behandelten Frage nach dem Ursprung menschlicher Sprache überhaupt rückten während der 2. H. des 18. Jh. ansatzweise v. a. zwei weitere zukunftsträchtige Themenbereiche ins Blickfeld der Sprachwissenschaft. Der erste betraf das Verhältnis von Sprache und Denken: Autoren wie J. G. Hamann und J. G. Herder argumentierten hier mehrfach im Sinne gegenseitiger Bedingtheit beider, teilweise sogar zugunsten einer Priorität der Sprache [13. (8)]. Den zweiten Themenkreis erschloß 1786 W. Jones, Orientalist und Oberrichter in Fort William (Bengalen) mit einer (1788 publizierten) Rede vor der Royal Asiatic Society: Darin wies er auf so erhebliche Ähnlichkeiten zw. Verbalwurzeln, gramm. Formen usw. v. a. des Sanskrit, des Griech. und Lat. hin, daß Zufall ausgeschlossen, statt dessen eine gemeinsame, vielleicht nicht mehr existierende Quelle für alle drei Idiome und vermutlich ferner für das Gotische, Keltische, Altpersische glaubhaft sei [1. 147]. Jones' über bloße erste Beobachtungen F. Sassettis (s. o. C.1) weit hinausführende Frühdiagnose bildete den Auftakt für die zu Beginn des 19. Jh. einsetzende indogermanistische Sprachvergleichung (s. u. D 2).

D. JÜNGERE NEUZEIT (19. UND 20. JAHRHUNDERT)

1. ÜBERBLICK

Die S. des 19. Jh. wurde in erheblichem Maße von zwei vergleichenden Betrachtungsweisen bestimmt: derjenigen der schließlich dominierenden, histor. vergleichenden, auf als genetisch verwandt erkannte idg. Sprachen ausgerichteten S. einerseits und derjenigen der sog. Sprachtypologie (oder -klassifikation) andererseits, die anhand bestimmter Strukturmerkmale der Existenz verschiedener Typen (Klassen) gerade auch unverwandter Sprachen in der Welt nachging. Anfangs lagen beide Richtungen aufgrund des ihnen gemeinsamen Prinzips der Sprachvergleichung bei einem Autor wie F. v. Schlegel noch dicht beieinander, um sich dann ihren unterschiedlichen Erkenntniszielen und Methoden entsprechend zu verselbständigen. Erst im Verlauf des 20. Jh. kam es wieder zu einer gewissen Annäherung beider Teildisziplinen. Außerdem entwickelte sich während des 19. Jh. sowie verstärkt – mit zahlreichen Ausprägungen einschließlich neu entworfener Gramm.-Modelle und Beschreibungsverfahren auch für beliebige außeridg. Sprachen – im 20. Jh. die theoretische und allgemeine S. weiter.

2. HISTORISCH VERGLEICHENDE SPRACHWISSENSCHAFT (BESONDERS INDOGERMANISTIK)

2.1 ANFÄNGE

a) Sanskrit, Persisch und Sprachen Europas: Ähnlich wie andeutungsweise W. Jones konstatierte und exemplifizierte gründlicher F. v. Schlegel [46] in seiner Schrift *Über die Sprache und Weisheit der Indier* (1808) Übereinstimmungen zw. Sanskrit und Griech., Lat., German., Persisch >bis auf die innerste Struktur und Gramm.<, die durch >die vergleichende Gramm.< aufzuhellen seien; die auch von ihm angenommene >gemeinschaftliche Abstammung< aller erwähnten Idiome aus einer zugrundeliegenden >Ursprache< spezifizierte er allerdings irrtümlich so, >daß die indische Sprache die ältere sei, die andern aber jünger und aus jener abgeleitet< [1. 161; ähnlich 165]. Darüber hinaus wollte er, im 4. Kap. unter Sprachen schlechthin klassifizierend, solche gleicher Provenienz mit Flexion >durch innre Veränderung des Wurzellauts< von unverwandten anderen (amerikanischen, asiatischen, europ.) Sprachen mit serialisierten funktionstragenden Wörtern unterscheiden [1. 164]. Bald darauf legte F. Bopp eine wirkungsreiche verbalmorphologische Abhandlung *Über das Conjugationssystem der Sanskritsprache in Vergleichung mit jenem der griech., lat., persischen und german. Sprache* (1816) [8] vor; aufgrund dieses Werks gilt Bopp gemeinhin als Begründer der vergleichenden Gramm. der idg. Sprachen. Nach eigenem Bekunden wollte er zeigen, daß in den verglichenen Sprachen Konjugation teils >durch Modifikationen der Wurzel<, zuweilen durch Verschmelzung letzterer mit (ehemaligen) >Hilfszeitwörtern< bewirkt werde [8. 8–9]. Ähnlichkeiten mit den beiden genannten Formmerkmalen F. v. Schlegels sind unverkennbar, auch wenn dieser sie jeweils heterogenen Sprachtypen zugeordnet hatte. Letztlich war Bopp in seinem Erstlingswerk von 1816 noch mehr an der (spekulativen) >Erklärung der Formen< als an ihrer genealogischen >Vergleichung< gelegen [14. 63]. Ob die verwandten >Sprachen (...) von dem Sanskrit, oder mit ihm von einer gemeinschaftlichen Mutter abstammen< [8. 9], ließ er offen.

b) Entdeckung regelhafter Lautentsprechungen und -veränderungen; Entfaltung einer neuen Disziplin: R. Rask [40] und J. Grimm [19] wiesen anhand etym. offensichtlich vergleichbarer Lexeme (Zahl-, Verwandtschaftswörter usw.) aus dem Elementarwortschatz einerseits german., andererseits sonstiger zugehöriger Sprachen (Griech., Lat.; Grimm auch: Altindisch) regelhafte Entsprechungen zw. bestimmten ähnlichen, aber nicht voll übereinstimmenden Kons. (»Buchstaben«) der beteiligten Idiome nach. Grimm präzisierte und erweiterte die schon von Rask gewonnenen Einsichten noch dadurch, daß er erstens jene Entsprechungen deutlicher als solche ganzer Reihen (aus Labialen, Dentalen, Gutturalen) darstellte und zweitens auf seiten des German. zw. Entwicklungen einer älteren ersten »Lautverschiebung« (gegenüber den durch die Entsprechungen nahegelegten vorgerman. Kons.) und einer jüngeren zweiten (nur ahd.) »Lautverschiebung« (gegenüber german. Kons.) unterschied. Mit der Erkenntnis regelhafter Lautentsprechungen unter verwandten Sprachen und regelhafter Lautveränderungen war das Fundament für den exakten, genealogisch orientierten Vergleich auch ihrer Wörter und Formen gelegt. Darauf gründete sich zunächst bes. in Deutschland und alsbald auch darüber hinaus eine neue Disziplin, die in der S. des 19. Jh. eine herausragende Stellung gewann. Sie verfolgte das Ziel – insoweit von Romantik und Historismus getragen –, durch im obigen Sinne methodisch fundierten Vergleich der als miteinander verwandt erkannten idg. Sprachen deren gemeinsame

Vor- und divergierende Frühgeschichte (diese gestützt auf Befunde aus möglichst frühen überlieferten Texten und inschr. Originaldokumenten) in lexikalischer und grammatikalischer Hinsicht aufzuhellen. Die damit geschaffene histor.-vergleichende Methode der idg. S. wurde dann – wie schon von J. Grimm aufs German. – auch auf Untergruppen zugehöriger Sprachen (z.B. die romanischen) und auf manche anderen Sprachfamilien angewandt, die – wie etwa die semitische – dafür ebenfalls günstige Voraussetzungen (tradiertes Material aus älteren Stufen zugehöriger Einzelsprachen) boten.

Einerseits vergrößerte die idg. S. nun bald ihre Materialbasis. Neben den von Bopp, Rask und Grimm verglichenen Mitgliedern der idg. Sprachfamilie wurden nach und nach weitere zugehörige Sprachgruppen einbezogen, so, abgesehen von kleineren »Restsprachen«, noch im 19. Jh. das Altiranische, Baltische, Slavische, Keltische, im frühen 20. Jh. das Anatolische (bes. Hethitische) und Tocharische. Außerdem ergänzten innerhalb derartiger Sprachgruppen sukzessive erschlossene Dial. mit sprachgeschichtlich aufschlußreichen Diversifikation lautlicher, morphologischer und lexikalischer Art das Quellenreservoir: z.B. die erstmalig schon bis zur Mitte des 19. Jh. herangezogenen und vorläufig behandelten griech. [3] und ital. [4; 34] Mundarten, bis schließlich hin zu solchen, die erst in der 2. H. des 20. Jh. hinzukamen: so bronzezeitliches Myk. [59] auf griech. und das Südpikenische [31] auf ital. Seite, das Keltiberische [58] im Rahmen des Keltischen.

Andererseits boten die von Rask und Grimm in erstem Zugriff ermittelten sowie von anderen schrittweise vervollkommneten und vervielfachten Ergebnisse der vergleichenden Lautlehre Anlaß, die dort bewährte histor.-vergleichende Methode mutatis mutandis auch auf Formen, Wortbestand und Syntax der idg. Sprachen anzuwenden. Früchte diesbezüglicher Unt. wurden ab den 30er J. des 19. Jh. in ersten – später mehrfach überarbeiteten und ersetzten – histor. und histor.-vergleichenden Gramm., etym. WB, schließlich auch in Darstellungen histor. und histor.-vergleichender Syntax zusammengefaßt.

2.2 Weiterentwicklungen im 19. und 20. Jahrhundert

Gegenüber dem in der Pionierzeit der Disziplin erreichten, naturgemäß noch unzureichenden Forschungsstand kam es später zu erheblichen Fortschritten a) sachlicher und methodischer, b) konzeptioneller Art. Beispiele:

a) Der Däne K. Verner bewies mit dem nach ihm benannten, 1877 veröffentlichten Gesetz, daß nicht nur – wie in J. Grimms Fassung der 1. german. Lautverschiebung – Stimmlosigkeit, sondern auch Stimmhaftigkeit in- und auslautender urgerman. Spiranten (aus uridg. Tenues sowie s) regelrecht war, und zwar abhängig von jeweiligen Positionen des (mit dem vedischen gleichgesetzten) uridg. Wortakzents. Damit entfielen bei Grimm unerklärt gebliebene Ausnahmen jener Lautverschiebung und wurde umgekehrt die Kommen-

surabilität des freien ved. mit dem uridg. Wortakz. erhärtet. Das 1879 von H. Collitz und etwa gleichzeitig von einigen anderen Forschern entdeckte »Palatalgesetz« schuf (anhand von Entsprechungen wie z.B. ved. kád »was«: lat. quod einerseits, aber ca »und« mit palatalisiertem c- : lat. -que andererseits) Klarheit darüber, daß in altindischem (bzw. indoiranischem) a neben ehemaligem *o auch ein Palatalvokal uridg. *e (wie in lat. -que) aufgegangen war; somit mußte entgegen vorheriger Auffassung das Vokalinventar des Altindischen (bzw. Indoiranischen) mit ă, ĭ, ŭ rezenter als dasjenige verwandter Sprachen wie Griech., Lat. mit ă, ĕ, ĭ, ŏ, ŭ sein.

Als bes. ergiebig für die spätere idg. S. erwies sich der aus strukturaler (s.u. D 4.2) Sichtweise heraus erfolgte Ansatz zusätzlicher uridg. »coefficients sonantiques« durch den Schweizer F. de Saussure [44], die er mit A und Q symbolisierte. Ein wesentlicher Gesichtspunkt war dabei folgender: Das wie griech.-dorisch Sg. εἴ-μι : Pl. ἴ-μες der verbalen Wurzelpräsensklasse angehörende und offenbar parallel zu jenem abstufende griech.-dorische Paradigma Sg. φᾱ-μί : Pl. φᾰ-μές lege es nahe, daß ein sonantischer Koeffizient wie -i- des ersten Verbalstammes (mit Abstufung -ei- / -i-) als zu erschließendes A urspr. auch dem zweiten (mit Abstufung -eA- / -A-) eigen gewesen sein müsse, bevor -eA- zu -ā- »kontrahiert« und -A- zu -ă- geworden sei; entsprechend erkläre sich die Relation griech.-dorisch Sg. δί-δω-μι: Pl. δί-δο-μες (Abstufung -eQ- / -Q-) der reduplizierten Wurzelpräsensklasse. Aufgrund derartiger Analysen schrieb Saussure diesen beiden »Koeffizienten« im Effekt dehnende, zugleich -A- und -O- unterschiedlich umfärbende Einwirkung (-eA- > -ā-, -eO- > -ō-) auf voranstehenden Kurzvokal e zu. 1891 führte er ferner die Aspiration von altindisch th auf *t+ə (sein früheres A) in Fällen wie altindisch ti-sth-a-ti : lat. si-st-i-t (< *sistə-e-tî) zurück. Nach Ausweis dieser und weiterer später von anderen beigesteuerter Anhaltspunkte erstreckte sich Saussures Theorie auch auf Phänomene im Grenzbereich von Phonologie und Morphologie. Sie wurde schon bald darauf weiter ausgebaut: von dem Dänen H. Møller, der E als ein drittes (nicht umfärbendes) derartiges Phonem ansetzte, im Anlaut Saussures A (1879) und Q (1906) auch folgendes e umfärben ließ, nämlich zu a und o, sowie die drei erschlossenen uridg. Laute, in Anlehnung an die (kons.) Kehlkopflaute semitischer Sprachen »Laryngale« nannte (1911); von dem Franzosen A. Cuny, der stichhaltig zugunsten des kons. (statt sonantischen) Charakters jener prähistor. Laute weiter argumentierte und daraus im Altindischen aspirierende Wirkung auch auf voranstehendes urspr. *ĝ (> *ĝh > h) in mah-(ant)– »groß« (: griech. μέγ-α), ah-am »ich« (: griech. ἐγ-ώ) ableitete (1912). Die gesamte Theorie blieb indes jahrzehntelang zumal in der deutschsprachigen idg. S. als zu hypothetisch weitgehend unbeachtet; dies nicht zuletzt wegen eines empirischen Defizits: Die postulierten »Laryngale« hatten offenbar neben den für sie vindizierten Kontaktwirkungen in keiner idg. Sprache direkte kons. Reflexe. Da konnte der polnische Indogermanist J. Kuryłowicz ab 1927 mehrfach Indizien dafür anführen, daß sich im Hethitischen der Kons. ḫ etym. transparenter Erbwörter als Reflex eines uridg. Laryngals (ə₂, Saussures A) anbot: in Fällen wie hethitisch paḫš- »schützen« mit -aḫ neben zugehörigen Cognata wie u. a. lat. pā(s)- »weiden« mit (z. B. in pās-tor »Hirte« inschr. durch Schreibung <AA> gesichertem) langem -ā-, usw. Darüber hinaus gelang es Kuryłowicz in jener Zeit, durch kumulative Evidenz seiner aufgezeigten Anhaltspunkte scheinbare Anomalien wie z. B. prothetische Vokale im Griech. und Armenischen oder gewisse vermeintliche Ausnahmen vom sog. Brugmannschen Gesetz (uridg. abgelautetes o im Indoiranischen > ā in offener, > ă in geschlossener Silbe) als reguläre Auswirkungen von bei den fraglichen Fällen jeweils noch aus anderen Gründen naheliegenden einstigen »Laryngalen« plausibel zu machen [56. 15–19]. All dies erhöhte die Akzeptabilität der Theorie beträchtlich. Sie hat sich dann in den folgenden Jahrzehnten des 20. Jh. einerseits als fruchtbares heuristisches Instrument der idg. S. bewährt und im einzelnen zahlreiche weitere Erkenntnisse ermöglicht. Andererseits führte sie in einer bestimmten, im zweiten Viertel des 20. Jh. elaborierten Version für das auf deren Grundlage rekonstruierte uridg. Lautinventar zu einigen outrierten Konsequenzen, gegen die 1957 bedenkenswerte Einwände typologischer bzw. universeller Art erhoben wurden (s.u. D 3.2).

J. Schmidt [47] erkannte und erläuterte 1889 in der Schrift *Die Pluralbildungen der idg. Neutra*, daß es in der Vorgeschichte der idg. Sprachen neben Sg., Du. und Pl. noch eine (pro)nominale Numeruskategorie »Kollektivum« gegeben habe. Zu deren in geschichtlichen Einzelsprachen verbliebenen morphologischen und syntaktischen Spuren zählte er Fälle folgender Art: (1) lat. *terra* (zum Sg.F. umgewertet) »Land« : oskisch *te(e)rúm* (alter Sg.N.) »Areal, Stück Land« wie lat. *loca* (zum Pl. N. umgewertet) »Gegend« neben *locī* (Pl.M.) »Orte« : *locus*; urspr. abstufende und heteroklitische Neutra wie griech. ὕδωρ, ahd. *wazzar* usw.; (2) sing. verbale Prädikate zu plur. Neutra (ehemaligen Kollektiva) als Satzsubjekten im att., z. T. homer. Griech., sporadisch im ältesten Indisch, durchgängig im Avestischen. Schmidts Analysen fand man im 20. Jh. durch das zu seiner Zeit noch nicht bekannte Hethitisch bestätigt und ergänzt: So erscheint dort (1) widār (zum Nom.Akk.Pl.N. umgewertetes Kollektivum *u̯edṓr* »Gewässer«) »die Wasser« neben *u̯adar* (Nom.Akk.Sg.N. aus *u̯ódṛ) »Wasser«, ein archa. Paradigma, aus dessen uridg. Vorläufer (samt z. B. vedischem Gen.Abl.Sg. *udnás* zu entnehmendem schwachem Stamm *udn-) die sonstigen Einzelsprachen verschiedene Kompromißformen gebildet und generalisiert haben; (2) ebenso zeigte es sich, daß auch das Hethitische die signifikante Kongruenz zw. Subjekten im N. Pl. und sing. Prädikaten bot, letztere sogar, worauf F. Sommer 1938 hinwies, fallweise mit dem Sg.N. von Prädikatsnomina realisierte [16. 118]. J. Wackernagel [60] zeigte in seinem Aufsatz *Über ein Gesetz der idg. Wortstellung*, daß die auffällige – weil mitunter gegen die

funktionelle Zuordnung zu Bezugswörtern etablierte – Stellung von Enklitika an zweiter Stelle von Sätzen auf eine offenbar schon grundsprachliche, von initialem Satzakz. bedingte syntaktische Regel zurückgeht, die in diversen Einzelsprachen – darunter Griech. und Lat. – erhalten geblieben ist. Neue Erkenntnisse im Bereich der histor.-vergleichenden Flexionsmorphologie leiteten in der ersten H. des 20. Jh. H. Pedersen [38] und F. B. J. Kuiper [27] ein. Sie deuteten gewisse Ablautvariationen halbvokalischer und kons. Nominalstämme bei ihrer Flexion als Relikte einstiger, unter – ähnlich wie im mod. Litauisch – verschiedenen Flexionsakzenten stehender Paradigmenklassen; diese müßten in einer grundsprachlichen Periode der Übereinstimmung zw. suprasegmentaler Betontheit/Unbetontheit und segmentaler Vollstufigkeit/Schwundstufigkeit von Morphemen (Wurzel, Suffix, Endung) existiert haben. Demnach dürften urspr. nicht so sehr die jeweiligen Stammausgänge als vielmehr – diese übergreifende – Typen intraparadigmatisch einerseits statischer, andererseits verschiedenartig mobiler Flexionsakzente für nominale Dekl.-Klassen konstitutiv gewesen sein. Solche Ansätze wurden in der zweiten H. des 20. Jh. beträchtlich präzisiert und ausgeweitet.

b) J. Grimm sah sich 1822 noch veranlaßt einzuräumen, daß seine Lautverschiebung zwar ›in der masse, (...) aber im einzelnen nie rein‹ [1. 202], also nicht ohne Ausnahmen, erfolgt sei. Die damit offen gebliebene Frage nach Wesen und Grad angenommener Regelmäßigkeit von Lautwandel überhaupt geriet danach zu einem theoretischen und methodischen Kernproblem der histor. Sprachwissenschaft. Angesichts des Gewichts, das dieses Problem für die wiss. Stringenz der Etym. neuer Art und für die vergleichende Morphologie hatte, wurde es in der Folgezeit eigens reflektiert. Forscher der auf Bopp, Rask und Grimm folgenden Generation wie A. F. Pott, A. Schleicher und G. Curtius vertraten, wenngleich mit gewissen Unterschieden, die bereits weitergehende Auffassung, daß Lautwandel gesetzmäßig vor sich gehe. Pott [48. Anm. 39] und Schleicher, der Sprachen als Naturorganismen verstehen wollte [2. 88], rechneten dabei mit naturgesetzlichen Entwicklungen. Curtius hingegen, der 1870 ›sporadische‹ und ›durchgreifende, (...) in einer bestimmten Periode große Gebiete der Laute‹ erfassende Lautgesetze unterschied, schrieb nur letzteren die Wirkung ›einer Art Naturgewalt‹ zu [48. 12]. Der schließlich bei allen verbliebenen Unklarheit, wie Gesetzmäßigkeit von Lautveränderungen mit Abweichungen zu vereinbaren sein mochte, nahmen sich dann in der nächsten Forschergeneration die sog. Junggrammatiker an. Seit Mitte der 70er J. Jahre des 19. Jh. entwickelte die erste Gruppe dieser Richtung (W. Scherer, A. Leskien, K. Brugmann, H. Osthoff) im Widerspruch zu ihren älteren Vorgängern wie v. a. G. Curtius die These von der Ausnahmslosigkeit der Lautgesetze und – komplementär dazu – ihrer potentiellen Durchkreuzung durch Formassoziationen (Analogiewirkungen); letztere wurden im wesentlichen für die bis dahin unerklärt gebliebenen Ausnahmen verantwortlich gemacht. Eine repräsentative Formulierung dieser Grundsätze boten H. Osthoff und K. Brugman(n) 1878 [36] im Vorwort zu *Morphologische Untersuchungen* I [2. 190–205, bes. 200]. Die dort verfochtene quasi naturwiss. Konzeption von in den Sprechorganen lautgesetzlich ›mechanisch‹ (oder ›blind‹: Brugmann(n) [9. 4]) vollzogenem Lautwandel (neben psychologisch bedingten Analogiewirkungen) wandelten schon 1880 zwei andere Junggrammatiker, H. Paul [37] und B. Delbrück (1. Aufl. von [14]), in eine humanwiss. Auffassung histor. fixierter, zeitlich und räumlich begrenzt wirksamer Lautvorgänge ab [14. 176; 48. 32–47].

Gegen die Lautgesetzthese als Kernstück junggramm. Lehre – neben weniger kontroversen Elementen wie der befürworteten sprachwiss. Orientierung an lebenden oder belegten (nicht: rekonstruierten) Sprachstufen und Dialekten – erhob sich alsbald Widerspruch. Unter den frühen Kritikern (u. a. F. Misteli, G. Curtius) wirkte am nachhaltigsten H. Schuchardt [49], zunächst mit der Schrift *Über die Lautgesetze. Gegen die Junggrammatiker* (1885). Einwände richteten sich gegen die Auffassung jedenfalls der frühen Junggrammatiker von S. als einer Naturwissenschaft. Zwar räumte Schuchardt später (1925) die durch evidente Etym. usw. bewährte ›hohe praktische Bed. der Lautgesetze‹ für die S. ein, betonte aber zugleich, sie seien ›keine der Sprache innewohnenden Gesetze‹ [21. 205]. Gegenüber der junggramm. Unterscheidung zw. physiologisch gearteten Lautgesetzen und psychologisch bedingten Analogien konstatierte Schuchardt 1885, daß ›der psychologische Charakter des einen der sich durchkreuzenden Faktoren (...) gerade den gleichartigen Charakter des anderen‹ bezeuge; außerdem rechnete er andeutungsweise mit Lautveränderungen durch dialektale Interferenzen bzw. ›verpflanzten Lautwandel‹ [21. 55, 76].

Im 20. Jh. wurde die Einschätzung von (diachronischen) Lautgesetzen teilweise von übergeordneten Sprach- oder Gramm.-Theorien her bestimmt. So verstanden manche Vertreter des Strukturalismus (s. u. D 4.2) Lautveränderungen als regelmäßige Wiederherstellungen von ausgewogenen Relationen in punktuell gestörten Phonemketten (z. B. [32. 48–62]). Überdies wurde geltend gemacht, daß Faktoren wie funktionelle Belastung und Gebrauchshäufigkeit von distinktiven Phonemen beim Lautwandel eine Rolle spielten. Wie ansatzweise schon H. Schuchardt in anderen Fällen, dachte O. Szemerényi [54] daneben an mitunter interferenziell verursachte Lautveränderungen, hier der uridg. fünf Vokale $\breve{a}$, $\breve{e}$, $\breve{i}$, $\breve{o}$, $\breve{u}$ zu den drei Vokalen $\breve{a}$, $\breve{i}$, $\breve{u}$ des Indoiranischen (oben D 2.2a) unter externem Einfluß der semitischen Vokaltrias *a*, *i*, *u* bei Kontakten des frühen 2. Jt. v. Chr. zw. Indoiranisch (Arisch) und semitischer Sprachumgebung im alten Nahen Osten. Innerhalb der (generativen) Transformationsgramm. (TG; s. u. D 4.3) wurde vorgeschlagen, Lautwandel nicht als regelhafte Veränderungen der Sprechweise (der »Per-

formanz« von Sprechern), sondern als solche der (tiefen)phonologischen Komponente von Gramm. (der »Kompetenz« von Sprechern) durch »Regeländerungen« (-hinzufügungen, -umordnungen, -tilgungen) zu verstehen [25; 24]. Dabei wurden »Analogien« als Korrelate von »Lautgesetzen« in Frage gestellt und zuvor mit jenen erklärte Erscheinungen ebenfalls auf (tiefen)phonologische Regelanordnungen zurückgeführt: Ein zugrundeliegendes Verbaladjektiv *leg-tos* als Voraussetzung für die Vokaldehnung in lat. *lēc-tus* z. B. sollte nun nicht mehr für nach einer uridg. Regel 1 (Media vor Tenuis wird stimmlos) zu erwartendes *lek-tos* (vgl. griech. λεκ-τός) mit seinem -*g*- analogisch nach *leg-o* usw. restituiert worden sein, bevor die lat. Regel 2 (Lachmanns Gesetz: Kurzvokal wird vor Media plus stimmlosem Obstruent gedehnt) wirkte; vielmehr sei langes -*ē*- in lat. *lēc-tus* dadurch zustande gekommen, daß Regel 2 (Lachmanns Gesetz) ›vor‹ Regel 1 (Stimmlosigkeitsassimilation) ›angewandt‹ wurde. Das Postulat derartiger (tiefen)phonologischer Regelanordnungen kehrte die naheliegende relative Chronologie von Lautveränderungen an der sprachlichen »Oberfläche« um. Damit operierende Deutungen waren dem synchronischen Beschreibungsapparat der TG für sprachliche »Tiefenstrukturen« (s. u. D 4.3) entlehnt und deshalb für das Verständnis diachroner Vorgänge ungeeignet. Sie spielten dementsprechend während der letzten Jahrzehnte des 20. Jh. keine nennenswerte Rolle mehr.

2.3 MODELLE ZUR ERKLÄRUNG VON VERWANDTSCHAFT UND GLIEDERUNG DER INDOGERMANISCHEN SPRACHEN

W. Porzig [39] sprach am E. seiner dazu einschlägigen Forschungsgeschichte bis zur Mitte des 20. Jh. von der ›bunten Mannigfaltigkeit der Vorschläge zur Gliederung der idg. Sprachen (...) im Laufe von hundert Jahren‹. Unter damit Befaßten ragte zunächst A. Schleicher hervor, der jene Sprachverwandtschaft und -gliederung unter dem Eindruck von botanischen und zoologischen Klassifikationen nach Gattungen und Arten (Linné, Darwin) u. a. 1863 [1. 260–266; 2. 92–105] anhand eines sich fortschreitend jeweils binär verzweigenden Stammbaums erklärte. Danach hätten sich aus der »Ursprache« sukzessive zunächst mehrere intermediäre, gleichfalls noch prähistor. »Grundsprachen« entwickelt, aus denen die histor. Einzelsprachen, daraus schließlich deren Dialekte. Diese ›Stammbaumtheorie‹ Schleichers hat sich zwar seither – abgesehen von manchen angesetzten Verzweigungen im einzelnen – als generelle Leithypothese genealogisch vergleichender S. bewährt, soweit diese lautliches, morphologisches und lexikalisches Erbgut auf prähistor. Vorläufer zurückführt; denn solche Vorläufer sind mit der vergleichenden Methode konsequent nur auf der Grundlage des Stammbaumschemas rekonstruierbar. Aber für die gewiß komplexere Genese der idg. Sprachen selbst war Schleichers Modell zu einseitig, weil an ihr wahrscheinlich beteiligte weitere Parameter in seinem Rahmen keinen Platz hatten. So blieben naheliegende sekundäre Einwirkungen aus Kontaktsprachen außer Betracht. Auch entwikkeln sich Sprachen aus einer Ur- oder Grundsprache nicht stammbaumartig ausschließlich über progressive binäre Gabelungen (die romanischen Sprachen z. B. sind multidimensional aus dem Lat. hervorgegangen), und Dialekte finden sich statt am E. oft am Anf. der Herausbildung von Sprachen (z. B. bei der des Dt.). Unzulänglichkeiten der Stammbaumtheorie veranlaßten Schleichers Schüler J. Schmidt, diese 1872 durch seine »Wellentheorie« zu ersetzen. Am Bilde einer Welle, ›welche sich in concentrischen, mit der entfernung vom mittelpunkte immer schwächer werdenden ringen ausbreitet‹ [1. 308], suchte er die histor. idg. Sprachen im Sinne solcher Wellenringe und die häufig gerade von benachbarten Sprachen geteilten Besonderheiten gleichsam als solche jeweils aufeinander folgender Ringe zu verstehen. Auch Schmidts Theorie enthielt einige Fragwürdigkeiten, z. B. die Annahme eines ähnlich wie später bereits urspr. relativ ausgedehnten Sprachgebiets – deutlich v. a. an seinem alternativ erwogenen Bild einer zunächst kontinuierlichen, dann in eine Treppe mit Stufen (~ Sprachen) zergliederten schiefen Ebene. Insgesamt lieferte Schmidts Modell eher eine Ergänzung als einen Ersatz für Schleichers Stammbaum.

Diesen beiden wichtigsten frühen Entwürfen zu Genese und Gliederung der idg. Sprachen sind weitere andere bis tief ins 20. Jh. hinein – z. B. das Raum-Zeit-Modell von W. Meid [33] – gefolgt. Unter ihnen stehen im schärfsten Kontrast zu den vorgenannten solche, die die Gemeinsamkeit der idg. Sprachen umgekehrt als Ergebnisse bloßer Konvergenzen durch sekundäre Assimilationen urspr. heterogener Sprachen deuten wollten. H. Schuchardt betonte schon 1884, es gebe ›keine völlig ungemischte Sprache‹ [21. 153]. In diesem Sinne wurde hundert J. später die Entstehung sogar des Uridg. aus einem Kreolisierungsprozeß erwogen [63]. Weitere Vorschläge (u. a. von C. C. Uhlenbeck und N. S. Trubetzkoy aus den 30er J. des 20. Jh.) suchten die Übereinstimmungen der idg. Sprachen im wesentlichen als Sprachbund-Phänomene – wie solche später in Balkansprachen unterschiedlicher Provenienz auftreten – zu deuten. Doch stellen elementare Charakteristika der idg. Sprachverwandtschaft wie ehemals freier Akz., Ablaut und morphologische Auffälligkeiten mit ihrer erkennbaren einstigen Interdependenz primäre systematische Züge dar, die kaum durch vordergründige nachträgliche Assimilationen genetisch unverwandter Sprachen hätten zustande kommen können. Jüngere Konvergenzerscheinungen zw. verwandten und unverwandten Kontaktidiomen (Adstraten; Sub- und Superstraten) kamen gewiß hinzu, waren aber für den Kern der idg. Sprachverwandtschaft nicht mehr essentiell.

3. ALLGEMEIN VERGLEICHENDE
SPRACHWISSENSCHAFT

3.1 TYPOLOGIE UND UNIVERSALIENFORSCHUNG

Im frühen 19. Jh. setzten eigene systematische Bemühungen ein, gerade auch Sprachen, die miteinander weder verwandt noch benachbart sind, zu vergleichen

und nach ihnen gemeinsamen relevanten Merkmalen zu klassifizieren. Die zugrunde gelegten jeweiligen Klassenmerkmale waren zunächst morphologischer Natur. Nach ersten Ansätzen F. v. Schlegels (s. o. D 2a) unterschied 1818 A. W. v. Schlegel drei Klassen von Sprachen: solche ›ohne irgendwelche gramm. Struktur‹, solche, ›die Affixe verwenden‹, und ›die flektierenden Sprachen‹ [1. 187]; die Sprachen der dritten Klasse unterteilte er weiter in ›synthetische‹, wie Griech., Lat., Sanskrit, und ›analytische‹, wie die romanischen Sprachen und das Englische [1. 189]. W. v. Humboldt [22] konstatierte in seiner Abhandlung *Über die Verschiedenheit des menschlichen Sprachbaues* (1836) über jene drei Gruppen von isolierenden (z. B. klass. Chinesisch), agglutinierenden (z. B. Türk.) und flektierenden (z. B. Lat.) Sprachen [22. 488–500] hinaus eine vierte Gruppe von einverleibenden Sprachen (d. h. inkorporierenden, polysynthetischen Idiomen nach Art der ›mexicanischen Sprache‹ usw.) [22. 528–544], bei denen die Elemente ›des einfachen Satzes in Eine lautverbundene Form‹ mit dem Vb. verknüpft erscheinen [22. 530f.]; schon bei Humboldt finden sich indes Andeutungen dazu, daß die vorgenannten Klassenmerkmale kaum jeweils ganz rein [22. 529] in einer realen Sprache auftreten. Später rechnete F. N. Finck [15] in den *Haupttypen des Sprachbaus* (1909) mit insgesamt acht Klassen, zu denen er über feinere Unterscheidungen etwa die von wurzel- und stammisolierenden (etwa Chinesisch und Samoanisch), wurzel-, stamm- und gruppenflektierenden (etwa Arab., Griech., Georgisch) Sprachen gelangte. All diese Klassifikationen des 19. und beginnenden 20. Jh. waren überwiegend wort- und formenorientiert; sie werden zwar meist, aber nicht einhellig, mit unter den (als t. t. erst später geprägten) Begriff »Typologie« subsumiert.

Funktions- und satzorientierte sprachtypologische Ansätze kamen hauptsächlich im 20. Jh. hinzu. Der Amerikaner E. Sapir [43. 120–146] etwa suchte formale Kriterien der traditionellen, morphologisch bestimmten Sprachtypen – deren »flektierenden« Typus er »fusionierend« nannte – durch begrifflich-funktionelle Kriterien zu ergänzen; zudem vertrat er eine dynamische Typologie, indem er auf graduell unterschiedliche Mischungen von heterogenen Typenmerkmalen und allmähliche Übergänge von einem Typus in einen anderen bei mancherlei Einzelsprachen hinwies. Mit Merkmalen syntaktischer Art operierten andere typologische Modelle:

Besondere Beachtung fand hier erstens die sog. Relationale Typologie, die Sprachen nach ihren unterschiedlichen Ausdrucksmitteln für satzinterne fundamentale Relationen zw. funktionellem Agens und Patiens gruppiert. Danach ergaben sich als – in wirklichen Sprachen unterschiedlich ausgeprägt auftretende – Idealtypen: a) »Nom.«- bzw. »Akk.-Sprachen« wie z. B. die idg. mit Nom. für Agens/Subjekt, Akk. für Patiens/Objekt in Sätzen mit transitiven Verben im Akt., Nom. für Patiens/Subjekt im Pass., aber mit Nom. auch für Subjekt bei intransitiven Verben; b) »Ergativsprachen« wie z.B. manche Kaukasussprachen, das australische Dyirbal usw., in denen bei Fehlen distinktiver Genuskategorien Akt. und Pass. ein merkmalhaltiger Kasus »Ergativ« den Agens transitiver Verben, ein gewöhnlich merkmalloser Kasus »Absolutiv« (auch: »Indefinitus«) dagegen ebenso den Patiens (~ Objekt) transitiver wie den Agens (~ Subjekt) intransitiver Verben bezeichnet; c) »Aktivsprachen« – z.B. indianisches Dakota, Lhasa-Tibetisch usw. –, in denen (semantisch) aktive bzw. Aktionsverben mit Nomina für Aktives bzw. Belebtes, (semantisch) stative bzw. Zustandsverben mit Nomina für Inaktives bzw. Unbelebtes als Subjekten kombiniert erscheinen, ferner je eine Reihe aktiver und inaktiver Personalanzeiger sowie aktive und inaktive Kasus einander gegenüber stehen. Neben dem längst bekannten Typus a) wurden b) und c) nach Vorarbeiten von Forschern wie H. Schuchardt gegen E. des 19. Jh. im Verlauf des 20. Jh. von zahlreichen Vertretern der internationalen, insbes. der sowjetischen Linguistik herausgearbeitet, etwa c) von G. A. Klimov [26].

Eine zweite vieldiskutierte Richtung – auch sie mit Anf. im 19. Jh. – war die der Wortstellungstypologie. Sie ging von mehreren unterschiedlichen, in den Sprachen der Welt vorkommenden Grundwortstellungen innerhalb von Aussagesätzen aus. Sprachen wurden so gemäß ihnen jeweils eigenen normalen (»unmarkierten«) Reihenfolgen elementarer Satzteile eingeteilt in solche mit Stellungen wie u.a. V(erb), S(ubjekt), O(bjekt) – z.B. polynesische (Tonga usw.), keltische Sprachen (Irisch, Walisisch) –, SOV – z.B. Türk., Japanisch, Lat. –, SVO – z.B. Suaheli, zahlreiche europ. Standardsprachen. Derartige Gruppierungen von zunächst nur statistischem Belang erfuhren eine syntaktische Auswertung durch Versuche, den einzelnen Grundwortstellungstypen jeweils weitere typusabhängige Stellungsregeln (z.B. attributive Genetive und Adjektive vor oder nach Bezugsnomina, voran- oder nachgestellte Relativsätze, Post- oder Präpositionen) zuzuordnen [18]. Da solche Stellungsregeln nach dem Schema »wenn Typus x, dann Positionsregel y« ermittelt waren und auf Daten aus zahlreichen Sprachen beruhten, zählte man sie zu den sog. Implikationsuniversalien. Die von Greenberg initiierte Richtung vergleichender S. bewegte sich im Grenzbereich von Sprachtypologie und sprachlicher Universalienforschung. Letztere, im 17. Jh. und teilweise 18. Jh. vorherrschend (s.o. C 2), wurde ihrerseits zumal während der zweiten H. des 20. Jh. in anderer Weise wiederbelebt. Auch diese mod. Universalienforsch. wandte sich wieder der Frage nach uneingeschränkt gültigen Gegebenheiten in menschlichen Sprachen schlechthin (substantiellen Universalien) zu. Manche hier naheliegenden formalen Feststellungen dazu, wie etwa die, daß alle Sprachen Konsonanten besitzen, waren zu trivial, als daß sie hätten weiterführen können. Lohnender mußten eher Fragen im Anschluß an anzunehmende sprachinhaltliche Universalien erscheinen. So setzten Hj. Seiler und seine Kölner Schule

allen Sprachen im wesentlichen gemeinsame Ausdrucksbedürfnisse als universal voraus und visierten seit den 70er J. des 20. Jh. als Forschungsziel umgekehrt gerade die heterogenen formalen (insbes. syntaktischen) Bewältigungen solcher Ausdrucksbedürfnisse (für Possessivität, Partizipation, Apperzeption usw.) in den Sprachen der Welt an.

3.2 TYPOLOGIE UND FRÜHES URINDOGERMANISCH

In der zweiten H. des 20. Jh. ergaben sich wiederum – wie schon bei F.v. Schlegel am Anf. des 19. Jh. – Berührungen zw. histor. und typologisch (dazu universal) vergleichender Sprachwissenschaft. Diesmal trachtete man die Rekonstruktion der idg. Grundsprache mit Hilfe typologischer und universaler Anhaltspunkte a) zu verbessern, b) bis in weiter zurückliegende Perioden der sprachlichen Vorgeschichte hinein auszudehnen. Dem Anliegen a) diente z.B. R. Jakobson [23] 1957/58 mit kritischen Hinweisen. Gegen in der Laryngaltheorie (s.o. D 2.2a) entwickelte Thesen, das Uridg. habe nur einen einzigen phonemischen Basisvokal (e, neben laryngal- oder ablautbedingtem späteren ĕ, ă und ŏ) und nur aspirierte stimmhafte, aber keine aspirierten stimmlosen Verschlußlaute besessen, stellte er folgendes fest: Es gebe keine bekannte reale Sprache, die nur über einen einzigen Basisvokal verfüge (negativ gewendetes substantielles Universale), und Sprachen mit einer Serie aspirierter Mediae eigne daneben stets auch eine Serie aspirierter Tenues (Implikationsuniversale); derlei stehe Thesen der erwähnten Art auch für eine bloß rekonstruierte Sprache entgegen [23. 23]. Des weiteren suchten W. P. Lehmann [30] und andere, Grundwortstellungstypen und deren von Greenberg zusammengestellte Implikationen (s.o. D 3.1) der Erklärung von positionellen satzsyntaktischen Befunden in älteren, ihren Veränderungen in jüngeren idg. Sprachen und Rückschlüssen auf zugrundeliegende uridg. Gegebenheiten nutzbar zu machen. Das Anliegen b) verfolgten verschiedene Forscher mit dem Ziel, im Sinne der Relationalen Typologie (s.o. D 3.1) Anhaltspunkte dafür aufzuzeigen, daß die idg. Grundsprache in einem sehr frühen prähistor. Stadium keine Nom.- bzw. Akk.-, sondern eine Ergativ- oder auch Aktivsprache (z.B. [17. 267–276]) gewesen sei. Solche Überlegungen zur ferneren sprachlichen Vorgeschichte bieten zwar weiterreichende Perspektiven, bleiben aber naturgemäß hypothetischer als das herkömmliche Verfahren, das sich mit der Rekonstruktion eines späten Uridg. vom gleichen Nom.- bzw. Akk.-Typ wie die dazu untereinander verglichenen verwandten und histor. gegebenen Einzelsprachen bescheidet.

4. THEORETISCHE UND DESKRIPTIVE SPRACHWISSENSCHAFT

4.1 SPRACHE, DENKEN, VORSTELLUNGEN

Wie anteilig für die Sprachtypologie (s.o. D 3.1), so gingen im 19. Jh. wesentliche Impulse für die Sprachtheorie insbes. von W. v. Humboldt aus. Zum einen verstand Humboldt [22. 416ff.] menschliche Sprache nicht bloß als ein fertig verfügbares Instrumentarium, als ›Werk‹ oder ›Ergon‹, sondern v. a. als eine kreativ ›sich ewig wiederholende Arbeit des Geistes‹, als ›Erzeugung‹ oder ›Energeia‹; darauf berief sich in der zweiten H. des 20. Jh. zumal N. Chomsky für die von ihm entwickelte TG (s. u. D 4.3). Zum anderen sah Humboldt Sprache als konstitutiv für das Denken an; seiner Definition zufolge ist ›Sprache (...) selbst das bildende Organ des Gedanken‹ [2. 19]. Im Zusammenhang damit befand er folgerichtig, daß ›in jeder Sprache eine eigenthümliche Weltansicht‹ [2. 33] liege. Damit erweiterte und vertiefte er entsprechende Ansätze Herders und anderer aus dem 18. Jh. (s. o. C 3). Diese Weltbildthese wurde dann von etlichen späteren Sprachtheoretikern weiter ausgestaltet: so bes. von H. Steinthal im 19., von E. Sapir, dessen Schüler B. L. Whorf – diese beiden ohne jedenfalls expliziten Anschluß an Humboldt – und L. Weisgerber im 20. Jahrhundert. In H. Steinthals Arbeiten bildete das Verhältnis zw. Sprache einerseits, Denken und Vorstellungen andererseits thematisch einen deutlichen Schwerpunkt. Seine *Geschichte der S. bei den Griechen und Römern* [52] schrieb er ›mit bes. Rücksicht auf die Logik‹ (Untertitel). Humboldts undefiniert gebliebenen und schwierigen Begriff der »inneren Sprachform« trachtete er als ›System der Begriffe und der Denkformen, in so fern es durch Lautformen bezeichnet ist‹ [51. 117] zu verdeutlichen. Steinthal kann als einer der Wegbereiter für die Sprachpsychologie gelten, die er – auch hier auf Humboldts ›Weltansichts‹- bzw. Weltbildthese fußend – im Verbund mit einer später von W. Wundt modifizierten Völkerpsychologie konzipierte. Das in der ersten H. des 20. Jh. von B. L. Whorf nach Vorarbeiten E. Sapirs entwickelte sprachliche Relativitätsprinzip, das er mit Beobachtungen v. a. zur Sprache der Hopi-Indianer empirisch abzustützen suchte, besagte, daß elementare Vorstellungen einer Sprachgemeinschaft, wie solche zeitlicher und räumlicher Art, bis hin zu deren Existenz überhaupt durchgängig von ihrer jeweiligen eigenständigen Sprache her determiniert seien. Diese vielbeachtete »Sapir-Whorf-Hypothese« hat sich jedoch später zumindest in ihrer Absolutheit als fragwürdig herausgestellt. Gegen letztere spricht u. a., daß mittels einer beliebigen Sprache ausgedrückte Inhaltskategorien im Prinzip in jeder anderen – und sei es durch Paraphrasen – übersetzt verständlich zu machen sind. In Deutschland verfolgte L. Weisgerber die Weltbildthese mit Setzung eigener Akzente – z. B. auf den Begriff ›Muttersprache‹ [62] und später auf einzelsprachlich spezifische Wortfelder (›Sprachinhaltsforschung‹) – weiter.

4.2 Sprachen als »Systeme« (Strukturalismus)

Nach Anf. im späten 19. Jh. gewann nach der Wende zum 20. Jh. die zuvor so nicht grundlegend reflektierte Auffassung an Boden, daß Sprachen je eigene funktionierende Systeme von distinktiven Zeichen (Lexemen, Morphemen) und deren formalen Elementen (Phonemen) darstellen. Diese strukturalistische Konzeption wurde im fortschreitenden 20. Jh. von mehreren systemlinguistischen Richtungen unterschiedlich elaboriert und teilweise in Verfahren der Sprachbeschreibung umgesetzt. Im wesentlichen ergaben sich zwei Zentren dieser Entwicklungen: a) der europ. und b) der amerikanische Strukturalismus.

a) Den entscheidenden Anstoß zur europ. Spielart lieferte F. de Saussure [45] (s. o. D 2.2a) mit dem überwiegend aus Hörernachschriften seiner drei entsprechenden Genfer Kollegs von 1907, 1909 und 1911 erst postum (1916) von anderen besorgten *Cours de linguistique générale*. Leitgedanke war darin, (jede) Sprache sei ein System, dessen Teile alle in ihrer synchronen Wechselbeziehung (*solidarité*) zu betrachten seien [45. 124]. Vor diesem Hintergrund hat Saussure im einzelnen wichtige linguistische Einsichten formuliert sowie nachhaltige Grundsätze der allg. S. zusammengestellt und erläutert: z. B. zur menschlichen Redefähigkeit (*langage*), bei der zw. systematisch organisierter Sprache (*langue*) als sozialem Phänomen und individuellem Sprechen (*parole*) zu unterscheiden sei; zur Natur des sprachlichen Zeichens (*signe linguistique*), das – abgesehen von Onomatopoetika, durchsichtigen Ableitungen oder Komposita – willkürlich (*arbitraire*) sei, sowie aus einem lautlich Bezeichnenden (*signifiant*) und einem eine Vorstellung (*concept*) – also nicht unmittelbar eine außersprachliche Realität – reflektierenden Bezeichneten (*signifié*) bestehe; zur Unterscheidung einerseits synchronischer, Beziehungen (*rapports*) und Verschiedenheiten [45. 170] innerhalb eines zu einer bestimmten Zeit funktionierenden Sprachsystems untersuchender, und andererseits diachronischer, auf – nach Saussures Ansicht [45. 124, 131] – zufällige Veränderungen von Einzelphänomenen einer Sprache gerichteter S., die beide methodisch getrennt zu halten seien. Manches von dem, was Saussure lehrte, war, wie zumal E. Coseriu später herausstellte, schon früher gesehen worden, einiges bereits in der Ant. (s. o. A): so bezüglich des sprachlichen Zeichens von Aristoteles seine Willkürlichkeit (κατὰ συνθήκην) und in der Stoa seine Zweiteiligkeit (σημαῖνον und σημαινόμενον). Doch gebührt Saussure das Verdienst, durch eine umfassende Synthese von neuen und verstreuten älteren Einsichten auch letzteren zur Wirksamkeit in der mod. Linguistik des 20. Jh. verholfen zu haben.

Saussures Bestimmung von Sprache (*langue*) als einem System distinktiver Zeichen wurde danach theoretisch ausgebaut in der sog. Glossematik der Kopenhagener Schule L. Hjelmslevs und anderer. Der Glossematik zufolge bestehen »Glosseme« aus minimalen Einheiten der sprachlichen Ausdrucksseite (»Kenemen« bzw. phonologischen Merkmalen) einerseits und der Inhaltsseite (»Pleremen« bzw. semantischen Merkmalen) andererseits. Diese axiomatisch-deduktive und esoterische Sprachtheorie schrieb ferner z. B. jeweils »Form« und »Substanz« nicht nur sprachlichem Ausdruck (als Phonologisches und Phonetisches, s. u.), sondern auch sprachlichem Inhalt (als Grammatisches und Semantisches) zu.

Andere ebenfalls von Saussures Lehre inspirierte linguistische Richtungen entwickelten neue Modelle für Analysen und Beschreibungen verschiedener objektsprachlicher »Ebenen«. Bezüglich einzelsprachlicher Lautbestände trat neben die Phonetik, die physiologische (artikulatorische, akustische, auditive) Eigenschaften von Lauten untersuchte, neu die »Phonologie« (auch: »Phonematik« oder »Phonemik«). Diese zielte auf Laute als jeweils systematisch angeordnete, »Oppositionen« bildende funktionelle bzw. bedeutungsdifferenzierende Einheiten (»Phoneme«): z. B. lat. /i/ : /i:/ nach Ausweis von *liber* »Buch« : *līber* »frei« oder russ. hart /t/ : weich /t'/ nach Ausweis von *brat* »Bruder« : *brat'* »nehmen«; davon unterschieden wurden »Phonemvarianten« bzw. »Allophone«, die phonetischer Natur – umgebungsbedingt (kombinatorisch) oder frei verfügbar (fakultativ) wie etwa nhd. dental-alveolares [r] neben uvularem [R] – sind. Maßgeblich für die Ausgestaltung dieser strukturalen (auch: »taxonomischen«) Phonologie waren in Europa – nach einem Vorläufer aus dem späten 19. Jh. wie Baudouin de Courtenay – im 20. Jh. Linguisten der Prager Schule, N. S. Trubetzkoy und andere. Den Wortschatz und seine semantische Gliederung betraf die exemplarisch von J. Trier 1931 auf den Sinnbezirk des Verstandes im Ahd. angewandte Theorie paradigmatisch strukturierter Wortfelder, zugrunde gelegt später etwa auch bei J. Latacz [29], *Zum Wortfeld »Freude« in der Sprache Homers*, 1967; komplementär dazu wurde auf syntagmatisch bestehende »wesenhafte Bedeutungsbeziehungen« (W. Porzig) bzw. »lexikalische Solidaritäten« (E. Coseriu) verwiesen, deren je einzelsprachlicher Charakter aus Kollokationen wie lat. *gallus cantat* (»singt«) einerseits, aber nhd. *der Hahn kräht* andererseits hervorgeht. Auf die Satzsyntax bezog sich erstens die im wesentlichen von L. Tesnière [57] in *Les éléments de syntaxe structurale* (zuerst 1959) auch zu didaktischen Zwecken entworfene, dann von weiteren Vertretern wie z. B. G. Helbig fortentwickelte ›Dependenzgramm.‹; repräsentativ für ihre Anwendung auf eine klass. Corpussprache wurde H. Happ [20], *Grundfragen einer Dependenz-Grammatik des Lateinischen* (1976). Unter Verzicht auf herkömmliche Satzteil-Begriffe wie »Subjekt«, »Objekt« usw. beschrieb sie Sätze nach den darin gegebenen syntaktischen Abhängigkeiten (Dependenzen) ihrer vom Vb. dominierten Glieder (obligatorischer und fakultativer »Ergänzungen«, daneben »freie Angaben«); dabei spielten »Wertigkeiten« (Valenzen) jeweiliger Satzverben, die die Anzahl notwendiger oder möglicher Ergänzungen vorgeben, eine erhebliche Rolle. Zweitens wurde nach Anf. wiederum aus der Prager Schule (V. Mathesius) heraus noch in der zweiten H. des 20. Jh. vielfach mit der »Funktionalen Satzperspektive«, einem ganz anderen satzsyntaktischen Modell, operiert. Hier handelte es sich um Analysen von Sätzen gemäß ihrer Mitteilungsfunktion (»Thema« als bekanntes »Gesetztes« einerseits, »Rhema« als hinzukommende neue Aussage darüber andererseits als bestimmende Faktoren formaler Satzgliederungen).

b) Die amerikanische Variante des Strukturalismus beruhte auf Voraussetzungen eigener Art. Die wie in Europa für diese Richtung maßgebende Prämisse, daß Sprachen auf allen Ebenen systemhaft organisiert sind, wurde in der Neuen Welt zunächst dem vom Anthropologen F. Boas propagierten und angepackten Forschungsziel zugrunde gelegt, Eingeborenen- bzw. Indianersprachen empirisch möglichst genau zu erfassen und gramm. adäquat darzustellen. Solche Idiome waren für eine Beschreibung mit Hilfe herkömmlicher Begriffe und Kategorien aus der Tradition griech.-röm. S. offenbar nur bedingt geeignet. Deshalb wurden Erfassungs- und Beschreibungsmethoden anvisiert, die für heterogene Strukturen beliebiger Sprachen offen waren. Manche Grundsätze einer dementsprechenden deskriptiven Linguistik sind bereits 1911 im ersten Band des von F. Boas herausgegebenen *Handbook of American Indian Languages* [7] erkennbar, zu dem Boas selbst eine konzeptuelle Einleitung beisteuerte. Dazu vermehrten sich einerseits die Forschungsfelder, indem neben indigenen Sprachen Nordamerikas (s. o. D 4.1 zu B.L. Whorf) solche Mittel- und Südamerikas sowie anderer Kontinente ins Blickfeld rückten; andererseits wurden die so veranlaßten Vorgehensweisen aufgrund ihrer intendierten generellen Gültigkeit umgekehrt nicht zuletzt auch am (amerikanischen) Neuengl. exemplifiziert. Bedeutende Vertreter dieser amerikanischen Linguistik in der ersten H. des 20. Jh. waren E. Sapir (s. o. D 3.1) im Gefolge F. Boas' und L. Bloomfield. Insbesondere Bloomfields Lehren, zusammengefaßt in seinem Buch *Language* (1933) [6], bildeten die Grundlage des bis tief in die 50er J. des 20. Jh. in den USA vorherrschenden, später sog. taxonomischen, von Linguisten wie H. A. Gleason, Z. S. Harris, A. A. Hill, C. F. Hockett und R. S. Wells fortgeführten Strukturalismus. Charakteristisch war für diesen die Beschränkung auf exakte formale Beschreibungen ausschließlich empirisch faßbarer distinktiver Gegebenheiten auf allen sprachlichen Ebenen (»levels«): solcher der Phonologie (Phoneme, s. o. D 4.2a) und solcher der Gramm. (Morphologie: »freie« und »gebundene« Formen/Morpheme wie engl. *play* und *-ing*; Syntax: Konstituenten von Sätzen), eruierbar mit Hilfe von a) syntagmatisch orientierten, lineare sprachliche Kontinua stufenweise bis hinunter zu Formensegmenten wie engl. *play-ing*, *play-er* segmentierenden und von b) paradigmatisch orientierten, aus a) resultierenden, positionell austauschbare Einheiten zu Distributionsklassen (wie die von engl. *-ing*, *-er*) gruppierenden Analyseverfahren. Für ein derartiges, auf Formales ausgerichtetes, methodische Exaktheit postulierendes und objektivierbare sprachliche Untersuchungsgegenstände voraussetzendes Programm war Semantik als linguistische Teildisziplin problematisch. Bedeutungen wurden als eher außersprachliche Phänomene angesehen; Bloomfield zufolge schillern z. B. die Bedeutungen von engl. *hungry* und *apple* je nach dazu situativ variierenden »stimulus« und »response« bei Sprechern und Hörern [6. 140–144].

4.3 Linguistische Simulation von Sprecherkompetenz (generative Transformationsgrammatik)

Mit seinen *Syntactic Structures* legte N. Chomsky (1957) [11] in den USA den Grundstein zu der in der Folgezeit von ihm und anderen mehrfach modifizierten (generativen) Transformationsgramm. (TG). Im erklärten Kontrast zum »taxonomischen« Strukturalismus wurde eine Sprache jetzt nicht mehr als ein statisch vorhandenes Instrumentarium aufgefaßt. Statt dessen ging es nun um die Fähigkeit kompetenter Sprecher einer Sprache, korrekt gebildete sinnvolle Äußerungen zu formulieren, die sie in deren konkreter Zusammensetzung zuvor nie gehört zu haben brauchen und demzufolge nicht etwa bloß dem Gedächtnis entnehmen können. Chomsky verwies für seine Sicht dynamischer Hervorbringung (›Erzeugung‹) solcher Äußerungen eigens auf W. v. Humboldts Konzeption von Sprache nicht als ›Ergon‹, sondern als ›Energeia‹ (s.o. D 4.1). Er und mit ihm weitere Generativisten suchten das, was sich bei der Generierung richtig und verständlich formulierter Äußerungen vollzieht, linguistisch als Ablauf regelhafter Prozesse formal zu simulieren. Nach Chomskys sog. Standardmodell [12] stellte sich die von kompetenten Sprechern aufgrund ihnen angeborener allg. Disponiertheit für Sprache (dazu Chomskys Berufung auf frühere rationalistische Sprachtheorien, s.o. C 2) erworbene und dann aktivierbare spezielle Sprachfähigkeit im wesentlichen als ein System von formalisierbaren Regeln für Transformationen zw. zugrundeliegender, relativ abstrakter (lediglich über vorstrukturierte Satzinhalte verfügender) »Tiefenstruktur« und syntaktischer »Oberflächenstruktur« in einzelsprachlichen Sätzen dar; aus letzterer sollten schließlich lautlich konkretisierte Sätze nach Einwirkung bestimmter generativ-phonologischer Regeln hervorgehen. Anders als im »taxonomischen« Strukturalismus wurden nun auch Bedeutungen einbezogen: im Standardmodell Chomskys mit der dort verwerteten »Interpretativen Semantik« von J.J. Katz und J.A. Fodor dadurch, daß jeweilige Lexeme mit verschiedenen – z.T. (wie [belebt], [menschlich], [unbelebt] usw.) für die inhaltliche Verträglichkeit von Satzelementen entscheidenden – semantischen Klassenmerkmalen aus dem Lex. in die syntaktischen Tiefenstrukturen von Sätzen eingehen sollen; demnach enthielten bereits diese Tiefenstrukturen die relevanten semantischen Informationen von Äußerungen.

Nach 1965 kam einerseits Kritik an manchen Implikationen jenes Standardmodells auf, z.B. an dessen Beschränkung von Semantischem auf Tiefenstrukturen, ungeachtet dessen, daß auch Oberflächenphänomene wie fakultativ wechselnde Intonationen, markierte Wortstellungen usw. Einfluß auf die Bedeutungen von Sätzen haben können. Andererseits entfalteten sich mehrere jüngere generativistische Richtungen. Neben etlichen Bemühungen um Verbesserungen und Weiterentwicklungen des Standardmodells, an denen sich Chomsky selbst beteiligte, wurden, wiederum in den USA, eigenständigere neue Konzepte zur TG entwickelt. Zwei davon, die später ihrerseits kritisch diskutiert oder abgewandelt wurden, seien als Beispiele genannt: Eine von Ch.J. Fillmore 1968 begründete Variante der sog. Kasusgramm. und die wenig später namentlich von G. Lakoff, J. McCawley und J. Ross initiierte Generative Semantik. Beide suchten in je eigener Weise die in Chomskys syntaxorientiertem Standardmodell eher beiläufige Rolle der Semantik aufzuwerten, indem sie ihrerseits mit stärker semantisch bestimmten Tiefenstrukturen von Sätzen operierten. Fillmore setzte für verschiedene semantische Rollen nominal ausgedrückter Beteiligter an einem Vorgang tiefenstrukturelle Kasus ohne 1:1-Relation zu Kasus der Oberflächenstruktur an. Dabei wurden einigen jener Kasus Anwendbarkeit auf nominale Bezeichnungen nur für Belebtes (so dem »Agentiv«: Sigle A) oder Unbelebtes (so dem »Instrumental«: Sigle I) zugeschrieben. Fillmore zufolge liegen Sätzen wie den folgenden gleiche Tiefenkasus zugrunde: *John* (A) *opened the door* (»Objektiv«: Sigle O) und *The door* (O) *was opened by John* (A) einerseits sowie *The wind* (I) *opened the door* (O) und *The door* (O) *was opened with a key* (I) andererseits. Die in Anlehnung an die Prädikatenlogik verfahrende Generative Semantik nahm bei Sätzen von (universellen) Basisregeln erzeugte und erst durch komplexe transformationelle Prozesse in einzelsprachliche Oberflächenstrukturen umzusetzende semantische Grundstrukturen an. Als in sich vielschichtig verstandene Lexembedeutungen führte sie auf semantische Elemente zurück, etwa die eines »kausativen« Verbs wie *überreden* in einem Satz x *überredet* y ($zu\ z$) auf – paraphrasiertes – x »macht« (atomares Prädikat), daß y »will« (daß z). Zugrundeliegende semantische Strukturen dieser oder jener Art, wie sie von den beiden Richtungen vorgeschlagen wurden, waren jeweils in einer gleichsam bes. tiefen, spezifisch einzelsprachlichen Sätzen weit entrückten Schicht allg. semantischer und logischer Konfigurationen konzipiert. Diese im Effekt somit generalisierende Entwicklung erfolgte gewissermaßen parallel zur jenseits der TG in der zweiten H. des 20. Jh. wiederbelebten sprachlichen Universalienforschung (s.o. D 3.1).

4.4 Sonstige Bereiche und Grenzdisziplinen der Sprachwissenschaft

Gegen die in den 60er J. des 20. Jh. linguistisch dominierende, in der Folgezeit indes immer esoterischer mit Fragen interner Stimmigkeit und Abrundung ihrer Entwürfe befaßte TG erhoben sich auch modellkritische Einwände von außen. Ein solcher Einwand prinzipieller Art besagte, die TG setze nur ideale Sprecher/Hörer und von diesen generierte unwirklich gleichförmige Sprachen voraus. So fanden nach der Blütezeit der TG zahlreiche speziellere linguistische Richtungen zunehmend Beachtung. Insbesondere reüssierten mehrere Disziplinen der sog. Variationslinguistik: Diese wandten sich diversen realen Varianten zu, die entweder (als »Varietäten«) innerhalb der jeweiligen Sprachen existieren oder (als Lehn- neben genuinem eigenem Gut) aus Kontakten mit anderen Sprachen (Interferenzen) stammen. Damit wurden einerseits ältere Forschungsgebiete wieder intensiver berücksichtigt: z. B. das der Fach- und Sondersprachen und v. a. das der im 19. Jh. gepflegten Dialektologie (s. o. D 2.1b), nunmehr allerdings unter Hervorhebung grundsätzlicher – etwa Wesen und Voraussetzungen von Dialekten betreffender – und methodologischer Fragen [10. 163–165]. Komplementär dazu wurden andererseits aus der im letzten Drittel des 20. Jh. prosperierenden, Wechselbeziehungen zw. Sprache und Gesellschaft behandelnden »Soziolinguistik« [10. 608–610] heraus u. a. »diastratisch« bedingte (aus verschiedenen sozialen Schichten mit ihren je eigenen »Soziolekten« stammende) sprachliche Varietäten untersucht. Im Zusammenhang mit alledem wurde festgehalten, daß individuelle Sprecher vielfach verschiedene ihnen verfügbare »Register« aus hochsprachlichen, dialektalen, soziolektalen usw. Varietäten anzuwenden pflegen – abhängig von jeweils gegebenen kommunikativen Situationen offizieller, familiärer Art usw. Sprachkontakt- und Mischsprachenforsch. stellen exemplarisch weitere Zweige der Variationslinguistik dar. Die eine behandelte Sprachkontakte im allg., ihre Bedingungen und Erscheinungsformen, wesentlich inspiriert von U. Weinreich, *Languages in Contact*, 1953 [61]. Die andere widmete sich Eigenarten in Kolonialgebieten aufgekommener Mischsprachen (d. h. simplerer Pidgin- und daraus weiterentwickelter, elaborierterer Kreolsprachen) aus einheimischen und dominanten, überwiegend europ. Idiomen der jeweiligen Kolonialherren [10. 518f., 384f.]. Beide Untersuchungsrichtungen gediehen nach bloß sporadischen älteren Ansätzen (z. B. bei H. Schuchardt, s. o. D 2.2b–3) in neuerer Zeit zu eigenständigen Teildisziplinen.

Speziellere sonstige Problemfelder facettenreicher moderner und aktueller S. grenzen vielfach an solche benachbarter Disziplinen an. Mit fließenden Übergängen tendiert ein Teil damit befaßter linguistischer Forsch. eher zur Theoriebildung, während ein anderer relativ offener für mögliche Anwendungen ist. Zur ersten Gruppe gehört beispielsweise die aus verschiedenen Quellen gespeiste »Pragmatik«, die Relationen zw. sprachlichen Ausdrücken und ihren Gebrauchssituationen thematisiert; dabei verdankt sie einen ihrer Schwerpunkte der sog. – aus der »Ordinary Language Philosophy« erwachsenen – Sprechakttheorie von J. L. Austin und J. R. Searle. Diese sieht statt in Wörtern und Sätzen mit bloß »propositionalem« Gehalt in bestimmten Sprechhandlungen (z. B. »illokutiven« Akten wie Behauptungen, Fragen) und deren beabsichtigten Wirkungen (»perlokutiven« Akten) beim Hörer wesentliche Elemente menschlicher Kommunikation. Weiter sind hier exemplarisch zu nennen »Neurolinguistik«, »Psycholinguistik« (mit Vorläufern im 19. Jh.: s. o. D 4.1) und »Kognitive Linguistik«; indem sie Zusammenhänge zw. – normalen oder gestörten – organischen Voraussetzungen oder mentalen Gegebenheiten (bei Sprechern) und

Erkenntnisprozessen einerseits mit Produktion von und Leistungen durch Sprache andererseits untersuchen, stehen sich alle untereinander nahe. Repräsentativ für die zweite Gruppe sind beispielsweise: die deskriptiv vergleichende »Kontrastive S.«, deren Ergebnisse nicht zuletzt der Lehre und der Didaktik fremder Sprachen zustatten kommen können; die »Klinische Linguistik«, die in Verbindung mit Neurolinguistik, Logopädie und medizinischer Hirnforsch. der Diagnose und Therapie von Sprachstörungen dienen kann; die »Computerlinguistik«, die Berührungen mit der Informatik (in der Angewandten Mathematik) hat, wenn sie z. B. bemüht ist, maschinelle Handhabung und Verarbeitung von Sprache(n) im weitesten Sinne zu ermöglichen. Naturgemäß erweist sich gerade für die linguistischen Grenzdisziplinen interdisziplinäre Forsch. als unabdingbar.

→ Etymologie; Onomastik; Schriftwissenschaft; Sprachphilosophie

→ AWI Flexion; Grammatiker; Indogermanische Sprachen; Lachmannsche Regel; Laryngal; Lautlehre; Philologie; Sprache; Sprachkontakt; Syntax

QU **1** H. ARENS, S. Der Gang ihrer Entwicklung von der Ant. bis zur Gegenwart, ²1969 **2** H. H. CHRISTMANN (Hrsg.), S. des 19. Jhs., 1977

LIT **3** H. L. AHRENS, De Graecae linguae dialectis, Göttingen 1839–1843 **4** S. TH. AUFRECHT, A. KIRCHHOFF, Die umbrischen Sprachdenkmäler, Berlin 1849–1851 **5** S. AUROUX et al. (Hrsg.), History of the Language Sciences/Gesch. der S./Histoire des sciences du langage. 1.–2. Teilband (Hdb. zur Sprach- und Kommunikationswiss. 18.1–2), 2000–2001 **6** L. BLOOMFIELD, Language I, 1933 **7** F. BOAS (Hrsg.), Handbook of American Indian Languages I, 1911 **8** F. BOPP, Über das Conjugationssystem der Sanskritsprache in Vergleichung mit jenem der griech., lat., persischen und german. Sprache, Frankfurt a. M. 1816 **9** K. BRUGMAN(N), Zur gesch. der nominalsuffixe -as-, -jas- und -vas-, in: ZVS 24, 1879, 1–99 **10** H. BUSSMANN, Lex. der S., ³2002 **11** N. CHOMSKY, Syntactic Structures, 1957 **12** Ders., Aspects of the Theory of Syntax, 1965 **13** H. H. CHRISTMANN, Beitr. zur Gesch. der These vom Weltbild der Sprache, AAWM 1966.7, 1966, (3)–(31) **14** B. DELBRÜCK, Einl. in das Studium der idg. Sprachen, ⁶1919 **15** F. N. FINCK, Die Haupttypen des Sprachbaus, 1909 **16** J. FRIEDRICH, Hethitisches Elementarbuch I, ²1960 **17** T. V. GAMKRELIDZE, V. V. IVANOV, Indo-European and the Indo-Europeans I, 1995 **18** J. S. GREENBERG, Some Universals of Grammar with Particular Reference to the Order of Meaningful Elements, in: Ders. (Hrsg.), Universals of Language, 1963, 73–113 **19** J. GRIMM, Dt. Gramm. I², Göttingen 1822 **20** H. HAPP, Grundfragen einer Dependenz-Gramm. des Lat., 1976 **21** Hugo Schuchardt-Brevier, hrsg. v. L. SPITZER, ²1928 **22** W. V. HUMBOLDT, Über die Verschiedenheit des menschlichen Sprachbaues, Berlin 1836, jetzt in: Ders., Werke in fünf Bänden, Bd. 3, hrsg. v. A. FLITNER, K. GIEL, 1963, 368–756 **23** R. JAKOBSON, Typological Stud. and Their Contribution to Historical Comparative Linguistics, in: Proceedings of the Eighth International Congress of Linguists, 1958, 17–25 (33–35) **24** R. D. KING, Historical Linguistics and Generative Grammar, 1969 **25** P. KIPARSKY, Phonological

Change, 1965 **26** G. A. KLIMOV, Tipologjia jazykov aktivnogo stroja, 1977 **27** F. B. J. KUIPER, Notes on Vedic Noun-Inflexion, 1942 **28** C. LANCELOT, A. ARNAULD, Grammaire générale et raisonnée (Paris 1660), nachgedr. noch 1830 und 1967 **29** J. LATACZ, Zum Wortfeld »Freude« in der Sprache Homers, 1967 **30** W. P. LEHMANN, Proto-Indo-European Syntax, 1974 **31** A. MARINETTI, Le iscrizioni sudpicene, 1985 **32** A. MARTINET, Économie des changements phonétiques, ²1964 **33** W. MEID, Probleme der räumlichen und zeitlichen Gliederung des Idg., in: H. RIX (Hrsg.), Flexion und Wortbildung, 1975, 204–219 **34** TH. MOMMSEN, Die unterital. Dialekte, Leipzig 1850 **35** A. MORPURGO DAVIES, Nineteenth-Century Linguistics, 1998 **36** H. OSTHOFF, K. BRUGMAN(N), Morphologische Unt. auf dem Gebiete der idg. Sprachen I, Leipzig 1878 **37** H. PAUL, Prinzipien der Sprachgesch., ⁵1920 **38** H. PEDERSEN, La cinquième déclinaison latine, 1926 **39** W. PORZIG, Die Gliederung des idg. Sprachgebiets, 1954 **40** R. RASK, Undersøgelse om det gamle Nordiske eller Islandske Sprogs Oprindelse, Kopenhagen 1818 **41** J. REUCHLIN, De rudimentis hebraicis, Pforzheim 1506 **42** R. H. ROBINS, A Short History of Linguistics, ²1979 **43** E. SAPIR, Language, 1921 **44** F. DE SAUSSURE, Mémoire sur le système primitif des voyelles dans les langues indo-européennes, Leipzig 1879 **45** Ders., Cours de linguistique générale, postum 1916 **46** F. V. SCHLEGEL, Über die Sprache und Weisheit der Indier. Ein Beitr. zur Begründung der Altertumskunde, Heidelberg 1808 **47** J. SCHMIDT, Die Pluralbildungen der idg. Neutra, Weimar 1889 **48** G. SCHNEIDER, Zum Begriff des Lautgesetzes in der S. seit den Junggrammatikern, 1973 **49** H. SCHUCHARDT, Über die Lautgesetze. Gegen die Junggrammatiker, Berlin 1885 **50** TH. A. SEBEOK (Hrsg.), Historiography of Linguistics (Current Trends in Linguistics 13), 1975 **51** H. STEINTHAL, Der Ursprung der Sprache, Berlin ⁴1888 **52** Ders., Gesch. der S. bei den Griechen und Römern, Berlin 1863, ²1890/91 **53** K. STRUNK, Sprache, Sprachen und S., in: H.-W. EROMS, B. GAJEK, H. KOLB (Hrsg.), FS für K. Matzel, 1984, 9–23 **54** O. SZEMERÉNYI, Structuralism and Substratum – Indo-Europeans and Aryans in the Ancient Near East, in: Lingua 13, 1964, 1–29 **55** Ders., Richtungen der mod. S. I–II, 1971–1982 **56** Ders., La théorie des laryngales de Saussure à Kuryłowicz et à Benveniste, in: BSL 68, 1973, 1–25 **57** L. TESNIÈRE, Les éléments de syntaxe structurale, 1959 **58** J. UNTERMANN, Monumenta Linguarum Hispanicarum IV, 1997, 349–722 **59** M. VENTRIS, J. CHADWICK, Documents in Mycenaean Greek, ¹1956, ²1973 **60** J. WACKERNAGEL, Über ein Gesetz der idg. Wortstellung, in: IF 1, 1892, 333–436 **61** U. WEINREICH, Languages in Contact, 1953 (²1962) **62** L. WEISGERBER, Muttersprache und Geistesbildung, 1929 **63** ST. ZIMMER, Ursprache, Urvolk und Indogermanisierung, 1990. KLAUS STRUNK

Śrī Laṅkā. Kontakte S. L. (lat. Taprobane) mit der klass. ant. Welt setzten früh ein [4], hinterließen auf der Insel aber anfangs keine greifbaren Spuren. Gelegentliche Gesandtschaften an röm. Kaiser (Claudius, Iulianus) blieben aufgrund der räumlichen Entfernung ohne Belang und dürften primär merkantilen Interessen gedient haben. Dementsprechend findet man auf S. L. keinerlei architektonische, künstlerische, lit. oder gesicherte arch. Spuren, die als Nachleben klass. Ant. bezeichnet werden

können. In diesem Zusammenhang sind angeblich röm. Ruinen und Funde anderer ant. röm. Relikte auf dem Areal des vermeintlichen Emporiums Mantai im Nordwesten der Insel in das Reich der Fabel zu verweisen [6]. Der einzig faßbare, spätröm. Einfluß liegt auf numismatischem Gebiet. Röm. Kleinkupfermz. des 4./5. Jh. werden bis in die Gegenwart hinein immer wieder, vornehmlich im äußersten Süden von S. L., entdeckt [8]; z. T. handelt es sich um Horte von mehreren Tausend Exemplaren. Um 450 begann man auf der Insel die röm. Mz. aus einer stark bleihaltigen Bronzelegierung nachzuprägen. Die Ausführung reicht von annähernder Naturtreue bis hin zur äußersten Abstrahierung der röm. Darstellungen. Immer jedoch verraten die charakteristischen Büsten auf den Vorderseiten die Herkunft der Stücke. Bei der Gestaltung der Rückseiten löste man sich sehr schnell von den Vorlagen und übernahm Symbole aus der eigenen rel. Vorstellungswelt, wie etwa Swastika und das buddhistische *dhammacakka* (Rad der Lehre, Symbol siegreicher Wirkungskraft), so daß ein rel. motivierter Hintergrund ihrer Entstehung nicht gänzlich auszuschließen ist. Die Ansätze zu einer von den röm. Vorbildern abweichenden Zeichnung wurden jedoch nicht konsequent weitergeführt und zu einer eigenständigen Münzprägung entwickelt. Diese setzte erst sehr viel später im 10. Jh. ein [1. 54 ff.]. Die Herstellung der lanka-röm. Imitationen beschränkte sich geogr. auf das Gebiet des ant. Fürstentums Rohana im Süden der Insel und war zeitlich von nur kurzer Dauer [7]; Bronzeverarbeitung konnte hier für das 3.–5. Jh. arch. nachgewiesen werden [9]. Die Funktion sowohl der röm. als auch der nachgeahmten Stücke als Zahlungsmittel im heutigen Wortsinn muß aufgrund der Fundauswertung stark bezweifelt werden. Die angebliche Bewunderung byz. Goldmz. durch einen einheimischen Herrscher im 6. Jh. (Kosmas Indikopleustes, Χριστιανικὴ τοπογραφία XI,448 D) muß als Dublette zu Plin. nat. 6,24 gewertet werden und ist numismatisch ohne Folgen geblieben; vermutete metrologische Zusammenhänge zw. röm./byz. Goldmz. und den sehr viel späteren landeseigenen Prägungen sind rein spekulativ.

Die wiss. Erforsch. der Quellen zur Geschichte S. L. setzten in der ersten H. des 19. Jh. während der britischen Herrschaft ein; frühere europ. Texte waren in erster Linie persönliche Lebens- und Reisebeschreibungen ohne tiefergehenden wiss. Wert (so z. B. [2] und der – umstrittene – Reisebericht Marco Polos E. des 13. Jh.; eine ganze Zusammenstellung der ersten Berichte über S. L. findet sich bei [5]) mit z. T. wundersam anmutenden Beschreibungen [3]. Erst durch die Arbeiten von J. Fergusson, H. C. P. Bell und J. Still (Arch.), P. Goldschmidt und E. Müller (Epigraphik), G. Turnour und W. Geiger (Übers. der *Mahāvaṃsa*) bis hin zu H. W. Codrington (Numismatik) und C. W. Nicholas (Top.) erhielt die Altertumskunde S. L. eine z. T. heute noch gültige, verläßliche Grundlage; die nationale Forsch. ist ab der Mitte des 20. Jh. untrennbar mit dem bedeutenden Epigraphiker S. Paranavitana verbunden. Gegenwärtig bestimmen multinationale und interdisziplinäre Zusammenarbeit das Bild.

→ AWI Kosmas [2]; Taprobane

1 H. W. CODRINGTON, Ceylon coins and currency, 1924
2 R. KNOX, An historical Relation of the Island Ceylon in the East Indies, London 1681 3 F. REICHERT (Hrsg.), Die Reise des seligen Odorich von Pordenone nach Indien und China (1314/18–1330), 1987, XVII, 1–4 4 F. F. SCHWARZ, s. v. Taprobane, KlP 5, 515 f. 5 J. E. TENNENT, Ceylon, London ⁴1860, vol. 1, ch. IV 6 R. WALBURG, Mantai emporium in Taprobana insula? Ein numismatischer Komm., in: Münstersche Beitr. zur ant. Handelsgesch. XVI.2 (1997), 1–31 7 Ders., Technical aspects of the Lanka-Roman 5th century copper coin imitations: metallurgy and manufacture, in: AVA-Beitr. 14 (1994), 329–340 8 Ders., Ant. Mz. aus Sri Lanka/Ceylon. Die Bed. röm. Mz. und ihrer Nachahmungen für den Geldumlauf auf Ceylon, in: M. R.-ALFÖDI (Hrsg.), Stud. zu Fundmz. der Ant. 3 (1985), 27–271 9 H.-J. WEISSHAAR, W. WIJEYAPALA, Ancient Ruhuna (Sri Lanka). The Tissamaharama Project: Excavations at Akurugoda 1992–1993, in: AVA-Beitr. 13 (1993), 127–166. REINHOLD WALBURG

Stabia/Stabiae A. GESCHICHTE DER AUSGRABUNGEN B. DOKUMENTATION UND WIRKUNG

A. GESCHICHTE DER AUSGRABUNGEN

Im Juni 1749, ein J. nach dem Beginn der Unt. in → Pompeji, begann man auch in S. mit der Freilegung der an der Oberfläche zu erahnenden Ruinen. Auf dem Colle di Varano über Castellammare di Stabia führte man die Grabungen mit wechselnder Intensität bis 1782 fort und stellte sie dann wegen Ergebnislosigkeit ein. Insgesamt waren bis dahin an der Kante des Hügels auf einer Strecke von ca. 1 km fünf Villenkomplexe und Teile einer urbanen Struktur durchsucht worden. Die Funde, v. a. Mosaiken [8] und Wandmalerei, kamen in das königliche Schloß und nach Portici, die Grabungen selbst wurden sofort wieder zugeschüttet. Dank einer Notiz bei Galen (5,12) hatte man den Grabungsplatz schon bald als das ant. S. (Stabii) identifizieren können. Erst 1950 begann man auf Initiative des örtlichen Schulleiters Libero D'Orsi die röm. Villen erneut freizulegen [1]. Teile der im 18. Jh. untersuchten Bauten wurden damit erstmals für Besucher zugänglich gemacht. Die neuen Funde kamen in ein Antiquarium in Castellammare di Stabia. 1980 stürzten die wiederaufgebauten Teile der sog. Villa di San Marco während eines Erdbebens ein. Seitdem konzentrieren sich die Aktivitäten auf Schutz, vorsichtige Restaurierung und die bis dahin vernachlässigte Dokumentation und Erforschung der Befunde. Zahlreiche, in jüngster Zeit freigelegte röm. *villae rusticae* im näheren Umkreis des Siedlungskernes auf dem Hügel von Varano ergeben das Bild einer fruchtbaren, landwirtschaftlich intensiv genutzten röm. Kulturlandschaft.

B. DOKUMENTATION UND WIRKUNG

Ähnlich den Ausgrabungen in den anderen Vesuvstädten wurden die Arbeiten in S. durch wöchentliche Fundber. ausführlich beschrieben [2]. Erst vor kurzem [7. 184–198] ist jedoch ein erstaunlich mod. Projekt des Grabungsleiters Karl Jakob (Carlo) Weber aus dem J. 1760 ausführlich bekanntgemacht worden, das eine umfassende und gemeinsame Publikation von Architektur und Funden vorsah, jedoch nie über einen Manuskriptentwurf hinauskam. Die Qualität der schon von Winckelmann gelobten Pläne Webers erwies sich bei den neuen Ausgrabungen, die alle wesentlichen Angaben auch der übergreifenden Top. bestätigten [5; 6]. Lage und Aussehen von S., dessen Ruinen nie längere Zeit sichtbar waren, blieben weitgehend unbekannt. Reisende der *Grand Tour* besuchten den Platz sehr selten. Einige Wandgemälde aus S. gehörten jedoch zu den am häufigsten kopierten Motiven aus den Vesuvstädten, allen voran das 1759 gefundene und im Band 3 der *Antichità di Ercolano* 1762 publizierte *Wer kauft Liebesgötter?*.

Abb. 1: La venditrice di amori (»Wer kauft Liebesgötter?«). Stich nach einem 1759 in der sogenannten Villa di Arianna in Stabiae gefundenen Wandgemälde. Zeichnung: Giovanni Morghen, Stich: Carlo Nolli in *Antichità di Ercolano* III, 1762, 41, Taf. 7

Abb. 2: Joseph-Marie Vien,
La marchande d'amours,
Schloß Fontainebleau.
Die 1763 im Salon ausgestellte
Adaptation des Bildes aus Stabiae
wurde von Diderot als ›petite ode
anacréontique‹ bezeichnet und
wegen seiner ruhigen Komposition
als Werk gerühmt, das der antiken
Malerei gleichkomme.
Réunion des Musées nationeaux

Die 1763 im Salon ausgestellte Adaption von Joseph-Marie Vien wurde von Denis Diderot hymnisch gelobt [3. 59–63]. Zahlreiche Stiche, Zeichnungen, Reliefs und sogar rundplastische Fassungen variierten das Thema [9. 3–10], das schließlich auch lit. von Goethe 1795 in ein Gedicht gleichen Titels umgesetzt wurde [4] (Abb. 1–4).
→ Herculaneum

Abb. 3: Wer kauft Liebesgötter? Stich Georg Christian Kilians nach den *Antichità di Ercolano*. Auf Umrißstiche reduziert und dem klassizistischen Geschmack angepaßt, erschloß der 1777-1799 in zwei Auflagen in Augsburg erschienene Nachdruck des Stechers Georg Christian Kilian die Antichità di Ercolano auch dem deutschen Publikum. Die begleitenden Texte Christoph Gottlieb von Murrs besitzen einen eigenständigen Charakter (G.Chr. Killian, Chr.G. von Murr, *Abbildungen der Gemälde und Alterthümer, welche seit 1738 ... in Herculaneum ... an das Licht gebracht worden* III, 1778, Taf. 7)

QU 1 A. CAROSELLA (Hrsg.), L. D'ORSI, Gli scavi di Stabiae. Giornale di scavo, 1996 (Publikationen der Grabungstagebücher) 2 M. RUGGIERO, Degli scavi di S. dal 1749 al 1782, 1881

LIT 3 TH.W. GAETHGENS, Diderot und Vien, in: Zschr. für Kunstgesch. 36, 1973, 51–82 4 J.W. VON GOETHE, Werke (Sophienausgabe). Gedichte I, Weimar 1887, 41–42 5 V. KOCKEL, Castellammare di Stabia, AA 1985, 521–543 6 P. MINIERO, Ricerche sull'Ager Stabianus, in: R. I. CURTIS (Hrsg.), Stud. Pompeiana et Classica in Honour of Wilhelmina F. Jashemski, Vol. I, 1988, 231–292 7 C. C. PARSLOW, Rediscovering Antiquity, 1995, 177–198, 296–321 8 M. S. PISAPIA, Mosaici antichi in Italia. Regio prima: S., 1989, Nr. 67–69 9 R. ROSENBLUM, Transformations in late 18th century art, ²1969.

VALENTIN KOCKEL

Stadion A. REZEPTION BIS 1896
B. OLYMPIA-STADION   C. SONDERFORMEN

A. REZEPTION BIS 1896

Unter S. werden hier Sportbauten verstanden, deren Rezeption ant. Vorbilder eng mit der Olympischen Bewegung der Moderne verbunden ist, da der Rückgriff auf die Olympischen Spiele des Alt. von Beginn an nach einer Orientierung an ant. S.-Bauten verlangte.

Die Bauaufgabe S. erlebt im Hell. eine erste Blüte. Im kaiserzeitlichen Rom erfolgt die Tradierung des Bautyps (u. a. Domitian-S.) sowie eine Umbildung zum Amphitheater und zum Circus. Die Modifikationen basieren auf geänderten funktionalen Anforderungen. Dabei handelt es sich um geschlossene Bauten, die städtebaulich durch gegliederte Fassaden in Erscheinung treten und deren Fassungsvermögen sich gegenüber griech. S. vergrößerte [4].

Stabia/Stabiae, Abb. 4: Christian Gottfried Jüchtzer, Wer kauft Liebesgötter? (Meissen 1785, Ausformung nach 1934). Jüchtzer folgt der antiken Vorlage in vielen Details genauer als Vien und betont ihren genrehaften Charakter. Die überraschende Umsetzung eines antiken Bildes in die dritte Dimension wurde auch in anderen Manufakturen (z.B. Capodimonte) geübt. Staatliche Porzellan-Manufaktur Meissen, Schauhalle. Foto J. Karpinski

Besonders nachant. Architekturen für Massenfeste suchten Anleihen an der ovalen Grundform des S., verknüpften diese bautypologische Orientierung aber auch mit Anlehnungen an Amphitheater und Circus. Dies ist der Fall bei den S.-Projekten Étienne-Louis Boullées (um 1783), die am Kolosseum orientiert sind, aber ›dessen schlechte und unzweckmäßige Gliederung‹ ablehnen [1. 112]; gedacht ist dabei an ›nationale Feste‹ mit 300 000 Besuchern. Während der Frz. Revolution läßt sich anläßlich des »Festes der Förderation« (1790) eine erste Rezeption ant. S. verzeichnen, die demnach aus dem Gemenge unterschiedlicher Bauaufgaben schöpft, jedoch als Circus verstanden werden will. Ein auf dem Pariser Marsfeld ephemer errichteter, gestufter elliptischer Erdwall schloß eine Aufmarschfläche ein, die durch einen Triumphbogen zu betreten war. Das Fassungsvermögen belief sich auf über 400 000 Zuschauer [11].

Der Versuch der dauerhaften Installierung derartiger Veranstaltungsorte fand seinen Einfluß auf Ideen und Projekte der Stadtplanung. So sind Entwürfe zu verzeichnen, die Pariser Place de la Concorde im Sinne napoleonischer Zentralisierung zur Arena mit angeschlossenem Circus auszubauen. Derartige Bestrebungen lassen sich bereits im 18. Jh. in England beobachten, wo in Bath in den 1760er J. Plätze wie »Circus« oder »Crescent« ant. Vorbilder ins Stadträumliche übersetzten. Daneben befürwortete J.-N.-L. Durand in seinem einflußreichen Traktat *Précis des Leçons d'Architecture* (1802ff.) die partielle Verschmelzung von Palast und Arena und regte damit u. a. Schinkels Entwürfe für den Athener Königspalast (1834) an.

Bautypologisch bildete das geschlossene Oval für die Architektur von Massenveranstaltungen ein universelles Vorbild, das im 19. Jh. für so unterschiedliche Bauaufgaben wie Hippodrome (Paris 1845, London 1851), Weltausstellungsarchitektur (Paris 1867, Chicago 1893) oder Denkmäler (Schinkels und Persius' Entwurf für ein Friedrich-Denkmal in Potsdam, 1840) zur Anwendung kommt.

Obzwar funktional für Feste und Schaukämpfe erbaut, ist die zw. 1806 und 1827 von L. Canonica errichtete, noch erhaltene Mailänder Arena als formaler Vorläufer mod. S.-Architektur anzusehen. Die Arena vereint typische antikisierende Elemente späterer Stadionarchitektur, wie gestufte Tribünenumfassung (für etwa 30 000 Zuschauer), Triumphbogenzugang und Ehrenloge mit Säulenportikus.

B. OLYMPIA-STADION

Der Rückgriff auf ant. Ideale durch das von Pierre de Coubertin begründete Olympische Komitee versinnbildlicht sich geradezu in der Architektur des Athener Olympia-S. für die ersten nachant. Olympischen Spiele 1896. Bei dem Bau handelte es sich um das von E. Ziller bis 1869 ausgegrabene und von dem Architekten A. Metaxa rekonstruierte, einst von Herodes Atticus errichtete Panathenäische S. (140–144 n. Chr.) [10]. Eine 50 000 Zuschauer fassende Zweirangtribüne aus Marmor umschloß eine 333,3 m messende ovale Laufbahn, in deren Mitte eine schmale Fläche diversen Sprungwettbewerben als Austragungsort diente. Die nach ant. Muster rekonstruierte Anlage (Abb. 1) blieb in ihrer engen Anlehnung an griech. Vorbilder jedoch ohne Nachfolger.

Mit dem Londoner White City Stadium für die Olympischen Spiele 1908 etablierte sich ein polyfunktionaler Anspruch an die Bauaufgabe. Im S. befanden sich neben den Anlagen für Leichtathletik (Laufbahn-

Abb. 1: Athen, 1896 wiederhergestelltes Panathenäisches Stadion

länge 536 m) auch eine Radrennbahn sowie ein Schwimmbecken. Die umlaufenden Tribünen für 58 000 Zuschauer lagerten auf einer Stahlkonstruktion, die zahlreiche Kabinen und Räume barg.

Aus der steigenden Bed. der Olympischen Spiele und aus der Popularisierung des Sports allg. erwuchs das Stadion als eigenständige, Fußballfeld, Laufbahn und weitere Sportanlagen kombinierende Bauaufgabe und war daher, fernab von ant. Ableitungen, den Strömungen der Architektur unterworfen.

So zeigte sich der Bau des Olympia-S. in Stockholm (T. Grut, 1912) in ma. Formensprache einem schwedischen Nationalstil verpflichtet, während das Olympia-S. in Amsterdam (J. Wils, 1928, mit 400-m-Laufbahn, 32 000 Zuschauer) die Prinzipien des »Neuen Bauens« verkörperte. Derartige S. entstanden auch außerhalb des olympischen Kontextes im Rahmen der nun in großer Zahl erbauten Sportanlagen (u. a. S. in Nürnberg und Wien von O. E. Schweizer, 1928) [8].

An vielen Stellen bewiesen jedoch ant. Bauformen ihre Wirkungsmacht und prägten noch in der ersten Jh.-Hälfte die S.-Architektur. 1903 entstand in Cambridge/Mass. das Stadion der Harvard Universität – ein über U-Grundriß stehender Bau, dessen umlaufende Tribüne mit einer am Kolosseum orientierten Wandgliederung versehen ist. Derartige Antikenanleihen finden sich auch im kanadischen Vancouver und am ausgeprägtesten am Soldier Field Stadium in Chicago (nach 1918), wo Säulenmonumente, Triumphbogen und Säulenportiken eine denkmalartige Inszenierung bilden. Derartige Aneignungen ant. Bauformen – auch beim Bau des Los Angeles Memorial Coliseum für die Olympischen Spiele 1932 zu beobachten – wurden im faschistischen Italien und im nationalsozialistischen Deutschland ideologisch instrumentalisiert. Herausragende Beispiele dafür stellen die S. auf dem Forum Mussolini und dem Berliner Reichssportfeld dar [2; 6]. Beide Vorhaben beruhten auf Gesamtkonzeptionen, die verschiedene Sportstätten zu forenartigen Anlagen zusammenfaßten. Entsprach das seit 1926 von den March-Brüdern entworfene Deutsche Sportforum in Berlin einer losen Gruppierung einzelner Wettkampfstätten, mutierte es unter dem Einfluß Hitlers zw. 1933 und 1936 zur axial ausgerichteten Anlage mit Aufmarschplatz (»Maifeld«) und zentralem Olympia-S. in monumentalem Habitus (Abb. 2). Hier wäre auch das

Abb. 2: Berlin, Olympiastadion, Blick nach Westen

(unvollendete) »Dt. Stadion« von Albert Speer auf dem Nürnberger Reichsparteitagsgelände zu erwähnen, ein gigantisches, kaum sportfunktionales Halboval für 400 000 Besucher von Parteitagsveranstaltungen.

Die S.-Bauten in Rom, für die (nicht ausgetragenen) Olympischen Spiele 1940 errichtet, bedienten sich urspr. einer pseudoant. Formensprache. Nach den Planungen E. del Debbios wurde das Forum mit Mosaiken, zahlreichen Statuen und einem Mussolini geweihten Obelisken versehen. Nachdem nur wenige Gebäude sowie das von martialischen Athletenstatuen gesäumte Stadio dei Marmi verwirklicht worden waren, vervollständigten das Stadio Olimpico (A. Vitellozzi, A. Frisia, 1950–1953) und das Stadio Flaminio (P. L. Nervi, 1959) die Anlage für die Olympischen Spiele 1960 [2].

Die ant. Ovalform der S. beeinflußte auch die Architektur diverser Olympischer Winterspiele, deren Areale mit halbovalen S.-Tribünen versehen wurden (Garmisch-Partenkirchen 1936, Lillehammer 1994).

C. SONDERFORMEN

In der 2. H. des 20. Jh. sind keine Anleihen mod. S.-Architektur an ant. Bauformen zu erkennen. Stadien verschmelzen als zeitgenössische Bauaufgabe die Innovationen des Ingenieurbaus mit baukünstlerischen Interessen (Olympia-S. München). Große S. mit Laufbahn und Spielfeld entstehen fast nur noch im olympischen Rahmen. Dagegen steigt seit den 1980er J. in Europa die Anzahl von meist überdachten Multifunktionsarenen, die in erster Linie dem Fußball dienen, so in Amsterdam, Basel (Architekten Herzog & de Meuron, kombiniert mit Altenheim und Ladenzone), Gelsenkirchen etc. Ihre rechteckige Grundform mit bis zum Spielfeldrand reichenden Rängen geht auf den engl. S.-Bau der ersten Jahrzehnte des 20. Jh. zurück und existiert losgelöst von einer histor. Auffassung der Bauaufgabe »Stadion« [4].
→ Faschismus; Nationalsozialismus; Olympia; Sport
→ AWI Amphitheatrum; Circus; Herodes [16] Atticus; Stadion [3]

1 E.-L. BOULLÉE, Architektur, hrsg. v. Beat Wyss, 1987
2 C. CRESPI, Architettura e Fascismo, 1983 3 B. F. GORDON, Olympic Architecture, 1983 4 A. HENZE, Röm. Amphitheater und S., 1984 5 S. INGLIS, Football Grounds in Europe, 1990 6 W. MARCH, Bauwerk Reichssportfeld, 1936 7 T. SCHMIDT, S.-Bauten 1896–1996, 1994 8 E. O. SCHWEIZER, Sportbauten und Bäder, 1938 9 U. SINN, Olympia: Kult, Sport und Fest in der Ant., 1996
10 J. TRAVLOS, Bildlex. zur Top. des ant. Athen, 1971
11 F.-J. VERSPOHL, S.-Bauten von der Ant. bis zur Gegenwart, 1976 12 M. WIMMER, Olympische Bauten, 1976.   STEFAN SCHWEIZER

Stadt A. DAS STÄDTISCHE ERSCHEINUNGSBILD IN DER SPÄTANTIKE B. NIEDERGANG UND ABSTERBEN ANTIKER INFRASTRUKTUR C. DIE SIEDLUNGS-STRUKTUREN IM 5. BIS 7. JH. – HIATUS ODER KONTINUITÄT? D. ALLGEMEINE TENDENZEN E. DIE WEITERE ENTWICKLUNG DER STÄDTE MIT ANTIKER WURZEL

A. DAS STÄDTISCHE ERSCHEINUNGSBILD IN DER SPÄTANTIKE

Seit der zweiten H. des 3. Jh. wird die ant. S. im Westen des röm. Reiches einem Strukturwandel unterworfen, der v. a. auf die mil. Bedrohungen durch äußere Feinde, aber auch innenpolit. Auseinandersetzungen reagiert. Neben den öffentlichen Monumentalbauten – wie *fora*, Thermen, Wasserversorgungsanlagen, Spielstätten und Kultgebäuden – prägt jetzt vielerorts eine militärarchitektonische Ausstattung das neue Erscheinungsbild urbaner Zentren. Befestigungen – z. T. auf Fundamenten aus wiederverwendeten Quadern und Werkstücken von niedergelegten Grabmonumenten, abgerissenen Tempeln und profanen Monumentalbauten errichtet – umschließen nun oftmals nur noch kleinflächige Teilbereiche des bisherigen Siedlungsareals. Auch der große Mauerring, mit dem Aurelianus in den J. nach 271 die S. Rom umschließen ließ, ist ein deutliches Zeichen für die Instabilität des Imperiums. Bogenmonumente mutieren zu Stadttoren (so etwa in Besançon, Die, Langres, Reims); Amphitheater werden als Großburgen in die Stadtummauerungen integriert (z. B. in Amiens, Arles, Périgueux, Rimini, Tours, Verona, in Rom das Amphitheatrum Castrense), aber auch der Circus in Mailand oder die *fora* von Bavay, Feurs und Paris werden in die Fortifikationen ihrer S. einbezogen oder zu eigenen Festungen ausgebaut. Ausgedehnte Speicherhallen (*horrea*) dienen der Lagerung von Nahrungsmitteln, *praetoria* und *palatia* beherbergen die zunehmend mit der Wahrnehmung mil. Aufgaben betrauten spätröm. Amtsträger und ihr Verwaltungspersonal. Auf den entlang der Ausfallstraßen gelegenen weitläufigen Bestattungsplätzen entstehen seit dem 4. Jh. Bestattungshallen (Coemeterialbasiliken). Seit der zweiten H. des Jh. werden in stark romanisierten Zentren die ersten monumentalen christl. Sakralbauten errichtet. Neu ist schließlich auch der Typus der häufig in Spornlage angelegten, ummauerten und nur schwer zugänglichen Höhensiedlung. Für die Frage nach dem Fortleben röm. Städte ist gerade die spätant. top. Situation von grundsätzlicher Bed., die vielerorts ältere Strukturen der Kaiserzeit bereits bis zur Unkenntlichkeit überprägt hat.

B. NIEDERGANG UND ABSTERBEN ANTIKER INFRASTRUKTUR

Öffentliche Bauten können nur mit Hilfe einer funktionierenden Infrastruktur erhalten oder wiederhergestellt werden. Wo diese zusammenbricht, verfallen derartige Anlagen rasch. Dabei sind deutliche regionale Unterschiede zu konstatieren. So lassen sich nördl. der mediterranen Städtelandschaften keine Beispiele für eine Weiternutzung öffentlicher Thermenanlagen in ihrer urspr. Funktion über das 5. Jh. hinaus finden, während etwa für It. ein Fortdauern derartiger Anlagen sogar über die ostgot. Zeit hinaus belegt ist [31. 84 f.].

Insgesamt ist gerade für die german. Herrscher der Ostgoten in It., der Westgoten in Spanien und der Vandalen in Nordafrika während des 6. Jh. eine restaurative, bewußt in röm. Trad. stehende städtische Bautätigkeit zu konstatieren, die in der Wiederherstellung zahlreicher öffentlicher Monumente wie Thermenanlagen, Aquädukte, Speicheranlagen, Paläste oder Spielstätten augenfällig wird. Derartige Maßnahmen, die ein starkes Bemühen um die Kontinuität städtischer Kultur erkennen lassen, erleben mit dem Untergang dieser Königreiche jedoch eine deutliche Zäsur [30].

Ein bes. Indikator für einen weiterhin hohen Urbanisierungsgrad ist der nachweisbare Fortbestand funktionierender Fernwasserleitungen und Aquädukte. In diesem Zusammenhang ist die Weiternutzung einzelner stadtröm. Wasserleitungen oftmals herausgestellt worden. Der augenblickliche Forschungsstand geht von der Annahme aus, daß während des 7. Jh. in Rom noch vier Aquädukte funktionstüchtig gewesen sind, in der ersten H. des 9. Jh. seien es noch immerhin zwei gewesen [38. 250–255]. Neuere Unt. haben frühma. Reparaturen und Ausflickungen am Mauerwerk einzelner Leitungen nachweisen können, die mit päpstlichen Instandsetzungsmaßnahmen in Bezug gesetzt worden sind [8]. Andere Hinweise belegen ein Fortleben einzelner Leitungen in It. während des 6. und 7. Jh. (Neapel, Parma, Ravenna, Verona) sowie in Spanien unter arab. Herrschaft.

Für die Fernwasserversorgung der Städte in Gallien und den ehemaligen nördl. Provinzen des Imperium Romanum stellt sich die Situation hingegen anders dar. Während Gregor von Tours für Vienne immerhin noch an der Wende zum 6. Jh. die Anwesenheit eines ›artifex ... cui de aquaeducto cura manebat‹ überliefert (Greg. Tur. Franc. II,33), gibt es kein eindeutiges Zeugnis einer über das 5. oder 6. Jh. hinaus betriebenen ant. Fernwasserleitung nördl. der ehemaligen mediterranen Provinzen. Dennoch waren auch hier die technischen Fähigkeiten zum Bau durchaus respektabler Aquädukte nicht verlorengegangen, was etwa die neue Errichtung karolingerzeitlicher Leitungen für Le Mans und Ingelheim (hier immerhin ca. acht km lang) verdeutlichen. Die röm. Aquädukte waren zwar bald durch mangelnde Wartung und Instandsetzung funktionslos geworden, ihre markanten Bogenstellungen blieben jedoch noch jahrhundertelang weithin sichtbares Zeugnis einer untergegangenen und nicht mehr erreichten Kulturstufe [7]. Im Fall des Forums, dem in der Ant. wirtschaftlichen und administrativen Zentrum einer jeden röm. S., ist der schriftlichen Überlieferung für das Früh-MA eine rudimentäre Fortnutzung in seiner urspr. Funktion in Südfrankreich (Arles, Rodez, Toulouse), aber auch in Orléans zu entnehmen. Für Angers ist für das endende 6. Jh. das Vorhandensein einer ›curia publica ... in foro‹

mit dort tätigen Magistraten und öffentlichen Schreibern überliefert [23. 535 f.]. Vielerorts überdauerten die ausgedehnten Kryptoportiken der *fora* bis weit in das MA hinein als unterirdische Lagerräume (z. B. in Arles, Avignon, Narbonne und Reims) und behielten somit ökonomische Funktionen. Auch für It. ist schließlich die Weiterexistenz ant. Fora als Orte des städtischen Marktgeschehens für zahlreiche Städte herausgearbeitet worden [16. 25; 28. 227–230]. Mit dem E. der Römerzeit hören auch die Veranstaltungen in den Amphitheatern – Ausdruck einer ausgeprägt städtischen Kultur – auf. Heftige Kritik an den blutrünstigen Spektakeln in Circus und Amphitheater wurde bereits in der zunehmend christl. geprägten Spätant. geäußert. Kirchenväter wie Salvianus oder Ambrosius sprachen sich entschieden gegen öffentliche Spiele aus. Nachdem das Christentum Staatsreligion geworden war, kamen Gladiatorenkämpfe aber erst an der Wende zum 5. Jh. allmählich zum Erliegen. Tierhatzen (*venationes*) lassen sich hingegen sogar bis in die zweite H. des 6. Jh. nachweisen. Wenn für Theoderich zu Pavia oder auf Veranlassung von Chilperich in Paris und Soissons der Bau derartiger Spielstätten rühmend herausgestellt wird, oder die Franken offenbar im 6. Jh. noch Pferderennen im Circus von Arles veranstalteten, so bedeutet dies zum einen lediglich die Wiederherstellung bereits bestehender Bauten, zum anderen zeigen derartige *renovationes* neben zahlreichen weiteren Hinweisen bes. eindringlich, daß sich diese Herrscher durchaus in der Trad. des Imperium Romanum sahen, als dessen Repräsentanten sie auftraten und von deren Fortbestehen sie ausgingen. Nach dem 6. Jh. gibt es kein Zeugnis mehr von Instandsetzungen eines Amphitheaters mit der Absicht, dort weiterhin Spiele durchführen zu lassen [7].

Auch im Fall heidnischer Tempel lassen sich Beispiele aus städtischem Kontext anführen, die sich auf eine Weiternutzung derartiger Kultstätten bis in das 6. Jh. hinein beziehen lassen. Gregor von Tours etwa berichtet von einem Tempel zu Köln, in dem das Volk der Umgebung Götterbilder verehrte und hölzerne Votivgaben deponierte, worauf der hl. Gallus Feuer an das Bauwerk legte und sich – von einer aufgebrachten Menschenmenge verfolgt – in der *aula regia* in Sicherheit brachte (Greg. Tur. vit. patr. VI,2). Weitere heidnische Kultstätten, die zerstört werden, erwähnt Gregor u. a. für Clermont und Limoges [40. 157]. In einem von Cassiodor verfaßten Brief Theoderichs des Großen ordnet dieser 510/511 den Schutz von Tempeln und anderen öffentlichen Bauten vor drohender Spolien-Entnahme an. Prokop berichtet über die Belagerung von Rom im J. 537, daß damals eine Gruppe von Römern versucht habe, die Türen des Janustempels auf dem Forum zu öffnen, ein Brauch der immer wieder in Kriegszeiten Roms praktiziert worden war. Die Schilderung enthält eine Beschreibung der damals noch erhaltenen Ausstattung des Tempels (Prok. BG I,25). Jüngere Nachrichten berichten danach nicht mehr über heidnische Praktiken in städtischen Tempeln, allenfalls über ihre Umnutzung als Kirchen, wie das berühmte Beispiel des stadtröm. Pantheon zeigt, das unter Papst Bonifaz IV. in eine Marienkirche umgewandelt wurde [38. 85–91].

Was an röm. Monumentalarchitektur in seiner urspr. Form auch länger überdauern konnte, waren die städtebaulichen Neuansätze der Spätant., wie Befestigungen mit ihren Torburgen, Palatia und Kirchen, daneben teilweise auch das Straßenraster und Brückenanlagen. B. Ward-Perkins hat gerade im Fall ober- und zentralit. S. auf das Fortleben von Teilen des rechtwinkligen Straßenrasters mit einem weiterhin funktionierenden Abwassersystem z. T. bis in heutige Zeit als einen nicht zu unterschätzenden Kontinuitätsfaktor verwiesen, wobei er als herausragende Beispiele neben anderen Pavia, Verona, Piacenza und Lucca hervorhebt [38. 155–199]. In Trier und Lyon konnten frühma. Reparaturen und Ausflickungen von ant. Straßenkörpern arch. nachgewiesen werden [6. 56 f.]. Große Teile des röm. Straßensystems überdauerten auch in Besançon bis in das 11. Jh. [7]. Daneben bildet sich vielerorts aus neuen Wegeführungen zw. den ant. Ruinen allmählich das ma. Straßennetz.

Die Bischöfe stellten eine institutionelle Klammer zw. spätant. und ma. S. dar; im Verlauf der Spätant. wurden in nahezu allen *civitates* – Vororten und Verwaltungszentren mit entsprechenden zentralörtlichen Funktionen – Bischofssitze eingerichtet. Durch die sich seit dem Verlauf des 4. Jh. allg. durchsetzende Symbiose von Bischofssitz und *civitas*-Hauptort und die Gleichsetzung von Diözese und *civitas* fielen dem Bischof neben der Leitung der christl. Gemeinde allmählich wesentliche Amts- und Verwaltungsfunktionen der *civitas* zu, da der diese Aufgaben bisher wahrnehmende Decurionenrat sich u. a. aufgrund des enormen finanziellen Drucks des spätant. Staates aus seiner polit. Verantwortung zurückzog. In der Folgezeit sorgte sich der Bischof um die mil. Verteidigung der *civitas* und die Unterhaltung öffentlicher Bauten, er organisierte die Armenfürsorge und die Gerichtsbarkeit. Das gesteigerte Ansehen und die ihm so zugewachsene geistliche und polit. Machtfülle machten das Amt nun zunehmend auch für Angehörige des Senatorenadels attraktiv. Topographisches Zentrum der Bischofsstadt wird nun die Bischofskirche meist mit weiterer Kirche, Baptisterium und Bischofspalast (*groupe épiscopal*) [1; 14; 19]. Die Verlagerung von Bischofssitzen im Verlauf des Früh-MA – etwa von Augst nach Basel, von Avenches nach Lausanne, von Tongern nach Maastricht (und später dann nach Lüttich) oder von Windisch nach Konstanz – lassen auf einen weitgehenden Zusammenbruch der urbanen Infrastrukturen während der Völkerwanderungszeit schließen; Lücken in den örtlichen Bischoflisten (z. B. in Köln und Mainz) verweisen auf polit. Umwälzungsprozesse.

Die weltliche Bischofsherrschaft wurde in jenen *civitates* eingeschränkt, in denen die Könige ihre Aufenthaltsorte wählten oder in denen sie *comites civitatis* einzusetzen vermochten. Als Residenzen fungierten dabei häufig das Praetorium des Provinzgouverneurs bzw. der Palast der spätant. Amtsverwaltung [4].

C. Die Siedlungsstrukturen im 5. bis 7. Jahrhundert – Hiatus oder Kontinuität?

Mit dem E. röm. Herrschaft gerät auch das Städtewesen in eine Krise, deren Auswirkungen jedoch regional und zeitlich deutlich differieren können, wobei die Bandbreite der Möglichkeiten von einer Auflassung der Siedlung bis zu einer Kontinuität örtlicher Institutionen reicht. In diesem Zusammenhang kann die Quellenanalyse zu einer S. je nach der Sichtweise des Betrachters zu der Einschätzung eines Hiatus oder von Kontinuität der Siedlungsstrukturen, zu einer Bewertung der Befunde als Anzeichen des Wechsels, des Übergangs, des Umbruchs oder der Wiederherstellung bzw. der Wiedergeburt führen [39]. Schwierigkeiten gibt es darüber hinaus nahezu überall bei der Datierung arch. Fundmaterials für den Zeitraum des 5. und 6. Jh., die zu einer unterschiedlichen Beurteilung des Siedlungsbildes führen können. Dennoch zeichnen sich mittlerweile einige regionale Tendenzen ab.

Für das vergleichsweise gering romanisierte Britannien zog der um 409 erfolgte Abzug der röm. Truppen und Verwaltung einen Bruch im städtischen Siedlungsgefüge nach sich. Für London ist eine weitgehende Auflassung des ummauerten, ca. 134 ha großen Stadtareals in der ersten H. des 5. Jh. zu konstatieren. Die ant. Stadtbefestigung überdauerte bis in das Hoch-MA [36]. Ähnliche Ergebnisse liefert die Stadtarch. etwa für York, Chester, Colchester, Winchester oder Wroxeter. Hier scheint ein Abzug der örtlichen Eliten aus der S. in das Umland erfolgt zu sein. Eine Aufsiedlung der ummauerten Areale röm. Städte erfolgte seit dem fortgeschrittenen 7. Jh. [33]. Die Ruinen öffentlicher Monumentalbauten standen oberirdisch sichtbar teilweise bis ins Hoch-MA [11. 23–30].

Die Städte entlang der Grenzräume von Rhein und Donau befanden sich seit der Spätant. in einer permanenten Frontsituation, was zu erheblichen Wandlungen im Siedlungsgefüge führte [42]. Dabei konnte es zu Siedlungsverlagerungen kommen, wie etwa im Fall von Xanten, wo während des 4. Jh. eine Binnenfestung im Zentrum der röm. *Colonia Ulpia Traiana* errichtet wurde. Die nachant. Siedlung *ad Sanctos* entwickelte sich jedoch in einem derzeit nicht exakt faßbaren Zeitraum auf einem südwestl. gelegenen Gräberfeld der zu Beginn des 5. Jh. aufgelassenen Stadt. Über ein Jt. blieben die Ruinen der ant. S. weiterhin sichtbar, und die S. diente als riesiger Steinbruch für zahlreiche Bauvorhaben in den steinarmen Regionen am Niederrhein und in den Niederlanden. Auch im ehemaligen Dekumatland, das bald nach der Mitte des 3. Jh. von den röm. Truppen geräumt werden mußte, kam es im Verlauf des Früh-MA zur Auflassung der Lagerareale und nahegelegenen Neugründungen von Siedlungen, etwa in Weißenburg oder Rottweil [35].

Für die Regionen zw. Alpen und Donau ist seit dem 4. Jh. bis in das 7./8. Jh. ein Bevölkerungsrückgang von insgesamt rund 80% wahrscheinlich gemacht worden [26. 100ff.]. In Regensburg verfallen die Steinbauten im Innern des rund 25 ha großen Lagergevierts, während die Ummauerung noch bis weit in das MA hinein fortbesteht und etwa um 770 durch Arbeo von Freising als ›uneinnehmbare‹ Befestigung ›aus Quadern erbaut, von hohen Türmen überragt‹ charakterisiert wird. Nach der Wende zum 5. Jh. werden bis weit in das 7. Jh. hinein nur noch inselartige Flächen wieder besiedelt, Holzbauten nisten zw. den ant. Ruinen. Neben Romanen leben nun auch german. Gruppen in der Stadt [9. 1013–1018].

Ab Mitte des 5. Jh. datieren auch ausgedehnte Siedlungsbefunde germ. Zuwanderer, die in den 1990er J. auf dem Heumarkt in Köln nachgewiesen werden konnten. Die Fläche liegt südöstl. des spätant. Prätoriums, in dem die rheinfränkischen und seit dem Beginn des 6. Jh. auch die merowingischen Könige ihren Sitz gewählt hatten. Die neuen Grabungsergebnisse belegen die Aufsiedlung eines ausgedehnten Areals – nachdem sich Köln seit etwa 420/430 unter fränkischer Kontrolle befand – durch neue Bevölkerungselemente neben weiterhin durch Grabinschr. und beigabenlose Bestattungen faßbaren Romanen, deren demographische Bed. aber mit zunehmender Dauer abnimmt [29; 34].

In → Trier, Vorort der *Belgica Prima*, der *Dioecesis Galliarum* und der *Praefectura Galliarum* sowie zeitweiligen spätant. Kaiserresidenz, ist ein deutlicher Bruch des Siedlungsgefüges während des 5. Jh. zu konstatieren, der offenbar im Zusammenhang mit vier Einnahmen der S. in der ersten H. des Jh. durch fränkische (und burgundische) Verbände und die jeweilige Rückeroberung sowie den Auswirkungen des Hunnenzuges von 451 nach Gallien steht. Die Großbauten dienten damals offenkundig als Kleinfestungen. Siedlungsaktivitäten, aber auch mil. Gruppen sind etwa während des 5.–7. Jh. für den Bereich der an der Moselbrücke gelegenen Barabarathermen nachgewiesen. Kontinuierlich besiedelt wurde auch der Bereich um die das neue Zentrum der S. bildende Doppelkirchenlage (später Dom und Liebfrauen). Neue Siedlungen entstehen außerhalb der röm. Befestigungen auf den Gräberfeldern entlang der Ausfallstraßen. Die Aufsiedlung des in weiten Teilen aufgelassenen Stadtareals der 285 ha großen, ant. ummauerten Fläche erfolgt mit zunehmender Tendenz erst wieder seit dem fortgeschrittenen 7. Jh. [6]. Eine vergleichbare Siedlungsentwicklung ist auch für Metz herausgearbeitet worden und gilt offenbar für zahlreiche S. Galliens, wo neben einem erheblichen Bevölkerungsrückgang innerhalb der spätröm. Befestigungen eine Siedlungsverlagerung, v. a. um die Heiligengräber (*loca sancta*) auf den außerhalb gelegenen Bestattungsplätzen erfolgt (vgl. etwa Jublains, Limoges, Reims oder Tours) [17; 18. 248].

Für Spanien liegen bislang nur zu wenigen Städten Unt. zu ihrer Entwicklung in Spätant. und Früh-MA

vor. Auch hier haben offenkundig die Germaneneinfälle seit dem fortgeschrittenen 3. Jh. zur Ummauerung kleiner Siedlungsareale der mittelkaiserzeitlichen Städte geführt (z. B. in Mérida oder Cartagena). Kleinere Städte erhalten nun erstmals eine Befestigung oder es kommt zu Ausbesserungen älterer, republikanischer Stadtmauern. Große spätant. Villen deuten – wie etwa auch in Südgallien – auf einen Wegzug der städtischen Oberschichten in das Umland. Die katalonische S. Tarragona erfährt eine deutliche Reduktion ihres bewohnten Areals bereits ab der Mitte des 4. Jh., als es zu einer weitgehenden Auflassung der Unterstadt kommt. Der seit westgot. Zeit im Bereich des Augustustempels am Forum bezeugte *groupe épiscopal* wird hier – wie andernorts – zum Nucleus der ma. Stadt. Insgesamt ist auch in Spanien ein deutlicher Bevölkerungsrückgang in den urbanen Zentren seit spätant. Zeit zu konstatieren [24].

Auch in Nordafrika erfolgt eine Umstrukturierung des städtischen Gefüges während des 5./6. Jh. z. T. durch Siedlungsverlagerung auf die Gräberfelder, daneben ist vielerorts eine Weiternutzung öffentlicher Monumente durch kleinteilige, offenbar private Baustrukturen nachgewiesen. Der eigentliche Niedergang vollzieht sich jedoch erst nach der byz. Reconquista im Gefolge der arab. Eroberung. Cherchell und Sétif etwa werden nahezu vollständig aufgelassen und selbst Karthago fällt am Ende wüst und wird als städtisches Zentrum von Tunis abgelöst [32].

Für Oberit. zeichnet sich für den Zeitraum vom 5.–7. Jh. anhand gut dokumentierter Beispiele das allg. Bild von Siedlungsinseln in den ehemaligen Stadtarealen inmitten von Ruinenfeldern und agrarisch genutzten Flächen ab. Seit dem 6. Jh. lassen sich immer wieder Bestattungen *intra muros* nachweisen. Es ist eine grundsätzliche Tendenz hin zu kleineren Baustrukturen feststellbar, die z. T. noch Mauerzüge älterer Bauten fortnutzen. Neben einer nun verstärkt zu beobachtenden Holzarchitektur werden aber auch selbst noch zweistökkige Privatbauten gelegentlich in Stein gebaut (Brescia, Verona). Grubenhäuser in Brescia mit vergesellschaftetem charakteristischem Fundgut verweisen auf die Anwesenheit von Langobarden neben der romanischen Bevölkerung. Neue Großbauprojekte beschränken sich auf Kirchen und Klöster [2; 3; 15].

Auch Rom ist von den Umbrüchen im 5. und 6. Jh. erschüttert worden. Hier ist ebenfalls ein wachsender Verfall der städtischen Infrastruktur und eine Auflösung der Führungsschicht zu beobachten. Neue Unt. gehen von einem Rückgang der innerhalb der aurelianischen Mauer lebenden Bevölkerung auf nur noch etwa 5% der rund 800–900 000 Einwohner des 4. Jh. aus [10. 13f.]. Bislang sind allein 82 Bestattungsplätze des 5.-7. Jh. *intra muros* ermittelt worden. Es kommt zur allmählichen Auflassung ausgedehnter unbewohnter Flächen, dem sogenannten *disabitato* im Norden, Osten und Süden der ummauerten Fläche von 1375 ha. Siedlungskerne konzentrieren sich nun um die Hauptkirchen (Lateran und Vatikan) sowie zw. Tiberschleife und Kapitol. Unter dem Pontifikat Papst Gregors des Großen (590–604) wächst die Kirche zunehmend in die Rolle des einzigen funktionierenden Ordnungsfaktors innerhalb der Stadt. Seit dem 7. Jh. lassen sich auch in der Ewigen S. Hinweise auf eine Verdichtung des Siedlungsgefüges ausmachen, die seit dem 9. Jh. eine deutliche Intensivierung erfährt [27].

D. Allgemeine Tendenzen

Insgesamt gesehen zeichnen schriftliche Überlieferung und arch. Befund für die Stadtlandschaften des ehemaligen weström. Reichsgebietes trotz regionaler Unterschiede das Bild eines deutlichen demographischen und ökonomischen Rückgangs. Römische Stadtmauern fungieren oftmals nur noch als funktionslos gewordene Hüllen innerhalb derer das lockere Siedlungsgefüge sich kaum noch von ländlichen Strukturen unterscheidet. Allenthalben scheint es zu einem Wegzug ehemaliger Eliten auf das Land gekommen zu sein, andererseits lassen sich allmählich neue Ethnien unter der Bevölkerung nachweisen. Unterschiedlich ist der Zeitraum, seit dem ant. Infrastrukturen endgültig und unwiederbringlich zusammenbrechen. Dabei scheinen mediterrane Städtelandschaften die Rudimente ant. Urbanität länger zu bewahren; auch reißt hier die Steinbauweise nie völlig ab. Anders ist die Situation in oström. Reichsgebieten, etwa in Palästina oder Syrien, die bis in das 6. Jh. hinein eine Blütezeit und erst anschließend einen Niedergang erfahren [37].

E. Die weitere Entwicklung der Städte mit antiker Wurzel

Seit dem 7. Jh. läßt sich in zahlreichen Städten eine Wiederaufsiedlung des ant. Areals beobachten, die in einen regelrechten Bauboom seit dem 9. Jh. mündet [20]. Diesen Befund hat die angelsächsische Forschung mit dem Begriff vom »Rebirth of Towns« treffend charakterisiert [21]. In zahlreichen Orten werden im Zuge der Bedrohungen durch Sarazenen, Normannen und später auch Ungarn die ant. Befestigungen instand gesetzt [vgl. z. B. 19. 161]. Rund drei Viertel der ant. S. in Zentral- und Oberit. bestehen auch noch um das J. 1000 als urbane Zentren [15; 41. 80]. Bis in das Hoch-MA hinein bleiben viele Städte mit röm. Wurzel von ihren ant. Überresten geprägt, sind durchsetzt von Ruinenfeldern, aus denen sich die Reste einstiger Monumentalbauten erheben. Etliche ma. Gründungsgeschichten argumentieren mit diesen Zeugnissen einstiger Größe. Offizielle Bildträger wie Mz. und Siegel zeigen seit dem Hoch-MA ant. Bauwerke und verweisen somit stolz auf das Alter einer Stadt [7]. Im Fall einer Fortnutzung derartiger Baukörper kennt das MA im wesentlichen nur die Möglichkeit als Burg oder als Kirche. Daneben können Amphitheater aber auch zu geschlossenen Stadtvierteln mutieren (z. B. Amiens, Arles, Assisi, Bourges, Lucca, Nîmes, Périgueux, Poitiers, Rimini, Spoleto, Tours). Nicht zuletzt aufgrund der steinernen Hinterlassenschaft ihrer großen Vergangenheit bilden die S. auf dem Gebiete des ehemaligen Imperium Romanum einen deutlichen Kontrast zu den urbanen Zentren jen-

seits der einstigen Reichsgrenzen. Mit einer allg. zu beobachtenden Versteinerung der Bauweise, der Errichtung neuer Mauerringe sowie einem deutlichen Bevölkerungsanstieg und der damit verbundenen Verdichtung des Siedlungsgefüges im Verlauf des Hoch-MA werden auch die ant. Hinterlassenschaften in den meisten S. abgetragen und der Antikenbestand auf jenen Rest reduziert, der bis h. überdauert hat. Die Transformation zur ma. S. ist damit vollzogen.

→ Handel/Handelswege
→ AWI Infrastruktur; Nachträge Straßen; Siedlungskontinuität; Stadt

1 C. Azzara, Ecclesiastical Institutions, in: [25. 85–101] 2 V. Bierbrauer, Die Kontinuität städtischen Lebens in Oberit. aus arch. Sicht (5.–7./8. Jh.), in: [8. 263–286] 3 G. P. Brogiolo, Trasformazioni urbanistiche nella Brescia longobarda. Dalle capanne in legno al monasterio regio di San Salvatore, in: G. C. Menis (Hrsg.), Italia langobarda, 1991, 101–119 4 C. Brühl, Palatium und civitas. Stud. zur Profantopographie spätant. Civitates vom 3. bis zum 13. Jh.. Bd. 1: Gallien, 1975; Bd. 2: Belgica 1, beide Germanien und Raetia 2, 1990 5 N. Christie, S. T. Loseby (Hrsg.), Towns in Transition. Urban Evolution in Late Antiquity and the Early Middle Ages, 1996 6 L. Clemens, Arch. Beobachtungen zu frühma. Siedlungsstrukturen in Trier, in: [13, 43–66] 7 Ders., Tempore Romanorum constructa. Zur Nutzung und Wahrnehmung ant. Überreste nördl. der Alpen während des MA (= Monographien zur Gesch. des MA 50), 2003 8 R. Coates-Stephens, The Walls and Aqueducts of Rome in the Early Middle Ages, A. D. 500–1000, in: The Journal of Roman Studies 88 (1998), 166–178 u. Pl. XV–XVIII 9 S. Codreanu-Windauer u. a., Die städtebauliche Entwicklung Regensburgs von der Spätant. bis ins Hoch-MA, in: P. Schmid (Hrsg.), Gesch. der S. 10 P. Delogu, La storia economica di Roma nell'alto medioevo. Introduzione al seminario, in: L. Paroli, P. Delogu (Hrsg.), La Storia economica di Roma nell'alto Medioevo alla luce dei recenti scavi archeologici (= Biblioteca di Archeologia Medievale 10), 1993, 11–29 11 T. Eaton, Plundering the Past. Roman Stonework in Medieval Britain, London 2000 Regensburg, 2000, 1013–1053 12 W. Eck, H. Galsterer (Hrsg.), Die S. in Oberit. und in den nordwestl. Provinzen des Röm. Reiches. Dt.-It. Kolloquium im it. Kulturinst. Köln (= Kölner Forsch. 4), 1991 13 S. Felgenhauer-Schmiedt, A. Eibner, H. Knittler (Hrsg.), Zw. Römersiedlung und ma. S. Aspekte zur Kontinuitätsfrage (= Beiträge zur MA-Arch. in Österreich 17), 2001 14 N. Gauthier, Le réseau de pouvoirs de l'évêque dans la Gaule du haut Moyen Âge, in: G. P. Brogiolo, N. Gauthier, N. Christie (Hrsg.), Towns and their Territories between Late Antiquity and the Early Middle Ages (= The Transformation of the Roman World 9), 2000, 173–207 15 S. Gelichi, The Cities, in: [25, 168–188] 16 M. Greenhalgh, The Survival of Roman Antiquities in the Middle Ages, 1989 17 G. Halsall, Settlement and Social Organization. The Merovingian Region of Metz, 1995 18 Ders., Towns, Societies and Ideas: The Not-so-strange Case of Late Roman and Early Merovingian Metz, in: [5. 235–261] 19 M. Heinzelmann, Bischof und Herrschaft vom spätant. Gallien bis zu den karolingischen Hausmeiern. Die institutionellen Grundlagen, in: F. Prinz (Hrsg.), Herrschaft

und Kirche. Beitr. zur Entstehung und Wirkungsweise episkopaler und monastischer Organisationsformen. Karl Bosl zum 80. Geburtstag (= Monographien zur Gesch. des MA 33), 1988, 23–82 **20** F. HIRSCHMANN, Stadtplanung, Bauprojekte und Großbaustellen im 10. und 11. Jh. (= Monographien zur Gesch. des MA 43), 1998 **21** R. HODGES, B. HOBLEY (Hrsg.), The Rebirth of Towns in the West AD 700–1050 (= CBA Research Report 68), 1988 **22** J. HUBERT, L'abbaye de Déols et les constructions monastiques de la fin de l'époque carolingienne, in: Cahiers Archéologiques 9, 1957, 155–164 **23** R. KAISER, Bischofsherrschaft zw. Königtum und Fürstenmacht. Stud. zur bischöflichen Stadtherrschaft im westfränkisch-frz. Reich im frühen und hohen MA (= Pariser Histor. Stud. 17), 1981 **24** S. KEAY, Tarraco in Late Antiquity, in: [5. 18–44] **25** C. LA ROCCA (Hrsg.), Italy in the Early Middle Ages 476–1000, 2002 **26** M. MARTIN, Die alten Kastellstädte und die germ. Besiedlung, in: Das Früh-MA (= Ur- und frühgeschichtliche Arch. der Schweiz 6), 1979, 97–132 **27** R. MENEGHINI, R. SANTANGELI VALENZIANI, La trasformazione del tessuto urbano tra V e IX secolo, in: M. S. ARENA u. a. (Hrsg.), Roma dall'antichità al medioevo. Archeologia e storia, 2001, 20–33 **28** G. MENGOZZI, La città italiana nell'alto medioevo. Il periodo langobardo-franco, 1914 **29** B. PÄFFGEN, M. TRIER, Köln zw. Spätant. und Früh-MA. Eine Übersicht zu Fragen und Forschungsstand, in: [13. 17–42] **30** B. PFERSCHY, Bauten und Baupolitik frühma. Könige, in: Mitt. des Inst. für Österreichische Geschichtsforsch. 97, 1989, 257–328 **31** B. PFERSCHY-MALECZEK, Heilbäder und Luftkurorte im ostgot. It. Zur Bewertung der Krankheit am Übergang von der Ant. zum MA, in: K. BRUNNER, B. MERTA (Hrsg.), Ethnogenese und Überlieferung. Angewandte Methoden der Frühmittelalterforsch., 1994, 68–94 **32** S. ROSKAMS, Urban Transition in North Africa; Roman and Medieval Towns of the Maghreb, in: [5. 159–183] **33** Ders., Urban Transition in Early Medieval Britain: The Case of York, in: [5, 262–288] **34** M. TRIER, Köln im 5. bis 10. Jh. – Die frühma. S. im Licht der neuen Ausgrabungsergebnisse auf dem Heumarkt, in: Kölner Museums-Bulletin 2001/1, 4–23 **35** M. UNTERMANN, Kontinuitätsbrüche: Neue S. neben röm. Zentren in Süd- und Westdeutschland, in: [13. 117–132] **36** A. VINCE, The Development of Saxon London, in: Ders. (Hrsg.), Finds and Environmental Evidence (= Aspects of Saxo-Norman London 2), 1991, 409–435 **37** A. WALMSLEY, Byzantine Palestine and Arabia: Urban Prosperity in Late Antiquity, in: [5. 126–158] **38** B. WARD-PERKINS, From Classical Antiquity to the Middle Ages. Urban Public Building in Northern and Central Italy AD 300–850, 1984 **39** Ders., Continuitists, Catastrophists, and the Towns of Post-Roman Northern Italy, in: Papers of the British School at Rome 65, 1997, 157–176 **40** M. WEIDEMANN, Kulturgesch. der Merowingerzeit nach den Werken Gregors von Tours (= Röm.-Germ. Zentralmus. Monographien 3), 1982 **41** C. WICKHAM, Early Medieval Italy. Central Power and Local Society 400–1000, 1981, ²1989 **42** H. WOLFF, Die Kontinuität städtischen Lebens in den nördl. Grenzprovinzen des röm. Reiches und das E. der Ant., in: [8. 287–318].   LUKAS CLEMENS

Staufische Renaissance A. BEGRIFF UND RENAISSANCE DES 12. JAHRHUNDERTS B. FRÜHSTAUFER C. SPÄTERE STAUFER

A. BEGRIFF UND RENAISSANCE DES 12. JAHRHUNDERTS

Die S. R. ist nur als Teil der sog. Ren. des 12. Jh. zu verstehen. Anders als die → Karolingische Renaissance ging die S. R. nicht vom Herrscher aus, sondern erwuchs aus einer europ. Aufbruchsbewegung, die sich die staufischen Könige und Kaiser zunutze zu machen wußten. Tatsächlich erfaßte dieser Aufbruch nahezu jeden Bereich von Gesellschaft und Wiss. und ging einher mit einer verstärkten Rezeption der Antike. Daher wird auch von einer »Ren. des 12. Jh.« gesprochen. C. H. Haskins machte diesen bereits bestehenden Begriff 1927 zu einer Epochenbezeichnung, die der allg. Aufbruchsbewegung seit dem letzten Drittel des 11. Jh. weitgehend gerecht wird, obgleich der Antikerezeption nur in Teilen tragende Bed. zukommt. Als ursächlich wird eine sich verändernde Stellung des Menschen zu sich selbst angenommen, die ihren Niederschlag in Schriften des der traditionellen Lehrauffassung verpflichteten Abtes Bernhard von Clairvaux (1090–1153) ebenso findet wie in den Schriften Peter Abaelards (1079–1142), der *Historia calamitatum* über seine persönlichen Niederlagen und in den Briefen an Heloise, sowie im zeitkritischen *Metalogicon* (1159) des Johannes von Salisbury (etwa 1115/1120–1180) sehr deutlich zum Vorschein kommt.

Gegen E. des 11. Jh. setzte im Wissenschaftsbetrieb die (Früh-)Scholastik ein, die der Autorität als einzigem Lehrprinzip eine Absage erteilte und dann als Hochscholastik v. a. mit Thomas von Aquin ihre wesentlichen Impulse aus der Rezeption der philos. Schriften des Aristoteles empfing.

Die Kunst, Briefe zu schreiben (→ Briefkunst/Ars dictaminis), wurde wieder verstärkt betrieben, und als maßgebliches Vorbild galt dabei Cicero, dessen Tugendkatalog man auch mit christl. Vorstellungen weitgehend für kompatibel hielt.

In der Kunst gab es gewaltige Anstrengungen zunächst mit der Bautätigkeit der Päpste nach dem Sturm der Normannen auf Rom im J. 1087. Nun fanden verstärkt ant. Formen Anwendung, bzw. Vorstellungen von ant. Formen, wie etwa die kleinchromatischen Mosaiken der Künstlerfamilie der Cosmaten in Rom, und es wurden auch verstärkt → Spolien ant. Kunst in der Architektur offen eingefügt [11. 88 f.].

Die neu entstehenden Kommunen in Nord-It. um die Wende zum 12. Jh. bedienten sich ebenfalls ant. Reminiszenzen, um der Neuartigkeit der städtischen Selbstverwaltung gerecht werden zu können, wie z. B. mit der Bezeichnung der höchsten Amtsträger als Konsuln.

Von erheblicher Bed. war die ebenfalls zum E. des 11. Jh. einsetzende Erneuerung der Rechts-Wiss., die zunächst von der röm. Kirche gefördert, bald von den Juristen in kaiserlichen Dienst gestellt und schließlich auch zum Anliegen der Kommunen wurde. In Bologna wurde seit Anf. des 12. Jh. das *Corpus Iuris Civilis* zum Thema wiss. Bemühungen (→ Römisches Recht).

B. FRÜHSTAUFER

1. ORGANISATION DER REZEPTION

Die S. R. der Ant. lebte von dieser Ren. des 12. Jh. in mehrfacher Hinsicht. Ihre Protagonisten im Umkreis des Hofes, allen voran der Bischof Otto von Freising (etwa 1112–1158), hatten vielfach Bekanntschaft gemacht mit der scholastischen Methode und verfügten über solide Kenntnisse ant. Literatur. Zu diesen hochgebildeten Klerikern im Umkreis des Kaisers Friedrich I. Barbarossa gehörte auch Wibald von Stablo und Corvey (1098–1158), dessen Bildung und Kenntnisse ant. Lit. sich u. a. in seiner umfangreichen Briefsammlung niederschlägt ([2. Nr. 167, 207 f.] letzterer über die Bücher Ciceros).

In der Auseinandersetzung mit den Kommunen Nord-It. und der röm. Kirche betonten die Staufer zunehmend das ant. Erbe ihres Kaisertums. Das schlug sich zunächst in der Rezeption der Bestimmungen des röm. Rechtes zu Kaiser und Kaisertum sowie v. a. in der panegyrischen Lit. (→ Panegyrik) nieder. Der Anspruch der staufischen Kaiser auf das ant. Erbe der Caesaren mußte seine Begründungen und Ausformungen erst langsam finden, so daß z. B. in der Kunst der Frühstaufer verstärkte Antikerezeption die Ausnahme blieb. Die Beschäftigung mit ant. Philos. und Natur-Wiss. wurde vom Hof der Frühstaufer nicht direkt gefördert. So blieb die intensive Rezeption der Ant. am staufischen Hof im wesentlichen auf die Initiative der hofnahen Gelehrten beschränkt. In dieser Zeit entstanden mehrfach Herrscherreihen, die von Caesar und Augustus direkt zu den Staufern führten.

2. RÖMISCHES RECHT UND KAISERIDEE

Die Rezeption des röm. Rechtes wurde von Kaiser Friedrich I. Barbarossa aufgegriffen, da er von der justinianischen Kodifikation die Beförderung der Kaiseridee erwartete. So empfing er schon 1158 in Roncaglia vier Bologneser Rechtsgelehrte, die ihm die erwünschte Beförderung der Kaiseridee antrugen, indem sie ihn z. B. als lebendiges Gesetz (*lex viva*) bezeichneten, in freier Übers. des Begriffes νόμος ἔμψυχος aus Justinians Nov. 105 (der Kaiser als beseeltes Gesetz). Die Rezeption des röm. Rechts durch Barbarossa begründete nur das Kaiserrecht, nicht aber eine veränderte Rechtspraxis. Das Kaiserrecht enthielt mehrere Bestimmungen, die den Kaiser als höchsten Gesetzgeber erscheinen lassen (z. B. ›princeps legibus solutus est‹, Dig. 1,3,31; Inst. 2,17,8), dessen Herrschaft unabhängig von anderen zeitgenössischen Gewalten begründet ist (z. B. die *lex regia* zur Herkunft der kaiserlichen Gewalt aus der Delegation durch Senat und Volk von Rom, zit. in Dig. 1,4,1 und Inst. 1,2,6). Die Juristen ermöglichten mit der wiss. Wiederbelebung des röm. Rechts den Staufern, ihren Anspruch auf das Erbe der ant. Caesaren staatsrechtlich auszubauen und auf diese Weise dem päpstlichen Anspruch auf Superiorität zu begegnen.

Noch vor seiner Kaiserkrönung gebrauchte Friedrich Barbarossa im J. 1152 in seiner Wahlanzeige an Papst Eugen III. für sich die Bezeichnung Vater des Vaterlandes (*pater patriae*) (MGH DF I 5), mit der er die Bed. der polit. Antikerezeption für seine spätere Kaiseridee ankündigte. Otto von Freising überliefert die zurückweisende Antwort Friedrich Barbarossas auf das wiederholte Angebot, sich vom röm. Senat zum Kaiser krönen zu lassen, mit der Friedrich seinerseits deutlich macht, wie sehr seine polit. Idee in ant. Formen gefaßt ist, und erkennen läßt, daß er die Kontinuität zum ant. Rom bereits in seiner Herrschaft begründet sieht. Trotz der harschen Zurückweisung des stadtröm. Ansinnens ist es wahrscheinlich, daß die staufische Kaiseridee von den Vorstellungen der zeitgenössischen Römer inspiriert wurde [6], womöglich in der Ergänzung des Reichstitels Sacrum Imperium durch »Romanum« (nach [42. 376 f.], ausführlich [28]), vielleicht sogar für den bald in der Kanzlei einsetzenden Gebrauch des aus der ant. kaiserlichen Sphäre stammenden Epithetons *sacer* für das Reich [6]. Daß von der Seite Friedrichs und seines Hofes die röm. Vorstellungen von der Gültigkeit der Erneuerung des ant. Senates durch Stadtrömer (Renovatio Senatus, 1143) und ihres Anspruches auf Beteiligung an der Kaisererhebung unter Verweis auf die ant. *lex regia* ernstgenommen wurden, wird inzw. nicht mehr ernsthaft bestritten [32; 36].

3. LITERATUR

Wie im Umgang der Staufer mit der Rechts-Wiss., so zeigt sich auch in der lat. Lit. seit der zweiten H. des 12. Jh. eine unübersehbare Selbstverständlichkeit der Autoren im Umgang mit der ant. Kultur, auch der heidnischen. Besonders Bischof Otto von Freising zeigt in seiner Chronik eine umfassende Kenntnis ant. Geschichte und ant. Autoren, von denen er neben Orosius u. a. Plato, Aristoteles, Cicero, Vergil, Horaz, Ovid, Iuvenal, Lucan, Statius, Pindar, Sallust und vielleicht Sueton benutzte. Unter dem Eindruck der ital. Angelegenheiten, der Kaiserkrönung und der Auseinandersetzungen Barbarossas mit dem Bund der lombardischen Kommunen stehen die *Gesta Frederici* Ottos und seines Fortsetzers Rahewin von Freising, wobei letzterer ebenfalls beachtliche Kenntnisse der Ant. erkennen läßt [30]. Ebenfalls von ital. Angelegenheiten handeln anon. Epen wie der *Ligurinus* und das *Carmen de Gestis Frederici I imperatoris in Lombardia*, die den Helden Barbarossa mit konsequent antikisierenden Worten feiern, wobei die Autoren beider Dichtungen nicht dem persönlichen Umfeld des Kaisers zuzurechnen sind; ähnlich verhält es sich mit den Versen des Archipoeta. Mit histor. Werken tat sich der Hofkaplan Gottfried von Viterbo (um 1125 bis etwa 1192/1200) hervor, dessen Schriften (v. a. *Pantheon*, letzte Fassung 1190) der Begründung der staufischen Erb-Kaiseridee dienen, indem sie die staufische Herrschaft in einen weltgeschichtlichen Zusammenhang einfügen, in dem Geschichte und mythische Fabel kenntnisreich miteinander verwoben sind.

4. KUNST

Die Kunst des 12. Jh. fand zu neuen Formen, ausdrückliche Rezeption der Ant. ist in der staufischen Kunst jedoch nur selten zu erkennen. Im Falle der kaiserlichen Goldbullen ist der Bezug auf die Stadt Rom nicht neu und auch in anderen Bereichen ist eine große Kontinuität zu den kaiserlichen Vorgängern zu erkennen. Möglicherweise war die intensive Bautätigkeit mit dem Ausbau und der Errichtung von Kaiserpfalzen zur Zeit Barbarossas inspiriert von einem Antikenbild, in der Ausführung lassen sich jedoch ebenfalls nicht notwendigerweise Antikenbezüge erkennen. Ganz anders verhält sich das mit dem Cappenberger Barbarossakopf, den der Kaiser seinem Taufpaten Otto von Cappenberg schenkte. Der Kopf wurde möglicherweise später zu einem Reliquiar des Evangelisten Johannes umgestaltet. Die Ähnlichkeit der angeblich der natürlichen Erscheinung des Kaisers nachgebildeten Plastik mit sassanidischen Portraits ist bestechend [37]. Der Kaiser wird durchaus als ant. Imperator dargestellt, er trägt noch die Imperatorenbinde, verlorengegangen ist die kaiserliche Bekränzung, die für die Sieghaftigkeit des Herrschers steht. Darüber hinaus scheint das Bildnis als *imago clipeata* gestaltet zu sein, nämlich in Anlehnung an die von Viktorien bekränzten ant. Medaillons, die urspr. die Kaiserapotheose versinnbildlichten und später eine Heiligung im christl. Sinne zeigten, da den Herrscher anstelle der Viktorien nunmehr Engel emporführten (→ Apotheose). Die Herstellung von plastischen Portraits ist neu und läßt auch mit dem Reliquiar Papst Alexanders I. aus Stavelot antikisierende Formen erkennen (1145, hergestellt auf Veranlassung von Wibald von Stavelo (= Stablo) und (seit 1146) Corvei, h. Brüssel, Musées royaux d'Art et d'Histoire, Nr. 1031 [19. Nr. 542, Abb. 333]).

C. SPÄTERE STAUFER

1. ÜBERGANGSZEIT UND ORGANISATION DER REZEPTION

Die Zeit Kaiser Heinrichs VI. bringt eine neue intensive Rezeption der Ant. auf lit. Gebiet, die z. T. noch in Kontinuität zur Zeit Kaiser Friedrich Barbarossas stand, aber von der besseren Organisation des sizilischen Königshofes profitierte, an dem die Rezeption der Ant. Tradition hatte. Im reich illustrierten *Liber ad honorem Augusti* des Petrus de Ebulo findet sich bereits jener Herrscherkult, der die Zeit Kaiser Friedrichs II. bezeichnet, nämlich eine theologisch gewagte Mischung aus der Rezeption ant. Myth. und Herrscherverehrung sowie biblischer Herrschaftsidee, mit der der Kaiser Heinrich als Friedensherrscher der Endzeit beschrieben wird, in dessen Reich die wilden Tiere einträchtig beieinander leben und frei nach Vergil die saturnische Zeit und die friedliche Herrschaft Jupiters (›regna quieta Iovis‹) zurückkehrten (particula (III) 48). Sein kleiner Sohn, der spätere Friedrich II., wird geradezu als der verheißene Knabe gepriesen und mit den Attributen Sonne und Sohn des Jupiter belegt (particula (II) 44 [3]).

Kern der Herrschaftsorganisation Friedrichs II. war sein Königreich Sizilien. Dort schuf er die Basis für ei-

nen ausgeprägten Herrscherkult, indem er bestehende Herrschaftsformen mit allen ihm zur Verfügung stehenden Mitteln ausbaute, so daß nicht ganz zu Unrecht von seinem sizilischen Staat gesprochen wird. Das gab ihm die Möglichkeit, viel stärker als seine kaiserlichen Vorfahren Kunst und Kultur zu fördern und in seine Dienste zu stellen. Er gründete die → Universität Neapel (1224) in Konkurrenz zu Bologna mit der vorrangigen Aufgabe, Gelehrte für den Dienst in seinem Reich auszubilden. An seinem Hof sammelte er Gelehrte der verschiedensten Disziplinen, denen er seine Fragen vorlegte, und mit denen er diese auch kompetent diskutieren konnte.

Sein Interesse galt dabei nicht der Ant. als Vorbild, sondern den Problemen selbst, zu deren Lösung bzw. Thematisierung die befragten Gelehrten und schließlich auch der Kaiser selbst immer wieder ant. Beobachtungen, Erfahrungswerte und Theorien bemühten, die nicht selten von arab. und jüd. Gelehrten vermittelt waren. Gerade in seine Zeit fällt die intensive Aristotelesrezeption, die beständig durch Übers. weiterer Werke genährt wurde. Aristoteles wurde zu dieser Zeit über die arab. Kultur vermittelt, und mit ihm kamen zeitgenössische Werke arab. Aristoteleskommentatoren wie Avicenna (Ibn Sīna, 973/980–1037) und Averroës (Ibn Rushd, 1126–1192) in die lat. Welt (→ Arabischislamisches Kulturgebiet).

Das besondere Interesse Friedrichs galt den Naturwiss., über die er v.a. mit Michael Scotus diskutierte, der selbst auch als Übersetzer hervortrat.

2. RÖMISCHES RECHT UND KAISERIDEE

Neben den natur- und geisteswiss. Interessen Friedrichs waren Fragen des Rechts und der Gesetzgebung für den Herrscher von besonderer Bedeutung. Bei der Ordnung seines Reiches und der Propagierung seiner kaiserlichen Größe bediente sich Friedrich bes. der Gesetzgebung, für die er neben den bestehenden Rechtsgewohnheiten, darunter befanden sich in Sizilien auch Relikte röm. Rechts, umfangreiche Anleihen beim röm. Recht machte. Mit den Konstitutionen von Melfi erließ er ein regelrechtes Gesetzbuch, mit dem er sich als Nachfolger Justinians zu erkennen gab [34. II. 194 ff.]. Sein Vorbild findet sich u.a. in den Ketzergesetzen wieder, die konsequent die kaiserliche Rolle als *lex animata* und *alter Christus* ausgestalten. Die kaiserliche Majestät steht stellvertretend für die *maiestas Domini*, Vergehen gegen den Kaiser werden als Vergehen gegen Christus gewertet ([4. I. 1], dazu [25. 42]).

Neben der kaiserlichen Selbstbezeichnung als beseeltes Gesetz auf Erden (›lex animata in terris‹), nach dem νόμος ἔμψυχος aus Nov. 105 ([40. 336 f.] mit Belegen) und der Rezeption der *lex regia* [4. I. 31]), ist die Institution der *defensa* bemerkenswert. An jedem Ort im Königreich Sizilien sollte eine zu Unrecht bedrohte Privatperson mit der Anrufung des kaiserlichen Namens die Angelegenheit zu einer kaiserlichen Sache machen können. Im Falle der Nichtbeachtung der Anrufung sollte der Verfolger wie ein Verfolger des Kaisers behan-

Abb. 2: Kopf aus Lanuvio.
Süditalien, 2. Viertel des 13. Jahrhunderts.
(DAI Rom Inst.Neg. 54.1)

Abb. 1: Augustus (Haupttypus, Stirnhaare in Form von
»Gabel und Zange«, 27 v. Chr. - 16 v. Chr.), vermutlich
kurz nach der Verleihung des Augustusnomens 27 v. Chr.
Rom, Palazzo dei Conservatori Inv. 2394

delt werden. Die Gewohnheit gab es in Sizilien bereits
zuvor, bezeugt für örtliche Gewalten, die angerufen
werden konnten; zu einem Rechtsinstitut machte sie
indes erst Friedrich in den Konstitutionen von Melfi [4.
I.16–19]. Sein Ursprung liegt aber vermutlich in hell.
Rechtsvorstellungen, die ja auch in der röm. Kaiserzeit
mit der kaiserlichen Allgegenwärtigkeit in seinen Statuen bestanden [22]. Antike Wurzeln hatte sicherlich
auch die Verordnung des kaiserlichen Geburtstages als
Feiertag vom J. 1233 [34. II. 349]. Die Wege der Vermittlung ant. Vorstellungen im einzelnen nachzuvoll-
ziehen, ist im Falle Friedrichs II. außerordentlich
schwierig, da neben der traditionellen *latinitas* sizilische
Gewohnheiten, byz. Einflüsse und z. T. auch arab. An-
tikevermittlung in Frage kommen.

Friedrich förderte Lit., bes. auch volkssprachliche,
und war deshalb und wegen seiner ausgeprägten Herrschaftsidee beliebter Adressat von Preisgedichten, die
zum Teil auch Angehörigen seines Hofes galten, etwa
seinem Kanzler Petrus de Vinea, dessen umfangreiche
Briefsammlung einige sonst verlorene Briefe Friedrichs
überliefert. Neben den kunstvollen Briefen des Petrus
stehen die des Kaisers selbst, möglicherweise nicht ohne
Zutun seines Kanzlers. In ihnen, bes. aber in den Briefen
an die Römer, kommt in beachtlicher sprachlicher Ge-
wandtheit die Rom- und Kaiseridee des Kaisers zum
Ausdruck und damit seine differenzierte Antikerezeption, wie sie sich auch noch in dem Manifest seines un-

ehelichen Sohnes König Manfred von Sizilien an die
Römer als Bewerber um die Kaiserkrone findet (ed.
[1. 216–229]).

3. KUNST

Bei der Beurteilung der Antikerezeption in der
Kunst um Friedrich II. wird deutlich, wie unklar letztlich die Rolle der Ant. für die kaiserliche Selbstdarstellung ist. Nachdem lange Zeit zahlreiche vermutlich ant.
Portraits der Zeit Friedrich II. zugeschrieben wurden,
werden nunmehr auch solche mit einem Fragezeichen
versehen, die bei aller ikonographischen Ähnlichkeit
mit Bildnissen des Augustus (Abb. 1) doch nur wenige
Merkmale klass. Porträtkunst aufweisen, wie etwa der
Kopf von Lanuvio (Abb. 2; so [12. 195 f.] und [13. 219],
anders [18. 385 ff.]), dessen Augustusähnlichkeit im Falle, daß er Friedrich II. darstellte, sehr gut zu den Augustalen paßte, den Goldmünzen Friedrichs, die außer
ihrem Namen in ihren späteren Prägungen ebenfalls
wesentliche Ähnlichkeiten mit Bildnissen des Augustus
haben, v. a. mit den Münzportraits auf den Denaren und
Aurei (→ Münze, Münzwesen, Abb. 2). Ikonographische Ähnlichkeiten gibt es bei einigen Emissionen der
Augustalen auch mit Münzportraits Konstantins
[23. 90].

Daß der Kaiser als Augustus dargestellt wurde, wird
wahrscheinlicher, wenn man seine polit. Antikerezeption in den Briefen an die Römer berücksichtigt, die
den Kaiser als Nachfolger und Erben von Caesar und
Augustus zeigen, und neben der Betonung der Titel *caesar* und *augustus* den Kaiser selbst als neuen Caesar bzw.
Augustus darstellen [33].

Abb. 3: Der Adler des Jupiter bringt Siegespalme und *corona civica* (Kamee, nach 27 v. Chr.). Wien, Kunsthistorisches Museum, Inv.-Nr. IX A 26

Dagegen steht der Verzicht auf sichtbare Antikerezeption in der Architektur, bei der man sich darauf beschränkt, in figürlichem Schmuck etwa die *Iustitia* zu betonen und möglicherweise den ant. herrscherlichen Adventus zu rezipieren, wie mit dem Brückentor von Capua.

Fast alle traditionellen Formen der Kunst im Dienst des Herrschers zeigen keine besondere Rezeption der Antike. Ganz anders verhält es sich mit einer neuen Form herrscherlicher Kunst. Aus dem Umkreis Friedrichs II. stammen Gemmen und Kameen (→ Steinschneidekunst: Gemmen) in großer Zahl, deren Gestaltung frühkaiserzeitliche Vorbilder nahelegt bis hin zu großer Ähnlichkeit mit augusteischen Stücken. Friedrich II. selbst sammelte ant. geschnittene Steine, was erklärt, warum einige Steine seiner Zeit so große Ähnlichkeit mit ant. Stücken aufweisen, daß man sie ohne weiteres für ant. halten könnte [13. 216f.]. Auch hier scheinen unter den Vorbildern der Kunst um Friedrich II. augusteische Stücke (Abb. 3) gewesen zu sein, etwa für die vielen Adlerdarstellungen (Abb. 4), so auch auf dem Revers der Augustalen.

→ Glossatoren; Herrscher; Imperium; Münze, Münzwesen; Porträt; Sacrum Imperium; Übersetzung
→ AWI Augustus; pater patriae

QU 1 E. DUPRÉ THESEIDER, L'idea imperiale di Roma nella tradizione del medioevo, 1942 2 Monumenta Corbeiensia, PH. JAFFÉ (Hrsg.), 1964, 76–622 3 PETRUS DE EBULO, Liber ad honorem Augusti sive de rebus Siculis, hrsg. v. TH. KÖLZER, M. STÄHLI, 1994 4 W. STÜRNER (Hrsg.), Die Konstitutionen Friedrichs II. für das Königreich Sizilien, 1996

LIT 5 R. L. BENSON, G. CONSTABLE (Hrsg.), Ren. and Renewal in the Twelfth-Century, 1982 6 R. L. BENSON, Political renovatio, in: [5. 339–386] 7 K. BOSL, Europa im Aufbruch, 1980 8 CH. BROOKE, The twelfth century Ren., 1969 9 TH. BUYKEN, Das Röm. Recht in den Konstitutionen von Melfi, 1960 10 M. S. CALÒ MARIANI, R. CASSANO (Hrsg.), Federico II. Immagine e Potere, 1995 11 P. C. CLAUSSEN, Renovatio Romae, in: B. SCHIMMELPFENNIG, L. SCHMUGGE (Hrsg.), Rom im hohen MA. FS R. Elze, 1992, 87–125 12 Ders., Die Erschaffung und Zerstörung des Bildes Friedrichs II. durch die Kunstgesch., in: K. KAPPEL, D. KEMPER, A. KNAAK (Hrsg.), Kunst im Reich Kaiser Friedrichs II. von Hohenstaufen, 1996, 195–209 13 A. ESCH, Friedrich II. und die Ant., in: Ders., N. KAMP (Hrsg.), Friedrich II., 1996, 201–234 14 ST. FERRUOLO, The Twelfth-Century Ren., in: R. TREADGOLD (Hrsg.), Renaissances before the Ren., 1984, 114–143 15 A. GIULIANO, Il ritratto di Federico II: gli elementi antichi, in: Xenia 5, 1983, 63–70 16 H.-W. GOETZ, Das Geschichtsbild Ottos von Freising, 1984

Abb. 4: Adler mit Schlange in den Fängen
(Sardonyx, Süditalien, um 1250).
München, Residenz-Schatzkammer, WAF, Kat.-Nr. 11

17 CH.H. HASKINS, The Ren. of the 12th Century, 1927
18 U. HAUSMANN, Zur Bed. des röm. Kaiserbildes im MA,
in: MDAI, Rom. Abt. 97, 1990, 383–393 19 R. HAUSSHERR
(Hrsg.), Die Zeit der Staufer. Gesch. – Kunst – Kultur. Kat.
der Ausstellung, 5 Bde., 1977 20 P. JOHANEK, Kultur und
Bildung im Umkreis Friedrich Barbarossas, in:
A. HAVERKAMP (Hrsg.), Friedrich Barbarossa, 1992, 651–677
21 E. H. KANTOROWICZ, Kaiser Friedrich II., (1927/1931)
Ndr. 1993 22 Ders., Kaiser Friedrich II. und das Königsbild
des Hell. (1952), in: G. G. WOLF (Hrsg.), Stupor Mundi,
1966, 296–330 23 H. KOWALSKI, Die Augustalen Kaiser
Friedrichs II., in: Schweizerische Numismatische
Rundschau 55, 1976, 77–150 24 D. E. LUSCOMBE, G. R.
EVANS, The twelfth-century ren., in: The Cambridge
History of Medieval Political Thought c. 350–c. 1450,
(1988) 1995, 306–338 25 M. MACCONI, Federico II –
Sacralità et potere, 1994 26 L. B. MORTENSEN, The Texts
and Contexts of Ancient Roman History in
Twelfth-Century Western Scholarship, in: P. MAGDALINO
(Hrsg.), The Perception of the Past in Twelfth-Century
Europe, 1992, 99–116 27 E. PANOFSKY, Ren. and
Renaissances in Western Art, 1960 28 J. PETERSOHN, Rom
und der Reichstitel »Sacrum Romanum Imperium«, 1994
29 M. POMTOW, Über den Einfluß der altröm.
Vorstellungen vom Staat auf die Politik Kaiser Friedrichs I.
und die Anschauungen seiner Zeit, (Diss.) Halle 1885
30 S. REISNER, Form und Funktion der Imitatio bei
Rahewin. Die Verwendung ant. Vorbilder in seinem Anteil
an den »Gesta Frederici I. imperatoris«, in: Mitt. des
Österreichischen Inst. für Geschichtsforsch. 104, 1996,
266–285 31 T. STIEFEL, The Intellectual Revolution in
Twelfth-Century Europe, 1985 32 J. STROTHMANN, Kaiser

und Senat, 1998 33 Ders., Caesar und Augustus im MA.
Zwei komplementäre Bilder des Herrschers in der
staufischen Kaiseridee, in: M. BAUMBACH (Hrsg.), Tradita et
Inventa, 2000, 59–72 34 W. STÜRNER, Friedrich II., 2 Bde.,
1992, 2000 35 TH. SZABO, Römischrechtliche Einflüsse auf
die Beziehung des Herrschers zum Recht, in: Quellen und
Forsch. aus it. Archiven und Bibl. 53, 1973, 34–48
36 M. THUMSER, Die frühe röm. Kommune und die
staufischen Herrscher in der Briefslg. Wibalds von Stablo,
in: Dt. Archiv für Erforsch. des MA 58, 2001, 111–147
37 R. TÖLLE-KASTENBEIN, Der Cappenberger
Barbarossa-Kopf und sassanidische Porträts, in: A&A 21,
1975, 111–139 38 P. TOUBERT, A. PARAVICINI BAGLIANI
(Hrsg.), Federico II, 3 Bde., 1994 39 H. WENTZEL,
Antiken-Imitationen des 12. und 13. Jh. in It., in: Zschr. für
Kunst-Wiss. 9, 1955, 29 ff. 40 G. WOLF, Kaiser Friedrich II.
und das Recht, in: ZRG, Rom. Abt. 102, 1985, 327–343
41 Ders., Imperator und Caesar. Zu den Anf. des staufischen
Erbreichsgedankens, in: Ders. (Hrsg.), Friedrich Barbarossa,
1975, 360–374 42 K. ZEILLINGER, Kaiseridee, Rom und
Rompolitik bei Friedrich I. Barbarossa, in: I. LORI
SANFILIPPO (Hrsg.), Federico I Barbarossa e l'Italia, 1990,
367–419.   JÜRGEN STROTHMANN

Steinschneidekunst: Gemmen
A. FORSCHUNGSGESCHICHTE
B. GEGENWART

A. FORSCHUNGSGESCHICHTE
1. MITTELALTER BIS SPÄTRENAISSANCE

Das Interesse an geschnittenen Steinen war während
des frühen MA stark zurückgegangen. Zur Verzierung
von Gegenständen benutzte man zwar farbenprächtige
Schmucksteine, jedoch meist ohne figürliche Motive.
In karolingischer und staufischer Zeit (9. Jh.;
12./13. Jh.) wurden dann wieder Kameen geschnitten
[2; 11. 2. Anm. 3, 375. Anm. 2 und 6, 380. Anm. 30].
Die ant. G. und Kameen genossen im MA wegen ihrer
Qualität und ihres hohen Alters großes Ansehen, berühmte Stücke wurden – trotz ihrer heidnischen Motive
– als Schmuck an kirchlichen Reliquiaren und Kreuzen
[11. 2. Anm. 2, 380. Anm. 30] angebracht (Dreikönigs-
schrein, Kölner Dom; Lotharkreuz, Aachener Münster;
→ Herrscher, Abb. 5). Durch Einwirkung von → Byzanz und z. B. aufgrund des Buches von Plinius über die
Edelsteine (Plin. nat. 37) standen v. a. die mit allerlei
Bed. belegten Varietäten der Steine selbst im Vordergrund, die mit der Lehre der Alchimisten (→ Naturwissenschaften VII. Chemie/Alchemie) neues Interesse
fanden und in ma. Lapidarien abgehandelt wurden (z. B.
Marbodus, Albertus Magnus, 12./13. Jh.).

Seit der Ren. erwachte ein verstärktes Interesse an
ant. G., die wegen der Härte und Kostbarkeit der Edelsteine als die am besten erhaltenen Kunstdenkmäler aus
der Ant. galten. Glyptik war bald an allen fürstlichen
Höfen Europas für die Schatzkammern gefragt, wobei
die erhaltenen G.-Sammlungen neben ant. auch viele
neuzeitliche Stücke enthielten. Das neue Interesse für
die ant. G. führte auch zur Wiederbelebung der Steinschneidekunst: vgl. Vasaris Listen neuer G.-Schneider

(1550), die versuchten, *all' antica* Bilder in Edelsteine zu gravieren [11. 3. Anm. 4, 388 ff., 440 f.]. Es entstanden erneut Steinschneidewerkstätten (vgl. Holzschnitt im *Ständebuch* von Jost Ammann, 1568 [11. 3; 13. IX]). Mit dem Aufkommen des Buchdruckes begann man, »alte« G. in Kupferstichen abzubilden, anhand derer die G. »wiss.« erörtert werden konnten; Beispiele sind die Stiche von Enea Vico [13. 38]. Fulvio Orsini, der gelehrte *padre* der *iconographia antica*, veröffentlichte in *Imagines et elogia virorum illustrium* (1570) Porträts ant. G., und auch die berühmte *Dactyliotheca* (1601) des Holländers Abraham Gorlaeus hatte als Sammlungspublikation bereits wiss. Ambitionen [8. 68 f.; 11. 3 f.; 13. 30 f.].

2. 17. UND FRÜHES 18. JAHRHUNDERT

Anfang des 17. Jh. hatte die Beschäftigung mit ant. G.-Kunst geradezu fieberhafte Formen angenommen. Nicht nur fürstliche Kreise, sondern auch wohlhabende Bürger wie der Nürnberger Handelsmann P. Praun [7. 66 f.] und Künstler wie etwa P. P. Rubens sammelten G. für ihre Kabinette [11. 5 f.; 13. 19. Anm. 57]. Beachtliche Bestände an prächtig ausgestatteten G.-Büchern boten aus der Ant. schöpfende Komm. über die Ringe und Steine: Lungus (1615), Kirchmann (1623), Kornemann (1654) [11. 4 f.; 13. 37 f.], später La Chausse, Stephanoni, Canini, Beger, Bellori, de Wilde, Cheron, Gronovius, Agostini, Maffei u. a. [13. 5 ff., 30 ff.]. Man sammelte im Trend der Zeit G. und bekundete durch aufwendige Publikationen Gelehrsamkeit und Vornehmheit (Abb. 1: Ficoroni im Disput, die 4 Bände Maffeis auf dem Tisch). Mit ihren in einem Band vereinten und mit Kupferstichen illustrierten Dissertationen entfachten die »Gelehrten« J. Chiflet und J. Macarius zur Mitte des 17. Jh. die Diskussion um die im 2.–4. Jh. populäre Gattung der Magischen G. [8. 73 ff.; 11. 4; 13. 32 f.] Vor allem Chiflets vereinfachte Kupfer-

stiche dienten nun neuzeitlichen G.-Schneidern als Vorlage zur motivischen Ergänzung von Sammlungen oder um nach ant. Trad. neu produzierte Amulette in Umlauf zu bringen [7. 348 ff.; 8. 73 ff.]. Für den aufblühenden Kunsthandel bot der Venezianer Antonio Capello eine vorrangig auf Magischen G. basierende Sammlung an, die Landgraf Karl I. von Hessen 1700 für Kassel erwarb [1. Bd. III. 179 f.; 12. 1 ff.], noch bevor Capellos *Prodomus iconicus* 1702 mit werbewirksamem Frontispiz und prospektähnlichen Tafeln erschienen war. Die Magischen G. hatten solche Aktualität gewonnen, daß B. Montfaucon später in seiner berühmten Enzyklopädie *L'antiquité expliquée* (1719) sowohl Chiflets Kupferstiche als auch Capellos »Verkaufskatalog« nochmals abdruckte [13. 33, 42 f.].

3. DIE EPOCHE DER AUFKLÄRUNG

Im Glauben an die G. als besterhaltene Kunstdenkmäler der Alten drängte man zur wiss. Erforschung. Da die Bed. der Steine und insbes. die Geheimnisse der »gnostischen Abraxen« (Magische G.) kaum zu ermitteln waren, wandte man sich nun den ästhetischen Formen zu. Das erste wiss. Werk über ant. G. mit einigermaßen getreuen Kupferstichen war 1724 erschienen: Baron Philipp von Stoschs *Gemmae antiquae caelatae*, ein Musterbeispiel für den Rationalismus der Aufklärungsbewegung (Abb. 2 + 3). Winckelmann, für den Stosch Promotor und Vorbild zugleich war, griff dessen wiss. Ansatz auf und führte ihn in seinem Kat. der Stosch'schen G.-Sammlung weiter: *Description des pierres gravées du feu Baron de Stosch* (1760), ein Buch, das seinem Autor das Laudeat der Akad. von Cortona, die Mitgliedschaft der Malerakad. von St. Luca in Rom sowie die Ehrung durch die Society of Antiquaries in London brachte und ihm zur steilen Karriere verhalf [13. 77]. Jedoch blieb Winckelmanns in akad. Frz. geschriebenes

Abb. 1: Pier Leone Ghezzi, Der Antiquar Ficoroni im Gemmengespräch, Zeichnung. Wien, Albertina

Abb. 2: Winckelmanns »Tydeus«, etruskischer Karneol-Skarabäus, 5. Jh. v. Chr. Berlin, Antikenmuseum, Staatliche Museen

Buch trotz nachträglicher Versuche zur Herstellung von Tafeln unbebildert [13. 181 ff.]. Das letztliche Scheitern Schlichtegrolls (1775) in dieser Reproduktionstechnik führte schließlich zur Abkehr von den Kupferstichen [8. 81 ff.; 13. 145 ff.]. Die Verherrlichung der über »Kupfer« vermittelten ant. G.-Bilder war der Skepsis gegenüber ihrer Abbildungstreue gewichen, zumal der Eindruck wegen der meist unzugänglichen Originale unüberprüfbar war. Inzwischen waren phantasievolle Kreationen auf dem Markt, wie etwa Monaldinis Tafeln (Abb. 4) und die Allegorien des Duc d'Orleans, und beeinträchtigten die authentische Rezeption. Bei Versuchen, G.-Bilder durch Abdruck in Wachs, Siegellack oder Gips in ihren plastischen Dimensionen zugänglich zu machen, hatte sich eine von D. Lippert in Dresden erfundene Gipstechnik am besten bewährt [7. 82 ff.; 13. 137 ff]. Lipperts Abdrücke leiteten ab 1755 das Zeitalter der Daktyliotheken ein und lösten allmählich das der Kupferstiche ab. Die »Gipse« in den Schubladen der

Abb. 4: Tafel aus Monaldini, *Novus Thesaurus ...*, um 1797

Kästen in Buchform schätzte man nach und nach sogar mehr als die Originale selbst und nutzte sie als Studiensammlungen. Die fabrikmäßige Herstellung von Abgußserien öffnete den G.-Bildern den Einzug in die Allgemeinbildung, ja ließ sie zu Lernmitteln in den preußischen Schulen werden. Das gut gemeinte Buch des Professor Klotz *Über den Nutzen und Gebrauch der geschnittenen Steine und ihrer Abdrücke* (1768) hatte diese Popularisierung zum Ziel, stieß allerdings auf heftigste Kritik Lessings, dessen scharfe Rezension als klass. Verriß und als Appell zur strikten Einhaltung des wiss. Anspruchs in die Weltlit. einging [13. 164 ff.]. Winckelmanns gleichzeitig erscheinende Schriften signalisierten die Geburtsstunde der stilistisch argumentierenden Kunstgeschichte als Wissenschaft. In der Folge dominierte ein starker Skeptizismus, bestärkt noch durch das Fälscherproblem, dem mit Kupferstichen und Daktyliotheken nicht beizukommen war [13. 186 ff.].

4. 19. JAHRHUNDERT

Wenngleich im Biedermeier gerahmte G.-Abdruckkästchen an den Wänden von Bürgerstuben und sogar eßbare G.-Pasten aus Zucker en vogue waren, befand sich die eigentliche G.-Kunde im Niedergang. Rettungsversuche wie die um die Wende zum 19. Jh. erschienenen und immer noch für G. werbenden Schriften von Gurlitt und Roth (1798, 1805) [8. 65, 82 f.;

Abb. 3: Winckelmanns »Stosch'scher Stein«, etruskischer Karneol-Skarabäus, 5. Jh. v. Chr. Berlin, Antikenmuseum, Staatliche Museen

13. 168 ff., 184 f.] oder neu produzierte Daktyliotheken, von denen der nach der Gründung des DAI (1831; → Deutsches Archäologisches Institut) von Eduard Gerhard initiierte Gipsabdruck-Corpus von Tommaso Cades (1831–1868) mit seinen 78 Klappkästen die größte war [13. 194 f.], blieben vergeblich. Erst nach 1871 hatte der Archäologe Heinrich Brunn mit seinen Unt. der Meistersignaturen auf G. wieder auf die ›besten Quellen aus der Ant.‹ zurückgeblickt [13. 199 ff.]. In England wies C. W. King – mit einigen wenigen, mangelhaften Nachzeichnungen von Magischen G. im Text seines Buches *The Gnostics and their Remains* (1887) – auf die verborgenen Botschaften in der Gattung der Magischen G. hin, war jedoch außerstande, die Bilder und Inschr. inhaltlich zu deuten. Der Münchner Archäologe A. Furtwängler – ein Schüler Brunns [13. 203] – verriß zwar in seinem monumentalen dreibändigen Werk *Die ant. G.* Kings Buch [13. 213], hinterließ jedoch ähnlich wie jener den Appell an die Zukunft, in den kleinen noch unzulänglich erforschten Kunstwerken nach einem erweiterten Ant.-Verständnis zu suchen. Die Appelle beider Forscher blieben nicht vergeblich, wie sich ein halbes Jh. später zeigen sollte.

5. 20. Jahrhundert

Nach den Weltkriegen leitete die Neuakzentuierung der Altertumswiss. als eine umfassende Wiss. von der Ant., die nicht nur die Kunst, sondern alle verfügbaren Dokumente miteinbeziehen wollte, ein erneutes Revival der G. ein. Der dt. Papyrologe K. Preisendanz legte gleich nach dem II. Weltkrieg sein Werk *Papyri Graecae Magicae* vor, das bald danach in kommentierten Übers. zur Verfügung stand [8; 10]. Mit Hilfe der Papyritexte konnten jetzt erstmals die Bilder, Inschr. und Zauberformeln der lange bekannten, jedoch unverstandenen Magischen G. erklärt und ihr synkretistischer Charakter erhellt werden. Auf dieser Grundlage publizierten sodann A. Delatte und Ph. Derchain die große Pariser Sammlung Magischer G. erstmals aus der Sicht von Ägyptologen [5], wobei evident wurde, daß dieser G.-Gattung nur durch interdisziplinäre Forsch. beizukommen war. Doch nach wie vor erschwerte die Wiedergabe der Stücke als flaue Gipse infolge der Spiegelverkehrtheit das Lesen der Zauberinschriften. In seinem Aufsatz über die G.-Sammlung J. Jantzen operierte der Hamburger Archäologe P. Zazoff erstmals mit vergrößerten Aufnahmen der Originale in Rekto und Verso und wurde aufgrund dieser Innovation vom DAI mit der Organisation und Herausgabe der AGD-Kat. beauftragt [1. Bd. 1.7 f.]. 1968–1975 erschien diese Katalogreihe – bis h. die einzige Publikation des Gesamtbestandes eines Landes. Lückenlos waren die G. nun mit schwarz-weißen Fotographien von Rekto und Verso wiedergegeben und im Text nach feststehendem System erörtert. Mit Originalfotos, unterstützt von Gipsabdruckbildern und übersichtlicher Systematik im Text, begann man nun auch mit der Publikation der minoischen und myk. Siegel (CMS) und machte schließlich auf allen Gebieten der Glyptik zahlreiche G.-Sammlungen in ganz Europa und den USA in Form von technisch adäquaten Museumskat., Monographien oder Aufsätzen publik. Auf der Basis einer »Mentalitätsgeschichte« drangen, von den USA ausgehend, das Thema der → Magie sowie die mit ihr verbundenen Zeugnisse stärker ins Zentrum wiss. Interesses, so daß man sich gegen E. des 20. Jh. bes. den Magischen G. als einem eigenen Forschungsgebiet widmete [9; 15] und auch die jahrhundertelang unpubliziert gehütete weltgrößte Sammlung des Britischen Mus. in Form eines »Catalogue raisonné« veröffentlichte [7].

B. Gegenwart

Mit der durch technische Innovationen wie Makrofotographie, Colorfilme, Diapositive, Videofilme und digitale Bildbearbeitung (re)aktivierten G.-Forsch. stieg in den wirtschaftsgünstigen Jahrzehnten der 2. H. des 20. Jh. das Interesse an S. und G. auch in der Öffentlichkeit. Auch die Globalisierung, die mentale Öffnung für alte Kulturen, der Esoterik-Boom sowie Gold- und Schmuckfaible rückten S. und G. wieder in das Blickfeld. Der Handel mit Surrogaten, plump gearbeiteten G. und bes. Muschelkameen florierte. Während es in den 60er und 70er J. des 20. Jh. noch vereinzelte G.-Schneider wie R. Hahn, M. Seitz, und I. Linskens gab [11. 396], ist das Handwerk h. nahezu ausgestorben. Bisweilen rezipieren Edelsteingraveure in Idar-Oberstein ant. Sageninhalte und Bildmotive für ihre oft mit Laser in Kameotechnik hergestellten Edelsteinarbeiten, während Intaglioschnitte fast nur noch auf Familienwappen bzw. Siegel beschränkt sind. Ant. G. werden auf Kunst- und Münzauktionen gehandelt und meist von Sammlern gesucht. Die magischen Amulett-G. werden, in anspruchsvolle Goldkreationen integriert, als Ringe, Arm- oder Halsketten geschätzt, nicht nur als Kunstwerke und kostbarer Schmuck, sondern auch wieder in ihrer Funktion als Amulett oder Talisman [6. 18 f.].

Nach langen J. der Vernachlässigung werden G. erst h., unter Nutzung aller technischen Innovationen, ins »rechte Licht gerückt«: Neben den verbesserten Reproduktionstechniken können immer häufiger die Originale selbst in Sonderausstellungen betrachtet werden [6; 16], so daß über das Medium Mus. das Interesse an den ant. G. neu geweckt und auch die aktuelle G.-Forsch. einer breiten Öffentlichkeit zugänglich gemacht wird. Für die Forsch. ergeben sich aufgrund des derzeit gut publizierten und erheblich vermehrten Materials mannigfaltige Perspektiven. Die ant. G. warten auf weitere Klärung von Datierungs-, Werkstatt- und Ikonographiefragen. Die Magischen G. aus dem Umfeld des multikulturell bevölkerten ant. Großstadt Alexandria eröffnen neue Felder für sozialhistor., mentalitäts- und religionsgeschichtliche Fragestellungen. Die wiss. Beschäftigung mit geschnittenen Steinen sowie Steinschneider-Persönlichkeiten der Neuzeit bildet schließlich nach wie vor ein kulturhistor. interessantes Desiderat [8. 71 ff.; 11. 392 f.].

→ AWI Steinschneidekunst

1 AGD 2 R. BECKSMANN et al. (Hrsg.), Beitr. zur Kunst des MA. FS für H. Wentzel, 1975 3 H. D. BETZ (Hrsg.), The Greek Magical Papyri in Translation. Including the Demotic Spells, 1986 4 C. BONNER, Stud. in Magical Amulets, chiefly Graeco-Egyptian, 1950 5 A. DELATTE, PH. DERCHAIN, Les intailles magiques Gréco-Égyptiennes, Bibliothèque Nationale, Cabinet des Médailles, 1964 6 S. MICHEL, Bunte Steine – Dunkle Bilder: »Magische G.«, Ausstellungskat. 2001 7 Dies., Die magischen G. im Britischen Mus., Bd. I–II, Hrsg. v. P. u. H. ZAZOFF, 2001 8 Dies., Nürnberg und die Glyptik. Steinschneider, Sammler und die G.-Kunde im 17. und 18. Jh., in: Nürnberger Bl. zur Arch. 16, 1999/2000, 65–91 9 H. PHILIPP, Mira et Magica. G. im Ägypt. Mus. der Staatlichen Mus. Preußischer Kulturbesitz. Berlin-Charlottenburg, 1986 10 K. PREISENDANZ, Papyri Graecae Magicae, II u. III, 1941; Index (ungedruckt 1944); I u. II, hrsg. v. A. HENRICHS, ²1973/74 11 ZAZOFF, AG 12 Ders., G. in Kassel, in: AA 1965, 1–115 13 ZAZOFF, GuG 14 Ders., Zur Gesch. des Stosch'schen Steines, in: AA, 1974, 466–484 15 E. ZWIERLEIN-DIEHL, Magische Amulette und andere G. des Inst. für Altertumskunde der Univ. zu Köln, 1992 16 Dies. et al. (Hrsg.), Siegel und Abdruck. Ant. G. in Bonn. Sonderausstellung Akad. Kunstmus. – Antikenslg. der Univ. Bonn, 2002.   SIMONE MICHEL

Stemma, Stemmatik s. Philologie

Stil, Stilanalyse, Stilentwicklung A. ANTIKE B. RENAISSANCE UND BAROCK C. MODERNE

A. ANTIKE

Die Unterschiede und Veränderungen in den Formen der Kunst waren bereits in der Ant. Gegenstand kontroverser Diskussion. Deren Positionen wurden in der → Renaissance wieder aufgenommen und prägten bis weit ins 19. Jh. die Kunsttheorie und Ästhetik. In einem Fragment des Aischylos (Porphyrios, *De abstinentia* 2,18) wird die Einfachheit der älteren Götterbilder den aufwendigen zeitgenössischen gegenübergestellt; ausgeführt wird dies dann bei Platon. Die Feststellung (Hipp. mai. 281d. 282 a), daß die Götterbilder des Daidalos h. nur Gelächter erregen würden, leitet über zu einer Bilanz der Vollkommenheit, die die Rhet. und die anderen Künste inzwischen erreicht hätten. Platon folgt dem jedoch nicht, sondern problematisiert den Begriff des *kalós*, der unter dieser Voraussetzung nicht mehr selbstverständlich erscheint. Der *eikastiké téchnē* der älteren Bildhauer wird die zeitgenössische *phantastiké téchnē* entgegengehalten (Soph. 235 d–237); erstere stelle die Dinge dar, wie sie wirklich seien, letztere schmeichle jedoch mit ihren optischen Verkürzungen dem Gesichtssinn und gaukle dem Betrachter vor, wie sie erscheinen; diese Kunstform versuche ähnlich wie die Sophistik mit ihren Kunstgriffen den Betrachter zu betrügen und sei abzulehnen. Platon reagiert damit auf Entwicklungen der bildenden Kunst wie auf die Erfindung der Perspektive durch Agatharch von Samos und der Schattenmalerei um die Wende vom 5. zum 4. Jh. sowie die Bildhauerei Lysipps, der die Figuren darstelle *ut viderentur*. Ihren theoretischen Niederschlag fanden

diese Entwicklungen in einer Künstlergeschichte des Bildhauers Xenokrates von Athen (E. 4. Jh. v. Chr.) [23. 105–165]. Hier wird eine Chronik der Errungenschaften referiert, die von einzelnen Künstlern zur immer perfekteren Wiedergabe der äußeren Wirklichkeit beigetragen werden: Orientiert ist sie an den Kategorien *symmetría* (Proportion und Perspektive), *rhythmós* (Bewegung und Ponderation) und *akríbeia* (Detailgenauigkeit). Der Höhepunkt ist die zeitgenössische Künstlergeneration des Lysipp, aber auch weitere Steigerungen sind denkbar.

Platon dagegen verschärft die Vorbehalte gegen zeitgenössische Kunstformen. In der *Politeía* (rep. 595a–603 b) und in den *Nómoi* (leg. 656c–657a) werden die Gesetzgeber aufgefordert, jeder Veränderung einen Riegel vorzuschieben und dagegen dem Vorbild der seit Jt. unwandelbaren Götterbilder in Ägypten zu folgen. Zugleich (rep. 398c–400e) verknüpft er bestimmte Formen der Musik mit affektiven und ethischen Wirkungen mit dem Zweck, jene einer strengen Zensur zu unterwerfen und nur »staatstragende« zuzulassen. Diese rezeptionsorientierte Kritik beruft sich auf den Musiktheoretiker Damon (5. Jh. v. Chr.) [7], der seine Kunst ausdrücklich auf Charakterbildung und das Funktionieren des Staatswesens verpflichtet hatte. In den *Memorabilia* des Xenophon (2,10,3) fragt Sokrates den Maler Parrhasios, wie er denn Stimmungen und Tugenden mit seiner Kunst wiedergeben könne. Xenophon läßt den Maler antworten, hierfür gebe es weder Farbe noch Proportion (*symmetría*).

Aristoteles baut diesen rezeptionstheoretischen Ansatz aus zu einer Hierarchie der Kunstformen entsprechend ihrer ethisch-pädagogischen Wirkungen. Im Unterschied zu Xenokrates und Platon sieht er allerdings nicht mehr in exakter Naturwahrheit, sondern in der idealtypischen Wahrscheinlichkeit das Kriterium der Kunst. So realisiert sich auch die Entelechie einer jeden Gattung in prototypischen Beispielen: Das Epos bei Homer, die Trag. bei den drei Tragikern und auch für die bildende Kunst werden die großen Namen Phidias, Polyklet, Polygnot und Parrhasios genannt.

Dieser rezeptionstheoretische Ansatz wurde in der klassizistischen Kunsttheorie im 1. Jh. v. Chr. wieder aufgenommen, die sich aus Fragmenten bei Cicero, Dionysios von Halikarnass, Quintilian und Plinius rekonstruieren läßt [23. 141–158.]. Die Entwicklungsfigur der Kunst findet sich bei Plinius (Plin. nat. 34,49): ›cessavit deinde ars, ac rursus (...) revixit‹. Das Kunsturteil ist nicht wie bei Xenokrates auf die konstitutiven Merkmale der Form, sondern auf die affektive und ethische Wirkung gegründet, die das Werk beim Betrachter hervorruft. Für diese ausgezeichneten Qualitäten werden einzelne Künstler exemplarisch in Anspruch genommen, so Polyklet für den *decor* seiner Menschenbilder, Phidias und Alkamenes für *pondus* und *auctoritas* ihrer Götterbilder. Auch Defizite und Fortschritte werden nach ihrer Wirkung qualifiziert, die Werke des Kallon und Hegesias erscheinen ›duriora et Tuscanicis proxima‹, die des Myron dagegen bereits als ›molliora‹ (Quint. inst. 10,7–9; Cic. ad Brut. 18,70). Der Höhepunkt hat sich gegenüber Xenokrates auf die Künstler der Parthenonzeit verschoben, die des 4. Jh. werden nur noch, ganz im Sinne der älteren Theorie, für ihre *veritas* gelobt. Die Verlagerung der Perspektive vom Künstler auf den Rezipienten wird deutlich bei Dionysios von Halikarnass (Dion. Hal. rhet.) und Thukydides (Thuk. 4), der den *idiótēs* als nicht minder zum Kunsturteil qualifiziert erachtet als den Künstler selbst. Denn die Kunst richtet sich an die Affekte (*páthē*) und die nicht rational gesteuerte Wahrnehmung (*álogos aísthēsis*), über die der Laie in gleichem Maße verfügt. Die klassizistische Doktrin der Kunst wird in Parallele zur attizistischen Bewegung in der Rhet. gesetzt, die bei Dionysios und Ps.-Longinos (*Perí hýpsus*) eine deutliche Wendung zur Literaturkritik erhält. Eine solche Kanonisierung der Stile in Kunst und Lit. nach ihrer affektiv-ethischen Wirkung reagierte auf die traditionelle Kritik der Philos., und es ist nicht ausgeschlossen, daß sie in der mittleren Stoa oder Akad. formuliert wurde, wo ähnlich eklektische und rückwärtsgewandte Tendenzen festzustellen sind (Cic. fin. 5,7; 5,13–14).

B. RENAISSANCE UND BAROCK

Das Perfektionsideal und die Figur von Dekadenz und Aufstieg der Kunst beherrschen seit der Ren. bis weit ins 19. Jh. hinein die Debatte der bildenden Kunst. Aber auch zu Befunden ant. Kunst bemüht sich bereits Raffael in seinem Brief an Leo X. [1. 2975 f.] um Differenzierung, der am Konstantinsbogen die konstantinischen Reliefs von den dort verbauten → Spolien des Trajan und Hadrian unterscheidet. Im Programm der *Accademia della virtù* des Cl. Tolomei für ein nie realisiertes Zeichnungscorpus aller ant. Denkmäler Roms findet sich auch das Vorhaben, diese ›per via di scoltura‹, nach den Merkmalen der Form in eine chronologische Ordnung zu bringen [1. 3037 f.; 27. 376–378].

G. P. Bellori [18. 57–72, 130–139] stellt die in der Ren. unbezweifelte Einheit von Antikenvorbild und Naturnachahmung wieder in Frage und projiziert das plinianische Schema auch in die Neuzeit. Das Ideal Raffaels und der Ant. setzt er sowohl gegen die Manieristen wie den Naturalismus Caravaggios ab, die eine neue Dekadenz eingeleitet hätten, die erst von den Carracci und ihrer Rückkehr zur Ant. wieder überwunden worden sei. G. P. Lomazzo hatte den Begriff des *stile* aus dem Bereich der Lit. in den der Bildenden Kunst übertragen, und mit Bellori, der den vorher gebräuchlichen der *maniera* für die eigenwillige Malweise der Manieristen reserviert [3. 14. Anm. 32], wurde er Allgemeingut. Diese Debatte verlagerte sich nach Frankreich an die 1643 gegründete Académie de la Sculpture et Peinture. Hier wird die Beschreibung und Kritik berühmter Bilder und Skulpturen Teil der Malerausbildung; die Bildanalyse stützte sich auf ein Schema variabler Rubriken wie Erfindung, Komposition, Zeichnung und Kolorit. Wissenschaftliche Grundlage des Bildaufbaus war die Zeichnung, die für die mathematische Korrektheit von Perspektive und Proportion bürgte. Die klassizistisch orientierte Académie unter Ch. Lebrun griff außerdem auf die an der ant. und frühneuzeitlichen Musiktheorie entwickelte Moduslehre von N. Poussin zurück, der mit einzelnen Sujets verschiede Modi, Ausdrucksarten und Regeln verband [8. 187–190; 3. 22–26] (→ Musik). Bereits Vasari hatte seine Biographien nach der Herkunft der Künstler geordnet, und mit diesen einzelnen »Schulen« verband man jetzt auch formale Errungenschaften: Die röm. (Raffael) ist für ihre Zeichnung berühmt, während die venezianische (Giorgione, Tizian) und lombardische (Caravaggio) im Kolorit hervortreten; in der Mitte stehen die florentinische (Michelangelo) und die bolognesische (Carracci).

Gegen den klassizistischen und rationalistischen Primat der Zeichnung begründete R. de Piles den Vorrang der Farbe als Wirkmittel der neuzeitlichen Malerei, das sich an den Gesichtssinn wende. Zwar hält auch er an dem Perfektionsideal fest, doch es wird durch einen grundlegenden Prioritätenwechsel von der Regel und dem Antikenvorbild auf die sinnliche Wahrnehmung und das Genie aufgeweicht; das Genie, bei de Piles P. P. Rubens, könne sich über Regel und Vorbild hinwegsetzen. Dieser Relativierung trägt auch die *balance des peintres* Rechnung, ein Bewertungsschema, das nach Farbe, Erfindung, Komposition und Zeichnung die Künstler einstuft: Vollkommenheit erreicht niemand, sondern die Vorzüge sind nach den einzelnen Rubriken verteilt und abgewogen. Auch verschiebt de Piles den Blickpunkt vom ausführenden Künstler zum Kenner und stellt damit nicht nur die Frage der Qualität, sondern auch der Zuschreibung. Die Bestimmung eines Bildes geht vom Allg. zum Besonderen: Zunächst muß die Zugehörigkeit zu einer Schule geklärt werden, dann zum Œuvre eines Künstlers und schließlich seine Stellung innerhalb der Entwicklung seines Œuvres. Auch für die Unterscheidung von Kopie und Original liefert de Piles methodische Handreichungen, und schließlich stellt er die Rolle von Druckgrafik und Zeichnungen für die Ausbildung der Kennerschaft heraus.

J. Richardson entwirft eine minutiöse Methodik zur Scheidung der Meisterhände und der Unterscheidung von Original und Kopie. Er entfernt sich noch weiter vom Perfektionsideal und stellt demgegenüber die bes. Originalität des einzelnen Künstlers heraus, die von einer übergroßen Menge einzelner Determinanten abhängig sei. Jeder Künstler kann nur in seinem jeweils eigenen Stil vollkommen sein, und daher bleibt auch die Kopie notwendig hinter dem Original zurück. Ihm verdankt sich auch die Erkenntnis, daß die ant. Statuen weitgehend verloren sind und es sich bei den überlieferten zum großen Teil um spätere Kopien handelt, wir also nur über ein unzureichendes und fragmentarisches Bild des urspr. Bestandes verfügen.

In seinem 1723 zu Th. Dempsters *De Etruria regali* verfaßten Komm. würdigt F. Buonarotti auch die künstlerischen Eigenarten etr. Kunstwerke, deren von den ant. Schriftstellern berichteten altertümlichen Charakter er auf einigen Werken meint wiedererkennen zu können [6. 28–31]. A. F. Gori [6. 53–85] baut diese Beobachtung aus zu einer Aitiologie der Etrusker, deren Kunst und Kultur älter als die der Griechen und Römer und allein von den Ägyptern angeregt sei.

Diese Abfolge wird von P. J. Mariette und dem Comte de Caylus systematisch zum System ausgebaut. Die verschiedenen ant. Kulturen leisten ihren spezifischen Beitr. zur Entwicklung der Kunst, auf der die folgende aufbaut. Die Grundlage, den *grandeur*, legt die ägypt. Kunst, die etr. fügt das *detail* hinzu, und in Griechenland erfährt die Kunst in ihrer *noble elegance* die Vollendung; der Beitr. der Römer dagegen beschränkt sich auf die Dekadenz. Caylus' *Recueil* ist nach dieser Unterscheidung eingeteilt, jedoch wird sie in der Binnengliederung dieser Kategorien nicht weiter differenziert, und die Zuschreibung der Denkmäler erfolgt entweder nach z. T. äußerst willkürlichen äußeren Anhaltspunkten oder allein nach der Entfernung vom Perfektionsideal.

Erst J. J. Winckelmann präzisiert diese viergliedrige Aufteilung und modifiziert die ihr zugrundeliegende Dynamik. Bei ihm entsteht die Kunst in jeder Kultur autochthon, sie entfaltet sich jedoch unterschiedlich nach Maßgabe der äußeren klimatischen, polit. oder charakterologischen Voraussetzungen. So beschließt die ägypt. Kunst ihre Entwicklung bereits auf der ersten elementaren »idealischen« Stufe, der Andeutung des Gegenstandes in der Bildchiffre. Die etr. Kunst bleibt auf der Stufe der Zeichnung, der anatomisch und perspektivisch korrekten Naturwiedergabe befangen, die eigentliche Schönheit ist dagegen das Privileg der griech. Kunst. Hier differenziert Winckelmann zwei Erscheinungsformen: einmal die »erhabene Grazie« der hochklass. Kunst, die dem »hohen Stil« des Polyklet und Phidias entspricht, und die »gefällige Grazie«, die er in dem »schönen Stil« des Praxiteles und seinen Zeitgenossen realisiert sieht. Der »hohe Stil« verkörpert Regelhaftigkeit, Klarheit, Ernst und Würde und zeigt sich ausschließlich in weiblichen bekleideten Figuren, der »schöne Stil« dagegen verkörpert äußeren erotischen Liebreiz und manifestiert sich in männlichen nackten Figuren wie dem → Apoll vom Belvedere und dem Apollon Sauroktonos. Ähnlich wie Caylus sieht Winckelmann in der röm. Periode schließlich nur die Diffusion der Kunst zum Überfluß und schließlich den Verfall.

Winckelmanns *Geschichte der Kunst des Alt.* und die *Monumenti Inediti* enthalten eine erste nach stilistischen Gesichtspunkten geordnete Bestandsaufnahme der ant. Plastik. Diese beruht auf einer differenzierten Anwendung seiner theoretischen Voraussetzungen in geschickter Kombination mit den Angaben der ant. Schriftquellen und Beobachtungen an den Statuen selbst; als stilistisches Grundgerüst der ant. Plastik hatte sie bis ans E. des 19. Jh. Bestand.

C. MODERNE

Trotz Herders Kritik an der Vorbildlichkeit des Griech. und seiner Hervorhebung der Individualität und des histor. Einmaligen und trotz des romantischen Interesses an nichtklass. und »präraffaelitischen« Epochen wurde erst 1853 ein neues Konzept von Entwicklung formuliert, das das Perfektionsideal endgültig überwand und sich an aktuellen naturgeschichtlichen Fragestellungen orientierte. G. Sempers *Entwurf eines Systems der vergleichenden Stillehre* [24. 259–291] gründet auf der biologischen Morphologie Linnés und Cuviers und postuliert ein Grundrepertoire feststehender Formen, innerhalb dessen sich histor. durch äußere Einflüsse konditionierte Varietäten herausbilden. Die urspr. Formen sind durch ihren praktischen Zweck und die Technik ihrer Herstellung bestimmt und behalten als solche ein Eigenleben; so prägen die urtümlichen Web- und Flechtmuster die Formen der Bauornamentik bis in den mod. Steinbau.

Einen völlig anderen Weg verfolgte G. Morelli, der in der individualisierenden Trad. von de Piles und Richardson die Kennerschaft zu verfeinern und der Identifikation der Künstlerœuvres eine exakte wiss. Grundlage zu verschaffen suchte. Die »Morellianischen Elemente« bezeichnen nach dem Vorbild der → Paläographie und der gerade entstehenden Kriminologie die immer wiederkehrenden, absichtslosen und beiläufigen Besonderheiten und Verzeichnungen, durch die sich der Künstler auch und gerade im Entwurf und in der Kopie verrät [4. 15–47].

Grundsätzliche Kritik an Sempers materialistischer Sicht übt erst A. Riegl [21. VI–XVI; 22. 8f.]. Er verifiziert seinen Entwicklungsbegriff ebenfalls an der Ornamentik, aber im Gegensatz zu Semper sind für ihn deren Formen nicht durch Zweck und Technik, sondern durch die elementaren Kategorien der Wahrnehmung bedingt; diese bewegt sich zw. den miteinander vermittelten Extremen einer »haptisch-nahsichtigen« und einer »optisch-fernsichtigen« Auffassung, und zw. diesen Polen entwickelt sich die Kunst konsequent von ihren ägypt. Anf. bis zur Moderne. Riegl verabschiedet sich von der Norm sowohl der Naturnachahmung wie dem ideal Schönen und schließt so endgültig an das entwicklungsgeschichtliche Paradigma an. Jedoch verallgemeinert er die Entwicklungslogik zw. den polaren Begriffen von haptisch und optisch über die Skulptur und Malerei hinaus auch auf das Kunsthandwerk und die Architektur und darüber hinaus auf die gesamte »Weltanschauung« der Völker, die der gleichen Wahrnehmung der Realität wie das »Kunstwollen« folge [22. 389–405]. Das »Kunstwollen« nimmt bei Riegl die Stelle der ästhetischen Norm und der technischen Konditionierung ein, es wird aber in mehreren Richtungen interpretiert; so ist es nicht nur eine zeitliche Variable, sondern auch eine ethnische Konstante, die etwa die unterschiedlichen Kunstformen der idg. und orientalischen Völker bestimme. Auch sein Entwicklungsbegriff ist nicht ganz frei von teleologischen Rückständen; so wird die Kunst der griech. Klassik als ausgewogene Vermittlung gleichermaßen der haptischen wie der optischen Sehweise qualifiziert. Wegen der Abstraktheit seiner Entwicklungsbegriffe und der geschichtsphilos. Spekulationen, die er an sie knüpfte, stieß Riegl nicht nur auf breite Resonanz, sondern rief auch Mißverständnisse, Kritik und Weiterentwicklungen hervor.

H. Wölfflins *Kunstgeschichtliche Grundbegriffe* differenzieren Riegls Termini zu fünf polaren Begriffspaaren, die an der Entwicklung der Ren.- zur Barockkunst exemplifiziert werden: Linear-malerisch, flächenhaft-tiefenhaft, geschlossene-offene Form, Vielheit-Einheit, absolute-relative Klarheit [26. 24–27]. Wölfflin beschränkt sich darauf, diese Begriffspaare deskriptiv zu operationalisieren und verzichtet auf die ontologische Verallgemeinerung, jedoch behauptet auch er ihre Unumkehrbarkeit und Universalität – mit der bezeichnenden Ausnahme der Moderne. Sonst kann in allen Kunstepochen ein analoger Verlauf beobachtet werden; so hat auch die griech. Kunst oder die Gotik ihre »klass.« Periode und ihren »Barock« – die lineare Entwicklung zeigt sich also aus universalgeschichtlicher Perspektive als Spirale, in der die Anf. der einzelnen Perioden übereinanderliegen. Für die Entwicklungsdynamik und ihre »Sprünge« des »Neu-Anfangens« macht Wölfflin in gleicher Weise eine innere Gesetzlichkeit wie eine äußere Konditionierung verantwortlich, ohne sich um eine Erklärung dieses Zusammenhangs zu bemühen. Dies sowie die »naturgesetzliche« Selbstverständlichkeit und Universalität haben Kritik und alternative Modelle herausgefordert, und in den 20er J. des 20. Jh. artikulierte sich, z.T. in direkter Anknüpfung an Riegl, die »Strukturforschung«.

Sie nimmt nicht mehr die Veränderungen, sondern die überhistor. und überindividuellen, ethnisch abgeleiteten Konstanten in den Blick, die sich in der Struktur einer Kunstform zeigen, die allgemeinsten Prinzipien, nach denen ihre Sinneinheiten und Ausdrucksformen organisiert sind. G. Kaschnitz von Weinberg exemplifiziert Struktur zunächst an der Unterscheidung von griech. und etr. Kunst, wobei es ihm darauf ankommt, ihren unklass. Zügen als eigenständigen Ausdrucksformen eines grundlegend verschiedenen Kunstwollens zu ihrem Recht zu verhelfen; im Gegensatz zum plastischen Grundcharakter der griech. Kunst verhält sich die etr. kubisch, ihre Gebilde sind aus stereometrischen Blöcken aufgebaut. Die Struktur wird zwar ähnlich abstrakt wie Riegls Begriffspaar aufgefaßt, aber nicht als transzendental, sondern als ontologisch, und sie verweist symbolisch auf das »Wesen« ihrer Träger. So ist das tektonische Prinzip des Tragens und Lastens, das in der griech. Architektur und im Standmotiv der Plastik zur Geltung komme, ein Gleichnis für das »Weltverhältnis« ihrer Träger – Kaschnitz geht sogar so weit, die Urformen des Bauens, Menhir und Grotte, als Symbole des Männlichen und Weiblichen zu bezeichnen. Entwicklung vollzieht sich als Interferenz verschiedener ethnischer Strukturkonstanten, z.B. dem schöpferisch irra-

tionalen Sinn der Indogermanen und dem beharrend rationalen Sinn der Orientalen.

Die Strukturforsch. hat zwar stark zum Verständnis und zur Beschreibung nichtklass. Kunstformen wie der der Etrusker oder der ägäischen Bronzezeit beigetragen, aber sie blieb nicht zuletzt wegen der erwähnten geschichtsphilos. Spekulationen und der nicht von Anf. an gesuchten Nähe zu rassistischen Konzepten eine Episode. Aber auch insgesamt hat die Stilanalyse in der Kunstwiss. und Arch. angesichts einer stärker ikonographischen und kulturgeschichtlichen Orientierung an Bed. eingebüßt, obwohl grundsätzliche Kritik selten laut wurde [10. 13–18; 14. 440–464].

Gleichwohl bleibt Stilanalyse unverzichtbar nicht nur zur Klassifikation und Bestimmung dekorativer Artefakte, sondern sie ist zur Analyse ihrer semiotischen Struktur Voraussetzung der kunstgeschichtlichen Hermeneutik. Auch ist das Konzept der Evolution weiterhin die einzige Möglichkeit, komplexe Sinneinheiten und Funktionszusammenhänge zu erklären [15. 343–346]. So läßt sich Stilentwicklung auf semiotischer Ebene als Ausdifferenzierung eines Systems von Ausdrucksmöglichkeiten [12. 17–28] oder systemtheoretisch als Teilaspekt eines selbstreferentiellen Funktionssystems Kunst innerhalb von Gesellschaft [15. 341–392] beschreiben, ohne sich auf das Glatteis ontologischer Vorannahmen oder geschichtsphilos. Spekulation zu begeben.

1 P. BAROCCHI, Scritti d'arte del Cinquecento 3, 1977
2 G. P. BELLORI, Le vite de' Pittori, Scultori et Architetti moderni, Rom 1672 (1976) 3 J. BIALOSTOCKI, Das Modusproblem in den bildenden Künsten, in: Ders., Stil und Ikonographie. Stud. zur Kunstwiss., 1981, 12–42
4 G. BICKENDORF, Die Trad. der Kennerschaft: Von Lanzi über Rumohr und Waagen zu Morelli, in: G. AGOSTINI (Hrsg.), Giovanni Morelli e la Cultura dei conoscitori. Atti del Convegno Internazionale 4–7 giugno 1987, Bd. 1, 1993, 15–47 5 A. C. P. CAYLUS, Recueil des Antiquités Égyptiennes, Étrusques, Grecques et Romaines 1–7, Paris 1752–1767 6 M. CRISTOFANI, La scoperta degli etruschi, 1983 7 DIELS/KRANZ 1, 381–383 8 S. GERMER (Hrsg.), Vies de Poussin, 1994 9 J. HELD, Frz. Kunsttheorie des 17. Jh. und der absolutistische Staat. Le Brun und die ersten acht Vorlesungen an der königlichen Akad., 2001
10 N. HIMMELMANN, Der Entwicklungsbegriff der mod. Arch., in: MarbWPr 1960, 13–40 11 M. R. HOFTER, Die Entdeckung des Unklass.: Guido Kaschnitz von Weinberg, in: H. FLASHAR (Hrsg.), Altertumswiss. in den 20er J., 1995, 247–257 12 Ders., Stil und Struktur. Zu einer Systemtheorie der Entwicklung künstlerischer Form, in: Hephaistos 14, 1996, 7–28 13 G. KASCHNITZ VON WEINBERG, Gesammelte Schriften 1, 1965 14 H. LOCHER, Kunstgesch. als histor. Theorie der Kunst, 2001
15 N. LUHMANN, Die Kunst der Ges., 1997 16 P.-J. MARIETTE, Traité des pierres gravées, Paris 1750
17 G. MORELLI, Die Werke it. Meister in den Galerien von München, Dresden und Berlin. Ein kritischer Versuch von Iwan Lermolieff, Leipzig 1880 18 E. PANOFSKY, Idea. Ein Beitr. zur Begriffsgesch. der älteren Kunsttheorie, 1924
19 R. DE PILES, Cours de peinture par principes, Paris 1708 (1989) 20 J. RICHARDSON PÈRE & FILS, Traité de la peinture,

et de la sculpture 1–3, Amsterdam 1728 **21** A.RIEGL, Stilfragen, Berlin 1893 **22** Ders., Spätröm. Kunstindustrie, 1927 **23** B.SCHWEITZER, Xenokrates von Athen, in: Ders., Zur Kunst der Ant., Bd. 1, 1963 **24** G.SEMPER, Entwurf eines Systems der vergleichenden Stillehre, in: Ders., Kleine Schriften, Berlin/Stuttgart 1884 **25** J.J.WINCKELMANN, Schriften und Nachlaß 4,1: Gesch. der Kunst des Alt., Bd. 1: Text, 2001 **26** H.WÖLFFLIN, Kunstgeschichtliche Grundbegriffe, 1943 **27** H.WREDE, Die Opera de' pili von 1542 und das Berliner Sarkophagcorpus, in: JDAI 104, 1989, 376–378. MATHIAS RENÉ HOFTER

Stoffgeschichte s. Thematologie/Stoff- und Motivforschung

Stoizismus A. EINLEITUNG
B. FRÜHES CHRISTENTUM UND MITTELALTER
C. RENAISSANCE: PETRARCA D. REFORMATOREN
UND KATHOLISCHE SPIRITUALITÄT
E. 16. JAHRHUNDERT: NEUSTOIZISMUS
F. PHILOSOPHIE DES 17. UND 18. JAHRHUNDERTS
G. 19. JAHRHUNDERT H. 20. JAHRHUNDERT UND
GEGENWART

A. EINLEITUNG

Bedingt durch den Charakter der Schriften und deren z. T. fragmentarische Überlieferung hat die stoische Philos. als Ganzes keine Wirkungsgeschichte. Der Zusammenhang von Logik, Physik und Ethik, der das stoische System ausmacht, wird aufgelöst; aus der → Logik sind die Aussagenlogik und die differenzierte Semantik für die → Sprachphilosophie und aus der Physik die Lehre vom geschlossenen Kausalnexus von bleibender Bed.; am einflußreichsten ist die stoische Ethik (→ Praktische Philosophie). Die wichtigsten Lehren, die Patristik, MA und Frühe Neuzeit zustimmend oder ablehnend aufgreifen, sind – abgesehen von der Praktischen Philos. und der Lehre vom → Naturrecht – der Materialismus, der Zusammenhang von Teleologie, Vorsehung und Kausalnexus (Schicksal) und die angeborene Gotteserkenntnis. Von der Stoa als System ist die Stoa als im stoischen Weisen idealisierte Lebensform zu unterscheiden; sie ist, v. a. durch Seneca und Epiktet, in der gesamten Geschichte der abendländischen Philos., Theologie und Lit. gegenwärtig. Renaissance und → Humanismus wenden sich ihr mit erneutem Interesse zu und fragen, wie stoische Lebensweisheit und christl. Spiritualität sich zueinander verhalten. Das System wird nach der Ant. erstmals von Lipsius (1604) rekonstruiert; die Fragmentsammlungen seit Beginn des 20. Jh. ermöglichen ein differenzierteres Bild der Entwicklung innerhalb des ant. Stoizismus von Zenon und Chrysipp bis Panaitios und Poseidonios.

B. FRÜHES CHRISTENTUM UND MITTELALTER

I. NEUES TESTAMENT UND PATRISTIK

Während der gesamten Epoche des Hell. und den ersten drei Jh. der Kaiserzeit ist der S. die beherrschende Philosophie. Als Ausdruck seiner geistigen Nähe zum frühen Christentum kann der seit dem 4. Jh. (Hier. vir.

ill.12) bezeugte und in mehr als 300 Hss. erhaltene fiktive Briefwechsel zw. Seneca und Paulus gelten. Die Areopagrede der Apostelgeschichte zeigt stoischen Einfluß und zitiert Zenons Schüler Arat von Soloi (Apg 17,28). In der Lehre des Römerbriefs, daß Gottes ›unsichtbare Wirklichkeit an den Werken der Schöpfung mit der Vernunft wahrgenommen‹ wird (Röm 1,20), begegnen sich at. Schöpfungsfrömmigkeit (Ps 8; 19) und die teleologische Weltsicht des Kleanthes (Cic. nat. deor. 2,81–153), wie bereits in der im 1. Jh. v. Chr. in Alexandrien entstandenen *Sapientia Salomonis*, wo die göttl. Weisheit wie das stoische Pneuma (1,7; 12,1) das All ›durchdringt‹ (7,24).

Die Patristik (→ Patristische Theologie/Patristik) gebraucht stoische Begriffe und Thesen zur Interpretation und Verteidigung christl. Lehren. Gegen die → Gnosis übernimmt Tertullian den Materialismus der stoischen Physik. ›Alles, was ist, ist ein Körper eigener Art; nur das ist unkörperlich, was nicht ist‹ (*De carne Christi* 11). Gott wird als stoisches Pneuma verstanden: ›Wer wird leugnen, daß Gott ein Körper ist, obwohl Gott Geist (*spiritus*) ist? Denn der Geist ist ein Körper eigener Art‹ (*Adversus Praxean* 7). Nur wenn die menschliche Seele körperlich ist, kann sie im Jenseits bestraft werden (*De anima* 7); dennoch ist sie einfach und unauflöslich (*De anima* 14). Die Lehre des Kleanthes, daß die Kinder in ihren seelischen Eigenschaften den Eltern gleichen, setze voraus, daß auch die Seele durch einen Samen weitergegeben werde (*De anima* 5); er unterscheidet deshalb zw. einem *semen corporale* und *animale* (*De anima* 27). Die Suche nach der Wahrheit muß nach Laktanz von der Frage ausgehen, ob es eine Vorsehung gibt, die für alles sorgt, oder ob alles durch den Zufall entstanden ist und von ihm bestimmt wird. Gegen Demokrit und Epikur haben die Stoiker gelehrt, ›die Welt hätte nicht ohne die göttl. Vernunft entstehen können, und sie könne nicht bestehen, wenn sie nicht durch die höchste Vernunft gelenkt werde‹. Cicero habe, obwohl Akademiker, v. a. in *De natura deorum* 2 die Argumente der Stoiker bekräftigt und viele neue gebracht (Lact. inst. 1,2). Er wird beschuldigt, sich selbst zu widersprechen, weil er in einem Fragment von *De natura deorum* 3 behauptet, die Materie sei nicht von der Vorsehung hervorgebracht, sondern habe ihre eigene ›Kraft und Natur‹. Dagegen habe Seneca, ›der scharfsinnigste aller Stoiker‹, gesehen, daß ›die Natur nichts anderes sei als Gott‹ (Lact. inst. 2,9). Die physische Theologie der Stoiker, welche die Mythen allegorisch als Aussagen über die Natur deutet, wird getadelt (Lact. inst. 1,12), und Laktanz schließt sich der Religionskritik des Akademikers Cotta in *De natura deorum* 3 an (Lact. inst. 1,17). *De opificio dei* ist ein Aufweis der göttl. Vorsehung anhand der Teleologie des menschlichen Körpers und versteht sich als Weiterführung der Ausführungen des Stoikers Balbus in *De natura deorum* 2,133–153 (Lact. opif. 1). Augustinus verteidigt Zenons Wahrheitskriterium gegen die akad. Kritik (*Contra Academicos* 3,9,18–21). Die stoische Unterscheidung zw. dem gesprochenen Wort (λέξις; *sonus*) und seiner Bed. (λεκτόν; *significatio*) dient ihm als Analogie für das Verhältnis von Körper und Seele (*De quantitate animae* 32,65–66). Mit Hilfe des stoischen Begriffs des Vernunftsamens (σπερματικοὶ λόγοι; *seminales rationes*) interpretiert er die biblische Schöpfungslehre: Gott schafft ›alles zugleich‹ (Sir 18,1), indem er die Vernunftformen (*rationes*), die in ihm sind, als Prinzipien der Entwicklung (*naturae*) in die geschaffenen Dinge hineingibt (*De genesi ad litteram* 4,33,52; 2,15,30; 9,17,32) [47. 30].

2. MITTELALTER

Das MA verdankt seine Kenntnis der Stoa v. a. den Schriften Senecas. Wichtigste Quelle für die → Naturphilosophie und Theologie ist *De natura deorum* 2. Mittelpunkt der Auseinandersetzung ist die Lehre von der Körperlichkeit der Seele und das Verhältnis von Schicksal, Vorsehung und Vorherwissen Gottes zum freien Willen des Menschen. Hier sind als Vermittler zu nennen: Nemesios von Emesa, *Über die Natur des Menschen* (ca. 400), der im 11. und nochmals im 12. Jh. ins Lat. übersetzt wurde (§ 2 Seele; §§ 35; 37 stoische Lehre vom Schicksal); der Timaios-Komm. des Calcidius (ca.400/410; [16. §§ 220f.] stoische Seelenlehre; [16. §§ 160–175] Determination durch das Vorherwissen Gottes); Boëthius' *Trost der Philos.* (Buch 4, Prosa 6) zu Vorsehung und Schicksal; Buch 5, Prosa 1–6 Kausalkette, Vorherwissen Gottes, Willensfreiheit) [36. 101–105].

Thomas von Aquin ist v. a. in der Praktischen Philos. von der Stoa beeinflußt. Wie auch Albert d. Gr. [46. 87–91] setzt er sich mit der stoischen Lehre vom *fatum* auseinander. ›Die Stoiker setzten das *fatum* in eine Reihe oder Verknüpfung von Ursachen, wobei sie voraussetzten, daß alles, was in der Welt geschieht, eine Ursache hat, wenn aber die Ursache gesetzt ist, es notwendig ist, die Wirkung zu setzen, und wenn eine Ursache an sich nicht hinreicht, viele Ursachen, die zu diesem zusammenkommen, den Grund (*ratio*) einer hinreichenden Ursache erhalten; und so schlossen sie, daß sich alles aus Notwendigkeit ereignet‹ (*In Peryermeneias* 1,14 [18]). Bei der Frage, ob es ein *fatum* gebe, unterscheidet Thomas zw. dem niederen Bereich der Erfahrungswelt, in der es den Zufall und damit kein *fatum* gibt, und einer höheren Ursache, durch die alles bestimmt ist. Zwei Diener werden an denselben Ort geschickt, ohne daß der eine vom anderen weiß. In ihren Augen ist ihr Zusammentreffen Zufall, für den Herrn, der sie geschickt hat, dagegen beabsichtigt. Diese höhere Ursache, die auch alles anscheinend Zufällige bestimmt, ist die göttl. Vorsehung, der alles unterworfen ist (*Summa Theologiae* I q. 116 a 1 [19]). Weil sie die Vollkommenheit der Seienden, die sie lenkt, zum Ziel hat, schließt sie die freie Entscheidung, in welcher der menschliche Wille sich vollendet, nicht aus (*Summa contra gentiles* 3,73 [20]).

C. RENAISSANCE: PETRARCA

Die Wirkung von Petrarcas *De remediis utriusque fortunae* (1366) erstreckte sich über ganz Europa; die Schrift wurde in neun Sprachen übersetzt und das lat. Original zw. 1474 und 1756 in 28 Ausgaben gedruckt. Petrarca will Senecas uns nur noch dem Titel nach bekanntes Werk *De remediis fortuitorum* fortführen. Seneca habe nur kurz über den Teil des Schicksals, der ihm der schwerere zu sein schien, gehandelt; Fortuna habe aber zwei Gesichter, die beide zu fürchten und dennoch beide zu ertragen seien; das eine bedürfe des Zügels, das andere des Trostes, und ›ich halte die Herrschaft des günstigen Schicksals für schwieriger als die des widrigen‹ [13. 3f.]. *De remediis* will einüben in die Haltung, die Wert und Unwert der Schicksalsgüter relativiert; für die unter den Affekten Freude und Hoffnung, Furcht und Schmerz leidende Seele sollen *medicamenta verborum* [13. 6] bereitgestellt werden. Buch I umfaßt 122 Dialoge zw. *gaudium, spes* und *ratio* über die verschiedensten Glücksgüter wie Gesundheit, Gaben des Geistes, Ruhm, Ehe, Kinder, Macht und anderes. Die 132 Dialoge zw. *dolor, metus* und *ratio* (Buch II) handeln, ausgehend von Heraklits *omnia secundum litem fieri*, vom Wert des Widrigen; um die Furcht vor dem Tod und den verschiedenen Formen des Todes geht es in den letzten 15 Dialogen.

De sui ipsius et multorum ignorantia (1371), gegen seine Kritiker in Venedig, reflektiert Petrarcas Verhältnis zur Philosophie. Er wendet sich gegen die, welche ›heimlich in Winkeln Christus verlachen und Aristoteles, den sie nicht verstehen, anbeten‹ [13. 86]. Auch Aristoteles war nur ein Mensch und hat deshalb vieles nicht wissen können; v. a. hat er ›das wahre Glück so vollständig verkannt, daß in dessen Erkenntnis jedes fromme alte Weiblein (...) zwar nicht scharfsinniger, aber glücklicher gewesen ist‹ [15. 52]. ›Unsere‹ Philosophen sind v. a. Cicero und Seneca [15. 104]; ›Wenn aber Cicero zu bewundern bedeutet, Ciceronianer zu sein, dann bin ich Ciceronianer‹ [15. 124]. Für die Hochschätzung Ciceros beruft Petrarca sich auf Augustinus [15. 106, 122, 124, 128]. Durch das Studium der Aristotelischen Ethik ist er nicht besser geworden. ›Es ist besser, das Gute zu wollen als das Wahre zu wissen‹ [15. 108]. Aristoteles lehrt, was Tugend ist, aber er hat nur wenige Worte, welche die Liebe zur Tugend und den Haß auf das Laster entzünden. ›Aber was nützt es, zu wissen, was Tugend ist, wenn man sie trotz dieser Kenntnis nicht liebt?‹ ›Unsere Philosophen‹ stacheln dagegen die Seele an und erreichen so, daß das Irdische Verachtung, das Laster Haß und die Tugend Liebe in uns hervorruft. Der Christ Petrarca weiß, daß das ohne Christi Lehre und Hilfe nicht erreicht werden kann und daß das Ziel nicht in der Tugend liegt, doch sind für die, welche es zu erreichen suchen, die Philosophen, ›von denen ich sprach, sehr nützlich und hilfreich‹ [15. 104–106]. Ausführlich zitiert er, ›was ich sonst nicht tue‹ [15. 72], aus *De natura deorum*. Hier hören wir Cicero ›nicht wie einen Philosophen, sondern wie einen Apostel sprechen‹. Was er schreibt, klingt wie der Römerbrief 1,19–21. Wenn Cicero ›so oft wiederholt, die Welt sei durch die göttl. Vorsehung geschaffen und sie werde durch die göttl. Vorsehung gelenkt‹, so will er damit ›die geistreichen Menschen darüber beschämen, daß sie, obwohl sie den Urheber und Schöpfer der Dinge erkannt haben, von der Quelle des wahren Glücks abgewandt, durch abwegige Meinungen von eitlen und fruchtlosen Gedanken getrieben werden‹ [15. 70–72]. Gegen ein universales aristotelisches Wissen gewendet, ist Petrarcas S. von einer akad. und zugleich biblischen Skepsis bestimmt. ›Ein wie winziger Teil ist das Wissen aller Menschen, verglichen mit dem menschlichen Nichtwissen oder der göttl. Weisheit‹ [15. 142]. In dem kleinen Bereich dessen, was wir wissen können, strotzen wir vor Einbildung und sind uneins. Die sich für weise halten, ›sind Toren geworden und ihr unverständiges Herz ist verfinstert‹ ([15. 148], vgl. Röm 1,21); sie verstoßen gegen Augustinus' Aufforderung *noli foras ire, in te ipsum redi* (*De vera religione* 39,72): ›Niemals kehren sie zu sich selbst zurück, immer sind sie dem Außen hingegeben und suchen sich draußen‹ [15. 148].

D. Reformatoren und katholische Spiritualität

1. Zwingli

Um zu zeigen, wie der anscheinende Zufall mit der biblischen Lehre von der uneingeschränkten Vorsehung Gottes vereinbar ist, greift Zwingli auf die stoische Lehre von der weltimmanenten schöpferischen Vernunft zurück. Römerbrief 11,36 und Apostelgeschichte 17,24–29 werden mit Hilfe des stoischen Naturbegriffs interpretiert. Plinius ›sah, daß es eine Kraft geben müsse, durch deren Vermögen alles besteht und erhalten wird. Und er wollte diese Kraft lieber »Natur« als »Götter« nennen‹ [22. 99]. Ausführlich wird Seneca, *Epistulae morales ad Lucilium* 65 zitiert [22. 107–109]. Gegenüber der Vielzahl der Ursachen bei Platon und Aristoteles wendet Seneca ein: ›Aber wir suchen nun die erste und grundlegende Ursache. Diese muß einfach sein: denn auch die Materie ist einfach. Wir fragen, was ist die Ursache? Die Vernunft natürlich, die wirkende, das ist der Gott‹ (Sen. epist. 65,12). ›Weil aus Einem und in Einem‹, so greift Zwingli den Gedanken auf, ›alles ist, besteht, lebt, sich bewegt und wirkt, ist jenes Eine die alleinige und wahre Ursache der gesamten Dinge‹; die Zweitursachen sind keine wirklichen Ursachen, ›sondern Hände und Werkzeuge, mit denen der ewige Geist arbeitet (…). Nichts geschieht zufällig und planlos (…), weil jener gebietende Intellekt die Haare unseres Hauptes gezählt hat (Mt 10,30)‹ [22. 114].

2. Calvin

Calvins erstes Werk (1532) ist ein Komm. zu Seneca, *De clementia* [2]. Das meiste Material stammt aus Seneca und Cicero. Calvin diskutiert die verschiedenen ant. Auffassungen vom höchsten Gut und betont mit den Stoikern, daß die Tugend ihr eigener Lohn ist; mit Cicero und Seneca lehrt er die Einheit der Tugenden; bei Seneca findet er die Auffassung, daß alle Menschen verderbt sind. Mit den Stoikern werden die soziale Natur des Menschen und seine Pflichten gegenüber dem *bonum commune* betont; Milde und Mitleid verdienen bei den Herrschenden bes. Lob [2. 125–133].

Nach der *Institutio Christianae Religionis* (1536, 1559) [1] kann es keine Kontroverse darüber geben, daß der menschlichen Seele durch einen natürlichen Instinkt ein *sensus divinitatis* innewohnt (1,3,1). Dafür kann Calvin sich auf die bei Cicero in *De natura deorum* vom Epikureer (1,43) und Stoiker (2,5.12) geteilte Auffassung stützen, der Mensch besitze ohne jede Belehrung einen Vorbegriff (πρόληψις) der Götter. Er zitiert Cicero aus dem Gedächtnis: ›Und es gibt auch, wie jener Heide sagt, keine Nation, die so barbarisch, kein Volk, das so verwildert wäre, daß in ihm nicht die Überzeugung wohnte, Gott sei‹ (1,3,1; vgl. Cic. leg. 1,24; Tusc. 1,30; nat. deor. 1,43). Aber Gott hat diesen ›Samen der Religion‹ nicht nur in die Seele der Menschen gelegt; wie der Stoiker in *De natura deorum* 2,4 lehrt Calvin, ›daß man die Augen nicht öffnen kann, ohne gezwungen zu werden, ihn zu sehen‹ (1,5,1). Mit *De natura deorum* 2,72 unterscheidet er zw. *religio* und *superstitio* (1,12,1). Die Lehre von der Erbsünde verbietet es ihm, Cicero darin zuzustimmen, daß ›die Irrtümer mit ihrem Alter ihren Einfluß verlieren, während die Religion von Tag zu Tag wächst und besser wird‹ (1,3,3; vgl. Cic. nat. deor. 2,5). Schriftstellen wie Matthäus 5,4, Johannes 16,20, 2 Korinther 4,8 lassen Calvin die Apathie des stoischen Weisen ablehnen; dieser habe alle ›Menschlichkeit (*humanitas*) abgelegt‹ und werde ›wie ein Stein von nichts berührt‹ (3,8,9).

3. Melanchthon

Als vierten Gottesbeweis bringt Melanchthon die stoische Lehre von der allen Menschen eingeborenen Gotteserkenntnis (Cic. nat. deor. 2,12): *notitiae naturales verae sunt. Esse Deum naturaliter omnes fatentur* [10. 201]. Die Vorsehung wird an erster Stelle daraus erkannt, daß die Bewegungen der Himmelskörper und der Wechsel der Zeiten dem Nutzen der Lebewesen dienen [10. 204] (vgl. Cic. nat. deor. 2,13: *ex magnitudine commodorum*). ›Die Stoiker wollten als die entschiedensten Verfechter der Vorsehung gelten. Aber sie legen Gott Fesseln an, welche die Vorsehung zum größten Teil unbrauchbar machen. Sie binden Gott nämlich an die Zweitursachen und denken, er könne nur so handeln oder bewegen, wie die Zweitursachen wirken. Damit machen sie Gott zugleich zur Ursache der guten und schlechten Dinge und Handlungen‹ [10. 205 f.].

4. Franz von Sales

Erst in seinem *Traité de l'amour de Dieu* (1616) befaßt Franz von Sales sich eingehender mit der Stoa. Seine fast ausschließliche Quelle ist Augustinus, *De civitate dei*; lediglich die *Diatriben* des Epiktet kennt er aus erster Hand in einer frz. Übersetzung [7. Bd. IV. 81 f.]. Die Stoiker, v. a. Epiktet, ›der beste Mensch des gesamten Heidentums‹ [7. Bd. IV. 36], zeigen die Grenzen der Vollkommenheit, welche der Mensch aus eigenen, natürlichen Kräften erreichen kann. Epiktet spreche manchmal mit soviel Gespür, Gefühl und Eifer von Gott, daß man seine Schriften für die Frucht der tiefen Meditation eines Christen halten könnte; dennoch erwähne er bei anderer Gelegenheit die Götter. Weshalb habe er, der ein solches Gespür für die Güte Gottes hatte, sich nicht zu ihm bekannt? [7. Bd. IV. 82] Epiktet fordere, jeden Abend das Gewissen zu erforschen, aber der natürlichen

Gotteserkenntnis fehle die Liebe, die zu einer echten Reue führt [7. Bd. IV. 148 f.]. Für die Stoiker habe die Philos. darin bestanden, zu verzichten und zu ertragen; die wahre Philos. des Christentums fordere mehr: Selbstverleugnung, Kreuztragen, Nachfolge des Herrn [7. Bd. V. 113 f.]. Der stoische Weise erfahre nur gute Leidenschaften (εὐπάθειαι; constantiae); er kann deshalb niemals traurig sein. Das widerspreche der Vernunft ebenso wie der Satz, der Weise sündige nie. Wie kann die Weisheit ›uns der Barmherzigkeit berauben, dieser tugendhaften Traurigkeit des Herzens, die uns antreibt, den Nächsten von einem Übel zu befreien, das er erduldet?‹ [7. Bd. IV. 36, 149]. Die Stoiker ›rühmen sich, sie seien frei von Leidenschaften (...); tatsächlich sind sie aber der Unruhe, der Sorge, dem Ungestüm und den anderen Ungehörigkeiten unterworfen‹ [7. Bd. V. 270].

E. 16. JAHRHUNDERT: NEUSTOIZISMUS

1. LIPSIUS

Biographischer Hintergrund für den Neustoizismus des großen Latinisten Justus Lipsius sind die Religions- und Bürgerkriege des 16. Jahrhunderts. De constantia libri duo (1584) fingiert ein Gespräch, das Lipsius auf der Flucht vor den Unruhen geführt hat. ›Nicht das Vaterland: die Affekte sind zu fliehen‹ (1,1). ›Wohin du auch fliehst, du wirst deine verdorbene und verderbende Seele (animus) bei dir haben‹ (1,2). Nur Weisheit (sapientia) und Beständigkeit (constantia) können die kranke Seele heilen (1,3). Constantia ist ›die aufrechte und unbewegte Kraft der Seele, die von Äußerem und Zufälligem nicht erhoben und nicht niedergedrückt wird‹ (1,4). Der ratio wird die opinio entgegengestellt; jene führt zur constantia, diese zur Unbeständigkeit (1,5). Gegner der constantia sind simulatio (Trauer über ein privates Übel, als sei es ein öffentliches), pietas (zu große Liebe zum Vaterland) und miseratio (Kleinmut, der beim Anschein eines fremden Übels zusammenbricht; 1,8). Das wahre Vaterland der Seele ist, mit Anaxagoras, ›der Himmel‹ oder ›Äther‹ (1,11). Nachdem das Hindernis der vier Affekte beseitigt ist, kommt Lipsius zum mächtigsten Feind der constantia, den öffentlichen Übeln (publica mala). Gegen ihn führt er ›vier Truppen‹ ins Feld: die öffentlichen Übel werden von Gott geschickt; sie sind notwendig und vom fatum; sie sind uns nützlich; sie sind weder zu schwer noch sind sie neu (1,13). Fatum wird von den Alten in vierfacher Bed. gebraucht (1,17); es ist zu unterscheiden von der providentia (1,19), und es beeinträchtigt nicht die Freiheit des Willens (1,20). Katastrophen (clades) dienen einem Gut; ihre Ziele sind exercitium (2,8), Züchtigung (2,9), Strafe (2,10) und die Vollendung des Universums (2,11). Die opinio macht die Übel größer (2,19); die Geschichte zeigt, daß sie nicht neu, sondern ›allen Menschen und Völkern immer gemeinsam‹ sind (2,26).

Die Politicorum sive civilis doctrinae libri sex (1589) sollen die Constantia ergänzen: ›Wie wir in der Constantia die Bürger angeleitet haben zum Dulden und Gehorchen, so hier die, welche befehlen, zum Regieren‹ (De consilio et forma nostri operis). Sie handeln nicht über den Staat im allg., sondern über den principatus, d.h. ›die Herrschaft (imperium) eines einzigen, ihm durch Gewohnheit oder Gesetz übertragen und zum bonum der Gehorchenden übernommen und ausgeübt‹ (2,3). Von denen, die in jüngerer Zeit darüber geschrieben hätten, verdiene allein Machiavelli Beachtung. Lipsius bringt ein Verzeichnis der Autoren, deren Schriften die Politica benutzen. ›Unter allen ragt Cornelius Tacitus heraus, der außerhalb der Reihe zu nennen ist: weil jener eine mehr beigetragen hat als alle anderen. Ursache ist die prudentia des Mannes und weil er eine Fülle von Sentenzen hat‹ [9. Bd. IV. 6]. Ihm folgen von den lat. Autoren Sallust, Livius, Seneca und Cicero, von den griech. Aristoteles, Thukydides, Platon und Xenophon. Die beiden Führer des Lebens als Bürger (vita civilis) sind virtus mit prudentia (Buch 1). Unter den verschiedenen Herrschaftsformen verdient der Prinzipat den Vorzug (Buch 2). Der Herrscher bedarf der eigenen und der fremden prudentia; er ist auf den Rat anderer angewiesen (Buch 3). Die prudentia gliedert sich (Buch 4) in die zivile und die mil. (Buch 5). Die zivile fordert, daß es im Staat nur eine Religion gibt (Buch 4). Der Bürgerkrieg wird verurteilt; seine Ursachen und Heilmittel werden dargestellt (Buch 6).

Die Manuductionis ad Stoicam philosophiam libri tres (1604) und die Physiologiae Stoicorum libri tres (1604) sind die erste neuzeitliche Gesamtdarstellung der stoischen Philosophie. Die Manuductio, so die Vorrede an den Leser, ist ›eine Fackel, die dir zu Annaeus Seneca voranleuchtet‹. Zeugnisse der Patristik zeigen, daß die Philos. ›den Christen nicht fremd, vielmehr überaus nützlich ist‹ (1,3). Aber wir dürfen uns nicht nur an Platon und Aristoteles halten (1,4), sondern wir müssen auswählen; deshalb werden die wichtigsten sectae der ant. Philos. charakterisiert (1,5). Die Abfolge der stoischen Philosophen wird, auch graphisch durch einen Stammbaum, dargestellt (1,10 f.); Seneca und Epiktet sind rara sapientiae lumina (...) cara mihi nomina (1,18). Epiktet ›war ganz von sich und von Gott, und nichts vom Schicksal‹ (1,19). Stoischen Definitionen der Philos. (2,2) folgen deren Einteilung in dogmatische, akad. und skeptische oder in kontemplative und aktive; maßgebend ist Senecas (epist. 89,9) Unterteilung in moralis, naturalis, rationalis (2,5). Es wird unterschieden zw. Philos. und Weisheit (2,7; vgl. Sen. epist. 89,4–8) und zw. dem Weisen und dem proficiens (2,9). Einem Kapitel über die Begriffe, v.a. die notiones communes (2,11), folgt die Frage nach dem höchsten Gut (2,13). Bei der Formel secundum naturam vivere (gemäß der Natur leben) werden die Interpretation des Zenon (2,15), des Kleanthes (2,16) und des Chrysipp (2,17) referiert; die entscheidende Antwort gibt Seneca: naturae sequela, id est Dei; ein guter und aufrechter Geist ist ›Gott, der als Gast in einem menschlichen Körper weilt‹ (2,19; vgl. Sen. epist. 31,11). Die Tugend genügt zum Glück; es bedarf nicht der äußeren Güter (2,20). Das dritte Buch handelt über die stoischen Paradoxa, unter ihnen, daß der Weise sich einmal den Tod geben könne, was weder erlaubt noch geboten sei

(3,22f). Die *Manuductio*, so beginnt die *Physiologia*, habe nur in den Vorhof der Philos. geführt; ihr bedeutendster Teil ist die Physik (1,1 f.). Die beiden Prinzipien sind Gott und die Materie (1,3–7). Eigenschaften Gottes sind nach den Stoikern seine Einheit (1,9), seine Gutheit und Wohltätigkeit (1,10); er trägt für alles Sorge, auch für das einzelne. Aus der Vorsehung folgt das *fatum*, das jedoch die Freiheit Gottes nicht aufhebt (1,12). Fatum und Gott sind nach den Stoikern nicht Ursache der *mala interna*, d. h. der Sünden (1,14), aber auch das geringste *malum externum* kommt von Gott (1,16). Die *materia prima* ist ewig; sie kann nicht mehr oder weniger werden oder etwas erleiden (2,2). Gott und die Materie sind Körper; unkörperlich sind die Aussage (*enuntiatum*; λεκτόν), das Leere, der Ort und die Zeit (2,5). Die Welt ist von Gott um der Menschen willen geschaffen (2,8); sie ist ein mit Sinnen und Vernunft begabtes Lebewesen (2,10). Weitere Themen sind: die vier Elemente (2,11–19); ob es eine oder mehrere Welten gibt und ob die Welt ewig ist (2,20); der Weltenbrand (*conflagratio*, ἐκπύρωσις; 2,22); die Zeit und ihr Verhältnis zur Bewegung (2,24). Der Mensch ist ein Mikrokosmos (3,2). Die Frage nach dem Ursprung des ersten Menschen wird durch die stoische Lehre von den *rationes seminales* beantwortet (3,4; vgl. Sen. epist. 90,29). Lipsius geht ein auf die Zeugungstheorien (3,6–7), die Herkunft der Geistseele aus dem Äther (3,8–10), die Unterscheidung der Seelenvermögen (3,16–17) und das *principale animae* (*Hegemonikon* 3,18).

Lipsius' Einfluß ist schwer zu überschätzen. Wir besitzen von 1584 bis 1705 41 lat. und von 1584 bis 1615 zwölf frz. Ausgaben der *Constantia*; hinzu kommen Übers. in alle anderen größeren europ. Sprachen. Die lat. *Politik* erreichte 53, die frz. Übersetzung zw. 1590 und 1613 zehn Ausgaben [40. 93 f., 190].

2. Guillaume du Vair

Guillaume du Vair verfaßte *De la Sainte Philosophie* (ca. 1584), eine Übers. von Epiktets *Encheiridion*, und *La Philosophie morale des Stoiques* (1585). Sein bekanntestes Werk *De la Constance et Consolation ès calamtités publiques* (1594) zeigt schon im Titel die Abhängigkeit von Lipsius. Das Gespräch spielt während der Belagerung von Paris und beginnt mit der Klage über das Schicksal des Landes. Trost ist der Gedanke an das Weltgesetz, das Natur, Schicksal und Vorsehung in einem ist, aber die Willensfreiheit nicht aufhebt, und dem wir uns unterwerfen müssen. Der mit neuplatonischen Elementen verbundene S. dient als Stütze der christl. Spiritualität. Die drei Bücher der *Constance* sind eine Aufforderung zum geduldigen und klugen Handeln; der Schöpfer des Universums will, daß der Mensch an seinem Werk mitwirkt [44. 244–251].

3. Pierre Charron

Pierre Charron [3] zieht durch seine Unterscheidung zw. ›menschlicher‹ und ›göttl.‹ Weisheit (pref. 2) eine Trennungslinie zw. Philos. und christl. Offenbarung, Natur und Übernatur, und er interpretiert den stoischen Naturbegriff libertinistisch. Die menschliche Weisheit ist, entsprechend der stoischen Telosformel und dem Ideal des stoischen Weisen, ›l'excellence et perfection de l'homme comme homme, c'est à dire selon que porte et requiert la loi premiere fondamentale et naturelle de l'homme‹ (pref. 6). Buch 1 handelt von der Erkenntnis seiner selbst und der *humaine condition* als Vorbereitung auf die Weisheit, Buch 2 von den allg. und grundlegenden Regeln der Weisheit und Buch 3 von den vier stoischen Grundtugenden *prudence, justice, force* oder *vaillance* und *temperance*. Erster und fundamentaler Teil der *sagesse* ist die *preud'homie* (2,3,1): ›Sie geht mit festem Schritt, würdig und stolz, immer ihren Gang, ohne zur Seite oder nach hinten zu schauen, ohne anzuhalten und ihren Schritt und ihr Tempo zu ändern wegen des Windes, der Zeiten, der Gelegenheiten, die wechseln (...). Die treibende Kraft dieser *preud'homie* ist Natur, die jeden Menschen verpflichtet, so zu sein und sich zu geben wie er muß‹ (2,3,4). Eines der Hindernisse der Weisheit ist ›die Verwirrung und Gefangenschaft durch seine Leidenschaften‹ (2,1,5), die, erregt durch falsche Werturteile der Einbildungskraft, einen Aufstand gegen die Vernunft machen (1,18,3).

F. Philosophie des 17. und 18. Jahrhunderts

1. Edward Herbert of Cherbury

Die beginnende → Aufklärung greift auf die stoische Erkenntnistheorie zurück. Herbert of Cherbury klagt über die Last der Trad., die dazu führe, daß bei der Suche nach der Wahrheit fast niemand seinem eigenen Urteil vertraue, sondern jeder sich an die Norm einer Kirche oder Schule halte und sein Eigenes verleugne [6. 1]; eine Folge sind die Schrecken der Religionskriege (*De religione laici* [6. 127]). Dennoch sei dieses ›formlose Chaos der Meinungen‹ von einer ›Seele der Wahrheit‹ durchdrungen [6. 1]: den *communes notitiae* (κοιναὶ ἔννοιαι) [6. 47]. ›Was also in aller Munde ist, das nehmen wir an als wahr, denn ohne jene universale Vorsehung, welche die Tätigkeiten lenkt, kann nicht geschehen, was überall geschieht‹ [6. 2]. Herbert beruft sich auf einen der stoischen *oikeíōsis* ähnlichen *instinctus naturalis*. Er ›wirkt irrational, das heißt ohne Überlegung, in den Elementen und Pflanzen; warum sollte er in uns nicht dasselbe leisten, v. a. in dem, was unsere Erhaltung betrifft, weil im Menschen mehr begehrt wird und in ihm die übrigen beseelten Wesen erst zur Vollendung kommen? Aus dem *consensus universalis* leiten wir daher die Lehre vom *instinctus naturalis* her, dem man, so lehren wir, obwohl er ohne *ratio* ist, glauben muß‹ [6. 2f.]. Die *notiones communes* heißen so, ›weil sie in jedem gesunden und unversehrten Menschen angetroffen werden‹ [6. 47f.]. Sie dienen u. a. der Kritik der Offenbarung. Herbert nennt fünf die Religion betreffende *notitiae communes*: Es gibt ein höchstes Wesen; dieses ist zu verehren; das geschieht durch Tugend und Frömmigkeit; Vergehen und Verbrechen müssen gesühnt werden; es gibt nach diesem Leben Lohn oder Strafe [6. 208–222].

2. PASCAL

Nach seinem Einzug in Port Royal Ende 1654 führte Pascal ein Gespräch mit Herrn de Sacy über Epiktet und Montaigne, das dessen Sekretär Fontaine niedergeschrieben und in seinen Memoiren veröffentlicht hat. Pascal sagt, Epiktet und Montaigne seien ›die zwei größten Verteidiger der zwei berühmtesten Philosophenschulen und der einzigen, die der Vernunft entsprechen‹ [11. 53–55]. Epiktet sei einer der Philosophen, ›der die Pflichten der Menschen am besten gekannt hat. Er will v. a., daß er in Gott sein höchstes Ziel erkenne; daß er überzeugt sei, daß er alles mit Gerechtigkeit regiert; daß er sich ihm mit gutem Herzen unterwerfe und ihm freiwillig in allem folge, da er alles mit einer sehr großen Weisheit tue‹ [11. 13]. Epiktet habe überschätzt, was wir vermögen: Der Mensch könne ›Gott vollkommen erkennen, ihn lieben, ihm gehorchen, ihm gefallen, sich von allen Lastern heilen, alle Tugenden erwerben‹ [11. 17]. Das sind für Pascal ›Prinzipien eines diabolischen Hochmuts‹ [11. 19]. Epiktet habe nicht gesehen, daß die Situation des Menschen ›in der Gegenwart von der seiner Erschaffung verschieden ist; (...) er nahm Spuren seiner ersten Größe wahr und wußte nichts von seiner Verderbnis‹ [11. 55]. Der Mensch könne die Ruhe nicht, wie die Stoiker lehren, durch die Einkehr in sich selbst finden: ›Das Glück ist weder außer uns noch in uns; es ist in Gott, und außer und in uns‹ [12. 465].

3. SPINOZA

Die bis in viele Einzelheiten gehenden Gemeinsamkeiten von Spinozas *Ethica* (1677) mit der Stoa lassen sich nur dadurch erklären, daß er die einschlägigen Schriften der niederländischen Humanisten, z. B. des Lipsius, gekannt hat [27. 285]. Gott oder die Natur ist die *causa efficiens* aller Dinge (I. Teil, Lehrsatz 16), aber er handelt nicht wie die stoische Natur um eines Zweckes willen, sondern er ist wie das stoische *fatum* von der Notwendigkeit bestimmt: Jenes ›ewige und unendliche Seiende, das wir Gott oder die Natur nennen, handelt mit derselben Notwendigkeit, mit der es existiert (...). Der Grund oder die Ursache, warum Gott oder die Natur handelt und warum sie existiert, ist daher eine und dieselbe. Wie sie also um keines Zweckes willen existiert, so handelt sie auch um keines Zweckes willen‹ (IV. Teil, Vorrede). Alles ist von Gott vorherbestimmt, und zwar nicht durch seinen freien Willen, sondern *ex absoluta Dei natura* (I. Teil, Anhang); kontingent ›heißt ein Ding aus keiner anderen Ursache als allein im Hinblick auf einen Mangel unserer Erkenntnis‹ (I 33 schol. 1). Die stoische *oikeíōsis* begegnet uns als Selbsterhaltung: ›Jedes Ding strebt, soviel an ihm ist, in seinem Sein zu beharren‹ (III. Teil, Lehrsatz 6; vgl. Lehrsatz 7–13). Sittlich handeln ›ist nichts anderes in uns als nach der Leitung der Vernunft handeln, leben, sein Sein erhalten (diese drei bedeuten dasselbe) auf der Grundlage des Suchens nach dem eigenen Nutzen‹ (IV. Teil, Lehrsatz 24). Der Mensch ist zum Leben in der Gemeinschaft bestimmt; der ›von der Vernunft geleitete Mensch ist freier im Staat, wo er nach dem gemeinsamen Beschluß lebt, als in der Einsamkeit, wo er nur sich selbst gehorcht‹ (IV. Teil, Lehrsatz 73; vgl. IV. Teil, Lehrsatz 40). Wie die Stoiker unterscheidet die *Ethik* von den Affekten (πάθη) die guten Leidenschaften (εὐπάθειαι): ›Die Heiterkeit kann kein Übermaß haben, sondern ist immer gut‹ (IV. Teil, Lehrsatz 42). Das Ideal der Apathie schließt Mitleid und Demut aus; Mitleid ist ›an sich schlecht und unnütz‹ (IV. Teil, Lehrsatz 50) und Demut ist keine Tugend, sondern eine *passio* (IV. Teil, Lehrsatz 53). Das Bild des Weisen, der in sich selbst ruht, trägt stoische Züge: ›Je mehr Dinge die Seele (...) einsieht, desto weniger leidet sie von den Affekten, die schlecht sind, und desto weniger fürchtet sie den Tod‹ (V. Teil, Lehrsatz 38). ›Die Zufriedenheit (*acquiescentia*) mit sich selbst kann aus der Vernunft entspringen, und allein die Zufriedenheit, die aus der Vernunft entspringt, ist die höchste, die es geben kann‹ (IV. Teil, Lehrsatz 52).

4. DAVID HUME UND ADAM SMITH

Humes autobiographischer Brief vom März 1734 berichtet von seiner Begeisterung für die Ideale der Stoa. Beeindruckt durch die Lektüre von Cicero, Seneca und Plutarch ›wappnete ich mich fortwährend mit Reflexionen gegen Tod, Armut, Schande und Schmerz und alles andere Unglück des Lebens‹ [8. Bd. I. 14]. Hume mußte die bittere Erfahrung machen, daß diese stoischen Übungen, so überaus nützlich sie in Verbindung mit einem aktiven Leben sind, die Gesundheit ruinieren, wenn man wie er einsam und zurückgezogen lebt. Vorbild der *Dialogues Concerning Natural Religion* (1779) ist *De natura deorum*. Mit *De natura deorum* 2,12 f. geht Hume in der Einleitung davon aus, daß die Existenz eines göttl. Wesens gewiß, seine Natur dagegen umstritten ist. Cleanthes vertritt die stoische Position von *De natura deorum* 2; der Akademiker Philo unterzieht das teleologische Argument einer vernichtenden Kritik. Das Rätsel der *Dialogues* besteht darin, daß Philo in Teil 12 eine Konversion vollzieht und seinen Glauben an einen Schöpfergott bekennt, der sich in der Ordnung und Schönheit der Natur offenbart. Ist Humes Position mit der des Philo oder der des Cleanthes zu identifizieren? Am 10.3.1751 schreibt er: ›I make Cleanthes the Hero of the Dialogue (...). Any Propensity you imagine I have to the other Side, crept in upon me against my Will‹ [8. Bd. I. 153 f.].

Für Humes Freund Adam Smith sind in *The Theory of Moral Sentiments* (1759, ⁶1790) die Geringschätzung des Lebens, die bedingungslose Unterwerfung unter die Vorsehung und die vollkommenste Zufriedenheit mit jedem Ereignis die Grundlagen der stoischen Ethik; er beruft sich dafür auf Epiktet und Marc Aurel [17. VII. ii.1.35]. Auch Smith sieht im Vertrauen auf und in der Ergebung in die gütige Weisheit, die alle Ereignisse des menschlichen Lebens lenkt, eine Quelle des Trostes. Aber die Stoa habe aus der Vorsehung eine metaphysische Größe und aus dem Gedanken an sie die einzige Beschäftigung des Menschen gemacht und damit gelehrt, an nichts Anteil zu nehmen außer an dem, worauf wir keinerlei Einfluß haben: dem ›Wirkungskreis des großen obersten Lenkers des Universums‹ [17. VII. ii.1.46]. Nach der Stoa trügen auch die Fehler der Menschen zur Vollkommenheit des Ganzen bei. Keine Spekulation dieser Art, so wendet Smith ein, ›könnte unseren natürlichen Abscheu vor dem Laster mindern‹ [17. I.ii.3.4].

G. 19. JAHRHUNDERT

1. RALPH WALDO EMERSON

Das Universum Emersons (und des von ihm beeinflußten William James) trägt unübersehbar stoische Züge. Sein Wesen ist Weisheit, Liebe, Schönheit und Kraft in einem, und jedes von diesen ganz; es ist das, ›für das alle Dinge existieren und durch das sie sind‹; ›throughout nature, spirit is present‹ (*Nature*, 1849) [5. Bd. I.38]. Diese Kraft, der alles sein Dasein verdankt, ist in der Seele des Menschen gegenwärtig und die Quelle seines Selbstvertrauens: ›Let a man know his worth, and keep things under his feet‹. Die individuelle Natur ist Norm des Handelns: ›Kein Mensch kann seine Natur verletzen‹, und nichts ›kann dir Frieden bringen außer dir selbst‹ (*Self-Reliance*, 1847) [5. Bd. II. 34, 36, 50f.]). Der größte der späten Essays handelt über Schicksal, Vorsehung und Freiheit. Schicksal ist der Name ›für Ursachen, die nicht durchschaut sind‹. Ein ›Teil des Schicksals ist die Freiheit des Menschen‹. ›Wer den Plan durchschaut, steht über ihm und muß wollen, was sein muß‹. ›Warum sollten wir uns vor der Natur fürchten, die nichts anderes ist als verkörperte Theologie und Philosophie?‹. Laßt uns Altäre bauen für die ›schöne Notwendigkeit, welche den Menschen tapfer macht durch den Glauben, daß er eine Gefahr, die ihm bestimmt ist, nicht scheuen, und in eine, die es nicht ist, nicht geraten kann‹ (*Fate*, 1860) [4. Bd. VI. 26f., 31f., 35, 51f.] (→ United States II. 19. Jahrhundert).

2. FRIEDRICH NIETZSCHE

Friedrich Nietzsches Verhältnis zur Stoa ist zwiespältig. Epiktet und Seneca zählen für ihn zusammen mit Pascal und Plutarch zu den großen Moralisten, und er bedauert, daß sie nur noch wenig gelesen werden (*Menschliches, Allzumenschliches* I, 282). Den ›großen Tugendhaften‹ des Alt. wird die moralische Skepsis im Christentum gegenübergestellt, aber die skeptische Überlegenheit, die wir bei der Lektüre von Seneca und Epiktet fühlen, ist die eines Kindes vor einem alten Mann (*Die fröhliche Wiss.* III, 122). Epiktet ist eines der ›größten Wunder der ant. Sittlichkeit‹ (*Morgenröthe* II, 131); das Schönste ist, ›daß ihm die Angst vor Gott völlig abgeht, daß er streng an die Vernunft glaubt‹ (*Morgenröthe* V, 546). Mit der Stoa lehnt Nietzsche das Mitleid ab: Die größten Wunder der ant. Sittlichkeit ›haben sich mit allen Kräften für ihr ego und gegen die Mitempfindung mit den Anderen (...) gewehrt‹ (*Morgenröthe* II, 131). ›Das Mitleiden (...) ist eine Schwäche wie jedes Sich-verlieren an einen schädigenden Affekt‹ (*Morgenröthe* II, 134). Dagegen ist das stoische »Nach der Natur leben« für ihn eine ›Betrügerei der Worte‹. Ein Wesen, wie es die Natur ist, wäre ohne Absichten, ohne Rück-

sicht, ohne Erbarmen und Gerechtigkeit. In Wahrheit wolle der Stoiker der Natur seine Moral und sein Ideal vorschreiben und nicht nur sich selbst, sondern auch die Natur tyrannisieren (*Jenseits von Gut und Böse* § 9).

H. 20. JAHRHUNDERT UND GEGENWART

Weil der formale Ansatz der praktischen Philos. Kants und der Diskursethik allein nicht imstande ist, die Probleme der ökologischen und medizinischen Ethik zu lösen, gewinnt der stoische Naturbegriff neue Bedeutung. Die stoische Lehre von dem natürlichen Selbstverhältnis und der natürlichen Selbstliebe des Menschen (*oikeíōsis*) und den sich aus ihr ergebenden natürlichen Antrieben oder Neigungen, die in spontanen Wertungen erfaßt werden, verweist auf materiale Gesichtspunkte der praktischen Vernunft [28]. Gegenüber der Trennung von Tatsachen und Werten in der metaethischen Diskussion erinnert Lawrence C. Becker [25] an die Lehre der Stoa, daß die Ethik auf der Grundlage der Logik und Physik ruht, was bedeute, daß der Beitrag der biologischen, der Verhaltens- und der Sozialwiss. für die Moralphilos. unverzichtbar ist. Er interpretiert die stoischen Telosformeln im Sinne eines zeitgenössischen Naturalismus: Der Natur zu folgen bedeute, den Tatsachen zu folgen und die Ethik aus Tatsachen abzuleiten. In kritischer Auseinandersetzung mit Anregungen von Michel Foucault betont Martha C. Nussbaum, daß die stoische Philos. sich, entsprechend der Medizin, als Kunst, die Krankheiten der Seele zu heilen, versteht [39. 3–12, 316–358], und Gregor Maurach verweist auf Gemeinsamkeiten zw. Seneca und der Gesprächstherapie von Carl R. Rogers [39. 183–188]. Marc Aurels *Ermahnungen an sich selbst* werden von Pierre Hadot als ›geistige Übungen‹ interpretiert: als Disziplinierung des Urteils, des Begehrens und des Handelns [32; 43. 211–227]. Hadot spricht von einem ›universellen S.‹ in der Menschheit, der sich etwa auch im chinesischen Denken finde und den er als die ›große Objektivität‹ charakterisiert, die sich von der egoistischen Sichtweise befreit und die der Allnatur einnimmt [36. 423f.].

→ Philosophie

→ AWI Cicero; Epiktetos [2]; Marcus [2] Aurelius; Praktische Philosophie; Philosophisches Leben; Seneca [2]; Stoizismus; Theologie I. Griechisch-Römisch

QU 1 J. CALVIN, Institutio Christianae Religionis (1559), in: Opera Selecta, hrsg. v. P. BARTH, G. NIESEL, Vol. III-V, 1957–1962 2 Ders., Calvin's Commentary on Seneca's De Clementia, hrsg. v. F. L. BATTLES, A. M. HUGO, 1969 3 P. CHARRON, De la Sagesse, 1601, zensierte Neuausgabe Paris 1604 4 R. W. EMERSON, The Works of R. W. Emerson, hrsg. v. J. E. CABOT, 12 Bde., London 1894–1903 5 Ders., The Collected Works of R. W. Emerson, hrsg. v. J. SLATER et al., 1971 6 HERBERT OF CHERBURY, De Veritate, London ³1645 (Ndr. hrsg. v. G. GAWLICK 1966) 7 SAINT FRANÇOIS DE SALES, Œuvres, 27 Bde., Annecy 1892–1961 8 D. HUME, The Letters of David Hume, hrsg. v. J. Y. T. GREIG, Vol. I–II, 1932 9 J. LIPSIUS, Opera Omnia, 4 Bde., Wesel 1675 10 PH. MELANCHTHON, Initia doctrinae physicae, 1549 (= Corpus Reformatorum, Bd. 13, hrsg. v. G. BRETSCHNEIDER, Halle 1846) 11 B. PASCAL, L'entretien de Pascal et Sacy, hrsg. v. P. COURCELLE, 1981 **12** Ders., Pensées, hrsg. v. L. BRUNSCHVICG, Paris 1897 **13** F. PETRARCA, Opera Omnia, Basel 1554, Ndr. 1965 **14** Ders., Heilmittel gegen Glück und Unglück, hrsg. v. E. KESSLER, 1988 **15** Ders., De sui ipsius et multorum ignorantia, hrsg. v. A. BUCK, 1993 **16** PLATO LATINUS, Corpus Platonicum Medii Aevi, Vol. IV, Timaeus, hrsg. v. J. H. WASZINK, 1975 **17** A. SMITH, The Theory of Moral Sentiments, hrsg. v. D. D. RAPHAEL, A. L. MACFIE, 1984 **18** THOMAS VON AQUIN, Sancti Thomae de Aquino Opera omnia iussu Leonis XIII P. M. edita (=Editio Leonina), Bd. 1, In libros Peri hermeneias expositio, 1983 **19** Ders., Sancti Thomae de Aquino Opera omnia iussu Leonis XIII P. M. edita (=Editio Leonina), Bde. 4–12, Summa theologiae cum Supplemento et commentariis Caietani, 1888–1906 **20** Ders., Sancti Thomae de Aquino Opera omnia iussu Leonis XIII P. M. edita (=Editio Leonina), Bde. 13–15, Summa contra Gentiles cum commentariis Ferrariensis, 1918–1930 **21** G. DU VAIR, Œuvres, Paris 1641, Ndr. 1970 **22** H. ZWINGLI, Sermonis de providentia dei anamnemena, 1530 (= Corpus Reformatorum, Bd. 93/3, 1911, Ndr. 1989)

LIT **23** G. ABEL, S. und Frühe Neuzeit, 1978 **24** J. EYMARD D'ANGERS, Recherches sur le stoicisme aux XVIᵉ et XVIIᵉ siècles, 1976 **25** L. C. BECKER, A new stoicism, 1998 **26** M. L. COLISH, The Stoic Trad. from Antiquity to the Early Middle Ages, 2 Bde., 1990 **27** W. DILTHEY, Weltanschauung und Analyse des Menschen seit Ren. und Reformation, ²1921 **28** M. FORSCHNER, Über das Handeln im Einklang mit der Natur, 1998 **29** W. GERLACH, K. BAYER, Ciceros »De Natura Deorum« in der europ. Lit., in: Dies. (Hrsg.), M. T. Cicero, De Natura Deorum, 1978 **30** A. GRAESER, Stoische Philos. bei Spinoza, in: Revue Internationale de Philos. 45/178, 1991, 336–346 **31** CH. L. GRISWOLD, Nature and Philosophy: Adam Smith on stoicism, aesthetic reconciliation, and imagination, in: Man and World 29, 1996, 187–213 **32** P. HADOT, Die innere Burg. Anleitung zu einer Lektüre Marc Aurels, 1996 **33** A. JAGU, Utilisation du stoicisme par François de Sales, in: Revue des Sciences Religieuses 38, 1964, 42–59 **34** J. LAGRÉE, Juste Lipse et la restauration du Stoicisme, 1994 **35** Ders. (Hrsg.), Le Stoicisme aux XVIᵉ et XVIIᵉ siècles, actes du colloque CERPHI (4–5 juin 1993), Caen 1994 **36** M. LAPIDGE, The Stoic Inheritance, in: P. DRONKE (Hrsg.), A History of 12th Century Western Philosophy, 1988, 81–112 **37** G. MAURACH, Seneca – Leben und Werk, ²1996, 211–214 (Bibliogr. zur Seneca-Rezeption) **38** M. C. NUSSBAUM, Mitleid und Gnade: Nietzsches S., in: Dt. Zschr. für Philos. 41, 1993, 831–858 **39** Dies., The Therapy of Desire, 1994 **40** G. OESTREICH, Ant. Geist und mod. Staat bei Justus Lipsius, 1954, Ndr. 1989 **41** M. J. OSLER (Hrsg.), Atoms, Pneuma, and Tranquility. Epicurean and Stoic Themes in European Thought, 1991 **42** J. L. SAUNDERS, Justus Lipsius. The Philosophy of Ren. Stoicism, 1955 **43** R. SORABJI, Emotion and the peace of mind, 2000 **44** M. SPANNEUT, Permanence du Stoicisme. De Zenon à Malraux, 1973 **45** X. STALDER, Formen des barocken S. Der Einfluß der Stoa auf die dt. Barockdichtung, 1976 **46** G. VERBEKE, Saint Thomas et le stoicisme, in: Ant. und Orient im MA, hrsg. v. P. WILPERT, 1962, 48–68 **47** Ders., The Presence of Stoicism in Medieval Thought, 1983 **48** T. ZIELINSKI, Cicero im Wandel der Jh., 1897, ⁵1967.

FRIEDO RICKEN

Strafrecht A. EINFÜHRUNG B. DIE MODERNE REKONSTRUKTION DER PRINZIPIEN DES KLASSISCHEN RÖMISCHEN STRAFRECHTS C. DER EINFLUSS DER RÖMISCHEN QUELLEN AUF DIE GEMEINRECHTLICHE STRAFRECHTSWISSENSCHAFT

A. EINFÜHRUNG

Die Bewertung des röm. S. wurde in der Vergangenheit durch die durchweg negative Beurteilung, die auf zwei berühmte Gelehrte des 19. Jh. zurückgeht, präjudiziert: Theodor Mommsen und Francesco Carrara. ›Ganz schlecht‹ und ›zum Theil wirklich niederträchtig‹ hatte es der dt. Historiker in seiner Zürcher Antrittsvorlesung 1852 beurteilt [48. 595]. Der it. Kriminalist schrieb einige J. später: ›i Romani, giganti nel diritto civile, furono pigmei nel diritto penale‹ [22. 47]. Erst in den letzten Jahrzehnten kann man eine histor. Neubewertung des röm. S. im Schrifttum feststellen. Neuere Unt. zu dessen materiellen und prozessualen Aspekten haben ebenso dazu beigetragen wie die zunehmenden Einblicke in dessen Einfluß auf die europ. gemeinrechtliche Strafrechtswiss. vom Spät-MA an. So konnte etwa festgestellt werden: ›la riflessione romana sui problemi del diritto non è per nulla di qualità diversa secondo che si sia esercitata nel campo civilistico o in quello criminale‹ (»Es macht im röm. Rechtsdenken qualitativ keinen Unterschied, ob es sich um zivil- oder strafrechtliche Problemstellungen handelt.«) [12. 372]. Kürzlich wurde die große Bed. des röm. S. im europ. MA (ab dem 11. Jh.) und der Neuzeit deutlich herausgestellt [27. 77 ff.]: Die röm. Quellen waren nämlich dort als Ergänzung der Statutargesetzgebung unmittelbar anwendbar, und sie dienten ferner als ständiges Modell für ganze Generationen von gelehrten Juristen bei der theoretischen Erörterung zur Problematik der Straftat und Herausarbeitung von bestimmten Verbrechensfiguren. Diese gemeinrechtlichen Theorien bleiben im europ. S. über die → Aufklärung hinaus lebendig. Sie werden auch durch die → Kodifikationen des 19. Jh. nicht vollständig verdrängt.

B. DIE MODERNE REKONSTRUKTION DER PRINZIPIEN DES KLASSISCHEN RÖMISCHEN STRAFRECHTS

Es ist nicht Aufgabe dieses Art., der Geschichte der einzelnen *crimina* und *delicta* und deren strafrechtlicher Verfolgung nachzugehen [6. 73 ff., 514 ff.; 33. 47 ff.; 57]. Es seien hier nur die wesentlichen Ergebnisse zusammengefaßt, zu denen die neuere → Romanistik bei der Rekonstruktion des röm. S. der klass. Zeit gelangt ist. Dieses scheint – im Zusammenhang mit spezifischen Problembereichen – bestimmte allg. Prinzipien entwickelt oder wenigstens vorausgesetzt zu haben.

Es ist mittlerweile unbestritten, daß die klass. Jurisprudenz noch nicht einmal ansatzweise die Grundsätze der Legalität und der Nichtrückwirkung des Strafgesetzes gekannt hat. Diese Prinzipien, die h. in der Formel *nullum crimen, nulla poena sine praevia lege poenali* zum Ausdruck kommen, gehen auf die Aufklärung zurück und sind erstmalig durch den dt. Strafrechtler Anselm Feuerbach Anf. des 19. Jh. formuliert worden. In der ma. Strafrechtswiss. und in Art. 39 der *Magna Charta libertatum* von 1215 sind sie nur schemenhaft erkennbar. Es scheint h. auch gesichert, daß die röm. Juristen über die Funktion der Strafe nicht umfassend nachgedacht haben. Diese wurde wahlweise als Vergeltung, als Abschreckung bzw. Vorbeugung oder als Besserungsmaßnahme angesehen. Paulus (Dig. 48,19,20) erwähnt den Gedanken, wonach die Strafe auf die Person des Schuldigen beschränkt bleiben muß und nicht den Erben belasten darf, gerade weil sie *in emendationem hominum* vorgesehen ist. Dieses Prinzip kennt allerdings in den Quellen unzählige Ausnahmen.

Die klass. Juristen scheinen klar die Idee des objektiven Tatbestandsmerkmals einer strafbaren Handlung gekannt zu haben. Sie geben deshalb deutlich zu erkennen, daß als Voraussetzung eines *crimen* oder eines *delictum* ein menschliches Verhalten in Form einer aktiven Handlung oder einer Unterlassung vorliegen muß. Sie nehmen offenbar auch an, daß eine Unterlassung nur dann strafrechtlich erheblich ist, wenn ein positives Tun rechtlich im allg. Interesse angeordnet ist. Ebenso erkennen sie die selbständige Bed. des Erfolges als Konsequenz der Handlung und erörtern – wenn auch nur kasuistisch und im Ansatz – die Problematik des Kausalzusammenhangs. Eindeutige Äußerungen dazu fehlen offensichtlich. Außerdem unterscheiden sie offenkundig zw. der Rechtsfigur des Dauerdelikts und der des Zustandsdelikts. Hinsichtlich der Problematik der heutigen Rechtfertigungsgründe, die an sich die Rechtswidrigkeit einer Straftat ausschließen, kennen die röm. Juristen die Rechtsfiguren der Notwehr, des Notstandes, der Einwilligung des Opfers, der Rechtsausübung und des Befehlsnotstandes. Dies gilt insbes. für Handlungen, die der *dominus* dem Sklaven und der *pater familias* dem *filius familias* befohlen hat. Auch bezüglich der subjektiven Tatbestandsmerkmale ist h. gesichert, daß die Beitr. der klass. Jurisprudenz beachtlich gewesen sind. So wird einerseits zw. Vorsatz, Fahrlässigkeit und Zufall unterschieden, sowie darüber hinaus die Rechtsfigur der Unvorsätzlichkeit definiert. Andererseits wird zw. allg. und spezifischem Vorsatz sowie zw. absichtlicher Tat und Affekttat differenziert. Erkennbar ist gelegentlich der Grundsatz, wonach beim Fehlen des Vorsatzes im Sinne von bewußtem Wissen und Wollen in Bezug auf die gesamte Handlung ein *crimen* an sich nicht vorliegt. Ebenso wird die Regel gesehen, wonach für die Vollendung bestimmter *delicta* Fahrlässigkeit ausreichend ist. Diese wird als Unachtsamkeit, Ungenauigkeit, oder als *imperitia* angesehen. Außerdem haben sich die Klassiker die Frage der Erheblichkeit eines Irrtums hinsichtlich eines oder mehrerer der Tatbestandselemente einer Straftat gestellt: Ein Irrtum schließt demnach die Vollendung der Tat nur dann aus, wenn er entschuldbar ist. In diesem Zusammenhang wird ebenfalls die Frage des *error iuris*, der in der Unkenntnis bzw. ungenauen Kenntnis der Rechtsvorschriften besteht,

erörtert: In einigen wenigen Fällen wird dieser entgegen dessen allg. Unbeachtlichkeit als Entschuldigungsgrund angesehen. Bekannt ist den Klassikern scheinbar auch die Problematik der Straffähigkeit: Hinsichtlich der *crimina* werden der *impubes* und der *furiosus* als strafunfähig angesehen, weil ihnen ein Vorsatz nicht nachgewiesen werden kann. Was die *delicta* angeht, ist der Standpunkt der klass. Juristen dagegen differenzierter: Zunehmend setzt sich hier der Gedanke durch, den *infans* als strafunfähig einzustufen, ebenso den *impubes infantia maior*, der nicht der *pubertati proximus* sei, und den *furiosus*. Bewußt und bekannt ist darüber hinaus die Problematik der Tatumstände. Diese sind nach mod. Auffassung für die Vollendung der Tat nicht erforderlich, bringen aber eine Erschwerung oder Erleichterung, also eine Modifikation des Strafmaßes, mit sich. Diesbezüglich beobachtet man den Versuch einer im Ergebnis unvollendet gebliebenen juristischen Rationalisierung (Dig. 48,19,16). Saturninus schlägt dort zunächst eine Vierteilung der unerlaubten Handlungen hinsichtlich der Art ihrer Vollendung zw. *facta, dicta, scripta* und *consilia* vor; er bemerkt sodann, daß ›haec quattuor genera consideranda sunt septem modis‹. Diese werden wiederum in folgender Reihenfolge aufgelistet: *causa, persona, locus, tempus, qualitas, quantitas, eventus.* Anschließend werden die sieben Handlungsmodalitäten jeweils einzeln erörtert, die eine artikulierte Klassifizierung der einzelnen Tatumstände ermöglichen; diese führen nicht nur – was eigentlich konsequent wäre – zu einer schwereren oder leichteren Form der Straftat, sondern auch zu deren Qualifizierung, Differenzierung oder Nichtstrafbarkeit. Die klass. Juristen denken auch – jedoch nicht in systematischer Weise – über die Strafbarkeit des Versuchs nach. Ulpian (Dig. 48,19,18) formuliert den Grundsatz, daß die schlichte Absicht, eine Straftat zu begehen, noch nicht strafbar ist: ›cogitationis poenam nemo patit‹. In weiteren Stellen der Quellen schimmert zugleich die Überzeugung durch, daß auch derjenige bestraft werden muß, der Handlungen begangen hat, die für die Vorbereitung einer Straftat geeignet sind, selbst wenn deren Vollendung ausgeblieben ist. Diese Bestrafung sollte nicht unbedingt geringer ausfallen als für die Vollendung derselben Straftat vorgesehen. Welche Handlung hier als geeignet anzusehen sei, bleibt jedoch unklar. Deutlicher wird dagegen der Unterschied zw. vollendeter und unvollendeter Straftat definiert. Den Klassikern sind auch einige Vertiefungen zu den Problemen der Teilnahme und der Tateinheit zu verdanken.

C. DER EINFLUSS DER RÖMISCHEN QUELLEN AUF DIE GEMEINRECHTLICHE STRAFRECHTSWISSENSCHAFT

Nachdem die von der klass. röm. Rechtswiss. festgelegten oder zumindest im Ansatz entwickelten strafrechtlichen Prinzipien vorgestellt wurden, soll nun ihr Einfluß auf die europ. ma. und neuzeitliche Strafrechtswiss. aufgezeichnet werden. Die gelehrten Juristen jener Jh. begegnen auf dem Gebiet des S. Gewohnheiten und einer Statutargesetzgebung, die keinesfalls röm. Ursprungs sind. Hierüber wird ausführlich etwa von Julius Clarus und Prosperus Farinaccius berichtet. Das gilt insbes. für den Grundsatz, daß bei der Bewertung einer Straftat dem objektiven Tatbestandselement ein wesentlicher Vorrang zukommt. Die gemeinrechtlichen Juristen, deren Bildung auf den klass. röm. Quellen beruht, sind sich darüber bewußt, daß dieses Prinzip offenkundig mit der Theoriebildung der röm. Quellen in Konflikt steht, und versuchen es deshalb gerade unter Rückgriff auf die genannten Quellenstellen zu korrigieren. Bereits Albertus da Gandino bemerkt etwa im Zusammenhang mit dem Totschlag, wofür die Statutarnormen die Todesstrafe *sic et simpliciter* vorsehen, daß der Richter hier verpflichtet sei festzustellen, ob der Täter vorsätzlich oder nicht vorsätzlich gehandelt habe und empfiehlt, ggf. die Strafe zu ermäßigen, wenn die Tat ohne Vorsatz geschehen ist. Außerdem dürfe im S. dem Vorsatz weder die *culpa*, noch die *culpa lata* gleichgestellt werden. Eine ähnliche Ansicht wird später auch von Bartolus und Baldus vertreten. Dies eröffnet allerdings eine weitere schwierige Problematik: In welcher Weise ist es zu rechtfertigen, daß der Richter sich hier vom Wortlaut des Statuts entfernt, obwohl dort von Vorsatz keine Rede ist? Diese Frage wird von Baldus in dem Sinne beantwortet, daß nur, wenn dem Richter erlaubt wird, die Statutargesetzgebung nach den Prinzipien des Ius Commune auszulegen, diese auch lebendig und in ihrer Geltung weiterwirken könne. Die Praxis hat allerdings zunächst Schwierigkeiten, sich einer solchen Auffassung anzuschließen. Diese setzt sich jedoch am Ende durch, nicht zuletzt auf Grund der Unterstützung von Autoren wie etwa Paulus de Castro, Bartolomeo Cipolla und Giason del Maino aus der Schule der sog. Kommentatoren. Die Rechtskategorie des Vorsatzes wird von den gemeinrechtlichen Autoren in ihrer wiedererlangten begrifflichen Autonomie gemäß den röm. Quellen – ebenso wie die Rechtsfigur der Fahrlässigkeit – anerkannt. Die diesbezügliche juristische Analyse trägt allerdings keinesfalls dazu bei, die undurchsichtige Materie des subjektiven Tatbestands eines Verbrechens klar herauszustellen. Farinaccius etwa stellt sich zunächst auf den Standpunkt, daß eine nicht vorsätzliche Handlung nicht bestraft werden darf, jedenfalls anders und weniger bestraft werden darf – ggf. mit einer nichtkörperlichen Strafe – als eine vorsätzliche Handlung. Durch eine mißverständliche Heranziehung mancher röm. Quellenstellen verwechselt er dann anschließend den kriminellen Vorsatz mit der Arglist zu Lasten Dritter, was nach röm. Recht ein eigenes spezifisches *delictum* darstellt. Derselbe Farinaccius unterscheidet zudem zusammen mit anderen zeitgenössischen Autoren zwei Arten von Vorsatz: den wahren und den vermuteten, für den er eine andere Form der Strafbarkeit vorsieht. Hinsichtlich der Fahrlässigkeit führt die damalige gemeinrechtliche Lehre Unterscheidungen und Subunterscheidungen ein mit der Folge, daß in der täglichen Strafpraxis eine wachsende Ungewißheit und zugleich eine arbiträre Richterwillkür herrschen. Erst Antonius

Matthaeus schafft diesbezüglich Klarheit und ordnet die verschiedenen begrifflichen Konzepte, die sich im Laufe der Zeit in Bezug auf die Rechtsfiguren von Vorsatz und Fahrlässigkeit angesammelt haben. In seinem Werk findet insbes. die Abgrenzung zw. Vorsatz und Fahrlässigkeit eine sachadäquate und präzise Erörterung.

Die Stellen der röm. Quellen stellen also auch für das S. das ständige Orientierungsmittel für die ma. und neuzeitlichen Juristen dar, wenngleich diese nicht immer die röm. Lösungen angemessen nachvollziehen können. Bezeichnend ist etwa, daß Bartolus, hier gefolgt auch von Alciatus und Menochius und zunächst selbst von Baldus, die seltsame Ansicht vertrat, daß Straftaten, die ausschließlich durch Worte begangen werden – beispielsweise der Fluch oder die Beleidigung –, nicht strafbar seien. Dies wird aufgrund der Etymologie des Wortes *maleficium* (*male facere*) und einer mißverständlichen Bezugnahme auf die bereits zitierte Stelle des Saturninus (Dig. 48,19,16) gerechtfertigt. Weitere Belege für ähnliche Mißverständnisse kann man in der damaligen gemeinrechtlichen S.-Lit. beobachten, die von Alberto da Gandino bis zu Farinaccius ohne klare Ergebnisse die Rechtsfigur des *stellionatus* zu definieren und abzugrenzen versucht. Es handelt sich dabei um eine Straftat, die ein histor. Vorläufer des heutigen Tatbestandes des Betruges ist. Auch hier greifen die damaligen gemeinrechtlichen Autoren ständig auf die röm. Quellen zurück. Diese werden aber systematisch mißverstanden, etwa durch die Verwechslung von *stellionatus* und kriminellem Vorsatz aufgrund einer mißverständlichen Heranziehung Ulpians (Dig. 47,20,3,1) bei Tiberius Decianus. In diesem Zusammenhang ist der ironische Komm. bezeichnend, den der bekannte Strafrechtler des 18. Jh., Alberto De Simoni, hier abgibt: ›quel titolo di delitto a cui ricorrono gli ignoranti criminalisti qualora non sappiano dare altro più proprio nome ad un'azione e fatto criminoso avvenuto‹ (»Es handelt sich um denjenigen Straftatbestand, auf den die einfältigen Kriminalisten zurückgreifen, wenn ihnen keine geeignetere Bezeichnung für eine Handlung oder einen sonstigen kriminellen Akt einfällt.«) [17. 54]. Auf die röm. Quellen nimmt die gemeinrechtliche Strafrechtswiss. auch hinsichtlich der Umschreibung des Strafzwecks Bezug. Bevorzugt werden insbes. diejenigen Stellen der röm. Quellen zitiert, in denen der Strafe eine Abschreckungswirkung zuerkannt wird. Aus dieser Perspektive heraus wird eine allg. Strafverschärfung befürwortet in der Überzeugung, daß dies eine Abschreckungswirkung entfalten kann. Hierfür ist bezeichnend, daß Farinaccius einerseits aufgrund zahlreicher Stellen in den Quellen die Ansicht vertrat, daß der Wahnsinnige auf jeden Fall straffrei bleiben muß, weil er unfähig ist, eine vorsätzliche Handlung zu begehen. Diese Regel schränkt er jedoch anschließend ein, und zwar in dem Sinne, daß auch diese Subjekte einer Strafe unterzogen werden dürfen, wenn dies dem Staat nutzt: ›In exemplum cohibendi delicti, favore reipublicae‹. Hinsichtlich der Bestrafung setzt sich in der gemeinrechtlichen Wiss.

die Ansicht durch, daß sie auf den Täter beschränkt bleiben muß. Diese Ansicht ist röm. Ursprungs, erfährt jedoch in der damaligen Lehre zahlreiche Ausnahmen. Diese gehen erheblich über diejenigen hinaus, die bereits die klass. Quellen kennen. Darin finden die Doktoren eine wertvolle Stütze, was die Umstände der Straftat anbelangt. Farinaccius und andere Autoren stützen sich in diesem Zusammenhang auf die bei Saturninus (Dig. 48,19,16) genannten ›septem modis‹ und bauen ein regelrechtes System auf, das allerdings eher wegen seines Umfangs als wegen seiner Stringenz beeindruckt. Wenn man sich andererseits vor Augen führt, daß bereits das von Saturninus vorgeschlagene Klassifikationsschema Unzulänglichkeiten enthält, erscheint es folgerichtig, daß die gemeinrechtlichen Rechtsgelehrten in ihren Traktaten zu noch unbefriedigenderen Ergebnissen kommen mußten. Typisches Beispiel für die Begriffsverwirrung ist etwa die Heranziehung der Rechtsfigur des *error iuris* und des *error facti* als Gründe für eine Ermäßigung der Strafzumessung, wobei einige Autoren im ersten Fall die Möglichkeit einer Strafermäßigung wiederum von der Unterscheidung abhängig machen wollen, ob ein Irrtum bezüglich des *ius divinum*, des *ius gentium* oder der Normen des gemeinen und des partikularen Rechts vorliegt. Bezeichnend ist wiederum die vertretene Ansicht, daß eine bloße Ermäßigung der Strafe auch zugunsten desjenigen, der eine Tat gegen seinen Willen begangen hat, etwa weil er dazu von einem anderen gezwungen wurde oder in Befehlsnotstand handeln mußte, in Betracht kommt. Die röm. Quellen hingegen schließen in diesem Fall eine Strafbarkeit aus, weil eine Straftat nicht vorliegt. Andere Tatbestände, die nach röm. Recht Strafausschließungsgründe darstellen, werden übernommen, ohne ihre urspr. Zusammensetzung zu verlieren, und führen zu einer intensiven wiss. Weiterentwicklung, auch wenn ihre Aufstellung auf der systematischen Ebene fragwürdig ist: Hier sei etwa die Lehre der Notwehr genannt. Ebenfalls unter dem Einfluß der röm. Quellen steht die gemeinrechtliche Strafrechtswiss. hinsichtlich der Behandlung der Frage, welche Rolle das Alter des Täters für dessen Strafbarkeit spielen soll. Die röm. Quellen werden auch systematisch herangezogen bei der Erörterung der Problematik des Versuchs einer Straftat, wobei hier die Lehre eines ›iter criminis‹ im Sinne einer Idealaufteilung des Tathergangs entwickelt wird. Dies findet bes. im Zusammenhang mit dem sog. *conatus homicidii* Anwendung. Man orientiert sich bei der Bestimmung der Strafe immer mehr am Grad der tatsächlichen Umsetzung der geplanten Tat. Auch in Bezug auf die Tat- oder Personenmehrheit dienen die Texte der *prudentes* als Orientierung.

→ Deutscher Usus modernus; Glossatoren; Kommentar; Pandektistik; Prozeßrecht; Römisches Recht

1 G. ALESSI PALAZZOLO, Prova legale e pena. La crisi del sistema tra evo medio e moderno, 1987 2 K. AMIELANCZYK, The Guilt of the Perpetrator, in: Labeo 46, 2000, 82 ff. 3 M. BOARI, Qui venit contra iura. Il furiosus nella criminalistica dei secoli XV-XVI, 1983 4 B. BONFIGLIO, Corruptio servi, 1998 5 U. BRASIELLO, s. v. Concorso di persone nel reato (dir. rom.), in: Enciclopedia del Diritto, Bd. 8, 1961, 561 ff. 6 A. BURDESE, Manuale di diritto privato romano, ⁴1993 7 A. CADOPPI, Materiali per un'introduzione allo studio del diritto penale comparato, 2001 8 C. CALISSE, Storia del diritto penale italiano dal secolo VI al XIX, Firenze 1895 9 M. A. CATTANEO, Aufklärung und Strafrecht. Beitr. zur dt. S.-Philos des 18. Jh., 1998 10 G. CHIODI, »Delinquere ut universi«. Scienza giuridica e responsabilità penale delle universitates tra XII e XIII secolo, in: Studi di storia del diritto, Bd. 3, 2000, 383–490 11 E. COSTA, Crimini e pene da Romolo a Giustiniano, 1921 12 G. CRIFÒ, Principi di diritto penale romano, in: Labeo 19, 1973, 365 ff. 13 G. DAHM, Das S. Italiens im ausgehenden MA, 1931 14 C. DANUSSO, La fellonia »ex delicto« nell'età del commento, in: Studi di storia del diritto, Bd. 3, 2001, 201 ff. 15 F. DE MARTINO, In tema di stato di necessità, in: Ders., Diritto economia e società nel mondo romano, Bd. I, 1995, 369 ff. 16 Ders., L' »ignorantia iuris« nel diritto penale romano, in: Ders., Diritto economia e società nel mondo romano, Bd. II, 1996, 1 ff. 17 A. DE SIMONI, Dei delitti di mero affetto, in: Como 1784 18 E. DEZZA, Accusa e inquisizione. Dal diritto comune ai codici moderni, 1989 19 Ders., Tommaso Nani e la dottrina dell'indizio nell'età dei lumi, 1992 20 G. DIURNI, s. v. Omicidio (dir. interm.), in: Enciclopedia del Diritto, Bd. 29, 1979, 896 ff. 21 Ders., s. v. Pena criminale (dir. interm.), in: Enciclopedia del Diritto, Bd. 32, 1982, 752 ff. 22 E. FERRI, La riabilitazione del diritto penale romano, in: Studi F. Serafini, 1892, 47 ff. 23 C. FERRINI, Diritto penale romano. Teorie generali, Milano 1899 24 Ders., Diritto penale romano. Esposizione storica e dottrinale, in der Reihe: E. PESSINA (Hrsg.), Enciclopedia del diritto penale italiano (1906), Ndr. 1976 25 A. GARGANI, Dal corpus delicti al Tatbestand. Le origini della tipicità penale, 1997 26 L. GARLATI GIUGNI, Inseguendo la verità. Processo penale e giustizia nel »Ristretto della prattica criminale per lo Stato di Milano«, 1999 27 L. GAROFALO, Concetti e vitalità del diritto penale romano, in: Iuris vincula. Studi in onore di M. Talamanca, 2001, 73 ff. 28 Ders., »Stellionatus«: storia di una parola, in: Archivio Giuridico 220, 2000, 415 ff. 29 T. GATTI, L'imputabilità, i moventi del reato e la prevenzione criminale negli statuti italiani dei sec. XII-XVI, 1933 30 C. GIOFFREDI, I principi del diritto penale romano, 1970 31 V. GIUFFRÈ, La repressione criminale nell'esperienza romana. Profili, ⁵1998 32 H. P. GLÖCKNER, »Cogitationis poenam nemo patitur« (D. 48, 19, 18). Zu den Anf. einer Versuchslehre in der Jurisprudenz der Glossatoren, 1989 33 F. GNOLI, s. v. Diritto penale nel diritto romano, in: Digesto Discipline Penalistiche, IV, Ndr. 1994, 43 ff. 34 L. LACCHÉ, Latrocinium. Giustizia, scienza penale e repressione del banditismo in antico regime, 1988 35 H. LANGE, Röm. Recht im MA, Bd. I: Die Glossatoren, 1997 36 A. LOVATO, Legittimazione del reo all'accusa e funzione emendatrice della pena, in: SDHI 60, 1989, 423 ff. 37 M. LUCCHESI, »Si quis occidit occidetur«. L'omicidio doloso nelle fonti consiliari (secoli XIV-XVI), 1999 38 K. LÜDERSSEN (Hrsg.), Die Durchsetzung des öffentlichen S. Systematisierung der Fragestellung, 2002 39 A. MARONGIU, s. v. Concorso di persone nel reato (dir. interm.), in: Enciclopedia del Diritto, Bd. 8, 1961, 564 ff. 40 Ders., s. v. Dei delitti in generale (dir. interm.), in: Enciclopedia del Diritto, Bd. 12, 1964, 8 ff. 41 Ders., s. v.

Dolo (dir. interm. penale), in: Enciclopedia del Diritto, Bd. 13, 1964, 731 ff. **42** Ders., Tiberio Deciani, lettore di diritto, consulente, criminalista, in: Rivista di storia del diritto italiano 7, 1934, 135 ff., 312 ff. **43** R. MARTUCCI, s. v. Tentativo (dir. interm.), in: Enciclopedia del Diritto, Bd. 44, 1992, 98 ff. **44** G. P. MASSETTO, Saggi di storia del diritto penale lombardo (Secc. XVI-XVIII), 1999 **45** A. MAZZACANE, Eine Wiss. für zwei Reiche: Die neapolitanische Strafrechtsschule der Restauration, in: R. SCHULZE (Hrsg.), Rheinisches Recht und Europ. Rechtsgesch., 1998, 315 ff. **46** I. MEREU, »Culpa«: colpevolezza. Introduzione alla polemica sulla colpevolezza fra i giuristi del diritto comune, 1972 **47** G. MINUCCI, Diritto e processo penale nella prima trattatistica del XII secolo: qualche riflessione, in: M. ASCHERI et al. (Hrsg.), Ins Wasser geworfen und Ozeane durchquert. FS für K. W. Nörr, 2003, 581 ff. **48** T. MOMMSEN, Die Bed. des röm. Rechts, in: Ders., Gesammelte Schriften, Bd. III, 1907, 591 ff. **49** Ders., Röm. S., Ndr. 1990 **50** A. PERTILE, Storia del diritto italiano dalla caduta dell'impero romano alla codificazione, Bd. V, Storia del diritto penale, Ndr. ²1968 **51** G. POLARA, Marciano e l'elemento soggettivo del reato, in: Bolletino dell'Istituto di diritto romano »Vittorio Scialoia« 77, 1974, 89 ff. **52** G. PUGLIESE, Linee generali dell'evoluzione del diritto penale pubblico durante il principato, in: Ders., Scritti giuridici scelti, Bd. II, 1985, 653 ff. **53** G. RIZZELLI, »Ope consilio dolo malo«, in: Bolletino dell'Istituto di diritto romano »Vittorio Scialoia« 96–97, 1993–1994, 293 ff. **54** O. F. ROBINSON, The Criminal Law of Ancient Rome, 1995 **55** H. RÜPING, Grundriß der S.-Gesch., ³1998 **56** G. SALVIOLI, Storia del diritto italiano, ⁸1921 **57** B. SANTALUCIA, Diritto e processo penale nell'antica Roma, ²1998 **58** M. SBRICCOLI, s. v. Truffa (storia), in: Enciclopedia del Diritto, Bd. 45, 1992, 236 ff. **59** N. SCAPINI, Diritto e procedura penale nell'esperienza giuridica romana, 1992 **60** F. SCHAFFSTEIN, Das Delikt des Stellionatus in der gemeinrechtlichen Strafrechtsdoktrin, in: O. BEHRENDS (Hrsg.), FS für F. Wieacker, 1978, 281 ff. **61** M. U. SPERANDIO, »Dolus pro facto«. Alle radici del problema giuridico del tentativo, 1998 **62** G. SPOSITO, »Quattuor genera . . . septem modis«: le circostanze del reato in D. 48, 19, 16, in: SDHI 65, 1999, 95 ff. **63** S. STÜBINGER, Schuld, S. und Gesch. Die Entstehung der Schuldzurechnung in der dt. Rechtshistorie, 2000 **64** S. VINCIGUERRA (Hrsg.), Codice penale per il Principato di Piombino (1808), 2001 **65** D. WILLOWEIT, H. SCHLOSSER (Hrsg.), Die Entstehung des öffentlichen S. Bestandsaufnahme eines europ. Forschungsproblems. Konflikt, Verbrechen und Sanktion in der Ges. Alteuropas, Bd. 1, 1999 **66** Dies. (Hrsg.), Neue Wege strafrechtsgeschichtlicher Forsch. Konflikt, Verbrechen und Sanktion in der Ges. Alteuropas, Bd. 2, 1999 **67** G. ZORDAN, Il diritto e la procedura criminale nel »Tractatus de maleficiis« di Angelo Gambiglioni, 1976 **68** A. ZORZI et al. (Hrsg.), Criminalità e giustizia in Germania e in Italia. Pratiche giustiziarie e linguaggi giuridici in tardo medioevo ed età moderna, 2001.

LUIGI GAROFALO / Ü: FILIPPO RANIERI

Straßen, Straßenbau s. AWI Straßen- und Brückenbau; Nachträge: Straßen

Strukturalismus A. BEGRIFF
B. DIE SPRACHWISSENSCHAFTLICHEN GRUNDLAGEN
C. DIE MYTHENANALYSE VON CLAUDE
LÉVI-STRAUSS   D. ÄSTHETIK UND
LITERATURTHEORIE   E. GESCHICHTE, SUBJEKT
UND SYSTEM   F. KRITIK

A. BEGRIFF

Strukturalismus bezeichnet eine methodische Ausrichtung der Humanwiss. auf die Analyse von Bedeutungssystemen, die als überzeitliche Strukturen den einzelnen kulturellen Äußerungen zugrunde liegen. Der Begriff »Struktur« wird im S. nicht als Eigenschaft eines Werkes verstanden, sondern meint das von Saussure »System« genannte, dem Sprecher nicht bewußte Regelwerk (in der Sprache: *langue*), dem alle individuellen Konkretisierungen (in der Sprache: *parole*) gehorchen. Das Adj. »struktural« kennzeichnet als Gegenbegriff zu »genetisch« sowohl die Analysemethode als auch ein Erkenntnisinteresse, das Forscher unterschiedlicher Disziplinen verbindet. In den Altertumswiss. spielte der S. zu seiner Hochzeit nur eine geringe Rolle, hat aber in der Rezeption der Methoden in der griech. und röm. Sprachwiss., der Mythenforsch., der Analyse lit. Texte und der interdisziplinären Unters. arch., althistor. und philol. Gegenstände hinsichtlich der ihnen gemeinsam zugrundeliegenden Bedeutungssysteme wichtige Forschungsbereiche erschlossen.

Maßgebliche Beitr. stammen aus der Linguistik in der Nachfolge Saussures (N. S. Trubetzkoy, R. Jakobson, A. Martinet, L. Hjelmslev), der Anthropologie (C. Lévi-Strauss), Literaturwiss. (J. Mukarovský, A. Greimas, R. Barthes) und Psychoanalyse (J. Lacan). Trotz des erkennbaren Bestrebens, die Humanwiss. als einheitliches Projekt mit einer den Naturwiss. vergleichbaren, gemeinsamen Methodengrundlage zu konzipieren, lassen sich die heterogenen Ansätze weder als Schule noch als kohärente Bewegung auffassen (vgl. [5; 36. 9; 40. 3]). Als Epochenphänomen umfaßt der S. ca. die J. von 1930 bis 1970 und erreichte einen Höhepunkt im frz. S. der 1960er J., in dem sich teilweise dezidiert anti-human. Positionen und Ideologiekritik (vgl. [36. 9]) mit dem Mythos eines völligen Neubeginns in den Humanwiss. zu einer öffentlichkeitswirksam diskutierten, intellektuellen Mode verbanden, die selbst ideologische Züge annahm. Die Hauptvorwürfe der Gegner des S. richteten sich in dieser Phase auf die ungeklärte Frage, ob es sich bei den postulierten Strukturen um durch Abstraktion gewonnene Erklärungsmodelle handeln sollte (U. Eco: »methodologischer S.«) oder ob sie eine Entsprechung in der Realität besäßen (U. Eco: »ontologischer S.«, dazu z. B. [16. 125]). Erst nach dem E. des »weltanschaulichen« S. sind die strukturalen Perspektiven als wichtiger Beitr. zum methodischen Instrumentarium der Geisteswiss. weithin anerkannt worden.

B. Die sprachwissenschaftlichen Grundlagen

Bereits in Platos *Sophistes* 262a–c hat man eine ›materielle Grundlage der strukturalen Linguistik‹ ausgemacht, da hier die Analyse eines Zeichensystems auf der Ermittlung einer endlichen Zahl von Minimaleinheiten und ihrer begrenzten Kombinierbarkeit beruht (vgl. [29. 492; 12. 2, 15]). Als Ausgangspunkt und Katalysator des S. im 20. Jh. gilt aber der Begründer der mod. Sprachwiss. F. de Saussure. Zum Grundprinzip strukturalistischer Methodik wurde die von Saussure vorgeschlagene Konzeption des sprachlichen Zeichens als Verbindung eines Lautbildes (Signifikant) und einer von diesem im Geist bewirkten Vorstellung (Signifikat). Da das Referenzobjekt aus der Betrachtung ausgeschlossen bleiben soll, versteht der S. Bed. nur als systemimmanenten Wert, der sich aus den Differenzen der Elemente untereinander ergibt. Der jeweilige Untersuchungsgegenstand muß daher in Minimaleinheiten zerlegt werden, deren Relationen zueinander durch Taxonomie und Klassifikation bestimmt werden. Charakteristische Schemata sind seit Saussure und Jakobson binäre Oppositionen und Dichotomien (*langue – parole*, diachron – synchron, syntagmatisch – paradigmatisch, dazu z. B. [1. 26–54]), die auf verschiedenen Ebenen der Analyse jeweils neu eingesetzt werden und den doppelten Charakter eines Instrumentes der Unt. und einer Eigenschaft des entdeckten Systems tragen. Dieser doppelte Charakter resultiert aus der Annahme des S., daß die abstrakten Regeln, denen die Kombination der Elemente und der Übergang von einem System (z. B. mythische Erzählung) in ein anderes (z. B. wiss. Beschreibung) gehorchen, universale Gültigkeit besitzen und alle symbolischen Äußerungen vorgängig determinieren. Nicht die Einzelgegenstände, sondern das zugrundeliegende System ist daher Objekt wiss. Forsch.: ›Any set of phenomena examined by contemporary science is treated ... as a structural whole, and the basic task is to reveal the inner, whether static or developmental, laws of this system‹ [21. 2, 711]. Das Verständnis der Einzelgegenstände als Oberflächenphänomene hat eine Neubestimmung der Aufgaben der Wiss. im S. zur Folge: Linguistik wird als Wiss. vom Sprachsystem (*langue*), Poetik als Wiss. von poetischer Rede (*discours*) konzipiert [44. 113].

In methodischer Hinsicht ist die Prager Phonologie zum Modell aller späteren Ansätze des S. geworden. Sprachliche Phänomene sollen in funktional bestimmte Minimaleinheiten zerlegt werden, wobei die Funktion die Relevanz bedeutet, die die phonetischen Unterschiede zweier Laute für die mögliche Bed. von Wörtern haben können. Wenn der Austausch zweier Laute eine Bedeutungsveränderung bewirkt, handelt es sich um die gesuchten Phoneme (Kommutationstest). Noch unterhalb dieser Phoneme wurde darauf ein System binärer Oppositionen von Fehlen oder Vorhandensein distinktiver Merkmale ausgemacht, die die begrenzte Menge der sog. phonologischen Universalien bilden

und jede beliebige Sprache zu beschreiben erlauben. Weiterentwickelt wurde der linguistische S. besonders in der Glossematik (L. Hjelmslev, HJ. Uldall, J. Holt), die durch die Konnotationstheorie großen Einfluß auf die Literaturtheorie gewonnen hat.

C. Die Mythenanalyse von Claude Lévi-Strauss

In unmittelbarem Kontakt mit der Linguistik (R. Jakobson) hat C. Lévi-Strauss eine strukturale Anthropologie entwickelt und mit seinen Publikationen maßgeblich zur Übertragung des linguistischen S. auf andere Disziplinen beigetragen. Nach dem Vorbild des Geologen, der hinter den Zufälligkeiten der Oberfläche die zugrundeliegende Ordnung erkennt, sollen die unbewußten Regeln analysiert werden, denen die Individuen in ihrem symbolischen Handeln folgen. Analog der *langue* der Linguistik entdeckte Lévi-Strauss universale Denkschemata, die sämtlichen kulturellen Äußerungen des menschlichen Geistes vorgeordnet sind. Er segmentierte die Mythen in differenzbildende Elemente, deren Bed. nur relational im System bestimmbar ist. Da in allen Mythen dieselben universalen Denkmuster die Kombination der Elemente regieren und statt des *plot* nur die kohärenzerzeugenden Prinzipien (Korrespondenz, Isomorphie etc.) eine Rolle spielen, sind für Lévi-Strauss Sophokles und Freud gleichberechtigte Quellen in der Analyse des Ödipusmythos [27]. Wenn jedes symbolische System (Verwandtschaften, Totemismus) von tieferliegenden Strukturen generiert wird, muß die Wiss. sich auf die Regeln konzentrieren, die die Transformation eines Systems in ein anderes kontrollieren, und die Klassifikationen aufdecken, denen der menschliche Geist selbst unterworfen ist.

D. Ästhetik und Literaturtheorie

Ästhetik und Literaturtheorie des Prager S. bauten in wesentlichen Teilen auf den Erkenntnissen des russ. Formalismus auf (bis ca. 1930; R. Jakobson, V. Sklovskji, B. Eijchenbaum), in dem als Merkmal der Literarizität die Abweichung der poetischen Sprache von der Alltagssprache bestimmt und die Verfahren untersucht werden sollten, mit denen eine solche Abweichung bewerkstelligt wird. Gegen die Reduktion der Kunst auf bloße Abbildfunktionen psychologischer oder gesellschaftlicher Gegebenheiten wurde die Vorstellung von der Autonomie und Selbstreflexivität des Kunstwerkes gesetzt. Um das Verhältnis von Individuellem und Sozialem zu bestimmen, faßte J. Mukarovský das ästhetische Objekt als die aus der Vielzahl subjektiver Konkretisierungen abgeleitete, kleinste gemeinsame Menge von Vorstellungen auf, die von einem Kunstwerk bei den Mitgliedern einer Kulturgemeinschaft hervorgerufen werden. Anstelle des einzelnen Werkes gilt es daher, in der Ästhetik die Konventionen zu untersuchen, die die Rezipienten als Kriterien für ihre Unterscheidung zw. Lit. und »Nicht-Lit.« zugrundelegen [43. 31 f.]. Als einer der einflußreichsten Vertreter des S. hat der Linguist R. Jakobson Anregungen der Phänomenologie Husserls, der Linguistik Saussures und der

Kommunikationstheorie (K. Bühler) zunächst im Kontakt mit den russ. Formalisten, dann in der Prager Phonologie weiterentwickelt. In seinen Analysen lyr. Texte suchte er, über die Klassifikation sprachlicher Erscheinungen die den Gesamttext organisierenden, abstrakten Ordnungsprinzipien aufzudecken (zur Kritik z. B. [40. 77]).

Die Auffassung vom Individuum als bloßer Funktion des bedingenden Diskurses (M. Foucault) führte in der franz. Literaturtheorie zur Auflösung der Konzepte von Leser, Autor und dem von diesem intendierten Werk: Der Autor ist nicht mehr personell, sondern nur textuell als Konglomerat von Relationen überindividueller Bezugssysteme faßbar. Für R. Barthes, der mit seinen oftmals polemischen Schriften bereits den Übergang zum Post-S. markiert (vgl. z. B. [40. 154–65; 7. 9f.]), ist auch die Schreibweise (écriture) nur scheinbar eine persönliche Komponente, die als unabhängig vom Wollen des Schriftstellers gewordene Größe sein Schreiben determiniert. Während die semantische Offenheit von Texten im Prager S. als graduell abgestuft verstanden und hinsichtlich ihrer je unterschiedlichen Konkretisierung durch Leser diskutiert wurde, ging R. Barthes von einer unbegrenzten Offenheit aller Texte aus [16. 143]. Nach anfänglicher Orientierung der Literaturwiss. an der strukturalen Linguistik und Beitr. zur Erzählanalyse im Anschluß an V. Propp, C. Bremond und T. Todorov sowie zur Ideologiekritik mithilfe der Konnotationstheorie (L. Hjelmslev) leugnete er zunehmend die Möglichkeit, Bed. von Texten zu erfassen. Die Instabilität der Zeichen erlaubt nur noch ein frg. Arbeiten, das sich als Lit. der Sprache als unterdrückendem System widersetzen soll.

Für die Klass. Philol. sind insbes. die Ergebnisse des literaturwiss. S. (J. Mukarovský, R. Jakobson, M. Riffaterre) und der Erzählanalyse (C. Bremond, R. Barthes, A. Greimas, T. Todorov) sowie die Mythenanalyse (C. Lévi-Strauss) von großer Bed. (vgl. z. B. [23]). Die erfolgreiche Rehabilitierung der Form als gegenüber dem Inhalt eigenständiger Aussageebene der Zeichen hat bereits vorhandene Lesarten ant. Texte ergänzt und zugleich die Möglichkeiten eröffnet, die Zeugnisse ant. Kultur auf die ihnen zugrundeliegenden Bedeutungssysteme zu untersuchen. Die Verarbeitung von Anregungen des S. in der amerikanischen Literaturwiss. z. B. durch die Archetypenanalyse von N. Frye [18], die die Ablösung des *New Criticism* als Paradigma bewirkte [40. 2f.], hat die Unt. der ant. Lit. auf die kulturellen Konventionen hin erweitert, die jeweilige Lesergemeinschaften bei ihren Lektüren befolgen (J. Culler).

E. GESCHICHTE, SUBJEKT UND SYSTEM

Ein zentrales Problem des S. betrifft die Frage nach dem Verhältnis zw. einem handelnden Subjekt und der Geschichte einerseits und den postulierten abstrakten Strukturen andererseits, die das menschliche Handeln determinieren sollen. Die Frage war nicht neu, wurde aber in verschiedenen Disziplinen unabhängig von der sprachwiss. Trad. verstärkt diskutiert. Unter *faits sociaux*

faßte E. Durkheim ›Verhaltensweisen, Arten des Denkens und Fühlens, die die bemerkenswerte Eigenschaft aufweisen, außerhalb des individuellen Bewußtseins zu existieren‹ [13. 6]. Die sog. Annales-Schule (F. Braudel u. a.) konzipierte Geschichte als Wechselspiel zw. Einzelereignissen und den sie bedingenden Faktoren geogr., wirtschaftlicher und sozialer Art, die als stabile Elemente von langer Dauer (*longue durée*) auch in Religion, Philos. etc. den Charakter bestimmender Strukturen annehmen (vgl. [8; 15. 20–23]). Wichtige Anregungen stammten zudem aus der Kunstwiss. (A. Riegl, vgl. [15. 10]), der amerikanischen Soziologie (T. Parsons) und der Symbolphilos. E. Cassirers, der mit Blick auf den S. bereits 1945 davor warnte, den Organismusbegriff nicht formal-methodologisch, sondern ontologisch auf die Sprache zu übertragen [1. 17f.].

Einen wichtigen Beitr. zur Vermittlung zw. System und Geschichte hatte bereits der Prager S. mit den Kategorien der praktischen, theoretischen, symbolischen oder ästhetischen Funktionen gefunden [16. 60f.]. Die Funktion als ›Art und Weise des Sich-geltend-Machens des Subjekts gegenüber der Außenwelt‹ (J. Mukarovský) äußert sich im Bruch der ästhetischen Norm, den das Individuum vollziehen kann. Die so als Wechselwirkung begriffene Dialektik zw. normkonservierenden Instanzen und deren Problematisierung durch die Individuen wurde im späteren S. (R. Barthes) auf die Übermacht der Institutionen reduziert, was manchen Interpreten als Rückschritt hinter den Erkenntnisstand der 1930er J. erschienen ist [16. 132, 137; 40. 6]. Gegen die behauptete Ahistorizität des S. hat L. Sebag [39. 170f.] präzisiert, daß die Strukturen zwar den Wandel definieren, dieser aber von den beteiligten Individuen vollzogen werden muß. In umgekehrter Blickrichtung konzipierte L. Goldmann 1964 einen »genetischen« S., in dem der dialektische Materialismus um die Perspektiven des S. erweitert wird. In einer Radikalisierung der Theorien Freuds in der Psychoanalyse (J. Lacan) und des Marxismus (L. Althusser) wurde im frz. S. zunehmend die Eigenständigkeit des Individuums gegenüber den bedingenden Strukturen geleugnet. Autonomie und Identität des Subjekts galten als Täuschung, die aus einer Unterwerfung unter die symbolische Ordnung des Unbewußten resultiert. Nach J. Lacan identifiziert sich das Kind zuerst mit seinem Spiegelbild als einem Anderen seiner Selbst und muß sich im Spracherwerb der vorgängigen Ordnung unterwerfen, um der Notwendigkeit der sozialen Einbindung gerecht zu werden.

F. KRITIK

Die Kritik am S. war vielfältig und wurde durch die verabsolutierenden Tendenzen des späteren S. verstärkt. F. de Saussure hatte nicht die mit der Diachronie befaßte histor. Sprachwiss. ersetzen, sondern ihr gleichberechtigt die Erforsch. der synchronen Organisation der Sprache als eines Regelsystems (*langue*) an die Seite stellen wollen, so daß die Ausklammerung des Histor.-Kontingenten und die Konzentration auf das abstrakte

System zunächst heuristischen Wert besaß. Schon früh wurden die unzulässigen Übertragungen der linguistischen Modelle auf andere Disziplinen kritisiert (É. Benveniste, A. Martinet), der Reduktionismus, mit dem Kohärenz der Strukturen erzeugt werden sollte (H. Lefèbvre) und die Mißachtung der wesentlichen Bed. der Redundanz im Literarischen (H. Friedrich 1967). Unter dem Eindruck der Sprachtheorie N. Chomskys wandte D. Sperber [45. 169f.] gegen die Behauptung, der S. sei eine Methode, ein, es handele sich tatsächlich um eine Theorie, die zwar mit Induktion und Deskription arbeite, sich aber nicht der Falsifizierbarkeit aussetze. Die produktive Kritik hat innerhalb des S. zu Modifikationen geführt und wurde z.B. in den Konzeptionen des sog. »Post-S.« (Dekonstruktion) und der Semiotik vertieft.

→ Semiotik, Kulturanthropologie; Mythos

→ AWI Mythos

1 J. ALBRECHT, Europ. S., ²2000 2 L. ALTHUSSER, Pour Marx, 1965 3 Ders., E. BALIBAR, Lire le capital, 2 Bde., 1966 4 R. BARTHES, Mythologies, 1957 5 Ders., Essais critiques, 1964 6 Ders., Système de la mode, 1967 7 Ders., L'aventure sémiologique, 1985 8 F. BRAUDEL, Histoire et sciences sociales: la longue durée, in: Annales 13, 1958, 725–753 9 E. CASSIRER, Philos. der symbolischen Formen, 1923–29 10 J.-C. COQUET, Semiotique. L'École de Paris, 1982 11 J. CULLER, Structuralist Poetics, 1975 12 F. DOSSE, Histoire du structuralisme, 1992 (dt. ²1998) 13 E. DURKHEIM, Les règles de la méthode sociologique, ⁴1907 14 U. ECO, La struttura assente, 1968 15 H. VON EINEM, K. BORN, F. SCHALK, W. SCHMID, Der Strukturbegriff in den Geisteswiss., AA Mainz 1973, Nr. 2 16 L. FIETZ, S. Eine Einführung, ³1998 17 H. FRIEDRICH, S. und Struktur in literaturwiss. Hinsicht, in: Europ. Aufklärung, FS H. Dieckmann, 1967, 77–86 18 N. FRYE, Anatomy of Criticism, 1957 19 S.J. HARRISON (Hrsg.), Texts, ideas, and the classics. Scholarship, theory, and classical literature, 2001 20 L HJELMSLEV, Prolegomena to a Theory of Language, 1953 21 R. JAKOBSON, Selected Writings, 8 Bde., 1966–88 22 F. JAMESON, The Prison-House of Language. A Critical Account of Structuralism and Russian Formalism, 1981 23 I. DE JONG (Hrsg.), Modern critical theory and classical literature, 1994 24 J. LACAN, Écrits, 1966 25 H. LEFÈBVRE, Position: contre les technocrates, 1967 26 C. LÉVI-STRAUSS, Tristes Tropiques, 1955 27 Ders., Anthropologie structurale, 1958 28 Ders., La pensée sauvage, 1962 29 J.-C. MILNER, Introduction à une science du langage, 1989 30 J. MUKAROVSKY, Structure, Sign and function. Selected essays by J. Mukarovsky, hrsg. v. P. STEINER, J. BURBANKS, 1978 31 J.J. PERADOTTO, Modern Theoretical Approaches to Homer, in: I. MORRIS, B. POWELL (Hrsg.): A New Companion to Homer, 1997, 380–395 32 A. RIEGL, Spätröm. Kunstindustrie, ²1927 33 M. RIFFATERRE, Essais de stylistique structurale, 1971 34 F. DE SAUSSURE, Cours de linguistique générale, 1916 35 Ders., Linguistik und Semiologie. Notizen aus dem Nachlaß, hrsg. v. J. FEHR, 1997 36 G. SCHIWY, Der frz. S., 1969 37 T. SCHMITZ, Mod. Literaturtheorie und ant. Texte, 2002 38 R. SCHOLES, Structuralism in Literature, 1975 39 L. SEBAG, Marxisme et Structuralisme, 1964, (dt. 1967) 40 R. SELDEN (Hrsg.), The Cambridge History of Literary Criticism Bd. 8: From Formalism to Poststructuralism, 1995 41 J. STAROBINSKI, Remarques sur le structuralisme, in: F. SCHALK (Hrsg.), Ideen und Formen, FS Hugo Friedrich, 1963 42 P. STEINER (ed.), The Prague School. Selected writings, 1929–1946, 1982 43 W.-D. STEMPEL, J. STRIEDTER (Hrsg.), Texte der russ. Formalisten II, 1972 44 T. TODOROV, Poetique, in: [45. 105–179] 45 F. WAHL (Hrsg.), Qu'est-ce que le structuralisme?, 1968.
ALEXANDER ARWEILER

Stützfiguren/Erechtheionkoren A. BEGRIFFE B. NACHLEBEN UND MITTELALTERLICHE NEUSCHÖPFUNG C. VITRUV-REZEPTION UND STÜTZFIGUREN IN RENAISSANCE UND BAROCK D. KLASSIZISMUS UND HISTORISMUS: SONDERFALL ERECHTHEION-KOREN

A. BEGRIFFE

Grundlegend für das Nachleben ant. St. bis weit in die Neuzeit ist die von Vitruv vorgenommene Differenzierung unterschiedlicher Typen gebälktragender St. in der Architektur. Basierend auf der Differenzierung der → Säulenordnungen und ihrer Proportionen nach Geschlechtern (Vitr. 4,1,6–7 in: [10]), verwendet Vitruv für männliche St. die Termini »Atlant« und »Telamon« synonym (4,7,6). Weibliche St. heißen Karyatiden (1,1,5). Vitruv versteht St. jenseits eines anthropometrischen Anspruchs als Säulensubstitut und leitet den Namen Karyatide von der lakonischen Stadt Karyai ab, deren Bewohner im Perserkrieg versklavt worden seien. Das männliche Gegenstück dieser inhaltlichen Deutung als Exempel der Knechtschaft (servitutis exemplo) sind »Perser«, deren Nachbilder eine Säulenhalle tragen. Die Rezeption der Vitruvschen Deutung kann im MA nur als Abwandlung nachgewiesen werden und löst sich seit der Ren. immer wieder von der ant. Überlieferung.

B. NACHLEBEN UND MITTELALTERLICHE NEUSCHÖPFUNG

Obwohl die von den Römern aufgegriffene griech. Architekturterminologie ausgeprägte anthropomorphe Grundzüge besitzt [17], stellt die architektonische Anthropometrie und -morphie des MA eine weitgehende Neuschöpfung dar [25]. Lediglich rhet. und einzelne anthropomorphe und -metrische Elemente sind ant. Ursprungs. Der Grund für die Annahme einer weitgehenden Neuschöpfung im MA liegt in der bes. Bed. der architektonischen Allegorese, der die Hl. Schrift und entsprechende Äußerungen der Kirchenväter und anderer Theologen zugrunde liegen. Unter diesen ragen Augustinus (Aug. civ. 15,26) sowie Isidor von Sevilla, Beda Venerabilis, Albertus Magnus und Guilelmus Durandus heraus [23; 24]. Das Kirchengebäude und seine einzelnen Bau- und Ausstattungsteile als Ausdruck der *ecclesia spiritualis* werden allegorisch auf den menschlichen Körper bezogen, den Gott nach seinem Ebenbild schuf [16; 24]. Zwar kommt es nur selten zur Verwendung von freistehenden St., was auch in der Ant. eine Ausnahme darstellt, jedoch werden Säulen und Pfeiler im Sakralbau allegorisch als Apostel, Evangelisten und Propheten interpretiert. Dies wirkt auf das Verständnis der skulpierten St. zurück und erklärt die Beliebtheit des Motivs in der ma. Architektur [11]. Die Formen reichen von Konsolbüsten, Pilasterfiguren, Lisenenträgern, Bildhauer- und Baumeisterkonsolen bis zu Gewände-statuen und figürlichen Säulenbasen. Darüber hinaus zieren sie sakrale Ausstattungsgegenstände wie Lesepul-te, Kanzeln, Taufbecken, Throne sowie Grabdenkmäler und sind inhaltlich bes. oft als Tugendallegorien ge-dacht. Die ant. Auffassung von der gebälktragenden, freistehenden Figur ist den ma. Bildhauern fremd, wie auch die Knechtschaftsfabel Vitruvs [13]. Jedoch wird u. a. beim Bau des Mailänder Domes (nach 1386) an-thropometrisch argumentiert; die Pfeilerproportionen werden dem menschlichen Körper entlehnt [16]. Nur selten treten St. tatsächlich anstelle von Säulen auf, wie an der Kirche Pieve di S. Maria in Arezzo, wo unter den 68 Säulen der 1180 fertiggestellten Kirchenfassade eine die Form einer Bischofsfigur besitzt, auf der das Gebälk ruht. Bedeutsame Beispiele für eine an ant. Formen und Inhalte angelehnte Rezeption der ant. St. stellen die Domkanzeln in Siena (N. Pisano, 1266/1268) und in Pisa (G. Pisano, 1302/1312) dar.

Auch wenn der Begriff im MA ungebräuchlich ist, können zweifellos die zahllosen Atlanten – der Legende nach trägt Atlas den Himmelsglobus – einem Nachleben der Ant. zugeordnet werden. Sie unterscheiden sich von den übrigen St. durch den aktiven Armgestus des Stüt-zens und treten fast immer in Verbindung mit der Wandarchitektur auf [13]. Exemplarisch seien genannt: Modena, Domportal, 1099ff.; Ferrara, Domportal, 1135; Kathedrale von Spoleto, Fassade, 2. H. 12. Jh.

(Abb. 1). Unter den ma. Kirchenausstattungen sei bes. auf einen zw. Kapitell und Kanzelboden postierten At-lanten am Ambo der Mailänder Ambrosiusbasilika ver-wiesen (G. da Pomo, 1204–1212), der bes. effektvoll in Szene gesetzt ist. Das Problem der inhaltlichen wie der Formtradition ist allerdings, auf die Gesamtheit der St. bezogen, nach wie vor ungeklärt, die Darstellung der allegoretisch intendierten St. als Neuschöpfung des christl. MA hypothetisch. Umfassende Unt. zu den Tra-dierungsweisen, evtl. über Bildmedien (Buchmalerei, Mosaik) stehen noch aus. Nur für spätant. Hermen-Pfeiler (mit anthropomorphem Kopf) läßt sich eine christl. Umbildung im 4. und 5. Jh. (Rom, Byzanz) nachweisen [29].

C. VITRUV-REZEPTION UND STÜTZFIGUREN IN RENAISSANCE UND BAROCK

Die Künstler der Ren. eigneten sich das Modell der gebälktragenden St. in Theorie und Praxis sowie in den unterschiedlichen Medien an. Vitruvs Ideen vom figür-lichen Säulensubstitut und von der dem menschlichen Körper entlehnten architektonischen Symmetrie und Proportion (Vitr. 1,2,4) wurden dabei oft neu inter-pretiert und nicht selten miteinander verwoben. Ehe die Architektur des 16.–19. Jh. mit St. geradezu bevölkert wurde, bestimmte die theoretische Auseinandersetzung mit ihnen die (vitruvianische) Architekturtheorie der Neuzeit. Für L. B. Alberti [1. IX. 7] bilden sich mensch-liche Körperproportionen in den Säulen ab. Zudem er-

Abb. 1: Atlanten an der Kathedralfassade von Spoleto.
Archiv des Autors

Abb. 2: Antonio Averlino genannt Filarete,
Vorschlag für Stützfiguren an einem Tempel der Tugend

Abb. 3: Fra Giovanni Giocondo, weibliche Stützfiguren (Karyatiden) aus *Vitruvio per Jocundum solito castigator fastus ...*, 1511

kannte er den dekorativen Charakter von Hermen und St. an, die geeignet seien, die Gebäudefunktion zu veranschaulichen [1. IX. 1]. Auch Filarete vertrat in seinem Traktat (1460er J.) ein anthropometrisches Modell der Architektur und ihrer Teile [3]. Am Beispiel eines »Tempels der Tugend« übertrug er das ma. Tugendsystem auf St., so daß Karyatiden die Funktion von Tugendallegorien zugewiesen wurde (Abb. 2). F. di Giorgio trieb in seinen Traktaten (1. Fassung ca. 1476 beendet, 2. ca. 1492) die Differenzierung der Säulenordnungen nach Geschlechtern auf die Spitze und entwarf eine gynäkomorphe Säule [16].

Daneben sind unter den Vitruv-Illustrationen diejenigen von G. Giocondo (1511; Abb. 3 + 4), C. Cesariano (1521) und W. Ryff (1548) zu nennen, die St. bes. prägnant illustrieren. Im Gegensatz zu A. Palladios

Abb. 4: Fra Giovanni Giocondo, männliche Stützfiguren (Perser) aus *Vitruvio per Jocundum solito castigator fastus ...*, 1511

Traktat *I quattro libri dell'architettura* (1570), einem architekturtheoretischen Hauptwerk der Neuzeit, das St. nicht thematisiert, erweiterte die nordeurop. → Architekturtheorie (u. a.: H. Blum, 1550; H. Vredemann de Vries, 1562/1577 (Abb. 5); J. Shute, 1563; W. Dietterlin, 1598; G. Krammer, 1600) die Formenvielfalt der St., indem sie »belebte«, bizarre und groteske Spielarten schuf, die sich indes überwiegend auf Pilasterdekorationen (Karyatidhermen, Pilasterhermen) beschränkten [15].

Unter den gebälktragenden St. in der Architektur ist als Hauptwerk die von J. Goujon im sog. Karyatidensaal des Pariser Louvre errichtete Musikempore (etwa 1555) zu nennen, die von einem Stich M. A. Raimondis (1520er J.) inspiriert sein dürfte. Derartige freistehende gebälktragende St. sind selten (so am Portal des Heidelberger Ottheinrichsbaus, 1556–1559 von H. Engelhardt, J. Heider, K. Vischer); weit überwiegend folgen sie den Druckwerken der Zeit und zieren architekturgebundene Pilaster: so z. B. Fontainebleau, Karyatiden-Portal, R. Fiorentino (1533); Dijon, Maison des Caryatides (1550er J.); Wismar, Fürstenhof, G. van Aken, V. van Lyra (1553 ff.); Erfurt, Haus zum Breiten Herd (1584); Heidelberg, Gasthaus zum Ritter, J. Schoch (1592); Mailand, Palazzo degli Omenoni, L. Leoni (1565–1567); Palermo, Porta Nuova (1583/84).

Frei von Architektur treten St. dagegen gebälk- oder sarkophagtragend an Grabdenkmälern auf – die bereits im MA bevorzugte künstlerische Form, um Tugenden und Allegorien in Form von Trägerfiguren zu versinnbildlichen [21]. Unter den vielen Beispielen seien erwähnt: Arca des Petrus Martyr in San Eustorgio, Mailand, G. di Balduccio (1363 ff.); Grabmonument des R. Petroni, Siena, Dom, T. di Camaino, 1317; Grabmal des R. Brancaccio, Neapel, San Angelo al Nilo, Donatello und Michelozzo (1427/28); Grabmal des P. Pot, Paris, Louvre (um 1480) von A. Le Moiturier, das die St. am deutlichsten als trauernde Leichenträger interpretiert; des weiteren zahlreiche venezianische Dogengräber, u. a.: Grabmonument des Dogen P. Mocenigo, San Zanipolo, P. Lombardo (1481); Grabmonument des Dogen G. Pesaro, Frarikirche, B. Longhena (1669). Von purer antiquarischer Kultur geprägt ist dagegen das von G. Romano geschaffene Grabmal des P. Strozzi (1529) in S. Andrea in Mantua, dessen Karyatiden (eine die Nachbildung einer Erechtheionkore) den Sarkophag des Verstorbenen tragen. Diese antiquarische Rezeption verknüpfte C. Floris bei seinem Grabmonument Friedrichs I. im Dom zu Schleswig (1555) mit dem ma. Tugendmodell und ließ den *gisant* von Tugendallegorien tragen. Zu erwähnen sind weiterhin ungezählte Innenraumdekorationen des 16.–18. Jh. bes. an Portalen, Kaminen und Möbeln.

In der barocken Architektur verlebendigen sich die architekturgebundenen St. zusehends. Nur selten dienen sie der Veranschaulichung eines ikonographischen Programms, wie im Gerichtssaal des Amsterdamer Rathauses, wo die Karyatiden von A. Quellinus d. Ä. das

Abb. 5: Hans Vredemann de Vries, Karyatiden und Hermen (*Caryatidvm Vvlgus Termas Vocat*, 1562)

Thema Recht und Strafe illustrieren (1652). Es handelt sich in der Regel um Stuck- und Marmordekorationen (am beliebtesten sind kraftstrotzende Atlanten und frivole Satyrn), die architektonische Raumgrenzen aufheben und Fassaden variantenreich beleben. So z. B.: Wien, Stiegenhaus des Stadtpalais von Prinz Eugen, J. B. Fischer von Erlach (1695–1698); Wien, Portal des Palais Liechtenstein, G. Giuliani (1705); Wien, Sala terrena mit Atlanten im Oberen Belvedere, L. Mattielli (1721–1723, erbaut von J. L. von Hildebrandt); Dresden, Karyatidhermen am Wallpavillon des Zwingers, erbaut von M. D. Pöppelmann, Plastiken von B. Permoser (1711–1728); Brühl, Treppe in Schloß Augustusburg, F. Cuvilliés (seit 1728); Potsdam, Karyatidhermen an Schloß Sanssouci von J. A. Nahl und F. C. Glume (erbaut von G. W. von Knobelsdorff, 1745–1747).

D. KLASSIZISMUS UND HISTORISMUS: SONDERFALL ERECHTHEION-KOREN

Die Koren des Athener Erechtheions sind insofern ein Sonderfall unter den St., als sie bereits in der röm. Ant. einen Rezeptionssachverhalt darstellen [18; 19]. Als maßgenaue Kopien befanden sie sich dutzendfach über der Säulenhalle des Augustusforums in Rom und lassen sich bereits hier als »Klassikchiffre« bestimmen [27; 30]. In der Villa Hadriana bei Tivoli wurden ein Jh. später erneut Kopien der Erechtheionkoren um ein Wasserbecken arrangiert [22]. Schließlich lassen sich von den Athener Koren angeregte St. auch am in claudischer Zeit entstandenen Marmorforum im spanischen Mérida (Augusta Emerita) nachweisen. Seit dem 16. Jh finden sich röm. Kopien der Erechtheionkoren in → Antikensammlungen etwa der Gonzaga in Mantua oder der

Päpste in Rom. Eine Verknüpfung mit ihrem Ursprungsort, der Athener Akropolis, gelang bis weit ins 18. Jh. nicht mehr, obwohl scheinbar ähnliche Aufstellungssituationen gewählt wurden, wie der Karyatidenportikus (Kanephoren) der Villa Albani (→ Rom VI. Museen D. Villa Albani) belegt, deren Karyatiden 1766 an einer röm. Villa des Herodes Atticus gefunden wurden [12].

Erst die Wiederentdeckung der Akropolis und die Popularisierung ihrer architektonischen Motive, bes. durch J. Stuart und N. Revett [8] (→ Society of Dilettanti; Abb. 6), erhellte die Herkunft der Koren und gab ihrer Rezeption in der Architektur des 19. Jh. einen starken Schub. In Lit., Kunst und Historiographie wurden sie zu Sinnbildern Griechenlands, der Klassik, ja der Kunst generell stilisiert [28]. Erste herausragende Beispiele lassen sich in London verzeichnen, wo sich seit 1803 eine der Originalfiguren befindet: neben J. Soane (Bank of England, 1818, 1827 zerstört; Soane-Haus, 1808–1812; beide London) u. a. H. W. Inwood, St. Pancras Church (1812). Inwood trug durch seine Publikation zur Athener Baugeschichte und zum Erechtheion (1827; 1840 dt.) viel zur Popularisierung des Motivs bei [7]. Im dt. → Klassizismus und → Historismus treten derartige Koren in großer Zahl auf. Insbesondere der Preußische König Friedrich Wilhelm IV. begeisterte sich für ant. St., wie man neben seinen eigenen Entwürfen für entsprechende Portiken auch dem Röm. Bad am Schloß Charlottenhof in Sanssouci (1844) entnehmen kann, wo die Kanephorenportikus der Villa Albani wiederholt ist. Neben seiner besagten Sinnbildlichkeit wurde das Motiv zunehmend zur Chiffre für

Abb. 6: James Stuart, Nicolas Revett, Korenhalle des Erechtheion
(*Antiquities of Athens* II, 1787)

bürgerliche Bildung. Kaum ein Architekt überging derartige Koren, nachdem A. Hirth ihre Verwendung in seinem Lehrtraktat 1809 als ›schicklich an Nebenbauten‹ bezeichnet hatte [6. 41]. Besonders bei den Puristen L. v. Klenze und K. F. Schinkel, die Athen aus eigener Anschauung kannten, spielten die Koren, aber auch andere St., eine große Rolle in Entwurf und Praxis; Klenze: Zeichnung *Griech. Fragmente* (1814/15); Ballsaal der Münchner Residenz (nach 1830, zerstört); St. Petersburg, Münzkabinett der Eremitage (nach 1839); ebenda, Eremitage, Ostportikus mit Atlanten nach denen des Olympieion in Agrigent [20]. Enger an die Athener St. lehnte sich Schinkel an: Entwurf für Schloß Orianda auf der Krim; Entwurf für ein Königsschloß auf der Akropolis. Die Beispiele für St. in der Baukunst der 2. H. des 19. Jh. sind ungezählt: F. Gilly, Entwurf einer Kaminrahmung; Potsdam Sanssouci, Weinberghaus (1849), Torhaus von Schloß Glienicke; G. Semper, Villa Rosa, Dresden (1839, zerstört) u.v.m. Die Nachbildung der Korenhalle im 1841–1855 von F. A. Stüler erbauten Neuen Museum in Berlin eröffnete den Repliken der Athener St. einen neuen Sinnkontext – sie kennzeichnen nun das Museale, was für zwei weitere Beispiele von Bed. ist (Abb. 7). 1893 wurde die Art Gallery auf dem Gelände der World's Columbian Exposition in Chicago mit einer überlebensgroßen Karyatidenportikus versehen; 1912 erhielt das Moskauer Puschkin-Museum eine im Inneren postierte Korenportikus [4].

Auch in Jugendstil- und neoklassizistischer Architektur fanden St. Verwendung, nun jedoch ohne auf ant. Vorbilder zurückgreifen zu müssen und zumeist nicht freistehend oder tragend. Als Ausnahme muß die dem Internationalen Stil verpflichtete Siedlung »Highpoint Two« in Highgate, London (1935–1938, B. Lubetkin,

Tecton) angesehen werden, deren Eingangsdach von zwei Koren – Kopien der sog. Londoner Erechtheionkore C – getragen wird. Die mod. Kunst greift das Thema St. nur am Rand und in abstrakten Formen auf: in der Malerei A. Modigliani mit mehreren Versionen, in der Bildhauerei u. a. C. Brancusi mit einer Holzkaryatide (1915) sowie F. Koenig mit der 2001 beim Einsturz des New Yorker World-Trade-Centers zerstörten *Kugelkaryatide* (1971 aufgestellt) im Zentrum eines Brunnens [17]. Sieht man von den pathetischen Fotografien der Korenhalle (1928) von W. Hege ab, stehen Nachbildungen der Athener Karyatiden h. überwiegend im Zeichen von → Kitsch und Ironie.

→ Athen; Säule

→ AWI Athen; Hermen; Karyatiden

QU 1 L. B. ALBERTI, De re aedificatoria, Testo latino e traduzione, hrsg. v. G. ORLANDI, 1966 2 C. CESARIANO, Vitruvius De Architectura, 1521, hrsg. v. A. BRUSCHI, A. CARUGO, F. P. FIORE, 1981 3 FILARETE (A. AVERLINO), Trattato di Architettura, hrsg. v. A. M. FINOLI, L. GRASSI, 1972 4 F. DI GIORGIO MARTINI, Trattati di Architettura ingegneria e arte militare, hrsg. v. C. MALTESE, 1967 5 G. GIOCONDO, Vitruvio per Jocundum solito castigator fastus..., Venedig 1511 6 A. HIRT, Die Baukunst nach den Grundsätzen der Alten, Berlin 1809 7 H. M. INWOOD, The Erechtheum of Athens, London 1819 8 J. STUART, N. REVETT, Antiquities of Athens, Bd. 2, London 1787 9 H. VREDEMANN DE VRIES, Caryatidvm Vvlgus Termas Vocat, Antwerpen 1562 10 VITRUV, Zehn B. über Architektur (De architectura libri decem), hrsg. v. C. FENSTERBUSCH, 1964

LIT 11 J. ADHÉMAR, Influences antiques dans l'art du Moyen Age Française, 1939 12 A. ALLROGGEN-BEDEL, Die Antikenslgg. in der Villa Albani zur Zeit Winckelmanns, in: H. BECK, P. C. BOL, Forsch. zur Villa Albani, 1982, 301–380

Abb. 7: Nachbildung der Korenhalle im Neuen Museum Berlin, Schnittansicht des zerstörten Treppenhauses

13 E. W. BRAUN, s. v. Atlant, in: Reallex. der dt. Kunstgesch., Bd. 1, 1179–1194 14 M. BUSHART, S. HÄNSEL, M. SCHOLZ, Karyatiden an Berliner Bauten des 19. Jh., in: W. ARENHÖVEL, C. SCHREIBER (Hrsg.), Berlin und die Ant., 1979, 531–555 15 E. FORSSMAN, Säule und Ornament, 1956 16 M. FRINGS, Mensch und Maß. Anthropomorphe Elemente in der Architekturtheorie des Quattrocento, 1998 17 G. HERSEY, The Lost Meaning of Classical Architecture, 1988 18 Die Griech. Klassik, Ausstellungskat. hrsg. v. ANTIKENSAMMLUNG BERLIN, STAATLICHE MUSEEN PREUSSISCHER KULTURBESITZ, Redaktion F. ZIMMER, 2002 19 H. LAUTER, Die Koren des Erechtheion, 1976 20 W. NERDINGER (Hrsg.), Leo von Klenze, 2000 21 E. PANOFSKY, Grabplastik, 1964 22 J. RAEDER, Die statuarische Ausstattung der Villa Hadriana, 1983 23 B. REUDENBACH, Säule und Apostel, in: FMS 14, 1980, 310–351 24 J. SAUER, Symbolik des Kirchengebäudes und seiner Ausstattung in der Auffassung des MA (1902), ²1964 25 E. SCHMIDT, Gesch. der Karyatide, 1982 26 E. E. SCHMIDT, Die Kopien der Erechtheionkoren, 1973 27 A. SCHOLL, Die Korenhalle des Erechtheion auf der Akropolis, 1998 28 ST. SCHWEIZER, Sinnbilder der Ant. Die Rezeption der Athener Korenhalle, in: Jb. der Max-Planck-Ges. 2002, 747–749 29 H. WREDE, Die ant. Herme, 1985 30 P. ZANKER, Augustus und die Macht der Bilder, 1990.   STEFAN SCHWEIZER

Stundentafeln   A. DEFINITION
B. DIE ENTWICKLUNG DES ALTSPRACHLICHEN UNTERRICHTS IN DEN STUNDENTAFELN

A. DEFINITION

In S. werden der Umfang des Unterrichts und die Stundenzahl der verbindlichen und wahlfreien Fächer auf eine bestimmte Anzahl von Schuljahren festgelegt [3. Bd. 7. 3]. Sie weisen eine doppelte Gliederung nach Klassen und Fächern auf oder geben die Gesamtstundenzahl nach Klassen und Fächern bezogen auf die Gesamtdauer des Kurses an. Stundentafeln im Sinne dieser Definition sind erst seit E. des 18. Jh. bekannt. Sie hatten ihre Vorläufer in sog. Lektionstabellen, die sich dadurch von S. unterscheiden, daß in ihnen auch die Verteilung der Stunden auf die Wochentage geregelt war. Lektionstabellen wurden ab ungefähr dem Beginn des 16. Jh. aufgestellt.

B. DIE ENTWICKLUNG DES ALTSPRACHLICHEN UNTERRICHTS IN DEN STUNDENTAFELN

Auch wenn S. als formale Regelungen zur Steuerung des Unterrichts bis zum Beginn des 16. Jh. weitgehend fehlen, läßt sich doch sagen, daß die Alten Sprachen (bes. Lat.) den Unterricht vollständig bestimmten. Es galt das Prinzip des ›Lernens vom Fremden aus Fremden‹ [4. 197]. Erst mit der steigenden Zahl dt. gedruckter Bücher im Zuge der Reformation hielt die dt. Sprache allmählich Einzug in den ›allerersten Unterricht‹ auch der → Lateinschulen [6. Bd. 2. 48, 151 ff.]. Gleichwohl fand keine Verdrängung des Lat. statt, sondern die Alten Sprachen erfuhren sogar eine Ausweitung durch Hinzufügen von Griech. und teilweise Hebräisch zum Lehrplan des Gymnasiums, die aber meist keinen regelmäßigen Eingang in den Unterricht der Lateinschule kleiner Städte fanden. Auch in anderen europ. Ländern ist diese Entwicklung zu verfolgen, selbst wenn wie in England die Förderung der Muttersprachlichkeit des Unterrichts oder in Frankreich die bewußte Pflege der Muttersprache in der Schule als Ziele proklamiert wurden. Grundsätzlich haben überall im 16. Jh. in den Gymnasien das klass. Lat. und das Griech. gesiegt [4. 228 ff.]. Es galt der Grundsatz ›die Schule lehrt die Sprachen, die Univ. die Wissenschaften‹ [6. Bd. I. 382]. Realien fanden nur indirekt Eingang in die S. über die Beschäftigung mit klass. Schriftstellern, die in ihren Texten auch Sachkenntnisse aus Geschichte, Geogr. etc. vermittelten. Die im gesamten katholischen Europa verbreiteten → Jesuitenschulen waren nach S. und Inhalten den protestantischen Gelehrtenschulen sehr ähnlich [6. Bd. I. 425 ff.].

Erst im 17. Jh. begann sich der Unterricht in den Realien allmählich auf den Gymnasien auszudehnen, beeinflußt durch Schulreformer wie Ratke und Comenius, die die Muttersprache als erste Unterrichtssprache und einen muttersprachlichen Realienunterricht forderten. Kurse in Realien wurden dabei zunächst hauptsächlich als zusätzlicher Privatunterricht erteilt; erst im Verlauf des 18. Jh. fanden Fächer wie

Mathematik, Geogr., Geschichte und Frz. regelmäßig Aufnahme in die Lektionentafeln der Gymnasien. Im europ. Ausland vollzog sich dieser Prozeß noch langsamer als in Deutschland [4. 290f.]. Insgesamt blieb das Studium der Alten Sprachen bis in das 19. Jh. hinein das Kernstück der höheren Schule.

Die Einführung der Abiturientenprüfung in Preußen 1788 hatte die beginnende Trennung der eigentlichen Gymnasien von der Masse der Lateinschulen zur Folge. Letztere wandelten sich allmählich zu Bürgerschulen, Oberrealschulen, Realgymnasien etc. mit einer Reduzierung oder sogar dem gänzlichen Wegfall der Alten Sprachen aus den Stundentafeln. Ähnliche Entwicklungen vollzogen sich in anderen dt. Staaten und im Ausland. Im Zuge des → Neuhumanismus erlebten die Sprachen im allg. und die Alten im speziellen, bes. das Griech., eine Aufwertung in den gymnasialen S. zu Lasten der Realien. Die Alten Sprachen beanspruchten nun bis zu 60% des gesamten Unterrichtszeit des gymnasialen Kurses. Im Verlauf des 19. Jh. wurde dieser Anteil allmählich wieder v. a. zugunsten von Mathematik und Dt. reduziert. Einschneidende Reduzierungen ergaben sich aber erst in der Weimarer Republik und in der Zeit des Nationalsozialismus. Die Gesamtstundenzahl des Lateinunterrichts wurde in diesem Zeitraum von 68 auf 30 Wochenstunden reduziert, die des Griechischunterrichts von 36 auf 30. Begonnen wurde der Unterricht in diesen beiden Sprachen nach wie vor in der Sexta bzw. Quarta [1. 173, 237f.]. Nach dem II. Weltkrieg geriet der → Altsprachliche Unterricht durch Veränderungen in der Gesellschaft und durch die wachsende Bed. von Naturwiss. und Technik weiter in Bedrängnis. Die Wochenstundenzahlen wurden drastisch reduziert. Der größte Einbruch war im Rahmen der Bildungsreform der ersten H. der siebziger Jahre zu verzeichnen, danach fand eine Stabilisierung auf niedrigerem Niveau statt. Latein wird als erste Fremdsprache nur noch auf → Humanistischen Gymnasien ab Klasse 5 gelehrt, ansonsten als 2. Fremdsprache ab Klasse 7 oder gar erst als dritte. Griechisch wird fast ausschließlich als dritte Fremdsprache gelehrt. In den anderen europ. Ländern zählen die Alten Sprachen h. ebenfalls nicht mehr zum obligatorischen Schulstoff und werden mit Ausnahme bestimmter Gymnasialtypen nur noch als Wahlpflichtfächer angeboten.

→ Bildung; Lehrplan; Schulwesen

1 H.J. APEL, S. BITTNER, Human. Schulbildung 1890–1945. Anspruch und Wirklichkeit der altertumskundlichen Unterrichtsfächer, 1994 2 Ber. über die Situation der Alten Sprachen in einigen europ. Ländern, in: AU 32, 2/1989, 69–80; 3/1989, 84–93 3 H. CHRIST, H.-J. RANG (Hrsg.), Fremdsprachenunterricht unter staatlicher Verwaltung 1700–1945, Bd. 7: Der Fremdsprachenunterricht in Stundentafeln, 1985 4 J. DOLCH, Lehrplan des Abendlandes. Zweieinhalb Jt. seiner Gesch., ³1971 5 F. MAIER, Unterricht: Alte Sprachen, in: E.-G. SKIBBA et al. (Hrsg.), Enzyklopädie Erziehungswiss., Bd. 8, 1983, 585ff. 6 F. PAULSEN, Gesch. des gelehrten Unterrichts, Bd. 1, ³1919; Bd. 2, ³1921 7 G. TEISTLER, Skizze zur dt. Schulgesch. bis 1945, in: Internationale Schulbuchforsch. 13, 1991, 397–436 8 R. VORMBAUM (Hrsg.), Die evangelischen Schulordnungen des 16. Jh., Gütersloh 1858/1860 9 Ders. (Hrsg.), Die evangelischen Schulordnungen des 17. Jh., Gütersloh 1863 10 Ders. (Hrsg.), Die evangelischen Schulordnungen des 18. Jh., Gütersloh 1864 11 W. WÜNSCH, s. v. Altsprachlicher Unterricht, in: W. HORNEY et al. (Hrsg.), Pädagogisches Lex., Bd. 1, 1970, 68–83.   JÖRG BIEHL

Sturm und Drang A. BEGRIFFSBESTIMMUNG UND DATIERUNG B. ABSETZUNG VOM KLASSIZISMUS C. PINDAR D. MYTHOLOGIE E. HOMER

A. BEGRIFFSBESTIMMUNG UND DATIERUNG

Sturm und Drang ist der Titel eines Dramas von Friedrich Maximilian Klinger (1752–1831). Es hieß zuerst *Wirrwarr*. Der neue Titel, mit deutlichem Anklang an Shakespeare, dem Verfasser von Christoph Kaufmann aufgenötigt, wurde bald zur Losung, die im späten 19. Jh. die gleichbedeutende Bezeichnung Geniezeit zu verdrängen begann. Man datiert die Epoche üblicherweise von etwa 1767/1769 (Johann Gottfried Herder: *Journal meiner Reise im J. 1769*) bis 1781 (Friedrich Schiller: *Die Räuber*). Der Epochenbegriff wird im allg. auf die dt. Literaturgeschichte angewandt; die Übertragung auf die Musikgeschichte ist umstritten, es sei denn, man verwendet die Bezeichnung St.u.D. als Stilbegriff. Es fehlen Entsprechungen in der Kunstgeschichte, sofern man nicht in der etwa gleichzeitigen Entwicklung des engl. Landschaftsgartens (→ Park) ein Äquivalent sehen will. Mit dem St.u.D. endet literaturgeschichtlich die Frühe Neuzeit: ›Es ist die Zeit des Aufbruchs in die Moderne‹ [9. 26]. Der revolutionäre Gestus der Bewegung könnte übersehen lassen, in welchem Maße sie, wie der → Klassizismus, am Ant.-Enthusiasmus des 18. Jh. teilhatte. Die Autoren waren als Theologen (Johann Gottfried Herder, Gottfried August Bürger, Ludwig Christoph Heinrich Hölty, Jakob Michael Reinhold Lenz, Klinger), Juristen (Christian und Friedrich Leopold zu Stolberg-Stolberg, Heinrich Leopold Wagner, Johann Wolfgang Goethe) und Philologen (Friedrich Müller, gen. Maler Müller, Johann Heinrich Voß) der lat., viele von ihnen auch der griech. Sprache mächtig; allen war die ant. Myth. und Lit. bekannt.

B. ABSETZUNG VOM KLASSIZISMUS

Nicht erst die → Romantik, sondern bereits der St.u.D. verdrängte die ant. Lit. aus ihrer Position als maßgebliches Vorbild künstlerischer Produktion und ästhetischer Kritik. Der St.u.D. orientierte sich nicht mehr wie der Klassizismus des 18. Jh. an den traditionellen normativen Vorbildern der Ant., er ersetzte sie entweder durch neue, oder er interpretierte sie unter neuen Aspekten, so daß sie ihre Funktion als kanonbildende Autoritäten verloren; in jedem Fall aber emanzipierten sich die Autoren vom Legitimierungsbedürfnis durch die Ant., wenn auch nicht immer so deutlich wie z.B. Hölty in seinen parodistischen Romanzen. Bereits die Auseinandersetzung Herders mit Lessing in den *Kritischen Wäldern zur Ästhetik* (1768–69) zeigte dieses neue Ant.-Verständnis des Sturm und Drang. Hatte Lessing in seiner Abh. *Laokoon: Oder über die Grenzen der Mahlerey und Poesie* (1766) die Bildende Kunst von der Poesie unterschieden, indem er zeigte, wie diese die Koexistenz der Gegenstände in eine zeitliche Folge umsetzt, so ging Herder einen Schritt weiter, indem er in der Sprache als Bedeutungsträgerin die für ›das Wesen der Poesie‹ entscheidende ›Kraft‹ erkannte, ›die unmittelbar auf die Seele wirket‹ [6. Bd. II. 194], da sie die Einbildungskraft anregt. Die Formulierung war der Ansatz einer Veränderung des Kunstverständnisses: Der Rang eines Kunstwerkes wurde nicht mehr an vorgeblich überzeitlichen Regeln gemessen, sondern an der Wirkung auf den Rezipienten. Damit war die Entthronung der als Regelpoetik verstandenen Aristotelischen *Poetik* vorbereitet, die Herder in seinem Aufsatz *Shakespeare* 1773 theoretisch begründete. Die deutschsprachige dramatische Lit. des 18. Jh. hatte sich weitgehend am Vorbild der frz. Klassik orientiert, die sich ihrerseits auf Aristoteles berief. Indem man seine *Poetik* als Lehrb. für Dichter verstand, forderte man, das Drama solle den Regeln der Einheit der Handlung, der Zeit und – später auch – des Ortes folgen, um keine ›Fehler wider die Wahrscheinlichkeit‹ [4. 616] zu begehen. Dagegen setzte Herder den Gedanken der Geschichtlichkeit. Aristoteles habe keine normative, sondern eine deskriptive Poetik oder, mod. gesprochen, Ästhetik, verfaßt, die das Theater seiner Zeit beschrieben habe. Neben diese Erkenntnis stellte Herder den Geniebegriff mit den Attributen ›natürlich, groß und original‹ [6. Bd. II. 507]. Das Kunstwerk wurde aus der seit der Ant. unangefochtenen Herrschaft der Vernunft, der Naturnachahmung und der Anwendung erlernbarer Regeln entlassen [10. Sp. 289]. Dieses theoretische Urteil über die Regelpoetik und ihre Substituierung durch die Genieästhetik wurde von Goethe mit einem Drama exekutiert, das den programmatischen Titel führt: *Geschichte Gottfriedens von Berlichingen mit der eisernen Hand. Dramatisirt* (1771). Ihm folgten u. a. Wagner, Lenz, Klinger und Schiller.

Zuvor hatte Goethe bereits in dem Aufsatz *Zum Schäkespears Tag* an die Stelle der aristotelischen *hamartía* den tragischen Konflikt gesetzt, den er bei Shakespeare erkannt und im *Götz* realisiert hatte: ›seine Stücke, drehen sich alle um den geheimen Punckt (...), in dem das Eigenthümliche unsres Ich's, die prätendirte Freyheit unsres Willens, mit dem nothwendigen Gang des Ganzen zusammenstösst‹ [3. I. Abt. Bd. 37. 133]. Diese Erkenntnis bereitete die idealistische Theorie der Tragik (Hegel, Schelling) und den Gedanken des Pantragismus (Hebbel) vor.

C. PINDAR

Die Berufung auf das »Genie« bedeutete rezeptionsästhetisch die Abkehr von festen und rational begründeten Normen, produktionspoetisch die empathische Nachahmung des genialen Vorbildes. Das zeigt sich an der ebenfalls von Herder angeregten Pindar-Begeisterung Goethes, die einer Tendenz des Jh. folgte. Bereits 1711 hatte Joseph Addison ihn im *Spectator* als ›Great natural Genius‹ gefeiert [11. Bd. I. 179], und Christian Friedrich Daniel Schubart hatte 1766 das Gedicht *Der Tod Franziskus des ersten. Römischen Kaisers: eine pindarische Ode* verfaßt – Hinweise auf seine Präsenz im 18. Jahrhundert. Diese steht v. a. im Zeichen der Kategorien des Horaz (carm. 4,2), die die Geniemetaphorik begründet haben. Zugleich intensivierten sich die Bemühungen der Altphilol. um sein Werk, die zunächst in der Ausgabe *Pindari carmina cum lectionis varietate*, Göttingen 1773 von Christian Gottlob Heyne (1729–1812) kulminierten. Heyne war von Studenten, u. a. Voß, den Grafen zu Stolberg, Wilhelm von Humboldt, August Wilhelm und Friedrich Schlegel, gebeten worden, ein Pindar-Kolleg zu halten.

Goethe hat später die Ursache seiner Begeisterung genannt. Pindars Dichtungen ›wirken (...) so mächtig‹, weil ›ihnen die Herrlichkeiten großer Städte, ganzer Länder und Geschlechtsfolgen als Basis dienen, worauf denn die eminente Persönlichkeit eines Einzelnen emporgehoben wird‹ [3. I. Abt. Bd. 41,1. 348]. Goethes sog. große Hymnen (*Wandrers Sturmlied*, 1771 oder 1772; *Mahometsgesang*, 1772/73; *Prometheus*, 1774; *An Schwager Kronos*, 10. Oktober 1774; *Ganymed*, 1774; *Seefahrt*, 11. September 1776; *Harzreise im Winter*, Dezember 1777), die formal an den Dichtungen Pindars orientiert sind, erscheinen als die für den St.u.D. charakteristischsten Zeugnisse lyr. Dichtung, inhaltlich sind sie großenteils von der griech. Myth. angeregt.

D. MYTHOLOGIE

In Goethes Hymne *Prometheus* (1774) kann man die Huldigung an eine Symbolfigur der Epoche erkennen. Das Gedicht thematisiert die Auflehnung des Genies aufgrund der eigenen Schöpfermacht. Noch Ludwig van Beethoven komponierte eine Tondichtung *Die Geschöpfe des Prometheus* (uraufgeführt 28. März 1801). Diese stoffliche Aneignung der ant. Myth. war verbunden mit den Bemühungen der Epoche um eine neue Mythologie. Sie vollzog sich einerseits in der Anpassung, Veränderung und Neuinterpretation der ant. Mythen, anderseits in der Erschaffung neuer zeitgemäßer Mythen. Auf beiden Wegen gab Herder folgenreiche Anregungen. In den Fragmenten *Über die neuere dt. Lit.* forderte er 1767: ›als poetische Heuristik wollen wir die Myth. der Alten studieren, um selbst Erfinder zu werden‹ [6. Bd. II. 449]. Damit überwand er als erster das herkömmliche Verständnis der Mythologie. Sie war nicht mehr eine Darstellung der ›Weisheit der Alten‹ [5. VI] oder ein Steinbruch von Stoffen und Motiven mit festgelegten Bed., sondern als Kunst poetischer Erfindung eine Anleitung zur Gewinnung neuer Gegenstände. Sie wurde um so mehr als dringend empfunden, als es nach Ansicht Herders und Goethes in Deutschland an ›wahre(m) und höhere(m) eigentliche(n) Lebensgehalt‹ [3. I. Abt. Bd. 27. 104] fehlte, der in der ant. Dichtung enthalten ist. Verwirklicht wird das lit. Programm einer neuen Myth. in den Idyllen von Maler Müller, deren

Personal aus pfälzischen Bauern besteht, und von Voß, die v. a. das bürgerliche Familienleben darstellen (→ Bukolik/Idylle), sowie in Herders eigener Sammlertätigkeit, die ihren Niederschlag in *Alte Volkslieder* (1774) und *Volkslieder* (1778/79) fand. Die Griechen wurden dadurch von ihrem angestammten Platz auf dem → Parnaß vertrieben und zu ›Brüder(n) unserer Menschheit‹ [6. Bd. III. 59]. Herders Volksliedersammlung bereitete die Sammlungen der Romantik vor: Achim v. Arnim, Clemens Brentano: *Des Knaben Wunderhorn* (1805–1808), Jacob und Wilhelm Grimm: *Kinder- und Hausmärchen* (1812–1816), *Dt. Sagen* (1816–1818).

E. HOMER

Die Diskussion des 18. Jh. um eine Nachahmung der Griechen wurde 1766 von Herder mit dem naheliegenden und daher meist übersehenen Gedanken bereichert, daß man sie zuvor kennen müsse [6. Bd. I. 304]. Dazu trug wesentlich die Konjunktur der Homer-Übers. bei, die nach langer Pause den vom → Humanismus angeregten → Übersetzungen zw. 1495 und 1610 folgten. Die Homer-Begeisterung der Epoche erklärt sich u. a. durch die Substitution des in Deutschland vermeintlich fehlenden Nationalepos durch *Ilias* und *Odyssee*. Bürger plante eine Übertragung in Jamben, schrieb dann aber eine Hexameterübers. der ersten vier Gesänge der *Ilias* [2. 1406]. F. L. zu Stolberg veröffentlichte 1778 die erste *Ilias* in dt. Hexametern. Sie war zwar erfolgreicher als die gleichzeitig erschienene Übers. von Johann Jacob Bodmer [1], wurde aber von der 1793 erschienenen Übertragung von Voß verdrängt. Bereits dessen *Odüssee* (1781) wurde, in zahlreichen Nachdrucken verbreitet, ein bürgerliches Hausbuch. Ihr Erfolg beruhte auf ihrer sprachlichen und metr. Lebendigkeit und Genauigkeit, die das Gerücht widerlegt, Voß sei während der Arbeit daran durch das holprige Pflaster der Stadt Otterndorf in seiner metr. Sensibilität beeinträchtigt worden; man hat ›das Undulatorische‹ [8. 504] der Hexameter gerühmt. Für Goethes Werther, der Homer 1771 in der griech.-lat. Ausgabe von J. H. Wettstein (Amsterdam 1707) liest, wie sein Autor ihn 1772 in Wetzlar gelesen hatte, wird die Welt der *Odyssee* zum Bild einer einfachen, volkstümlichen, patriarchalischen und daher natürlichen Lebensweise, mit der er sich nachahmend identifiziert. Damit begründete Goethe eine Tendenz der Homer-Rezeption, die bis ins 20. Jh. wirken sollte: Homer fand den Weg aus den Bibl. der Gelehrten in das Bürgertum. Die Antikerezeption des St.u.D. trug wesentlich dazu bei, die noch 1780 von dem preußischen König Friedrich II. vertretene Literaturauffassung [7], die die Dichtung auf die Rezeption durch wenige Gebildete einschränken wollte, zu überwinden.

→ Aufklärung; Deutschland; Klassik; Mythologie; Übersetzung

QU 1 J. J. BODMER, Homers Werke, 2 Bde., Zürich 1778 2 G. A. BÜRGER, Sämtliche Werke, hrsg. v. G. u. H. HÄNTZSCHEL, 1987 3 J. W. v. GOETHE, Werke, Weimar 1886–1919 4 J. CHR. GOTTSCHED, Versuch einer critischen Dichtkunst vor die Deutschen, Leipzig 1730, ⁴1751

5 B. HEDERICH, Gründliches myth. Lexicon, Leipzig 1770 6 J. G. HERDER, Werke in zehn Bänden, 1985 ff. 7 H. STEINMETZ (Hrsg.), Friedrich II., König von Preußen und die dt. Lit. des 18. Jh., 1985

LIT 8 U. HÖLSCHER, Nachwort, in: Homer. Ilias, 1961, 504 9 U. KARTHAUS, St.u.D. Epoche – Werke – Wirkung, 2000 10 J. RITTER, s. v. Genie, in: HWdPh, Bd. III, 1974, Sp. 279–309 11 J. SCHMIDT, Die Gesch. des Genie-Gedankens in der dt. Lit., Philos. und Politik 1750–1945, Bd. 1, ²1988.

ULRICH KARTHAUS

Südafrika A. LITERATUR, SPRACHE UND ONOMASTIK B. ARCHITEKTUR C. RECHT D. GELEHRSAMKEIT UND PUBLIKATIONEN E. SCHULEN, UNIVERSITÄTEN UND MUSEEN

A. LITERATUR, SPRACHE UND ONOMASTIK

Des Lat. bediente man sich in zahlreichen histor. und juristischen Dokumenten des 16. und 17. Jh., namentlich in Berichten über die frühen Hottentotten vom Kap und in der südafrikan. Jurisprudenz. Der gebürtige Südafrikaner Gysbert Hemmy (1746–1798) verfaßte etwa eine Dissertation *De Testimoniis Aethiopum, Chinensium Aliorumque Paganorum in India Orientali* (Leiden 1770), die die Zeugnisfähigkeit der Nichteuropäer erörtert; vor der Hamburger Akad. hielt er auch eine lat. Rede *De Promontorio Bonae Spei* (Hamburg 1767). Ant. Themen, Figuren, Namen und Wörter sowie Anspielungen auf Antikes sind in der südafrikan., der engl. wie der afrikaansen Lit. stark vertreten. Das von der Ant. beeinflußte portugiesische Epos *Os Lusíadas* (Lissabon 1572; → Portugal) des Luis Vaz De Camões (1542–1580) diente vielen engl. schreibenden Dichtern Südafrikas als Inspirationsquelle, u. a. Roy Campbell (1901–1957) in seinem Gedicht *Rounding the Cape* von 1926, das in seiner Sammlung *Adamastor* (London 1930) veröffentlicht wurde. Douglas Livingstones (geb. 1932) Bearbeitung von *Os Lusíadas* in *The Sea My Winding Sheet* (Johannesburg 1978) bedient sich eines breiten Spektrums ant. Götter.

Einige englischsprachige Stücke von Athol Fugard (geb. 1932) beruhen auf ant. Trag. und Mythen. So baut Fugard die Charaktere des Kreon und der Antigone, das Thema des Konflikts zw. Staat und Individuum sowie den Unterschied zw. menschlichem Recht und göttl. Gerechtigkeit in sein Stück *The Island* (Kapstadt 1973) ein. In Fugards *Orestes* (Johannesburg 1978) liegt dem Porträt der Klytaimestra eine Aischyleische Kausalität und Motivation zugrunde, während die Figuren des Orestes und der Elektra Euripides entnommen sind. Fugards *Dimetos* (Oxford 1977) hat seinen letzten Ursprung in einem Werk des Phylarchos. Diederik Johannes Opperman (1914–1985) schließt sich mit *Periandros van Korinthe* (Kapstadt 1954) der Trad. der griech. Trag. an. In *Komas uit 'n bamboesstok* (Kapstadt 1979) verwendet Opperman die Figuren des Odysseus und des Glaukos. Petra Müller (geb. 1935) verwendet diese Figuren in *Liedere van land en see* (Kapstadt 1984) und stellt durch eine Tyrannen- und eine Arionfigur auch einen intertextuellen Bezug zu Oppermans *Periandros* her. Nicolaas Petrus van Wyk Louw (1906–1970) hat eine Reihe von Werken verfaßt, die auf ant. Quellen beruhen oder nach ant. Werken benannt sind, darunter das Versdrama *Germanicus* (Kapstadt 1956), *Asterion* (Kapstadt 1957), ein Werk, das Elemente aus der griech. Trag. und dem griech. Mythos enthält, die nach dem gleichnamigen Werk des Horaz benannte *Ars Poetica* (Kapstadt 1954) und die nach Ovids Werk benannten *Tristia* (Kapstadt 1962). Etienne Leroux (1922–1989) verwendet in *De deerde oog* (Kapstadt 1966) zwei Aspekte des Heraklesmythos, wie sie sich in den Dramen des Sophokles und des Euripides finden; die Hauptfigur dieses Dramas heißt »Demosthenes der Gute« (*Demosthenes de Goede*). In *Hilaria* (Kapstadt 1959) verwendet Leroux die Auferstehung von Kybele und Atthis und die Eleusinischen Mysterien als myth. Parallele, während die sieben Teile seines Romans *Een vir Azazel* (Kapstadt 1964) auf Quintilians Gliederung der Rede beruhen. Bartho Smit (1924–1986) verfaßte eine Kom. mit dem Titel *Bacchus in die Boland* (Johannesburg 1974), in dem Bacchus einen Weinbauern in einer Trinkwette besiegt. Karel Schoeman (geb. 1939) schrieb *'n Ander land* (Kapstadt 1984), in dem Vergils *Aeneis* der Hauptfigur als Führer dient.

Die Onomastik ist ein weiteres von der klass. Ant. beeinflußtes Gebiet. Die Namen einiger Städte (z. B. Ceres) und landschaftlicher Gegebenheiten (Ceres Valley, wo Obst angebaut wird) sind direkt aus den klass. Sprachen abgeleitet. Das Afrikaans, eine der offiziellen Sprachen S., hat starke Anleihen beim Lat. gemacht. Etwa zehn Prozent der Nachnamen und dreißig Prozent der Vornamen sind aus dem Lat. abgeleitet, und in der afrikaansen Kultur werden die onomastischen Konventionen der Römer beachtet.

B. Architektur

Die sichtbarste Wirkung der Ant. auf die südafrikan. Kultur und zugleich einer ihrer bedeutendsten Einflüsse findet sich auf dem Feld der Architektur. Hunderte von histor. und mod. Gebäuden in S., private wie öffentliche, sind nach verschiedenen Elementen der griech. und röm. Architektur gestaltet. Ein Wiederaufleben des → Klassizismus läßt sich in der südafrikan. Architektur von ungefähr 1780 an beobachten und umfaßt nicht nur das Äußere der Gebäude, sondern auch Grundriß und Innenausstattung. Dieser erneuerte Klassizismus oder vielmehr Neoklassizismus ist zu einem Teil der Wirkung des Louis Michel Thibault (ca. 1750–1815) zuzuschreiben, der vom Zeitpunkt seiner Ankunft in S. im J. 1783 an zahlreiche Elemente der klass. Ant. in seine Bauten integrierte. Spätestens von 1800 an zogen die Architekten griech. Formen den röm. vor. Eine der intensivsten Phasen der Rückwendung zu den Griechen war die Zeit zw. 1820 und 1837. Ein Architekturtrend dieser Periode lag in der Betonung der Portikus mit ihren klass. Kolonnaden. Beispiele öffentlicher Gebäude mit dieser Akzentsetzung sind u. a. das Royal Observatory in Kapstadt (1827), die nunmehr abgerissene St. Andrew's

Presbyterian Church in Kapstadt (1827), die anglikanische Kirche in Simonstown (1828) und die St George's Cathedral in Kapstadt (1834). Diese Betonung der Portikus ist auch in neoklassizistischen Häusern geläufig, wie etwa dem Drodsty House in Worcester (1824) mit seiner vorspringenden, aus vier Säulen und Giebeln bestehenden Portikus. In den J. nach 1837 wurde die Rückwendung zu den Griechen durch eine zweite, dynamischere Phase abgelöst, wie z. B. im Commercial Exchange in Port Elizabeth (1840) und in der Trinity Presbyterian Church in Grahamstown (1842). Etwa von der Mitte des 18. Jh. an machte die Rezeption der Ant. keinen deutlichen Unterschied mehr zw. griech. und röm. Elementen. Die neoklassizistische Bewegung setzte sich in den nächsten 100 J. in verschiedenen Phasen fort. Zwei beeindruckende Beispiele der Rückwendung zur klass. Ant. aus der zweiten H. des 19. Jh. sind die Public Library in the Gardens in Kapstadt (1860) und die Town Hall (jetzt das General Post Office) in Durban (1884). Die Rückwendung zur Ant. dauerte im 20. Jh. bis in die Zeit nach dem II. Weltkrieg an. Zu den zahlreichen Beispielen gehören das Rhodes Building in Kapstadt (1902), das auf dem Grundriß eines röm. Palazzo mit zentralem Hof beruht, die City Hall in Johannesburg (1914) mit ihren ionischen Säulen und einem Halbdom als Eingang und der Central Block der University of the Witwatersrand in Johannesburg (1933), die mit ihrer korinthischen Portikus den Brennpunkt eines nach röm. Manier axial angelegten Campus bildet. Der axiale Grundriß dieses Campus spiegelt die Anlage zahlreicher im 19. Jh. gegründeter Städte Südafrikas wider, welche das rigide Grundmuster röm. Stadtplanung befolgen. Obwohl die mod. südafrikan. Architektur nach dem II. Weltkrieg von neuen Formen eingeholt wurde, weist sie auch weiterhin noch manchen Einfluß der Ant. auf.

C. Recht

Das → Römische Recht stellt einen bed. Aspekt eines Rechtssystems dar, das auf röm.-niederländischem Recht beruht und durch engl. Recht modifiziert wurde (→ Roman Dutch Law). In S., einem der wenigen Länder, wo man in einem Gerichtsverfahren des 20. Jh. einen Paragraphen des röm. Rechts heranziehen kann, wurde dieses Recht in einem weiten Spektrum juristischer Situationen angewandt. Im Umgang mit röm. Recht verwenden südafrikan. Gerichte den *Codex Iustinianus*, wie er in Europa von der Zeit der → Glossatoren an rezipiert und von den röm.-niederländischen Juristen des 17. und 18. Jh. interpretiert wurde. Römisches Recht, wie es in den röm.-niederländischen Quellen, die man 1652 nach S. mitbrachte, neu artikuliert worden war, ist von südafrikan. Richtern folgendermaßen angewandt worden: Röm. Rechtsmaximen und -prinzipien wurden bestätigt; röm. Rechtsbegriffe, die im röm.-niederländischen Recht beibehalten worden waren, wurden fest im südafrikan. Recht verankert; röm. Rechtsinstitutionen, die im röm.-niederländischen Recht übernommen worden waren, wurden im südafrikan. Recht eingeführt; und röm. Rechtsdistinktionen und -denkweisen wurden eingesetzt, um rechtliche Probleme klarzustellen und zu rationalisieren. Südafrikan. Richter haben gelegentlich an der röm. Rechtsregel festgehalten, wo diese im röm.-niederländischen Recht einer Änderung unterzogen worden war, aber zuweilen auch auf Grundprinzipien röm. Rechtsregeln zurückgegriffen, um diese auf neue, vom röm. Recht nicht vorgesehene Situationen auszudehnen.

D. Gelehrsamkeit und Publikationen

Mehr als 5000 Publikationen haben Gelehrte im 20. Jh. in S. auf so gut wie allen Gebieten der klass. Altertumswiss. produziert, den größten Teil davon in der zweiten H. dieses Jahrhunderts. Es wurden auch zahlreiche Übers. ant. Dichtung und Prosa in Afrikaans und Engl. vorgelegt. Umfassende Bibliogr. zu den Altertumswiss. in S. sind vom Institute for Afro-Hellenic Studies veröffentlicht worden. Der produktivste Autor des 20. Jh. ist Theodore Johannes Haarhoff (1892–1971), der etwa 500 Aufsätze publizierte, zum größten Teil zu ant. Themen. In gedruckter Form erscheinen derzeit drei altertumswiss. Zeitschriften: *Acta Classica* (begründet 1958), *Akroterion* (begründet 1970) und *Scholia* (begründet 1992); bei *Scholia Reviews* (gegr. 1992), einer elektronischen Zeitschrift, handelt es sich um ein Rezensionsorgan. Kongresse der 1927 gegründeten Classical Association of South Africa wurden zunächst nur wenige J. lang abgehalten, doch von der Neugründung der Association im J. 1956 an in zweijährlichem Turnus durchgeführt. Internationale Konferenzen und *Colloquia Didactica* werden in unregelmäßigen Abständen veranstaltet. Die Classical Association veröffentlicht alle zwei J. einen altertumswiss. Almanach für das subsaharische Afrika (*Directory of Classicists and Research for Higher Degrees at Universities in Sub-Saharan Africa*).

E. Schulen, Universitäten und Museen

Die erste sog. → Lateinschule ist 1714 in Kapstadt gegründet, aber bereits 1730 wieder geschlossen worden. 1793 wurde eine zweite Schule gegründet, an der man Lat. und etwas Griech. unterrichtete. Im frühen 19. Jh. wurden die Lateinschulen zu staatlich unterstützten Gymnasien nach britischem Muster (*grammar schools*). 1866 wurde in Stellenbosch ein Gymnasium insbes. zur Vorbereitung von Theologen eingerichtet. Griechisch und Lat. bot der größte Teil der Schulen an, bis 1918 griech. und lat. Sprachkenntnisse als Voraussetzung für den Zugang zur Univ. abgeschafft wurden. Heute lernen Schüler der Sekundarstufe eines kleinen Prozentsatzes südafrikan. Schulen Latein. Studenten haben sowohl auf Anfänger- als auch auf Fortgeschrittenenniveau die Möglichkeit, an der *Academia Latina* der University of Pretoria Lat. im Fernstudium zu lernen. In den ersten beiden Jahrzehnten des 20. Jh. wurde die Hochschulbildung allmählich ausgebaut und die Beschäftigung mit dem Alt. auf diesem Niveau etabliert. Der erste Lehrstuhl für Altertumswiss. (»Classics«) wurde 1910 an der University of Natal eingerichtet. Die ersten Doktortitel in »Classics« wurden an der University of South Africa und der University of Stellenbosch 1937 bzw. 1943 verliehen. Derzeit bieten 13 Univ. in S. Studiengänge zur »Kultur der Ant.« (»Classical Civilisation«) an, zwölf davon lat. und griech. Sprachkurse. Die bedeutenderen Inst. befinden sich an der University of Cape Town, an der University of Natal, der University of Pretoria, der Rand Afrikaans University, der University of South Africa, der University of Stellenbosch und der University of the Witwatersrand. Folgende innovative Studiengänge wurden entwickelt: »Kultur der Ant.« einschließlich Myth. (»Classical Civilisation«: komparatistisches Studium klass. und afrikanischer Mythen) sowie »Begriffe und Konzepte« (»Words and Ideas«: aus der Ant. stammende Begriffe und Konzepte der Moderne). Sammlungen ant. Kunstgegenstände befinden sich im Mus. of Classical Archaeology an der University of Natal in Durban, im Department of Classics an der Rhodes University in Grahamstown und im South African Mus. of Cultural History in Kapstadt.

→ Afrika; United Kingdom IV. Postkoloniale Literaturen nach 1945

1 B. Beinart, Roman Law in South African Practice, 1952 2 R. Campbell, Selected Poems, Johannesburg 1981 3 M. Chapman, Southern African Literatures, 1996 4 J. Combrink, Latin in Afrikaans: Die Latynse efernis in die Afrikaanse persoonseienaamskat. Paper presented during Klassieke Week, Stellenbosch, South Africa, June 1994 5 W. J. Dominik, Classics Making Gains in Sub-Saharan Africa, in: The American Classical League Newsletter, Fall 1993, 4–7 6 Ders., Directory of Classicists and Research for Higher Degrees at Universities in Sub-Saharan Africa (1999–2000), Pretoria 1999 7 H. Fransen, Classicism, Baroque, Rococo and Neoclassicism at the Cape. An Investigation into Stylistic Modes in the Architecture and Applied Arts at the Cape of Good Hope: 1652–1820, Diss. University of Natal, Pietermaritzburg 1987 8 S. Gray (Hrsg.), Theatre One: New South African Drama, Johannesburg 1978 9 D. Greig, A Guide to Architecture in South Africa, Cape Town 1971 10 W. J. Henderson, Bibliography Classica Austro-Africana, Johannesburg 1986 11 Ders., Bibliography of Greek and Latin Studies in South Africa: 1985–1994, Johannesburg 1995 12 Ders., South Africa: Greek and Latin Philology«, in: G. Arrighetti et al., La Filologia Greca e Latina nel Secolo XX, Bd. II, 1989, 823–851 13 W. J. Hosten et al., Introduction to South African Law and Legal Theory, Durban 1977 14 J. C. Kannemeyer, Die Afrikaanse Literatuur: 1652–1987, Cape Town 1998 15 R. Lewcock, Early Nineteenth Century Architecture in South Africa. A study of the Interaction of Two Cultures: 1795–1837, Cape Town 1963 16 C. S. McCleery, Professor Theodore Johannes Haarhoff: A Bibliography of His Works, Diploma thesis University of the Witwatersrand 1968 17 D. Scourfield, The Classics After Apartheid, in: The Classical Journal 88.1, 1992, 43–52 18 J. Towey, Latin Language Teaching in South Africa: 1800–1970, Master's thesis University of the Witwatersrand 1975.   William J. Dominik/Ü: Theodor Heinze

Supplemente s. Fälschungen

Syrien, Museen A. Überblick/Organisation
B. Einzelne Museen

A. Überblick/Organisation

Die Mus. in S. unterstehen der Generalverwaltung der Syr. Altertümer und Mus., die ihren Sitz im Gebäude des Nationalmus. von Damaskus hat und eine Dienststelle des Kulturministeriums ist. Dem zentralistischen Staatsaufbau entsprechend hat diese Dienststelle seit 1919 den Auftrag, Bodendenkmäler und Museumsobjekte aller Epochen der Kulturgeschichte Syriens zu bewahren und zu verwalten. Bodendenkmalpflege und Mus. sind daher nicht getrennt. Während sich aber in Damaskus bald zeigte, daß eine Personalunion in diesen beiden Aufgabengebieten weder sinnvoll noch durchführbar war und entsprechende administrative Trennungen herbeigeführt wurden, ist in den Hauptstädten der Regierungsbezirke erst ab 1998 eine Trennung zw. dem Direktor der Antikenverwaltung des entsprechenden Bezirks und einer neu geschaffenen Position eines ihm unterstellten Museumsdirektors erfolgt.

Das Nationalmus. in Damaskus konnte als einziges Mus. des Landes seinem Auftrag zunächst dadurch gerecht werden, daß den neuen Ausgrabungsstätten und ihren Funden in der ständigen Ausstellung ein entsprechender Platz eingeräumt wurde. Spätestens aber am E. der 1960er J. zeichnete sich unter der zunehmenden Flut von Objekten, die dem Mus. aus Ausgrabungen jährlich zuflossen, ab, daß deren Bewältigung nicht mehr möglich war. Unter dem Eindruck des zunehmenden Tourismus schien es auch nicht mehr wünschenswert, alle bedeutenden Kulturobjekte in Damaskus zu konzentrieren.

Anfang der 1970er J. setzte daher ein Wandel in der Kulturpolitik ein, der im Gegensatz zu der bisherigen Richtung eine Dezentralisierung zum Ziel hatte. In den Hauptstädten der zwölf Regierungsbezirke Syriens wurden nun regionale Antikenverwaltungen eingesetzt, die ihren Sitz in einem jeweils neu zu gründenden Mus. hatten. Da nicht gleichzeitig im ganzen Land neue Mus. errichtet werden konnten, mußten und müssen immer noch mod. Verwaltungsbauten als provisorische Unterkünfte dienen, oder es werden histor. Bauten für Museumszwecke hergerichtet. Seit den 1970er J. erlebt Syrien daher einen regelrechten Mus.-»Boom« [1; 8].

In Folge der Dezentralisierung sind außerdem an einigen Stätten, an denen über einen längeren Zeitraum, teilweise seit Jahrzehnten, Grabungen durchgeführt werden, lokale Mus. entstanden, wie z.B. in Palmyra (1961) [4], Qalat al-Moudiq/*Apameia* [2], Tartous, Bosra u.a. In den großen Städten sind weitere Mus. gegründet worden, wie z.B. in Damaskus: das Kunstgewerbliche Mus. (1954) im Palast des Assad Pascha al-Azm (18. Jh.); das Mus. für Arab. Kaligraphie (1975) in der Madrassa Jaqmaqiyah (1421); das Mus. für Arab. Wiss. (1978) im ehemaligen Krankenhaus Nur ed-Din (1154). Die Zitadelle von Aleppo ist 1979 in ein Mus. verwandelt worden. In vielen Provinzhauptstädten besteht inzwischen ein zweites Mus., das die ethnographischen Sammlungen beherbergt.

B. Einzelne Museen

1. Damaskus

Das Nationalmus. in Damaskus [10] wurde 1919, nach dem Zusammenbruch des Osmanischen Reiches, gegründet und zuerst provisorisch in der Madrassa 'Adiliyya untergebracht. Das gegenwärtige Gebäude wurde in drei Abschnitten, 1936, 1954 und 1962, errichtet und in Betrieb genommen. Ursprünglich war das Mus. für die Aufnahme von Objekten seit der hell. Zeit vorgesehen, während das Mus. von Aleppo die vorhell. Objekte beherbergen sollte. Erst 1953 wurde per Gesetz festgelegt, daß das Nationalmus. von Damaskus für Monumente aller Epochen der syr. Kulturgeschichte offen sein sollte.

Das Mus. ist in fünf eigenständige »Abteilungen« gegliedert: das Prähistor. Mus., das Mus. für Orientalische Altertümer, das Mus. für griech.-röm. und byz. Altertümer, das Mus. für islamische Altertümer und das Mus. für Mod. Kunst.

Infolge der schnellen Anreicherung der Sammlungen durch die aktuellen Ausgrabungen war die Anordnung der ständigen Ausstellung zunächst einem stetigen Wandel unterworfen. Das Ausstellungsprinzip innerhalb der Abteilungen richtet sich bis h. grundsätzlich nach Ausgrabungsorten und nicht nach einer kulturgeschichtlichen Gesamtschau, wenngleich die Ausgrabungsorte in ein grobes chronologisches Raster eingebunden sind.

2. Aleppo

Die Sammlung für das Nationalmus. von Aleppo [6;7; 9] wurde bereits 1928 begonnen, das Mus. selbst aber erst am 26. August 1931 gegründet. Die urspr. Idee, daß das Mus. alle vorhell. Objekte und Monumente des Landes aufnehmen sollte, stellte sich bald als unrealistisch heraus und wurde durch das Gesetz von 1953 für das Mus. von Damaskus (s.o.) faktisch aufgehoben. Es war zunächst im Zengiden-Palast Matmakh al-Adjami aus dem 12. Jh. n. Chr. untergebracht. Da das Mus. das einzige im Nordteil des Landes war, wurde es v. a. in den 1950er und 1960er J. von den Ausgräbern frequentiert, die im mesopotamischen Teil Syriens, der sog. Ğezireh, forschten. Die Kapazität des Gebäudes war bald erschöpft, und so wurde 1961 der Grundstein für einen Neubau gelegt. Das neue Mus. wurde 1967 eröffnet. Berühmt ist seine Eingangsfassade, die in Form einer Nachbildung des Portals des sog. Tempelpalastes des Fürsten Kapara aus Tell Halaf/*Guzana* (9. Jh. v. Chr.) gestaltet ist (Abb. 1).

Die Abteilungen sind ähnlich wie in Damaskus denominiert, und die ständige Ausstellung ist nach dem gleichen Prinzip von Ausgrabungsplätzen in einer groben chronologischen Anordnung gegliedert.

349

350

SYRIEN, MUSEEN

Abb. 1: Eingangsfassade des Museums von Aleppo, dem
Portal des sogenannten Tempelpalastes des Fürsten Kapara
aus Tell Halaf (9. Jahrhundert v. Chr.) nachempfunden

3. HAMA

In Hama wurde 1956 der Palast des Assad Pascha
Azem (1740) als Mus. eingeweiht. Es enthielt Altertümer der röm. und islamischen Zeit. Nach 1999 wurde in
diesem Gebäude ein ethnographisches Mus. untergebracht. Ein Neubau wurde im Oktober 1999 feierlich
der Öffentlichkeit übergeben. Seine ständige Ausstellung wurde in Verbindung mit dem Dänischen Inst. in
Damaskus eingerichtet. Sie berücksichtigt Ausgra-
bungsfunde der Region, die nach einem strengen chronologischen Ansatz angeordnet sind, vom Paläolithikum (aus Latamne, ca. 750 000 J. alt) bis zu der Eroberung Hamas durch die Mongolen im J. 1401. Der
Grundstock dieser Sammlung stammt aus der dänischen
Ausgrabung auf der Zitadelle von Hama in den J.
1931–1937. Die Ausstellung erstreckt sich über fünf Säle, die um einen zentralen Hof gruppiert sind. Saal 1:
Paläolithikum, Neolithikum, Bronzezeit bis Eisenzeit
(1. Jt. v. Chr.); Saal 2: Das eisenzeitliche Zentrum von
Hama bis zu seiner Eroberung durch die Assyrer im J.
720 v. Chr; Saal 3: Objekte aus dem Friedhof von Hama
aus der hell., röm. und byz. Zeit; Saal 4: Objekte der
Groß- und Kleinkunst aus der hell. und röm. Zeit; Saal
5: Islamische Zeit, einschließlich der berühmten Was-
serräder von Hama.

4. IDLIB

Das Mus. in Idlib wurde 1978 gegründet. In dem neu
errichteten Gebäude, das 1990 eingeweiht wurde, sind
v. a. die Fundobjekte aus der Ausgrabung von Tell Mar-
dikh/*Ebla* ausgestellt (Frühe und Mittlere Bronzezeit).

5. LATAQIA

In Lataqia war das 1976 gegründete Mus. zunächst in
einem großen Saal der Stadtverwaltung untergebracht.
1986 war die Restaurierung und Umwandlung eines
Karawanserail der Stadt beendet, und das Mus. konnte
eröffnet werden. Die Ausstellung ist in fünf Sälen untergebracht, die teilweise nach dem Ortsprinzip, zum
anderen Teil nach Epochen angeordnet sind. Saal 1: Altorientalische Epoche – Ras Shamra/*Ugarit*; Saal 2: Altorientalische Epoche – Ras Ibn Hani, Tell Sukas; Saal 3:
Hell.-röm. Zeit – Monumente und Objekte der Region; Saal 4: Islamische Zeit – Monumente und Objekte
der Region; Saal 5: mod. Kunst.

6. SUWEIDA

Das Mus. von Suweida [5] wurde bereits 1923 gegründet, aber im Verlauf der syr. Revolution zerstört.
Seit 1930 war es in einem Saal des Serails untergebracht.
1991 konnte ein Neubau eingeweiht werden. Die Einrichtung der ständigen Ausstellung erfolgte in Zusammenarbeit mit dem Frz. Arch. Inst. in Damaskus. Der
Schwerpunkt der Sammlung und Präsentation liegt auf
den zahlreichen Skulpturen aus der nabatäischen und
röm. Zeit. Im Lichthof sind großartige Mosaiken opti-
mal ausgestellt.

7. DEIR AZ-ZOR

Gegründet 1974, war das Mus. von Deir az-Zor [3]
zunächst in einem Saal der Stadtverwaltung untergebracht. 1975 konnte es die ethnographische Sammlung
des Bürgers der Stadt Abdel-Kader Ayyasch erwerben,
die den Grundstock des Mus. bildete. 1983 zog das Mus.
in das ehemalige Gerichtsgebäude der Stadt um, das
1930 errichtet worden war. 1996 konnte schließlich ein
Neubau eröffnet werden. Die Einrichtung der ständigen Ausstellung erfolgte in Zusammenarbeit mit der
Freien Univ. Berlin. Das Gerichtsgebäude beherbergt
nun die ethnographische Sammlung. Durch die zahlreichen Ausgrabungen in den Regierungsbezirken Deir
az-Zor und Hassaka (der Regierungsbezirk Hassaka hat
noch kein Mus.) war die Sammlung in kurzer Zeit erheblich angewachsen (1996 betrug die Zahl der inven-
tarisierten Objekte 25 000). Die qualitative und quantitative Streuung der Artefakte der Sammlung erlaubte es,
ein Ausstellungskonzept zu verwirklichen, das erstmals
in chronologischer Anordnung die Kulturgeschichte
der Ğezireh, dem Kernland des altorientalischen nördl.
Mesopotamien und der röm. Provinz Mesopotamia,
vom akeramischen Neolithikum des 7. Jt. v. Chr. bis zur
rezenten Vergangenheit widerspiegelte. Dabei wurde
das Prinzip eines Erlebnis-Mus. verfolgt: Charakteristische Bauten von ausgewählten Epochen wurden im
Maßstab 1:1 nach den Plänen der Ausgräber rekonstruiert und begehbar gemacht. Auf einer Ausstellungs-
fläche von 1600 m² konnten über 1000 Objekte ausge-

Abb. 2: Innenhof des Museums
von Deir az-Zar. Neubau,
1996 eröffnet

stellt werden. Ein weiteres Ziel der Ausstellung ist es, auf die geschichtlichen Auswirkungen der sensiblen geo-klimatischen Situation und der dadurch bedingten Lebensformen (Nomadismus versus Seßhaftigkeit) aufmerksam zu machen.

Die Säle sind um einen Innenhof (Abb. 2) angeordnet. Saal 1: Eingangshalle mit großformatigen Landschaftsbildern und chronologischen Tabellen; Saal 2: Das neolithische Haus von Bouqras (Abb. 3); Saal 3: Das frühbronzezeitliche Stadttor von Tell Bderi; Saal 4: Die Thronsaalfassade des altbabylonischen Palastes von Mari mit einer Kopie der Wandmalerei der sog. Investitur des Zimrili; Saal 5: Der Saal eines neuassyr. Provinzpalastes von Tell Ajaja/*Sadikanni*; Saal 6: Der Bel-Tempel von Dura Europos mit kopierten Fresko-Malereien; Saal 7: die Eingangsfassade des omajjadischen Wüstenschlosses Qasr al-Heir ash Sharqi; Saal 8: Saal eines der typischen lokalen Kaffeehäuser aus dem frühen 20. Jh. (Maßstab 1:2).

→ Vorderasiatische Archäologie

→ AWI Apameia; Bostra; Dura-Europos; Ebla; Mari; Mesopotamien; Nabataioi, Nabatäer; Palmyra; Syrien; Ugarit

1 A. BAHNASSI, Catalogue des Musées et des Sites Archéologiques en Syrie, Damas (=Damaskus) 1979 2 J. U. J. CH. BALTY, Apamée: Site et Musées, Damas (=Damaskus) 1999 3 D. BONATZ, H KÜHNE, A. MAHMOUD, Rivers and Steppes. Cultural Heritage and Environment of the Syrian Jezireh. Catalogue to the Mus. of Deir az-Zor, Damaskus 1998 4 A. BOUNNI, KH. AL-ASAD, Palmyra. Gesch., Denkmäler, Mus., 1997 5 J.-M. DENTZER, J. DENTZER-FEYDY, Le Djebel al-Árab. Histoire et Patrimoine au Musée de Suweida, 1991 6 GENERAL DIRECTORATE OF ANTIQUITIES AND MUSEUMS (Hrsg.), Aleppo Mus., 1967 7 W. KHAYATTA, National Mus. of Aleppo. Mus. Guide, o.J. (verbesserte Auflage des Führers von 1991) 8 J. N. POSTGATE, The First Civilizations in the Middle East, in: B. CUNLIFFE et al. (Hrsg.), Archaeology. The Widening Debate, 2002, 385–410 9 S. SAOUAF, The Mus. of Aleppo, o.J. 10 M. ABU-L-FARAJ AL-ʿUš et al., Catalogue du Musée National de Damas, Damas (=Damaskus) 1969. HARTMUT KÜHNE

Abb. 3: Haus von Bouqras,
Rekonstruktion im Maßstab 1:1
im Museum von Deir az-Zar

T

Tacitismus A. Begriff   B. Humanistische
Tacitus-Rezeption vor dem Tacitismus
C. Das neue Interesse an Tacitus
D. Autoren und Schriften
E. Tacitismus und Späthumanismus

A. Begriff

Der 1921 von Giuseppe Toffanin [14] nach Benedetto Croce [1. 82–83] geprägte Begriff meint urspr. die
machiavellistische Lit. in It. im ausgehenden 16. und
beginnenden 17. Jh., die ihren auf den Index gesetzten
Meister hinter dem in der Kirche freilich gleichfalls
nicht unverdächtigen Tacitus verbarg. Man hat ihn seitdem fortlaufend erweitert, und h. versteht man darunter
die Tacitus-Rezeption um 1600 überhaupt: ein zeittypisches Phänomen von großer Intensität und Reichweite. Der T. in diesem universalen Sinne ist aufs engste
mit dem auf Seneca zentrierten Neostoizismus verbunden; beide gelten gemeinhin als Erkennungszeichen des
sog. Späthuman., den man zw. den »klassischen« Human. des 14.–16. Jh. und die frühe Aufklärung des
17. Jh. einzuschieben pflegt.

B. Humanistische Tacitus-Rezeption vor dem Tacitismus

Allerdings war Tacitus auch dem früheren Human.
wohlbekannt, ja, er wurde geradezu von ihm entdeckt
und damit gewissermaßen zum human. Originalautor
schlechthin. Es waren Italiener, die das zuletzt im 9. Jh.
von Rudolf von Fulda (*Annales Fuldenses*) erwähnte Taciteische Werk Zug um Zug ans Licht zogen und veröffentlichten. Seit der Mitte des 14. Jh. kursierte, v. a.
dank Giovanni Boccaccio, der *Mediceus II* (Annalen
11–16, Historien 1–5), seit der Mitte des 15. Jh. der von
Poggio aufgespürte *Hersfeldensis* (Agricola, Germania,
Dialogus) unter den it. Humanisten; auf beiden beruhten die Ausgaben von Vindelino da Spira (Venedig
1470) und Francesco Puteolano (Mailand 1475). Nachdem Francesco Soderini zu Beginn des 16. Jh. den
Mediceus I (Annalen 1–6) aus dem Kloster Corvey entwendet und nach Rom verkauft hatte, brachte Filippo
Beroaldo dort eine Ausgabe aller bis h. bekannten Taciteischen Schriften heraus (1515), die Andrea Alciato,
zusammen mit einem ersten Sachkomm., 1517 in Mailand nachdruckte. Freilich wußte man mit Tacitus jenseits dieser philol. Aufmerksamkeit, die man ihm als
Schriftsteller des klass. Alt. schuldig zu sein glaubte, im
Grunde kaum etwas anzufangen. Man entnahm ihm allenfalls einzelne sachliche Informationen, fühlte sich
aber im allg. namentlich durch die taciteische Sprache
abgestoßen, die dem an Cicero und Livius geschulten
Geschmack der Zeit entgegenstand. Tacitus entsprach
auch gar nicht der von diesen Musterautoren genährten
republikanischen Grundstimmung, welche die »human.
Bewegung« in It. seit ihren Anf. erfüllte; noch Machiavelli, der Verf. des *Principe*, schrieb *Discorsi* über Livius,

nicht über Tacitus. Eine eigentliche Karriere begann
Tacitus erst um 1500 im dt. Human., und zwar als Autor
der german. Frühzeit, zunächst mit der *Germania*, die
Enea Silvio Piccolomini in seiner gleichbetitelten
Schrift von 1457/58 und Gianantonio Campano in seiner Regensburger Rede von 1471 nach Deutschland
vermittelten, und sodann mit den Nachrichten über
Arminius, durch die die ersten Annalen-B. hier Aufsehen erregten. Autoren wie Konrad Celtis, Heinrich Bebel, Ulrich von Hutten und Johannes Aventin gewannen wesentlich aus diesen Texten ihre normative Vorstellung von dt. Nation, auf die sie wiederum ihr ganzes
kulturelles, polit. und rel. Selbstverständnis fixierten.
Daraus erwuchs zugleich ein vermehrtes philol. Interesse an dem Taciteischen Œuvre insgesamt, das sich zusehends verselbständigte. Das wichtigste Ergebnis war
die Baseler Gesamtausgabe, die Beatus Rhenanus 1533
und in 2. Aufl. 1544 herausgebracht hat; sie sollte seine
Ausgabe von 1519 ersetzen, die noch ganz von nationalen Motiven beherrscht war. Beatus Rhenanus schuf
damit die bis dahin anspruchsvollste Ed. und bot nicht
nur einen revidierten Text und textkritische Annotationen auf der Grundlage einer dem Hrsg. aus Ofen mitgeteilten Abschrift des *Mediceus II*, sondern auch sprachliche und sachliche Erläuterungen sowie Marginalnoten
mit Eigennamen und Taciteischen Sentenzen. Dazu
kam eine Einleitungsepistel, in der Rhenanus, im Vergleich mit Livius und anknüpfend an Puteolano, Beroaldo und Alciato, die mögliche Gegenwartsbed. des Tacitus abschätzte. Es blieb auch hier dabei, daß Tacitus
sprachlich hinter Livius zurückstand. Dafür bekam er
inhaltlich den Vorzug: Livius schreibe Kriegsgeschichte
aus der hohen Zeit der röm. Republik, Tacitus über
bemerkenswerte Ereignisse aus der inneren Geschichte
der röm. Monarchie, etwa darüber, wie jemand einen
unverdienten Tod tapfer ertragen habe, was ein anderer,
der zu Unrecht vor Gericht gestellt worden sei, gesagt
oder getan habe, wie vorsichtig man mit denjenigen
umgehen müsse, die uns durch ein bloßes Kopfnicken
vernichten könnten, wie wenig ihnen zu trauen sei: ›ad
legentis pectus prudentiae monumentis instruendum‹.
Hier sind Motive genannt, die der T. später zur Entfaltung brachte. Er setzte dabei freilich an anderen Gegenwartserfahrungen an, als sie Beatus Rhenanus, der sich
bei allem weithin im Umkreis seiner philol. Erkenntnisse bewegte, zu Gebote standen.

C. Das neue Interesse an Tacitus

Voraussetzung war die Formierungskrise der frühmod. europ. Monarchie im Zeitalter der Glaubenskämpfe: das Ringen um die rechte Form fürstlicher
Herrschaft, das in einer langen Reihe konfessioneller,
ständischer und zwischenstaatlicher Konflikte in Erscheinung trat. Der T. entstand als Reaktion auf diese
Krise, aus dem Bedürfnis nach einer Orientierung, dem
Tacitus, anstelle von Cicero und Livius, zur neuen Au

torität wurde. Denn anders als diese »republikanischen« Autoren schrieb Tacitus eine Geschichte, die die Gegenwart unmittelbar anzugehen schien: die krisenhafte Formierungsgeschichte des Prinzipats, vom Untergang der Republik über Jahrzehnte mangelnder innerer Konsolidierung bis zur Mischung von *principatus* und *libertas* unter Nerva und Trajan. In ihr erkannte man sich wieder, und von ihr erwartete man daher polit. Belehrung. Dabei ergab sich aus ihrem Facettenreichtum, daß sich die verschiedensten Positionen, sei es im positiven oder negativen Sinne, auf sie projizieren ließen: machiavellistische und antimachiavellistische, monarchische und republikanische, fürstliche und ständische, katholische und protestantische, konfessionelle und überkonfessionelle. Allerdings entsprach es wiederum der Vielseitigkeit des Taciteischen Werkes, daß die meisten Autoren aus ihm das ausgewogene Programm einer alles in allem gemäßigten Monarchie ableiteten. Inbegriff dieser Rezeption war das bei Tacitus vielverhandelte Problem der *simulatio* und *dissimulatio*, der Verstellungskunst des Herrschers und der Höflinge, in dem das uneinheitliche Gesicht der herrschenden Krise anschaulich wurde. Auch die reflektierte und vielfach verrätselt wirkende Sprache des Tacitus begann jetzt als adäquater Ausdruck der Sache, die bei ihm zur Darstellung kam, geschätzt zu werden und fand sogar Nachahmung, obwohl man sich nicht wirklich vom Ciceronischen und Livianischen Stilideal löste. Das neue Interesse erstreckte sich auf das Taciteische Gesamtwerk, vorab auf die großen Geschichtswerke und da wiederum auf die ersten Annalen-B. mit den Erzählungen über Tiberius, das vornehmste Demonstrationsobjekt tacitistischer Auslegung.

D. Autoren und Schriften

Die tacitistischen Autoren stammten aus ganz Europa und bildeten untereinander eine bes. lit. Genossenschaft. Sie waren an Höfen und Univ. tätig, traten mit publizistischen und gelehrten Schriften hervor, hatten dabei unterschiedlichen Einfluß. Sie kümmerten sich anhaltend um neue Ausgaben und philol. Komm., mit denen sie die Arbeit früherer Editoren und Kommentatoren fortführten. Aber die Hauptsache war, daß erstmals in größtem Umfang polit. Schriften zu Tacitus entstanden, die der Anwendung der Texte auf die Gegenwart dienten und damit das neue Interesse an Tacitus erfüllten: Sammlungen Taciteischer Sentenzen, polit. Komm., polit. Diskurse nach dem Muster der *Discorsi* Machiavellis, allg. polit. Traktate. Justus Lipsius, der im Banne der span.-niederländischen Kämpfe in der 2. H. des 16. Jh. stand, wurde in mehreren Gattungen schulbildend: durch eine verbesserte Tacitus-Ausgabe (Antwerpen 1574), der er alsbald weitere folgen ließ, durch einen philol. Annalen-Komm. (Antwerpen 1581) und durch seine *Politica* (Leiden 1589), in denen Tacitus als Hauptzeuge für das Postulat einer moderaten Fürstenherrschaft fungierte. Neben ihn traten it. Autoren, die den fortgesetzten Aufstieg erblicher Fürstentümer auf ihrer Halbinsel erlebten und gleichfalls die span. Uni-

versalmonarchie vor Augen hatten. Erste Sammler Taciteischer Sentenzen waren, jeweils vom monarchischen Standpunkt aus, Ascanio Piccolomini (Florenz 1609) und Girolamo Frachetta (Rom 1613). Carlo Pasquali, dem es bei der Tacitus-Lektüre um abschreckende Beispiele für die Fürsten seiner Zeit ging, schrieb den ersten polit. Komm. (Paris 1581); nach ihm kamen Annibale Scoto (Rom 1589), ein machiavellistischer Autor für die Fürsten und ihre Ratgeber, und der eher republikanisch gesinnte Traiano Boccalini (zuerst Amsterdam 1677). Mit Scipione Ammirato, einem klass. Vertreter des T. im Sinne Croces und Toffanins, begann die Gattung der polit. Diskurse über Tacitus (Florenz 1594). Gleichzeitig mit den *Politica* des Lipsius veröffentlichte Giovanni Botero den Traktat *Della Ragion di Stato*, in dem Tacitus neben Machiavelli als wichtigster Gewährsmann für die Lehre von der Staatsräson erschien. Allen diesen Schriftstellern gingen frz. Autoren voraus, die, im Zuge des konfessionellen Bürgerkriegs in Frankreich, am frühesten mit der Krise der Monarchie konfrontiert waren: Jean Bodin, der Theoretiker des Absolutismus, der Tacitus bereits in der *Methodus ad facilem historiarum cognitionem* (Paris 1566) und dann wieder in den *Six livres de la république* (Paris 1576) würdigte, und Marc-Antoine Muret, ein Verfechter republikanischer Ideen, der philol. und polit. Erläuterungen zu Tacitus schrieb (zuerst Ingolstadt 1604). Auch in den Essays des Michel de Montaigne (Bordeaux 1580/1588), die ganz auf die Erkenntnis oder Selbsterkenntnis der Gegenwart zielten, kam Tacitus wiederholt vor. Später, in den Zeiten Richelieus und Ludwigs XIV., wurde der röm. Autor neuerdings ein Anwalt der absoluten Monarchie: bei Gabriel Naudé (*Bibliographia politica*, Paris 1633) und Nicolas Amelot de la Houssaie (*Tibère. Discours politiques sur Tacite*, Paris 1686). In Spanien griff Pedro Rivadeneira mit seinem *Tratado de la religion y virtudes que deve tener el principe Cristiano* (Madrid 1595, lat. Mainz 1603) in die Debatte ein; er verdammte darin Tacitus mit Machiavelli, Bodin und allen anderen Wortführern der reinen Politik. Seit dieser Zeit gab es auch, v. a. unter dem Einfluß des Lipsius, im Dt. Reich eine tacitistische Lit.: um das philol. Verständnis des Tacitus machten sich durch Ausgaben und Paraphrasen der calvinistische Heidelberger Historiker Janus Gruter (Frankfurt a.M. 1607) sowie die Straßburger Geschichtsprofessoren Matthias Bernegger (Straßburg 1638) und Johannes Freinsheim (Straßburg 1641) verdient; Christoph Forstner verfaßte von 1626 bis 1661 einen polit. Komm. zu allen erhaltenen Annalen-Büchern (Gesamtausgabe Frankfurt a.M. 1662), in dem er einen christl. gedämpften Machiavellismus vertrat; Arnold Clapmarius, Altdorfer Professor für Politik und Geschichte, schrieb, wesentlich nach Tacitus, *De arcanis rerum publicarum* (Bremen 1605), über die den verschiedenen Staatsformen eigentümlichen Grundsätze der Staatsräson. Besonders vom Straßburger T. reichten Einflüsse bis nach Uppsala, wo Freinsheim 1642 eine Professur übernahm.

E. Tacitismus und Späthumanismus

Wenn man Späthuman. als Übersteigerung des »klass.« Human. definiert, wird der T. dieser Bestimmung zunächst offensichtlich gerecht. Er »übersteigert« nicht nur das bisherige Interesse an Tacitus, sondern auch den bisherigen Umgang mit der ant. Lit. überhaupt, liefert jedenfalls ein extremes Beispiel für die Wertschätzung eines ant. Schriftstellers. Man mag ihn auch insofern späthuman. nennen, als diese Übersteigerung zugleich den Umschlag in ein nachhuman. Denken signalisiert. Andererseits ist der T. in einem Maße vom »klass.« Human. verschieden, daß es fragwürdig wird, hier noch von Human. zu sprechen. Er hat mit ihm das von der philol. Aufbereitung zur normativen Applikation reichende Verfahren zur Auslegung der ant. Lit. gemeinsam, aber steht dabei in einem grundsätzlich veränderten Kontext. Der »klass.« Human. von Petrarca bis Erasmus verficht ein Konzept weltlich-nichttheologischer Bildung, durch das er seiner Umwelt als selbständige Bewegung entgegentritt; die Rezeption der ant. Lit. ist das Kernstück dieses Konzepts und damit das Unterpfand dieser Autonomie. Dagegen gehört der T. einem Zeitalter an, in dem die human. Bildung und damit die human. Rezeption der ant. Lit. in Abhängigkeitsverhältnisse geraten: zunächst, im Zeichen der Konfessionalisierung, gegenüber einer neuen Suprematie theologischen Denkens, sodann gegenüber neuen Formen innerweltlichen Denkens wie der Souveränitäts- und der frühneuzeitlichen Naturrechtslehre, die nicht mehr im Umkreis des human. Bildungsgedankens liegen. Tacitus ist hier, anders als im »klass.« Human., der den ant. Autoren eine primäre Zuständigkeit zuspricht, lediglich eine instrumentelle oder abgeleitete Rolle zugewiesen; er liefert Versatzstücke für einen Neubau. Der T. erscheint also selbst schon als eine Erscheinungsform nachhuman. Denkens, und es spräche viel dafür, den Begriff des Späthuman. auf Autoren wie Erasmus oder auch Beatus Rhenanus anzuwenden, die den aufziehenden Glaubensgegensatz als essentielle Bedrohung der »human. Bewegung« empfanden und darauf mit einer Art innerer Emigration reagierten.

→ Stoizismus

→ AWI Tacitus; Humanismus; Neostoizismus; Späthumanismus

1 B. Croce, Storia dell'età barocca in Italia, ⁵1967 2 E.-L. Etter, Tacitus in der Geistesgesch. des 16. und 17. Jh., 1966 3 P. Joachimsen, Tacitus im dt. Human., in: Ders., Gesammelte Aufsätze, hrsg. v. N. Hammerstein, 1970, 275–295 4 D. R. Kelley, Tacitus Noster, in: Ders., The Writing of History and the Study of Law, 1997, 152–200 5 W. Kühlmann, Gesch. als Gegenwart: Formen der polit. Reflexion im dt. »Tacitismus« des 17. Jh., in: Res Publica Litteraria, hrsg. v. S. Neumeister, C. Wiedemann, Bd. 1, 1987, 325–348 6 F. Meinecke, Die Idee der Staatsräson in der neueren Gesch., hrsg. v. W. Hofer, ²1960 7 H. Münkler, H. Grünberger, K. Mayer, Nationenbildung, 1998 8 U. Muhlack, Der T. – ein späthuman. Phänomen?, in: Späthuman., hrsg. v. N. Hammerstein, G. Walther, 2000, 160–182 9 G. Oestreich, Ant. Geist und mod. Staat bei Justus Lipsius (1547–1606), hrsg. v. N. Mout, 1989 10 J. Ridé, L'image du Germain dans la pensée et la littérature allemandes de la redécouverte de Tacite à la fin du XVIème siècle, 3 Bde., 1977 11 K. C. Schellhase, Tacitus in Renaissance Political Thought, 1976 12 J. v. Stackelberg, Tacitus in der Romania, 1960 13 M. Stolleis, Staat und Staatsräson in der frühen Neuzeit, 1990 14 G. Toffanin, Machiavelli e il »tacitismo«, 1921.

ULRICH MUHLACK

Tanz A. Gegenstandsbereich/Überblick
B. Beginn des 20. Jahrhunderts: Von der Schönheit des »natürlichen Körpers«
C. Mitte des 20. Jahrhunderts: Mythologie als Spiegel psychischer Tiefen
D. Ende des 20. Jahrhunderts/Beginn des 21. Jahrhunderts: Endlose Renaissancen

A. Gegenstandsbereich/Überblick

Die Rezeption der griech. Ant. im T. fand ihren bisherigen Höhepunkt zu Beginn des 20. Jh. in Europa und den USA. Erste Bewegungsstudien rekurrierten bereits E. des 19. Jh. auf das Körperbild des ant. Griechenlands. 1885 veröffentlichte die Amerikanerin G. Stebbins ihre Bewegungstheorie [25], die sich auf das bewegungspädagogische System von F. Delsartes stützt. Delsartes verknüpfte die Idee eines dynamischen Körperbildes mit dem statischen Posieren ant. Plastiken. Diese Anleitungen zum Posieren nach ant. Vorbildern prägten u. a. die Arbeiten der Tanzpionierin I. Duncan. 1895 veröffentlichte M. Emmanuel in Frankreich seine chronophotographische Analyse des griech. T. [10]. In der Gegenüberstellung von Körperdarstellungen griech. Vasenbilder und Posen aus dem bewegungstechnischen System des Balletts versuchte Emmanuel den ant. T. zu decodieren. Bei allen ging das Interesse an der ant. Kunst mit einer Suche nach Natürlichkeit, Individualität und Authentizität des menschlichen Körperausdrucks einher.

Der um 1900 auch in Bezug auf den T. aufkommende Begriff der → Décadence war – anders als in Lit. oder bildendender Kunst – klar umrissen und bezog sich ausschließlich auf das klass. Ballett. Das »dekadente« Ballett war vielfach Angriffsfläche der TanzreformerInnen der Zeit, denn sie betrachteten das klass. Bewegungsvokabular als unnatürlich und körperdeformierend. Antikensammlungen wurden – neben den Gemälden der it. → Renaissance und der auf diese Bezug nehmenden Kunstwerke der Präraffaeliten – zur Hauptinspirationsquelle für die VertreterInnen neuer Tanzkonzepte (u. a. I. Duncan, A. Sacharoff, W. Nijinsky). Die Darstellung der Ant. wurde von ihnen als Abbildung natürlicher Schönheit und Ursprünglichkeit gelesen, im Sinne eines Körperbildes, welches noch nicht durch Prozesse der Zivilisation und Technisierungsbestrebungen der Moderne verformt wurde. Natur, verstanden als Triebnatur des Menschen im Sinne F. Nietzsches [23], führte zu einer Akzentuierung der archa.-dionysischen Seite der Antike. Im klass. Ballett wurde so die Adaption des

Apollo-Mythos durch G. Balanchine (*Apollon Musagète/Apollo*, Uraufführung Ballets Russes, Paris) 1928 zum Schlüsselwerk des Neoklassizismus im Tanz. In der 2. H. der 1940er J. nimmt die Rezeption der Ant. in den Arbeiten der amerikanischen Choreographin M. Graham einen zentralen Stellenwert ein. Ende des 20. Jh. und zu Beginn des 21. Jh. tauchen vereinzelt choreographische Arbeiten auf, die ant. griech. Abb. als Inspirationsquelle verstehen (u. a. B. Li) oder selbst Zitate tanzhistor. Antikerezeption sind (u. a. M. Morris).

B. Beginn des 20. Jahrhunderts: Von der Schönheit des »natürlichen Körpers«

1903 erschien I. Duncans Aufsatz *Der Tanz der Zukunft* [8], in dem sie ihre Vision vom neuen T. zu umreißen suchte. Hierin machte sie deutlich, daß es ihr nicht darum ging, zum T. der Griechen zurückzukehren, sondern darum, den T. wieder – wie in der griech. Ant. – zu einer rel. Kunst zu erheben. Sie studierte die ant. Sammlungen des British Museum in London und des Louvre in Paris, sowie die Maler der Renaissance. Sie las Winckelmann und gab Tanzabende, umrahmt mit Vorträgen zur Wiederbelebung des T. aus der Kunst der Antike. Sie tanzte in Museen, an den Orten der Archivierung ant. Geschichte. Der Ort bildungsbürgerlichen Kunstverständnisses verlieh dem T. die Würde einer eigenständigen und gleichberechtigten Kunst und verwies auf die mit den Tanzreformen einhergehende Frage nach neuen Aufführungsorten jenseits der durch das Illusionstheater des 19. Jh. geprägten Bühnenräume [4. 83]. Duncans Bemühungen um ein neues Körperbild zielten auf die Befreiung des Körpers und auf einen T. als Naturerlebnis. Barfuß – und ohne das zu dieser Zeit im Ballett noch übliche Korsett – tanzte sie bekleidet mit einem *péplos* und befreite damit den weiblichen Körper von allem Einengenden und Deformierenden (Abb.1). In zahlreichen Vorträgen und Aufsätzen verwies sie auf die ant. griech. T. als Vorbild ihrer Tanzkunst. Mit dem Rückgriff auf den ant. Körper als Ideal feierte sie einen Naturkörper, der selbst ein Kulturkörper ist [24. 53].

Auch im klass. Ballett werden die Darstellungen der Ant. zur Quelle tänzerischer Innovationen. 1907 choreographierte M. Fokine *Eunice* für die Ballets Russes. Vorlage bildete eine Episode aus H. Sienkiewiczs *Quo Vadis?* (1896). Die Bewegungen orientierten sich, ähnlich wie bei Duncan, an ant. Vasenmalereien. Die TänzerInnen waren in griech. Chitons gekleidet. Da der barfüßige Auftritt als unschicklich galt, trugen die TänzerInnen Strümpfe, auf denen nackte Füße aufgemalt waren, und dazu Sandalen. Fokine öffnete das klass. Bewegungsvokabular und kombinierte es mit ungewohnten Körperbildern, ohne jedoch, im Gegensatz zu Duncan, mit der Ästhetik des Balletts zu brechen. 1912 choreographierte er *Daphnis und Chloé* (Abb.2), welches jedoch noch h. im Schatten des im selben J. von den Ballets Russes aufgeführten *Nachmittag eines Fauns* von W. Nijinsky steht. Nijinsky ließ sich nicht nur von den Bas-Reliefs und Malereien der Ant. inspirieren, sondern

Abb. 1: Isadora Duncan tanzt im Theater des Dionysos, Athen. Foto Raymond Duncan 1903

übernahm auch die Zweidimensionalität der Abbildung und übertrug diese auf die tanzenden Körper, die sich ausschließlich in horizontalen, posenartigen Bewegungen im Profil zum Publikum bewegten. Nijinkys Begeisterung für die Ant. paarte sich mit einer Auseinandersetzung mit der avantgardistischen Kunst des 20. Jh. (Fauvismus, Kubismus und primitive Kunst) [4. 79].

In München war es A. Sacharoff, der in dem Körperbild der Ant. neue Ausdrucksmöglichkeiten für den T. sah. Eng verbunden mit der Münchner Künstlervereinigung und im kreativen Austausch mit Kandinsky, Münter, Jawlensky und von Werefkin choreographierte er u. a. 1910 sein Solo *Dionysischer Gottesdienst*. In einer Aneinanderreihung von Posen brachte er auf die Bühne, was er einst als Student der Bildenden Kunst in den Bildersammlungen Italiens gesehen hatte. Er zitierte, wie auch schon I. Duncan, nicht direkt die Ant., sondern deren Interpretationen in den Kunstwerken der it. Renaissance (u. a. Werke von Luca della Robbia) [4. 76].

C. Mitte des 20. Jahrhunderts: Mythologie als Spiegel psychischer Tiefen

In den 40er J. herrschte in den USA großes Interesse an ant. Mythologien: Die VertreterInnen unterschiedlicher Kunstrichtungen hatten C. G. Jung und dessen psychoanalytische Studien für sich als Inspirationsquelle entdeckt (→ Psychoanalyse). Im T. waren es die Choreographien von M. Graham, die sich bes. in der zweiten H. der 40er J. bis in die 60er J. hinein der griech. Myth. und ihren Dramen widmeten. Als Protagonistin-

Abb. 2: Michail Fokine als Daphnis in *Daphnis and Chloé*. Foto um 1912

Abb. 3: Martha Graham und Bertram Ross in *Night Journey*. Foto Martha Swope, um 1947

nen ihrer Stücke wählt Graham immer wieder Frauengestalten aus ant. Stoffen: z. B. ihre Medea-Interpretation *Cave of the Heart* (1946), ihre Ariadne-Interpretation in *Errand into the Maze* (1947), die Jokaste in *Night Journey* (1947) – eine von S. Freuds Theorien beeinflußte Reise in die Vergangenheit –, *Clytemnestra* (1958) oder *Phädra* (1962; Abb. 3). Anders als Duncan zu Beginn des Jh. griff Graham auf die ant. Stoffe zurück, um die griech. Myth. aus der Perspektive der Frauenfiguren zu beleuchten, die in ihren Stücken zu menschlichen Archetypen wurden. Die emotionale Krise der jeweiligen Protagonistin wurde zum Sinnbild für den möglichen menschlichen Aufstieg und Fall. Nicht so sehr die myth. Handlung, sondern die Psychogramme der Protagonistinnen, die Graham als repräsentiv für ein kollektives Frauenempfinden und -begehren verstanden wissen wollte [24. 90–91], standen im Mittelpunkt aller ihrer ant. Adaptionen. Die Bewegungssprache in diesen Stücken weist eine Durchdringung der eigenen Graham-Technik mit Einflüssen des ant., orientalischen und asiatischen Theaters (hier u. a. Nō- und Kabuki-Theater) auf. Antike Anklänge lassen sich v. a. in den zweidimensionalen Bewegungsinszenierungen und in Posen ausmachen, die an ant. Vasenmalereien erinnern. Anders jedoch als z. B. in Nijinskys *Faun*, sind die Bewegungen in Grahams Stücken niemals rein abstrakt-dekorativ, sondern immer Ausdruck einer »inneren Landschaft« (*interior landscape*) [18. 73], Synonym für die psychische Verfaßtheit der Protagonistin.

In Deutschland wendet sich auch M. Wigman am E. ihres choreographischen Schaffens kurzzeitig ant. Themen zu: 1947 choreographiert und inszeniert sie Ch. W. Glucks *Orpheus und Euridice* (1762) in Leipzig; 1953 findet sich unter ihren *Chorischen Studien II* ein Stück mit dem Titel *Mänadischer Rhythmus*.

D. Ende des 20. Jahrhunderts / Beginn des 21. Jahrhunderts: Endlose Renaissancen

Ant. Darstellungen von T., das Schönheitsbild der Griechen, aber v. a. der Fundus menschlicher Dramen in den überlieferten Mythen bleiben auch im weiteren Verlauf des 20. Jh. beliebte Inspirationsquelle und sind dies auch noch zu Beginn des 21. Jh. Die Rezeption beschränkt sich nicht auf das klass. Ballett, sondern findet sich ebenfalls in den Stücken avantgardistisch-zeitgenössischer ChoreographInnen. Häufig sind die Stücke wiederum Umsetzungen musikalischer Adaptionen ant. Mythen. Beispiel: *Orpheus* von H. W. Henze, choreographiert von W. Forsythe in Stuttgart (1979), R. Berghaus in Wien (1986) und H. Spoerli in Basel (1988). Wie schon bei Henzes Vorlage, nach einem Libretto von E. Bond, wird hier der Mythos von Apollo, Orpheus und Eurydike in eine unbestimmte Jetztzeit verlegt. Ebenso beliebt ist weiterhin Glucks *Orpheus und Euridice* bei den ChoreographInnen. Eine ihrer wohl berühmtesten tänzerischen Umsetzungen erfuhr die Oper 1975 durch P. Bausch und deren Wuppertaler

Tanztheater. Einige ChoreographInnen, die sich mehrfach mit griech. Mythen auseinandersetzten, waren M. Béjart (1958 *Orphée in Paris*; 1963 *Promethée* in Brüssel; 1984 *Dionysos* in Paris – Nietzsche, Wagner und ant. Göttern gewidmet); J. Neumeier (1972, 1973 *Daphnis und Chloé* in Frankfurt/M., Hamburg; 1990 *Medea* in Stuttgart; 1995 *Odyssee*, Koproduktion zw. Hamburg und Athen); J. Schlömer (1995 *Neuschnee in Troja*, seine Odyssee-Interpretation in Weimar; 1995 *Orestie* in Ulm; 1997 Ch.W. Glucks *Orpheus und Euridice* in Basel) oder M. Morris (u. a. 1983 *The Death of Socrates* in New York; 1988 *Orpheus and Eurydice* in Seattle; 1989 *Dido and Aeneas* in Brüssel). 1989 nimmt sich erneut ein Vertreter des Tanztheaters einer ant. Thematik an: J. Kresnik inszeniert mit seinem Tanztheater in Heidelberg *Ödipus*. Er setzt den Mythos in die Mitte einer Trilogie, an deren Anfang *Macbeth* steht, und die mit der Figur des *Lear* beendet wird. Sophokles' *Ödipus* wird als Teil des gängigen Theaterkanons über Aufstieg und Fall eines Helden interpetiert.

1998 erarbeitet I. Ivo für das Weimarer National Theater sein Tanztheaterstück *Medea*. Die Interpretation basiert auf H. Müllers 1974 veröffentlichtem Theaterstück *Medeamaterial*. Auch hierbei handelt es sich wieder um eine »Re-Renaissance« der Antike.

Aktuellstes Beispiel für eine solche »Rezeption der Rezeption«: *Der Traum des Minotaurus*, den B. Li für die Komische Oper Berlin 2002 als abendfüllendes Ballett choreographierte. Wieder sind es hier, wie schon bei I. Duncan, v.a. die Vasenmalereien und die ant. Plastik, die mit ihren Körperdarstellungen zur choreographischen Inspirationsquelle wurden. Im Mittelpunkt steht wieder die Idee von einer ant. Kunst als Abb. einer klass.-zeitlosen Körperästhetik, die Natürlichkeit feiert.

Allen oben aufgeführten choreographischen Ansätzen gemeinsam ist der Versuch, die ant. Geschichte auf die heutigen menschlichen und gesellschaftlichen Probleme zu übertragen. Tanz im 21. Jh. kann nicht auf ant. Darstellungen zurückgreifen, ohne damit auch auf die eigene Entwicklungsgeschichte und deren Beziehung zu Körperdarstellungen der Ant. zu verweisen.

→ Körperkultur; Neohumanismus

1 J. ACOCELLA, Mark Morris, 1993 2 C.W. BEAUMONT, Michel Fokine and his Ballet, 1945, 27–29 3 G. BRANDSTETTER, Die Inszenierung der Fläche, in: C. JESCHKE, U. BERGER, B. ZEIDLER, Spiegelungen, 1997, 147–163 4 Dies., T.-Lektüren, 1995, 58–117, 182–206 5 M. BREMSER (Hrsg.), International Dictionary of Ballet, 1993 6 A. DALY, Done into Dance, 1995 7 D. DUNCAN, C. PRATL, C. SPLATT, Life into Art, 1993 8 I. DUNCAN, Der T. der Zukunft, 1903 (engl. The Dance of the Future) 9 Dies., My Life, 1927 10 M. EMMANUEL, La Danse Grèque antique d'après les monuments figurés, Paris 1895 11 M. FOKINE, Gegen den Strom, 1974, 112–118 12 Ders., Über die Entstehung von »Daphnis und Chloé«, in: Programmheft Sächsische Staatsoper Dresden. Drei Ballette von John Neumeier. 12. Okt. 1996 13 R. GARIS, Following Balanchine, 1995 14 R. GINNER, The ancient Greek dance and its revival today, in: The Dancing Times, Juni 1926, 245–249; Juli 1926, 355–359; August 1926, 450–453; September 1926, 541–545 15 M. GRAHAM, Der T. – Mein Leben, 1992 (engl. Blood Memory, 1991) 16 E. JAQUES-DALCROZE, Le Rhythme, la Musique et l'Education, 1920 17 D. JOWITT, Time and the Dancing Image, 1988, 199–233 18 N. KAYE, Modern Dance and the Modernist Work, in: Ders., Postmodernism and Performance, 1994, 71–89 19 E. KENDALL, Where she Danced: The Birth of American Art-Dance, 1979 20 H. KOEGLER, Balanchine und das mod. Ballett, 1964 21 H. LINDLAR, Igor Strawinsky: Lebenswege/Bühnenwerke, 1994 22 J.-M. NECTOUX, Nachmittag eines Fauns, 1989 23 F. NIETZSCHE, Sämtliche Werke, 1980 24 J. SCHULZE, Dancing Bodies Dancing Gender, 1999 25 G. STEBBINS, Delsarte System of Expression, 1885 26 E. STODELLE, Deep Song: The Dance Story of Martha Graham, 1984 27 W. WILLASCHEK, Musik ist tönende Bewegung, in: Anlage zum Programmheft Hamburger Staatsoper »Daphnis und Chloé«, 20.12.1985, 3–6.

JANINE SCHULZE

Technikgeschichte A. DIE TECHNIK DER ANTIKE ALS FORSCHUNGSGEBIET B. TECHNIK UND TECHNOLOGIE IN DER FRÜHEN NEUZEIT C. DIE ANFÄNGE EINER TECHNIKGESCHICHTE DER ANTIKE D. DIE DISKUSSION ÜBER STAGNATION UND FORSCHRITT DER TECHNIK IN DER ANTIKE E. NEUE FRAGESTELLUNGEN UND THEMEN

A. DIE TECHNIK DER ANTIKE ALS FORSCHUNGSGEBIET

Die Technik der Ant. wurde von den Klass. Altertumswiss. erst spät als Gegenstand einer eigenständigen Spezialdisziplin anerkannt; bis etwa 1980 haben Althistoriker, Archäologen und Klass. Philologen vergleichsweise selten Probleme der ant. T. untersucht und diesem Themenbereich insgesamt nur wenige Aufsätze oder Monographien gewidmet; es existierten weder wiss. Standards genügende Gesamtdarstellungen der ant. Technik noch wiss. Einführungen in die Fragestellung, Methodik und Quellenkunde einer T. der Antike. Moderne Technikhistoriker wiederum erforschten vorrangig die Ursprünge der gegenwärtigen Technik im späten MA, in der Frühen Neuzeit oder in der Industriellen Revolution und berücksichtigten die Ant. in ihren Arbeiten allenfalls am Rande. Diese Vernachlässigung der ant. Technik durch die Altertumswiss. und die allg. Technikhistorie hatte verschiedene Ursachen: Während die Relevanz der Technik für die mod. Industriegesellschaften außer Frage steht, schien die ant. Technik die soziale und wirtschaftliche Entwicklung Griechenlands und Roms kaum beeinflußt zu haben; außerdem war die Meinung weit verbreitet, daß technische Erfindungen von größerer Tragweite, die etwa mit der Erfindung der Dampfmaschine oder der Spinnmaschine im 18. Jh. vergleichbar wären, in der Ant. vollständig fehlten. Damit bestand für eine v.a. an Erfindungen und Erfindern orientierte T. kein Anreiz, die ant. Technik zum Objekt ihrer Forsch. zu machen.

B. Technik und Technologie in der Frühen Neuzeit

Die Entstehung der ant. T. als wiss. Disziplin muß allerdings auch im Kontext der Wahrnehmung von Technik und T. allg. gesehen werden; dabei ist zunächst darauf zu verweisen, daß die Begriffe Technik und Technologie erst im Verlauf der Frühen Neuzeit aufkamen und die inhaltliche Bed. erhielten, die sie gegenwärtig besitzen. Obgleich in der Frühen Neuzeit eine umfangreiche technologische Fachlit. existierte und ein Philosoph wie Francis Bacon im *Novum Organum* (1620) den Erfindungen von Buchdruck, Schießpulver und Kompaß bereits eine große Bed. für die Entwicklung der Menschheit beimaß, wurde die Technik konzeptionell noch nicht als ein Ensemble von Werkzeugen, Geräten und Verfahren verstanden, das dazu dient, Stoffe den menschlichen Interessen und Bedürfnissen entsprechend zu gewinnen, umzuwandeln und zu speichern und damit die Natur menschlichen Zwecken zu unterwerfen. Unter diesen Voraussetzungen hat die frühneuzeitliche Geschichtsschreibung sich in der Darstellung der Erfindungen nicht auf den Bereich der Technik beschränkt, sondern Neuerungen auf allen Feldern der Zivilisation berücksichtigt; es gelang daher nicht, technische Entwicklungen angemessen zu erfassen und überzeugend in die allg. Geschichte zu integrieren.

Die Grundlagen einer Technologie, die nicht mehr als Teil der allg. Naturgeschichte aufgefaßt wird und als Lehre der im Gewerbe angewandten Technik definiert ist, wurden von Johann Beckmann (1739–1811) geschaffen, der neben dem systematischen Handbuch *Anleitung zur Technologie* (1777) zahlreiche Studien zu einzelnen Erfindungen verfaßt hat (*Beyträge zur Geschichte der Erfindungen*, 5 Bde., Leipzig 1780–1805). Auf den Einfluß Beckmanns ist wahrscheinlich zurückzuführen, daß der Göttinger Historiker A. L. v. Schlözer die Auffassung vertrat, Erfindungen seien in der Geschichtsschreibung ebenso zu berücksichtigen wie polit. Ereignisse; ausdrücklich wird dies für die Ant. festgestellt: Wichtiger als ›die Balgereien der Spartaner mit den Messeniern sowie der Römer mit den Volskern‹ sei ›die Erfindung des Feuers und Glases‹ gewesen [57. 41]. Das im 18. Jh. wachsende Interesse an der Technik fand auch in Diderots *Encyclopédie ou Dictionnaire raisonné des sciences, des arts et des metiers* (1751–1780) seinen Niederschlag; in der *Encyclopédie* wurde der Versuch unternommen, die technischen Kenntnisse der Zeit zusammenzufassen; Arbeit, Werkzeuge und Werkstätten der einzelnen Gewerbe werden zudem auf Kupferstichtafeln bildlich dargestellt.

Die Technik der Ant. wurde bis zum E. des 18. Jh. nicht systematisch erforscht, sondern in verschiedenen Kontexten thematisiert. So hat der it. Architekt, Archäologe und Radierer G. B. Piranesi (1720–1778) in seinen Werken zur röm. Architektur und zur Top. Roms und Mittelitaliens die Bautechnik, den Straßenbau und die Wasserversorgung eingehend beschrieben; dem Abflußkanal des Albaner Sees ist eine eigene Schrift gewidmet [54; 59]. Auch im Rahmen der »Privataltertümer« wurden technikhistor. Themen behandelt; die Textilherstellung etwa erscheint in älteren Werken oft im Zusammenhang mit dem Haus, der Familie oder dem Privatleben.

C. Die Anfänge einer Technikgeschichte der Antike

Als erste umfassende Darstellung der ant. Technik kann H. Blümners *Technologie und Terminologie der Gewerbe und Künste bei Griechen und Römern* [4] gelten. Das Werk ist entsprechend den Produkten bzw. den bearbeiteten Materialien gegliedert: Im ersten Band werden die Brotzubereitung und Textilherstellung, im zweiten Band die Ton- und Holzverarbeitung beschrieben, Thema des dritten Bandes ist die »Arbeit in Stein«, des vierten Bandes die Metallurgie sowie die Farbenproduktion. Diese Anordnung des Materials ist im wesentlichen an der Struktur des Handwerks orientiert; die landwirtschaftliche Produktion, die Energiegewinnung und die Transporttechnik werden hingegen nicht berücksichtigt. Ein grundlegendes Problem von Blümners Darstellung der ant. Technik ist darin zu sehen, daß die sozialen und wirtschaftlichen Kontexte technischer Entwicklung weitgehend vernachlässigt sind und daß die Unt. technischen Wandels hinter die Rekonstruktion einzelner Techniken und die Klärung der ant. Begrifflichkeit zurücktritt. Dennoch ist dieses Werk für spätere Forsch. in methodischer Hinsicht zum Vorbild geworden, denn Blümner hat nicht nur die schriftlichen Quellen, sondern auch das in seiner Zeit zugängliche arch. Material und insbes. ant. Abbildungen in großem Umfang ausgewertet. Bis h. besitzt Blümners Darstellung der ant. Technik den Rang eines Standardwerkes. Neben Blümner ist ferner C. Merckel zu nennen, der als Ingenieur einen umfangreichen Band über die Ingenieurtechnik in der Ant. (Straßen, Brücken, Häfen, Wasserleitungen) vorgelegt hat [29].

Im späten 19. und frühen 20. Jh. wurden durchaus divergierende Auffassungen zur ant. Technik formuliert. M. Weber hat in seinem Art. *Agrarverhältnisse im Alt.* die Bed. der ant. Technik gerade unter dem Aspekt der Erfindungen sehr nüchtern eingeschätzt: ›Die Oekonomik und Technik der Wirtschaft hat dagegen in den Zeiten seit den Ramessiden und Assurbanipal, mit Ausnahme der Erfindung der Münze, im Alt. offenbar relativ geringe Fortschritte gemacht. Wieviel – oder wie wenig – die im Licht der Geschichte liegende Zeit des Alt. an technischen Neuerungen geschaffen hat, wird sich erst entscheiden lassen, wenn einmal eine dem heutigen Quellenstand entsprechende Industriegeschichte Aegyptens und Mesopotamiens (...) vorliegt. Es ist sehr möglich, daß alsdann der Orient (...) auch als Schöpfer der größten Mehrzahl aller technischen Neuerungen erscheint, welche auf dem Gebiete des Gewerbes bis zum E. des MA gemacht worden sind‹ [45. 267]. H. Diels, der vor 1914 unter den Altertumswissenschaftlern als einer der besten Kenner der antiken Technik gelten konnte, betonte hingegen, ›daß der Scharfsinn und die Ideenkraft des ant. und speziell hellenischen Techniten nicht geringer (. . .) als die der mod. Tausendkünstler‹ gewesen seien [9. VI].

Wie das Vorwort von H. Diels zu der Ausgabe seiner Vorträge über die ant. Technik zeigt, stellte das von Technik und → Naturwissenschaften geprägte mod. Denken nach 1900 eine Herausforderung für die Altertumswiss. dar. Diels spricht vom ›Kampf der mod. Technik und Naturwiss. gegen die Ant.‹ und will zeigen, ›daß das Alt. auch in seinem technischen Streben mit der mod. Welt viel enger verknüpft ist als die dazwischenliegende Zeit des MA [9. Vf.]. Das Buch von Diels enthält eine Reihe von Abh. zu sehr speziellen Themen, die Rolle der Technik in der Ant. wird nur in dem Beitr. über ›Wiss. und Technik bei den Hellenen‹ skizzenhaft umrissen. Hier äußert Diels die Auffassung, in der Ant. habe außerhalb der Fachwiss. nur ein geringes Interesse »an den technischen Erfindungen und an der Persönlichkeit der Erfinder‹ bestanden [9. 29]. Die »Mißachtung der Technik« wird auf zwei Tatbestände zurückgeführt: einerseits auf die aristokratische Mentalität der ant. Gesellschaft, andererseits auf die mit der Existenz der → Sklaverei verbundene Verachtung des Handwerks. Prononciert stellt Diels fest, es habe der Antrieb gefehlt, ›die Maschine zum Ersatz der Handarbeit auszubilden‹ [9. 31 f.].

D. DIE DISKUSSION ÜBER STAGNATION UND FORTSCHRITT DER TECHNIK IN DER ANTIKE

Die folgende Diskussion über die ant. Technik wurde entscheidend von der Auffassung geprägt, daß in der Ant. technische Fortschritte durch soziale oder wirtschaftliche Faktoren verhindert worden seien. Nach 1920 wurde mehrfach die These vertreten, eine mit der Industriellen Revolution vergleichbare Entwicklung sei gerade im Imperium Romanum technisch möglich gewesen, aber aufgrund der sozialen und wirtschaftlichen Bedingungen unterblieben; es wurden unterschiedliche Ursachen für die technische Stagnation angeführt, so die Sklaverei, das Fehlen von Kapital und Rohstoffen, eine mangelnde Kaufkraft der Bevölkerung oder die aus einer aristokratischen Mentalität resultierende bewußte Verweigerung technischen Fortschritts [27; 39]. Im Gegensatz zu solchen Vorstellungen hat R. Lefebvre des Noëttes 1924 umgekehrt die sozialen und wirtschaftlichen Strukturen der Ant. auf technische Rückständigkeit zurückgeführt; er sah in der ineffizienten Anschirrung des Pferdes eine wesentliche Ursache für die Existenz der ant. Sklaverei [26]. Die Grenzen der ant. Technik hat auch A. Rehm thematisiert, der die Unfähigkeit, neue Energiequellen wie die Wasserkraft planmäßig zu erschließen, für ein wichtiges Hemmnis weiterer technischer Entwicklung hielt [38].

Nach 1945 wurde diese Argumentation im wesentlichen beibehalten, auch wenn im einzelnen neue Thesen formuliert wurden; grundsätzlich bestimmte die Frage nach den Ursachen der technischen Stagnation weiterhin die Diskussion über die ant. Technik. Die Sklaverei blieb dabei ein vorrangiges Thema; die These von K. Marx, in den Südstaaten Amerikas habe die Sklaverei nur die Verwendung primitiver Werkzeuge erlaubt [28. Bd. 23. 210f.], wurde in der marxistischen Geschichtsauffassung auf die Ant. übertragen und beeinflußte auf diese Weise die Position der Altertumswiss. [22]. A. Aymard etwa stellte einen engen Bezug zw. technischer Stagnation und Sklaverei her: ›L'esclavage ne doit pas être tenu pour une conséquence de l'absence des machines. C'est, au contraire, celle-ci qui se présente à l'historien comme une conséquence de l'esclavage‹ [2]. In der Monographie von F. Kiechle [22] ist der Akzent gegenüber den älteren Arbeiten insofern verschoben, als hier die Fortschritte in verschiedenen Bereichen der röm. Technik (Schraubenpressen, Glasherstellung, Terra sigillata-Erzeugung) zunächst ausführlich dargestellt werden; es geht Kiechle darum zu zeigen, daß die Sklaverei – anders als von der marxistischen Theorie behauptet wird – in röm. Zeit kein Hemmnis für die technische Entwicklung war. Da Kiechle aber annimmt, daß es im 2. Jh. zu einer technischen Stagnation kam und eine mögliche Nutzung der Dampfkraft unterblieb, bleibt Kiechle allerdings im Rahmen der üblichen Fragestellung und gelangt nicht zu einem neuen Verständnis der röm. Technik. Die Frage nach der Erschließung neuer Energiequellen ist von anderen Historikern ebenfalls aufgegriffen worden. Ausgehend von der Situation mod. Gesellschaften beginnt L. Casson eine Abh. zur ant. Technik mit der Feststellung: ›Energy is the basis of modern civilization. It dominates the headlines, makes and breaks the economy of nations, determines their foreign policy‹ [7. 130; 17]. Casson stellt die Frage, warum die ant. und die mod. Gesellschaft sich in dieser Hinsicht so radikal unterscheiden und die Griechen und Römer trotz einer Einsicht in die Möglichkeit, die Dampfkraft zu nutzen, und der Kenntnis der Wassermühle nie systematisch andere Energiequellen als die menschliche und tierische Muskelkraft zu nutzen versuchten.

In ähnlicher Weise wie R. Lefebvre des Noëttes [26] hat auch D. Lee das Verhältnis von technischem Fortschritt und wirtschaftlichem Wandel gesehen: Die technische Stagnation hatte nach Lee keine sozialen Ursachen, vielmehr war die technische Rückständigkeit der Ant. ein Hindernis für sozialen Wandel: ›It was not social causes that held back technological change, but technological causes that held back social change‹ [25]. Obwohl hier keine Abhängigkeit der technischen Entwicklung von den sozialen und wirtschaftlichen Kontexten mehr postuliert wird, behält doch die These, die ant. Technik sei rückständig gewesen, ihre Gültigkeit [25].

Einen neuen Versuch, das Problem zu lösen, unternahm J.-P. Vernant, der das technische Denken der Ant. zum Ausgangspunkt seiner Überlegungen machte und darauf hinwies, daß die griech. Mechanik nach dem Vorbild der sophistischen → Rhetorik konzipiert war und nicht auf Experimenten oder der Kenntnis von

Naturgesetzen beruhte; aus diesem Grund kann die ant. Mechanik nach Vernant keineswegs als technische Wiss. im engeren Sinn angesehen werden; es existierte in der Ant. kein wirkliches technisches Denken (*pensée technique veritable*), und damit fehlte eine wesentliche Voraussetzung für technischen Fortschritt [44]. Im Technik- und Naturverständnis der Ant. sieht auch F. Lämmli die entscheidende Ursache dafür, daß ›die Griechen keine mod. Technik‹ entwickelten: ›So bleibt denn zweifellos als ein Haupthindernis‹ einer technischen Entwicklung ›jene rel. begründete Scheu, sich an der göttl. Natur zu vergreifen‹; in röm. Zeit war nach Lämmli hingegen technisches Handeln nicht hinreichend theoretisch fundiert, so daß oberflächliche Nützlichkeitserwägungen wirkliche technische Fortschritte, v.a. die Schaffung eines Maschinenwesens, verhindert haben [23. 62, 72 f.].

Sozial- und wirtschaftshistor. Aspekte standen in der Argumentation von M.I. Finley und H.W. Pleket [13; 34; 35] im Vordergrund; Finley wies auf die strukturellen Unterschiede zw. den ant. Gesellschaften und den mod. Industriegesellschaften hin und betonte, daß die ant. Gesellschaften Agrargesellschaften waren, in denen Handel und Handwerk eine nur geringe ökonomische Relevanz besaßen und der soziale Status von Händlern sowie Handwerkern niedrig war. Die ant. Städte waren demnach Konsumentenstädte und spielten für die Produktion eine nur geringe Rolle; die Großgrundbesitzer hatten die Mentalität von Rentiers und waren an technischen Innovationen wenig interessiert. Nach Pleket war die ant. Wirtschaft ›a prestige-economy, not an investment-economy‹, Prestigegüter waren für die reiche Oberschicht wichtiger als Investitionen, die die Produktivität erhöht hätten.

Der Aufsatz von Finley übte sowohl auf die Altertumswiss. als auch auf die allg. Technikhistorie eine überragende Wirkung aus und prägte die Vorstellungen von der ant. Technik. Folgenreich waren v.a. die allg. Feststellungen, mit denen Finley seine Ausführungen einleitete: ›(...) the Greeks and Romans built a high civilization, full of power and intellect and beauty, but they transmitted to their successors few new inventions. The gear and screw, the rotary mill and the water-mill, the direct screwpress, glass-blowing and concrete, hollow bronze-casting, the dioptra for surveying, the torsion catapult, the water-clock and water organ, automata (mechanical toys), driven by water and wind and steam – this short list is fairly exhaustive, and it adds up to not very much for a great civilization over fifteen hundred years‹ [13. 29]. Finley nennt zwar eine Reihe wichtiger Erfindungen der Ant., bleibt in seiner Bewertung aber dennoch der konventionellen Position verhaftet, die Ant. habe auf dem Gebiet der Technik keine bedeutenden Leistungen aufzuweisen. Dieser Widerspruch prägt die folgende Argumentation Finleys [15].

Neue Erkenntnisse zur ant. Technik waren weniger dieser Diskussion zu verdanken als einzelnen Monographien, die verschiedene, meist eng umrissene Berei-

che der ant. Technik thematisierten und dabei erhebliche technische Fortschritte in der Ant. feststellten; dies trifft etwa auf die Studien von A.G. Drachmann über die Wein- und Ölpressen oder von L.A. Moritz über die Getreidemühlen zu [11; 30]. Einen Überblick über die ant. und ma. Technik bot der zweite Band der *Oxford History of Technology*, der der ant. und ma. Technik gewidmet ist. Da die einzelnen Abschnitte des Bandes isoliert die Technik eines bestimmten Wirtschaftszweiges von der Ant. bis zum E. des MA darstellen, wird ähnlich wie bei Blümner der Zusammenhang zw. der ant. Technik einerseits und der griech. sowie röm. Wirtschaft und Gesellschaft andererseits nicht hinreichend analysiert und die technische Entwicklung in der Ant. kaum thematisiert [43].

E. Neue Fragestellungen und Themen

Die Forschungslage zur ant. T. hat sich nach 1970 grundlegend gewandelt; es erschienen in dieser Zeit mehrere Monographien zur ant. Technik, die ein angemessenes Bild von den technischen Leistungen der Griechen und Römer in der → Landwirtschaft, im Handwerk und im Transportwesen zu vermitteln suchten [47; 6; 24; 18; 14; 33; 1; 5; 31]; B. Gille erörterte in seinem Buch über die griech. Mechanik ausführlich auch die Thesen der älteren Lit. und kam dabei zum Ergebnis, daß die Faktoren, die als Ursache der technischen Stagnation in der Ant. genannt worden waren, die Verachtung der Handarbeit, die Sklaverei und die bewußte Verweigerung technischen Fortschritts, von der Forsch. weit überschätzt worden seien und keinen nachweisbaren Einfluß auf die technische Entwicklung besessen hätten.

1984 legte K.D. White mit *Greek and Roman Technology* [48] schließlich ein umfassendes Handbuch vor, das zum ersten Mal den Ansprüchen sowohl der Altertumswiss. als auch der Technikhistorie zu entsprechen vermochte und das neben der präzisen Beschreibung der griech. und röm. Technik einen Überblick über technische Entwicklungen der Ant. bietet. White zeigt in dem ausführlichen Abschnitt über ›innovation and development‹, daß die ant. Technik keineswegs durch Stagnation gekennzeichnet war, sondern eine Vielzahl relevanter Neuerungen aufweist. Zwei J. später veröffentlichte J.P. Oleson eine kommentierte Bibliographie zur ant. T. mit über 2000 Titeln [32]; ein 1998 publizierter umfangreicher Quellenband macht darüber hinaus zahlreiche ant. Texte zur Technik in engl. Übers. zugänglich [21]; außerdem wurden die mathematischen und physikalischen Grundlagen vorindustrieller Technik umfassend beschrieben [8]. Mit der Publikation dieser Werke, die hervorragende Hilfsmittel für die Forsch. und die akad. Lehre darstellen und zugleich in überzeugender Weise einen Überblick über die ant. Technik, die Quellen sowie den aktuellen Forschungsstand vermitteln, ist die ant. T. eine eigenständige Spezialdisziplin der Altertumswiss. geworden.

Ö. Wikander hat ebenfalls 1984 die Diskussion über die ant. Technik mit einer Schrift fortgeführt, die den programmatischen Titel *Exploitation of water-power or technological stagnation?* trägt; es geht in dieser Abh. um die Frage, in welchem Ausmaß in der Ant. die Wasserkraft für wirtschaftliche Zwecke genutzt wurde; die ältere *communis opinio* war von dem frz. Mediävisten M. Bloch 1935 in dem Aufsatz *Avènement et conquêtes du moulin à eau* formuliert worden: Nach Bloch war die Wassermühle in der Ant. zwar bekannt, aber kaum genutzt worden; erst im MA habe die Wassermühle eine weite Verbreitung gefunden [3]. Wikander kann demgegenüber aufgrund neuerer arch. Funde und bislang nicht beachteter Texte zeigen, daß für das Imperium Romanum eine größere Zahl von Wassermühlen belegt ist und damit die Nutzung der Wasserkraft für die Produktion als eine Errungenschaft der Ant. anzusehen ist [49]. Diese Position wurde mit Nachdruck auch von K. Greene vertreten, der einen Überblick über technische Innovationen im Imperium Romanum gibt und dabei zum Ergebnis gelangt, daß die These einer technischen Stagnation in röm. Zeit nicht mehr haltbar ist [15; 16]. White, Wikander, Greene und zuletzt Wilson [51] haben die lange vorherrschende Auffassung, die ant. Technik sei primitiv oder rückständig gewesen und technische Fortschritte seien ohne größere wirtschaftliche oder soziale Bed. gewesen, plausibel widerlegt.

Die ant. T. ist in den vergangenen zwei Jahrzehnten zu einem wichtigen Forschungsfeld innerhalb der Klass. Altertumswiss. geworden; die hergebrachten Fragestellungen bestimmen nicht mehr die Forschungspraxis, es ist gegenwärtig vielmehr das Ziel, die Technik angemessen zu beschreiben, das arch. Material sowie die ant. Texte präzise zu interpretieren und umfassend auszuwerten, Innovationsprozesse zu analysieren und die Verbreitung neuer Techniken zu klären. Der Zusammenhang zw. Technik einerseits und Wirtschaft sowie Gesellschaft andererseits gehört zu den häufig erörterten Themen, ohne daß hier noch wie in älteren Arbeiten einseitige Abhängigkeiten postuliert werden. Als Beispiele für solche Forsch. sind etwa die neueren Arbeiten zur *Naturalis historia* des Plinius [19; 40] oder zu den Bergwerken in Spanien [10] zu nennen; das seit Lefebvre des Noëttes die Diskussion über den Landtransport beherrschende Problem der Anschirrung des Pferdes ist in mehreren Studien intensiv untersucht worden, deren Resultate nun in einer Monographie zusammengefaßt wurden; auch in diesem Fall zeigt sich, daß die älteren Thesen nicht aufrechterhalten werden können; das ant. Transportwesen war erheblich effizienter als oft angenommen worden ist [36]. Zum Bereich der Wasserbautechnik (*water technology*) liegt jetzt ein Handbuch vor, das in beeindruckender Weise die Fortschritte der technikhistor. Forsch. deutlich macht [50]; auf diesem Gebiet ist gegenwärtig neben der Nutzung der Wasserkraft und neben der Bewässerung insbes. die Wasserversorgung der → Städte ein wichtiges Thema [20]. Die Ergebnisse dieser Forsch. finden zunehmend auch in der allg. Technikhistorie Beachtung; so behandelt ein längerer Abschnitt der *Propyläen T.* die Ant. [42].

Wie Wilson zeigt, hat die neue Sicht der ant. Technik auch Folgen für unser Verständnis der europ. Geschichte bis zum Beginn der Industriellen Revolution: Es ist nicht mehr möglich, die Ant. als eine Epoche technischer Stagnation und das MA als eine Zeit technischen Fortschritts zu charakterisieren und einander gegenüberzustellen, wobei in der Mediävistik oft die christl. Mentalität, insbes. das Arbeitsethos und die Auffassung, die Welt sei von Gott für den Menschen geschaffen worden, als Voraussetzung für eine positive Einstellung gegenüber technischem Handeln gesehen wurde. Angesichts der Forschungsergebnisse der ant. T. sind nun vielmehr Ant. und MA als zwei Epochen zu bewerten, die relevante technische Fortschritte kannten und einen wesentlichen Beitr. zur technischen Entwicklung Europas geleistet haben.

→ AWI Stadt; Sklaverei; Technik, Technologie

QU 1 J.-P. ADAM, La construction romaine. Materiaux et techniques, 1984 2 A. AYMARD, Stagnation technique et esclavage, in: L.-H. PARIAS, Histoire generale de Travail 1, 1962, 371–377 3 M. BLOCH, Avènement et conquêtes du moulin à eau, in: Annales 7, 1935, 538–563 4 H. BLÜMNER, Technologie und Terminologie der Gewerbe und Künste bei Griechen und Römern, 4 Bde., Leipzig 1874–1887 (Bd. 1: ²1912) 5 P. C. BOL, Ant. Bronzetechnik. Kunst und Handwerk ant. Erzbildner, 1985 6 L. CASSON, Ships and Seamanship in the Ancient World, 1971 7 Ders., Energy and Technology in the Ancient world, in: Ders., Ancient Trade and Society, 1984, 130–152 8 B. COTTERELL, J. KAMMINGA, Mechanics of pre-industrial technology, 1990 9 H. DIELS, Ant. Technik, ²1920 10 C. DOMERGUE, Les mines de la Péninsule Ibérique dans l'antiquité romaine, 1990 11 A. G. DRACHMANN, Ancient Oil Mills and Presses, 1932 12 F. M. FELDHAUS, Die Technik der Ant. und des MA, 1931 13 M. I. FINLEY, Technical Innovation and Economic Progress in the Ancient World, in: Economic History Rev. 18, 1965, 29–45 14 B. GILLE, Les mécaniciens grecs. La naissance de la technologie, 1980 15 K. GREENE, Perspectives on Roman Technology, in: Oxford Journ. of Archaeology 9, 1990, 209–219 16 Ders., Technological innovation and economic progress in the ancient world: M. I. Finley re-considered, in: Economic History Rev. 53, 2000, 29–59 17 R. HALLEUX, Problèmes de l'energie dans le monde ancien, in: Les études classiques 45, 1977, 49–61 18 J. F. HEALY, Mining and Metallurgy in the Greek and Roman World, 1978 19 Ders., Pliny the Elder on Science and Technology, 1999 20 A. T. HODGE, Roman Aqueducts and Water Supply, 1992 21 J. W. HUMPHREY, J. P. OLESON, A. N. SHERWOOD (Hrsg.), Greek and Roman Technology: A Sourcebook, 1998 22 F. KIECHLE, Sklavenarbeit und technischer Fortschritt im röm. Reich, 1969 23 F. LÄMMLI, Homo Faber: Triumph, Schuld, Verhängnis?, 1968 24 J. G. LANDELS, Engineering in the Ancient World, 1978 25 D. LEE, Science, Philosophy, and Technology in the Greco-Roman world, in: Greece and Rome 20, 1973, 65–78, 180–193 26 R. LEFEBVRE, Force motrice animale à travers les âges, 1924 27 G. LOMBROSO-FERRERO, Pourquoi le Machinisme ne fut pas adopté dans l'antiquité, in: Rev. du Mois 21, 1920, 448–469 28 K. MARX, F. ENGELS, Werke (MEW), 43 Bde., 1956–1968 29 C. MERCKEL, Die Ingenieurtechnik im Alterthum, Berlin 1899 30 L. A MORITZ, Grain-Mills and Flour in Classical Antiquity, 1958

31 J. V. Noble, The Techniques of Painted Attic Pottery, ²1988 32 J. P. Oleson, Bronze Age, Greek and Roman Technology. A Select, Annotated Bibliography, 1986 33 D. P. S. Peacock, Pottery in the Roman World: an Ethnoarchaeological Approach, 1982 34 H. W. Pleket, Technology and Society in the Graeco-Roman World, in: Acta Historiae Neerlandica 2, 1967, 1–25 35 Ders., Technology in the Greco-Roman World: A General Report, in: Talanta 5, 1973, 6–47 36 G. Raepsaet, Attelages et techniques de transport dans le monde gréco-romain, 2002 37 D. W. Reece, The Technological Weakness of the Ancient World, in: Greece and Rome 16, 1969, 32–47 38 A. Rehm, Zur Rolle der Technik in der griech.-röm. Ant., in: AKG 28, 1938, 135–162 39 M. I. Rostovtzeff, The Decay of the Ancient World and its Economic Explanations, in: Economy History Rev. 2, 1930, 207 40 R. C. A. Rottländer (Hrsg.), Plinius d. Ä. Über Glas und Metalle, 2000 41 H. Schneider, Das griech. Technikverständnis, 1989 42 Ders., Die Gaben des Prometheus. Technik im ant. Mittelmeerraum zw. 750 v. Chr. und 500 n. Chr., in: W. König (Hrsg.), Propyläen T. 1, 1991, 19–313 43 C. Singer, E. J. Holmyard, A. R. Hall, T. I. Williams (Hrsg.), A History of Technology 2, 1956 44 J.-P. Vernant, Remarques sur les formes et les limites de la pensée technique chez les Grecs, in: Ders., Mythe et pensée chez les Grecs 2, 1978, 44–64 45 M. Weber, Agrarverhältnisse im Alt., in: HWB der Staatswiss., ³1909, 52–188, und in: Ders., Gesammelte Aufsätze zur Sozial- und Wirtschaftsgesch., 1924, 1–288 46 K. D. White, Technology and Industry in the Roman Empire, in: Acta Classica 2, 1959, 78–89 47 Ders., Roman Farming, 1970 48 Ders., Greek and Roman Technology, 1984 49 Ö. Wikander, Exploitation of Water-Power or Technological Stagnation?, 1984 50 Ders. (Hrsg.), Handbook of Ancient Water Technology, 2000 51 A. Wilson, Machines, Power and the Ancient Economy, in: JRS 92, 2002, 1–32

LIT 52 G. Bayerl, J. Beckmann (Hrsg.), Johann Beckmann (1739–1811), 1999 53 K. Hausen, R. Rürup (Hrsg.), Mod. T., 1975 54 C. Höper (Hrsg.), Giovanni Battista Piranesi – Die poetische Wahrheit, Ausstellungskat. Stuttgart 1999 55 F. Rapp (Hrsg.), Technik und Philos., 1990 56 H. Schneider, Einführung in die ant. T., 1992, 17–30 57 U. Troitzsch, Zu den Anf. der dt. Technikgeschichtsschreibung um die Wende vom 18. zum 19. Jh., in: T. 40, 1973, 33–57 58 Ders., G. Wohlauf (Hrsg.), Technik-Gesch., 1980 59 J. Wilton-Ely, Giovanni Battista Piranesi. Vision und Werk, 1978.

HELMUTH SCHNEIDER

Tempel/Tempelfassade A. Antike
B. Mittelalter und Renaissance
C. Klassizismus und Moderne

A. Antike

Der ant. T. war der einer Gottheit geweihte Kultbau. Er barg in seiner *cella* ein Bild oder Idol und war Schauplatz kultischer Handlungen. Die Entwicklung des griech. T. setzt mit dem Anten-T. ein, der zw. den vorragenden Seitenwänden eine Vorhalle vor der eigentlichen Haupthalle besaß. Beim Doppelanten-T. entsprach der Vorhalle eine gleich gebildete Rückhalle. Die Plazierung einer Säulenreihe vor der Front machte den T. zum Prostylos oder, wenn ihr eine Säulenreihe auf der Rückseite entsprach, zum Amphiprostylos. Zur populärsten T.-Form avancierte seit dem 6. Jh. v. Chr. der Peripteros, bei dem die *cella* von einem auf dreistufigem Unterbau errichteten Säulenkranz umgeben ist. Die Verdoppelung der Säulenreihe führte zur Entwicklung des Pseudodipteros. Unabhängig von diesen Grundrißformen bedeckte den T. stets ein flaches Satteldach, dessen Giebelfelder mit Skulpturen geschmückt sein konnten. Darüber hinaus gehörten Methopen oder Friese am Gebälk zur Bauornamentik. Die Säulenordnung war dorisch oder ionisch. Auf ital. Boden bildete sich der von Vitruv als tuskischer T. bezeichnete Kultbau aus. Er wurde auf einem hohen Steinpodium über fast quadratischem Grundriß errichtet. Dieser sog. Podium-T. beeinflußte auch die Entwicklung des röm. T., bei dem die korinthische Ordnung bevorzugt wurde. Im Laufe des 1. Jh. v. Chr. hat der meist in Marmor errichtete röm. T. seine eigentliche Form ausgebildet.

B. Mittelalter und Renaissance

Beim ma. Sakralbau wurde die T.-Form nicht verwendet, blieb aber gewissermaßen in Abbreviatur bei den Reliquienschreinen bestehen (vgl. etwa den »Karlsschrein« des Aachener Domes). Das erscheint in bes. Maße sinnfällig, da ja auch die ant. T. gleichsam monumentale Schreine für die Kultbilder darstellten.

Die → Renaissance entwickelte sich namentlich mit Filippo Brunelleschi (1377–1446) zu einer »Epoche der Säulenordnungen«, die ihre Wandflächen mit dem der Ant., und dabei namentlich dem T.-Bau entlehnten Instrumentarium – der Säule und Halbsäule, dem Pilaster und dem Gebälk – gliederte. Zahlreiche ant. T. waren in der Ren. bekannt. Ferner waren durch Vitruv die unterschiedlichen Formen von Grund- und Aufrissen (3,2–3; 4,7–8) geläufig sowie die Aussage, daß der T. eine *cella* enthalte, die von allen Seiten von Portiken umgeben sei. Der prekäre Zustand vieler T., aber auch die mißverstehende Deutung einzelner, weitgehend unversehrt erhaltener T. – wie etwa derjenige der Minerva auf dem röm. Nerva-Forum – als »Loggia«, verursachten, daß über das tatsächliche Aussehen der ant. T. in der Ren. zunächst keine wirkliche Sicherheit herrschte. Obwohl Vitruv neben wenigen Rund-T. hauptsächlich rechteckige T. erwähnt, waren solche der Ren. kaum bekannt. Zudem zeigten sie üblicherweise keine Peristasen (vgl. den T. der Venus und Roma oder die sog. Konstantinsbasilika in Rom). So kam es, daß v. a. das röm. → Pantheon der Ren. als die eigentlich gültige und vollendete T.-Form der Ant. gelten sollte. Dabei hatte dieser Bau, der den Innenraum nicht weniger eindrucksvoll zur Wirkung bringt als die Fassade, in der Ant. selbst kaum Nachfolger gehabt. Bis in die Hochren. hinein wurde gleichwohl der röm. T. gemeinhin als Zentralbau verstanden; der die Baumeister der Neuzeit prominent beschäftigende Zentralbaugedanke hat nicht zuletzt hierin seine Ursache. Da Vitruv sich kaum über die Innenraumgestaltung von T. äußert, war die Ren. auf eigene Erkundung und Vermessung angewiesen: So untersuchte etwa Leon Battista Alberti (1404–1472) das Pantheon, Francesco di Giorgio Martini (1439–1501/02) den sog. Templum Pacis oder Andrea Palladio (1508–1580) den T. der Venus und Roma.

Die Ren. hat die Fassade zunehmend als selbständige Bauaufgabe begriffen und sie zur aufwendig gestalteten Schauwand, zur eigenständig durchkomponierten Schaufläche ohne notwendigen Bezug auf den dahinterliegenden Bau entwickelt. Diese ganz selbstwertige Durchgestaltung des Außenbaus artikuliert sich folgenreich in den Kirchenfassaden Albertis, die nicht nur die Applikation eines bereits in der Ant. als Formganzes existenten Motivs darstellen, sondern sich aus der Rhythmisierung des Baus selbst ergeben. Die *antichità* der T.-Frontfassade von San Sebastiano in Mantua war indes schon von den Zeitgenossen nur schwer mit der Idee einer christl. Kirche in Einklang zu bringen. Eher ist hier, zumal durch das mächtige Untergeschoß, ein ant. → Mausoleum evoziert. Auch das in Sant'Andrea in Mantua verwendete Triumphbogen- und T.-Frontmotiv entlehnt seine Motive der röm. Ant. und löst die Fassadenwand vollkommen vom dahinterliegenden Bau ab (Abb. 1). Auch philol. hat Alberti den ant. T. in die Architekturdebatte der Neuzeit eingebracht. Er benutzt den Begriff *templum* sowohl für die ant. Kultbauten als auch für christl. Kirchen, worin sich eine problematische Terminologie ausspricht, die auf eine grundlegende Kluft zw. theoretischer Äußerung und architektonischer Praxis verweist. Zurecht aber ist dies nicht als human.-antikebegeistertes Wortspiel abgetan worden. Vielmehr zielte Alberti darauf ab, die ant. T.-Bauten als *exempla* zu verstehen, und hat damit in der

Abb. 1: Leon Battista Alberti,
Fassade von S. Andrea in Mantua
(Rißzeichnung nach F. Borsi, *Leon Battista Alberti*, 1973)

Folge erheblich zu deren Rezeption beigetragen. Wirklich systematisch hat erst Palladio die T.-Formen in weitgehend verläßlicher Annäherung an ihre ant. Erscheinungsform im vierten seiner *Quattro Libri dell'Architettura* (1570) abgehandelt. Ein Zentralbau, wie Bramantes (1444–1514) röm. »Tempietto« im Klosterhof von Montecitorio in Rom (1502), galt aber auch ihm als gelungenste Wiederbelebung der ant. Sakralbaukunst. Dennoch kommt Palladio bei der Wiederaufnahme und Umdeutung der klass. T.-Fassade eine kaum zu überschätzende Bed. zu, obschon oder gerade weil er diese nicht allein an Sakralbauten, sondern v. a. in seinen Villenarchitekturen virtuos in Szene setzte. Palladio nutzte den Formenschatz der Ant. weitgehend unbekümmert als universell verfügbares Repertoire und bezog so auch die übergiebelten Portikus, also die aus dem T. abgeleitete Vorhalle mit Säulen, auf gänzlich unterschiedliche Bauaufgaben, und dieses sogar zwei- und dreigeschossig. Seine ultimative Ausformulierung erfuhr dieser ganz eigentümliche Antikebezug in der »Villa Rotonda« in Vicenza, jenem von vier T.-Fassaden umstandenen Zentralbau, der gleichsam »zweckfrei« als Lusthaus eines Klerikers (Paolo Almerico) diente (→ Renaissance, Abb. 4).

Auch die barocke Baukunst rekurriert auf die T.-Front, wenngleich sie diese mehr versatzstückartig und abbreviativ v. a. im Kirchenbau dem eigenen Stilgestus unterwirft. Ganz explizit am ant. Vorbild orientiert ist allerdings Inigo Jones' (1573–1652) rückwärtige Fassade von St. Paul's in Covent Garden in London (1630–31). Dieser erste Londoner Kirchenbau seit der Reformation, zugleich die erste gänzlich klass. Kirchenarchitektur in England, nimmt in ihrer Schlichtheit (toskanischer Portikus!) Abstand selbst von den gesteigerten palladianischen Dekorationssystemen.

C. Klassizismus und Moderne

Die Verbindlichkeit der im ant. T.-Bau entwickelten Muster (in Aufbau und Bauschmuck gleichermaßen) für bedeutungsgesteigerte, repräsentative Fassaden artikuliert sich noch einmal eindrucksvoll im → Klassizismus. Dieser suchte nach struktiv ebenso klarer wie kanonischer Ordnung, bevorzugte einen kubischen Charakter der Gebäude, die Symmetrie und deutliche Markierung der einzelnen Bauelemente und ließ v. a. die klass. → Säulenordnung wieder zu bedeutender Wirkung gelangen. Es kennzeichnet den Klassizismus (wie schon bei Palladio), daß er die klass. T.-Architektur ungeachtet der ant. Lehre vom *decorum* einsetzte, die das Verhältnis von Form und Funktion dem Grundsatz der Angemessenheit unterworfen hatte. Vor allem Säule und Portikus fanden im klassizist. Sakralbau wieder häufige Anwendung, so prominent in der von Jacques-Germain Soufflot (1713–1780) entworfenen Pariser Kirche Ste. Geneviève (dem 1790 vollendeten »Panthéon«), deren Portikus mit ihren 22 kannelierten korinthischen Säulen unmittelbar auf die Vorhalle des röm. Pantheon Bezug nimmt. Auch die 52 korinthischen Säulen der Pariser La Madeleine von Pierre Vignon

Abb. 2: Pierre Vignon, La Madeleine. Paris

(1763–1828) evozieren (im Außenbau) bewußt den griech. T. (Abb. 2). Daß sich auch der Profanbau dieser Würdeformeln versicherte, zeigt spektakulär die von Alexandre Théodore Brongniart (1739–1813) ab 1809 in Form eines rechteckigen T. errichtete Pariser Börse. Deren Peristyl mit seinen glatten korinthischen Säulen wird von einem mächtigen Architrav bekrönt. Zur westl. Eingangsseite führt über die gesamte Breite die Freitreppe hinauf. Die funktionsunabhängige Verselbständigung des T.-Baues *all' antica* läßt sich auch mit dem »Röm. Haus« in Weimar illustrieren, wo J.A. Arens (1757–1806), unter maßgeblicher Beteiligung Goethes, ab 1792 einen T.-Bau als Staffagearchitektur und herzogliches Lusthaus errichtete. Als edelstes altgriech. Bauwerk hat Karl Fr. Schinkel (1781–1841) den T. begriffen und ihm im »Alten Museum« in Berlin ein mod. Pendant geschaffen, ant. in der Bauform, zeitgenössisch im Gebrauch. Zu Recht ist Hegels Beschreibung des griech. T. als Evokation einer sozialen → Utopie in Analogie gesetzt worden zum gleichzeitig errichteten »Alten Museum«: ›Und so bleibt denn auch der Eindruck dieser T. zwar einfach und großartig, zugleich aber heiter, offen und behaglich, indem der ganze Bau mehr auf ein Umherstehen, Hin- und Widerwandeln, Kommen und Gehen als auf die konzentrierte innere Sammlung einer ringsum eingeschlossenen, vom Äußeren losgelösten Versammlung eingerichtet ist‹ [12]. Hegel und Schinkel erheben den griech. T. wie das »Tempelmuseum« zum Mittelpunkt einer bürgerlichen *polis*. Noch die Eingangsportikus des Berliner Reichstags (1884–1894) feiert die T.-Front als Symbol der sichtbaren Präsenz bürgerlicher Institutionen.

Im 20. Jh beharrte eine Nebenlinie des architektonischen Mainstreams eine zeitlang auf einer »reformierten« T.-Front (in Deutschland z.B. H. Tessenow, Festspielhaus Hellerau/Dresden; 1910/1913); für die Monumentalarchitektur der 30er J. (z.B. J. Russell Pope, National Gallery, Washington; 1936/1941) wie für das Einfamilienhaus v.a. in den USA blieben T. und T.-Front verbindlich, letzteres in der Trad. des palladianischen Kolonialstils. Doch im Rahmen und infolge des Internationalen Stils verschwand die ant. Formel weitgehend aus dem Repertoire des Bauens. An der Unwiederbringlichkeit der T.-Front, eines der sprechendsten Architekturmotive überhaupt, hat auch seine Übersetzung in den Rolls-Royce-Kühler oder die kurzlebige Säulen- und Giebelmanie der Postmoderne nichts mehr zu ändern vermocht.

→ Architekturkopie/-zitat; Architekturtheorie/ Vitruvianismus

QU 1 L.B. ALBERTI, De re aedificatoria, Florenz 1485/86 2 A. PALLADIO, I Quattro Libri dell'Architettura, Venedig 1570 3 M. VITRUVIUS POLLIO, De architectura libri decem, hrsg. v. D. BARBARO, Venedig 1567

LIT 4 A. BEYER (Hrsg.), Das Röm. Haus in Weimar, 2001 5 J. BIALOSTOCKI, Die Kirchenfassade als Ruhmesdenkmal des Stifters, in: Röm. Jb. für Kunstgesch., Bd. 20, 1983, 3–16 6 T. BUDDENSIEG, Berliner Labyrinth, 1993 7 W. BURKERT, The Meaning and Function of the Temple in Classical Greece, in: M.V. Fox (Hrsg.), Temple in Society, 1988, 27–47 8 G. GRUBEN, Die T. der Griechen, 1966 9 H. GÜNTHER, Die Ren. der Ant., 1977 10 J. GUILLERME, Faccia/Facciata. Il lavoro delle finzioni schematiche nell'Essai di Humbert de Superville, in: Rassegna 9, 1982, 62–68 11 J.A. HANSON, Roman Theater Temples, 1959 12 G.W.F. HEGEL, Ästhetik, Bd. II, Frankfurt/M. o.J., 64 13 H. KÄHLER, Der röm. T., 1970 14 I. LORCH, Die Kirchenfassade in It. 1450 bis 1527, 1999 15 H. LORENZ, Zur Architektur L.B. Albertis: Die Kirchenfassaden, in: Wiener Jb. für Kunstgesch. 29, 1976, 65–100 16 K.J. PHILIPP, Um 1800. Architekturkritik und Architekturtheorie in Deutschland zw. 1790 und 1810, 1997 17 H. SCHLIMME, Die Kirchenfassade in Rom. Reliefierte Kirchenfronten 1475–1765, 1999.   ANDREAS BEYER

Terminologie I. MEDIZINISCH, NATURWISSENSCHAFTLICH, PSYCHOLOGISCH II. MUSIKALISCH

I. MEDIZINISCH, NATURWISSENSCHAFTLICH, PSYCHOLOGISCH
A. DEFINITION UND GRUNDSÄTZLICHES
B. MEDIZINISCHE TERMINOLOGIE
C. NATURWISSENSCHAFTLICHE TERMINOLOGIE
D. PSYCHOLOGISCHE TERMINOLOGIE

A. DEFINITION UND GRUNDSÄTZLICHES

Unter dem Begriff T. verstehen wir eine mit bestimmten charakteristischen Eigenschaften und bes. einem typischen Wortschatz, der sich in erkennbarer Weise von der Umgangs- und Alltagssprache, aber auch der gepflegten Hoch- und Schriftsprache abgrenzt, ausgestattete Sprache einer Gruppe von Personen, die sich durch gewisse – meist gruppenprägende – Gemeinsamkeiten von der sonstigen Bevölkerung unterscheidet; im weiteren Sinne wird auch die Lehre von einer solchen spezialisierten Sprache als T. bezeichnet. Dabei existiert keine allgemeingültige Definition, ab wann von einer T. im eigentlichen Sinne gesprochen werden kann bzw. soll. Maßgebliche Faktoren sind aber zweifellos zum einen ein gewisser Umfang des Wortschatzes, zum anderen die gesellschaftliche Relevanz der jeweiligen Gruppe von Personen, die sich dieser Begrifflichkeiten bedient. Diese Bed. bemißt sich nach der Anzahl der Personen, bes. aber nach dem Ansehen und Einfluß der jeweiligen Gruppe. Nicht zuletzt bildet der Wunsch, als verfaßte Gemeinschaft zu gelten, die sich durch ein gewisses Selbstwertgefühl auszeichnet und demzufolge auch im Sinne eines Willensaktes von der Allgemeinheit abgrenzt, einen Anlaß zur Ausprägung einer spezifischen Terminologie. Dies ist beispielsweise bei den Kammerberufen oder Fachwissenschaftlern der Fall, so daß man T. oftmals mit Fach- oder Berufssprache wiedergeben bzw. gleichsetzen kann. Aber auch bei Menschen, die ein gemeinsames Hobby – das natürlich auch mitunter als Beruf ausgeübt werden kann – verbindet, können bemerkenswert vielgestaltig ausgeprägte spezifische T. beobachtet werden (z.B. bei Jägern, Anglern, Seglern). Schließlich kann eine bestimmte Gruppensprache bzw. T. die eher histor. zu nennende Relevanz einer Gruppe, bes. eines Standes widerspiegeln, wie es etwa bei der Sprache des Militärs der Fall ist oder beim Gebrauch des Frz., das als einstige Umgangssprache der europ. Adelskreise noch h. als Sprache der Diplomatie, aber auch der Fechtkunst und des Glücksspiels Bed. hat. Damit kommen der T. bzw. ihrer Kenntnis und richtigen Verwendung zwei für die jeweilige Gemeinschaft als solche sehr wichtige, weil gruppenkonstituierende Funktionen zu: Die Konsolidierung nach innen und die Abgrenzung nach außen hin. Die richtige und sichere Verwendung der gruppenspezifischen T. entscheidet einerseits über die Zugehörigkeit als solche, aber auch über Stellung und Ansehen innerhalb der Gemeinschaft.

Die mod. T. der Medizin und der Naturwiss. bietet den in den entsprechenden Disziplinen Tätigen ein fachspezifisches Ausdrucksmittel, das in seiner Wortfülle numerisch mit dem Bestand mancher lebender Sprachen wettzueifern vermag. Dies ist um so bemerkenswerter, als es sich im ganz überwiegenden Teil, v. a. was die Nomenklaturen betrifft, um Subst. im Nom. und Gen. und ebensolche Adjektive handelt, mithin viele genuine Elemente gesprochener Sprachen (z.B. die übrigen Kasus des Subst., finite Formen des konjugierten Vb. mit Ausnahme der Ptz., Partikeln, Konjunktionen) gar nicht oder nur sehr selten vorkommen. Dabei wird in der Allgemeinheit, was die medizinische T. anbetrifft, der Bezug zu den alten Sprachen, bes. dem Lat., nahezu automatisch assoziiert [80. 230. Anm. 3]. Gleichwohl ergeben sich durch den allg. Rückgang von Kenntnissen in den beiden großen Sprachen der ant. Welt Schwierigkeiten für den Verwender der T. und

eine Gefahr für die T. als solche: Die mangelhafte Möglichkeit, den Sinngehalt eines Wortes von seiner Ursprünglichkeit her zu erschließen, kann zu einer oberflächlichen, mehr oder minder unverstandenen Verwendung von Begriffen führen, die nur noch eine Worthülse darstellen, nicht aber wirklich beherrschtes Wissen verkörpern. Dabei ist gerade die inhaltliche Durchdringung und richtige Anwendung der Fachsprache, wie oben erörtert, von so unbedingter Wichtigkeit für den jeweiligen Berufsstand. In der ärztlichen Praxis erweist sich aus vielerlei Gründen die sichere Beherrschung der Fachsprache auf verschiedenen Ebenen – vom manchmal eher umgangssprachlich geprägten Gespräch mit Patienten bis hin zur hochspezialisierten Fachterminologie im Verkehr mit Kollegen – als sehr wichtig, ja man darf die Sprache als das wichtigste Hilfsmittel der Berufsausübung ansehen. Sie ermöglicht zuallererst das Lehren und Lernen als Grundvoraussetzung zur Aneignung des beruflichen Wissens an sich. Die Kontaktaufnahme mit dem Patienten und das zur erfolgreichen Diagnose und Behandlung notwendige »therapeutische Bündnis« können nur auf der Vertrauensbasis eines gegenseitigen Verstehens und Verstandenwerdens von Arzt und Patient gelingen. Viele ärztliche Eingriffe, die an sich den Tatbestand einer Körperverletzung darstellen, werden erst durch das Einverständnis des Behandelten zulässig. Dazu aber muß der Patient auch soweit informiert sein, daß er überhaupt in der Lage ist, eine rechtswirksame Einverständniserklärung abzugeben. Selbst die auf den ersten Blick vorwiegend der praktischen Ausübung im Sinne einer oft bis zu höchster Präzision reichenden Kunstfertigkeit verpflichteten Vertreter operativer Fachgebiete werden spätestens beim Abfassen des Operationsberichtes oder Entlassungsbriefes – beide sollen möglichst kurz, aber zugleich allumfassend sein und müssen heutzutage auch zunehmend vor juristischen Augen standhalten – mit dem sicheren Gebrauch der Fachsprache konfrontiert. Ganz offenkundig ist dies schließlich im Falle von ärztlichen Stellungnahmen, Attesten und Gutachten, die für den betroffenen Patienten oft von weitreichender Bed. sind. Die vielleicht größte Bed. hat das zw. Arzt und Patient gesprochene Wort im Bereich der Psychiatrie, bes. der Psychoanalyse.

Wichtig ist die strikte begriffliche Trennung von T. und Nomenklatur. Erstgenannte ist im Sinne der Fachsprache allg. und umfassend zu verstehen; sie ist von ihrem Wesen her recht wandelbar, kann durchaus individuelle Variationen aufweisen und vermag aktuellen Entwicklungen, z.B. neuen Untersuchungsverfahren oder Arzneimitteln, sehr rasch Folge zu leisten. Letztgenannte dagegen stellt einen international festgelegten und damit Allgemeingültigkeit beanspruchenden Kat. von Begriffen dar, wie es ihn u. a. in der Anatomie, der Histologie, der Embryologie, der Botanik, der Zoologie und der Chemie gibt. Nomenklaturen werden von entsprechenden Kommissionen und Kongressen entworfen und verabschiedet; demzufolge sind sie – auch durch den raschen Fortschritt in den Naturwiss. und der Medizin – ausgesprochen unflexibel und halten mit dem jeweiligen aktuellen Forschungsstand nicht immer Schritt. Bisweilen wird dem Prinzip der Allgemeinverbindlichkeit so sehr gehuldigt, daß selbst offensichtliche Fehler bis zu einer offiziellen Richtigstellung beibehalten werden.

B. Medizinische Terminologie

Die heutige medizinische T., v. a. auch die anatomische Nomenklatur als ein wesentlicher Bestandteil, beruht in wesentlichen Teilen auf der griech. und der lat. Sprache. Auffallend ist, daß sich in beiden Sprachen zu dem Zeitpunkt, da erste geschlossene Werke erhalten sind, bereits ein beachtliches Vokabular ärztlicher bzw. anatomischer Begriffe zeigt: Für das Griech. gilt, daß schon Homer u. a. Verwundungen und deren Versorgung so eifrig und detailliert schildert, daß man ihn gar als Militärarzt hat ansprechen wollen [39]. Im Lat. beinhaltet bereits die älteste erhaltene Prosaschrift, Catos (234–149 v. Chr.) Werk *De agri cultura*, mannigfaltige Belege der röm. Volksmedizin, und in den *Menaechmi* des Plautus findet sich der früheste Beleg des Wortes *medicus*, als durch das Erscheinen eines Arztes die Handlung der Kom. ihrem burlesken Höhepunkt entgegenstrebt (V. 872–965; [80. 231. Anm. 9]). Überraschenderweise schildert Plautus (†184 v. Chr.) auch die früheste bekannte in Lat. geführte terminologische Diskussion über anatomische Sachverhalte, allerdings beim Tier. Im *Miles gloriosus* preist der Parasit Artotrogus in überschwenglicher Weise die unglaublichen Kriegstaten des Titelhelden Pyrgopolinices; u. a. habe dieser in Indien einem Elefanten einen Vorderlauf zerschmettert. Artotrogus spricht von *bracchium*, korrigiert aber auf das verärgerte Nachfragen des Pyrgopolinices hin den Begriff selbst rasch in *femur* und fügt eilfertig hinzu, was der Bramarbas bei energischerem Einsatz dem Tier sonst noch alles zerschlagen hätte (V. 25–30).

Was die griech. Lit. anbetrifft, zeigen die Schriften des *Corpus Hippocraticum* eine ausgeprägte und differenzierte T. im Sinne der Fachlit., die nicht zuletzt den Wissens- und Erfahrungsschatz der Medizinschulen von Kos und Knidos widerspiegeln dürfte. Im Zusammenhang mit diesen Schriften beginnt dann, wie D. Gourevitch sagt, gleichsam die Hochzeit von Philol. und Medizin, deren Fortbestand in der Gegenwart und v. a. der Zukunft sie gefährdet sieht [46]. Diese Feststellung charakterisiert sehr treffend die bemerkenswerte Tatsache, daß jeder Arzt des Alt., der etwas auf sich hielt (z. B. Herophilos von Kalchedon, Galen von Pergamon) sich schriftlich in der Auseinandersetzung mit dem als sakrosanktem Archegeten betrachteten Hippokrates bzw. der Auslegung von dessen Schriften – die freilich bei weitem nicht alle auf Hippokrates selbst zurückgehen – übte. Diese Trad. und damit das Nachwirken der hippokratischen Schriften reichte weiter bis in die Neuzeit, in der sich erst im Zuge der Entwicklung des naturwiss. Weltbildes auch die Medizin grundlegend wandelte.

Einen Markstein in der Ausprägung der medizinischen T. wie der Wiss. überhaupt bildet dann die Zeit des Hell. (323–330 v. Chr.) mit dem Brennpunkt Alexandria. Hier betrieb Herophilos von Kalchedon (330/320–260 v. Chr. [104. 50]) erstmals systematische anatomische Grundlagenforschung am Menschen, wodurch naturgemäß der Wortschatz des Arztes entscheidend vermehrt wurde. So prägte er den noch h. gültigen Begriff »Zwölffingerdarm« (δωδεκαδάκτυλον, lat. *duodenum*) [104. 165, 209 f.]. Zudem sind zwei auf seine Forschungsarbeiten zurückgehende traditionelle Begriffe der Neuroanatomie, nämlich *Torcular Herophili* (»Kelter des Herophilos«) – h. *Confluens sinuum* – für den Zusammenfluß der venösen Sinus an der Innenfläche des Hinterhauptsbeines und *Calamus Herophili* (»Schreibrohr des Herophilos«) – h. *Calamus scriptorius* – für das kaudale, sich nach Art einer Schreibfeder zuspitzende E. der Rautengrube, erst der Eponymfeindlichkeit der h. gültigen anatomischen Nomenklatur zum Opfer gefallen. Der etwas jüngere Erasistratos von Keos bereicherte die ärztliche Fachsprache um den noch h. verwendeten Begriff »Parenchym« (LSJ 1332; [40. 90 f.]). Von der hell. Heilkunde führen die Wege unmittelbar nach Rom, das sich den griech. Osten kontinuierlich einverleibte. Die Feststellung des Horaz ›Graecia capta ferum victorem cepit et artis intulit agresti Latio‹ (Hor. epist. 2,1,156 f.) gilt einmal mehr für den Bereich der Medizin und ihre Fachsprache. Entscheidende Persönlichkeiten der Heilkunst wie etwa Asklepiades von Prusias, Themison von Laodikeia, Thessalos von Tralleis, Soranos von Ephesos und Galen von Pergamon kamen weiterhin bevorzugt aus den hellenisch geprägten Reichsteilen, und bis zum E. des weström. Reiches ist die Medizin des Imperiums, wie etwa Caelius Aurelianus, der in der ersten H. des 5. Jh. n. Chr. rund 300 J. alte Schriften des Soranos von Ephesos ins Lat. übertrug und überarbeitete, eindrucksvoll belegt, von der eingehenden Rezeption der griech. bzw. griechischsprachigen Medizin gekennzeichnet, von der sie sich offensichtlich nie gänzlich zu lösen vermochte. So erklärt sich auch der hohe Anteil griech. Fremd- und Lehnwörter im medizinischen Lat. der Antike. Den Wortbestand betreffend sei auf die scharfe Beobachtungsgabe und schöpferische Phantasie der ant. Ärzte hingewiesen, die sich etwa in der Verwendung von Metonymen – wie sie im übrigen bis in die Neuzeit hinein aus dem Wortschatz der klass. Sprachen geprägt werden – widerspiegelt. Bezeichnungen für Gegenstände des täglichen Lebens werden z. B. auf ähnlich gestaltete anatomische Strukturen übertragen: So wird die Handwurzel wegen ihrer in der Aufsicht an eine zapfenartige Baumfrucht erinnernden Knochen καρπός (LSJ 879) genannt [74. 12 f.]; *acetabulum* (Georges 1,78) bezeichnet nicht nur das Essigschälchen bei Tisch, sondern auch die Hüftpfanne [74. 17]. Läßt sich mithin bis etwa zum E. Westroms ein in vielerlei Hinsicht geschlossener Strang der medizinischen Trad. und damit auch der vom Griech. und Lat. geprägten Fachterminologie erkennen, so fächert sich dieser Strom alsdann in eine Vielzahl von Traditionswegen auf, die teilweise recht verschlungen bis in die frühe Neuzeit des christl. – was gelehrte Kreise anbetrifft, lat. sprechenden – Abendlandes führen. Einige lat. Werke gelangten auf direktem Wege über die Skriptorien der abendländischen Mönche und ihre Klostermedizin dorthin. Griech. Schriften aus dem byz. Raum wurden vom lat. Westen rezipiert, bes. als sie nach dem Fall Konstantinopels im J. 1453 samt vielen Gelehrten etwa nach It. kamen und für die Ren. bedeutsam wurden. Manche Schriften aber durchliefen eine wahre Odyssee von Tradierung und Übers., wobei die Wege über das Syr., Persische, Hebräische und Arab. führen konnten; die Rückübersetzung ins Lat. erfolgte u. a. durch die Medizinschule von Salerno und ihr Umfeld und die Übersetzerschule von Toledo. Es ist nicht verwunderlich, daß jede der durchlaufenen Stationen Spuren an den Texten und ihrem Vokabular hinterlassen hat, Veränderungen durch Interpretationen, Mißverständnisse und Irrtümer inbegriffen. Für einzelne medizinische Fachbegriffe liegen diesbezüglich aufschlußreiche und als exemplarisch zu betrachtende Untersuchungen vor [44; 61; 72; 73; 81; 109; 112; 116]. Neben der Trad. und Pflege der auf den beiden großen Sprachen der Ant. beruhenden T. sei auch auf das zuweilen bemerkenswert frühe Bemühen um eine Übertragung in die jeweilige Volkssprache verwiesen – für den Bereich der dt. Sprache z. B. in Form ahd. Glossen [105; 106; 107] wie etwa *De homine et partibus eius* aus dem Skriptorium des Walahfried Strabo (808/09–849) [10], die auf die Erörterungen des Fuldaer Abtes Hrabanus Maurus (um 780–856), der auch als »Urvater« der medizinischen T. im Dt. apostrophiert wurde [33. 84], zurückgehen (PL 112,1575–1578).

Als maßgebliche Persönlichkeit bei der Ausprägung der neuzeitlichen Anatomie ist Andreas Vesalius (1514–1564) zu nennen. Sein 1543 erschienenes Werk *De humani corporis fabrica libri septem* bildet einen Meilenstein in der Anatomie und ihren Begrifflichkeiten und war nicht zuletzt Initialzündung für die weitere Forsch. in den Bereichen von Anatomie und Chirurgie. Freilich ging mit der verstärkten Forsch. eine erhebliche Zunahme an Syn. und voneinander abweichenden Bezeichnungen einher, deren Vereinheitlichung schließlich als wünschenswert erscheinen mußte. Dieser Schritt zu einer anatomischen Nomenklatur, die einen wesentlichen Bestandteil der medizinischen T. darstellt, da sie den Ausgangspunkt allen ärztlichen Denkens und Tuns, den Körper des Menschen, allgemeinverbindlich beschreibt, wurde nicht zuletzt auf Betreiben des österreichischen Anatomen Joseph Hyrtl (1810–1894), der auch durch eine Anzahl von philol. Unt. zur ärztlichen Fachsprache hervorgetreten ist [54; 55; 56], unternommen. Die erste anatomische Nomenklatur wurde auf einem Kongreß in Basel 1895 festgelegt (*Baseler Nomina Anatomica*/BNA) [52]. Sie sollte durch eine verbesserte Fassung, im J. 1935 zu Jena beschlossen, ersetzt werden (*Jenaer* oder *Jenenser Nomina Anatomica*/JNA). Obschon

dieses System vom philol. Standpunkt aus manche Vorzüge aufwies, fand es keine entsprechende Verbreitung und Anerkennung und wurde schließlich durch die h. gebräuchlichen, 1955 vom 6. Internationalen Anatomenkongreß in Paris angenommenen *Pariser Nomina Anatomica* (PNA) abgelöst [30; 31; 67]. Diese wurden auf späteren Tagungen noch erweitert und modifiziert [57]. Die Grundsätze der PNA besagen u. a., daß ein Begriff möglichst der lat. Sprache entstammen und kurz sein sollte. Jedes Organ sollte nur mit einem Begriff belegt werden (Ausnahme z. B. *lien* und *splen* für die Milz); Organe mit topographisch engem Bezug sollten auch durch ähnliche Namen gekennzeichnet sein. Eponyme, also von EN, etwa des Entdeckers oder Erstbeschreibers, abgeleitete Bezeichnungen sind zu vermeiden.

Die medizinische T. umfaßt darüber hinaus aber noch eine Vielzahl weiterer Bezeichnungen, die die übrigen Fachbereiche der theoretischen wie klinischen Medizin sowie auch verwandte Gebiete der Naturwiss. (z. B. Physik, Virologie, Bakteriologie, Statistik) beisteuern. Zudem sind die Bezeichnungen der *International Classification of Diseases* bzw. *Injuries and Causes of Death* – beide abgekürzt ICD – hier von Wichtigkeit, die im Sinne einer Nomenklatur die uralte Idee, alle Krankheiten in einem einzigen System zu erfassen und zu katalogisieren, verwirklichen sollen. Dabei ist dieser ICD-Schlüssel bes. auf die Bedürfnisse der elektronischen Datenverarbeitung hin ausgerichtet, gleichermaßen für Forschung, Statistik und ärztliches Abrechnungswesen geeignet.

Die Sprache der klinischen Medizin weist einige Besonderheiten auf: Sie hält in Einzelfällen an Bezeichnungen der BNA und JNA – z. B. *Vena anonyma* (BNA) statt *Vena brachiocephalica* (PNA) – fest; die althergebrachten Eponyme in der Anatomie werden vielfach weiterverwendet (z. B. »Bauhinsche Klappe«); viele Begriffe hinsichtlich eines Krankheitsgeschehens entstammen dem Griechischen. Bei Bezeichnungen z. B. von Krankheiten (Morbus Alzheimer, Morbus Bechterew), Syndromen (Prader-Labhart-Willi-Syndrom) und Operationsmethoden (Herniotomie nach Shouldice, Magenresektion nach Billroth I) werden Eponyme in großer Zahl geprägt und verwendet [3; 65; 83; 122; 123], selbst von EN abgeleitete Vb. kommen als bes. Würdigung einer Entdeckerpersönlichkeit vor (dottern, kneippen, listern, mendeln, mesmerisieren, pasteurisieren, röntgen bzw. im Österreichischen röntgenisieren), wie es auch zuweilen im sonstigen Hochdeutschen zu beobachten ist (einwecken, guillotinieren – nach dem frz. Arzt J. I. Guillotin benannt! –; vgl. zudem das aus dem Engl. entlehnte Vb. lynchen) [75]. Aus dem Bestand der beiden alten Sprachen konnten zudem von einzelnen Gelehrten immer wieder neue Begriffe geprägt werden, wie etwa Allergie (von Pirquet), Leukämie (Virchow) [20] oder Schizophrenie (Bleuler). Gern wurde auch in nach-ant. Zeit bei der Begriffsprägung auf die Myth. des Alt. zurückgegriffen, ein beredter Beleg des tiefen Verwurzeltseins vieler Wissenschaftler und Gelehrter im klass. Bildungs- und Gedankengut (Achillessehne, Caput medusae, Eosinophilie, hermetisch, Narzißmus, Ödipus-Komplex, Venerologie). Eine bes. reizvolle Gruppe von Fachbegriffen bilden schließlich die nach lit. Gestalten bzw. Autoren benannten Syndrome: Alice-in-Wonderland-Syndrom, Bovary-Syndrom, Buddenbrook-Syndrom, Droste-Hülshoff-Syndrom, Jekyll-and-Hyde-Syndrom, Münchhausen-Syndrom, Othello-Syndrom und Pickwick-Syndrom.

Im übrigen hat eine Vielzahl weiterer, zumeist mod. Sprachen in verschieden starkem Maße zur Bereicherung des Wortschatzes der medizinischen Fachsprache beigetragen, so etwa das Alt-Ägypt. (Natron) [49], Arab. (Sirup; chemische Begriffe s. u.), Hindi (Kala-Azar), Japanische (Kabuki-Syndrom, Shôshin), Malaiische (Amok), Polnische (Weichselzopf; von wieszczyce), Portugiesische (Alastrim), Singhalesische (Beriberi), Span. (Pinta) sowie verschiedene Indianersprachen der Neuen Welt, deren Begriffe meist über das Span. oder Portugiesische vermittelt wurden (Curare, Guajak, Guano und Ableitungen, Ipecacuanha). Die in der Geschichte der Medizin über längere Zeit führende Stellung einzelner Länder spiegelt sich auch im Anteil ihrer Beitr. zur medizinische T. wider, wie dies für das It. (Belladonna, Falsett, Fango, Influenza, Lazarett, Malaria) und, v. a. in den Bereichen der Dermatologie, Neurologie und Psychiatrie, für das Frz. (Absence, Bride, Cancer en cuirasse, Cri-du-chat-Syndrom, Curettage, Débridement, Déjà-vu-Erlebnis, Drainage, Fixateur externe, Frambösie, Gargoylismus, Grand mal, Petit mal, Plaque, Sclérodermie en coup de sabre, Tabatière, Taches bleues, Tic, Torsade de pointes, Tourniquet, Trokar) der Fall ist. In zunehmendem Maße ist schließlich eine starke Durchdringung der ärztlichen Fachsprache seitens des Engl. zu beobachten. Vor kurzem erfolgte zudem die Verabschiedung einer offiziellen Übers. der PNA in die engl. Sprache durch ein Gremium weltweit bekannter und führender Anatomen, wobei britisches und amerikanisches Engl. gleichermaßen als korrekt betrachtet werden. Dies soll der besseren internationalen Verständigung dienen, ist aber insofern als problematisch zu betrachten, als jetzt neben der Nomenklatur der PNA gleichsam eine international gültige Konkurrenzliste besteht. Die Verantwortlichen waren sich dieser Tatsache offenbar auch bewußt und haben diese Übersetzung auch nicht mehr als Nomenklatur sondern als »Terminologia Anatomica« bezeichnet [36]. Im einzelnen sind die Folgen dieser Neuerung noch nicht deutlich abzusehen. Möglicherweise wird sich dadurch der – verstandene und sinnvolle – Gebrauch der alten Sprachen im Bereich der Medizin weiter vermindern, ja man kann diesen Schritt als Versuch, die alten Sprachen nun vollends aus dem Bereich der medizinischen Fachsprache zu verdrängen, ansehen. Formal sei noch darauf hingewiesen, daß im Rahmen der bemerkenswerten Neigung zu Abkürzungen seit dem II. Weltkrieg die Prägung von Akronymen wie etwa AIDS (*acquired immune deficiency syndrome*) – allerdings an die engl. Sprache gebunden, so daß etwa im Frz. von SIDA und im Russ. von СПИД gesprochen wird –, ELISA (*enzyme-linked immuno sorbent assay*; eine spezielle Laboruntersuchung), LASER (*light amplification by stimulated emission of radiation*) oder PEEP (*positive endexpiratory pressure*; ein besonderes Verfahren künstlicher Beatmung) zugenommen hat, was freilich auch den Gepflogenheiten anderer Lebensbereiche entspricht (BRAGO, COBOL, NATO, RADAR, TÜV, UNO).

C. NATURWISSENSCHAFTLICHE TERMINOLOGIE

Bereits das Alt. hatte eine stark ausgeprägte T. der Tier- und Pflanzenwelt, repräsentiert etwa in den Werken von Aristoteles von Stageira, Theophrastos von Eresos und Plinius dem Älteren. Das Bemühen, die Vielzahl und Vielgestaltigkeit der Lebewesen in eine systematische Ordnung zu bringen, ist bei den genannten und weiteren Autoren zu erkennen. Daneben ist zu berücksichtigen, daß heilkräftigen Substanzen und somit auch den Heilpflanzen naturgemäß ein besonderes Interesse galt; hier ist Dioskurides von Anazarba zu nennen, dessen Werk Περὶ ὕλης ἰατρικῆς, lat. *De materia medica*, den Grundstock für die frühe Pharmakologie bildete und bis in die Kräuterbücher des MA und die Neuzeit seine Auswirkungen zeigt.

Die h. gebräuchliche binäre Nomenklatur des Tier- und Pflanzenreiches geht in ihrer systematischen, konsequenten Ausformung auf den schwedischen Naturforscher Carl von Linné (1707–1778) zurück. Das Prinzip kann freilich bereits bei Vorläuferformen aus dem klass. Alt. (z. B. *Cuminum silvestre, C. Aethiopicum, C. Africanum, C. sativum* bei Plin. nat. 20,57,159–161 und *Aquila leporaria, A. anataria* bei Plin. nat. 10,3,6f.; ἶρις Ἰλλυρική, ἶρις Μακεδονική, ἶρις Λυβική bei Dioskurides 1,1 und σκίγκος Αἰγυπτικός, σκίγκος Ἰνδικός bei Dioskurides 2,66) beobachtet werden. Es besteht darin, eine Spezies durch den übergeordneten Gattungsnamen und ein die einzelne Art definierendes Attribut (z. B. *Canis aureus* L., dt. Schakal; *Physeter macrocephalus* L., dt. Pottwal; *Viscum album* L., dt. Mistel) bzw. eine vergleichbar verwendete Apposition (z. B. *Canis lupus* L., dt. Wolf; *Sus scrofa* L., dt. Wildschwein; *Inula helenium* L., dt. Echter Alant) zu charakterisieren. Grundlage der Zuordnung ist dabei der Grad der Verwandtschaft von Lebewesen. Besteht nun in der anatomischen Nomenklatur das Bemühen, die EN und damit bedauerlicherweise auch ein Stück Geschichte auszumerzen, so bilden diese in der zoologischen und botanischen Nomenklatur geradezu eine konstituierende Größe. Dabei sind der Phantasie, aber auch der Willkür der Erstbeschreiber und Benenner geradezu Tür und Tor geöffnet: Ein Begriff muß lediglich erstmalig bzw. eindeutig verwendet werden, ansonsten liegen Herkunft, Inhalt und z. B. Hommagen oder Anspielungen ganz im Ermessen des Erstbeschreibers. Persönlichkeiten aus Politik, Gesellschaft und Geschichte, Lehrern und Gönnern, aber auch Freunden und Verwandten wurde auf diese Weise schon ein Denkmal gesetzt. Selbst der oft gesuchte

Rückgriff auf ant. Namen und Bezeichnungen ist in vielen Fällen nicht unproblematisch. Zwar finden sich philol. durchaus ansprechende Interpretationen, etwa wenn mit Harpyia, dem Namen jener geflügelten Schreckgespenster der ant. Sage (Verg. Aen. 3,225–262), durchaus furchterregende Greifvögel des tropischen Regenwaldes Südamerikas belegt werden. Auch die Benennung des hübschen, rotblühenden Seidelbastes (*Daphne mezereum L.*) nach der von Apoll begehrten und auf ihren eigenen Wunsch in einen Strauch verwandelten Nymphe Daphne (Ovid met. 1,452–567) ist nicht ohne Reiz. Allerdings bezeichnete der Name in der Ant. den dem Apoll geweihten Lorbeer! Ganz befremdlich oder zumindest im Sinne einer klass. Bildung wenig geglückt wirkt es dagegen, wenn der Name des Astyanax, des unglücklichen Söhnchens Hektors, das von den Achäern getötet wird – der Name des Kleinen bedeutet schließlich »Stadtherr« und versinnbildlicht somit die »Idee der Stadt Troja«, die mit seinem Tod gleichsam ausgemerzt werden soll – (Eur. Tro. 709–798), in der heutigen Zoologie einen etwa fingerlangen, pigmentarmen, blinden Höhlensalmler (eine Fischart) aus Mexiko bezeichnet. Bedenklich ist es schließlich, wenn die naturwiss. Quellen der Ant. (z.B. Theophrastos, Plinius der Ältere und Dioskurides) gleichsam als philol. Steinbruch für Bezeichnungen von Tieren und Pflanzen genutzt werden. So war etwa das Silphion, eine in der nordafrikanischen Cyrenaica beheimatete Pflanze, die sehr wahrscheinlich zu den Doldenblütlern (Umbelliferae) gehörte, ein so gesuchtes Arzneimittel, daß es für die dortigen Einwohner größte wirtschaftliche Bed. hatte, sogar auf Münzen verewigt wurde – und bereits z.Z. Neros (54–68 n. Chr.) als ausgerottet galt. Wenn der Gattungsname Silphium dann h. für nordamerikanische Korbblütler (Compositae) zur Anwendung kommt, ist dies botanisch, geographisch und wissenschaftshistor. unbefriedigend.

Der Wortschatz der Chemie geht in vielerlei Hinsicht auf die Ant. zurück, wobei die zwitterhaft zw. Magie und Naturforschung oszillierende Alchemie und die Araber, die ansonsten etwa auch die Fachsprachen der Mathematik (z.B. Algebra, Algorithmus) und ganz bes. der Astronomie (z.B. Azimut, Nadir sowie eine Vielzahl von Sternennamen wie etwa Aldebaran, Algol, Beteigeuze und Fomalhaut) bereichert haben, überliefernd und zugleich begriffsprägend (z.B. Alkohol, Alkali, Alembik, Antimon, Benzin, Kampfer, Kolkothar, Markasit, Realgar, Talk) [84] in der Trad. von Bed. sind. Bereits beim orientierenden Blick über das Periodensystem der chemischen Elemente und deren Zeichen fällt eine Diskrepanz zw. einigen Elementensymbolen und den gemeinhin geläufigen Namen auf, die sich aus der Ableitung der Abkürzungen vom lat. Namen für die Substanz erklärt: So steht Au für Gold (*aurum*), Ag für Silber (*argentum*), Hg für Quecksilber (*hydrargyrus*), St für Antimon (*stibium*) und Sn für Zinn (*stannum*; dies ist freilich im klass. Lat. die Bezeichnung für eine Legierung aus Blei und Silber; Georges 2,2785). Bei der Be-

nennung neuentdeckter Elemente zeigt sich manchmal eine bemerkenswerte klass. Bildung der Gelehrten (z.B. bei Dysprosium und Praseodym); mitunter aber entbrennen bei der Namengebung auch engagierte Debatten wie oft bei den nur künstlich dargestellten Transuranen, um deren Namen oft lange und zäh gerungen wird. Dabei ist gerade bei den Letztgenannten eine eponymische Herleitung der Namen sehr überwiegend [115]. Wesentlich entscheidender ist freilich die Regelung der Bezeichnungen für die unübersehbar große Anzahl der Verbindungen der Elemente, hier bes. der organischen Chemie mit ihren Übergängen zur Biochemie und Pharmakologie. Dabei finden in großer Zahl griech. und lat. Wortbestandteile Verwendung; die verbindliche Regelung im Sinne einer Nomenklatur erfolgt durch die International Union of Pure and Applied Chemistry (IUPAC).

Die Verwendung von Eponymen, womit bekannten und verdienten Vertretern des Faches ein Denkmal gesetzt wird, ist ebenfalls bei manchen traditionellen Einheiten der Physik wie etwa Curie (Ci) und Röntgen (R) zu beobachten. Auch die nun allgemeinverbindlichen Einheiten des Système International d'Unités (SI-Einheiten) tragen dem wie etwa im Falle von Ampère (A), Becquerel (Bq), Coulomb (C), Gray (Gy), Farad (F), Henry (H), Hertz (Hz), Joule (J), Kelvin (K), Newton (N), Ohm (Ω), Pascal (Pa), Siemens (S), Sievert (Sv), Tesla (T), Volt (V), Watt (W) und Weber (Wb) Rechnung [75. 367]. Daneben existieren SI-Einheiten wie Candela (cd), Dioptrie (dpt), Katal (kat), Kilogramm (kg), Lumen (lm), Lux (lx), Meter (m), Mol (mol), Radiant (rad), Sekunde (s) und Steradiant (sr) sowie andere, traditionelle Einheiten wie Bar (bar), Erg (erg), Pond (p) und Seemeile (sm), die sich mittelbar bzw. unmittelbar von Worten der klass. Sprachen herleiten.

In der Geologie, der Paläontologie, der Geophysik und den übrigen Geowiss. kommen naturgemäß die T. der Chemie und der Physik zum Tragen; ähnlich werden die oben dargelegten Prinzipien der Benennung der Zoologie und Botanik angewandt, freilich in der Regel auf ausgestorbene Arten. Daneben sind u.a. sehr treffend aus den alten Sprachen abgeleitete Begrifflichkeiten (z.B. Disthen für ein je nach Richtung der Prüfung unterschiedlich hartes Mineral oder Staurolith für ein oft kreuzförmig verzwillingtes Mineral), die Benennung von geologischen Formationen nach Volksstämmen der alten Welt (z.B. Chatt, Eburon, Menap, Silur, Skyth) [99] und Rückbezüge auf die Myth. des Alt. (z.B. Tethys als Name für ein urzeitliches Meer oder Thetishaar als Bezeichnung für haarförmige Hornblendeeinschlüsse in Quarz) anzumerken.

D. PSYCHOLOGISCHE TERMINOLOGIE

Die enge Verwandtschaft und die vielfältigen Überschneidungen mit der medizinischen T. sind beredtes Zeugnis der Herkunft des Fachgebietes der Psychologie, die sich nicht zuletzt aus der Medizin entwickelt hat [86]. Gerade in der heutigen Zeit der Neurochemie und der bis auf die molekulare Ebene hinab verifizierbaren Pathologien einzelner Krankheitsbilder nähern sich psychologische und morphologische Forschungsansätze wieder vermehrt einander, so daß eine Intensivierung der gegenseitigen Befruchtung zu erwarten ist, auch unter Einbeziehung der Begrifflichkeiten differenzierterer bzw. neuer medizinischer Untersuchungs- und Darstellungsverfahren (z. B. Spezielle Neuropathologie und Neuroradiologie).

→ Naturwissenschaften

1 B. van den Abeele, Zum Phänomen der »Relatinisierung« in der ma. Fachlit.: Die Entstehungs-Gesch. der »Jüngeren Dt. Habichtslehre«, in: Sudhoffs Archiv 81, 1997, 105–119 2 J. N. Adams, Pelagonius and Latin Veterinary Terminology in the Roman Empire, 1995 3 G. Adler et al. (Hrsg.), Leiber – Die klinischen Syndrome – Syndrome, Sequenzen und Symptomenkomplex, Bd. 1 u. 2, ⁸1996 4 G. Ahrens, Naturwiss. und medizinisches Lat., ⁸1983 5 J. André, Lexique des termes de botanique en latin, 1956 6 Ders., Notes de lexicographie botanique grecque, 1958 7 Ders., Les noms d'oiseaux en latin, 1967 8 Ders., Les noms des plantes à la Rome antique, 1985 9 Ders., Le vocabulaire latin de l'anatomie, 1991 10 G. Baesecke, Hrabans Isidorglossierung, Walahfrid Strabus und das ahd. Schrifttum, in: Zschr. für Dt. Alt. und Dt. Lit. 58 (N. F. 46), 1921, 241–279 11 R. L. Bates, J. A. Jackson (Hrsg.), Glossary of Geology, ³1991 12 I. Becher, A. Lindner, P. Schulze, Lat.-griech. Wortschatz in der Medizin, ⁴1995 13 D. Béguin, Présentation et utilisation de la base »Esculape«, in: A. Debru, G. Sabbah (Hrsg.), Mémoires XVII, Nommer la maladie, Recherches sur le lexique gréco-latin de la pathologie, 1998, 163–200 14 B. Bergh, Medicinarlatinet, in: Sydsvenska medicinhistoriska sällskapets årsskrift 1989, 189–195 15 R. Beyer, Gesch. der anatomischen Nomenklatur in Rußland unter westeurop. Einfluß bis z.Z. des Zaren Peter I. und seiner Erben, 2 Teile, Diss. Halle, 1996 16 F. Boerner, Taschen-WB der botanischen Pflanzennamen für Gärtner, Garten- und Pflanzenfreunde, Land- und Forstwirte, ⁴1989 17 L. E. Böttiger, Det medicinska språket, in: Sydsvenska medicinhistoriska sällskapets årsskrift 1985, 193–200 18 S. Bogensberger, Roche-Lex. Medizin, ⁴1999 19 N. van Brock, Recherches sur le vocabulaire médical du grec ancien. Soins et guérison, 1961 20 L. Brüssow, Virchows Beschreibung der Leukämie und Leukozytose, Diss. Düsseldorf 1995 21 H. Carl, Die dt. Pflanzen- und Tiernamen. Deutung und sprachliche Ordnung, 1957 22 W. Caspar, Medizinische T., Lehr- und Arbeitsbuch, 2000 23 Th. Charen, The Etymology of Medicine, in: Bulletin of the Medical Library Association 39, 1951, 216–221 24 M. P. Crosland, Historical Stud. in the Language of Chemistry, 1962 25 W. F. Daems, Nomina simplicium medicinarum ex Synonymariis Medii Aevi collecta, Semantische Unt. zum Fachwortschatz hoch- und spätma. Drogenkunde, 1993 26 A. Debru, G. Sabbah (Hrsg.), Mémoires XVII. Nommer la maladie, Recherches sur le lexique gréco-latin de la pathologie, 1998 27 P. Delaveau, Dispute d'Hellenos et Latinus sur la mémorie des mots de la bouche à l'anus, 1992 28 P. Dilg, G. Jüttner, Pharmazeutische T., Die Fachsprache des Apothekers, 1972 29 J. H. Dirckx, The Language of Medicine, 1976 30 T. Donath, Erläuterndes anatomisches

WB, Vergleichende Übersicht der Baseler, Jenaer und Pariser Nomenklaturen, gruppiert nach Organen, 1960 31 Ders., Ergänzungsheft zu T. Donath, Erläuterndes anatomisches WB, Auf Grund der New Yorker Modifizierungen der Pariser Nomina Anatomica, 1961 32 R. J. Durling, A Dictionary of Medical Terms in Galen, 1993 33 W. Eckart, Gesch. der Medizin, 1990 34 C. Elze, Vesals Muskelbezeichnungen – nach den Pariser Nomina anatomica aufgeschlüsselt, in: Sudhoffs Archiv 48, 1964, 193–199 35 F. Encke, G. Buchheim, S. Seybold, Zander – HWB der Pflanzennamen, ¹³1984 36 Federative Committee on Anatomical Terminology (FCAT), Terminologia Anatomica/International Anatomical Terminology, 1998 37 K.-D. Fischer, Eine wenig beachtete Liste mit den Bezeichnungen der Körperteile, in: RhM 139, 1996, 343–350 38 A. Fonahn, Arabic and Latin Anatomical Terminology, Chiefly from the Middle Ages, 1922 39 H. Frölich, Die Militärmedicin Homer's, Stuttgart 1879 40 I. Garofalo, Erasistrati Fragmenta, 1988 41 H. Genaust, Etym. WB der botanischen Pflanzennamen, ³1996 42 D. Goltz, Die Paracelsisten und die Sprache, in: Sudhoffs Archiv 56, 1972, 337–352 43 Dies., Stud. zur Gesch. der Mineralnamen in Pharmazie, Chemie und Medizin von den Anf. bis Paracelsus, 1972 (Sudhoffs Archiv, Beih., Heft 14) 44 D. Gourevitch, Les noms latins de l'estomac, in: RPh 50 (102), 1976, 85–110 45 Dies., Les faux-amis dans la compréhension et la traduction des textes médicaux de l'Antiquité, in: G. Sabbah (Hrsg.), Mémoires III. Médecins et Médecine dans l'Antiquité, 1982, 189–191 46 Dies., Le nozze del medico e di filologia, in: Medicina nei Secoli 10, 1998, 227–239 47 Dies., Bibliographie du vocabulaire de la pathologie en latin ancien, in: A. Debru, G. Sabbah (Hrsg.), Mémoires XVII, Nommer la maladie, Recherches sur le lexique gréco-latin de la pathologie, 1998, 201–231 48 K. Grossgebauer, Medizinische Fachsprache. Etym.-erklärende Einführung, 1988 49 R. Gundlach, Natron, in: LÄ, Bd. IV, 1982, 358 f. 50 E. Hentschel, G. Wagner, Zoologisches WB, Tiernamen, allgemeinbiologische, anatomische, physiologische Termini und biographische Daten, ³1986 51 H. Hildebrandt, Pschyrembel – Klinisches WB, ²⁵⁸1998 52 W. His, Die anatomische Nomenclatur – Nomina Anatomica, Leipzig 1895 53 W. Hoffmann-Axthelm, Lex. der Zahnmedizin, ⁶1995 54 J. Hyrtl, Das Arab. und Hebräische in der Anatomie, Wien 1879 55 Ders., Onomatologia anatomica. Gesch. und Kritik der anatomischen Sprache der Gegenwart, Wien 1880 56 Ders., Die alten dt. Kunstworte der Anatomie, Wien 1884 57 International Anatomical Nomenclature Committee, Nomina anatomica, ⁶1985, together with Nomina histologica, Third edition, Nomina embryologica, Third edition, Revised and Prepared by Subcommittees of the I. A. N. C., 1989 58 J. Jouanna, Place des Épidémies dans la Collection hippocratique: le critère de la terminologie, in: G. Baader, R. Winau, Die Hippokratischen Epidemien, 1989 (Sudhoffs Archiv, Beih., Heft 27), 60–87 59 O. Kraus, Internationale Regeln für die zoologische Nomenklatur, Beschlossen vom XV. Internationalen Kongreß für Zoologie, ²1970 60 G. Krüger, Veterinärmedizinische T., 1959 61 F. Kudlien, Nomenklatorische Addenda zur »Nachgeburt«, in: Sudhoffs Archiv 48, 1964, 86–88 62 W. F. Kümmel, H. Siefert, Kursus der medizinischen T., CompactLehrbuch, ⁷1999 63 M. Kuhn, De nomine et vocabulo: der Begriff der medizinischen Fachsprache und

die Krankheitsnamen bei Paracelsus (1493–1541), 1996
64 D.R. LANGSLOW, Celsus and the makings of a Latin medical terminology, in: G. SABBAH, PH. MUDRY (Hrsg.), Mémoires XIII. La Médecine de Celse. Aspects historiques, scientifiques et littéraires, 1994, 297–309 **65** B. LEIBER, TH. OLBERT, Die klinischen Eponyme, Medizinische Eigennamenbegriffe in Klinik und Praxis, 1968
66 H. LEITNER, Zoologische T. beim älteren Plinius, 1972
67 G. LEUTERT, Die anatomischen Nomenklaturen von Basel, Jena, Paris in dreifacher Gegenüberstellung, 1963
68 B. I. LINDSKOG, Odontologiska ord i historiens spegel, in: Sydsvenska medicinhistoriska sällskapets årsskrift 1987, 215–232 **69** TH. LUDEWIG, Zetkin/Schaldach – Lex. der Medizin,¹⁶1998 **70** H. LÜSCHEN, Die Namen der Steine. Das Mineralreich im Spiegel der Sprache, ²1979
71 E. MARCHEL, Galens anatomische Nomenklatur, Diss. Bonn 1951 **72** M. MICHLER, Zur metaphorischen und etymol. Deutung des Wortes Πεδίον in der anatomischen Nomenklatur, in: Sudhoffs Archiv 45, 1961, 216–224
73 Ders., Die Mittelhand bei Galen und Vesal, in: Sudhoffs Archiv 48, 1964, 200–215 **74** Ders., J. BENEDUM, Einführung in die medizinische Fachsprache, ²1981
75 D. MOSKOPP, »Ich röntge, du röntgst, ...« – Eine vergleichende Unt. eponymischer Vb. anläßlich des 100. Jahrestages der Entdeckung der Röntgenstrahlen, in: Der Radiologe 35, 1995, 367–372 **76** I. MÜLLER, ST. SCHULZ, Medizinische T., Bd. 1 u. 2, ²1994 **77** C. MUGLER, Dictionnaire historique de la terminologie optique des Grecs. Douze siècles de dialogues avec la lumière, 1964 (Études et commentaires LIII) **78** A. H. MURKEN, Lehrbuch der Medizinischen T. Grundlagen der ärztlichen Fachsprache, ³1994, **79** L. ÖBERG, Spår av äldre medicin i nutida svenska, in: Sydsvenska medicinhistoriska sällskapets årsskrift 1987, 209–214 **80** A. ÖNNERFORS, Das medizinische Lat. von Celsus bis Cassius Felix, in: ANRW II. 37.1, 1993, 227–392, 924–937 **81** H. J. OESTERLE, Vena basilica – Vena cephalica. Die Genese einer unverstandenen T., in: Sudhoffs Archiv 64, 1980, 385–390 **82** R. OLRY, Sémantique anatomique, Un langage pour une science, 1995 **83** Ders., Dictionary of Anatomical Eponyms, 1995
84 N. OSMAN, Kleines Lex. dt. Wörter arab. Herkunft, 1982
85 H. PATZER, Physis. Grundlegung zu einer Gesch. des Wortes, Sitzungs-Ber. der Wiss. Ges. an der Johann Wolfgang Goethe-Univ. Frankfurt a.M., Bd. XXX, Nr. 6, 1993 **86** U. H. PETERS, WB der Psychiatrie, Psychotherapie und medizinischen Psychologie. Mit einem engl.-dt. WB als Anhang, ⁵1999 **87** R. POREP, W.-I. STEUDEL, Medizinische T., Ein programmierter Kurs mit Kompendium zur Einführung in die medizinische Fachsprache, ²1983
88 G. PREISER, Allg. Krankheitsbezeichnungen im Corpus Hippocraticum, 1976 **89** B. QUEMADA, Introduction à l'étude du vocabulaire médical (1600–1710), 1955
90 G. SABBAH (Hrsg.), Mémoires V. Textes Médicaux Latins Antiques, 1984 **91** Ders., Mémoires VIII. Études de médecine romaine, 1988 **92** Ders., Mémoires X. Le latin médical, La constitution d'un langage scientifique, Réalités et langage de la médecine dans le monde romain, 1991
93 J. SCARBOROUGH, Medical Terminologies. Classical Origins, 1992 **94** H. SCHIPPERGES, Die Sprache der Medizin. Medizinische T. als Einführung in das ärztliche Denken und Handeln, 1988 **95** J. E. SCHMIDT, Medical Discoveries, Who and When, 1959 **96** I. SCHNEIDER, Lingua Latina Medicinalis, Lat. Lehrbuch für Mediziner, ²1964
97 W. SCHNEIDER, Lex. zur Arzneimittelgesch. Sach-WB zur

Gesch. der pharmazeutischen Botanik, Chemie, Mineralogie, Pharmakologie, Zoologie, Bd. I–VII, 1968–1975 **98** R. SCHUBERT, G. WAGNER, Botanisches WB, Pflanzennamen und botanische Fachwörter, ⁹1988
99 M. SCHWARZBACH, Die geogr. Herleitung stratigraphischer Namen, 1975 **100** P. SEIDENSTICKER, Die seltzamen Namen all. Stud. zur Überlieferung der Pflanzennamen, 1997 (= Zschr. für Dialektologie und Linguistik, Beih., Heft 101) **101** Ders., Pflanzennamen. Überlieferung, Forschungsprobleme, Stud., 1999 (Zschr. für Dialektologie und Linguistik, Beih., Heft 102)
102 F. SKODA, Médecine ancienne et métaphore. Le vocabulaire de l'anatomie et de la pathologie en grec ancien, 1988 **103** B. SNELL, Die Ausdrücke für den Begriff des Wissens in der vorplatonischen Philos., 1924 (Philol. Unt., 29. Heft) **104** H. VON STADEN, Herophilus – The Art of Medicine in Early Alexandria, 1989 **105** E. STEINMEYER, E. SIEVERS, Die ahd. Glossen, 3. Bd., Berlin 1895, 423–440, 599–605 **106** Dies., Die ahd. Glossen, 4. Bd., Berlin 1898, 356–370 **107** Dies., Die ahd. Glossen, 5. Bd., 1922, 39–49
108 J. STEUDEL, Der vorvesalische Beitr. zur anatomischen Nomenklatur, in: Sudhoffs Archiv 36, 1943, 1–42
109 Ders., Der anatomische Terminus »Netz«, in: Sudhoffs Archiv 47, 1963, 383–386 **110** H. STIEVE, Nomina Anatomica, ²1939 **111** R. STRÖMBERG, Griech. Wortstud. Unt. zur Benennung von Tieren, Pflanzen, Körperteilen und Krankheiten, 1944 **112** G. STROHMAIER, Dura mater, Pia mater. Die Gesch. zweier anatomischer Termini, in: Medizinhistor. Journal 5, 1970, 201–216 **113** Ders., Constantine's Pseudo-classical Terminology and its Survival, in: C. BURNETT, D. JACQUART (Hrsg.), Constantine the African and 'Ali ibn al-'Abbas al-Magusi. The Pantegni and Related Texts, 1994, 90–98
114 J. SVENNUNG, Unt. zu Palladius und zur lat. Fach- und Volkssprache, 1935 **115** L. F. TRUEB, Die chemischen Elemente. Ein Streifzug durch das Periodensystem, 1996 **116** R. TSUCHIYA, N. FUJISAWA, On the Etymology of »Pancreas«, in: International Journal of Pancreatology 21, 3, June 1997, 269–272 **117** D. VOGELLEHNER, Botanische T. und Nomenklatur. Eine Einführung, ²1983
118 P. VOSWINCKEL, Um das Lebenswerk betrogen: Walter Guttmann (1873–1941) und seine Medizinische T., in: Medizinhistor. Journal 32, 1997, 321–354
119 G. WAGENITZ, WB der Botanik – Morphologie, Anatomie, Taxonomie, Evolution. Die Termini in ihrem histor. Zusammenhang, 1996 **120** F.C. WERNER, Wortelemente lat.-griech. Fachausdrücke in den biologischen Wiss., ³1968 **121** J. H. WOLF, Der Begriff »Organ« in der Medizin. Grundzüge der Gesch. seiner Entwicklung, 1971 (Neue Müchner Beitr. zur Gesch. der Medizin und Naturwiss. / Medizinhistor. Reihe, Bd. 3) **122** E. J. WORMER, Syndrome der Kardiologie und ihre Schöpfer, 1989 **123** Ders., Angiologie – Phlebologie. Syndrome und ihre Schöpfer, 1991 **124** H. ZOSKE, Die Osteologie Vesals. Unt. zur Gesch. der anatomischen Nomenklatur, 1951.   FERDINAND PETER MOOG

II. MUSIKALISCH

Seit dem 9. Jh., also seit Beginn der theoretischen Beschreibung und Reflexion der Mehrstimmigkeit (etwa in der *Musica enchiriadis*) einerseits und der einsetzenden Boëthius- und Martianus-Rezeption andererseits, kennzeichnet die m.T. ein Grundbestand an Fachbegriffen, wie sie aus dem Griech. z. B. von den beiden spätant. Autoren Martianus Capella (um 430) und Boëthius (um 500) überliefert wurden. Die Begriffe lassen sich grob unterteilen in griech. Lehnwörter und lat. (Übersetzungs-) Termini, wobei es zu ganz unterschiedlichen Bedeutungstraditionen kommen kann, was an wenigen Begriffen exemplarisch dargestellt sei.

1. Vielfach als musikalische Grundbegriffe (wie Harmonie, Melodie, Rhythmus oder Symphonie) werden die griech. Lehnwörter über das lat. MA in alle mod. europ. Kultursprachen weitertradiert. Den Terminus Musik (lat. *musica* von griech. μουσική) zeichnet nicht nur aus, daß er ›das Gebiet als Ganzes bezeichnet, innerhalb dessen m.T. erst möglich ist und sinnvoll wird‹ [5. 59], sondern er hebt sich auch gegen andere musikalische Begriffe durch seine offenkundige Rezeption im Arab., Hebräischen und Syr. ab, wo der entlehnte Ausdruck als Gräzismus *mūsīqī* bzw. *mūsīqā* (z.B. bei al-Fārābī, gest. 950, der sich explizit auf die griech. Musiktheorie bezieht) der philos.-mathematischen Musiklehre und -theorie vorbehalten ist (und damit abgegrenzt von arab. *ǧinā'* als Bezeichnung für die autochthone arab. Musik). Paradigmatisch für einen Terminus, der in unterschiedlichem Kontext jeweils andere Bed. erlangt, steht Melodie (lat. *melodia* von griech. μελῳδία); der Begriff umfaßt zunächst im MA die Musik als Klangphänomen oder als hörbares Ergebnis des geregelten Zusammenstimmens mehrerer Töne und meint seit E. des 16. Jh. die Gesamtheit der Tonfolge(n) in einer oder mehreren Stimmen, ehe er ab dem 18. Jh. im mod. Sinne auf eine bestimmte, herausgehobene und abgrenzbare Tonfolge eingegrenzt wird [1]. Rhythmus wiederum gilt als Beispiel für einen zeitweise »verschwundenen« Begriff. Den griech. Ausdruck ῥυθμός übersetzen im 1. Jh. v. Chr. die Römer mit *numerus* (während lat. *r(h)ythmus* bzw. *rithmus* im MA als t.t. der Poetik und Rhet. figuriert); erst im 16./17. Jh. wieder in die Musiktheorie eingeführt, avanciert Rhythmus später zu einem der zentralen musikalischen Begriffe für ein eigenständig zeitliches Ordnungs- und Gestaltungsprinzip [7]. Für die (in der griech. Musiktheorie auf Tetrachordgliederung und damit melodische Tongeschlechter bezogene) Begriffstrias Diatonik – Chromatik – Enharmonik (von griech. διάτονον, χρωματικόν, bzw. ἐναρμόνιον (γένος)) ist bezeichnend, daß bei den ersten beiden Ausdrücken die urspr. Bed. heute noch durchscheint (Diatonik bezogen auf eine Skala, die die Oktave in fünf Ganz- und zwei Halbtöne teilt, und Chromatik auf die Umfärbung diatonischer Stufen, also die Hoch- bzw. Tiefalterierung um einen Halbton); Enharmonik dagegen verliert jene Beziehung (auf kleinere Intervalle als ein chromatischer Halbton) im Zuge der sich im 18. Jh. durchsetzenden gleichschwebenden Temperatur zugunsten des mod. Gebrauchs im Sinne einer enharmonischen Umdeutung, durch die ein und dieselbe Tonstufe unterschiedliche tonale Bed. erlangen kann (z.B. Cis-dur anstatt Des-dur), oder Verwechslung, womit die bloße schreibtechnische Auswechslung von Kreuz und Be gemeint ist (etwa as und gis). Ebenso

unterschiedlich verläuft die Begriffsgeschichte von Diaphonie – Symphonie (von griech. διαφωνία bzw. συμφωνία). Die lat. Bezeichnung *diaphonia* (im Griech. für nicht-symphone Intervalle), als eigenständiger t.t. für Mehrstimmigkeit in die frühma. Musiktheorie eingeführt, wird bereits im 12. Jh. u.a. vom Äquivalent *discantus* zurückgedrängt. Demgegenüber läßt sich das Pendant Symphonie kontinuierlich bis h. verfolgen, allerdings mit signifikanten Bedeutungsänderungen: Ins lat. MA wird *symphonia* im Sinne von Übereinstimmung von Tönen (namentlich bei Oktave, Quinte und Quarte als drei der ant. Konsonanzen) übernommen; erst E. des 16. Jh. ist dieser Ausdruck auf musikalische Kompositionen gemünzt und wird – nach Eingrenzungen auf ein instrumentales Vor-, Zwischen- oder Nachspiel sowie die Operneinleitung – im 18. Jh. schließlich wie h. üblich auf eine selbständige drei- oder vierteilige Orchesterkomposition übertragen [3].

2. Mit letztgenanntem Begriffspaar sind die aus der Ant. stammenden lat. (Übersetzungs-) Termini angesprochen (neben den erwähnten *numeras* oder *discantus*). Als Dissonanzbegriff wird *diaphonia* mit *dissonantia* übersetzt, so wie *symphonia* mit *consonantia*. Dieser Ausdruck wiederum begegnet in verschiedenen Bed., so im unspezifischen Sinne für Zusammenklang, worauf sich *concordia* und *discordantia* als t.t. beziehen (Johannes de Garlandia, *De mensurabili musica*, vor oder um 1250), die allerdings beide später an Relevanz einbüßen; Johannes de Grocheio (*De musica*, um 1300) limitiert *consonantia* auf simultane Konsonanzen (gegenüber *concordantia* für sukzessive), während J. Tinctoris (*Liber de arte contrapuncti*, 1477) diese beiden Begriffe gleichsetzt, zusammen mit Äquivalenten (wie *euphonia* oder *simphonia*).

1 M. BANDUR, s.v. Melodia/Melodie, HWB der musikalischen Terminologie, 1998 2 H.H. EGGEBRECHT, Stud. zur m.T., AAWM 1955, Nr. 10, ²1968 3 ST. KUNZE, Die Sinfonie im 18. Jh. (= Hdb. der musikalischen Gattungen, hrsg. v. S. MAUSER, Bd. 1), 1993, 10–15 4 FR. RECKOW, Aspekte der Ausbildung einer lat. musikalischen Fachsprache im MA, in: IGM Kongreßber. Kopenhagen, 1972, 612–617 5 A. RIETHMÜLLER, Stationen des Begriffs Musik, in: F. ZAMINER (Hrsg.), Ideen zu einer Gesch. der Musiktheorie, Gesch. der Musiktheorie 1, 1985, 59–95 6 W. SEIDEL, M.T. Eigenart und Wandel, in: F. ZAMINER (Hrsg.), Gesch. der Musiktheorie, Bd. 1, 1985, 96–118 7 Ders., s.v. Rhythmus/numerus, in: HWB der musikalischen T., 1980. MICHAEL BEICHE

Textkritik s. Philologie

Textstufenforschung. Die T. fragt nach der Überlieferungsgeschichte der röm. juristischen Schriften von ihrer Entstehung bis zur Aufnahme in die justinianische Kompilation. Wichtigster Vertreter dieser Forschungsrichtung ist Franz Wieacker mit dem Werk *Textstufen klass. Juristen* (Göttingen 1960); vorbereitet wurde sie durch Arbeiten von E. Levy, H. Niedermeyer, F. Schulz und H.J. Wolff [4. 14–19]. Sie hat ihren Grund in spezifischen Problemen der juristischen Textüberlieferung. Die ant. Juristenschriften sind – mit Ausnahme der Gaius-Institutionen – nicht in vollem Umfang überliefert, sondern nur in Exzerpten durch die justinianische Kodifikation, vorjustinianische Sammlungen und spärliche Papyrusfragmente erhalten. Zentrale Frage der T. ist, inwieweit diese Exzerpte dem »originalen«, d. h. dem vom »klass.« Juristen geschriebenen und veröffentlichten Text entsprechen. Ihr prinzipiell vorgelagert ist die Frage der Textkonstitution, die Ermittlung der urspr. Textgestalt des jeweiligen Überlieferungsträgers ([6. 112–133]; vgl. auch die Sonderproblematik der Herstellung des Texts der → Digesten bzw. des Codex). Entstanden ist die T. als Gegenbewegung zur radikalen Interpolationskritik (→ Interpolationsforschung) der ersten H. des 20. Jh. mit dem Ziel, der Suche nach Textveränderungen in den Juristenschriften ›durch behutsame Konfrontation, präzise Chronologie und methodische Rekonstruktion der Werk- und Buchgeschichte‹ [6. 50] eine sicherere Grundlage zu geben.

Wieackers Untersuchungen gehen dabei vom Vergleich der mehrfach, d. h. nicht nur durch die justinianische Kompilation überlieferten Texten aus (s. für die einzelnen Schriften [4. 178–426]). Da die frühesten erreichbaren Überlieferungsträger dem 4. oder 5. Jh. angehören ([6. 134]; Ausnahme: P. Oxy. 2103, Mitte 3. Jh.), bleibt bis zu den spätesten klass. Originalwerken eine gewisse zeitliche Lücke. Ob und inwieweit in dieser Zeit die Texte durch sachliche Änderungen an gewandelte Rechtszustände angepaßt wurden [4. 25–56] oder ob und inwieweit sich sinnverändernde mechanische (Schreib-, Lese-, Hör-) Fehler im Überlieferungsprozeß bei der Abschrift der Texte einschlichen [4. 72–92], läßt sich nur anhand allg. Plausibilitätserwägungen vermuten; Kriterien hierfür sind Prämissen wie einerseits das Postulat der »Klassizität« der röm. Juristen, andererseits der – höchstens aus schwachen Indizien zu erschließende – damalige Umgang mit »autoritativen« Texten (vgl. [6. 170 A. 74]). Die Feststellung sachlicher, materiell-rechtlicher Unklarheiten in den frühesten Überlieferungsträgern führte zur Figur des »frühnachklass. Bearbeiters« (s. nur [4. 427–431]), was in der Lit. Zustimmung gefunden hat, andererseits aber auch ein offeneres Konzept der klass. Jurisprudenz selbst ermöglicht.

Wieacker hat ferner die Bedingungen des ant. Buchwesens, v. a. die Technik der Buchherstellung und die Literaturpflege, für seine Forsch. fruchtbar gemacht [4. 93–138]. Ob allerdings der »Flaschenhals« der Umschrift der Texte von Papyrusrollen in Pergamentcodices eine so große Rolle für die Änderung der Texte spielt wie von Wieacker angenommen, bleibt fraglich, da nicht gesagt werden kann, ob dieses Faktum »planmäßig« zur (aktualisierenden) Korrektur der Texte benutzt wurde [2. 500; 6. 135 A. 120f.]. Wesentliche Ergebnisse der T. sind zum einen die Erkenntnis formaler Veränderungen wie in den Text geratener Randglossen, zum anderen der Nachweis vorjustinianischer Interpolationen [4. 427–457; 6. 165–173]. Abgesehen von den wirklichen rechtspol. motivierten, sachlichen Neuerungen Justinians führte dessen klassizistische Grundhaltung zwar zu mannigfachen radikalen Kürzungen der Texte, insbes. dem Ausfall von (wohl zahlreichen) Klassikerkontroversen und weiteren zur Illustration herangezogenen Beispielsfällen [6. 156–165], doch kommt die T. im Ergebnis zu gesteigertem Vertrauen in die sachliche Verläßlichkeit der justinianischen Quellen für das klass. Recht.

Wieackers *Textstufen* ist eine der bedeutendsten romanistischen Monographien ihrer Zeit, was sich auch in den zahlreichen Rezensionen spiegelt. Zwischen »Textkritik« und »Sachforsch.« fand eine rege Diskussion *Zur Methodologie der röm. Rechtsquellenforsch.* in den sechziger und siebziger J. des 20. Jh. statt, die mit Max Kasers gleichnamigem Buch (Wien 1972) und Wieackers erwidernder Rezension *Textkritik und Sachforsch. Positionen in der gegenwärtigen Romanistik* [5] zu weitgehender Übereinstimmung in methodologischen Prämissen und pragmatischen Ergebnissen geführt hat. Eine Zusammenfassung der Resultate der T. findet sich in Bd. 1 von Wieackers RRG [6. 112–182]. Weitergeführt wird diese Forschungsrichtung durch mehrere von J. G. Wolf betreute Untersuchungen (Arbeiten von R. Greiner, B. Eckardt, C. Krampe, U. Manthe, C. Kohlhaas, D. Johnston, J. Schmidt-Ott, zuletzt H.-J. Roth, Alfeni Digesta, 1999). Kritisch im einzelnen zu Wieackers Ergebnissen äußern sich D. Liebs' Beiträge zu den röm. Juristen und ihren Werken (v. a. im HLL).

Die T. hat wichtige Erkenntnisse für die »Lebensläufe« der juristischen Schriften vom 3. bis zum 6. Jh. gebracht, daneben ist ihr Ertrag für die sachliche Rechtsgeschichte groß. Wissenschaftsgeschichtlich ist sie durch die Abkehr von bloß auf sachlich-sprachlichen Indizien gestützen Interpolationsannahmen ein bedeutender Fortschritt. Unberührt von der für die rechtshistor. Forsch. (→ Romanistik) zentralen Frage, ob eine Veränderung eines vorgegebenen juristischen Texts absichtlich oder versehentlich vorgenommen wurde, bleibt freilich die Wirkungsgeschichte des in der neuen Form – zu irgendeinem (meist nicht näher konkretisierbaren) Zeitpunkt – als autoritativ rezipierten juristischen Texts.

1 M. KASER, Zur Methodologie der röm. Rechtsquellenforsch., 1972 2 TH. MAYER-MALY, Rezension F. Wieacker, Textstufen klass. Juristen, in: ZRG 77, 1960, 494–517 3 F. WIEACKER, Lebensläufe klass. Schriften in nachklass. Zeit, in: ZRG 67, 1950, 360–402 4 Ders., Textstufen klass. Juristen, 1960 5 Ders., Textkritik und Sachforsch., in: ZRG 91, 1974, 1–40 6 Ders., RRG Bd. 1, 1988. HANS-DIETER SPENGLER

Textüberlieferung s. Überlieferung

Theater A. Spätantike/Mittelalter
B. Humanismus/Renaissance   C. Oper
(»dramma per musica«, »Gesamtkunstwerk«)
D. Chor

A. Spätantike/Mittelalter

Zwar waren nach dem Verschwinden von → Tragödie und → Komödie aus dem Spielplan der röm. Kaiserzeit – Aufführungen griech. Trag. lassen sich vereinzelt bis ins 4. Jh. n. Chr. nachweisen, Stücke von Plautus und Terenz wurden noch im 3./4. Jh. n. Chr. aufgeführt – mit Mimus, Pantomimus und den *fabulae cantatae*, tragischen, von einem Solisten vorgetragenen Einzelszenen wie *Hercules insanus* (»Der rasende Hercules«), *Canace parturiens* (»Die gebärende Canace«), *Oedipus excaecatus* (»Der geblendete Ödipus«) und *Oedipus exul* (»Ödipus in der Verbannung«, vgl. Sueton, *Nero* 21,46) [14], weiterhin dramatische, sublit. Gattungen auf der Bühne des Imperium Romanum präsent [5]. Da jedoch das Schauspielwesen insgesamt und v. a. der Mimus aus moralischen Gründen und wegen der Einbindung des ant. Theaterbetriebs in die paganen Kulte von den Kirchenvätern heftig kritisiert wurden (vgl. Tertullianus [2], *De spectaculis*; Aug. civ. 2,8; conf. 1,16; 1,19; 3,2) [7; 13], verschwand in der Spätant. das Th. als Institution nicht nur aus dem Alltag, sondern auch aus dem öffentlichen Bewußtsein. Dramen wurden in den Rhetorenschulen gelesen, ihr Bühnencharakter geriet in Vergessenheit. Dies führte allmählich zum Verlust des theoretischen Wissens über das ant. Th. und zu einer ständigen Zunahme von Mißverständnissen, angefangen von Isidors Gattungsdarstellung (*Etymologica* 8,7,5–11; seine Ausführungen in 18,42–49 zeigen jedoch noch ein Wissen von den Aufführungsbedingungen des ant. Th.) bis hin z. B. zu Johannes Balbus de Janua († 1298; *Catholicon*, s. v. dragma, tragedia). So erfüllt z. B. nach Servius (zu Verg. ecl. 3,1) jede dialogische Form die Grundvoraussetzung des dramatischen Genres, so daß Beda Venerabilis (673–735) in *De metrica arte* 25 das Hohelied als Beispiel für das Drama anführt. Die schwindende Kenntnis von den Aufführungsbedingungen ant. Stücke, die durch die zweckentfremdete Verwendung oder Zerstörung von Theaterbauten unterstützt wurde, läßt sich ferner daraus erklären, daß die Gelehrten des frühen MA ihre eigene Erfahrung nicht mit dem Th. der Ant. in Verbindung bringen konnten. Terenz wurde als Schulautor im Rahmen des Rhetorikunterrichts (→ Rhetorik IV.) gelesen, und dementsprechend waren die christl. Umformungen seiner Kom. durch Hrotsvit von Gandersheim (ca. 935–975) nicht für die Bühne bestimmt. Ebenso konnte die Aristotelische *Poetik* nicht mit theatralischen Darbietungen in Verbindung gebracht werden. So war für Averroes (Avicenna, 1126–1198) die Trag. die Kunst des Lobens, die Kom. die des Tadels [12]. Großen Einfluß auf die verworrenen Vorstellungen von der Aufführungspraxis und den ant. Theaterbauten nahm der Seneca-Komm. des engl. Dominikaners Nicolaus Treveth († 1328) aus Oxford, nach dem

Senecas Trag. von einem gewissen Calliopius, in einem Häuschen an einem Pult sitzend, rezitiert wurden, während Pantomimen die Handlung durch ihre Gebärden wiedergaben (dies durchaus der Aufführungspraxis des ant. Pantomimus entsprechend). Das Theatergebäude der Ant. wurde als mehrgeschossiger Turm gedacht, in dessen Obergeschoß die Rezitation stattfand, während im unteren Teil gelegentlich ein Bordellbetrieb abgebildet ist.

Inwieweit die Trad. des spätant. Schauspielwesens, v. a. der sublit. Gattungen wie der Mimen, sich bis ins MA erhalten haben, ist umstritten. So könnte durchaus möglich sein, daß die Schausteller des MA, die *mimi*, *ioculatores* und *histriones*, die seit dem 11. Jh. oft durch die Klagen der Bischöfe belegt sind, Nachfahren der spätant. Mimengruppen sind. Denkbar ist jedoch genauso gut, daß sich derartige Schauspielgruppen, den Bedürfnissen der Zeit entsprechend, zusammenschlossen, ohne daß eine direkte Entwicklungslinie von der Ant. angenommen werden darf. Am ehesten könnte man in It. die improvisierten *contrasti*, »Streitgespräche« von Vortragskünstlern (*giullari*), als Weiterentwicklung ant. Vortragsformen ansehen, deren Wurzeln sowohl im volkstümlichen Bereich (»Wettsingen«) als auch in den »controversiae« der ant. Rhetorenschulen liegen könnten. Möglich ist auch, daß die mündlich überlieferten Lieder des griech. MA, die »Tragúdia«, als »abgesunkenes Kulturgut« sich aus den virtuosen Darbietungen tragischer bzw. myth. Stoffe im Nomos oder den *fabulae cantatae*, den tragischen Einzelszenen, entwickelt haben oder aber aus populären, mimetischen Sologesängen wie *Des Mädchens Klage* (»Fragmentum Grenfellianum« [3]).

B. Humanismus/Renaissance

Einen entscheidenden Impuls erhielt die produktive Auseinandersetzung mit dem ant. Th. durch die Entdeckung des Seneca-Codex Etruscus durch Lovato dei Lovati (1241–1309), der in seinem Komm. die metr. Form der Stücke erkannte und damit den Anstoß zu Albertino Mussatos (1261–1329) Lesedrama *Ecerenis* gab (629 V. mit Chorpartien in lyr. Versmaßen). Die entscheidenden Anstöße, die zur Wiederaufführung ant. Dramen und zur Abfassung neuer Stücke im antikisierenden Stil führten, gingen in dieser Zeit von der Wiederentdeckung ant. Texte und von der intensiven Beschäftigung mit Theorie und Praxis des ant. Theaters aus (Vitruv; Aristoteles, *Poetik*). Gerade das ständige Wechselspiel von theoretischer Beschäftigung mit Problemen des ant. Th. und der produktiven Umsetzung, die sich entweder in Wiederaufführung der klass. Dramen [4] oder der produktiven Rezeption niederschlug, blieb eine wesentliche Konstante der Beschäftigung mit dem ant. Th. bis in die Gegenwart (→ Griechische Tragödie G).

C. Oper (»dramma per musica«, »Gesamtkunstwerk«)

Die Beschäftigung mit der griech. Trag., der Aristotelischen *Poetik* und der ant. Musiktheorie [10] im 16. Jh. trug zur Entstehung der → Oper bei. Die Vereinigung der drei Grundkomponenten des ant. Th., des Tanzes, der Musik und des dramatischen Spiels, wurde im direkten Anschluß an die ant. Trad. bereits in den Intermezzi des Ren.-Th. durchgeführt, Inszenierungen von Pantomimen, allegorischen Tanzdarbietungen oder Musikeinlagen zur Gliederung und Auflockerung höfischer Festveranstaltungen. Besonderes Aufsehen erregten in zeitgenössischen Ber. die Intermezzi der Aufführung von Terenz' *Andria* in Ferrara (1491) [2. Bd. I. 418–20]. Im Hause des Grafen Giovanni Bardi und seit 1592 von Jacopo Corso wurde in der Camerata fiorentina, mit dem Ideal der griech. Trag. vor Augen, in der man die harmonische Vereinigung von Wort, Tanz und Gesang als gegeben sah, um eine neue Form der Musikdramatik gerungen. Musik solle sich dem Sinn und bes. dem Affektgehalt des Textes anpassen bzw. ihn auszudrücken helfen. Besonders geeignet erschien dem Kreis die Form der Monodie, um den emotionalen Gehalt passend wiederzugeben. Die Diskussion in der Camerata fiorentina ist eine deutliche Rezeptionsspur der musiktheoretischen Diskussionen seit dem E. des 5. Jh. v. Chr.

Combattimento d'Apolline con serpente (»Kampf Apolls mit der Schlange«, 1589) von Luca Marenzio und Ottavio Rinuccini ist ein erstes Ergebnis dieser Reformbemühungen [2. Bd. II. 44–48] und ohne Zweifel ein Widerhall des in der ant. Musiktheorie hochberühmten *Nomos* des Sakadas (7./6. Jh. v. Chr.), in dem in einer Art von Programm-Musik nur durch den Aulos der Kampf Apollons mit der pythischen Schlange dargestellt worden sein soll. In O. Rinunccinis *Dafne* (1597, nicht erh.) und *Euridice* (1600) mit der Musik von Jacobo Peri kommt den rezitierten Passagen – ganz nach dem Vorbild des griech. Dramas und in Einklang mit der *Poetik* des Aristoteles, der der Vertonung und Inszenierung der Trag. den Kunstcharakter absprach (6,1450b 15–20) – noch eine wichtigere Rolle als der Musik zu. Dieses Verhältnis sollte bald von Claudio Monteverdi zugunsten der Musik verschoben werden (*Orfeo*, 1607), während Chr. W. Gluck in der Vorrede zu seiner *Alceste* (1769) die dienende Rolle der Musik betont, die auf keinen Fall die Handlung stören oder gar unterbrechen dürfe. Auch in der Folgezeit, im 19. und 20. Jh., zeigt die Praxis, daß in allen Wiederbelebungsversuchen des sich an der griech. Trag. orientierenden Gesamtkunstwerks eines der Elemente doch jeweils die Oberhand erhält. In Richard Wagners Programm, ein Kunstwerk zu schaffen, in dem jede Kunstart in ihrer höchsten Ausformung vertreten sein solle (*Das Kunstwerk der Zukunft*, 1849; *Oper und Drama*, 1851), dominiert letztendlich doch die Musik [1. 68–72]; in Max Reinhardts Inszenierungen griech. Trag. dagegen das Wort [4. 111 ff.]. Die Fehde der einzelnen Künste bzw. der für eine theatralische Aufführung notwendigen Medien, insbes. zw. Wort und Musik, wie sie schon das Pratinas-Frg. aus der Mitte des 5. Jh. v. Chr. (Fr. 708 PMG) widerspiegelt, erhält sich also bis ins 20. Jahrhundert.

D. CHOR

In bes. Weise spiegelt die Auseinandersetzung mit dem Chor des griech. Th. in Theorie und Praxis die unterschiedlichen Herangehensweisen wider, unter denen das griech. Th. seit der Ren. gesehen wurde (Gesamtkunstwerk, ritueller Charakter, Volkstheater, pädagogischer Auftrag) [10]. Auf die europ. Bühne kehrte der Chor durch das Humanistendrama und die Aufführung des Sophokleischen *König Oidipus* (Vicenza, 1585) zurück [4. 27 ff.]. Gegen E. des 15. Jh. entstanden unter dem Einfluß von Senecas Trag. Stücke, die durch Chorlieder in einzelne Akte unterteilt sind. Während im frz. klass. Drama (Racine, Corneille) die Anwesenheit von Chören als unnatürlich empfunden wurde und man die Chorfunktionen auf die Person des Ratgebers oder Vertrauten übertrug, ist das dt. Barocktrauerspiel nachhaltig von Seneca geprägt – Opitz übersetzte 1625 die *Troerinnen* Senecas –, die Untergliederung in einzelne Akte geschieht durch Chorlieder (»Reyen«). Wie bei Seneca werden die Chöre dazu eingesetzt, das aktuelle Bühnengeschehen auf eine allg. Ebene zu heben, bisweilen weiten sie sich sogar zu allegorischen Zwischenaktsspielen aus. Die weitere Entwicklung der Theorie und Praxis des Chores hängt entscheidend von der Stellung ab, die Theoretiker und Dramatiker zur griech. Trag. und der Tragödientheorie einnahmen, wobei sich an der Chordiskussion das Verhältnis der Autoren zum Wirkungsziel des Schauspiels nach Horaz (ars 333) – *prodesse et delectare*, »nützen und erfreuen« – ablesen läßt. Die Idee, daß der Chor das geeignete Medium sei, um das Th. zu einer »moralischen Anstalt« zu machen, die den Zuschauer dadurch, daß er die Illusion störe, zur Reflexion anrege, steht im Zentrum von Friedrich Schillers Chortheorie (Vorrede zu *Die Braut von Messina: Über den Gebrauch des Chors in der Trag.*, 1803) [14. 150 ff.]. Von Schillers Aussage, der Chor reinige das trag. Gedicht, indem er die Reflexion von der Handlung absondere, ist es kein großer Schritt zu A. W. Schlegels Auffassung vom Chor als »idealisiertem Zuschauer« (*Vorlesung über dramatische Kunst und Lit.*, 5. Vorlesung). Schlegel begreift den ant. Chor als ›den personifizierten Gedanken über die dargestellte Handlung, die verkörperte und mit in die Darstellung aufgenommene Teilnahme des Dichters als des Sprechers der gesamten Menschheit‹.

Die weitere Entwicklung der Chor-Diskussion des 20. Jh. läßt sich aus Schillers Äußerungen zur Aufgabe und Funktion des Chores im Drama ableiten. Während eine Richtung das musikalische, kultisch-rituelle Element herausstreicht, betont eine Gegenströmung den reflektierenden Charakter des Chores und die damit verbundene Durchbrechung der dramatischen Illusion. Nach Richard Strauss' *Elektra* (1909) versuchten Igor Strawinsky im *Oedipus Rex* (1927/28) und Carl Orff in seiner *Antigonae* (1959) und im *Oedipus der Tyrann* (1959) die urspr. Dimension der att. Trag., das urspr. Gesamtkunstwerk in der Einheit von Szenerie, Wort, Gesang, Tanz und Musik zurückzugewinnen. Als den Versuch, den Ursprung der Trag. aus dem Mysterium zu reflektieren, kann man Strawinskys Vorhaben verstehen, das von Jean Cocteau stammende Libretto des *Oedipus Rex* ins Lat. übertragen zu lassen. Denn eine ältere, dem Publikum unverständliche Sprache habe eine magisch-beschwörende, mystifizierende Wirkung, die sich musikalisch auswerten lasse. Nicht Handlung sollte das Stück bestimmen, sondern archa., statische Wucht. Wie Strawinsky im *Oedipus Rex* Lat. als sprachlichen Hintergrund wählte, kehrte Orff 1968 in seinem *Prometheus* zum griech. Original zurück. Die dadurch entstehende Fremdartigkeit solle die Zeitlosigkeit des Dargestellten unterstreichen.

Der didaktische Wert, der dem Chor in Schillers und Schlegels Theorie zufällt, steht im Zentrum von Brechts Überlegungen zum griech. Chor [15. 153 ff.]. Die große Beachtung, die der Chor und chorische Elemente in Brechts dramatischem Schaffen und seinen theoretischen Schriften findet, liegt darin zunächst begründet, daß der Chor als *dramatis figura* die Volksmasse und das Kollektiv repräsentiert, v. a. jedoch darin, daß Chöre durch die ihnen eigene distanzierende Wirkung in Brechts Konzeption des epischen Th. das geeignete Medium darstellen, um den Verfremdungseffekt hervorzurufen. Den verfremdenden, zur Reflexion anregenden Charakter des Chores machen sich auch andere mod. Dramatiker wie F. Dürrenmatt (*Der Besuch der alten Dame*, 1956) und M. Frisch (*Biedermann und die Brandstifter*, 1958) zunutze [14. 156 ff.]. Ähnlich verfährt Woody Allen in seinem Film *Migthy Aphrodite* (»Geliebte Aphrodite«, 1995) [6; 11. 247 ff.]. Die Handlung, die an Sophokles' *König Oidipus* erinnern soll, wird durchgängig von einem aus 15 Mitgliedern bestehenden Chor begleitet, der zunächst rein kommentierend, warnend und klagend agiert, im Verlauf der Geschichte aber immer mehr zum Schauspieler, zum aktiven Part der Handlung sich wandelt, den Protagonisten unterstützt und schließlich gar zum Vertrauten wird. Symbolisch wird der Wandel vom klass. zum mod. Chor dadurch ausgedrückt, daß Chorführer und Choreuten sich die Masken abnehmen und nach Melodien amerikanischer Musicals der 30er und 40er J. tanzen. Der Verfremdungseffekt wird aufgehoben, die Handlung endgültig in der Gegenwart angesiedelt, wobei gleichzeitig die Modellhaftigkeit der griech. Trag. für die Gegenwart verdeutlicht wird.

→ Film; Griechische Komödie; Griechische Tragödie; Lateinische Komödie; Lateinische Tragödie; Musik; Religion und Literatur D.; Theaterbau/Theaterkulisse
→ AWI Aischylos [1] F.; Beda Venerabilis; Euripides [1] D.2.; Sophokles [1] D.2.; Komödie I.J., II. E.; Monodie; Musikinstrumente B.1.; Nomos [3]; Tragödie I. G.; Mimos; Pantomimos; Sakadas; Schauspiele; Theater III.

1 D. BORCHMEYER, Das Th. Richard Wagners, 1982 2 M. BRAUNECK, Die Welt als Bühne, Bd. I–III, 1993–1999 3 Collectanea Alexandrina, ed. I. U. POWELL, 1925, 177–180 4 H. FLASHAR, Inszenierung der Ant., 1992 5 J. FUGMANN, Röm. Th. in der Provinz, 1988 6 V. HÖSLE, Woody Allen, 2001 7 H. JÜRGENS, Pompa diaboli. Die lat. Kirchenväter und das ant. Th., 1972 8 H. KINDERMANN, Theatergesch. der Goethezeit, 1948 9 Ders., Theatergesch. Europas, Bd. I–X, 1957–1974 10 D. RESTANI, L'itinerario di Girolamo Mei dalla »Poetica« alla musica, 1990 11 P. RIEMER, B. ZIMMERMANN (Hrsg.), Der Chor im ant. und mod. Drama, 1998 12 G. SERRA, Da »tragedia« e »commedia« a »lode« e »biasimo«, 2002 13 W. WEISMANN, Die Schauspiele im Urteil der lat. Kirchenväter unter bes. Berücksichtigung von Augustin, 1972 14 B. ZIMMERMANN, Seneca und der Pantomimus, in: G. VOGT-SPIRA (Hrsg.), Strukturen der Mündlichkeit in der röm. Lit., 1990, 161–167 15 Ders., Europa und die griech. Trag., 2000.

BERNHARD ZIMMERMANN

Theaterbau/Theaterkulisse A. ANTIKE B. MITTELALTER UND RENAISSANCE C. BAROCK D. NACHBAROCK UND MODERNE

A. ANTIKE

Das antike Theater (Th.) hat bei den Griechen im Laufe des 5. Jh. v. Chr. seine vollendete Gestalt gefunden. Drei Elemente gehörten zu seiner Grundstruktur: die *orchḗstra* (ein Halbrund, das zur Aufführung von Tänzen diente), das *théatron* (der Zuschauerraum) und die *skēnḗ* (der Bühnenaufbau, die Schauwand). Diese drei essentiellen Bestandteile werden zugleich als Hervorbringungen der arch., der klass. und der hell. Periode bewertet.

Auch das röm. Th., zu dem auch noch der Circus und das Amphi-Th. hinzukam, bediente sich der zentralen Elemente seines griech. Vorgängers: die *cavea* (die Zuschauerränge), die halbrunde *orchestra* und das Bühnenhaus, die *scaena*. Im Unterschied zu den griech. Bauten, wo Bühne und Zuschauerraum durch offene, in die *orchḗstra* führende Passagen getrennt waren, gelangte man im röm. Th. durch von den Sitzreihen überbaute Gänge auf die Spielebene. Die Th. konnten an Hügeln oder aber freistehend, durch Substrukturen gestützt, auf flachem Terrain errichtet werden – eine Bauart, die im röm. Th. bevorzugt wurde (vgl. das Th. des Marcellus, Rom). Bedeutende Bauten wurden in Wien (Österreich), Ostia (It.), Orange (Frankreich), Amman (Jordanien) und Aspendos (Türkei) errichtet. Während man v. a. im südit. Bereich während der Kaiserzeit kaum Neubauten schuf, sondern sich der griech. Vorgänger bediente, erlebten v. a. die Provinzen eine erhebliche Th.-Baukonjunktur.

Wurden während der Kaiserzeit die griech. Th. umgestaltet oder aber neue errichtet, so sollte die zunehmend variable Nutzung – das sog. Misch-Th. erlebte nun auch Gladiatorenkämpfe oder Naumachien – sich im spürbaren Einfluß des Amphi-Th. bemerkbar machen.

B. MITTELALTER UND RENAISSANCE

Das ma. Th. fand vornehmlich auf Simultanbühnen statt, die dem Publikum mehrere Spielorte – also das Nebeneinander verschiedener Orts- und Bildeinheiten – zugleich offerierten. Diese (Mysterien-)Spiele fanden oft in Kirchen, aber auch in öffentlichen Hallen, auf Straßen und Plätzen statt. Die Schauspieler agierten auf einer hohen Bühne, so daß sie ungehindert gesehen werden konnten. Nichts von der ant. Th.-Praxis scheint sich in den Passions- und Mysterienspielen des MA erhalten zu haben.

Erst die Wiederentdeckung der ant. Th.-Lit. am Beginn der Frühen Neuzeit sollte auch zu einer Wiederbelebung der ant. Bühne führen. Kaum eine andere Bauaufgabe bot dem Architekten der Ren. so viel schöpferischen Freiraum wie die Realisierung eines Theaters. Rücksichten, wie sie die Errichtung »realer« Architektur forderte, konnten hier weitgehend beiseite stehen. Auch das Baumaterial – meist Stuck und Holz – erlaubte Konstruktionen, die sonst kaum zu bewerkstelligen gewesen wären. Die Bühnenarchitektur der Ren. erschloß mithin, im Rekurs auf die Ant., ein architekturtheoretisches und -praktisches Experimentierfeld für ideale Architekturen und urbane Entwürfe, wie sie auch in der Malerei und, vereinzelt, in der Stadtbaukunst entworfen wurden.

In der Kunst- und Architekturtheorie ging es v. a. auch darum, die *scaene frons*, so wie sie Vitruv beschrieben hatte, verläßlich nachzubilden. Neben den lit. Quellen – allen voran Vitruvs Traktat, aber auch Plinius' d. Ä. *Naturgeschichte* oder Aristoteles' *Poetik* – waren es die Ausgrabungen und Vermessungen ant. Th.-Bauten, die zu einer genaueren Kenntnis der Th.-Baupraxis der Alten und zu einer lebhaften Diskussion über deren Wiederbelebung führten. Antonio da San Gallo d. J. (1483–1546) und Sebastiano Serlio (1475–1554) haben so z. B. das Th. des Marcellus in Rom erkundet; Daniele Barbaro (1514–1570) und Andrea Palladio (1508–1580) das Teatro Berga aus dem 1. Jh. n. Chr. in Vicenza. Im 15. und 16. Jh. wurden hölzerne Th.-Bauten in Stadthallen oder Palasthöfen errichtet. Der Plan eines solchen 1513 auf dem röm. Kapitol errichteten Th. hat sich als Zeichnung erhalten. Sein Architekt, Baldassare Peruzzi (1481–1536), hat hierfür eine zweistöckige Bühnenfassade entworfen; die Bühne selbst wurde von zwei seitlichen Bauten flankiert, wobei die Verbindung der einzelnen Teile untereinander nicht mehr zweifelsfrei zu klären ist, was auch für andere Bauten des 16. Jh. gilt. Das Th., das Raffael (1483–1520) um 1518 für die Villa Madama in Rom entwarf, gilt gemeinhin als der Bau, der sich am verläßlichsten Vitruv nähert. Raffael hatte eine *cavea* vorgesehen, eine halbrunde *orchestra*, eine schmale Bühne und schließlich eine *scaene frons*, vor deren zentraler Öffnung eine Säulenreihe plaziert war.

Die Ausbildung einer Bühnenarchitektur, die den Schauplatz der Handlung unter einem präzise formulierten Bildgedanken vorstellt, datiert tatsächlich erst vom Beginn des 16. Jh. Zu diesem Zeitpunkt bildete sich eine Bühnenkonzeption aus, die den aristotelischen Grundsätzen der Einheit von Zeit und Raum verpflichtet war. Erstmals belegt findet sich die von nun an so entscheidende Neugestaltung bei der Bühne in Ferrara. Pellegrino da San Daniele (1467–1547) schuf dort am Hofe der Este 1508 für Ariosts Kom. *Cassaria* eine perspektivisch angelegte Bühnendekoration, die aus reliefartigen, fest installierten, stuckierten Dekorationsteilen zusammengesetzt war. Diese wurden unter Berücksichtigung einer streng berechneten optischen Verkürzung hintereinander gestaffelt. Ebenfalls für ein Stück des Ludovico Ariosto (1474–1533), die *Suppositi*, schuf auch Raffael 1519 einen reliefartig gestaffelten Bühnenhintergrund. Neben diesen nur schriftlich dokumentierten Bauten finden sich erste Bildquellen aus der Hand Peruzzis, die die Verwandlung des Bühnenraums zu einem Architekturprospekt *all' antica* dokumentieren. Die dort skizzierten Straßenfluchten folgen der Zentralperspektive und leiten den Blick des Zuschauers in die Tiefe. Doch bleibt diese Bühnenarchitektur für den wirklichen Spielverlauf ohne Wirkung, da sie allein optisch eingesetzt und nicht bespielt wird. Beeinflusst durch Peruzzi kodifizierte Sebastiano Serlio in seiner 1555 erstmals erschienenen *Architettura* die Gestaltungsweisen der Ren.-bühne, auf die sich viele folgende Th.-Entwürfe beziehen lassen. Serlio untersuchte ebenso erhaltene ant. Th.-Bauten wie er die von Vitruv überlieferten schriftlichen Th.-Konzepte zu verstehen suchte. Gleichzeitig aber zeichnet ihn der Wille aus, den von der Ant. inspirierten Th.-Bau zur zeitgenössischen Praxis zu bestimmen. Serlio unterteilte das Th. in deutlich voneinander unterschiedene Raumteile. Die *cavea* legte er amphitheatralisch um das Halbrund der *orchestra*. An sie grenzt ein schmaler Raumstreifen, das *proscenium*, hinter dem sich dann das eigentliche Spielpodium erstreckt. Als ein vorgetäuschter Tiefenraum erhebt sich erst dahinter das perspektivisch angelegte Bühnenbild. Seine in Form von »Straßenbildern« angelegten Bühnenbilder folgen der von Vitruv vorgegebenen Dreiteilung in eine tragische, eine komische und eine satyrische Bühne. Als Dilemma mußte sich der allenfalls nur halbpraktikable Bühnenhintergrund erweisen, und die breite vorgelagerte Ren.-bühne sollte bald der Raumbühne weichen, die so den Tiefenraum in den Spielverlauf einbezog.

In Florenz bildete sich im 16. Jh. mit Giorgio Vasari (1511–1574), Bernardo Buontalenti (1531–1608) und Agnolo Bronzino (1503–1572) eine Th.-Trad. aus, die von der ant. Schauwand abwich und real bebaubare Bühnenlandschaften entwarf. Im Norden It. steht dem eine Th.-Praxis gegenüber, die das ant. Bühnenideal einer prospekthaften Schauwand nach wie vor zum Primat erhob. Die von Gianmaria Falconetto (1468–1535) um 1524 entworfene Loggia Cornaro in Padua stellt eine solche human. inspirierte *scaene* dar, eine real gebaute Architektur, der es aber nicht um eine wirkliche Raumeroberung geht. Dieser Loggia kommt entscheidende Bed. für die Entstehung des ersten überdachten dauernden Th.-Baus der Neuzeit zu, Andrea Palladios Teatro Olimpico in Vicenza (1580 ff.).

Palladio interessierte namentlich die Verbindung von Zuschauerraum und Bühne, also ein möglichst organisches Bausystem, das sämtliche Teile in ein maßvolles

Verhältnis zueinander setzt. Durch seine intensiven Studien der röm. Th.-Ruinen erwarb Palladio ein umfängliches Repertoire an Maßen und Mustern, die ihm bei der Realisierung der eigenen Th.-Entwürfe als Vorgabe dienten. Auch er hat die von Vitruv (5,6) geschilderten Details des ant. Th. analysiert und den früheren Rekonstruktionsversuchen Fra Giocondos (1433–1515) und Cesare Cesarinos (1476–1543) einen Entwurf von größerer Plausibilität entgegengesetzt. Seine Rekonstruktion für die Vitruv-Ed. des Daniele Barbaro 1556 verquickte die Kenntnis des ant. Th. von Vicenza mit den Daten des Vitruv und schuf so ein organisches Ganzes. Palladios Th. darf als einer der vollendetsten Versuche gelten, das Th. der Ant. für den zeitgenössischen Gebrauch zu aktivieren. Das um 1580 im Auftrag der Olympischen Akademie von Vicenza projektierte dauerhafte Th. besitzt eine halbovale *cavea*, die mit einer triumphalen Bühnenfassade verbunden ist. Der architektonische Dekor folgt weitgehend den ant. Vorgaben, wiewohl die – erst nach Palladios Tod errichtete – Fassade, mit ihrer Vielzahl an Statuen und einer überbordenden Bauornamentik, selbst soviel erzählenden Charakter erhält, daß sich kaum ein Stück gegen diesen Apparat behaupten könnte. Tatsächlich blieb das Vicentiner Th. nach seiner feierlichen Eröffnung mit Sophokles' *Ödipus* im J. 1585 fast gänzlich unbespielt. Der so rekonstruierte Th.-Bau, in dessen majestätischer Fassade sich die Edelleute von Vicenza in Statuen abbilden ließen, geriet so zu einem »Tableau fixe«, das die antikische Schauwand zum Epitaph einer sich am ant. Th. neu beseelenden human. Gesellschaft avancieren ließ. Zu dieser »statischen« Funktion der Schauwand gehört auch, daß die von Palladio ursprünglich wohl vorgesehenen Periakten für die drei Öffnungen in der Triumphbogenarchitektur ersetzt wurden durch die gebauten Perspektiven des Vincenzo Scamozzi (1522–1616). Das kam dem Bedürfnis der Zeit nach virtuoser Raumkomposition entgegen. Die sieben Straßen von Theben hielten damit auch nicht nur das Bühnenbild des Eröffnungsabends fest, sondern evozierten zugleich jene ant. Stadt, in der Herkules verehrt wurde, der Patron auch der Olympischen Akad., die unter dessen Patrozinium die ant. Th.-Trad. hatte neu aufleben lassen wollen.

C. BAROCK

Scamozzi selbst errichtete in Sabbioneta ab 1588 ein eigenes Th., das als rechteckiger Bau mit erhöhter Bühne und einem von Säulen umgebenen Proszenium auch den Zuschauerraum folgenreich verwandelte und die weitgehend egalitäre, auch von Palladio favorisierte Plazierung der Zuschauer im ant. Th. nunmehr in der perspektivischen Ausrichtung auf die fürstliche Loge aufgab. Giovanni Battista Aleottis (1546–1636) Teatro Farnese in Parma (1618–19) ist ebenfalls ein explizit höfisches Th. mit einem in Hufeisenform angelegten Zuschauerraum, dessen in der Längsachse plazierter Fürstensitz auf die mit erheblicher Tiefenwirkung entwickelte Bühne ausgerichtet ist. Die den sozialen Rangfragen zunehmend untergeordnete Disposition und Distribution des Th. sollte zu erheblichen Abweichungen von der ant. Praxis führen. Die bald aufkommenden Logenränge, die Sitztribünen oder die Stehplätze im Parterre führten zu einer völligen Neuorganisation des Th.-Baukörpers. Als erstes Logen-Th. gilt das Opernhaus San Cassino in Venedig von 1639; das 1630 von Jacques Le Mercier (1585–1654) errichtete Th. des Palais Royal in Paris wurde 1660 in ein Logen-Th. umgewandelt.

D. NACHBAROCK UND MODERNE

Während sich im engl. Palladianismus die strenge Kastenform des griech. Tempels zum bevorzugten Typus des Th.-Baus entwickelte, orientierte sich auch die sog. frz. Revolutionsarchitektur wieder am ant. Ideal, hier v. a. aber in der Öffnung des Raumes. Sie überwand so die akustischen und optischen Behinderungen des barocken Logen-Th. und hantierte dabei zudem freier mit dem ant. Formenvokabular. Victor Louis' (1731–1800) Grand Théâtre in Bordeaux (1773–1780) stellt eine ganz originäre Raumschöpfung dar, die das Th. in einen einheitlichen Raumgedanken zurückverwandelt und die (korinthische) Säulenordnung wieder zu einem prominenten Wirkungselement macht. Gleiches gilt für Claude-Nicolas Ledoux (1736–1806) und sein Th. in Besançon. Etienne-Louis Boullées (1728–1799) unausgeführt gebliebener Entwurf für ein Th. (1781) und das Theatre de l' Odéon in Paris (1797) zählen zu den bedeutendsten Zeugnissen einer aufgeklärten Th.-Idee. Im vom frz. Klassizismus stark beeinflußten deutschsprachigen Raum zählen dazu Georg Wenzeslaus von Knobelsdorffs (1699–1753) Opernhaus in Berlin (1741–43), das als Rechteckbau von einer korinthischen Säulenvorhalle geschmückt wird, Karl Friedrich Schinkels (1781–1841) Schauspielhaus in Berlin (1819–21) oder Gottfried Sempers (1803–1879) (wiederholt aufgebaute) Oper in Dresden (1871–78). Letztere nimmt mit ihren konvexen Fassaden das Halbrund der ant. Auditorien wieder auf. Ähnliches hatte Fr. Gilly (1772–1800) bereits in seinem Entwurf für das National-Th. Berlin 1799 geplant. Für den Klassizismus gilt, daß er – bei aller Tendenz zur ganzheitlichen Raumwirkung – die unterschiedlichen Bauteile im Innern auch außen sichtbar machte, wobei der Vorhalle ein wesentlicher Wirkungsmoment zukam. Die Natur- und Freilichttheater-Bewegung des 20.Jh. ließ die ant. Trad. wieder aufleben, vgl. Harzer Bergheater (1903), Felsenbühne Rathen bei Dresden und insbes. die Waldbühne am Berliner Olympiastadion von Werner March, 1936 – mit 88 Sitzreihen und 20.000 Plätzen die größte ihrer Art. Im übrigen werden zahlreiche ant. Th. des Mittelmeerraums im Rahmen von Festspielen heute erneut bespielt.

→ Lateinische Komödie; Lateinische Tragödie
→ AWI Theater II.

QU 1 S. SERLIO, Il primo libro d'architettura, Venedig, 1560 2 M. VITRUVIUS POLLIO, De architectura libri decem, hrsg. v. DANIELE BARBARO, Venedig 1567

LIT 3 A. BEYER, Andrea Palladio – Teatro Olimpico. Triumpharchitektur für eine human. Ges., 1987 4 M. BIEBER, The History of the Greek and Roman Theatre, 1961 5 A. CAVICCHI, L'architettura teatrale dall'epoca greca al Palladio, In: Bollettino del Centro Internazionale di Studi di Architettura »Andrea Palladio« XVI, 1974, 333–342 6 H. KINDERMANN, Das Theater der Ren., 1959 7 L'Architettura Teatrale dal Palladio ad Oggi, Bollettino del Centro Internazionale di Studi di Architettura XVII, 1975 8 G. POCHAT, Theater und Bildende Kunst im MA und in der Ren. in It., 1990 9 J. D. WELLES, Le Grand Théâtre de Bordeaux, 1949 10 L. ZORZI, Il teatro e la città, 1977.   ANDREAS BEYER

Thematologie/Stoff- und Motivforschung

A. ALLGEMEIN   B. DER BEGRIFF »THEMATOLOGIE«
C. STOFF   D. MOTIVE UND THEMEN
E. VON DER STOFF- UND MOTIVGESCHICHTE ZUR
THEMATOLOGIE

A. ALLGEMEIN

Die T. untersucht lit. Werke, in denen überlieferte Stoffe oder Motive aufgegriffen und jeweils neu mit eigenen Themensetzungen bearbeitet werden (zur Terminologie vgl. [5; 21. 26; 36. 201]). Stoffe können als überlieferte Figuren- und Handlungskonstellationen aufgefaßt werden (z. B. ant. Mythen), die zum einen in Motive als kleinste handlungstragende Einheiten zerlegt, zum anderen auf die von ihnen jeweils implizierten Themen als den abstrahierten Grundideen eines Werkes hin analysiert werden. Neben der Unt. des Überlieferungsprozesses und der Definition und Bestimmung der Textelemente, die als Stoffe, Motive oder Themen verstanden werden können, bezieht die T. über die Stoff- und Motivgeschichte hinaus poetologische und kulturwiss. Fragestellungen ein und sucht die spezifischen Funktionen überlieferter Elemente in den jeweiligen Werken und Epochen zu bestimmen. Eine wichtige Rolle spielen die Ergebnisse und Methoden der Intertextualitätstheorie, Rhet.- und Toposforsch., der histor. Metaphorologie, der Rezeptions- und Quellenforsch. sowie der Ikonologie [2. 23, 38]. Betont wird der interdisziplinäre Ansatz der Disziplin (Musik, Bildende Künste, Architektur etc.), die Überschreitung nationalsprachlicher Grenzen und die Berücksichtigung kultureller Zeugnisse, die nicht zu den »Meisterwerken« gezählt werden [6. 103; 2. 15]. Aufgrund dieser Konzeption bietet die T. zum einen wichtige Impulse für die Klass. Philol., da die beständige Neubearbeitung eines begrenzten Repertoires von Stoffen ein konstitutives Element der ant. Lit., bes. in Trag. und Epos, darstellt. Zum anderen ist sie gemeinsam mit der Wirkungs- und Rezeptionsgeschichte eine wichtige Disziplin zur Erforsch. des Nachlebens der Ant., das in großen Teilen auf der immensen Wandlungsfähigkeit der ant. Mythen beruht.

B. DER BEGRIFF »THEMATOLOGIE«

Im engl. *theme* bzw. frz. *thème* sind die dt. Begriffe Stoff, Motiv und Thema nicht unterschieden, so daß die entsprechenden Disziplinen als *thematics* bzw. *thématologie* bezeichnet werden, während der Terminus »Stoffgeschichte« zur Bezeichnung der spezifischen dt. Ausrichtung der Disziplin Eingang in die Wissenschaftssprache gefunden hat. Vor diesem Hintergrund wird in Deutschland seit den 1960er J. die Bezeichnung T. verwendet (Beller u. a.), da diese zum einen zur internationalen Verständigung besser geeignet schien [21. 26], zum anderen die Neudefinition des Arbeitsgebietes gegenüber der histor. ausgerichteten Stoffgeschichte verdeutlicht. Die produktiven Diskussionen über die Reichweite der Bezeichnungen sollten dabei nicht eingeebnet werden.

C. STOFF

Die Diskussion über die Definitionen der ›Grundbegriffe des Inhalts‹ [14. 55–81] Stoff, Motiv und Thema ist Teil der T. und hat bisher keinen Abschluß gefunden (vgl. [21. 30–45]). Nach Aristoteles besitzt der Stoff eine zusammengesetzte Struktur, weil er nicht Einzelpersonen, sondern Handlungen und Beziehungen nachahmt (poet. 50a 16f.). Die poetische Leistung besteht in der individuellen Formung und Organisation eines Stoffes zu einem *mýthos*, worunter Aristoteles die jeweilige, vom Dichter geschaffene Einheit von Stoff und Form versteht [13. 23f., 57]. Horaz [ars 128–135] empfiehlt den Dichtern, sich der bekannten Stoffe anzunehmen (*publica materies*), daraus eine gute Auswahl zu treffen und diese durch die individuelle Bearbeitung zu ihrem eigenen Kunstwerk zu machen (*privati iuris*) – ohne dabei allerdings gegen die Charakterzeichnung zu verstoßen, die ihnen die Überlieferung für die einzelnen Figuren (Achill, Medea, Orestes u. a.) vorgibt. Bei einem Stoff handelt es sich also um ein tradierbares Handlungsgerüst, das an individuelle Figuren gebunden ist [6. 124; 15. 133] und aus mündlicher oder schriftlicher Überlieferung Eingang in ein lit. Werk gefunden hat [14. 56].

Die entscheidende Voraussetzung für die Analysen der T. ist somit die auf der Wiederholung beruhende Doppelfunktion eines Stoffes (und eines Motivs), spezifische Aufgaben innerhalb des Einzelwerkes wahrzunehmen (intratextuell) und zugleich über dieses hinaus auf die lit. und kulturelle Trad. zu verweisen (intertextuell). Das Wiedererkennen z. B. von Figuren und Figurenkonstellationen fordert den Leser zum Vergleich auf (z. B. die Medea des Euripides und Seneca, vgl. [24]), da die Stoffe selbst auf ihre Tradierung hinweisen und damit Entfaltungsmöglichkeiten besitzen, die ein erstmals bearbeitetes Handlungsgerüst (noch) nicht bietet (vgl. z. B. [21. 33f., 40]). Als ant. Beispiel für die systematische Ausschöpfung dieser Möglichkeiten können die kaiserzeitliche Deklamationsschulen genannt werden, in denen die immer neue Behandlung derselben Stoffe geübt wurde. Das Wiedererkennen der traditionellen Elemente ist zudem Grundlage für die Parodie

[22] und kann für eine bewußte Irreführung des Lesers genutzt werden [26. 284]. Die traditionelle Bindung bestimmter Motive an einzelne Gattungen ermöglicht es außerdem, die Grenzen der eigenen Gattung für den Rezipienten sichtbar zu überschreiten.

D. MOTIVE UND THEMEN

Als *motif* hat sich der in der dt. Literaturwiss. seit der Märchenforsch. (Gebrüder Grimm) verwendete Begriff Motiv auch in der engl. und amerikanischen Terminologie zur Bezeichnung der kleinsten bedeutungstragenden Einheit innerhalb eines Textes eingebürgert. Die Bandbreite der bezeichneten Elemente reicht von zentralen, handlungsauslösenden Motiven (eine unglückliche Liebe) über einzelne Handlungskomplexe (Abstieg in die Unterwelt, Anagnorisis) bis zu kleinsten, objektbezogenen Motiven (Verfinsterung der Sonne), denen sowohl strukturrelevante Funktionen innerhalb des einzelnen Textes als auch die Überlieferung in der Literaturgeschichte gemeinsam sind.

Ein Motiv enthält Vorstellungen von ›Ereignissen, Situationen, Figuren, Gegenständen oder Räumen‹ [32. 8] und wird durch Abstraktion von der individuellen Festlegung als typische Situationen kenntlich, deren innere Spannung nach einer Lösung verlangt [14. 60]. Als ›eine die epische oder dramatische Handlung auslösende Situation‹ [3. 32] besitzt es nicht bloß additive, sondern konstitutive Funktionen [2. 22; 21. 36]. Der strukturellen Festigkeit eines Motivs, die die Grundsituation prägnant formulierbar [20. 56f.] und das Motiv somit tradierbar macht, steht die Variabilität in Kombination und Gehalt gegenüber. Als bes. fruchtbar für die Klärung der Motivfunktionen in Texten erweist sich die neuere Textlinguistik, die das Motiv als eine aus einer Anzahl von Propositionen zusammengesetzte Bedeutungseinheit auffaßt (vgl. [1. 84–157]). Leser nutzen ihr eigenes Wissen, um durch Tilgung und Ersetzung (Regeln, die aus der ant. Rhet. gewonnen sind) die Informationen eines Textes zu verdichten und aus untergeordneten Motiven größere Motiveinheiten zu konstruieren. Die Kohärenz eines Textes stellt sich so als Ergebnis eines kognitiven Prozesses des Rezipienten dar, in dem über die Verknüpfung einzelner Propositionen bis zu einer nicht mehr weiter abstrahierbaren allg. Ebene – dem Textthema – fortgeschritten wird. Wichtige Impulse für die Funktionsbestimmung der Motive im Verhältnis zu den Themen erhielt die T. aus der Erzähltextanalyse des russ. Formalismus. B. Tomacevski [26] analysierte den lit. Prozeß als Wahl eines Themas und dessen Ausarbeitung, wobei epochenspezifische Interessen an einzelnen Themen auf deren Fähigkeit beruhen, emotionale Reaktionen wie Sympathie oder Ablehnung hervorzurufen [26. 266f.]. Ihre kohärenzstiftende Kraft erlangen die Themen mithilfe der sie tragenden Motive (z. B. Leitmotive), die u. a. in für den Handlungskern notwendige oder frei hinzugesetzte unterschieden werden können. Eng verbunden mit der Unterscheidung von notwendigen und freien Motiven ist die wichtige Trennung von Fabel als dem Kernstrang der in temporaler und kausaler Ordnung verbundenen Ereignisse [26. 267f.] einerseits und Sujet als der spezifischen Präsentation der Fabel andererseits. Aus der möglicherweise gänzlich der Trad. entnommenen Fabel mit den ihr eigenen notwendigen Motiven wird unter Hinzunahme der freien Motive das spezifische Sujet entwickelt.

Die Unterscheidung zentraler Motive eines Werkes von seinen »Themen« ist schwierig. So folgt z.B. W. Kayser den Angaben der Dichter selbst und bestimmt den Zorn Achills als Thema der Ilias und die Heimkehr des Helden als Thema der Odyssee [14. 72], will aber das zentrale Motiv »Mann zwischen zwei Frauen« als Schema einer konkreten Situation vom übergeordneten Thema »der liebende Mensch« unterschieden wissen [14. 62]. Dementsprechend wird Thema meist allg. als »sinngebende Gedankeneinheit« [33. 173] oder »Sinneinheit des Werkes« verstanden [10. 99], die aus dem Zusammenspiel formaler und inhaltlicher Merkmale erwächst und in engem Zusammenhang mit dem Begriff des »Gehaltes« zu sehen ist [2. 35f.; 9. 30]. Innerhalb eines Werkes besitzen die Themen kohärenzbildende Kraft und können darüber hinaus, insofern sie als menschliche Grundsituationen aufgefaßt werden, als Teil der Ideen- und Geistesgeschichte untersucht werden [29]. Die T. leistet so einen Beitr. zur Kenntnis spezifischer Epocheninteressen, wie sie H. Petriconi am Beispiel des Themas »verführte Unschuld« für das 18. Jh. vorgeführt hat.

E. VON DER STOFF- UND MOTIVGESCHICHTE ZUR THEMATOLOGIE

Im Anschluß an die Märchenforsch. der Gebrüder Grimm konzentrierte sich die Stoff- und Motivgeschichte im 19. und frühen 20. Jh. vornehmlich auf die Sammlung der Zeugnisse. Die leitende Vorstellung, die urspr. Gestalt eines Stoffes rekonstruieren zu können, führte nicht selten zu einer Abwertung der späteren Zeugnisse, die lediglich als Überlieferungsträger betrachtet wurden. Weil die Stoffgeschichte zwar erfolgreich Trad. bis in die Ant. zurückverfolgte, ihre Ergebnisse aber lediglich als Listen präsentierte, begünstigten diese Forsch. die Auffassung, der Stoff sei außerliterarisch und daher für die künstlerische Bed. eines Werkes irrelevant (B. Croce, New Criticism, vgl. [21. 19]). Zwar wurde auch aus der werkimmanent ausgerichteten Literaturtheorie heraus auf die Bed. der Stoffgeschichte als Ausgangspunkt der Analyse des Poetischen überhaupt hingewiesen [14. 58], aber das Vorherrschen struktureler Ansätze verhinderte bis in die 1960er J. eine Rehabilitation der Stoffgeschichte. Diese gelang erst durch die komplementäre Berücksichtigung sowohl histor. als auch struktureler Methoden (z.B. Dolezel, Petriconi) in der neu konzipierten T. [30. 104; 6. 110]. Wesentliche Impulse für die problemorientierte Neudefinition der Disziplin und ihres Arbeitsgebietes stammen von H. Levin (1968), M. Beller (1970), T. Ziolkowski (1977, 1983), R. Trousson und G. Steiner, deren Unt. zu *Antigone, Prometheus* u. a. gezeigt haben, wie das erstaunliche Potential der überlieferten Stoffe zur Entfaltung immer neuer Themen genutzt wird und so einen wesentlichen Bestandteil der kulturellen Selbstverständigung in den jeweiligen Epochen darstellt. Neben der Volkserzählforsch. (V. Propp, s. [6. 108]) hat bes. die Berücksichtigung der von E. R. Curtius initiierten Toposforsch. dazu beigetragen, die histor. Stoff- und Motivforsch. mit Blick auf die ›Details‹ [2. 22 f.] zu intensivieren und mit der histor. Betrachtung die Analyse der werkimmanenten Funktionen zu verbinden. Die so neu begründete Forschungsrichtung wird in vielfältiger Weise betrieben, so als Aufdeckung archetypischer Konstanten (H. Petriconi), als phänomenologisch fundierte *critique thématique* (J. Rousset, J. Starobinski) oder neuerdings mit bes. Aufmerksamkeit für den Beitr. des Lesers, der als Instanz der Thematisation oftmals verwirrende oder bewußt widersprüchliche Themensignale des Textes verarbeitet [6. 108 f.].

1 M. ANDERMATT, Verkümmertes Leben, Glück und Apotheose. Die Ordnung der Motive in Achim von Arnims Erzählwerk, 1996 2 M. BELLER, Von der Stoffgesch. zur T., in: arcadia 5, 1970, 1–38 3 Ders., Stoff, Motiv, Thema, in: H. BRACKERT, J. STÜCKRATH (Hrsg.), Literaturwiss. Ein Grundkurs, 1992, 30–39 4 A. BISANZ u. a. (Hrsg.), Elemente der Lit. (FS E. Frenzel), 2 Bde., 1980 5 Ders., Stoff, Thema, Motiv: Zur Problematik des Transfers von Begriffsbestimmungen zw. der engl. und dt. Literaturwiss., in: Neophilologus 59, 1975, 317–323
6 A. CORBINEAU-HOFFMANN, Einführung in die Komparatistik, 2000 7 H. UND I. DAEMMRICH, Themen und Motive in der Lit., ²1995 8 E. FRENZEL, Neuansätze in einem alten Forschungszweig: Zwei Jahrzehnte Stoff-, Motiv- und Themenforsch., in: Anglia 111, 1993, 97–117 9 Dies., Stoff-, Motiv- und Symbolforsch., ⁴1978 10 Dies., Vom Inhalt der Lit. Stoff – Motiv – Thema, 1980 11 Dies., Motive der Weltlit., ³1988 12 Dies., Stoffe der Weltlit., ⁸1992 13 S. HALLIWELL, Aristotle's Poetics, 1986 14 W. KAYSER, Das sprachliche Kunstwerk, ²1992 15 H. LEVIN, Thematics and Criticism, in: The Disciplines of Criticism, hrsg. v. P. DEMETZ, T. GREENE, L. NELSON (FS R. Wellek), 1968, 125–145 16 C. LUBKOLL, s. v. Stoff- und Motivgesch., T., in: A. NÜNNING (Hrsg.): Lex. Lit.- und Kulturtheorie, ²2001, 607–09 17 M. LÜTHI, Motiv, Zug, Thema. Aus der Sicht der Volkserzählforsch., in [4. Bd. 1. 11–24] 18 Perspectives sur la thématique, in: Strumenti critici. Rivista quadrimestrale di cultura e critica letteraria 4, Bologna 1989 19 Pour une thématique, in: Poétique. Revue de théorie et d'analyse littéraire 16, 1985, 393–516 20 J. RICKES, Führerin und Geführter. Zur Ausgestaltung eines lit. Motivs in C. M. Wielands »Musarion oder die Philos. der Grazien«, 1989 21 L. SCHERER, »Faust« in der Trad. der Moderne, 2001 22 U. SCHINDEL, Der Amphitruo des Plautus, in [27. 9–27] 23 M. SCHMELING (Hrsg.), Vergleichende Literaturwiss.: Theorie u. Praxis, 1981 24 A. SCHMITT, Leidenschaft in der Senecanischen und Euripideischen Medea, in: Storia Poesia e pensiero nel mondo antico (FS M. Gigante), 1994, 583–599 25 W. SOLLORS (Hrsg.), The Return of Thematic Criticism, 1993 26 B. TOMACEVSKI, Thématique, in: T. TODOROV, Théorie de la littérature, 1965, 263–307 27 F. TROMMLER (Hrsg.), Thematics Reconsidered (FS H. S. Daemmrich), 1995 28 R. TROUSSON, Un problème de littérature comparée: les études de thèmes, 1965 29 Ders., Thèmes et mythes, 1981 30 Ders., Les Études de Thèmes. Questions de Méthode, in: [4. Bd. 1. 1–10] 31 Variations sur le thème, in: Communications. Ecole des Hautes Études en Sciences Sociales, Centre d'Etudes Transdisciplinaires 47, Paris 1988 32 T. WOLPERS (Hrsg.), Motive und Themen in Erzählungen des späten 19. Jh. (= AAGö 127), 1982, 33 Ders. (Hrsg.), Gattungsinnovation und Motivstruktur (= AAGö 184), Bd. 1 1989, Bd. 2 1992 34 Ders. (Hrsg.), Der Sturz des Maechtigen: zu Struktur, Funktion und Gesch. eines lit. Motivs (= AAGö 234), 2000 35 T. ZIOLKOWSKI, Disenchanted Images: A Literary Iconology, 1977 36 Ders., Varieties of Literary Thematics, 1983.

ALEXANDER ARWEILER

Theologie und Kirche des Christentums

I. THEOLOGIEGESCHICHTE II. ALTKIRCHLICHE DOGMEN III. KIRCHENRECHT UND VERFASSUNG

I. THEOLOGIEGESCHICHTE

A. BEGRIFF B. HISTORISCH-THEOLOGISCHE KATEGORIEN ZUR BEWERTUNG DES ANTIKEN CHRISTENTUMS C. AUGUSTINISMUS D. ORIGENISMUS

A. BEGRIFF

Die Theologiegeschichte (TG) bildet den theologischen Forschungsbereich, der die Geschichte theologischer Theoriebildung untersucht. Ihre Notwendigkeit ergibt sich für die Theorie des Christentums v. a. aus einem theologischen und einem anthropologischen Grund: Zum einen hat nach christl. Glauben Gott selbst in Jesus von Nazareth eine geschichtliche Gestalt angenommen; die wiss. Reflexion dieser Religion kann deshalb nicht ohne die histor. Rückfrage auskommen. Zum anderen ist der Adressat der Selbstmitteilung Gottes, der Mensch, ein geschichtliches Wesen; d. h. das Wort, das Gott einmal in bes. Weise durch Jesus Christus gesprochen und an die Apostel gerichtet hat, kommt in unterschiedlichen histor. Kontexten immer unterschiedlich an. Die Wissenschaftlichkeit der Theologie mit ihrem Anspruch auf Intersubjektivität erfordert deshalb, daß sie ihre histor. (subjektive, institutionelle, gesellschaftliche, kulturelle, konfessionelle) Beschränktheit überschreitet, indem sie ihre eigenen Positionen in Auseinandersetzung mit anderen geschichtlichen Versuchen, das Wort Gottes zu verstehen, entwickelt, definiert und überprüft.

Sondergebiete der TG bilden die Exegese und Hermeneutik des NT (welche die Theologie(n) des Urchristentums rekonstruiert), die Dogmengeschichte (die lehramtliche Positionen behandelt) und die → Patristische Theologie/Patristik (die Theologie(n) der ant. Kirche erforscht), aber auch (im Sinne eines weiten Theologiebegriffs) die Geschichte der Liturgie, des Kirchenrechts und anderer theologischer Arbeitsgebiete. Dargestellt werden hier in einem prinzipiellen Teil die Bewertungsmuster, die den positiven wie negativen Rezeptionen ant. Theologie im Laufe der TG zugrundelagen (B), und in einem exemplarisch ausgerichteten speziellen Teil die Wirkungs- und Rezeptionsgeschichte der beiden theologiegeschichtlich bedeutendsten ant. Theologen (C und D).

B. HISTORISCH-THEOLOGISCHE KATEGORIEN ZUR BEWERTUNG DES ANTIKEN CHRISTENTUMS

I. DER TRADITIONSBEWEIS UND SEINE KRISE IN DER NEUZEIT

Bereits in der Ant. wurde *antiquitas* (im Sinne von »Zugehörigkeit zur oder Ursprung in der christl. Frühzeit«) zu einem theologischen Normbegriff. Als das Christentum im 2. Jh. eine gewisse geschichtliche Dauer erreicht hatte, wurde in der Auseinandersetzung mit gnostischen Lehren, maßgeblich durch Irenäus von Lyon, der theologische Altersbeweis entwickelt: In Zweifelsfällen ist der Lehre zu folgen, die sich bereits bei den früheren und älteren Lehrern – später werden sie »Väter« genannt – findet, weil sie näher am Ursprung sind und damit die Kontinuität der urspr. Wahrheit verbürgen. Besonders in den Auseinandersetzungen um die Trinitätslehre, die Christologie und die Gnade im 4. und 5. Jh. wurde dann der »Väterbeweis« zur Legitimation der eigenen Position zu einem regelrechten theologischen Prinzip [11; 17]. Klassischen Ausdruck hat es für die westl. Trad. bei Vinzenz von Lérins gefunden: »Wir müssen uns an das halten, was überall, was immer, was von allen geglaubt worden ist« (›teneamus quod ubique, quod semper, quod ab omnibus creditum est‹: *Commonitorium* 27,4). Damit bildet die *antiquitas* neben der kirchenweiten Verbreitung (*universitas*) und dem Konsens (*consensus*) eines der drei Kriterien der wahren Tradition. Entsprechend wurde die Häresie als Neuerung charakterisiert: als Verfälschung der vorausgehenden urspr. Wahrheit (so schon Tertullian, *Adversus Praxean* 2,2 u.ö.). Von daher erklärt sich die Praxis, gegenwärtigen Lehren, Praktiken und Institutionen dadurch Autorität zu verleihen, daß man sie auf die Apostel oder frühkirchliche Autoren zurückführt.

Der Traditionsbeweis bildete durch das gesamte MA hindurch ein wesentliches Element theologischer Argumentation [2. 3–471]. Dabei handelt es sich weniger um einen Beweis im strengen Sinne als vielmehr um die »lit.« Form einer theologischen Aussage (sc. darüber, daß die Kirche ihrer Identität und Kontinuität durch die Geschichte gewiß ist)‹ [11. 281]. Der Väterbeweis diente primär dem Aufweis der Kirchlichkeit einer Lehre und zielte auf Plausibilität, nicht auf Gewißheit. Widersprüche der ant. Theologen, wie sie schon spätant. Autoren und dann v.a. Petrus Abaelardus in seiner Schrift *Sic et non* konstatierte, stellten deshalb kein grundsätzliches, sondern lediglich ein hermeneutisches Problem dar [28; 38].

Dagegen geriet der Traditionsbeweis in der Neuzeit in eine Krise. Nun veränderten sich nicht nur die Rahmenbedingungen (Ablösung der Trad. durch Vernunft und Fortschritt als Leitideen; Verschärfung der histor.-kritischen Methode; zunehmende Überprüfbarkeit des Traditionsbeweises anhand leicht verfügbarer gedruck-

ter Quellen). Auch der Traditionsbeweis selbst erhielt einen neuen Charakter: War es in einer Zeit spärlicher schriftlicher Quellen noch leichter möglich gewesen, die Trad. flexibel zu gebrauchen, so erhielt nun die Trad. als in Büchern hinterlegtes abrufbares *Traditum* einen statischen Charakter. Zudem versuchte man speziell in den konfessionellen Auseinandersetzungen, das histor. Argument als geradezu »wiss.« zwingenden Beweis zu gebrauchen, der freilich gemessen an der Stringenz des mathematisch-naturwiss. Beweises defizitär erscheinen mußte [32. 175–216]. Mit dem Traditionsbeweis wurden nun auch die zugehörigen theologischen Kategorien der Rechtgläubigkeit und Ketzerei in Frage gestellt.

2. DIE TRADITIONELLE DUALE SICHT DER THEOLOGIEGESCHICHTE: ORTHODOXIE UND HETERODOXIE

Das dualistische Schema vom Antagonismus zw. Häresie und Orthodoxie prägt die christl. Theologiegeschichtsschreibung seit ihren Anf. bei Hegesipp und Eusebius. Auf der einen Seite versuchte man die rechtgläubige Trad. durch Kanonisierung zu sichern. Den grundlegenden Schritt bildete die Übernahme der Septuaginta und die Herausbildung eines nt. Kanons in den ersten Jh. nach Christus. Eine ähnlich kanonische Geltung erhielten mit der ausgehenden Ant. die vier ersten ökumenischen Konzilien. Das *Decretum Gelasianum* (5./6. Jh.) fügte einem Kanonverzeichnis von AT und NT (Kap. 2) und einer Liste anerkannter Synoden auch einen Kat. kirchlich rezipierbarer Schriftsteller hinzu (Kap. 5). Allerdings unterstreicht das *Decretum* die Unvollständigkeit der Aufzählung der »kanonischen« Väter durch den pauschalen Hinweis auf die ›Werke und Traktate aller rechtgläubigen Väter, die in nichts von der Gemeinschaft mit der hl. röm. Kirche abgewichen sind‹ (Decr. Gel. 4,3). Eine ähnliche Liste orthodoxer Theologen hat, ebenfalls ohne Anspruch auf Vollständigkeit, das 2. Konzil von Konstantinopel 553 vorgelegt (*Concilium Universale Constantinopolitanum sub Iustiniano habitum* II, actio III,4,3: *Acta Conciliorum Oecumenicorum* 4/1,37). Die genaue Umschreibung des Kreises der rezipierbaren Theologen wurde also offengelassen. Allerdings schält sich in der Autorenauswahl der Florilegienliteratur (Sammlungen von Vätersentenzen) und der Zuschreibungspraxis der Pseudepigraphie ein Kernbestand von ant. christl. Autoren heraus, die man offenbar für bes. orthodox hielt: im Westen Augustinus, Ambrosius, Hieronymus und Gregor der Große; im Osten Athanasius, Basilius der Große, Gregor von Nazianz und Johannes Chrysostomus. Die Autorität dieser acht Theologen wurde durch die Päpste bestätigt: Bonifaz VIII. gab 1295 den vier westl., Pius V. 1568 den vier östl. den Titel »Kirchenlehrer«. Später erhielten noch Isidor von Sevilla (1722), Petrus Chrysologus (1729), Leo der Große (1754), Hilarius von Poitiers (1851), Kyrill von Alexandrien und Kyrill von Jerusalem (beide 1882), Johannes von Damaskus (1890) und Ephraim der Syrer (1920) denselben Ehrenrang.

Auf der anderen Seite wurden zum Schutz der rechten Lehre auch Ketzerkat. erstellt, die in der Regel Genealogien (Rückführungen der Häresien auf einzelne Stammväter, die Häresiarchen, teilweise sogar auf vorchristl. Irrlehren) boten [31; 22. 3–83]. Das dualistische Schema erhielt dann ab dem 7. Jh. eine bes. lit. Form in den Synopsen über Häresien und Synoden: Hier werden jeweils die häretischen Positionen und die jeweilige orthodoxe Antwort in Gestalt von Synodenbeschlüssen nebeneinandergestellt [50; 46. 365–370].

Dieses Deutungsmuster ist in der Neuzeit immer problematischer geworden. Seit Walter Bauer [4] wird die klass. Theorie von der Posteriorität der Häresie gegenüber der urspr. Orthodoxie mit histor. Argumenten in Frage gestellt: Das lineare Bild der einen wahren Lehrüberlieferung (Orthodoxie) gegenüber den vielfältigen Abweichungen (Häresie) erscheint als historiographisches Konstrukt zur Identitätssicherung der späteren Großkirche (zur Kritik an Bauer vgl. [21; 53]). Außerdem hat die theologiegeschichtliche Arbeit gezeigt, daß manche Verketzerungen, z.B. die des Nestorius [18], auf Fehlurteilen beruhen bzw., wie bei Origenes (s.u.), auf anachronistischen Maßstäben. Noch grundsätzlicher wird das häresiographische Konzept durch die zunehmende Pluralisierung und Subjektivierung des Wahrheitsbegriffs unterhöhlt [9], die v.a. die Standpunktgebundenheit der Kategorie Häresie bewußt machen (die freilich auch altkirchlichen Autoren nicht entgangen war; vgl. z.B. Salv. gub. 5,8 f.).

Diesen Problemen wird gelegentlich dadurch begegnet, daß man die Begriffe Orthodoxie und Häresie mit Hilfe der sozialpsychologischen Kategorien des Selbst und des Anderen bzw. von Identität und Abgrenzung umdeutet [27]. Daneben gibt es verschiedene Ansätze, die problematisch gewordene Dualität von Häresie und Orthodoxie unter Aufrechterhaltung des theologischen Werturteils neu zu verstehen. Friedrich Schleiermacher hat die Häresiologie durch eine Reduktion auf vier altkirchliche Irrlehren vereinfacht (die sog. häretische Windrose: Doketismus, »Nazoräismus«, Manichäismus, Pelagianismus); diesen gegenüber erscheinen die meisten sog. Häresien als unerheblich oder bloß tendenziell häretisch [8]. Ferdinand Christian Baur hat, geprägt von Hegels Geschichtstheorie, den Kampf zw. Orthodoxie und Häresie als Dialektik gedeutet, die schon im frühen Christentum mit der Unterscheidung zw. paulinischem Heidenchristentum und petrinischem Judenchristentum begann [5]. Die sich hier andeutende Einsicht, daß Reflexionen über die Häresie dazu verhelfen können, das Wesen christl. Theologie besser zu verstehen, findet sich bei anderen Denkern explizit. Schon Blaise Pascal hatte darauf hingewiesen, daß der Ansatzpunkt der Häresie in der scheinbaren Widersprüchlichkeit der christl. Wahrheit selbst liegt. Häresie ist von daher zu verstehen als Vereinseitigung oder Verabsolutierung eines Wahrheitsaspektes (*Pensées*, Frg. 862). In dieser Linie deutet Joseph Ratzinger Häresie als ›Chiffre für eine bleibende Wahrheit, die wir nur zusammenhalten müssen mit an-

deren gleichzeitig geltenden Aussagen, von denen losgetrennt sie einen falschen Anblick bieten‹ [42. 160]. Er hat insbes. daran erinnert, daß gerade die Grundbegriffe der frühkirchlichen Gotteslehre, ein Wesen (*ousía*) in drei Personen (*prósōpa; hypostáseis*), vor ihrer Dogmatisierung als häretisch galten und erst als »durchkreuzte«, umgedeutete und in einen größeren Sinnzusammenhang eingeordnete Begriffe orthodox wurden. Damit sind die Grundaussagen der christl. Theologie, wie sie maßgeblich in den altkirchlichen Bekenntnissen formuliert wurden, zugleich Hinweise darauf, daß Theologie als Rede über Gott immer wesentlich negative Theologie ist.

Seit Gottfried Arnolds breit angelegtem Versuch der Rehabilitation ant. Häresien [1] wurde das Schema von Orthodoxie und Häresie durch das von Bewahrung und Niedergang (Dekadenz) überlagert.

3. DEKADENZTHEORIEN

Auch die theologiegeschichtlichen Dekadenztheorien bilden eine Variante des Altersbeweises, wobei man die normative Frühzeit meist nicht erst mit dem E. der Ant., sondern bereits mit der apostolischen Zeit enden läßt. Im Unterschied zum Traditionsbeweis, der positiv an der Überlieferung anknüpft, wird hier die theologiegeschichtliche Aufgabe primär darin gesehen, Degenerationen und Deformationen aufzuweisen und abzuarbeiten, um dahinter die Wahrheit der Anfangszeit wieder freizulegen. Während der Vorwurf der Dekadenz sich bis in die Neuzeit hinein meist nur auf die kirchliche Institution und Praxis bezog, wurde seit der Reformationszeit zunehmend auch die TG mit dieser Kategorie interpretiert. Das monumentale Unternehmen der Magdeburger Zenturien (1559–1574) verband dabei das Dekadenzkonzept mit einem Kontinuitätsaufweis: Inmitten all der bes. seit Konstantin zunehmenden Dekadenz habe es, v.a. in der Spätant., aber auch später noch, immer »Zeugen der Wahrheit« (*testes veritatis*) gegeben [30; 35].

Seit der Reformationszeit wurde die Differenz zw. dem biblischen Zeugnis und der altkirchlichen Theologie v.a. auf den Einfluß des Hell. zurückgeführt (Erasmus, Melanchthon). Der Jesuit Dionysius Petavius [37] unterschied zw. einer vertretbaren Hellenisierung (wie sie sich im Dogma ausdrücke) und einer falschen (die zu den altkirchlichen Häresien geführt habe). Die antitrinitarischen Sozinianer des 17. Jh. lehnten dagegen jede Hellenisierung als Verfälschung ab. Namhafte Vertreter des liberalen Protestantismus des ausgehenden 19. Jh., allen voran Adolf von Harnack, hielten die Hellenisierung der christl. Theologie unter den Bedingungen der Ant. zwar für unvermeidlich, forderten jedoch, sie in der Gegenwart rückgängig zu machen [16; 19]. Andere protestantische Theologen, maßgeblich Franz Overbeck († 1905), sahen dagegen die Dekadenz primär im Verlust des urspr. eschatologischen Charakters, der nur durch eine theologiefreie, rein histor. Arbeit wieder aufgedeckt werden könne [47]. Die »Enteschatologisierung« wird gemeinsam mit einer zunehmenden Institutionalisierung und Doktrinalisierung der frühen Kirche seit Ernst Troeltsch auch unter den Begriff des Frühkatholizismus gefaßt [3; 51]. Im Unterschied zu diesen Dekadenztheorien gibt das Entwicklungsschema dem theologischen Wandel eine positive Bedeutung.

4. DAS ENTWICKLUNGSSCHEMA

Die protestantische Aufklärungstheologie, führend Johann Salomo Semler, hatte TG v. a. als Dogmenkritik verstanden: Der Absolutheitsanspruch der altkirchlichen Dogmen wurde durch den Aufweis ihrer histor. Bedingtheit destruiert [29]. Nachdem der Idealismus die Geschichte wieder als einen Ort der Wahrheitsfindung etabliert hatte, deutete Ferdinand Christian Baur die Dogmengeschichte als zielorientierte Selbstauslegung der Wahrheit [6; 15].

Auf katholischer Seite haben dann die Vertreter der sog. katholischen Tübinger Schule (Johann Sebastian Drey, Johann Adam Möhler und Johannes Kuhn) und v. a. John Henry Newman [34] den romantischen Leitgedanken der Entwicklung eines Individuums aufgegriffen: Die histor. unbestreitbare Tatsache der Differenz zw. ant. und gegenwärtiger Theologie bzw. Kirche wird als Ergebnis einer organischen Entwicklung verstanden und so mit dem dogmatischen Anspruch auf Identität der einen Trad. kompatibel gemacht [10; 25]. Dieser dynamische Traditionsbegriff hat sich dann, gelöst vom Bild des organischen harmonischen Wachstums, nach wichtigen Arbeiten von Karl Rahner und Joseph Ratzinger [40] spätestens seit dem 2. Vatikanischen Konzil (1962–1965) in der katholischen Theologie gegenüber dem alten statischen Verständnis von Trad. (als bloßer Weitergabe eines unveränderlichen Glaubensgutes: *depositum fidei*) durchgesetzt. Im Rahmen dieses erneuerten Traditionsbegriffs wurde nun versucht, den bes. Wert der ant. Theologie auf neue Weise plausibel zu machen.

5. ANTIKE THEOLOGIE ALS KONSTITUTIVE TRADITION ODER ALS MODELL

Angesichts der Tatsache, daß die nach dem I. Weltkrieg einsetzende Erneuerungsbewegung in der katholischen Theologie (»nouvelle theologie«) sich v. a. als Ressourcement, als Rückkehr zu den frühkirchlichen Quellen, verstand und ausdrückte, hat Joseph Ratzinger 1968 die spezifische Bed. der ant. Kirche offenbarungstheologisch begründet: Gott hat sich in Christus, seinem Wort, offenbart; bleibendes Zeugnis für dieses Wort Gottes ist die Bibel; in den Schriften der ant. Kirche haben wir die »Erst-Antwort« auf das Wort Gottes, durch welche die Offenbarung erst geschichtliche Dauer erlangt. Diese Erst-Antwort der ant. Kirche hat in vierfacher Hinsicht bleibende, unwiederholbare und unersetzliche Bed.: Die ant. Kirche hat den Schriftkanon gebildet, die maßgeblichen Glaubensbekenntnisse formuliert, die Grundformen des christl. Gottesdienstes geschaffen und die Theologie als vernünftige Reflexion über den Glauben begründet [41]. Auf dieselben Grundentscheidungen verweist auch der Versuch, die bes. Bed. der TG des Alt. mit Hilfe des historiographi-

schen Konzeptes der *longue durée* (»lange Dauer«) zu beschreiben: Sie ist die ›Unt. des bedeutsamen Wandels‹ (LeGoff), durch den das *longue-durée*-Phänomen christl. Theologie entstanden ist [32. 244f.].

Im Unterschied zu diesen Bestimmungen, die sachlichen Grundentscheidungen der ant. Kirche eine bleibende normative Bed. für die Theologie zuschreiben, neigen die meisten Theologen der Gegenwart, auch wenn sie die »Produkte« der ant. Kirche wie die Bibel und die Theologie nicht aufgeben, dazu, den Wert der ant. Theologie und Kirche zu relativieren, indem sie ihn auf Formales reduzieren: Vorbildlich sei etwa die Verbindung von Lehre und Leben [12]; die Hellenisierung insbes. stelle ein hervorragendes Modell für Inkulturation dar [33]. Gelegentlich werden anknüpfend sowohl an alte Dekadenzfiguren als auch an die Kuhnsche Theorie wiss. Fortschritts Inhalt und Methode der ant. Theologie gänzlich einem veralteten und deshalb zu überwindenden Paradigma, eben dem hell., zugeordnet [23].

C. AUGUSTINISMUS

Das Diktum: ›Die abendländische Theologiegeschichte besteht aus einer Reihe von Fußnoten zu Augustin‹ [14a. 148] und das Wort, Augustinus bilde das ›Schicksal des Abendlandes‹ [38a], bringen hyperbolisch eines zum Ausdruck: Mit dem Begriff Augustinismus, verstanden als Abhängigkeit von oder Anknüpfung an Lehren und Denkweisen Augustins, läßt sich ein beträchtlicher Teil der abendländischen Ideengeschichte erfassen (zur bescheidenen Augustinusrezeption im Osten vgl. [13]). Im MA war im Grunde jeder christl. Denker in den zentralen Fragen des Glaubens ein Augustinianer, und auch danach blieb Augustinus für die meisten theologischen, aber auch philos. Konzepte eine unumgängliche Bezugsgröße. Sieht man von den nicht spezifisch theologischen Themen wie → Mönchtum, Staatstheorie, → Semiotik und → Sprachphilosophie, Ideenlehre, Zeittheorie und Wertphilos. ab, kann man Augustinusrezeptionen v. a. in folgenden Bereichen theologischen Denkens entdecken.

Augustinus hat die für die gesamte Patristik kennzeichnende These von einem unaufhebbaren Zusammenhang zw. Glauben (der die vernünftige Einsicht bewirken, erweitern und überbieten kann) und Intellekt (der den Glauben vorbereiten und plausibel machen kann) in eine prägnante Formel gebracht: ›intellege, ut credas; crede, ut intellegas‹ – »sieh ein, damit du glaubst; glaube, damit du einsiehst« (*Sermo* 43,9). In dieser Form wurde der Gedanke durch Anselm von Canterbury mit seinem theologischen Programmwort von der ›fides quaerens intellectum‹, dem Glauben, der nach Einsicht sucht (*Proslogion* 1), aufgegriffen. Er bot mit anderen Faktoren (Boëthius' deduktive Methode und Abaelards dialektisches Verfahren) die theoretische Grundlage für die Konstitution der Theologie als Wiss. im 12./13. Jh. (Scholastik), aber auch für das von Erasmus entworfene Programm eines christl. → Humanismus [52].

Augustins gegen die Donatisten entwickelte Sakramentenlehre (»ein Sakrament wirkt unabhängig von der Würdigkeit des Spenders, weil der eigentliche Spender Christus selbst ist«) ist in die Scholastik und die röm.-katholische Theologie eingegangen. Auch der Begriff des *character indelebilis*, einer unauslöschlichen Prägung, die man durch die Taufe erhält, wurde durch die Hochscholastik und die katholische Dogmatik übernommen und darüber hinaus, durchaus im Sinne Augustins, auf die Priesterweihe ausgeweitet. Dagegen griffen die Konfessionen, die aus der Reformation hervorgegangen sind, stärker seine Gnadenlehre und seinen Kirchenbegriff auf.

Die Gnadenlehre, die Augustinus gegen Pelagius und dessen Schüler entwickelt hat, erschien schon seinen Zeitgenossen als zu extrem. Praktisch setzte sich deshalb noch in der Spätant., v. a. in Gallien, eine Mittelposition durch, die jedoch 529 auf dem 2. Konzil von Orange verurteilt wurde und später als Semipelagianismus bezeichnet wurde. Andererseits wurde jedoch auch der Gedanke einer doppelten Prädestination (zum Himmel und zur Hölle), der sich in Augustins Spätwerken abzeichnet, durch Synoden in Mainz und Quierzy 848/9 abgewiesen, nachdem ihn Gottschalk aufgegriffen hatte. Auch der spätma. Voluntarismus (»der Wille Gottes ist absolut frei und alles determinierend«), der an Augustinus anknüpfte (Gregor von Rimini, Wycliff), wurde abgelehnt [49]. Die Reformatoren, v. a. der junge Luther in seiner Gnadenlehre [20; 44. 573–579] und noch stärker Calvin in seiner Prädestinationslehre [24], griffen Augustinus auf und warfen der röm. Kirche Pelagianismus vor. Diese berief sich wie schon in der Spätant. ihrerseits in der Ablehnung des Pelagianismus auf Augustinus, ohne ihm in die Extreme seiner Prädestinationslehre zu folgen [48]. Die im 17. und 18. Jh. geführten Debatten um die Gnade (Jansenismus) ließen erneut die theologischen Aporien des Problems von göttl. Vorsehung und menschlicher Freiheit zutage treten. Entsprechend wurde die augustinische Gnadenlehre fortan, wie zuvor schon in der Mystik des Hoch-MA (Meister Eckhart, Heinrich Seuse, Johannes Tauler), weniger für die Theologie als für die Frömmigkeit bedeutsam (Pascal, Port Royal) [39].

Auch die ma. Ekklesiologie war maßgeblich durch Augustinus geprägt. Sein Gedanke, daß Kirche weniger in den Personen, den sog. Christen, sichtbar wird als in Heilszeichen, v. a. in Taufe und Eucharistie, inspirierte im MA die Unterscheidung zw. dem mystischen Leib Christi, der Kirche als geheimnisvoller verborgener Gemeinschaft, und dem realen, dem gewandelten Brot der Eucharistiefeier. An seine Lehre von der unsichtbaren Kirche, die erst am E. der Zeiten offenbar wird, knüpfte man v. a. in der Reformation und den aus ihr hervorgegangenen Konfessionen an, um die eigene Verbindung mit der Kirche des Anfangs trotz der histor. Diskontinuität plausibel zu machen. In den konfessionellen Streitigkeiten und dann auch im Gallikanismus wurde Augustinus auch immer wieder zum Kronzeugen gegen

einen petrinischen Kirchenbegriff und für eine Unabhängigkeit der Landeskirchen von Rom gemacht [7].

An Augustinus knüpfte man auch an, um das Verhältnis von Kirche und Staat zu bestimmen. Nach anfänglicher Ablehnung hat Augustinus in der bürgerkriegsähnlichen Situation der donatistischen Kirchenspaltung Zwangsmaßnahmen gegen Nichtkatholiken (gnaden-)theologisch (Vorbild des am Menschen zwingenden Gottes), biblisch (Lk 14,23: *Compelle intrare*: Zwingt sie einzutreten) und polit. (Herstellung der öffentlichen Ordnung) gerechtfertigt und damit die Grundlage für spätere Theorien der Inquisition, speziell der kirchlichen Inanspruchnahme staatlicher Gewalt zur Ketzerverfolgung, geliefert, auch wenn diese in manchen Punkten, v. a. der von Augustinus abgelehnten Todesstrafe für Häretiker, sich nicht auf diesen berufen konnten (Thomas von Aquin, Melanchthon, Zwingli, Calvin) [36]. Für die grundsätzliche theologische Bestimmung des Verhältnisses von Kirche und Staat berief man sich im MA wie in der Frühen Neuzeit ebenfalls meist, freilich oft zu Unrecht, auf Augustinus. Aegidius von Rom hielt die Herrschaft eines Fürsten nur dann für legitim, wenn sie durch die Kirche bestätigt wird, ein Gedanke, der sich so nicht bei Augustinus findet. Wycliff machte aus Augustins eschatologischer Unterscheidung zw. zwei Reichen, einem guten und einem bösen, die unerkannt in Staat und Kirche miteinander existieren und erst am E. der Zeiten offenbar werden, eine soziologische Unterscheidung: Die Erwählten, die Vertreter der wahren Kirche, haben gegen die Repräsentanten der scheinbaren Kirche zu kämpfen. Diese Unterscheidung wurde bei den Hussiten und dann bei den Reformatoren zum Instrument der Kritik am Klerus und führte im Protestantismus schließlich zu einer Ersetzung der innerkirchlichen Ordnungsmacht des Klerus durch das Kirchenregiment des Landesherrn [26].

Die vielfältigen und zum Teil widersprüchlichen Rezeptionen unterstreichen v. a. eines: Neben der Bibel und den ökumenischen Konzilien bildete Augustinus für die westl. Theologie, auch über den Bruch der Reformation hinweg, die bedeutendste theologische Autorität. Erst im 20. Jh. hat man hier versucht, auch die östl. Theologen der Ant. stärker zur Geltung zu bringen. Das gilt nicht nur für die nachnizänischen griech. Väter oder die Theologen der orientalischen Trad., sondern auch und v. a. für Origenes.

→ Augustinismus; Deutschland I. Bis 1600; Geschichtsmodelle D. Renaissance und Protestantismus → AWI Augustinus C. Rezeption; Bibel; Donatus [1]; Häresie; Häresiologie; Hellenisierung; Kirche; Kirchengeschichte; Kirchenväter; Pelagios [4]; Prädestinationslehre; Pseudepigraphie; Theologie

1 G. ARNOLD, Unpartheyische Kirchen- und Ketzer-Historie, 4 Bde., Leipzig 1699/1700 2 I. BACKUS (Hrsg.), The Reception of the Church Fathers in the West, 2 Bde., 1997 3 C. BARTSCH, Frühkatholizismus als Kategorie histor.-kritischer Theologie, 1980 4 W. BAUER, Rechtgläubigkeit und Ketzerei im ältesten Christentum,

1934 **5** F.C. Baur, Epochen der kirchlichen Geschichtsschreibung, Tübingen 1852 **6** Ders., Das Christentum und die christl. Kirche der drei ersten Jh. (²1860), hrsg. v. K. Scholder, 1960 **7** G. Bavaud, Le recours à l'autorité de saint Augustin dans le débat ecclésiologique français du XVIIe siècle, in: Augustiniana 41, 1991, 976–996 **8** K.-M. Beckmann, Der Begriff der Häresie bei Schleiermacher, 1959 **9** P.L. Berger, Der Zwang zur Häresie. Religion in der pluralistischen Ges., 1981 **10** G. Biemer, Überlieferung und Offenbarung, 1961 **11** N. Brox, Zur Berufung auf »Väter« des Glaubens, in: Ders., Das Frühchristentum, 2000, 271–296 **12** G. Feige, Die Väter der Kirche – eine ökumenische Herausforderung, in: W. Beinert (Hrsg.), Unterwegs zum einen Glauben. FS Lothar Ullrich, 1997, 430–447 **13** A. Fürst, Augustinus im Orient, in: Zschr. für Kirchengesch. 110, 1999, 293–314 **14** Ders., Gesch. und Theologie der Alten Kirche – Grundfragen und Perspektiven ihrer gegenwärtigen Erforsch., in: Theologische Rev. 98, 2002, 371–379 · **14a** W. Geerlings, Theologen der christl. Ant., 2002, 148 **15** W. Geiger, Spekulation und Kritik, 1964 **16** C.-F. Geyer, Religion und Diskurs. Die Hellenisierung des Christentums, 1990 **17** Th. Graumann, Die Kirche der Väter. Vätertheologie und Väterbeweis in den Kirchen des Ostens bis zum Konzil von Ephesus, 2002 **18** A. Grillmeier, Das Scandalum oecumenicum des Nestorius in kirchlich-dogmatischer und theologiegeschichtlicher Sicht, in: Scholastik 36, 1961, 321–356 **19** Ders., Hellenisierung – Judaisierung des Christentums als Deuteprinzipien der Gesch. des kirchlichen Dogmas, in: Ders., Mit ihm und in ihm, ²1978, 423–488 **20** A. Hamel, Der junge Luther und Augustin, 2 Bde., 1934/35 **21** D.J. Harrington, The Reception of Walter Bauer's »Orthodoxy and Heresy« during the Last Decade, in: Harvard Theological Rev. 73, 1980, 289–298 **22** A. Hilgenfeld, Die Ketzergeschichte des Urchristentums, 1884 **23** H. Küng, Das Christentum. Wesen und Gesch., 1994 **24** J.M.J. Lange van Ravenswaay, Augustinus totus noster. Das Augustinverständnis bei Johannes Calvin, 1990 **25** N. Lash, Newman on Development, 1975 **26** F. Lau, Luthers Lehre von den beiden Reichen, 1953 **27** A. LeBoulluec, La notion d'hérésie dans la littérature grecque, 1984 **28** H. de Lubac, Á propos de la formule »diversi, sed non adversi«, in: Recherches de science religieuse 40, 1951/52, 27–40 **29** M.A. Lipps, Dogmengesch. als Dogmenkritik, Diss. Heidelberg 1980 **30** J. Massner, Kirchliche Überlieferung und Autorität im Flaciuskreis, 1964 **31** J. McClure, Handbooks Against Heresy in the West, in: Journ. of Theological Studies 30,1979, 186–197 **32** A. Merkt, Das patristische Prinzip. Eine Stud. zur theologischen Bed. der Kirchenväter, 2001 **33** P. Neuner, Die Hellenisierung des Christentums als Modell der Inkulturation, in: Stimmen der Zeit 213, 1995, 363–376 **34** J.H. Newman, Essay on the Development of Christian Doctrine, London 1845 **35** E. Norelli, L'autorità della chiesa antica nelle »Centurie di Magdeburgo«, in: R. de Maio et al. (Hrsg.), Baronio storico e la controriforma, 1982, 253–307 **36** F.A. Norwood, »Compel them to Come in«, in: Religion in Life 23, 1954, 516–527 **37** D. Petavius, De theologicis dogmatibus, Paris 1644–1650 **38** B. Pranger, »Sic et non«. Patristic Authority between Refusal and Acceptance, in: [2. 165–195] **38a** E. Przywara, Augustinisch, ²2000 **39** J.-L. Quantin, Le catholicisme classique et les Pères de l'église, 1999 **40** K. Rahner, J. Ratzinger, Offenbarung und Überlieferung, 1965 **41** J. Ratzinger, Die Bed. der Väter für die gegenwärtige Theologie, in: Theologische Quartalschrift 148, 1968, 257–282, auch in: Ders., Theologische Prinzipienlehre, 1982, 139–159 **42** Ders., Einführung in das Christentum, 1968, Neuausgabe 2000 **43** O. Rottmanner, Der Augustinismus, 1897 **44** M. Schulze, Martin Luther and the Church Fathers, in: [2. 573–626] **45** M. Sheridan, The History of Theology. The Emergence of a New Discipline. Approaches and Problems, 2002 (im Druck) **46** H.J. Sieben, Die Konzilsidee der Alten Kirche, 1979 **47** A.U. Sommer, Der Geist der Historie und das E. des Christentums, 1997 **48** E. Stakemeier, Der Kampf um Augustin auf dem Tridentinum, 1937 **49** D. Trapp, Augustinian Theology of the 14th Century, in: Augustiniana 6, 1956, 146–274 **50** K.-H. Uthemann, Die dem Anastasios Sinaites zugeschriebene Synopsis de haeresibus et synodis, in: Annuarium Historiae Conciliorum 14,1982, 58–94 **51** H. Wagner, An den Ursprüngen des frühkatholischen Problems, 1973 **52** P. Walter, Theologie aus dem Geist der Rhet., 1991 **53** R.L. Wilken, Diversity and Unity in Early Christianity, in: The Second Century 1, 1981, 101–110.

ANDREAS MERKT

D. Origenismus

1. Zum Begriff

Origenismus (Os.) ist weniger durch die Rezeption von Texten, mehr durch die von Optionen, d.h. Vorentscheidungen und Fragestellungen definiert. Origenismus ist kein geschlossenes System, sondern das lose Zusammen von platonisierenden (→ Platonismus), zu Recht oder fälschlich Origenes (O.) zugeschriebenen und die Nachwelt faszinierenden Optionen [10].

2. Origenische Optionen

2.1 Die Gottesoption

Das Denken des O. gründet in aufeinander bezogenen Optionen (Vorentscheidungen und Fragen). Die erste besagt, daß der transzendente Gott gut, gerecht und ewig ist. Diese Option beinhaltet, daß die seinshaften und moralischen Unterschiede dieser Welt nicht auf Gott, sondern auf endliche Freiheit(en) zurückgehen; weiters, daß die Schöpfung seit Ewigkeit geschaffen ist, sonst hätte Gott etwas getan, was er vorher nicht getan hatte. Gott wäre zeitlich.

2.2 Die Schriftoption

Eine zweite Option markiert, daß dieser gute und gerechte Gott sich in seinem Wort (Logos) als seinem Sohn in Jesus der Welt und den Menschen mitteilte und sich noch h. in Sakramenten, bes. aber in der Hl. Schrift der Kirche schenkt. Schrift ist also Offenbarung [10. 29f.] und göttl. [10. 31–33] und ihre geistige Aneignung Heil. Sie bedarf daher auch einer geistigen, »Gott gemäßen« Hermeneutik. Falsch ist »jüd.« Auslegung, weil sie Schrift allein buchstäblich und ohne geistlichen Sinn versteht [10. 33f.]; falsch ist auch eine markionitische Auslegung [10. 34f.], die beide Testamente auseinanderreißt und so Gott in den Halb-Gott der Schöpfung und den Lichtgott der Erlösung teilt. Falsch ist auch das fundamentalistisch-buchstäbliche Verständnis der Naiven und Frommen innerhalb der Kirche [10. 36]. Falsch ist die gnostische Hermeneutik; sie mißachtet den Buchstaben, legt die Schrift allein geistlich aus, d. h. aufsteigend zu Gott (anagogisch), leugnet damit die Wirklichkeit des Irdischen und der geschichtlichen Fleisch- und Menschwerdung Christi »um der Menschen willen«. Sie tut so, als habe der Logos nach der Auferstehung den Leib des Menschen Jesus zurückgelassen und als gäbe es keine Auferstehung des Fleisches. Die wahre Schriftauslegung [4. 424–437] verbindet den geistlichen Sinn (was soll das bedeuten) mit dem Buchstaben (was steht da), weil es kein Evangelium (Heil) ohne histor. Menschwerdung des Logos gibt [9. 38 f.]. Der geistliche Sinn kann moralisch (was soll ich tun) oder eschatologisch (was darf ich erwarten) orientiert sein. Origenes ordnet meist trichotomisch: Dem Leib korrespondiert der buchstäbliche, fleischliche, der Seele der psychische, dem Geist (noús) der geistliche bzw. geistige (noetische) (Schrift-)Sinn [10. 38; 7].

2.3 DIE KOSMOSOPTION

Die dritte Option umfaßt ein bestimmtes erkenntnisleitendes, eher (natur-)philos. Interesse (Hermeneutik) am Zueinander von Offenbarung, Kosmos und wiss. Astrologie (Astronomie): Der Logos Gottes wird gesehen als Anfang und Ziel kosmischer Schöpfung, einschließlich des Mikrokosmos Mensch und seiner Freiheit. Sein Abstieg (Katabasis) in materielle Schöpfung (Kosmos), konzentriert in einer Menschengestalt (Jesus Christus) und vermittelt in Menschenwort (Bibel), dient der (kosmischen) Rückführung (Anabasis) von Mensch und Welt zu Gott (Heil) und deren (den Anfang übertreffenden) Wiederherstellung (Apokatastasis) in Gott. Deshalb interessierte sich O. für das Zueinander von ewiger (Gott) und endlicher (Mensch) Freiheit und kosmisch-notwendigen Ordnungen [3. 119–134, 717–732]. Wegen dieser Interessens-Option dichtet man ihm wirre kosmologische Spekulationen bezüglich mehrfachen Ursprungs (Protologie) und sich wiederholender Zukunft (Eschatologie) der Welt an. Origenes mißt seine Antworten an der Schrift. Doch trennte sich schon zu seinen Lebzeiten die Schrift-Option von der Kosmos-Option: Man beginnt den Exegeten zu loben und den Denker zu tadeln [8; 3. 119–134].

3. PATRISTISCHE THEOLOGIE ALS ORIGENISMUS
3.1 BIBELAUSLEGUNG ALS ORIGENISMUS

Die Bibelwissenschaft des O. zeigt sich bei allen Theologen der Alexandrinerschule, beginnend mit Gregorios Thaumaturgos (210/213–270/275) und Didymos dem Blinden (310 bzw. 315–398). Letzterer betont die asketische Konsequenz der Exegese des Origenes [9. 168–170]; Auslegung geschieht zweistufig: gemäß dem Wortsinn (prós rhētón) und dem geistigen Sinn (prós anagōgḗn). Mit O. soll eine buchstäblich »sinnlose« Aussage den tieferen Sinn suchen lehren und vor oberflächlicher Auslegung bewahren. Kyrillos von Jerusalem (um 313–386/387) [9. 152 f.] und Basileios von Kaisareia (329/330–378) bezeugen die allegorische Bibel-

auslegung des O., wenngleich Basileios (mit O.) jede gnostische und astrologische Übertreibung tadelt. Er selbst wählt einfacher Zuhörer wegen die buchstäbliche Auslegung, sucht den moralischen Sinn (Tropologie) und will zum Gotteslob anregen. Wie bei O. fließt das naturwiss. Wissen aus Geographie, Physik, Astronomie und Zoologie ein. Er verwirft mit ihm alle der Schrift und der Vorsehung widersprechende → Naturphilosophie, astrologische Prophezeiungen und Reinkarnation; des Menschen Freiheit (zum Guten) sieht er als Ebenbildlichkeit (eikṓn), ihren Vollzug als Verähnlichung (homoíōsis) mit Gott (Gn 1,26) an [9. 99–105]. Exegese wird ihm Grundlage der Unterscheidung der Geister. Für Gregorios von Nyssa (335/340–vor 400) verdeutlichen die geistlichen Allegorien (Hoheliedauslegung) den Seelen-Aufstieg (anagōgḗ) zu Gott [9. 266–271] gegen den Gedanken von Präexistenz und Wanderung von Seelen. Kyrillos von Alexandreia (vor 400–444) folgt der origenischen Schriftauslegung gegen Nestorios und Areios, in dem er mit O. erkennt, daß eine analoge Erkenntnisweise weder histor. Wahrheiten noch Allegoresen aufhebt, sondern beide begründet. Geistlicher Sinn hängt für ihn am Buchstaben wie der Logos am Menschen Jesus und weist ihn zur christl. Lebensführung an (sensus moralis); als theologischer Sinn (theologicus oder dogmaticus) zeigt er den rechten Glauben. Auch bei O. begründet der rechte Gebrauch der Schrift(sinne) Apologetik [9. 148–152], weil sie geistliche Unterscheidung ist und somit Christus »auslegt«. Die angeführten Kirchenväter zeigen, wie sehr die zweite Option des O. zur Grundlage biblischer Hermeneutik und Spiritualität wird.

Während seiner Verbannung in Phrygien erschließt Hilarius von Poitiers (um 315–367/368) die östl. Bibelauslegung und Theologie für den Westen; ihm gilt die Schrift als Norm kirchlicher Lehre (Nizäa). Neben dem betonten Literalsinn lehrt er den geistigen Sinn, der sich in Allegorie und Typologie äußert, um die heilsgeschichtliche Bedeutsamkeit Christi als Gott und Menschen gleichen Logos zu verdeutlichen (homooúsios) und das AT typologisch auf Christus und die Kirche hin auszulegen, wie dies O. entwickelt hatte [9. 293–296].

Ambrosius von Mailand (333/334–397) rezipiert O., sucht nach moralischen Allegorien für einfache Gläubige und Katechumenen und praktiziert eine buchstäbliche, am moralischen Schriftsinn orientierte Auslegung (moralis tractatus et simplex). Gegenüber Gebildeten und Fortgeschrittenen verwendet er die allegorisch-geistliche (ad altiora sensum) Erklärung. Die Heirat Isaaks und Rebekkas ist ihm Bild der vierstufig aufsteigenden Vereinigung Christi mit der Seele (Vereinigung, Gefährdung, Reinigung und ewiges Anhangen der Seele am Logos/verbum) zu Gott. Psalmen gelten ihm und O. als Gotteslob. Die Schrift ist Mitte des Theologisierens [9. 13–22; 3. 545–570, 591–596].

Von O., den er in der Exegese verehrt und in dogmatischen Lehren verurteilt, profitiert Hieronymus (347–419), vertritt die Göttlichkeit der Schrift, ihre Gott gemäße Auslegung und die origenischen Schriftsinne. Er übersetzt (um 380/381) von O. neun Jesajahomilien, je 14 Jeremias- und Ezechielhomilien, zwei Hohelied- und 39 Lukashomilien. Mit O. (Hexapla) verbindet ihn die Sorge um den authentischen Bibeltext (Vulgata), die Überarbeitungen aus der *Septuaginta*, aus dem hebräischen bzw. aramäischen Urtext oder der *Vetus Latina* erfordert. Ganz aus O. schöpfend, verfaßt Hieronymus Komm. zu Paulusbriefen sowie Glossen zu Matthäus. Selbst die Hilfswiss. der Bibelauslegung und seine erste Übersetzungstheorie der Ant. (Hier. epist. 57) verweisen ihn auf Origenes. Ob seine Psalmen-Predigten Übers. aus O. oder Auslegungen in Anlehnung an O. sind, ist umstritten. Gegenüber theologischer Ausdeutung überwiegen Textkritik, Philol. und Realienkunde. Als Initiator der Vulgata und Feind des O., vermittelte er »unverdächtig« origenische Bibeltheologie in das Abendland [9. 286–290].

Wichtiger Verteidiger und Übersetzer des O. ist Rufinos (um 345–411/412). In seiner Übers. der Apologie für O. des Pamphilos von Kaisareia stellt er die nicht orthodoxen Stellen im Werk des O. als spätere Fälschungen heraus. Oft paraphrasierend und popularisierend, nicht immer philol. exakt, trifft er jedoch weithin den origenischen Sinn [9. 536f.]. Origenes blieb in seiner Schriftoption unangefochten.

3.2 SYSTEMATISCHE THEOLOGIE DER KIRCHENVÄTER

Schon zu O.' Lebzeiten und dann vom 4.–6. Jh. lehnt man (vermeintliche) Konsequenzen der origenischen Optionen ab; so etwa die Leib-Seele-Trennung (Ps.-Dionysios Areopagites, 247/8–264/5, und Petrus von Alexandrien, 300–311) und die Ewigkeit der Schöpfung (Methodios von Olympos). Eusebius (ca. 264– ca. 340) und Pamphilos (307) sprechen ihn dagegen vom Glauben, Vater, Sohn und Hl. Geist seien je ein Gott (Tritheismus), ebenso frei wie vor der Trennung der Naturen in Christus und von übertriebener Allegorese. Anderen gilt er als Vater des Arianismus, weil er den Sohn Gottes vor Areios zum Geschöpf erklärt habe. Nach Epiphanios (ca. 315–403) und Hieronymus (347/8–420) leugnet er die ewige Erlösung, indem er einen neuerlichen Abfall der Welt von Gott lehre [3. 15–23, 623–631]. Mönche dichten ihm Sentenzen des Euagrios Pontikos an (ca. 345–399): Askese mache die Seelen leidenschafts- und leiblos, ja zum Geist (*noús*). Euagrios Pontikos vertrat in O.-Zirkeln die Lehre von Ruhe (*hēsychía*) und Vermeidung von Leid (*apátheia*) als Stufen des Aufstiegs zu Gott [9. 224f.]. Justinian (527–565) läßt 543 von einer Synode (Denzinger-Hünermann 403–411) zehn »häretische« Sätze (*Perí Archôn*) verurteilen (z.B. Auferstehung in Kugelgestalt, Sohn und Hl. Geist sind Geschöpfe), die O. so nicht lehrt. Das 2. Konzil von Konstantinopel (553) trifft nicht O., sondern Euagrios Pontikos [3. 3–14; 1. 384–387].

Die zweite Option hilft jedoch mit, den häretischen Os. der dritten Option zurückzudrängen. So wissen Erkenntnislehre, Trinitätslehre und Christologie um die

Gefahren kosmologischer Spekulationen. Athanasius' Gottes- und Erlösungslehre des »Was von Gott nicht berührt ist, ist nicht erlöst« knüpft deshalb an die platonisch-alexandrinische Trad. an. Zugleich versucht er, heidnisch-philos. Elemente moderat in seine Theologie einzubauen [8. 58–63; 2. 165–171]. Kyrillos von Alexandreia (†444) rückt hingegen von kosmologischen Spekulationen deutlich ab, bleibt aber als Exeget O. treu und steht mit seiner Christologie in alexandrinischer Trad. [9. 148–152]. Mit der bei O. angelegten und menschliche Gottes-Erkenntnis ebenso bejahenden (kataphatisch) wie kritisch korrigierenden (apophatisch) Theologie können die Kappadozier die innertrinitarischen Beziehungen verdeutlichen. Heimliche seinsmäßige Unterordnung des Sohnes unter den Vater (Subordinatianismus) wird mit Betonung der Gottheit des Sohnes (Athanasios) und der des Hl. Geistes (Basileios) überwunden. Des O.' Begriffe von dem einen Wesen (*ousía*) des Sohnes und des Vaters (*homooúsios*) und von der Verschiedenheit der Personen (Hypostasen) prägen die Theologie, die ihrerseits eine origenische Spiritualisierung der Sakramente vermeidet. Die antignostische Option des O. mündet sogar in das antiplatonische Klima des Konzils von Kalchedon: Christus gilt nicht als Emanation des Unendlichen; Endliches (Mensch) kann sich mit Unendlichem (Gott) nicht mischen, jedoch in einer (göttl.) Person vereinen (hypostatische Union), so daß die Inkarnation für das Ende der Welt ein ewiges Bleiben in Christus anzeigt, ohne daß der Mensch seine in Treue gebundene Freiheit verliert. Wesentlich ist an dieser dogmatischen Entwicklung die Kraft der zweiten Option beteiligt. Bei allem Platonismus kann sie auch dem biblischen Denken Raum gewähren und den Gefahren der dritten Option wehren.

4. BYZANTINISCHE THEOLOGIE
4.1 SPIRITUALITÄT

Mit seiner zweiten Option prägt O. als Lehrer des geistlichen Lebens, der Unterscheidung der Geister und der platonisierenden Schriftauslegung [3. 717–732] die vielseitige und oft verwirrende byz. Spiritualität. (Ps.)–Dionysios Areopagites (Pseudonym um 500), mit dem O. später oft zusammen genannt wird, ist v. a. am apophatischen (verneinenden) und kataphatischen (bejahenden) Charakter menschlicher Erkenntnis des einen und dreifaltigen Gottes interessiert, in dem er mit O. biblische Offenbarungswahrheit mit Platonismus verbindet [9. 174–175]. Für Johannes von Damaskus ist O. Garant einer neuen Weisheit, die den *noús* dem Leibe überordnet. Allegorie ist Ausdruck der Logos-Weisheit, Gottes Gabe und Basis jeder Spiritualität [3. 711–714].

Katabatische (von Gott und seinem Wort absteigende) Theologie (Gott spricht: *Theós légei*) wird zur Anabase (Aufstieg der Seele) und zum »reinen Gebet« (Euagrios Pontikos und Maximos Homologetes) [15. 30]; die Gotteschau gilt als Ziel des Lebens (Anaxagoras) und wird von O., Euagrios Pontikos [1. 346f.] und Maximos charakterisiert. Christus wird für Euagrios Pontikos kosmischer Anführer der Scharen der gefallenen Geister, für Maximos Homologetes führt er über Inkarnation und Kreuz durch christl. Praxis, *theōría* (meditative Schau) und *theología* zu Gott. Man vermeidet dabei, daß Christus und Christ (platonisch) in eins fallen [1. 336–339, 346 f., 356 f.]. Christus ist der Gott verherrlichende Ur-Theologe (*prôtos theólogos*: Gregorios Akropolites). In ihm verbinden sich göttl. Weisheit und menschliche Vernunft. Die wahre »Theologia« muß nach Nilos Sinaites schweigend auf die Offenbarung hören und der Schau (*theōría*) der Offenbarung entspringen. Sie stellt in der Nachfolge Jesu die gelungene Einheit von → Theorie und Praxis dar. Manche klösterlichen Schulen rücken jedoch bildungsfeindlich von O. ab. So sieht Johannes Psichaites (1. H. 8. Jh.) die Dichtung Homers als Geschwätz an. Platon sieht er an als jemanden, der ›Schlangen gleich im Schleim dahinkriecht‹ [15. 46]; Syllogismen erscheinen ihm als Spinnengewebe, die einzelnen → Naturwissenschaften Undinge [15. 37–39]. Dennoch, zu fast allen Jh. finden wir Katenen geistlicher Texte des O., und im 11. Jh. gehörte zum Studium der »Theologia« die Lektüre des Exegeten O. [15. 60].

Die byz. Mönche leben im Sinne einer naiven zweiten Option des O. von Schriftbetrachtung und der ihr folgenden Einheit von Mystik und Askese; das bestätigen die Kappadozier, der O.-Gegner Theodoret von Kyros († um 466) und Johannes Klimakos († um 649). Diese Einheit ist in *apátheia* zu finden. *Apátheia* ist ein stoischer Begriff, den O. theologisch im Sinne einer mit Gottes Gnade frei gewählten Gottergebenheit deutet und in seine Unterscheidung der Geister aufnimmt. *Apátheia* besagt »Nicht-mehr-Sündigen«, weil die Seele in Gott ihr Ziel erreicht hat. Dieser Gedanke prägt die Jenseitsvorstellungen (Eschatologie) von Byzanz und vereitelt alle Theorien neuerlichen Abfalls von Gott nach dem jüngsten Tag. Besonders in Syrien besagt dieser origenische Begriff für Aphrahat († nach 345), Ephrem († 373) und Jakob von Serugh (Beginn 6. Jh.) von Gott geschenkte und vom Menschen frei eingeübte spirituelle Vollkommenheit.

Hinter der Spiritualität des Ostens und ihrer Einheit von *theōría* (Gottesschau) und → Gnosis (Gotteserkenntnis) steht O., der zur *theōría* innere Vorbereitung, Heiligung und Läuterung (Praxis) fordert. Wird *theōría* zur intellektuellen Schau Gottes, kann sie nach Gregorios von Nyssa († 394) auch *theología* genannt werden. Euagrios Pontikos systematisiert sie gemäß der origenischen Trichotomie (Geist, Seele, Leib) des Menschen in eine erste praktische Gnosis, die rein die Gebote beachtet, in eine zweite Gnosis, die als *physiké theōría* die Natur der geschaffenen Dinge durchdringt, und drittens, die »einförmige Gnosis«, das reine Gebet, die Nacktheit des Verstandes. Diese Gnosis ist nicht mehr in Gedanken auflösbar [1. 346 f.]. Die Übers. des wegen Os. verurteilten und mit dem Pseudonym »Isaak von Syrien« und »Gregorios von Nazianz« versehenen Werkes des Euagrios Pontikos aus dem Persischen erreicht im Palästina des 7. und 11. Jh. große Bedeutung. Die kontemplative *theōría* gilt als seltenes Geschenk Gottes und kann den

geistlichen Sinn als das *pneúma* (göttl. Geist) der Schrift und den Logos (göttl. Ordnung) der geschaffenen Dinge erfassen. Da Gleiches immer nur durch Angleichung erkannt wird und diese als das Prinzip der Liebe gilt, ist diese *theōría* Gottes ohne Gottes zuvorkommende liebende Selbstmitteilung unmöglich. Vor allem O. steht am Anfang solcher Spiritualität.

Hierher gehört der Hesychasmus, die Lehre von der notwendigen Ruhe, um Gott zu begegnen [2. 191–231]. Diese Ruhe kann vieles bedeuten (Arsenios, † 445): die innere Einsamkeit (Anachorese) des auf Gott ausgerichteten Menschen; seine innere Psychologie (Johannes Klimakos, um 600; Hesychios, 7./8. Jh.; Philotheos Sinaiticus, um 1100); schließlich Abtötung der Leidenschaften mit atemtechnischer Methode zur Bewachung des Herzens und zur Schau des Lichtes bei dem Athosmönch Nikephoros (Jesusgebet). So schaut man das Licht der Verklärung Jesu auf dem Tabor (Taborlicht), was Gregorios Palamas veranlaßt, das unsichtbare Wesen Gottes von den im Gebet sichtbaren Energien zu unterscheiden. Es geht um das origenische Problem von unerreichbarer Transzendenz Gottes (Wesen) bei gleichzeitiger Erfahrung seiner beglückenden Gegenwart (Energien) [1; 2].

Origenes spricht von geistlichem Verkosten und Riechen durch die geistigen Sinne. Für die ungebildeten Mönche byz. Zeit wird hingegen das sinnliche Gefühl entscheidend (Messalianer Pseudo-Makarios). Nicht der Verstand (*noús*) ist Grund mystischer Erkenntnis, sondern das Herz. Wichtig wird nun, O. mißverstehend, sinnlich erfahrbare Tröstungen (Symeon der Neue Theologe, † 1022). Wie die Schwangere ihre Leibesfrucht spürt, so erkennen wir an sinnlichen Bewegungen wie Freude, Jubel und Heiterkeit, daß der Geist (Gottes) in uns ist. Die noetische Bewegung der Geister ist den sinnlichen *motiones animae* (Antonius d. Gr., † 356) gewichen [2. 257–289].

Immer wieder bringt der Osten Vertreter dieser geistlichen Erfahrung hervor: etwa in Rußland den Klausner von Zatvornik, Feofan von Wyscha (1815–1895). Ihm ist das Herz das Zentrum der Energien aller Kräfte der Seele und des Leibes, der Natur und der Gnade: Barometer unseres geistlichen Lebens. Die zweite Option des O. rutscht in die Nähe des frommen Gefühls. Dennoch: Die Unterscheidung der Geister ist nach O. nicht nur auf innere Prozesse bezogen, sondern oft auf die wörtliche Auslegung der Bibel. Später tendiert diese zu einer naiv verstandenen Narrheit um Christi willen (vgl. 1 Kor 1,18). Über Symeon von Emesa († um 550) und Andreas von Konstantinopel († 936) beeinflußt sie in Rußland den hl. Vasilij, der 1551 als solch ein hl. Narr vom Volke hoch verwehrt in der Kathedrale von Moskau beigesetzt wird. Allgemein gilt mit O.: Die noch nicht Vollkommenen auf den unteren Stufen brauchen Gesetze und Vorschriften, die Vollkommenen, die vom Hl. Geist geleitet werden, leben aus dem Geist. Origenes' Spiritualität wird dort verlassen, wo sich charismatische Menschen gegen das Amt stellen. Nicht gegen O. und auch nicht gegen das kirchliche Amt bringt Rußland das Laienamt des Starzen hervor [14. III. 3–50].

Die östl. Spiritualität lebt von der Bilderverehrung. Origenes verdeutlicht, daß Jesus wahrer Gott und wahrer Mensch ist und so Gott im Himmel doppelt zeigt: einmal als Schöpfer und dann als Vater des Sohnes und Erlösers. Über Johannes von Damaskus und Nikolaos von Kabasilas (14. Jh.) wird das Bild Ausdruck der Gott ähnlich gewordene Schöpfung und zugleich Ausdruck Gottes selbst, was bes. im Bild der Hl. zutage tritt.

4.2 Byzantinisch dogmatische Theologie

Byzanz und bes. sein bildungsfeindliches Mönchtum sind gegenüber dem ketzerischen *Dogmatístēs* (besserwissender Theologe) O. skeptisch. Denn O.' Allegorie erlaube, heidnische Philos. (Platon) mit dem Christentum (Bibel) zu mischen. Johannes von Damaskus polemisiert gegen seine Grundlegung des Arianismus, gegen seine Auferstehungsvorstellung und Apokatastasis (Wiederherstellung der Welt), die eine Erlösung Satans [2. 711–714] einschließe. Im Blick auf die dritte Option entsteht der Vorwurf, O. verwechsele nicht nur platonische Philos. mit der Offenbarungsbotschaft, sondern wolle heidnische Astrologie mit dem Christentum versöhnen. Gleichzeitig ist es aber gerade dies, was jene byz. Theologen zu O. führt, die an dem Problem von Freiheit und kosmischer Vorherbestimmung interessiert sind [1. 334]. Barsanuphios warnt die Mönche vor O. und Euagrios Pontikos und versucht sie von kosmischen Spekulationen weg und zu *hēsychía* und Jesus-Gebet hinzuführen [1. 352]. Im 9. Jh. tritt die platonisch-origenische »Theologia« gegenüber dem aristotelisch-anthropologischen Ansatz in den Hintergrund (Psellos). Naturphilosophische Betrachtungen (→ Aristotelismus) entfernen sich sogar von der Theologie (Platonismus) bei Patriarch Michael III. Die Integration des Platon in die Theologie ist deshalb später wieder gefragt [14. 90–92]. Wenngleich sowohl Platon als auch Aristoteles die Offenbarung »umklammern« und verfälschen (Johannes Philoponos) können, so bedauert Psellos, daß durch die Verarmung der Philos. theologische Fragen nicht mehr gelöst werden können. Als Neuerer angegriffen, beruft er sich auf die Kappadozier (Basileios und Gregorios von Nazianz) und bekennt, daß Mythos (z. B. Homer) und Logos (z. B. Platon) des Heidentums erst im Christentum ihre Erfüllung finden. Er versucht, die Klarheit (Geom.) logischer Gedankenführung aus Aristoteles mit dem myth.-anagogischen (aufsteigenden) Denken des Platon zu versöhnen. Jedes habe seine Vorteile. Allerdings erhalte die christl. Theologie ihre Begriffe von Gott, während die Philos. als menschliche Erkenntnis nur in Abstraktion (*via negativa*) fortschreiten könne. Sein Schüler Johannes Italos stellt Theologie und Philos. als Widerspruch dar. Daher ist es verständlich, daß nun Eustratios von Nikaia ganz im Gegenteil auch für die apophatische (Begrifflichkeit verneinende) Theologie den Syllogismus fordert. Das Anliegen des O. ist vergessen (Nikephoros Chumnos), als Häresie

wird es immer wieder verurteilt; einige orthodoxe Sentenzen gehen in die summenartigen Dogmatiken ein [14. III. 111–173; 1. 620, 749].

Barlaam betont gegen Palamas und die westl. Scholastik, daß menschliche Syllogismen nicht zum Geheimnis der Theologie (z. B. Gottes Wesen und Trinität) vorstoßen und nur zu einer *theologia negativa* führen, die auch für den Hesychasmus (Lehre von der ruhigen Beschauung) gelte. Deshalb vertritt Gregorius Palamas ebenfalls gegen den Westen, aber auch gegen Barlaam seine Theorie der Erleuchtung und beruft sich dabei auf die von Origenes geprägten Kappadozier. Später lobt der mit Kardinal Bessarion befreundete Michael Apostoli(o)s gegen die Lateiner den Exegeten O. und tadelt den Dogmatiker O., weil sein philos. Denken zum Arianismus führe [1. 242 f.]. Origenes und seine Optionen hatten auch hier ihre Inspiration verloren.

4.3 Byzantinische Theologie in der Neuzeit

Die russ. Philos. (und Theologie) zeigt Verwandtschaft mit dem Dt. Idealismus. Gemeinsame Wurzeln sind der mittlere und neuere Platonismus (Plotinos) und die theologische Rezeption der dritten Option des O. Gott-Vater als absolute Einheit entläßt aus sich den Logos-Sohn, der als Schöpfungsmittler in sich einerseits *hén* (Eins) und andererseits *pánta* (Alles) ist. Vielheit ist gegenüber Gottes Einheit Abfall und Sünde. Diese Vorstellungen wirken im frühen MA unter den Slawen (Bulgarien) und in den mystisch-asketischen Werken des Übersetzerzentrums des Metropoliten Kyprian von Moskau (1390–1406). Übersetzt werden Basileios, Diadochos, Isaak der Syrer, Hesychios, Johannes Klimakos, Maximos Homologetes etc. Interessiert ist man an Einheit-Vielheit, Geschichte und Geltung (Heilsgeschichte), Transzendenz und Immanenz, Anfang und Ende der Welt, Zeit und Ewigkeit. Iosif Volokolamskji (1439/40–1515) überträgt Einheit auf Staat und Kirche, was im 17. Jh. zur Vorstellung vom Hl. Russland und vom Dritten Rom (→ Rom I. Geschichte und Deutung E. Rom-Idee 3. Moskau) führt und an die katholische Romantik des Novalis erinnert. Der Ukrainer Hryhoryj Skovoroda (1722–1794) ist von der Patristik beeinflußt und dürfte die kosmische Option des O. tangieren [14. III. 3–23].

Auch in der russ. Theologie [14. I. 321–392] wird die Frage von Einheit und Vielheit, von Geltung und Geschichte etc. virulent. So bestimmt Chomjakov (1804–1860) in Anlehung an Hegels Zuordnung von These, Antithese und Synthese das Zueinander von Liebe, Freiheit und Einheit ekklesiologisch-konfessionell. Der Katholizismus ist Einheit ohne Freiheit, der Protestantismus Freiheit ohne Einheit, die Orthodoxe Kirche jedoch die Verbindung von Einheit und Freiheit in der Liebe. Ganz origenisch klingen Chomjakovs Ausführungen von der Einheit der Kirche, die in der Liebe zu Christus, dem Menschen und Gottes-Sohn gründet. Unter anderem beeinflußt ihn die griech. und syr. Patristik. In seinem Gefolge treiben Solov'ev (1853–1900),

Berdjaev und Bulgakov die Idee von Einheit und Vielheit, von Transzendenz und Immanenz im Blick auf den Dt. Idealismus weiter voran. Solov'ev fühlt sich O. verpflichtet und entwickelt eine *sophía*-Lehre (1853–1900), mit der sich auch Bulgakov (1871–1944) beschäftigt. Beide stehen Platon und der platonischen Patristik nahe und zitieren da und dort auch Origenes. *Sophía* gilt als die universelle »Äußerung« Christi, die Erfassung der letztlich nur einen Menschennatur in Gottes realisiertem Heilsplan mit der Welt (Solov'ev). *Sophía* ist das Symbol ganzheitlicher Apokatastasis (Wiederherstellung der Welt). Von Os. im Sinne des Zueinanders der drei origenischen Optionen kann man nur vorsichtig sprechen.

5. Abendländisch-mittelalterliche Theologie

5.1 Geistliche Theologie als Origenismus

Da das Konzil von Konstantinopel (553) O. verurteilt hatte, werden im MA seine biblischen Schriften nur in lat. Übers. und ohne Namen weitergegeben, während *Perí Archốn* und *Contra Celsum* unbekannt bleiben. Hugo und Richard von St. Victor, Bernhard von Clairvaux (1090–1153), Wilhelm von St. Thierry (†1148) und Aelredo von Rievaulx (1100–1167) entdecken O. als den großen mystischen Exegeten (Hohelied), dessen Spuren sich auch bei Hildegard und Elisabeth finden [4. 309]. Bernhards »monastische« Theologie unterscheidet sich von der aufkommenden Früh-Scholastik; sie gründet auf Schrift-Meditation und den Kirchenvätern, weniger auf metaphysischen Konzeptionen, und wird für die ma. Mystik und Theologie mitbestimmend (Thomas, Meister Eckehart, Dante bis hin zu Luther). In der Christus- und Brautmystik der Hohelieddeutung ist Bernhard von O. abhängig [13. II. 239–242]. Seine Kreuzesbetrachtung und Herz-Jesu-Mystik, später auch bei Mechtild, Gertrud von Helfta u. a., verhindern ganz im Sinne des O. eine neuplatonische Verflüchtigung des Heilswerkes Christi. Auch die franziskanische Kreuzesbetrachtung zeigt origenische Elemente [13. II. 1180 f.].

5.2 Glaubensreflexion als Origenismus

Johannes Scotus Eriugena (um 810–877) setzt sich mit O. auseinander. Seine Homilie zum Johannes-Prolog gilt als Schrift des Origenes. Wenn auch Augustinus verpflichtet (Prädestination), so stehen Schöpfungs- und Jenseitslehre, v. a. die Erschaffung des Menschen O. nahe: Der Mensch ist als intelligibles Wesen als Abbild des Logos geschaffen und in ihm auf dem Weg zum Gleichbild. Er fällt durch Hinwendung zur Materie vom Logos ab und materialisiert sich; er wird jedoch in einer Apokatastasis (Wiederherstellung) mit Christus als der einen Uridee vereint und erneuert. Nach ihm wird der Teufel ebenfalls gerettet und Übel und Böses annihiliert. Zukunft bedeutet universelle Rückkehr zum Paradies des Ursprungs, zum geistigen Menschsein im Logos. Biblische Verkündigung und Verheißung gelten im Blick auf diese Wirklichkeit als Allegorien [4. 309].

Die meisten ma. Systematiker sind gegenüber den dogmatischen Sentenzen des O. skeptisch. Die *Glossa Ordinaria* (um 1110–1150) zitiert Isidor von Sevilla und Rhabanus Maurus gegen O.; das Sentenzenwerk des Petrus Lombardus (1100–1160) erwähnt 12 häretische Sätze aus *Perí Archốn* und Homilien, die wir wieder finden bei Albertus Magnus, Bonaventura und Duns Scotus. Thomas von Aquin (1225–1274) tadelt den Subordinatianismus des O. und macht ihn zum Mitbegründer des Arianismus; durch die Überbetonung des freien Willens des Menschen reduziere O. die göttl. Vorherbestimmung auf ein alleiniges Vorherwissen und setze den menschlichen Willen absolut [4. 309 f.].

Die beiden ersten Optionen des O. vereinen die ma. Mystiker, bes. Meister Eckehart (1260–1327). Geprägt von der Wort- und Schrifttheologie des Alexandriners ist der Dominikaner überzeugt von der Sohngeburt des Logos in der Seele des Menschen, die ihrerseits durch den Logoskeim auf den trinitarischen Gott zurückwirkt. Die Auslegung der Schrift dient mit O. nicht abstrakter Theologie, sondern der Erfahrung Gottes, dessen Wahrheit gleichnishaft in der Schrift verborgen ist. Der Mensch lebt nach ihm als geschaffene Existenz nicht aus sich selbst, sondern aus Durst und Hunger nach Gott; er verzichtet in Aufstieg zu und Einheit mit Gott auf Bilder (apophatisch) und auf Unterscheidungen von »Dem« und »Jenem« [13. III. 645–649].

6. Humanistische Theologie

Gedanken des Ps.-Dionysios, Gregorios von Nyssa, Johannes Eriugena, Raimundus Lullus und Meister Eckehart laufen bei Nikolaus von Kues (1401–1464) im Werk *De docta ignorantia* zusammen und beschreiben von Origenes her den Aufstieg der Seele zum Mysterium des Vaters. Dieser Aufstieg wird für Cusanus geleitet durch die Kirche, ihre Dogmen und Lehrsätze: Alle diese Erkenntnis sei analog und erfülle sich erst in der Schau des dreifaltigen Gottes. In der Absolutheit Gottes würden die Gegensätze unseres Denkens zusammenfallen (*coincidentia oppositorum*), denn Gott sei der Einheitsgrund, die Gleichheit und Verbindung von allem überhaupt. Gott sei der Mittelpunkt des Seins; im Universum entfalte sich die göttl. Seinsfülle in Arten oder Individuen und kontrahiere sich in ihrer inneren Zuordnung. Origenes spricht in diesem Zusammenhang vom Logos als der Ordnung der Wirklichkeit (*kósmos toú kósmou*). Der Mensch sei mit O. gegenüber dem Makro-Kosmos selbst Mikro-Kosmos; seine Seele sei Bild Gottes, sein von ihr durchdrungener Leib, Welt im Kleinen. Jesus Christus sei der im Logos vollendete Mensch, Urbild des vom Logos beseelten Kosmos und des mit dem Logosfunken ausgerüsteten Menschen [13. III. 988–991]. Cusanus will die drei Optionen des Alexandriners zusammenhalten.

Der Leiter der platonischen Akad. in Florenz, Marsilius Ficinus (1433–1499), spricht bewundernd von »unserem O.«, vom »allerchristlichsten« O., dem in Leben und Lehre bewundernswerten (›vir doctrina vitaque mirabilis‹) und vom ›Platonicus excellentissimus‹ [4. 310]. Platonismus und Christentum (Bibel) gelten als vereint; O. ist nicht Häretiker, sondern Begründer einer neuen, weltoffenen Spiritualität, die sich gegen eine spätma. averroistische Scholastik richtet. Zur human. Ren. des O. trägt Pico della Mirandola (1463–1494) mit seinen 900 Thesen über die Rechtgläubigkeit des O. bei. Letztlich kämpft Pico della Mirandola gegen den unter Innozenz VIII. aufkommenden Ketzerwahn und für eine neue biblische, anthropologisch und geschichtlich orientierte Theologie. Diese wiederum bestreitet ängstlich-fundamentalistisch der vatikanische Bibliothekar Pedro Garcia (um 1440–1506) mit seinen »Kirchlichen Abgrenzungen« (*Determinationes ecclesiales*), ohne seinerseits O., den Os. oder das Konzil von 553 zu kennen. Gleichbleibendes Dogma und Geschichtlichkeit haben nichts miteinander zu tun. Die Schriftsinne sind verschwunden und durch das kirchliche Lehr- und Richteramt (Ketzerverurteilung) ersetzt. Diesem Garcia folgen geistesverwandt Savonarola (1452–1498) und der apostolische Sekretär Paolo Cortese (1465–1510) in seinem 1503 erschienenen Sentenzenkommentar. Von einer vatikanischen Kommission angeklagt, verteidigt sich Pico della Mirandola in einer Apologie (31.5.1487), die der kirchlich-scholastischen und kanonistischen Theologie falsche Grundüberzeugungen von Gottes Umgang mit der Würde des Menschen und von der Gewissensverantwortung des Menschen vorhält. Origenes stehe hingegen für eine neue Theologie, Pico della Mirandola jedoch nicht für Os. [16. 126–143].

Zwischen 1503 und 1516 erscheinen acht selbständige O.-Ausgaben [16. 143–175]. Sie machen deutlich, daß O. nicht der Erzketzer ist, als den man ihn hinstellt (Aldo Manuzio, 1449–1515). Lazaro Soardos bringt 1513 seine umfängliche Homilienausgabe des O. mit päpstlichem Druckprivileg (Julius II.) heraus. Die von *Perí Archón* folgt 1514 und enthält in der *Methodos in disciplinam Origenis* einen Abriß des origenischen Denkens: Zum Verständnis von Platon und O. sei die Sprache des Mythos bedeutend [16. 163f.]. Die Lehre des O. von den Engeln, von der Präexistenz der Seelen und von der Apokatastasis habe Platon verschuldet. Andererseits habe O. den griech. Philosophen auch widersprochen: Der Stufenbau der Welt habe sein Urbild nicht in einer Abstufung in Gott (Platons *Parmenides*); mit der Hl. Schrift und gegen die → Akademie habe er Macht und Verwerflichkeit der Dämonen verteidigt und sich gegen allen Pantheismus gewandt (Platons *Kritias*); in seiner Lehre von der Ewigkeit der Materie sei O. zu unrecht von Platon abgewichen. Origenes wolle die Gerechtigkeit Gottes mit einer Schöpfung geistiger willensfreier Vielheit gegen einen markionitisch gnostischen und valentinianischen Dualismus begründen. Gerade die allegorische Methode habe O. die Analogien des Seins entdecken und zum Verteidiger des einen Gottes des AT und des NT werden lassen. Das Vorwort unterscheidet zw. den Lehren des O. und denen, die von Iustinian verurteilt werden [16. 112–126]. Es geht um eine neue Theologie: O. gilt als Beleg dafür, Menschenweisheit (Philos.), Offenbarung (biblisches Christentum) und Kosmos (Welt) in seinen Optionen ver-

binden zu können. Die Einheit der origenischen Optionen ist also gefragt.

Der Franziskaner Jean Vitrier im flandrischen Saint-Omer bringt die O.-Ren. nach Frankreich. Der ma.-monastisch-exegetischen Trad. verhaftet, liebt er des O. allegorische Methode, sucht den tieferen, mystischen Sinn und entwickelt aus der Gottes-Abbildlichkeit des Menschen eine auf Gott hin orientierte Spiritualität. Der mit Marsilio Ficino in Verbindung stehende Lyoner Arzt Symphorien Champier (um 1471–1537) steht für des O. dritte Option, naturwiss. Beobachtungen und Offenbarungstheologie zu einer christl. Weltanschauung zu vereinen. Er sucht durch seine Sammlungen aus Philos. und Medizin, aus Kirchenvätern und arab. Gelehrten eine umfassende Harmonie der Theologie, der Philos. und der Medizin herzustellen, wie er sie in *Perí Archón* erkennt. Als Merlin 1512 seine O.-Gesamtausgabe (einschließlich *Perí Archón*) herausbringt, geht es erneut um das Verhältnis von »heidnischer« Philos. und Christentum, um Theologie als Spiritualität und letztlich um den Einfluß der Kirche auf die Theologie [16. 182]. Jacques Merlin sieht in O. einen Theologen, der mit seiner Unterscheidung der Geister den Buchstaben sprengen und die Mysterien der Kirche mit Duft erfüllen kann. Merlins Ausgabe wird von der des Erasmus abgelöst [16. 191–208]. Daß es um das Selbstverständnis der Theologie geht, zeigt auch der Streit zw. Merlin und dem ›Humanistenschreck‹ (Schär) und Syndikus der Sorbonne Natalis Beda (†1536/37) [16. 212–226]. Beda will die Ausgabe Merlins indizieren lassen. Das langjährige Hin- und Her zw. Univ., Parlament (!) und bischöflicher Kurie provoziert Bedas Anfrage an die Fakultät, wer denn noch die Beschlüsse des 5. Ökumenischen Konzils anerkenne. In Bedas Augen ist die kirchliche Theologie gegen den neuen Os. zu schützen, wie auch der Streit zw. ihm und Erasmus zeigt. Ab 1526 verfaßt Beda im Blick auf Erasmus Druckschriften gegen die heimlichen Lutheraner (*Adversus clandestinos Lutheros*), nicht zuletzt deshalb, weil Erasmus den O. verteidigt. Beda stellt abstruse Thesen auf: Erasmus und Luther seien unbesonnen O. gefolgt; Areios und Erasmus seien seiner Irrlehre nur aus Bewunderung seiner falschen Trinitätslehre erlegen; bezüglich der Willensfreiheit seien O. und Erasmus vom rechten Verständnis des Paulus (Röm 7,19) abgewichen. Beda geht es ums Dogma als Norm der Lehre, O. und Erasmus um die Schrift-Option. Origenisch-geschichtliche und scholastisch-dekretistische Theologie streiten miteinander.

Wenngleich seine Gesamtedition des O. ein Torso bleibt, so macht Erasmus die Spiritualität des O. zur Leitlinie seiner Theologie; er stützt sich auf die erste und zweite Option des O., übergeht die von kosmischer Einheit und Vielheit und entwirft seine human. Theologie. Abstieg und Aufstieg werden die beiden untrennbaren Bewegungen des Heils und seiner Pädagogik. So wird der neue Mensch erzogen und gebildet: von Gott in Christus geschaffen, Gott gemäß in Christus berufen und Gott in Christus würdig gemacht – die Neue

Schöpfung. Mit O. hat Erasmus der neuen, den Menschen beachtenden Theologie entscheidend auf die Beine geholfen [16. 289–294].

7. REFORMATORISCHE THEOLOGIE

Die Bibelausgabe des Erasmus (1516) bringt etliche Humanisten (Peutinger, 1465–1547) und spätere Reformatoren wie Oekolampad (1482–1531) und Zwingli (1484–1531) mit O. in Kontakt. Man schätzt die allegorische Methode, die Apokatastasis, ein gewisses symbolisches Abendmahlverständnis [11. 37–45]. Doch schon ab 1523 lehnt man in reformatorischen Kreisen (Oekolampad, Zwingli, Bullinger) O. ab. Den Umschwung hatte Luther seit 1520 betrieben: Mit Allegorese sei man vom Wort der Schrift abgewichen, habe neue Glaubenssätze eingeführt und die Lehre von der Rechtfertigung verfälscht. Allein mit der Anerkennung des buchstäblichen Sinnes sei das Heil in Geschichte, die Menschwerdung und der Heils-Tod Jesu garantiert. Wer allegorisiert, hebe die Erlösung auf. Erasmus vernachlässige mit O. die Gnade Gottes zugunsten des menschlichen freien Willens [11. 46–54; 13. I. 1–18]. Auch der mit O. sympathisierende Philipp Melanchthon (1497–1560) rügte ihn in seiner Römerbriefvorlesung (1520, 1532, 1540), weil dieser den paulinischen Begriff *littera* zu Literalsinn umgebogen habe, wohingegen *littera* das Leben des Fleisches außerhalb von Christus bedeute; für Melanchthon ist die Kirchengeschichte bis Augustinus origenisches Zeitalter (*aetas origenica*), das durch Augustinus gereinigt wurde. Lehren wie Allversöhnung, Weltenkreislauf, Rechtfertigung durch Werke seien entstanden, weil man die Rechtfertigung allein aus Gnade vergessen habe [11. 54–67; 16. 265–268]. Mit dem Dogma von der Rechtfertigung rückt man O. u. Erasmus und ihrer Betonung der heilsorientierten geschöpflichen Freiheit kämpferisch entgegen.

8. NEUERE THEOLOGIE UND ENDE DES ORIGENISMUS

8.1 DER STEINBRUCH ORIGENES

Sympathie für den Alexandriner hegen die katholischen Kontroverstheologen. Für Johannes Eck (1486–1543), dem Erasmus geschrieben hat, ›eine einzige Seite O. lehrt mich mehr Theologie als zehn Seiten Augustinus‹ [16. 268], ist O. Autorität (*Enchiridion*; *Confutatio der Confessio Augustana*); ebenso dem Johannes Cochläus (1479–1552) bezüglich der Willensfreiheit des Menschen; aber auch dem konservativen Löwener Jacobus Latomus (1475–1544) wegen der guten geistlichen Theologie. Am rechtgläubigen O. interessiert sind v. a. kontroverstheologisch orientierte Jesuiten (Binet SJ; Halloix SJ, 1571–1656), aber auch Huet (1630–1721) [11]. Die einzelnen Optionen des O. werden zum Zankapfel der Konfessionen.

Es stritten nicht nur Katholiken und Protestanten. Auch Jansenius (1585–1638) verurteilt in seinem *Augustinus* O. als Pelagianer, der mit der Präexistenz der Seelen und v. a. der Seele Christi die eigenmächtige Rückkehr des Menschen (*autokíneton*) zu Gott betont, die

Gnade ausschließt und damit die menschliche Freiheit überfordert. Für die Leugner der Trinität (Socinianer) wird O. zum Gewährsmann dafür, daß der Sohn dem Vater seinsmäßig untergeordnet ist (Subordinatianismus); für Sekten wird er der Theologe apokatastatischer Allerlösung, die den Teufel und die gefallenen Engel ebenso einschließt wie die Menschen (Sonerus). Im 17. Jh. polemisiert Pierre Bayle (1647–1706) gegen O., weil dieser Glauben und Wissen zu vereinen sucht [4. 318]. Bis ins 20. Jh. gilt das Werk des Alexandriners als Fundgrube histor. Nachrichten über Theologie, Häresie, liturgisches Brauchtum, Sakramentenpraxis und Predigt. Sein System ist in der Theologie nicht mehr gefragt: Apologetisch-kontroverstheologische Scholastik und evangelische Theologien haben mit ihrem Gegeneinander genug zu tun. Die Situation ändert sich heute. Aus dem Geist der drei Optionen des O. entstehen etwa die theologischen Werke eines Hans U. von Balthasar, Teilhard de Jardin SJ und Henri de Lubac SJ [10].

8.2 PHILOSOPHIE ALS ORIGENISMUS

Für des O. Zueinander von Christentum und Platonismus beginnen sich Philosophen zu interessieren. Giordano Bruno (1548–1600) stellt die Fragen entsprechend der dritten Option des O., ähnlich auch Tommaso Campanella (1568–1639). Eine dem Os. nahe Philos. lehrt man in Cambridge. George Rust verteidigt aus neuplatonischen Prinzipien die Lehren des Os. von der Präexistenz der Seelen, von der Metamorphose der verschiedenen Existenzweisen des Menschen in einem ewigen Kreislauf der Wiederkehr. John Smith (1616–1652) entwickelt u. a. mit O. den Gedanken des geistigen Fortschritts der Welt. Henry More (1614–1687) begründet mit der Präexistenz der Seelen den Sündenfall und damit die Erbsünde. More bezweifelt die Wiederherstellung der Welt (Apokatastasis) wegen der Immaterialität Gottes bei O., wegen der trinitarischen Subordination und wegen des vergeistigenden Aufstiegs der Menschen zu Gott. O. ist ihm Wunder der christl. Denkens. Im Sinne des (häretischen) Os. systematisiert Anne Conway (1631–1679) die Lehre vom Aufstieg der geistigen Wesen bis hin zur Apokatastasis. Ralph Cudworth (1617–1688) verwendet v. a. *Perí Archón* und *Contra Celsum* zu seiner großen Synthese *The True Intellectual System of the Universe* (1678) gegen Determinismus (Hobbes) und Atomismus, Fatalismus (Calvin) und Atheismus. Samuel Clarke schreibt (1712), angeregt von subordinatianistischen Gedanken des O., gegen das seiner Meinung nach irrationale und anti-biblische Nizänum [4. 316f.].

Auch im dt. Sprachraum wird O. studiert. Gottfried Wilhelm Leibniz (1646–1716) fragt ganz im Sinne der dritten Option des O. und faßt logische, mathematische, juristische, physikalische, histor., theologische, sprachtheoretische und sprachphilos. Studien zusammen. Er stellt Fragen, die auch dem O. gestellt wurden (absoluter Raum, absolute Zeit, Ewigkeit der Materie, Welt, Beseelung, Monadologie, Wunder, Gegenwart

Gottes im Raum, Freiheit und Prädestination, Verhältnis Gott-Mensch). Gott handelt für Leibniz nicht willkürlich (gegen calvinistische Prädestination), sondern mit (vernünftigen) besten Gründen. Daher ist diese Welt die beste aller möglichen Welten. Sie schließt, weil Gott mit Vorsehung anstatt mit Prädestination herrscht, die Freiheit des Menschen ein. Origenes schreibt das verschiedene Werden der von Gott gleich geschaffenen geistigen Wesen der Freiheit der einzelnen Menschen zu (Monade bei Leibniz), wobei Gott in seiner Vorsehung alles umfaßt (prästabilierte Harmonie bei Leibniz) [17. II. 890–902]. Nach Gotthold Ephraim Lessing (1729–1781) dient Religion der Erziehung des Menschengeschlechtes bis zur Stufe des ›ewigen Evangeliums‹, auf der alle nach der Vernunft leben und es keine Sünde mehr gibt. Hier spiegelt sich, allerdings sehr gebrochen, des O. heilsgeschichtlich-pädagogische Phasen des Aufstiegs des Menschen zum Neuen Himmel und zur Neuen Erde [17. II. 911 f.]. Immanuel Kant (1724–1804) dürfte in seiner noch von Leibniz und Lessing beeinflußten Zeit mutatis mutandis etwas von deren »Origenismus« aufgenommen haben, wenn er in seiner anon. herausgebrachten Schrift *Allg. Naturgeschichte und Theorie des Himmels* (1755) aus dem Chaos den Kosmos entstehen läßt. Die Schrift *Das Ende aller Dinge* erinnert wieder an O., seinen Vorsehungs- und Erziehungsgedanken, wenn Kant v. a. biblisch-eschatologische Ideen und Vorstellungen nach dem praktischen Verstande beurteilt (Tod, Jüngstes Gericht, Seligkeit) [17. I.791–819]. In unseren Tagen ist O. und der nicht ihm zuzuschreibende Os. lebendig unter Esoterikern und Anthroposophen, die auf ihre Weise (Seelenwanderung, Metempsychose, Evolution, Verständnis von Kosmos und Geist) die drei Optionen in ein neues Verhältnis bringen [12].

→ Alexandrinismus; Allegorese; Allegorie; Aristotelismus; Aufklärung; Augustinismus; Byzantinistik; Byzanz; Dialog; Humanismus; Imitatio; Italien; Interpretatio Christiana; Metaphysik D.; Mythos; Neuplatonismus; Paganismus; Praktische Philosophie; Religionsgeschichte; Religionskritik

→ AWI Abbild; Abraham [1]; Abschrift; Adventus; Ägypten; Affekte; Akademeia; Alexandreia [1]; Alexandrinische Schule; Allegorese; Allegorie; Ambrosius; Analogie; Anthropologie; Aphrahat; Areios; Aristoteles [6]; Aristotelismus; Argumentatio; Arianismus; Askese; Astrologie; Astronomie; Ataraxia; Atheismus; Bibel; Bibelübersetzungen; Bild, Bildbegriff; Bildung; Christentum; Concilium; Didymos [5]; Didymos [5]; Dionysios [54] Areopagites; Dogmatiker; Emanation; Energeia; Energie; Ephraem; Erfahrung; Erkenntnistheorie; Erziehung; Eschatologie; Ethik; Euagrios [1] Pontikos; Exegese; Fides; Fortschrittsgedanke; Freiheit; Gebet; Glück; Gnosis, Gnostiker; Gregorios [1;2;3]; Häresie; Heilige, Heiligenverehrung; Hellenisierung; Hieronymus; Hilarius [1]; Homeros [1]; Hymnos, Hymnus; Hypostase; Ideenlehre; Jenseitsvorstellungen; Jesus;

Intellekt; Interpolation; Interpretatio; Iohannes [4; 30]; Isidoros [9]; Iustinianus [1]; Judentum; Kaisareia; Kalchedon; Kanon; Kappadokia; Katabasis; Kategorien; Kelsos; Kirche; Kirchenväter; Kosmologie; Kyrillos [1;2]; Literatur; Logik; Logos; Lust; Markion; Materie; Mathematik; Maximos [7]; Messias; Metaphysik; Methodios [1]; Mittelplatonismus; Mönchtum; Monarchianismus; Monophysitismus; Moses, Mose [1]; Mysterien; Mythos; Natur, Naturphilosophie; Nestorios, Nestorianismus; Neuplatonismus; Nicaeno-Constantinopolitanum; Nikaia [4]; Origenes [2]; Paradies; Pathos; Paulus [2]; Philon [12]; Philosophie; Physik; Pilgerschaft; Platon [1]; Plotinos; Pneumatomachoi; Prädestinationslehre; Praktische Philosophie; Prinzip; Prophet; Psalmen; Psellos; Rationalität; Rufinus [6]; Sacramentum

1 H.-G. BECK, Kirche und Theologische Lit. im byz. Reich. Byz. Hdb., II. Teil, I. Bd., 1959 (= HdbA 12,2,1, ⁵1977) 2 Ders., Das byz. Jt., 1978 3 W. A. BIENERT, U. KÜHNEWEG (Hrsg.), Origeniana Septima, 1999 4 A. M. CATAGNO (Hrsg.), Origene, Dizionario: La Cultura, il Pensiero, le Opere, 2000 5 H. CROUZEL, Bibliographie critique d'Origène, 1971 (Supplément I u. II.,1982 u. 1996) 6 Ders., Origène et la Philos., 1962 7 Ders., Origène et la »Connaissance mystique«, 1961 8 F. DIEKAMP, Die origenistischen Streitigkeiten im sechsten Jh. und das fünfte allg. Concil, Münster 1899 9 W. DÖPP, W. GEERLINGS (Hrsg.), Lex. der ant. christl. Lit., ²1999 10 L. LIES, Origenes' »Peri Archon«. Eine undogmatische Dogmatik, 1992 11 Ders., Origenes' Eucharistielehre im Streit der Konfessionen. Die Auslegungsgesch. seit der Reformation (= Innsbrucker Theologische Stud. 15), 1985 12 Ders., O. und Reinkarnation, in: Zschr. für Katholische Theologie 121, 1999, 139–158, 249–268 13 TRE 14 W. NYSSEN, H.-J. SCHULZ, P. WIRTZ (Hrsg.), Hdb. der Ostkirchenkunde, 2 Bde., 1984–1997 15 G. PODSKALSKY, Theologie und Philos. in Byz. (= Byz. Archiv 15), 1977 16 M. SCHÄR, Das Nachleben des O. im Zeitalter des Human. (= Basler Beitr. zur Geschichtswiss. 140), 1979 17 F. VOLPI (Hrsg.), Großes Werklex. der Philos., 2 Bde., 1999.   LOTHAR LIES SJ

II. ALTKIRCHLICHE DOGMEN
A. DEFINITION/EINLEITUNG   B. MITTELALTER
C. FRÜHE NEUZEIT   D. NACH DER AUFKLÄRUNG

A. DEFINITION/EINLEITUNG

Unter »altkirchlichen Dogmen« (AD) versteht man die durch die großen spätant. Reichskonzilien von Nikaia, Kalchedon (auch Chalkedon), Ephesos und Konstantinopel normierten und durch die Kaiser auch polit. sanktionierten Lehren über die Trinität, die Person Jesu Christi (Monophysitismus; Monotheletismus) und die mit Gotteslehre und Christologie eng verbundene Bilderfrage (Kultbild). Der Begriff »altkirchlich« ist dabei die im dt. Sprachraum geläufigste Bezeichnung für die kaiserzeitliche bzw. spätant. christl. Mehrheitskirche [44. 344], deren allg. verbindliche Glaubenslehren schon seit dem 2. Jh. mit dem aus der Philos. entlehnten Begriff δόγμα/*dógma* bezeichnet wurden [28. 275–278].

Seit dem 4. Jh. verengte sich der Begriff »Dogma« aber und wurde v. a. auf die Beschlüsse derjenigen bischöflichen Kirchenversammlungen (Synoden bzw. Konzilien) beschränkt, die als οἰκουμενικός/*oikoumenikós* (»universal« bzw. »ökumenisch«) bezeichnet wurden, um damit den Anspruch auf reichsweite Beteiligung wie Verbindlichkeit deutlich zu machen. In der Regel waren sie vom Kaiser einberufen, der auch ihre Beschlüsse exekutierte. Seit dem 9. Jh. werden sieben »ökumenische Konzilien« (Synoden) gezählt: Concilium Nicaenum I 325 n. Chr. (Glaubensbekenntnis: [9. Nr. 125/126]); Constantinopolitanum I 381 n. Chr. [9. Nr. 150]; Ephesinum 431 n. Chr. [9. Nr. 250–268]; Chalkedonense 451 n. Chr. [9. Nr. 300–303]; Constantinopolitanum II 553 n. Chr. [9. Nr. 421–438]; Constantinopolitanum III 680/681 n. Chr. (auch: Trullanum [9. Nr. 550–552]) und Nicaenum II 787 n. Chr. [9. Nr. 600–603].

Schon in der Ant. wurden die für verbindlich erklärten Lehrentscheidungen dieser Kirchenversammlungen nur zögerlich (Nikaia I) oder von Teilen der Reichskirche überhaupt nicht rezipiert (Chalkedonense). Insofern gilt, daß in der Mehrheitskirche zwar mit dem siebten ökumenischen Konzil 787 n. Chr. die Fixierung des kirchlichen Dogmas als abgeschlossen galt, aber diese Dogmen zugleich auch die ant. Christenheit teils für eine bestimmte Zeit (Schisma der german. »National«-Kirchen homöischen Bekenntnisses: Arianismus, teils endgültig gespalten hatten (in chalkedonensische und nichtchalkedonensische Kirchen, insbes. sogenannte »Monophysiten« und »Nestorianer«). Schon in der Ant. stehen also die positive Rezeption (sowie die theologische Fortschreibung wie Anwendung in Lehre und Predigt) der kirchlich wie staatlich normierten Glaubenslehren und deren explizite Verwerfung samt staatlichen Zwangsmaßnahmen nebeneinander.

Außerdem entwickelten sich Ost- und Westkirche spätestens seit der endgültigen polit. Trennung der beiden Reichshälften auch theologisch weiter auseinander. Von bes. Bed. war neben dem im Westen sehr verkürzt wahrgenommenen Bilderstreit (s. u. B.), daß einzelne Elemente der Theologie des nordafrikan. Bischofs Augustinus (354–430 n. Chr.), die die allermeisten östl. Theologen nicht vertraten (wie die schroffe Prädestinationslehre, die Lehre von einer unbedingten Gnadenwahl Gottes und der neue Willensbegriff [27. 138–149]) von westl. Synoden der Völkerwanderungszeit in abgemilderter Form für verbindlich erklärt wurden (Synode von Orange 529 [9. Nr. 397]), im Osten dagegen fast ausnahmslos abgelehnt wurden.

B. Mittelalter

Auf den ersten Blick ist das MA im Osten wie im Westen die Epoche der unangefochtenen Geltung der AD, die z. T. unmittelbar in das weltliche Recht übernommen wurden und in formellen Wendungen den Alltag und die juristische Sprache prägten. Allerdings zeigt schon die Situation in Ägypten vor der islamischen Eroberung 642/643 n. Chr., wo Kaiser Justinian 537 ne-

ben der antichalkedonensischen Hierarchie einen dem Kaiser (syr. Malka, daher »Melkiten«) ergebenen chalkedonensisch orientierten Patriarchen von Alexandria installierte, der sofort an den Aufbau einer Gegenkirche ging [31. Bd. 2/4. 60–90], daß dieses monolithische Bild ohnehin immer nur für bestimmte polit. Einheiten galt. Die german. »National«-Kirchen verwarfen erst im 6. Jh. (z. B. die Westgoten auf dem 3. Konzil von Toledo 589 n. Chr.) ihr antinizänisches Bekenntnis und akzeptierten das trinitarische Mehrheitsbekenntnis der spätant. Reichskirche. Die sogenannten »nichtchalkedonensischen Kirchen« errangen im MA große missionarische Erfolge außerhalb des Raumes der Nachfolgestaaten des Imperium Romanum: Die urspr. im ostsyr.-persischen Grenzgebiet entstandene und durch die streng dyophysitische Christologie des Nestorios geprägte National-»Kirche des Ostens« gründete unter islamischer Herrschaft zw. dem 7. und 14. Jh. zahlreiche Gemeinschaften in Zentralasien entlang der sog. »Seidenstraße«, in China und v. a. in der Mongolei, wo ihre Glieder im 12. und 13. Jh. eine wichtige Rolle in der Verwaltung des Mongolenreiches spielten [58. 61–193]. Aber auch die nichtchalkedonensischen monophysitischen Kirchen vergrößerten sich im MA oder verlagerten ihr Gebiet (teilweise aus rein polit. Gründen) wie beispielsweise die armenische apostolische Kirche, die sich im 11. Jh. nach Kilikien ausdehnte.

Aber auch für den geogr. Kernbereich der westl. wie östl. Nachfolgestaaten des Imperium kann man nur eingeschränkt von einer unangefochtenen Geltung dieser Dogmen sprechen. Zum einen bestimmten nach wie vor Elemente spätant. nichtchristl. Glaubensweisen die rel. Mentalitäten, und der teilweise weit über die mehrheitskirchlichen Lehren hinausgehende Engel- und Heiligenkult sowie magische Vorstellungen begrenzten die Rezeption der altkirchlichen Christologie und Trinitätslehre (21. 89–147). Zum anderen brach bereits im frühen MA eine kritische Diskussion über Details der spätant. Glaubenslehren auf, die sich über die ganze Epoche fortsetzte. Boëthius interpretiert in seinen *Opuscula sacra* das trinitarische Dogma der Konzilien von Nikaia 325 n. Chr. und Konstantinopel 381 n. Chr. auf der Basis der aristotelischen und platonischen Philosophie. Daher definiert er (im Unterschied zu Augustinus, aber auf neuplatonischer Basis) die drei trinitarischen Personen Vater, Sohn und Hl. Geist als Relationen: ›persona est relatio‹ [25. 211–222]. Auf diese über die AD hinausführende Interpretation beziehen sich die meisten ma. Theologen in irgendeiner Form; bes. zu nennen sind als Verf. von ausführlicheren Kommentierungen Alkuin (um 730–804 n. Chr.), Gilbert von Poitiers (um 1080–1154; insbes. mit seinem *Tractatus de trinitate* [11. 14–50]) und schließlich Thomas von Aquin (1224/25–1274) mit der Schrift *In Boethium De trinitate*. Thomas unterscheidet die Trinitätslehre, die allein aus der Offenbarung zu gewinnen ist, streng von der allg. Gotteslehre, die auf natürliche Erkenntnis zurückgeht [18. I quaestio 32 articulus 1].

Einen weiteren Schwerpunkt der produktiven Rezeption des ant. trinitarischen Dogmas bildet die sog. »psychologische Trinitätslehre« des Augustinus, in der die dreifachen Gliederungen des inneren Menschen wie *mens, notitia, amor* und *memoria, intelligentia, voluntas* als geschöpfliche Entsprechungen zur Dreifaltigkeit Gottes interpretiert werden (Aug. trin. 9; 10–15) und der Geist wie bei Eusebios von Kaisareia als *vinculum trinitatis* verstanden wird. In diesen Bahnen denken v. a. Richard von St. Viktor († 1173) in seiner Schrift *De trinitate* [38. 191–343] und die frühen Ordenstheologen des Franziskanerordens, v. a. Alexander von Hales (um 1185–1245) und später Bonaventura (1217–1274), der gegen Boëthius an sich seiende Besonderheiten der Personen neben ihrem durch die Relation begründeten Verhältnis zueinander lehrte [5. I distinctio 25 articulus 1 quaestio 1].

Ein zw. Ost- und Westkirche bes. umstrittener Punkt der Rezeption des altkirchlichen Trinitätsdogmas war die Einfügung des *filioque* (»und vom Sohn«) in das *Nicaeno-Constantinopolitanum*, das Bekenntnis der ersten Reichssynode von Konstantinopel [9. Nr. 150]. Die Debatte um diesen Zusatz, der in Trad. des Augustinus den Hervorgang des Hl. Geistes aus Vater und Sohn bekannte und durch Karl d. Gr. 809/810 n. Chr. verbindlich gemacht werden sollte, wurde immer wieder durch (kirchen-)polit. Fragestellungen überlagert. Nach dem Schisma von 1054 lieferte Anselm von Canterbury (1033–1109) eine ›Neubegründung der »filioquistischen« Theologie‹ [30. 435–495]: Nach Anselm ist das *filioque* theologisch notwendig, da Sohn und Geist ohne eine zw. ihnen bestehende Ursprungsbeziehung ununterscheidbar wären. Anselm präzisiert in seiner Interpretation der Trinitätslehre des Augustinus die Rede von den Relationen und verdeutlicht den metaphysischen Hintergrund der Analogien im menschlichen Inneren. Der Franziskaner Joachim von Fiore (um 1135–1202/1205) verwendet eine spezifische Interpretation der Trinität für eine Gliederung der Weltgeschichte in drei Zeiten, wobei seiner Ansicht nach der Anbruch des dritten Zeitalters des Geistes unmittelbar bevorstehe und sowohl positive wie negative Vorzeichen schon zu beobachten seien. Er kritisiert frühe Scholastiker und insbes. den Pariser Theologen Petrus Lombardus (1100–1160), den Verf. des einflußreichsten ma. Lehrbuchs auf augustinischer Basis (14. I distinctio V 1), für ihre Tendenz, die göttl. Substanz unabhängig von ihren drei Personen zu denken. Er wirft ihnen vor, so eine Quaternität von Personen und davon separierter Gottheit zu implizieren, keine Trinität. Dieses tatsächlich bestehende Problem der zeitgenössischen Trinitätstheologie versucht Joachim durch eine Einbeziehung der Heilsgesch. zu lösen [57. 59–65]. Das 4. Laterankonzil hat 1215 gleichwohl die spezifische Trinitätslehre, aber nicht die Weltzeitalterlehre Joachims verworfen, die in modifizierter Gestalt auch von anderen ma. Theologen vertreten wurde [9. Nr. 803–807]. Petrus Abaelard (1079–1142) bemühte sich dagegen, den drei Personen

eine gewisse Form der Eigenständigkeit (als Appropriationen) zuzumessen; einzelne seiner Sätze wurden auf der Synode von Sens 1140 verurteilt [9. Nr. 721; 722; 734].

Im Blick auf das christologische Dogma wurde zunächst auf der Basis der chalkedonischen Lehre von den zwei Naturen Christi in Spanien ab 783 n. Chr. über die Frage disputiert, ob Jesus Christus seiner menschlichen Natur nach in derselben Weise Gottes Sohn sei wie seiner göttl. Natur nach (sog. »adoptianischer Streit«). Elipandus, Metropolitanbischof von Toledo (ca. 717–802 n. Chr.), und Felix, Bischof von Urgel († 812 n. Chr.), bestritten das und differenzierten zw. der natürlichen Gottessohnschaft der Gottheit nach und einer adoptiven Gottessohnschaft der Menschheit nach. Auch wenn die beiden Theologen damit auf eine innerspan. theologische Kontroverse um die Trinitätstheologie des Migetius reagierten, wurde ihre eigenständige Lehrbildung von den Zeitgenossen wegen der Differenzierung zw. den Naturen als Nestorianismus und wegen der Depotenzierung der menschlichen Natur als Arianismus bezeichnet (52. 381–416). Demgegenüber verwarfen sowohl Papst Hadrian I. wie die Synode von Frankfurt 794 n. Chr. den »span. Adoptianismus« und betonten, daß die Menschwerdung Christus nicht von Gott entfernt und in eine Knechtschaft gebracht habe [9. Nr. 610–615].

Nahezu alle großen ma. theologischen Debatten berührten auch die Christologie und betrafen damit indirekt auch das christologische Dogma der Antike. Dies gilt insbes. für die verschiedenen Auseinandersetzungen um das Verständnis des Abendmahlssakraments, in denen aber stets – wenn auch für verschiedene Positionen – auf dem Boden dieses Dogmas argumentiert wurde. Allenfalls bemühte man sich um ein präziseres Verständnis der christologischen Lehrbildung; man folgte Boëthius' Definition von Person als ›natura rationalis individua substantia‹ (Boeth. *De persona* 3), wenn man die chalkedonensische Formel von der einen Person in zwei Naturen interpretierte. Das Problem, wie eine göttl. und eine menschliche Natur ohne Verwandlung ihrer Eigenarten behalten und doch eine Person bilden können, beschäftigte immer wieder; die wichtigsten Lösungen (darunter die Abaelards) sind im Lehrbuch des Petrus Lombardus zusammengestellt [14. III distinctio 6]: Teils schrieb man der menschlichen Natur Jesu Christi eine relative Selbständigkeit zu, teils verstand man sie lediglich als das unpersönliche Organ des Logos. Die auf Abaelard zurückgehende »nihilistische« Position, daß ›Christus, insofern er Mensch ist, kein (selbständiges) Etwas (*non aliquid*) sei‹, wurde zwar 1170 und 1179 im dritten Laterankonzil angegriffen, aber nicht explizit verurteilt [9. Nr. 749]. In diesen Kategorien dachten auch die großen Ordenstheologen des Hoch-MA; Thomas versuchte das Problem vor dem Hintergrund der Differenzierung von *causae* bei Aristoteles zu verstehen [18. III quaestio 2 articulus 4]. Durch den zunehmenden Ausbau der Lehren über die Gottesmutter zu einer regelrechten Mariologie und die Ergänzung der ›Christologie der Begriffe‹ durch die ›Christologie der Bilder‹ (Arnold Angenendt) vom Richter, Arzt, Gekreuzigten usf. relativierte sich die faktische Bed. der christologischen Dogmen. Die verschiedenen kirchenreformerischen Bewegungen des MA setzten dazu eigene neue Akzente, z. B. die Wyclifiten und Hussiten auf Christus als *legislator* und Geber der *nova lex.*

Im Unterschied zu den eher organischen Lehrentwicklungen ant. christologischer und trinitarischer Dogmen beruhen die Kontroversen zw. West- und Ostkirche über die Rezeption des östl. Konzils von 787 n. Chr. und seiner Entscheidung zugunsten einer Verehrung von Bildern zu einem guten Teil auf Kommunikationsproblemen. Während der röm. Papst auf dem Konzil durch Abgesandte vertreten war und seinen Lehrabschieden eher zustimmte als sie zu verwerfen, fehlten Theologen aus der Umgebung Karls des Großen. Eine schlechte lat. Übers. der Konzilsakten verwischte zudem den Unterschied zw. der von den Konzilsvätern zugelassenen προσκύνησις/*proskýnēsis* und der von ihnen abgelehnten λατρεία/*latreía*, ›die allein der göttl. Natur zukommt‹ [9. Nr. 601]. Daher wurde dem Konzil in den später sog. *Libri Carolini*, einer Antwort des fränkischen Hofes unter Beteiligung des Kaisers, Torheit und Gottlosigkeit vorgeworfen und jede Form der Verehrung von Bildern abgelehnt. Die Frankfurter Synode von 794 n. Chr. verurteilte daher das östl. Konzil [10. Kanon 2, S. 19]; schon in der folgenden Generation setzte allerdings eine positive Rezeption seiner Beschlüsse im Westen ein. Auch wenn die spezifische theologische Begründung des Konzils von Nikaia für die Verehrung der Bilder im Westen kaum rezipiert wurde, übernahm man das Ergebnis der Kirchenversammlung – vermutlich allein schon deswegen, weil es der Frömmigkeit in den Gemeinden entsprach. Die ikonoklastischen Bewegungen des MA und der folgenden Epochen (wie beispielsweise die Waldenser, Hussiten oder die Täufer) bezogen sich nicht mehr auf das konziliare Dogma, sondern begründeten ihre Haltung mit biblischen Texten, insbes. Ex 20,4 [62. 28–37].

C. Frühe Neuzeit

Durch die heftigen Auseinandersetzungen um Recht und Grenze einer Kirchenreform innerhalb der Westkirche und das allg. emanzipatorische geistige Klima der Zeit wurde die Verbindlichkeit konziliar normierter Lehren im Christentum erstmals umfassend in Frage gestellt. Das theoretische Fundament dieser Infragestellung lieferte der Wittenberger Augustinereremit und Professor für Bibelwiss. Martin Luther (1483–1546), indem er (spät-)ma. Ansätze der Kirchenkritik radikalisierte. Einer breiteren Öffentlichkeit wurde das 1519 bei einer Disputation in Leipzig sichtbar: Hatte sich Luther in den Thesen für diese Disputation noch auf den ›Beschluß des Konzils von Nikaia‹ berufen, stellte er in ihrem Verlauf die Autorität der Konzilien in Frage und behauptete, Konzilien könnten irren und hätten geirrt [24. 289–306]. Damit war seine reformatorische Erkenntnis, daß allein dem durch den Hl. Geist in der Predigt des Evangeliums offenbaren Wort Gottes schlechthinnige Autorität in der Kirche zukommen darf, kritisch auf den Autoritätsanspruch der konziliar normierten Dogmen angewendet. Die Geltung solcher abgeleiteter oder sekundärer Autoritäten ist nach Luther wie die Wahrheit aller anderen Lehrbildungen kritisch am Maßstab des in der Bibel offenbaren göttl. Wortes zu überprüfen. Auch wenn Luther zeitlebens davon ausging, daß ein solches Prüfungsverfahren die Sachgemäßheit der AD deutlich werden läßt (und in der Leipziger Disputation 1519 auch nur die Autorität der Verurteilung des böhmischen Reformators Johannes Hus (1369–1415) auf dem Konzil von Konstanz in Frage stellte), verwendeten doch andere Flügel und Vertreter der reformatorischen Bewegung seine Argumentation dazu, die Geltung des ant. Lehrbestandes über Trinität, Christologie und Bilderverehrung insgesamt in Frage zu stellen.

Entsprechend formulierte der lutherische Flügel der Reformation immer wieder in feierlichen Bekenntnissen und in der theologischen Fachlit. seine Zustimmung zum altkirchlichen Dogma. So wird im Bekenntnis evangelischer Stände auf dem Augsburger Reichstag von 1530, dem ersten reichsrechtlich relevanten Versuch, ein evangelisches Bekenntnis vorzulegen (»Augsburger Bekenntnis«/*Confessio Augustana*), die altkirchliche Trinitätslehre mit Bezug auf das Bekenntnis der Konzilien von Nikaia und Konstantinopel formuliert und dies als »einträchtigliche Lehre« (*magnus consensus*) der ganzen Christenheit bezeichnet [2. 51,3 f.]. Ebenso berief sich aber auch der Züricher Reformator Huldrych Zwingli (1484–1531) in seiner 1530 vorgelegten *Fidei ratio* auf die AD [16. 426,13–427,18], und die vier Städte Straßburg, Konstanz, Memmingen und Lindau kritisierten zwar in ihrer *Confessio Tetrapolitana* von 1530 die Verehrung von Bildern, aber zitierten als Beleg für ihre bilderkritische Theorie und Praxis aus ant. Theologen [16. 487,4–490,4]. Diese formelhaften Bezüge auf die altkirchlichen Lehrbildungen wurden bei den Wittenberger und Schweizer Reformatoren in verschiedensten Texten entfaltet, wobei Luther darauf Wert legte, daß der materiale Inhalt der altkirchlichen Lehrbildung in einer erfahrungsnahen, aus dem biblischen Wort kommenden »neuen Sprache« entfaltet und die traditionelle Formulierung kritisch überprüft werden müßte [46. 55–80]. In seiner Polemik gegen die sog. »Bilderstürmer« argumentiert Luther allerdings nicht mit dem Konzil von 787, sondern mit biblischen Texten, während Zwingli die byz. Kaiserin Eirene († 803 n. Chr.), deren Person und Position das Konzil prägte, als ein ›närrisch wyb‹ bezeichnet hat [20. 172,13] und Johannes Calvin (1509–1564) bestritt, daß die damalige Kirchenversammlung ein rechtes Konzil gewesen sei. Er berief sich bei seiner Kritik auf die *Libri Carolini* [7. I 11,14 S. 102,28–103,26]. Dagegen argumentierte das *Dekret über die Anrufung, die Verehrung und die Reliquien der Hl. und über die hl. Bilder* des Konzils von Trient

(3.12.1563) mit Text und Autorität des zweiten Konzils von Nikaia [9. Nr. 1823], obwohl die dort normierte byz. Bildertheologie vorsichtig korrigiert wird: Der Ausdruck προσκυνεῖν/*proskynein* bzw. *adorare* ist vermieden und für die Verehrung Christi reserviert.

Freilich wird in der Reformationszeit nicht nur am siebten ökumenischen Konzil Kritik geübt. Vor allem die Autorität des spätant. trinitarischen Dogmas wurde seit der Mitte des 16. Jh. von den sogenannten »Antitrinitariern« verworfen. Mit diesem von den Gegnern geprägten Ausdruck werden allerdings sehr unterschiedliche Strömungen zusammengefaßt: Erste einschlägige Äußerungen finden sich v. a. in kritischen Ber. über die Täufer, aber eine entfaltete Theorie bot erst der span. Arzt, Jurist und Religionsphilosoph Michael Servet (1511–1553), der deswegen nach den Bestimmungen des Reichsrechts in Genf hingerichtet wurde. Servet sprach nach dem Referat seines Anklägers Calvin im Blick auf das AD von einem ›Monstrum‹ mit drei Köpfen und einer Ansammlung von vier Phantomen (Gott, Vater, Sohn und Hl. Geist), ›die man sich nicht vorstellen könne noch solle‹ [6. §§ VIII/IX S. 728]. Servet empfand die altkirchliche Trinitätslehre als unbiblische Fortentwicklung der reinen Lehre und unchristl. Bekenntnis zu drei Göttern; allein der Vater sei der wesenhaft eine Gott, während Sohn und Geist an ihm teilhaben und untergeordnete Erscheinungsformen darstellen. In der konziliaren Trinitätslehre sah er den Grund für den Abfall des Islams vom Christentum. Von ihm waren verschiedenste Theologen v. a. in It. und der Schweiz beeinflußt, von denen einige hingerichtet wurden. Die exakten histor. Verbindungen zw. diesen Gruppen und Strömungen der Täuferbewegung sind allerdings schwer zu rekonstruieren. Ein davon unabhängiger Entwurf einer antitrinitarischen christl. Theologie findet sich bei Fausto Soz(z)ini (1539–1604), der zeitweilig als Sekretär am Hof des Cosimo I. in Florenz lebte (1562–1574) und sich dann 1579 nach Krakau und Kleinpolen zurückzog. Dort einte er die *Ecclesia minor* mit einer Theologie, die die Einheit zw. Christus und Gott als Einheit des Wollens und Könnens (also nicht wie das Konzil von Nikaia als »Wesenseinheit«) definierte und seine Gottheit bestritt. Eine größere Wirkung entfaltete Andreas Wissowatius (Andrzej Wiszowaty, 1608–1678) mit seiner Schrift *Religio rationalis*, in der Lessing ›das Stärkste ... was die Socinianer jemals auf die Bahn gebracht haben‹ fand [19. 7]. Hier wird die konziliare Trinitätslehre und Christologie der Ant. mit ausführlichen logischen Schlußverfahren zu widerlegen versucht [19. 138–140]. Im Zuge der Gegenreformation des 17. Jh. wurden die Anhänger dieser Theologie zum Verlassen Polens gezwungen, zerstreuten sich weitgehend oder gingen in unitarischen Gemeinschaften in England und den USA auf; allerdings wanderten Elemente ihrer Lehren in die reformatorischen Mehrheitskirchen ein.

Ein vorzügliches Beispiel dieser Wanderungsbewegung ist der radikale Pietist Gottfried Arnold (1666–1714), der in seinen kirchengeschichtlichen Arbeiten die Entfaltung der christl. Lehrbildung in der Spätant. und ihre konziliare Normierung lediglich als Zeichen einer gesteigerten Disputiersucht (und somit vor dem Hintergrund seiner eigenen Kritik an der zeitgenössischen barocken Schultheologie) wahrgenommen hat (1. 101–119). Während die konfessionelle Schultheologie der frühen Neuzeit in allen drei Konfessionen noch vollkommen selbstverständlich an der Gültigkeit der AD festhielt und diese in der Regel zu Beginn der Paragraphen über die Gotteslehre explizierte [13. 87–106. 323–354; 17. 96–114. 197–224; 9. Nr. 1869], begann spätestens mit der Aufklärungstheologie ein energischer Versuch der ›Umformung des christl. Denkens in der Neuzeit‹ (Emanuel Hirsch). Allenfalls die heilsgeschichtlich orientierte Stände- oder Statuslehre der barocken Schultheologie (Status der Erniedrigung Christi, Status der Erhöhung) kann als vorsichtige Akzentverschiebung gegenüber der klass. Zweinaturenlehre interpretiert werden [26. 98].

Die kritische Überprüfung der Dogmen wurde – wie überhaupt die kritische Sichtung der Überlieferung vor dem Maßstab der Vernunft und der eigenen rel. Erfahrung – zum Programm einer entsprechend geprägten Theologie mehrheitlich evangelischer Provenienz. Eine gewisse Tendenz zur Ethisierung verstärkte die Neigung, traditionelle theoretische Lehrbildungen zu suspendieren oder zu verwerfen; an dieser Stelle unterscheiden sich die früher gern gegeneinander gestellten Bewegungen der Aufklärung und des Pietismus überhaupt nicht. Im Vergleich zu England und Frankreich optierte die dt. Aufklärung zurückhaltender; in England wurde beispielsweise von verschiedenster Seite ein dogmenfreies Christentum propagiert (z. B. durch J. Toland (1670–1722), der die Rationalität aller Elemente der Theologie forderte). Da sich als Folge der allg. bürgerlichen Emanzipation auch die Religion privatisierte, etablierte sich die Privatreligion als Gestalt neuzeitlichen Christentums. Die dadurch bedingte größere Bed. von individueller Frömmigkeit und Laientheologie relativierte aber zugleich auch die Autorität der AD weiter. Aufklärungstheologen interpretierten diesen Wandel als sachgemäße Fortbildung des (reformatorischen) Christentums: Der evangelische Universitätstheologe Johann Salomo Semler (1725–1791) unterschied streng zw. privater und öffentlicher Religion und zählte die AD lediglich zum Lehrbegriff der öffentlichen Form »histor.«, »äußerlicher« oder »sinnlicher Religion«: ›Die Liebhaber der moralischen Religion hatten schon lange die alten histor. Redensarten nur noch als Hülle und Gemälde angesehen‹ [37. 26]. Diese freie Einstellung ermöglichte ihm allerdings eine Historisierung seiner Sicht der Geschichte des Dogmas und erste wichtige Beitr. zur sog. »Dogmengeschichte«. Zwar ist die Geschichte jener Dogmengeschichtsschreibung nicht einfach identisch mit der Geschichte der neuzeitlichen Dogmenkritik (anders Harnack [35. Bd.1, 21 f.]), aber sie setzt sie voraus. Johann Friedrich Wilhelm Jerusalem

(1709–1789) wollte das altkirchliche Dogma ›nicht für falsch erklären‹, aber hielt es nicht für zum Wesen des Christentums gehörig und für ›unvernünftig‹ [37. 31]. Indem er in seinen wiss. Veröffentlichungen (nicht in den Predigten [48. 60f.]) die spätant. Lehrbildung streng vom biblischen Befund im NT abhob und sie angesichts dieses Widerspruchs verwarf, sah sich Jerusalem in der autoritätskritischen Trad. reformatorischer Theologie. Die katholische Aufklärungstheologie hielt dagegen stärker am traditionellen Bestand kirchlicher Lehre fest und profilierte sich eher mit Arbeiten zur institutionellen Kirchenreform und anderen praktischen Fragen.

D. Nach der Aufklärung

Spätestens durch die Aufklärungstheologie waren die Bedenken gegen das altkirchliche Dogma von den Rändern der großen reformatorischen Konfessionskirchen in deren Mitte gewandert, obwohl es immer wieder auch heftige Gegenreaktionen gab (im 19. Jh beispielsweise bei den sog. »positiven Theologen« und in Kreisen der Gemeinschaftsbewegung und des Neupietismus). Freilich setzte man sich – wie auch schon seit der Barockzeit – nur noch mit den trinitätstheologischen und christologischen Dogmen der Ant. auseinander, nicht mehr mit der konziliar normierten byz. Bildertheologie. Dies ist, von wenigen Ausnahmen im 20. Jh. abgesehen, auch so geblieben.

Das beste Beispiel für die genannte Entwicklung ist der »evangelische Kirchenvater des 19. Jh«, Friedrich Daniel Ernst Schleiermacher (1768–1834). Am Schluß seiner einflußreichen *Glaubenslehre* von 1831 forderte der Autor, es müsse die ›Lehre von der göttl. Dreieinigkeit‹, deren spätant. Gestalt die Reformation unbearbeitet übernommen habe, ›noch eine auf ihre ersten Anf. zurückgehende Umgestaltung‹ erfahren, und bescheinigte der traditionellen Lehrbildung, daß man sie sich nicht ›vorstellen‹ könne [53. § 172, S. 469]. Schleiermacher übernahm freilich damit weder die Suspendierung der spätant. Trinitätslehre aus der voraufgehenden Aufklärungsepoche noch führte er die erwartete Umgestaltung selbst durch, sondern äußerte sich nur zur allg. Richtung dieser Umgestaltung (wobei er von den altkirchlichen Konzilien abgelehnte trinitätstheologische Positionen zu rehabilitieren versuchte). So, wie hier die klass. Trinitätslehre an den Schluß der Dogmatik verbannt ist, bedürfen nach Schleiermacher die traditionellen ›kirchlichen Formeln von der Person Christi ... einer fortgesetzten kritischen Behandlung‹ [53. § 95, 48]. Gegen das Dogma von Chalkedon protestierte der Autor explizit, weil er es für eine reine Zusammenstellung von Zeichen und die Rede von Naturen für unfruchtbar hielt [53. § 96, S. 53f.]. Auch hier möchte Schleiermacher einen eigenständigen neuen evangelischen Lehrbegriff bilden und nicht mehr nur die spätant. Begriffsbildung wiederholen.

Ein dezidiertes Gegenmodell liegt mit der (Religions-) Philos. Georg Wilhelm Friedrich Hegels (1770–1831) vor, die insofern durchgängig trinitarisch strukturiert ist, als ihr Autor die Bewegung des zu sich kommenden absoluten Geistes in Dreischritten expliziert (z. B. dem bekannten von These, Antithese und Synthese). Die Selbstbewegung Gottes ist mit der Bewegung des Geistes identifiziert und die Trinität folglich das Bewegungsgesetz auch von Logik und Geschichte. Die trinitarischen und christologischen AD werden von Hegel auf diese Zusammenhänge einer idealistischen Totaltheorie durchsichtig gemacht und in transformierter Interpretation »aufgehoben«. So ist nach der Religionsphilos. die absolute, ewige Idee dreifältig strukturiert [36. 213f.]. Eine solche Transformation der klass. Dogmen zu einer Trinitätsphilos. gelingt u. a. deswegen, weil schon die ant. Lehrbildung teilweise in neuplatonischer Terminologie erfolgt, wie Hegel selbst bemerkt [36. 238–240]. Hegel hat daher mit seiner geschichtsmetaphysischen Rekonstruktion der konziliaren Dogmatik ›der Theologie, zumindest der protestantischen, die Trinitätslehre als Problem zurückgegeben‹ [39. 83]. Dies kann man insbes. bei seinen unmittelbaren Schülern und Freunden beobachten, z. B. bei Philipp Konrad Marheineke (1780–1846), der seinen *Grundlehren der Dogmatik* (²1827) erstmals eine trinitarische Grundstruktur zugrundelegt und der Interpretation des altkirchlichen Dogmas breiten Raum zumißt. Man kann schon deswegen fragen, ob er ein Hegel-Schüler im eigentlichen Sinne gewesen ist [59. 44–88]. Obwohl eine trinitarische Gliederung der Dogmatik im 19. Jh. recht beliebt war, überlebte die spezifische Interpretation der theologischen Hegel-Schüler den allg. Zerfall der Hegelschen Philos. nicht. Kritiker des Berliner Philosophen griffen in der Regel auch seine eigentümliche Rezeption der spätant. Trinitätslehre an und verdächtigten sie als Projektion, z. B. Ludwig Feuerbach (1804–1874) in seiner Kritik an Hegel [29. 24–29. 54–60]. Erst im 20. Jh. wirkten Impulse Hegels bei einer Wiederentdeckung der spätant. konziliaren trinitätstheologischen und christologischen Lehrbildungen mit.

Dank einer antispekulativen Wendung in der evangelischen Theologie und einer neuscholastischen Normierung in der katholischen wurde die auf den Konzilien dogmatisierte spätant. Trinitätstheologie und Christologie nach dem Zerfall der theologischen Hegel-Schule primär ein Gegenstand der dogmenhistor. Forschung. Schüler eines Protagonisten dieser antispekulativen Wende wie die evangelischen Theologen Adolf von Harnack (1851–1930) und Friedrich Loofs (1858–1928) veränderten das wiss. Bild der AD und prägen es bis heute. Die Grundierung dieses histor. Bildes durch ihre eigene antispekulative Theologie wird nicht immer wahrgenommen. So bezeichnete Loofs die Rezeption altkirchlicher Trinitätslehre bei Luther als ›Reste altkatholischer Trad.‹ und bemängelte, daß Luther die ›kritische Anwendung seiner Grundgedanken auf die altkirchlichen dogmatischen Formeln versäumt‹ habe [42. 750]. Für Harnack war es Schicksal, daß die Reformation sich des von ihr im Prinzip bereits überwundenen Dogmas nicht entledigen konnte; es sei Zeichen einer Lähmung, wenn dies auch in der Gegenwart nicht geschehe [35. Bd. 2, 685]. In der offiziellen katholischen Dogmatik und ihrer lehramtlichen Fortbildung wurde dagegen die altkirchliche Dogmatik ohne Abstriche weiter eingeschärft, z. B. in der Enzyklika *Divinum illud munus* Leos XIII. vom 9.5.1897 [9. Nr. 3325], und im Kampf gegen den sog. »Modernismus« es. energisch gegenüber jedem Versuch der Historisierung verteidigt [9. Nr. 3422–3424 und 3431].

Die Rückbesinnung auf AD in der evangelischen Theologie im 20. Jh. ist eindeutig mit dem Namen von Karl Barth (1886–1968) und seinen Schülern verbunden, der sich gegen die antispekulativen und historischen Tendenzen der vorhergehenden Theologengeneration wendete. Da die Offenbarung des Wortes Gottes ›Gott selbst in seiner Offenbarung‹ ist, muß diese Selbstoffenbarung trinitarisch entfaltet werden [22. 311]. Barth rezipiert nahezu alle klass. Elemente der altkirchlichen Dogmatik, wobei er z. B. den Begriff »Person« im Interesse der übernommenen Sache durch »Seinsweise« ersetzt, und erneuert systematisch die ant. Verwerfungen von Arianismus, Sabellianismus und Adoptianismus [22. 371–374]. Er bekennt sich zu der Rezeption der altkirchlichen Dogmatik durch die Reformatoren [22. 399]. Auch in der Christologie verwirft Barth die neuzeitliche Kritik an den ant. Lehrbildungen und bekennt sich zu den Dogmen, die er zitiert und kommentiert [22. 444–470]. Auch die Zweinaturenlehre des Konzils von Chalkedon wird rezipiert [23. 146f.]. Das hat Barth den Vorwurf einer »Neo-Orthodoxie« eingetragen. Gleichwohl hat er eine Ren. der Rezeption traditioneller Trinitätstheologie und Christologie eingeleitet, die bis h. in der evangelischen Theologie anhält und beispielsweise durch die Arbeiten von Jürgen Moltmann (für die evangelisch-reformierte) und Wolfhart Pannenberg (für die evangelisch-lutherische Trad.) repräsentiert wird. Pannenberg hat sich auch sehr ausführlich mit der ›Aporetik der (ant.) Zweinaturenlehre‹ auseinandergesetzt [50. 291–334]. Aber auch in der orthodoxen (John Zizioulas) und katholischen Theologie ist es zu Neubesinnungen auf die ant. Trad. gekommen [55. 116–118]; jüngst ist auch versucht worden, die konziliar normierte spätant. Trinitätstheologie mit der dreigliedrigen Struktur der kategorialen Semiotik zu beschreiben [26. 56–65]. In einer vergleichbaren Weise hat auch der katholische Theologe Karl Rahner (1904–1984) die Trinitätstheologie für eine Rahmentheorie jeder Gotteslehre gehalten; da er allerdings von biblischen Texten ausging, spielen die AD keine bestimmende Rolle in seinem Entwurf [51. 324f.]. Vor allem im angelsächsischen Sprachraum löste 1977 eine Polemik von John Hick und Maurice Wiles gegen die altkirchliche Christologie und insbes. gegen das Dogma von Chalkedon umfangreiche Debatten aus, fand aber auch Zustimmung [63. 174–194].

Im Zweiten Vatikanischen Konzil der katholischen Weltkirche (1962–1965) fand keine explizite theologische Auseinandersetzung mit AD statt, vielmehr wurde meist summarisch auf die Beschlüsse der ant. Konzilien verwiesen oder auf diese angespielt [9. Nr. 4171; 4322]. Auch im ökumenischen Dialog zw. den Kirchen spielte seit Beginn des 20. Jh. die Vorstellung von einem *Consensus quinquesaecularis*, d. h. dem konziliar normierten Lehrbestand der ersten fünf Jh. als einer Basis kirchlicher Einheit später getrennter Kirchen, nur eine äußerst geringe Rolle. Vereinzelt wurde sogar explizit gegen ihn polemisiert, z. B. durch Harnack [34. 65–83], der eine ›Rekatholisierung der evangelischen Kirchen‹ befürchtete [34. 77]. Die AD spielen auch im ökumenischen Dialog eine recht geringe Rolle [45. 1–34], von einer charakteristischen Ausnahme abgesehen: Zu den überraschendsten und interessantesten Formen der Rezeption des AD in der unmittelbaren Gegenwart gehört die Annäherung zw. Anhängern und Gegnern des Chalkedonense, die sicher auch mit dem starken islamischen Druck auf beide Kirchenfamilien in den arab. Ländern und der allg. Säkularisierung zusammenhängt. Nach einer Reihe von bilateralen Gesprächen haben sich Orthodoxe und Orientalen in den J. 1990 bis 1994 auf eine gemeinsame Formulierung ihres Glaubens an Jesus Christus geeinigt, einander die Legitimität ihrer traditionellen Lehren zugestanden und die Wiederherstellung der Kirchengemeinschaft empfohlen. Praktische Konsequenzen (z. B. für den Festkalender oder die pastorale Betreuung von Gemeindegliedern) sind bisher aber weitgehend ausgeblieben, obwohl man eine Aufhebung der gegenseitigen kirchentrennenden Lehrverurteilungen empfohlen hat (Details: [60. 207–237]). Ob die künftige Rezeption der AD in den christl. Kirchen die aus der Ant. stammenden Spaltungen überwinden hilft, ist also noch offen. Auch läßt sich gegenwärtig nicht sagen, ob die erneute Aufmerksamkeit für diese ant. Texte Zeichen eines kurzfristigen Trends oder einer erneuten Rückbesinnung auf identitätsbildende Trad. ist.

→ AWI Arianismus; Armenia III.; Augustinus; Boëthius; Byzanz II. E.; Ephesos; Eusebios [7]; Kalchedon; Konstantinopolis; Kultbild IV; Monophysitismus; Monotheletismus; Nestorianismus; Nestorios; Nikaia [5]; Prädestinationslehre III.; Predigt; Sabellius/Sabellianismus; Synodos II.; Trinität III.

QU **1** G. ARNOLD, Die erste Liebe, hrsg. v. H. SCHNEIDER, Kleine Texte des Pietismus, 2002 **2** Bekenntnisschriften der evangelisch-lutherischen Kirche, ⁸1979 **3** Bekenntnisschriften der nach Gottes Wort reformierten Kirche, 1937/1938 **4** Bekenntnisschriften der reformierten Kirche, hrsg. v. E. V. K. MÜLLER, 1903 **5** BONAVENTURA, Commentaria in quatuor libros sententiarum Magistri Petri Lombardi. Vol. I In primum librum sententiarum, 1882 **6** J. CALVIN, Plainte portée par Nicolas de la Fontaine contre Servet, in: Corpus Reformatorum 36, 1870, 727–731 **7** Ders., Opera Selecta Vol. III, Institutionis Christianae religionis, 1559 libros I et II continens, 1957 **8** Dekrete der ökumenischen Konzilien, hrsg. v. J. WOHLMUTH, 3 Bd., ³2002 **9** H. DENZINGER, Enchiridion symbolorum definitionum et declarationum de rebus fidei et morum/Kompendium der Glaubensbekenntnisse und kirchlichen Lehrentscheidungen, hrsg. v. P. HÜNERMANN, ³⁷1991 **10** Das Frankfurter Kapitular, in: 794 – Karl der Große in Frankfurt am Main, hrsg. v. J. FRIED, 1994, 19–23 **11** GILBERTUS PORRETANUS, Tractatus de trinitate, hrsg. v. N. HÄRING, Recherche de théologie ancienne et médiévale 39, 1972, 14–50 **12** A. HAHN, G. L. HAHN, Bibl. der Symbole und Glaubensregeln der Alten Kirche, ²1962 **13** H. HEPPE, Die Dogmatik der evangelisch-reformierten Kirche, neu durchgesehen v. E. BIZER, ²1958 **14** PETRUS LOMBARDUS, Sententiae in IV libris distinctae, 3 Bd., 1971 **15** K. RAHNER, H. VORGRIMLER, Kleines Konzilskompendium. Sämtliche Texte des Zweiten Vaticanums ..., ²²1990 **16** Reformierte Bekenntnisschriften, hrsg. v. H. FAULENBACH, E. BUSCH, Bd. 1/1 1523–1534, 2002 **17** H. SCHMID, Die Dogmatik der evangelisch-lutherischen Kirche. Dargestellt und aus den Quellen belegt, ¹⁰1983 **18** S. THOMAE AQUINATIS Summa Theologica, Bd. I, 1927 **19** A. WISSOWATIUS, Religio rationalis. Editio trilinguis, hrsg. v. Z. OGNOWSKI, Wolfenbütteler Forsch. 20, 1982 **20** H. ZWINGLI, Christl. Antwort Bürgermeisters und Rats zu Zürich an Bischof Hugo, in: Corpus Reformatorum 90, 1914, 146–229

LIT **21** A. ANGENENDT, Gesch. der Religiosität im MA, 1997 **22** K. BARTH, Kirchliche Dogmatik Bd. I/1 Die Lehre vom Wort Gottes, ¹¹1985 **23** Ders., Bd. IV/1 Die Lehre v. der Versöhnung, ²1960 **24** M. BRECHT, Martin Luther. Bd. 1 Sein Weg zur Reformation 1483–1521, 1985 **25** H. CHADWICK, Boethius. The Consolations of Music, Logic, Theology, and Philosophy, ²1983 **26** H. DEUSER, Kleine Einführung in die systematische Theologie, Universal-Bibl. 9731, 1999 **27** A. DIHLE, Die Vorstellung vom Willen in der Ant., 1985 **28** M. ELZE, s. v. Dogma, HWdPh 2, 1972, 275–278 **29** L. FEUERBACH, Zur Kritik der Hegelschen Philos., in: Ders., Kleine Schriften II (1839–1846), Gesammelte Werke 9, ²1982, 16–62 **30** P. GEMEINHARDT, Die Filioque-Kontroverse zw. Ost- und Westkirche im Früh-MA, 2002 **31** A. GRILLMEIER, Jesus der Christus im Glauben der Kirche, 2 Bd. in 5 Teilen, 1979–2002 **32** Hdb. der Dogmen- und Theologiegesch., hrsg. v. C. ANDRESEN, A. M. RITTER, 3 Bd., ²1998/1999 **33** Hdb. der Dogmengesch., hrsg. v. A. GRILLMEIER et al., 4 Bd. in div. Fasc., 1951 ff. **34** A. v. HARNACK, Über den sog. »Consensus-quinque-saeculares« als Grundlage der Wiedervereinigung der Kirchen, in: Ders., Aus der Werkstatt des Vollendeten. Als Abschluß seiner Reden und Aufsätze, hrsg. v. A. v. HARNACK, 1930, 65–83 **35** Ders., Lehrb. der Dogmengesch. in drei Bd., 3 Bd., ⁴1909 **36** G. W. F. HEGEL, Vorlesungen über die Philos. der Religion Bd. 2, Theorie Werkausgabe 17, 1980 **37** E. HIRSCH, Die Umformung des christl. Denkens in der Neuzeit, 1938 **38** P. HOFMANN, Analogie und Person, Zur Trinitätsspekulation Richards v. St. Viktor, Theologie und Philos. 59, 1984, 191–343 **39** W. JAESCHKE, Die Religionsphilos. Hegels, Erträge der Forsch. 201, 1983 **40** W. KLEIN, Das nestorianische Christentum an den Handelswegen durch Kyrgyzstan bis zum 14. Jh., 2000 **41** J. KOOPMANS, Das AD in der Reformation, 1955 **42** F. LOOFS, Leitfaden zum Studium der Dogmengesch., ⁴1906 **43** CH. MARKSCHIES, Alta Trinità Beata. Gesammelte Stud. zur altkirchlichen Trinitätstheologie, 2000 **44** Ders., s. v. Alte Kirche, RGG 1, ⁴1998, 344–360 **45** Ders., Die altkirchlichen Väter – eine ökumenische Herausforderung?, in: »Zur Zeit oder Unzeit«. Stud. zur spätant. Theologie-, Geistes- und Kulturgesch. hrsg. v. A. M. RITTER, Texts and Studies in the History of Theology 9, 2003, 1–34 **46** Ders., Luther und die altkirchliche Trinitätstheologie, in: Ders., M. TROWITZSCH (Hrsg.), Martin Luther – zw. den Zeiten, 1999, 37–85 **47** Ders., Das Trinitätsdogma der ant. Christenheit. Seine Entstehung und Bed. in der Gegenwart, Glaube und Lernen 17, 2002, 24–40 **48** W. E. MÜLLER, Theologische Aufklärung. Johann Friedrich Wilhelm Jerusalem 1709–1789, in: Profile des neuzeitlichen Protestantismus Bd. 1 Aufklärung, Idealismus, Vormärz, hrsg. v. F. W. GRAF, 1990, 55–70 **49** M. MURRMANN-KAHL, »Mysterium trinitatis«? Fallstud. zur Trinitätslehre in der evangelischen Dogmatik des 20. Jh., Theologische Bibl. Töpelmann 79, 1997 **50** W. PANNENBERG, Grundzüge der Christologie, ⁶1982 **51** K. RAHNER, Der dreifaltige Gott als transzendenter Urgrund der Heilsgesch., in: Mysterium salutis. Grundriß heilsgeschichtlicher Dogmatik, hrsg. v. J. FEINER, Bd. 2 Die Heilsgesch. vor Christus, 1967, 317–401 **52** K. SCHÄFERDIEK, Der adoptianische Streit im Rahmen der span. Kirchengesch., in: Ders., Schwellenzeit, Arbeiten zur Kirchengesch. 64, 1996, 381–416 **53** F. D. E. SCHLEIERMACHER, Der christl. Glaube nach den Grundsätzen der evangelischen Kirche im Zusammenhange dargestellt, ... neu hrsg. v. M. REDEKER, Bd. 2, 1960 **54** M. A. SCHMIDT, Gottheit und Trinität nach dem Komm. des Gilbert Porreta zu Boethius, De trinitate, 1956 **55** CH. SCHWÖBEL, s. v. Trinität IV. Systematisch-theologisch (mit Berücksichtigung der Kirchengesch. seit 1577), TRE 34, 110–121 **56** R. SEEBERG, Lehrb. der Dogmengesch. Bd. 3 Die Dogmenbildung des MA, ⁴1930 **57** K.-V. SELGE, Trinität, Millennium, Apokalypse im Denken Joachims v. Fiore, in: Gioacchino da Fiore tra Bernardo di Clairvaux e Innocenzo III, hrsg. v. R. RUSCONI, 2001, 47–69 **58** J. TUBACH, Die nestorianische Kirche in China, Nubica et Aethiopica 4–5, 1999, 61–193 **59** F. WAGNER, Der Gedanke der Persönlichkeit Gottes bei Ph. Marheineke. Repristination eines vorkritischen Theismus, Neue Zschr. für systematische Theologie 10, 1968, 44–88 **60** D. WENDEBOURG, Chalcedon in der ökumenischen Diskussion, Zschr. für Theologie und Kirche 92, 1995, 207–237 **61** U. WICKERT, s. v. Dogma I. histor., TRE 9, 1982, 26–34 **62** J. WIRTH, Soll man Bilder anbeten? Theorien zum Bilderkult bis zum Konzil v. Trient, in: Bildersturm. Wahnsinn oder Gottes Wille?, ²2001, 28–37 **63** Wurde Gott Mensch? Der Mythos vom fleischgewordenen Gott, hrsg. v. J. HICK, Gütersloher Taschenb. 315, 1979.   CHRISTOPH MARKSCHIES

III. KIRCHENRECHT UND VERFASSUNG

A. KATHOLISCHES KIRCHENRECHT
B. REFORMATION UND EVANGELISCHES KIRCHENRECHT   C. STAATSKIRCHENRECHT

A. KATHOLISCHES KIRCHENRECHT

Die Entstehung des Kirchenrechts (K.) ist eng mit der Entwicklung der Nachfolgegemeinschaft von Jesus Christus verknüpft. Bereits im 2. Jh. bestand in den frühchristl. Gemeinden eine dreistufige Ämterstruktur mit Bischöfen (ἐπίσκοποι), Priestern (πρεσβύτεροι) und Diakonen (διάκονοι), die sich gegenüber anderen Modellen durchzusetzen begann. Diese Ämter wurden mit dem Sakrament der Weihe verliehen, wodurch der katholischen Kirche eine bis h. prägende Unterscheidung zw. geweihten Amtsträgern (κλῆρος) und übrigen Gemeindemitgliedern (λαός) zugrundegelegt worden ist.

Eine rege Missionstätigkeit vergrößerte die bestehenden Gemeinden und ließ neue entstehen. Dem Ausbau folgte eine zunehmende Zahl rechtlicher Regelungen, die zwar vom staatlichen, d. h. röm. Recht, geprägt waren, sich von diesem aber in ihrer Anwendung abgrenzten. Bereits im 4. Jh. sind ein Ämterrecht, ein Sakramentenrecht, ein Disziplinar- und Strafrecht sowie vermögensrechtliche Regelungen formuliert.

Bald schon wurden die von kirchlichen Autoritäten (Synoden, Konzilien, Päpste) erlassenen Rechtssätze in privaten, später auch in amtlichen Sammlungen zusammengestellt. Eines der wichtigsten Werke geht auf Gratian zurück, der um 1140 eine Sammlung des bis dahin vorhandenen Rechtsstoffes veröffentlichte (*Concordia discordantium canonum*, auch *Decretum Gratiani* genannt). Das Decretum enthält allg. Lehrsätze (*distinctiones*), die durch Quellenstellen (*canones*) erläutert werden, ferner Rechtsfälle (*causae*), Rechtsfragen (*quaestiones*) und Quellenangaben (*auctoritates, capitula*). Es wurde in der Folge zur Grundlage einer sich neu entwickelnden kirchlichen Rechtswiss. (Kanonistik; → Kanonisten).

Die weitere Entwicklung des K. war verbunden mit der Vormachtstellung des auf den Apostel Petrus zurückgeführten Papsttums, das im 12. und 13. Jh. unter den Päpsten Alexander III., Innozenz III., Gregor IX. und Innozenz IV. einen Höhepunkt erreichte. Diese sog. Kanonistenpäpste pflegten eine rege eigene Gerichtsbarkeit. Das so entstandene Recht wurde immer wieder neu zusammengestellt und führte zu einer Vielzahl von sich teilweise auch widersprechenden Sammlungen. Diesen Rechtsstoff ließ Papst Gregor IX. überarbeiten und 1234 in einer neuen Sammlung, den sog. Dekretalen Gregors IX. (*Liber Extra*), publizieren.

Die in der Folge ergangenen Konzilsbeschlüsse und Papsterlasse wurden 1298 als *Liber Sextus* (»sechstes Buch«, da an die fünf Bücher der Dekretalen Gregors IX. angehängt) veröffentlicht.

Eine weitere Sammlung – die sog. Klementinen, *Clementinae constitutiones* – enthält einen Teil der Beschlüsse des Konzils zu Vienne (1311–1312) sowie päpstliche Erlasse. Sie wurde von Papst Klemens V. (1305–1314) publiziert und nach dessen Tod von Papst Johannes XXII. in Kraft gesetzt.

Die genannten Werke (*Decretum Gratiani*, Dekretalen Gregors IX., *Liber Sextus*, Klementinen) wurden gemeinsam mit zwei anderen Sammlungen (der Extravagantensammlung Johannes' XXII. und den *Extravagantes communes*; beide enthalten päpstliche Erlasse) zum *Corpus Iuris Canonici* zusammengefügt und 1582 veröffentlicht.

Über 300 J. war das *Corpus Iuris Canonici* die wichtigste Quelle des katholischen K. und wurde erst durch den *Codex Iuris Canonici* von 1917/18 abgelöst. Anlaß für den Codex war das Bedürfnis, den inzw. wiederum unübersichtlich gewordenen Rechtsstoff neu zu ordnen und an die Gegenwart anzupassen. Papst Pius X. erteilte

dazu 1904 den Auftrag und übertrug diese Arbeit einer Kommission von 16 Kardinälen und weiteren Konsultatoren. 1917 wurde der neue *Codex Iuris Canonici* von Papst Benedikt XV. erlassen und 1918 in Kraft gesetzt. Der Codex von 1917/18 stellt eine vollständige Kodifikation des katholischen K. dar und ist in Anlehnung an die Systematik der Institutionen des röm. Juristen Gaius in fünf Bücher gegliedert, die sich auf 2414 sog. *Canones* verteilen. Diese beginnen mit einem allg. Teil (*Normae generales*), der gefolgt wird vom Personenrecht (*De personis*), vom Sachenrecht (*De rebus*) sowie vom Prozessrecht (*De processibus*) und vom Strafrecht (*De poenis*).

Seither haben die weiteren Aktivitäten des Hl. Stuhls wiederum die Rechtsmaterie anwachsen lassen, die nicht in den Codex eingearbeitet war, sondern separat konsultiert werden mußte. Dies und auch das Bedürfnis nach einer Anpassung des K. an die Zeit veranlasste 1959 Papst Johannes XXIII. die Absicht bekanntzugeben, das geltende K. einer Reform zu unterziehen. Mit dieser umfangreichen Aufgabe wurde 1963 die Kommission zur Revision des *Codex Iuris Canonici* betraut; ferner wurden Theologen, Kirchenrechtler sowie fachlich ausgewiesene Bischöfe zur Konsultation beigezogen. Desgleichen haben v. a. auch die Ergebnisse des Zweiten Vatikanischen Konzils (1962–1965) Eingang in die Revisionsarbeiten gefunden.

Die aufwendigen Arbeiten wurden 1983 von Papst Johannes Paul II. mit der Inkraftsetzung des neuen Codex durch die Unterzeichnung der Apostolischen Konstitution »Sacrae Disciplinae Leges« abgeschlossen.

Der *Codex Iuris Canonici* von 1983 besteht aus sieben Büchern (1752 *Canones*) und folgt in seiner Einteilung nicht mehr römischrechtlichen Vorbildern, sondern den ekklesiologischen Vorgaben des Zweiten Vatikanischen Konzils: Allg. Normen (*De normis generalibus*), Das Volk Gottes (*De populo Dei*), Verkündigungsdienst der Kirche (*De Ecclesiae munere docendi*), Heiligungsdienst der Kirche (*De Ecclesiae munere sanctificandi*), Kirchenvermögen (*De bonis Ecclesiae temporalibus*), Kirchliches Strafrecht (*De sanctionibus in Ecclesia*) und Prozessrecht (*De processibus*).

Der Codex gilt nur für die Lat. Kirche; auf die Orientalische Kirche (es handelt sich dabei um die unierte, nicht die orthodoxe Kirche) findet der *Codex Canonum Ecclesiarum Orientalium* (CCEO) Anwendung. Dieser ist 1991 in Kraft getreten und stellt für alle 21 Orientalischen Kirchen ein einheitliches Rahmengesetz dar. Die katholische Kirche teilt sich damit als Gesamtkirche auf der Ebene des Gesetzes in die Lat. Kirche und die unierten Orientalischen Kirchen auf. Trotz dieser Aufteilung ist das Eigenverständnis der katholischen Kirche dasjenige einer Universalkirche; dem Papst kommt kraft seines Amtes die höchste, volle und universale Gewalt in der Kirche zu.

Von der röm.-katholischen Kirche haben sich im Verlauf der Zeit einige Kirchen losgelöst. Erwähnt seien nachfolgend die orthodoxe (1.), die anglikanische (2.) und die altkatholische (in der Schweiz christkatholische)

Kirche (3.). Auf die spezielle Lage der evangelischen Kirchen wird unter B. eingegangen.

1. Zur orthodoxen Kirche ist anzumerken, daß sie sich im J. 1054 von der röm. Kirche loslöste und h. rund 400 Mio. Christinnen und Christen umfaßt. Zur orthodoxen Kirche gehören die (sog. autokephalen, d. h. mit Eigenverwaltung ausgestatteten) Patriarchatskirchen von Konstantinopel, Alexandrien, Antiochien, Jerusalem, Moskau und ganz Rußland, Serbien, Rumänien, Bulgarien, Georgien und die Kirchen von Zypern, Griechenland, Polen, Albanien, Tschechien und der Slowakei sowie die (sog. autonomen, d. h. mit beschränkter Selbständigkeit ausgestatteten) Kirchen von Finnland und Estland.

2. Desgleichen hat sich im J. 1534 auch die anglikanische Kirche von Rom losgesagt (durch die Anerkennung von König Heinrich VIII. als *supreme head in earth of England* durch die Suprematsakte des engl. Parlamentes).

3. Anzuführen ist schließlich auch die altkatholische bzw. die christkatholische Kirche: Die Glaubenssätze des Ersten Vatikanischen Konzils von 1869/70 (v. a. Jurisdiktionsprimat und Unfehlbarkeit des Papstes) führten zu Protesten von katholischen Geistlichen und Laien sowie zu Ausschlüssen aus der röm.-katholischen Kirche. In der Folge wurden alt- bzw. christkatholische Kirchen gegründet. Diese sind seit 1889 in der Utrechter Union zusammengeschlossen.

B. REFORMATION UND EVANGELISCHES KIRCHENRECHT

Seit dem 14. Jh. riefen Mißstände in der abendländischen Kirche zunehmend Kritiker auf den Plan. Die sich verstärkenden inneren Spannungen führten u. a. dazu, daß zwei, zeitweise drei Päpste um die Vorherrschaft in der Kirche gerungen haben (großes Schisma, 1378–1417). Die Autorität des Papstes verblaßte und ließ die Lehre aufkommen, daß dem Allg. Konzil die höchste Gewalt zukomme und dieses über dem Papst stehe (*concilium superat papam*). Den Konzilien in Pisa (1409), Konstanz (1414–1418), Basel (1431–1437 bzw. 1448) und von Ferrara-Florenz (1438–1443) kam die Aufgabe einer Reform zu. Allerdings war ihnen kein Erfolg beschieden. Dies, verbunden mit einem größer werdenden Graben zw. der Kirchenleitung und den Gläubigen, löste schließlich die Reformation aus.

Im J. 1517 formulierte Martin Luther (1483–1546) seine 95 Thesen gegen den Mißbrauch des Ablasses mit unerwartet breiter Wirkung. Luther lehrte die direkte Herrschaft Christi in der Kirche und die alleinige Autorität der Schrift (*sola scriptura*) anstelle einer Mittlerrolle der kirchlichen Trad. und der Lehrautorität des Papstes sowie das allg. Priestertum aller Gläubigen anstelle einer Mittlerrolle der geweihten Priester. Für Luthers Verständnis vom Wesen der Kirche zentral ist seine Vorstellung einer unsichtbaren Kirche, einer von Gott gestifteten Gemeinschaft aller an Christus Glaubenden. So erklärte er: ›Drumb hab das fest, wer nit yrren wil, das die Christenheit sey ein geistlich vorsamlung der seelenn in einem glaubenn, unnd das niemand seins leybs

halben werd für ein Christen geachtet, auff das ehr wisse, die naturlich, eygentlich, rechte, wesentliche Christenheit stehe ym geiste, unnd in keinem eusserlichenn ding, wie das mag genennet werdenn‹ [4. 296].

Das Haupt dieser unsichtbaren Kirche ist nach Luther allein Christus; ein irdisches Haupt bzw. eine Stellvertretung ist nicht möglich. Damit wird die Hierarchie von Amtspriestern und der auf Heilsvermittlung angewiesenen Laien beseitigt und der Glaube der Einzelnen ins Zentrum gerückt.

Luther selbst hat primär rel. Prinzipien formuliert und keine eigene Gemeindeordnung geschaffen. Allerdings soll der christl. Versammlung das Recht zukommen, Lehren zu beurteilen, Lehrer zu berufen sowie diese ein- und abzusetzen; desgleichen sah Luther einen Priesterstand für Predigten und Sakramente vor [5].

Der Zürcher Reformator Huldrych Zwingli (1484–1531) [15], der bereits als Pfarrer in Einsiedeln gegen den volkstümlichen Aberglauben und die kirchlichen Mißbräuche predigte, wandte sich 1522 mit seiner ersten reformatorischen Schrift *Vom erkiesen und fryheit der spysen* gegen die Fastengebote.

Zwingli wollte mit seiner reformatorischen Theologie (siehe dazu »Komm. über die wahre und falsche Religion«/*Commentarius de vera et falsa religione* von 1525) keine Trennung von der katholischen Kirche herbeiführen, sondern strebte deren Erneuerung an. Allerdings führten seine reformatorischen Bemühungen zu Auseinandersetzungen, wobei sich der Streit v. a. an der Messefrage (sollen die Messen durch Predigten ersetzt werden?) und an der Bilderfrage (verbietet die Schrift Bilder und Standbilder mit rel. Motiven bzw. sollen diese entfernt werden?) entbrannte.

Sein kirchliches Reformprogramm legte Zwingli 1523 in seinen 67 *Schlußreden* dar und verteidigte es erfolgreich anläßlich der 1523 und 1524 vom Zürcher Großen Rat einberufenen Disputationen. Bei der ersten dieser Disputationen wurde die evangelische Predigt offiziell anerkannt und als mit der Hl. Schrift übereinstimmend bewertet. Noch im selben J. fand im Zürcher Großmünster die erste Taufe in dt. Sprache statt. Sukzessive wurden die katholische Messliturgie abgeschafft, Bilder und Statuen aus den Kirchen Zürichs entfernt und die Klöster aufgehoben. Das kirchliche Leben in Zürich wurde neu organisiert und mit regelmäßig stattfindenden Synoden, die der gemeinsamen Beratung dienten, sowie einer strengen Sittenordnung ausgestattet.

Der Versuch einer Annäherung oder gar einer Koalition auf der evangelischen Seite scheiterte an einem Streit zw. Zwingli und Luther. Zwingli hatte – entgegen Luther – die leibliche Gegenwart Christi im Abendmahl verworfen. Die dogmatischen Gegensätze sollten anläßlich der Marburger Disputation (1529) ausgeglichen werden; es konnte allerdings keine Einigung erzielt werden.

Ähnlich wie Luther hat der Reformator Johannes Calvin (1509–1564) die unsichtbare von der sichtbaren

Kirche unterschieden (Calvin, *Institutio* IV, 1,1–4) [1. 683–686]. Er verstand Kirche als eine Körperschaft, die durch keine menschliche Macht, sondern durch Christus allein regiert werde.

Nach seiner Ankunft in Genf 1541 hat Calvin eine Kirchenordnung eingeführt (die *Ordonnances ecclésiastiques*) [2]; diese wurde von den polit. Instanzen noch im selben J. angenommen. 1561 wurde vom Genfer Rat eine neue Fassung dieser Kirchenordnung beschlossen. Calvin sah zur Leitung der Kirche vier Ämter vor: Das Pastorenamt, das Amt des Doktors, des Ältesten und des Diakons. Die Aufgabe der Pastoren war die Verkündigung, die Verwaltung der Sakramente und die persönliche Zurechtweisung. Das Doktorenamt umfaßte die Unterweisung der Gläubigen in der »heilsamen Lehre«. Die Ältesten hatten auf die Lebensführung der Gläubigen zu achten und sie gegebenenfalls zu ermahnen. Die Diakone schließlich waren beauftragt mit der Verwaltung des Armenguts, der Speisung der Armen und der Pflege der Kranken. Calvins Kirchenordnung war damit deutlich weniger hierarchisch aufgebaut als diejenige der katholischen Kirche. Allerdings war für ihn eine strenge Kirchendisziplin wichtig: Fehlbare Gläubige und auch Mitglieder der Kirchenleitung wurden ermahnt; schwere Verstöße konnten zum Ausschluß aus der kirchlichen Gemeinschaft führen.

Ziel der Reformation war die »Reinigung« der Kirche und ihre Ausrichtung auf ein neues Verständnis der Evangelien. Damit waren die Intentionen der Reformatoren v. a. theologischer Natur; sie verfolgten nur in zweiter Linie kirchenrechtliche Absichten. Mit ihren theologischen Lehren haben sie allerdings stark an den Grundfesten des kirchlichen Selbstverständnisses gerüttelt, so daß ihre Gedanken das K. grundlegend beeinflußt haben.

Die neuen evangelischen (reformierten oder lutherischen) Kirchenwesen übernahmen das katholische K. nicht, sondern gaben sich eine Vielzahl eigener kirchlicher Ordnungen. Infolgedessen ist das evangelische K. nicht einheitlich; dies im Unterschied zum katholischen K., das sich aus einer Vielzahl von Rechtssammlungen zunehmend zu einem geschlossenen Rechtssystem entwickelt hat.

Für die weitere Entwicklung des evangelischen K. waren die von den Landesherren erlassenen Kirchenordnungen von großer Bedeutung. Mit dem Augsburger Religionsfrieden (1555) sind die Landesherren in den evangelischen Gebieten Träger der bischöflichen Jurisdiktionsgewalt geworden. Hieraus entwickelte sich im 16. Jh. das landesherrliche Kirchenregiment: Den Landesherren standen die Kirchenhoheit kraft staatlichen Aufsichtsrechts (*iura circa sacra*) sowie das Kirchenregiment über den Vorstand und die innere Ordnung der Kirche (*iura in sacra*) zu.

Für ihre kirchlichen Aufgaben setzten die Landesherren spezielle Behörden ein (Konsistorien, zusammengesetzt aus Geistlichen und Juristen). Diese hatten anfänglich beschränkte Aufgaben (Visitation, Rechtsprechung in Ehe- und Disziplinarsachen). Später wurden sie zu Trägern der Kirchenverwaltung. Die Konsistorialordnungen waren für die lutherischen Gebiete charakteristisch. In den reformierten Gebieten gab es die Presbyterien, die für die Kirchenzucht zuständig waren; weiter traten die Geistlichen und Laien zu Synoden zusammen.

Das landesherrliche Kirchenregiment hatte im 17. und 18. Jh. ein eigentliches Staatskirchentum zur Folge. Dieses wurde mit einem Übergang der bischöflichen Rechte auf den Landesherrn (Episkopalsystem), mit der unteilbaren territorialen Staatsgewalt des Landesherrn (Territorialsystem) oder mit der Vorstellung, daß die kirchliche Gemeinde dem Landesherrn die Kirchengewalt treuhänderisch übertragen habe (Kollegialsystem), begründet. Das landesherrliche Kirchenregiment blieb in Deutschland bis zur Novemberrevolution 1918 bestehen; diese ließ die Landesherren und damit die Träger des landesherrlichen Kirchenregimentes abdanken. Die evangelischen Kirchen Deutschlands mußten sich in der Folge staatsunabhängig organisieren und gaben sich in Synoden eigene Kirchenverfassungen.

Um die gemeinsamen Interessen besser wahren zu können und einer Partikularisierung entgegenzuwirken, gründeten die evangelischen Kirchen 1922 in Wittenberg den Deutschen Evangelischen Kirchenbund (DEKB). Sein wichtigstes Organ war der Deutsche Evangelische Kirchentag, der alle drei J. zusammentrat und mit gesetzgebender Funktion ausgestattet war. Ihm gehörten die 28 dt. evangelischen Landeskirchen an, der Bund reformierter Gemeinden, die Herrnhuter Brüdergemeine, die evangelischen Kirchen in Österreich sowie diejenigen in Brasilien. Die angeschlossenen Kirchgemeinden blieben aber in ihrer Verfassung und in ihrem Bekenntnis selbständig.

Nach dem II. Weltkrieg wurde in Deutschland mit der Grundordnung der Evangelischen Kirche in Deutschland (EKD) vom 13. Juli 1948 eine neue Ordnung geschaffen [3. 23–34].

Die EKD faßt die lutherischen, reformierten und unierten Gliedkirchen als Gemeinschaft zusammen, achtet aber die Bekenntnisgrundlage der einzelnen Gliedkirchen und Gemeinden. Zentrale Aufgabe der EKD ist die Festigung und Vertiefung der Gemeinschaft unter den Gliedkirchen, die Hilfe bei der Erfüllung des Dienstes sowie die Förderung des Austausches unter den Gliedkirchen (Art. 6 Abs. 1 Grundordnung EKD).

Die EKD verfügt über eine Synode, eine Kirchenkonferenz, einen Rat sowie einen Schiedsgerichtshof. Der Synode kommt die Aufgabe zu, der Erhaltung und dem inneren Wachstum der EKD zu dienen, die Kirchengesetze zu beschließen, Stellungnahmen zu erlassen, Arbeiten der EKD zu besprechen, Fragen des kirchlichen Lebens zu erörtern und dem Rat Richtlinien zu erteilen. Gemeinsam mit der Kirchenkonferenz wählt sie den Rat der Evangelischen Kirche in Deutschland (Art. 23 Grundordnung EKD). Die Kirchenkonferenz berät über die Arbeit der EKD und die gemeinsamen

Anliegen der Gliedkirchen und läßt Vorlagen oder Anregungen an die Synode und den Rat gelangen. Sie wirkt – wie erwähnt – bei der Wahl des Rates der Evangelischen Kirche in Deutschland sowie bei der Gesetzgebung mit (Art 28 Abs. 1 Grundordnung EKD). Dem Rat kommt die Aufgabe zu, die EKD zu leiten und zu verwalten. Er vertritt die Kirche nach außen und kann Stellungnahmen erlassen, wenn die Synode nicht versammelt ist (Art. 29 Abs. 1 Grundordnung EKD). Ferner wurde auch ein Schiedsgerichtshof eingesetzt, der für die Entscheidung von innerkirchlichen Meinungsverschiedenheiten und Streitfragen sowie zur Begutachtung von Rechtsfragen zuständig ist (Art. 32 Grundordnung EKD).

Neben der Grundordnung der EKD gibt es eine Reihe evangelischer Grundstatuten; wichtig sind v. a. die einzelnen Verfassungen der 24 Gliedkirchen der EKD sowie die Verfassungen kirchlicher Zusammenschlüsse wie beispielsweise die Ordnung der Evangelischen Kirche der Union (EKU) vom 20. Februar 1951 [3. 37–45] und die Verfassung der Vereinigten Evangelisch-Lutherischen Kirche Deutschlands (ELKD) vom 8. Juli 1948 [3. 46–57]. Überdies besteht eine Vielzahl von Grundstatuten der Freikirchen und anderer kirchlicher Gemeinschaften.

C. Staatskirchenrecht

Das Staats-K. umfaßt einseitig gesetzte Normen des staatlichen Rechts sowie zw. Staat und Kirche vereinbarte Regelungen, die für die Religionsgemeinschaften gelten und Fragen der Religionsausübung sowie des Verhältnisses von Kirche und Staat regeln.

Wie letzteres auszugestalten ist, wurde im Laufe der Zeit unterschiedlich beantwortet. Bereits im NT wird die Unterscheidung von Kirche und Staat angesprochen: ›Gebt dem Kaiser, was des Kaisers ist, und Gott, was Gottes ist‹ (Mt 22,21). Die von den frühen Christen vorgenommene Zweiteilung in weltliche und geistliche Gewalt machte sie für den ant. Staat zu Gegnern und führte zu Christenverfolgungen. Erst das Mailänder Toleranzedikt von Kaiser Konstantin (313) gewährte Religionsfreiheit; 380 erklärte Kaiser Theodosius I. das Christentum zur Staatsreligion.

Auch wenn das MA durch ein einheitliches *Corpus Christianum* gekennzeichnet war, herrschte eine teilweise heftige Auseinandersetzung zw. kirchlicher und weltlicher Macht, die in dem Investiturstreit einen Höhepunkt fand. 1075 hatte Papst Gregor VII. den Königen untersagt, die hohen Kirchenämter durch eine zeremonielle Übergabe von Stab und Ring (Investitur) zu besetzen. Heinrich IV., der sich über dieses Verbot hinwegsetzte, entzog 1076 mit seinen 26 Bischöfen Papst Gregor VII. die Anerkennung. Erst 1122 brachte das Wormser Konkordat zw. Papst Calixtus II. und Kaiser Heinrich V. einen Kompromiß zw. kaiserlicher und päpstlicher Autorität.

Mit dem Augsburger Religionsfrieden (1555) und schließlich mit dem Westfälischen Frieden (1648) wurde die bis dahin im Reich bestehende Glaubenseinheit formell aufgelöst. Es galt nun der Grundsatz *cuius regio – eius religio*, d. h. die Landesherren erhielten das Recht, die Konfession ihrer Untertanen zu bestimmen. Dies galt zunächst für das röm.-katholische und das lutherische Bekenntnis (1555), seit 1648 auch für das reformierte Bekenntnis.

In der zweiten H. des 18. Jh. beanspruchte der Staat gegenüber der Kirche nochmals eine starke Kontrolle und Einflußnahme, die dann gegen E. des 19. Jh. mit dem vermehrt in den Vordergrund rückenden Gedanken der Religionsfreiheit und der rel. Neutralität des Staates abnahm.

Radikal wurde in neuerer Zeit die Frage nach dem Verhältnis von Kirche und Staat in Deutschland unter Hitler gestellt [17]. Auf evangelischer Seite schlossen sich 1932 die »kirchlich interessierten Nationalisten« zur Glaubensbewegung Deutscher Christen (GDC) zusammen. Diese forderte eine evangelische Reichskirche und versuchte – mit Unterstützung der nationalsozialistischen Partei – auf die Deutschen Evangelischen Kirchen (DEK, mit der Kirchenverfassung vom 11. Juli 1933 gegründet, durch das Reichsgesetz vom 14. Juli 1933 bestätigt) Einfluß zu nehmen. Der Versuch, die DEK mit der Partei gleichzuschalten und damit eine Reichskirche zu errichten, scheiterte.

Als Gegenbewegung zur GDC bildete sich 1934 die Bekennende Kirche, die sich im sog. Kirchenkampf gegen die immer stärker werdenden Eingriffe und Gewaltakte gegen die Kirchgemeinden und ihre Mitglieder zu wehren begann. Mit der Barmer Theologischen Erklärung (1934) [3. 919–922], an deren Formulierung Karl Barth maßgeblich beteiligt war, stellte sie sich gegen jede Unterordnung der Kirche unter das staatliche Regime: ›Wir verwerfen die falsche Lehre, als dürfe die Kirche die Gestalt ihrer Botschaft und ihrer Ordnung ihrem Belieben oder dem Wechsel der jeweils herrschenden weltanschaulichen und politischen Überzeugung überlassen‹ (Ziffer 3).

Auch auf die röm.-katholische Kirche wurde massivster Druck ausgeübt. Zwar hatte Hitler 1933 mit dem Reichskonkordat (RK, zw. dem Hl. Stuhl und dem Dt. Reich, unterzeichnet am 20. Juli 1933) die Freiheit des Bekenntnisses und der Ausübung der katholischen Religion, die selbständige Ordnung der kirchlichen Angelegenheiten (Art. 1 RK) sowie den Schutz katholischer Organisationen und Verbände, die ausschließlich rel., rein kulturellen und karitativen Zwecken dienen, zugesichert (Art. 31 RK). Doch die in das Reichskonkordat gesetzten Hoffnungen sollten sich bald als trügerisch erweisen. Eine anfänglich noch verdeckte kirchenfeindliche Haltung von Staat und Partei wurde immer mehr zur offenen Kirchenverfolgung. Auch die 1937 verlesene päpstliche Enzyklika *Mit brennender Sorge*, die sich gegen die Vertragsverletzungen des NS-Staates wandte, vermochte daran nichts zu ändern. Das Reichskonkordat gilt noch h., allerdings im Kontext rechtsstaatlich-demokratischer Verhältnisse.

Auseinandersetzung und Kompromissfindung zw. Kirche und Staat sind geschichtliche Grundelemente der vergangenen 2000 Jahre. Die gemachten Erfahrungen haben allerdings kein einheitliches Ordnungsmodell entstehen lassen. Im Gegenteil findet sich eine Vielzahl von Varianten, die vereinfachend auf drei Grundsysteme zurückgeführt werden können:

Erstens ist ein enges Zusammengehen von Kirche bzw. Religionsgemeinschaften und Staat festzustellen. Dies ist beispielsweise im ant. Staat als selbstverständlich angesehen worden und läßt sich etwa in einem Teil der islamischen Staatenwelt beobachten. Das zweite Ordnungsprinzip ist die Entflechtung von Kirche und Staat verbunden mit der Errichtung eines öffentlich-rechtlichen Status der Kirchen und der Gewährleistung ihrer Autonomie. Schließlich gibt es drittens auch Verhältnisse der vollständigen Trennung von Kirche und Staat.

Das Erscheinungsbild des Verhältnisses von Kirche und Staat wird aber nicht nur durch die Wahl eines dieser Ordnungsmodelle bzw. ihrer Variationen geprägt, sondern auch von der Frage, ob in einem Staat die Religionsfreiheit gewährleistet ist und der Grundsatz der rel. und weltanschaulichen Neutralität gilt. Die Stellung der Religionsgemeinschaften in Staaten ohne rel. Neutralität kann ganz unterschiedlich sein und von der Identifikation eines Staates mit einer bestimmten Religion (wie etwa in gewissen islamischen Staaten) bis hin zur völligen Unterdrückung rel. Aktivitäten (wie teilweise in den früheren kommunistischen Ländern) gehen.

Annähernd alle mod. Staaten gewährleisten die Religionsfreiheit (Glaubens-, Gewissensfreiheit und Kultusfreiheit) als verfassungsmäßiges Grundrecht. Damit haben die Einzelnen grundsätzlich das Recht, ihr Verhalten an ihrer eigenen Glaubenslehre auszurichten und nach ihren rel. Überzeugungen zu handeln.

In den einzelnen Staaten finden sich unterschiedliche Systeme: Für das Trennungssystem haben sich etwa Frankreich und die Vereinigten Staaten von Amerika entschieden. Ein staatskirchliches Modell findet sich beispielsweise in Großbritannien, in skandinavischen Ländern und in Griechenland.

Das System in der Bundesrepublik Deutschland geht zwar grundsätzlich von einer institutionellen Trennung von Kirche und Staat aus; allerdings ist diese Trennung keine strikte, sondern eine ›hinkende‹ (Ulrich Stutz [6. 54, Anm. 2]), wie die mögliche Anerkennung von Kirchen und anderen Religionsgemeinschaften als »Körperschaften des öffentlichen Rechts« zeigt. Rechtlich wird dieses Verhältnis auf die in das Grundgesetz inkorporierten Art. 136 bis 139 und 141 der Weimarer Reichsverfassung (Art. 140 des Grundgesetzes) sowie auf die Landesverfassungen und Staatskirchenverträge gestützt.

Während Österreich ebenfalls ein System der öffentlich-rechtlichen Anerkennung von Kirchen bzw. Religionsgemeinschaften kennt [14. 1294–1308], ist in der Schweiz die staatskirchenrechtliche Situation aufgrund der fehlenden Kompetenz des Bundes für das Kirchen- und Religionswesen von Kanton zu Kanton unterschiedlich geregelt. Man trifft dabei auf eine Vielfalt möglicher staatskirchlicher Zuordnungen, die vom engen Verhältnis über die Entflechtung bis hin zur Trennung von Kirche und Staat reichen [16].

QU 1 J. CALVIN, Unterricht in der christl. Religion, Institutio Christianae religionis, nach der letzten Ausgabe übers. und bearb. v. O. WEBER, ⁵1955/1988 2 Ders., Die Ordonnances ecclésiastiques von 1561, in: E. BUSCH et al., Calvin-Studienausgabe. Bd. 2. Gestalt und Ordnung der Kirche, 1997, 227–279 3 D. KRAUS (Hrsg.), Evangelische Kirchenverfassungen in Deutschland. Textsammlung mit einer Einführung, 2001 4 M. LUTHER, Von dem Papsttum zu Rom wider den hochberühmten Romanisten zu Leipzig (1520), in: D. Martin Luthers Werke: kritische Gesamtausgabe, Weimar 1883 ff., Bd. 6, 285–324 5 Ders., Dass eine christl. Versammlung oder Gemeinde Recht und Macht habe, alle Lehre zu beurteilen und Lehrer zu berufen und ein- und abzusetzen (1523), in: D. Martin Luthers Werke: Kritische Gesamtausgabe, Bd. 11, 1900, 401–416 6 U. STUTZ, Die päpstliche Diplomatie unter Leo XIII., Abh. der Preussischen Akad. der Wiss., Philol.-Histor. Klasse 1925, Nr. 314

LIT 7 A. BASDEKIS, Die Orthodoxe Kirche. Eine Handreichung für nicht-orthodoxe und orthodoxe Christen und Kirchen, ²2002 8 A. v. CAMPENHAUSEN, Staats-K., ³1996 9 A. ERLER, K., ⁵1983 10 H. E. FEINE, Kirchliche Rechtsgesch. Die katholische Kirche, ⁵1972 11 O. KÜHN, J. WEIER, K., 1986 12 G. LARENTZAKIS, Die Orthodoxe Kirche. Ihr Leben und ihr Glaube, 2000 13 J. LISTL, D. PIRSON (Hrsg.), Hdb. des Staats-K. der Bundesrepublik Deutschland, 2 Bde., ²1994 f. 14 J. LISTL, H. SCHMITZ, Hdb. des katholischen K., ²1999 15 G. W. LOCHER, Die Zwinglische Reformation im Rahmen der europ. Kirchengesch., 1979 16 A. LORETAN (Hrsg.), Kirche-Staat im Umbruch. Neuere Entwicklungen im Verhältnis von Kirchen und anderen Religionsgemeinschaften zum Staat, 1995 17 K. MEIER, Kreuz und Hakenkreuz. Die evangelische Kirche im Dritten Reich, 2001 18 W. PLÖCHL, Gesch. des K., 5 Bde., teilweise in 2. Auflage, 1959 ff. 19 R. ZIPPELIUS, Staat und Kirche. Eine Gesch. von der Ant. bis zur Gegenwart, 1997.

FELIX HAFNER

Theorie/Praxis A. ÜBERSICHT   B. ELEMENTE DER THEORIE-PRAXIS-UNTERSCHEIDUNG IN MITTELALTER UND RENAISSANCE C. DIE THEORIE-PRAXIS-UNTERSCHEIDUNG IN DER NEUZEIT   D. AKTUELLE ASPEKTE DER WECHSELBEZIEHUNG VON THEORIE UND PRAXIS

A. ÜBERSICHT

Ein zentrales Merkmal der ant. Philos. liegt in ihrer Wertschätzung der Einheit von Theoriebildung und Lebenspraxis. Pythagoras, Sokrates oder Epikur galten als Figuren, die die bestmögliche Lebensform erreichten, indem sie zugleich im Vollsinn Theoretiker gewesen sein sollen. Von solchen Idealbildern her erklärt sich die ant. Thematisierung von *bíos theōrētikós* (*vita contemplativa*) und *bíos politikós* (*vita activa*). Als höchste Aktivitätsform gilt die konzentrierte philos. Muße, während der polit.-praktischen Aktivität (und erst recht der handwerklichen Arbeit) ein minderer Rang zugesprochen wurde.

Ideengeschichtlich scheint sich zw. Ant. und Neuzeit eine Verlagerung der Wertschätzung von der Th. zur P. abzuzeichnen. Grob gesprochen ist die ant. Philos. theoriefreundlich: Sie unterstellt die Einheit der Vernunft, favorisiert die theoretische gegenüber der praktischen Lebensform, unterstellt die Anwendbarkeit der Th. auf die P. und veranschlagt den epistemischen Eigenwert praktischer Erfahrung eher gering. In der Neuzeit verschieben sich die Gewichte zugunsten der Wertschätzung eines Vernunftpluralismus, einer praxisbezogenen Lebensführung, eines theoretischen Eigenrechts der P. sowie zugunsten praktischer Wissensformen.

Innerhalb der komplexen Nachwirkung der ant. Th.-P.-Unterscheidung sind v. a. drei philos. Themen zu unterscheiden: a) Das rationalitätstheoretische Problem von Einheit oder Pluralität der Vernunft: Ist die Vernunft als theoretisch-erkennende und als praktisch-handlungsleitende Größe ein und dieselbe? Oder muß der eine Vernunftbegriff durch die Annahme grundverschiedener Teilrationalitäten ersetzt werden? b) Das biographisch-existentielle Problem des Vorrangs, der Gewichtung und der Wechselwirkung von Th. und P.: Welchen relativen Stellenwert sollen Th. und P. im Leben eines Individuums erhalten? Wie soll ihr Verhältnis in technischer, prudentieller und moralischer Hinsicht aufgefaßt werden? c) Das erkenntnistheoretische Problem des Zusammenspiels von Th. und P.: Wie muß theoretisches Wissen beschaffen sein, um praxistauglich, praxisnah und praxiskonform zu sein? Wie viel Th. benötigt die P.? Welche Bed. besitzt die P. für die Th.? Wie spiegelt sich die Th. in der P. und die P. in der Th.?

B. Elemente der Theorie-Praxis-Unterscheidung in Mittelalter und Renaissance

Anknüpfungspunkte für die nach-ant. Th.-P.-Unterscheidung finden sich bes. in Platons Differenzierung zw. handlungsorientierten (*praktikái*) und erkennenden (*gnōstikái*) Wiss. (polit. 258e ff.; vgl. rep. 473a), sowie in der platonisch-aristotelischen Einteilung von theoretischen, praktischen (= handlungsbezogenen) und poietischen (= herstellungsorientierten) Wissenschaften (Diog. Laert. 3,84; Aristot. metaph. E1). Während Platon die Vernunft als einheitlich begreift, spricht Aristoteles der praktischen Vernunft einen eigenständigen, wenn auch verminderten epistemischen Wert zu. Im MA wird die Situation dadurch kompliziert, daß man den Th.-Begriff durch drei verschiedene Äquivalente wiedergibt: durch *contemplatio*, *speculatio* und *consideratio*. Der Ausdruck *contemplatio* bezieht sich primär auf die Betrachtung Gottes und erscheint daher vornehmlich in theologisch-mystischen und glückstheoretischen Kontexten. Der *speculatio*-Begriff taucht hauptsächlich in der Antithese zw. philos. Grundlagenproblemen und sol-

chen Wissensformen auf, die zur Tätigkeit (*operatio*) hinführen bzw. affektive Haltungen implizieren. So konstatiert etwa Richard von Mediavilla (ca. 1249–1302/1308), eine spekulative Wiss. habe es mit Objekten zu tun, die nicht Gegenstand unseres Handelns werden könnten, während praktisches Wissen in einer Verbindung mit menschlichen Tätigkeiten stehe [17. 7a–8b]. Der *consideratio*-Begriff steht für eine objektive, nicht-interessengeleitete Herangehensweise, bezeichnet also die Th.-P.-Unterscheidung auf eine inhaltlich neutrale Weise. Dem P.-Begriff entsprechen die Ausdrücke *actio*, *actus* und *operatio*.

In der ant. Philos. wurde die theoretische Lebensführung fast durchgehend deutlich gegenüber der praktischen favorisiert. Der spätant. Neuplatoniker Plotin spitzte diese Wertung zu, indem er den beiden Lebensformen menschliche Entwicklungsniveaus zuordnete und damit den Praktiker als jemanden verstand, der die Bindung an die sinnlich-materielle Welt noch nicht überwunden hat. Demgegenüber findet sich bei christl. Autoren eine ans NT anknüpfende Wertschätzung für die karitative und die kerygmatische P. der Gläubigen (vgl. Mk 16,15–18; Mt 22,37; 1 Kor 13,2). In der christl. Spätant. und im MA sind folglich Versuche greifbar, zw. diesen beiden Wertungen zu vermitteln. So behauptet Clemens von Alexandrien (ca. 150–215), daß Christus, der als Logos, in seinem Leben eine exemplarische Einheit von theoretischer und praktischer Tugend gezeigt habe (*Paidagōgós* 3,9,4). Eine andere Lösung besteht darin, bei grundsätzlichem Vorrang des Theoretischen die praktische Lebensführung als deren notwendige Vorstufe anzusehen. So findet sich bei Origenes die Vorstellung, für die Mehrzahl der Menschen sei in diesem Leben eine *vita activa* ausreichend, und erst im ewigen Leben gelangten diese zu einer *vita contemplativa* (*In Ioannis evangelium* 1,16). Der späte Augustinus bevorzugt demgegenüber eine Lösung, der zufolge die drei von ihm unterschiedenen Lebensformen (*vitae genera*), nämlich die zurückgezogene, die aktive und gemischte Form (*otiosum*, *actuosum*, *ex utroque compositum*), nicht entscheidend zur Erlangung des höchsten Guts, des Glücks, beitragen und mithin als indifferent anzusehen sind (civ. 19,2 und 19). Das berühmte Jesus-Diktum vom Vorrang der kontemplativen Lebensweise Marias gegenüber der aktiven Marthas (Lk 10,38–42) interpretiert er im Sinn eines relativen Primats der Betrachtung; wie Plotin versteht er Aktivität als reinigende Vorstufe der Kontemplation (serm. 103,2). Für eine aus kontemplativen und praktischen Phasen kombinierte Lebensform plädiert hingegen Gregor der Große; nach ihm führt Maria zwar das bessere Leben als Martha, aber das Leben Jesu stelle selbst eine Verbindung aus kontemplativen und praktischen Elementen dar (*Homiliae in Ezechiel* 2,2,11). Bonaventura (1217/1221–1274) parallelisiert die augustinische Trias von kontemplativem, aktivem und gemischtem Leben mit der von monastischer Lebensführung, dem Leben der Laien und dem der Kleriker oder Weltpriester [3. 22, 17]. Demgegenüber spricht sich Thomas von Aquin (1224/25–1274) dafür aus, nach der biblischen Unterscheidung nur zwei (nicht drei oder mehr) verschiedene Lebensformen anzusetzen. Er postuliert einen Primat der *vita contemplativa*, nimmt aber an, bestimmte Personen seien eher zu praktischer Tätigkeit disponiert oder bestimmte Situationen erforderten praktisches Handeln; auch kennt er den Gedanken der Vorbereitung der Kontemplation durch ein aktives, die Affekte ordnendes Leben [19. II-II. 181–182]. Bei Thomas von Aquin wird das Th.-P.-Problem zudem auf der Basis der aristotelischen Unterscheidung zw. intellektuellen und moralischen Tugenden untersucht. Während erstere zum Sein in einer theoretischen Erkenntnisbeziehung stehen, die sich auf Wahrheit (*veritas*) richtet, befinden sich letztere zum Guten in einer praktischen Strebensbeziehung, die zum Glück (*beatitudo*) führen soll. Insofern die intellektuellen Tugenden nicht strebensbezogen sind, besitzen sie einen höheren Rang, zumal wegen der Vorzüglichkeit ihrer Objekte. Andererseits sind sie aus der Akteursperspektive im Rang niedriger, weil sie (mit Ausnahme der *prudentia*) die Interessen ihres Besitzers aus dem Spiel lassen. Die *prudentia*, die kluge Urteilskraft, bildet folglich das Bindeglied zw. theoretischer und praktischer Ausrichtung.

Meister Eckhart (ca. 1260–1328) votiert für den Vorrang von Marthas lebensreifer Aktivität gegenüber dem naiv-unreifen Spiritualismus Marias; allerdings ist auch bei ihm Marthas Aktivität lediglich als Vorbereitung einer vollen kontemplativen Identität zu verstehen [5. 28]. Bei Francesco Petrarca (1304–1374) findet sich unverändert eine die Kontemplation bevorzugende Lebenskonzeption; nur verlangt der Frühhumanist, man dürfe dieses Ideal nicht allein der monastischen Trad. überlassen (vgl. die Schriften *De otio religioso* und *De vita solitaria*). Eine radikal umgekehrte Wertung läßt sich bei dem Humanisten Coluccio Salutati (1331–1406) ausmachen: Er hält eine aktive Lebensführung für die höchstmögliche, und zwar im diesseitigen wie im jenseitigen Leben; Grund dafür sei der Vorrang des Willens gegenüber dem Intellekt [18. III. 305f.]. Das Motiv der Einheit von Th. und P. bestimmt auch das Denken des Nikolaus Cusanus (1401–1464); er begreift den Höhepunkt der Theorie als ein reines Können (›apex theoriae est posse ipsum‹ [15. 17, 2]). Während der Platoniker Marsilio Ficino (1433–1499) in seinem Philebos-Komm. zur alten Vorrangstellung des Spekulativen zurückkehrt, entwirft Cristoforo Landino (1424–1498) ein Misch- und Integrationsmodell, in dem der kontemplative Aspekt als leitend aufgefaßt wird [12].

C. DIE THEORIE-PRAXIS-UNTERSCHEIDUNG IN DER NEUZEIT

Eine der Ursachen für die zw. Ant. und Moderne zu beobachtende Neubewertung kündigt sich bereits in der spätma. Philos. an, nämlich die Umkehrung des Primats von Wirklichkeit und Möglichkeit: Während Aristoteles den Vorrang der Wirklichkeit erklärt und theoretische Aktivität primär auf die reine Wirklichkeit

gerichtet sein läßt, findet sich bei Duns Scotus (ca. 1265–1308) die Einschätzung, theoretisches Wissen ergebe sich aus der Tätigkeit des Intellekts, welche prinzipiell passiv und determiniert sei, während die P. auf die Tätigkeit des Willens zurückgehe, der aktiv, autonom und indeterminiert sein soll (*Quaestiones subtilissimae* IX, q. 15 n. 8). In der Frühen Neuzeit ist es Francis Bacon (1561–1626), der die von den Griechen stammende theoretische Wiss. insgesamt als »Professorenweisheit« abqualifiziert, welche auf bloßer Disputationslust und Prahlerei beruhe; er selbst verlangt eine experimentelle Ausrichtung sowie die praktische Ausrichtung am Wohl der Menschen [2. 1.71–73]. Bei Giambattista Vico (1668–1774) wird das sog. *verum-factum*-Prinzip formuliert, das dem Experiment einen bes. hohen Erkenntniswert zuspricht, weil es die natürliche Welt gleichsam nachschafft [20. 1.136f.].

I. Kant (1724–1804) nimmt eine markante Scheidung von theoretischem und praktischem Vernunftgebrauch vor, wenngleich er die Vernunft als ein einziges, lediglich auf unterschiedliche Gegenstände angewandtes Vermögen versteht [8. Vorrede]. In seinem Wortgebrauch von »praktisch« setzt er das Technisch-Praktische, welches auf einem Naturbegriff von Kausalität beruht, dezidiert vom Moralisch-Praktischen ab, das sich auf einen Freiheitsbegriff stützt; er plädiert deshalb dafür, die ›Haus-, Land-, Staatswirtschaft, die Kunst des Umganges, die Vorschrift der Diätetik, selbst nicht die allg. Glückseligkeitslehre‹ als Bestandteile der → Praktischen Philosophie aufzufassen [10. Einleitung I], sondern den Ausdruck für den Bereich der Freiheit zu reservieren, der vom moralischen Gesetz bestimmt ist. Gegen den »Gemeinspruch« von der Irrelevanz der Th. für die P. wendet er ein, daß reine Vernunft für sich selbst praktisch sei, d. h. Akte der Freiheit auslösen könne [11]. Den Übergang von der Th. zur P. leistet die Urteilskraft, was den Praktiker nach Kant nicht dazu verleiten darf, die Th. gering zu schätzen.

Bei Hegel (1770–1831) ergibt sich aus der grundlegenden These von Identität, welche zw. Vernunft und Wirklichkeit bestehen soll, eine weitgehende Elimination des Normativen aus der praktischen Vernunft. Im Bild von der Eule der Minerva, das das Zu-spät-Kommen der Philos. gegenüber der polit. P. zum Ausdruck bringt, veranschaulicht Hegel, daß Philos. nicht der Veränderung der P., sondern allein ihrer adäquaten theoretischen Darstellung dient [7. Vorrede]. Hegels einseitige Parteinahme zugunsten eines Theoretizismus erweist sich im 19. Jh. als äußerst wirkungsreich, wenn auch eher im Sinn der umgekehrten Akzentuierung eines Praktizismus (A. v. Cieszkowski, R. Haym, K. Marx). Insbesondere für die Position von Marx (1818–1883) ist es charakteristisch, daß die Th. von der P. her interpretiert wird, da alle Th.-Bildung immer schon auf sozioökonomischen Voraussetzungen beruhe (Thesen 8 und 11 [13]). Daher erreiche man eine adäquate Erkenntnisform erst, wenn man alle Spekulation zugunsten einer praxisbezogenen Wissensform preisgebe.

Nicht weit davon entfernt ist Nietzsches (1844–1900) Pragmatismus, der auf den Instinkthintergrund bei aller Theoriebildung verweist; Nietzsche hält ein pures Faktenwissen für ausgeschlossen, da jedes theoretische Weltverhältnis immer bereits auf einer interessegeleiteten Interpretation beruht (Buch III, Absatz 24 [14]).

Das Thema eines Vorrangs von theoretischer oder praktischer Lebensführung wird in der Neuzeit nur selten wiederaufgegriffen (wohl aber [31]). Hannah Arendt (1906–1975) hat dafür die Erklärung gegeben [1], es sei in der Neuzeit zu einer einseitigen Betonung der Arbeit als menschlicher Tätigkeitsform gekommen. Als *animal laborans* liefere sich der Mensch allerdings einer Versklavung an die Notwendigkeiten der Existenzsicherung sowie an den Konsumismus aus. Darüber gehe immerhin die Identität des *Homo faber* hinaus, welcher seine Lebenswelt als von ihm selbst geschaffen begreift und darin aus Arendts Sicht ein Freiheitsmoment realisiert. Als eigentlich menschliche Tätigkeiten kennzeichnet Arendt dagegen das Handeln und das Sprechen, wofür sie sich auf Aristoteles' Bevorzugung der *práxis* gegenüber der *poíēsis* beruft.

D. Aktuelle Aspekte der Wechselbeziehung von Theorie und Praxis

In der ant. Philos. wurde das epistemologische Th.-P.-Problem hauptsächlich anhand des *téchnē*-Begriffs diskutiert. *Téchnē* bezeichnete ein anwendungsbezogenes Expertenwissen oder eine praktische Fachkompetenz, weswegen der Ausdruck generell für künstlerische, handwerkliche, praktische, wiss. oder philos. Disziplinen mit Praxisbezug verwandt werden konnte. Unterstellt wurde dabei die Lehrbarkeit eines moralisch-polit. Wissens sowie die Anwendbarkeit theoretischen Wissens auf die Praxis. Ein *téchnē*-Besitzer wird durch sein Wissen umstandslos zum moralisch, polit. oder pragmatisch Richtigen geleitet [23].

In der gegenwärtigen Diskussion wird die Th.-P.-Relation hingegen wesentlich aspektreicher behandelt, und zwar gemäß den unterschiedlichen theoretischen und praktischen Rationalitätsformen: wissensch. Rationalität, strategisch-prudentielle Vernunft (Zweck-Mittel-Rationalität), Kosten-Nutzen-Rationalität, technisch-funktional-instrumentelle Rationalität, Systemrationalität (Luhmann), kommunikative Rationalität (Habermas, Apel), existentielle Vernunft oder Lebensklugheit, sapientielle Rationalität, pragmatisch-polit. Rationalität und republikanisch-demokratische Vernunft; daneben scheint es künstlerische, emotionale, leibliche (Nietzsche) oder intuitive Rationalitätsformen zu geben. Alle genannten Formen weisen spezifische Varianten des Th.-P.-Verhältnisses auf, wobei v. a. drei Aspekte eine Rolle spielen: (a) Anwendungsproblem: Wie läßt sich eine Th. adäquat auf die P. übertragen? (b) Problem der ausreichenden P.-Orientierung: Wie muß eine Th. beschaffen sein, um praxisgerecht zu sein? (c) Gewichtungsproblem: Welchen Stellenwert sollen Th. und P. jeweils im Erkenntnisprozeß erhalten? Einerseits scheint eine ausschließlich theoretische Einstellung hinter der Komplexität oder den Anforderungen der Wirklichkeit zurückzubleiben. Andererseits dürfte es ausgeschlossen sein, sich der Wirklichkeit ohne theoretische Vorannahmen zuzuwenden; bereits einfache Wahrnehmungen und Beobachtungen sowie elementare Handlungen sind theoriegeleitet.

Auch die Rationalitätskritik des 20. Jh. beruht wesentlich auf dem Vorwurf der Insuffizienz der Th. gegenüber der P. oder der verheerenden praktischen Folgen eines einseitigen Th.-Ideals. Das gilt etwa für die Vernunftkritik der Kritischen Theorie, nach der das aufklärerische Vernunftideal zugleich die enthumanisierenden Konsequenzen von Technokratie und Industrialisierung mit sich gebracht hat; in der Marxschen Trad. wird bei Horkheimer (1895–1973) und dem frühen Habermas (geb. 1929) [6] abstrakte Th.-Bildung verworfen und eine praxisorientierte Th. gefordert. Erst mit Blick auf Arbeit, Herstellen und Handeln im Kontext bestimmter gesellschaftlicher und ökonomischer Verhältnisse soll eine Th.-Bildung adäquat sein. Ebenso richtet sich die feministische Kritik am männlichen Vernunftkonzept gegen eine Präferenz für abstraktes, unparteiliches und nicht-kontextuelles Denken, das der Wirklichkeit nicht gerecht wird. Damit vergleichbar ist die konstitutionstheoretische Überzeugung des späten Wittgenstein (1889–1951), nach der Sprachspiele immer mit sozialen Lebensformen verknüpft sein sollen. Die radikale Vernunftkritik der Postmoderne nimmt noch weitergehend eine grundsätzliche Unabbildbarkeit der Lebenspraxis durch vereinheitlichende, vereinfachende theoretische Konstruktionen an.

In der aktuellen Moralphilos. wird häufig die Frage diskutiert, ob man im praktischen Überlegen, bei der Th.-Bildung und bes. bei Anwendungsfragen nicht grundsätzlich die Prinzipienorientierung zugunsten von Situationsorientierung und Kontextualisierung aufgeben sollte. Die Befürworter einer solchen Position (J. McDowell, B. Williams, D. Wiggins) bezeichnet man als ethische Partikularisten. Ein interessanter Vorschlag zum Umgang mit dem Th.-P.-Problem in der Polit. Philos. ergibt sich aus John Rawls' (1921–2002) Methodenbegriff eines Überlegungsgleichgewichts (*reflective equilibrium*). Gemeint ist ein konstruktivistisches Verfahren, bei dem durch ein wiederholtes wechselseitiges Adjustieren ein Ausgleich zw. unseren wohlerwogenen Alltagsüberzeugungen und theoretischen Methoden hergestellt werden soll [16. 68–71]. Denn in der praktischen Philos. scheitern Th. zum einen aufgrund ihrer vergröberten, stark idealisierten Beschreibungen der Realität, wegen zu einseitiger (z. B. zu optimistischer) Grundannahmen oder weil es eines zusätzlichen Anwendungswissens bedarf. Zum anderen droht die Gefahr, daß sie zu stark kontextbezogen ausgerichtet sind und eine zu eng gefaßte Reichweite besitzen.

→ Philosophie
→ AWI Praktische Philosophie; Theoria [2]

QU **1** H. Arendt, The Human Condition, 1958 (dt.: Vita activa oder vom tätigen Leben, 1960) **2** F. Bacon, Novum Organon (1620), lat./dt. hrsg. v. W. Krohn, 1990 **3** Bonaventura, Collationes in Hexaemeron/Das Sechstagewerk (1273), lat./dt. hrsg. v. W. Nyssen, 1964 **4** J. Duns Scotus, Ordinatio in libros Sententiarum (1300), hrsg. v. C. Balic et al., 1963 (= Opera omnia VI) **5** Meister Eckhart, Dt. Predigten, hrsg. v. J. Quint, 1958–1976 **6** J. Habermas, Theorie und Praxis, 1963 **7** G. W. F. Hegel, Grundlinien der Philos. des Rechts (1821), hrsg. v. J. Hoffmeister, 1995 **8** I. Kant, Grundlegung zur Metaphysik der Sitten (1785), hrsg. v. B. Kraft, D. Schönecker, 1999 **9** Ders., Kritik der praktischen Vernunft (Critik der practischen Vernunft), Riga 1788 **10** Ders., Kritik der Urteilskraft (Critik der Urtheilskraft), Berlin 1790 **11** Ders., Über den Gemeinspruch: Das mag in der Theorie richtig sein, taugt aber nicht für die Praxis (1793), hrsg. v. H. Klemme, 2002 **12** C. Landino, Disputationes Camaldulenses (um 1480), hrsg. v. P. Lohe, 1980 **13** K. Marx, Thesen über Feuerbach (1845), in: K. Marx, F. Engels, Werke (MEW), Bd. 3, 1958 **14** F. Nietzsche, Zur Genealogie der Moral (1887), Kritische Studienausgabe, hrsg. v. G. Colli, M. Montinari, 1968 **15** Nikolaus Cusanus, De apice theoriae/Die höchste Stufe der Betrachtung (1463), lat./dt. hrsg. v. H.-G. Senger, 1986 **16** J. Rawls, A Theory of Justice, 1971 (dt.: Eine Theorie der Gerechtigkeit, 1975) **17** Richard von Mediavilla, Super IV libros Sententiarum (ca. 1275), Brescia 1591, Ndr. 1963 **18** C. Salutati, Epistolario, hrsg. v. F. Novati, 1966–1969 **19** Thomas von Aquin, Summa theologiae (1263/1274), hrsg. v. P. Caramello 1948–1962 **20** G. Vico, Principi d scienza nuova (1725), hrsg. v. F. Nicoli 1999

LIT **21** K.-O. Apel, M. Kettner (Hrsg.), Die eine Vernunft und die vielen Rationalitäten, 1996 **22** S. Gosepath, Aufgeklärtes Eigeninteresse. Eine Theorie theoretischer und praktischer Rationalität, 1992 **23** M. Isnardi Parente, Technē. Momenti del pensiero greco da Platone ad Epicuro, 1966 **24** N. Lobkowicz, Theory and Practice, 1969 **25** J. McDowell, Virtue and Reason, in: Monist 62, 1979, 331–350 **26** D. Mieth, Die Einheit von vita activa und vita contemplativa in den dt. Predigten und Traktaten Meister Eckharts und bei Johannes Tauler, 1969 **27** O. O'Neill, Vier Modelle der praktischen Vernunft, in: H. F. Fulda (Hrsg.), Vernunftbegriffe in der Moderne, 1994, 586–606 **28** A. Solignac, s. v. Vie active, vie contemplative, in: Dictionnaire de spiritualité, Bd. 16, 1994, 592–623 **29** H. Sidgwick, Theory and Practice, in: Mind 4, 1895, 370–375 **30** M. Theunissen, Die Verwirklichung der Vernunft. Zur Th.-P.-Diskussion im Anschluß an Hegel, Philos. Rundschau Beih. 6, 1970 **31** B. Vickers (Hrsg.), Arbeit, Muße, Meditation: Betrachtungen zur Vita activa und Vita contemplativa, 1985 (²1991).

CHRISTOPH HORN

Thera A. Archäologische Grabungen und Funde vor 1967 B. Die Ausgrabungen von Spiridon Marinatos bei Akrotiri (1967–1974) C. Forschungen und wissenschaftliche Anliegen seit 1974

A. Archäologische Grabungen und Funde vor 1967

Archäologische Interessen wurden auf der Vulkaninsel T. (it.: Santorin) schon im 19. Jh. geweckt. Auslöser hierfür war der vor der Jh.-Mitte einsetzende Abbau von vulkanischer Asche an den südwestl. Abhängen der Hauptinsel (T.) und an der Südspitze der beim bronzezeitlichen Vulkanausbruch durch den Krater (Caldera) abgetrennten Nebeninsel Therasia. Dieser auch h. noch geförderte Bimssteintuff, ein – mit Kalk vermischt – wasserfest werdendes Material, wurde für Hafenarbeiten der Levante und ab 1859 für den Ausbau des Suezkanals genutzt. An den Abbaugebieten, aber auch in der Nähe der erst 1967 begonnenen systematischen Ausgrabungen bei der Ortschaft Akrotiri am Südwestende von T. [1] wurden unter Schichten der vom Vulkanausbruch geförderten, unterschiedlich mächtigen Bimslagen spärliche Mauerreste sowie keramische Zeugnisse gefunden, die alle älter sein mußten als die bronzezeitliche Eruption. Die Mauerreste haben eher zu Häusern verschiedener kleiner Siedlungen (oder auch Gehöfte) gehört als zu einer durch die Eruption getrennten großflächig angelegten Stadt [19]. Eine der alten Fundstellen deutete u. a. mit frühkykladischen Marmorfiguren (zwei Harfenspieler im Badischen Landesmus. in Karlsruhe [24]) auch auf eine Nekropole hin. Den ersten Versuch einer wiss. Auswertung seiner eigenen Grabungen sowie anderer Unternehmungen theräischer und fremder Amateure hat 1879 der frz. Geologe F. Fouqué vorgelegt [5]. Für die große Vulkankatastrophe ist er auf eine Datierung um 2000 v. Chr. gekommen.

Von den Entdeckungen des 19. Jh. wirkten diejenigen entscheidend nach, die von dem Archäologen M. Mamet und dem Geologen M. Gorceix (zw. 1866 und 1870) sowie später (1899) von dem dt. Archäologen Robert Zahn in der Nähe von Akrotiri, also dort gemacht worden sind, wo S. Marinatos 1967 seine Ausgrabungen begonnen hat [8]. Unter den Funden von Mamet und Gorceix [10] waren auch Freskobruchstücke, deren Stil Marinatos bereits 1939 mit der minoischen Chronologie (→ Kretisch-mykenische Archäologie C.) in Verbindung bringen konnte [13. 26]. Robert Zahn, dessen Grabungen bei Akrotiri bei alten Bewohnern 1967 noch in Erinnerung waren [1], hat 1899 im Zusammenhang mit einem großen Projekt des Epigraphikers Friedrich Hiller v. Gaertringen auf T. gearbeitet und sich in Band III von dessen Publikation [7] für eine Datierung der Eruption in »ältermyk.« Zeit ausgesprochen.

Die Ausgrabungen Hiller v. Gaertringens (1895–1903) hatten aber hauptsächlich die Erforsch. der nach einer langen Pause und der Inbesitznahme der Insel durch dorische Griechen (seit ca. 1000 v. Chr.) auf dem an der Ostküste top. günstig gelegenen Mesavouno-Berg entstandenen Stadt zum Ziel [7. 8]. Nach Blütezeiten vom 8. bis zum 6. Jh. v. Chr. sowie in der hell. Epoche (ptolemäische Flottenstation) und einer bescheideneren Bed. in röm. und byz. Zeit blieb dieser Berg – wie in der Bronzezeit – unbewohnt. Ein Hauptinteresse der Grabung, die auch fundreiche Nekropolen freigelegt hat [4. 21], galt den in einem eigenen griech. Alphabet geschriebenen Felsinschriften. Diese in der dorischen Blütezeit von einem König regierte Hauptstadt der Vulkaninsel hat in Nordafrika um 630 v. Chr. die Stadt Kyrene gegründet.

B. Die Ausgrabungen von Spiridon Marinatos bei Akrotiri (1967–1974)

Die Idee einer Ausgrabung auf T. entstand bei Marinatos während seiner Tätigkeit auf Kreta. In einem Aufsatz von 1939 [13] brachte er die auf Kreta am E. der Periode Spätminoisch IB an verschiedenen Plätzen der Insel etwa gleichzeitig erfolgten Zerstörungen mit dem Vulkanausbruch von T. in Zusammenhang. Überlegungen zu möglichen Einwirkungen dieser Naturkatastrophe auf Zerstörungen minoischer Bauten auf dem nur etwa 100 km entfernten Kreta haben schon vor Marinatos A. Evans und H. R. Hall angestellt. Sie sind auf Kreta aber einseitig von den Verhältnissen in → Knossos ausgegangen [1]. Marinatos hatte dagegen v. a. durch eigene Grabungen auf Kreta konkrete Vorstellungen von der Verbreitung denkbarer Auswirkungen der T.-Eruption an der Nordküste Kretas (etwa Amnisos). In diesem Zusammenhang ließ er sich durch die genauen Beschreibungen bestärken, die es von dem Ausbruch des Krakatau-Vulkans von 1883 und von dessen Ablauf und Folgen gab. Daß er dabei im Hinblick auf die Vergleichbarkeit der beiden Naturereignisse im einzelnen zu weit gegangen ist, haben erst jüngere naturwiss. Unt. gezeigt, die auf Kreta keine nennenswert mächtigen Schichten vulkanischer Asche oder sonstiger auf den Vulkanausbruch von Thera zu beziehender Anhaltspunkte erkennen ließen [20].

Die Idee einer Grabung auf T. konnte Marinatos erst viel später verwirklichen. Mit Hilfe der alten schriftlichen, kartographischen und photographischen Unterlagen, unterstützt auch von alten Bewohnern der Gegend, die sich noch an R. Zahns Grabungen erinnern konnten, fand er bei Akrotiri einen vielversprechenden Grabungsplatz und begann dort 1967 mit Sondagen [1]. Als sich zeigte, daß eine großflächige Ausgrabung selbst unter den extrem schwierigen Bedingungen des Ortes (vulkanische Aschen, Konservierung der Befunde, zerstörende Regen etc.) erfolgreich sein würde, schuf er sukzessiv mit einer auf Stahlstützen ruhenden Überdachung des Geländes eine Voraussetzung zum Gelingen der ganz neue Methoden erfordernden Grabung und deren Konservierung. Zunächst unter freiem Himmel und mit Hilfe von Tunnelgrabungen, dann im Schutz der Dächer, ließ er das Abtragen der vulkanischen Ascheschichten und das Freilegen der Häuser beginnen.

Bis 1974, dem Todesjahr von Marinatos, wurden in einem von Norden nach Süden führenden Abschnitt (Abb. 1) – wohl dem Zentrum der betreffenden Stadt – unzählige Mauern (manche in Quaderwerk, hauptsächlich aber aus Bruchsteinen, Lehm und Holz gebaut) vielräumiger, teils ineinander verzahnter zwei- und dreistöckiger Häuser, eine stellenweise gepflasterte und kanalisierte Straße (sog. Telchinenstraße), Höfe sowie ein großer dreieckiger Platz (Abb. 2) freigelegt und notwendige Konservierungsarbeiten durchgeführt. In den Häusern fanden sich nicht nur Türen und unterschiedlich große Fenster (stein- oder holzgerahmt), Treppen und Fußböden, Arbeits- und Deposträume sowie Badezimmer und Toiletten, sondern auch viele mit erfreulich gut erhaltenen Fresken (Abb. 3.6) verzierte Wände. Kaum zu bewältigen war bei den Grabungen die erstaunliche Fülle der Keramikfunde von großen bemalten und unbemalten Vorratsgefäßen über schlichte Gebrauchsware, bemalte Amphoren und Kannen unterschiedlicher Formen und Größen, verzierte Tassen und Rhyta bis zu kleinen, haufenweise gefundenen konischen Näpfchen. Unter den bemalten theräischen Tongefäßen ist als Zeugnis für den Weinbau eine 50 cm hohe Kanne hervorzuheben, deren Schulter mit hängenden Weintrauben verziert ist (Abb. 4). Archäologisch sind die von den Kykladen, aus Kreta, vom griech. Festland und aus Zypern importierten keramischen Funde aufschlußreich für chronologische und handelspolit. Fragen. Zur einheimischen Keramikproduktion gehörten auch schlicht bemalte Wannen und teils schöne tiergestaltige Gefäße, letztere mit kretischen Anleihen [14]. Teurer als alle diese Tonprodukte waren zweifellos die Zeugnisse aus Bronze und Stein oder ein mit Stuck überzogener fein bemalter »Opfertisch« (Abb. 5). Ausgesprochene Luxusgegenstände aus Edelmetall (Schmuck) sind bei den Akrotiri-Grabungen nicht gefunden worden. Das spricht neben anderen Beobachtungen dafür, daß sich die Bewohner rechtzeitig in Sicherheit bringen konnten. Durch Ausformen einzelner, beim Verglühen organischer Materien in der Lavamasse entstandener Hohlräume mit Gips konnte man auch nicht – wie in → Pompeji – Menschen und Tiere (Hunde) gewinnen, die beim Vulkanausbruch umgekommen wären. Doch hat dieselbe Methode erlaubt, Gipsausformungen verschiedener, von den Theräern der Bronzezeit hergestellter Möbel und hölzerner Konstruktionen des Hausbaus herzustellen.

Zu vielfältigen Einsichten haben die Wandmalereien beigetragen [3]. Hier lernt man die unter kretischem Einfluß entstandene Ornamentik, die Kleidung und den reichen Schmuck der theräischen Frauenwelt, die Typen, Aufbauten und Verzierungen der Schiffe sowie Methoden des Segelns und Ruderns kennen und erhält Einblick in profane, private und kultische Szenen des Alltags, in Fauna und Flora der Insel sowie in die hoch interessante Seh- und Darstellungsweise der alttheräischen Künstler [17. 23]. Das Augenmerk des Betrachters wird bei mehreren Fresken auf die Rollen von Mäd-

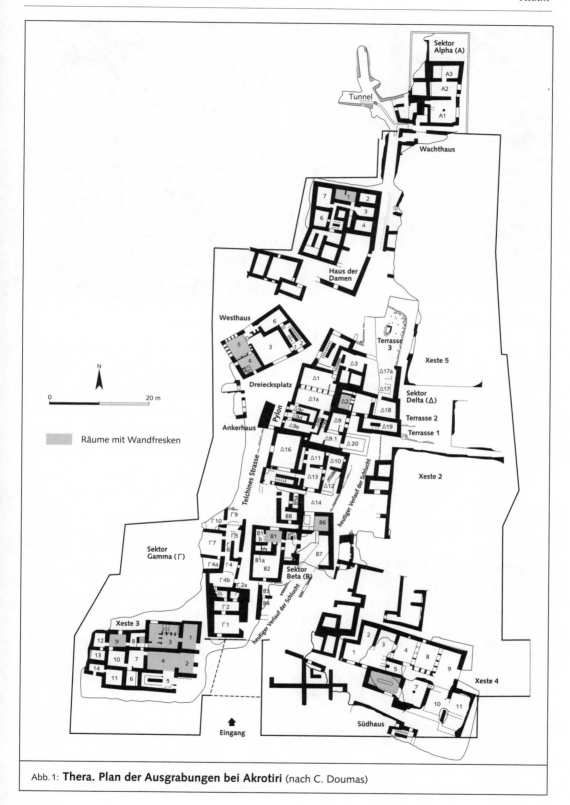

Abb. 1: **Thera. Plan der Ausgrabungen bei Akrotiri** (nach C. Doumas)

Abb. 2: Häuser am Dreiecksplatz (»Triangle Square«), heutiger Zustand

chen und Frauen (Damen) in einzelnen Kultbräuchen gelenkt. Mehr noch als mit diesen Bereichen und deren Interpretationen [12] hat sich die kretisch-myk. Arch. auch nach Marinatos' Tod mit einem Wandfries des sog. Westhauses (Abb. 6) beschäftigt. Dieser zeigt in kleinteiliger, miniaturartiger Malerei das von springenden Delphinen regelmäßig bevölkerte Meer mit großen und kleineren bemannten Segel- und Ruderschiffen zw. zwei an Bergen ruhenden Hafenstädten. Die in der Lit. aufgeworfenen Fragen richten sich auf die Bestimmung und geogr. Zuordnung der beiden Städte, auf das Tun der verschiedenen dargestellten Menschengruppen in den Städten, auf den prächtigen Schiffen und auf den Booten, auf schwimmende bzw. im Meer treibende Männer, auf die Gebirge und die dargestellten Flüsse

Abb. 3: »Frühlingsfresko« im Raum Δ 2. Höhe 200 cm (Hirmer Fotoarchiv, Archiv-Nr. 724.3005)

sowie auf die Tiere und die Vegetation an den Flußufern, schließlich auch auf formelhaft verwendete Motive zur Angabe natürlich zu verstehender Landschaftsdetails [17. 23]. Wie mit allen seinen Entdeckungen und Funden hat sich Marinatos auch mit den Wandmalereien zunächst selbst beschäftigt und mit interessanten Interpretationen zu Wort gemeldet [14].

Die Beschreibung der fortschreitenden Arbeiten und seine Auseinandersetzung mit den Funden hat Marinatos von 1967–1973 laufend in den *Excavations at T.* vorgelegt [14]. Nach seinem Tod (1974) übernahm Christos G. Doumas die Grabung und deren Auswertungen. Neben vielen Einzelbeiträgen von arch. und naturwiss. Seite haben zur Erweiterung der Erkenntnisse beider Disziplinen seitdem v. a. die internationalen Kongresse zum Thema *T. and the Aegean World* mit ihren ausführlichen *Acta* [2; 6; 15] beigetragen.

C. FORSCHUNGEN UND WISSENSCHAFTLICHE ANLIEGEN SEIT 1974

Die Frage, ob das vulkanische Geschehen von T. für die keramisch in Spätminoisch IB datierten Zerstörungen auf Kreta verantwortlich war, ließ sich arch. v. a. dadurch beantworten, daß man die jüngsten, d. h. unmittelbar vor die Vulkankatastrophe zu setzenden theräischen Vasenfunde mit der gut gesicherten Entwicklung der kretisch-minoischen Keramik verglich. Entsprechende Unt. haben zu dem Ergebnis geführt, daß die Keramikstufe Spätminoisch IB auf T. weder unter den relativ wenigen kretischen Importvasen noch unter den vielen, an kretischen Vorbildern orientierten theräischen Gefäßen festgestellt werden kann [18]. Wer diese Beobachtungen anerkannte, mußte daraus schließen, daß die Eruption von T. früher stattfand als die Zerstörungen auf Kreta. Die Zeitlücke scheint etwa 50

Abb. 4: Kanne mit Weintrauben-Dekor
aus dem Gebäudekomplex Δ. Höhe 50 cm

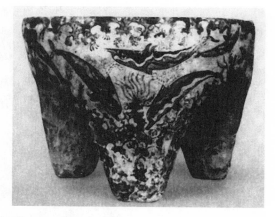

Abb. 5: Dreibeiniger Opfertisch aus Raum 4
des »Westhauses«, mit bemaltem Stuck überzogen:
Delphine und Meeresdekor. Höhe 30 cm

J. betragen zu haben. Wollte man im Sinne der These von Marinatos bei einer Gleichzeitigkeit beider Ereignisse bleiben, müßte man sich an naturwiss. Begründungsversuche halten: z. B. an einen ersten und einen etwa 50 J. später entstandenen zweiten, endgültigen Zerstörungshorizont auf T. oder an andere naturwiss. erklärbare Verzögerungen im Ablauf des vulkanischen Geschehens [20]. Archäologisch bieten sich in diesem Zusammenhang Zeugnisse von kurzzeitigen (d. h. weniger als 50 J. dauernden), örtlich begrenzten Aufräumarbeiten nach einer ersten Zerstörung der Siedlung durch Erdbeben an [1].

Die derzeit überwiegende Meinung der Forsch. geht dahin, daß man die kretischen Zerstörungen in der Periode Spätminoisch IB nicht im Zusammenhang mit der Vulkankatastrophe von T. sieht. Auswirkungen zu einer entsprechend früheren Zeit werden diskutiert [20]. Die von Marinatos mit dem vulkanischen Geschehen in Zusammenhang gebrachten, nicht allein auf den nördl. und östl. Küstenbereich von Kreta beschränkten, etwa zeitgleich erfolgten Zerstörungen von Palästen, Villen und Städten am Ende der Periode Spätminoisch IB aber erklärt man vorwiegend mit Erdbeben oder mit kriegerischen Ereignissen von außen (Mykene, aufständische Kreter?) [20]. Für die kretisch-myk. Arch. haben sich indes Fragen in den Vordergrund gedrängt, die von aktuellen naturwiss. Unt. zur absoluten Zeitbestimmung der Vulkaneruption von T. ausgehen. Die mit unterschiedlichen Methoden (v. a. Radiocarbon) erzielten Ergebnisse haben zu einer Datierung der Vulkankata-

strophe in die zweite H. des 17. Jh. v. Chr. geführt [11]. Das ergibt zur traditionellen, von der Keramikchronologie ausgehenden arch. Zeitbestimung einen Unterschied von etwa 100 J. nach oben. Nun ist es an den Archäologen, ihr chronologisches System auf dem Weg von der mittleren in die späte Bronzezeit zu überprüfen – ein problemreiches Unterfangen mit Auswirkungen auch auf die vorangehenden und die nachfolgenden Zeitabschnitte. Was nicht in Frage gestellt werden kann, sind die mit dem Beginn der späten Bronzezeit einsetzenden engen kulturellen Beziehungen zw. T. und dem minoischen Kreta. Welche polit. Zusammenhänge dahinter standen, ist eine von der Forsch. vielfach gestellte, definitiv aber kaum zu beantwortende Frage. Die Funde geben jedoch zu erkennen, daß es sich hier um festere Bindungen gehandelt hat, als bei den vorausgegangenen Beziehungen zw. T. und den Kykladen bzw. dem griech. Festland. Archäologisch lassen sich Eigenarten der Architektur (»Polythyra«, »Lustralbecken«, »Toiletten«), die Wandmalereien und viele andere künstlerische Arbeiten, namentlich aber die bemalten Tongefäße als Zeugnisse für die engen Kontakte zw. T. und Kreta heranziehen [18]. Innerhalb der vor der Katastrophe gefertigten Keramik können aus Kreta importierte Beispiele der Periode Spätminoisch IA von gleichzeitigen theräischen Nachahmungen nur von einem geübten Auge unterschieden werden. Das Ergebnis der Vergleiche zw. den jüngsten theräischen Keramikfunden (Importen und Nachahmungen) und der stilistischen Entwicklung der kretischen Vasendekorationen zeigte, daß bei der Vulkankatastrophe die Stilstufe Spätminoisch IB auf T. noch nicht erreicht war [18]. An dieser Tatsache würde sich selbstverständlich auch dann nichts ändern, wenn sich die Frühdatierung der T.-Eruption auch in der Arch. durchsetzen könnte. Die Auswirkungen beträfen dann die absolute Chronologie der Keramikentwicklung auf Kreta und die aus ihr abzuleitenden kunstgeschichtlichen und histor. Daten. Auch auf Kreta und

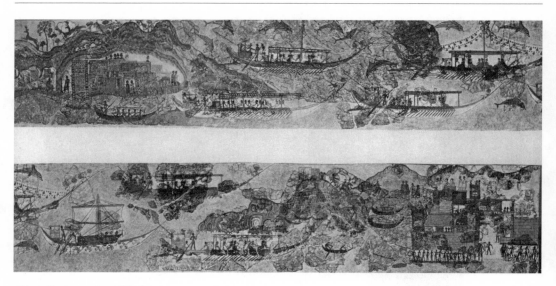

Abb. 6: Fresko aus dem »Westhaus«:
Schiffe und Delphine zwischen zwei Hafenstädten. Höhe 43 cm

im gesamten kretisch-minoischen Einflußbereich müßten die Datierungen im mittleren 2. Jt. v. Chr. um ca.
100 J. heraufgesetzt bzw. entsprechend gestreckt werden.

Auch zukünftig stellen sich für die Erforsch. der
bronzezeitlichen Kultur und Geschichte T. noch wichtige Aufgaben. Dazu gehören die gänzliche Aufarbeitung der bisher gemachten Befunde und Funde. Auch
an gezielte Erweiterungen des Grabungsareals bei Akrotiri ist zu denken. Daneben wird – wie der kürzlich
gemachte Fund einer überlebensgroßen weiblichen
Marmorstatue aus früharcha. Zeit zeigt – die im alten
Mus. von Phira eindrucksvoll vertretene dorisch-
griech. und röm. Vergangenheit der Insel gewiß nicht
vergessen werden.
→ Zeitrechnung II. Kretisch-Mykenisch

1 C. DOUMAS, T./Santorin. Das Pompeji der Alten Ägäis,
1991 2 Ders. (Hrsg.), T. and the Aegean World. Papers
presented at the Second International Scientific Congress,
Santorini I–II, 1978 und 1980 3 Ders., The Wall-Paintings
of T., 1992 4 H. DRAGENDORFF, Theräische Gräber, 1903
5 F. FOUQUÉ, Santorin et ses éruptions, Paris 1879 6 D. A.
HARDY et al. (Hrsg.), T. and the Aegean World, Bd. III, 1990
7 F. HILLER VON GAERTRINGEN, T. I–IV, Berlin 1899–1909
8 Ders., s. v. T., in: RE, Bd. V, A2, 2277–2302 9 J. V. LUCE,
Atlantis. Legende und Wirklichkeit, 1969 10 M. MAMET,
De insula T., Paris 1874 11 S. MANNING, A Test of Time.
The Volcano of T. and the Chronology and History of the
Aegean and East Mediterranean in the Mid Second
Millenium BC, 1999 12 N. MARINATOS, Kunst und
Religion im Alten T. Zur Rekonstruktion einer
bronzezeitlichen Ges., 1988 13 S. MARINATOS, The
Volcanic Destruction of Minoan Crete, in: Antiquity 13,
1939, 425–439 14 Ders., Excavations at T., I–VII, 1969–1976
15 Ders., Acta of the First International Scientific Congress
on the Volcano of T., 1971 16 Ders. und M. HIRMER, Kreta,
T. und das myk. Hellas, ³1976 17 L. MORGAN, The
Miniature Wall Paintings of T., 1988 18 W.-D. NIEMEIER,
Die Katastrophe von T. und die spätminoische
Chronologie, in: JDAI 95, 1980, 1–76 19 G. PERROT, CH.
CHIPIEZ, Histoire de l'Art dans l'Antiquité, Bd. VI, Paris
1894, 135–154: T. et ses ruines préhistoriques
20 H. PICHLER, W. SCHIERING, Der spätbronzezeitliche
Ausbruch des T.-Vulkans und seine Auswirkungen auf
Kreta, in: AA 1980, 1–37 21 E. PFUHL, Der archa. Friedhof
am Stadtberge von T., AM (= Mitt. des Kaiserlichen Dt.
Arch. Inst. Athenische Abteilung) 28, 1903
22 L. RENAUDIN, Vases préhelleniques de T. à l'École
Française d'Athènes, in: BCH 46, 1922, 113–159 23 C. A.
TELEVANTOU, Οι τοιχογραφίες της δυτικής οικίας, 1994
24 J. THIMME (Hrsg.), Kunst und Kultur der Kykladen,
Austellungskat. Karlsruhe 1976 25 P. WARREN, The Minoan
Civilisation of Crete and the Volcano of T., in: Journ. of the
Ancient Chronology Forum 4, 1991, 29–39 26 Ders.,
V. HANKEY, Aegean Bronze Age Chronology, 1989.
                                            WOLFGANG SCHIERING

Thermopylen s. Schlachtorte; Sparta

Thesaurus Linguae Latinae s. Lexikographie

Thukydidismus A. EIGENHEITEN DER
THUKYDIDES-REZEPTION   B. TEXTGESCHICHTE
UND ÜBERSETZUNGEN   C. REZEPTION IN DER ZEIT
DES HUMANISMUS   D. DIE REZEPTION DER
POLITISCHEN ANTHROPOLOGIE   E. THUKYDIDES IM
20. JAHRHUNDERT   F. EPILOG

A. EIGENHEITEN DER THUKYDIDES-REZEPTION
Mit Blick auf das, was insbes. seit der Etablierung der
Geschichtswiss. als akad. Disziplin über Thukydides (ca.
460 – nach 399 v. Chr.), den Historiker des Peloponnesischen Krieges (431–404 v. Chr.), geschrieben wor-

den ist, kann unter Th. v. a. zweierlei verstanden werden: Erstens die bereits in Lukians berühmter Abhandlung *Wie man Geschichte schreiben soll* (um 167 n. Chr.) [25] in Ansätzen nachweisbare und später in den verschiedensten Reflexionen zu den Grundlagen der mod. Geschichtswiss. immer wieder bekräftigte Auffassung, daß das von Thukydides in seiner Darstellung des Peloponnesischen Krieges entfaltete Verständnis von den Aufgaben und Methoden der Geschichtsschreibung als ein in zahlreichen Aspekten bis h. maßgebendes Vorbild zu gelten habe und somit eine bahnbrechende Leistung darstellt, hinter die – wie Jacob Burckhardt befand – ›die Welt nun einmal nicht mehr zurück darf‹ [6. 414]. Dabei wurde die normsetzende Autorität des Thukydides v. a. mit dem berühmten Methodenkapitel (1,20–23) begründet, in dem der Athener Historiker nicht nur nach dem Verständnis des 19. Jh. ›auf wenigen Seiten (...) klar und überlegt die ewig gültigen Gesetze aller histor. Forsch.‹ aufgestellt hat [19. 87]. Zweitens die Auffassung, daß aus der streng auf das polit.-mil. Planen und Handeln konzentrierten Darstellung eine polit. Lehre von allg. Bed. abzuleiten sei. Zwar hat es Thukydides vermieden, seine polit. Erfahrungen in einem Kat. von Handlungsmaximen oder in einer Theorie zu resümieren, doch der von ihm ausdrücklich erhobene Anspruch, sein Werk stelle einen ›Besitz für immer‹ (1,22) dar, mußte die Frage aufwerfen, inwieweit in der Abfolge der Einzelereignisse nicht die Wirksamkeit bestimmter, zu allen Zeiten gültiger Gesetzmäßigkeiten menschlichen Verhaltens zu erkennen seien. Gerade weil Thukydides zu den aus seiner Darstellung zu ziehenden Schlußfolgerungen schweigt und fast ohne jeden Komm. allein die Fakten sprechen läßt, mußten sich polit. Denker von Thomas Hobbes bis Leo Strauss immer wieder aufs Neue herausgefordert fühlen, über das Sinnganze des Werkes und die Intentionen seines Verf. zu reflektieren. Dieser Rezeptionsprozeß hat in den letzten 100 J. noch erheblich an Intensität hinzugewonnen. Während viele andere ant. Autoren an Geltung verloren haben, avancierte das Werk des Thukydides zu einem Klassiker par excellence. Denn die von Thukydides geleistete schonungslos-radikale Offenlegung der Praxis polit. Machtgewinnung und Machtausübung mußte das Werk im ›gewalttätigsten Jh. der Menschheitsgesch.‹ (Eric Hobsbawm) aktueller denn je erscheinen lassen.

Als Begründer einer methodisch-kritischen und realistischen Betrachtung von Geschichte und Politik ist Thukydides unter allen ant. Historikern der für die mod. Welt bei weitem wirksamste und aktuellste geblieben. Um so mehr kann danach gefragt werden, warum der hier nach lexikalischen Abfassungsrichtlinien generierte Begriff des Th. in der Lit. nicht anzutreffen ist. Allein in der it. Forsch. findet sich eine gewisse Annäherung an ihn, so wenn Ranke aufgrund seiner Forderung nach einer unparteiischen, von den polit. Interessen der Gegenwart möglichst Abstand nehmenden Betrachtung der Geschichte zu den *Tucididei* (»Thuky-

didäer«) gezählt wird [27. 361]; zum Verhältnis Thukydides-Ranke vgl. [61] und [82]. Doch auch ein scharfer Kritiker Rankes und der polit. Pädagogik verpflichteter Historiker wie Gervinus sah in Thukydides einen der ganz wenigen ›wirklich große(n) Historiker‹, der mit seinem Werk ein ›für alle Zeiten nachahmenswertes Beispiel‹ geschaffen habe [11. 90–91]. Die Anerkennung, die Thukydides im 19. Jh. erfahren hat, läßt sich daher auch nicht auf eine bestimmte »Schule« begrenzen. Gerade dies aber mußte die Ausbildung eines Th. schon im Ansatz verhindern. Denn eine derartige Begriffsbildung setzte doch voraus, daß das Bezeichnete als eine Sonderform geschichtlichen Denkens identifizierbar war. Solange aber Thukydides die Definition unverzichtbarer Minimalstandards histor. Forsch. zugeschrieben wurden und somit eine Geschichtswiss. »jenseits von Thukydides« nur als *contradictio in adjecto* vorstellbar war, repräsentierte er gerade das, was auch h. noch allen Historikern gemeinsam ist oder doch gemeinsam sein sollte. In diesem Sinne konnte Wolfgang Schadewaldt daher schreiben, daß ›jede Beschäftigung mit Thukydides notwendig auf Grundsätze unseres eigenen Geschichtsdenkens und geschichtlichen Bewußtseins (führt)‹ [36. 224] (zur fortbestehenden Relevanz der von Thukydides erbrachten Erkenntnisleistung [10; 21; 22]).

Auch das polit. Denken des Thukydides hat keine Deutungstrad. entwickelt, die einen Th. hätte begründen können. ›Feste Lehrsätze und starre Gebrauchsanweisungen‹ hatte Thukydides so konsequent vermieden, daß Hermann Strasburger in der Darstellung nur eine Anleitung ›zum rechten Lernen‹ erkennen konnte [42. 229, 236]. Anders als der ihm in wichtigen Aspekten nahestehende Machiavelli hatte sich Thukydides niemals zu dem Grundsatz bekannt, daß es polit. vernünftig sei, unsittlich zu handeln. Aus seinem Werk ließen sich daher nicht umstandslos polit. Handlungsmaximen ableiten, die in das allg. Bewußtsein der Zeit hätten eingehen können, um dort Anhänger wie Gegner zu finden (zum Verhältnis Thukydides-Machiavelli: [35; 73. 108–110, 251–262, 284; 75. 18–19, 24–26]). Über Thukydides' polit. Haltung und die von ihm mit seinem Werk verfolgte didaktische Absicht konnten daher immer wieder neue Kontroversen geführt werden. So wird die für das Gesamtverständnis des Werkes zentrale Frage nach Thukydides' Haltung zur perikleischen Machtpolitik bis h. unterschiedlich beantwortet: Während viele Interpreten mit Eduard Schwartz in dem Werk eine großangelegte Apologie des Perikles erblicken und daher als den entscheidenden Grund für die Katastrophe Athens die von ihnen scharf kritisierte Politik seiner Nachfolger ansehen [39] (kritisch dazu [50]), wurde nach den Erfahrungen des II. Weltkriegs betont, Thukydides' Absicht sei es im Gegenteil gewesen, auf die auch schon unter Perikles bestehende grundsätzliche Fragwürdigkeit der von Athen betriebenen Machtpolitik hinzuweisen [32; 40]. Dementsprechend kontrovers diskutierten die Interpreten auch die wichtige Frage, ob Thukydides im Aufstieg und Fall des athenischen Imperialismus ein Geschehen von unentrinnbarer Zwangsläufigkeit gesehen habe. Schließlich hat sogar die Generationen von Altphilologen beschäftigende Frage nach der Entstehung des Werkes und dessen möglicher Herausgabe durch einen fremden Bearbeiter nicht zu einer Lösung, sondern nur zu immer neuen Spekulationen Anlaß gegeben [7]. So stellt sich im Rückblick die Geschichte der Thukydides-Rezeption als die niemals zum Stillstand gekommene Geschichte einer permanenten Befragung von Autor und Werk dar, die nicht auf einen Begriff zu bringen ist. Dieser Sachverhalt mag mit dazu beigetragen haben, daß trotz der Ausnahmestellung des Autors eine umfassende Geschichte seiner in der Neuzeit entfalteten Wirkung noch nicht geschrieben worden ist (erste Ansätze: [36. 226–239; 37. 207–219]). An diesem, von Otto Luschnat bereits vor 30 J. beklagten Umstand [26. 1310] hat sich bis h. trotz verschiedener, inzw. publ. wertvoller Einzelstudien [65; 67; 78. 192–196; 86] (die ant. Rezeption behandelt zuletzt [62]) nichts geändert, so daß eine systematische Ermittlung aller bedeutenden, von Thukydides beeinflußten Historiker und polit. Denker noch aussteht.

Während im 19. und 20. Jh. die polit. Geschichtsschreibung des Thukydides als Ausgangspunkt für weiterführende Reflexionen gedient hat, dominierte im Human. die sich auf stilistische wie thematische Aspekte beziehende Rezeptionsform der Imitation. Die sprachliche Form, die Anwendung bestimmter Darstellungstechniken (wie die der Motiverhellung der Akteure dienende Einfügung von frei erfundenen Reden) oder aber die Gestaltung von Schlüsselszenen, wie die Schilderung der Pest (2,47,2–58), des Bürgerkriegs auf Kerkyra (3,82–86) oder die Gefallenenrede des Perikles (2,34–47,1) – all dies hat eine insgesamt bedeutende, wenn auch in ihrem genauen Ausmaß oft nur schwierig zu bestimmende Vorbildwirkung ausgeübt. Allein eine Darstellung der komplizierten Rezeptionsgeschichte der thukydideischen Pestschilderung, die von dem byz. Historiker Prokop (500–560) über Boccaccio (1313–1375) bis hin zu Albert Camus (1913–1960) reicht, vermag Bände zu füllen [52; 54; 59; 63; 64; 69; 70]. Da zudem die Wirkungsgeschichte anderer Schlüsselszenen weit weniger gut erforscht worden ist, kann von einer hohen Dunkelziffer noch nicht ermittelter Abhängigkeiten ausgegangen werden. Insofern überrascht es auch nicht, wenn Udo Klee 1989 auf der Grundlage genauer Textvergleiche zu dem Ergebnis kommt, daß Thukydides von den it. und dt. Historikern des 15. und 16. Jh. intensiver rezipiert worden ist als man dies bisher angenommen hat [67. 185–188].

B. Textgeschichte und Übersetzungen

Die Wiederentdeckung des im lat. MA unbekannten Thukydides wurde durch byz. Schriftgelehrte und Sammler ermöglicht, die vor der 1453 in der Eroberung Konstantinopels kulminierenden Machtexpansion des Osmanenreiches nach Nordit. geflüchtet waren

[56. 253–255]. Wer von ihnen zuerst eine Abschrift des Werkes mitgebracht hat, kann nicht mehr festgestellt werden. Anzunehmen ist, daß bereits der von 1397 bis 1400 in Florenz tätige byz. Diplomat und Gelehrte Manuel Chrysoloras in seinen Übungen Thukydides übersetzen ließ. Seine Schüler, zu denen auch Leonardo Bruni zählte, orientierten sich jedenfalls in ihren eigenen Werken in vielfältiger Weise am Vorbild des Athener Historikers [67. 19–58]. Besonders gilt dies für Brunis 1427 konzipierte Grabrede für den Florentiner Feldherrn Nanni Strozzi, die deutliche Bezüge zu der berühmten Gefallenenrede des Perikles aufweist [9]. Eine Abschrift des Thukydides hatte 1413 der bekannteste Handschriftensammler der Ren., Giovanni Aurispa, nach It. gebracht [67. 22]. Der weitere Fortgang der Rezeption wurde durch die von dem Humanistenpapst Nikolaus V. in Auftrag gegebene Übers. ins Lat. wesentlich beschleunigt. Lorenzo Valla, der führende Philologe der Ren., konnte seine Tätigkeit nach vier J. 1452 abschließen. 1483/4 wurde diese Übers., die im 16. Jh. noch neunmal nachgedruckt wurde, veröffentlicht. [58. 33]. Der griech. Urtext erschien im Druck erstmals 1502 bei dem für seine Klassikerausgaben berühmten Verlag von Aldus Manutius in Venedig [72]. Ausgehend von Auszügen der von Valla erstellten lat. Fassung fertigte der als Diplomat und Publizist tätige Bischof von Marseille und Turin, Claude de Seyssel (um 1450–1520), die erste frz. (Teil-)Übers. an, die er König Ludwig XII. widmete und die 1527 postum in einer Auflage von 1.225 Exemplaren erschien [53. 136; 71]. In rascher Folge kamen nun weitere Erstübers. auf den Markt: 1533 eine von Hieronymus Boner besorgte dt. Ausgabe, 1545 eine it., 1550 eine engl. und 1564 eine span. [16. 558–561; 67. 166–184].

C. Rezeption in der Zeit des Humanismus

Auch wenn Thomas Morus in seiner Utopia (1512) den Bewohnern der imaginären Insel zur Lektüre Thukydides empfahl – als Indiz für eine beträchtliche Verbreitung des Werkes vermag dieser Hinweis nicht zu dienen [31. 183]. Denn nimmt man die Zahl der von den wichtigsten ant. Historikern zw. 1450 und 1700 in der Form von Handschriften und Drucken publ. Ausgaben zum Maßstab, so erfreute sich Thukydides einer nur geringen Popularität. Während von den Werken der ausnahmslos röm. Lieblingsautoren der Zeit – Sallust, Cicero und Tacitus – bis zu 282 Ausgaben erschienen, wurde Thukydides im gleichen Zeitraum nur 41mal herausgegeben. Sein Werk rangiert damit auf einer 20 Titel umfassenden »Bestsellerliste« ant. Historiker noch hinter Plutarch, Xenophon und Herodot auf dem viertletzten Platz [53. 137]. Wie ist dies zu erklären? Die Nähe der human. Geschichtsschreibung zur Rhet. brachte es mit sich, daß bei der Rezeption ant. Texte ästhetisch-formale Kriterien überwogen und damit Maßstäbe fehlten, um die mit einer histor. Darstellung verbundene wiss. Erkenntnisleistung würdigen zu können. Hingegen fand die sprachliche Gestaltungskraft, die im Human. über Wert oder Unwert einer Darstellung v. a. entschied, im Fall von Thukydides ein nur geteiltes Echo. Die Stilkritik, die v. a. Livius bevorzugte, empfand den Text des Athener Historikers als schwierig, wenn nicht dunkel. Damit war aber auch ein Gesamturteil über das Geschichtswerk gesprochen, resultierte doch für die rhet. Geschichtsschreibung die Wahrhaftigkeit einer Darstellung aus ihrer Kunstfertigkeit. Einer weiten Verbreitung des Werkes stand ferner entgegen, daß es nur ungenügend der Forderung nach einer moralpädagogischen Zweckbestimmung der Geschichtsschreibung entsprach. Der human. Historiker sollte, indem er die guten und verderblichen Resultate bestimmter Handlungen aufzeigte, die ›heiligen Gesetze der Geschichte‹ (Jean Bodin) erkennbar machen [76. 44–66]. Thukydides hatte jedoch in seiner Darstellung gerade die jedem menschlichen Einfluß entzogene Unberechenbarkeit der Geschichte betont. Wie er insbes. durch die in sein Werk eingestreuten Reden deutlich gemacht hatte, wuchsen auch aus guten Absichten und überlegten Planungen Konsequenzen hervor, die bei Beginn des Krieges nicht abzusehen waren und daher in seinem weiteren Verlauf zu Handlungen zwangen, die niemand gewollt hatte. Reden, Tun und Ergehen fielen bei Thukydides auseinander, so daß sein Werk zur exemplarischen Beglaubigung bestehender Normen ethisch-praktischen Verhaltens ungeeignet war. Anknüpfungspunkte für eine Rezeption bot hingegen das Methodenkapitel. Thukydides' berühmter Anspruch, sein Werk stelle einen ›Besitz für immer‹ (1,22) dar, konnte von den human. Historikern dahingehend (miß-)verstanden werden, der Athener Historiker bekräftige damit die von ihnen betriebene moralpädagogische Aktualisierung histor. Wissens. In diesem Sinne stellte Melanchthon, der 1542 und 1551 auch Vorlesungen über Thukydides angekündigt hat, in der von ihm verfaßten Vorrede zur *Chronica* des Johann Carion (1532) fest: ›Welt bleibt Welt / darum bleiben auch gleiche hendel in der Welt / obschon die personen absterben / Derhalben sagt Thucidides / der ein erfarner Kriegsmann gewesen ist / und ein grossen langen krieg und seltsam hendel die sich unter den Griechen zu getragen / beschriben hat / das Historia ein Schatz sein soll / den man bei der Hand haben soll / damit man sich in gleiche felle schicken künne / dieweyl ymmer gleich sache wider fürfallen (…)‹ [29] (zur Autorschaft Melanchthons [67. 94]). Melanchthon selbst gab ein Beispiel dafür, in welch reduzierter Form dann freilich ein solches Lernen erfolgte, wenn er im Streit um den rechten Glauben seine innerprotestantischen Gegner zum Frieden ermahnte und sich dabei auf Thukydides berief, der doch auch schon von der ›Torheit der Streithammel‹ gesprochen habe [30. 95] (vgl. dazu [67. 97–98]).

Die schweren polit. Konflikte, die seit Mitte des 16. Jh. in einer nicht abreißenden Kette Europa erschütterten, wirkten sich auch auf die Rezeption der ant. Historiker aus. Das Leiden an der eigenen Gegenwart ließ nach Autoren greifen, die in ähnlich schwieriger Lage nach den Ursachen und Folgen histor. Krisen

gefragt hatten. Von diesem gewachsenen Bedürfnis nach polit. Belehrung profitierten aber nicht alle Historiker. Es war v. a. Tacitus, der um 1600 zu dem Modeautor avancierte. Der Historiker der röm. Kaiserzeit entsprach in zweierlei Hinsicht bes. gut dem Publikumsgeschmack: Thematisch, weil er in einer Zeit der Durchsetzung absolutistischer Fürstenmacht mit dem Aufstieg des röm. Kaisertums einen ähnlichen polit. Wandlungsprozeß dargestellt hatte; methodisch, weil er die von ihm geschilderten Ereignisse unmittelbar mit der moralischen Qualität der handelnden Personen in Verbindung zu setzen wußte und somit die vertraute moralpädagogische Betrachtung der Geschichte in veränderter Form fortzusetzen schien. → Tacitismus [57; 77; 84]. Dagegen erlebte die Rezeption des Thukydides durch die Zeitumstände zumindest in quantitativer Hinsicht keine erkennbare Konjunktur. Mit nur vier Ndr. sank die Zahl der Neuausgaben in der ersten H. des 17. Jh. sogar auf einen Tiefpunkt [53. 137]. Thukydides blieb auch jetzt ein fast ausschließlich von Historikern und Philosophen gelesener Autor, denn das Bedürfnis nach praktischer Orientierung befriedigte er nur unzureichend. Politische Ideen und Institutionen waren von ihm allein danach beurteilt worden, ob und inwieweit sie in einer konkreten geschichtlichen Situation dem Machterhalt der Polis dienlich gewesen waren – die beliebte Frage nach der »besten Staatsform« blieb daher ebenso unbeantwortet wie Thukydides überhaupt jede klare Stellungnahme für oder gegen ein bestimmtes polit. Lager vermissen ließ [68. 15, 171]. Thukydides hatte eine Diagnose gestellt, ohne eine Therapie zu empfehlen. In welche Verlegenheit daher auch hervorragende Interpreten ant. Texte geraten konnten, belegt Justus Lipsius (1547–1606), der Thukydides zwar aufgrund der ›überall in seinem Werk versteckten Ratschläge‹ zum Lehrer der *prudentia* ernennt, sich dann aber außerstande sieht, auch nur einen seiner Ratschläge konkret zu benennen [24. 214] (dazu [57. 176]). Da Thukydides' Werk somit weder als ›Schatzhaus moralischer Exempla‹ [66. 30] noch als Lehrbuch der Politik verwendbar war, entsprach es nur mangelhaft der bis in die Zeit der Aufklärung herrschenden didaktisch-pragmatischen Zweckbestimmung der Geschichtsschreibung. Überdies wurde es im Zeitalter absolutistischer Großmachtbildung zunehmend schwieriger, die polit. Konstellationen der Gegenwart in der von dem Athener Historiker mitgeteilten Geschichte unmittelbar abgebildet zu finden. Allein das republikanische Venedig, das seit der Mitte des 16. Jh. durch die Osmanen einen stetigen Machtverlust hinzunehmen hatte, sah sich in einer verwandten Lage wie das demokratische Athen des Perikles. So wurde dem Senat von Venedig um 1585 ein vermehrtes Studium des Thukydides mit der Begründung empfohlen, dessen Heimatstadt habe sich einst ›in ähnlichen Umständen‹ befunden [8. 366]. Dagegen waren die Hegemonialkriege und Glaubenskämpfe, die zur gleichen Zeit in Westeuropa tobten, in Verursachung und Verlauf so andersgeartet, daß sich ein direkter Vergleich mit der Ant. nicht ergab.

D. Die Rezeption der politischen Anthropologie

So sehr Thukydides seine (verfassungs-)polit. Ansichten verklausuliert hat, so unmißverständlich äußerte er sich in seinem Werk über die Natur des Menschen. Die vier von ihm festgestellten Urantriebe menschlichen Handelns tragen ausnahmslos pathologische Züge. Er sieht die Menschen von Furcht (φόβος, δέος), Ehrsucht (φιλοτιμία), Habgier (πλεονεξία) und dem Drang, gegen rechtliche und sittliche Normen zu verstoßen (ἁμαρτάνειν), beherrscht. An keiner Stelle seines Werkes wird die Natur des Menschen mit sittlich wertvollen Eigenschaften in Verbindung gebracht. Die Negativeigenschaften der Individuen potenzieren sich in der Masse. Leidenschaften und Affekte bestimmen den Kollektivwillen, der in schwierigen Situationen haltlos zw. Übermut und Resignation schwankt [38. 37; 41. 782–783; 46. 55; 68. 123–131].

Die pessimistische Anthropologie, der Thukydides v. a. mit seiner Schilderung des Bürgerkriegs in Kerkyra Ausdruck verliehen hat, mußte für die staatsphilos. Reflexion von großer Bed. sein. Sie bildete das Fundament für ein Ordnungsdenken, an dessen E. die Rechtfertigung absoluter staatlicher (bzw. monarchischer) Gewalt stand. Denn stimmte man Thukydides zu, daß der von Furcht gespeiste Machthunger der Menschen unveränderbar ist, ergab sich der Zwang, den stets drohenden Krieg aller gegen alle durch einen starken Staat zu bannen. In dieser Weise ist Thukydides zuerst von Thomas Hobbes (1588–1679) ausgelegt worden, der 1628, im Alter von 40 J. und damit noch vor dem Beginn seiner philos. Studien, die erste engl. Übers. des Peloponnesischen Krieges aus dem Griech. vollendete und den Athener Historiker als ›the most political historiographer that ever writ‹ [15. 8] gewürdigt hat [13; 55; 65; 80. 36–52; 85]. Da Thukydides polit. Entscheidungen nicht aus dem Charakter der jeweils handelnden Personen abgeleitet hat, vermochte er tatsächlich viel tiefer in die Mechanik polit. Kausalitäten einzudringen als andere ant. Historiker. Thukydides war daher nach Hobbes prädestiniert, der von ihm beabsichtigten Annäherung der polit. Theorie an naturwiss. Exaktheitsansprüche eine histor. Grundlage zu vermitteln. Je stärker das alte moralpädagogische Interesse an der Geschichte verblaßte und durch eine auf die Feststellung konstanter Daseinsprinzipien gerichtete philos. Reflexion der Geschichte abgelöst wurde, umso mehr konnte die bes. Erkenntnisleistung des Thukydides wahrgenommen werden [85. 82–107]. Für diese Richtung, die sich bereits in Jean Bodins (1529/30–1596) bes. Wertschätzung des Thukydides andeutet ([5. 128]; dazu [51. 61–64]), steht neben Hobbes auch David Hume (1711–1776), der die später von Kant (1724–1804) übernommene Wendung prägte: ›the first page of Thucydides is the commencement of real history‹ [18. 419; 20. 48].

Nach Hobbes war es das bleibende Verdienst von Thukydides, auf den fatalen Einfluß, den kollektive Leidenschaften in Demokratien auf die Politik gewinnen können, hingewiesen zu haben. Insbesondere seine Schilderung der polit. Wirren im nachperikleischen Athen vermittelte ihm das Bild vom anarchischen Naturzustand, dem sich jede Gesellschaft ohne starken Souverän annähern werde. Hobbes fühlte sich daher auch berechtigt, Thukydides zu den Anhängern der von ihm selbst bevorzugten Monarchie zu rechnen – eine Schlußfolgerung, für die es freilich an Belegen fehlt [14. xiv und lxxxviii] (dazu [68. 11–12, 195–196]). Dessenungeachtet erwies sich die kritische Sicht, die Thukydides von der Athener Demokratie gezeichnet hat, als überaus wirkungsmächtig. Wenn in den großen Verfassungsdebatten der Neuzeit Thukydides als Zeuge angerufen wurde, dann geschah dies fast immer in der Absicht, vor den Gefahren einer zu weitgehenden polit. Teilhabe des Volkes zu warnen. So diente Athen in der Diskussion um die amerikanische Bundesverfassung (1787; → Revolution I.) als abschreckender Musterfall einer radikalen, von Gewalt und Korruption geprägten Demokratie. Mit diesem Begriff identifizierte die meinungsführende polit. Elite so sehr den von Thukydides am Beispiel Athens beschriebenen Zustand polit. Instabilität, daß man das Wort zu vermeiden suchte und stattdessen lieber von Republik sprach. John Adams (1735–1826), Vorkämpfer der Unabhängigkeitsbewegung und zweiter Präsident der USA, berief sich auf Thukydides' Vorstellung von einer affektgesteuerten menschlichen Natur und stellte weiter fest, die Bürgerkriege der griech. Städte müssten sich auch in Zukunft endlos wiederholen, wenn es nicht gelänge, die divergierenden polit. Kräfte in einer → Mischverfassung auszubalancieren. Seiner Auffassung nach hatte Thukydides das Problem beschrieben, für das Polybios eine Lösung gefunden hatte [81; 83. 130–149, 234]. Während bei den amerikanischen Verfassungsvätern Thukydides zu dem immer wieder zitierten Kernbestand ant. Autoren gehörte [81. 231], läßt sich dies für die frz. Revolutionäre (→ Revolution I. und II.) nicht behaupten. Für die allein mit der röm. Geschichte vertrauten Mitglieder der Nationalversammlung bildeten die griech. Klassiker keinen geistigen Referenzpunkt [79. 17–22]. Zwar begeisterten sich die in der Bergpartei organisierten Radikalen für ein tugendhaftes und egalitäres Sparta, doch sie artikulierten damit nur ihre polit. Utopie. Thukydides, der lediglich zeigte, warum sich ein solcher Mut zur Utopie als illusionär erweisen muß, vermochte zur Konstruktion derartiger Geschichtsmythen nichts beizutragen. Umso bedeutsamer wurde er daher für die bürgerlich-liberale Revolutionskritik. Als die Revolution in Krieg, Bürgerkrieg und Terreur mündete, unternahm der einst von der Krone geförderte Verf. einer Geschichte Russlands, Pierre-Charles Lévesque (1736–1812), den Versuch, Thukydides einem breiten Publikum zugänglich zu machen. 1795, unmittelbar nach dem E. der Schreckensherrschaft Robespierres, stellte er seine Übers. fertig. In der Einleitung bemerkte Lévesque, in deutlicher Anspielung an das gerade Erlebte, Thukydides müsse in Ländern, in denen die Staatsbürger auf die Regierung Einfluß nehmen können, mehr als jeder andere Historiker gelesen werden [23. XXVII] (dazu [87; 88. 238]).

Aus der thukydideischen Anthropologie und der mit ihr eng verknüpften Massenpsychologie war am ehesten eine polit. Lehre abzuleiten. Gerade in Krisenzeiten wurde sie daher bes. wahrgenommen. Aber auch Nietzsche (1844–1900) war von der Anthropologie des Thukydides fasziniert, denn sie erlaubte ihm, in dem Athener Historiker einen ihm geistesverwandten Radikalaufklärer zu sehen. Indem Thukydides durch seinen ›unbedingten Willen, sich nichts vorzumachen‹, in die Lage versetzt worden sei, ›die Vernunft in der Realität zu sehn‹, vermochte er nach Nietzsche zu erkennen, daß die Geschichte jenseits aller wechselnden Ereignisabfolgen in ihren letzten Ursachen nur eine Wiederkehr des Gleichen darstellt, da die alles bedingende pathologische Natur des Menschen unveränderlich ist [33. 156]. So avancierte Thukydides für Nietzsche zu einem Kronzeugen gegen jede Form von geschichtsphilos. Sinnspekulation: Er entlarvt nicht nur den Versuch Hegels, eine Einheit des Histor. und Vernünftigen herzustellen als ein gewaltsames Konstrukt, sondern der Athener Historiker gehört für Nietzsche zu dem auserwählten Kreis überhistor. Menschen, die von der Last der Geschichte befreien können. Denn dadurch, daß am E. der Lektüre des Thukydides die Erkenntnis steht, daß es notwendig ist, ohne Zweck und Ziel zu leben, kann der Mensch jenen heilsamen Zustand des Nichts-Wollen erreichen, der ihn von dem Schicksal befreit, auf ewig nur ein Werdender zu sein.

E. THUKYDIDES IM 20. JAHRHUNDERT

Neben der Bed., die Thukydides als Anreger für systematische Denkentwürfe polit. wie philos. Natur besitzt, hat im 20. Jh. die Verwendung seiner Autorität zu polit.-pädagogischen Zwecken sehr an Bed. gewonnen. Die Erfahrung A. J. Toynbees, der 1914 konstatierte, daß ›Thukydides schon dort gewesen war, wo ich nunmehr stand‹, wurde im Zeitalter der Weltkriege von einem breiten Publikum geteilt und führte Thukydides immer neue Leser zu [47. 13]. In den verschiedensten Variationen suchte man ihn nun als Anwalt für die eigene polit. Sache einzusetzen. Dabei diente seine Darstellung entweder zur Demonstration von als unmittelbar relevant erachteten Präzedenzfällen, oder aber man bemühte sich, aus seiner Darstellung verallgemeinerbare Maximen abzuleiten, die zu einer besseren Erkenntnis der Gegenwart verhelfen sollten. Wie die drei folgenden, alle aus der Zeit des II. Weltkriegs stammenden Beispiele zeigen, drohte der forcierte Rückgriff auf den Klassiker dabei jedoch den Blick für die Unterschiede der histor. Situationen zu verstellen: Georges Méautis (1890–1970), frankophiler Gräzist an der Univ. Neuchâtel, beschwor in seiner neun Tage nach dem dt. Überfall auf Polen gehaltenen Rektoratsrede den heroischen Widerstand, den einst das neutrale Melos gegen die Übermacht Athens geleistet habe. Zwar sei Melos untergegangen, doch sein Schicksal habe der gesamten griech. Welt als

Fanal gedient, sich gegen die Gewaltherrschaft des athenischen Imperialismus zu erheben [28. 13–32]. Dagegen glaubte Iwao Aoki (1900–1973), Professor für Geschichte an der Keio-Univ. (Tokio) und Erstübersetzer des Thukydides ins Japanische, mit seiner 1942 gedr. Arbeit den Glauben an einen Sieg der Achsenmächte stärken zu können. Da das japanische Tenno-System der von Hobbes im Anschluß an Thukydides geforderten absoluten Monarchie sehr nahe komme, werde Japan ähnlich wie Sparta seine histor. Mission erfüllen und Ostasien von der Vorherrschaft des amerikanischen Imperialismus befreien [1. 2–3]. Weniger Parteinahme als das Bemühen um kritische Distanz sprachen aus dem erstaunlicherweise im gleichen J. von dem Wiener Sozialphilosophen Ernst Topitsch veröffentlichten Aufsatz über Ἀνθρωπεία φύσις und Ethik bei Thukydides. In Vorwegnahme der in den 50er J. populär gewordenen Deutung von Thukydides als einem Skeptiker der Macht, sah Topitsch ihn ›mit aller Deutlichkeit‹ die Warnung aussprechen, daß jeder nicht am Ziel der Selbsterhaltung orientierte Krieg eine fatale Spirale der Gewalt in Bewegung setzen müsse. Da sich im Krieg die vom Selbsterhaltungswillen getriebene menschliche Natur aus allen moralischen und rechtlichen Bindungen löse, würden schließlich auch die Grundlagen der staatlichen und gesellschaftlichen Ordnung, die es doch eigentlich zu verteidigen gelte, zerstört. So verwandele sich der totale Krieg in einen kollektiven Akt der Selbstvernichtung [46].

Auch nach dem II. Weltkrieg übte Thukydides auf das polit. Gegenwartsdenken einen spürbaren Einfluß aus. Innerhalb der dt. Historikerschaft wurde der Athener Historiker nun neben Jacob Burckhardt als hervorragender, für das menschliche Leiden sensibler Analytiker der Dämonie der Macht neu entdeckt. Der Melierdialog avancierte in diesem Zusammenhang zu einem viel interpretierten Schlüsseltext [35; 46]. Die in den 1950er J. innerhalb der Politikwiss. bes. einflußreiche Schule der Realisten, der u. a. Hans J. Morgenthau, John H. Herz und Raymond Aron zugerechnet werden, sah in Thukydides einen ihrer wichtigsten Vordenker [65; 74. 43]. Die Realisten teilten Thukydides' pessimistisches Menschenbild und definierten ihm folgend das Wesen des Polit. als einen andauernden Kampf um Macht, der nur dort vorübergehend zum Stillstand käme, wo sich durch das Auftreten von ähnlich starken Gegenkräften ein Gleichgewichtssystem ausbilden könne. Aus ihrer Sicht hatte Thukydides mit seiner Geschichte des Peloponnesischen Krieges den Zusammenbruch eines solchen Gleichgewichtssytems auf paradigmatische Weise dargestellt [12. 226–227; 59a] – eine Deutung, die so schon von Hume vertreten worden war [17. 255]. Auffällig ist schließlich das bes. Interesse, das Thukydides bei einigen der prominentesten, aus dem dt. Sprachraum in die USA emigrierten Philosophen gefunden hat. Für Karl Popper (1902–1994) und Hannah Arendt (1906–1975), Eric Voegelin (1901–1985) und Leo Strauss (1899–1973) bildeten die in Griechenland formulierten ›Wahrheiten gesellschaftlicher Ordnung des Menschen und der Kunst des polit. Handelns‹ einen zeitlos gültigen Urteilsmaßstab [90. 7]. So entwickelte Popper sein Konzept einer ›offenen Gesellschaft‹ am Beispiel der Athener Demokratie und interpretierte, wie später auch Arendt [2; 3; 4] (dazu: [89]), die Gefallenenrede des Perikles als ein für die gesamte Menschheit verbindliches Grundsatzprogramm der Demokratie, das ›für (die) Jt., die vergangen sind und die noch kommen mögen‹, Gültigkeit besitzt [34. 246–253]. Nach Voegelin und Strauss war die polit. Philos. seit der Aufklärungszeit zu einer technisch orientierten Klugheitslehre degeneriert, so daß sie allein im Rekurs auf die klass. Texte der Ant. eine Möglichkeit sahen, zu den universal gültigen Ordnungsprinzipien der Menschheit vorzudringen. Während Strauss v. a. Thukydides' Selbstverständnis in apologetischer Absicht zu rekonstruieren versuchte [43. 139–241; 44. 89–104; 45], porträtierte ihn Voegelin als luziden Analytiker der Krise der Polis [48. 349–373]. Thukydides hatte nach Voegelin in aller Klarheit erkannt, daß gerade die ökonomische und kulturelle Blüte seiner Heimatstadt jene wertzersetzende Wirkung besaß, die die polit. Elite nach Perikles auf die Abwege imperialistischer Gewaltpolitik geraten ließ.

F. EPILOG

Nietzsche sah in Thukydides einen der ›hintergedankenreichsten‹ Denker der abendländischen Geistesgeschichte [33. 156]. In der Tat hat es der Athener Historiker weitgehend seinen Lesern überlassen, seinem Werk eine klare Botschaft abzugewinnen. Dies aber ist schwierig: Ob wir uns allein an den Wortsinn halten und Max Weber folgen, der im Melierdialog nur ›nacktesten Machiavellismus‹ erblicken konnte [49. 234] (zum Machtrealismus Webers und seiner möglichen Beeinflussung durch Thukydides [60]), oder aber mit Karl Reinhardt auf das ›hörbare Schweigen‹ des Thukydides (dazu [36. 301]) achten und in ihm einen Moralisten sehen – viele Interpretationen sind möglich, so daß Wolfgang Schadewaldt nach 35jähriger Beschäftigung mit dem Athener Historiker bekannte, Thukydides erscheine ihm h. rätselhafter denn je [36. 224]. Vielleicht aber ist dies ja gerade das Geheimnis seiner fortdauernden Wirkung. Thukydides ist ein ›Besitz für immer‹ geblieben, weil er sich einer endgültigen Besitzergreifung durch seine Interpreten immer wieder entzogen hat.

→ Geschichtsmodelle; Geschichtswissenschaft/-schreibung

→ AWI Thukydides

QU 1 I. AOKI, Nachwort zu: Thukydides, Rekishi (»Gesch.«), Bd. 2, Tokio 1942, 1–29 2 H. ARENDT, Vita activa oder Vom tätigen Leben, 1981 (1958) 3 Dies., Kultur und Politik (1958), in: Dies., Zw. Vergangenheit und Zukunft, 1994, 277–303 4 Dies., Über die Revolution, 1974 (1963) 5 J. BODIN, Methodus ad facilem historiarum cognitionem (1566), in: Ders., Œuvres philosophiques, Hrsg. v. P. MESNARD, 1951, 105–269 6 J. BURCKHARDT, Griech. Kulturgesch., Bd. 3, 1977 (1898/1902)

7 L. CANFORA, Die verlorene Gesch. des Thukydides, 1990 (1983) 8 E. A. CICOGNA, Delle inscrizioni veneziane, Bd. 4, Venedig 1834 9 S. DAUB (Hrsg.), Leonardo Brunis Rede auf Nanni Strozzi, Einl., Ed. und Komm., 1996 10 H.-J. GEHRKE, Thukydides und die Rekonstruktion des Histor., in: A&A 39, 1993, 1–19 11 G. G. GERVINUS, Grundzüge der Historik (1837), in: Ders., Schriften zur Lit., 1962, 49–103 12 J. H. HERZ, Polit. Realismus und polit. Idealismus, 1959 13 Hobbes' Thucydides, Hrsg. v. R. SCHLATTER, 1975 (1629) 14 TH. HOBBES, Opera Philosophica quae Latine scripsit Omnia, Hrsg. v. SIR W. MOLESWORTH, Bd. 1, Ndr. 1966 15 The English Works of Th. Hobbes, Hrsg. v. SIR W. MOLESWORTH, Bd. 8, Ndr. 1997 (1629) 16 Hoffmann's Bibliogr. Lex. der gesammten Litteratur der Griechen, 2. Aufl., 3. Teil, Leipzig 1845, 558–561 17 D. HUME, Über das Machtgleichgewicht (1752), in: Ders., Polit. und ökonomische Essays, Bd. 2, 1988, 255–265 18 Ders., Essay of the Populousness of Ancient Nations (1752), in: Ders., Essays. Moral, Political and Literary, 1963, 381–451 19 F. JACOBY, Griech. Geschichtsschreibung (1926), in: Ders., Abh. zur griech. Geschichtsschreibung, Hrsg. v. H. BLOCH, 1956, 73–99 20 I. KANT, Idee zu einer allg. Gesch. in weltbürgerlicher Absicht (1784), in: Ders., Werkausgabe, Hrsg. v. W. WEISCHEDEL, Bd. 11, 1964, 31–50 21 R. KOSELLECK, Erfahrungswandel und Methodenwechsel (1988), in: Ders., Zeitschichten. Stud. zur Historik, 2000, 27–77 22 L. KRIEGER, Time's Reasons. Philosophies of History old and new, 1989, 11–15 23 P.-CH. LÉVESQUE, Préface, in: Histoire de Thucydide fils d'Olorus, Übers. v. P.-CH. LÉVESQUE, Paris 1795, Bd. 1, I–XXVIII 24 J. LIPSIUS, Ad libros politicorum notae, in: Ders., Opera omnia, Bd. 4, Hoogenhuysen 1675, 203–272 25 LUKIAN, Wie man Gesch. schreiben soll, Hrsg. v. H. HOMEYER, 1965 26 O. LUSCHNAT, Thukydides der Historiker, RE Suppl. 12, 1970, Sp. 1085–1354 27 S. MAZZARINO, Il pensiero storico classico, Bd. 2,2, 1966, 359–370 28 G. MÉAUTIS, Thucydide et l'impérialisme athénien, 1964 29 PH. MELANCHTHON, Vorrede (1532), in: J. CARION, Chronica (dt.), gemert und gebessert, Augspurg 1540, unpaginiert 30 Melanchthon dt., Hrsg. v. M. BEYER u. a., Bd. 2, 1997 31 The Complete works of Thomas More, Bd. 4: Utopia (1516), Hrsg. v. E. SURTZ, J. H. HEXTER, 1965 32 W. NICOLAI, Thukydides und die perikleische Machtpolit., in: Hermes 124, 1996, 264–281 33 F. NIETZSCHE, Götzen-Dämmerung (1889), in: Ders., Kritische Studienausgabe, Hrsg. v. G. COLLI, M. MONTINARI, Bd. 6, Neuausgabe 1999, 55–153 34 K. R. POPPER, Die offene Ges. und ihre Feinde, Bd. 1, ⁶1980 (1945) 35 K. REINHARDT, Thukydides und Machiavelli (1943), in: Ders., Vermächtnis der Ant., 1960, 184–218 36 W. SCHADEWALDT, Thukydides (Vorlesung, gehalten 1961/62), in: Ders., Die Anf. der Geschichtsschreibung bei den Griechen, 1982, 221–382 37 W. SCHMID, Die griech. Lit. z. Z. der att. Hegemonie nach dem Eingreifen der Sophistik (HdbA 7. Abt., Teil 1, Bd. 5), 1964 (1948) 38 C. SCHNEIDER, Information und Absicht bei Thukydides. Unt. zur Motivation des Handelns, 1976 39 E. SCHWARTZ, Das Geschichtswerk des Thukydides, ⁵1979 (1919) 40 H.-P. STAHL, Thukydides. Die Stellung des Menschen im geschichtlichen Prozeß, 1966 41 H. STRASBURGER, Der Geschichtsbegriff des Thukydides, in: Ders., Studien zur Alten Gesch., Bd. 2, 1982, 777–800 42 Ders., Gesch. und Politik im Alt. (1977), in: Ders., Stud. zur Alten Gesch., Bd. 3, 1990, 227–236 43 L. STRAUSS, On Thucydides' War of the

Peloponnesians and the Athenians, in: Ders., The City and Man, 1964, 139–241 **44** Ders., Preliminary Observations on the Gods in Thucydides' Work (1974), in: Ders., Studies in Platonic Political Philosophy, 1983, 89–104 **45** Ders., Thucydides: The Meaning of Political History, in: Ders., The Rebirth of Classical Political Rationalism. An Introduction to the Thought of Leo Strauss. Essays and Lectures by L. Strauss, 1989, 72–102 **46** E. TOPITSCH, Ἀνθρωπεία φύσις und Ethik bei Thukydides, in: WS 61, 1943, 50–67 **47** A. J. TOYNBEE, Kultur am Scheidewege, 1949 **48** E. VOEGELIN, Order and History, Bd. 2: The World of the Polis, 1957 **49** M. WEBER, Die Wirtschaftsethik der Weltreligionen. Hinduismus und Buddhismus, hrsg. v. H. SCHMIDT-GLINTZER (Max Weber Gesamtausgabe Abt. I, Bd. 20), 1996 **50** W. WILL, Perikles, 1995

LIT **51** J. L. BROWN, The Methodus ad Facilem Historiarum Cognitionem of Jean Bodin, 1939 **52** K. BÜCHNER, Die Pest. Ihre Darstellung bei Thukydides, Lukrez, Montaigne, Camus, in: Ders., Humanitas Romana. Stud. über Wesen und Werke der Römer, 1957, 64–79 **53** P. BURKE, A Survey of the Popularity of Ancient Historians, 1450–1700, in: History and Theory 5, 1966, 135–152 **54** P. DEMONT, La Peste: un inédit d'Albert Camus, lecteur de Thucydide, in: A&A 42, 1996, 137–154 **55** H.-J. DIESNER, Thukydides und Thomas Hobbes, in: Historia 29, 1980, 1–16 **56** H. ERBSE, Überlieferungsgesch. der griech. klass. und hell. Lit. (1961), in: H. HUNGER et al. (Hrsg.), Die Textüberlieferung der ant. Lit. und der Bibel, ²1988, 207–283 **57** E.-L. ETTER, Tacitus in der Geistesgesch. des 16. und 17. Jh., 1966 **58** H.-B. GERL, Rhet. als Philos. Lorenzo Valla, 1974 **59** J. GRIMM, Die lit. Darstellung der Pest in der Ant. und in der Romania, 1965 **59a** L. S. GUSTAFSON (Hrsg.), Thucydides' Theory of International Relations – A Lasting Possession, 2000 **60** W. HENNIS, Die »hell. Geisteskultur« und die Ursprünge von Webers polit. Denkart, in: Ders., Max Weber und Thukydides, 2003, 3–52 **61** H. HOLBORN, The Science of History (1940), in: Ders., History and Humanities, 1972, 81–97 **62** S. HORNBLOWER, The Fourth-Century and Hellenistic Reception of Thucydides, in: JHS 115, 1995, 47–68 **63** H. F. J. HORSTMANNSHOFF, Epidemie und Anomie. Epidemie in der griech. Welt (800–400 v. Chr.), in: Medizinhistor. Journ. 27, 1992, 43–65 **64** H. HUNGER, Thukydides bei Johannes Kantakuzenos. Beobachtungen zur Mimesis, in: Jb. der Österreichischen Byzantinistik 25, 1976, 181–193 **65** L. JOHNSON, Thucydides, Hobbes and the Interpretation of Realism, 1993 **66** E. KESSLER, Die Ausbildung der Theorie der Geschichtsschreibung im Human. und in der Ren. unter dem Einfluß der wiederentdeckten Ant., in: A. BUCK, K. HEITMANN (Hrsg.), Die Ant.-Rezeption in den Wiss. während der Ren., 1983, 29–49 **67** U. KLEE, Beitr. zur Thukydides-Rezeption während des 15. und 16. Jh. in It. und Deutschland, 1990 **68** H. LEPPIN, Thukydides und die Verfassung der Polis, 1999 **69** K.-H. LEVEN, Thukydides und die »Pest« in Athen, in: Medizinhistor. Journ. 26, 1991, 128–160 **70** Ders., Pest in der byz. Lit. Ursprünge und Wirkungen eines Motivs, 1993 **71** W. R. LEWIN, Claude de Seyssel. Ein Beitr. zur polit. Ideengesch. des 16. Jh., 1933 **72** M. LOWRY, The World of Aldus Manutius. Business and Scholarship in Renaissance Venice, 1979 **73** H. MÜNKLER, Machiavelli, 1982 **74** Ders., Thukydides: Machtkampf als Institutionenkritik, in: G. GÖHLER (Hrsg.), Polit. Institutionen im gesellschaftlichen Umbruch: Ideengeschichtliche Beitr. zur Theorie polit. Institutionen,

1990, 41–53 **75** Ders., Analytiken der Macht: Nietzsche, Machiavelli, Thukydides, in: M. T. GREVEN (Hrsg.), Macht in der Demokratie: Denkanstöße zur Wiederbelebung einer klass. Frage in der zeitgenössischen polit. Theorie, 1991, 9–44 **76** U. MUHLACK, Geschichtswiss. im Human. und in der Aufklärung, 1991 **77** Ders., Der Tacitismus – ein späthuman. Phänomen?, in: N. HAMMERSTEIN, G. WALTHER (Hrsg.), Späthuman., 2000, 160–182 **78** B. NÄF, Von Perikles zu Hitler? Die athenische Demokratie und die dt. Althistorie bis 1945, 1986 **79** H. T. PARKER, The Cult of Antiquity and the French Revolutionaries, Ndr. 1965 (1937) **80** M. REIK, The Golden Lands of Thomas Hobbes, 1977 **81** M. REINHOLD, Eighteenth-Century American Political Thought, in: R. R. BOLGAR (Hrsg.), Classical Influences on Western Thought. 1650–1870, 1979, 223–243 **82** K. REPGEN, Über Rankes Diktum von 1824 »Bloß sagen, wie es eigentlich gewesen«, in: HJb. 102, 1982, 439–449 **83** C. J. RICHARD, The Founders and the Classics, 1994 **84** K. C. SCHELLHASE, Tacitus in Renaissance Political Thought, 1976 **85** L. STRAUSS, Hobbes' polit. Wiss., 1965 (1936) **86** F. TESSITORE (Hrsg.), Tucidide nella storiografia moderna. Niebuhr – Ranke – Roscher – E. Meyer, 1994 **87** P. VIDAL-NAQUET, La place de la Grèce dans l'imaginaire des hommes de la Révolution, in: Ders., La démocratie grecque vue d'ailleurs, 1990, 211–235 **88** Ders., Tradition de la démocratie grecque (1976), in: Ders., Les Grecs, les historiens, la démocratie, 2000, 219–245 **89** D. VILLA, Hannah Arendt and Leo Strauss: Citizenship versus Philosophy, in: Dies., Socratic Citizenship, 2001, 246–298 **90** P. WEBER-SCHÄFER, Was ist klass. Politik?, in: Ders. (Hrsg.), Das polit. Denken der Griechen, 1969, 7–15.

STEFAN MEINEKE

Tierepos A. BEGRIFF, URSPRUNG, ANTIKE VORAUSSETZUNGEN B. GESCHICHTE

A. BEGRIFF, URSPRUNG, ANTIKE VORAUSSETZUNGEN

Das T. ist eine epische Dichtung unterschiedlichen Umfangs (von mehreren hundert bis über 10 000 Versen) mit Tieren als Protagonisten, welche wie Menschen planen, handeln, reflektieren und sprechen. Als redebegabte Akteure treten Tiere in den Mythen, den Erzählungen und der Dichtung der unterschiedlichsten Völker und Kulturen auf, in der mündlichen Überlieferung ebenso wie in den schriftlich trad. Literaturdenkmälern. Die Neigung, menschliches Handeln erzählerisch in der Tierwelt zu spiegeln, kann als ein anthropologisches Universale gelten, das sich in so verschiedenen lit. Gattungen wie dem → Epos, der → Fabel, der Lehrdichtung, der heilsgeschichtlichen allegorischen Dichtung in der Trad. des *Physiologus* sowie dem → Märchen ausprägt. Diese Gattungen werden in der mod. literaturwiss. Forschung seit dem 19. Jh. unter dem Begriff »Tierdichtung« zusammengefaßt, während die ant. und ma. Poetiken die fiktionalen Texte mit tierischen Protagonisten nicht unter einem eigenen Oberbegriff kategorisierten und auch den Unterbegriff des T. nicht kannten.

Die Anthropomorphisierung der Tiere hat stets eine verfremdende Wirkung, ob nun in lehrhafter Gleich-

nisrede die Ähnlichkeit zw. menschlichem und tieri-
schem Verhalten oder in parodistischer Absicht das Aus-
einandertreten von hohem Stil und niederem Handlungsträger betont wird. Im T. erfüllt die Erniedrigung
des epischen Helden, der die gewöhnliche Menschheit
sonst durch seine Tüchtigkeit überragt, zum Tier eine
parodistische oder satirische Funktion. Da das Tier nie
vollständig vermenschlicht wird und in gewissen Situationen seine natürlichen Flucht- oder Beutereflexe bei-
behält, macht gerade das Oszillieren der Protagonisten
zw. ihrer tierischen und menschlichen Natur den Reiz
des T. aus [1]. Wie so häufig bei komischen Gattungen
ist das T. in formaler wie inhaltlicher Hinsicht (Versmaß, Verwendung epischer Formeln und Epitheta,
Narration, Redeszenen, Kampfschilderung, z. T. Zy-
klenbildung, nachant. auch Liebesthematik) parasitär
auf »ernste« oder »hohe« Vorbilder im jeweiligen lit.
Gattungssystem bezogen. Dies wird bereits am einzigen
aus der Ant. überlieferten T., der späthell. ps.-homer.
Batrachomyomachía deutlich, die nach dem Vorbild der
Ilias den Kampf der Frösche und Mäuse in nur etwa 300
Versen schildert. Allerdings hatte die im Westen während des MA unbekannte *Batrachomyomachía* keinen Einfluß auf die Entwicklung des nachant. lat. und volkssprachigen T., während sie in → Byzanz Schullektüre
war und Johannes Prodromos zu seinem satirischen Lesedrama *Katomyomachía* (»Katzenmäusekrieg«, 1. H.
12. Jh.) anregte. Die ps.-homerische Epenparodie wurde erst 1472 von dem it. Humanisten C. Marsuppini ins
Lat. übersetzt und ab dem 16. Jh. auch in den westeurop. Lit. rezipiert. Anders als noch J. Grimm annahm,
läßt sich auch keine eindeutige Genealogie ausmachen,
welche von der mündlich überlieferten, kaum rekonstruierbaren »Tiersage« in direkter Linie zum ma. T.
führen würde [5. 12–23]. Eine wichtige ant. Vorgabe
für die Entwicklung des T. im westeurop. MA ist dagegen die Fabeldichtung; manche Erzählmotive wie das
von der ungerechten Beuteilung des Löwen wurden
aus Tierfabeln ins T. übernommen und episch ausgestaltet. Das T. ist eine heterogene Gattung, für die man
nicht eine Quelle ausfindig oder einen Traditionsstrang
allein verantwortlich machen kann; man hat schon insofern von Polygenese der Gattung auszugehen, als die
Vermenschlichung von Tieren in allen Agrargesellschaften naheliegt. Folklore, christl. Trad. (*Physiologus*,
Bileams Esel in Nm 22,28 als das einzige sprechende
Tier der Bibel) und lat. Schulüberlieferung (bes. Fabel-
sammlungen, *Avianus*) wirken zusammen [10. 1–46].

B. Geschichte

Die Geschichte des T. verläuft diskontinuierlich;
ihre wichtigsten Wendepunkte sind die Herausbildung
zyklischer Großepen mit namentlich individualisierten
Protagonisten im Hoch-MA (12. Jh.) und die erst mit
der → Renaissance einsetzende produktive Aneignung
des ant. Gattungsmodells *Batrachomyomachía* (16. Jh.).

Aus dem Früh-MA sind kürzere Tiergedichte in unterschiedlichen Metren überliefert, die wie Alcuins
Hahn und Wolf Fabelmotive aufgreifen, dennoch hat

sich keine Gattungstrad. der Tierdichtung herausgebildet [10. 129]. Das erste größere T. des lat. MA ist die
anon. *Ecbasis captivi* in 1229 leoninischen Hexametern
(ca. 1043–1046); der Dichter fügt in einen autobiographischen, den Verirrungen seiner Jugend gewidmeten
Rahmen die Geschichte von der Flucht eines Kalbes
ein, das fast vom Wolf gefressen würde, wenn diesen
nicht der Fuchs überlistete. Die durch die Verschach-
telung mehrerer Episoden und Erzählebenen sowie ihre
Anleihen bei Horaz kunstvolle Geschichte ist allerdings
kein wirkliches Epos, sondern vermutlich eine mit verteilten Rollen vorzutragende klösterliche Osterunter-
haltung. Das erste echte lat. T. ist der *Ysengrimus* des
Nivardus von Gent (Mitte 12. Jh.) in elegischen Distichen. Der anderweitig unbekannte Autor integriert die
einzelnen Schwänke mit verschiedenen Abenteuern des
Wolfes durch Rückblenden zu einem epischen Ganzen,
das mit der Zerfleischung des Protagonisten durch eine
Sauherde endet. Nivardus individualisiert die Tiere zum
ersten Mal durch Eigennamen. Der Wolf, ein betroge-
ner Betrüger, unterliegt als Karikatur eines Mönchsbi-
schofs der Fortuna [7]; die List des Fuchses entfaltet sich
in rhet. sorgfältig ausgearbeiteten Redeszenen und inneren Monologen, die den Widerspruch von Denken
und Reden inszenieren.

Gegen 1170 entstanden die ersten Episoden (*branches*
– »Zweige«) des altfrz. *Roman de Renart* in paarweise
gereimten Achtsilbern, dem Metrum des höfischen Romans. Mit diesem hat das altfrz. T. die Schilderung einer
feudalen Welt unter der Herrschaft des Königs Noble
gemein. Auch die parodistische Verkehrung der hohen
Minne in eine krude Vergewaltigung (der Fuchs Renart
umwirbt die Wölfin Hersent, um dann über sie herzu-
fallen) ist vor der höfischen Folie zu lesen. Die Handlung wird durch den Antagonismus zw. dem schlauen
Fuchs und dem stets überlisteten Wolf vorangetrieben
und gattungstypologisch durch den Gegensatz zur Hel-
dendichtung bestimmt [5. 219–239]; der gesamte Re-
nart-Zyklus von über 30000 Versen behandelt wie die
sich weiter verzweigenden Großepen auch Kindheit
und Tod des Helden. Renart erweist sich stets als Meister der sprachlichen Verdrehung, Verhöhnung und
Verkehrung [8]. Daher kann die Trickster-Figur des li-
stenreichen Fuchses in den frz. Allegorien des 13. Jh.
(z. B. Jacquemart Gielee, *Renart le Nouvel*) zu einer Verkörperung des Bösen an sich stilisiert werden [9. 229–
244]. Der Renart-Stoff fand auch in den anderen ma.
Lit. dankbare Bearbeiter, etwa durch den Elsässer Heinrich der Glîchezâre, der mit seinem *Reinhart Fuchs* (E.
12. Jh.) vor Untreue warnt, in der anon. mittelengl. Bearbeitung *The Vox and the Wolf* (2. H. 13. Jh., vgl.
[4. 181–197]), dem flämischen *Van den Vos Reinaerde* (1.
H. 13. Jh.) oder dem niederdt. T. *Reynke de Vos* von
1498, der 1793 Goethe als Vorlage bei der Arbeit an
seinem T. *Reineke Fuchs* dienen sollte.

Mit der Ren. rückten die Homer. Epen ebenso wie
die ps.-homerische *Batrachomyomachía* wieder ins Zentrum der lit. Aufmerksamkeit. Bereits 1521 veröffent-

lichte Teofilo Folengo sein burleskes T. *Moschaea* in drei Büchern elegischer Distichen über den siegreichen Kampf der Ameisen gegen die Fliegen. Das für die Burleske gattungskonstitutive parodistische Mißverhältnis zw. epischem Stil und nichtigem Gegenstand wird in zweifacher Hinsicht gesteigert: durch die Verkleinerung der Helden zu Insekten und die »makkaronische« Sprachmischung aus der Gelehrtensprache Lat. und dem Dialekt Paduas. Der dt. Humanist Georg Rollenhagen blähte 1595 mit seinen *Froschmeuseler* die ant. Vorlage zu einem riesigen didaktischen Epos mit moralischen, ökonomischen und naturkundlichen Exkursen auf. Heiterer und witziger ist dagegen Lope de Vegas *Gatomaquia* (1635) in *silvas*, der von seinem als »dunkel« gebrandmarkten Erzrivalen Góngora bevorzugten Strophenform. Der Kampf der Katzenjünglinge entzündet sich an der Rivalität um die ebenso schöne wie flatterhafte Katzendame Zapaquilda. Die Einführung des Eifersuchtsmotivs weist darauf hin, daß neben den ant. Epen auch die aus der Kreuzung von ma. Roman, ma. Heldenepos und ant. Epos erwachsene Gattung des it. *romanzo*, insbes. Ariosts *Orlando Furioso*, parodiert wird. Folie für das parodistische T. sind also stets die jeweils verfügbaren oder modischen epischen Gattungen. Umgekehrt führen das allmähliche Erlöschen des Interesses am Epos und der Siegeszug des ironischen → Romans gegen E. des 18., Anf. des 19. Jh. auch zum Verschwinden des T., das sich vom Höhenkamm der europ. Literaturgeschichte fulminant mit Goethes 1794 veröffentlichtem *Reineke Fuchs* und Giacomo Leopardis 1831 begonnener unvollendeter *Batracomiomachia* verabschiedet. Während Goethe den ma. Stoff in Hexameter goß, um menschliche Schwächen allg. zu geißeln und um sich selbst von den eigentlich epischen ›Welthändeln‹ der frz. → Revolution abzulenken, kam es Leopardi bei seinem anspielungsreichen Werk in *ottava rima*, dem Metrum des *romanzo*, gerade auf die satirische Behandlung der polit. Auseinandersetzungen zw. it. Patrioten und Anhängern der Restauration im Neapel der J. 1820 bis 1831 an. Für George Orwells antistalinistische Satire *Animal Farm* (1945) ist nicht mehr das Epos gattungskonstitutiv, sondern die Fabel und der Roman. Sonst haben sich im 20. Jh. die sprechenden Tiere in den → Comic und das Kinderbuch zurückgezogen, wo der Verstoß gegen das Wahrscheinliche am ehesten toleriert wird. Alan Alexander Milnes Kinderbuchklassiker *Winnie-the-Pooh* (1926) wurde 1960 sogar ins Lat. übersetzt, so daß Bär, Schweinchen und Hase ein letztes Mal in ant. Gewand erscheinen.

→ AWI Batrachomyomachie; Fabel; Tierepos

1 G. BIANCIOTTO, Renart et son cheval, in: FS Félix Lecoy, 1973, 27–42 2 R. DITHMAR, Die Fabel, ⁷1988 3 J. FLINN, Le Roman de Renart dans la littérature française et dans les littératures étrangères au moyen âge, 1963 4 TH. HONEGGER, From Phoenix to Chauntecleer. Medieval English Animal Poetry, 1996 5 H. R. JAUSS, Unt. zur ma. Tierdichtung, 1959 6 F. P. KNAPP, Das lat. T., 1979 7 J. MANN (Hrsg.), Ysengrimus, 1987 8 J. R. SCHEIDEGGER, Le Roman de Renart ou le texte de la dérision, 1989 9 A. STRUBEL, La Rose, Renart et le Graal, 1989 10 J. M. ZIOLKOWSKI, Talking Animals. Medieval Latin Beast Poetry, 750–1150, 1993.   MAX GROSSE

Tierkreis s. Horoskope; Naturwissenschaften V. Astrologie; AWI Bd. 12/1, s. v.

Tierkunde s. Zoologie

Tiryns A. GESCHICHTE DES ORTES UND AUSGRABUNGEN BIS SCHLIEMANN (1884/85) B. AUSGRABUNGEN UND FORSCHUNGEN VON 1905 BIS 1929 UND 1965 BIS 2000

A. GESCHICHTE DES ORTES UND AUSGRABUNGEN BIS SCHLIEMANN (1884/85)

Der schon in der *Ilias* (2,559) τειχιόεσσα (»festgemauert«) genannte Ort mit dem vorgriech. Namen T. war den Griechen v. a. durch die »kyklopischen« Mauern, die nach Pausanias (9,36) ›allein von den Ruinen übrig‹ geblieben sind, und in der Sage durch seine Verbindung mit dem »Tirynthier« Herakles (so z. B. Pindar, Ovid und Virgil) bekannt. Auf dem in Delphi 478/77 geweihten Dreifußvotiv stand der Name unter den Teilnehmerstädten an der Schlacht von Plataiai (→ Mykene). Die im 5. Jh. v. Chr. von den Argivern vertriebenen Bewohner fanden weiter südl. in Halieis eine neue Heimat, nannten sich aber auf ihren Münzen auch dort weiterhin »Tirynthier«. Der alte Platz blieb indes, wie die Funde aus der geom. und archa. Periode zeigen, nicht ganz unbewohnt. Die in den frühen Zeiten nahe gelegene Küste (in myk. Zeit höchstens 1 km) entfernte sich durch Sedimentation mehr und mehr (h. ca. 1,7 km). Dies hatte u. a. eine zunehmende Bedeutungslosigkeit des 18 m über die ihn umgebende Ebene (bis 26 m ü. d. M.) ansteigenden Burgfelsens zur Folge. Für die prähistor. und myk. Besiedlung bot dieser Felsklotz der Länge nach etwa 300 m, in der Breite 45–100 m Platz. Nahe am Meer zog er seit dem Neolithikum immer wieder Siedler an. So errang T. in der frühen Bronzezeit erstmals über den Ort hinausreichende Bed., um in der myk. Epoche (ca. 1400–1200 v. Chr.) dank der günstigen Gesamtsituation mit gewaltigen Befestigungen und einer repräsentativen Palastanlage gleichstark mit Mykene konkurrieren zu können (→ AWI Tiryns, Abb. Ober- und Unterburg).

Bereits in der zweiten H. des 17. Jh. fanden die eindrucksvoll erhaltenen, in ant. Sagentrad. »kyklopisch« genannten Mauern das Interesse einzelner Reisender, bevor zu Beginn des 19. Jh. v. a. engagierte Engländer wie Edward Dodwell, William Gell und der als Begründer der wiss. Geogr. Griechenlands bekannte William Martin Leake T. erkundet, beschrieben oder in feinen Bildern (Abb. 1) festgehalten haben. Nur einen Tag lang gruben 1831 der um die Gestaltung der Münchner Glyptothek verdiente dt. Philologe Friedrich Thiersch mit dem Griechen Alexandros Rizou Rangabé auf der Burg.

Abb. 1: Rampe zum Außentor der Ostmauer.
Nach einem Kupferstich von Edward Dodwell (1819)

1876 unternahm Heinrich Schliemann, der schon auf seiner ersten Griechenlandreise 1868 Interesse an T. fand, erste Grabungen. An vier Tagen ließ er einen Schnitt quer über die Oberburg und an 13 verschiedenen Stellen »Schächte« anlegen. Seine Ausgrabungen von 1884 (drei Monate) und 1885 (zwei Monate), bei denen der junge Bauforscher Wilhelm Dörpfeld für die wiss. Ergebnisse verantwortlich war, wurden bereits 1886 auf 487 Seiten mit 27 meist farbigen Tafeln vorgelegt [14].

B. Ausgrabungen und Forschungen von
1905 bis 1929 und 1965 bis 2000

Die Ergebnisse der Grabungen von Schliemann und Dörpfeld wurden durch letzteren (bis 1912 Direktor der Abteilung Athen des → Deutschen Archäologischen Instituts), Georg Karo (seinen Nachfolger dort) sowie Kurt Müller u. a. von 1905–1914 und (Müller) von 1926–1929 erweitert und in vier Bänden (Tiryns. Die Ergebnisse der Ausgrabungen des Inst., 1912–1938) publiziert. 1934 ist die zweite Auflage von Karos Führer durch T. erschienen [4]. Am E. dieses Führers hat der Verfasser festgehalten: ›Unsere Aufgabe ist aber nur auf der Ober- und Mittelburg bis auf kleine, noch nicht untersuchte Stücke durchgeführt. In der Unterburg und Unterstadt bleibt noch sehr viel zu tun‹. Nachdem 1884/85 bis dahin noch nicht sichtbare Teile der myk. Burgmauern und das Areal des letzten Palastes freigelegt worden waren, bestand die Aufgabe der 1905 vom Athener Inst. aufgenommenen Arbeiten darin, Ober- und Mittelburg durch Tiefgrabungen nach ihrer in die frühhelladische Periode des 3. Jt. zurückreichenden Geschichte zu befragen. Eines der vielen Verdienste von K. Müller war dabei der Nachweis eines in die zweite frühhelladische Phase (h. zw. 2500 und 2200 v. Chr.) datierten turmartigen Rundbaus von 28 m Dm unter dem späteren Palast (Nr. 11, 13). Mit 44 an Strebepfeiler erinnernden Vorsprüngen außen sowie Kammern und Korridoren innen

konnte dieser einst gewiß sehr eindrucksvolle, an der höchsten Stelle des Felsplateaus weithin sichtbare Bau als Speicher, aber auch als Herrensitz gedeutet werden [10]. Jedenfalls war seine Existenz neben unscheinbareren Häusern in seiner näheren Umgebung und reichen, in T. weit verbreiteten Keramikfunden (darunter sog. Urfirnisware) Beweis für eine bedeutende Rolle des ganzen Platzes in dieser Phase. Die auf verstreute neolithische Scherbenfunde folgende Urfirniskeramik [11] mit teils vollständig erhaltenen Gefäßen und Hinweisen auf Metallvorbilder verwies auf die Einbindung von T. in einen auf dem Festland und den Inseln weit verbreiteten Keramikhorizont. Es hat sich gezeigt, daß diese erste Blütezeit von T. ein gewaltsames E. (durch Erdbeben) gefunden hat. Für die nach Frühhelladisch III im frühen 2. Jt. v. Chr. einsetzende mittelhelladische Periode glaubte Müller bereits ein erstes Palastzentrum auf Ober- und Mittelburg erkennen zu können [10]. Eine für die endgültige Gestaltung entscheidende befestigte Erweiterung bezeichnete er als II. Burg (= 2. Phase) und die h. gut faßbare Ausgestaltung während der kurzen, zw. 1250 und 1200 v. Chr. datierten Blütezeit als III. Burg (= 3. Phase). Zu dieser Burg gehörte nach damaliger wie jetziger Vorstellung auch die Befestigung der weit nach N ausgedehnten Unterburg, auf deren Areal 1913/14 früh- und mittelhelladische Zeugnisse gefunden wurden (Nr. 16). Auf Spuren der am Fuß der Burg gelegenen Unterstadt war bei einzelnen Sondagen schon Schliemann gestoßen. Um ihre Ausdehnung und Geschichte hat man sich auch gegen E. der Grabungen von 1905–1929 aufgrund einzelner, bis in frühhelladische Zeit zurückführender Befunde bemüht. In einem im NO der Burg aufgedeckten Stadthaus wurde 1915 der Schatzfund mit einem ikonographisch interessanten Goldring gemacht, der wohl noch in myk. Zeit aus einem Fürstengrab entwendet worden war (Abb. 2). Ein gut erhaltenes Kup-

Abb. 2: Mykenischer Goldring aus dem »Schatzfund«
von 1915: sitzende Göttin und Dämonen bei
einer Trankspende, Sonne und Mondsichel.
Querdurchmesser 5,6 cm

pelgrab der Palastzeit wurde 1913 unweit von T. – leider
fundleer – entdeckt [2. Bd. VIII], während andere und
ältere Fürstenbestattungen in T. merkwürdigerweise bis
h. fehlen.

K. Müllers III. Burg (= 3. Phase) umfaßt außer allen
»kyklopischen« Mauern das Palastareal mit den repräsentativen Propyla, den äußeren Palasthof, einen großen
Säulenhof und kleinere Höfe auf der Ostseite, zwei
bzw. drei Megara und ganz im Osten z. T. einst mehr-
geschossige Bauten, im Westen das sog. Badezimmer,
mehrere Rechteckhäuser, und die aufwendig geschütz-
te Treppe als Abstieg zu einer lebenswichtigen Quelle in
der Unterstadt. Zum Verständnis dieser imponierenden
Architektur engagierte man den Bauforscher Heinrich
Sulze, für die Veröffentlichung von K. Müller [10]

Schaubilder, Ansichten in Vogelperspektive und Modelle im Sinne der gewonnenen Erkenntnisse zu ferti-
gen. Sie geben in unaufdringlich anschaulicher Weise
eine gute Vorstellung vom einstigen Aussehen der Burg
und des Palastes (Abb. 3).

Von Schliemanns Funden sind aus frührcha. Zeit ein
fragmentiertes dorisches Kapitell und aus der jüngsten
Phase des großen Megarons ein in Bruchstücken erhaltener, von K. Müller rekonstruierter und als Sockelzier
der Vorhalle erkannter Alabasterfries hervorzuheben.
Auch zahlreiche Freskobruchstücke stammen bereits
von den Grabungen Schliemanns und Dörpfelds. Die
Masse der von G. Rodenwaldt 1912 im zweiten Band
der T.-Publikation [13] mit teils farbigen Abbildungen
vorgelegten Fragmente kam 1910 – wie zuvor – an der
Treppe des westl. Mauervorbaus zutage (Nr. 15). Dorthin waren sie nach Brandzerstörungen im Palastbereich
zusammen mit zahlreichen Keramikscherben geschüttet
worden. Andere, bei Tiefgrabungen auf der Oberburg
gefundene Freskofrg. sind stratigraphisch wie technisch
und stilistisch früher einzuordnen. Themen der Wandmalerei waren außer pflanzlichen und ornamentalen
Motiven stilisierte Marmorierung, Kultsymbole, ein
Fries mit fast lebensgroßen Frauen in minoischer
Tracht, die Geschenke tragen (Abb. 4), andere Frauen
im Wagenkorb von Pferdegespannen, Treibjagd, Stier-
springerin, Krieger mit Pferden und Hunden, Maultiere, Hirsche, Greifen, Sphingen etc. Zuordnungen der
Fresken zu bestimmten Gebäuden oder Räumen waren,
wo nicht in situ feststellbar, nicht möglich. Auch von
den bemalten Stuckfußböden der beiden Megara (Nr.
11, 13) haben schon Schliemann und Dörpfeld erste

Abb. 3: Zeichnerische Rekonstruktion des Inneren Palasthofes (nach H. Sulze)

Abb. 4: Von G. Rodenwaldt rekonstruierte Frau vom
Prozessionsfresko des Palastes (1250-1200 v. Chr.).
Höhe in der Rekonstruktion 228 cm

Spuren entdeckt. 1910 ging R. Hackl diesen interessanten Zeugnissen gründlich nach. Er veröffentlichte die
Ergebnisse seiner Unt. mit Ergänzungen der schach-
brettartig gestalteten, im großen Megaron mit Fischen
und Oktopoden bemalten Fußböden im zweiten Band
der T.-Publikation [13]. Im selben J. wie Rodenwaldts
Fresken wurde in Band I [1] die Dissertation von A. Frik-
kenhaus, einem anderen Mitarbeiter der Institutsgra-
bung, unter dem Titel *Die Hera von T.* gedruckt [1].
Dieser Beitr. beschäftigt sich, wie der zweite in diesem

Band [12], mit Zeugnissen der nachmyk., griech. Periode von Tiryns. Eine mit früharcha. Weihungen (u. a.
großen tönernen Masken und bemalten Tonschilden)
gefüllte Opfergrube wurde erst 1926 ausgegraben und
diente als Beweis für fortbestehende oder wiederauf-
genommene Kulttrad. im 8./7. Jh. v. Christus.

1957 begann der damalige Ephoros der Argolis, Nikolaos Verdelis, mit der Wiedererrichtung abgestürzter
Teile der »kyklopischen« Burgmauer. Dabei entdeckte
er 1962 zwei fast 30 m lange, von der Unterburg durch
die Mauer nach außen zu Wasserstellen führende Gänge
mit Kraggewölben (Nr. 17). Grabungen des griech. Antikendienstes wurden auch innerhalb der Unterburg
durchgeführt, auf der das DAI Athen zunächst mit den
Griechen gemeinsam und seit 1967 unter Leitung von
Ulf Jantzen tätig wurde (Nr. 16) [2]. Ziele des neuen dt.
Engagements waren 1) Unt. der Burgmauer, 2) Klärung
der Besiedlung der Unterburg und 3) begrenzte Grabungen in der Unterstadt. Die Bauaufnahmen und Unt.
der Burgmauer ergaben ein vollständiges Bild von deren
Eigenheiten und Geschichte. Dabei waren Steinmate-
rial, Bearbeitung und Bauweise wegweisend für die
Veränderungen von sorgfältig durchgeführten Anfängen bis zur jüngsten Baustufe mit raffinierten Konstruktionen: Galerien mit Kraggewölben im Osten und Süden (Nr. 5,8), der großen Kurvenmauer im Westen und
auf der Innenseite Kammern (mit Schießscharten) rund
um die Unterburg, sämtlich gegen eine mögliche Bedrohung von außen gerichtet. Das Hauptgewicht der in
den späten 60er und frühen 70er J. durchgeführten Grabungen wurde auf ein dicht und in rascher Folge be-
bautes Areal innerhalb der westl. Mauer der Unterburg
gelegt (Nr. 16). Dort hat man in der Nähe der Brun-
nengänge Grundmauern unterschiedlich gebauter Häuser, zugehörige Höfe, Korridore und Gassen der drei
späthelladischen Phasen freigelegt. In der Unterstadt
konzentrierten sich zw. 1967 und 1972 Grabungen v. a.
auf die myk. Zeit und ein schon vorher angeschnittenes
Areal (»Graben H«) vor der Ostgalerie der Burg [2. Bd.
VIII]. Dort ließ sich die Siedlungsgeschichte mit teils
stattlichen Rechteckhäusern über alle Phasen der myk.
Periode verfolgen. Die Erforsch. der Unterstadt wurde
auch auf Grabungen im Südosten und Westen der Burg
ausgedehnt. Insgesamt ergab sich für die Unterstadt bis
zum E. der Grabungen von Jantzen ein lockeres Sied-
lungsbild, das auch an landwirtschaftlich genutzte Flächen zw. den Wohn- und Nutzbauten denken ließ.
Eine verbindliche Vorstellung von der Ausdehnung dieser Siedlung konnte man jedoch nicht gewinnen.

Nach einer Unterbrechung der Grabungen hat 1978
der Prähistoriker Klaus Kilian die Leitung der bis dahin
von Bauforschern und v. a. von Klass. Archäologen bestimmten Arbeiten übernommen. Zu den vielen bereits
gewonnenen Erkenntnissen zur Bau- und Keramikge-
schichte von T. traten mit den von der Vorgeschichts-
forsch. eingebrachten Ansichten und Methoden also
auch neue Perspektiven. Bei der großflächigen Freilegung eines noch unberührten repräsentativen Teiles der

Unterburg wurde die Geschichte der Bebauung u.a. unter Gesichtspunkten wie Siedlungsorganisation oder Planungsvorstellungen angegangen [7; 9]. Wie zuvor beteiligte man auch hier Naturwissenschaftler (Anthropologen, Zoologen, Paläobotaniker). In dem durch Kilian bereicherten Gesamtbild der Burg sind an die Stelle der drei Bauphasen von K. Müller unter Berücksichtigung auch der Unterburg und der frühhelladischen Besiedlung fünf Phasen getreten [9]. Dabei beziehen sich die neueren Erkenntnisse der myk. von Müller noch unerforschten, jetzt aber gut erschlossenen Unterburg v. a. auf die beiden jüngsten myk. Siedlungsstufen. Es stellte sich nämlich heraus, daß dort nach der um 1200 v. Chr. datierten Erdbebenkatastrophe – ähnlich wie bei Bezirken der um diese Zeit sogar erweiterten Unterstadt – die Organisationsform noch einmal radikal verändert wurde. Im Unterschied zur Bebauung in der vorangegangenen Phase handelt es sich nach den jetzigen Erkenntnissen bei der jüngsten, neu strukturierten Bebauung der Unterburg um kleine einstöckige Häuser und Vorratsräume, die auf der Innenseite der Burgmauer um kleine Höfe angeordnet waren. Ein bescheidenes Heiligtum mit eindrucksvollen Funden – ca. 34 cm hohe bemalte Tonfiguren (Abb. 5) – wurde an die Festungsmauer angebaut und setzte an diesem Ort eine palastzeitliche Kulttrad. fort. Die dortigen und andere Anhaltspunkte führten Kilian zu der Vermutung, daß auch ›Reste der Machtstrukturen den Zusammenbruch der Paläste (ca. 1200 v. Chr.) überdauert haben‹. In diesem Sinne konnten Unt. von Joseph Maran, dem Nachfolger Kilians in T., bestätigen, daß die früher gern einem frühgriech. Tempel zugeschriebenen Grundmauern eines langrechteckigen Baus auf bzw. im großen myk. Megaron für einen nachpalastzeitlichen, wesentlich aber noch myk. Repräsentationsbau bestimmt waren [8]. Andere Zeugnisse dieser jüngsten myk. Phase fehlen auf der Oberburg wahrscheinlich deshalb, weil sie den frühen Ausgrabungen zum Opfer gefallen sind. Die letzte myk. Siedlung in der Unterburg fand nach den Ergebnissen von Kilian und seinen Mitarbeitern, ebenso wie die späte Nutzung der Oberburg ihr E. erst im Laufe des 11. Jh. v. Chr. Damit hat sich der Beginn der sog. Dunklen Jh. zumindest für die Argolis um wenigstens zwei Generationen verschoben. Für die Palastzeit zw. 1250 und 1200 v. Chr. ließen die neuen Unt. in der Unterburg aufgrund einer recht aufwendigen Bauweise (Terrassen mit mehrstöckigen Häusern) sowie von Wegeverbindungen und in dieser Siedlung gefundenen ungebrannten Linear-B-Tontäfelchen auf enge Kontakte zw. Unterburg und Palast schließen. Erstmals zog man zur Interpretation sozialer Strukturen auch Knochenfunde (Wild- und Rinderverzehr in gehobenen und Verzehr von Schweinen, Schafen und Ziegen in einfachen Wohneinheiten) heran.

Selbstverständlich beschäftigten sich die neuen Unt. auf der Unterburg auch mit vorpalastzeitlichen Bauresten und Keramikfunden. Dabei zeigte sich die dritte Phase der Frühen Bronzezeit nach neu aufgedeckten

Abb. 5: Bemaltes Tonidol aus dem späten Heiligtum der Unterburg. Höhe 34 cm

Hausmauern (von Apsidenhäusern) eindrucksvoller als zuvor. Die Siedlungsgeschichte der in ihrer Bed. schon früher erkannten Phase Frühhelladisch II wurde durch Grabungen im Ostabschnitt der Unterburg, durch gründliche Keramikstudien und Vergleiche mit anderen Fundorten – voran Lerna – gefestigt und gegen die auf

Erdbebenzerstörungen folgende Phase abgesetzt. Die Dürftigkeit mittelhelladischer Zeugnisse in T. ließ sich auf der Unterburg durch nachfolgende Planierungsarbeiten erklären. Für die Palastzeit führten wiederum vergleichende Analysen – v. a. mit Mykene – und neuerliche Keramikunt. der Mitarbeiter zu Erweiterungen der bis dahin gewonnenen Ergebnisse. Eine eigene Rolle spielten die ausgedehnten, auf Machtstrukturen und Herrscherideologie zielenden Unt. Kilians zu Ursprung und Verbreitung der einheitlichen Architekturplanung in den myk. Residenzen [5; 6]. Was aus dem Neolithikum durch Grabungen gefördert wurde, ist spärlich (Keramikscherben), wurde von den Ausgräbern aber stets ebenso sorgfältig beachtet wie die freilich reicheren Hinterlassenschaften der Nachpalastzeit bis hin zur byz. Zeit.

Einzelne vorpalastzeitliche Gräber, namentlich im Siedlungsgebiet des Burghügels, konnten bei fehlenden Beigaben nur stratigraphisch eingeordnet werden. Von den myk. Gräbern wurde oben das 1913 freigelegte, allerdings fundleere palastzeitliche Kuppelgrab vom nahe gelegenen Profitis Ilias-Berg erwähnt [2. Bd. VIII]. Auf der anderen Seite desselben Berges entdeckte man zwei J. später eine myk. Kammergräber-Nekropole. Die vielleicht gar nicht zu T. gehörenden Bestattungen lassen sich auf die gesamte späthelladische Periode verteilen. In den auch für Nachbestattungen genutzten Grabkammern fanden sich vorwiegend – teils vollständig erhaltene – bemalte Tongefäße [2. Bd. VI]. Am Fehlen kostbarer Beigaben waren vielleicht Grabräuber schuld, die auch das Kuppelgrab geplündert haben dürften. Qualitativ gute geom. Keramik brachten die von F. Oelmann und W. Müller freigelegten Gräber auf dem Gebiet der Unterstadt zutage [12].

Maran, derzeitiger Leiter der Unternehmung, sieht in T. ›auch in Zukunft ein lohnendes Forschungsobjekt‹ mit neuen Fragestellungen. Als Ziele für weitere Klärung spricht er ›den noch immer unklaren Charakter der großen bronzezeitlichen Außensiedlung sowie das Verhältnis dieser Siedlung zu dem Palast‹ an. Auch die Frage nach dem myk. Hafen von T. und dessen Lage zählt er zu den Zukunftsaufgaben [9]. Darüber hinaus gibt es gewiß auch unter bereits diskutierten oder schon einmal in Angriff genommenenn Projekten – z. B. myk. Gräber und Nekropolen, Schutzdamm bei Kofini, bekannte und unbekannte Kulturzeugnisse aus der T. weiträumig umgebenden argolischen Landschaftskammer – oder durch Zufallsentdeckungen und vergleichende Studien noch manche Möglichkeiten, das gewonnene Bild des Lebens- und Herrschaftsraumes von T. zu bereichern.
→ AWI Tiryns

1 A. FRICKENHAUS, Die Hera von T., in: Ders. (Hrsg.), T. Die Ergebnisse der Ausgrabungen des Inst., Bd. I, 1912, 1–126 2 U. JANTZEN (Hrsg.), T. Forsch. und Ber., 1971 ff. 3 Ders. (Hrsg.), Führer durch T., 1975 4 G. KARO, Führer durch T., ²1934 5 K. KILIAN, Zur Funktion der myk. Residenzen auf dem griech. Festland, in: R. HÄGG, N. MARINATOS (Hrsg.), The Function of the Minoan Palaces, 1987, 21–38 6 Ders., Die »Thronfolge« in T., in: MDAI(A) 103, 1988, 1–9 7 Ders., Ausgrabungen in T., in: AA 1978, 449–470; 1979, 379–411; 1981, 149–194; 1982, 393–430; 1983, 277–328; 1988, 105–151 8 J. MARAN, Das Megaron im Megaron, in: AA 2000, 1–16 9 Ders., T., Mauern und Paläste für namenlose Herrscher, in: DAI (Hrsg.), Arch. Entdeckungen. Die Forsch. des DAI im 20. Jh., 2000, 118–123 10 K. MÜLLER, Die Architektur der Burg und des Palastes (= T. Die Ergebnisse der Ausgrabungen des Inst., Bd. III), 1930 11 Ders., Die Urfirniskeramik, (= Tiryns. Die Ergebnisse des Inst., Bd. IV), 1938 12 W. MÜLLER, F. OELMANN, Die Nekropole der »geom.« Periode, in: A. FRICKENHAUS (Hrsg.), T. Die Ergebnisse der Ausgrabungen des Inst. Bd. I, 1912, 127–168 13 G. RODENWALDT et al., Die Fresken des Palastes (= T. Die Ergebnisse der Ausgrabungen des Inst. Bd. II), 1912 14 H. SCHLIEMANN, T. Der prähistor. Palast der Könige von T., Leipzig 1886. WOLFGANG SCHIERING

Tonartenlehre. Durch die *Institutio musica* von Boëthius werden dem MA Skalen überliefert, also Tonfolgen mit bestimmten Abständen (Intervallen) zw. den einzelnen Tönen. Das derart tradierte Material ist griech., wird aber bereits durch Boëthius falsch aufgefaßt und umgedeutet. Aufgrund solcher Textteile entwickelt sich im Zuge der Adaptierung des gregorianischen Chorals eine Lehre von den Tonarten, die bis h. in ihrem systematischen Stadium unter dem Topos der Kirchentonarten gefaßt ist (Übersichten: [1; 4]). Zu den damit ebenfalls assoziierten Topoi gehört die Lehre von den mit einer Tonart evozierten Affekten (→ Musik II. Stoffgeschichte C. 3. Musikalische Ethoslehre). Frühe Texte zur T. vom 9. Jh. an sind schwierig deutbar, da sie noch alle Probleme der enormen Stoffülle gegenüber einer noch unausgebildeten Terminologie zeigen. In der Ausbildung dieser Lehre werden Parameter etabliert, etwa Umfang (*ambitus*) des Gesanges, zentraler Achsenton (*tenor* oder *repercussa*) und Schlußton (*finalis*). Damit wird kein deskriptives Fundament gelegt, sondern eine Norm errichtet, an die Gesänge angepaßt werden.

Die Schwierigkeit, diese Lehre auszubilden, lag darin, daß der Ansatz einer Skalenbildung für das in Frage stehende Melos fremdartig war. Der Modus (dies die h. übliche Bezeichnung für Tonarten bis ins 16. Jh.) läßt sich verstehen als Kontinuum zw. den beiden Extremen Melodie und Skala [6. 377b]. Der Faktor Melodie meint, daß eine an Modellen orientierte Melodik Bezüge innerhalb der Gesänge eines bestimmten Corpus schuf. Dieser urspr., einer semitischen Tradierung eigenen Faktur wird der Gesichtspunkt der Skala erst in einem rationalisierenden, um einheitliche Kriterien gemäß dem verbindlichen *textus* von Boëthius bemühten Stadium zugedacht. Neben dem von der Lehre favorisierten Faktor der Skala findet sich der melodische Aspekt noch über Jh. hinweg. Er ist auch in Volksliedern oft noch vorhanden.

Mit einer skalenorientierten T. konnten Corpora unterteilt werden, wobei die in der überlieferten Lehre lange Zeit hervorgehobene Zahl von acht Tonarten in der Praxis oft wenig gilt. Mittelalterliche Corpora mit nur zwei Tonarten sind bekannt. Die Festlegung einer verbindlichen Menge von Tonarten geschieht in einer Zeit der Rekonstruktion der ant. griech. T. einerseits und der Idee einer *ars perfecta*, einer »vollständigen« (nicht einer »vollkommenen«) Lehre, die abschließend das mögliche Repertoire an Tonarten umfassen sollte andererseits. Das Unternehmen ist mit dem Namen des Theoretikers Henricus Glareanus (1488–1563) verbunden. Durch die Analyse isomorpher Skalenteile wurde dann nach einem längeren, in sich keineswegs folgerichtigen Prozeß die Vorstellung von Tongeschlechtern (Dur, Moll) geläufig, in deren Rahmen Tonarten fungieren [2]. Das damit geschaffene, im 18. und 19. Jh. geläufige Inventar wird in dem Maße fraglich, als die geläufigen, mit dem Begriff »Tonart« verbundenen skalaren Ordnungen zugunsten neuer, über Skalen anders verfügender Kompositionsmodelle aufgegeben werden [5].

→ AWI Musik; Tontheorie; Sphärenharmonie

1 T. Ertelt, F. Zaminer (Hrsg.), Die Lehre vom einstimmigen liturgischen Gesang, 2000 (= Geschichte der Musiktheorie Bd. 4) 2 M. Fend, Die Haut oder der Hut? Zur Geschichtlichkeit musikalischer Anschauungs- und Denkformen, in: [3. 69–117] 3 M. Haas, W. Marx, F. Reckow (†) (Hrsg.), Anschauungs- und Denkformen in der Musik, 2002 4 D. Hiley, Western Plainchant. A Handbook, 1993 5 T. Hirsbrunner, Dt. und frz. Musikdenken am Beispiel von Schönberg und Messiaen, in: [3. 137–154] 6 H. Powers, s. v. Mode § I, in: NGrove 12, 376–378. MAX HAAS

Toranlagen/Stadttore A. Ikonographische und symbolische Rezeption im Mittelalter B. Architektonische Rezeption im Mittelalter C. Renaissance, Barock D. Klassizismus, Historismus

A. Ikonographische und symbolische Rezeption im Mittelalter

Neben ihrer arch. und architektonischen Rezeption repräsentieren Stadttore (S.) während des gesamten MA und darüber hinaus eine symbolisch-ikonographische Formel, die als Hoheitsmotiv weit verbreitet war. Die Toranlagen-Ikonographie verbildlicht so die kaiserliche Rom- und die christl. Jerusalem-Idee [8; 22] sowie die Vorstellung von Toranlagen (T.) als architektonischen Repräsentanten einer jeden Stadt. Seit der Ant. tritt die Abbreviatur bes. in Hoheitsmedien wie Münzen, später auch auf Wappen und Siegeln auf. Sie besitzt in der Bulle Karls d. Gr. mit der ideologischen Inschr. *Renovatio Romanorum Imperii* um ein derartiges T.-Bild oder in der Goldbulle Kaiser Ludwigs IV., von Kaiser Sigismund 1433 wiederverwendet, ihre evidentesten Zeugnisse [8; 20]. Nur gelegentlich nutzen kommunale Institutionen ihre ant. T.-Monumente zur Versinnbildlichung der *communitas* auf dem Stadtsiegel (Ravenna, Fano, Rimini) [9; 16] (Abb. 1). Häufiger tritt ein denk-

Abb. 1: Abdruck eines Siegels der Stadt Fano mit der antiken Porta Augustea (13. Jahrhundert)

malbewußter Umgang mit ant. S. zutage, wenn ant. T. nach dem Vorbild von → Triumphbögen bewußt an ma. Befestigungen in Szene gesetzt werden (Verona, Fano, Nîmes, Rimini, Spello, Spoleto, Perugia) [13]. Demgegenüber ist der Umgang mit der Trierer Porta Nigra als Beispiel für einen Bedeutungsverlust der Bauaufgabe zu werten, da weder der Hl. Simeon als Eremit noch die ihm geweihte Kirche im Torbau (ca. 1040–1060) inhaltlich auf diesen Bezug nehmen [14] (→ Trier).

B. Architektonische Rezeption im Mittelalter

Die architektonische Rezeption ant. S. für ma. T. verlief nicht einhellig. Herausragendes Beispiel einer architektonischen → Interpretatio christiana ist die Torhalle des Klosters Lorsch am Rhein (767–774), deren Grundform auf stadtröm. Tore zurückgeht [18]. Eine ganze Reihe hoch- und spätma. Doppelturm-T. in Mitteleuropa leiten sich offensichtlich von den doppeltürmigen, ein- oder zweibogigen und mit Fenstergalerien versehenen spätkaiserzeitlichen T. Roms ab. Zu nennen sind die spätstaufischen S. im Rheinland (Köln, Aachen) [17], die Porta Soprana in Genua (1155–1159) [11], zahlreiche niederländische, flandrische, westfälische und niedersächsische Doppelturmtore des 13. und 14. Jh. (Gent, Brügge, Dortmund, Goslar) sowie das Lübecker Holstentor mit seiner röm. Inschriftenformel (1467–1479) oder das Danziger Krantor (1442) [21]. Wie unspezifisch sich ma. Ant.-Rezeptionen jedoch gestalten konnten, bezeugt das Brückentor Kaiser Friedrichs II. in Capua (ca. 1234–1239), das infolge der partiellen Verkleidung mit einer kunstvollen Rustika und eines umfangreichen Skulpturenprogramms als gänzlich unantik, jedoch antikisierend erscheint [27].

C. Renaissance, Barock

Die im 15. Jh. wieder zunehmende Tendenz zu monumentalisierender, künstlerisch gestalteter T.-Architektur ist orientiert an reich dekorierten augusteischen und tiberianischen Stadttoren [9]. Sie gipfelt im Diktum

Abb. 2: Perugia, Porta San Pietro,
Agostino di Duccio (1475)

L. B. Albertis, daß S. nicht anders als Triumphbögen zu
verkleiden seien (8,6 in: [1]). Albertis Identifizierung
von T. und Ehrenbogen, die nur selten von Theoreti-
kern aufgegriffen wird (Serlio, Scamozzi) [4; 5], führt in
der Baupraxis des 15.–18. Jh. und vor dem Hintergrund
der Entwicklung bastionärer Befestigungen zur Etablierung der S. als autonome Bauaufgabe [23]. Die wir-
kungsreichsten Beispiele verknüpfen Wehr- und zivilen
Repräsentationsbau miteinander und entstehen überwiegend in It. (Perugia: Porta S. Pietro von A. di Duccio, 1470ff.; Neapel, Porta Capuana von G. da Maiano,
1487ff.; Abb. 2). Die umfangreichen Neubefestigun-
gen seit Beginn des 16. Jh. lassen in den meisten europ.
Städten ungezählte neue S. entstehen, deren Anlehnung
an die Ant. sich jedoch überwiegend auf → Säulenordnungen, Triumphalmotiv und Bossenfassaden beschränkt und bes. in It. zu beobachten ist. Die bossierte
Fassade als Wehrmotiv wird dabei irrtümlich von der
sog. Porta Maggiore in Rom abgeleitet, die jedoch kein
ant. S. darstellt [7]. Die Bauten werden trotz ihrer mil.
Funktion als Denkmäler aufgefaßt und verdeutlichen
damit den unspezifischen Charakter der Antikerezeption (u. a. Padua: Porta Savonarola, Porta San Giovanni
von G. M. Falconetto, 1528ff.; Verona: Porta Nuova,
Porta Palio von M. Samicheli 1533ff.; Genua: Porta
Molo von G. G. Alessi, 1553 vollendet; Rom, Porta S.
Giovanni von A. da Sangallo d. J. (1543–1546) [23].

Die it. Ren.-T. sind vorbildlich für ganz Europa; die
Säulenbücher des 16. und 17. Jh. unterstützen die Verbreitung des triumphal aufgefaßten Rustika-Tors [12].
Dabei verwirklicht die barocke Architektur nur noch
antikeferne, z. T. monumentale T., die sich zudem eher
als Triumphbögen verstehen, wie etwa die 1671–1673
von F. Blondel erbaute Pariser Porte Saint Denis.

D. Klassizismus, Historismus

Zu einer dem Verständnis nach »ursprünglicheren«
antikisierenden Form von Toren findet C.-N. Ledoux
bei den Zollhäusern von Paris (1784–1789). Diese im
19. Jh. überwiegend zerstörten Bauten vereinen klass.
Architekturmuster mit elementaren Grundformen wie
Kreis, Kugel, Kubus und Pyramide [25]. Auf die Spitze
treibt E.-L. Boullée die Bauaufgabe S. in seinen megalomanen Entwürfen und ihrer theoretischen Reflexion
[2]. Gleichwohl erlebt die Bauaufgabe im Rahmen des
Doric Revival (→ Greek Revival) eine Belebung, die
funktional durch die Entfestigung der europ. Städte
modifiziert wird (F. Gilly, Entwurf zu einem S., 1799;
N. A. de Salins de Montfort, Torentwürfe für Frankfurt,
1807; C. F. Hansen, Entwurf für ein Arsenaltor, 1808;
G. Rossi, Entwurf für ein Zollhaus, 1810) [19].

Die Wiederaneignung der griech. Kunst erweitert
den architektonischen Kanon und zieht die verstärkte
Rezeption des Propyläenbaus der Akropolis (→ Athen)
nach sich. Durch die Wiedergabe von J. Stuart und N.
Revett [6] popularisiert, sind die Propyläen mit Giebel-
front und Seitenflügeln Vorbild für C. G. Langhans in
Berlin (Brandenburger Tor, 1788–1791), K. F. Weinbrenner in Karlsruhe (Ettlinger Tor, 1797), J. H. Jussow
in Kassel (*Entwurf für Wilhelmshöher Tor*, 1803) sowie
W. P. Stassow in Moskau (Petersburger Tor, 1833–
1839). L. v. Klenze zitiert dagegen das athenische Vorbild in München in Form einer Platzwand am Königs-
platz (1854–1862) und zur Veranschaulichung der
griech. Architekturstile (→ Athen I., Abb. 4) [26]. In der
histor. Bahnhofsarchitektur des 19. Jh. existierte mit der
Londoner Euston Station (1835–1839) ein Beispiel für
die Rezeption der Athener Propyläen.

Vorbildlich wurden dagegen röm. T.-Bauten, die
bereits J. N. L. Durand in seinem einflußreichen Traktat
zur Bogenhalle umdeutet [3. Bd. 2]. Daran anschließend
entstehen Bahnhofsfassaden mit Bogenzugang (zwei-

bis fünfbogig) und Fenstergeschossen, flankiert von Türmen, wie in Leipzig (Sächsisch-Bayerischer Bahnhof, 1842–1845), in Berlin (Hamburger Bahnhof, 1845–1847), in Stockholm (Hauptbahnhof, 1871), oder unabhängig von Durand in der Art eines Pylonentors mit Triumphbogen die Liverpooler Edge Hill Station (1830) – der früheste Bahnhofsbau mit derartigen architekturhistor. Rückgriffen [10].

QU **1** L. B. ALBERTI, De re aedificatoria, 1485 (dt.: Zehn B. über die Baukunst. Ins Dt. übertragen, eingeleitet und mit Anm. und Zeichnungen versehen durch M. THEUER, 1912) **2** E. L. BOULLÉE, Architektur. Abh. über die Kunst (1793 Ms.), Hrsg. v. B. WYSS, 1987 **3** J. N. L. DURAND, Précis de leçons d'architecture, Paris 1802 **4** S. SERLIO, Il libro dell'architettura, Venedig 1584 **5** V. SCAMOZZI, L'idea dell'architettura universale, Venedig 1615 **6** J. STUART, N. REVETT, Antiquities of Athens, Bd. 2, London 1787

LIT **7** J. ACKERMANN, The Tuscan/Rustic Order, in: Journ. of the Society of Architectural Historians 42, 1983, 15–34 **8** E. BALDWIN SMITH, Architectural Symbolism of Imperial Rome and the Middle Ages, 1965 **9** G. BRANDS, Architekturrezeption der Hochren. am Beispiel röm. S., in: R. HARPRATH, H. WREDE (Hrsg.), Antikenzeichnung und Antikenstudium in Ren. und Frühbarock, 1989, 81–110 **10** R. DAUBER, Stadtpalais, Landhaus und S., in: architectura 1990, 77–90 **11** C. DUFOUR BOZZO, La porta urbana nel Medioevo: porta soprana di Sant'Andrea, 1989 **12** E. FORSSMANN, Dorisch, Jonisch, Korinthisch. Stud. über den Gebrauch der Säulenordnungen in der Architektur des 16.–18. Jh., 1964 **13** M. GREENHALGH, The Survival of Roman Antiquities in the Middle Ages, 1989 **14** F.-J. HEYEN, Das Stift St. Simeon in Trier (= Germania Sacra 41,9), 2002 **15** H. KÄHLER, Die röm. Torburgen in der frühen Kaiserzeit, in: JDAI 57, 1942, 1–108 **16** Ders., Die Porta Aurea in Ravenna, in: Röm. Mitteilungen 50, 1935, 172–244 **17** U. MAINZER, S. im Rheinland, 1975 **18** K. MERKEL, Die Antikenrezeption der sog. Lorscher Torhalle, in: Kunst in Hessen und am Mittelrhein, 32/33, 1992/93, 23–42 **19** W. NERDINGER, K. J. PHILIPP, HANS-PETER SCHWARZ (Hrsg.), Revolutionsarchitektur, 1990 **20** Kunst und Kultur der Karolingerzeit, Ausstellungskat. hrsg. v. C. STIEGEMANN, M. WEMHOFF, 1999 **21** W. SCHADENDORF, Das Holstentor zu Lübeck, 1978 **22** N. SCHNEIDER, Civitas, 1972 **23** ST. SCHWEIZER, Zw. Repräsentation und Funktion. Die S. der Ren. in It., 2002 **24** H. TROST, Norddt. S. zw. Elbe und Oder, 1959 **25** A. VIDLER, C.-N. Ledoux: Architecture and Social Reform at the End of the Ancient Regime, 1990 **26** U. WESTFEHLING, Der Triumphbogen im 19. und 20. Jh., 1977 **27** C. A. WILLEMSEN, Kaiser Friedrichs II. Triumphtor zu Capua, 1953. STEFAN SCHWEIZER

Torso (Belvedere)   A. EINLEITUNG   B. KÜNSTLERISCHES VORBILD   C. SYMBOL DER UNTERGEGANGENEN ANTIKE, DER BILDHAUEREI; DER TORSO ALS KÜNSTLERISCHE FORM

A. EINLEITUNG

Unter Torso (T.) (it., eigentlich Strunk, auch *tronco* genannt; vom griech. *thýrsos*) versteht man seit der → Renaissance eine durch Zerstörung fragmentierte, meist des Kopfs und der Gliedmaßen beraubte Statue des Alt., seit jüngerer Zeit auch Skulpturen, deren Körper in bewußter künstlerischer Absicht unvollständig blieben.

Als Namensgeber diente das Figuren-Frg. eines überlebensgroßen nackten Mannes, das durch seine Aufstellung im vatikanischen Belvedere-Hof als »T. vom Belvedere« – T(B) – weithin bekannt war (Marmor, Höhe 1,59 cm; Rom, VM). Es handelt sich um eine der Unterschenkel, des Kopfs, der Arme und Teile der Brust und des Gesäßes (Anstückungen) beraubte marmorne Sitzfigur (signiert: ›Apollonios aus Athen, Sohn des Nestor‹), wohl die Kopie eines mittelhell. Originals von pergamenischem Habitus. Lange Zeit meist als Heraklesfigur gedeutet, wird sie neuerdings überzeugend mit einer melancholisch sinnenden Aias-Gestalt identifiziert und entsprechend ikonographisch rekonstruiert [13].

Die Fundumstände sind unbekannt; erwähnt wird der T(B) erstmals um 1435. Zunächst in Colonna-Besitz (Rom), gehörte er um 1500 dem Bildhauer Andrea Bregno; aus dieser Zeit stammen die ersten Zeichnungen (A. Aspertini, um 1500, *Wolfegger Skizzenbuch*) und der erste Kupferstich (Giov. Ant. da Brescia, um 1515). So hat der T. bereits vor seiner Aufstellung im vatikanischen Belvedere (1530er J.) markante Spuren in der zeitgenössischen Kunst hinterlassen. An diesem prominenten Ort wurde ihm vermehrte und anhaltende Aufmerksamkeit zuteil. 1797 zählte er zu den von Napoleon geraubten Kunstwerken (1816 zurückgeführt).

B. KÜNSTLERISCHES VORBILD

Von Touristen und Ikonographen wegen der Deutungsschwierigkeit zunächst weniger beachtet, machte der T(B) v. a. bei den Künstlern Eindruck. Der ungewohnt voluminöse, muskulär-pathetische Habitus trug – vergleichbar und zeitgleich mit der 1506 entdeckten → Laokoongruppe – zu einem tiefgreifenden Stilwandel bei: von der Früh- zur Hochrenaissance. Als Urheber dieses Wandels erkannte man sogleich Michelangelo, was der Skulptur vorübergehend auch die Bezeichnung »T. di Michelangelo« eintrug, ohne daß Berührungen des Meisters mit dem T. dokumentiert sind. Bestätigend wird man sagen dürfen, daß erst ein Künstler wie Michelangelo, der zahlreiche Werke unvollendet hinterließ, den Wert eines Frg. zu würdigen verstand. Jedenfalls ist der Eindruck des T(B) im Œuvre des Meisters evident, in der Malerei etwa bei den sitzenden *ignudi* der *Sixtinischen Decke* (1509–1511) und dem Bartholomäus des *Jüngsten Gerichts* (1537–1541), in der Plastik bei *Il Giorno* und den Herzögen vom Medici-Grab in Florenz (1524–1533) [9].

Die Legende von der »Schülerschaft« Michelangelos, die eine eigene Ikonographie provozierte [13. Nr. 8–14] (Abb. 1), machte den T(B) zu einem obligatorischen »Lehrstoff« für die folgenden Künstlergenerationen bis ins 20. Jahrhundert. Davon zeugen ungezählte zeichnerische Wiedergaben, unter ihnen solche von Beccafumi, Heemskerk, Melchior Lorch, Passarotti, Goltzius,

Abb. 1: Theobald Stein, Michelangelo und der Torso, 1897. Bronze, 30 cm, Privatbesitz

Rubens, Carlo Maratta, Lancret, Canova, Turner, Delacroix, Picasso [1. Nr. 132; 13]. Die Abformung des T. fehlte in keiner Kunstakademie, kein Lehrbuch der Zeichenkunst und Anatomie verzichtete auf ihn. Der T. erscheint ebenso in der betreffenden Illustration von Diderots *Encyclopédie* (Bd. 4; Paris 1762) wie in der des »Sittenbildners« Hogarth, wo er markant als künstlerisches Vorbild und Modell der *Line of Beauty* figuriert [5]. Hogarth diskutiert hier den T(B) auch in anatomischer Hinsicht, nachdem dieser bereits lange zuvor als (sezierte) Demonstrationsfigur des männlichen Unterkörpers in Vesalius' Anatomie (*De fabrica . . .*, 1543) gedient hatte.

Nicht minder bedeutend war die produktive künstlerische Beschäftigung mit dem T. Die dem Körper-Frg. eigene Drehung und Gespanntheit, die gespreizten Oberschenkel, das Muskelrelief von Thorax, Schulter und Rücken ist – nach Michelangelos Vorbild – ungezählten Gestalten, gemalten und plastischen, inkorporiert, wenn auch wegen des notwendig partiellen Charakters nicht immer sogleich zu erkennen. Die so gewonnenen Figuren gerieten oft nolens volens zu Rekonstruktionen des T., der aus sich heraus keine eindeutigen Ergänzungen nahelegt. Dabei förderte die herrschende, auch von Winckelmann geteilte Annahme, es handele sich um eine Herkulesfigur, die Wahl einer entsprechenden Ikonographie, die indes das Sitz-

motiv voraussetzte: meist also Herkules und Omphale und Herkules am Scheideweg. Der Held – unheldisch – mit Omphale erscheint bereits früh nördl. der Alpen: 1533 bei Baldung Grien [13. Nr. 114, 115], um 1585 bei Barth. Spranger [13. Nr. 117], sodann bei Rubens um 1602 [13. Nr. 119]; am Scheideweg etwa bei Cranach d.Ä (1537; Braunschweig, Herzog Anton Ulrich Museum), Seb. Ricci (1703/04; Belluno, Pal. Fulcis-De Bertoldi), Pomp. Battoni (1748; Vaduz, Liechtenstein Galerie). Als einzelfiguriger Herkules (Skulptur) ruhend: Ant. Lombardo (um 1510; St. Petersburg, Eremitage), Peter Vischer d.J. (Eckfigur des Sebaldusgrabs, 1515–1519; Nürnberg, St. Sebald), Pierre Puget [13. Nr. 122]. Weitere Rollen (Malerei und Plastik): als Neptun um 1505 bei Peter Vischer d.Ä. [13. Nr. 128]; als Mars 1510–1520 bei Conrad Meit, bei Ant. Lombardo um 1512 [13. Nr. 130] und Marcanton Raimondi 1508 (Kupferstich [13. Nr. 129]); als Apollo bei Dosso Dossi um 1520–1525 [13. Nr. 133]; als Adam bei Tizian (Sündenfall, um 1570; Madrid, Prado); als *Christus im Elend* bei Adrian de Vries 1607 [13. Nr. 138]; als *Gotteslästerer* bei William Blake um 1800 (Aquarell [13. Nr. 142]); als *Denker* bei Rodin 1880–88 [13. Nr. 150] oder als bloßer *Gigant* bei Goya (um 1818, Radierung).

C. Symbol der untergegangenen Antike, der Bildhauerei; der Torso als künstlerische Form

Die sprichwörtliche Wertschätzung Michelangelos wie auch die ikonographische Unbestimmtheit hatten verhindert, daß der T(B) – wie üblich – ergänzt wurde. Selbst Winckelmann wußte den fragmentarischen Zustand zu verschmerzen: ›Scheinet es unbegreiflich, außer dem Haupte, in einem anderen Teil des Körpers eine denkende Kraft zu zeigen, so lernet hier, wie die Hand eines schöpferischen Meisters die Materie geistig zu machen vermögend ist‹ [12]. So kam es, daß der T(B) nicht zuletzt als purer T. rezipiert und nachgerade zu dessen Synonym wurde. Exemplarisch versöhnte er damit gleichsam die Ren. der Ant. mit deren notwendigerweise verstümmelten Überlieferung und konnte so zum Kompagnon von Chronos werden: vgl. u.a. das Frontispiz von Fr. Perrier, ›Segmenta nobilium signorum et statuorum quae temporis dentem inviduum evasere‹ (... »die dem neidischen Zahn der Zeit entkommen«), wo der Zeitgott am T(B) nagt wie Saturn an seinen Kindern, Rom 1638 (Abb. 2) [13. Nr. 101]; in diesem Sinne wurde »T.« unter ausdrücklichem Bezug auf den T(B) auch als Zeitschriften-Titel verwendet: ›Der T. Eine Zeitschrift der alten und neuen Kunst‹ (Bd. 1, Breslau 1796/97).

Abb. 2: François Perrier, Frontispiz von: *Segmenta nobilium Signorum et Statuarii.* Rom 1638, Kupferstich

Symptomatisch für die Nobilitierung des Fragmentarischen und Ruinösen sind die zeitgenössischen Kleinbronzen des unergänzten T. [8. 171, Anm. 2; 13. Nr. 15–18], die von vornherein als sammelbare künstlerische Endprodukte galten. In der Hand porträtierter Personen verweisen sie auf deren Beruf als Bildhauer: B. Licinio, Familienbild (1524; Rom, Gallerie Borghese), Cariani (?), Porträt eines Bildhauers (um 1530; Privatsammlung) [8. Abb. 8 u. 9]. Der T., nicht etwa eine komplette Skulptur, war zum Signum, zur Allegorie der Bildhauerei geworden.

Mit dieser Bestimmung erscheint der T(B) auf ungezählten programmatischen Darstellungen – Gemälden, Graphik, Plastik –, auf denen die bildenden Künste, insbes. die Skulptur thematisiert sind: so etwa als Titelvignette der *Sculptura oder Bildhauer-Kunst* in Sandrarts *Teutscher Academie* (Bd. 2, Nürnberg 1679; Abb. 3), auf dem Wappen der Académie Royale de Peinture (2. Viertel 18. Jh.), dem Akademie-Aufnahmestück von Jacques Buirette (*La Peinture et la Sculpture*, Marmorrelief, 1661; Paris, Louvre; Abb. 4); mit entsprechender Aussage auf einer Gedenkmedaille auf Michelangelo von G. L. Errand (*faeliciter iunxit*, Bronze, 1673), der Allegorie der Skulptur von Etienne Falconet (Marmor, um 1754; London, Victoria & Albert Museum) usw. [13. Nr. 90, 88, 9, 91].

Als notorischer Dekor von Kunstinstituten schien der T(B) im 19. Jh. vollends zum Synonym akad. Kunst abgesunken zu sein; davon zeugt die bauplastische Verwendung am Haus des Architekten Giuseppe Valadier in Rom (um 1820), in einem Giebelfeld des Louvre (Mitte 19. Jh.) [8. Abb. 15, 16], ja sogar als Motiv-Sequenz (»Sculptur«) im Festzug zum »Tag der dt. Kunst« anläßlich der Grundsteinlegung von Hitlers »Haus der dt. Kunst« in München (15.10.1933) [13. Nr. 99] – aus denkbar konservativstem Kunstverständnis. In gleicher Bestimmung ziert der T(B) die Gartenmauer des Palais des Académies in Brüssel (1874), wo er – neben weiteren Kultur-Allegorien – für »Les Arts« steht [8. Abb. 1, 3].

Dieses gleichfalls konventionelle Stück stammt von Auguste Rodin, dem Künstler, der dann den T. für die → Moderne entdeckt und zu einem ihrer wichtigsten künstlerischen Themen, zugleich zum Medium autonomer Kunst gemacht hat. Aufgegriffen von der Bildhauer-Avantgarde – vgl. Bourdelle, Matisse, Maillol, Lehmbruck, Archipenko, Brancusi, Giacometti, Arp, Henry Moore – ist er seither aus der Kunst nicht wegzudenken [2; 4; 7; 8].

→ Rom IV. Museen C. Vatikanische Museen

1 P. P. BOBER, R. O. RUBINSTEIN, Ren. Artists & Antique Sculpture, 1986, Nr. 132 2 H. v. EINEM, Der T. als Thema der bildenden Kunst, in: Zschr. für Ästhetik und allg. Kunstwiss., 29, 1935, 331–334 3 Das Frg. Der Körper in Stücken, Ausstellungskat. Frankfurt a.M. 1990 4 F. HASKELL, N. PENNY, Taste and the Antique, 1981, Nr. 80 5 W. HOGARTH, Analysis of Beauty, London 1753, Pl. I, 54; Pl. II, 76–78 6 H. LADENDORF, Antikenstudium und

Abb. 3: Joachim Sandrart,
Titelvignette *Von der Scultura*,
in: *Teutsche Academie* II,
Nürnberg 1679, Kupferstich

Abb. 4: Jacques Buirette, La Peinture et la Sculpture, 1661.
Marmorrelief, 78 × 76 cm. Paris, Louvre

Antikenkopie, Berlin 1958, 31 f. **7** J. A. SCHMOLL GEN.
EISENWERTH (Hrsg.), Das Unvollendete als künstlerische
Form, 1959 **8** W. SCHNELL, Der T. als Problem der mod.
Kunst, 1980 **9** Michelangelo e l'arte classica,
Ausstellungskat. Florenz 1987 **10** G. SCHWEIKHART, Zw.
Bewunderung und Ablehnung: Der T. im 16. und frühen
17. Jh., in: Kölner Jb. 26, 1993, 27–47 **11** CHR. SCHWINN,
Die Bed. des T(B) für Theorie und Praxis der bildenden
Kunst vom 16. Jh. bis Winckelmann, 1973 **12** J. J.
WINCKELMANN, Werke 1, Dresden 1825, 230
13 R. WÜNSCHE, Der T. Ruhm und Rätsel,
Ausstellungskat. München 1998.   BERTHOLD HINZ

Totengespräch A. ENTSTEHUNG DER GATTUNG
B. RENAISSANCE   C. AUFKLÄRUNG
D. 19./20. JAHRHUNDERT

A. ENTSTEHUNG DER GATTUNG

›Wieviel würde wohl jemand darum geben, (…) um
den zu befragen, der das große Heer gegen Troja geführt
hat, oder den Odysseus, den Sisyphos und die unzähligen anderen Männer und Frauen, die man nennen
könnte und mit denen sich dort zu unterhalten, zusam-
menzusein und sie zu befragen unendliche Glückseligkeit bedeuten würde?‹ (Plat. apol. 41b-c). Sokrates'
Vision einer Fortsetzung »sokratischer« Dialoge in der
Unterwelt, in der ihm ein zeitlich und räumlich unbe-
grenzter Dialog mit den Schatten der Verstorbenen vorschwebt, kann als Anstoß für die Gattung »T.« verstanden werden, wie sie als Form des komischen Dialogs
[5. 73] durch Lukian von Samosata (ca. 120–180 n. Chr.)
begründet wurde: Seine dreißig kurzen Νεκρικοὶ Διά-
λογοι stellen fiktive Gesprächssituationen dar, die nicht
nur in einem von der irdischen Welt abgelegenen Raum
stattfinden, sondern auch (und damit geht Lukian über
das seit Homers *Odyssee* (B. 12) immer wieder verwendete Motiv der Katabasis hinaus) ausschließlich von verstorbenen Personen geführt werden. Indem typisierte
Figuren als Vertreter bestimmter menschlicher Verhaltensweisen ins Gespräch gebracht werden, sind die T.
weniger als Personal- denn als Gesellschaftssatiren konzipiert, in denen die Nichtigkeiten des irdischen Lebens
und dessen Glücksvorstellungen verspottet werden;
eine Literatursatire nach Art von Aristophanes' *Fröschen*
fehlt bei Lukian. Sprachrohr des für die T. charakteristischen kynischen Gedankenguts ist in mehr als einem
Drittel der Dialoge Menippus, wobei ein intendierter
Verweis auf den Kyniker Menippos von Gadara (3. Jh.
v. Chr.) naheliegt [13], unter dessen verlorenen Schriften sich auch eine »Nekyia« befand, die Lukian als Gat-
tungsvorlage gedient haben könnte [6. 191–214]. Innerhalb des lukianischen Œuvres stehen die T. formal in
einer Reihe mit den Dialogsammlungen der Götter-,
Meergötter- und Hetärengespräche sowie inhaltlich mit
den Unterweltsdialogen *Nekyomanteía* und *Katáplous*.

B. Renaissance

Nachdem Lukians Werke in der Spätant. kaum beachtet wurden, finden sich erste Spuren einer kreativen Rezeption der T. in den an die *Nekyomanteía* angelehnten byz. Hadesfahrten *Timarion* (12. Jh.) und *Mazaris* (14. Jh.) [14. 21–22; 15. 76–81]. Zu neuer Blüte gelangte die Form im Zuge der generellen Lukianrenaissance im → Humanismus [11; 10; 1. 27–51], als die T. nach zahlreichen Übers. ins Lat. und Dt. unter Melanchthons Einfluß neben weiteren lukianischen Schriften in den Bildungskanon aufgenommen und zur Schullektüre empfohlen wurden. Entscheidende Faktoren für die Popularität der Gattung waren neben der Kürze der Dialoge und der vorbildlichen att. Sprache ihr moralisierender Gehalt und das satirische Potential, das in kreativen Rezeptionen (wie in Ulrich von Huttens *Phalarismus*, 1517) mehr und mehr zur Personalsatire genutzt werden konnte. Besonders häufig wurden T. zur Kritik an herrschenden kirchlichen Mißständen funktionalisiert, die unter dem Schleier einer heidnischen Szenerie um so stärker hervortrat [1. 49–50]. So versetzen zahlreiche anon. erschienene T. Päpste in die Unterwelt, um ihre unchristl. Gesinnung zu parodieren [14. 24], und Erasmus greift im *Charon* (*Colloquia familiaria* XLV, 1518) auf das 14. und 20. T. Lukians zurück [15. 174–177], um die Ablaßprediger und Ketzerprozesse seiner Zeit zu kritisieren. Weitere wichtige Rezeptionszeugnisse sind die Patriotisierung von Lukians 12. T. in Huttens *Arminius* (1529), in dem der dt. Feldherr seine Vorrangstellung unter den Kollegen einklagt und erhält, sowie Hans Sachs' Trag. *Charon mit den abgeschiednen Geistern* (1531), die nach dem 20. T. Lukians modelliert ist. In der Malerei gaben Lukians T. den Anstoß zu Hans Holbeins *Totentänzen*.

C. Aufklärung

1. Frankreich

Die T. gehören im 17. Jh. zu den am meisten gelesenen lukianischen Werken [1. 59–60] und erfahren zu Beginn der Frühaufklärung in Frankreich durch Fontenelle und Fénelon die wohl wirkmächtigste Rezeption [18. 52–64; 4. 33–113]: In seinen 36 *Nouveaux Dialogues des Morts* (1683/84) modernisiert Fontenelle die lukianische Form, indem er auf das ant. Unterweltsinventar verzichtet und verstärkt berühmte Persönlichkeiten aus der jüngeren Geschichte ins Gespräch bringt. Charakteristisch für seine Sammlung ist die schematische Dreiteilung in *Dialogues des Morts Anciens*, *Dialogues des Morts Anciens avec des Modernes* und *Dialogues des Morts Modernes*. Dabei behält Fontenelle die moralische Ausrichtung der Gespräche bei, die er als typisch lukianisch betrachtet und am Schluß seiner Dialoge in einer Sentenz zusammenfaßt. Fénelons ab 1690 erschienene *Dialogues des morts composez pour l'éducation d'un prince*, die er als Erzieher des Duc de Bourgogne verfaßt hatte, trennen die Form völlig von heidnischen Unterweltsvorstellungen und stellen den Versuch einer systematischen Verchristlichung des T. dar [18. 64–83]. Die Beliebtheit beider Dialogsammlungen, v. a. aber Fontenelles, verschafften der Gattung in ganz Europa eine ungeheure Popularität.

2. Deutschland

In Deutschland gab David Faßmann in Anlehnung an Fontenelle zw. 1718 und 1739 das Journal *Gespräche im Reiche derer Todten* heraus, in dem insgesamt 240 T. erschienen [7; 9]. Anstatt jedoch wie sein Vorbild zu moralisieren, nutzte Faßmann die Form für Lebensbeschreibungen berühmter Persönlichkeiten und zur Darstellung histor. Begebenheiten, die er mit eigenen polit. Beobachtungen anreicherte. Die Popularität von Faßmanns Gesprächen, die Lukian nur indirekt über die Gattung rezipieren, trug auch zu einem verstärkten direkten Rückgriff auf den griech. Satiriker bei: In dem Bemühen, ein Qualitätssiegel für die mit Faßmann einsetzende »Flut« von T. zu finden, entwickelte Johann Christoph Gottsched im Anschluß an seine Übers. der Fontenelleschen T. (1725) seine Theorie des Gesprächs anhand von Lukians T. [1. 75–81] und veröffentlichte in seiner Zeitschrift *Die Vernünftigen Tadlerinnen* (1725–1726) eigene T. in lukianischem Stil. Lukian wurde in der Folge wieder zum Vorbild für die von ihm begründete Gattung, wie es u. a. in der Vorrede zum anon. erschienenen *Ausserordentlichen Gespräch im Reiche der Todten zw. dem ersten Menschen Adam und Joseph dem Pflege-Vater des Herrn Christi* (1735) deutlich zum Ausdruck kommt: ›Das gute Absehen, welches der Erfinder oder Anfänger solcher Todtengespräche gehabt, ist nachgehends von andern, die nur lauter abgeschmackte Sachen um eines schnöden und schlechten Gewinns willen vorgetragen haben, sehr gemißbrauchet worden, also, daß manchem Gelehrten anjetzo dieser Titel gantz eckel vorkommet. Gleichwohl ist es auch gewiß, daß man eines bösen Mißbrauchs halber einen guten Gebrauch nicht wegwerfen sondern solchen immer mehr und mehr zu erheben suchen soll‹ [1. 71]. Das thematische Potential der über 500 in Deutschland im 18. Jh. erschienenen kreativen T.-Rezeptionen [16. 134–163] reicht von rel., histor. und polit. Fragestellungen bis hin zu literaturkritischen Diskursen: Goethe nutzte die Form in seiner Farce *Götter, Helden und Wieland* (1773/74), um polemisch gegen eine sentimental verzerrte Antikerezeption Front zu machen [12]; Klopstock alias Kostpolk mußte sich bei Georg Karl Claudius im *Zweyten Transport der Schatten in die Unterwelt* von seinen allzu seichten lit. Ergüssen trennen, und David Christoph Seybold ließ in seinen *Gespräche(n) im Reiche der Toten in Lucianischer Manier* (1780) Gottsched und Klotz den Verfall ihrer »papiernen Throne« beklagen. Die Rezeption dieser Gattung trug wesentlich zur Wiederentdeckung von Lukians Werken überhaupt bei, die in der Lukianbegeisterung Wielands gipfelte [1. 89–113]. Wieland selbst steuerte mit den *Gespräche(n) im Elysium* und dem *Peregrinus Proteus* zwei weitere Rezeptionszeugnisse bei.

3. ENGLAND

Auch in England, wo das T. in zahlreichen Rezeptionen bereits seit der Mitte des 17. Jh. nachweisbar ist [8. 279–280], läßt sich der Einfluß von Fontenelles Dialogen feststellen, die bereits im Erscheinungsjahr (1683) in einzelnen engl. Übers. vorlagen [3. 149]. Während die erste größere Sammlung von zehn T. durch William King (1699), die als lit. Kritik an Richard Bentleys Positionen in der → Querelle des anciens et des modernes geschrieben wurden [8. 38–48], noch keine direkten Bezüge zu Fontenelle aufweist [8. 25–27], stellten sich Autoren wie John Hughes (1708), Matthew Prior (ca. 1721) und George Lyttelton (1760) ausdrücklich in die Fontenellesche Tradition. Charakteristisch für Lytteltons *Dialogues of the Dead*, die als dramatische Präsentation einer ›history of all times and all nations‹ konzipiert wurden und sehr populär waren [8. 75 f.], ist die abwechslungsreiche Mischung der drei aus Fontenelle bekannten Gesprächsgruppen und die »Offenheit« seiner Sammlung: Mit der Aufnahme von drei Dialogen von Elisabeth Montagu erweiterte er die Gespräche thematisch um die Stimme der *bluestockings* und lädt seine Leserschaft symbolisch dazu ein, eigene T. anzufügen – mit Erfolg: Neben einer breiten Rezeption seiner Sammlung in Frankreich und Deutschland läßt sich ein Großteil der engl. T.-Rezeptionen des späten 18. und 19. Jh. auf Lyttelton zurückführen [8. 104–126].

D. 19./20. JAHRHUNDERT

Im 19. Jh. ließ die Beliebtheit des T. v. a. in Deutschland nach. Die Gründe liegen sowohl in einer allmählichen Abkehr von Satire und Dialog als lit. Formen wie in einer verstärkt kritischen Beurteilung des gesamten lukianischen Œuvres [1. 201–239]. Diesbezüglich erwies sich die starke Rückbindung des Genres an ihren Gründer, wie sie noch im 18. Jh. erfolgreich propagiert worden war, als kontraproduktiv, und es ist bezeichnend, daß es die allg. Kritik an der Satire Lukians und der seiner Rezipienten ist, die in Luise Hoffmanns *Heines Ankunft im Schattenreich* (1857) zum Thema eines ›lukianischen‹ T. wird [1. 215–216]. Im 20. Jh. finden sich T. als zeitkritische Satiren u. a. bei Fritz Mauthner (*Totengespräche*, 1906), Paul Ernst (*Erdachte Gespräche*, 1934), Arno Schmidt (*Dichtergespräche im Elysium*, 1941) und Bertolt Brecht (*Verurteilung des Lukullus*, 1939) [17]. Jean-Paul Sartre versetzt in seinem Theaterstück *Huis clos* (»Geschlossene Gesellschaft«, 1944) drei Personen in die Hölle, die sich dort ihrer irdischen Abhängigkeit von fremden Urteilen und rückblickend des selbstverschuldeten »lebendigen Totseins« bewußt werden [2]. Ein »mediales« Jenseits bietet Hans Magnus Enzensberger in seinem Hörspiel *Ohne uns. Ein Totengespräch* (1999), in dem er zwei in Malaysia untergetauchte einstige Rivalen als von der Welt abgeschnittene »Tote auf Urlaub« zusammenführt. Mit Lessing, Heine und Brecht läßt Walter Jens in der jüngsten T.-Rezeption (*Der Teufel lebt nicht mehr, mein Herr! Erdachte Monologe – imaginäre Gespräche*, 2001) erneut Literaten in der Un-

terwelt über Wert und Vergänglichkeit ihrer Werke debattieren.

→ AWI Katabasis; Lukianos [1] von Samosata; Menippos [4] aus Gadara

1 M. BAUMBACH, Lukian in Deutschland, 2002 2 M. BEYERLE, Die Modernisierung der Hölle in Sartres »Huis clos«, in: Aufsätze zur Themen- und Motivgesch. FS H. Petriconi, 1965, 171–188 3 H. CRAIG, Dryden's Lucian, in: Classical Philology 16, 1921, 141–163 4 J. S. EGILSRUD, Le dialogue des morts, 1934 5 J. HALL, Lucian's satire, 1981 6 R. HELM, Lucian und Menipp, 1906 7 K. KASCHMIEDER, David Faßmanns »Gespräche im Reiche der Toten« (1718–1740), 1934 8 F. M. KEENER, English dialogues of the dead, 1973 9 L. LINDENBERG, Leben und Schriften David Faßmanns (1683–1744), Diss. Berlin 1937 10 D. MARSH, Lucian and the Latins, 1998 11 E. MATTIOLI, Luciano e l'Umanesimo, 1980 12 R. PETZOLDT, Literaturkritik im Totenreich. Das lit. T. als Literatursatire am Beispiel von Goethes Farce Götter, Helden und Wieland, in: Wirkendes Wort 3, 1995, 406–416 13 J. C. RELIHAN, Vainglorious Menippus in Lucian's Dialogues of the Dead, in: Illinois Classical Stud. 12, 1987, 185–206 14 J. RENTSCH, Das T. in der Lit., Plauen 1895 15 C. ROBINSON, Lucian and his influence in Europe, 1979 16 J. RUTLEDGE, The dialogue of the dead in 18th Century Germany, 1974 17 H. SCHELLE, s. v. Totengespräch, in: Reallex. der dt. Literaturgesch., Bd. IV, 1984, 475–513 18 L. SCHENK, Lukian und die frz. Lit. im Zeitalter der Aufklärung, 1931.   MANUEL BAUMBACH

Tourismus A. ALLGEMEINES   B. FORMEN UND FUNKTIONEN DES REISENS   C. REISELITERATUR

A. ALLGEMEINES
1. BEGRIFFSGESCHICHTE

Tourismus bezeichnet nach idealtypischer Definition ›die Beziehungen und Erscheinungen, die sich aus der Reise und dem Aufenthalt Ortsfremder ergeben, sofern durch den Aufenthalt keine Niederlassung begründet wird und damit keine Erwerbstätigkeit verbunden ist‹ [33. 270]. Das Wort »Tour« (m.), das über das mittellat. *tornum* auf das griech. *tórnos* (»Kreisstift; Zirkel«) zurückgeht, setzte sich mit dem 17. Jh. im Frz. zur Bezeichnung einer Rundreise durch [19]. Im Dt. wurde »Tour« (f.) zur gleichen Zeit zum Synonym für »größere oder kleinere Reise« [17]. Auch im Engl. begegnet der Begriff bereits im 17. Jh., während sich die davon abgeleiteten Begriffe *tourism* und *tourist* erst im 18. Jh. nachweisen lassen [40]. Im 19. Jh. wurde die engl. Wortform zur Grundlage zahlreicher Neologismen, wie dem Begriff »Tourist«, der im Engl. zuerst 1800 belegt ist, im Frz. 1816 [19. 6142], und der seit den 1830er J. auch in die dt. Sprache Eingang fand [17. 922]. Seit dieser Zeit ist mit dem Begriff die konkrete Vorstellung einer Bildungs- und Vergnügungsreise verbunden, so daß von T. (auch »Touristik«) im engeren Wortsinn erst im 19. Jh. gesprochen werden kann. Nach E. des II. Weltkrieges tritt der Begriff als Bezeichnung eines Massenphänomens in Erscheinung [26].

2. GESCHICHTLICHER ÜBERBLICK

Fast alle Formen des touristischen Reisens, auch organisierter Vergnügungsfahrten (z. B. nach Ägypten), waren bereits in der röm. Ant. voll entwickelt. Die Völkerwanderung brachte diese Formen des Fremdenverkehrs zum Erliegen. Erst im Verlauf des MA kam es wieder zu einer stärkeren Reisetätigkeit. Eine grundlegende Voraussetzung dafür lag in der zunehmenden Verbesserung des Wegesystems innerhalb Europas. Ein stärkerer Handelsverkehr, der Ausbau von Schlössern, urbaner Zentren, von Postwegen und Heilbädern bildeten die Grundvoraussetzung des mod. Tourismus.

Das Reisen innerhalb Europas wurde dadurch begünstigt, daß die christl. Bevölkerung auf das Gebot der Gastfreundschaft (*hospitalitas*) verpflichtet war (Lk 10, 25–37; Mt 25, 38; *Regula Benedictini*, Cap. 53) [34. 113–127]. Seit dem späten 16. Jh. begannen Aristokraten zur Vervollkommnung ihrer Bildung durch Europa zu reisen. Diese bis ins 18. Jh. praktizierte Kavaliersreise (*grand tour*) war eine lebenspraktische Einführung auf allen Gebieten, bes. mit dem Ziel der polit. Bildung, aber auch der Begegnung mit den Stätten der Ant. und den Zentren mod. Kultur. Der Nutzen des Reisens blieb nicht unbestritten; es galt als teuer und gefährlich. Zur Rechtfertigung wurde auf ant. Vorbilder verwiesen, u. a. auf Pythagoras, Lykurg und Solon, die sich durch ausgedehnte Reisen gebildet hätten [38. 137]. Mit dem E. der Aufklärung wurde die Bed. des Reisens als Teil dieser universalen Bildung geringer, stattdessen kam die dem Vergnügen, der Entspannung und Erholung dienende bürgerliche Bäderreise hinzu. Das gehobene Bürgertum trat zu dieser Zeit in die Trad. der Kavaliersreise ein und paßte deren Ideale, die immer stärker konventionalisiert worden waren, bürgerlichen Vorstellungen an.

Die neue Form des Reisens wurde in Deutschland bes. durch Goethe motiviert. Über dessen Werke wurde die Idee, daß die Begegnung mit Wahrem, Gutem und Schönem analoge Kräfte in der menschlichen Seele wecke, zu einem Gemeinplatz bürgerlicher Kultur. Diese Vorstellung war Programm seiner *Italienischen Reise* (1786–1788; in Auszügen gedruckt: 1816/17; vollständig 1829), auf deren Spuren sich in der Folge die bürgerliche Bildungsreise entwickelte. Auch die Schriften Johann Joachim Winckelmanns, der eine neue Art der Kunstanschauung popularisierte, wirkten sich auf die Wahl der Reiseziele aus; Griechenland wurde neu entdeckt. Allgemein erfuhr der internationale T. bis zur Mitte des 19. Jh. durch die von romantischen Idealen getragenen Reisen der Dichter und Maler einen großen Aufschwung; trotz einer sozialen Ausweitung blieb er allerdings einer Minderheit vorbehalten. Um die Mitte des 19. Jh. ging diese Epoche zu Ende. Der Wunsch zu reisen erfaßte zunehmend breitere Gesellschaftsschichten; die Reiseziele wurden zunehmend exotischer, und Pauschal- und Gesellschaftsreisen kamen auf; so durch Thomas Cook (ab 1841), in Deutschland durch die Gebrüder Stangen [20]. Mit der Gründung ihrer Reise-

büros (Cook, 1845 in Leicester; L. und C. Stangen, 1863 in Breslau und Berlin) und der Etablierung eines Transport-, Beherbergungs- und Versorgungsgewerbes entwickelte sich in den bevorzugten Reisegegenden allmählich eine touristische Infrastruktur. Von »Massentourismus« ist allerdings erst nach E. des II. Weltkrieges zu sprechen [21].

3. VORAUSSETZUNGEN UND LOGISTIK

3.1 TOURISMUSTOPOGRAPHIE, REISEZIELE

Die wichtigsten Ziele des touristischen Reisens wurden durch die Schwerpunkte der ant. Kulturentwicklung bestimmt; sie lagen im Mittelmeerraum und den angrenzenden Gebieten. Bis ins 18. Jh. war It. das wichtigste Ziel; Rom stand in der Geschmackshierarchie über Athen. Es war als Zentrum der ant. Welt und Hauptstadt des Christentums seit alters her ein attraktives Reiseziel, das zahlreiche Menschen aus allen Teilen Europas nach It. führte. Schon die Pilger des MA zeigten sich dabei auch an den ant. Überresten interessiert. Eine weitere Reisewelle erreichte Rom durch die Kavalierstouren der 16. bis 18. Jh. [47]. Neben der höfischen Kunst der Oper und der vergleichenden Staatenkunde war das Hauptinteresse der Reisenden auf die kulturellen Werte der Ant. und ihrer arch. Überreste gerichtet [39. 50]. Stärker als andere Reisen war die Tour durch It. in der Frühen Neuzeit standardisiert [38. 145–155]. Die Anreise erfolgte in der Regel auf dem Landweg, wobei Engländer und Franzosen die Alpen zumeist über den Mont Cenis passierten, während Deutsche zumeist den Brenner wählten, um über Bozen und Trient nach Venedig zu gelangen. Die Dogenrepublik mit ihren notorischen Vergnügungen war die erste große Station jeder Italienreise. Von hier wählte man meist ein Postboot, um auf der Brenta nach Padua zu gelangen. Von dort führte der übliche Weg über Bologna und Loreto nach Rom, dem Höhepunkt jeder Italienreise, wo man gewöhnlich die längste Zeit des Aufenthaltes verbrachte [31]. Alternativ reiste man direkt nach der Alpenüberquerung in den Süden und besichtigte Rom erst auf der Rückreise. Neapel galt wegen seiner Lage als schönste Stadt des Landes, von wo man den Vesuv bestieg, die Phlegräischen Felder mit ihren ant. Überresten besichtigte und eine Schiffsreise nach Capri unternahm. Schon im 17. Jh. waren auch 14tägige Pauschalreisen von Rom nach Neapel üblich, die Tagesausflüge nach Pozzuoli und die Besteigung des Vesuv einschlossen [38. 156]. Nach der Mitte des 18. Jh. wurde der Besuch der Ausgrabungen in → Pompeji und → Herculaneum obligatorisch. Insgesamt übte die entstehende Arch. eine starke Faszination auf die europ. Geisteswelt aus und damit auch nachhaltigen Einfluß auf die Auswahl der Reiseziele [49].

Schon in der Ant. hatten röm. Reisende den Norden Griechenlands und das Tempe-Tal besucht, doch verlor dieses Reiseziel mit dem E. der Alten Welt an Bedeutung [25. 38 f.]. Erst die durch Winckelmann beförderte Wiederentdeckung des Griechentums im 18. Jh. brachte eine Zunahme der Reisetätigkeit in den griech.

Stammländern und Kolonien mit sich. Von nun an wurden auch die zuvor wenig beachteten Gebiete (Griechenland, Kleinasien und Sizilien) verstärkt bereist. Bei der Popularisierung dieser Reiseziele spielten auch die engl. Connoisseurs (→ Society of Dilettanti, gegr. 1732) eine nicht unwesentliche Rolle. Sie erkundeten Griechenland, Kleinasien, Syrien, Palästina und Ägypten; stets auf der Suche nach den Zeugnissen der Ant., zeigten sie sich an der Gegenwart dieser Länder wenig interessiert. Diese Reisebewegung gipfelte zu Beginn des 19. Jh. in der wiss. Geogr. und Top. Griechenlands [14; 15; 29; 30]. Auch im 20. Jh. blieb Griechenland ein zentrales Ziel europ. Bildungsreisender, wobei neben den arch. Sehenswürdigkeiten auch die Küsten des Landes zunehmend erschlossen wurden (Massentourismus). Auch die Küsten Kleinasiens mit den Ruinen Trojas wurden schon in der Ant. bereist (Lucan 9–10, bezeugt Caesars Reise nach Troja und Alexandria); dies verstärkte sich seit den Entdeckungen Schliemanns [49] bedeutend.

Frankreich galt den Verfassern von Reisehandbüchern im 17. und 18. Jh. als Musterland galanter Sitten, der modischen Eleganz und des gesellschaftlichen Umgangs [18]. England und die Niederlande besuchte man in jener Zeit wegen ihres wirtschaftlich-technischen Entwicklungsstandes; die Niederlande galten außerdem wegen ihrer Festungsanlagen als sehenswert. Der Norden Europas wurde kaum bereist [1].

3.2 GEFAHREN DES REISENS, REISEZEITEN, REISEDAUER

An den Gefahren des Reisens hatte sich bis ins 19. Jh. wenig geändert. Man reiste zum Schutz vor Überfällen meist in Gruppen, als Schar, »Hanse« oder Karawane; Schiffe fuhren zur Sicherheit meist im Konvoi. Bei Landreisen teilte man sich die Kosten für den »Guide«, den wegekundigen Führer. Die zunehmend ausgebaute touristische Infrastruktur reduzierte im Verlauf des 19. Jh. die vielbeschriebenen Gefahren des Reisens erheblich [36].

Die Reisezeiten wurden und werden maßgeblich durch die klimatischen Bedingungen bestimmt. Bis ins 19. Jh. reiste man in Mitteleuropa vorzugsweise zw. Frühjahr und Herbst. Zu dieser Zeit fanden auch die großen Messen und → Wallfahrten statt. Man konnte in der wärmeren Jahreszeit eher mit gangbaren Wegen rechnen und fand leichter Verpflegung und Unterkunft für Mensch und Tier. Die Reisedauer richtete sich zumeist nach Reiseziel und Reisezweck, war aber recht standardisiert. Die »Tour« dauerte mindestens vier Monate, nicht selten ein Jahr oder länger. Neben den klimatischen Bedingungen spielte im Zeitplan auch der rel. Festkalender eine Rolle. In der Regel reiste man im Oktober an und verbrachte den Winter in Rom oder Neapel. Während der Karwoche hielt man sich in Rom auf, zum Karneval und zu Christi Himmelfahrt in Venedig (Fest der »Verlobung des Dogen mit dem Meer«: *Sposalizio con il Mare*). Im Frühsommer besuchte man die Messen in Padua, Vicenza oder Reggio mit ihren Opernaufführungen. Den Sommer suchte man zu meiden; verblieb man in It., hielt man sich gerne in Florenz auf, dessen Klima als bes. günstig galt [31]. Seit E. des 19. Jh. vermehren die mod. Verkehrsmittel die Frequenz der Reisen und verkürzen die Dauer des Aufenthalts.

3.3 VERKEHRSWEGE UND VERKEHRSMITTEL, REISEGESCHWINDIGKEIT

Bis ins 19. Jh. war man an bestimmte Reiserouten gebunden, die zumeist mit den Postwegen identisch waren. Man ritt auf gemieteten Pferden oder nahm den Wagen, der sich für den Personenverkehr aber erst seit dem 17. Jh. durchsetzte. Fußreisen waren seit dem MA selten [34. 35 ff.]. Die durchschnittliche Reisegeschwindigkeit war mit täglich 25 bis 75 km seit der Ant. unverändert geblieben und sollte sich auch bis zum Anfang des 19. Jh. nicht erhöhen. Erst die mod. Verkehrsmittel brachten die entscheidende Wende: Bis etwa 1880 waren alle europ. Reiseziele über die Eisenbahn erschlossen. Nicht minder tiefgreifende Folgen hatte der Auto- und Luftverkehr im 20. Jh. [32].

B. FORMEN UND FUNKTIONEN DES REISENS

1. PILGERFAHRTEN

Das wichtigste Reisemotiv blieb bis ins 18. Jh. die Wallfahrt, und die meisten Reisenden waren wohl Pilger. Männer und Frauen machten sich allein oder in Gruppen von bis zu 20 000 Pilgern auf den Weg zu den hl. Stätten. Entlang der Pilgerwege entwickelten sich Gaststätten- und Beherbergungsgewerbe. Aus Pilgerbüchern und Pilgerführern ist zu entnehmen, daß auch Pilger touristische Interessen entwickelten und Sehenswürdigkeiten aufsuchten [25. 72 ff.].

2. KAVALIERSREISEN UND BÜRGERLICHE BILDUNGSREISEN

Reisende Adelige bildeten seit dem späten MA unter den Reisenden in Europa eine homogene Gruppe. Neben den Reisen aus diplomatischem Anlaß kam zw. dem 16. und 18. Jh. die Kavaliersreise (*grand tour*) auf. Sie diente meistens der Vorbereitung auf den Hofdienst und machte die Adeligen mit den administrativen Gefügen der europ. Staaten vertraut. Zugleich sollten die höfisch-weltläufigen Verhaltensnormen gelernt werden (»Façonierung«), was die immer wieder betonte Bildungsfunktion der Kavaliersreise in den Hintergrund treten ließ [9].

Hieraus entwickelte sich seit dem 18. Jh. die bürgerliche Bildungsreise. Ihr pädagogischer Hauptzweck war die Ausbildung der »Humanität« im Dienste des Fortschritts; zugleich diente das Reisen der sozialen Distinktion. In den 1920er J. differenzierte sich der Bildungstourismus als Spezialmarkt innerhalb der zum Massentourismus sich entwickelnden Reisebranche. Noch h. ist die Bildungsreise ein typisch bürgerliches Phänomen.

Als eine Spielart der Bildungsreise hatte sich schon mit dem ausgehenden 18. Jh. die »sentimentale« oder »romantische« Reise entwickelt, deren Ziel nicht in der Verstandes- sondern der Gefühlsbildung lag. Dieses vom human. Bildungszweck ›entlastete Reisen‹ wandelte sich zum T.‹ [42. 379].

3. Gelehrtenreise

In der Reiselit. tritt die Gelehrtenreise als eigene Reiseform einer in sich abgeschlossenen, homogenen sozialen Gruppe auf. Die Trad. dieses Reisens reichen bis in das späte MA zurück; ihr spezifischer Gehalt war die Informationsgewinnung (*Erudition*), die in Teilen unter Akademikern bis h. fortlebt [4]. Dabei lassen sich drei Grundmotive bestimmen: Forsch., Fortbildung und Kontaktaufnahme [45]. Forschungsreisen dienten oft der Vorbereitung von Buchpublikationen und führten an kultur- oder naturhistor. bedeutende Orte, in Sammlungen oder Bibliotheken [2]. Dabei war die Kontaktaufnahme und -pflege mit anderen Gelehrten ein gemeinsamer, grundlegender Zug, teilweise sogar der Hauptzweck [37]. Eine der Gelehrtenreise verwandte Form war seit dem MA die *peregrinatio academica*, die Studienwanderung nicht-adeliger Studenten im Rahmen ihrer universitären Ausbildung [34. 374 ff.].

4. Handwerker- und Künstlerreise

Obwohl Künstlerreisen seit langem als bedeutendes Phänomen erkannt sind, steht ihre systematische Unt. bis h. aus [34. 406 f.]. Ihren Ursprung haben sie in der handwerklichen Gesellenwanderung (seit dem 14. Jh.) [22]. Früh reisten auch Hofkünstler im Gefolge ihrer Herren [46. 292 ff.]. Mit der Ren. wurde die Künstlerreise v. a. zu den Stätten der ant. Kultur und den Kunstzentren It. der Regelfall [8]. Eine bes. Gruppe bildeten seit dem 17. Jh. die Architekten, die im Rahmen ihrer Ausbildung, aber auch zur Vorbereitung größerer Bauvorhaben als vorbildlich geltende Bauwerke aufsuchten, z. B. in Rom, Athen oder Paris. Künstlerreisen erlebten im frühen 19. Jh. einen Aufschwung mit der durch Goethe und die Romantiker geförderten Italiensehnsucht [25. 101 ff.]. Die als Ergebnis der Reisen entstandenen Kunstwerke (Zeichnungen, Gemälde, Drucke) gingen als Bestandteile der visuellen Kultur in das kollektive Gedächtnis ein. Wie später die Bildpostkarte steigerten sie die Beliebtheit bestimmter Reiseziele; Daheimgebliebenen erlaubten sie ein »Reisen im Lehnstuhl« (→ Kitsch).

5. Bade- und Erholungsurlaub

Eine der bedeutendsten Gruppen von Reisenden waren schon in der Ant. die Badereisenden, die zum Zweck der Gesundheitspflege reisten (z. B. um → Melancholie zu kurieren). Wichtige Reiseziele waren dabei Orte, die mit Wasser aus mineralhaltigen und heißen Quellen aufwarten konnten. Die Wasserbehandlung verlor im MA an Bed., um sich als Begleiterscheinung der höfischen Kultur im 16. bis 18. Jh. wieder zu etablieren [7. 134 ff.]. Orte mit Thermalquellen wurden zu Erholungsorten, die zunächst der Gesundheit und später dem Vergnügen dienten. Die Zahl der Gesunden überwog bald die der Kranken. Aus der Verbindung der bürgerlichen Bildungsreise mit der dem Vergnügen dienenden Badereise wurde zunehmend jene Form von Erholungsurlaub, die zum Inbegriff touristischen Reisens wurde [41].

C. Reiseliteratur
1. Historische Entwicklung

Die Reiselit. gehört zu den ältesten Beständen der Weltliteratur. Es handelt sich meist um lit. oder dokumentarische Darstellungen realer oder fiktiver Reisen, die zumeist in Prosaform abgefaßt sind. Poetische Formen sind selten; häufig sind Mischungen mit verwandten Gattungen wie Tagebuch, Brief oder Autobiographie. Das inhaltliche Spektrum reicht von Reiseführern und sachdienlichen Informationen für Reisende über wiss. Ber. bis zu dichterisch ausgestalteten Schilderungen; all diese Formen finden sich seit der Antike.

Berühmt wurde der ma. Reisebericht Marco Polos *Il milione* (1298/99), der bis ins späte MA die europ. Vorstellungen vom Fernen Osten prägte. Einen ersten Höhepunkt erfuhr die europ. Reiselit. zw. dem 13. und 15. Jh. mit der Pilgerlit., in der neben rel. teils schon landeskundliche Interessen zum Ausdruck kamen; seit der Frühen Neuzeit auch in gedruckter Form. Gerade im 15. und 16. Jh. entstanden viele Reiseschilderungen von Pilgern (z. B. H. Tucher, *Beschreibung der Reyß ins Heylige Land*, 1482; B. von Breydenbach, *Peregrinatio in terram sanctam*, 1486). Auch die großen Entdeckungsfahrten jener Zeit (nach Amerika und Asien) brachten zahlreiche Reisebeschreibungen hervor. Wirkungsgeschichtlich einflußreich waren v. a. die oft nur für den pädagogischen Familiengebrauch bestimmten Ber. vom *grand tour*, in deren Kontext auch die Apodemiken als systematische Anleitung für das Reisen entstanden [5. 282 ff.].

Die → Aufklärung brachte eine Blütezeit der Reiseliteratur. Es entstanden erstmals wiss. exakte Reisebeschreibungen (z. B. G. Forster, *Reise um die Welt*, 1778–1780). Neben solchen eher nüchternen Forschungsber. entwickelte sich im 18. Jh. auch der »empfindsame Reiseroman« (Vorbild: L. Sterne, *A Sentimental Journey through France and Italy, by Mr. Yorick*, 1768). In den teils fiktiven sentimentalen Ber. war die gegenständliche Welt für den Reisenden nur insofern von Bed., als sie Empfindungen und Gefühle auslöste [48]. Insgesamt ist seitdem verstärkt eine Interdependenz zw. wiss. und belletristischer Reiselit. zu beobachten. Lange Zeit vorbildlich blieb die Italienreiselit. des 18. Jh. (Goethe), an deren Darstellungsform die weitere lit. Reisebeschreibung anknüpft. Das 19. Jh. brachte daneben Formen einer Zielgruppenorientierung hervor, die zur Entstehung des mod. Reiseführers führte [6]. Modellbildend für diese Gattung war die Gründung des ersten dt. Verlages für Reisebücher durch K. Baedeker in Koblenz (1827). Hiermit wurde den Interessen einer zunehmend mobileren Gesellschaft Rechnung getragen, die seitdem mit immer neuen, publikumsorientierten Produkten gespeist wird [16. 80 ff.]. Mit dem Massentourismus und der mod. Reiseberichterstattung in den → Medien veränderte sich auch die Reiseliteratur. Die Formen der Reportage und des Feuilletons gewannen an Bed.; neuerdings tritt auch die → Werbung zunehmend in den Vordergrund [23].

2. Literarische Formen

2.1 Itinerare

In Anknüpfung an die spätant. Itinerar-Lit. für christl. Pilger enstanden im MA zahlreiche Werke von ähnlichem Charakter. Diese Itinerare enthielten zunächst rein praktische Reiseinformationen wie z. B. Entfernungen, wurden aber im Laufe der Zeit zu ausgestalteten Führern mit ›Angaben über Land und Leute, Sehenswürdigkeiten, Heiligtümer und Besonderheiten der durchwanderten Gegenden und Städte‹ [50. 28 ff.]. Damit sind sie der Beschreibung Griechenlands des Pausanias vergleichbar (*Periḗgēsis Helládos*, 2. Jh.). Neben diesem komplexen Typus behaupteten sich bis ins 17. Jh. die einfacheren Itinerarien als nützliche Hilfsmittel für Reisende.

2.2 Mirabilia Urbis Romae

Bei diesem Werk handelt es sich um eine Sonderform der Pilgerliteratur. Entstanden um 1140, ist es nicht praktischen Bedürfnissen verpflichtet, sondern dem Enthusiasmus über die Monumente Roms. Es steht somit in der Trad. der ant. Reiselit. seit Herodot (5. Jh. v. Chr.), die ihre Gegenstände in der Kategorie des Staunenswerten präsentiert. Abgelöst wurde diese Art der Wahrnehmung durch Flavio Biondo, der mit seiner *Roma instaurata* (1446) die arch. Stadtbeschreibung begründete (→ Rom I.D.).

2.3 Apodemiken

Mit dem → Humanismus entstand im 16. Jh. eine neue Form der Reiseliteratur. Diese ersten sog. Apodemiken (von griech. *apodēméō*, »verreisen«) verstanden sich als Ergebnis einer *ars apodemica*, einer »Methodik des Reisens«, und gehören in den Kontext der human. Erziehungsreform. Zunehmend trat Empirie an die Stelle einer philol. orientierten Welterschließung [27].

Ziel dieser zumeist in lat. Sprache abgefaßten Reisehandbücher war es, ›Leuten aus den gebildeten Ständen überhaupt und angehenden Gelehrten und Künstlern insbes. eine Anleitung zu geben, wie sie mit Nutzen reisen sollen‹ [35. III], wozu neben praktischen Ratschlägen und Regeln auch allg. philos. und moralische Erörterungen zählten.

2.4 Reiseroman

Mit dem Reisebericht ist der Reiseroman als ›Darstellungen von Reisen und Reiseerlebnissen innerhalb einer epischen Großform‹ [11] eng verbunden. Frühestes episches Muster ist Homers *Odyssee* mit ihrer Verbindung von Reiseschilderung und Abenteuer. Im MA setzte v. a. die Spielmannsdichtung (z. B. *Herzog Ernst*, um 1180) diese Trad. fort. Die seit dem 17. Jh. verfaßten abenteuerlichen Reiseerzählungen weisen zugleich zahlreiche inhaltliche Bezüge zum Ritter- und v. a. zum Schelmenroman auf. Eine bes. erfolgreiche Form des abenteuerlichen Reiseromans waren die »Robinsonaden« in der Nachfolge D. Defoes (*Robinson Crusoe*, 1719/20). Im Gefolge der Aufklärung erlebte der Reiseroman in der 2. H. des 18. Jh. einen Höhepunkt, an den die lit. Produktion des 19. Jh. anknüpfte, die sich bevorzugt der europ. oder engeren heimatlichen Um-

gebung zuwandte. Dagegen ist die Entwicklung des späten 19. und beginnenden 20. Jh. durch eine Hinwendung zu exotischen Reisezielen und eine zunehmende Politisierung ausgezeichnet.

Neue Darstellungsformen kamen auf, wie die Reportage (E. E. Kisch) und das Städtebild (W. Benjamin). Nach 1945 läßt sich eine Wendung zu nichtfiktionalen, autobiographischen Texten erkennen, die teils eine tourismuskritische Haltung zeigen [12]. Gegenwärtig wird die Gattung zunehmend durch das Fernsehen, die neuen → Medien und andere Formen der Information dominiert [5. 286].

→ AWI Itinerare; Reiseliteratur; Reisen; Verkehr

1 L. L. Albertsen, Eher enttäuschend, in: H. Bausinger, K. Beyrer, G. Korff (Hrsg.), Reisekultur, ²1999, 255–262 2 P. J. Becker, Bibliotheksreisen in Deutschland im 18. Jh., in: Archiv für Gesch. des Buchwesens 21, 1980, 1361–1534 3 P. F. Bernard, Rush to the Alps, 1978 4 J. J. Berns, Peregrinatio academica und Kavalierstour, in: C. Wiedemann (Hrsg.), Rom-Paris-London, 1988, 155–181 5 P. J. Brenner, s. v. Reisebe., in: V. Meid (Hrsg.), Literaturlex., Bd. XIV, 1993, 281–287 6 Ders., Reisen in die Neue Welt, 1991 7 Ders. (Hrsg.), Der Reisebe., 1989 8 N. Büttner, Quid Siculas sequeris per mille pericula terras?, in: Marburger Jb. 27, 2000, 209–242 9 N. Conrads, Polit. und staatsrechtliche Probleme der Kavalierstour, in: A. Maczak, H. J. Teuteberg (Hrsg.), Reisebe. als Quellen europ. Kulturgesch., 1982, 45–64 10 A. Corbin, Meereslust, 1990 11 F. Deubzer, s. v. Reisebe., Reiseroman, in: G. und I. Schweikle (Hrsg.), Metzler Lit. Lex. ²1990, 384 f. 12 H. M. Enzensberger, Vergebliche Brandung der Ferne, in: Merkur 12, 1958, 701–720 13 H.-J. Gehrke, Auf der Suche nach dem Land der Griechen. Wiss. Reisen und ihre Bed. für die Erforsch. der griech. Gesch. im 19. Jh. (= Schriften der Philos.-histor. Klasse der Heidelberger Akad. der Wiss. 29), 2003 14 W. Gell, Argolis: The Itinerary of Greece, London 1810 15 Ders., Journey in the Morea, London 1823 16 S. Gorsemann, Bildungsgut und touristische Gebrauchsanweisung, 1995 17 J. u. W. Grimm, Das dt. WB, Bd. XI, 1935, 916–924 18 T. Grosser, Tour de France, in: [1. 229–236] 19 L. Guilbert (Hrsg.), Grand Larousse de la langue française, Bd. VII, 1978, 6137 f. 20 W. Günter, Bildungsreise, Studienreise, in: H. Hahn, H. J. Kagelmann (Hrsg.), T.-Psychologie und T.-Soziologie, 1993, 355–362 21 C. Holloway, The Business of Tourism, 1989 22 G. Jaritz, A. Müller (Hrsg.), Migration in der Feudalges., 1988 23 H. J. Kagelmann, Touristische Medien, in: [19. 469–478] 24 H.-J. Knebel, Soziologische Strukturwandel in mod. T., 1960 25 P. Krempien, Gesch. des Reisens und des T., 2000 26 H. Küpper, Illustriertes Lex. der dt. Umgangssprache, Bd. VIII, 1984, 2878 27 U. Kutter, Der Reisende ist dem Philosophen, was der Arzt dem Apotheker, in: [1. 38–47] 28 B. Lauterbach, Baedeker und andere Reiseführer, in: Zschr. für Volkskunde 85, 1989, 206–234 29 W. M. Leake, Travels in the Morea, London 1830 30 Ders., Travels in Northern Greece, London 1835 31 M. Maurer, Italienreisen, in: [1. 221–229] 32 R. Miller, Zeiterleben, in: [19. 230–236] 33 W. Müller, Interkulturelles Lernen, in: [19. 270–274] 34 N. Ohler, Reisen im MA, 1986 35 F. Posselt, Apodemik oder die Kunst zu reisen, Bd. I, Leipzig 1795

36 D. RICHTER, Die Angst des Reisenden, die Gefahren der Reise, in: [1. 100–108] **37** K. SAUERLAND, Der Übergang der gelehrten zur aufklärerischen Reise im Deutschland des 18. Jh., in: J. P. STRELKA, J. JUNGMAYR (Hrsg.), Virtus et Fortuna. FS für Hans-Gert Roloff, 1983, 557–570 **38** L. SCHUDT, Italienreisen im 17. und 18. Jh., 1959 **39** W. SIEBERS, Ungleiche Lehrfahrten, in: [1. 47–57] **40** J. A. SIMPSON, E. S. C. WEINER (Hrsg.), The Oxford Engl. Dictionary, Bd. XVIII., 1989, 304–307 **41** H. SPODE, Gesch. des T., in: [19. 3–9] **42** J. STAGL, Der wohl unterwiesene Passagier, in: B. I. KRASNOBAEV (Hrsg.), Reisen und Reisebeschreibungen im 18. und 19. Jh. als Quellen der Kulturbeziehungsforsch., 1980, 353–384 **43** Ders., K. ORDA, C. KÄMPFER, Apodemiken, 1983 **44** W. E. STEWART, Die Reisebeschreibung und ihre Theorie im Deutschland des 18. Jh., 1978 **45** E. TRUNZ, Der dt. Späthuman. um 1600 als Standeskultur, in: R. ALEWYN (Hrsg.), Dt. Barockforsch., 1965, 147–181 **46** M. WARNKE, Hofkünstler, 1986 **47** A. WILTON, I. BIGNAMINI, Grand Tour, 1996/97 **48** R. R. WUTHENOW, Die erfahrene Welt, 1980 **49** C. ZINTZEN, Von Pompeji nach Troja, 1998 **50** C. ZRENNER, Die Ber. der europ. Jerusalempilger, 1981.

NILS BÜTTNER

Tragödie/Tragödientheorie   A. EINFÜHRUNG, METHODIK   B. SYSTEMATIK   C. GESCHICHTE

A. EINFÜHRUNG, METHODIK

Die T. gehört – neben der narrativen Überlieferung der Mythen, der Baukunst und der Plastik – zu den zentralen Überlieferungszeugnissen, die das neuzeitliche Bild der ant. Kultur prägen. Die Geschichte der T.-Rezeption gibt deshalb generell Auskunft über sich wandelnde Antikevorstellungen und ihre ästhetische Relevanz in der Neuzeit. Die europ. Gattung T. entwickelt sich in immer neu akzentuierter Auseinandersetzung v. a. mit der aristotelischen, z. T. auch horazischen Konzeption und den konkreten ant. Exempla weiter. Bei diesen dominieren je nach histor. oder räumlichen Vorlieben die att. Tragiker Aischylos, Sophokles und Euripides oder der Römer Seneca. Vereinzelt beeinflussen aber auch relativ autochthone Formen (etwa die ma. Moralitäten) und außereurop. Trad. (wie das japanische Nô-Spiel oder der Hollywood-Film) den Wandel der Gattung.

Neben den dominierenden und direkten Rezeptionszeugnissen gibt es eine Reihe indirekter Wirkungen, etwa wenn aus einer urspr. ant. Konzeption (ἔλεος, *éleos*/φόβος, *phóbos*) eine eigenständige Theorie (»Mitleid« bei Lessing) und in Anlehnung daran eine eigene T.-Form (das bürgerliche Trauerspiel) entsteht. Zu den indirekten Wirkungen gehören auch Theaterformen, die ant. Theatralitätsvorstellungen eher suggerieren als rekonstruieren, wie etwa die an Nietzsches *Geburt der Tragödie* (1872) orientierten *Dionysischen T.* (1913) von R. Pannwitz. Seit dem → Historismus wird in diesem Sinne zw. ant. und antikisierenden Formen differenziert. Zu beachten ist auch, daß analoge Theaterphänomene und äußerliche Ähnlichkeiten nicht zwingend einen Rezeptionszusammenhang nahelegen. So gehen die Schlachtbeschreibungen im dritten Teil von Shakespeares *King Henry VI* (1595) wohl kaum auf die Botenberichte über die Vernichtung der persischen Heere zurück, die man aus dem ersten Epeisodion der *Perser* von Aischylos kennt; sie orientieren sich eher am zeitgenössischen Geschichtsdiskurs.

Eine ganze Reihe von Handlungsmustern (z. B. Königsmord, Intrige, Glückswechsel, Generationskonflikt), dramatischen Verfahren (z. B. Teichoskopien, Botenberichte, Reflexionsmonologe, Musik) und Figurenkonstellationen (z. B. unglücklich Verliebte, konkurrierende Herrscher) finden sich in ant. und neuzeitlichen T., ohne daß unbedingt eine Rezeption anzunehmen ist. Solche immer wiederkehrenden Elemente können auf anthropologische und soziale Kontinuitäten oder auf die Eigenart der Gattung zurückgeführt werden. Auffällige intertextuelle Markierungen, übernommene Handlungszusammenhänge sowie eine deutliche Variation eines Stoffes, also im besten Fall ein Ensemble von Merkmalen, lassen sinnvoll von einer Rezeption der ant. T. sprechen.

B. SYSTEMATIK

Zum Verständnis der T.-Rezeption gehört insofern die Beachtung essentieller Differenzierungen. Die Rezeption der T. als lit. Gattung muß etwa von den Konstruktionen des Tragischen und verwandter psychischer Phänomene unterschieden werden. Dies betrifft v. a. die griech. Kultur, denn in ihr wird seit der Ren. immer wieder das zur Kunst gewordene Urbild tragischer Weltsicht gesehen. Der Begriff »T.« wird häufig generell für Unglücksfälle oder – in der Lit. – für die Darstellung solcher auch außerhalb des Dramas verwendet. Die Präsentation ungelöst bleibender Konflikte (etwa in Erzählungen Kleists oder in Balladen C. F. Meyers) kann aber eine spezifische Form der T.-Rezeption sein. In diesem Zusammenhang ist auch an die psychoanalytische Lektüre ant. T. zu erinnern (Ödipus, Elektra bei Freud), die eine – zumindest terminologisch – sehr wirkungsmächtige Rezeption darstellt (→ Psychoanalyse). Grundsätzlich unterscheidbar sind außerdem verschiedene griech. und röm. Tragödientrad. (frühe vs. att. T.; att. T. vs. Seneca) und histor. differente Deutungskontexte (*doctrine classique*, → Aufklärung, Idealismus, Nietzsche usw.), die veranschaulichen, daß von einem einheitlichen Bild der ant. T. – trotz der Dominanz der Aristotelischen Poetik – in der Rezeptionsgeschichte nicht gesprochen werden kann. Eine dritte grundlegende Differenzierung könnte – in Anlehnung an Benjamin – zw. T. und Trauerspiel (für die mitteleurop. Gattung seit dem 17. Jh.) vorgenommen werden, wobei die Verwendung der Begriffe nie distinkt war. Der Unterscheidungsversuch hebt aber die Eigenständigkeit neuerer T.-Formen hervor. Denn trotz der formativen Kraft ant. Modelle stellt der Rückgriff auf diese meist eine »produktive Rezeption« (Titel in [3]) dar.

Wie bei der → Komödie läßt sich auch für die T. nach Art und Umfang der ant. Merkmale, auf die referiert wird, differenzieren. Von einer integrativen Rezeption kann gesprochen werden, wenn auf konstitutive Elemente der ant. T. zurückgegriffen wird und wenn diese für die weitere Entwicklung der Gattung relevant werden. Zu diesem Bereich, der die T. zumindest bis Mitte des 19. Jh. prägt, gehören die aristotelischen Erregungszustände Jammer (ἔλεος) und Schaudern (φόβος) bzw. Mitleid und Furcht, die Darstellung schweren Leids (Pathos), das diese Zustände auslöst, und das aristotelische Katharsis-Verständnis, also die Reinigung durch die Affekte bzw. von den Affekten. Als konstitutiv für die neuzeitliche T. können auch die drei Handlungselemente des ant. Dramas angesehen werden, die der Terenz-Kommentator Donat *prótasis* (Einleitung), *epítasis* (Verwicklung) und Katastrophe nennt. Auf Aristoteles geht die Bezeichnung der Schaltstellen zurück: Peripetie (Wende) und Anagnorisis (Wiedererkennen). Hinzu kommen – nun Horaz folgend – die Aufteilung der T. auf fünf Akte und – im Sinne der att. T. – die Forderung nach nicht mehr als drei gleichzeitig auf der Bühne agierenden Personen. Auch die Lehre von den drei Einheiten wird nicht unbedingt im Sinne von, aber mit Blick auf Aristoteles und unter Heranziehung ant. Exempla begründet. Sie bestimmt v. a. die it. Aristoteles-Komm. des Cinquecento, die *tragédie classique* in Frankreich und das Drama der dt. Frühaufklärung. Dabei erweist sich gerade der Bruch mit dieser Doktrin als produktives Element der Antikerezeption, etwa in der dt. Sturm und Drang oder der frz. Romantik.

Von selektiver Rezeption, von einer isolierten und den urspr. Zusammenhang entfremdenden Übernahme ant. T.-Elemente, wird man z. B. im Fall des *deus ex machina* ausgehen. Nicht immer muß dabei ein Gott regelnd eingreifen; in neueren Dramen übernehmen häufig andere Figuren diese Funktion: etwa ein ›vermummter Herr‹ in Wedekinds *Frühlings Erwachen* (1891) oder – ironisch gebrochen – ›des Königs reitender Bote‹ in Brechts *Dreigroschenoper* (1928). Auch die gelegentliche Verwendung eines Chores, z. B. in Schillers *Braut von Messina* (1803), hat zwar keine konstitutive Funktion für die Gattung, sie ist aber Zeugnis einer produktiven Rezeption der Antike. Für Schiller bietet der Chor die Möglichkeit, jenseits der Handlung, aber auf diese bezogen, eine »ideale Person« auf der Bühne zu Wort kommen zu lassen, die der Reflexion zu ihrem Recht verhilft. Die vielfache Verwendung ant. T.-Stoffe (Iphigenie, Medea, Elektra, Antigone, Ödipus, usw.) kann ebenfalls als Beispiel einer selektiven Rezeption gefaßt werden, da sie zwar relativ häufig, aber eben nicht konstitutiv für die Weiterentwicklung der T. ist. Oft liegt nur noch eine motivische Allusion auf einen mythischen Stoff vor – so in den Medea-Nachbildungen in Lessings bürgerlichen Trauerspielen, die von den eigentlichen Mythenbearbeitungen, etwa bei Grillparzer, zu unterscheiden sind.

Eine derivative Rezeption liegt bei Elementen der T. vor, die sich gegenüber ihrer ant. Herkunft verselbständigt haben und Teil einer eigenen Trad. geworden sind. Zu nennen sind hier die barocken Reyen, die auf dem

ant. Chor basieren, aber längst eigene Funktionen (heilsgeschichtliche Ausdeutung, Aktualisierung, *translatio imperii* usw.) übernommen haben und schon bald in vielfältigen Variationen vorliegen. Auch die Entwicklung der (heroischen) Oper beruht auf Komponenten der ant. T. (mythische Stoffe, tragische Helden, Pathos usw.), hat aber im Laufe des 17. und 18. Jh. einen eigenen Form- und Stoffkanon aufgebaut.

C. GESCHICHTE

1. ANTIKE SPUREN IM SPÄTMITTELALTER

Da die christl.-ma. Heilslehre eigentlich keine Tragik im Sinne der Ant. kennt, kann eine Wiederbelebung der T. nur im akkulturierenden Rückgriff auf griech. oder röm. Vorstellungen gelingen. Die Geschichte der neuzeitlichen T. beginnt im Spät-MA mit A. Mussatos Stück *Ecerinis* (1314), das sich an Seneca anlehnt. Die Form der T. (Verse, fünf Akte, Chorpartien) und Momente der stofflichen Verarbeitung (moralisch-polit. Ausdeutung der Historie) entsprechen durchaus den ant. Vorbildern. Eine zweite T. mit ant. Stoff erscheint 1390 ebenfalls in Italien: A. Loschis *Achilleis*. Eine lat., *Paulus*, von P. P. Vergerio ist aus dem gleichen J. überliefert.

2. EUROPÄISCHE TRAGÖDIE DER FRÜHEN NEUZEIT

Die frühhuman. T. findet im engeren Sinne zu Beginn des Cinquecento Nachfolger. Denn erst jetzt bemüht man sich um eine Wiederbelebung ant. Festkultur; dazu gehört die Konzeption des Theaters in Volgare, das sich zwar meist um eine Nachahmung der ant. Kom. bemüht, doch auch T. hervorbringt. Als erstes Beispiel gilt der fünfaktige, in Terzinen verfaßte *Demetrio Re di Tebe* (posthum 1508) von A. Cammelli (geb. Pistoia). Einen Livius-Stoff dramatisiert die *Sophonisba* (1524) von G. Trissino. Sein Stück orientiert sich an der *Poetik* des Aristoteles, die 1536 in der lat. Übers. von A. Pazzi erscheint. Die *Sophonisba*, ein Musterbeispiel für die muttersprachliche Rezeption der ant. T., wird auch außerhalb It. nachgeahmt. Dies gilt nicht nur für ihre Form, sondern auch für den Stoff: So veröffentlichen J. de Mairet (1634), P. Corneille (1663) und D. C. v. Lohenstein (1680) *Sophonisbe*-Tragödien. Mairets Stück ist das erste, das nach den antikisierenden Prinzipien der frz. *doctrine classique* gefertigt wird. Die erste Wiederaufführung einer ant. T. findet am 3.3.1585 in Vicenza (zur Eröffnung des Teatro Olimpico; → Lateinische Komödie, Abb. 6) unter der Leitung von A. Ingegneri statt: *König Ödipus* (*Edipo Re*) in der Übers. von O. Giustiniani.

Die lat. *Poetices libri septem* (1561) von J. C. Scaliger werden in ganz Europa rezipiert. Sie werten die *Poetik* des Aristoteles im Sinne der it. Spätren. und ergänzen sie ausführlich im Hinblick auf neuzeitliche Bedürfnisse; dabei geht Scaliger auch auf zeitgenössische Aristoteles-Komm. und andere poetologische Schriften ein. Als Grundprinzipien der Normpoetik gelten die *imitatio*, also die Festlegung der jüngeren Dichter auf die Vorgaben der Ant. (im Bereich der T. bes. auf Seneca) und die *aemulatio*, die wetteifernde Überbietung der Vorbilder. Die Katharsis deutet Scaliger zur Form moralischer Belehrung um. Sein wichtigster Nachfolger ist T. Tasso, der die Gattungsvorstellungen historisiert und dadurch – trotz der Anlehnung an Aristoteles – von der Dominanz der ant. Vorbilder loslöst. Einen wirkungsmächtigen Strang der T.-Rezeption stellt die it. Oper (etwa Monteverdi) dar.

Das frz. Ren.-Drama beginnt mit *Cléopâtre captive* (1553) vom Pléiade-Mitglied E. Jodelle, dessen Stoff von Plutarch übernommen wird. Es folgt der in Alexandrinern verfaßte *Jules César* (1561) von P. de Ronsard, der schon den *Plutus* von Aristophanes in die Muttersprache übertragen hatte. Als Sophokles und Euripides-Übersetzer tut sich zur gleichen Zeit L. de Baïf hervor. Die Stoffe der gelehrten Ren.-T. sollten, so J. Grévin, aus der ant. Myth. stammen, die frz. Originale die aristotelischen Regeln einhalten und in wechselnden männlichen und weiblichen Alexandrinern, die paarweise gereimt sind, verfaßt sein. Auch die Lehre von den Einheiten gilt schon als eine poetische Bestimmung.

Diese an Aristoteles und Horaz orientierte T.-Poetik gilt in ihren Grundzügen noch für die *tragédie classique* Die zentrale frz. Poetik des 17. Jh. – Boileaus *Art poétique* (1674) – sieht in den klass. röm. Autoren adäquate Vorbilder. Aus poetologischen Auseinandersetzungen entwickelt sich die strenge *doctrine classique*, die in Abbé d'Aubignacs *La pratique du théâtre* (1657) für das Drama konkretisiert worden ist. Die Geltung der Regeln ist in der »Querelle du Cid« (bis 1660), im Streit um die Regelverstöße der gleichnamigen Tragikomödie (1637) von Corneille, heftig diskutiert worden. Die Übers. der *Poetik* des Aristoteles ins Frz. (durch A. Dacier, 1692) markiert den Vorbildcharakter der Ant. nochmals nachdrücklich. Mimesis interpretiert die frz. Klassik in Bezug auf die gesellschaftliche Erwartungshaltung, die sich am höfischen *honnêteté*-Ideal orientiert. Das Theater soll das nachahmen, was hiernach schicklich (*bienséance*) und wahrscheinlich (*vraisemblance*) ist. Ein wichtiges Element der Antikerezeption ist die Lehre von den drei Einheiten; der aristotelische Hinweis auf die Einheit von Zeit und Handlung wird im Namen der Vernunft durch die Einheit des Ortes ergänzt. Gottsched wird diese Begründung für die dt. Frühaufklärung übernehmen. Nach den mit Blick auf die ant. Vorbilder erstrittenen Idealen werden die meisten der bis h. kanonischen Dramen dieser Zeit produziert. Das *siècle classique* erweist sich als goldenes Zeitalter des Theaters in Frankreich, insbes. auch der Tragödie.

Das span. Theater der Frühen Neuzeit hat für die Entwicklung der T. in Europa eine große Bed.; so ist seine Wirkung auf das holländische und dt. Barockdrama kaum zu überschätzen. Die Blütezeit der iberischen T. beginnt in der zweiten H. des 16. Jh. mit Versuchen, ant. Gattungsvorstellungen, v. a. nach Seneca, zu etablieren. Als wichtiges Muster wirkte die anon. *Tragedia de San Hermengildo*. Es folgen die Stücke von J. Bermúdez, C. de Virués, J. de la Cueva und A. Rey de

Artieda. Letzterer hat sich im Vorwort zu seiner T. *Los Amantes* (1581) indes ausdrücklich von den ant. Vorbildern distanziert. Einen Höhepunkt stellen die T. von M. de Cervantes, insbes. *El cerco de Numancia* (1583) dar. Das Stück handelt von der Verteidigung der genannten span. Stadt gegen die Römer. Mit Lope de Vegas Konzept der *comedia nueva* setzt sich das sehr eigenständige *teatro nacional español* durch. In seinem *Arte nuevo* (1609) konstatiert Lope, daß er zwar gerne Aristoteliker wäre, aber das span. Publikum gestatte ihm dies kaum. Mit Blick auf dieses läßt das span. Theater immer weiterreichende Abweichungen von den ant. oder als ant. angesehenen Prinzipien (Einheiten usw.) zu.

Vielfältig knüpft das dt. Humanistendrama zwar an die Ant. an, doch rückt dabei eher die Kom. als die T. ins Zentrum. Immerhin ediert K. Celtis 1487 Seneca-Stücke und präsentiert den Deutschen damit ein ›novum litterarum genus‹. J. Locher publiziert eine mythologisierte *Tragoedia de Thurcis et Suldano* (1497), ein Festspiel zu Ehren Maximilians, das vor der Türkengefahr warnt. Das Kölner Universitätsdrama *Ludus Martius sive Bellicus* (1526) des Humanisten H. Schottenius Hessus arbeitet mit ant. Personal (Hannibal, Odysseus, Achill), um den Bauernkrieg zu kritisieren. Das Stück ist eine ›imago sanguinolentae tragoediae‹ [39. 138]. Und Th. Naogeorgs lutherische *Tragoedia nova Pammachius* (1538) weiß offenbar zumindest um die Fünfaktigkeit der klass. T., wenn er den fehlenden letzten Akt von der Geschichte selbst inszenieren läßt. N. Frischlin, der wichtigste dt. Dramatiker des Jh., schreibt keine Tragödie. Im muttersprachlichen Drama finden sich nur vage Anknüpfungen an die Antike. So taucht etwa in P. Rebhuns Bibeldrama *Susanna* (1536) mit dem von Gott gesandten Knaben Daniel eine Deus ex machina-Figur auf. Auch die Stücke der »Meistersinger«-Bühne (H. Sachs und J. Ayrer) verwenden ant. Stoffe (Trojanischer Krieg, Irrfahrten des Odysseus, Lucretia, Herodes usw.) und berufen sich auf ant. Geschichtsschreiber (Livius, Flavius Josephus usw.). Den Begriff »Tragedi« verwenden Ayrer und Sachs für Stücke mit schlechtem Ausgang.

Eine breitere Rezeption der ant. T. in Mitteleuropa setzt im 17. Jh. ein. Wegweisend ist – bis zur → Aufklärung – die lat. Übers. der Aristotelischen *Poetik* durch den Niederländer D. Heinsius (1611). Opitz zählt in der Vorrede zum *Buch von der Deutschen Poeterey* (1624) Aristoteles und Horaz zu den verbindlichen Vorbildern. Als Muster-T. übersetzt er Senecas *Troades* (1625); es folgt eine *Antigone*-Übers. (1636). Am ersten Chorlied dieser T. hat sich A. Gryphius bei der Gestaltung des ersten Reyen von *Leo Armenius* (1650) orientiert. Stoffe der Ant. verwendet bes. D. C. von Lohenstein (*Cleopatra*, 1661/1680, nach Plutarch und Xiphilinos; *Agrippina*, 1665, und *Epicharis*, 1665, beide z. T. nach Tacitus). Im *Papinian* (1659) dramatisiert Gryphius das Schicksal des bedeutendsten röm. Juristen (nach Dio Cassius, Herodianus und Aelius Spartianus). Kulturpatriotische Zeitgenossen sehen in Gryphius und Lohenstein die dt. Sophokles und Seneca. Was die Gestaltung der Protagonisten betrifft, können die Theoretiker des barocken Jesuitendramas eher als Platoniker denn als Aristoteliker gelten. So setzen Donati und Masen ganz auf die Vorbildlichkeit der barocken Märtyrergestalten. Von der idealen Gestalt des Helden weichen Gryphius (im *Leo Armenius*) und v. a. aber Lohenstein ab und verwenden – das aristotelische *mediocritas*-Prinzip aufgreifend – gemischte Charaktere. Die platonische Ingenium- und Furorlehre sowie die aristotelische Katharsis-Vorstellung werden in den Barockpoetiken rezipiert und moraldidaktisch umgewertet. Katharsis wird überwiegend als *consolatio* (Tröstung) und *atrocitas* (Abhärtung gegen den Schrecken), also in ihrer Wirkung auf das Publikum interpretiert. In der jesuitischen Poetik findet sich auch ein theologisches Verständnis als Bekehrung und Wandlung. G. Ph. Harsdörffer, in dessen T.-Konzeption das consolatorische und das aristotelische Verständnis unvermittelt zusammengefügt werden, übersetzt *phóbos* mit »Erstaunen« und *éleos* – schon vor Lessing – mit »Mitleid«. Beide Erregungszustände sind wirkungsästhetisch, aber als alternative Effekte gedeutet. »Erstaunen« wird ausdrücklich von der stärkeren »Furcht« abgesetzt. A. Ch. Rotths Auslegung der Katharsis-Lehre scheint näher am aristotelischen Konzept zu sein. Er beruft sich ausdrücklich auf die *Poetik*, wenn er den Zweck der T. in der Erregung der ›Affect(e) des Schröckens und des Mitleidens‹ [36. 212, 972] sieht. Neben der Katharsis-Lehre rezipieren die Barockautoren z. T. auch – die sich bei Horaz auf das Medea-Paradigma beziehende – Empfehlung, schreckenerregende Geschehnisse nicht auf offener Bühne zu zeigen (z. B. Gryphius: *Catharina von Georgien*, 1657). Der möglichst tiefe Sturz des Herrschers im barocken Trauerspiel (Höhe/Fall-Prinzip, beispielhaft im *Carolus Stuardus*, 1657/1663, von Gryphius) kann als barocke Peripetie-Interpretation verstanden werden.

In England verbindet sich das frühneuzeitliche Theater mit den Namen Shakespeare, Marlowe, Kyd und Ben Jonson. Von seiner »anti-klass.« Regellosigkeit geht – im 18. und 19. Jh. – eine Faszination aus, die in Deutschland, z. T. sogar in Frankreich, die klassizistischen Normen in Frage stellt bzw. verdrängt. Immerhin rezipiert das elisabethanische Theater ant. Stoffe, auch wenn etwa Shakespeare die griech. und röm. T. kaum oder gar nicht gekannt hat. Jonson notiert 1623 sogar, der große Dramatiker habe nur ›small Latine, and less Greeke‹ [35. 166] gekonnt. Erinnert sei indes an die häufige Dramatisierung ant. Geschichte bei Shakespeare (etwa die frühe *Titus Andronicus*, 1593, die Troja-T. *Troilus und Cressida*, 1603; *Timon of Athens*, 1605/1608 nach Plutarch und Lukian, insbes. aber die an Plutarch orientierten *Roman Plays*: *Julius Caesar*, 1599; *Antony and Cleopatra*, 1606/07; *Coriolanus*, 1608) und auch bei Jonson (*Sejanus his fall*, 1603; *Catiline*, 1611). Erst die posthume Rezeption rückt Shakespeare in die Nähe ant. Tragiker. Schon Jonson stellt ihn – als mod. Dramatiker – neben Aischylos, Euripides und Sophokles. A. W. Schlegel und Goethe verfestigen schließlich diese Einschätzung in Deutschland, beharren aber auf der Differenz zw. Shakespearescher und ant. Tragödie.

3. DEUTSCHSPRACHIGE REZEPTION SEIT DEM 18. JAHRHUNDERT

Für J. Ch. Gottsched sind T. ›aus einer wohlbestellten Republik nicht zu verbannen‹ [15. 3]. Das heroische T.-Konzept, das ihm in seiner Verteidigungsrede (1729) vorschwebt, orientiert sich an den ›Regeln und Beispielen der Alten, ja auch einiger neuen Völker, sonderlich der Franzosen‹ [15. 6]. Seine ausführliche *Critische Dichtkunst* (1730) erklärt diese doppelte Ausrichtung an der Ant. und an der frz. *doctrine classique* als bindend für die dt. Frühaufklärung. Sie setzt programmatisch eine Übers. der Horazischen *ars poetica* an die Stelle der Einleitung. Das T.-Kapitel argumentiert mit ant. Mustern und zitiert immer wieder begründend Aristoteles oder Horaz: Das ›Trauerspiel‹ habe die Aufgabe, ›Traurigkeit, Schrecken, Mitleiden und Bewunderung bei den Zuschauern zu erwecken‹ [15. 157], und zwar ausschließlich ›auf eine der Tugend gemäße Weise‹ [15. 162]. Die Erregungszustände nutzt der Poet, um seinen moralischen Lehrsatz zu vermitteln. Dieses Konzept weicht dabei vom Mythos-Modell der ant. T. ab, weil sich die Moral in der T.-Handlung, indem etwa ein verhängnisvoller Fehler des Helden gezeigt wird, als wahr erweisen soll. Vor allem Gottsched selbst, J. E. Schlegel und L. A. V. Gottsched veröffentlichen in der *Dt. Schaubühne* Muster-T. mit ant. Stoffen nach den vorgegebenen klassizistischen Regeln (*Sterbender Cato*, 1732; *Dido*, 1739; *Panthea*, 1744; *Agis*, 1751). Von Schlegel u. a. erscheinen zur gleichen Zeit einige Bearbeitungen ant. Stücke (*Die Geschwister in Taurien*, 1738; *Die Trojanerinnen*, 1747).

Neue Akzente in der Auseinandersetzung mit der ant. T. setzt die *Hamburgische Dramaturgie* (1767/68) von G. E. Lessing. Bedeutsam für die Entwicklung der Gattung ist die Umdeutung der Poetik: Aristoteles spreche ›von Mitleid und Furcht, nicht von Mitleid und Schrecken‹ [24. 383]. Letzteren interpretiert Lessing als ›Furcht, welche aus unserer Ähnlichkeit mit der leidenden Person für uns selbst entspringt‹. Die Furcht sei ›das auf uns selbst bezogene Mitleid‹ [24. 383]. Beide tragischen Affekte, Mitleid und Furcht, werden – nach Lessing – zugleich erregt und bestimmen zusammen die mäßigende Wirkung der Stücke auf das menschliche Handeln. Ziel ist die moralische Integrität des Publikums. Diese Fassung der tragischen Wirkungsmechanik ermöglicht die Konzeption des »bürgerlichen Trauerspiels« (*Miß Sara Sampson*, 1755), das nicht mehr auf Bewunderung des Helden, sondern auf Identifikation basiert. Das aristotelische Theorem des gemischten Charakters erhebt Lessing zum zentralen Baustein seiner Dramenkonzeption. Er verweist in diesem Zusammenhang ausdrücklich auf die *hamartía* des Helden. Aber nicht nur Aristoteles ist für sein Trauerspiel relevant. In *Philotas* (1759) kontrastiert das heroische Programm mit der menschlichen Heldengestalt; das Drama erweist sich als produktive Rezeption der T. von Seneca und Sophokles. Den ersten verteidigt Lessing ausführlich in der *Theatralischen Bibliothek* (1754). In *Emilia Galotti* (1772) ist die Virginia-Geschichte von Livius variiert.

Während im Drama des Sturm und Drang (Lenz, Gerstenberg) Shakespeare zum zentralen Vorbild wird, erreicht die Rezeption der ant. T. um 1800 einen Höhepunkt. So versucht Hölderlin in den verschiedenen Fassungen seines *Empedokles* (1797–1800) und einem rechtfertigenden Essay hierzu eine mod. Rekonstitution der ant. T. als natürliche Möglichkeit, ›tiefste Innigkeit‹ [16. 866] auszudrücken. Und Kleist gestaltet in seiner *Penthesilea* (1808) einen ant. Stoff als T. über die mod. Zerrissenheit des Menschen. Als Antipoden in der Rezeption der ant. T. erweisen sich Schiller und Goethe. Ausführlich beschäftigt sich Schiller in einer Reihe von Vorlesungen und Schriften mit dem Tragischen (1790–1792), dessen Interpretation deutlich von der kantischen Philos. geprägt ist. Nach Schiller zielt der tragische Dichter auf eine Vermittlung moralischer Zweckmäßigkeit. Goethes Auseinandersetzung mit der ant. T. findet v. a. in seinen klass. T. – in der *Iphigenie auf Tauris* (1787) als humanitäre Antwort auf Euripides – aber auch in seiner späten Schrift *Nachlese zu Aristoteles' Poetik* (1827) statt. Dort deutet er, in impliziter Abgrenzung zu Schiller, die Katharsis als Phänomen, das in seiner Wirkung auf die Aufführung beschränkt bleibe und dort eine ›aussöhnende Abrundung‹ [14. 343] darstelle. Der Zuschauer werde ›um nichts gebessert nach Hause gehen‹ [14. 345].

Im 19. Jh. bietet die ant. T. immer wieder eine Projektionsfläche ästhetischer Konzepte (Hebbel, Grillparzer), die sich gleichzeitig als Auseinandersetzung mit dem Drama der Weimarer Klassik darstellen. Dies ist deutlich bei G. Freytags *Technik des Dramas* (1863) der Fall. Seine viel zitierte Strukturpyramide der T. (a: Einleitung, b: Steigerung, c: Höhepunkt, d: Fall/Umkehr, e: Katastrophe) nimmt die horazische Aufteilung in fünf Akte und die Bestimmung der aristotelischen Handlungselemente auf. Nach Freytag ist die T. durch einen Wechsel von Spiel und Gegenspiel bestimmt; dies entspricht etwa der aristotelischen Vorstellung von Knüpfung (*désis*) und Lösung (*lýsis*). Auch Hegel referiert gleichzeitig auf die Ant. und die Weimarer Klassik, wenn er die T. als Kollision für sich berechtigter sittlicher Mächte sieht. Auf R. Wagners Konzeption des Musikdramas bezogen ist Nietzsches Schrift *Die Geburt der T.* (1872); er unterscheidet – in sehr vager Anlehnung an ant. Vorstellungen – zwei widerstreitende Kunsttriebe: das Dionysische und das Apollinische. Beide würden in der T. antipodisch als Chor und Szene, Musik und Bild wiederkehren. Der Ursprung der T. sei im musikalischen Teil, im Dionysischen zu suchen und nicht in der Handlung. Diese Neudeutung der Gattungsgeschichte richtet sich gleichermaßen gegen Aristoteles und die Weimarer Klassik.

Ende des 19. Jh. setzt eine Abkehr von der geschlossenen T. ein, und es entwickeln sich – u. a. Nietzsche folgend – freiere Aneignungen ant. Vorbilder (Benn,

Hasenclever, Hofmannsthal, Pannwitz, Werfel). P. Szondi hat in seiner *Theorie des mod. Dramas* (1963) die hier sichtbar werdende Auflösung der strengen Formen als ›Krise des Dramas‹ [45. 20–73] gefaßt und mit dem Aufkommen sozialer Probleme in Zusammenhang gebracht. G. Steiner prägt etwa zur gleichen Zeit – Nietzsches Diktum verkehrend – das Schlagwort vom *Tod der T.* (1961) in der Moderne; er spricht den neueren Versuchen in dieser Gattung eine Eigenständigkeit ab. Die T. des späten Hauptmann oder der Neuklassik wirken zwar eher epigonal, doch zeigen sich in der klass. Moderne meist produktive Orientierungen an der Ant. (Brecht, Jahnn, O'Neill, Eliot, Gide, Cocteau, Giraudoux, Anouilh, Sartre). Diese T.-Adaptationen verfahren nach der »mythischen Methode«; sie beziehen sich als ›littérature au second degré‹ auf ihre ant. Prätexte, um ihre unverwechselbare Modernität als eine Identität des Fremden zu gestalten. Solche ausdrücklich mod. Perspektiven finden sich auch bei Transformationen in außereurop. Kulturen (etwa in der postkolonialen T. Afrikas) sowie in andere Gattungen und Medien wie in den → Roman (Ch. Wolf), die → Oper (R. Strauss, Orff, Liebermann) oder den internationalen → Film (Fühmann/Plenzdorf, Pasolini, Cocteau).

→ Deutschland; Frankreich; Griechische Tragödie; Italien; Lateinische Tragödie; Spanien; United Kingdom; Klassizismus II. Literatur (Großbritannien)
→ AWi Aischylos; Aristoteles; Deus ex machina; Dionysos; Eleos; Euripides; Herodianus; Homeros; Horaz; Iosephos [4] Flavios; Katharsis; Literaturtheorie; Livius; Phobos; Plutarchos [3]; Seneca; Sophokles [1]; Tragödie

1 P.-A. ALT, T. der Aufklärung. Eine Einführung, 1994 2 L. AYLEN, Greek tragedy and the modern world, 1964 3 W. BARNER, Produktive Rezeption. Lessing und die T. Senecas, 1973 4 W. BENJAMIN, Ursprung des dt. Trauerspiels, 1928 (Ndr. 1982) 5 J. DRAKAKIS, Tragedy, 1998 6 H. FLASHAR, Inszenierung der Ant. Das griech. Drama auf der Bühne der Neuzeit. 1585–1990, 1991 7 Ders. (Hrsg.), T. Idee und Transformation, 1997 8 W. FRICK, »Die mythische Methode«. Komparatistische Stud. zur Transformation der griech. T. im Drama der klass. Moderne, 1998 9 K. v. FRITZ, Ant. und mod. T., 1962 10 M. FUHRMANN, Die Rezeption der aristotelischen T.-Poetik in Deutschland, in: Hdb. des dt. Dramas, hrsg. v. W. HINCK, 1980, 93–105 11 R. GALLE, T. und Aufklärung, 1976 12 H.-D. GELFERT, Die T. Theorie und Praxis, 1995 13 D. E. R. GEORGE, Dt. T.-Theorien vom MA bis zu Lessing. Texte und Komm., 1972 14 J. W. v. GOETHE, Werke, hrsg. v. E. Trunz, Bd. 12, ¹⁰1982 15 J. Chr. GOTTSCHED, Schriften 16 F. HÖLDERLIN, Sämtliche Werke u. Briefe, hrsg. v. M. KNAUPP, Bd. 1, 1992 17 H. HOLLMER, Anmut und Nutzen. Die Originaltrauerspiele in Gottscheds »Dt. Schaubühne«, 1994 18 J. J. JACQUOT (Hrsg.), Le théâtre tragique, 1962 19 W. JENS (Hrsg.), Bauformen der griech. T., 1971 20 W. KAUFMANN, Tragedy and Philosophy, 1968 21 H. A. KELLY, Ideas and forms of tragedy from Aristotle to the Middle Ages, 1993 22 M. KOMMERELL, Lessing und Aristoteles, 1940 23 E. LEFÈVRE (Hrsg.), Der Einfluß Senecas auf das europ. Drama, 1978 24 G. E. LESSING,

Hamburgische Dramaturgie, hrsg. v. K. L. BERGHAHN, 1981
25 K. MACKINNON, Greek Tragedy into Film, 1986
26 L. MARCUSE, Die Welt der T., 1923 27 M. MUELLER,
Children of Oedipus and other essays on the imitation of
Greek tragedy (1550–1800), 1980 28 M. McDONALD,
Ancient Sun, Modern Light. Greek Drama on the Modern
Stage, 1992 29 A. MEIER, Dramaturgie der Bewunderung.
Unt. zur polit.-klassizistischen T. des 18. Jh., 1993 30 K. S.
MISRA, Modern tragedies and Aristotle's theory, 1981
31 D. NIEFANGER, Geschichtsdrama der Frühen Neuzeit
1495–1773, voraus. 2004 32 E. OLSON, Tragedy and the
Theory of Drama, 1968 33 R. H. PALMER, Tragedy and
Tragic Theory, 1992 34 U. PROFITLICH (Hrsg.), T.-Theorie.
Texte und Komm. Vom Barock bis zur Gegenwart, 1999
35 J. D. REDWINE (Hrsg.), Ben Jonson's Literary Criticism,
1970 36 A. CH. ROTTH, Vollständige Dt. Poesie, 1688, hrsg.
v. R. ZELLER, Bd. 2, 2000 37 W. SCHADEWALDT, Hellas und
Hesperien, 1960 38 H.-J. SCHINGS, Consolatio Tragoediae.
Zur Theorie des barocken Trauerspiels, in: R. GRIMM
(Hrsg.), Dt. Dramentheorien I, ³1980, 19–55
39 H. SCHOTTENIUS HESSUS, Ludus Martius sive Bellicus,
hrsg. v. H.-G. ROLOFF, 1990 40 G.-M. SCHULZ, Tugend,
Gewalt und Tod. Das Trauerspiel der Aufklärung und die
Dramaturgie des Pathetischen und Erhabenen, 1988
41 M. SILK (Hrsg.), Tragedy and the Tragic. Greek Theatre
and beyond, 1996 42 J. SÖRING, T. Notwendigkeit und
Zufall im Spannungsfeld tragischer Prozesse, 1982 43 Ders.
et al. (Hrsg.), Le Théâtre antique et sa réception, 1994
44 G. STEINER, Der Tod der T. (1961), 1981 45 P. SZONDI,
Theorie des mod. Dramas, 1963 46 G. TER NEDDEN,
Lessings Trauerspiele. Vom Ursprung des mod. Dramas aus
dem Geist der Kritik, 1986 47 J. THOMAS, Stud. zu einer
Poetik der klass. frz. T., 1977 48 J. W. VELZ, Shakespeare
and the Classical Trad. A Critical Guide to Commentary
1660–1960, 1968 49 B. v. WIESE, Die dt. T. von Lessing bis
Hebbel, 1948 50 R. WILLIAMS, Modern Tragedy, 1992
51 C. ZELLE, Alte und neue T. – Mythos, Maschine, Macht
und Menschenherz (...), in: German.-Romanische-
Monatsschrift (GRM) 41, 1991, 284–300
52 B. ZIMMERMANN (Hrsg.), Ant. Dramentheorien und ihre
Rezeption, 1992 53 Ders., Europa und die griech. T. Vom
kultischen Spiel zum Theater der Gegenwart, 2000.

DIRK NIEFANGER

Trajanssäule A. ANTIKE B. MITTELALTER C. RENAISSANCE D. NEUZEIT

A. ANTIKE

Die T. S. war die erste der stadtröm. Kaisersäulen, auf denen die Statuen der Kaiser hoch emporgehoben erscheinen, während ihre Taten auf einem spiralförmigen Relieffries gefeiert werden [7; 11]. Es folgten die des Antoninus Pius (161, zerstört, Postament: Rom, VM) und des Marcus Aurelius (192); ferner in Konstantinopel: Theodosius (393) und Arcadius (421, beide zerstört bzw. fragmentiert).

Die (urspr. farbig gefaßte) T. S. auf dem gigantischen Trajansforum (→ Rom III. Kaiserfora) zw. der Basilica Ulpia und den Bibl. wurde 113 dem Kaiser für seine Siege über die Daker (101/102 und 105/106) gewidmet und diente nach seinem Tod im J. 117 als Grabkammer der Urne (im Sockel). Ohne die bekrönende Statue

(verloren, 1588 unter Sixtus V. durch die Petrus-Statue von G. della Porta ersetzt) mißt sie (mit dem Sockel) fast 40 m in der Höhe; ihr Schaft, aus 18 Marmor-Trommeln zusammengesetzt (mit im Innern eingemeißelter Treppenspindel mit Fensterschlitzen), ist ca. 26 m hoch, ihr Durchmesser unten 3,68 Meter. Das in 23 Windungen gegen den Uhrzeigersinn umlaufende, etwa 200 m lange Reliefband mit mehr als 2500 Figuren bietet eine in dieser Form neuartige Bildhistorie (der Dakerkriege); als Vorbild hat man sich Rotuli mit kontinuierlicher Text- und Bildfolge gedacht, die aber nicht nachweisbar sind [20. 129]. Die früher auf den ungewöhnlichen Detailrealismus der Reliefs gestützte Annahme, es handele sich um eine Kriegschronik in Form einer Bildberichterstattung, wird h. verworfen; stattdessen sieht man in dem Werk eine polit.-propagandistische Manifestation. Eine durchgängige Nah-Besichtigung der Fries-Spirale war, obwohl ehemals von den beiden angrenzenden Bibl. vermutlich besser zu betrachten, niemals vorgesehen. Der kaiserliche Kriegs- und Siegeszug schraubte sich, den Blicken der Zeitgenossen entschwindend, gleichsam in den Himmel empor.

B. MITTELALTER

1. TRAJAN-IKONOGRAPHIE

Daß die T. S. im wesentlichen unbeschädigt die Spätant. und das frühe MA überstand, läßt auf hohes Ansehen schließen, das sie mit den übrigen Mirabilia Roms teilte (in den Mirabilia Urbis Romae 1140/1143 in einem eigenen Kap. gewürdigt). Eine Senatsurkunde von 1162 stellte sie (bei Todesstrafe) unter Schutz, auf daß sie ›ganz und unversehrt bleibe, solange die Erde besteht‹ [2. Nr. 18]. Die T. S. dürfte, wie für die Marc Aurel-Säule beglaubigt, als Aussichtsturm für Wallfahrer gedient haben.

Hinzu kam die legendäre nachträgliche »Christianisierung« des Heidenkaisers (und Christenverfolgers) ob seiner ›Gerechtigkeit‹ durch Gregor d. Gr. (zuerst gegen 713 berichtet [5. 194]), die trotz ihrer theologischen Problematik außerordentlich populär wurde (u. a. bei Thomas v. Aquin und Abaelard behandelt [5. 100]). Insbesondere durch die berühmte Ekphrasis eines Marmorfrieses in Dantes Divina Comedia (Purg. X), der die »Gerechtigkeit Trajans« eingebettet ist, manifestiert nicht nur die intellektuelle Virulenz des Themas, sondern dürfte sogar unter dem Eindruck der röm. Säulenreliefs konzipiert worden sein. So sehen es bereits spätma. Dante-Illustratoren, die jene Episode als Stück eines »marmornen« Spiralbandes schildern (Ferraresisch, Vatikanische Bibl., Cod. Urb. lat. 365, fol. 127r; [15. 158 f.] (Abb. 1). Die betreffende Trajans-Ikonographie (»Trajan und die Witwe«) entstand seit dem späten MA, mit und ohne Darstellung der Säule, zunächst vorwiegend zur demonstrativen Ausstattung von Gerichtsstuben und Rathäusern (Rogier v. d. Weyden, nach 1432, Rathaus Brüssel, verloren; danach Berner Trajansteppich, um 1450; Kat. des Materials: [5]), in der Folgezeit als Historie weit verbreitet in Malerei und Graphik. Die prominenteste Darstellung der Errettung Trajans aus dem Höllenfeuer

Abb. 1: Ferraresisch, Illustration zu Dante,
Divina Commedia, Purgatorio X, 73ff.
1. Hälfte des 15. Jahrhunderts. Rom, Vatikanische
Bibliothek, Cod. Urb. Lat. 365, fol. 127r

durch Gregor d. Gr. findet sich im Neustifter Kirchenväter-Altar von Michael Pacher (um 1480/1483; München, Alte Pinakothek).

2. TRIUMPHAL-IKONOGRAPHIE

Nicht an der Person, sondern der Säulenform orientiert zeigt sich → die Wertschätzung des Monumentes
im Sinne der → Interpretatio Christiana zuerst in der
sog. Bernwardsäule (Bronze, Höhe 3,80 m, um 1020;
Hildesheim, Dom), deren ikonologischer Sinn in der
Übertragung des kaiserlichen Sieges in den Triumph
Christi besteht: Christi irdische (Helden-) Vita erscheint
in 24 (gegenläufig zur T. S.) umlaufenden Szenen von
der Taufe bis zum Einzug in Jerusalem, ehemals gekrönt
vom Kruzifixus (verloren). In dem 70m langen friesartigen Teppich von Bayeux (E. 11. Jh; Bayeux, Kathedrale) mit der Darstellung der normannischen Eroberung Englands dürfte aufgrund des Themas, der Form,
Erzählstruktur und einzelner Motive gleichfalls ein
nördl., diesmal profaner Reflex der T. S. erkennbar sein
[21. 535–548].

Reduziert auf ein spiralförmiges Element scheint die
Säule in den Dekorationsschatz des MA gewandert und
zu einer allg. Triumphalformel geworden zu sein: so
gelegentlich bei romanischen Leuchterschäften, etwa
dem ottonischen Leuchterpaar in Kremsmünster mit
Akanthus- und Tierfries (spätes 10. Jh.; Abtei, Schatzkammer). Ähnliches gilt für die Buchmalerei, wo ent

sprechende »Kolumnen« als Bordüren gelegentlich
Texte und Titel flankieren: mit Banderolen bestückt
z. B. in der *Chronique de Louis de Bourbon* (4. Viertel
15. Jh.; St. Petersburg, Nationalbibl., 5.2.46, fol. 85r)
oder als Reliefsäulen im Frontispiz einer Eusebiushandschrift (1480/1490; London, BM, ms Royal 14, c. III, fol.
2 [19. Abb. 410]). Ähnlich, aber in Verbindung des trajanischen Schlachtenmotivs mit gedrehten got. Säulen
im Cosmatenstil, erscheint die Reminiszenz der T. S. in
Steinmalerei als Rahmen einer Kreuzigungstafel der
Brüder Salimbeni (1416; Urbino, Oratorio di S. Giovanni Battista), wo sie auf das Imperium Romanum verweisen dürfte [19. Abb. 406–408]; vergleichbar die Existenz der Säule (gekrönt von Donatellos Gattamelata!)
auf Mantegnas *Ölberg* (vor 1453; London, National Gallery).

3. ROM-IKONOGRAPHIE

In den seit ca. 1300 entstandenen Romdarstellungen
zählt die T. S., ob identifizierbar oder als nicht näher
definierte Spiral-Säule, fortan zu den Standard-Motiven: so in Giottos (?) letztem Bild der Franziskus-Legende, der *Befreiung des Häretikers*, wo dieser seinem
Gefängnis entweicht, das von einer entsprechenden
Säule überragt wird (um 1300; Assisi, S. Francesco) –
sicher ein top. Verweis auf Rom, darüberhinaus wohl
auch Symbolisierung der (überwundenen) Häresie. Als
top. Signum erscheint die T. S. z. B. auf der »Goldenen
Bulle« Ludwigs d. Bayern (1328; München, Bayerisches
Hauptstaatsarchiv), auf einem der Hiobsbilder von Taddeo Gaddi im Camposanto in Pisa (vor 1350), auf zahlreichen Cassoni mit röm. Themen [17. 332f., 363, 377].

Während die um eine T. S. gruppierten *Sieben Werke
der Barmherzigkeit* von Sebastian Vranx (1608; Hannover, Landesgalerie) als rel. Allegorie die christl. Metropole Rom thematisieren, steht die T. S. auf Federigo
Baroccis Bild der Flucht des Äneas aus dem brennenden
Troja (1598; Rom, Galleria Borghese) als Vorbote der zu
gründenden Stadt Rom, des neuen Trojas. Auf ungezählten Veduten und Rom-Phantasien des Barock und
Klassizismus – bis hin zu denen des Spezialisten Giovanni Paolo Pannini im 18. Jh. – ist die T. S. nicht wegzudenken.

C. RENAISSANCE

Seit dem 15. Jh. wurde die T. S. (neben anderen
namhaften Antiken) bevorzugtes Objekt des künstlerischen und antiquarischen Interesses. Die erste (Detail-)
Beschreibung findet sich in Filaretes Architekturtraktat
von 1464 (Ed. A. M. Finoli, 1972, 369), die ersten Szenenzeichnungen sind 1467 datiert (6 Bl.; Chatsworth,
Herzog v. Devonshire). Es folgten zahlreiche Aufnahmen, zunächst aus den unteren Windungen, so von
Giuliano da Sangallo, Fra Giocondo, Aspertini, Ant. da
Sangallo, Primaticcio, Francisco di Hollanda, Heemskerk, Poussin u. a. [4. Nr. 159].

Besonderes Interesse fanden die Schlachten- und
Militärszenen des Frieses [1. Abb. 131 ff.]; sie gingen ein
in zahlreiche Historien der Ren.: Ghiberti, *Paradiestür*
(Kampf gegen die Philister, 1425–1452; Florenz, Bap

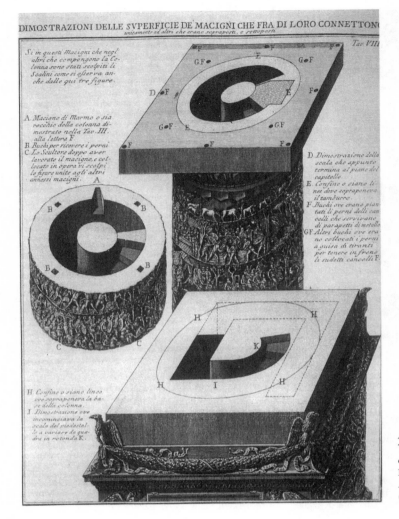

Abb. 2: Giovanni Battista Piranesi, Trajanssäule: Virtueller Schnitt durch Postament, Schaft, Kapitell; Kupferstich aus: *Trofeo o sia Magnifica Colonna Coclide ...* (Erstausgabe Rom, um 1774/75)

tisterium); *Ziborium* Sixtus' IV. (ca. 1480; Rom, Vatikanische Grotten); Mantegna, *Triumph Cäsars* (um 1492; London, Hampton Court); Werkstatt Ghirlandaios, *Auferstehung Christi* (um 1495; Berlin, Staatliche Museen); Raffael, *Begegnung Attilas und Leos d. Gr.* (1514; Rom, Vatikan); Giulio Romano, Stuckfries im Palazzo Te (Sala degli Stucchi, nach 1530; Mantua) und andere.

Jetzt entstand auch das Bedürfnis, die gesamte Säule zu erforschen und zu dokumentieren, zuerst realisiert von Jacobo Ripanda, der die Reliefs von oben bis unten zeichnete (›magna omnium admiratione, magnoque periculo circum machinis scandendo‹, also wohl mit Hilfe eines Krans; 55 Bl., vor 1506; Rom, Istituto di Archeologia e Storia dell' Arte, Palazzo Venezia). Eine Publikation des gesamten Frieses in 130 Kupferstichen nach Zeichnungen von G. Muziano folgte durch Alfonso Chacon (Rom 1576), gewidmet Philipp II. von Spanien, »successor Traiani Caesaris«. Die berühmteste

Edition besorgte Bellori mit Stichen – auch Längs- und Querschnitten – von Pietro Santi Bartoli (Rom 1672), gewidmet Louis XIV. [6. 589–604]. Hier sei noch die Prunkausgabe Piranesis genannt: *Trofeo o sia Magnifica Colonna Coclide ...* (Erstausgabe Rom, um 1774/75), mit 16 großformatigen, z.T. aus mehreren Drucken montierten Stichen der gesamten Säule, einiger Details und ihrer Konstruktion (Abb. 2). Eine physiognomische Kollektion nach der T. S. (*Différents caractères de testes*) zeichnete Fr. Boucher, gestochen von J. B. Hutin auf 12 Tafeln (Paris o.J. [12. 68–80]; Abb. 3).

D. NEUZEIT

Spätestens seit Bellori wurde das antiquarische vom imperialen Interesse überlagert, nachdem bereits François I. 1540 durch Primaticcio einige Relief-Abformungen hatte vornehmen lassen (Mailand, Biblioteca Ambrosiana). Louis XIV. folgte, indem er mit Hilfe eines eigens gebauten Gerüstes (das auch Bartoli benutzte)

Abb. 3: François Boucher, Illustration aus: *Recueil de Différents caractères de Testes Dessinées d'après la Colonne Trajane*. Gestochen von J.B. Hutin auf 12 Tafeln. Paris o.J.

ab 1667 einen zweifachen Satz aller Reliefs für Paris und die Académie de France in Rom herstellen ließ. In sechs Abschnitte geteilt, wurde eine komplette Abformung im 1857 geschaffenen »Musée des Moulages« im Louvre zugänglich gemacht.

Es war dem Absolutismus vorbehalten, die Rezeption der T.S. zu monumentalisieren, gleichsam zur Bauaufgabe zu machen: Nachdem bereits Bernini die Idee der Verdoppelung der Säule für Paris (1665), Jean Marot für sein Projekt des Mannheimer Schlosses vorgeschlagen hatte [18. Abb. 52], wurde dieses spektakulär von Fischer v. Erlach realisiert: zunächst für ephemere Bauten (u.a. Trauergerüst Kaiser Josephs I., 1711 [18. Abb. 68]), sodann bei der Schauwand der Wiener Karlskirche (1716–1739), wo sie, effektvoll plaziert, einen komplexen symbolisch-emblematischen Hintersinn aufweisen. Neben der gegenläufigen Schilderung des Lebens und der Wunder des Hl. Karl Borromäus, Patron des Stifters, Karls VI., spielen sie an auf die zwei Säulen des Salomonischen Tempels (1 Kg 7,13–22), die Devise des Stifters *constantia et fortitudo* und erinnern an das Emblem des namensgleichen Vorgängers Karls V. (»Säulen des Herkules« und *plus ultra*). Zusammen mit den weiteren Rom-Zitaten – der hochbarocken Kuppel, der Tempelfront – bilden sie eine ebenso imperiale wie katholische Rom-Vision.

Auch als verkleinerte Pretiose erfreute sich die T.S. v.a. im 18. Jh. fürstlicher Beliebtheit: Ein frühes phantasievolles Beispiel ist das Exemplar aus Bergkristall und Silber (vielleicht für Karl V.) in Florenz (um 1540, 59cm; Argenteria [14. Nr. 52]). Unter den Miniaturkopien ragt das Exemplar aus Lapislazuli, Silber, Marmor und Granit von Luigi Valadier in München hervor (1780, 200 cm; Schatzkammer der Residenz).

Bei den Monumental-Projekten des Revolutionszeitalters spielte die Rezeption der T.S. eine hervorragende Rolle, nachdem zahlreiche Studienarbeiten an der Académie Française in Rom visionäre Vorarbeit geleistet hatten [12. 156–167]: bemerkenswerte Projekte von Bélanger, Weinbrenner, Ledoux (Projekt eines Triumphbogens für Landgraf Friedrich II. in Kassel [12. 173]), Blein (dieser entwarf 1798, angeregt vom Campanile in Pisa, für das Château Trompette in Bordeaux eine außenseitig spiralförmig begehbare Säule) [13. Nr. 43, 98, 189], v.a. aber von Boullée, der in den Entwürfen eines Stadions (Abb. 4), eines Museums, der Nationalversammlung und des Umbaus des Versailler Schlosses mit symmetrisch versetzten Säulen-Paaren arbeitete [12. Nr. 80–84].

Doch schon bald wich die Feier der Revolutionsideale der des Heros Napoleon: Bereits nach dessen Italienfeldzug (1796) erwog man, die T.S. nach Paris zu überführen, errichtete 1806–1810 dann jedoch auf der Place Vendôme eine eigene Säule (»Colonne de la Grande Armée«) anläßlich des Siegs über Österreich (1805), den man mit Trajans Dakerfeldzug verglich. Die 78 Reliefs des 280 m langen Frieses waren aus der Bronze erbeuteter Kanonen gefertigt und demonstrierten materialallegorisch den Trophäengedanken. Die Statue Napoleons auf der Spitze wurde 1814 entfernt, mehrmals ersetzt, die Säule selbst während der Commune 1871 (unter Anstiftung des Malers Courbet) gestürzt, 1873 wiedererrichtet.

Ein Projekt aus eher histor. Geiste ist Christian Rauchs Säule (unter Mitwirkung Schinkels) für Friedrich d. Gr. (unrealisiert), auf dessen 21fach umlaufendem Fries nicht nur die Kriegs-, sondern auch die Friedenstaten gefeiert werden sollten (Gipsmodell 1830/31; Berlin, Rauch-Museum, Inv. Nr. RM 88 [13. Nr. 352; 9. Taf. 3]). Eine nationalromantische Variante ist die bereits 1836 als Nationalmonument geplante, aber erst 1926/1992 realisierte Säule »Sagasola« (»Säule der Sagen«) in Elveseter/Bøverdalen (Norwegen), mit einem Querschnitt der norwegischen Geschichte auf ihren allerdings horizontalen Relieftrommeln.

Als »Tour du Travail« erscheint die T.S. »sozialisiert« in Rodins Entwurf für ein heroisches Monument der Arbeit, gezeigt auf der Weltausstellung Paris 1900, aber nie realisiert (Gipsmodell, 1894–1899; Paris, Musée Rodin). Dem polit.-didaktischen Zweck gemäß sollte das mit Darstellungen von der Schwer- zur Geistesarbeit aufstrebende Relief diesmal in voller Länge lesbar sein, weshalb geplant war, die Säule in ein nach außen durchbrochenes (Wendel-)Treppengehäuse einzustellen; zu-

Abb. 4: Etienne-Louis Boullée, Projekt eines Stadion, ca. 1782, Zeichnung, Aquarell. Paris, Bibliothèque Nationale, Cabinet des Estampes

oberst zwei Genien als Verkörperung der »Segnungen der Arbeit«.

Ein später Reflex auf die T. S. könnte Tatlins Entwurf eines Denkmals und Turms für die III. Internationale (1919/20) in Moskau sein. Es enthält zwei gegenläufige Spiralen um einen konischen Kern, aufgestellt in der Winkelneigung der Erdachse. Das Bauwerk sollte die Höhe des Eiffelturms übertreffen und mit der ihm eigenen formalen Dynamik die Idee des Weltkommunismus verkünden.

Nur wenige J. später schenkte Papst Pius XII. einen Abguß der Reliefs der T. S. an Mussolinis faschistisches Museo dell' Impero Romano in EUR.

1 G. AGOSTI, V. FARINELLA, Calore del marmo. Practica e tipologia delle deduzioni iconografiche. Due studi. I. Un monumento: La colonna di Traiano, per esempio, in: S. SETTIS (Hrsg.), Memoria dell' antico nell' arte italiana, I, 1984, 390–427 2 F. BARTOLINI (Hrsg.), Codice diplomatico del Senato Romano ..., 1948, Nr. 18, 25–27 3 P. BLOCH (Hrsg.), Ethos und Pathos. Die Berliner Bildhauerschule 1786–1914, 1990 4 P. B. BOBER, R. O. RUBINSTEIN, Ren. Artists and Antique Sculpture, 1986 5 A. M. CETTO, Der Berner Traian- und Herkinbald-Teppich, 1966 6 V. FARINELLA, Bellori e la Colonna Traiana, in : L'idea del bello, Austellungskat. Rom 2000, II, 589–604 7 W. GAUER, Unt. zur T. S., 1, 1977 8 W. HAFTMANN, Das it. Säulenmonument, 1939 9 F. HASKELL, N. PENNY, Taste and the Antique, 1981 10 H. LADENDORF, Antikenstudium und Antikenkopie, 1958 11 K. LEHMANN-HARTLEBEN, Die T. S., I–II, 1926 12 La Colonna Traiana e gli artisti francesi da Luigi XIV a Napoleone I, Austellungskat. Rom 1988 13 Les Architectes de la Liberté 1789–1799, Austellungskat. Paris 1989 14 Michelangelo e l'arte classica, Austellungskat. Florenz 1987 15 W. PLEISTER, W. SCHILD (Hrsg.), Recht und Gerechtigkeit im Spiegel der europ. Kunst, 1988 16 M. POMPONI, La Colonna Traiana nelle incisioni di P. S. Bartoli: contributi allo studio del monumento nel XVII secolo, in: Rivista dell' Ist. Nazionale d'Archeologia e Storia dell' Arte, XIV-XV, 1991–92, 347–377 17 P. SCHUBRING, Cassoni, 1923 18 H. SEDLMAYR, Johann Bernhard Fischer von Erlach, 1997 19 S. SETTIS, Continuità, distanza, conoscenza. Tre usi dell' antico, in: Ders., (Hrsg.), Memoria dell' antico nell' arte italiana, III, 1986, 375–486 20 K. WEITZMANN, Illustrations in Roll and Codex, ²1970 21 O. K. WERCKMEISTER, The political ideology of the Bayeux Tapestry, in: Studi medievali, ser. III, XVII, 1977, 535–548. NICOLA BOURDON UND BERTHOLD HINZ

Translatio Imperii s. Sacrum Imperium

Traumdeutung. Der vielstimmige Diskus der griech.-röm. Ant. über Traum und T. in Religion, Lit., Alltagsleben, Philos., Divination/Mantik und Medizin weist eine deutliche kulturelle Prägung auf [19]. Trotz markanter Traditionsbrüche – v. a. durch das Christentum – läßt sich eine relativ hohe Kontinuität der T.-Diskurse seit der Ant. beobachten [18]. Dies dürfte u. a. darauf zurückzuführen sein, daß die ant. pagane Trad., die existentielle Fragen bezüglich der Deutbarkeit der Träume aufgeworfen hatte, in einschlägigen Texten präsent blieb (mit je unterschiedlicher Überlieferung im griech.- und lat.-sprachigen MA) [17], und daß die T. als Mittel, der nächtlichen Gegenwelt der Träume Sinn zu verleihen, nicht unterbunden werden konnte. Folgerichtig wird man zw. einer (wenig faßbaren) populären und einer mit wiss. Anspruch betriebenen T. unterscheiden müssen.

Das Christentum mit seiner Vorstellung eines vom Schöpfergott determinierten Kosmos hatte keinen Raum mehr für die Künste der Vorhersage [6; 21; 15] (vgl. die Perhorreszierung der Mantiker bei Dante, *Inferno* 20,10ff.), auch wenn der Traum als Medium einer persönlichen Kommunikation des Individuums mit Gott durchaus positiv besetzt sein konnte. Obwohl die mantische T. »offiziell« stark marginalisiert wurde, ging sie in ihren populären Ausformungen nie verloren. Das weiterhin große Bedürfnis nach T. beweisen etwa Traumbücher wie das *Somnium Danielis*, die letztlich auf Artemidors *Oneirokritiká* zurückzuführen sind [17], von denen sie sich unterscheiden durch das Fehlen einer theoretischen Grundlegung von Traumentstehung und

-deutung und durch Versuche, die pagane T. mit dem christl. Glauben zu harmonisieren, indem man sie z.B. dem Propheten Daniel zuschrieb.

Im lat. MA findet sich keine Spur einer direkten Artemidor-Rezeption, doch blieb der wichtigste Exponent der paganen säkularen T. im griech. Sprachraum und in einem arab. Überlieferungsstrang ununterbrochen präsent. Spätestens in der Ren. führte die große wiss. Neugierde, die auch Okkultes und Grenzerfahrungen der menschlichen Rationalität nicht ausschloß, zu einem lebhaften Interesse an allen mantischen Künsten und in der Folge zu einer verstärkten Zuwendung zu den griech.-röm. Referenztexten, neben Artemidor hier v.a. Synesios' *Perí enhypníou* und *Perí tēs kath' hýpnou mantikḗs*. Artemidors *Oneirokritiká* erlangten schnell eine große Popularität, wie zahlreiche Ausgaben (Erstausgabe Venedig 1518) und Übers. zeigen [11]. Zu einer Basler Ausgabe (1597) schrieb sogar der Humanist Philipp Melanchthon eine Würdigung, in der er die christl. Weltanschauung und die pagane T. über die gemeinsame Verachtung der Epikureer in Einklang zu bringen suchte. Einen Meilenstein in der Rezeption und Transformierung des ant. T.-Diskurses stellt die fast prä-psychoanalytische Schrift *Synesiorum somniorum omnis generis insomnia explicantes* (1562) des polymathischen Gelehrten Hieronymus Cardanus [4] dar, der die Bilderproduktion des Traums als eine unerschöpfliche Quelle von Allegorien und Bed. auffaßte, die Material zu einer Selbstanalyse des Träumenden hinsichtlich seiner Phantasie- und Seelentätigkeit darbiete.

Artemidors Grundlagenwerk erfreute sich in epitomisierten Versionen nicht nur in der volkstümlichen T. großer Beliebtheit; auch Menschen, die den Diskurs über die T. in h. noch ernstzunehmender Form fortführten, orientierten sich an der Theorie und den Deutungshypothesen der vollständigen Fassung. Erst die naturwiss. Ansätze des 18./19. Jh. ließen die *Oneirokritiká* als endgültig »überholt« oder als »Aberglaube« erscheinen. Obwohl die Erforsch. der neurologischen Grundlagen der Traumentstehung genaugenommen einen anderen Aspekt des Traumphänomens betrachtet und die von den ant. T.-Diskursen aufgeworfenen Frage nach der Deutbarkeit der Träume außer Acht läßt, gewann durch sie das kaum auszurottende Vorurteil gegen die Legitimität einer T. die Oberhand. Durch diese Entwertung ist aber in bezug auf die ant. T. ein wichtiger Erfahrungsschatz des Umgangs mit Träumen verloren gegangen. Auch genuin altertumswiss. Studien des 19. Jh. – z.B. von Gomperz [10] oder Büchsenschütz [3] – bewerten vor diesem »rationalen« Hintergrund die ant. T.-praxis als überwundene primitive Stufe menschlichen Denkens.

In der Romantik bezeichnete der Traum eine Gegenbewegung zum Rationalitätsdispositiv der → Aufklärung und steht insofern nicht in der Trad. der ant. Traumdeutung. Erst Freud, dessen Traumverständnis anti-romantisch, nämlich methodisch orientiert war, nahm den ant. Diskurs einer Deutbarkeit der Träume in

der epochalen *Traumdeutung* (1900) [9], dem Gründungsmanifest der → Psychoanalyse, wieder auf: ›Bezeichnenderweise im alles entscheidenden zweiten Kapitel der *Traumdeutung*, »Die Methode der T.: Die Analyse eines Traummusters« setzt sich Freud vergleichsweise ausführlich mit Artemidor auseinander, dem er eine »interessante Abänderung« [9. 119] des »Chiffrierverfahrens« bescheinigt, das er von der »symbolischen T.« unterscheidet, welche im Gegensatz zu einem modifizierten, auf die Assoziationen des Träumers gestützten Chiffrierverfahren ihm gänzlich verfehlt zu sein scheint. (...) Für Artemidor wie für Freud selber ist der Traum ein typisches »Kontextphänomen«. Vorbildlich erscheint ihm an den *Oneirokritiká*, daß sich die Deutung nicht auf das Ganze des Traumes richtet, was die symbolische Deutung ausmacht, sondern »auf jedes Stück des Trauminhalts für sich«. Und 1914 fügt er an dieser Stelle hinzu, daß seine Deutetechnik sich nur darin von der ant., d.h. Artemidors, unterscheide, »daß sie dem Träumer selbst die Deutungsarbeit auferlegt‹ [12. 226]. Diese Einschätzung läßt den Verdacht aufkommen, daß Freud seine frühere Behauptung, daß die *Oneirokritiká* ein Beispiel für die ›vorwiss. Traumauffassung der Alten‹ [9. 32], eine typische ›Laienmeinung‹ [9. 117] seien, nicht mehr aufrechterhalten konnte.

Die prominente Stellung der ant. T. in Freuds *Traumdeutung* bescherte dieser eine nicht unproblematische Beachtung. Diese manifestierte sich nicht nur in Gestalt von Überblicksstudien wie z.B. des Psychoanalyse-nahen L. Binswangers [1], sondern auch in einer Verknüpfung im Guten wie im Bösen mit der Kritik der psychoanalytischen T. [12; 14; 19]: Freuds ambivalent anerkennend-abschätzige Haltung gegenüber den ›vorwiss.‹ Bundesgenossen der T. wird selbst von denjenigen reproduziert, die sich als Gegner und Kritiker Freuds positionieren.

In den letzten 30 J. kann man nicht zuletzt durch E. Dodds' einflußreiche Studie *The Greeks and the Irrational* ein verstärktes kulturwiss. Interesse an Traum und T. über verschiedene Disziplinen hinweg (Altertumswiss., Ethnologie, Psychoanalyse) ausmachen, wozu auch die Auswertung der Artemidorischen *Oneirokritiká* als soziologische oder mentalitätsgeschichtliche Quelle (z.B. [7]) tritt. Die wichtigsten Impulse gab in dieser Hinsicht M. Foucault bes. in seiner schon 1954 verfaßten, doch erst in den 1990er J. in ihrer Bed. wiedererkannten »Einleitung« zu Binswangers *Traum und Existenz* [8]. In dieser markiert er das hohe heuristische Potential der ant. T., die dem Traum – anders als Freud – auch als soziokulturell geprägtem Phänomen Rechnung getragen habe.

Das 100. Jubiläum der Freudschen *Traumdeutung* (2000) führte in den letzten J. zu einer weiteren Steigerung der Forschungstätigkeit, die histor.-mentalitätsgeschichtliche [19] und psychoanalytisch-klinische [2] Studien neben solchen Unt. stehen, die die ant. (und die Freudsche) T. im Kontrast mit entsprechenden Praktiken anderer Kulturen und Epochen [16] betrachten. Auf der Tagesordnung der aktuellen Traumforsch. steht die Verbindung von kognitivistischen, neurologischen und (tiefen-) hermeneutischen Ansätzen. Hierbei wird die ant. T. insofern virulent bleiben, als der Traum als rein neurophysiologisches Phänomen nicht abschließend bestimmbar sein wird.

→ AWI Artemidoros [5]; Divination; Synesios [1]; Traum, Traumdeutung

1 L. BINSWANGER, Wandlungen in der Auffassung und Deutung des Traumes: Von den Griechen bis zur Gegenwart, 1928 2 S. BOLOGNINI (Hrsg.), Il sogno cento anni dopo, 2000 3 B. BÜCHSENSCHÜTZ, Traum und T. im Alterthume, Berlin 1868 4 HIERONYMUS CARDANUS, Synesiorum somniorum omnis generis insomnia explicantes, Basel 1562 5 E. DODDS, The Greeks and the Irrational, 1966 6 TH. FÖGEN, Die Enteignung der Wahrsager, 1993 7 M. FOUCAULT, Sexualität und Wahrheit, Bd. 2, 1991 (urspr. frz. 1984) 8 Ders., Einl. zu: L. BINSWANGER, Traum und Existenz, 1992 (urspr. frz. 1954) 9 S. FREUD, Die T. (1899/1900), Studienausgabe, Bd. 2, 1972 10 TH. GOMPERZ, T. und Zauberei, Wien 1866 11 L. GRENZMANN, Traumbuch Artemidori. Zur Trad. der ersten Übers. ins Dt. durch W. H. Ryff, 1980 12 A. KROVOZA, Die Stellung Freuds zur Vorgesch. der T., in: [19 223–233] 13 R. A. PACK, On Artemidorus and his Arabic Translator, in: TAPhA 98, 1967, 313–326 14 S. R. F. PRICE, The Future of Dreams. From Freud to Artemidoros, in: Past and Present 113, 1986, 3–37 15 J.-C. SCHMITT, The Liminality and Centrality of Dreams in the Medieval West, in: [16 274–287] 16 D. SHULMAN, G. G. STROUMSA (Hrsg.), Dream Cultures. Explorations in the Comparative History of Dreaming, 1999 17 L. THORNDIKE, Ancient and Medieval Dream-books, in: Dies., A History of Magic and Experimental Science during the First Thirteen Centuries of our Era, Bd. 2, 1923, 290–302 18 O. VEDFELT, Dimensionen der Träume, 1999 19 C. WALDE, Ant. T. und mod. Traumforsch., 2001 20 Dies., Von Artemidor und anderen Traumdeutern, in: Zschr. für psychoanalytische Theorie und Praxis 16, 2001, 209–231 21 M. E. WITTMER-BUTSCH, Zur Bed. von Schlaf und Traum im MA, 1990.

CHRISTINE WALDE

Travestie s. Adaptation

Trier I. NACHANTIKE ZEIT II. AUSGRABUNGS-GESCHICHTE/ALTERTUMSFORSCHUNG III. RHEINISCHES LANDESMUSEUM

I. NACHANTIKE ZEIT
A. GESCHICHTE B. TOPOGRAPHIE C. REZEPTION DER ANTIKE

A. GESCHICHTE
Trier war nach dem Verlust seiner Funktion als Kaiserresidenz und der Verlagerung der Prätorianerpräfektur nach Arles von permanenter mil. Bedrohung geprägt. Allein für die erste H. des 5. Jh. sind vier Einnahmen der Stadt durch fränkische (und burgundische) Verbände und die jeweilige Rückeroberung erschlossen worden. Darüber hinaus scheint die Stadt auch von dem Hunnenzug des Jahres 451 nach Gallien betroffen ge-

wesen zu sein. Nach einer erneuten Einnahme T. durch fränkische Gruppen erfolgte noch einmal eine Restaurationsphase röm. Restherrschaft in den 60er und 70er J. des 5. Jh. unter dem *comes* Arbogast. 485/86 wurde T. endgültig in den Machtbereich der rheinischen Franken einbezogen.

Die rasch wechselnden Machtverhältnisse und der mit den kriegerischen Ereignissen einhergehende Zusammenbruch der urbanen Infrastruktur (u. a. Aufgabe der Frischwasserversorgung durch die Ruwerwasserleitung bzw. des Badebetriebes in den öffentlichen Thermen) führten zu einschneidenden Veränderungen im Siedlungsgefüge der Moselstadt. Als Refugien dienten offenbar die Großbauten der einstigen Kaisermetropole. Möglicherweise läßt sich eine Notiz bei Fredegar (7. Jh.) auf eine Belagerung der Stadt durch die Franken beziehen. Dem Wortlaut zufolge hatte sich die Bevölkerung der Stadt in dem zuvor befestigten Amphitheater verschanzt und sei so gerettet worden [4].

Für den Zeitraum von etwa 200 Jahren nach der Mitte des 5. Jh. sind die arch. Zeugnisse zu T. äußerst spärlich. Fest steht die kontinuierliche Nutzung der das neue Zentrum bildenden Doppelkirchenanlage (später Dom und Liebfrauen) mit Restaurierungsmaßnahmen unter Bischof Nicetius (525/26–566) sowie die durch die langjährigen Ausgrabungen in St. Maximin eindrucksvoll nachgewiesene lückenlose Abfolge von spätant. Coemeterialbau zur frühma. Kirche. Darüber hinaus belegen die immer wieder dokumentierten Bestattungen des 6. und 7. Jh. auf den großen Gräberfeldern außerhalb der röm. Stadtummauerung nahegelegene Siedlungen. Diese erwähnt auch Gregor von Tours, der von *vici* im Umfeld der vor den Stadtmauern gelegenen *loca sancta* berichtet (*Liber in Gloria Confessorum* 91). Das Namensmaterial der frühchristl. Grabinschr. verweist dabei auf einen weiterhin hohen romanischen Bevölkerungsanteil.

Seit dem fortgeschrittenen 7. Jh. erfolgte in zunehmendem Maß eine Aufsiedlung des zuvor in weiten Bereichen aufgelassenen spätant. Siedlungsareals [7]. Zugleich wurde der Kranz von Kirchen, der die Stadt schützend umgab und zudem als kultisches Zentrum deutlich vom Umland abhob, nun wesentlich erweitert und ausgebaut. Neben den aus spätant. Grabbasiliken hervorgegangenen Monasterien und Kirchen kamen im Früh-MA neue Kirchengründungen hinzu, so daß ihre Zahl im 9. Jh. rund 20 derartige Kultzentren umfaßte. Die im engeren ma. Siedlungsbereich gelegenen ant. Straßenzüge wurden zu großen Teilen erst an der Wende zum Hoch-MA aufgegeben. Als auslösendes Moment darf die Etablierung des Marktes vor der Domburg angenommen werden, deren Tore noch auf das röm. Raster ausgerichtet sind. Erzbischöfliche Oberhoheit und rechtlicher Schutz der Marktbesucher kommen in dem 958 unter Erzbischof Heinrich I. errichteten Marktkreuz zum Ausdruck.

Konkrete Hinweise zu Gewerbe und Handelsbeziehungen sind für das Früh-MA vergleichsweise rar. Ne-

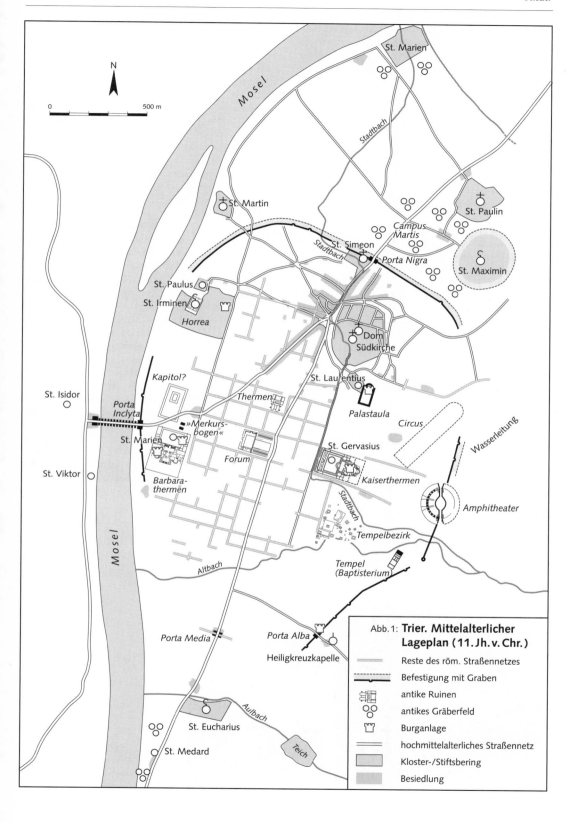

Abb. 1: **Trier. Mittelalterlicher Lageplan (11. Jh. v. Chr.)**

Reste des röm. Straßennetzes	
Befestigung mit Graben	
antike Ruinen	
antikes Gräberfeld	
Burganlage	
hochmittelalterliches Straßennetz	
Kloster-/Stiftsbering	
Besiedlung	

St. Marien

Mosel

Stadtbach

N

0   500 m

St. Martin

St. Paulin

Campus Martis

Stadtbach

St. Simeon

Porta Nigra

St. Maximin

St. Paulus

St. Irminen

Horrea

Dom

Südkirche

Kapitol?

St. Isidor

Porta Inclyta

Thermen

St. Laurentius

Palastaula

Circus

Wasserleitung

»Merkurs-bogen«

St. Marien

Forum

St. Gervasius

St. Viktor

Barbara-thermen

Kaiserthermen

Amphitheater

Stadtbach

Tempelbezirk

Altbach

Tempel (Baptisterium)

Porta Media

Porta Alba

Heiligkreuzkapelle

Aulbach

St. Eucharius

St. Medard

Teich

Mosel

ben dem Nachweis von Münzprägungen in T. seit dem 6. Jh. bezeugt ein durch Gregor von Tours mitgeteiltes Mirakel die Teilnahme der Stadt am oberlothringischen Salzexport . Eine zu das beginnende 9. Jh. zu datierende Notiz in der *Vita Maximini* belegt Kontakte zum friesischen Fernhandel [4].

B. TOPOGRAPHIE

Trier blieb bis weit über das Früh-MA hinaus von der Ant. geprägt. So waren alle h. bekannten öffentlichen Bauwerke der späten Kaiserzeit – auch die, welche seit Jahrhunderten aus dem Blickfeld verschwunden und lediglich aufgrund arch. Untersuchungen bekannt sind – noch im Hoch-MA weiterhin wahrnehmbar, lagen einzelne Siedlungsinseln inmitten einer weitläufigen römerzeitlichen Trümmerlandschaft. Sie gruppierten sich vornehmlich um Kirchen, Klöster oder Stifte, die ihrerseits wiederum aus Komplexen spätant. Ursprungs hervorgegangen bzw. in röm. Großbauten hineingesetzt worden waren. Außer den h. noch oberirdisch sichtbaren ant. Zeugnissen wie dem gratianischen Kernbau des Domes, der Palastaula, dem Amphitheater, den Barbara- sowie den Kaiserthermen, der Porta Nigra oder der Moselbrücke standen Mauerzüge des röm. Forum und der Forumsthermen (Viehmarktthermen) sowie der spätant. *horrea*, ferner die Reste von Tempelgebäuden und ehemaligen Wohnbauten, Läden oder Gewerbebetrieben. Sichtbar waren im Osten der Stadt zudem Reste des Circus sowie die Aquäduktpfeiler der unterhalb des Petrisberges in westl. Richtung abwinkelnden Ruwerwasserleitung. Erhalten geblieben waren schließlich neben der Porta Nigra auch die übrigen ant. Stadttore (Porta Alba, Porta Media und Porta Inclyta) sowie – in ihrem Verlauf noch in Teilabschnitten vorhanden – die urspr. 6,5 Kilometer lange Stadtmauer des 2. Jahrhunderts. Nördlich und südl. der röm. Stadt-

befestigung zeugten zahlreiche Sarkophage und Überreste einzelner Grab- und Memorialbauten von den Dimensionen der ehemaligen Gräberfelder [6] (Abb. 1).

Wichtig ist die Tatsache, daß derartige Monumente in der reichhaltigen schriftlichen Überlieferung nicht lediglich unspezifiziert als alte Ruinen oder Mauern angesprochen werden, sondern die Ansprache eine lokale Kenntnis ihrer ehemaligen Funktion verrät. So findet sich das erst 1977–1979 wiederentdeckte Kapitol am Moselufer als solches noch an der Wende zum 12. Jh. bezeichnet, der Circus wird noch 1101 als ›Stadion der alten Stadt‹ identifiziert, ›der nun Langgraben genannt wird‹. Auf die spätant. Speicheranlagen verweist das Nonnenkloster St. Maria *ad horrea*, Amphitheater und Aquädukt heißen weiterhin ebenso in der örtlichen Terminologie, und auch das röm. Zentrum der Stadt ist noch bekannt, dessen Ruinen als *forum antiquum* bzw. *vetus forum* bezeichnet werden [6].

Generell wurde röm. Monumentalarchitektur zu T. in jüngerer Zeit weiter, meist allerdings in geänderter Form genutzt. Die Verwendungsmöglichkeiten blieben dabei aber im wesentlichen auf ein Fortleben als *castrum* oder *ecclesia* beschränkt. Beispiele letzterer Variante sind das um die Mitte des 7. Jh. in die Getreidespeicher an der Mosel gesetzte Frauenkloster St. Irminen (vormals St. Maria) oder die während des 11. Jh. in das ant. Nordtor hineingebaute Doppelkirchenanlage des Stiftes St. Simeon (Abb. 2). Einige aus der erzbischöflichen Dienstmannschaft bzw. Vasalität entstammende Familien hatten Burganlagen in ant. Großbauten errichtet. So saß der Geschlechterverband »de Ponte« gleich in mehreren Türmen, die er in die Ruinen der ehemaligen Barbarathermen unweit der Römerbrücke hineingebaut hatte (Abb. 3). Die Familie »de Palatio« hatte ihren Sitz in der spätant. Palastaula gewählt, die während des

Abb. 2: Die Porta Nigra als Doppelkirche von der Stadtseite her gesehen. Kupferstich von Caspar Merian, um 1670

Abb. 3: Die Ruinen der Barbarathermen
mit hochmittelalterlichen Einbauten.
Zeichnung aus dem Manuskript *Luciliburgensia sive
Luxemburgum Romanum* Alexander Wiltheims

Abb. 4: Ansicht der zur Burganlage umfunktionierten
spätantiken Palastaula. Zeichnung aus dem Manuskript
Luciliburgensia sive Luxemburgum Romanum Alexander
Wiltheims

Hoch-MA als erzbischöfliche Burg fungierte (Abb. 4).
Nach den zur Wehranlage umfunktionierten Ruinen
der Kaiserthermen hatte sich das Geschlecht »de Castello« benannt, während der Verband »de Horreo« nach
seinem Turm in den Speicheranlagen nahe der Mosel
bezeichnet wurde. Auch das auf dem Heiligkreuzer
Berg gelegene ant. Stadttor, die Porta Alba, diente als
Burganlage. Laut Auskunft der *Gesta Treverorum* hatte
sich hier ein *tyrannus* namens Adelbert während der frühen Amtsjahre Erzbischofs Poppo (1016–1047) einge-
nistet und dem Erzbischof von dort aus mil. und wirtschaftlichen Schaden zugefügt.

Ein bereits im 12. Jh. massiv einsetzender Substanzverlust römerzeitlicher Überreste erreichte seinen Höhepunkt in dem darauffolgenden Saeculum. Die Gründe hierfür waren ein spürbarer Bevölkerungsanstieg, die
damit verbundene Aufsiedlung ausgedehnter innerstädtischer Ruinenflächen sowie die Versteinerung der Bauweise, die nicht zuletzt in der in mehreren Schüben im
12. und 13. Jh. errichteten Stadtmauer zum Ausdruck
kommt. Die neue Befestigung folgte im Norden und
Westen der ant. Ummauerung, blieb aber im Osten und
v. a. Süden erheblich hinter der ant. Ausdehnung zurück, so daß das umschlossene Siedlungsareal von ehemals 285 auf 138 ha verringert wurde. Im Zuge dieser
Prozesse degenerierte Ant. zum Steinbruch und wurde
im wesentlichen auf den noch h. wahrnehmbaren Rest-
bestand reduziert [6].

C. REZEPTION DER ANTIKE

Seit der zweiten H. des 10. Jh. (*Vita sancti Deicoli*)
wird T. immer wieder als *Roma secunda* apostrophiert,
wobei der Rom-Bezug ausdrücklich aufgrund der heidnischen Vergangenheit und mit Hilfe des lokalen Anti-
kenbestandes hergestellt wird. Eine ausführliche Auf-

zählung der ant. Monumente und auf einzelne Bauwerke bezogene sagenhafte Erzählungen finden sich in
den in ihrer überlieferten Fassung um die Wende zum
12. Jh. niedergeschriebenen *Gesta Treverorum*. In diesem
Geschichtswerk erfolgte unter Verarbeitung zahlreicher
älterer Quellen eine Verknüpfung der heidnischen Profangeschichte mit der christl. Bistumschronistik. Sie
schöpfte bes. aus einer älteren Trierer Überlieferung,
der vor 1060 entstandenen *Hystoria Treverorum*, die bereits wesentliche Passagen über die pagane Vergangenheit der Stadt beinhaltet [13]. Die sagenhafte Gründung
T. wird 1250 J. vor der Entstehung Roms durch
Trebeta, den Sohn des Assyrerkönigs Ninus, angesetzt.
Aus dessen Nachkommen sei das Volk der Treverer hervorgegangen, auf die man in T. auch die zahlreichen
dortigen ant. Monumente zurückführte. Mit dieser Geschichtstheorie sollte die Vorrangstellung gegenüber anderen *civitates* der Gallia argumentativ untermauert werden. Zugleich lag ihr jener bis in die Mitte des 9. Jh.
zurückreichende Primatsanspruch der Trierer Kirche
zugrunde, der sich v. a. gegen die benachbarten Me-
tropolitansitze Reims und – später auch – Mainz richtete. Die Trierer Gründungssage fand außerhalb der
Moselstadt große Verbreitung. Otto von Freising refe-
rierte die Trebeta-Erzählung in seiner zw. 1143 und
1146 entstandenen Weltchronik [10]. Er unternahm
auch einen die Trierer Trad. stützenden arch. Deutungs-
versuch, indem er das dortige *palatium* (also die spätant.
Palastaula) mit der aus gebrannte Ziegeln errichteten
babylonischen Mauer verglich und folglich als zeitgleich
entstanden einordnete.

Der Stolz auf die durch den ant. Denkmälerbestand
sichtbare ehrwürdige Vergangenheit der Stadt kommt
nicht zuletzt auch in der Abbildung röm. Bauwerke auf
offiziellen Bildträgern (Mz., Siegel) zum Ausdruck [5].

Neben der Auseinandersetzung mit der paganen Frühgeschichte läßt sich seit dem 9. Jh. die rel. motivierte Verehrung der konstantinischen Kaiserfamilie fassen, auf deren Initiative die Gründung der Domkirche und des Vorstadtklosters St. Maximin zurückgeführt wurde. Das Stift St. Paulin nahm seit dem ausgehenden 11. Jh. für sich in Anspruch, das Grab des Constantius Chlorus zu besitzen. In dem unweit von T. gelegenen Igel entging der dortige ant. Grabpfeiler der Secundinier der Zerstörung, weil er als Hochzeitsdenkmal der Eltern Konstantins, Constantius Chlorus und Helena, angesehen wurde [6].

Mit der am E. des Hoch-MA flächendeckenden Vernichtung der römerzeitlichen Überreste einher ging ein Schwund an Wissen über das Vergangene, zugleich ging auch das Interesse an der Ant. spürbar zurück, um erst an der Wende zur Neuzeit durch äußere Einflüsse neue Impulse zu erhalten. Conrad Celtis (1459–1508) verfaßte gegen E. des 15. Jh. ein lat. Gedicht auf die ruhmvolle Vergangenheit von T., in dem er ant. Ruinen, Götterbilder, Inschr. – darunter auch griech. – und Grabfunde erwähnt [2]. Der anläßlich des Reichstages von 1512 in der Moselstadt weilende Humanist Willibald Pirckheimer (1470–1530) notierte dort ant. Inschr., die 1534 von Petrus Apianus in seinen *Inscriptiones* gedruckt wurden. Im J. 1514 erschien die *Medulla* des Trierer Professors Johann Enen, ein Abriß der Geschichte und Heilstümer T. in dt. Sprache. Darin werden auch ant. Bauwerke beschrieben, zum Teil mit den Worten der *Gesta Treverorum*, darüber hinaus finden sich aber auch selbständig verfaßte Beobachtungen, so zu den Barbarathermen und dem Amphitheater [3].

1517 ließ sich Kaiser Maximilian I. die Trierer Altertümer ausführlich während seines zweiten dortigen Aufenthaltes erläutern. Bereits dem in den Jahren 1506–1508 geführten Gedenkbuch des Kaisers ist zu entnehmen, daß ihm aus T. ant. Gefäße und Mz. angeboten worden waren, die er bei einem zukünftigen Besuch – wahrscheinlich dem dann im Jahre 1512 erfolgten – in Empfang zu nehmen gedachte [14].

Neben knappen Erwähnungen röm. Monumente in einem Bericht des Arztes Simon Reichwein in der lat. Ausgabe der *Cosmographia* Sebastian Münsters von 1550 und versteckten Bemerkungen zu Trierer Antiken in dem 1551 erschienenen Werk *Monasteriorum Germaniae praecipuorum ac maxime illustrium centuria prima* von Caspar Bruschius sind die Beschreibungen ant. Bauwerke hervorzuheben, die der Geograph Abraham Ortel (1527–1598) gemeinsam mit Jean Vivien (†1598) in dem 1584 gedruckten Werk *Itinerarium per nonnullas Galliae Belgicae partes* verfaßte [3]. Im 17. Jh. sind es die Arbeiten von Jesuiten, die sich auch mit Trierer Altertümern auseinandersetzten. Neben den Trierer Annalen von Christoph Brower (1559–1617), die Jakob Masen (1606–1681) mit Zusätzen versehen 1670 herausgab, sind es v.a. die Arbeiten von Alexander Wiltheim (1604–1684). Unter diesen enthält die Klostergeschichte von St. Maximin (*Origines et annales coenobii Divi Maxi-*

mini) zahlreiche frühchristl. *tituli*. Wichtiger ist jedoch das Werk *Luciliburgensia sive Luxemburgum Romanum*, das neben frühen Abbildungen Trierer Römerbauten auch Kleinfunde vorstellt und uns schließlich über zwei h. weitgehend verlorene spätant. Schatzfunde informiert, die 1628 bzw. 1635 entdeckt wurden [3]. Die Antikenbegeisterung im aufgeklärten und romantischen T. führte u. a. zu dem 1808 betriebenen Aufbau einer Antikensammlung durch die 1801 gegründete Gesellschaft für nützliche Forschungen [1; 9; 12]. Für das gehobenere Bürgertum wurden in der im ehemaligen Martinskloster untergebrachten Porzellanmanufaktur ab 1816 u. a. umfangreiche Serien von Ansichtenporzellane mit Darstellungen der bedeutenden ant. Bauwerke hergestellt [8], zudem gelangten seit 1829 in den Eisenhütten von Sayn und später Halberg Miniaturmodelle der Igeler Säule und der Porta Nigra als Sammlerstücke zur Ausführung [11]. Wichtige, bis h. wirksame Baumaßnahmen an berühmten röm. Bauwerken sind schließlich im 19. Jh. von außen initiiert worden. Bereits 1804 hatte Napoleon sich während seines Besuches der Stadt die ant. Denkmäler zeigen lassen und die Auskernung der seit dem 11. Jh. als Doppelkirche genutzten Porta Nigra veranlaßt, die er aufgrund der lokalen Trad. für ein gallisches Stadttor hielt [15]. Die von 1846–1856 durchgeführte Wiederherstellung der zu Beginn des 17. Jh. teilabgerissenen und als Flügel in das kurfürstliche Schloß integrierten Palastaula ging auf die Initiative des preußischen Königs Friedrich Wilhelm IV. zurück, der die Umwandlung in eine evangelische Kirche veranlaßte [16].

→ AWI Augusta [6] Treverorum

1 Antiquitates Trevirenses. Beitr. zur Gesch. der Trierer Altertumskunde und der Ges. für nützliche Forschungen. FS zur 200-Jahr-Feier der Ges. für nützliche Forsch. zu T., 2000 (= Kurtrierisches Jb. 40) 2 W. BINSFELD, Konrad Celtis in T., in: Kurtrierisches Jb. 40, 2000, 167–173 3 Ders., Trierer Arch. von 1500 bis 1800 in: Kurtrierisches Jb. 40, 2000, 25–30 4 H. H. ANTON, T. im frühen MA, 1987 5 L. CLEMENS, Sigillum palatii nostri. Anm. zur frühesten überlieferten Darstellung der Trierer Palastaula (sog. Basilika), in: Funde und Ausgrabungen im Bezirk T. 27, 1995, 56–70 6 Ders., Zum Umgang mit der Ant. im hochma. T., in: H. H. ANTON, A. HAVERKAMP (Hrsg.), T. im MA, 1996, 167–202 7 Ders., Arch. Beobachtungen zu frühma. Siedlungsstrukturen in T., in: Beitr. zur Mittelalterarchäologie in Österreich 17, 2001, 43–66 8 E. DÜHR (Hrsg.), »Für Bürger und Fremde, die auf Eleganz halten«. Trierer Porzellan. Kat.-Hdb., 2000 9 G. GROSS, Trierer Geistesleben unter dem Einfluß von Aufklärung und Romantik, 1956 10 I. HAARI-OBERG, Die Wirkungsgeschichte der Trierer Gründungssage vom 10. bis 15. Jh., 1994 11 I. KRUEGER, »Facsimile in Miniatur« – Zur Entstehung und Gesch. des Modells der Igeler Säule aus der Sayner Hütte, in: Trierer Zschr. 48, 1985, 227–246 12 L. SCHWINDEN, Antikenforsch. und Antikenbegeisterung im aufgeklärten und romantischen T., in: D. AHRENS (Hrsg.), Räume der Gesch.: Dt.-Röm. vom 18. bis 20. Jh., 1986, 62–82 13 H. THOMAS, Stud. zur Trierer Geschichtsschreibung des 11. Jh., insbes. zu den Gesta

Treverorum, 1968 (= Rheinisches Archiv 68)
14 P. UIBLEIN, Gesch. der Altertumsforsch. in Österreich
vor Wolfgang Lazius, 1950 **15** E. ZAHN, Die Porta Nigra in
nachröm. Zeit, in: E. GOSE (Hrsg.), Die Porta Nigra in T.,
1969 (= Trierer Grabungen und Forsch. 4), 107–167
16 Ders., Die Basilika in Trier. Röm. Palatium – Kirche zum
Erlöser, 1991 (= Schriftenreihe des Rheinischen
Landes-Mus. Trier 6).   LUKAS CLEMENS

II. AUSGRABUNGSGESCHICHTE/ALTERTUMSFORSCHUNG

A. EINFÜHRUNG, DETERMINANTEN DER
FORSCHUNG   B. FRAGESTELLUNGEN UND
ERGEBNISSE

A. EINFÜHRUNG, DETERMINANTEN DER FORSCHUNG

Trier, die bedeutendste Römerstadt Deutschlands,
verdankt ihre internationale Bekanntheit v. a. ihren
oberirdisch erhaltenen Monumenten der Römerzeit,
unter denen Amphitheater, Barbarathermen, Kaiserthermen, Palastaula (sog. Basilika), Porta Nigra, Römerbrücke sowie das 11 km moselaufwärts in Igel gelegene Pfeilergrabmal der Secundinii (»Igeler Säule«) im
frühen 19. Jh. in staatliche Obhut kamen und h. Eigentum des Landes Rheinland-Pfalz sind [66. 112 f.;
59. 91 ff.]. Seit 1986 zählen die Trierer Römerbauten,
der Dom und die Liebfrauenkirche sowie die Igeler
Säule zum Weltkulturerbe der UNESCO.

Sieht man von der legendenhaften ma. Geschichts-
überlieferung der *Gesta Treverorum* und vergleichbarer
Quellen aus dem 11. und 12. Jh. [11] ab, beginnt das
gelehrte Interesse an den Altertümern der Stadt in der
→ Renaissance [3] mit dem »Itinerarium per nonnullas
Galliae Belgicae partes« aus dem J. 1584 der niederländischen Geografen Abraham Ortelius und Johannes Vivianus [76], den »Trierer Annalen« von Christoph Brower von 1670 [8] und der »Luciliburgensia Romana sive
Luxemburgum Romanum« [105; 4; 20. 254 f.] aus dem
J. 1677 des Luxemburger Jesuiten Alexandre Wiltheim
(1604–1684). Eine erste Blüte erlebte die Beschäftigung
mit den Trierer Altertümern im frühen 19. Jh.: Im Geiste der späten → Aufklärung setzte sich das human. gebildete städtische Bürgertum seit dem Zerfall des Alten
Reichs im frühen 19. Jh. mit den heimischen Altertümern auseinander, sammelte und erkundete sie und interpretierte sie unter dem Blickwinkel der Lokalhisto-
rie. Im Brennpunkt dieser Aktivitäten stand die »Gesellschaft für Nützliche Forschungen« von 1801, die bis in
die zweite H. des 19. Jh. die Hauptlast der Alt.-Forsch.
trug und die nach ihrer Wiedergründung 1947 h. durch
entsprechende Bildungsangebote an die Öffentlichkeit
tritt [83; 31]. Seit Napoleons Herrschaft über die Stadt
richtete auch die Staatsmacht ihr Augenmerk auf die
Trierer Altertümer, denen aufgrund ihres imperialen
Charakters zumindest in bestimmten Abschnitten der
jüngeren Geschichte identitätsstiftende Komponenten
zugemessen wurden. In den ersten Jahrzehnten preußischer Herrschaft engagierten sich hier zunächst die in

der Stadt ansässigen königlichen Bauräte, später die
Wissenschaftler des 1877 gegr. Provinzialmus. T. (h.
Rheinisches Landesmus. T.), das seither eine Doppel-
funktion als »grabendes Mus.« ausübt. Auf kirchlicher
Seite schließlich weckten die Anf. des frühen Christen-
tums in T. wiss. Interesse, das erstmalig mit dem
»Christl. arch.-histor. Verein für die Diözese T.«
(1853–1864), dann mit der Gründung des Bischöflichen
Dom- und Diözesanmus. 1904 einen institutionellen
Rahmen erhielt [110; 5. 7ff.].

Universitäten traten mit einschlägigen Forschungs-
vorhaben erst spät in die Trierer Alt.-Forsch. ein: Die
1970 gegründete Univ. T. betreibt ein interdisziplinäres
Forschungszentrum »Griech.-röm. Ägypten« und beteiligt sich in den Fächern Alte Geschichte und Klass.
Arch. über Examensarbeiten und Drittmittelprojekte an
der Erforsch. des röm. Erbes von Trier. Gefördert durch
die Dt. Forschungsgemeinschaft (DFG) wurden seit
1995 die Univ. Kiel, Köln, Mainz und T. v. a. im Rahmen der Schwerpunktprogramme »Romanisierung«
und »Europa zw. Rhein und Maas« tätig [107; 33]; seit
den 50er J. sind auch die entsprechenden Fachinst. der
Univ. Bonn, Saarbrücken und – seit 1978 T. – über die
Betreuung von Examensarbeiten an der Trierer Alt.-
Forsch. beteiligt. Der Fachbereich Architektur der
Fachhochschule T. hat in Zusammenarbeit mit dem
Landesmus. und örtlichen Trägern seit 1996 wiederholt
Projekte zur Präsentation arch. Stätten in T. und seinem
Umland veranstaltet.

Die Stadt T. verwahrt in der wiss. Stadtbibliothek
bedeutende Hss. ant. Texte aus früh-ma. Klöstern, v. a.
Echternach; das städtische Denkmalpflegeamt leistet seit
dem Denkmalschutzgesetz des Landes Rheinland-Pfalz
von 1977 den denkmalpflegerischen Vollzug, hat aber in
den 20er und 30er J. des 20. Jh. auch an der arch. Erforschung ma. Bauwerke teilgenommen. Das Städtische
Mus. Simeonsstift verfügt über reiche Sammlungen zur
jüngeren Stadtgeschichte seit der Romantik, in denen
u. a. auch die Antikenrezeption des Trierer Bürgertums
faßbar wird.

B. FRAGESTELLUNGEN UND ERGEBNISSE

1. FRÜHE BÜRGERLICHE FORSCHUNGEN

Seit Beginn der systematischen Alt.-Forsch. in T.
haben sich Fragestellungen und Ergebnisse des wiss.
Umgangs mit den Denkmälern beträchtlich gewandelt.
Ging es den Gelehrten seit der Ren. zunächst um die
antiquarische Aufnahme und Beschreibung der Denkmäler, so öffneten die Ereignisse infolge der Frz. → Revolution ein neues Zeitalter der Antiken-Forsch., das
über die systematische Bestandserhebung hinaus die
wiss. Interpretation und konzeptionelle Präsentation
der Monumente anstrebte: 1801 gründeten Trierer Bürger die »Société des sciences utiles« (Gesellschaft für
Nützliche Forschungen), die in ihrer geschichts-wiss.
Sektion u. a. antiquarische Studien zum röm. T. betrieb
und eine erste Sammlung heimischer Altertümer anlegte [30; 83]. 1804 ließ Napoleon I. per Dekret die Kirche
St. Simeon abtragen, um den darin erhaltenen röm.

Kern der Porta Nigra freizulegen, was erst nach der Annexion durch Preußen 1815 zum Abschluß kam [28. 13 ff.]. Gleichermaßen begann in diesen Jahrzehnten die künstlerische Antikenrezeption aufzublühen, für die Abbildungen der Trierer Römerbauten auf Porzellangeschirr aus Trierer Manufakturen [16] ebenso stehen wie Zeichnungen ant. Fundstücke durch Johann Anton Ramboux [82; 73. 353]. Einen ersten Überblick über die ant. Denkmäler Triers bot nach eigenen Ausgrabungen und Literaturstudien der preußische Staatsbaurat Carl Friedrich Quednow 1820, der im Auftrag der preußischen Regierung ebenfalls eine Altertümersammlung gründete [81; 18; 73. 351]. Von 1844 bis 1846 unternahm – anläßlich der Wiederherstellung des Trierer Domes – der Domkapitular Nikolaus von Wilmowsky erste Ausgrabungen unter der romanischen Anlage, bei denen der spät-ant. Kernbau und Reste älterer Bebauung aus röm. Zeit entdeckt wurden [114; 108; 73. 510]. In denselben J. entwickelte der königliche Denkmalpfleger Friedrich von Quast aus dem Studium der ant. Substanz der in das Kurfürstliche Palais integrierten Palastaula ein Konzept für einen antikisierenden Wiederaufbau, der die röm. Substanz des Bauwerks nach dem Denkmalverständnis der damaligen Zeit sichtbar macht [9. 62 ff.]. Bis zur Gründung des Provinzialmus. T. am 1.6.1877 blieb jedoch die arch.-histor. Forsch. in T. in den Händen von Autodidakten der Gesellschaft für Nützliche Forschungen. Sie berichteten zwar in eigenen Jahresber. und in der örtlichen Presse regelmäßig über ihre Arbeit, konnten aber den durch die wirtschaftliche Entwicklung bedrohten Baudenkmälern nicht ausreichend Schutz bieten, was zw. 1830 und 1870 u. a. zum fast vollständigen Abbruch der Stadtmauer führte [66. 115].

2. Das Provinzialmuseum Trier

Den Antagonismus zw. lokal-histor. und regierungsamtlicher Altertumspflege überwandt ab 1877 der Archäologe Felix Hettner, der von der preußischen Provinzialverwaltung zum ersten Direktor (1877–1902) des neu gegründeten Provinzialmus. ernannt wurde [67; 78; 73. 179]. In diesem Amt führte Hettner die Altertümersammlungen des Staates, der Stadt und der Gesellschaft für Nützliche Forschungen zusammen und unternahm systematisch wiss. Ausgrabungen an den bekannten Römerbauten, die in der ersten H. des 19. Jh. in staatlichen Besitz übergegangen waren [37]. Mit Fachpersonal des Mus. legte Hettner Sondierungsschnitte in Amphitheater, Barbarathermen, Basilika, Kaiserthermen und mehreren privaten Wohn*insulae* an, untersuchte aber auch ausgewählte Fundstätten im Umland, zu denen gallo-röm. Tempelbezirke im Hunsrück [39] ebenso gehörten wie die spät-röm. Kastelle von Jünkerath, Bitburg [21] und bes. Neumagen, das als Fundort der berühmten Grabreliefs dem Mus. binnen kurzem internationalen Ruhm verschaffte [63]. Zu einem wichtigen Arbeitsmittel wurde Hettners Kat. der röm. Steindenkmäler des Provinzialmus. [38]. Die 1899 durch Hettner eingeleitete arch. Begleitung der Kana-

lisationsausschachtungen in der Stadt T. wurde unter seinem Nachfolger Hans Graeven (1903–1905) abgeschlossen. Sie brachte erste flächendeckende Erkenntnisse über die Ausdehnung der röm. Stadt und ihre Erschließung und ermöglichte es, 1904 den Stadtplan und das rechtwinklige Straßengitter des röm. T. zu rekonstruieren [29; 97]. 1912–1914 unternahm das Provinzialmus. unter seinem neuen Direktor Emil Krüger (1906–1935) Großgrabungen auf dem Gelände der Kaiserthermen [51. 7 ff.; 52. 3 ff.], der Basilika und dem Basilikavorplatz [100], im Umland u. a. in der Villa von Bollendorf [101] und im Kastell Bitburg [21]. Umfangreiche Konservierungs- und Dokumentationsarbeiten leistete das Provinzialmus. 1907 an der Igeler Säule, die 1:1 abgeformt und im Innenhof des Mus. originalgetreu rekonstruiert wurde [15]. Die vielen Grabungen konfrontierten das Mus. jedoch schon kurz nach Einweihung des Altbaus an der Ostallee mit erheblichen technischen Problemen, die die Erforsch., Magazinierung und Präsentation der Bestände gleichermaßen betrafen und die trotz eines ersten Erweiterungsbaus von 1906 zu einer Dauererscheinung der Trierer Museumsarbeit wurden [115].

Der I. Weltkrieg und die J. der frz. Besetzung des Mosellandes bremsten die Grabungstätigkeit des Mus., und bescherten dessen Mitarbeitern eine Phase von Aufarbeitung und Bestandspflege, die zum Erscheinen der lange erwarteten Publikationen der Kaiserthermengrabung, der Igeler Säule und der Neumagener Denkmäler führte [70; 51; 15] und sich seit 1926 auch in der Herausgabe der Trierer Zeitschrift als Jahresschrift des Mus. manifestierte [62.13 ff.]. In dem von Heimatschutz-Denken und Konfrontation mit der frz. Besatzungsmacht geprägten Umfeld nutzten v. a. Emil Krüger, Paul Steiner und Josef Steinhausen die größere Mobilität des beginnenden Automobilzeitalters zu intensiven Ausgrabungen und Erkundungen im Umland der Stadt. Die zahlreichen neuen Einzelergebnisse befruchteten die Römerstraßen-Forsch. [34] und veranlaßten das Provinzialmus., unter der Leitung von Josef Steinhausen an einer arch. Landesaufnahme zu arbeiten, die allerdings über einen ersten Teilband nicht hinauskam [102; 103]. Neue Überlastung und unbewältigte Aufgaben brachten ab 1926 die groß angelegte Rettungsgrabung des gallo-röm. Tempelbezirks im Altbachtal T., der durch den Bau einer Durchgangsstraße bedroht war. Schon zu Beginn der 30er J. drang die 1926 zur wiss. Begleitung des Unternehmens gegründete »Kommission zur Erforsch. der spät-röm. Kaiserresidenz und früh-christl. Bischofstadt T.« (sog. Arch. T. Kommission) auf eine Unterbrechung der Grabungen, um Zeit und Kräfte für die wiss. Publikation zu gewinnen, was aber erst 1972 zum Erfolg führte [92]. Stattdessen brachte die polit. Situation nach der NS-Machtergreifung 1933 der Trierer Arch. neue Herausforderungen: Durch die beträchtliche Vermehrung von Personal- und Sachmitteln konnte Wilhelm von Massow als neuer Museumsdirektor (1935 – 1945) den arch. Landesdienst des Provinzialmus. (seit 1935 Rheinisches Landesmus. T.) modernisieren und dadurch nicht nur in T., sondern auch im Umland deutlich mehr Präsenz zeigen, was jedoch mit einer starken Annäherung der wiss. Arbeit an die NS-Ideologie verbunden war [62. 93 ff.]. Die Aufarbeitung ergrabener Bestände wurde zw. 1936 und 1939 durch zusätzliche Mittel seitens der Arch. T. Kommission gefördert. Neue große Grabungen fanden im Töpfereiviertel T. [53. 10 ff.] und an zahlreichen vorgeschichtlichen Fundstätten statt, die erstmalig in größerem Rahmen wiss. untersucht wurden. Ausgrabungen im röm. T. waren von geringer Bed. für die NS-Geschichtsideologie, blieben aber aufgrund des reichen Denkmälerfundus aus dieser Zeit weiterhin ein Arbeitsschwerpunkt des Museums. Demgegenüber bremsten NS-Pläne für die Gründung eines Groß-Mus. im Kurfürstlichen Palais den Aufbau einer zeitgemäßen Dauerausstellung im Landesmus., sodaß hier die Ausstellung von 1937 bis zur Wiedereröffnung 1956 geschlossen blieb [53. 151 ff.].

3. Rheinisches Landesmuseum

Der II. Weltkrieg unterbrach die Planungen für das Groß-Mus. ebenso wie die geordnete Forschungstätigkeit des Museums. Dennoch brachten die Kriegsjahre infolge von Luftschutzbauten zahlreiche neue Grabungsaufschlüsse aus der Stadt und erweiterten u. a. die Mosaiksammlung des Mus. beträchtlich [44; 68; 106].

Nach dem II. Weltkrieg standen zunächst Rettungsgrabungen anläßlich der Wiederherstellung von Kriegsschäden im Vordergrund [84]. Herausragende Bed. gewannen die Grabungen und Bau-Forsch. des Mus. in der zerstörten Basilika ([85; 40. 96 ff.] mit Bibliographie), deren Wiederaufbau 1951–1956 zu einer denkmalpflegerischen Aufgabe von nationaler Ausstrahlung wurde [6; 7; 116. 22 ff.]. Das Bischöfliche Dom- und Diözesanmus. nahm unter Leitung von Theodor K. Kempf 1943 und dann ab 1945 wieder Grabungen unter dem Kernbau des Trierer Doms und in dessen Nachbarschaft auf [117; 118]. Sie brachten u. a. bedeutende Deckenmalereien aus einem vorkirchenzeitlichen Wohnpalast des frühen 4. Jh. zu Tage [109; 117. 17 ff.] und warfen neues Licht auf die Anf. der Trierer Bischofskirche zw. Konstantin I. und Gratian. Auch wenn die wiss. Publikation der Ergebnisse noch aussteht und die baugeschichtliche Interpretation nicht unumstritten ist, werden die Resultate international weit beachtet, weil sie als Bestätigung ma. Trad. über die herausragende Stellung des Bistums T. gewertet werden [17. 110; 80. 280 ff.; 22. 10 ff.]. Zusammen mit den einschlägigen Sammlungen des Bischöflichen Mus. und des Rheinischen Landesmus. wurden die Funde 1965 anläßlich des Internationalen Kongresses für Christl. Arch. einem breiten Fachpublikum vorgestellt [45. 7 f.].

Neben den notwendigen Rettungsgrabungen widmet sich das Landesmus. seit den frühen 50er J. der Wiedereinrichtung seiner Depots und Ausstellungssäle, die 1956 mit der Wiedereröffnung abgeschlossen wurde. Dank Unterstützung durch die DFG begann 1954–1960 Museumsdirektor Hans Eiden (1947–1962) erste Forschungsgrabungen im keltisch-röm. Gräberfeld von Belginum [33. 23 ff.], die durch Wolfgang Binsfeld 1969–1973 (1995–1999 im Vicus) und Alfred Haffner 1978–1985 weitergeführt wurden. Daneben setzte das Mus. während der 60er und 70er J. die Geländearbeiten des arch. Landesdienstes der späten 30er J. fort und erkundete im Trierer Bezirk zahlreiche vor- und frühgeschichtliche Fundstätten, wodurch v. a. die Kenntnis der eisenzeitlichen Besiedlung beträchtlich gefördert wurde [32]. Angesichts von Bauplanungen der Stadt T. für den Westteil der Trierer Kaiserthermen unternahm das Landesmus. 1961–1966 Großgrabungen auf dem Gelände, die erstmalig größere zusammenhängende Siedlungsflächen innerhalb der Römerstadt freilegten und einen Verzicht auf die Realisierung des Bauvorhabens bewirkten [86].

Die Forschungsgrabungen in den Kaiserthermen stehen am Anf. einer Krise der arch. Denkmalpflege im Stadtgebiet von T., die durch interne Verwerfungen des Rheinischen Landesmus. verschärft wurde. Da die personellen und finanziellen Mittel des Mus. weiterhin nach den langsamen und bescheiden dimensionierten Bauabläufen der ersten Nachkriegsjahre bemessen wurden, ergaben sich durch den Bauboom der 60er und 70er J. zunehmende Kapazitätsprobleme, die eine wiss. geplante Ausgrabungstätigkeit im Stadtgebiet bis gegen E. des 20. Jh. abreißen lassen. Die seit der zweiten H. der 60er J. anlaufenden Großbauvorhaben zur wirtschaftlichen und autogerechten Erschließung der Trierer Innenstadt kann das Landesmus. bestenfalls nur baubegleitend untersuchen, was unkontrollierten Denkmälerverlust und beträchtliche Erkenntnisdefizite zur Folge hat. Seit 1970 sind etwa ein Drittel der arch. Schichten durch Bautätigkeit verloren gegangen. Angesichts dieser Bedrohung veröffentlichte die Arch. T. Kommission 1972 ihre Denkschrift *Rettet das röm. T.*, deren Forderungen jedoch ungehört verhallten [1; 54].

Dank finanzieller Unterstützung durch die DFG und die Thyssen-Stfitung gelang es jedoch Museumsdirektor Reinhard Schindler (1965–1977), in einem mehrjährigen Aufarbeitungsprogramm einen Teil der Publikationsrückstände abzuarbeiten und maßstabsetzende Monographien zur Porta Nigra, zum Tempelbezirk Altbachtal, zur Römerbrücke, zur Keramik der Kaiserthermen und zu den eisenzeitlichen Befestigungen des Trierer Landes in Angriff zu nehmen [93. 144 ff.; 28; 92; 12; 94; 95; 98]. Parallel dazu begann das Landesmus. seine Sammlungsbestände an Gläsern, Tonlampen, Steindenkmälern, Inschr. nach Fundgattungen getrennt zu veröffentlichen, was mit dem Erscheinen des Mosaik-Kat. 1999 einen vorläufigen Abschluss fand [27; 24; 25; 2; 50; 40]. Ebenfalls unter Schindler richtete das Land Rheinland-Pfalz 1970 am Landesmus. ein Dendrochronologisches Labor ein, dessen Gründer Ernst Hollstein über die Landesgrenzen hinaus tätig wurde und für das Landesmus. die interdisziplinäre Zusammenarbeit mit den Natur-Wiss. einleitete [41; 74].

Durch intensive Geländearbeit, die Neuordnung von Magazinen, Ortsarchiv und Inventaren sowie durch rege wiss. Publikationstätigkeit legte das Rheinische Landesmus. T. bis zur Mitte der 70er J. wichtige Grundlagen für eine zeitgemäße Rezeption der Altertümer von T. und dessen Umland [93], was 1977 mit dem Abschluß der Wiedereinrichtung der Dauerausstellung [96] und der großen Jahrestagung des West- und Süddt. Verbandes für Alt.-Forsch. auch nach außen dokumentiert wurde [89; 90; 91].

Lebte das Landesmus. bis in diese J. mehr seinen Aufgaben als Forschungseinrichtung der arch. Denkmalpflege, so begann es unter Schindlers Nachfolgern Heinz Cüppers (1977–1994) und Hans-Peter Kuhnen (seit 1994), sich entsprechend der musealen Komponente seines Dienstauftrags stärker in die Vermittlung arch. Wissens einzubringen. Dank der Datierung eines Holzpfahls der ältesten Trierer Römerbrücke in die J. 17/16 v. Chr. verschaffte das Dendrolabor des Rheinischen Landesmus. der Stadt T. den Anlaß, 1984 die Zweitausendjahrfeier Triers zu begehen [42]. Zum Jubiläum steuerte das Landesmus. die viel beachtete Doppelausstellung »T. – Augustusstadt der Treverer« und »Kaiserresidenz und Bischofssitz« bei, deren Begleitbände den einschlägigen Sammlungsbestand von Landesmus. und Bischöflichem Mus. erschließen [87; 88]. Wichtige Synopsen der röm. Geschichte Triers nach alt-histor. Quellen lieferte Heinz Heinen von der Univ. T. mit *T. und das Trevererland in röm. Zeit*, der von der Univ. herausgegebenen dreibändigen Stadtgeschichte *2000 Jahre T.*, und dem 1996 folgenden Werk *Frühchristl. T.* [35; 36].

Als Zeichen der neuen grenzüberschreitenden Zusammenarbeit präsentierte das Landesmus. 1983 zusammen mit den arch. Mus. von Saarbrücken, Metz und Luxemburg die Sonderausstellung »Römer an Mosel und Saar«, die in Rolandseck bei Bonn und in Paris zu sehen war [13], und verstärkte in den folgenden J. den wiss. Austausch mit Luxemburg und dem benachbarten frz. Sprachraum [62. 229]. Umgekehrt verdankt der Trierer Raum dem Interesse der internationalen Gelehrtenwelt wichtige synoptische Aufarbeitungen der römerzeitlichen Siedlungs- und Wirtschaftsgeschichte, bes. von Edith M. Wightman [112; 113], Raymond Brulet [10], Nancy Gauthier [22; 23], R. P. Symonds [104] und Paul van Ossel [75]. Neue Forsch. der Univ. Nancy zur Igeler Säule setzen diese Kooperation bis in jüngste Zeit fort [19].

In Anerkennung der Bed. des Mus. beschloß das Land Rheinland-Pfalz zur 2000-Jahrfeier der Stadt einen Erweiterungsbau für das Landesmus., der 1989 fertiggestellt wurde und seit 1996 dank zusätzlicher Sondermittel des Landes mit einer Dauerausstellung und Sonderausstellungen bespielt wird. Seit 2000 greift das Mus. in seinen Jahresausstellungen Themenkreise aus der Arch. und Geschichte Triers auf, und stellt sie anhand von Leihgaben in einen internationalen Zusammenhang [57; 60; 62]. Parallel dazu zeigt es in seinem alle

zwei J. aktualisierten Ausstellungssegment »Forum« neue Ergebnisse aus der Stadt-Arch. und aus der interdisziplinären Zusammenarbeit mit den Natur-Wiss., die 1986 durch die Einrichtung der Forschungsstelle »Archäobotanik« am Landesmus. zusätzliches Gewicht erhalten hat [46; 49]. Ebenso profitiert die interdisziplinäre Geschichtsforschung von den DFG-finanzierten Forschungsprojekten zur Romanisierung des Mittelgebirgsraums (1995–2000) und zur Landschaftsgeschichte des Mosel- und Rheintals, die sich v. a. mit den umweltgeschichtlichen Auswirkungen der Romanisierung befassen [33. 175 ff., 349 ff.; 60. 67 ff.; 69].

Neue Impulse zu einer Öffnung nach außen verzeichnet in diesen J. auch das Bischöfliche Mus., das zw. 1982 und 1988 von seinem alten Quartier im Bischöflichen Generalvikariat in das renovierte ehemalige preußische Gefängnis in der Windstraße verlegt wurde. Dort richtete als Nachfolger von Direktor Theodor Kempf (1952–1984) Winfried Weber (seit 1988) eine mod. Dauerausstellung mit umfangreicher Präsentation der Grabungsfunde aus dem Dombereich ein und veröffentlicht mit finanzieller Unterstützung durch Kirche, Land und die DFG ausgewählte Sammlungsteile und Grabungsergebnisse seines Hauses [5; 71; 72].

1986/7 wurde das Landesmus. am Trierer Viehmarkt mit einer neuen Großgrabung konfrontiert, die den Ausgräbern unerwartet reiche Befunde aus röm. und nach-röm. Zeit bescherte. Die intensive öffentliche Diskussion um Erhalt oder Zerstörung der Befunde löste das Land Rheinland-Pfalz 1988 mit dem Beschluß zur Errichtung eines Schutzbaus, der nach dem Konzept des Kölner Stararchitekten Oswald M. Ungers 1998 fertiggestellt wurde [59. 223 ff.]. Neben neuen Forsch. und Stadtgrabungen rückten mit dem Stadtjubiläum 1984 Fragen von Sicherung und Präsentation des Bestandes in den Vordergrund. Auf Empfehlung der Arch. T. Kommission beschloß das Kultusministerium des Landes Rheinland Pfalz 1981 für das aufgehende Mauerwerk des Caldariums der Kaiserthermen ein Konservierungsprogramm, das das Staatsbauamt T. unter der wiss. Leitung von Heinz Cüppers zw. 1983 und 1984 umsetzte [14]. Ebenso entfaltete das Landesmus. in den folgenden J. umfangreiche Aktivitäten zur Präsentation seiner arch. Ausgrabungsstätten in Eifel, Hunsrück und Moseltal. In der Regel handelt es sich um illusionäre Teilrekonstruktionen, die in der Fachwelt nicht unumstritten sind, die aber beim Publikum aufgrund ihrer Anschaulichkeit gut ankommen. Die Vorhaben werden im allg. mit finanzieller Unterstützung durch örtliche Träger realisiert, die sich von der Sichtbarmachung bes. der röm. Fundstätten eine Belebung des Tourismus erhoffen [56].

Zu einem Paradigmenwechsel fand das Rheinische Landesmus. gegen E. des 20. Jh.: In der arch. Denkmalpflege richtete es 1993 ein Referat für Mittelalter-Arch. ein und öffnete sich interdisziplinären Fragestellungen der Landschafts- und Umweltgeschichte, an denen seine Fachreferate für Archäobotanik, Arch.,

Dendrochronologie und Geo-Arch. mitwirken. Besondere Aufmerksamkeit finden in diesem Rahmen die Forsch. zur Erosion und Landschaftsgeschichte der Trierer Talweite [69; 60. 67 ff.], zur Ernährung Triers in Römerzeit und MA [59. 69 ff.] und zum ant. Weinbau, der nicht nur Wissenschaftler, sondern auch Touristiker und Weinkenner in seinen Bann zieht [24]. Im Geist der europ. Konvention zum Schutz des arch. Erbes greift das Mus. seit 1995 Schutzgedanken der Festschrift *Rettet das röm. T.* von 1972 wieder auf und räumt dem Erhalt arch. Befunde im Boden und einer archäologieverträglichen Stadtplanung höchste Priorität ein. Vor diesem Hintergrund berät es Bauherren bei allen größeren Bauvorhaben in T. und seinem Umland und schließt mit ihnen seit 1998 Investorenverträge ab, durch die sich die Bauherren zu einer Finanzierung der notwendigen Rettungsgrabungen verpflichten, das Landesmus. aber im Gegenzug einen festen Terminplan zur Baufreigabe vorsieht [55; 58]. Dadurch verbessern sich die finanzielle Situation des Mus. und die Qualität seiner Grabungen; dennoch bestehen durch die rege Bautätigkeit die Gefahren für den Denkmälerbestand fort. Um diese zu verringern und den Weg zu einer archäologieverträglichen Stadtplanung zu ebnen, arbeitet das Mus. seit 2001 an einem arch. Stadtkataster, das die überreichen Fund- und Befunddokumentationen aus 200 J. Forsch. abrufbar machen soll [78; 79; 64].

Die dt. Monitoring-Gruppe von ICOMOS und der Vertreter des UNESCO-Welterbe-Büros plädierten 2001 dafür, Schutz und Erschließung der vorhandenen Römerbauten durch einen zeitgemäßen Management-Plan zu optimieren und neben den oberirdisch erhaltenen Resten auch die unter der Erde ruhenden Denkmäler der Kaiserresidenz besser zu schützen. Damit leitete das international renommierte Gremium ein neues Stadium der Denkmalpflege und Antikenrezeption in T. ein, das angesichts der Interessenkonflikte auf dem Feld der Denkmalpflege die Diskussion um das ant. Erbe Triers beleben wird.

1 Arch. T. Kommission (Hrsg.), Rettet das röm. T. Denkschrift der Arch. T. Kommission, 1972, 5–14 2 W. Binsfeld, K. Goethert-Polaschek, L. Schwinden, Kat. der röm. Steindenkmäler des Rheinischen Landesmus. T. 1. Götter- und Weihesteine. Trierer Grabungen und Forsch. XII,1, 1988 3 W. Binsfeld, Trierer Arch. von 1500 bis 1800, in: Kurtrierisches Jb. 40, 2000, 25–30 4 Ders., Schriften Alexander Wiltheims im Landesmus. T., in: Funde und Ausgrabungen 21, 1981, 38–48 5 Bischöfliches Dom- und Diözesanmus. (Hrsg.), Neue Forsch. und Ber. zu Objekten des Bischöflichen Dom- und Diözesanmus. T. Bd. III, 1994, 7–9 6 W. Bornheim, Die Basilika und die Denkmalpflege, in: Ministerium für Unterricht und Kultus des Landes Rheinland-Pfalz (Hrsg.), Die Basilika in T. FS zur Wiederherstellung 9. Dezember 1956, 1956,40–69 7 W. Bornheim, Der Trierer Dom und die Denkmalpflege, in: Rheinischer Verein für Denkmalpflege und Heimatschutz (Hrsg.), Der Trierer Dom. Jb. 1978/79, 465–467 8 Chr. Brower, J. Masen, Antiquitatum et Annalium Treverensium libri, Lüttich 1670

9 F. Buch, Stud. Preußischen Denkmalpflege am Beispiel konservatorischer Arbeiten Ferdinand von Quasts, 1990, 62–87 10 R. Brulet, La Gaule Septentrionale au Bas-Empire – Nordgallien in der Spätant., in: Trierer Zschr. Beih. 11, 1990, 286–356 11 L. Clemens, Zum Umgang mit der Ant. im hochma. T., in: H. H. Anton, A. Haverkamp (Hrsg.), T. im MA. 2000 Jahre T. Bd. 2, 1996, 167–197 12 H. Cüppers, Die Trierer Römerbrücken. Trierer Grabungen und Forsch. V, 1969 13 Ders., G. Collot, A. Kolling, G. Thill (Hrsg.), Die Römer an Mosel und Saar, Ausstellungskat. Mainz 1983 14 Ders., Die Kaiserthermen in T. Zerstörung, Erforsch., Konservierung und Restaurierung, in: Dt. Nationalkomitee für Denkmalschutz (Hrsg.), Rekonstruktion in der Denkmalpflege. Überlegungen. Definitionen. Erfahrungsber. Schriftenreihe des DNKD 57, Bonn 1997, 25–31 15 H. Dragendorff, E. Krüger, Das Grabmal von Igel, 1924 16 E. Dühr (Hrsg.), Für Bürger und Fremde, die auf Eleganz halten, Ausstellungskat. Städtisches Mus. Simeonsstift 2000 17 E. Ewig, Kaiserliche und apostolische Trad. im ma. T., in: Aus der Schatzkammer des ant. T.: Neue Forsch. und Ausgrabungen, 1959, 110–146 18 S. Faust, Die arch. Slg. der Königlich-preußischen Regierung in T., in: Kurtrierisches Jb. 40, 2000, 361–376 19 J. France, H.-P. Kuhnen, F. Richard, La colonne d'Igel. Société, et Religion au IIIe siècle, in: Annales de l'Est 51, 2001, 5 ff. 20 G. Franz, Geistes- und Kultur-Gesch. 1560–1794, in: K. Düwell, F. Irsigler (Hrsg.), T. in der Neuzeit. 2000 Jahre T. Bd. 3, 1988, 203–369 21 M. Frey, K. J. Gilles, M. Thiel, Das röm. Bitburg. Führer zu den arch. Denkmälern des ant. Beda, 1995, 10–16 22 N. Gauthier, L'évangélisation des pays de la Moselle, 1980, 10 ff. 23 Dies., Recueil des inscriptions chrétiennes de la Gaule I: Première Belgique, 1975 24 K.-J. Gilles, Bacchus und Sucellus. 2000 J. röm. Weinkultur an Mosel und Rhein, 1999 25 K. Goethert, Kat. der röm. Gläser des Rheinischen Landesmus. T. Trierer Grabungen und Forsch. IX, 1977 26 K. Goethert, Kat. der röm. Lampen des Rheinischen Landesmus. T. Trierer Grabungen und Forsch. XV, 1985 27 E. Gose, Kat. der früh-christl. Inschr. in T. Trierer Grabungen und Forsch. III, 1958 28 Ders., Die arch. Erforsch. der Porta Nigra, in: Ders. (Hrsg.), Die Porta Nigra in T. Trierer Grabungen und Forsch. IV, 1969, 13 ff. 29 H. Graeven, Der Stadtplan des röm. T., in: Die Denkmalpflege 6, 1904, 125–128 30 G. Gross, Trierer Geistesleben unter dem Einfluß von Aufklärung und Romantik (1750–1850), 1956, 58 ff. 31 Ders., Trierer Geistesleben um 1800. Das polit. und geistige Umfeld der Gründung der Ges. für Nützliche Forsch., in: Kurtrierisches Jb. 40, 2000, 45–80 32 A. Haffner, Zum Forschungsstand der Hallstatt- und Frühlatènezeit im Hunsrück-Nahe-Raum, in: Ders., A. Miron (Hrsg.), Stud. zur Eisenzeit im Hunsrück-Nahe-Raum. Symposium Birkenfeld 1987, 1991, 9–22 33 Ders, S. v. Schnurbein (Hrsg.), Kelten, Germanen, Römer im Mittelgebirgsraum zw. Luxemburg und Thüringen. Akten Int. Kolloquium DFG-Schwerpunktprogramm Romanisierung in T. 1998, 2000, IX–XI 34 J. Hagen, Römerstraßen der Rheinprovinz, ²1931 35 H. Heinen, T. und das Trevererland in röm. Zeit, 1988 36 Ders., Frühchristl. T. von den Anf. bis zur Völkerwanderung, 1996 37 F. Hettner, Zu den röm. Altertümern aus T. und Umgegend, Trier 1891 38 Ders., Die röm. Steindenkmäler des Provinzialmus. zu T., Trier 1893 39 Ders., Drei

Tempelbezirke im Trevererlande. FS zur Feier des
100jährigen Bestehens der Ges. für Nützliche Forschungen
in T., 1901 **40** P. HOFFMANN, J. HUPE, K. GOETHERT, Kat.
der röm. Mosaike aus T. und dem Umland. Trierer
Grabungen und Forsch. XVI, 1999 **41** E. HOLLSTEIN,
Mitteleurop. Eichenchronologie. Trierer
dendrochronologische Forsch. zur Arch. und
Kunstgeschichte. Trierer Grabungen und Forsch. XI, 1980
42 Ders., Gründungsdaten in T., in: Kurtrierisches Jb. 24,
1984, 21–34 **43** INTERNATIONAL COUNCIL OF MONUMENTS
AND SITES ICOMOS (Hrsg.), Weltkulturdenkmäler in
Deutschland, ²1994, 52–65 **44** Jahresber. des Rheinischen
Landesmus. T. für 1941–1944, in: Trierer Zschr. 18, 1949,
269–334 **45** TH. K. KEMPF, W. REUSCH (Hrsg.), Frühchristl.
Zeugnisse im Einzugsgebiet von Rhein und Mosel, 1965,
7 f. **46** M. KÖNIG, »forum 01«. Eine Plattform für aktuelle
Ergebnisse und Funde, in: Funde und Ausgrabungen im
Bezirk T. 33, 2001, 13–22 **47** Dies., Die Grundlagen der
Ernährung im röm. T., in: H.-P. KUHNEN (Hrsg.), Das röm.
T. Führer zu arch. Denkmälern in Deutschland, 2001, 69–7
48 Dies., Die spät-ant. Agrarlandschaft an der Mosel II:
Weinbau und Landwirtschaft im Umfeld der spätant.
Kaiserresidenz T., in: Funde und Ausgrabungen im Bezirk
T. 33, 2001, 96–102 **49** Dies., Archäobotanik in T. – ein
Resümee, in: Funde und Ausgrabungen im Bezirk T. 34,
2002, 113–122 **50** K. KRÄMER, Die frühchristl. Grab-Inschr.
Triers. Trierer Grabungen und Forsch. VIII, 1974
51 D. KRENCKER, E. KRÜGER, H. LEHMANN, H. WACHTLER,
Die Trierer Kaiserthermen I: Ausgrabungsbericht und
Grundsätzliche Unt. röm. Thermen. Trierer Grabungen
und Forsch. I, 1929, 7–16 **52** E. KRÜGER, D. KRENCKER,
Vor-Ber. über die Ergebnisse der Ausgrabung des sog. röm.
Kaiserpalastes in T. Abh. der Königlich-Preußischen Akad.
der Wiss. Philol.-histor. Klasse, 1915, 3 ff. **53** S. KÜNZL, Die
Trierer Spruchbecherkeramik, in: Trierer Zschr. Beih. 21,
1997, 10–18 **54** H.-P. KUHNEN, Arch. Wüste oder
Schutzzone, Zur Situation der arch. Denkmalpflege im
Bezirk T., Funde und Ausgrabungen im Bezirk T. 27, 1995,
3–7 **55** Ders., Investorenverträge in der Trierer Stadtarch.,
in: Funde und Ausgrabungen im Bezirk T. 30, 1998, 35–41
56 Ders., (Hrsg.), Arch. zw. Hunsrück und Eifel. Führer zu
den Ausgrabungsstätten des Rheinischen Landesmus. T.,
1999 **57** Ders. (Hrsg.), morituri.
Menschenopfer.Todgeweihte. Strafgerichte,
Ausstellungskat. Rheinisches Landesmus. T. 2000 **58** Ders.,
Arch. im Spannungsfeld zw. Marketing und
Denkmalpflege, in: H. KOSCHIK (Hrsg.), Vom Umgang mit
Ruinen. Kolloquium des Rheinischen Vereins für
Denkmalpflege und Landschaftsschutz in T., 2000, 11–22
59 Ders., Das röm. T. Führer zu arch. Denkmälern
in Deutschland, 2001, 13–18 **60** Ders. (Hrsg.), abgetaucht.
aufgetaucht. Flußfundstücke. Aus der Gesch. Mit ihrer
Gesch., Ausstellungskat. Rheinisches Landesmus. T. 2001
61 Ders., Die spätant. Agrarlandschaft an der Mosel I:
Fundstellenerfassung und Aspekte der Siedlungsarch., in:
Funde und Ausgrabungen im Bezirk T. 33, 2001, 67–95
62 Ders., I. BARDIÈS, J.-P. LEGENDRE (Hrsg.), Propaganda.
Macht. Gesch. Arch. an Rhein und Mosel im Dienst des
Nationalsozialismus, Ausstellungskat. Rheinisches
Landesmus. T. 2002, 13–20 **63** Ders., s. v. Neumagen, in:
Real-Lex. der german. Altertumskunde, hrsg. v. H. BECK,
D. GEUENICH, H. STEUER, Bd. 21, ²2002, 113–116 **64** Ders.,
Der neue arch. Stadtplan des röm. T. Ein Zwischenergebnis
des arch. Stadtkatasters., in: Funde und Ausgrabungen im

Bezirk T. 34, 2002, 98–105 **65** Ders., S. PFAHL, F. UNRUH,
FORMA URBIS TREVERICAE – Das röm. T. in arch.
Stadtplänen. Vorstud. zum arch. Stadtkataster Heft 4, 2002,
I–III **66** R. LAUFNER, Zur Trierer Denkmalpflege im
19. Jh.,in: Kurtrierisches Jb. 15, 1975, 112 ff. **67** H. LEHNER,
Felix Hettner (Nachruf), in: Westdt. Zschr. 21, 1902,
339–361 **68** J. LEISTENSCHNEIDER, Das Rheinische
Landesmus. T. 1944–1946, in: Neues Trierisches Jb. 1985,
77–87 **69** H. LÖHR, L. CLEMENS – Drei neue
Landschaftsbilder zur Gesch. der Trierer Talweite in der
Spätbronzezeit, der Spätant. und dem Hoch-MA. Funde
und Ausgrabungen im Bezirk T. 33, 2001, 103–134 **70** W.
VON MASSOW, Die Grabmäler von Neumagen. Röm.
Grabmäler des Mosellandes und der angrenzenden Gebiete
II, 1932 **71** H. MERTEN, Kat. der frühchristl. Inschr. des
Bischöflichen Dom- und Diözesanmus. T., 1990 **72** Dies.,
Die Trierer Domgrabung Bd. I: Die Ausgrabungen auf dem
Domfreihof (NW-Bereich), Teil 1: Die Funde.
Bischöfliches Dom- und Diözesanmus. T. Bd. VII, 2001
73 H. MONZ, Trierer Biographisches Lex., 2000
74 M. NEYSES, 25 J. dendrochronologische Forsch. am
Rheinischen Landesmus. T., in: Funde und Ausgrabungen
im Bezirk T. 27, 1995, 24–32 **75** P. VAN OSSEL,
Etablissements ruraux de l'Antiquité tardive dans le Nord de
la Gaule. 51ᵉ Supl. Gallia, 1992 **76** A. ORTELIUS, J.
VIVIANUS, Itinerarium per nonnullas Galliae Belgicae partes,
Antwerpen 1584. Übers. und komm. durch
K. SCHMIDT-OTT, 2000 **77** S. PFAHL, Verzeichnis der
Befundpläne des Rheinischen Landesmus. T. auf dem
Gebiet der Stadt T. Vorstud. zum arch. Stadtkataster Heft 3,
2001, 3–8 **78** Ders., Felix Hettner und das Arch.
Stadtkataster T., in: Funde und Ausgrabungen im Bezirk T.
34, 2002, 106–112 **79** Ders., Ad fontes. Zum Stand der
Arbeiten am arch. Stadtkataster T. Funde und
Ausgrabungenim Bezirk T. 34, 2002, **80** H. POHLSANDER,
Die Anf. des Christentums in der Stadt T., in: Trierer Zschr.
60, 1997, 280–288 **81** C. F. QUEDNOW, Beschreibung der
Alterthümer in T. und dessen Umgebung aus der
gallisch-belgischen und röm. Periode in zwei Theilen, Trier
1820 **82** J. A. Ramboux – Maler und Konservator.
1790–1866, Ausstellungskat. Wallraff-Richartz-Mus. 1967,
15 ff. **83** K. M. REIDEL, Gesch. der Ges. für Nützliche
Forsch. zu T. 1801–1900, 1975 **84** W. REUSCH, Jahres-Ber.
des Landesdienstes für Vor- und Frühgesch. für die J.
1945–1958, in: Trierer Zschr. 24, 1956/58, 312–657
85 Ders., Die kaiserliche Palastaula (»Basilika«).
Arch.-histor. Beitr., in: MINISTERIUM FÜR UNTERRICHT UND
KULTUS DES LANDES RHEINLAND-PFALZ (Hrsg.), Die
Basilika in T. Festschrift zur Wiederherstellung 9.
Dezember 1956, 20 f. **86** Ders., Die Ausgrabungen im
Westteil der Trierer Kaiserthermen 1960–1966, in:
Röm.-German. Zentralmus. Mainz (Hrsg.), Ausgrabungen
in Deutschland. Teil I: Vorgesch. – Römerzeit, 1975,
461–469 (mit weiterführender Bibliogr.) **87** RHEINISCHES
LANDESMUS. T. (Hrsg.), T.-Augustusstadt der Treverer,
Ausstellungskat. Rheinisches Landesmus. T. 1984 **88** Ders.
(Hrsg.), T. – Kaiserresidenz und Bischofssitz,
Ausstellungskat. Rheinisches Landesmus. T. 1984
89 RÖM.-GERMAN. ZENTRALMUS. MAINZ (Hrsg.), Führer zu
vor- und frühgeschichtlichen Denkmälern Bd. 32: T., 1977
90 Ders. (Hrsg.), Führer zu vor- und frühgeschichtlichen
Denkmälern Bd. 33: Südwestliche Eifel, 1977 **91** Ders.
(Hrsg.), Führer zu vor- und frühgeschichtlichen
Denkmälern Bd. 34: Westlicher Hunsrück, 1977

92 R. SCHINDLER, Der gallo-röm. Tempelbezirk im
Altbachtal zu T. Als Ms. hrsg. v. R. SCHINDLER. Trierer
Grabungen und Forsch. VII, 1972, VIII–XIII 93 Ders.,
Mus.-Ber. 1965–1976, in: Trierer Zschr. 39, 1976, 144–146
94 Ders., Die Altburg von Bundenbach. Eine befestigte
Höhensiedlung des 2./1. Jh. im Hunsrück. Trierer
Grabungen und Forsch. X, 1977 95 Ders., K.-H. KOCH,
Vor- und Frühgeschichtliche Burgwälle des
Großherzogtums Luxemburg. Trierer Grabungen und
Forsch. XIII,1, 1977 96 Ders., Führer durch das Landesmus.
T., 1977 97 Ders., Das Straßennetz des röm. T., in:
RHEINISCHES LANDESMUS. T. (Hrsg.): FS 100 J. Rheinisches
Landesmus. T. Trierer Grabungen und Forsch. Bd. XIV,
1979, 122–140 98 Ders., Vor- und Frühgeschichtliche
Burgwälle des Regierungsbezirkes T. und des Kreises
Birkenfeld. Trierer Grabungen und Forsch. Bd. XIII, 1994
99 M. SCHMITT, E. WIRTH, Der Wiederaufbau der »Basilika«
1953–1956, in: MINISTERIUM FÜR UNTERRICHT UND KULTUS
DES LANDES RHEINLAND-PFALZ (Hrsg.), Die Basilika in
Trier. Festschrift zur Wiederherstellung 9. Dezember 1956,
62–69 100 P. STEINER, Grabungen in der Basilika zu T. 1913
und 1914. Trierer Jahres-Ber. 10/11, 1917/18, 32–36
101 Ders., Die Villa von Bollendorf, in: Trierer Jahres-Ber.
12, 1922, 1–59 102 J. STEINHAUSEN, Arch. Karte der
Rheinprovinz. I,1 Halbblatt Textband Ortskunde
T.-Mettendorf, 1932, II–XIII 103 Ders., Arch.
Siedlungskunde des Trierer Landes, 1936 104 R. P.
SYMONDS, Rhenish Wares. Fine Dark Coloured Pottery
from Gaul and Germany. Oxford University Monograph
No. 23, 1929 105 CH.-M. TERNES (Hrsg.), Alexandre
Wilhelm SJ, Luciliburgensia Romana sive Luxemburgum
Romanum. Livre IV Augusta Treverorum-Trèves. Edition,
traduction et commentaires, 1998, 24 f. 106 A. THOMAS,
Schutzmaßnahmen, Zerstörung und Wiederaufbau im
Dom zu T., in: Kurtrierisches Jb. 14, 1974, 190 ff.
107 UNIV. T. SONDERFORSCHUNGSBEREICH 235 (Hrsg.),
Komm. Bibliogr.: Zw. Rhein und Maas – Beziehungen,
Begegnungen und Konflikte in einem europ. Kernraum
von der Spätant. bis zum 19. Jh., 1999 108 W. WEBER, Die
arch. Stud. des Trierer Domkapitulars Johann Nikolaus von
Wilmowsky. Trierer Zschr. 43/44, 1980/81, 363–387
109 Ders., Constantinische Deckengemälde aus dem röm.
Palast unter dem Trierer Dom. Bischöfliches Dom- und
Diözesanmus. T. Museumsführer Nr. 1, 2000, 42 f.
110 Ders., Die Ges. für Nützliche Forsch. und der
Christl.-arch.-histor. Verein für die Diözese T., in:
Kurtrierisches Jb. 40, 2000, 377–390 111 K.-H. WEICHERT,
Goethe und die Igeler Säule, in: STADTBIBL. T.,
NATIONALBIBL. LUXEMBURG (Hrsg.), Goethe in T. und
Luxemburg. 200 J. Campagne in Frankreich 1792,
Ausstellungskat. 1992, 102–123 112 E. M. WIGHTMAN,
Roman T. and the Treveri, 1970 113 Dies., Gallia Belgica,
1985 114 N. v. WILMOWSKY, Der Dom zu T., Trier 1874
115 E. ZAHN, Die Planungs- und Baugesch. des
Provinzialmus. T. 1874–1926, in: RHEINISCHES
LANDESMUS. T. (Hrsg.): FS 100 J. Rheinisches Landesmus.
T. Trierer Grabungen und Forsch. Bd. XIV, 1979, 1–68
116 Ders., Die Basilika in T. Röm. Palatium-Kirche zum
Erlöser, 1991, 22 ff. 117 J. ZINK, Die Baugesch. des Trierer
Domes von den Anf. im 4. Jh. bis zur letzten Restaurierung,
in: RHEINISCHER VEREIN FÜR DENKMALPFLEGE UND
HEIMATSCHUTZ (Hrsg.), Der Trierer Dom. Jb. 1978/79,
17–24 118 Ders., Bibliogr. der Domgrabungen, in:
RHEINISCHER VEREIN FÜR DENKMALPFLEGE UND

HEIMATSCHUTZ (Hrsg.), Der Trierer Dom. Jb. 1978/79,
545–549.   HANS-PETER KUHNEN

III. RHEINISCHES LANDESMUSEUM (RLT)
A. GESCHICHTE DES MUSEUMS
B. DAUERAUSSTELLUNG

A. GESCHICHTE DES MUSEUMS

1874 wurde die Einrichtung eines Rheinischen Provinzialmus. in Trier beschlossen, das 1877 seine Tätigkeit aufnahm. Der Name zeugte wie der gleichlautende
der parallelen Bonner Institution (→ Bonn, Rheinisches
Landesmuseum) von der Zugehörigkeit zur preußischen Rheinprovinz. Gemäß der bis h. gültigen Auf-
gabenstellung obliegt es dem Mus., einerseits arch.
Zeugnisse sowie Kunstwerke des Moselraums zu bewahren und der Öffentlichkeit zugänglich zu machen,
andererseits die Kenntnis der regionalen Historie zu fördern. Zu den wiss. Aktivitäten, die in zahlreichen Publikationen ihren Niederschlag finden, zählt die Durchführung von Feldforschungen, nicht zuletzt Notgra-
bungen.

Der während der Gründungsphase bereits umfangreiche Bestand des Mus. rekrutierte sich aus drei bis dahin organisatorisch getrennten Kollektionen; zusammengeführt wurde der Antikenbesitz der seit 1801 in
Trier bestehenden Gesellschaft für nützliche Forschungen, der 1820 initiierten Königlichen Staatssammlung
Trier sowie der ehemals städtisch verwalteten Sammlung Hermes. Aus dem Besitz der Gesellschaft für nützliche Forschungen ging auch eine bemerkenswerte
Münzsammlung an das Museum. Durch Schenkungen,
Ankäufe und Grabungen wuchs die Zahl der dem Mus.
gehörenden Objekte bis in die Gegenwart fortwährend.
Einen spektakulären Neuzugang bildete der 1993 bei
Ausschachtungsarbeiten angetroffene Goldmünzen-
schatz von der Trierer Feldstraße.

Das seit 1889 bestehende eigene Gebäude des Provinzialmus. (seit 1934 Landesmus.) fand 1906 eine erste
Erweiterung. Zerstörungen in den Weltkriegen machten Wiederaufbauarbeiten notwendig, die beide Male
für Vergrößerungen genutzt wurden. Seit 1956 erneut
der Öffentlichkeit zugänglich gemacht [2], waren aber
erst einige Jahre später sämtliche Schausäle eingerichtet.
Schließlich sorgte 1987 ein zusätzlicher Erweiterungsbau nahezu für eine Verdoppelung der Ausstellungsflä-
che. Der seitlich angelagerte Neubau steht in deutlichem Widerspruch zur alten Architektur, was nicht nur
auf seinen klaren Formen beruht; konzeptionell unterscheidet er sich durch ein differenziertes Raumgefüge,
das mit der strengen Axialsymmetrie des urspr. Traktes
und der Flügel um den Innenhof kontrastiert.

B. DAUERAUSSTELLUNG

Der Eingang befindet sich seit 1987 im Erweiterungsbau auf der Rückseite des Komplexes. Vom Foyer
mit Museumsshop aus ist u. a. das Münzkabinett zu erreichen. Unter den neuen Räumen verdient der Mosaikensaal eine Hervorhebung. Eine Vorstellung vom

Abb. 1: Darstellung eines Schiffes mit Weinfässern,
von einem Grabdenkmal in Neumagen.
Aufnahme Rheinisches Landesmuseum, Trier.
Deutscher Kunstverlag, München Berlin

spät-ant. Trier vermittelt ein Modell im Maßstab 1:600,
das in einem Eckraum des Altbaus gezeigt wird.

Eindrucksvoll ist die Gruppierung von Denkmälern
aus Neumagen in einem großen Saal hinter dem Innenhof: Aus dem 2. bis 3. Jh. n. Chr. stammende, weithin
bekannte Darstellungen wie ein Relief mit Unterrichts-
szene oder ein mit Weinfässern beladenes Schiff
(Abb. 1) gehörten zu aufwendigen Grabbauten und
veranschaulichen die Themenbereiche, die in der Region zur öffentlichen Selbstdarstellung wohlhabender
Auftraggeber dienen konnten. Eine Kopie der Igeler
Säule, des Grabmonuments einer Tuchhändlerfamilie,
bildet den Blickfang im Innenhof. Die Flügel an den
Schmalseiten des Hofes nehmen das eine Mal gallo-rö-
mische Kultdenkmäler, das andere Mal Funde aus der
spätant. Villa von Welschbillig [26] auf. Insgesamt dominieren im Erdgeschoß kaiserzeitliche Arbeiten, hinter denen keltische und nachant. quantitativ weit zurücktreten.

Im Untergeschoß versammelte Objekte dokumentieren in der Region praktizierte Kulte. Gemäß einer
auch etwa chronologischen Abfolge reihen sich, auf
mehrere Räume verteilt, Belege für herkömmlich-ein-
heimisch, italisch-röm., orientalisch und frühchristl. definierte Religionsausübungen aneinander.

Die Räume des Obergeschosses sind thematisch
bzw. funktional aufgegliedert. Mehrere Säle beherbergen Artefakte verschiedener Gattungen einschließlich
von Architekturteilen, um eine Idee von der öffentlichen wie privaten Bildwelt und Lebenskultur im kaiserzeitlichen Trier zu geben. Bei den Skulpturen handelt
es sich mehrfach um ant. Importstücke aus Italien. Neben einigen herausragenden Werken der Idealplastik
zeichnet sich eine Reihe von Porträts aus der Zeit vom
1. bis zum 4. Jh. n. Chr. durch hohe Qualität aus
(Abb. 2). Größere Flächen des Obergeschosses sind
Sonderausstellungen vorbehalten; so wird hier im J.
2002 die Rolle der regionalen Arch. nach 1933 thematisiert [18].

Abb. 2: Bildnis einer Römerin.
Aufnahme Rheinisches Landesmuseum, Trier.
Deutscher Kunstverlag, München Berlin

Weitere spätant. und frühchristl. Objekte befinden
sich im Bischöflichen Dom- und Diözesanmuseum,
darunter die unter dem Dom angetroffenen konstantinischen Deckenmalereien aus der kaiserlichen Palastaula
[22; 25].

1 W. BINSFELD et al., Kat. der röm. Steindenkmäler des RLT
I. Götter und Weihedenkmäler, Trierer Grabungen und
Forschungen XII, 1988 2 H. EIDEN, Das RLT Zerstörung
und Wiederaufbau. Festgabe zur Wiedereröffnung am 21.
Juli 1956, 1956 3 E. ESPÉRANDIEU, Recueil général des
bas-reliefs, statues et bustes de la Gaule Romaine 6, 1915
4 Ders., Recueil général des bas-reliefs, statues et bustes de la
Gaule Romaine, Supplément 9, 1925 5 FS 100 J. RLT,
Trierer Grabungen und Forschungen XIV, 1979 6 M. FREY,
Die röm. Terra-sigillata-Stempel aus Trier, TrZ Beih 15,
1993 7 K.-J. GILLES, Das Münzkabinett im RLT Ein
Überblick zur trierischen Münzgesch., 1996
8 K. GOETHERT, Röm. Lampen und Leuchter. Auswahlkat.
des RLT, 1997 9 K. GOETHERT-POLASCHEK, Kat. der röm.
Gläser des RLT, Trierer Grabungen und Forschungen IX,
1977 10 Dies., Kat. der röm. Lampen des RLT. Bildlampen
und Sonderformen, Trierer Grabungen und Forschungen
XV, 1985 11 Dies., Röm. Gläser im RLT, ²1985
12 F. HETTNER, Die römischen Steindenkmäler des
Provinzialmus. zu Trier, Trier 1893 13 Ders., Illustrierter
Führer durch das Provinzialmus. in Trier, 1903
14 P. HOFFMANN et al., Kat. der röm. Mosaiken aus Trier
und dem Umland, Trierer Grabungen und Forschungen
XVI, 1999 15 A. KRUG, Röm. Gemmen im RLT, 1995
16 J. MOREAU, Das Trierer Kornmarktmosaik, Monumenta
Artis Romanae II, 1960 17 S. F. PFAHL, Röm. Spiel-Zeug
im RLT, 2000 18 Propaganda. Macht. Geschichte. Arch. an

Rhein und Mosel im Dienst des Nationalsozialismus, Ausstellungskat. RLT, 2002 **19** W. REUSCH, Das Rheinische Landesmus. in Trier, in: Lebendiges Rheinland-Pfalz 1, 1964, 108–114 **20** R. SCHINDLER, Landesmus. Trier. Führer durch die vorgeschichtliche und röm. Abteilung, 1970 **21** L. SCHWINDEN, Das RLT. Einführung in die Slgg., 1994 **22** E. SIMON, Die konstantinische Deckengemälde in Trier, 1986 **23** Trier. Augustusstadt der Treverer, Ausstellungskat. RLT, 1984 **24** Trier. Kaiserresidenz und Bischofssitz, Ausstellungskat. RLT, 1984 **25** W. WEBER, Constantinische Deckengemälde aus dem röm. Palast unter dem Dom, ⁴2000 **26** H. WREDE, Die spätant. Hermengalerie von Welschbillig, 1972.   DETLEV KREIKENBOM

Triumphbogen   A. ALLGEMEINES   B. MITTELALTER   C. ARCHITEKTUR DER RENAISSANCE   D. BILDENDE KUNST DER RENAISSANCE   E. ARCHITEKTUR VOM ABSOLUTISMUS BIS ZUR GEGENWART

A. ALLGEMEINES

Der antike röm. T. diente der Ehrung und apotheotischen Verherrlichung von Feldherrn, Statthaltern, Senatoren und Kaisern. Seine Rezeption in nachant. Zeit betrifft neben der Errichtung steinerner und ephemerer Bauwerke die Übernahme des Fassadenschemas in vielgestaltiger Ausformung, sowie die Darstellung in den bildenden Künsten. Nach ant. Vorbild errichtete man T. vorwiegend zum Zwecke der überhöhenden Darstellung zunächst monarchischer, später autokratischer Herrscher und Herrschaftssysteme. In der Frühen Neuzeit waren es steinerne T., vergängliche Einzugsdekorationen aus Holz und bemalter Leinwand zur Huldigung weltlicher Herrscher sowie Torbauten von Städten, Festungen und Schlössern. Im Absolutismus wurden steinerne T. als Monumente des Herrschaftsanspruchs in den Zentren oder an den Grenzen eines Staates errichtet.

Auch das bloße Aufriß-Schema des T. wurde nach dem hohen *decorum* als heroische, herrschaftlich repräsentative Würdeformel angesehen und fand als solches Anwendung bei Kirchenfassaden, Fassaden öffentlicher und privater Paläste, Wandgliederungen, aufwendigen Portalen, Bühnenbildern und repräsentativen Grabmälern. Für die zahlreichen, aus Anlaß von Investituren, Krönungen, Huldigungen, Staatsbesuchen, Hochzeiten etc. ausgerichteten triumphalen Einzüge der → Renaissance wurden überwiegend ephemere T. aus Holz und bemalter Leinwand errichtet. In der stilgeschichtlichen Forsch. führte die Divergenz des Materiales zu einer begrifflichen Unterscheidung nach steinernem Denkmal und vergänglichem Ehrenbogen. Dabei wurde übersehen, daß sich die verschiedenen Darstellungsformen des T. wie alle repräsentative Architektur aus der zeremoniellen Funktion erklären. Als bauliche Form blieb die Rezeption des T. nachrangig hinter seiner kulturellen, herrschaftsrituellen Wiederbelebung in zahlreichen Verwandlungen. Das Zeremoniell verlangte zunächst nur nach einem Bogen als Symbolträger. So

konnte man die aus dem ant. Triumph abgeleiteten Einzugszeremonien auch mit Girlanden und Bögen von arch. unbestimmter Form wiederbeleben. Im 16. Jh. setzte eine genauere Nachahmung der ant. T. ein, welche die Repräsentationswirkung erhöhte. Sie betraf auch die ephemeren Bögen, die zum Zwecke der Imitation des ant. T. steinfarben bemalt wurden. Einem Brief des Vincenzo Borghini von 1565 ist die ganz von der zeremoniellen Funktion geprägte prinzipielle Indifferenz gegenüber dem Material zu entnehmen: ›Das einzig Wahre ist Holz und bemalte Leinwand in Gestalt von Bogen, Fassaden und anderen Baulichkeiten; das Grün und die Teppiche mögen allenfalls passen bei scherzhaften Anlässen oder auch an Kirchenfesten; die lebenden, als Tugenden usw. kostümierten Figuren sind eine *magra invenzione*; das Wünschbarste wäre freilich, etwas Dauerndes aus Stein bauen zu können‹ [5. 1459].

B. MITTELALTER

Mit der Herausbildung der westl. Imperialherrschaft im MA erwachte das Interesse an den Würdeformeln ant. Herrschaft, die in → Byzanz überliefert worden waren. Am Hofe Karls d. Gr. gewann um 800 die ant. Herrschersymbolik und mit ihr der T. an Bedeutung. So lehnt sich die Torhalle im Atrium des Reichsklosters Lorsch mit ihren drei gleichhohen Bögen an die ant. T. an. Die karolingische Hofkultur scheint in ihrer Union mit der christl. Theologie letztere zu einer Auseinandersetzung mit Triumph und T. provoziert zu haben. So konnte es geschehen, daß die in der Uminterpretation ant. Bilder und Bräuche geübte Theologie den ant. Triumph auf die Kreuzigung Christi übertrug. Unter Papst Paschalis I. (817–824) wurde der das Mittelschiff vom Sanktuarium der Kirche trennende Bogen mit Blick auf die röm. Kirchen S. Prassede und S. Paolo fuori le mura als *arcus triumphalis* bezeichnet, womit früh der Begriff T. erscheint. An diesen kirchlichen T. konnte das sog. Triumphkreuz hängen, das den apotheotischen Bezug anstelle des weltlich Triumphierenden auf Christus lenkte. Um 828 entstand mit dem Einhardbogen für St. Servatius in Maastricht ein metallenes Kreuzreliquiar in Gestalt eines ant. T. *en miniature*, dessen Fassaden Darstellungen von Evangelisten und Wehrheiligen trugen (Nachzeichnung; Paris, BN; ms. fr. 10440). Als Würdeformel fand der T. bald Eingang in die bildliche Darstellung von Heiligen. In den Illuminationen karolingischer Hss. finden sich antikisierende Bögen auf zwei → Säulen als Rahmenwerk von Heiligendarstellungen (z. B. im Evangeliar aus Saint-Médard Soissons, fol. 81v, Paris, BN; ms. lat. 8850).

Aufgrund der Anwesenheit der ant. Monumente nahm → Rom einen bes. Platz bei der frühen Rezeption des ant. Triumphes und des T. ein. Die Ostermontagsprozession zum Lateran war ein Triumphzug der Päpste, für den ephemere Bögen errichtet und die ant. T. einbezogen wurden. 1127 wird unter Calixt II. von ›praeparatis arcibus de more in ipsa via sacra‹ [10. 119] gesprochen. Ein ähnliches Staatszeremoniell bildete der Einzug des neugewählten Papstes, die sog. *possessio*, die

Inbesitznahme des Lateran als Symbol für die Herrschaft über den Kirchenstaat. Sie lebte im 15. und 16. Jh. ungebrochen fort, und Päpste wie Pius II. und Julius II. haben ihre Macht ungezwungen in der *possessio* in triumphähnlichen Prozessionen unter Einbeziehung der ant. und Errichtung ephemerer T. verherrlichen lassen. Clemens VII. ließ sich 1525 von Baccio Bandinelli einen T. entwerfen, der in einer Zeichnung überliefert ist (London, Viktoria & Albert Mus.). Der Durchzug durch T. war – möglicherweise in Anlehnung an byz. Herrscherrituale – im MA ein Sinnbild der Ermächtigung zur Herrschaft. Dies wird deutlich, wenn aus Anlaß der Kaiserkrönung der Papst mit dem Kaiser als seinem Lehensmann einen triumphalen Festzug von St. Peter zum Lateran vollzog.

Die eigentliche Erneuerung des ant. Triumphes am Beginn der Neuzeit vollzog sich jedoch im Konflikt mit der päpstlichen Macht. Friedrich II. von Hohenstaufen bezeichnete sich als *imperator in regno suo* und sah sich in direkter Nachfolge der ant. Imperatoren. Als erster nachant. Kaiser ließ er sich 1237, nach der Einnahme der lombardischen Städte, in Cortenuova bei Cremona mit einem Triumphzug feiern. Nach dem Vorbild der ant. T. ließ er 1234–1239 das in Resten erhaltene Brückentor zu Capua errichten. Zwischen zwei Tortürmen zeigte es eine schmale dreigeschossige Schaufront mit Figurennischen oberhalb des Bogens, wie zwei Zeichnungen aus dem 15. und 16. Jh. überliefern. Seit Mitte des 14. Jh., als mit Petrarca ein human. und antiquarisches Interesse an der Ant. einsetzte, lassen sich der Triumph und T. auch außerhalb von Kirche und Kaiserhof finden. Als Herr von Rom hielt Cola di Rienzo 1347 nach der Eroberung von Vetralla triumphalen Einzug in Rom, wobei der Senat ihm T. errichtete. Die Zeremonie wurde aus Anlaß seiner Rückkehr nach der Vertreibung 1354 wiederholt.

Bereits an den Westwerken des romanischen Kirchenbaus, wie z. B. S. Gilles du Gard (1142–1171), fand das dreiteilige Formschema des T. »in Relief« Anwendung. In der Fassadengestaltung der it. Protorenaissance des 12. Jh. spielte es eine beherrschende Rolle. Ein signifikantes Beispiel dafür ist die an der Staatskirche San Marco verändert erhaltene Fassade der Contarinikirche in Venedig. In Anlehnung an das Formschema des T. zeigt sie eine fünfteilige Fassade, deren flächig geschlossene Rundbogenfelder Mosaiken tragen. Die vier Rosse einer ant. Quadriga im Feld des oberen Mittelbogens bekräftigen den Triumphgedanken.

C. ARCHITEKTUR DER RENAISSANCE

Das Legitimationsbedürfnis der Höfe machte den ant. Triumph und den T. in der Ren. zu einem beherrschenden Thema. Seit Petrarcas *Trionfi* verbreitete sich die Triumphidee als Überhöhungszeremoniell für Potentaten, aber auch sinnbildlich für Allegorien und ant. Götter in den bildenden und darstellenden Künsten. Alfonso I. von Aragón ließ nach seiner Eroberung Neapels um 1450 zw. zwei Türmen des Castel Nuovo einen steinernen T. nach dem Vorbild des Brückentors zu

Abb. 1: Triumphbogen im Castel Nuovo, um 1450. Neapel

Capua errichten (Abb. 1). Er zeigt über dem unteren Gebälk einen realen Triumph des Herrschers von 1443, der in schriftlichen Quellen (A. Beccadelli) und in einem Relief an der Tür der Sala del Barone in der Festung überliefert ist. Auf einem Wagen erschien eine sich drehende Weltkugel, auf der ein lorbeerbekrönter Cäsar stand. 1452 bereitete Alfonso Kaiser Friedrich III. einen triumphalen Einzug durch den T. des Castel Nuovo. Dieses Beispiel beeindruckte die it. Fürsten und reizte sie zur Nachahmung, wenn auch nicht zum Bau steinerner Triumphbögen. Sigismondo Malatesta, Herr von Rimini, ließ sich 1450 im Relief seines Sarkophages als Triumphator unter einem röm. T. darstellen. Er stand der Kirche ähnlich kritisch gegenüber wie Alfonso von Neapel.

Venedig hat für die Rezeption des ant. T. in der Ren. eine ähnlich hohe Bed. wie Neapel. Die Republik sah sich seit dem ausgehenden 14. Jh. als Nachfolgerin des röm. Imperiums augusteischer Prägung, wie Macchiavelli in den *Discorsi* schreibt, und verfolgte eine imperiale Politik auf der Terraferma. Dies blieb für die Rezeption des ant. T. nicht folgenlos. 1457 entstand mit dem *ingresso della terra* des venezianischen Arsenals nach dem Vorbild des ant. Sergierbogens in Pula die erste konkrete Rezeption eines steinernen T. in der it. Renaissance. Motive des Sergierbogens finden sich auch in einer Zeichnung von Jacopo Bellini mit dem Thema »Christus vor Pilatus«. Der 1462–1471 errichtete Arco Foscari im Innenhof des Dogenpalastes bildet zusammen mit der Porta della carta und der später hinzugefügten Scala dei Giganti eine Abfolge im Investiturzeremoniell des Dogen. In seinen Proportionen entspricht der Arco Foscari einem T., wurde aber 1485 von Antonio Rizzo mit got. Dekor verkleidet. Wichtiger als der Dekor war jedoch seine zeremonielle Funktion, welche die Investitur im Durchschreiten des Bogens mit dem ant. Triumph verband, wie es ähnlich in der päpstlichen *possessio* geschah. Der abweichende Dekor zw. den beiden venezianischen T. erklärt sich sicherlich aus dem unterschiedlichen *decorum* ihrer Orte. Für den Dogen Nicolò Tron (1471–1473) mag jener schlichte T. errichtet worden sein, der in einem urspr. im Magistrato dell Cattaver des Dogenpalastes hängenden Gemälde überliefert ist.

Für das → Reiterstandbild des Niccolò d'Este von Antonio di Christoforo und Niccolò Baroncelli in Ferrara entwarf Leone Battista Alberti 1461 ein Postament in Gestalt eines ant. T., den sog. *arco di cavallo*. In einer Hs. des Giovanni Marcanova entstand am Hofe zu Ferrara eine bildliche Beschreibung eines ant. T. mit Figurenschmuck. Alberti, der in seinem Traktat zur Baukunst auf den T. eingeht, hat nachhaltig zur Verbreitung des T.-Schemas in der it. Ren. beigetragen. Sowohl die um 1450 entworfene Fassade des als Grablege für Sigismondo Malatesta in Rimini errichteten Tempio Malatestiano als auch die um 1460 entworfene Fassade von S. Andrea in Mantua (→ Tempel/Tempelfassade, Abb. 1) übernehmen das T.-Motiv. In Venedig gewann Albertis Neuerung auch ihre eigentliche Verbreitung. Die Fassade von San Zaccharia folgt am weitgehendsten dem Entwurf für Rimini. Die Fassaden der Scuola di San Marco und der Kirche S. Maria dei Miracoli formen das Bogenfeld zur freistehenden halbkreisförmigen Scheibe um. Dieses Motiv verbreitete sich dann nördl. der Alpen, wo es als welscher Giebel bezeichnet wurde.

Nach dem Krieg gegen die Liga von Cambrai (1508–1516) ließen die Venezianer als Zeichen ihres Herrschaftsanspruches Stadttore in den Terraferma-Städten in Anlehnung an T. errichten: so in Verona, Treviso und Padua. Alberti hatte geschrieben: ›Die Tore werden nicht anders ausgestattet als die Triumphbogen‹ [I. 435]. Frühere it. Beispiele für die Rezeption des T. beim Stadttor sind die Porta di San Pietro in Perugia (1448–1480) und die Porta Capuana in Neapel (1484–1495). Mit der Porta Nuova in Verona entstand ein Prototyp für neuzeitliche Stadt- und Festungstore. Die ter-

ritoriale Markierung der venezianischen Herrschaft durch T. geschah in Abgrenzung zu den Herrschaftsansprüchen der Habsburger auf Norditalien. Der Riesenholzschnitt mit dem T. Maximilians I. von 1515, an dem Albrecht Dürer beteiligt war, ist in diesem Zusammhang zu verstehen. Er zeigt u. a. einen Triumph über die Venezianer und kompensierte den verletzten Stolz des Kaisers, dessen Krönung in Rom von Venedig verhindert wurde, das seinerseits 1508 nach einem Sieg über die Habsburger den Condottiere Bartolomeo d'Alviano in Venedig mit einem Triumph und T. ehrte [7. Kap. VIII. 167]. Maximilian I. war anläßlich seiner Hochzeit mit Bianca Sforza in Mailand im J. 1493 mit der Triumphsymbolik in Berührung gekommen. Leonardo da Vinci entwarf einen hölzernen T., der im Dom aufgestellt war, sowie weitere T. in der Stadt. Die Hochzeit sollte den Grundstein für die habsburgische Herrschaft über Nordit. legen. Sein Enkel Karl V. ließ sich systematisch mit T. ehren. Als neuer Julius Cäsar zog er 1530 nach der Krönung in Bologna durch eine Triumphstraße mit ephemeren T.; in Rom wurden für ihn 1536 der Konstantinsbogen und andere ant. T. freigelegt. Für seinen Sohn Philipp II. von Spanien wurde 1570 in Córdoba die Puerta del Puente in Form eines ant. T. errichtet. Von den Venezianern übernahm Karl V. die Territorialmarkierung durch rustizierte Stadttore, so 1545 mit der Keizerspoort und der St. Jorispoort in Antwerpen nach dem Vorbild der Porta Nuova zu Verona, versehen mit seiner Devise »Plus ultra«.

Im Rahmen eines Herrschereinzugs in eine Stadt konnte der T. zugleich Ausdruck der Unterwerfung der Stadt sein. Die Trad. der Huldigung von Fürsten durch Städte hatten die Herzöge von Burgund im 15. Jh. gefördert; bekannt ist der Einzug Philipps d. Guten 1454 in Gent. Obwohl die Tore zunächst formal wenig mit den ant. T. gemeinsam hatten, übten sie doch deren zeremonielle Funktion aus. Die Habsburger setzten diese Trad. der *Blijde incompsten* (»Freudiger Empfang«) in den Niederlanden fort, so beim Einzug Maximilians I. 1508 in Gent. Die in diesem Zusammenhang errichteten Tore sind nicht überliefert, im Gegensatz zu jenen, die in Gent 1515 zu Ehren Karls V. errichtet wurden. Während einige Bögen antikisierende Ornamente tragen, zeigen andere mehr den Zusammenhang mit den vertrauten Formen herrschaftsrepräsentativer Architektur. Für die Einzüge Philipps II. und Karls V. in Mechelen und Antwerpen errichtete Pieter Coecke van Aelst 1549, inspiriert durch Holzschnitte von Sebastiano Serlio, zahlreiche T., die ebenfalls in einer Festdokumentation überliefert sind. Insbesondere Hans Vredeman de Vries setzte diese Trad. neben Lucas de Heere und anderen flämischen Künstlern fort (Abb. 2). 1635 hat Peter Paul Rubens einen T. für den Einzug Ferdinands von Österreich in Antwerpen geschaffen. Oft wurden dabei die darstellerischen Künste des *Rederijker*- und *Toneelspeels* (etwa »Meistersinger/Rhetoriker-Darbietung« und »Schauspiel«) miteinbezogen, indem oberhalb der ephemeren T. Bühnen für enkomiastisch re-

Abb. 2: Triumphbogen für den Einzug
König Philipps II. von Spanien in Brüssel 1574.
Paris, École Nationale Supérieure des Beaux Arts

Abb. 3: Ehemaliges Portal der Schloßkapelle, 1555.
Dresden

zitierende Schauspieler und allegorische Statisten errichtet wurden. Die in diesem Zusammenhang gedruckten Bücher mit der Abbildung der errichteten T.
sind zu verstehen als Mittel polit. Propaganda, die den
Akt der Huldigung des Fürsten, aber auch seine In-
pflichtnahme öffentlich bekräftigen und wirksam machen. Auch die frz. Könige ließen sich bereits im 15. Jh.
durch triumphale Einzüge feiern. Dem cäsarischen
Machbedürfnis Karls V. schmeichelnd, ließ Franz I. 1539
in Poitiers und Orléans ephemere T. errichten. Heinrich II. ließ für seine Einzüge 1548 in Lyon und 1549 in
Paris antikisierende T. errichten. Heinrich III. wurde
1574 in Venedig mit einem T. nach Entwurf von Andrea Palladio empfangen. Venedig verband damit die
Hoffnung, Frankreich als traditionellen Gegner Habs-
burgs zurückzugewinnen.

Unter dem Einfluß der durch Serlio begünstigten
Rezeption des Vitruvianismus (→ Architekturtheo-
rie/Vitruvianismus) im Norden wurden zahlreiche Por-
tale und steinerne Torbauten in Anlehnung an den ant.
T. errichtet, so das 1555 erbaute Tor der Dresdener
Schloßkapelle (Abb. 3), das um 1560 nach einem Ent-
wurf von Lambert Lombard errichtete Portal der Sint
Janskerck in Liège, das als Festungstor in Danzig 1574–
1588 konzipierte Hohe Tor und das Langengässer Tor
von 1612. Dem Formenvokabular des nordeurop.
Vitruvianismus folgen auch das Äußere Schloßtor in
Bückeburg (1605), das Tor des Kastells zu Tübingen

(1606), das Portal des Rathauses von Hannoversch-
Münden (1605), die Steentilpoort und die Heerenpoort
in Groningen (um 1620), die Haarlemmerpoort in Leiden (1632), schließlich das Gartenportal des Rubens-
hauses in Antwerpen (1620).

D. BILDENDE KUNST DER RENAISSANCE

Mit wachsendem arch. Interesse an der Architektur
des ant. Rom wurde der T. nach 1450 zum Motiv der it.
Renaissancemalerei. In dem zerstörten Fresko des St.
Jacobus vor Herodes Agrippa schuf Andrea Mantegna in
der Capella Ovetari in Padua um 1454 die frühe Darstellung eines ant. T. in der Malerei. Eigenständig folgte
Marco Zoppo dem Vorbild Mantegnas in einer verschollenen Zeichnung: *St. Jacobus zum Martyrium geführt*.
Um 1461 malte Benedetto Bonfigli den Konstantinsbogen im Wunder des Hl. Ludovicus (Perugia, Capella
dei Priori). Nach den Ausführungen über die Vereinnahmung des T. als Herrschaftssymbol in der *possessio*
der Päpste überrascht es nicht, daß Papst Sixtus IV. den
T. des Konstantin als Sinnbild zur Legitimation seiner
Herrschaft heranzog; in diesem Sinne 1481 durch Pe-
rugino in der legitimatorisch bedeutsamen Schlüssel-
übergabe der Capella Sistina dargestellt. Darin erscheint
der Konstantinsbogen gleich zweimal. Legitimatorisch
bedeutsam ist er auch in Botticellis *Aufruhr gegen das Gesetz Mosis* von 1482, an der gegenüberliegenden Wand.
In einer Inschr. des T. wird der Ungehorsam der Söhne

Aarons und damit sinnbildlich die Politik der Gegner des Papstes als Auflehnung gegen die Gesetze Gottes verurteilt.

Der T. des Konstantin wurde in der Malerei des späten 15. Jh. am häufigsten nachempfunden, wohl nicht zuletzt, weil er einem christl. Kaiser zugehörte: Domenico Ghirlandaio, *Bethlehemitischer Kindermord*, nach 1486 (Florenz, Santa Maria Novella); Maestro di Griselda, *Geschichte der Griselda*, vor 1500 (London, National Gallery); Andrea Mantegna, *Triumph Cäsars*, um 1490 (London, Hampton Court); Sandro Botticelli, *Geschichte der Lucretia*, um 1499 (Boston Mus. of Fine Arts); Pseudo Granacci, *Geschichte der Vestalin Tuccia*, um 1500 (Rouen, Mus. des Beaux-Arts); Anonymus, *Hl. Sebastian*, um 1520, (Berlin, Staatliche Mus.). In der Druckgraphik: Florentinisch, *St. Georg und der Drache*, um 1490 [8. Bd. I. Taf. 210]; Agostino Veneziano, *Ansicht des Konstantinsbogen* [2. Bd. 27. 220]; gedruckte Ansicht des Trajansbogens von 1500 [8. Bd. I. Taf. 473]. Triumphbögen von arch. unbestimmter Form und einbogige T. finden sich in folgenden Gemälden: Fra Carnevale (Bartolomeo di Giovanni Corradini), *Tempelgang Mariens*, um 1480, (Boston, Mus. of Fine Arts); Domenico Ghirlandaio, *Anbetung der Hirten*, 1485 (Florenz, S. Trinita); Meister der Pietà von Piedigrotta, *Pietà zw. Maria und St. Antonius*, um 1492 (Neapel. S. Maria di Piedigrotta); Pietro di Francesco Orioli, *Heimsuchung*, vor 1496 (Siena, Pinacoteca Nazionale); Vittore Carpaccio, *Predigt des Hl. Stephanus*, 1514 (Paris, LV); Lorenzo Costa malte für die Grotta der Isabella d'Este in Mantua das *Reich des Comus* (Paris, LV). Ein T. grenzt darin die Sphäre der Tugendgestalten von jener der Laster ab.

Der T. ist in der christl. Ikonographie wie andere ant. Architektur nicht bedeutungsloser Hintergrund, vielmehr fügt er sich in das Thema ein. Gleiches gilt für den Statuenschmuck und die Reliefs der gemalten Triumphbögen. Die Darstellung intakter T. in christl. Bildern ist bemerkenswert, insofern ant. Architektur in der christl. Ikonographie für gewöhnlich im negativen Sinngehalt das ant. Rom als Ausdruck überwundenen Heidentums ausdrückt. Nach der Augustinischen Lehre von den sechs Weltaltern waren die Ruinen Roms in der christl. Malerei ein Sinnbild des Untergangs der heidnischen Ant. als Voraussetzung für das Reich Christi, insbes. in der Geburt Christi oder der Anbetung der Könige. In der it. Malerei des späten 15. Jh. begann die Faszination der erfahrenen ant. Architektur jedoch den christl. Sinngehalt zu überwiegen. So bleiben die Beispiele für gemalte T. als Ruinen in der Minderzahl. Überwiegend sind es christl. Themen wie beispielsweise das Martyrium des Hl. Sebastian, in denen der kulturelle Verfall des röm. Reiches anklingt: Francesco Pagano, *Die Heiligen Sebastian und Katharina*, um 1490 (Rom, Palazzo Barberini); Andrea Mantegna, *Hl. Sebastian am Fragment eines T.* (Wien, KM und Paris, LV); Luca Signorelli, *Martyrium des Hl. Sebastian*, mit der Ruine des Konstantinsbogens, 1498 (Città di Castello, Pinacoteca

Communale); Francesco di Giorgio Martini; *Geburt Christi*, 1502 (Siena, S. Domenico).

Während man die röm. Ruinen in It. als *mirabilia* bewunderte, hielt sich nördl. der Alpen ihre durch die christl. Malerei tradierte negative Sinnbildlichkeit, wie die ruinöse ant. Bogenarchitektur in der Aertgen van Leyden zugeschriebenen *Anbetung der Könige* (um 1530; Berlin, Gemäldegalerie) zeigt. Im Laufe des 16. Jh. erfuhr die negative Sinnbildlichkeit der ant. Architektur in der Ikonographie des Nordens eine Wandlung ins Profane. Mit Joachim Du Bellays *Antiquitez de Rome* wurden die Ruinen Roms zum allg. Sinnbild des Unterganges histor. Kulturen. Der Antwerpener Dichter Jan van der Noot hat nach Du Bellay in dem 1568 in London gedruckten *Het Theatre* einen T. des Augustus dargestellt, der einmal intakt und, als Zeichen der Vergänglichkeit, daneben in Trümmern liegt (Abb. 4). Ge-

Abb. 4: Jan van der Noot, Triumphbogen, aus: *Het Theatre* (London 1568)

legentlich findet sich aber auch außerhalb Italiens der intakte T. des Konstantin. So in dem 1566 von Antoine Caron gemalten *Massaker des Triumvirats* (Paris, LV). In der Malerei des 16. Jh. überwiegt das T.-Schema gegenüber der Darstellung des Triumphbogens. Als Beispiel sei Paolo Veroneses *Gastmahl im Hause des Levi* von 1573 genannt (Venedig, Accademia). Andrea Vicentino stellte den von Andrea Palladio zum Empfang Heinrichs III. von Frankreich am Lido von Venedig errichteten T. in einem Gemälde in der Sala delle Quattro Porte des Dogenpalastes dar. Einen originellen Einfall verwirklichte der Bologneser Giovanni Agucchi: Als er sich um 1610 aus dem Dienst des Kardinals Aldobrandini und damit aus Rom zurückzog, beauftragte er Domenichino mit dem Gemälde eines T. (Madrid, Prado). Inschriften am T. vergleichen sein Leben außerhab Roms mit dem Dasein Johannes des Täufers in der Wüste.

Gegenwärtig ist der T. auch in der repräsentativen Buchmalerei der Renaissance. Die prachtvolle Illumination des ersten Buches der *Nikomachischen Ethik* des Aristoteles aus dem Besitz des Herzogs von Atri, um 1500 (Wien, Österreichische Nationalbibl., Cod. phil. gr. 4), zeigt einen T. als Sinnbild des Triumphes der Vernunft und der Tugenden. Ähnlich sinnbildlich verwendete der Florentiner Humanist Bartolomeo Delbene den T. in seiner 1609 in Paris gedruckten Ausgabe der Aristotelischen *Ethik*. Ein Kupferstich von Thomas de Leu illustriert eine zentrische Idealstadt der Sitten (*civitas morum*), deren fünf als T. ausgebildete Tore Sinnbilder der fünf Sinne darstellen. Ihre Achsen führen ins Zentrum, wo sich Tempel von Vernunft und Tugenden befinden.

Der T. war ein fester Bestandteil des Bühnenbildes der → Tragödie, deren heroisches Wesen er in Abgrenzung zur → Komödie zum Ausdruck brachte. In seinem vielrezipierten Entwurf einer *scena tragica* fügte Sebastiano Serlio einen T. ein. Ein älteres Beispiel ist der vor 1500 entstandene, Ambito del Laurana zugeschriebene Bühnenbildentwurf (Baltimore, Walters Art Gallery), in dem sich eine Variante des Konstantinsbogens findet.

Im repräsentativen Grabmal von Staatsoberhäuptern und Päpsten wurde das T.-Motiv zur wichtigsten Würdeformel. Sie bildete einerseits den architektonischen Rahmen für die Plastik und verband andererseits den ant. Apotheosegedanken mit dem christl. Glauben an die Fortexistenz der Seele. Genannt sei hier das vor 1492 von Tullio Lombardo erschaffene Grabmal des Dogen Andrea Vendramin in SS. Giovanni e Paolo, Venedig. Beispiele für röm. Papstgräber sind die dem Konstantinsbogen folgenden Grabmale der Medicipäpste Leo X. und Clemens VII. in S. Maria Sopra Minerva. Bei dem von Philibert de l'Orme und Pierre Bontemps um 1550 gestalteten Grabmal von Franz I. in St. Denis verzichtete man zugunsten der Triumpharchitektur weitgehend auf Plastik.

E. Architektur vom Absolutismus bis zur Gegenwart

Die Herrscher des Absolutismus setzten die Praxis der Einzugsdekorationen mit T. seit Ludwig XIV. fort. Mit dem von Claude Perrault im J. 1669 entworfenen T. im Faubourg Sainte Antoine sollte ein steinernes Ruhmesmal für Ludwig XIV. geschaffen werden. Der nur bis zum Sockel ausgeführte Bogen sah auf der Attika die Aufstellung eines Reiterstandbildes mit dem Sonnenkönig vor. Unter Ludwig XIV. wurden die Pariser Stadttore nach dem Vorbild ant. T. erneuert, womit nach der Niederschlagung des Aufstandes der Pariser Fronde städtebaulich ein wirkungsvolles Zeichen absolutistischen Machtanspruches gesetzt wurde. Als Initiator muß Colbert angesehen werden, auf dessen Ver-

anlassung die um 1670 durchgeführte Umgestaltung der Pariser Stadtmauer wie auch der Entwurf für den Torbogen im Faubourg Sainte-Antoine zurückgehen. Paris wurde zum Vorbild für die Gestaltung absolutistischer Residenzstädte bis ins 19. Jahrhundert. Maßgeblich für die Kenntnis der ant. T. in Frankreich waren die genauen Aufnahmen der röm. Bauwerke durch Antoine Desgodetz, die 1682 mit einer Widmung an Colbert in Paris erschienen. Dem frz. Vorbild folgte Preußen. Nach der Schlacht bei Fehrbellin ließ der Große Kurfürst 1683 durch Arnold Nehring das Leipziger Tor in Berlin als T. errichten. Anläßlich der Krönung König Friedrichs I. wurde in Berlin eine Enfilade von Ehrenpforten aufgestellt. Nach dem Vorbild des Konstantinbogens errichtete J. F. Eosander das Hauptportal des Berliner Schlosses 1708–1713. Die Preußen nutzten den T. bes. zur Demonstration mil. Überlegenheit und imperialer Macht, was insbes. im martialischen Dekor mit Trophäen Ausdruck fand. Nach der Eroberung Stettins ließ Friedrich Wilhelm I. T. errichten. Unter Friedrich II. entstanden in Berlin das Rosentaler und das Oranienburger Tor. In Potsdam ließ Friedrich II. 1769 nach dem Siebenjährigen Krieg das Brandenburger Tor in Anlehnung an den Konstantinsbogen errichten. Das 1788 im Auftrag Friedrich-Wilhelms II. entworfene Berliner Brandenburger Tor folgt indes gemäß der zeitgenössischen Begeisterung für das Griechentum den Propyläen der Akropolis. 1796 entwarf Friedrich Gilly für Friedrich II. in Berlin einen nicht ausgeführten T. für den Leipziger Platz. Die frz. Revolutionsarchitekten haben den T. aufgegriffen. E. L. Boullée hinterließ Entwürfe von 1789 für einen ägyptisierenden T. sowie für ein monumentales Stadttor, die nicht realisiert wurden.

Wenn man die Menge an steinernen Neubauten zugrunde legt, kann man das 19. Jh. als eine Blütezeit des T. bezeichnen. Die Vorliebe Napoleons bescherte Europa den T. als Symbol europ. Großmachtstrebens, welches in keiner Hauptstadt fehlen durfte. Nach seinem Italienfeldzug und dem Frieden von Campoformio veranlaßte er 1797 einen Triumph, bei dem it. Kunstwerke mitgeführt wurden. 1806–1808 ließ er nach dem Vorbild des Titusbogens den Arc du Triomphe du Carrousel errichten und darauf eine Quadriga mit den → Rossen von San Marco und seinem Standbild errichten. Zeitgleich wurde auch der Arc du Triomphe de l'Étoile begonnen, dessen Bau sich bis 1836 hinzog. Seine Größe und Monumentalität, intendiert als Ausdruck der neuen Herrschaft über Europa, übertrafen alle bis dahin erbauten Triumphbögen. Weitere T. ließ Napoleon in Mailand und Faenza errichten. Nach seinem Sturz und dem folgenden Wiener Kongreß bemächtigte sich Österreich Norditaliens. In Mailand entstand nach 1826 der eindrucksvolle Arco della Pace mit reichem Figurenschmuck. Das nach Rom zurückgekehrte Papstum erlebte nach Napoleons Ende eine Blüte der Restauration. Mit einem Triumphzug und T. in Anlehnung an die ma. *possesso* versuchte Pius IX. 1846 die Erneuerung der Macht der Kirche zu beschwören. Nach den Siegen von

Wellington und Nelson über Napoleon entstanden unter George IV. im Bewußtsein neuer Größe seit 1810 Entwürfe für T. in London, 1827 der Wellington Arch am Hyde Park und um 1830 der Marble Arch vor dem Buckingham Palace. Zar Alexander I. ließ den Generalstabsbogen, das Moskauer Tor und das Narwator in St. Petersburg sowie das Twersker Tor in Moskau errichten. Ein T.-Entwurf von 1856 mit den Bildern der Preußenkönige Wilhelm III. und Friedrich-Wilhelm IV. für den Kölner Heumarkt wurde nicht realisiert. Kaiser Wilhelm II. ließ sich 1891 in Düsseldorf mit einem ephemeren T. feiern. Im Königreich It. wurde das T.-Schema im späten 19. Jh. zur städtebaulichen Geste mit nationalistischem Pathos. Als Beispiele seien die Torbauten der Galleria Vittorio Emanuele II. von 1877 in Mailand und der Piazza Vittorio Emanuelle II. in Florenz angeführt, sowie der Eingang zum Palazzo dell'Esposizione auf der Kunstausstellung von 1882 in Rom. Als Eingang zum Weltausstellungsgelände zeigte der Eiffelturm in Paris Eigenschaften des T. im Sinne des Triumphes der Technik.

Das überhöhende Moment des T. blieb bis ins 20. Jh. hinein lebendig und findet sich in faschistischen Diktaturen und autokratischen Herrschaftssystemen wieder. General Franco ließ 1927–1956 an der Madrider Univ. einen T. mit Quadriga errichten, Mussolini 1931 in Genua den Monumento ai caduti, nachdem er bereits 1927 in programmatischer Absicht den Monumento alla Vittoria als T. in Bozen hatte bauen lassen. Im selben J. entwarf Hitler einen T., der später im Achsenprojekt von A. Speer mit einer Höhe von knapp einhundertundzwanzig Metern neben der großen Kuppel das Stadtbild Berlins wie ein babylonischer Turm dominiert hätte. In ihrer üblichen reduktionistischen Art hat die Moderne des 20. Jh. den T. als städtebauliche Pathosformel zu retten versucht, um die entsinnlichte Einförmigkeit der industrialisierten Stadt feierlich zu überhöhen. Mit dem Jefferson National Expansion Memorial in St. Louis entstand 1965 ein großer Stahlbogen, der in seiner dynamischen Form als nationales Denkmal die gewaltsame Besiedlung Nordamerikas durch die Europäer glorifiziert. Aus Anlaß des 2500sten J. der Gründung des persischen Reiches wurde 1971 in Teheran das Schahyad-Monument errichtet. In Bagdad ließ Saddam Hussein einen T. aufstellen, der aus zwei gekreuzten Schwertern besteht, die eine Straße überspannen. Der 60 m hohe T. in Pjöngjang entstand 1982 zum 70. Geburtstag von Kim Il Sung und soll an die Befreiung Koreas von Japan erinnern. Der 1989 erbaute Grande Arche de la Défense in Paris (Otto v. Sprekelsen) ist in praktischer Hinsicht zwar ein Bürogebäude, in ideeller und ästhetischer jedoch ein Monument zum 200. Jubiläum der Frz. → Revolution. Er steht in einer Achse mit dem Arc du Caroussel und dem Arc du Triomphe und entspricht in den Maßen seines »Tors« der Ausdehnung des ersten Louvre-Hofes, der damit in hochgeklappter Form wiederkehrt. Der 1989 in Hamburg aus drei Industriecontainern errichtete T. entspricht ganz der zeit-

genössischen Ästhetisierung der materiellen Produktionssphäre.

1 L. B. ALBERTI, Zehn B. über die Baukunst, 1975 **2** A. BARTSCH et al., The Illustrated Bartsch, 1978 ff. **3** H. BELTING, Der Einhardsbogen, in: Zschr. für Kunstgesch. 36, 1973, 93–121 **4** W. DEISEROTH, Der T. als große Form in der Ren.-Baukunst Italiens, 1970 **5** H. M. v. ERFFA, s. v. Ehrenpforte, in: RDK, Bd. IV, 1443–1504 **6** P. GINORI (Hrsg.), L'apparato per le nozze di Francesco de' Medici e di Giovanna d'Austria nelle narrazioni del tempo e da lettere inedite di Vincenzio Borghini e di Giorgio Vasari, 1936 **7** M. FRANCESCO GUICCIARDINI, Della Historia D'Italia Di M. Francesco Guicciardini, Venetia 1580 **8** A. M. HIND, Early Italian Engravings, 7 Bde., 1938–1948 **9** W. JACOBSEN, Die Lorscher Torhalle, in: Jb. des Zentralinst. für Kunstgesch. I, 1985, 9–75 **10** KARDINAL BOSO, Vita Calixti II, in: Pontificum Romanorum vitae, ed. J. M. WATTERICH, Bd. 2, Leipzig 1862 **11** H. W. KRUFT, M. MALMANGER, Der T. Alfonsos in Neapel, 1977 **12** Y. PAUWELS, The rhetorical model in the formation of French architectural language in the sixteenth century: the triumphal arch as commonplace, in: G. CLARKE, P. CROSSLEY (Hrsg.), Architecture and Language, 2000, 134–147 **13** D. PINCUS, The Arco Foscari. The Building of a Triumphal Gateway in Fifteenth Century Venice, 1976 **14** I. v. ROEDER-BAUMBACH, Versieringen bij Blijde Inkomsten: Gebruikt in de Zuidelijke Nederlanden geturende de 16e en 17e eeuw, 1943 **15** C. SHEARER, The Ren. of Architecture in Southern Italy. A study of Frederick II of Hohenstaufen and the Capua Triumphator Archway and Towers, 1935 **16** E. B. SMITH, Architectural Symbolism of Imperial Rome and the Middle Ages, 1956 **17** A. SPAGNOLO-STIFF, Die »Entrée solennelle«. Festarchitektur im frz. Königtum, 1996 **18** A. STÄHLER, »Perpetuall monuments«. Die Repräsentation von Architektur in der it. Festdokumentation (ca. 1515–1640) und der engl. court masque (1604–1640), 2000 **19** W. E. STOPFEL, T. in der Architektur des Barock in Frankreich und Deutschland, 1964 **20** A. VENTURI, Un'opera sconosciuta di L. B. Alberti, in: Ders., L'Arte, 1914 **21** U. WESTFEHLING, T. im 19. und 20. Jh., 1977 **22** C. A. WILLEMSEN, Kaiser Friedrichs II. Triumphtor zu Capua, 1953 **23** F. ZERI (Hrsg.): La Pittura in Italia – Il Quattrocento, 2 Bde., 1987 (Gemälde der it. Ren.).

HEINER BORGGREFE

Troja I. ALLGEMEIN II. TROJANER-GESCHICHTE ALS URSPRUNGSMYTHOS

I. ALLGEMEIN
A. EINLEITUNG B. TROJA IN LITERARISCHER UND HISTORIOGRAPHISCHER VORSTELLUNG C. DAS REALE TROJA ALS GEDÄCHTNISORT IN DER ANTIKE D. DIE SUCHE NACH DEM REALEN TROJA E. DIE GRABUNGEN

A. EINLEITUNG
Homer stellt seine Erzählung vom Zorn des Achill und von dem Krieg um T. in eine Gedächtnislandschaft, deren Realität sich ganz dem Epos und seiner Wirkungsgeschichte verdankt. Seit 1998, 130 Jahre, nach-

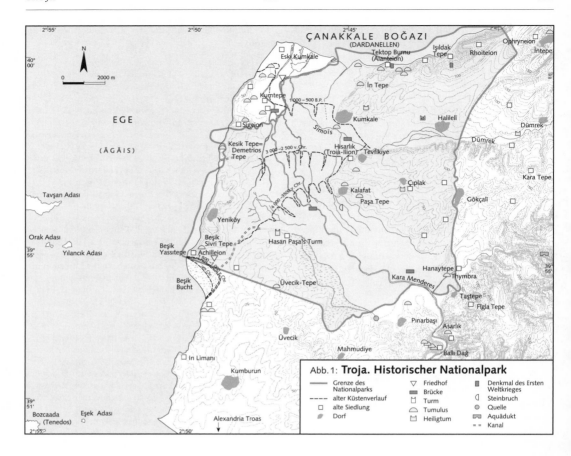

Abb. 1: **Troja. Historischer Nationalpark**

⌇⌇⌇ Grenze des Nationalparks	▽ Friedhof	▨ Denkmal des Ersten Weltkrieges
- - - alter Küstenverlauf	▤ Brücke	◖ Steinbruch
□ alte Siedlung	⌂ Turm	○ Quelle
🬀 Dorf	⌂ Tumulus	▱ Aquädukt
	⌂ Heiligtum	= = Kanal

dem Heinrich Schliemann erstmals vor Ort war, steht sie auf der UNESCO-Liste des Weltkulturerbes (Abb. 1). Wer ›dereinst‹ mit dem Schiff den Hellespont befahre, werde auf die weithin sichtbaren Grabhügel der Helden blicken, heißt es in *Ilias* (7,85–91 mit Bezug auf Aias) und *Odyssee* (24,80–4 zum Tumulus des Achill). Eine hell. Quelle sagt: ›Wir verbrachten viele Tage in Ilion und wurden nicht satt vom Anschauen der Gräber; ich hatte vor zu bleiben, bis ich alle Verse der Ilias angesichts der von ihr behandelten Orte durchgegangen wäre‹ (Ps.-Aischin. epist. 10,2). Die Tumuli auf den Höhen vor T. und die Ruinen der bronzezeitlichen Burg waren Homer und seiner Hörer- und Lesergesellschaft die sichtbaren Zeichen einer vergangenen Zeit [59. 177–185; 50. 100f.]. Die Distanz zu dieser Vergangenheit wurde erst nach Homer (von Hekataios, Herodot, Thukydides, Eratosthenes) in ein histor. Kontinuum eingemessen und so die Sage historisiert. Troja wurde für die Griechen zum Ankerpunkt ihrer frühen Geschichte. Die Chronik des Hieronymus schrieb den ›Spätergeborenen‹ (Il. 7,87; Od. 1,302) für die Zerstörung von T. das J. 1182 v. Chr. fest [76. 174–179].

B. Troja in literarischer und historiographischer Vorstellung

1. Antike

Die frühgriech. T.-Epik, bes. die Homer. Epen, verankerten an dem Ort T. und einem lokalen Mythos vom Krieg um dessen Mauer ein für die gesamte griech. Gesellschaft und ihre Mythen verbindliches System von Raum und Zeit. Die Einnahme T. bedeutete das Ende einer übermenschlich-vorbildlichen Heroenzeit und den Anfang der mythisch-geschichtlichen Gründungen der griech., der ionischen Städte sowie später der Stadt → Rom in der Nachfolge des troischen Aineias. Die verbindliche Raumeinteilung beschrieb durch die Parteiungen vor T. eine Grenze zw. Ost und West [60]: Die Achäer stehen für die Griechen des Festlandes, die Bündner T. für die kleinasiatischen Reiche zur Zeit Homers. Troja selbst gehört zum Osten, ist in der Erzählung aber eine nach Top. und Architektur typisch griech. Stadt. Seine Bewohner und sein Herrscherhaus zeigen sich in der archa. Zeit als Exempla des sozialen Kodes der griech. Stadtbewohner und ihrer Aristokratie (Sappho fr. 17 Voigt [79] = 28 Diehl [21]; fr. 44 Voigt [79] = 55 Diehl [21]). Der troische Krieg galt schon früh als Beispiel für den Wahn des Krieges (Alk. 283 Lobel/Page). Die Schuld der Helena wird kontrovers ausgelegt (Sappho fr. 16 Voigt [79] = 27 Diehl [21]). Den griech. Städten diente die Beteiligung am troischen Krieg zur Herleitung überlokaler Herrschaftsansprüche (Athen reklamiert Sigeion: Hdt. 5,94; Aischyl. Eum. 398–403) [7; 14] (LIMC zu einzelnen Helden).

Nach den Perserkriegen wurde die T.-Sage zum Ereignis in deren Vorfeld. Das Bild der zerstörten Stadt wird zum Historienbild (z. B. Polygnots Gemälde der Iliupersis in der Lesche der Knidier in Delphi = Paus. 10,26,2; Iliupersis am Parthenon). Die Mythographie stellte die Zerstörung der Stadt und die Rückkehr der Helden als histor. Ereignis dar (*Trōïká* des Hellanikos aus Mytilene). Troja ist fern, sein Herrscher ein Barbarenfürst (Aischyl. Ag. 935 f.; vgl. 40ff.; 530ff.), die Stadt nach griech. Recht besiegt (Aischyl. Ag. 503–537). Die T.-Trag. des Euripides vermitteln die zeitgenössische rhet. T.-Topik: Befreiung der Griechen aus der Barbarenherrschaft (Eur. Tro. 932–4), Grausamkeit der Eroberer und das Recht der Troer auf den Erhalt ihrer Stadt (Tro.; Hec.), Schuld der Helena (Hel.; vgl. Gorgias Enkomion auf Helena) und Wahn des Krieges (Tro.; Hec.; Hel.; Andr.). In sophistischen Argumentationsübungen wurden Thesen für und gegen die Historizität der T.-Sage (Hdt. 2,112–120) und zur Kriegsschuldfrage aus Sicht der Perser und der Griechen entwickelt (Hdt. 1,3–5). Deren Wert für polit. Propaganda wurde von Alexander von Makedonien aufgegriffen und in symbolische Handlung umgemünzt (Arr. an. 1,11) [30; 40; 42; 43; 49] (LIMC zu einzelnen Helden).

In der hell. Bibliothek gewann der T.-Stoff als Sammlung für unterschiedliche Zwecke und Fragestellungen an Bedeutung. In lit. Texten verselbständigen sich mythische Details und Nebenschauplätze; das mythische Geschehen wird in den seelischen Vorgängen einzelner Helden und Heldinnen reflektiert. Die Geschichtsschreibung zitiert den T.-Mythos als tragische Metapher (Pol. 38,20). Grammatiker stellen die histor. Frage: Hatte der trojanische Krieg stattgefunden? Im Bild werden die troischen Helden mit den antiquarischen Zeichen des Ostens (Phrygertracht, Proskynese) dargestellt [34; 40; 64; 74].

Die kaiserzeitliche röm. Dichtung und Geschichtsschreibung rehabilitierte die troischen Helden und verband sie mit der Romidee (→Rom I. E.). Aeneas als Ahnherr des julisch-claudischen Geschlechtes und die Troer stehen im Mittelpunkt des Geschehens (Abb. 2). (In einer rhet. Übung begründete Nero, warum ihre Nachkommen unter röm. Herrschaft Steuerfreiheit genießen: Tac. ann. 12,58,1.) Rom tritt die Herrschaft über »Asien« in der Nachfolge des Priamos-Reiches an (Verg. Aen. 1,385; 7,224; 10,91). Seneca stellte in den *Troades* die Dummheit und Grausamkeit der Machtmenschen dar. In der Zeit Neros erschien eine Zusammenfassung der Homer. *Ilias* in lat. Sprache (*Ilias Latina*). Mit den Werken Homers und Vergils als Grundlagen des Lesen- und Schreibenlernens wird die T.-Sage zum allgemeinen Bildungsgut (*Tabula Iliaca*) [1; 9; 27; 40; 45; 80; 83].

Abb. 2: Der fliehende Aeneas als Münzbild. Denar Caesars 46 v. Chr.

Bis in die Spätant. wurde der T.-Stoff im Griech. in lit. und rhet. Texten und in der Bildbeschreibung (Philostr. Ap.; Heroïkos) thematisiert. Zwei lat. Prosaerzählungen, die *Ephemeris belli Troiani* (4. Jh.) und die *Historia de excidio Troiae* (5. Jh.) geben sich als Übersetzungen sog. Augenzeugenberichte vom trojanischen Krieg, die ein Diktys von Kreta und ein Dares aus Phrygien in griech. Originalen verfaßt haben sollen. Der Bericht des Dares, der die Seite T. vertritt, scheint eine direkte lat. Antwort auf das griech. Original des Griechen Diktys zu sein. Beide vermeiden den Göttermythos und geben »Hintergrundwissen« aus dem persönlichen Umfeld der homer. Helden und Echtheitsbeweise für die Historizität des Krieges. Die spätant. Bildzeugnisse dokumentieren T. in der monumentalen Malerei, in Bilderfolgen von Textillustrationen und in der Theatermalerei (*Ilias Ambrosiana*) [6; 8; 25; 57].

2. MITTELALTER UND FRÜHER HUMANISMUS

Troja begegnet erstmals im 7./8. Jh. in der fränkischen Herkunftssage (*Fredegar-Chronik, Liber historiae Francorum*); ihre stärkste Wirkung entfaltete sie im späten MA (*Chroniques de France*). Die Herkunft von den tapferen T.-Flüchtlingen, denen die Römer Steuerfreiheit gewährten, begründete die Auseinandersetzung mit England im Hundertjährigen Krieg und die Allianz mit Schottland. Die Herkunft von T. galt als Quelle der Kulturgüter Recht, Befestigungsbau und Sprache, und sie legitimierte im Zusammenhang mit den Kreuzzügen den Anspruch der Franzosen, den Boden Asiens zu betreten. Die Eroberung → Konstantinopels 1204 durch die fränkischen Kreuzritter konnte als Rache an den Griechen für T. Untergang dargestellt werden (Robert de Clari, *Conquête de Constantinople*, 1216), und sie überbot deren Leistung vor T. (Gunther von Pairis, *Hystoria Constantinopolitana*, ca. 1209). Filelfos Epos *Amyris* auf Mehmet, den Eroberer Konstantinopels 1453, erklärt den Sieg der Turci=Teucri als Vergeltung für T. Zerstörung gegenüber den Griechen, zu denen die Römer nach der Gründung Konstantinopels depraviert seien. ›Turcus und Franco fluhen von troya und machten zwey königreich. aber lang darnach‹ (Schedelsche Weltchronik 1493, XXXVII) [4; 17; 48].

Im 15. und 16. Jh. wurde die trojanische Herkunft zu einer Integrationsfigur der weltlichen europ. Mächte. In Weltchroniken aus England und Frankreich (Werner Rolewinck, *Fasciculus temporum*; Anonymus, *Chronique*) wird der Sachverhalt genealogisch aus der Nachfolge des Noahsohnes Iaphet und dessen Nachfolgern Dardanos und Priamos entwickelt. Erst die späten Humanisten geben diese Herkunftssage zugunsten lokaler Ursprünge (Gallier, Germanen, Kelten) auf. Ein Überblick über alle Herleitungen und ihre Datierungen fehlt [35; 36; 39; 55; 56; 65; 76. 190–203].

Die lit. Aneignungen des T.-Stoffes setzten im Mittellateinischen und Französischen im 11. Jh. ein und schöpften aus ant. Bildungsgut: Vergil, Ovid, *Ilias Latina*. Im 12. Jh. wurden diese Vorlagen zugunsten der spätant. *Historia de excidio Troiae* verdrängt. Eine T.-Rezeption, die v. a. auf dem vermeintlichen Tatsachenbericht des Dares Phrygius als Quelle beruht, begann mit dem volkssprachlichen Ritterepos des Benoît de Ste.-Maure (*Roman de Troie*, um 1160). Dessen Übers. in novellistische lat. Prosa durch Guido de Columnis (*Historia destructionis Troiae*, um 1287) ist Ursprung der Verbreitung des T.-Stoffes in ganz Europa und Quelle der späteren T.-Romane, die in verschiedenen europ. Sprachen und ihren Dialekten verfaßt worden sind (E. 14. bis Anf. 16. Jh.). Im Deutschen geht die frühe Rezeption direkt auf Benoît zurück (Herbort von Fritzlar (um 1195), Konrad von Würzburg (*Troianerkrieg* 1181/1187). Sie bilden zusammen mit Guido die Vorlagen von zahlreichen dt.-sprachigen Prosaromanen und Volksbüchern (E. 14. bis Anf. 16. Jh.). Mit Dares erklärte Benoît die Vorgeschichte des trojanischen Krieges vom Raub des Goldenen Vlieses her, als Schuld des Laomedon. Der T.-Stoff entfaltete sich genrebildend in Legenden um die Jugend und Erziehung einzelner Helden (Paris, Achill), Liebesgeschichten (Jason und Medea, Troilus und Cressida, Achill und Polyxena, Helena und Paris) und in einzelnen Schlachten. Bedeutung erlangte die von Benoît eingefügte Geschichte von Troilus und Cressida in der engl. Lit.; zusätzlich schöpften diese und die dt. T.-Romane aus klass. Quellen. In der *Histoire ancienne*, der ersten frz. Prosakompilation der alten Geschichte, war T. in der ersten Fassung (vor 1230) durch den Bericht des Dares vertreten, der in einer zweiten Redaktion (um 1340) durch eine Prosabearbeitung des T.-Romans des Benoît ersetzt wurde. Mit den volkssprachlichen Romanen, deren Tonfall poetisch, volkstümlich oder gelehrsam-moralisch ausfallen konnte, wurde der T.-Stoff zum Medium vielfältigen, auch histor. Wissens eines des Lateinischen unkundigen Publikums. Die Stadt T. wurde zum Sinnbild größter Kunstfertigkeit, von Reichtum und Schönheit [11; 12; 13; 22; 25; 31; 70; 76. 204–244; 77. 144–157, 194–201].

Mit dem frühen → Humanismus gewinnt die Frage nach den Originalvorlagen und der »echten« Historie an Raum. Giovanni Boccaccios enzyklopädische Handbücher myth. und histor. Gestalten (*De genealogiis deorum* 1365; *De casibus illustribus virorum* 1336–1369; *De claris mulieribus* 1361–2) geben die Schicksale der Frauen und Männer des griech. Mythos nach klass. Autoren, bes. Ovid wieder. Jean Lemaire de Belges kritisiert in seinen *Illustrations de Gaule et singularitez de Troye* (1510) Guido de Columnis *Historia*, indem er Diktys dem Dares als Quelle vorzieht und über Boccaccio Ovid als klass. Quelle heranzieht. Die Abstammung von T. und gemeinsame human. Werte verbinden die Völker Europas im Gedanken an einen zukünftigen Feldzug gegen die Türken. Im 16. Jh. wurden die Homer. Epen erstmals ins Lateinische und dann ebenso wie Dares und Diktys in die verschiedenen Volkssprachen übersetzt (Dt.: Simon Schaidenreissers Übers. der *Odyssee* im J. 1537 und Johann Baptista Rexius und Johannes Spreng Übers. der *Ilias* vor 1601) [47; 55; 65; 76. 245–279].

3. VON DER AUFKLÄRUNG ZUR MODERNE

[76. 257–279] Nach den ersten Übers. des Homer. Epos wird der T.-Stoff zum Teil der mit der frühen Aufklärung einsetzenden Homerrezeption und Homerkritik (→ Homerische Frage, → Homer-Vergil-Vergleich). Shakespeare versuchte sich 1601/2 an einer neuen Version des T.-Stoffes anhand von Chapmans Übers. der ersten acht Lieder der *Ilias*. Die neue T.-Trad. zeigt sich im Hintergrundgeschehen von *Troilus und Cressida* in typischen, auf den Homertext zurückgehenden Episoden, Heldentypen und in der Wiederentdeckung der homer. Retardation, des »Beinahe«, einer Form des Tragischen. Mit der zunehmenden Kenntnis des Epos und der att. Tragödien wurden v. a. die in klass. Zeit aus der homer. Vorlage entstandenen Themen mit Ergänzungen aus Diktys und Dares weiterentwickelt (Corneille, *La mort d'Achille* 1673; als Oper: Postel, *Die unglückliche Liebe des Achill und der Polyxene* 1692; Racine, *Andromaque* 1667; *Iphigénie* 1674) [19; 26; 46; 63; 77. 182–192].

Mit der lit. geht die kulturkritische Homerrezeption der → Querelle des Anciens et des Modernes einher. Mit der Frage nach der Vorbildlichkeit Homers wurde die histor. Relativität ästhetischer Normen entdeckt. Das Epos stammt aus einem histor. Milieu, aus dessen Kenntnis erst erschlossen werden kann, ob sein Thema und seine Darstellung ästhetisch angemessen sind. Dies gilt für Homers Darstellung des trojanischen Krieges in der *Ilias* sowie für die Wahl dieses Krieges als Thema (Charles Perrault, *Parallèle des Anciens et des Modernes*, B. 2, 1693). Abschätzigen Urteilen begegnet die Homerübersetzerin Anne Dacier positiv: Die *Ilias* stelle als umfassendes Lehrgedicht alle durch uneinige Anführer hervorgerufenen Unglücksfälle eines Krieges dar und zeige wahre menschliche Charaktere (*Des causes de la corruption du goust*, 1714). Zur Lehre für den Charakter des Krieges, der kontingenten Zusammenhänge der menschlichen und staatlichen Schicksale wurde der trojanische Krieg bei Voltaire (*Dictionnaire philosophique*, 1762, Art.: Destin, fable, chaîne ou génération des événements). Mit der Historisierung Homers und der Zuschreibung des Epos zu einem frühen geschichtlichen Zeitalter bekommen die Ereignisse und Charaktere den

Geschmack des Einfachen, des Fremden oder Primitiven. Daraus entwickelte sich im Zusammenhang mit der Entdeckung der Sinnlichkeit (*sensibility*, *sensibilité*) die These der Vorbildlichkeit dieser Dichtung für die bürgerliche Erziehung (J.-J. Rousseau, *Emile ou de l'éducation*, 1762; J.-W. Goethe, *Die Leiden des jungen Werthers*, 1775). Bei der Auswahl der homer. Themen tritt der trojanische Krieg hinter den Themen der Odyssee deutlich zurück. Vor T. werden die negativen, die im eigentlichen Sinne primitiven Helden gefunden: Achill und Aias. Allenfalls die Trojaner werden in vorbildlichen Themen hervorgehoben: Hektor und Andromache; Priamos als trauernder Familienvater (J.-J. Diderot, Discours sur la poésie dramatique, 1761). Als Motive der Buchillustration sind beide Themen ab dem späten 18. Jh. beliebt. Antike und frühbürgerliche Dichtung gehen thematisch ineinander über. Nachahmung der Ant. betreibt Goethe in seinem auf die Revolution anspielenden epischen Gedicht *Achilleis* (1799) durch Nachschaffen der von Homer nicht erwähnten Vorgänge nach Hektors Tod mit Hilfe des Dares. In einer Beschreibung des Bildes vom Untergang T. nach Polygnot in Delphi vergegenwärtigte Goethe (*Polygnots Gemälde*, 1804) die homer. Helena und Ursache des trojanischen Krieges als Urbild von menschlicher Schönheit und schuf mit der Helena des Zweiten Faust ein mod. Sinnbild des Klass.-Antiken. Goethes antikisierendem Bild stellte Kleist in seiner *Penthesilea* (1808) ein archaisch-barbarisches entgegen [29; 33; 61; 67; 68; 71; 73; 77. 158–173].

Im späten 18. und 19. Jh. wurden Homer und die Tragiker in Übers. und Aufführungen zum bürgerlichen Bildungsgut. Die Schuld der Helena, die Helden Achill, Hektor, Nestor und Odysseus sind Zitate bürgerlicher Bildungskultur. In den lit. und musikalischen Verarbeitungen des Mythos sind aber ant. Stoffe weniger populär und werden von nationalen Mythen verdrängt. Richard Wagner rezipierte die *Orestie* des Aischylos zwar formal für seinen *Ring des Nibelungen*, hielt aber den ant. Mythos inhaltlich für veraltet. Der Mißerfolg von Hector Berlioz' Oper nach Vergil *Die Trojaner* (1869/1890) unterstreicht diese Beobachtung. Umgekehrt erfuhr um diese Zeit der Ort T. als Schauplatz frühgriech. Geschichte neue Aufmerksamkeit. 1883 wird auch die T.-Sage in der Londoner Inszenierung von Georgs Warrs *Tale of Troy, or Scenes and Tableaux from Homer* wieder gesellschaftsfähig [28; 59. 22–40; 77. 102–123, 202–210].

Im 20. Jh. und bes. durch den Existentialismus wurde T. menschlich gedeutet: Leid, Sinnlosigkeit und Unvermeidbarkeit von Krieg, Männlichkeitsideal und Heldentum, Verfänglichkeit von Schönheit und das existentiale Zurückgeworfensein durch die Menschenferne der ant. Religion bestimmen die Rezeption des Stoffes (Anouilh, Antigone). In den lit. Anspielungen und Verarbeitungen wird die Kenntnis der Epen, d. h. auch aller Einzelheiten des troischen Krieges, vorausgesetzt. Die im letzten Drittel des 19. Jh. einsetzenden Ausgrabungen führten zusätzlich zu einem realistisch histor. Verständnis der T.-Sage. Durch die Arbeiten am griech. Mythos verkörpern der T.-Krieg und seine Helden anthropologische, ethnologische und auch psychologische Grundwahrheiten. Als Stellungnahme zum Kriegsgeschehen des Jh. gewann der T.-Stoff neue Bedeutung. Jean Giraudoux entwarf in seinem Drama *La Guerre de Troie n'aura pas lieu* (1935) eine Kriegssatire, die sich eng an den homer. Handlungsverlauf anlehnt und das homer. ›Troia wird untergehen‹ durch Paradoxie und Ironie in zeitgenössische Kritik überführt. Christa Wolfs 1983 veröffentlichter Roman *Kassandra* lädt ein zu einer Reise in das arch. T., in neu gedeutete matriarchalische Mythen und gibt mit der weiblichen Stimme der Kassandra einen neuen Zeitzeugen- und pazifistischen Kriegsbericht, der die Regeln des Krieges bloßlegen will [44; 77. 174–181; 81].

C. DAS REALE TROJA ALS GEDÄCHTNISORT IN DER ANTIKE

[27; 40; 76. 180–187] Das griech. Ilion (vgl. Abb. 5) gründeten die Äoler in den noch mächtig anstehenden Mauern der Bronzezeit, auf die sich die Sage offensichtlich bezog. Noch um 400 v. Chr. wurden diese ausgebessert. Der ganze Ort zeugte für das Epos. Xerxes ›stieg auf die Burg des Priamos‹ und suchte den Athenatempel und die Heroengräber auf (Hdt. 7,43). Die h. sichtbaren Tumuli sind jünger als Homer, aber spätestens seit Anf. des 5. Jh. fallen vom Schiff aus auf der Chersones als drei markante Punkte der als Grab des Protesilaos interpretierte vorgeschichtliche Siedlungshügel und gegenüber die Gräber von Achill und Aias westl. und östl. der Skamandermündung ins Auge. Diese drei nennen auch die Quellen für Alexanders Besuch (Arr. an. 1,11 f.; Diod. 17,17).

Für homer. Landschaftsgestaltung zeugt der hell. Sivri-Tepe (Abb. 1). Lysimachos vergrößerte die Stadt und veranlaßte den Bau eines neuen Athenatempels; die W-Metopen zeigten eine Iliupersis. Die den Tempel umgebende Portikus bzw. (im N) Mauer ersetzte seit 250/220 v. Chr. im O und N als Außenhaut der Akropolis die spätbronzezeitliche Burgmauer; deren gewaltige NO-Bastion wurde aber gut sichtbar integriert. Zu den Panathenäen kam man von weither, Fremdenführer (*periēgētēs*: Iul. epist. 35; *monstrator*: Lucan. 9,979) zeigten eine wachsende Zahl von Erinnerungsmalen, die gewiß in den *Iliaká* des Polemon von Ilion verzeichnet waren (Strab. 13,1,34–6; Lucan. 9,962–77). Zu Caesars Besuch 48 v. Chr. formulierte Lukan (9,973): ›Nullum est sine nomine saxum‹, »kein Stein ist hier ohne eine Geschichte«.

Mit den ersten polit. motivierten röm. Besuchern 190/189 v. Chr. (C. Livius Salinator: Liv. 37,9; L. Cornelius Scipio: Liv. 37,37) setzte die Akzentuierung der trojanischen Seite der Überlieferung ein. Caesar prägte als erster die Flucht des Aineias als Münzbild (Abb. 2). Augustus' Besuch 20 v. Chr. löste ein größeres Bauprogramm aus. Hektor und die Flucht des Aineias gehörten bis ins 3. Jh. zu den häufigen Motiven auf den lokalen Prägungen [5]. Apollonios von Tyana machte sich in T. ›mit der ganzen alten Geschichte (ἀρχαιολογία)‹ vertraut, um dann die Gräber zu besuchen (Philostr. Ap. 4,11). Der Philhellene Hadrian ließ das vom Meer zerstörte Grab des Aias erneuern (Philostr. Heroïkos 8,1). Caracalla errichtete als neuer Achill seinem Patroklos Festus den Tumulus Üvecik Tepe (Herodian. 4,8; Abb. 1: nördlich von Üvecik). Julian lobte 355, daß im Athenatempel noch geopfert und Achills Grab in Ehren gehalten wurde (Iul. epist. 35). Ein polit. Zeichen in der Erinnerungslandschaft setzte zuletzt Mehmet der Eroberer im J. 1462. Kritobulos (Historien 4,11,5) überliefert in einer aus Hdt., Arr., Verg. Aen. und Lukan komponierten Szene, daß dieser die Spuren des alten T., v. a. aber die Gräber von Achill und Aias besucht und sich als Rächer der Trojaner an den Griechen ausgegeben habe, galt doch die Gleichung Turci = Teucri, gegen die Pius II. polemisierte (*Europa* 1458); Mehmet ließ außerdem für seine Bibliothek eine *Ilias*-Hs. anfertigen (seit 1688 Parisinus Graecus 2685) [17. 341].

D. Die Suche nach dem realen Troja

[16; 17; 18. 14–51; 23; 37; 51] ›Keine Spur der alten Stadt ist übriggeblieben, sie wurde von den Griechen ein für allemal zerstört‹, faßte Strabon (13,1,38; 41; Lucan. 9,969) eine Homer (Il. 6,448; Od. 3,130) streng auslegende rhet. Tradition Athens zusammen (Eur. Tro., Hel. 108; Lykurg. Leokrates 62). Demetrios von Skepsis schrieb es Lokalpatriotismus zu, daß die zeitgenössischen Ilier glaubten, auf dem histor. Boden von T. zu siedeln (Strab. 13,1,25; 34; 40–2); in Wirklichkeit habe der Ort 30 Stadien weiter landeinwärts gelegen (Strab. 13,1,32). Es ist aber keine Frage, daß die Alten glaubten, am realen Ort an den immer wieder erneuerten Monumenten eine reale Geschichte zu erinnern. Erst um die Zeit des Vierten Kreuzzuges (1202–1204) verlieren sich für uns die Spuren der → Überlieferung des Ortes. Seine Wahrnehmung verdrängten die mächtigen Ruinen des hell.-röm. Alexandreia, die allen gut sichtbar waren, die sich von SW dem Hellespont näherten.

1. Die frühen europäischen Reisenden

Der engl. Kaufmann und Pilger ins Heilige Land Saewulf notierte 1103 vor Einfahrt in den Hellespont in seinen *peregrationes tres*, hier in der Nähe habe die uralte und berühmte Stadt T. gelegen, deren Ruinen, wie ihm die Griechen sagten, noch immer über eine große Fläche hin sichtbar seien [82. 49]. In Hans Schiltbergers 1476 gedruckter *Reise in die Heidenschaft* heißt es: ›Auch nit voit von Constantinopel bey dem moer ist troia gewesen auff einer schönen weyt ond man sicht noch woe die stat gewesen ist‹ [32. Kap. Constantinopel]. Troja besaß einen festen Platz in der europ. Gedächtnislandschaft. Seit dem 11. Jh. ist es regelmäßig in den Weltkarten eingetragen [10; 76. 226–238]. Der *Liber Insularum Archipelagi* des Florentiners Buondelmonti von 1420 zeigt das Tenedos gegenüberliegende Festland in der ganzen Fläche gefüllt mit den Ruinen Trojas. Die Karten des Ptolemaios unterscheiden aber wie die Tabula Peutingeriana

Ilium und Alexandreia. Der Römer Pietro della Valle vergegenwärtigte 1614 in Alexandreia mit Vergil die Geschichte T. und riß aus Zorn viele Stauden aus, ›welche das Anschauen dieser köstlichen überbliebenen Mauern verhinderten‹ [20. 8]. Reiseberichte wurden um ant. Zitate ergänzt und um die Auseinandersetzung mit Vorgängern erweitert. Das Nachfragen der Reisenden lehrte die Einheimischen die Ruinen, so die röm. Thermen, als den Palast des Priamos, zu benennen. Antiquarische Kritik bezweifelte schließlich die Lokalisierung T. in Alexandreia (Canaye 1573; Sandys 1610; Spon und Wheler 1675). Reinhold Lubenau war 1588 noch froh, ›solch eine alte Antiquität zu sehen, dieweil die meisten der Meinung sind, daß von T. nicht ein *vestigium* mehr vorhanden, ja etliche bilden sich ein, es sei ein *figmentum poeticum*‹ [66. 141]. Mit der Querelle des Anciens et des Modernes (Hédélin d'Aubignacs *Conjectures. . . sur l'Iliade* 1664, gedr. 1715) setzte im Vorgriff auf die Debatte des 19. Jh. die Historisierung der Homerischen Texte ein. Den Wunsch der Reisenden nach Vergegenwärtigung am realen Ort focht das nicht an.

2. Reisende und Forscher im 18. Jahrhundert

[72] Auch ohne die genaue Lage des Ortes zu kennen, vermochte Lady Montagu 1718 sich in der histor. Landschaft die Szenen des Epos ›einzubilden‹. Sie bewunderte ›die richtige Erdbeschreibung Homers, den ich in der Hand hatte‹ [58. 77]. Alexander Pope riet ihr aus London: ›read the fall of Troy in the shade of a Trojan ruin‹ [62. 382]. Die Zahl der Reisenden schwoll im 18. Jh. ständig an, das Erlebnis gewann an Routine; in Kum Kale ›nimmt man die Pferde zur klass. Wallfahrt‹ [38. 5]. Pope gab dem zweiten Band seiner Il.-Übers. 1716 eine am Schreibtisch konstruierte Ansicht aus der Vogelperspektive der von den Szenen des Epos erfüllten Skamanderebene bei, die ein Jh. lang reproduziert wurde und die Suche nach dem realen T. anleitete (Abb. 3).

Im Auftrag der engl. → Society of Dilettanti bereisten Robert Wood (*An Essay on the Original Genius of Homer*, 1769), James Dawkins und John Bouverie 1750 und Richard Chandler 1764 (*Travels in Asia Minor*, 1774) die Troas. Wood war bis an die Quellen des Skamander vorgedrungen, ohne eine Spur der Stadt zu finden. Doch mit ihm begann die Kartierung der Landschaft. Mit Pope verband die Society of Dilettanti das Motiv, in der Landschaft als Quelle der Inspiration einen Schlüssel zu Homers dichterischer Wahrhaftigkeit zu finden. Ihre Bücher wurden rasch ins Deutsche, Wood auch ins Französische, Italienische und Spanische, übersetzt und spielten für die entstehende homer. Wiss. (C. G. Heyne) sowie für die dt. Klassik (→ Klassik als Klassizismus) eine große Rolle.

Der Suche nach T. gab der frz. Gesandte an der Pforte seit 1784, Choiseul-Gouffier, mit einem großen Forschungsprogramm die entscheidenden Impulse. Er nutzte die Fachleute der frz. Flotte, setzte Vermesser, Zeichner und Homerkenner ein; man sprach von der »École française de Constantinople«. Dabei überlagerte

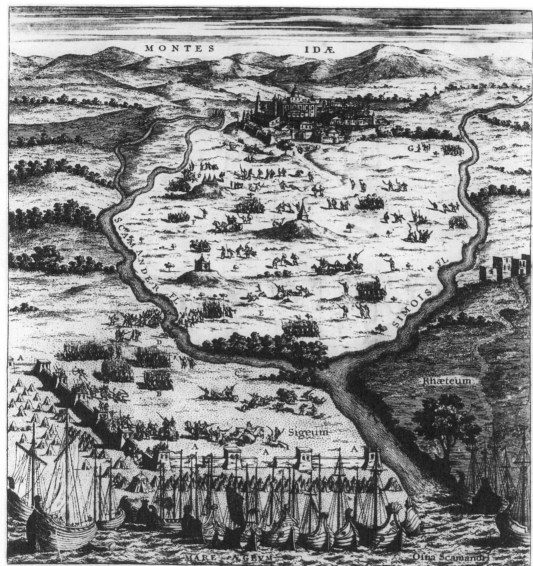

Abb. 3: Troja cum locis pertingentibus, in: Alexander Pope, *The Illiad of Homer* II (London 1716). Washington, Library of Congress

nun der Drang nach antiquarischer Vergewisserung und der widerspruchsfreien Rekonstruktion der räumlichen Dispositionen des Epos das Lesevergnügen der Lady Montagu. Die jetzt aufbrechende Debatte um die Lokalisierung des wirklichen T. gewann ihre Intensität daraus, daß ihre Befunde in der homer. Frage als Argument für die Unitarier wirken sollten und als ein Damm gegen die Folgen der einsetzenden Historisierung der Überlieferung. Diese Motive gelten auch noch für Heinrich Schliemann.

Abb. 4: Carte de la plaine Troie levée en 1786 et 1787. Barbié du Bocage emendavit et auxit 1819, in: Marie Gabriel Auguste Florent, comte de Choiseul-Gouffier, *Voyage pittoresque de la Grèce* II1 (1820), planche II19

3. Von Bunarbaschi nach Hisarlik

Die Frz. → Revolution unterbrach Choiseuls Unternehmungen; postum erst erschienen sein Text und die Karten seiner Leute zur Troas, die er als kostbarste Huldigung auf dem Altar des Dichterfürsten verstanden wissen wollte (*Voyage pittoresque de la Grèce* II 1, 1820; II 2, 1822) (Abb. 4). Die Debatte um die homer. Top. ging vielmehr von seinem Sekretär J. B. Lechevalier aus, der 1785/86 für Choiseul die Troas durchforschte und Popes Bild in der ersten auffälligen Erhebung im Hintergrund der unteren Skamanderebene, auf dem Balli Dağ über dem Dorf Bunarbaschi (Pınarbaşı), erfolgreich zu realisieren verstand (Abb. 1). Auch er war ein Flüchtling vor der Frz. Revolution, so daß seine Thesen zuerst in Edinburgh und London 1791, in Leipzig 1792, in Paris erst 1799 erschienen (*Voyage dans la Troade*). Lechevalier, Homer und Strabon begleiteten jetzt die Reisenden in die Troas. Eine Generation lang wurde um die Bunarbaschi-These heftig gestritten. Ihre Schwächen lagen in der großen Entfernung zur Küste und der gewaltsamen Definition des kleinen Bunarbaschi-Baches als Skamander. Auch fanden sich auf dem Balli Dağ keine vorgeschichtlichen Mauern, wie die Grabungen Georg von Hahns 1864 noch einmal vorführten. Aber noch Schliemann stilisierte Lechevalier zur eigentlichen Gegenposition seiner Entdeckungen.

Franz Kauffer, der die Vermessungsaufgaben für Choiseul fortgeführt hatte, registrierte 1793 als erster die ant. Spuren auf dem viel unscheinbareren Hügel von Hisarlık. Mit Hilfe von Inschriften und Fundmünzen identifizierten Clarke und Cripps diesen Ort 1801 als das griech. Ilion. Die Karten in Choiseuls Werk weisen für *Ilium Recens* den hell. Mauerring aus. Charles MacLaren [53] argumentierte als erster, daß hier auch das alte T. liegen müsse. Nachdem der britische Marineingenieur Spratt und der Philologe Forchhammer 1839 eine sehr viel genauere Karte der Troas aufgenommen hatten (Admiralty Chart 1608, London 1844; Frankfurt am Main 1850), vermochte MacLaren nach eigenem Besuch der Troas mit einer zweiten Auflage 1863 endlich Eindruck zu machen. Vor allem überzeugte er den Pionier der troischen Archäologie, den dort ansässigen Frank Calvert.

E. DIE GRABUNGEN

[2; 15; 23; 40; 59; 75] (Abb. 5) Calvert grub 1863 und 1865 an vier Stellen auf Hisarlık. Er identifizierte den hell. Athenatempel und erkannte die Dimensionen der darunterliegenden Ruinenschichten, ohne aber prähistor. Scherben zu finden oder den gewachsenen Boden zu erreichen. Als Schliemann nach oberflächlichen Grabungen am Balli Dağ (Abb. 1) im August 1868 enttäuscht abzureisen im Begriff war, vermochte Calvert ihn von Hisarlık zu überzeugen.

Schliemanns Grabungen bedeuteten das Ende eines langen Weges; das »wirkliche T.« war gefunden, Text und Ruine trafen wieder aufeinander. Sie bedeuteten aber auch einen Anfang, insofern mit der Kulturgeschichte der Bronzezeit alle möglichen neuen Geschichten sichtbar wurden, die vom Text Homers wegführten. Schliemann z. B. bezog seine homer. Phantasien, anders als der Dichter, auf die frühbronzezeitliche Burg. In Schliemann gehen allerdings die Motive der homerbegeisterten Dilettanti mit denen der entstehenden arch. Profession eine besondere Verbindung ein, die für die homer. Wiss. von ungebrochener Wirkkraft ist. Die Verblüffung durch die scheinbar unerwartete Entdeckung stärkte nicht nur den unitarischen Impuls, sondern trug die quellenkritisch unbekümmerte Überzeu-

gung, ›that the Trojan war was a real event, and not a poetical fiction‹ (MacLarens Schlußsatz [53. 257]). Die arch. Funde schienen eine Rekonstruktion der griech. Frühgeschichte aus der Sage zu beglaubigen, und sie stärkten den Affekt gegen die Quellenkritik, die in Grotes *History of Greece* (1846 ff.) gerade eindrucksvoll zum Tragen gekommen war. In dieser spezifischen Gemengelage wurde T. zur populären Metapher für die »Spatenwissenschaft«. Unter den arch. interessanten Entdeckungen, die zu machen ein neues Leben lohnten, hatte Ibsens Schliemann durchaus kongeniale, ›halb mythische, halb märchenhafte volkstümliche Gestalt der neueren Zeit‹ (Ibsen in einem Brief an seinen Verleger F. Hegel [54. 296 f.]) *Peer Gynt* (1867) neben Babylon und Athen auch T. aufgezählt. In Fontanes *Frau Jenny Treibel* (1892) ist dann eine Lehrzeit auf Schliemanns Grabungen das Ziel Marcels, des angehenden Archäologen und Professors.

Schliemanns Grabungen 1871–1873 bis auf den Grund seines großen N-S-Grabens quer durch den Siedlungshügel waren begleitet von Sensationsmeldungen an die internationale Presse, gekrönt vom Fund des von ihm so genannten ›Schatzes des Priamos‹. Seine tagebuchartige Publikation (*Trojanische Alterthümer*, 1874) erschien in Leipzig, Paris, London und New York, begleitet von einem *Atlas trojanischer Alterthümer* (1874) mit 217 Tafeln vorwiegend der Fotos der zu Gruppen arrangierten Funde. 1877–1880 zeigte er seine Sammlung in London; 1880 gab er sie nach Berlin. Immer wieder kehrte er bis zu seinem Tod 1890 zu Grabungen nach T. zurück. Für den Weg vom Pionier zur Profession steht, daß Schliemann seit 1882 den Architekten Wilhelm Dörpfeld hinzuzog und die Stratigraphie mit der Keramik als ›Leitmuschel‹ [69. 359] zunehmend Methode annahm. Dörpfeld vollendete 1893/94 mit der Freilegung auch der spätbronzezeitlichen Mauern Schliemanns Werk (*Troja und Ilion*, 1902; → Rekonstruktion/Konstruktion, Abb. 2). Das Schema der nun erst gewonnenen neun Schichten T., über Mykene mit Ägypten verbunden und lange Zeit Eckpfeiler für die Chronologie der ägäischen Bronzezeit, wurde sprichwörtlich und zur Ikone der Stratigraphie.

Die amerikanischen Grabungen unter Carl Blegen 1932–1938 belegen mit ihrer Identifizierung von 46 Phasen die Verfeinerung der stratigraphischen Methoden (*Troy I–IV*, 1950–1958). Diesen Weg gehen die aktuellen dt.-amerikanischen Grabungen unter Manfred Korfmann seit 1988 weiter (*Studia Troica* 1, 1991 ff.). Dörpfeld galt Schicht VI als das homer. Troja. Korfmann scheint inzwischen wieder mit Blegen zu T. VIIa zu neigen, v. a. aber ist er sich sicher, eine große und befestigte Unterstadt, wie sie Schliemann in »homer. Dimensionen« vermißt hatte, belegen zu können [24. 82–94; 76]. Die Zerstörung von T. VI ging für Blegen auf ein Erdbeben zurück; Troja VIIa sei das von den mykenischen Griechen zerstörte. Zu seiner Wiederbesiedlung durch die äolischen Griechen habe eine lange Lücke bestanden. Durch Neufunde, die Bearbeitung alter

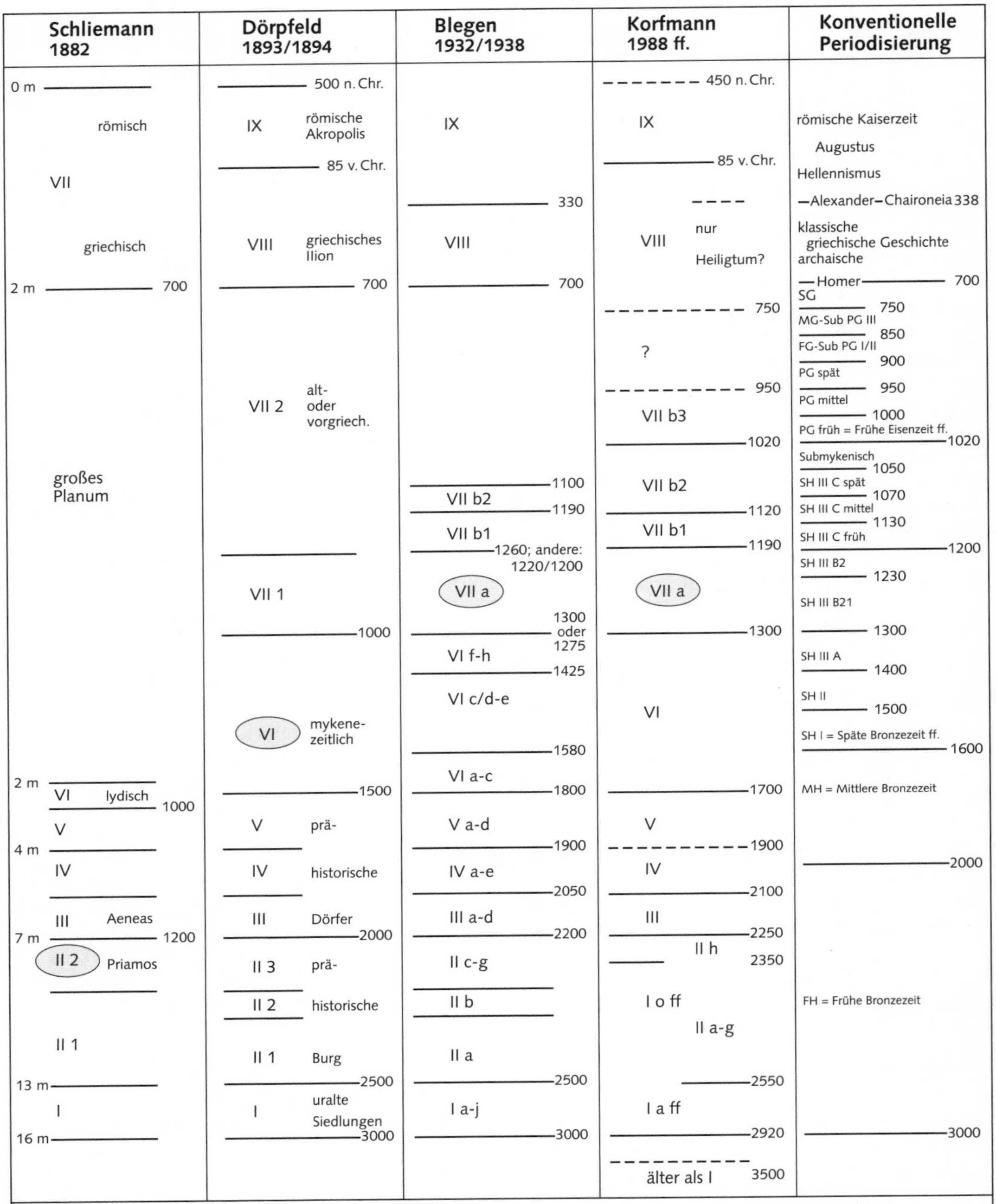

Schliemann 1882	Dörpfeld 1893/1894	Blegen 1932/1938	Korfmann 1988 ff.	Konventionelle Periodisierung
0 m ———	——— 500 n. Chr.		– – – – – 450 n. Chr.	
römisch	IX römische Akropolis	IX	IX	römische Kaiserzeit
				Augustus
VII	——— 85 v. Chr.		——— 85 v. Chr.	Hellennismus
		——— 330	– – – –	—Alexander–Chaironeia 338
griechisch	VIII griechisches Ilion	VIII	VIII nur Heiligtum?	klassische griechische Geschichte archaische
2 m ——— 700	——— 700	——— 700		—Homer——— 700 SG
			– – – – – – – 750	——— 750 MG-Sub PG III
				——— 850 FG-Sub PG I/II
	VII 2 alt- oder vorgriech.		?	PG spät ——— 900
			– – – – – – – 950	——— 950 PG mittel
			VII b3	——— 1000 PG früh = Frühe Eisenzeit ff.
			——— 1020	———1020 Submykenisch
großes Planum		———1100 VII b2 ———1190	VII b2 ———1120	———1050 SH III C spät ———1070 SH III C mittel
		VII b1	VII b1 ———1190	———1130 SH III C früh
		——1260; andere: 1220/1200		———1200 SH III B2
	VII 1	(VII a)	(VII a)	——— 1230 SH III B21
	———1000	1300 oder 1275	———1300	SH III A
		VI f-h ———1425		——— 1300 ——— 1400
		VI c/d-e	VI	SH II ——— 1500
	VI mykene- zeitlich	———1580		SH I = Späte Bronzezeit ff. ——— 1600
2 m VI lydisch ———1000	———1500	VI a-c ———1800	———1700	MH = Mittlere Bronzezeit
V	V prä-	V a-d ———1900	V – – – – – – – 1900	
4 m IV	IV historische	IV a-e ———2050	IV ———2100	——— 2000
III Aeneas 7 m ——— 1200	III Dörfer ———2000	III a-d ———2200	III ———2250	
(II 2) Priamos	II 3 prä-	II c-g	II h 2350	
	II 2 historische	II b	I o ff	FH = Frühe Bronzezeit
II 1	II 1 Burg	II a	II a-g	
13 m———	———2500	———2500	———2550	
I	I uralte Siedlungen ———3000	I a-j ———3000	I a ff ———2920	——— 3000
16 m———			– – – – – – – – älter als I 3500	

A kürzungen: Eingekreist das »Homerische Troja«. F=Früh, M=Mittel, S=Spät, H=Helladisch, P=Proto, G=Geometrisch.   Entwurf Cobet/Graphik Raeck 2002

Abb. 5: **Schema der Schichten Trojas im Verlauf der Grabungsgeschichte**

Befunde und die allmähliche Aufarbeitung alter De-
potbestände wird sichtbar, daß spätmykenische und
protogeometrische Keramik sich berühren; noch ist
aber strittig, ob wir deshalb von einer Siedlungskontinuität von der Bronze- in die Eisenzeit sprechen dürfen
[3; 41]. Ein solcher Befund könnte zum Nachdenken
über Entstehensbedingungen des Epos beitragen. Der
Streit um das Verhältnis von Text und Ruine zueinander
scheint noch lange nicht beigelegt [78].

Die Rekonstruktion einer vielschichtigen anatolischen Kultur der Bronzezeit in T. führt weit weg von
den Homer. Erzählungen. Diese Kulturgeschichte ist
weitgehend auf die stummen Zeugnisse der vorgeschichtlichen Arch. angewiesen, auch wenn der kostbare Fund eines luwischen Siegels aus dem 12. Jh. einen
Schreiber nennt. An der Peripherie der hethitischen
Quellen tauchen »Wilusa«/»T(a)ruwisa« und sein König
»Alaksandu« auf [76. 34–45; 24. 94–101]. Auch hier
wird eine ganz andere Geschichte erzählt als bei Homer.
→ AWI Troia; Wilusa

1 A. ALFÖLDI, Die troianischen Urahnen der Römer, 1957
2 S. H. ALLEN, Finding the Walls of Troy. Frank Calvert and
Heinrich Schliemann, 1999 3 U. ASLAN, Protogeometric,
Geometric and Archaic Pottery from D9, in: Studia Troica
12, 2002, 81–129 4 C. BEAUNE, L'utilisation politique du
mythe des origines troyennes en France à la fin du MA.
Lectures médiévales de Virgile. Actes du coll. Ec. Française
de Rome 1982. 1985, 331–355 5 A. R. BELLINGER, Troy.
The Coins, 1961 6 A. BESCHORNER, Unt. zu Dares Phrygius,
1992 7 E. BETHE, Die Sage vom Troischen Krieg, 1927
8 R. BIANCHI-BANDINELLI, Hellenistic-Byzantine
Miniatures of the Iliad, 1955 9 G. BINDER, Aeneas und
Augustus, 1971 10 A.-D. VON DEN BRINCKEN,
Herausragende Plätze der antiken Gesch. im Bild der ma.
Ökumene-Karte (9.–beginnendes 14. Jh.), in:
D. UNVERHAU (Hrsg.), Das Kartenbild der Ren.
(Wolfenbütteler Forsch. 101), 2003, 23–53 11 H. BRUNNER
(Hrsg.), Die dt. T.-Lit. des MA und der Frühen Neuzeit,
1990 12 Ders., Von der stat troya vrsprung, päwung,
streyten vnd irer zerstörung. Lit. Formen der Vermittlung
histor. Wissens an ein nicht lateinkundiges Publikum im
Hoch- und Spät-MA und in der frühen Neuzeit, in: Der
Deutschunterricht 4, Heft 1, 1989, 55–73 13 H. BUCHTHAL,
Historia Troiana. Stud. in the History of Medieval Secular
Illustration, 1971 14 J. S. BURGESS, The Tradition of the
Trojan War in Homer and the Epic Cycle, 2001
15 J. COBET, Heinrich Schliemann, 1997 16 Ders.,
E. MADRAN, N. ÖZGÖNÜL, A Preliminary Bibliography of
Travel Books about Troy and the Troad, in: Studia Troica 1,
1991, 101–109 17 Ders., Die Troas als histor. Landschaft, in:
[10], 337–383 18 J. M. COOK, The Troad, 1973 19 E. R.
CURTIUS, Europ. Lit. und lat. MA, 1948 20 P. DELLA VALLE,
Reiß-Beschreibung in unterschiedliche Theile der Welt:
Nemblich Jn Türckey, Egypten, Palestina, Persien,
Ostindien und andere weit entlegene Landschafften, Genff
1674 21 E. DIEHL, Anthologia Lyrica Graeca I, ²1936
22 H. DUNGER, Die Sage vom trojanischen Kriege in den
Bearbeitungen des MA und ihre ant. Quellen, Leipzig 1869
23 D. EASTON, Troy before Schliemann, in: Studia Troica 1,
1991, 111–129 24 D. F. EASTON, J. D. HAWKINS, A. G. and
E. S. Sherratt, Troy in recent perspective, in: Anatholian

Stud. 52, 2002, 75–109 25 W. EISENHUT, Spät-ant.
T.-Erzählungen. Mit einem Ausblick auf die ma. T.-Lit., in:
MLatJb 18, 1983, 1–28 26 R. ELIOT, Mythe et légende dans
le théâtre de Racine, 1966 27 A. ERSKINE, Troy between
Greece and Rome. Local tradition and imperial power, 2001
28 M. C. EVANS, Wagner and Aeschylus, 1982
29 G. FINSLER, Homer in der Neuzeit, 1912 30 F. FISCHER,
Heldensage und Politik in der Klass. Zeit der Griechen,
Diss. Tübingen 1937 31 T. GÄRTNER, Klass. Vorbilder ma.
T.-Sagen, 1999 32 E. GECK, Hans Schiltbergers Reisebuch
(Faksimile-Druck nach der Original-Ausgabe von
A. SORGE, Augsburg 1476), 1969 33 L. GIULIANI, Bilder
nach Homer, 1998 34 V. VON GRAEVE, Der Alex-
andersarkophag und seine Werkstatt, 1970 35 A. GRAU, Der
Gedanke der Herkunft in der dt. Geschichtsschreibung des
MA, 1938 36 F. GRAUS, T. und die trojanische
Herkunftssage im MA, in: W. ERZGRÄBER (Hrsg.),
Kontinuität und Tradition, 1989, 25–43 37 C. GRELL, Troie
et la Troade de la renaissance à Schliemann, in: Journ. des
savants 1981, 47–76 38 J. v. HAMMER, Top. Ansichten
gesammelt auf einer Reise in die Levante, Wien 1811
39 D. HAY, Europe. The emergence of an idea, 1957
40 D. HERTEL, Die Mauern von Troia. Mythos und
Geschichte im ant. Ilion, 2003 41 Ders.,
Protogeometrische, subprotogeometrische und
geometrische Keramik Troias aus den Grabungen
Schliemanns und Dörpfelds, in: B. RÜCKERT, F. KOLB
(Hrsg.), Probleme der Keramikchronologie des südl. und
westl. Kleinasiens, 2003, 91–138 42 T. HÖLSCHER, Griech.
Historienbilder des 5. und 4. Jh. v. Chr. 1973
43 U. HÖLSCHER, Zur Kanonizität Homers, in: ders., Das
nächste Fremde, 1992 44 H. HOFMANN (Hrsg.), Ant.
Mythen in der europ. Tradition, 1999 45 O. JAHN, Griech.
Bilderchroniken, Bonn 1873 46 H. JAMES, Shakespeares
Troy, 1997 47 J. KEM, Jean Lemaire de Belgess Les
Illustrations de Gaule et singularitez de Troye, 1994
48 M. KLIPPEL, Die Darstellung der fränkischen
Trojanersage in Geschichtsschreibung und Dichtung vom
MA bis zur Ren. in Frankreich, 1936 49 H. KNELL, Mythos
und Polis. Bildprogramme griech. Bauskulptur, 1990
50 W. KULLMANN, Homer and Historical Memory, in: E. A.
MACKAY (Hrsg.), Signs of Orality, 1999, 95–113 51 A. C.
LASCARIDES, The Search for Troy 1553–1874, 1977
52 F. MACINTOSH, Tragedy in performance: nineteenth and
twentieth century, in: P. E. EASTERLING (Hrsg.), Cambridge
Companion to Greek Tragedy, 1997 53 CH. MACLAREN,
Dissertation on the Topography of the Plain of Troy, 1822
54 J. MEJER, Henrik Ibsen's »Peer Gynt« and Heinrich
Schliemann, in: W. M. CALDER III, J. COBET (Hrsg.),
Heinrich Schliemann nach hundert J., 1990, 296–308
55 G. MELVILLE, Kompilation, Fiktion und Diskurs, in:
CHR. MEIER, J. RÜSEN (Hrsg.), Histor. Methode (Beitr. zur
Historik 5), 1988, 133–153 56 Ders., T.: Die integrative
Wiege europ. Mächte im ausgehenden MA, in: F. SEIBT, W.
EBERHARD (Hrsg.), Europa 1500, 1987, 415–432
57 S. MERKLE, Die Ephemeris belli Troiani des Diktys von
Kreta, 1989 58 M. WORTLEY MONTAGU, Briefe geschrieben
während einer Reise in Europa, Asien und Afrika,
Mannheim 1784 59 B. PATZEK, Homer und Mykene, 1992
60 Dies., Homer und der Orient, in: U. MAGEN, M.
RASHAD (Hrsg.), Vom Halys zum Euphrat. FS Th. Beran,
1996, 215–225 61 Dies., Homère comme idéal de vie en
France au XVIIIᵉ siècle, in: F. LÉTOUBLON, C.
VOLPILHAC-AUGER (Hrsg.), Homère en France après la

querelle, 1999, 161–177 **62** A. POPE, Works, hrsg. von
W. ELWIN, W. J. COURTHOPE, Bd. 9, London, 1887
63 R. PRESSON, Shakespeares Troilus and Cressida and the
Legends of Troy, 1953 **64** J. REHORK, Homer, Herodot und
Alexander, in: R. ALTHEIM-STIEHL (Hrsg.), Beitr. zur Alten
Gesch. und deren Nachleben. FS F. Altheim 1, 1969,
251–260 **65** B. RICHTER, Trojans or Merowingians? The
Ren. debate over the historical origins of France, in:
Mélanges à la mémoire de Franco Simone, 1983, 111–134
66 W. SAHM (Hrsg.), Beschreibung der Reisen des
Reinhold Lubenau, 1912–1930 (Mitt. der Stadtbibl.
Königsberg) **67** W. SCHADEWALDT, Faust und Helena, in:
Ders., Stud. zu Natur und Alt., 1963, 165–205 **68** Ders.,
Goethes Achilleis, in: Ders., Stud. zu Natur und Alt., 1963,
301–395 **69** H. SCHLIEMANN, Briefwechsel, hrsg. von
E. MEYER, Bd. 2, 1958 **70** K. SCHNEIDER, Der Trojanische
Krieg im späten MA. Dt. Trojaromane des 15. Jh., 1968
71 K. SIMONSUURI, Homers Original Genius: 18th century
notions of the early Greek epic (1688–1798), 1997
72 T. SPENCER, Robert Wood and the Problem of Troy in
the 18th century, in: JWI 20, 1957,75–105 **73** P. STEWART,
Représenter Homère au XVIIIe siècle, in: F. LÉTOUBLON, C.
VOLPILHAC-AUGER (Hrsg.): Homère en France après la
querelle, 1999, 277–304 **74** F. SUSEMIHL, Gesch. der griech.
Lit. in der Alexandrinerzeit Bd. 2, 1892 **75** D. A. TRAILL,
Schliemann of Troy, 1995 **76** Troia. Traum und
Wirklichkeit, Kat. Stuttgart/Braunschweig/Bonn 2001
77 Troia – Traum und Wirklichkeit. Ein Mythos in Gesch.
und Rezeption, Symposion Braunschweig, 2002 **78** C. ULF
(Hrsg.), Der neue Streit um T. Eine Bilanz, 2003 **79** E.-M.
VOIGT, Sappho et Alcaeus. Fragmenta, 1971 **80** E. WEBER,
Die troianische Abstammung der Römer als polit.
Argument, in: WS N. F. 6, 1972, 213–225 **81** CHR. WOLF,
Voraussetzungen einer Erzählung: Kassandra, 1983 **82** TH.
WRIGHT (Hrsg.), Early Travels in Palestine, London 1848,
Ndr. 1968 **83** P. ZANKER, Augustus und die Macht der
Bilder, 1990.   JUSTUS COBET UND BARBARA PATZEK

II. TROJANER-GESCHICHTE ALS GRÜNDUNGSMYTHOS

A. EINLEITUNG B. URSPRUNG DER
MITTELALTERLICHEN UND FRÜHNEUZEITLICHEN
TROJAMYTHEN C. »ENTWICKLUNG« DER
TROJANISCHEN HERKUNFTSHERLEITUNG
D. GRÜNDE FÜR DIE KONSTRUKTION EINES
TROJANISCHEN VERGANGENHEITSHORIZONTS/
FUNKTIONEN

A. EINLEITUNG

Der Vorstellungskomplex des Anfangs ist in allen
Kulturen von großer Bedeutung [11. 402]. Weil das histor. verbürgte Wissen selten bis zum »Anfang« zurückreicht, wurden die »Leerstellen« im Wissen um den eigenen Ursprung häufig durch fiktive Vergangenheits-
horizonte aufgefüllt [1. 27]. Aber auch dann, wenn
keine »Leerstellen« im Wissen um die Vergangenheit
vorhanden waren, sind – trotz besseren Wissens – fiktive
Herkunftshorizonte erdichtet worden [22. 415]. Schon
in der Ant. dienten fiktive Herkunftshorizonte dazu, ein
entscheidendes Ereignis der vorgeschichtlichen Vergangenheit mit der späteren geschichtlichen Epoche

sinnvoll zu verbinden und eine gegenwärtige Situation
aus der Vergangenheit heraus zu legitimieren [17. 68].
Die Chroniken des MA setzten diese Versuche fort, indem sie an ant. und frühchristl. → Überlieferungen an-
knüpften [18. 93]. Gerade weil aber diese fiktiven Herkunftshorizonte ›keine Rekonstruktion der histor.
Wirklichkeit sind, sondern zielgerichtet Konstruktionen der Vergangenheit lieferten, weisen sie einen hohen
Quellenwert auf‹ [22. 417]. Sie geben Aufschluß über
das Selbstverständnis von Individualitäten und ermöglichen Einblicke in ihr polit. und geistiges Leben, das
Zusammenspiel und die Abgrenzung von Mächten.

Ein prominenter fiktiver Vergangenheitshorizont,
der von der Ant. bis in die Frühe Neuzeit hinein in
histor. und lit. Quellen häufig zu finden ist, ist die trojanische Herkunftssage. Viele ma. und frühneuzeitliche
Autoren bemühten immer wieder trojanische Flüchtlinge, wenn es darum ging, die Herkunft von Völkern,
Herrscher- oder Adelsgeschlechtern oder auch den Ursprung von Städten zu erklären. Neben dem biblischen
Vergangenheitshorizont war der T.-Mythos eines der
wichtigen säkularen Deutungsmodelle von Herkunft
und Vergangenheit im abendländischen Raum [13. 43].
Im → Humanismus wurde das Postulat der trojanischen
Herkunft mehr und mehr angezweifelt und an die Stelle des trojanischen Vergangenheitshorizontes traten andere [13. 39ff.; 18; 22. 415f.; 23; 26. 201ff.], teils aber
nicht weniger fiktive. Sigismund Meisterlin z. B. lehnte
die trojanische Gründungssage der Stadt Augsburg ab
und behauptete demgegenüber in seiner *Chronographia
Augustensium* (1456/57), Augsburg sei eine Gründung
der Amazonen, wodurch er Augsburg ein noch höheres
Alter andichtete als es die trojanische Herkunfssage tat
[18. 113; 19. 44f.].

Trotz mehrerer Arbeiten, die die Entwicklung des
trojanischen Herkunftsmythos beschreiben [2; 7; 9; 12;
13; 14; 20], fehlt Forschungslit., die die Quellen, in
denen von trojanischer Herkunft berichtet wird, zusammenfassend betrachtet und v. a. die Gründe für das
Postulat einer genetischen Abstammung von Troja hin-
terfragt. Aufgrund der großen Fülle von trojanischen
Herkunftsherleitungen in ma. und frühneuzeitlichen
Quellen können auch die folgenden Ausführungen die
»Entwicklung« des trojanischen Vergangenheitshorizontes und seine Funktionen nur skizzieren.

B. URSPRUNG DER MITTELALTERLICHEN UND FRÜHNEUZEITLICHEN TROJAMYTHEN

Der Ursprung der ma. und frühneuzeitlichen T.-
Mythen, liegt – wenn auch nicht direkt – im Homer.
Epos vom Zorn des Achill, der *Ilias*. Homer begründete
mit seinem Epos den T.-Stoff. Seine auf einen kurzen
Abschnitt des Trojanischen Krieges beschränkte Darstellung wurde als Möglichkeit zur weiteren Ausgestaltung des Stoffes genutzt. So wurden schon kurz nach
dem Homer. Epos in einem Zyklus von epischen Gedichten, dem »Kyklos«, die Vor – und Nachgeschichte
und einzelne Ereignisse des Krieges ausgemalt. Die
griech. Tragödiendichter gestalteten die Schicksale der

Helden, ihrer Väter, Mütter und Frauen aus. In keiner lit. Gattung, sowohl der griech. als auch der lat. ant. und spät-ant. Lit., fehlten Adaptionen und Variationen des von Homer begründeten T.-Stoffes.

Dem MA selbst waren die Ereignisse um T. jedoch nicht durch Homer bekannt. Lediglich den Namen Homer kannte man. Dieser galt als Sinnbild für den *poeta* schlechthin. Die *Ilias* kannte man aus einer stark verkürzten Zusammenfassung, der *Ilias Latina* [8. 255]. Bekannt waren die trojanischen Helden und die Ereignisse um T. dem MA z.B. durch Ovid. Sowohl in seinen *Metamorphosen* als auch in den *Heroides* griff er den T.-Stoff auf [10. 750]. Auch die *Achilleis* des Statius, die die Geschichte der Jugend des Achill erzählt, war dem MA [8. 256] bekannt.

Als Hauptquellen für die Ereignisse um T. galten den ma. Gelehrten aber die angeblichen Augenzeugenberichte des Dares Phrygius (*De excidio Troiae historia*) und des Dictys Cretensis (*Ephemeris belli troiani*) [7. 7ff.]. Insbesondere die angeblich von Dares, einem bei Homer und Vergil genannten Teilnehmer am Trojanischen Krieg, verfaßte Schrift fand, weil sie für die Trojaner Partei ergriff, großen Anklang [13. 29]. Um den histor. Charakter seines Werkes zu unterstreichen, hat ihm der anon. Übersetzer, der den Text Anf. des 6. Jh. ins Lat. übersetzt hat, einen fingierten Brief des Cornelius Nepos an Sallust vorangestellt. Dieser habe die von Dares selbst verfaßte Geschichte in Athen gefunden und ins Lat. übersetzt. Nun könne man beurteilen, was mehr der Wahrheit entspreche, nämlich was der Phrygier Dares überlieferte, der zu der Zeit lebte und kämpfte, zu der die Griechen die Trojaner bekämpften, oder ob Homer zu glauben sei, der erst viele J. nach diesem Krieg geboren sei.

Entscheidend für die Hochschätzung des T.-Stoffes und für das Bestreben der ma. Gelehrten, Herkunft auf T. zurückzuführen, war jedoch die *Aeneis* Vergils, der ein Motiv aufgegriffen hatte, das sich schon früh an den T.-Stoff angelagert hatte, aber erst durch ihn zu einem Höhepunkt geführt wurde: das Motiv des aus T. geflüchteten Aeneas als Gründer Roms. Von der Flucht des Aeneas nach Latium berichtete schon der griech. Historiker Hellanikos (5. Jh. v. Chr.) in seinen nicht erhaltenen *Trōïká*. Als Gründer Roms tritt Aeneas beim röm. Dichter Cato (234–149 v. Chr.) auf. So wie → Rom und viele der führenden röm. Geschlechter ihre Herkunft auf die edlen und ruhmvollen Trojaner zurückführten, so waren auch die Gelehrten des christl. Abendlandes darum bemüht, die Herkunft verschiedener Individualitäten auf trojanische Flüchtlinge zurückzuführen [18. 94f.].

C. »ENTWICKLUNG« DER TROJANISCHEN HERKUNFTSHERLEITUNG

In It. setzte sich die Trad. der trojanischen Herkunftsherleitung von der Ant. bis ins MA und die frühe Neuzeit fort. Einen Überblick über die it. Trad. der trojanischen Abstammung liefert H. Homeyer [18. 95–98]. Z.B. zitiert E. Gorra eine Liste von Städten, die sich noch nach dem 13. Jh. rühmen, von einem Trojaflüchtling gegründet worden zu sein. Diese Liste umfaßt Städte von Oberit. bis nach Palermo und schließt Städte wie Toulouse oder Narbonne ein: ›Quasi ogni città aveva il suo Enea‹ [18. 97].

Nördlich der Alpen finden sich Berichte, in denen Herkunft auf trojanische Flüchtlinge zurückgeführt wird, verhältnismäßig spät. Während der älteste Geschichtsschreiber der Franken, Gregor von Tour (538/39–594), Pannonien als Urheimat der Franken nennt [15. B. 2. Kap. 9], wird in der um 660 entstandenen Chronik des Fredegar an zwei Stellen berichtet, daß die Franken von den nach der Zerstörung ihrer Stadt geflohenen Trojanern abstammen [5. B. 2. Kap. 4–6, B. 3. Kap. 2]. Im zweiten Kapitel des dritten Buches schreibt Fredegar: ›Über die ältesten Frankenkönige schrieb der hl. Hieronymus, was schon vorher die Geschichte des Dichters Vergil berichtete: Ihr erster König sei Priamus gewesen; als Troja durch die List des Odysseus erobert wurde, seien sie von dort fortgezogen und hätten dann Friga als ihren König gehabt; sie hätten sich geteilt, und der eine Volksteil wäre nach Mazedonien gezogen, der andere hätte unter Friga – sie wurden als Frigier bezeichnet – Asien durchzogen und sich am Ufer der Donau und am Ozean niedergelassen; dann hätten sie sich nochmals geteilt, und die H. von ihnen sei mit ihrem König Francio nach Europa gezogen. Sie durchwanderten Europa und besetzten mit ihren Frauen und Kindern das Ufer des Rheins; nicht weit vom Rhein versuchten sie, eine Stadt zu erbauen, die sie nach Troja benannten. Dieses Werk wurde zwar begonnen, aber nicht vollendet. Der andere Teil, der am Ufer der Donau zurückgeblieben war, erwählte sich Torcoth zum König, nach dem sie in diesem Lande Türken genannt wurden; und die anderen wurden nach Francio als Franken bezeichnet‹.

Seit Fredegar tritt dieses Deutungsmodell von Herkunft in der Geschichtsschreibung nördl. der Alpen immer wieder auf. Dabei blieb das Deutungsmodell T. nicht nur auf das Volk der Franken beschränkt. Dem Beispiel des fränkischen T.-Mythos folgend, führten viele Völker ihre Herkunft auf Trojaner zurück, ›so bereits im 11. Jh. die Normannen, im 12. Jh. – nach älteren Ansätzen – die Briten, die sich auf den »Trojaner« Brutus als Stammvater beriefen, der mit seinen Begleitern nach Albion gekommen war, das dann nach seinem Namen Britannien hieß. Folglich waren auch die Engländer Nachkommen der Trojaner, und die Zahl dieser Nachkommen sollte bald noch steigen‹ [13. 34; 4. 207ff.; 18. 104ff.; 26. 194].

Neben ihrer Funktion als Deutungsmodell für die Herkunft ganzer Völker erlangte die trojanische Herkunftssage als Deutungsmodell der Herkunft von Herrschergeschlechtern eine bes. Bedeutung. Schon kurze Zeit nach ihrem ersten Auftreten in der Chronik des Fredegar, in der die trojanische Herkunftssage als Deutungsmodell für die Herkunft eines ganzen Volkes fungierte, begegnet im *Liber Historiae Francorum* ein dynastisch orientierter T.-Mythos [21]. Der *Liber* berichtet, daß über die Stadt T. der Tyrann Aeneas herrschte. Dieser floh nach der Zerstörung der Stadt nach Italien. Zwei Herrscher der Trojaner, Priamus und Antenor, flüchteten mit 12 000 Begleitern auf Schiffen aus der Stadt und kamen zur Mündung des Don, später nach Pannonien, wo sie eine Stadt, Sicambria, erbauten. Dort wohnten sie lange und wurden zu einem mächtigen Volk. Sie verbündeten sich mit den Römern. Die Eintracht zw. Römern und Franken, den Namen hatten sie von den Römern wegen ihrer Wildheit bekommen, dauerte nicht lange. In Kämpfen gegen die Römer fiel der Anführer Priamus. Dann zogen die Franken zum Rhein, wo sie unter ihren Herrschern Marchomir, dem Sohn des Priamus, und Sunno, dem Sohn des Antenor, längere Zeit siedelten. Nach dem Tode des Sunno beschlossen sie, einen König, wie andere Völker auch, zu wählen und erwählten auf Rat des Marchomir dessen Sohn Faramundus zu ihrem König. Zum Nachfolger Faramunds wurde sein Sohn Chlodio. Nach Chlodios Sohn Merowech wurden die Könige dieser Sippe als Merowinger bezeichnet. Wie in der Fredegar-Chronik führt der Autor des *Liber* den Ursprung des gesamten Volkes der Franken auf trojanische Flüchtlinge zurück. Im Gegensatz zu Fredegar, der betont (2,4–6), daß die Franken keine Könige gehabt hätten, wird aber im *Liber Historiae Francorum* die Dynastie der Merowinger als Nachfahren der Anführer der Trojaner besonders hervorgehoben.

Auch in der karolingischen Geschichtsschreibung finden sich Erwähnungen, die versuchen, das Geschlecht der Karolinger in Beziehung mit den Trojanern zu setzen. Der karolingische Geschichtsschreiber Paulus Diaconus berichtet in seiner Geschichte der Bischöfe von Metz, daß der Ahnherr der Karolinger, Bischof Arnulf von Metz, seinen jüngeren Sohn Anschisus genannt habe, weil ›cuius Anschisi nomen ab Anchise patre Aeneae, qui a Troia in Italiam olim venerat, creditur esse deductum. Nam gens Francorum, sicut a veteribus est traditum, a Trojana prosapia trahit exordium‹ [24. 264]. Und auch in der *Domus Carolingicae Genealogia* wurde versucht, über die Merowinger eine Beziehung des karolingischen Geschlechts mit den Trojanern herzustellen [6. 308 ff.]. Ohne Zweifel war ›die trojanische Abstammungssage ein fester Bestandteil der karolingischen Trad. geworden‹ [18. 100].

Auch die Erben der Karolinger hielten an der trojanischen Herkunftsherleitung fest. In der frz. Historiographie sind die Genealogien der Könige immer wieder mit den Flüchtlingen aus T. verbunden. François I. rühmte sich noch im 16. Jh. der 64. Nachkomme Hektors zu sein, obwohl allg. bekannt war, daß Frankreich von mehreren Dynastien beherrscht worden war [13. 35 f.]. Die Herrscher, die im Osten auf die Karolinger folgten, bemühten sich ebenfalls darum, als T.-Nachkommen zu erscheinen. Die Habsburger ließen ihre Stammbäume bis auf Trojaner zurückgehen und ›Karl IV. und sein Sohn Wenzel IV. unterließen es nicht, voll Stolz auf ihre trojanische Herkunft hinzuweisen –

Wenzel führte seinem Besucher persönlich seinen Stammbaum vor, und noch Maximilian I. war eifrig bestrebt, den Königen von Frankreich auch in ihrer trojanischen Herkunft zu gleichen‹ [13. 37 f.].

Im Spät-MA führten dann auch viele dt. und frz. Adelsgeschlechter ihre Herkunft auf T. zurück [13. 38], und viele Städte wie Xanten, Bonn, Mainz oder Augsburg machten Trojaner zu ihren Gründern [26. 192; 13. 41].

D. GRÜNDE FÜR DIE KONSTRUKTION EINES TROJANISCHEN VERGANGENHEITSHORIZONTES/ FUNKTIONEN

Die Geschichte mit einem Stammvater beginnen zu lassen, hat eine lange Tradition. In allen vorchristl. Kulturkreisen, die für das Christentum und die abendländische Geschichte von Bed. waren, wird die Geschichte ausgehend von Stammvätern als Abfolge von Geschlechtern verstanden [1. 30f]. In der christl. Vorstellung von der Geschichte, der Heilsgeschichte, die für das MA bestimmend war, ist diese Trad. der Stammväter und der linearen Entwicklung von Geschichte zu einem Höhepunkt geführt. In dieser Vorstellung hat die Geschichte einen Anfang und ein Ende. Der Anfang liegt in Gott, seiner Schöpfung der Welt und des Menschengeschlechts. Von diesem Anfang aus entwickelt sich die Geschichte von einem Geschlecht über das andere linear weiter bis zu ihrem Ende hin. Das gesamte Menschengeschlecht war aus einer einzigen Wurzel entstanden und so in einem Stammbaum zusammenzufassen. Ziel der ma. *litterati* war es daher, den eigenen zu beschreibenden Gegenstand an diesen universalen Stammbaum anzuknüpfen, um den Gegenstand, den er beschrieb, als Glied in der Kette der von Gott gegebenen Heilsgeschichte darzustellen [16. 72 ff.; 25. 38 ff.].

Die Vergegenwärtigung einer gemeinsamen Herkunft wirkt identitätsstiftend. Ganze Gesellschaften – insbes. Gesellschaften ohne Staat und einzelne Gruppen – können durch das Postulat eines gemeinsamen Stammvaters und einer gemeinsamen Herkunft geeinigt werden [14. 1ff.]. Im gleichen Maße wie die gemeinsame Herkunft solidarisierend wirken kann, kann sie als Abgrenzug gegenüber anderen fungieren. So wurde trojanische Herkunft z. B. in der Endphase des Hundertjährigen Krieges dazu benutzt, um England und Frankreich als Nationen voneinander abzugrenzen [22. 419].

Von bes. Bed. für die Suche nach der Herkunft war auch der bes. Charakter, den Vergangenheit für das MA besaß. ›Vergangenheit war‹, im Denken des MA ›nicht nur ein Momentanes, ein Zufälliges, ein bloßer Schritt auf dem Weg zur Gegenwart, der etwas als vergangen zurückließ, nicht nur ein Stückchen vergangener Zeit im Ablauf der gesamten Zeit; sondern: in der Vergangenheit und in ihrem konkreten Sein war auch schon die Zukunft so, wie sie sein sollte, grundsätzlich enthalten‹ [25. 62]. Weil der normsetzende und legitimierende Charakter von Vergangenheit so groß war, schuf man sich eine legitimitätsstiftende Vergangenheit. Die biblische und die ant. Überlieferung lieferten sozusagen ei-

nen Pool von vergangenheits- und legitimitätsstiften-
den Genealogien und von genealogischen Synapsen, die
– zumindest für die *historici* des frühen MA [22. 419] – im
Hinblick auf die Heilsgeschichte wichtig waren.

Warum aber waren gerade die Trojaner als Vergangenheitshorizont attraktiv? Aus der *Aeneis* des Vergil
kannte man einen trojanischen Flüchtling. Was aber war
aus den vielen anderen Trojanern geworden, die gegen
die Griechen gekämpft hatten? Sie lieferten den Gelehrten ein gleichsam unbegrenztes und unbestimmtes Potential an Stammvätern, durch die an das edle und
ruhmvolle Geschlecht der Trojaner angeknüpft werden
konnte. Außerdem verfügte der T.-Mythos über eine
nahezu generelle Anpassungsfähigkeit. Er erstarrte nach
seinem ersten Auftreten nicht in festen Formen. Vergleicht man die beiden Versionen des T.-Mythos bei
Fredegar und im *Liber Historiae Francorum*, fällt auf, daß
beide bis auf das Grundmotiv der trojanischen Herkunft
im übrigen Inhalt kaum Gemeinsamkeiten aufweisen.
So berichtete Fredegar, daß ein Trojasprößling namens
Francio der Stammvater der Franken gewesen sei, der
Liber hingegen, daß ein gewisser Faramund der Stammvater der *gens Francorum* gewesen sei. Bei Fredegar wurde der T.-Mythos zur Erklärung des gesamten Volkes
der Franken gebraucht, im *Liber* dagegen wurde der T.-
Mythos gleichzeitig auch als Herkunftsmythos der Dynastie der Merowinger gebraucht. Diese Flexibilität hat
der T.-Mythos beibehalten. Immer konnte er den jeweiligen Intentionen des Autors oder Auftraggebers angepaßt werden. Trojanische Herkunft konnte – wie bei
Fredegar – für ein gesamtes Volk »nachgewiesen« werden, andereseits aber auch für ein Geschlecht. Und auch
für eine Stadt, die sich gerne auf Trojaner zurückführen
wollte, ließ sich ein Gründer mit trojanischem Blut finden. Vom für das MA wichtigen biblischen Traditions-
strom brauchte man sich, führte man seine Herkunft auf
Trojaner zurück, nicht zwingend lösen. Über den Leer-
raum, den die Bibel in der Nachkommenschaft Noes
aufwies, konnten biblischer und ant. Vergangenheitshorizont verknüpft werden. Trojaner und biblische Genealogie wurden über die Nachkommenschaft Japhets
miteinander verbunden [22. 422].

Im Spät-MA wird jedoch gerade die Verknüpfung
von biblischer und ant. Vergangenheit von säkularen
polit. Machtgebilden häufig dazu benutzt, sich vom
heilsgeschichtlich geprägten Vergangenheitshorizont
und v. a. vom heilsgeschichtlichen Mächtesystem freizumachen. In der Auseinandersetzung zw. dem frz. König Philipp le Bel und Papst Bonifaz VIII. um die Stellung von Königtum und Papsttum argumentierte der
frz. Hof: ›prius fuerunt reges Franciae in Francia, quam
Christiani‹ [22. 420ff.].

Von Dynastien wurde der Legitimationsfaktor der
qualitätsvollen Abkunft gesucht. Die Karolingern versuchten durch das Ansippen an die Trojaner und Merowinger, ihrer neu errungenen Herrschaft neben der Legitimation durch den Papst, Legitimität auch durch die
Abkunft von den ruhmvollen trojanischen Romgrün-

dern zu verschaffen [1. 43; 12. 28]. Neben dem Legitimationsfaktor der qualitätsvollen Abkunft enthielt das
Postulat einer trojanischen Herkunft noch ein weiteres,
gerade für Dynastien interessantes, legitimatorisches
Prinzip: die Fiktion oder Suggestion von Kontinuität
der Herrschaft [22. 427ff.]. Für die Rechtfertigung von
Machtansprüchen von Dynastien spielten beide Punkte,
Kontinuität der Herrschaftssukzession und Kontinuität
des durch die Generationen weitergegebenen Blutes,
eine große Rolle. Indem man sich auf einen trojanischen Stammvater zurückführte, konnte man beide Anforderungen erfüllen. In der im vatikanischen cod. Reg.
lat. 947 überlieferten Chronik wird, um die Herrschaft
Philipps des Schönen zu legitimieren, eine strikte Bluts-
folge von Adam bis zu Philipp, Herzog von Brabant,
nachgewiesen. G. Melville faßt die Chronik zusammen:
›Mit raschen Schritten erreicht sie (die Chronik) dabei
Noe, gibt die Erdverteilung unter dessen Söhne mit
kurzen Seitensträngen an und verfolgt dann allein die
Nachfahren Japhets über Dardanus weiter bis Priamus,
den König von Troja. Der Fall dieser Stadt und die Zerstreuung seiner Bevölkerung unter verschiedenen An-
führern wird als epochales Ereignis, nach dem sich für-
derhin die Datierung bestimmt, und mit entsprechenden, jedoch bald wieder abgebrochenen Seitenlinien
ausführlich dargelegt. Der weitere Fortgang des Geschehens ist bestimmt von jener Flüchtlingsgruppe, die
unter ihrem Anführer Francion das sicambrisch – fränkische Reich in Pannonien gründeten. Nach einigen
Generationen kommt es dort zu einem verhängnisvollen Thronstreit. Obgleich die Väter noch einträchtig
eine Samtherrschaft ausübten, kerkerte ein gewisser
Parides seinen Vetter Torgotus ein, um ihn seiner Erbfolge zu berauben. Es entsteht ein regelrechter Bürgerkrieg, der erst zum Abschluß kommt, als sich Torgotus
unter Vermittlung des »consilium maiorum« bereiter-
klärt, mit seiner zahlreichen Anhängerschaft (...) unter
Verzicht auf seine Erbrechte auszuwandern. Er zieht in
den Raum zwischen Maas und Schelde und gründet
dort mit seinem Volk – das zunächst nach seinem Sohn
Tungris das »tungrische«, später nach Einheirat eines
Seitenverwandten Bracbon das »brabantische« genannt
wird – ein neues Reich. Von da an datiert die Chronik
nicht mehr nach dem Fall T., sondern eben nach Beginn
dieser Herrschaft. Der weitere Verlauf des Geschehens
ist vom Ausbau des Landes bestimmt, der sich näherhin
in Errichtung von Burgen und Residenzen, in gesetz-
geberischer Tätigkeit, Städtegründungen und Friedens-
sicherung äußert. Dabei wird kontinuierlich die gene-
alogische Linie fortgezogen und unter Umschiffung
mehrerer agantischer Brüche – die die Geschlechterfol-
ge der Karolinger, Reginare und burgundischen Valois
einbrachte, als wären sie alle eines Stammes – zum zeitgenössischen Herrscher über die Brabanter (eben jenen
Habsburger Philipp den Schönen) geführt‹ [22. 429].
Die tatsächliche Geschichte Brabants verlief ganz anders. Brabant war kein Gebilde, das schon seit Jh. in
Einigkeit bestand. Der Name Brabant ist erstmalig 870

als Gau – Bezeichnung belegt, und als polit. Einheit war Brabant erst im 12. Jh. faßbar. Außerdem wies die Vergangenheit keine ungebrochene Dynastienfolge auf, vielmehr einen stetigen Dynastienwechsel, deren letzter der Wechsel zur Dynastie der Habsburger war.

In einer im 15. Jh. von einem anon. Autor in frz. Sprache verfaßten Chronik dient die Berufung auf trojanische Vorfahren dazu, sich vom Suprematieanspruch des Kaisertums freizumachen. In ihr werden v. a. Frankreich, aber auch England als autogene Mächte dargestellt, die dem Hl. Röm. Reich gleichwertig sind. Gleichwertig sind sie, weil alle drei einen gemeinsamen, gleichwertigen Ursprung haben: Troja. Alle drei Mächte werden in der Chronik als Nachkommen der drei gleichwertigen Flüchtlingsgruppen, die sich nach der Zerstörung von T. über Europa verteilt haben, als gleichrangig dargestellt. Das Hl. Röm. Reich ordnete der Autor in das System der Mächte ein. Wichtige legitimierende Funktion kam dem T.-Mythos auch in der ma. Kaiserideologie zu, denn mit der Idee der *translatio imperii* kam der gleichen Abstammung von Römern und den Kaisern des Hl. Röm. Reiches ein bes. Gewicht zu.

1 A. ANGENENDT, Der eine Adam und die vielen Stammväter. Idee und Wirklichkeit der origo gentis im MA, in: P. WUNDERLI (Hrsg.), Herkunft und Ursprung. Histor. und mythische Formen der Legitimation, 1994 2 J.-P. BODMER, Die frz. Historiographie des Spät-MA und die Franken, in: Arch. für Kulturgesch. 45, 1963, 91–118 3 F. L. BORCHART, German antiquity in ren. myth, 1971 4 W. G. BUSSE, Brutus in Albion: Englands Gründungssagen, in: P. WUNDERLI (Hrsg.), Herkunft und Ursprung. Histor. und mythische Formen der Legitimation, 1994 5 Chronicarum quae dicuntur Fredegarii Scholastici libri IV. cum Continuationibus, in: MGH SS rer. Mer. 2, ed. B. KRUSCH, Hannover 1888, 1ff. 6 Domus Carolingicae Genealogia, in: MGH SS 2 (Tomus 2), ed. G. H. PERTZ, Hannover 1828, 308ff. 7 H. DUNGER, Die Sage vom trojanischen Kriege in den Bearbeitungen des MA und ihre ant. Quellen, Leipzig 1869 8 A. EBENBAUER, Ant. Stoffe, in: V. MERTENS, U. MÜLLER (Hrsg.), Epische Stoffe des MA, 1984, 247ff. 9 W. EISENHUT, Spätant. T.-Erzählungen – mit einem Ausblick auf die ma. T.-Lit., in: Mittellat. Jb. 18, 1983, 1–28 10 E. FRENZEL, Stoffe der Weltlit., ⁴1970 11 H. GÖRGEMANNS, s. v. Anfang, RAC, Supplement-Bd. 1, 401–448 12 A. GRAU, Der Gedanke der Herkunft in der dt. Geschichtsschreibung des MA. T.-Sage und Verwandtes, 1938 13 F. GRAUS, T. und trojanische Herkunftssage im MA, in: W. ERZGRÄBER (Hrsg.), Kontinuität und Transformation der Ant. ins MA, 1989, 25–43 14 Ders., Lebendige Vergangenheit. Überlieferungen im MA und in den Vorstellungen vom MA, 1975 15 GREGOR VON TOURS, Historiarum, Bd. 1, hrsg. von R. BUCHNER, 1959 16 H. GRUNDMANN, Geschichtsschreibung im MA, ⁴1987 17 T. HÖLSCHER, Mythen als Exempel der Gesch., in F. GRAF (Hrsg.); Mythos in mythenloser Ges., 1993, 67–87 18 H. HOMEYER, Beobachtungen zum Weiterleben der Trojanischen Abstammungs- und Gründungssagen im MA, in: Res Publica Litterarum 5/2, 1982, 93–123 19 P. JOACHIMSEN, Geschichtsauffassung und Geschichtsschreibung in Deutschland unter dem Einfluß des Human., Ndr. 1968 (¹1910) 20 M. KLIPPEL, Die

Darstellung der Fränkischen Trojanersage in Geschichtsschreibung und Dichtung vom MA bis zur Ren. in Frankreich, 1936 21 Liber Historiae Francorum, in: MGH SS rer. Mer. 2, ed. B. KRUSCH, Hannover, 215ff. 22 G. MELVILLE, T.: Die integrative Wiege europ. Mächte im ausgehenden MA, in: F. SEIBT, W. EBERHARD (Hrsg.), Europa 1500, 1987, 415–433 23 U. MUHLACK, Geschichtswiss. im Human. und in der Aufklärung, 1991 24 Pauli Warnefridi liber de episcopis Mettensibus, in: MHG SS 2 (Tomus 2), ed. G. H. PERTZ, Hannover 1828, 260ff. 25 F. J. SCHMALE, Funktion und Formen ma. Geschichtsschreibung. Eine Einführung, 1985 26 Troja. Traum und Wirklichkeit, hrsg. v. ARCH. LANDESMUS. BADEN-WÜRTTEMBERG, Ausstellungskat. Stuttgart 2001.

KERSTIN PISTORIUS

Tschechien I. DIE ANTIKE IN DER MITTELALTERLICHEN KULTUR DER BÖHMISCHEN LÄNDER II. DIE ANTIKE UND DIE HUMANISTISCHE KULTUR IN DEN BÖHMISCHEN LÄNDERN III. ANTIKEREZEPTION IN DER LATEINISCHEN LITERATUR DER BÖHMISCHEN LÄNDER IM 17. UND 18. JAHRHUNDERT (1620–1770) IV. ANTIKE TRADITIONEN IN DER TSCHECHISCHEN KULTUR DES 19. UND 20. JAHRHUNDERTS V. GESCHICHTE DER ALTERTUMSWISSENSCHAFTEN

I. DIE ANTIKE IN DER MITTELALTERLICHEN KULTUR DER BÖHMISCHEN LÄNDER

Die Kenntnis der Ant. fand im MA nur indirekt, in vermittelter Weise ihren Weg in die Länder des Königreiches Böhmen. Zu deren Verbreitung trugen v. a. diejenigen Böhmen bei, die ihre Bildung im Ausland erlangten und die nach Abschluß ihrer Studien ant. lit. Werke bzw. die ant. Problematik behandelnde Bücher in ihre Heimat mitbrachten, oder diejenigen, die als Mitglieder von kirchlichen oder weltlichen Missionen eine Zeitlang im Ausland weilten. Die Ant. spiegelte sich dabei im böhmischen Milieu mehr oder weniger passiv wider, und zwar in der Form, in der sie zur damaligen Zeit wahrgenommen wurde. Kosmas, der Dechant der Prager Domkapitel (ca. 1045–1125), brachte von seinen Studien in Lüttich zahlreiche Zitate ant. Autoren sowie allg. Belehrungen röm. Geschichtsschreiber mit, die er im grundlegenden Werk der böhmischen Historiographie, *Chronica Boemorum*, zur Geltung brachte. Meister Jindřich Kvas († um 1306, gen. Henricus de Isernia oder Henricus Italicus), der seine Bildung in Neapel erlangte, machte in der rhet. Schule am Prager Vyšehrad die künftigen Kanzleibeamten mit einer Reihe von ant. Versen und Namen bekannt, die in den Diktamina-Sammlungen *Formule epistolarum* und *Formule privilegiorum* zusammengefaßt sind. Die Persönlichkeiten, die sich eine Zeitlang im Ausland, bes. am päpstlichen Hof, aufhielten, brachten auch neue lit. Werke nach T., die in manchen Fällen ersichtlich von der Ant. beeinflußt waren. Für das, was zur Geltung kommen sollte, waren Pastorations- und Unterrichtsbedürfnisse sowie Bedürfnisse der Verwaltungsbehörden entscheidend.

In breiterem Umfang traten ant. Einflüsse im Königreich Böhmen erst E. des 13. Jh. zutage; an Intensität gewannen sie unter Kaiser Karl IV., also zu der Zeit, als die im J. 1348 gegr. Karls-Univ. höhere Anforderungen an die Pfarr-, Kloster- und städtischen Partikularschulen stellte. An diesen Schulen wurden äsopische Fabeln in ihren ant. und ma. Bearbeitungen gelesen. In der ersten H. des 14. Jh. entstand aufgrund des sog. »Romulus« (350–500) und des »Anonymus Neveleti« (zweite H. des 12. Jh.) der alttschechische, in V. abgefaßte *Ezop*; in der Mitte des 14. Jh. wurden die *Disticha Catonis* in V. und am Anf. des 15. Jh. in Prosa übersetzt. Schrittweise verbesserten sich die Lateinkenntnisse, während aus dem Griech. nur durch die → Patristik vermittelte Bruchstücke bekannt waren. In der Epoche der Luxemburger (1310–1437) gelangten nicht nur ältere, sondern auch zeitgenössische lat. Hss. der ant. Autoren sowie ihre älteren und neuen Komm. ins Land. Auf deren Grundlage entstanden neue einheimische Komm., z. B. vor dem J. 1378 zu den *Epistulae* des Horaz, zw. 1376 und 1380 zu Senecas *Declamationes*, gegen E. des 14. Jh. zu Prudentius' *Psychomachia*, im J. 1417 zu Boëthius' *Consolatio philosophiae*.

In der zweiten H. des 14. Jh. und zu Anf. des 15. Jh. kam es in Böhmen zur Interaktion zw. der sog. → Renaissance des 12. Jh. und dem beginnenden it. → Humanismus. Es entstanden mehrere mitteleurop. Bearbeitungen von Werken mit ant. Thematik: Acht Prager Kleriker stellten eine Auswahl einiger Kap. aus den Exempelsammlungen *Gesta Romanorum* und *Historia septem sapientum* zusammen und erzählten alles in einem einfachen Lat. für die Prediger nach. So entstanden die *Gesta Romanorum mystice moralizata*, die noch im 14. Jh. ins Tschechische und Dt. übers. wurden. Durch ihre weitere geringfügige Überarbeitung entstanden die *Gesta Romanorum mystice designata*, die h. aus 44 Hss. und drei dt. Übers. bekannt sind. Zahlreiche ant. Themen und deren Widerhall sind in Exempelsammlungen zu spüren: z. B. in dem Prag neubearbeiteten *Tripartitus moralium* des Konrad von Halberstadt (geb. nach 1354) oder in den um 1400 in → Küchenlatein abgefaßten *Historie varie moralizate*. Der böhmische König Přemysl Ottokar II. (1253–1278) wurde in der in V. gedichteten alttschechischen *Alexandreis*, die um 1300 nach dem Vorbild der komm. *Alexandreis* des Walter von Châtillon niedergeschrieben wurde, als eine neue Verkörperung Alexanders d. Gr. betrachtet. Zu Alexander d. Gr. bekannten sich auch Karl IV. (1346–1378) und sein Sohn Wenzel IV. (1378–1419). In den letzten J. von Karls Regierung entstand als Diktamen das *Privilegium Alexandri Magni Slavis datum*; E. des 14. Jh. wurde die *Historia de preliis* in der Rezension I³ ins Tschechische übers.; die Rezension I² hat im Kloster von Postoloprty um 1400 der Schreiber Macek umgearbeitet. Der Trojanische Krieg in der Überlieferung des Guido von Columna aus dem J. 1287 wurde in der zweiten H. des 14. Jh. als *Kronika trojánská* geschickt ins Tschechische adaptiert und zu Anf. des 15. Jh. wortgetreu übersetzt. Ihr erster

Wiegendruck, der durch einen Fehler des Setzers irrtümlicherweise ins J. 1468 datiert ist, wurde für die älteste tschechische Inkunabel gehalten.

Als Petrarca es ablehnte, sein Werk *De viris illustribus* Karl IV. zu widmen, wurde aus Nordit. der Pseudo-Burleyische *Liber de vita et moribus philosophorum* geholt, der im J. 1509 und 1591 ins Tschechische übers. wurde; noch im 14. Jh. entstand in Böhmen zu Pastorationszwecken eine vereinfachte lat. Version, die um weitere ant. Zitate aus verschiedenen Quellen bereichert wurde. Dieses Werk ist bis h. in 55 Hss. erhalten geblieben; insgesamt wurde diese Version mit dem *Breviloquium de virtutibus antiquorum principum* von Johannes Guallensis (geb. um 1303) dreimal in Tschechische übers. (E. des 14. Jh., Anf. und nach der Mitte des 15. Jh.).

QU 1 B. BRETHOLZ (Hrsg.), Cosmae Pragensis Chronica Boemorum, 1923 (Ndr. 1980) 2 H. OESTERLEY (Hrsg.), Gesta Romanorum, Berlin 1872 (Ndr. 1980) 3 W. DICK (Hrsg.), Die Gesta Romanorum, Erlangen, Leipzig 1890 4 H. KNUST (Hrsg.), Gualteri Burlaei Liber de vita et moribus philosophorum, Tübingen 1886 (Ndr. 1964, 1967)

LIT 5 Antika a česká kultura, Praha 1978 6 J. BAŽANT, The Classical Trad. in Czech Medieval Art, übers. v. G. TURNER, T. CARLISLE, 2003 7 K. BOLDAN, Sbírka exempel Historiæ variæ moralisatæ v rukopisu Státní knihovny ČSR Praha VIII H 6, in: Miscellanea Oddělení rukopisů a vzácných tisků 5, 1988, 69–88 8 E. RAUNER, Konrads von Halberstadt O. P. »tripartitus moralium«: Stud. zum Nachleben ant. Lit. im späten MA, 1989 9 A. VIDMANOVÁ, La formation de la seconde rédaction des »Vite philosophorum« et sa relation à l'œuvre originale, in: Medioevo 16, 1990, 253–272 10 Dies., K Privilegiu Alexandra Velikého Slovanům, in: J. PÁNEK, M. POLÍVKA, N. REJCHRTOVÁ (Hrsg.), Husitství, reformace, renesance, Praha 1994, 105–115.

ANEŽKA VIDMANOVÁ

II. DIE ANTIKE UND DIE HUMANISTISCHE KULTUR IN DEN BÖHMISCHEN LÄNDERN

Unter dem Einfluß des → Humanismus, der sich in den böhmischen Ländern seit der 2. H. des 15. Jh. geltend machte, trat ein reges Interesse an einer tieferen Kenntnis der Ant. zutage. Die böhmischen Humanisten dieser Zeit, meist der katholischen Kirche ergebene Angehörige adeliger oder bürgerlicher Familien, unternahmen Studienreisen nach It. und knüpften persönliche Verbindungen mit den it. Humanisten. Eine bes. starke Wirkung haben auf sie Enea Silvio Piccolomini und Philip Beroaldus ausgeübt. Ins Vaterland zurückgekehrt, wirkten sie oft im kirchlichen oder diplomatischen Dienst und verbreiteten ihre Vorliebe für die Ant. in den gelehrten Kreisen. Oft gründeten sie umfangreiche, mit den Werken der ant. Autoren reichlich versehene Bibliotheken. Zu den Absolventen der it. Univ. zählten der bedeutende, mit Enea Silvio befreundete Schriftsteller Johannes Rabensteinius, Böhmens größter Humanist Bohuslaus Hassensteinius von Lobkowicz und sein Freund Augustinus Olomucensis, der sich um die Verbreitung des Human. in Mähren verdient machte. Beide standen mit Konrad Celtis in Verbindung.

Die Prager Univ. blieb der neuen geistigen Bewegung lange verschlossen. Um ihre Annäherung an die Ideen des Human. bemühte sich Wenceslaus Pisecenus, Dechant im J. 1508. Er stieß aber auf einen zähen, harten Widerstand der Scholastiker, gab darum sein Amt auf und begab sich als Begleiter seines Schülers, des späteren berühmten Philologen Sigismundus Gelenius, nach Italien. Nur allmählich drang der neue Bildungstyp in die Univ. ein, an der es um die Mitte des 16. Jh. zu einer parallelen Wirkung der Ideen des Human. und derjenigen der Reformation kam. Ziel der böhmischen Studenten wurden nun vorwiegend die dt. Univ., v. a. Wittenberg. Einen entscheidenden Einfluß haben auf sie die human. Reformatoren, in erster Linie Melanchthon und Erasmus ausgeübt. Im Vaterland wirkten sie meistens als Rektoren der partikularen Schulen, als Universitätslehrer oder evangelische Priester.

In den Städten gründeten sie human. Kreise und Bibliotheken. Unter den Mäzenen der human. Lit. erwarb Johann der Ältere von Hodieow bes. Verdienste. Er sammelte um sich lat. schreibende Dichter, deren Werke er in den J. 1561/62 in den *Farragines* genannten Sammlungen herausgab. Zu seinen Günstlingen gehörten Sebastianus Aerichalcus, Petrus Codicillus, David Crinitus, Simon Ennius, Thomas Mitis, Thaddaeus Nemicus, Simon Proxenus und andere. Im Rudolfinischen Prag (1576–1612) wirkten auch ausländische Humanisten, unter denen die Engländerin Westonia hervorragte.

Die Zeit nach der Schlacht am Weißen Berg im J. 1620 war für die weitere Entwicklung des Human. in Böhmen ungünstig. Vergebens kämpfte der berühmte Dichter Johannes Campanus, letzter Rektor der Prager Univ., um deren Existenz. Er starb im J. 1622, kurz nach der Schließung der Universität. Manche Humanisten, z. B. Wenceslaus Clemens und Iohannes Sictor, haben das Vaterland verlassen und wirkten im Ausland, bes. in England und in den Niederlanden.

In ihren Werken, unter denen in späterer Zeit die Poesie überwog, pflegten böhmische Humanisten ant. lit. Gattungen und ahmten ant. Autoren und ihre metr. Gewohnheiten nach. Cicero, Seneca, Quintilian, Lukrez, Catull, Tibull, Properz, Vergil, Horaz, Ovid, Persius, Martial, Iuvenal, Ausonius, Claudian und Sidonius Apollinaris gehörten zu ihren bedeutendsten Mustern. Unter Befolgung ant. rhet. Vorschriften schrieben sie Dialoge, Diatriben, Gelegenheitspoesie, Topographien, Propemptika. Besonders beliebt waren kleine Formen, Anagramme und Epigramme. Ihre Werke schmückten sie auch dann, wenn sie christl. Themen behandelten, mit dem ant. myth. Apparat aus. Sie bedienten sich meistens der lat. Sprache; das Griech. wurde selten benutzt. Beliebt waren jedoch griech. Titel für lat. Gedichte.

Die Wichtigkeit des Griech. hatte schon Wenceslaus Pisecenus betont. Als später für die protestantisch orientierten Humanisten die für das Bibelstudium nötige Kenntnis der griech. Sprache wichtig wurde, gehörte bes. Matthaeus Collinus zu ihren Förderern. In der Lehrordnung, die Petrus Codicillus im J. 1586 für die städtischen lat. Schulen zusammengestellt hat, wurde ihr eine gebührende Stellung zuteil. Das human. Ideal eines *vir trium linguarum* haben böhmische Humanisten nur selten erreicht. Einer von ihnen war Matthaeus Aurogallus, der in seinen Jugendjahren mit Hassensteinius verkehrte und im J. 1521 mit Melanchthons Beifall zum Professor der hebräischen Sprache in Wittenberg ernannt wurde. An der Prager Univ. erhielt Nicolaus Albertus a Kamenek erst im J. 1611 das Amt eines Ordinarius für diesen Bereich.

Die Kenntnis der ant. Sprachen ermöglichte es den Humanisten, einen regen einheimischen und internationalen Briefwechsel zu unterhalten. Ihre nach Ciceros Muster geschriebenen Briefe waren nicht nur für die Adressaten, sondern für die ganze gelehrte Welt bestimmt. Es entstanden epistolographische Handbücher, zu deren Autoren z. B. Augustinus Olomucensis und Rodericus Dubravius gehörten. Eine andere Möglichkeit, Beziehungen zu knüpfen, boten lit. Gesellschaften, zu deren Gründern Konrad Celtis zählte. Die Erfindung des Buchdrucks begünstigte die Verlegertätigkeit der Humanisten. Unter den produktivsten Verlegern sind Thomas Mitis, Georgius Melantrich und Daniel Adam zu nennen.

Nennenswert sind auch die Leistungen der Humanisten in den Wissenschaften. Man findet unter ihnen Historiker, Rechts- und Naturwissenschaftler und Ärzte. Als Geschichtsschreiber haben sich z. B. Johannes Dubravius, Martin Cuthenus und Procopius Lupacius hervorgetan. Paulus Koldin und Viktorin von Všehrd waren bedeutende Juristen, Thaddaeus Nemicus wurde als Astronom und Leibarzt Maximilians II. berühmt. Durch ihre Tätigkeit haben die Humanisten zur Einreihung der böhmischen Länder in die europ. Kulturgemeinschaft beigetragen.

1 A. TRUHLÁŘ, K. HRDINA , J. HEJNIC, J. MARTÍNEK, Rukovět' humanistického básnictví – Enchiridion renatae poesis, 1–5, Praha 1966–1982 2 Antika a česká kultura, Praha 1978 3 I. HLOBIL, E. PETRŮ, Human. a raná renesance na Moravě, Praha 1992 4 Dies., Humanism and the Early Ren. in Moravia, Olomouc 1999 5 P. WÖRSTER, Human. in Olmütz, 1994.   DANA MARTÍNKOVÁ

III. ANTIKEREZEPTION IN DER LATEINISCHEN LITERATUR DER BÖHMISCHEN LÄNDER IM 17. UND 18. JAHRHUNDERT (1620–1770)

Die böhmischen Länder haben sich infolge der Niederlage der böhmischen Stände gegen die Habsburger in der Schlacht am Weißen Berg (1620) grundsätzlich verändert – polit., rel. wie auch kulturell. Der Verlust des polit. Einflusses der städtischen Stände, die erzwungene Emigration des nicht-katholischen Adels und der städtischen Bildungsschicht – der Hauptträger und Garanten der Kultur in Böhmen vor der Schlacht am Weißen Berg –, der Zustrom von Ausländern in das Königreich Böhmen, all dies hatte ein verstärktes Eindringen von fremdem (neben dem dt. v. a. romanischem) Einfluß in die böhmische Kulturwelt zur Folge gehabt.

Die Heimat mußten aus konfessionellen Gründen u. a. der Bischof der böhmischen Brüdergemeinde, der Denker und Schulreformator Johann Amos Comenius, sowie der Professor der Prager Univ. und Geschichtsschreiber Paulus Stransky verlassen. Nach der Schlacht am Weißen Berg ersetzte die katholische priesterliche Bildungsschicht die Abnahme der evangelischen Intelligenz. Moderne übernationale Religionsorden propagierten in den Ländern der Böhmischen Krone durch Vermittlung ihrer Bildungsanstalten einen lat. Human. romanischer Prägung. An den böhmischen Gymnasien, die in der Zeit der Rekatholisierung der böhmischen Länder von Jesuiten und Piaristen völlig beherrscht wurden, und an der jesuitischen Karl-Ferdinands-Univ. zu Prag diente das Lat. als Kommunikationsmittel. Das Lat. des 17. und 18. Jh. war ein Gemisch aus der human. Überlieferung der Sprache, des Stils der ant. Autoren und aus dem ma. und mod. Kirchenlatein. In die »klass.« lat. Sprache mancher Humanisten der Barockzeit drangen die im spät- und ma. Lat. vorkommenden Wörter und syntaktischen Elemente, viele latinisierte, vom Griech. abstammende Wörter, *hápax legómena*, Archaismen und Neologismen ein.

Die für alle Jesuitengymnasien ausgearbeitete Schulordnung (die sog. *Ratio studiorum* aus dem J. 1599; → Jesuitenschulen) war auch im böhmischen Territorium gültig. Das Bildungssystem der Jesuiten und Piaristen ging von den erprobten ant. Vorbildern, aber auch von Kirchenvätern, eventuell lat. human. Autoren aus. Die Grundsätze der Jesuitenpädagogik kann man als katholisch-human. charakterisieren. Eine wichtige Rolle in der Jesuitenerziehung spielte die *imitatio bonorum* – Nachahmung der lit. Autoritäten (*auctoritas scriptorum*). Deswegen las man an den Jesuitengymnasien v. a. Ciceros Werke (»praelectiones Ciceronianae«). Außer den histor. Schriften von Caesar, Sallust, Curtius Rufus und Livius lernten die Gymnasialschüler die aus der Dichtung ausgewählten und »gereinigten« Gedichte von Ovid, Catull, Tibull, Properz, Vergil und Horaz, aus den rhet. Werken wieder Cicero, zu dem Aristoteles und Quintilian hinzutraten. Neben den obligatorischen Jesuitenlehrbüchern (lat. Gramm. von Emmanuel Alvarus, Rhet. des Cyprianus Soarius) benutzten die Gymnasiallehrer eigene Handbücher: Z. B. verfaßte der Jesuit Bohuslaus Balbinus anhand ant. und human. Poetiken und Rhetoriken ein Lehrbuch *Verisimilia humaniorum disciplinarum*, das auch in Leipzig von Christian Weise herausgegeben wurde.

An der Prager Univ. pflegte man Philol., Theologie, Philos., Jura, Medizin, Mathematik, Logik, Physik und Astronomie. Alle anderen Theologen und Philosophen des 17. Jh. übertraf Rodericus Arriaga, eine der hervorragendsten Persönlichkeiten aus der Gipfelphase der Jesuitenscholastik; in der Medizin und Naturwiss. erwarb sich einen europ. Ruf Joannes Marcus Marci. Im 18. Jh. ragte in Physik, Astronomie und Mathematik Josephus Stepling hervor. Neben der Prager Jesuitenuniv. und dem Jesuitenkollegium bei Sankt Klemens in der Prager Altstadt (dem sog. Klementinum) befanden sich in Böhmen und Mähren in dieser Zeit mehrere Zentren lat. Kultur – das Kloster der Unbeschuhten Augustiner in der Prager Neustadt (Zderaz), das Prämonstratenserkloster in Prag-Strahov, das Benediktinerkloster in Raigern (Rajhrad), das Zisterzienserkloster in Plass; das dortige Ordensmitglied Mauritius Vogt zeigte in seinen Werken enzyklopädische Kenntnisse u. a. als Geograph, Kartograph, Geologe, Klostergeschichtsschreiber, Musiktheoretiker und Komponist.

Die Lit. der Barockzeit hatte vorwiegend eine rel.-propagandistische und erzieherische Funktion; daraus ergab sich auch eine Themen- und Gattungsbeschränkung. Die lat. (genauso wie die auf tschechisch oder dt. geschriebene) Lit. der Barockzeit folgte den Gesetzen der Rhet., und oft wurde nach einem sinnreichen Konzept geschrieben (z. B. hagiographische Schriften vom Priester Godefridus Ignatius Bilowsky oder Predigten des Jesuiten Caspar Knittel). Auch in der Zeit des Human. des 17. und 18. Jh. pflegte man die in der Ant. und im Renaissancehuman. beliebten lit. Gattungen wie Dialoge (Balbinus), Epigramme (die Jesuiten Balbinus und Sebastianus Labe, der Unbeschuhte Augustiner Aegidius a S. Joanne Baptista), Gelegenheitspoesie, *carmina figurata*. Die Inszenierungen der gewöhnlich bei den großen katholischen Festen gespielten Jesuitendramen waren ein bedeutendes Kulturereignis im Leben der Gemeinde. Die Themen des lat. Jesuitentheaters waren verschiedenartig: ant. Geschichte oder Myth., biblische Geschichten, Heiligenleben (z. B. über Johann von Nepomuk), zeitgenössische Ereignisse; ihre Funktion war erzieherisch, gegenreformatorisch, propagandistisch (u. a. antilutheranisch oder antisemitisch). Die Dramen einiger böhmischer Jesuitendramatiker wurden gedr. (Carolus Kolczawa, Bernardus Pannagl). Sehr oft arbeiteten Dichter mit einem antikisierenden myth. Apparat; z. B. wurde bei Landschaftsbeschreibungen die stilisierte Landschaft unter dem Einfluß der bukolischen Dichtung (der *Eklogen* Vergils, der *Metamorphosen* Ovids usw.) und im Geist der zeitgenössischen Dichtkunst dargestellt. Gedichte wurden in klass. Metren verfaßt (Hexameter, elegische Distichen, iambische Trimeter usw.), aber auch in Formen der christl. Dichtung (Hymnen, Litanien). Manchmal wurden V. in Prosawerke eingeschaltet (top. Dichtungsbeschreibungen in den hagiographischen Schriften von Balbinus, in den top. und geologischen Werken des Zisterziensers Mauritius Vogt, geistliche Lyr. in den Predigten des Jesuiten Joannes Kraus). Zu den beliebtesten prosaischen Gattungen gehörten Predigten, Lobreden (bes. Universitätsreden), *elogia* und Briefe. Einen großen Aufschwung erreichten Historiographie und Hagiographie, häufig mit stark patriotischen Tendenzen. Unter den lat. schreibenden Geschichtsschreibern Böhmens (Thomas Pessina a Czechorod, Georgius Crugerius, Joannes Florianus Hammerschmidt u. a.) wurde Bohuslaus Balbinus von den ant. Historikern und lat. human. Autoren am stärksten beeinflußt (Livius, Tacitus, Justus Lipsius u. a.).

1 I. ČORNEJOVÁ, Tovaryšstvo Ježíšovo. Jezuité v Čechách (Die Gesellschaft Jesu. Jesuiten in Böhmen), Praha 1995 **2** Dies. (Hrsg.), Dějiny Univerzity Karlovy (Gesch. der Karlsuniv.), Bd. II: 1620–1802, Praha 1996 **3** Z. KALISTA, České baroko (Das böhmische Barock), Praha 1941 **4** Ders., Česká barokní gotika a její žďárské ohnisko (Die böhmische Barockgotik und ihr Saarer Brennpunkt), Brno 1970 **5** A. KRATOCHVIL, Das böhmische Barock, 1989 **6** J. KUČERA, J. RAK, Bohuslav Balbín a jeho místo v české kultuře (Bohuslav Balbín und seine Stellung in der tschechischen Kultur), Praha 1983 **7** Z. POKORNÁ, M. SVATOŠ (Hrsg.), Bohuslav Balbín und die Kultur seiner Zeit in Böhmen, 1993 **8** M. SOUČKOVÁ, Baroque in Bohemia, 1980 **9** S. SOUSEDÍK, Filosofie v českých zemích mezi středověkem a osvícenstvím (Philos. in den böhmischen Ländern zw. MA und Aufklärung), Praha 1997 **10** J. TŘÍŠKA, Studie a prameny k rétorice a k universitní literatuře (Stud. und Quellen zur Rhet. und Universitätslit.), Praha 1972.   MARTIN SVATOŠ

IV. ANTIKE TRADITIONEN IN DER TSCHECHISCHEN KULTUR DES 19. UND 20. JAHRHUNDERTS

A. PERIODE DER SOGENANNTEN NATIONALEN WIEDERGEBURT (1770–1850) B. ZWEITE HÄLFTE DES 19. JAHRHUNDERTS BIS 1918 C. DIE SOGENANNTE ERSTE REPUBLIK (1918–1938) D. 1938–1989

A. PERIODE DER SOGENANNTEN NATIONALEN WIEDERGEBURT (1770–1850)

Die tschechische Kultur nutzte die Ant. als Instrument zur Erfüllung ihrer inneren Bedürfnisse. Die ant. Stilisierung festigte in der Lit. den Status des Dichters als eines »Auserwählten«, der mit überpersönlichen, ihrem Wesen nach sakralen Werten verbunden war; den philol. Charakter dieser Kultur unterstützte sie durch Übers. aus Fremdsprachen, als eine Art Aneignung des Originals. Übersetzungen aus der ant. Lit. wurden zu Höhepunkten der Übersetzungskunst. Es blühte die anakreontische und bukolische Poesie; *metra horatiana* (ebenso wie das Lebensideal *procul negotiis* und *aurea mediocritas*) prägten den Beginn der Lyr.; die Lyr. und Epik waren mit ant. Themen gesättigt; der Streit um den Charakter des tschechischen V. fand seinen Ausdruck im Streit zw. den Vertretern der akzentuierenden und quantitierenden Prosodie (→ Verskunst).

Milota Zdirad Polák (1788–1856) verfaßte die erste neutschechische Reisebeschreibung. Seine Reise nach It. (1820) brachte bemerkenswerte kulturhist. Erkenntnisse (Reportage über den Besuch in → Pompeji, Interesse für Arch. und ant. Kunst und Epigraphik, reiche Reminiszenzen an die ant. Lit., bes. Vergil).

B. ZWEITE HÄLFTE DES 19. JAHRHUNDERTS BIS 1918

Architektur, bildende Kunst, Ästhetik und Körperkultur: Für monumentale öffentliche Gebäude wie für repräsentative Privatsitze wurde der Neo-Renaissancestil gewählt. Die an die Höhe der it. Ren. (Paladio) oder der frz. Ren. anknüpfenden Gebäude konnten nicht ohne tektonische und ornamentale Glieder und Motive ant. Herkunft auskommen.

Josef Zítek (1832–1909), Urheber der Projekte des Nationaltheaters und Rudolfinums in Prag und der Mühlbrunn-Kolonade in Karlsbad sowie der Weimarer Galerie, und sein Mitarbeiter Josef Schulz (1840–1917), der selbständig das Gebäude des Nationalmus. und des Mus. für angewandte Kunst entwarf, bereicherten ihre Kenntnisse der griech. und röm. Architektur durch einen Studienaufenthalt in Italien. Die Anwendung ant. Elemente wurde zu einem so ausdrucksvollen Bestandteil der städtischen Bauten, daß man von einer Inflation des »ant. Stils« sprechen kann. Der Repräsentationscharakter der damaligen Bauten spiegelte sich in ihrer bildhauerischen und malerischen Ausschmückung. Bohuslav Schnirch (1845–1901) schuf von der ant. Myth. inspirierte Statuen und Reliefs (Apollo und die Musen auf der Balustrade über der Eingangsloggia des Nationaltheaters, die Triga der Siegesgöttin auf den Pylonen dieses Gebäudes), Vojtěch Hynais (1854–1925) den Vorhang des Nationaltheaters (der den Bau des Nationaltheaters, über dem ein beschwingter Genius schwebt, darstellt), die Lunetten im Wiener Burgtheater und das Gemälde *Das Paris-Urteil*. Josef Václav Myslbek (1848–1922) war auch an der Ausschmückung des Nationaltheaters beteiligt (mit den Statuen »Drama«, »Oper« und »Musik«) und strebte eine Synthese des → Klassizismus und »Romantismus« (→ Romantik) in einem neuen Monumentalismus an. In diesem wandelte sich die Vorstellung der Ant. als Zustand eines utopischen Paradieses, das dekorativ präsentiert wird, in eine schicksalsschwere Tragik, die die für die Attika des Wiener Parlamentes geschaffenen Statuen kennzeichnet (*Die Beständigkeit in der Denkart* beruft sich auf den Kanon der griech. Bildhauerkunst, *Die Ergebenheit* knüpft an die realistische und psychologische Expressivität der röm. Kunst an).

Miroslav Tyrš (1832–1884), einer der bedeutendsten Theoretiker dieser Strömung und gegen E. seines Lebens Professor der Kunstgeschichte am Prager Technikum, war Mitbegründer des Sportvereins Sokol (1862) und Propagator der praktischen Anwendung des ant. Ideals der Kalokagathie in der Sportbewegung (Studien *Das olympische Fest*, 1869; *Laokoon*, 1872). Er hielt den neohuman. Traum von der Harmonie des Menschen und der vollkommenen Menschlichkeit (→ Neuhumanismus) nicht für eine Utopie, sondern sah ihn als Bestandteil einer funktionierenden Gesellschaft, deren Ziel in der Vorbereitung jedes Bürgers auf ein freudiges und freies Leben bestand (→ Sport; → Körperkultur). Das System der Tyršschen Leibesübungen (das von den von Xenophon und Arrianos beschriebenen Übungen der griech. Armee abgeleitet war) und das Schema der öffentlichen Übungen (bei Turnfesten – slety) wurde zu einem Bestandteil der nationalen Rituale, die bis zum II. Weltkrieg beibehalten wurden.

Literatur: In der schöpferischen Arbeit der um die Zeitschrift *Lumír* konzentrierten Schriftsteller setzte sich die ant. Trad. durch, die in alle damals gepflegten Genres eindrang. Im Blickfeld stand dabei die gesamte Ant., von Homers Griechenland und dem röm. Alt. bis zur Zeit des Hell. und des späten röm. Kaisertums. Auch die ant. Randsphären – Ägypten, Judäa, Etrurien – spielten ihre Rolle. Die verhältnismäßig starke Uniformität in der Auffassung der ant. Stoffe zur Zeit der Ren. wurde hier von großer stilistischer Vielfalt abgelöst – die Ant. wurde in den lit. Werken sehr ernsthaft, pathetisch, tragisch sowie spielerisch und komisch, ja sogar burlesk und travestierend behandelt.

Jaroslav Vrchlický (1853–1912), der wichtigste Vertreter der Gruppe um *Lumír*, schuf mit dem Zyklus *Bruchstücke der Epopöe* ein Bild der Menschheit und ihrer Entwicklung. Er verbindet einen optimistischen Evolutionismus im Ideal des aktiven Menschen, der in Einklang mit der von ant. Göttern bewohnten Natur lebt (in dem Epos *Hilarion*, 1882, in dem ein frühchristl. Asket zur Erkenntnis gelangt, daß der Sinn des Lebens in der irdischen Existenz liegt), mit der Skepsis gegenüber der mod. Zeit. Die ideale Form der Menschheit des altertümlichen Roms wird in eine unabsehbare Zukunft verschoben (*Das Erbe des Tantalus*, 1888; *Bar Kochba*, 1897, ein Werk über den Freiheitskampf eines kleinen Volkes). Mythologische Motive mit widerspruchsvollen Helden wie Herakles, Odysseus, Prometheus, Sisyphos, Ikaros oder die freudigen Gestalten der Eroten, Satyrn, Kentauren, Silenen sowie der Venus und Pomona und v. a. der erotische Gott der Wälder und Weiden – Pan –, der als »Seele der Welt« aufgefaßt wird und der die Menschen lehrt, das Leben zu lieben, durchdringen die gesamte reflexive Lyr. des Autors: Über 300 Gedichte enthalten ant. Stoffe. Auf die Ant. ist die H. seiner Dramen eingestellt – die Trag. *Der Tod des Odysseus* (1883), *Julian Apostata* (1885) und *Eponina* (1896), die Kom. *Im Faß des Diogenes* (1883), *Die Rache des Catullus* (1887), *Die Ohren des Midas* (1890) und *In Dionys' Ohr* (1900). Während sich der Autor hier auf nicht allzu anspruchsvolle Intrigen oder Konversationskom. konzentrierte, zielte er in der Trilogie *Hippodamie* (*Pelops' Werbung*, 1890; *Aussöhnung des Tantalus*, 1891, *Hippodamias Tod*; 1891) auf die Ausnutzung der Erkenntnisse der ant. Trag. (Aufbau, Konstruktion des Dialogs und Monologs und im ersten, von Frg. der Schauspiele von Sophokles und Euripides inspirierten Teil sogar die Konstruktion des Chors). In der Unterstreichung der Fatalität und in der Ergänzung mit Musik von Zdeněk Fibich nähert sich die Trilogie Richard Wagner und stellt den Höhepunkt der zeitgenössischen Bemühungen um die Schaffung eines repräsentativen Werkes des nationalen Dramas dar. Vrchlickýs Beziehung zur ant. Trad. war in vielen Punkten indirekt, vermittelt durch die mod. Werke frz. und it. Dichter; er erregte jedoch das Interesse an der Ant. nicht bloß bei einer ganzen Reihe seiner Epigonen, sondern auch in weiteren Generationen.

Julius Zeyer (1841–1901) wich mit Ausnahme des fünfteiligen Gedichtes *Helena* (1881), das in Hexametern geschrieben ist, und der phantastischen Erzählung

Die Opalschüssel (1882), in der Sokrates auftritt, klass. Motiven aus. Seine »erneuerten Bilder« (Erzählungen und Novellen, die alte Quellen paraphrasieren) werden hauptsächlich vom Hell. (*Quitten*, 1890 – die Liebe zw. Akontius und Kydippa laut Aristainetos; *Stratonike*, 1892 – nach Motiven von Plutarch; *Evadna*, 1897 – nach Phlegon von Tralleis) oder vom röm. Mythos (*Vertumnus und Pomona*, 1893 – nach Ovid) inspiriert. Diese Prosatexte voll effektiver Wendungen, Metamorphosen und Anagnorismen sind nicht bloß Kopien des Fremden; der Autor hält sich niemals wortwörtlich an seine Quellen und bereichert das Hauptthema mit Leitmotiven, mit denen er in einer Weise arbeitet, die an die Methoden des sog. myth. Romans des 20. Jh. erinnert (siehe den Roman *Jan Maria Plojhar*, 1891, in die Gegenwart verlegt; wichtig ist das Grundthema der mythischen Landschaft und der Landschaft mit histor. Gedächtnis und mit Abläufen, die als Präfiguration des Hauptinhalts dienen).

Josef Svatopluk Machar (1864–1942) stellte sich nach dem Muster von Victor Hugo und Vrchlický im Zyklus *Gewissen der Zeiten* das Ziel, das Schicksal der Menschheit von den ältesten Zeiten bis zur Gegenwart darzustellen. In den ersten zwei B. des Zyklus (*Im Licht der hell. Sonne*, 1906, und *Gift aus Judäa*, 1906) schuf er ein idealisiertes Bild der Ant. als einer Welt, die irdisches Lebensglück proklamiert und auf die natürliche Herrschaft der Vernunft eingestellt ist, jedoch von der christl. Rel., die Natürlichkeit unterdrückt und den Menschen in grausame Askese stürzt, vernichtet wird. Seine Auffassung der Geschichte, deren Höhepunkt er in der Ant. sieht, zeigt er an Episoden aus seinem Privatleben, die mit plastischen Erzählungen der an den histor. Begebenheiten Beteiligten in Monologen, Dialogen, Aufzeichnungen oder Briefen sowie mit Porträts gewöhnlicher Menschen und großer Persönlichkeiten abwechseln. Eine antikisierende Atmosphäre erzeugen auch der V. ohne Reim, verschiedene ant. Versmaße (z. B. die Nachahmung der sapphischen Strophe), die Rhet. und eine gewisse archa. Färbung des syntaktischen Aufbaus hervor. Vor allem faszinieren ihn das kaiserzeitliche Rom und das starke Individuum, das imstande ist, seine Integrität zu bewahren. Diese teilweise von Friedrich Nietzsche beeinflußte Anschauungsweise durchdringt auch die Publizistik des Autors (*Ant. und Christentum*, 1919) und die Reisebeschreibungen (*Rom*, 1907; *Unter der it. Sonne*, 1918), die eine leidenschaftliche Polemik gegen die kirchliche Auslegung der Geschichte darstellen.

Jiří Karásek ze Lvovic (1871–1951) war ein Dichter, der sich gemeinsam mit den um die Zeitschrift *Moderne Revue* versammelten Literaten gegen Machars idealisierende und didaktische Auffassung der Ant. aussprach, da er den Gegensatz zw. Ant. und Christentum als künstlich zugespitzt betrachtete und gegen Machars kühle Vernünftelei die Notwendigkeit postulierte, die Ant. neu und mit Gefühl zu schaffen. In der von der Zensur beschlagnahmten Sammlung *Sodom* (1895), die mit der

Enthüllung tabuisierter Themen schockierte, wird die Ant. provokativ als Welt voller Leidenschaften und Sinnlichkeit, die dem langweilig banalen mod. Leben und seiner grauen Alltäglichkeit gegenübersteht, dargestellt; in der Sammlung *Endymion* (1909) hingegen werden die angeblich bacchanalen Ausschreitungen von Trauer über die Einsamkeit und Vergeblichkeit der Liebe und des menschlichen Schicksals abgelöst – Symbole sind Pygmalion, Echo, Hiakynthos und Sappho.

Theater: Es entstand eine Reihe von Dramen, in denen Individualismus, Skepsis, auch Zweifel und Hoffnungen der Jahrhundertwende in einen Traum vom neuen Titanismus umgeschmolzen wurden. So wird in Otakar Theers Trag. *Phaethon* (1916) die Sehnsucht von Helios' Sohn mit prometheischem Trotz verbunden.

C. DIE SOGENANNTE ERSTE REPUBLIK (1918–1938)

Theater: Das demokratische Klima begünstigte das Aufkommen der Satire, die ihren Platz einerseits in den ausgezeichneten Inszenierungen der Kom. des Aristophanes (*Thesmophoriazusen*, 1926; *Frieden*, 1933; *Vögel*, 1934), andererseits in den Stücken des *Osvobozené divadlo* (»Befreiten Theaters«) einnahm. Jan Werich (1905–1980) und Jiří Voskovec (1905–1981), Autoren und Protagonisten des »Befreiten Theaters«, verwendeten die ant. kostümierten Begebenheiten in den Schauspielen *Caesar* (1932) und *Der Esel und der Schatten* (1933) und verbanden in dem Stück *Himmel auf Erden* (1936) die Ren.-Kom. mit dem Amphitryon-Motiv. Ihre Theaterstücke – voll Parodie der ant. Welt und berühmt durch ihre Wortspiele – zielten auf eine scharfe Kritik an Einzelpersonen, der Gesellschaft, der Lit. und auch der Politik. Mit Bezug auf die Aristophanische Kom. wurde hier ein spezieller Typ einer Revue mit leicht skizzierten Gestalten, einer nicht allzu starren Handlung, einem phantastischen Milieu, in dem sich der Dialog mit Liedern und clownesken Szenen auf der Vorbühne abwechselten, geschaffen, die den Charakter einer Parabase trug.

Otakar Fischer, Wissenschaftler, Übersetzer und Dichter (1883–1938), schrieb 1919 das von *Faust* und Nietzsche beeinflußte dramatische Gedicht *Herakles* – ein Drama des mod. Individualismus – und die Trag. *Sklaven* mit der Hauptfigur Spartacus (1925; → Sklaverei).

Architektur und bildende Kunst: Der slowenische Architekt Josip Plečnik (1872–1957) bereicherte seine monumentalen Umbauten der Prager Burg nicht nur mit griech. und röm. architektonischen Elementen, sondern auch mit kretischen und myk. Motiven. Antike Motive finden sich in den Werken der Maler Alois Wachsman (*Der sich waschende Oedipus*, 1934; *Phaethon*, 1941; *Das Paris-Urteil*, 1942), Josef Šima (*Rückkehr des Theseus*, 1933; *Verzweiflung des Orpheus*, 1942) und Emil Filla (*Herkules und der Löwe*, 1938).

Musik: Opern mit ant. Themen schufen Bohuslav Martinů (*Soldat und Tänzerin*, 1926–27, nach dem Plautinischen *Pseudolus*) und Iša Krejčí (*Antigone*, 1933/34).

D. 1938–1989

Die mehrfach gewaltsam unterbrochene Entwicklung der tschechischen Kultur (durch die Besetzung der Tschechoslowakei 1938, durch die kommunistische Machtübernahme 1948, durch den Einmarsch der Länder des Warschauer Paktes 1968) bewirkte, daß die Ant. in der zweiten H. des 20. Jh. eine Ersatzfunktion erfüllte. Die Lit. des Alt. bot Werte, die die Gegenwartskunst entbehrte, so daß unter ihrem Deckmantel Probleme versteckt wurden, die – v. a. während der Zeit des Protektorats und der »Normalisierung« – nicht hätten ausgesprochen werden dürfen. Eine wichtige Rolle spielten sowohl die Herausgabe von Übers. (die Ant. *Bibliothek* des Verlagshauses Melantrich während des Protektorats und die gleichnamige Reihe im Verlag Svoboda, wo seit dem J. 1969 insgesamt 67 Bände erschienen sind, sowie die fünfbändige Auswahl der ant. Prosa in dem Verlagshaus Odeon) als auch die populärwiss. Lit. (*Enzyklopädie der Ant.*, 1973; *WB der ant. Kultur*, 1974; *Götter und Helden der ant. Sagen* von Vojtěch Zamarovský, 1965, 1982, 1996).

Theater: Eine noch breitere Kulturgemeinde erreichten die Aufführungen ant. Stücke. Durch sie wurden oft tabuisierte Themen eingeführt und ethische Fragen, die die Gesellschaft beunruhigten, deutlich artikuliert. Diese Aufgabe übernahmen sowohl die 21 Inszenierungen von Sophokles' *Antigone* als auch die Variationen der sophokleischen Themen, geschrieben von Milan Uhde (*Die Hure aus der Stadt Theben*, 1964), Přemysl Rut (*Polygoné*, 1989) und Roman Sikora (*Wegfegen von Antigone*, 1998) sowie die Inszenierungen von Sophokles' *Oidipus Tyrannos* oder Euripides' *Iphigenie in Aulis* und *Troades*.

Im Gedächtnis des Publikums sind sowohl die bedeutsamen Aufführungen des klass. Typus haften geblieben als auch die innovativen Fassungen von großartigen szenischen Collagen (*Oedipus – Antigone* im »Theater hinter dem Tor«, 1971; die Stücke des Euripides über den Trojanischen Krieg im »Theater Labyrinth«, 1994) aber auch die minimalistischen Vorstellungen, welche die Zahl der auftretenden Figuren stark reduzierten (*Medea* im »Studio Forum«, 1981).

Literatur: Trotz der Erfolge im Theater hat die Ant. weder nachhaltige noch zahlreiche Spuren im mod. lit. Schaffen hinterlassen. Es gibt keine lit. Richtung, die sich programmatisch zur Ant. bekennen würde. Die Benutzung von myth. oder histor. Anklängen ist allein durch die Eigenart des Autorensubjekts bedingt. Einige Autoren haben ihre Angst vor der Entwicklung der mod. Welt, die sich in eine globale Katastrophe stürzt, auf die Ant. projiziert. Dies trifft zu für Vitězslav Nezval und sein Stück *Heute noch geht die Sonne über Atlantis unter* (1956), für die lyr.-epischen Gedichte von František Hrubín (*Die Metamorphose*, 1958), Tomás Vondrovic (*Até*, 1975) und Vladimír Janovic (*Das Haus eines tragischen Dichters*, 1984). Einzigartig ist die Berufung auf das ant. Wertesystem in Jiří Kolářs *Epiktet von Vršovice* und in dessen eigentümlicher Poetik, die die 53 Kap. aus dem

Handbuch des Stoikers Epiktet paraphrasiert. Zu den Kuriositäten gehört die verspielte zweisprachige Poesiesammlung von Nonsens-Gedichten, verfaßt von Eugen Brikcius und Pavel Šrut, *Cadus Rotundus* (*Ein rundes Faß*, 1993).

Zu der Entwicklung des histor. → Romans trug Jarmila Loukotková mit ihrer tendenziös ausgerichteten Trilogie über die röm. Sklavenaufstände bei (*Spartakus*, 1950; *Der Kampf hört mit dem Tode nicht auf*, 1957; *Für wen das Blut*, 1968). Beliebt bei den Lesern waren der etwas romantische Roman aus der Zeit des Kaisers Nero (*Es gibt kein röm. Volk*, 1949, neue Fassung 1969), dessen Held der Dichter Petronius ist, und der Roman über das Leben des röm. Dramendichters Terenz (*Unter der Maske lachen*, 1977). Das histor. Fresko von Josef Toman *Nach uns die Sintflut* (1963) präsentiert auf dem Hintergrund einer ereignisreichen Handlung psychologisch durchziselierte Porträts des Kaisers Tiberius und des Philosophen Seneca. Die fiktive Biographie *Sokrates* (1975) faßt den Philosophen als die Verkörperung der menschlichen Weisheit auf und als den Vorgänger der mod. Vorstellungen über die soziale Gleichheit.

Musik: Bedeutende symphonische und vokale Kompositionen schufen Vladimír Sommer (*Antigone*, 1957), Petr Eben (*Apologia Sokratus*, 1967) sowie Josef Berg und Alois Piňos mit mod. Vertonungen ant. Stoffe.

Bildende Kunst: Eine Reihe von ant. Themen im Zusammenhang mit Erlebnissen in griech. und it. Landschaft gestaltete Jan Bauch (*Akropolis*, 1962; *Rückkehr des Odysseus*, 1968); weniger häufig war die Beziehung zu ant. Themen in den Plastiken von Olbram Zoubek (Zyklus *Iphigenie*, 1984–1986).

Nach 1989 hat es in der tschechischen Kultur keine nennenswerte Antikerezeption mehr gegeben.

1 J. JIRÁNEK, Zdeněk Fibich, Praha 1963 2 O. JIRÁNI, Antická dramata J. Vrchlického, in: Sborník Společnosti Jaroslava Vrchlického 1921/3, 20–47; 1924/5, 22–40 3 K. KREJČÍ, Klasicistické tendence v literatuře českého obrození, Praha 1958 4 Ders., Umělecký model antiky v českém kulturním vývoji od obrození do současnosti, in: Antika a česká kultura, Praha 1978, 309–327 5 Ders., Doba národního obrození, in: Antika a česká kultura, Praha 1978, 328–346 6 J. LUDVÍKOVSKÝ, Antické myšlenky v Tyršové sokolském a národním programu, in: Tyršův sborník 16, 1923 7 A. MATĚJČEK, V. V. ŠTECH, Národ sobě. Národní divadlo a jeho umělecké poklady, Praha 1940 8 E. STEHLÍKOVÁ, Tři setkání české dramatické tvorby s Plautem, in: Acta Universitatis Carolinae 1966, Philosophica et historica 5, 95–115 9 Dies., Classical Themes in Czech Drama, in: Listy filologické 91, 1968, 49–54 10 Dies., Jeopardized civilization as seen in the mirror of classical myths, in: Acta Universitatis Carolinae 1970, Philosophica et historica 1, 73–78 11 Dies., Proměna metamorfóz, in: Listy filologické 93, 1970, 59–63 12 Dies., Na přelomu staletí, in: Antika a česká kultura, Praha 1978, 360–371 13 Dies., Meziválečné období, in: Antika a česká kultura, Praha 1978, 372–382 14 Dies., La neve a Firenze ossia Tradizione antica nell'opera di Julius Zeyer, in: Listy filologické 120, 1997, 332–341 15 Dies., The Encounter of Theatre and Sculpture, in: Siew Dionizosa, Warszawa 1997,

163–169 16 F. STIEBITZ, Pojetí antiky u české dekadence, in: Práce II. sjezdu klasických filologů, Praha 1931, 283–296 17 Ders., Macharova antika, in: Naše věda 15, 1934, 209–214 18 K. SVOBODA, Antika a česká vzdělanost od obrození do první války světové, Praha 1957 19 V. ŠTĚPÁNEK, Májové období, in: Antika a česká kultura, Praha 1978, 346–350 20 Ders., Lumírovské období, in: Antika a česká kultura, Praha 1978, 350–360 21 Z. K. VYSOKÝ, Fischerův Herakles a řecká tragédie, in: Listy filologické 72, 1949, 69–79 22 A. ZÁVODSKÝ, Tschechische Dramen auf ant. Motive, in: Antiquitas Greco-Romana ac tempora nostra, Pragae 1968, 313–332. EVA STEHLÍKOVÁ

V. GESCHICHTE DER ALTERTUMSWISSENSCHAFTEN
A. KLASSISCHE PHILOLOGIE UND ALTE GESCHICHTE B. KLASSISCHE ARCHÄOLOGIE

A. KLASSISCHE PHILOLOGIE UND ALTE GESCHICHTE
1. 1780–1848: DIE ZEIT DER AUFKLÄRUNG

Das Interesse für die Ant. wuchs gegen E. des 18. Jh., als die durch die Gegenreformation verdrängte tschechische Sprache wiedererwachte. Von den slowakischen Studenten (das Slowakische war damals mit dem Tschechischen identisch), die in der Jenaer Societas Latina tätig waren, stammen die ersten Übers. (Pavel Josef Šafařík: Aristophanes' *Wolken* im dynamischen Rhythmus) und Studien. Eine bedeutende Rolle spielten die Zeitungen, Kalender und Übers. der damaligen Poesie, die die tschechische Öffentlichkeit mit der Ant. bekanntmachten. Das Griech. hat Josef Dobrovský bei dem Studium des Aksl. benützt. An der Prager Univ. begeisterten sich Professoren (dt.: Karl Heinrich Seibt, August Gottlieb Meißner, tschechisch: Jan Nejedlý) für neue Methoden der Interpretation. Nejedlý wies auf die Vergleichsmöglichkeiten des griech. und tschechischen Rhythmus hin (1801). Seine Übers. der *Ilias* im dynamischen Rhythmus folgte den Ansichten Dobrovskýs.

Die Begegnung mit dem → Neuhumanismus rief neue Übers. hervor. Der Historiker František Palacký entdeckte am Lyzeum in Preßburg seine Liebe zur Ant., die aus seinen persönlichen Treffen mit Friedrich Ritschl, Friedrich Wilhelm Thiersch und Johann Gustav Droysen ersichtlich ist. Von Bed. war seine teilweise Übers. von Platons *Phaidros* (1828). Die neu antretende Generation (Josef Jungmann) gab jedoch bei der Übers. (z. B. des Gedichtes *Nr. 3* von Moschos im J. 1804) dem quantitierenden Rhythmus den Vorzug.

2. 1848–1882: VOM REVOLUTIONSJAHR ZUR TSCHECHISCHEN UNIVERSITÄT

Im J. 1854 wurde die Reform des österreichischen Gymnasiums durchgeführt, wobei das Lat. als Unterrichtssprache durch die Landessprache ersetzt wurde. Auf diese Weise entstanden dt. und tschechische Gymnasien. Da die Gymnasiallehrer das Studium an der Philos. Fakultät absolvieren mußten, wurde an der Prager Univ. der Lehrstuhl für Klass. Philol. eingerichtet. Diese Entwicklung machte neue Lehrmittel erforderlich, unter denen ein homer. und ein nichthomer. WB von František Lepař (Schüler von Georg Curtius) herausragen.

Die Lehrfreiheit hatte ein Anwachsen von Aktivitäten und nationalistischen Tendenzen zur Folge. Diese nahmen seit April 1848 zu, da an der Univ. der Unterricht in beiden Landessprachen genehmigt wurde. Die tschechischen Studenten gründeten den Verein tschechischer Philologen (Jednota českých filologů), der bis h. tätig ist. Eine breitere Bed. hatten populärwiss. Arbeiten und Übersetzungen. Die Übers. von Aristophanes' *Fröschen* im dynamischen Rhythmus stellt jedoch nur einen Einzelfall dar (Václav Bolemír Nebeský, 1870).

Die wiss. Tätigkeit ist mit dem Namen Jan Kvíčalas (1834–1908) verknüpft. L. Lange erwirkte für ihn ein Stipendium in Bonn, wo er bei Friedrich Ritschl studierte (1856–57). Bereits seine erste Arbeit *Beitr. zur Kritik und Exegese der Taurischen Iphigenie des Euripides* (Wien 1858) erweckte Aufmerksamkeit. Bald wählte ihn die Wiener Akad. zu ihrem Korrespondierenden Mitglied (1867). In seinen *Vergil-Stud.* (Prag 1878) machte er bes. auf die Alliteration aufmerksam und veröffentlichte hier die Kollation der Prager Vergil-Manuskripte. Seine Arbeiten sind bes. in den Sitzungsber. der Akad. Wien zu finden. Im J. 1862 gründete er die *Bibl. griech. und röm. Klassiker* (*Bibliothéka klasikův*); im J. 1878 wurde er einer der Herausgeber der ersten tschechischen Fachzeitschrift, *Listy filologické* (Philol. Blätter), die bis h. erscheint. Im J. 1859 habilitiert, wurde er 1878 zum Dekan gewählt. Als Abgeordneter des Reichsrates in Wien (1880) entfaltete er eine umfangreiche Tätigkeit im Interesse des tschechischen Schulwesens. Sein Antrag auf die Errichtung einer selbständigen tschechischen Philos. Fakultät im Rahmen der Univ. wurde von der dt. Seite abgelehnt; dies führte zur Verselbständigung der tschechischen Univ. in Prag, an die auch Kvíčala zusammen mit Josef Král (habilitiert 1880) übertrat.

3. 1882–1918: Bis zum Ende des ersten Weltkrieges

Robert Novák (1853–1915) beschränkte sich auf gramm. und exegetische Studien. Zahlreiche Emendationen stützen sich bes. auf seine Belesenheit und sein Einfallsreichtum. Er veröffentlichte die Monographien *Velleius Paterculus* (1892), *Livius* (1894) und *Ammianus* (1896). Josef Král (1853–1917) schuf ein umfangreiches Werk, in dem er auch bisher vernachlässigte Bereiche (z. B. Theaterwesen) bearbeitete und Ergebnisse der Arch. berücksichtigte. In bes. Maße widmete er sich Platon (Bewertung des Wiener Ms. des *Protagoras*), der Metr. und der Rhythmik. In einem umfangreichen Werk analysierte er auf minutiöse Weise sämtliche von ihm zusammengestellten Beispiele der griech. Poesie, wobei er vom zweiseitigen griech. Akzent – dem musikalischen und dem expiratorischen – ausging. Das tschechisch geschriebene Werk (sein Autor wollte die tschechische Wiss. unterstützen) hat nur einen schwa-

chen Widerhall gefunden, ebenso wie der postume, bereits veraltete Auszug aus dem ursprünglichen Werk über die griech. und röm. Rhythmik und Metr. (Bd. 1–4, 1906–1915) *Beitr. zur griech. Metrik* (dt. 1925). In den Stud. über tschechische Prosodie ließ er allein den dynamischen Rhythmus als Übersetzungsprinzip gelten. Seine Übers. (*Antigone, Elektra*) wurden im Prager Nationaltheater erfolgreich aufgeführt. Als strenger Kritiker und Verteidiger der wiss. Wahrheit geriet Král mit Kvíčala und anderen Gelehrten in schwere Zwistigkeiten, woraufhin Kvíčala die neue Zeitschrift *České museum filologické* (1895–1905) gründete.

Außer der Philol. widmete man sich der Alten Geschichte. Trotz mehrerer Arbeiten über Vorderasien und Griechenland – bes. *Geschichte der Meder und der Perser bis zur makedonischen Eroberung* (dt. Bd. I 1906; Bd. II 1910; Bd. I–II ²1968) – wurde Justin Václav Prášek (1833–1924) nicht habilitiert. Im J. 1899 wurde für die griech. Epigraphik František Groh (1863–1940) habilitiert. Seinerzeit waren seine tschechisch geschriebenen Arbeiten bedeutend: *Top. des alten Athens* (1909, 1913) und *Das griech. Theater* (1909, ²1933). Emanuel Peroutka (1860–1912) hat v. a. die älteste Periode Griechenlands bearbeitet. Sein hauptsächlich auf Inschr. basierendes Buch *Die Verfassung der griech. Staaten* (1916) wurde aus dem Nachlaß von Karel Svoboda herausgegeben. In diesem Zeitraum (1890) erfolgte auch die Gründung der Böhmischen Kaiser-Franz-Josef-Akad. für Wiss. und Künste (später Tschechische Akad. der Wiss. und Künste bzw. Tschechoslowakische Akad. der Wiss., seit 1993 Akad. der Wiss. der Tschechischen Republik). Die ihr angehörenden Philologen und Mediävisten unterstützten zunächst v. a. die Katalogisierung und Ed. lat. schriftlicher Denkmäler aus den böhmischen Ländern und betreuten die Herausgabe von Übers. ant. Autoren.

4. 1918–1948: Die Zeit der demokratischen Tschechoslowakei

Bereits im J. 1919 wurden zwei neue Univ. gegründet: die Masaryk-Univ. zu Brno und die Komenský (Comenius)-Univ. zu Bratislava. Auch für die russ. und ukrainischen Emigranten wurde eine Univ. in Prag eröffnet. Die Kontakte zw. der tschechischen und der dt. Univ. waren jedoch auf einzelne Persönlichkeiten begrenzt. Die Bestrebungen Antonín Salačs (E. der 30er J.), eine gemeinsame Zeitschrift *Eunomia* herauszugeben, fanden keinen großen Widerhall, bes. nachdem die dt. Univ. Einwände gegen die Teilnahme ihrer jüd. Mitglieder (A. Stein, Victor Ehrenberg) erhoben hatte. Dank den Bemühungen von Salač und Theodor Hopfner erschienen (nur) zwei Nummern der *Eunomia*. In dem sog. Protektorat Böhmen und Mähren wurden im November 1939 alle tschechischen Hochschulen geschlossen, und aus der selbständigen Slowakei mußten fast alle tschechischen Professoren emigrieren. Im J. 1941 wurde der Prof. für Alte Geschichte in Brno Vladimír Groh standrechtlich erschossen. Wegen ihrer nazifreundlichen Aktivitäten nach dem Kriegsende wurden die dt. und ukrainische Univ. geschlossen.

An der Karls-Univ. wirkten Otakar Jiráni (1879–1934, röm. Lit.), Karel Wenig (1878–1964, griech. Lit.), Bohumil Ryba (1900–1980, MA) und Karel Svoboda (1888–1960), ein universaler Geist, der sich bes. der ant. Ästhetik widmete (*L'esthétique d'Aristote*, 1927; *L'esthétique de saint Augustin et ses sources*, 1933, span. Madrid 1958, tschechisch 1996), später auch der Geschichte der tschechischen Altertumswissenschaft. Sein B. *Die Ant. und die tschechische Kultur seit der Wiedergeburt bis zum I. Weltkrieg* (tschechisch 1957) wurde wegen seines deskriptiven Charakters nur als für Rotaprintdruck geeignet angesehen, so daß es fast unbekannt geblieben ist. Seine Übers. (Augustin, Vorsokratiker) sind hochgeschätzt. Auf dem Gebiet der Alten Geschichte widmete sich Josef Dobiáš (1888–1972) der Problematik der röm. Ostprovinzen und der Donauländer; der Klass. Archäologe Antonín Salač (1885–1960) ist hauptsächlich als Epigraphiker bekannt (*Fouilles de Delphes* III, mit G. Daux, 1932; *Einige arch. Denkmäler aus Ostbulgarien*, mit K. Škorpil, 1928, tschechisch; Redakteur des *SEG*).

An der Masaryk-Univ. konzentrierte sich F. Novotný (1881–1961) auf Probleme der Eurythmie in der Prosa, auf Platons Werk und auf die lat. Gramm., bes. Semantik: *Eurhythmie der griech. und lat. Prosa* (Bd. I 1918; Bd. II 1921), tschechisch; *État actuel des études sur le rythme de la prose latine*, in: Eos, Suppl. 5, 1929; *Platonis Epistulae commentariis illustrate*, 1930; *Platonis Epinomis commentariis illustrata*, 1960; *Über Platon* I–III, 1948, tschechisch *O Platonovi*. In diesem gewaltigen Werk unternahm er den Versuch, ein Gesamtbild Platons nach dessen Angaben vorzulegen. Die Kritik der Marxisten hat die Herausgabe des IV. Teils (Nachleben) beanstandet. Er erschien erst 1970, engl. 1977 (*Posthumous Life of Plato*). Der Band enthält den Nachhall Platons und die Rezeption seiner Lehre von der Ant. bis ins 20. Jahrhundert. Novotnýs Übers. von Platons Gesamtwerk, für welche er auch eine tschechische platonische Terminologie schuf, ist genau und elegant. Für den Unterricht sind seine *Historische Gramm. der lat. Sprache* (1946–1955) sowie sein Hauptanteil an dem *Lat.-tschechischen WB* ([18]1980) wichtig. Ferdinand Stiebitz (1894–1961) habilitierte sich nach einem einjährigen Studienaufenthalt in Berlin in ant. Literatur. Seine Interessen betrafen Vererbungsfragen, die neuen papyrologischen Funde der griech. Lyr. und die Problematik des Neuen Testaments. Als Übersetzer der ant. Poesie hat er Králs rigorose Übersetzungsregel gelockert. Von ihm stammen u. a. lebendige Übers. (*Oresteia*, *Antigone*, *König Ödipus*, *Medea*, ein sorgfältig aktualisierter Aristophanes, besonders *Acharner*, *Ritter*, *Vögel* und *Frösche*, eine Rekonstruktion des *Prometheus*), Bearbeitungen für den Rundfunk (*Mercator*, *Menaechmi*), weiterhin Ovids *Metamorphosen*, eine Auswahl griech. Lyr., eine Demosthenes-Auswahl unter dem bezeichnenden Titel *Letzter Kampf der Griechen um Freiheit* (1940), *Der goldene Esel* des Apuleius und einige Biographien des Plutarch. Gut bewertet sind seine Lehrbücher der griech. ([2]1967) und der röm. Lit. ([3]1966).

An der Komenský-Univ. war bis 1942 Antonín Kolář (1884–1963) tätig. Seine bedeutendsten Leistungen waren seine Monographien über Metr.: Die *Logaöden* (1933), *De dactyloepitritis* (1935), *De re metrica poetarum Graecorum et Romanorum* (1947) und andere. Wichtig sind seine Übers. von Diogenes Laertios und von Ciceros *De natura deorum*. Jaroslav Ludvíkovský (1895–1984) mußte im J. 1939 die Univ. verlassen und wurde Professor in Brno. Nach der bedeutenden Monographie über den griech. Abenteuerroman (tschechisch *Řecký román dobrodružný*, 1925), in welcher er auf Tendenzen und Elemente hinwies, die in der mod. Lit. den niedrigeren Volksschichten zugeordnet werden, widmete er einige Arbeiten der ant. Trad. in Böhmen und in der Slowakei. Von seinen Übers. ist bes. diejenige des Epikur zu erwähnen. Als erster slowakischer Philologe kam E. der 30er J. Miloslav Okál (1913–1996) an die Univ., der im J. 1943 eine für die damaligen Verhältnisse kühne Arbeit über Seneca und den Apostel Paulus herausgab.

An der nach dem Krieg gegründeten Univ. Palacký in Olomouc organisierte Antonín Kolář das Studienprogramm. Als Dozenten wurden berufen: L. Varcl (Rel., Papyrologie), Julie Nováková (röm. Lit.), Karel Janáček (Gramm.) und O. Pelikán (Klass. Arch.).

5. 1948–1989: DIE ZEIT DER SOZIALISTISCHEN REPUBLIK

Infolge der polit. Veränderungen (1948) wurde Lat. an den Gymnasien nur noch fakultativ unterrichtet, was zu einem Rückgang der klass. Sprachen führte. An den Fakultäten wurden größere Lehrstühle eingerichtet, an deren Spitze Leiter ernannt wurden, denen u. a. auch die Sorge um die ideologische Seite des Unterrichts oblag. Die ersten Leiter waren die Professoren Antonín Salač (Prag), Václav Machek (Brno), Karel Janáček (Olomouc) und Miloslav Okál (Bratislava).

Bei der neu gegründeten Akad. wurde das Kabinett für griech., röm. und lat. Studien (Leiter Antonín Salač, wiss. Sekretärin Růžena Dostálová) eingerichtet, dem die Leitung der wiss. Arbeit oblag. Es war verantwortlich für die Katalogisierung und Herausgabe der einheimischen lat. schriftlichen Denkmäler und veranstaltete Arbeitskonferenzen; Salač und George Thomson (Birmingham) veranlaßten die Gründung einer internationalen Organisation von Ant.-Forschern aus den sozialistischen Ländern unter dem Namen »Eirene«. Diese veranstaltete in verschiedenen sozialistischen Ländern Konferenzen, an denen auch bed. Forscher aus den westl. Ländern teilnahmen. Das Kabinett gab die Zeitschriften *Listy filologické* und *Eirene* heraus und entwickelte eine intensive Zusammenarbeit mit der Akad. d. Wiss. zu Berlin. Darum machten sich bes. verdient Salač und Johannes Irmscher. Die Wissenschaftler aus der ČSSR (Jan Burian, Karel Janáček, Václav Marek, Jan Pečerka, Ladislav Vídman u. a.) beteiligten sich u. a. an *CIL*, *PIR* und *Bibliotheca Teubneriana*. Auch die Univ. geben wiss. Zeitschriften und Monographien heraus. Während der Unterricht in den klass. Sprachen abnahm, liefen die Wiss. und die Kunst der Übers. in vollem

Ausmaß weiter. Es sei nur auf die Serie *Ant. Bibliothek* (*Antická knihovna*, bisher mehr als 60 Bde.) verwiesen.

6. Seit 1989: Zurück zur Demokratie

Trotz vieler Bemühungen hat sich der Stand des Unterrichts an den Gymnasien nur wenig verändert. An den Hochschulen besteht die Klass. Philol. weiter in Prag, Brno, Olomouc; an der neuen Univ. in České Budějovice wird nur Lat. gelehrt. In Einzelfällen wurde denjenigen, denen es aus polit. Gründen bisher verweigert worden war, die Habilitation bzw. die Professur ermöglicht. Mit der Trennung von Tschechien und der Slowakei ist zwar eine selbständige Entwicklung in beiden Ländern eingetreten, doch die Kontakte bestehen ungehindert weiter. In größerem Umfang entwickeln sich internationale Beziehungen; einige Bibl. wurden mit wertvollen Publikationen bereichert, und manche Autoren haben die Möglichkeit genutzt, im westl. Ausland zu publizieren. Weiterhin wurden einige Fachbücher ins Tschechische übertragen. Das Kabinett der Akad. hat die klass. Stud. teilweise zugunsten des Spätlat. begrenzt.

1 A. Bartoněk, History and Bibliography of Classical Scholarship in Czecho-Slovakia, 1900–1987, in: The Classical Bulletin, 68, 1992, 39–62 2 I. Lisový, Stručná česká bibliografie antiky, in: Menerva 2, 1999, 116–119 (Verzeichnis der tschechischen Bibliogr. sowie der Bibliogr. einzelner Vertreter der tschechischen Altertumswiss.) 3 D. Škoviera, De septuaginta annis studiorum antiquitatis in Universitate Comeniana Bratislavensi, in: Auriga 1994–1995, 13–19 (slowakisch) 4 K. Svoboda (Hrsg.), Bibliografie českých a slovenských prací o antice za léta 1901–1950, Praha 1961 5 K. Svoboda (Hrsg.), Bibliografie českých prací o antice za léta 1775–1900, Praha 1947 6 L. Vidman (Hrsg.), Bibliografie řeckých a latinských studií v Československu za léta 1951–1960, Praha 1966 (Die späteren, in jährlichem oder zweijährlichem Abstand erschienenen Bibliogr. sind verzeichnet in den Arbeiten von A. Bartoněk und I. Lisový).   Radislav Hošek

B. Klassische Archäologie

An der Wende des 18. zum 19. Jh. entstanden mehrere Gipssammlungen; die größte wurde von der Gesellschaft der vaterländischen Freunde der Kunst eingerichtet. Die ersten Spezialkurse über ant. Kunst führte Franz Lothar Ehemannt an der Prager Univ. ab 1775 durch, dann Jan Erazim Vocel (ab 1850/51). Die größte Antikensammlung des 19. Jh. in Böhmen trug Baron Franziskus Koller (1767–1826) in seinem Schloß Obříství bei Mělník zusammen; sie wurde jedoch von seiner Witwe an den preußischen König verkauft.

Ein Lehrstuhl für Klass. Arch. wurde 1872 in Prag eingerichtet; als erster wurde Otto Benndorf berufen, der bis 1879 blieb. Die Einrichtung der Gipssammlung in den J. 1872/73 gehört neben der erfolgreichen Lehrtätigkeit zu seinen Verdiensten. Sein Nachfolger Eugen Petersen blieb nur kurze Zeit in Prag. Nach der Teilung der Univ. im J. 1882 (die Sammlungen und Bibl. blieben damals beim dt. Zweig) lehrte im tschechischen Zweig Miroslav Tyrš (1884 – seine Habilschrift war dem Lao-

koon gewidmet), im dt. Zweig 1885–1922 W. Klein (1850–1924). Er rekonstruierte im Prager Gipsmus. mit Hilfe des Bildhauers Josef Václav Myslbek viele ant. Gruppen und Statuen. Im tschechischen Zweig war Nachfolger von Tyrš Hynek Vysoký (1860–1937), der sich 1889 zuerst für Klass. Philol. habilitierte. Seine Hauptarbeiten waren den Altertümern gewidmet. Als Nachfolger von Klein wirkte einige J. Camillo Praschniker (1923–1930) und dann bis 1945 Alois Gotsmich.

Vojtěch Birnbaum (1877–1934) kam nach dem I. Weltkrieg aus Wien nach Prag, wo er sich der frühchristl. Architektur widmete. Václav Dobruský, die drei Brüder Škorpil und ihr Cousin Konstantin Jireček machten sich im Schwarzmeergebiet als Archäologen einen Namen. Dobruský (1858–1916) gründete und führte ab 1893 das bulgarische Nationalmus. in Sofia. Er wurde 1910 pensioniert und lehrte dann noch einige J. in Prag. Konstantin Jireček, der 1879–1884 in Bulgarien lebte, beschäftigte sich bes. mit der Top. und Epigraphik dieses Landes beschäftigt. Von den Brüdern Škorpil waren Karel (1859–1944) und Hermenegild (1858–1923) fleißige Ausgräber und Gründer von Mus., bes. Karel Škorpil, der Begründer des Mus. von Varna. Václav (Vjačeslav) Škorpil (1835–1918) war Begründer und seit 1901 Direktor des Mus. von Kerč. Der Deutschböhme Anton Gnirs (1873–1933) leitete röm. Grabungen in Istrien und erforschte die röm. Lager in Südmähren und in der → Slowakei.

Die Nachfolge von Vysoký trat 1934 Josef Čadík an (1891–1979). Er schrieb ausgezeichnete Arbeiten über griech. und röm. Glas, Schmuck und Vasen. Zweimal entkam er knapp dem Tode: zuerst, als er für seine Tätigkeit in der Untergrundbewegung E. 1944 zum Tode verurteilt wurde, und zum zweiten Mal im J. 1950, wegen einer »Spionageaffäre«. Seine Assistentin, die spätere Dozentin und Professorin Růžena Vacková (1901–1982), hatte ein ähnliches Schicksal. Ihre Hauptarbeiten sind der kunstgeschichtlichen Deutung der Theaterbühne und der allg. Stilgeschichte (das letzte Buch konnte erst nach 1989 erscheinen) gewidmet.

Das Prager Institut leitete nach der Inhaftierung der beiden Professoren im J. 1951 bis zum J. 1958 Antonín Salač, ein bedeutender Epigraphiker, auch durch seine Grabungen in Kyme, auf der Samothrake und in Bulgarien bekannt; als Assistent war Jiří Frel, ein hervorragender Kenner der griech. Kunst, tätig, der später zum Professor ernannt wurde. Seit 1969 wirkt er im Ausland. Im J. 1985 wurde Jan Bouzek zum Dozenten und 1992 zum Professor berufen; er führte Grabungen u. a. in Beirut, Pistiros in Bulgarien, Mušov und Südmähren durch.

Im J. 1945 wurde auch ein Seminar für Klass. Arch. an der Masaryk-Univ. zu Brno gegründet, wo Gabriel Hejzlar (1894–1972), Oldřich Pelikán (1913–1987) sowie R. M. Pernička, J. Hrubý und Jan Beneš (1934–1977) wirkten. Das Seminar hat kleinere Grabungen in Südmähren unternommen; Beneš hat zur Dislokation der Auxilia in Dazien und Mösien beigetragen. Zur Zeit wird das Seminar von Marie Pardyová geleitet. Nur kurzfristig existierten die Seminare für Klass. Arch. in Olomouc und in Bratislava.

1 J. BOUZEK, Die Gesch. der klass. Arch. in den Böhmischen Ländern, in: Eirene 33, 1996, 64–80 (mit Bibliogr.).

JAN BOUZEK

Türkei   I. ALLGEMEIN   II. MUSEEN

I. ALLGEMEIN
A. OSMANISCHE ZEIT   B. DIE NATIONALE ENTDECKUNG DER ANTIKE IN DER TÜRKISCHEN REPUBLIK

A. OSMANISCHE ZEIT

Die Hinwendung zum klass. Alt. als unislamische, heidnische Vergangenheit und fremde, v. a. griech. Geschichte mußte auf die Ablehnung der türk. Muslime osmanischer Zeit und ebenso der nationalstaatlichen Türk. Republik aus rel. und nationalen Motiven stoßen. Eine verstärkte Beachtung der Ant. ist in der osmanischen T. als ein Resultat der Reformbestrebungen Mahmuts II. (1808–1839) um die Mitte des 19. Jh. innerhalb der Tanzimat (Neuordnung) feststellbar, in der die geistige, lit. und wiss. Begegnung mit Europa und eine Öffnung des Osmanischen Reichs stattfand. Wegbereitend werden die Einrichtung des Tercüme Odası (Übersetzerbüro) 1832 zur Erschließung abendländischer Literaturen, die Neueinrichtung säkularer Bildungsstätten mit zumeist frz. Unterrichtssprache und die Gründung der Encümen-i daniş, einer Akad. der Wiss. nach europ. Vorbild, und später die Eröffnung einer Hochschule, Darülfünun-u osmani, (1870). Osmanische Autoren beginnen das Thema aus einer Sicht zu erschließen, die in der Ant. zunächst Grundlage und Bestandteil des abendländischen Kultur erkennt und in ihr die Ursache für die aktuelle Vorrangstellung Europas über die islamische Welt vermutet. Zu den ant. Quellen habe Europa jedoch nur über den Islam finden können. Diese Sicht beruht auf der Wirkung der Hochschätzung der kulturgeschichtlichen und geisteswiss. Bed. des Griech. und den Leistungen des Griechentums für die mod. Wiss., Naturwiss. und Technik.

Die Beschäftigung mit der Ant. erfolgt unsystematisch, unvollständig und auf unterschiedliche Gebiete zerstreut. Sie verläuft indirekt und vermittelt über die fremde, europ. Trad., deren Geistesgeschichte, Literaturen und Sprachen. Ein eigenständiger, direkter Umgang mit den ant. Quellen, der Lit. und Geisteswelt findet noch nicht statt. Wo Auszüge ant. Werke in türk. Übers. zugänglich werden, handelt es sich um Übertragungen aus europ. Sprachen, zumeist frz. Vorlagen. Die osmanischen Intellektuellen fanden über das primäre Interesse an den Werken europ. Lit.- und Geistesgeschichte zur Ant., so v. a. der Werke La Fontaines, Fontenelles, Fénelons, Corneilles, Racines und Moliè-res, Shakespeares, Goethes und Schillers. Ihre Lektüre gibt eine erste Auswahl ant. Werke gleichsam vor. Zunächst überwog der Anteil griech. Autoren, nämlich Homer, Herodot, Xenophon, Äsop, Euripides, Plutarch und Lukian; im Bereich der röm. Lit. ist anfangs nur Cornelius Nepos vertreten.

Auszüge der Ilias (I, 1–15) wurden übersetzt von dem Ersten Sekretär des Sultans Murad V., Sadullah Paşa (1838–1890), das genaue Entstehungsdatum ist jedoch ebenso unbekannt wie der Anlaß der Übertragung, von der etwa 46 Seiten erhalten sind. Weitere Bearbeiter der Ilias sind M. Naim Frauşeri (1886) und Selanikli Hilmi (1899). Zahlreiche Vermittler ins Türk. haben sich im 19. Jh. mit den Fabeln Äsops befaßt, so Ahmet Mithat, Osman Rasih, Çelebizade Agop Lütfi und Ebüzziya Tevfik. Auszüge der Historia Herodots veröffentlichte Necip Asım 1874 und ebenso Mithat Paşa, dessen bes. Interesse den Skythen gilt. Xenophons Kyropädie übertrug Ahmet Mithat, der Dichter Ziya Paşa beschäftigte sich mit Plutarchs Biographien und veröffentlichte 1882 Auszüge daraus. Mihalaki übertrug 1882 die Idyllen des Theokrit, Vasilaki Auszüge aus Lukians Wahren Geschichten. Mehmet Tahir veröffentlichte 1888 eine Auswahl aus De Viribus Illustribus des Cornelius Nepos.

Neben den auszugsweisen Übertragungen erschienen schon im 19. Jh. vermehrt türk. Veröffentlichungen im Bereich der Mythologie. So gab der Dichter Nabizade Nazım 1893 das Handbuch Esatir (Mythologie) heraus, ebenso Şemseddin Sami Bey Fraşeri 1895. Den bedeutendsten und umfangreichsten Beitr. zur Mythologie vor der Republikzeit stellt das 1913 erschienene Werk Esatir-i Yunaniyan (»Griech. Myth.«) des Dichters Mehmet Tevfik dar. Erstmals thematisieren spätosmanische Historiker in ihren Geschichtswerken die Ant.: Cevdet Paşa in seiner Tarih-i Cevdet (1869/70), Kostanidi Paşa in der Tarih-i Yunanistan-i Kadim (1870), Süleyman Hüsnü Paşa in der Tarih-i Alem (1876), Şemseddin Bey Fraşeri in Medeniyet-i Islamiye (1878/79), Ahmet Mithat Efendis Kâinat (1880/81) und Misancı Mehmet Murads Tarih-i Umumi (1880–1882), Ahmet Eğribozis Tarih-i Kudemay-ı Yunan ve Makedonya, Todoraki Paşas Avrupa Tarihi sind Beispiele hierfür.

An der Rezeption und Vermittlung der Ant. waren auch die sich im 19. Jh. herausbildende Presse, das Theater und schließlich Dichtung und Lit. beteiligt. Durch die Aufführungen ausländischer, v. a. frz. Ensembles wurden die antikisierenden Dramen der frz. Klassik bekannt. Seit der Wende zum 19. Jh. fanden aber schon Dramen des Sophokles und Euripides Berücksichtigung, die allerdings auch durch frz. oder griech. Ensembles vermittelt wurden, darunter Elektra (1909, 1911, 1914), Philoktet (1912), Antigone (1912), König Ödipus (1912), Medea (1911) und Hekabe (1912).

Mit der Abkehr von der osmanischen Kunstsprache und ihren Manierismen, dem starken Einfluß der persischen und arab. Elemente seit Mitte des 19. Jh. und der Hinwendung zu einer dem gesprochenen Türk. nahen Literatursprache sowie der Orientierung an den europ.

Literaturen gelangen auch in der Trad. der Ant. stehende Themen, Stoffe und Motive in die türk. Literatur. Erste Beispiele sind das Gedicht *Promete* des Dichters Tevfik Fikret (1911) und die Erzählungen *Venus* und *Aurora* des Schriftstellers Mehmet Celal. Die eigentliche lit. Entdeckung des klass. Alt. für die türk. Lit. erfolgt Anf. des 20. Jh. durch die Nev-Yunanılık (Neugriechentum) genannte lit. Strömung der beiden Dichter Yakup Kadri Karaosmanoğlu und Yahya Kemal Beyatlı, die, inspiriert durch das frz. Vorbild der Parnassiens, v. a. Charles Marie Leconte de Lisle und José-Maria de Hérédia, eine türk. Nationallit. begründen wollten, die Einfachheit der Form sowie Klarheit und Natürlichkeit der Sprache anstrebte. Beide Dichter vertraten die Auffassung, mit dem Aufgreifen der Ant. nicht mehr nur Nachahmer zeitgenössischer europ. Strömungen zu sein, sondern eine eigenständige türk. Lit. entwickeln zu können. Eine Fülle neuer, aus der Ant. geschöpfter Kunstformen, mythischer Stoffe und Themen der griech. Philos. gelangten so in die türk. Literatur. Wegweisend für die türk. Moderne ist ihre lit. Produktion auch deshalb, weil Karaosmanoğlu und Beyatlı zu einem selbständigen und produktiven Umgang mit den rezipierten Mythen und Stoffen gerade bei deren Deutung fanden und ihre Lit. nicht bloße Nachbildung europ. Vorbilder war. Positionen der mod. T. vorwegnehmend formulierten Yakup Kadri und Yahya Kemal erstmals den Gedanken der türk. Teilhabe am klass. Alt. als eigene, nicht fremde abendländische Geschichte, in der sie Anatolien und seine Bevölkerung geogr. und kulturell als Teil einer Akdeniz Uygarlığı (Mittelmeerkultur) betrachteten. Das von der ant. Kultur geprägte Anatolien galt ihnen zugleich als Vorbild für die Gegenwart. Diese Vorstellung wurde exemplarisch geäußert in Yakup Kadris 1914 veröffentlichter Erzählung *Siyah Saçlı Yabancı ile Berrak Gözlü Genç Kızın Sözleri* (»Das Gespräch des schwarzhaarigen Fremdlings mit dem blauäugigen jungen Mädchen«). Eine Breitenwirkung war beiden Schriftstellern nicht beschieden, zumal sich ihre der Ant. zugewandte Dichtung und Lit. dem Verdacht aussetzte, wenig national, untürk. und griechenfreundlich zu sein.

B. DIE NATIONALE ENTDECKUNG DER ANTIKE IN DER TÜRKISCHEN REPUBLIK

Die Entdeckung des klass. Alt. für die türk. Geschichte fand im Rahmen der bes. seit den 30er J. geführten polit. Diskussion um nationale Selbstfindung und Selbstdefinition statt. Im Spannungsfeld zw. dem obsoleten Panturkismus, dem kemalistischen Nationalismus und dem in den 40er J. wiedererstarkenden Islamismus entwickelte sich innerhalb einer kleinen intellektuellen Elite der sog. Türk Hümanizmi (türk. Human.) als Variante des türk. Nationalismus. Diese Strömung hatte jedoch keine Breitenwirkung, da die Beschäftigung mit der Ant. und die Vorstellung von der Ant. als Teil der türk. Geschichte umstritten blieb und jederzeit mit der Begründung untürk. und unislamisch zu sein, widerrufen werden konnte. Die Voraussetzungen für die Entstehung des Türk Hümanizmi und die

Hinwendung zur Ant. waren durch die Entstehung eines Nationalstaates 1923 mit seiner räumlichen Beschränkung auf das anatolische Kernland, den antiislamischen Kurs und durch das Bestreben, einen mod. Staat nach europ. Vorbild zu schaffen, gegeben. Die islamischen Reiche des MA und später das Osmanische Reich als Zentrum der islamischen Welt galten nur als Teil der türk. Geschichte, nicht mehr jedoch als deren Höhepunkt. Somit konnte die gesamte nichttürk. heidnische Vergangenheit des »kleinasiatischen« Raumes, insbes. auch das klass. Alt. als eigene anatolisch-türk. Geschichte in den Blick rücken und in Anspruch genommen werden. Die Ant. wurde hierbei aber nicht als originär griech. und damit abendländische Erscheinung gesehen. Die nationalgeschichtliche Sicht ließ die Bed. des Griechentums, einschließlich byz. Geschichte in den Hintergrund treten und versuchte zu zeigen, wie Anatolien als gleichsam nationales Gebilde eine völlig eigene und dem Griechentum überlegene ant. Zivilisation und Kultur hervorgebracht habe. So wurden die Stämme, Völker und Reiche seit Beginn des 2. Jt. als autochthone kleinasiatische Urbevölkerung oder ganz im Sinne des türk. Nationalismus als frühe Türken. verstanden. Ebenso wurde das Ionische als genuin anatolische, nicht griech. Sprache eingeordnet. Allerdings sollte die bisweilen mißverständliche national übersteigerte Perspektive funktional bewertet werden, denn erst die nationale Entdeckung der Ant. eröffnete die umfassende Behandlung vortürk. Vergangenheit. Aus der Sicht des Türk Hümanizmi beruhte der Aufstieg des Abendlandes auf dieser anatolisch-türk. Geschichte. Das Interesse an der Ant. war nie wiss., philol. oder histor. Selbstzweck, sondern ein Mittel der nationalen Selbstvergewisserung vor dem Hintergrund der geistigen, wirtschaftlichen und sozialen Umbrüche im Zuge der Entstehung eines nach Europa hin orientierten türk. Nationalstaates.

Der verklärende Blick auf die Ant. als anatolisch-türk. Kultur erfüllte kompensatorische Funktionen, soweit sie versprach, den Makel bloßer Imitation europ. Vorbilder zu löschen und auf eine eigene, wiederaufgefundene Geschichte zurückzugreifen. Europa wurde auf der anderen Seite als bloßer Epigone der anatolischen Ant. angesehen. So sind es gerade die aktuellen Anliegen, für die die anatolische Ant. in Anspruch genommen wird. Aufklärung, Fortschrittlichkeit, die Emanzipation von theologischen Autoritäten, Säkularismus und Wissenschaftlichkeit wurden den ionischen Naturphilosophen zugeschrieben, die Gleichstellung der Frau wurde am Beispiel berühmter »anatolischer« Frauen, so der Amazonen, Artemisia I., Aspasia oder Sappho gezeigt, Homer stand für die Humanität der anatolischen Gesellschaft, Solon erschien als Analphabet, der nach Anatolien gekommen war und von dort Demokratie und sozialen Fortschritt nach Athen tragen konnte, die Sieben Weisen, zumeist anatolischer Herkunft, standen vorbildhaft für mod. demokratische Staatlichkeit, der vergangene frühere Wohlstand Anatoliens verwies auf das gegenwärtige ökonomische Potential. Die so verstandene anatolisch-türk. Ant. wurde als Quell eigener gesellschaftlicher Erneuerung gesehen, Islam- und Gegenwartskritik wirkte hinein. In der Ant. wurden die Wurzeln des mod. Staates und die Voraussetzungen für einen aufgeklärten, reformierten Islam wahrgenommen; die türk. Humanisten neigten dazu, die Ant. als Zeit der Aufklärung Anatoliens darzustellen.

Die Zweifel am Anspruch des Islam, alleiniges Vorbild zu sein, führten dazu, ethnische Minderheiten, heterodoxe Strömungen (Kızılbaş-Alevitum), Mystik und Volksfrömmigkeit aufzugreifen, die ihnen als Tradenten ant. Vergangenheit abseits der theokratischen Beherrschung durch die islamische Orthodoxie galten.

Zu den bestimmenden polit. Faktoren der Republikzeit gehörte die Offenheit der türk. Kulturpolitik, die gleichzusetzen ist mit der Amtszeit des Erziehungsministers Hasan Âli Yücel (1938–1946). Die Aufgeschlossenheit gegenüber vortürk. Kulturen zeigte sich in staatlichen Förderungsmaßnahmen und Projekten. So verstärkte sich der Einsatz für Altertümer und Mus., die Förderung der Arch., als deren Begründer Atatürk angesehen wird, die Einführung des → Altsprachlichen Unterrichts an einigen Gymnasien und Univ., die Übersetzungstätigkeit des Tercüme Bürosu und das volkspädagogische Engagement der Dorfinstitute ab 1940.

Die Übersetzer des Tercüme Bürosu stellten für den türk. Leser eine umfangreiche Sammlung von Werken der griech. und röm. Ant. zusammen, die entweder in Auszügen in der Zeitschrift *Tercüme Dergisi* (»Übersetzungszeitschrift«) publiziert oder als Buchveröffentlichung herausgegeben wurden. Zugleich informierten sie über Epochengeschichte, Autoren, Werke und lit. Gattungen und Formen, aber auch Philos. und Geschichtsschreibung. Das Spektrum der griech. Lit. reichte von der epischen Dichtung Homers bis zur wiss. Prosa des Aristoteles. Vorgestellt wurden Homer (*Ilias* und *Odyssee*), Hesiods *Theogonie*, in größerem Umfang auch Lyr., z.B. Mimnermos, Tyrtaios, Archilochos, Sappho, Alkaios, Anakreon und Pindars *Epinikien*, nahezu vollständig die Trag. des Aischylos, Sophokles und Euripides, die Kom. des Aristophanes und Theophrast, die Geschichtsschreibung durch die *Historien* des Herodot, des Thukydides und Xenophon; im Bereich der Philos. die → Vorsokratiker, Platon (*Kriton, Symposion, Politeia, Nomoi*) und Aristoteles' *Nikomachische Ethik*. Aus der röm. Ant. sind Werke der Republikzeit von Plautus, Terenz, Catull, Vergil, Lukrez, Caesar (*Bellum Civile, De Bello Gallico*) bis Cicero (*Catilinarische Reden, Der Staat, Über die Freundschaft*), aber auch des augusteischen Zeitalters (Vergils *Aeneis*, Horaz' *Oden, Satiren*, Properz' und Tibulls *Liebeselegien*, Ovids *Metamorphosen* und Livius) stark vertreten. Die Zeit Neros ist durch Petronius (*Satyrica*) und Senecas *Dialoge, Briefe über Ethik* repräsentiert; das Zeitalter von den Flaviern bis Marc Aurel durch Plinius' *Briefe*, Suetons *Kaiserviten*, Tacitus' *Gespräch über die Redner*, Plutarchs *Biographien*, Lukian, Apuleius und Marc Aurel selbst. Wenig Interesse wurde

dagegen dem E. des Alt. und dem Übergang zum christl. MA an der Wende vom 5. zum 6. Jh. entgegengebracht. Die restaurativen Tendenzen der Reislamisierung schwächten den Rekurs auf die Antike. Mit dem Rücktritt Hasan Âli Yücels 1946 wurde auch die Arbeit des Tercüme Bürosu eingestellt.

Das Wiedererstarken des Islams verdrängte jene intellektuelle Elite, die an den kulturreformerischen Projekten Hasan Âli Yücels beteiligt waren. Untereinander eng befreundete Dichter, Künstler und Intellektuelle führten fort, was die Umwälzungen der Politik abrupt beendet hatten. Zu den wichtigen Repräsentanten des Türk Hümanizmi zählten der Freundeskreis um den Erzähler und Publizisten Halikarnas Balıkçısı, die Altphilologin Azra Erhat , den Lehrer, Journalisten, Übersetzer und Filmemacher Sabahattin Eyuboğlu und den Journalisten Vedat Günyol. Der Kreis erweiterte sich ständig, u.a. durch die 1946 ins Leben gerufene Mavi Yolculuk (Fahrt ins Blaue), einer Kreuzfahrt und Exkursion einer kleinen Schar von Künstlern, Schriftstellern und Malern zu den ant. histor. Stätten und Kunstdenkmälern entlang der gesamten türk. Westküste. Hier wurde ein Geschichtsbild konzipiert, das die Ant. als Teil der nationalen anatolisch-türk. Kultur wahrnahm. In der pädagogischen Praxis wurde dieses Geschichtsbild unermüdlich durch den volksdidaktischen Anspruch des Kreises popularisiert, dessen Bildungsfahrten jedem Interessierten offenstanden. Hierher gehört auch die Fortführung der übersetzerischen Erschließung griech. und lat. Quellen für ein breiteres Publikum, ebenso die Beschäftigung mit türk. Volkslit., deren Geisteshaltung als Ausdruck eines genuinen türk. Human. gedeutet wurde.

Darüber hinaus wurde die Entdeckung der Ant. zu einem Quell der Inspiration für die türk. Lit. und Kunst. Unerwartet reichhaltig, intensiv und in ihrer Deutung überraschend neu zeigen sich die Werke mod. türk. Künstler und Schriftsteller. Der als Kommunist verdächtigte und an der bulgarischen Grenze ermordete Sabahattin Ali (1907–1948) war als Übersetzer für das Tercüme Bürosu tätig und nahm an der ersten Mavi Yolculuk teil. In *Çirkince* (»Ziemlich Häßlich«) konfrontiert er ein fiktives westanatolisches Dorf, dessen *nomen ominosum* der Erzählung ihren Titel gibt, mit seiner idealisierten griech-ant. Vergangenheit. Der Autor geht dabei sogar so weit, das Eintreffen der Türken in der durch die Griechen geprägten Region mit deren kulturellem Verfall gleichzusetzen. Inspiriert und gegensätzlich zeigen sich die lyr. Werke Salih Zeki Aktays (1896–1971) und Mustafa Seyit Sutüvens (1908–1969). In Şarkıkaraağaç/Isparta geboren, war Aktay als Gymnasiallehrer, Bibliothekar und Übersetzer tätig. Unter anderem übertrug er Ovids *Metamorphosen*, die seine antikisierende Lyr. tief beeinflußten. 1930 entstand sein epyllhafter Gedichtzyklus *Persefon* (»Persephone«), der schon durch die Wahl des Stoffes kein anatolisches Thema gestaltet, sondern die den türk. Lesern unbekannte griech.-röm. Myth. aufgreift, diese dann aber erstmalig mit der lit. Tradition türk. Frühlingsgedichte verbindet. In der Lyr. des in Edremit geborenen Mustafa Seyit, die erst 1976 als Gesamtwerk veröffentlicht wurde, zeigt sich hingegen die Ant. vollkommen als anatolisch-türk. Vergangenheit. Anatolien ist der Raum, der die Fülle aller histor. Kulturen, Zivilisationen und ihre Leistungen bis hin zu den Epen Homers erst hervorgebracht hat. Dieser Standpunkt wird in Gedichten wie *Sutüven* (1933, Name eines Flüßchens bei Edremit) oder dem zum Spätwerk gehörenden *Kazdaği* (Berg Ida) deutlich, wenn reale, gegenwärtige Naturbilder der Region mit den dort angesiedelten myth. Gestalten der Ant. verbunden werden. Das Stück *Güzel Helena* (»Schöne Helena«) von Selahattin Batu (1905–1973) erhielt 1959 beim Bregenzer Schauspielwettbewerb den zweiten Preis; die dt. Nachdichtung wurde unter dem Titel *Helena bleibt in Troja* veröffentlicht. Batus Drama steht vor dem Hintergrund des II. Weltkrieges für die völlige Umdeutung des ant. Stoffes und seiner abendländischen Rezeption. Helena, gegen ihren Willen nach Troja verschleppt, bleibt in der von den Griechen eroberten und zerstörten Stadt gerade wegen der sadistischen Grausamkeit und Habgier, die diese an den Tag gelegt haben. Troja wird als Ort einer von alters her überkommenen Humanität gezeigt und zugleich als möglicher Ort einer neuen, eigenen Humanität, nachdem sich das europ. Vorbild als trügerisch erwiesen hat. Die lit. sicherlich anspruchsvollste Auseinandersetzung mit der Ant. bilden die Stücke Güngör Dilmens, der sich, 1930 in Tekirdağ/Marmara geboren, nach dem Studium der Klass. Philol. an der Univ. Istanbul als Dramatiker den Mythen des anatolischen Raumes zuwandte. Sein Thema ist der Sagenkreis um den phrygischen König Midas, dem er drei Dramen gewidmet hat: *Midas' ın Kulakları* (»Die Ohren des Midas«, 1959, mit einer erweiterten Fassung von 1979 und einer Opernfassung von Ferit Tüzün), *Midas' ın Altınları* (»Das Gold des Midas«, 1970) und *Midas' ın Kördüğümü* (»Der gordische Knoten des Midas«, 1975). Seine eigenwilligen Bearbeitungen der Midas-Sage sind ein eigenständiger türk. Beitr. zum Fortleben der Ant. in der mod. Literatur. Besonders in *Midas' ın Kulakları* spielt er mit den formalen Möglichkeiten eines Autors, dem sowohl Elemente des ant. und des mod. europ. Theaters als auch der eigenen volkstümlichen Schauspielkunst, des Schattenspiels Karagöz und des Orta Oyunu (Spiel der Mitte) zur Verfügung stehen. Zwar folgt das Drama inhaltlich im wesentlichen der Fassung der Midas-Sage bei Hyginus, doch geht es letztendlich um ein satirisches Abbild göttl. Despotie, um beliebige und willkürliche Verteilung von Machtverhältnissen, wobei das Bild vom törichten König Midas vollkommen umgestaltet wird. Der griech. Gott Apollon hat zwar die Macht, den unbotmäßigen Schiedsrichter Midas mit Eselsohren zu bestrafen, aber er verfügt nicht über eine überlegene Musikkunst. Die menschliche Schläue des Königs Midas wiederum verkehrt die göttl. Strafe in ihr Gegenteil: Midas besteht darauf, seine Eselsohren zu behalten.

Trotz der touristischen Vermarktung des ant. Erbes blieb die Hinwendung zum Klass. Alt. umstritten. Der wiedererstarkte polit. Islam wendet sich gegen die Pflege des ant. Erbes, das als untürk. und unislamisch angesehen wird. Diese Haltung verweist auf die noch immer ungeklärte Situation des Landes zw. Laizismus und Islamisierung, in der die türk. Humanisten nach dem Vorbild des so gedeuteten Ant. Anatoliens Demokratie, Toleranz, Menschenrechte und die Befreiung von theologischer Indoktrination einzufordern versuchten.
→ Troja

1 M. AND, Meşutiyet Döneminde Türk Tiyatrosu 1908–1923, Ankara 1971 2 M. C. ANDAY, Kolları Bağlı Odysseus, Istanbul 1962 3 S. BATU, Güzel Helena, Ankara 1959 4 M. ÇIKAR, Hasan-Âli Yücel und die türk. Kulturreform, 1994 5 G. DILMEN, Üç Oyun, Ankara 1979 6 A. ERHAT, Karya'dan Pamfilya'ya Mavi Yolculuk, Istanbul 1979 7 O. HACHTMANN, Europ. Kultureinflüsse in der T. Ein literärgeschichtlicher Versuch. Die Welt des Islams, Bd. 6, Nr. 1, 1916 8 H. BALIKÇISI, Anadolu Efsaneleri, Istanbul 1954 9 Ders., Anadolu Tanrıları, Istanbul 1955 10 K. KEHL-BODROGI, Die Kızılbaş/Aleviten. Unt. über eine esoterische Glaubensgemeinschaft in Anatolien, 1988 11 B. KRANZ, Das Antikenbild der mod. T., 1997 12 E. SIEDEL, Sabahattin Ali. Mystiker und Sozialist. Beitr. zur Interpretation eines mod. türk. Autors, 1983 13 M. S. SUTÜVEN, Bütün Şiirleri, Istanbul 1976 14 M. URSINUS, Klass. Alt. und europ. MA im Urteil spätosmanischer Geschichtsschreiber, in: Zschr. für Türkeistudien, 2/89, 69–77 15 H. Â. YÜCEL, Edebiyat Tarihimizden, Bd. I, Ankara 1957. BARBARA KRANZ

II. MUSEEN

A. EINLEITUNG B. DIE WICHTIGSTEN TÜRKISCHEN MUSEEN MIT ALTERTUMSBESTÄNDEN C. SONSTIGE MUSEEN

A. EINLEITUNG

Die Geschichte der türk. Mus. ist eng mit der Entwicklung der arch. Erforsch. des Landes verknüpft. Das Einsetzen der ersten großen Grabungen auf türk. Boden E. des 19. Jh. (→ Troja 1865 bzw. 1871, → Ephesos 1863 bzw. 1895, → Priene 1868 bzw. 1895, → Pergamon 1878) machte alsbald juristische Regelungen der arch. Feldforsch. unumgehbar, darunter die Feststellung der Besitzverhältnisse der ausgegrabenen Altertümer. Bereits 1869 und 1874 erließ die osmanische Regierung ein Gesetz über die Aufteilung der bei arch. Funden zutage gekommenen Antiken. Demnach erhielten der Ausgräber, der osmanische Staat sowie der Grundbesitzer jeweils ein Drittel der Funde, wobei den Ausgräbern das Recht eingeräumt wurde, das Grabungsareal zu erwerben und somit zwei Drittel der Funde zu behalten. Aufgrund von Protesten türk. Gelehrter, in erster Linie durch Osman Hamdi Bey (1842–1910), trat – nach einer Zwischenregelung von 1883 – im J. 1907 ein umfassendes Antikengesetz in Kraft, laut dem zunächst alle Fundstücke ausschließlich dem osmanischen Staat gehörten und somit die Notwendigkeit bestand, sie in der T.

selbst aufzubewahren. So entstanden einige J. später in der Nähe der Ausgrabungsstätten die ersten Gebäude, die als Depots, zur wiss. Aufarbeitung, teilweise aber auch schon früh als der Öffentlichkeit zugängliche Schausammlungen genutzt wurden, wie etwa das Beispiel Izmir (eröffnet 1927) zeigt. Ähnliche Entwicklungen fanden auch an anderen Orten der West-T. statt; so wurden etwa nur wenige J. später die Mus. von Ephesos (1929) und Bergama (1936) gegründet, die ebenfalls hauptsächlich die Fundstücke der jeweiligen Grabungen aufnahmen. Neben den Gesichtspunkten der Aufbewahrung und Ausstellung herrschte oft auch der Anspruch eines wiss. Umgangs mit den ant. Hinterlassenschaften vor, gekennzeichnet u. a. dadurch, daß in den genannten Mus. entsprechende Bibl. eingerichtet wurden.

Ein weiterer wichtiger Grund für die in den 1920er und 1930er J. verstärkt erfolgten Museumsgründungen ist die nach der Einrichtung der Republik intensivierte Beschäftigung mit den Wurzeln der türk. Kultur, bes. deutlich zu sehen am Beispiel des Mus. für Anatolische Zivilisationen in Ankara, dessen Gründung direkt auf den Anstoß Atatürks zurückgehen soll.

Der durch die Wirren des II. Weltkrieges verursachte Hiat in der Feldforsch. spiegelt sich auch in der Museumslandschaft wider. Die Forcierung der Ausgrabungen in den 1950er J., sowohl von türk. als auch europ./amerikanischer Seite aus, führte in vielen Sammlungen abermals zu Platznot und somit zur Erweiterung der bestehenden Räumlichkeiten.

Die neuesten Umstrukturierungen in der rezenten Museumslandschaft zeigen deutlich, daß neben der reinen Aufbewahrung und ästhetischen Repräsentation museumspädagogische Ziele in den Vordergrund rükken, zu erkennen an den didaktisch aufgearbeiteten Beschilderungen bei Neugestaltung einzelner Abteilungen, beispielsweise in der Keramikabteilung in Izmir, oder auch an der Einrichtung von Kinderabteilungen und pädagogischen Werkstätten, wie etwa in Antalya und Istanbul.

Ein weiterer wichtiger Aspekt bei der Betrachtung der heutigen türk. Mus. ist ihre Funktion als der Antikenbehörde unterstellte Einrichtungen, die in ihren jeweiligen Bezirken teilweise auch für die Denkmalpflege zuständig sein können und darüber hinaus neben Rettungsgrabungen auch reguläre Feldforsch. durchführen und somit zur arch. Erforsch. des Landes beitragen.

1 R. O. ARIK, L'Organisation des Musées en Turquie, Ankara 1950 2 Ders., L'Histoire et l'Organisation des Musées Turcs, Istanbul 1953 3 S. ATASOY, Müzeler ve Müzecilik Bibliografyası 1926–1976, Istanbul 1979 4 Ders., Müzeler Almanağı 1990–91, Istanbul 1995 5 Ders., Müzeler ve Müzecilik Bibliografyası 1977–1995, Istanbul 1996 6 F. GERÇEK, Türk Müzeciliği, Ankara 1999 7 A. M. MANSEL, Osman Hamdi Bey, Anadolu 4, 1959, 189–193 8 Ders., Osman Hamdi Bey, Belleten 24, 1960, 291–304 9 M. ÖNDER, Türkiye Müzeleri ve Müzelerdeki Şaheserlerden Örnekler, Ankara 1977 10 E. YÜCEL, Türkiye'de Müzecilik, Istanbul 1999

B. DIE WICHTIGSTEN TÜRKISCHEN MUSEEN MIT ALTERTUMSBESTÄNDEN

I. ARCHÄOLOGISCHE MUSEEN ISTANBUL (İSTANBUL ARKEOLOJİ MÜZELERİ)

I.I GESCHICHTE

Der Artillerie-General Fethi Ahmet Paşa (1801–1857) legte 1846 den Grundstein für die Sammlung von Altertümern in Istanbul. Er begann, auf Geheiß des Sultans Abdülmecid in der damals als Lager für alte Waffen genutzten Irenenkirche (*Hagia Eirene*) verschiedene Altertümer zu sammeln. Das in der zweiten H. des 19. Jh. allg. aufkommende Interesse für Antiken sorgte dafür, daß auch nach dem Tode Fethi Ahmet Paşas 1857 seine Tätigkeit fortgeführt wurde. Die erste Beschreibung des noch für die Öffentlichkeit unzugänglichen Mus. in der Irenenkirche von Albert Dumont aus dem J. 1868 erlaubt einen Eindruck des damaligen Bestandes. Ein J. später erhielt das Mus. unter dem Großwesirat von Ali Paşa (1815–1871) seinen vorläufigen Namen als Kaiserliches Mus. (*Müze-i Hümâyûn*) und mit E. Goold, einem engl. Lehrer des Galatasaray Sultanīsi Lisesi, einen neuen Direktor. Die Weisung des Kultusministers Saffet Paşa (1814–1883), kostbare Altertümer aus allen Teilen des Reiches nach Istanbul zu bringen, bescherte dem Museumsbestand zahlreiche Neuzugänge, da viele Gouverneure, u. a. die von Tripolis, Thessaloniki und Kreta, dieser Bitte nachkamen. Der Nachfolger von Ali Paşa im Großwesirat, Mahmut Nedim Paşa, setzte Goold als Direktor ab. Auf Anraten des österreichischen Botschafters wurde der Maler Terenzio zum Museumsvorstand ernannt, der jedoch nur ein J. lang im Amt blieb. Neuer Direktor wurde der Deutsche Philipp-Anton Déthier (1804–1881), der ehemalige Direktor der österreichischen Schule.

Im J. 1875 wurde unter dem Kultusminister Subhi Paşa (1818–1886) die Sammlung in den Fayencen-Pavillon (*Çinili Köşk*; Abb. 1), im Garten des Topkapı Sarayı, verlegt und der Öffentlichkeit zugänglich gemacht. Dabei erfuhr der Çinili Köşk, dessen Bau wahrscheinlich bereits 1472 unter Mehmet II. dem Eroberer begonnen wurde und der h. das wohl älteste profane osmanische Gebäude Istanbuls ist, einige Umbauten. Die Verwaltung des Mus. oblag fortan dem Unterrichtsministerium.

1881, nach dem Tode Déthiers, übernahm Osman Hamdi Bey (1842–1910), ein Sohn des Großwesirs Edhem Paşa, die Museumsleitung. Unter der Ägide dieses leidenschaftlichen Archäologen und Gründervaters der mod. Arch. in der Türkei gelangte das Mus., das bis dato mehr einer Ansammlung verschiedenster Altertümer glich, zur höchsten Blüte. Unter seiner Leitung entstand ein von dem renommierten frz. Archäologen S. Reinach abgefaßter Kat., der Überblick über die Museumsbestände geben sollte [12].

Zum ersten Mal in der türk. Museumsgeschichte gelang es Osman Hamdi Bey, als Museumsleiter von der Regierung Geldmittel bewilligt zu bekommen, die ihm und dem Mus. erlaubten, eigene Ausgrabungen und

Abb. 1: Archäologische Museen Istanbul,
Fayencen-Pavillon (Çinili Köşk). Aufnahme wohl vom
Ende des 19. Jahrhunderts (DAI Istanbul Inst.Neg. 9345)

Forschungsreisen durchzuführen. Die wichtigste und
prominenteste seiner verschiedenen zw. 1883 und 1895
durchgeführten Unternehmungen ist sicherlich die
Ausgrabung der Sidon-Nekropole (heute Libanon) im
J. 1887 und die Überführung der Funde nach Istanbul,
darunter der berühmte Alexander-Sarkophag und der
Klagefrauen-Sarkophag.

Das durch seine Aktivitäten mittlerweile stark vergrößerte Museumsinventar machte, nicht zuletzt auch
wegen der prominenten Funde aus Sidon, einen Neubau unumgänglich. 1891 wurde der neue zweistöckige,
dem Çinili Köşk gegenüberliegende Museumsbau eröffnet (Abb. 2) und 1902 und 1908 durch zwei Flügel
erweitert.

Osman Hamdi Beys Engagement beschränkte sich in
seiner Direktorenzeit nicht nur auf Mus.- und Ausgra-
bungstätigkeiten. Seiner treibenden Kraft sind auch die
grundlegenden türk. Antikengesetze von 1883 bzw.
1907 zu verdanken, durch die zahlreiche Fundstücke in
türk. Besitz blieben und in einheimische Mus. gelangten

Abb. 2: Archäologische Museen Istanbul, Hauptgebäude.
Zustand um die Wende vom 19. zum 20. Jahrhundert vor
der Erweiterung (DAI Istanbul Inst.Neg. 9512)

und so auch den Bestand der Istanbuler Mus. bereicherten. Ihm gelang es sogar durch intensive diplomatische Bemühungen, einige bedeutende Skulpturfunde
aus den frühen österreichischen Grabungen zw. 1895
und 1906 in Ephesos von Wien nach Istanbul zurück-
zuholen. Seine Anstrengungen galten ebenso der Erforsch. der im Museumsbestand befindlichen Antiken,
die er durch die Einrichtung einer bedeutenden Bibl. im
Museumsneubau vorantreiben konnte.

Im J. 1883 gründete er eine Kunstakad. und ließ zu
diesem Zweck den südl. des Çinili Köşk gelegenen Gebäudekomplex errichten, in dem sich h. das Mus. für
Altorientalische Kunst befindet.

Nach dem Tode Osman Hamdi Beys im J. 1910 wurde sein Bruder Halil Edhem Bey, der ihm bereits seit den
90er J. des 19. Jh. bei der Museumsleitung assistiert hatte, zum neuen Direktor ernannt. Unter seiner Leitung
hielten die altorientalischen Altertümer, die zuvor im
Obergeschoß des Neubaus untergebracht waren, Einzug in die von Osman Hamdi Bey gegründete Kunstakad., die dafür an den Bosporus nach Fındıklı verlegt
wurde. Ebenso entstand zw. 1912 und 1914 der umfassende und in Teilen immer noch grundlegende Kat. der
Altertümer des frz. Archäologen G. Mendel [9].

Nachdem sich Halil Edhem Bey im J. 1931 aus der
Museumsarbeit zurückgezogen hatte, übernahm Aziz
Ogan (1888–1956) die Museumsleitung. Ogan, der seit
1914 der Antikendirektion in der Provinz Izmir vorge-
standen hatte, war in dieser Funktion maßgeblich an den
frühen Museumsgründungen in jener Region beteiligt
und hatte somit Erfahrung mit musealen Tätigkeiten.
Unter seiner Direktion wurden Restaurierungswerk-
stätten sowie ein Photoatelier und Möglichkeiten zu
Gipsabformung eingerichtet.

Der im J. 1939 dem Topkapı Sarayı-Mus. zugewie-
sene Çinili Köşk erfuhr nach Restaurierung und Umgestaltung 1953 aus Anlaß des 500. Jahrestages der Eroberung Istanbuls eine Neueröffnung als »Fatih-Mus.«,
bevor er 1981 schließlich vollständiger Bestandteil der
Arch. Mus. als Sammlung von türk. Fliesen und Keramik wurde.

Ab 1953 stand das Haus unter Leitung von Rüstem
Duyuran, der 1962 von Necati Dolunay abgelöst wurde.
Unter dessen Leitung wurde das Mus. für Altorientalische Kunst ab 1963 neu geordnet und umgestaltet, bevor es erst wieder 1974 der Öffentlichkeit zugänglich
gemacht wurde. Auf Dolunay folgten als Direktoren
Nezih Fıratlı, Aykut Özet, Altan Akat und Nuşin As-
gari.

Ende der 1980er J. wurden unter der Direktion von
Alpay Pasinli weitere Umstrukturierungen im Haupt-
bau des Mus. notwendig. 1991 wurde zum 100. Jahres-
tag der Eröffnung die neu präsentierte Sammlung sowie
ein an der Rückwand des alten Mus. anschließender,
neu errichteter Gebäudetrakt eingeweiht, in den neben
der byz. Abteilung u. a. die Troja-Sammlung und die
Abteilung zur Geschichte Istanbuls einzog.

1.2 Sammlung

Die Sammlung der Arch. Mus. Istanbul ist auf drei Gebäude verteilt. Der südl. des Fayencen-Pavillons gelegene Bau beherbergt das Mus. für Altorientalische Kunst. Im Eingangsbereich dieses Gebäudes sind Reste jemenitischer Grabstelen sowie Kunstgegenstände der arab. Halbinsel aus vorislamischer Zeit ausgestellt. Ein Ensemble zweier Sarkophage aus Deir-El-Bahri mitsamt Kanopen und einigen Beigaben dokumentiert zusammen mit Grabstelen, Statuetten und Alabastergefäßen verschiedener Fundorte die Kunstgeschichte des alten Ägypten.

Im folgenden Durchgang sind aus glasierten Ziegeln hergestellte Fassadenreliefs mit Stieren und Schlangendrachen des Ištar-Tores in Babylon (6. Jh. v. Chr.) ausgestellt (→ Berlin II. Vorderasiatisches Museum). Gegenüber befinden sich die in gleicher Technik hergestellten Reliefs der Prozessionstraße Nebukadnezars II. (604–562 v. Chr.), ebenfalls aus Babylon. Zu sehen sind außerdem zahlreiche Reste des Basalt-Bauschmucks der späthethitischen Palastanlage von Sam'al (Zincirli), u. a. eine Säulenbasis mit Doppelsphinx, ein Löwe aus dem Eingangsbereich, ein Prozessionsfries des Gebäudes III sowie eine Statue auf einer Löwenbasis (Inv.Nr. 7731) vom selben Fundort. Zu den bes. Ausstellungsstücken der Sammlung ist auch der sog. Kadesch-Vertrag zw. Hattušili III. und Ramses II. aus Boğazköy zu rechnen.

Im südl. Gebäudeteil befinden sich der kolossale Marmorkopf einer neu-assyrischen Wächterfigur aus Assur (Inv.Nr. 7804; 8. Jh. v. Chr.) sowie eine ebenfalls aus Assur stammende neu-assyrische überlebensgroße Königsstatue Salmanassars III. (Inv.Nr. 4650). Erwähnt seien auch zwei mit Inschr. versehene altbabylonische Diorit-Statuen vergöttlichter Könige (Abb. 3).

Das Erdgeschoß des Museumshauptbaus ist der griech.-röm. Relief- und Rundplastik gewidmet. Teile des Nordflügels, in denen sich etwa der Lagina- oder Magnesia-Fries sowie zahlreiche Sarkophage und Votivreliefs befinden, sind z.Z. nicht zugänglich. Nördlich des Haupteingangs sind die Funde aus der 1887 von Osman Hamdi Bey ausgegrabenen Königsnekropole von Sidon ausgestellt, darunter der am E. des 4. Jh. v. Chr. entstandene sog. Alexander-Sarkophag, dekoriert mit Perserkampf- und Löwenjagdrelief, der aufgrund seiner vorzüglichen Qualität und seines Erhaltungszustandes zweifellos zu den berühmtesten Ausstellungsstücken der Sammlung gehört; aus derselben Nekropole stammen der Klagefrauen-Sarkophag (4. Jh. v. Chr.; beide Abb. 4), der Lykische Sarkophag und der Satrapen-Sarkophag (beide 5. Jh. v. Chr.); zu nennen ist auch der ins 6. Jh. v. Chr. gehörende und aus Ägypten stammende sog. Tabnit-Sarkophag.

Die Abteilung der ant. Marmorbildwerke beginnt im Gebäudeflügel südl. des Haupteingangs chronologisch mit der archa. Plastik. Gezeigt werden u. a. ein Kouros aus Tekirdağ (Inv.Nr. 5760 T), ein überlebensgroßer samischer Kouroskopf (Inv.Nr. 1645 T) sowie Tier- und Sitzstatuen von der Hl. Straße in Didyma. Es fol-

Abb. 3: Statue, Puzur-Ištar, Gouverneur von Mari. Diorit, Anfang 2. Jahrtausend v. Chr. Istanbul, Archäologische Museen Inv. 7813 (Kopf in Berlin, hier durch Abguß ergänzt). Die Aufnahme dokumentiert die alte Aufstellung im Museum für Altorientalische Kunst (DAI Istanbul Inst.Neg. Kb 6195)

gen, nach Ausstellungsstücken aus der Zeit der persischen Herrschaft über Anatolien, eine Reihe griech. Grabreliefs, darunter ein Totenmahlrelief aus Thasos (Inv.Nr. 578 T) und ein Grabrelief der Hochklassik mit stehendem Jüngling mit Pilos-Helm (Inv.Nr. 85 T). In der anschließenden Sektion zeugen ein Kopf Alexanders d. Gr. aus Pergamon (Inv.Nr. 1138 T; Abb. 5), eine Porträtstatue desselben Herrschers aus Manisa (Inv.Nr. 709 T) und eine Replik des geschundenen Marsyas aus Tarsos (Inv.Nr. 400 T) vom Kunstschaffen hell. Zeit. Der anschließende Raum ist Skulpturen aus Tralleis und Magnesia am Mäander gewidmet; ausgestellt werden u. a. der sog. Knabe von Tralleis (Inv.Nr. 1191 T) sowie eine archaistische Karyatide augusteischer Zeit (Inv.Nr. 1189 T).

Abb. 4: Archäologische Museen
Istanbul, Klagefrauen- und
Alexander-Sarkophag in der
Aufstellung von der Wende
vom 19. zum 20. Jahrhundert
(DAI Istanbul Inst.Neg. 8121)

Von den folgenden Bildwerken hell. und röm. Zeit
sind eine überlebensgroße Hadriansstatue (Inv.Nr. 50
T), die Skulpturengruppe mit Dionysos und vier Musen
aus den Faustina-Thermen in Milet sowie der monumentale thronende Zeus aus Gaza (Inv.Nr. 172 T) zu
erwähnen.

Im Durchgang zum rückwärtigen Anbau findet sich
eine originalgetreue Rekonstruktion der Fassade des
Athena-Tempels von Assos unter Verwendung der in
Istanbul befindlichen Fries-Fragmente.

Das Erdgeschoß des Anbaus zeigt, zumeist nach
Fundorten oder -komplexen geordnet, arch. Funde aus
Thrakien und Bithynien, darunter das Fassadenrelief eines frühkaiserzeitlichen Beamtengrabes (Inv.Nr. 737 T)
oder den rekonstruierten Tumulus von Vize in Thrakien aus dem 1. Jh. n. Chr.

Aus der ebenfalls sich im Erdgeschoß befindlichen
umfangreichen byz. Sammlung seien ein Orpheus-
Mosaik aus Jerusalem (Inv.Nr. 1642 T), eine Statue Va-
lentinians III. aus Aphrodisias (Inv.Nr. 2264 T) und die
zahlreichen Sarkophage herausgegriffen.

Der erste Stock dieses Gebäudeteiles ist mit zahlreichen Funden und Schautafeln der Stadtgeschichte Istanbuls gewidmet. In den Stockwerken darüber werden
Keramik und Terrakotten aus Troja sowie Fundstücke
benachbarter Kulturen aus Zypern, Syrien oder Palästina gezeigt.

Der dem Hauptgebäude gegenüberliegende Fayencen-Pavillon zeigt türk.-islamische Kunst, vorwiegend
qualitätvolle Keramik und Fayencen aus Kütahya und
Iznik.

1 S. ATASOY, s. v. Müzecilik, in: Cumhuriyet Dönemi
Türkiye Ansiklopedisi, Bd. VI, Istanbul 1984, 1458–1474
2 M. CEZAR, Sanatta Batı'ya Açılış ve Osman Hamdi,
Istanbul 1971, 188–215 3 N. DOLUNAY, İstanbul Arkeoloji

Müzeleri, Istanbul 1973 4 H. EDHEM, Das osmanische
Antikenmus. zu Konstantinopel, Hilprecht Anniversary
Volume, 1909 5 S. EYICE, Notes on Dr. Dethier one of the
Earlier Directors of the Archaeological Museums of
Istanbul, İstanbul Arkeoloji Müzeleri Yıllığı 9, 1960, 95–103
6 F. GERÇEK, Türk Müzeciliği, Ankara 1999, 315–346
7 A. M. MANSEL, Osman Hamdi Bey, in: Anadolu 4, 1959,
189–193 8 Ders., Osman Hamdi Bey, in: Belleten 24, 1960,
291–304 9 G. MENDEL, Musées Impériaux Ottomans.
Catalogue des sculptures grecques, romaines et byzantines
I–III, 1912–1914 10 A. OGAN, Türk Müzeciliğinin 100üncü
Yıldönümü, Türkiye Turing ve Otomobil Kurumu
Belleteni 61/62, 1947 11 A. PASİNLİ, The Newly
Inaugurated Sections and Annex of the Archaeological
Museums of Istanbul Which Celebrated Its Centennial on
June 13, 1991, Müze 4, 1990–91, 70–71 12 S. REINACH,
Catalogue du Musée Imperial d'Antiquites, Istanbul 1882

2. ARCHÄOLOGISCHES MUSEUM IZMIR (İZMIR ARKEOLOJİ MÜZESİ)

2.1 GESCHICHTE

Die erste Sammlung arch. Fundstücke in Izmir läßt
sich bis in die Zeit nach dem 1. Weltkrieg zurückverfolgen. Damals wurden in den Räumen der griech.
evangelischen Schule eine umfangreiche Antikensammlung angelegt, die jedoch 1922 bei einem Brand
vollständig zerstört wurde [3].

Der Vorläufer des heutigen Arch. Mus. war die aus
dem 19. Jh. stammende griech. evangelische Kirche des
Hl. Lukas in der Nähe des Basmahane-Bahnhofs, die zur
Aufbewahrung verschiedener, aus den Grabungen aus
Izmir oder dessen Umgebung stammenden Artefakte
diente.

Die ersten türk. Grabungstätigkeiten in den 20er J.
des 20. Jh. unter Aziz Ogan, dem Antikendirektor der
Provinz Izmir und späteren Direktor der Istanbuler

Abb. 5: Porträt Alexanders des Großen,
aus Pergamon, 2. Jahrhundert v. Chr.
Istanbul, Archäologische Museen Inv. 1138 T
(DAI Istanbul Inst.Neg. 78/204)

Abb. 6: Statuengruppe, zwei Frauen, aus Metropolis,
2. Jahrhundert v. Chr. Izmir, Archäologisches Museum
Inv. 4741 (DAI Istanbul Inst.Neg. R 28.267)

Arch. Mus., die anfangs noch in Kooperation mit ausländischen Wissenschaftlern erfolgten, waren letztlich
ausschlaggebend für die Einrichtung einer größeren
arch. Sammlung. Am 15.2.1927 öffnete, unterstützt
vom arch. interessierten Generalgouverneur Kâzim Pa
şa, das Mus. für Altertümer (*İzmir Asan Antika Müzesi*)
in dem ehemaligen Gotteshaus. Die zunächst bescheidenen Bestände wurden durch die von nun an ausgedehnteren Grabungstätigkeiten bereichert.

Der erste Führer des Altertümer-Mus. in Izmir erschien bereits im Gründungsjahr, herausgegeben vom
Verein der Freunde der Altertümer von Smyrna und
Umgebung in Türk. und Französisch. Fünf J. später
wurde bereits der nächste, umfassendere Museumsführer veröffentlicht, der durch einen Museumsgrundriß
sowie durch zahlreiche Abb. der Ausstellungsräume
Aufschluß über die Ausstellungskonzeption gewährt [1;
2].

Durch das rasche Ansteigen der Museumsbestände
und die beschränkten Räumlichkeiten wurde schon
bald ein Umzug unumgänglich. Im J. 1951 wurden Teile der Fundstücke in den früheren Pavillon der nationalen Erziehung in der Izmir-Messe im Kültürpark
überführt und dort unter neuem Namen das Arch. Mus.
Izmir (*İzmir Arkeoloji Müzesi*) eröffnet. Die räumliche
Verlagerung der Exponate brachte offensichtlich auch
eine Änderung der Aufstellungskonzeption mit sich, zu
erkennen daran, daß im Kültürpark nun die Fundstücke
nicht mehr nach Gattung, sondern nach Fundorten getrennt aufgestellt wurden.

Laut offiziellen statistischen Angaben waren bereits
zu Beginn der 1980er J. an die 10 000 Objekte inventarisiert, so daß auch das Mus. im Kültürpark nur eine
Übergangslösung sein konnte. Im J. 1984 wurde das
heutige Arch. Mus. in Izmir fertiggestellt, das sich, zusammen mit dem nun gegenüberliegenden Ethnographischen Mus., am Hang eines Hügels südwestl. des
Konakplatzes befindet. Das alte Mus. in der Lukas-Kirche dient weiterhin als Magazingebäude. Umbauten in
neuerer Zeit galten vornehmlich der Verbesserung der
Objektrepräsentation, zu sehen etwa an der Neugestaltung der Keramikabteilung im Obergeschoß.

2.2 DIE SAMMLUNG

Das Arch. Mus. von Izmir beherbergt eine der wichtigsten Sammlungen der griech.-röm. Ant. auf türk.
Boden. Die Exponate stammen hauptsächlich aus den in
den 1920er J. in der Südwest-T. begonnenen Grabungen. Neben Funden aus Alt-Smyrna (Bayraklı),
→ Ephesos, → Pergamon und → Milet wurden auch
Stücke u. a. aus Sardes, Iasos, Hierapolis, → Halikarnass
oder Aphrodisias nach Izmir gebracht.

Der im Obergeschoß befindliche, kürzlich eröffnete
Ekrem-Akurgal-Keramik-Saal (*Ekrem Akurgal Seramik
Eserler Salonu*) zeigt in chronologischer Folge Keramik
und Kleinfunde vom Chalkolithikum bis zur byz. Zeit.
Überdies befinden sich dort Klazomenische Sarkophage
sowie die berühmte Bronzestatue eines laufenden Athleten aus Kyme (Inv.Nr. 9363).

Abb. 7: Relief mit Poseidon, Demeter und Artemis von der Agora. Izmir, Archäologisches Museum Inv. 7840 (DAI Istanbul Inst.Neg. 76/156-12)

Das Erdgeschoß beherbergt eine große Statuengalerie (*Taş Eserler Salonu 1*), die neben einigen wichtigen archa. und klass. Marmorwerken in der Hauptsache die hell. und röm. Bildkunst aus Milet, Ephesos und den oben genannten Städten dokumentiert. Gezeigt werden u. a. eine Replik der Hestia Giustiniani aus dem Vedius-Gymnasium (Inv.Nr. 41), hocharcha. Koren aus Erythrai und Klaros (Inv.Nr. 5301 bzw. Inv.Nr. 3701) oder eine hell. Statuengruppe zweier stehender Frauen (Abb. 6).

Neben weiteren Statuen und Reliefs beinhaltet das Untergeschoß (*Taş Eserler Salonu 2*) Sarkophage sowie Architekturglieder und Teile von Bauornamentik. Wichtigste Exponate sind die Reliefs des Mausoleums von Belevi, der gelagerte Kaystros aus dem Vedius-Gymnasion von Ephesos (Inv.Nr. 78) und die zahlreichen qualitativ hochwertigen Sarkophage aus röm. Zeit. Ebenso bemerkenswert ist das lebensgroße Relief mit Poseidon, Demeter und Artemis aus dem 2. Jh. n. Chr. von der Agora des röm. Smyrna (Inv.Nr. 7840; Abb. 7) oder der Giebel mit Sphinx-Relief aus Didyma (Inv.Nr. 111) aus klass. Zeit.

Im weitläufigen Museumsgarten sind eine große Anzahl vornehmlich kaiserzeitlicher Skulpturen neben weiteren Sarkophagen und Architekturgliedern aufgestellt, zu erwähnen etwa der Masken-Fries von der Porticus des Tiberius in Aphrodisias oder der Fries vom Bühnengebäude des Theaters von Milet.

→ AWI Smyrna

1 A.Azız, Guide du Mus. de Smyrna, Izmir 1927 2 Ders., Guide du Mus. de Smyrne, Izmir 1933 3 M.N. Fılgıs, W.Radt, Altertümer von Pergamon, XV. Die Stadtgrabung, Teil I. Das Heroon, Berlin 1986, 74 Anm. 2 4 J.Dedeočlu, Izmir Archaeological Mus., Istanbul 1993 5 F. Gerçek, Türk Müzeciliği, Ankara 1999, 386–389

6 T. Wohlers-Scharf, Die Forschungsgesch. von Ephesos, 1995, 291 7 Yurt Ansiklopedisi, Bd. 6, s.v. İzmir Müzeler, 1983, 4445

3. MUSEUM FÜR ANATOLISCHE ZIVILISATIONEN ANKARA (ANADOLU MEDENİYETLERİ MÜZESİ)
3.1 GESCHICHTE
Die Geschichte des Mus. für anatolische Zivilisationen in Ankara läßt sich bis in die 20er J. des 20. Jh. verfolgen. Das erste arch. Mus. und somit der mittelbare Vorläufer der heutigen Sammlung wurde unter dem Namen *Ankara Arkeoloji Müzesi* im J. 1921 in einem Turm der Stadtbefestigung, der sog. Akkale, eröffnet. Bereits in jener Zeit wurden der Bevölkerung darüber hinaus arch. Artefakte im röm. Thermenbereich sowie beim Augustustempel präsentiert.

Schon bald nach der Republikgründung reifte durch den Anstoß Atatürks im Zuge des allg. Besinnens auf eine genuin türk. Kulturgeschichte das Vorhaben, ein Hethiter-Mus. in Ankara einzurichten. Verwirklicht werden sollte diese Idee in den Räumlichkeiten der 1881 durch Brand zerstörten Gebäude des *Mahmut Paşa Bedesteni* (Kaufhalle) und des *Kurşunlu Han* (Karawanserei), die in unmittelbarer Nähe zur alten Festung im Stadtteil Atpazarı liegen. Die eigentlichen Ausstellungsräumlichkeiten sollte der mit zehn Kuppeln gedeckte Mahmut Paşa-Basar bilden, der angeblich von dem gleichnamigen Großwesir Mehmet des Eroberers zw. 1464 und 1471 errichtet wurde. Der auf Mahmut im Amt folgende Großwesir Mehmet Paşa gilt als Erbauer der Karawanserei, wenngleich in beiden Fällen sichernde Inschr. fehlen.

Dieser Gebäudekomplex, der *Kurşunlu Han*, dient h. als Sitz der Verwaltung sowie der Werkstätten und Vortragsräumlichkeiten, während der *Mahmut Paşa Bedesteni* und der darum angelegte Garten die Ausstellungsstücke beherbergen. Die Räumlichkeiten der Akkale werden weiterhin als Depot genutzt.

Die 1938 begonnenen Restaurierungsarbeiten der Gebäude wurden erst im J. 1968 beendet. Dennoch hielten unter der Leitung von H. G. Güterbock Teile der Hethiter-Sammlung bereits 1940 Einzug in den Kuppelraum und konnten ab 1943 der Öffentlichkeit präsentiert werden. Im J. 1967 wurde schließlich das Mus. unter dem jetzigen Namen eröffnet. Aufgrund der Raumknappheit wurde nach Renovierungsarbeiten 1997 das Untergeschoß des Westflügels zur Ausstellung von in erster Linie griech.-röm. Funden umgestaltet.

3.2 Sammlung

Die zunächst geplante Zielsetzung des alten Mus. als Sammlung mehr oder minder lokaler Altertümer wurde durch die in der jungen Republik aufkommende Idee verändert, einen Überblick über die Geschichte der genuin in Anatolien ansässigen Zivilisationen zu geben. Man begann, aus ganz Anatolien Fundstücke zu sammeln, wobei der Schwerpunkt auf den Monumenten der Frühbronzezeit bzw. der hethitischen sowie der phrygischen Epoche lag. Chronologisch setzt die Sammlung – im Umgang des Mittelsaales – im Paläolithikum ein, wenngleich ein großer Abschnitt dem Neolithikum und dort einem der wichtigsten Fundplätze im anatolischen Raum, dem Çatal Höyük und dessen Funden, gewidmet ist. Neben den Kultraumrekonstruktionen finden sich u. a. die berühmten Terrakotta-Votivstatuetten sowie einige Wandmalereireste. Es folgen frühbronzezeitliche Funde vom Alaca Höyük, etwa Goldgefäße oder verschiedene Sonnen- und Hirschstandarten sowie zahlreiche Exponate von anderen Orten. Die Zeit der assyrischen Handelskolonien ist durch qualitativ hochwertige Keramik vom Kültepe und durch Inschriftentäfelchen dokumentiert. Anschließend werden Fundstücke aus der hethitischen Kunst des Alten Reiches sowie aus der Großreichszeit, etwa die İnandık-Reliefvase, Libationsgefäße in Stierform aus Boğazköy sowie verschiedene Keilschrifturkunden gezeigt. Die phrygische Kultur ist in Form der Rekonstruktion der Grabkammer des sog. Midas-Tumulus von Gordion und durch qualitativ hochwertige Holzmöbelreste vertreten. Erwähnt sei auch eine unterlebensgroße Kybele-Statue aus Boğazköy.

Der zentrale kuppelgedeckte Innensaal des urspr. Basars beherbergt hauptsächlich Monumente der späthethitischen Zeit: Löwenbasen, Orthostatenreliefs aus Karkemisch, darunter auch die Suhis-Inschrift. Ebenfalls dort findet sich die aus dem 8. Jh. stammende überlebensgroße Statue eines assyrischen Königs aus Malatya.

Im Untergeschoß präsentiert sich hauptsächlich die griech.-röm. Abteilung in Form von Keramik, Grabfunden sowie röm. Porträts und Statuetten, wenngleich zu Anf. noch frühgeschichtliche Keramik wie etwa die sog. Bitik-Vase ausgestellt ist. Hervorzuheben aus den

Exponaten der griech.-röm. Ant. sind ein sehr gut erhaltener lebensgroßer Bronzetondo Trajans oder ein qualitativ hochwertiger Frauenkopf aus dem Theater von Ankara.

1 Anadolu Medeniyetleri Müzesi Yıllığı, seit 1986
2 S. Atasoy, s. v. Müzecilik, in: Cumhuriyet Dönemi Türkiye Ansiklopedisi, Bd. 6, Istanbul 1984, 1464 3 H. G. Güterbock, Ankara bedesteninde bulunan Eti müzesi büyük salonunun kılavuzu, Istanbul 1946 4 V. İdil, Ankara. Die antischen (sic!) Städte und Mus., Istanbul 1993, 30–56 5 R. Temizer, Das Arch. Mus. Ankara, Ankara 1968 6 İ Temizsoy et al., Mus. für anatolische Civilisationen, o. J.

4. Archäologisches Museum Afyon (Afyon Arkeoloji Müzesi)

4.1 Geschichte

Kurz nach der Republikgründung begann man in Afyon in der alten Gedik-Ahmet-Paşa-Medrese Altertümer aus Afyon und dem Umland zusammenzutragen. Unter der Leitung Süleyman Gönçers, des damaligen Vorsitzenden der Gesellschaft der Antikenfreunde, wurde 1931 dieses Gebäude zum offiziellen Museumsdepot und schließlich 1933 zum Arch. Mus. Afyon umgewandelt. 1971 zog die Sammlung in den noch h. benutzten Neubau um.

4.2 Sammlung

Die Sammlung des Mus. besteht aus Fundstücken, die aus der gesamten Region von Afyon zusammengetragen wurden; viele Exponate stammen aus Museumsgrabungen. Ein wichtiger Fundkomplex ist der Kursura Höyük, besiedelt vom Chalkolithikum bis in die Zeit der assyrischen Handelskolonien, der im Mus. in Form von Idolen, Keramik und Gebrauchsgegenständen dokumentiert ist. Gleiches gilt für den hethitischen Friedhof von Yanarlar oder den phrygischen Tatvarlı-Tumulus aus dem 5. Jh. v. Chr., deren Grabinhalte ebenfalls präsentiert werden. Besondere Bed. hat die Sammlung für die klass. Ant. wegen der geogr. Nähe zu den Dokimeion-Steinbrüchen. Die Blüte des 2. nachchristl. Jh. zeigt sich in einer qualitativ hochwertigen Porträtstatue der jüngeren Faustina (Inv.Nr. 3267), in den Resten einer Marsyas-Apollon-Gruppe (Inv.Nr. 324) oder in einer im Garten ausgestellten kolossalen Heraklesfigur aus Prymnessos. Gleichfalls zu erwähnen sind die umfangreichen Statuettenfunde aus dem Çavdarlı-Kovalık-Tumulus, darunter bis zu 1,20 m große Darstellungen olympischer und lokaler Gottheiten. Außerdem finden sich zahlreiche weitere qualitativ hochwertige Statuetten, erwähnt sei das bekannte Oberkörperfragment einer Skylla (Inv.Nr. 2318).

1 F. Gerçek, Türk Müzeciliği, Ankara 1999, 414–416 2 S. Şahin, Afyon Arkeoloji Müzesi, 1998

5. Museum Antalya (Antalya Müzesi)

5.1 Geschichte

Der erste Vorläufer des heutigen Mus. von Antalya wurde im J. 1923 in der Alaadin Moschee eröffnet, aufbauend auf der seit 1919 durch den Lehrer Süleyman Fikri Erten zusammengetragenen Sammlung von Antiken aus Antalya und dem nahen Umland, die zunächst über das dt. Konsulat in die ehemalige Medrese nahe der Tekeli Camii gelangte. 1937 wurde die Sammlung in das Areal der Yivli-Minare-Moschee verlegt. Aufgrund der Fülle der hauptsächlich durch Grabungen in Perge neu hinzugekommenen Fundstücke wurde 1965 in der Nähe des Konyaaltı-Strandes ein Museumsneubau in Angriff genommen, der 1972 der Öffentlichkeit übergeben wurde. In mehreren Umbauphasen, von denen die längste von 1982 bis 1985 andauerte, wurde das Gebäude weiter ausgestaltet, so daß es mit der Eröffnung des 1988 angelegten Phryger-Saales und mit der Einrichtung des Saales mit den Theaterfunden aus Perge seine heutige Gestalt erhielt.

5.2 Sammlung

Trotz zahlreicher frühgeschichtlicher, spätant. und ethnographischer Ausstellungsstücke dominiert das klass. Alt. in der Sammlung, nicht zuletzt durch die zahlreichen qualitativ hochwertigen Skulpturenfunde, die aus der Perge-Grabung in den Museumsbestand gelangten.

Neben wenigen paläontologischen Funden setzt die Sammlung mit Artefakten aus der Karain-Höhle chronologisch im Paläolithikum ein. Es folgt die phrygische Abteilung, u.a. mit den Funden aus dem Elmalı-Bayındır-Tumulus mitsamt Teilen von Goldschmuck und silbernem Pferdegeschirr. Die anschließende Galerie der Götter gewährt einen ersten Eindruck von den außergewöhnlichen Skulpturenfunden des 2. Jh. n. Chr. aus Perge, z.B. eine Replik der Artemis Versailles (Inv.Nr. A–3731), des sandalenbindenden Hermes (Inv.Nr. 3.25.77) oder eine Variante der Aphrodite von Capua (Inv.Nr. 8.29.81). Eine separate Abteilung präsentiert kleinere Fundstücke verschiedener Provenienz, etwa archa. bis hell. Keramik, einen bronzenen Attiskopf aus Perge (Inv.Nr. A–3877) oder Grabfunde aus Patara. In der Kaisergalerie finden sich, ähnlich wie in der Göttergalerie, zahlreiche qualitativ hochwertige Statuen der röm. Kaiserzeit, darunter die berühmte Tänzerin (Inv.Nr. 10.29.81) sowie verschiedene Porträtstatuen Trajans, Hadrians und der Kaiserfamilie. Nach der Ikonen- und Sarkophagabteilung schließt sich der Mosaikensaal mit einem Philosophenmosaik aus Seleukia und einem Mosaik aus der Basilika von Xanthos mit Thetis und Achill an. Ein neu eingerichteter Saal zeigt die außergewöhnlichen Skulpturen- und Relieffunde aus dem Theater von Perge, etwa einen Opferfries oder überlebensgroße Statuen des Hermes, des Marsyas und eine Variante des Herakles Farnese. Erwähnt sei auch ein fragmentiertes überlebensgroßes Rundbild Alexanders d. Großen. Der Innenhof birgt u.a. Teile des Skulpturen- und Bauschmucks des Ptolemaions von Limyra sowie die Akroterfiguren des Grabtempels des lykischen Königs Perikle aus dem 4. Jh. v. Chr.

1 F. Gerçek, Türk Müzeciliği, 1999, 369–371 2 Führer durch das Antalya Mus., 1990 3 E. und İ. Özgen (Hrsg.), Antalya Mus., Istanbul 1988 4 Yurt Ansiklopedisi, Bd. 2, s. v. Antalya Müzeler, 1982, 869

6. Archäologisches Museum Aphrodisias (Aphrodisias Müzesi)

6.1 Geschichte

Während die Funde der früheren Grabungen von Aphrodisias nach Izmir oder Istanbul gebracht wurden, begann man nach dem Grabungsneubeginn 1961, die Funde in verschiedenen Depots vor Ort aufzubewahren. Pläne, die Hadriansthermen, ähnlich wie in Side, zu einem Mus. umzugestalten, scheiterten schon bald an der finanziellen Durchführbarkeit.

Der heutige Museumsbau in unmittelbarer Nähe der Ruinenstätte wurde 1971 durch die türk. Regierung mit Unterstützung der amerikanischen National Geographic Society begonnen und 1977 fertiggestellt. Nach der Überführung der Fundstücke aus den Depots und der Gestaltung des Museumsgartens wurde das Gebäude 1979 eröffnet.

6.2 Sammlung

Das Mus. dokumentiert in zahlreichen, gut erhaltenen und qualitativ hochwertigen Werken in erster Linie die lokale Bildhauerschule des 2. Jh. n. Chr. Bereits im Saal der Aphrodite finden sich wichtige Werke, etwa das Kultbild der Aphrodite von Aphrodisias mit reich reliefiertem Gewand, mehrere Priesterstatuen, eine überlebensgroße Personifikation des Demos oder ein noch Farbspuren zeigender Apollonkopf aus den Hadriansthermen. Höhepunkte im Penthesileia-Saal sind, neben der Achill-Penthesileia-Gruppe selbst, ein Satyr mit Dionysosknaben auf der Schulter und eine als Kopie des polykletischen Diskophoros angesprochene Athletenstatue. Der Odeion-Saal enthält in der Hauptsache Porträtskulptur. Zwei Figuren von Musen, die zusammen mit einer Statue des Apollon und weiteren Bildwerken, etwa einem Boxerpaar, im Theater zutage traten, dokumentieren den Bauschmuck dieses Gebäudes im Melpomene-Saal. Im Durchgang zum abschließenden sog. Kaisersaal werden die Reliefs des Zoilos-Monumentes ausgestellt. Dahinter folgen sechs der in der Nähe des Sebasteions gefundenen spätröm. »Philosophen«-Clipei.

1 K. T. Erim, Aphrodisias. Ein Führer durch die ant. Stadt und das Mus., Istanbul 1992, 74–115 2 A.S. Tulay, Aphrodisias Mus. Guidance, 1988, 13–64

7. Museum Bergama (Bergama Müzesi)
7.1 Geschichte

Die Anf. des Antikenmus. von Bergama lassen sich bis an den Anf. des 20. Jh zurückverfolgen. Zwischen 1900 und 1913 wurde auf dem Burgberg in der Nähe des dt. Grabungshauses ein erstes Depot errichtet, welches allerdings schon bald durch die nach dem I. Weltkrieg im J. 1927 einsetzenden Grabungen die Grenzen seiner Kapazität erreichte. Der die Stadt besuchende Marschall Fevzi Çakmak ordnete aufgrund dieser Situation 1932 einen Neubau an, der in dt.-türk. Zusammenarbeit diesmal im Stadtgebiet von Bergama auf dem Gelände eines alten Friedhofs nach Plänen des dt. Architekten Harald Hanson entstand. Bedeutende finanzielle Unterstützung erhielt das Projekt seitens Theodor Wiegands, dem damaligen Direktor des → Deutschen Archäologischen Instituts.

Das Mus. wurde 1936 durch İsmet İnönü eröffnet, und der Besuch Atatürks dokumentiert die Bed., die das Haus in der türk. Museumslandschaft innehatte. Langjähriger Direktor war Osman Bayatlı, der neben seiner Beschäftigung mit Altertümern intensive ethnographische Forsch. betrieb. 1978 wurden einige Umbauten vorgenommen, u. a. wurde die zunächst in einem anderen Gebäude untergebrachte ethnographische Abteilung dem Mus. hinzugefügt. Den heutigen Zustand erhielt das Mus. in der 1999 erfolgten Renovierung.

7.2 Sammlung

Nachdem zunächst der Großteil der bei den Grabungen in Pergamon zutage getretenen Fundstücke bis 1886 nach Berlin und danach nach Istanbul bzw. später nach Izmir verbracht wurde, begann man nach Errichtung des Mus. die Funde in Bergama zu belassen. Aus diesem Grunde birgt das Mus. in der Hauptsache Exponate vom Burgberg oder der Unterstadt, vereinzelt aber auch aus der Umgebung Bergamas.

Der Hofumgang zeigt neben Modellen des → Pergamonaltars und des Demeter-Heiligtums zahlreiche Relief-, Bauschmuck- und Skulpturenfunde, u. a. ein Demeter-Relief von der Demeter-Terrasse (Inv.Nr. 2035), einen Mittelakroter vom Propylon des Asklepieion (Inv.Nr. 2152) oder zwei Kentauren-Torsen aus demselben Heiligtum (Inv.Nr. 2068). Der anschließende Querraum beherbergt neben Statuettenfunden aus Aliağa (Myrina) sowie Kleinfunden und Keramik seit der Frühbronzezeit einen Kouros aus Çandarlı (Pitane; Inv.Nr. 19) sowie drei Reliefs aus dem Marmorsaal vom Burgberg. Beachtlich sind ein röm. Mosaik aus der Stadt Bergama und die Hadrians-Statue aus der Bibl. des Asklepieion.

1 F. Gerçek, Türk Müzeciliği, Ankara 1999, 384–386
2 W. Radt, Bergama Müzesi Yapılışı. Atatürk Devrinde Türk-Alman işbirliğine bir Örnek, in: IX. Türk Tarih Kongresi 1981, I, 1986, 397–404

8. Archäologisches Museum Bodrum (Bodrum Sualtı Arkeoloji Müzesi)
8.1 Geschichte

Das *Bodrum Sualtı Arkeoloji Müzesi* wurde 1964 in dem von den Johanniter-Rittern im 15. Jh. erbauten Kreuzfahrerkastell St. Peter eröffnet. Den urspr. Zentralbau der ma. Anlage bilden, durch Mauern verbunden, der Frz. (1415–1420) und der It. Turm (1431); um 1440 wurde die Festung durch den Dt., den Engl. und den Span. Turm erweitert. Die nördl. Mauerverstärkung, die Hafenbatterien sowie die im Südwesten der Anlage eingerichtete Kapelle stammen aus dem Beginn des 16. Jahrhunderts.

Die Geschichte des Mus. (Abb. 8) beginnt im J. 1960, als man Fundstücke aus der kurz zuvor angelaufenen Bergung des Gelidonya-Wracks durch amerikanische Archäologen (George Bass) in der Burg aufzubewahren begann. Vier J. später wurde die Anlage unter der Direktion von Haluk Elbe in noch spärlichen Räumlichkeiten eröffnet. Gleichzeitig mit der Depotnutzung setzten umfassendere Restaurierungsarbeiten ein, und nachfolgend wurden in den Türmen (Engl. Turm 1981, Dt. Turm 1985 fertiggestellt) sowie in der Kapelle Ausstellungsräumlichkeiten eingerichtet. Der seit 1978 amtierende Direktor T. Oğuz Alpözen legte ebenfalls den Schwerpunkt auf die → Unterwasserarchäologie.

8.2 Sammlung

Neben den Unterwasserfunden stellt das Mus. auch zahlreiche bedeutende Bodenfunde aus Bodrum selbst oder dessen Umland aus. Die wichtigsten Funde vom Mausoleion, die nicht nach London verbracht wurden, befinden sich hingegen, mit Ausnahme einer Friesplatte mit Amazonomachie-Darstellung, in der am Ausgrabungsplatz in der Stadt gelegenen kleinen Museumsanlage.

Die im oberen Innenhof des Kastells ausgestellte Amphorengalerie, wohl eine der umfangreichsten ihrer Art, gibt mit Beispielen, beginnend mit frühen kanaanitischen Amphoren des 14. Jh. v. Chr. bis hin zu ma. Typen, einen Überblick über Chronologie und Funktion dieser Transportgefäße. Im Freien finden sich zahlreiche Rundaltäre, Reste von Bauschmuck aus verschiedenen Zeiten sowie mehr oder minder gut erhaltene Reste von Inschr., Grabreliefs und Rundplastik. Erwähnt seien eine Sphinx aus dem Andron B aus Labraunda oder die Überreste archa. Kouroi aus Kaunos und Bodrum.

Hinter dem Frz. Turm werden in einer Sonderabteilung die Funde eines monolithischen Sarkophages mit einer Frauenbestattung der Hekatomniden-Zeit, der sog. Karischen Prinzessin, ausgestellt, der 1989 bei Bauarbeiten in Bodrum gefunden wurde.

Unter den Schiffsfunden sind das in der Kapelle präsentierte Wrack aus der Nähe der Insel Yassı Ada aus dem 7. Jh. n. Chr., die Funde des spätbronzezeitlichen Uluburun-Wracks, darunter Keramik, Rollsiegel und Schmuck, die Artefakte aus dem Gelidonya-Wrack (13. Jh. v. Chr.) und auch die Reste der Ladung des aus

Abb. 8: Archäologisches Museum
Bodrum, Blick nach Westen über
die Kapelle
(DAI Inst.Neg. 76/156-12)

dem 17. Jh. v. Chr. stammenden Şeytan-Deresi-Wracks
von bes. Bedeutung. Eine Bronzestatue eines Neger-
knaben und eine Statuette einer Isis aus dem Schiffs-
wrack von Yalıkavak gehören gleichfalls zu den mari-
timen Funden.

In der sehr umfangreichen Glasabteilung sei bes. auf
die Glasfunde des im Serçe Limanı gefundenen Wracks
des 11. Jh. n. Chr. hingewiesen.

1 T. O. ALPÖZEN, s. v. Müzecilik, in: Cumhuriyet Dönemi
Türkiye Ansiklopedisi Bd. VI, Istanbul 1984, 1469–1470
2 F. GERÇEK, Türk Müzeciliği, Ankara 1999, 450–451 3
W. MÜLLER-WIENER, Burgen der Kreuzritter, 1966,
39. 107–108 4 Onarılarak hizmete sunulan kültür
varlıklarımız, Bodrum Kalesi, Müze 9, 1987, 19–21
5 E. YÜCEL, Arkeoloji ve Sanat 93, 1999, 47–48

9. MUSEUM EPHESOS (EFES MÜZESİ)

9.1 GESCHICHTE

Ähnlich wie in Izmir und Pergamon beginnt die
Museumsaktivität in Selçuk in den 20er J. des 20. Jh. mit
dem verstärkten Einsetzen von Grabungstätigkeiten in
Ephesos, die die Anlage von größeren Depot-Räum-
lichkeiten erforderlich machten.

In dem kleinen Ort Selçuk, nahe den Ausgrabungen
im ant. Ephesos, wurde von den österreichischen Ausgräbern mit türk. Beteiligung im J. 1929 der erste Museumsbau in Form eines Depots eingerichtet, der im
Laufe der Zeit für die zahlreichen Grabungsfunde
mehrfach verändert und vergrößert wurde. Dennoch
wurden aufgrund Platzmangels immer wieder einzelne
Exponate nach Izmir gebracht und dort zwischengela-
gert. Im November 1964, zehn J. nach Wiederaufnahme der durch die Kriegswirren unterbrochenen öster-

reichischen Grabungen, wurde der Mus.-Südflügel eingeweiht und das Mus. der Öffentlichkeit übergeben.
Dieser Neubau ermöglichte es, wichtige Funde, darunter etwa die sog. »Schöne Artemis« (Inv.Nr. 718), aus
ihrem provisorischen Zwischenlager in Izmir wieder
nach Ephesos zu überführen und dort auszustellen. Bereits zwölf J. später wurde der Anbau eines weiteren
Gebäudeteiles im Norden notwendig.

9.2 DIE SAMMLUNG

Die Sammlung dokumentiert in erster Linie die
arch. Grabungen vor Ort. So ist der erste Saal den Fun-
den aus den Hanghäusern gewidmet. Ausgestellt sind
Kleinfunde, Statuetten und Porträts neben der Rekon-
struktion des sog. Sokratesraumes des Hanghauses II. Im
Saal der Brunnenfunde finden sich die Reste des Sta-
tuenprogramms des Pollio-Nymphäums sowie die
Skulpturen des Trajans- und des Laecanius-Brunnens.
In den Durchgangsräumen zum Innenhof werden die
Neuzugänge präsentiert, darunter die aus dem 2. Jh. n.
Chr. stammenden Elfenbeinfriese aus den Hanghäusern
(Inv.Nr. 6–8/4/75). Der Garten beherbergt Reste von
Bauschmuck, Kapitelle sowie verschiedene Inschr.-
und Grabreliefs; auch der Sarkophag des Mausoleums
von Belevi (Inv.Nr. 1610) ist hier zu finden. Hinter
dem Saal der Grabfunde, der neben Grabreliefs auch
Bestattungsinventare aus myk. Zeit zeigt, folgt der Ar-
temis-Saal, dessen Hauptausstellungsstücke die Figuren
der Ephesischen Artemis, die sog. »Große Artemis«
(Inv.Nr. 712) und die sog. »Schöne Artemis« (Inv.Nr.
718), bilden. Im abschließenden Raum sind Privat- und
Kaiserporträts zu sehen, etwa die Frg. einer kolossalen
Statue des Domitian (Inv.Nr. 1–2/76/92) oder die rekonstruierten Reste einer sitzenden Augustus-Livia-

Gruppe (Inv.Nr. 1957 bzw. Inv.Nr. 1/10/75). Desgleichen finden sich dort die nicht nach Wien verbrachten Plattenfrg. des Parthermonumentes (Inv.Nr. 51/61/90 bzw. 10/6/77) sowie der Fries vom Hadrianstempel (Inv.Nr. 713–716).

1 A. BAMMER, R. FLEISCHER, D. KNIBBE, Führer durch das Arch. Mus. in Selçuk-Ephesos, 1973 **2** F. EICHLER, Anzeiger. Österreichische Akad. der Wiss., Philos.-Histor. Klasse Wien 1965, 108–109 **3** Efes Harabeleri ve Müzesi Yıllığı I 1972, Selçuk 1973, 114–116 **4** Efes Müzesi Yıllığı II 1973–1978, Selçuk 1978, 6–25 **5** F. GERÇEK, Türk Müzeciliği, Ankara 1999, 410–412 **6** P. SCHERRER (Hrsg.), Ephesos – Der neue Führer, 1995, 199–222 **7** T. WOHLERS-SCHARF, Die Forschungsgesch. von Ephesos, 1995, 292

10. MUSEUM HIERAPOLIS (PAMUKKALE)

10.1 GESCHICHTE

Das Mus. von Hierapolis wurde 1984 in dem dazu umgebauten, wohl im 2. Jh. n. Chr. entstandenen, südl. Thermenkomplex eingeweiht. Es folgten Erweiterungen und Umgestaltungsarbeiten, die im J. 2000 abgeschlossen wurden. Der gesamte Komplex dient h. als Museum. Die großen geschlossenen und wiederhergestellten Tonnengewölbe bilden die Hauptausstellungsräume. Desweiteren sind im Freien, genauer in der ehemaligen Palästra und in Teilen des Ruinengeländes, zahlreiche Antiken gelagert.

10.2 SAMMLUNG

Das Mus. gehört aufgrund seiner vorzüglichen Skulptur- und Reliefbestände zu den wichtigsten Sammlungen der Türkei. Die Funde stammen zum größten Teil aus Hierapolis selbst, wenngleich viele der qualitativ hochwertigen Exponate in der Nekropole von Laodikeia geborgen wurden.

Der südwestl. tonnengewölbte Raum ist den Sarkophagen und der Rundplastik gewidmet. Zu erwähnen sind ein leider nur schlecht erhaltener, dennoch prachtvoll dekorierter Sarkophag des 1. Jh. n. Chr. aus Hierapolis, der Säulensarkophag des Euthios Pyrrhon vom Anf. des 3. Jh. n. Chr. aus Laodikeia und eine kleine, sehr gut erhaltene Osthothek aus derselben Nekropole. Von der Rundplastik seien eine röm. Statue einer Isispriesterin aus Laodikeia und eine Attis-Figur hervorgehoben. Der anschließende Saal zeigt in chronologischer Reihe vom Spätchalkolithikum bis hin zur seldschukischen Zeit verschiedene Keramik- und Kleinfunde, darunter auch zahlreiche Münzen. Eindrucksvoll dokumentiert der folgende Saal die Skulpturen- und Reliefausstattung des in flavischer Zeit errichteten und in severischer Zeit umgebauten Theaters. Unter der Rundplastik sei die Statue eines thronenden Hades-Serapis, die eines sitzenden Schauspielers sowie der Torso eines Tritons erwähnt. Die qualitativ hochwertigen Reliefs des Apollon-Artemis-Zyklus von der Bühnenfront zeigen myth. Themen, u. a. den Raub der Persephone, den Marsyas-Mythos oder die Niobiden-Geschichte. Am Rande sei auf ein Graffito mit den Namen

von C. Humann, C. Cichorius, W. Judeich und F. Winter hingewiesen, das in einer der Nischen angebracht wurde und von deren 1887 stattgefundenen Forschungsreise nach Hierapolis zeugt.

11. ARCHÄOLOGISCHES MUSEUM KAYSERI (KAYSERİ ARKEOLOJİ MÜZESİ)

11.1 GESCHICHTE

Sämtliche Fundstücke aus Kayseri und dessen Umland, die bes. nach der Republikgründung im Zuge des verstärkt aufkommenden arch. Interesses gesammelt wurden, waren zunächst im örtlichen Gymnasium untergebracht. Das erste Mus. in Kayseri wurde wohl auf Anstoß des damaligen Gouverneurs im J. 1930 in der seldschukischen Hudavend-Hatun-Medrese eröffnet und aufgrund der unzureichenden Räumlichkeiten, nicht zuletzt durch die 1948 einsetzenden Grabungen in Kültepe/*Kaniš*, 1969 durch einen größeren Neubau ersetzt, wobei die türk.-islamischen Artefakte in der Medrese verblieben und separat als *Türk ve Islâm Eserleri Müzesi* weitergeführt wurden.

11.2 SAMMLUNG

Die Sammlung zeigt, im *Tahsin Özgüç Salonu* beginnend, Funde aus dem Umland von Kayseri, wenngleich die meisten Stücke aus den Grabungen von Kültepe/*Kaniš* stammen. Die Idole von Muttergottheiten vom E. des 3. Jt. gehören zu den zeitlich frühesten der im Hethitersaal ausgestellten Exponate. Hauptsächlich finden sich dort Hinterlassenschaften der hethitischen Kultur, nicht zuletzt in Form zahlreicher Inschriftenreliefs, zu nennen etwa die späthethitische Inschr. von Bahçeköy. Neben zahlreichen Keramikfunden, die in der Hauptsache bis in die Zeit der assyrischen Handelskolonien dokumentiert sind, gehören die späthethitischen Figuren aus Kululu, darunter eine kopflose überlebensgroße Statue eines Königs und der Kopf einer Sphinx, zu den wichtigsten Exponaten.

Im hinteren Saal befinden sich Fundstücke der griech.-röm. Zeit, im bes. Teile des Inventars des wohl kaiserzeitlichen Tumulus von Beştepeler mitsamt Schmuck, Gold-, Silber- und Obsidiangefäßen, oder ein Sarkophag mit den zwölf Taten des Herakles. Unter den im Garten aufgestellten Funden sind die späthethitischen Löwen vom Eingangstor in Göllüdağ-Niğde zu nennen.

1 F. GERÇEK, Türk Müzeciliği, 1999, 412–414 **2** H. KODAN, Archaeological Mus. of Kayseri, in: K. EMRE, M. MELLINK, B. HROUDA, N. ÖZGÜÇ (Hrsg.), Anatolia and the Ancient Near East. Stud. in Honour of Tahsin Özgüç, Ankara 1989, 269–270 **3** Yurt Ansiklopedisi VII, 1983, 4777, s. v. Kayseri Müzeleri

12. ARCHÄOLOGISCHES MUSEUM KONYA (KONYA ARKEOLOJİ MÜZESİ)

12.1 GESCHICHTE

Der erste Vorläufer des arch. Mus. von Konya wurde 1901 in Teilen der damaligen Mittelschule eingerichtet. 1927 wurden die bis dato zusammengetragenen Fundstücke in das heutige Mevlana-Mus., dem damaligen *Konya Asan Atika Müzesi*, überführt, bevor sie 1953 in die İplikçi-Moschee verlagert wurden. Erst im J. 1963 wurde das heutige Museumsgebäude eingerichtet.

12.2 SAMMLUNG

Die Bestände des arch. Mus. in Konya stammen zum größten Teil aus Grabungen im Umland. Leider finden sich vom berühmten, in der Nähe Konyas gelegenen Çatal Höyük nur die Reste einer neolithischen Kinderbestattung sowie Frg. von Wandmalereien, da die übrigen Funde alle nach Ankara verbracht wurden (s. dort). Es folgen Funde vom Karahöyük; gezeigt werden auch Keramik und Rollsiegel aus der Zeit der assyrischen Handelskolonien. Daneben beherbergt das Mus. Funde phrygischer Zeit aus Karapınar, aber auch wenige korinthische und schwarz- bzw. rotfigurige Vasen griech. Provenienz.

Bedeutend ist die Sammlung wegen ihrer äußerst qualitätvollen Sarkophage; genannt seien ein aus dem 3. Jh. n. Chr. stammender, kunstvoll gearbeiteter Herakles-Sarkophag aus Yunuslar und einige der Säulen- und Girlandensarkophage. Im Garten finden sich weitere Sarkophage sowie Teile von Bauschmuck, zahlreiche Grabstelen und Reste zumeist röm. Statuen.

1 F. GERÇEK, Türk Müzeciliği, Ankara 1999, 393–397
2 M. YUSUF, Konya Asarı Atika Müzesi Rehberi, 1930

13. MUSEUM SIDE (SİDE MÜZESİ)

13.1 GESCHICHTE

Nachdem die Funde der seit 1947 durch A. M. Mansel stattfindenden Ausgrabungen in Side zunächst in das Mus. von Antalya gelangten, beschloß man später, in Side selbst ein Antikenmus. einzurichten. Die Wahl fiel auf das an der Agora liegende Thermengebäude, mit dessen Ausgrabung 1955 begonnen wurde und das man in den folgenden sechs J. freilegte und durch private Spenden baulich zum heutigen Antikenmus. umgestaltete. Die 1962 eröffneten Ausstellungsräumlichkeiten wurden im kreisförmigen, mit vier Nischen versehenen *laconicum* sowie in dem im Südwesten bzw. Südosten angrenzenden *tepidarium* und *caldarium* der wohl im 5. Jh. n. Chr. erbauten Badeanlage eingerichtet.

13.2 SAMMLUNG

Die Sammlung beherbergt mit wenigen Ausnahmen Fundstücke, die aus den in Side laufenden Grabungen stammen, darunter zahlreiche Werke der kaiserzeitlichen Kunst sowie röm. Kopien klass. und hell. Skulptur. Erwähnt seien die im ehemaligen *tepidarium* ausgestellten qualitativ hochwertigen Erotensarkophage, ein vorzüglich erhaltener Hermeskopf (Inv.Nr. 252) sowie Repliken des Ares Borghese (Inv.Nr. 99) und des lysippischen Apoxyomenos (Inv.Nr. 85). Das wiederhergerichtete *caldarium* birgt u. a., ausgestellt teilweise in den ant. Wasserbecken, Teilfunde verschiedener Schiffswracks, einen überlebensgroßen Bronzearm mit Rhython, ein antoninisches Ixion-Relief und eine unterlebensgroße Gruppe der Drei Grazien aus dem Theater (Inv.Nr. 129–131). Im Gartengelände finden sich u. a.

Sarkophage unterschiedlicher Qualität und Erhaltung sowie Teile von Bauschmuck und Skulpturenreste.

1 O. ATVUR, Side. A Guide of the Ancient City and the Mus., Istanbul 1984 2 H. C. ÇAMBEL, Belleten 27, 1963, 121–144 3 F. GERÇEK, Türk Müzeciliği, Ankara 1999, 449 4 A. M. MANSEL, Die Ruinen von Side, 1963, 148–156

C. SONSTIGE MUSEEN

Das 1939 fertiggestellte und 1948 eingeweihte Mus. von Antakya ist wegen seiner zahlreichen Mosaiken, die zum Großteil bei amerikanisch/britischen Grabungen im Hatay-Gebiet zutage traten, von bes. Bed. [1. 438–440; 4].

Das Mus. von Burdur wurde 1963 in der Bibl. der osmanischen Bulgurlu Medrese zunächst als Depot eingerichtet, bevor es in den J. 1966–1968 um zwei Säle erweitert und der gesamte Komplex 1969 der Öffentlichkeit zugänglich gemacht wurde. Das Mus. zeigt, neben teilweise frühgeschichtlichen Kleinfunden aus der Region, die qualitätvollen Skulpturenfunde aus Kremna und Sagalassos. Ein immer wieder mit Polyklet in Verbindung gebrachter, gut erhaltener Bronzetorso aus Boubon (Inv. 7416) gehört zu den Glanzstücken der Sammlung [1. 442–443; 5. 49].

1972 wurde im Kültürpark von Bursa das arch. Mus. eröffnet. Das Spektrum der ausgestellten Funde reicht chronologisch vom 3. Jt. v. Chr. bis in byz. Zeit, wobei der Schwerpunkt auf den arch. Hinterlassenschaften Bithyniens und Mysiens liegt. Zu erwähnen sind die frühgeschichtlichen Funde aus Balıkesir, die Denkmäler aus der Zeit der Perserherrschaft sowie zahlreiche Grabreliefs [3].

Das arch. Mus. von Kütahya wurde 1965 in der 1314 erbauten Vacidiye Medrese errichtet und erhielt 1999 durch Renovierungsarbeiten sein heutiges Aussehen. Neben frühbronzezeitlichen Funden, hethitischen Artefakten vom Seyitömer Höyük sowie phrygischen Fundstücken, darunter Votiv- und Grabstelen, birgt das Mus. aus der Aizanoi-Grabung stammenden Antiken, darunter ein qualitätvoller Säulensarkophag mit Amazonendarstellung und eine unterlebensgroße Satyr-Statue [1. 434–436].

Das Mus. von Milas, dessen Vorgängergebäude 1959 zunächst als Depot eingerichtet wurde, stellt, mit dem 3. Jt. v. Chr. beginnend, großteils Grabfunde aus der Umgebung aus, darunter Gefäße und Goldschmuckbeigaben aus Iasos, Beçin und Stratonikeia. Einige der präsentierten Marmorbildwerke sind von bes. arch. Interesse, etwa zwei überlebensgroße Köpfe röm. Zeit aus Stratonikeia, die eine eigentümliche Stilmischung zeigen, ein archa. Jagdrelief mit Biga-Darstellung aus Iasos und eine hell. Kultstatue der Artemis [5. 155].

Das Mus. von Muğla beherbergt neben einer 1994 eröffneten paläontologischen Ausstellung (»Turolian Park«) und einer ethnographischen Abteilung zahlreiche Antiken, die teilweise aus dem nahe gelegenen Stratonikeia stammen. Im Hof werden Grabreliefs, Rundaltäre, Architekturfrg. und Rundplastik ausgestellt; im Ausstellungsraum finden sich Kleinfunde aus der Nekropole von Stratonikeia, darunter klass. und hell. Keramik, Terrakotten, röm. Glas und zahlreicher Schmuck [1. 467; 5].

Als Beispiel eines Antikenmus. privater Trägerschaft in der T. sei das Sadberk-Hanım-Mus. in Istanbul erwähnt, das 1980 eröffnet und 1983 durch die Antiken der Privatsammlung Hüseyin Kocabaş bereichert wurde. Chronologisch setzt die Sammlung im späten Neolithikum ein und zeigt ein reiches und qualitätvolles Spektrum von Kunst und Kunsthandwerk, v. a. auch der Ant., bis hinein ins 19. Jh. [1. 465–466; 2].

1 F. Gerçek, Türk Müzeciliği, Ankara 1999 2 S. Gönül, Ç. Anlağan, F. Bodur Eruz, Sadberk Hanım Mus., Istanbul 1989 3 S. Kütük, B. Çorum, Bursa, o.J., 50–55 4 Mus. Hatay (Hrsg.), Hatay. Mus. und Umgebung, o.J. 5 M. Önder, Türkiye Müzeleri ve Müzelerdeki Şaheserlerden Örnekler, Ankara 1977.

PETER BAUMEISTER

Typographik s. Schrift/Typographik

Typologie A. Begriff und Sache
B. Typologie in Theologischen und
literarischen Schriftquellen
C. Typologie in der christlichen Kunst

A. Begriff und Sache

Mit dem (neuzeitlichen) Begriff T. wird in der Literaturwiss. und in der Theologie (anders als in den Natur-, Sozial- und einigen Geisteswiss. seit dem 19. Jh., vgl. [8]) eine Sonderform der allegorisch-heilsgeschichtlichen Textdeutung bezeichnet, die auf einer ma. Geschichtsauffassung beruht, nach der sich die vorchristl. Zeit in Christus und der ihm mystisch verbundenen Kirche gesteigert erfüllt. In einem zunächst innerbiblischen, im Kern christusbezogenen Auslegungsverfahren werden Stationen des Lebensweges Christi, mit dem die »Zeit der Gnade« (*tempus sub gratia*) beginnt, zur Epoche »vor dem mosaischen Gesetz« (*ante legem*) oder »unter dem Gesetz« (*sub lege*) in einen Bezug von »Vorbild« (griech. *týpos*, biblisch bezeugt in Röm 5,14; 1 Kor 10,6; Hebr 8,5; die Vulgata übersetzt mit *figura* oder *forma*) und »Gegenbild« bzw. »Antityp« (griech. *antítypos*; Hebr 9,24; 1 Petr 3,21; lat. *forma, figura, umbra, exemplaria*) gesetzt, und zwar entweder in der Form der Antithese (z. B. Adam – Christus, Eva – Maria, Sintflut – Taufe) oder nach dem Prinzip der Analogie. Dabei werden Fakten oder für wahr gehaltene Begebenheiten des AT als »Realprophetie« eines vergangenen oder erwarteten Ereignisses verstanden. Das Christuswort Mt 5,17 von der Erfüllung des Gesetzes und der Propheten bezeugt den – faktisch nicht immer gewürdigten – Eigenwert des at. Geschehens und zugleich den Zuwachs an Offenbarungsfülle.

Die Bezeichnung [7] geht auf griech. *týpos* (»das Geprägte«, »das Prägende«, »Form«, »Gestalt«) zurück; im Judentum gebraucht Philo von Alexandrien (ca. 25 v.-40 n. Chr.) sie in der Auslegung der mosaischen Bücher. Das typologische Verweissystem wird im Lauf der langen histor. Anwendung durch viele griech.-lat. Bezeichnungen und Metaphern angezeigt; Standardbezeichnungen für das »Vorbild« sind *typus* und *figura*. Der Umstand, daß Paulus (Gal 4,24) *allegoria* typologisch verwendet, führt bei den Kirchenvätern und den meisten Exegeten des MA zu einem begrifflichen Nebeneinander von *typus, figura, praefiguratio* und *allegoria* und zur Einbindung der T. in die → Allegorese. Seit dem 4. Jh. (Augustinus, Ambrosius) kann die T. dreistufig gedacht werden (Zeit des Gesetzes, Christi und der Kirche, Endzeit).

B. Typologie in theologischen und literarischen Schriftquellen

Die biblische T. ist zuerst im NT selbst bezeugt (s.o.). Bekannteste Beispiele hierfür sind Jo 3,14 (Erhöhung der ehernen Schlange – Kreuzigung Christi) und Mt 12,40 (Jona im Bauch des Seeungeheuers – Grabesruhe Christi). Der anon. *Barnabasbrief* (um 130/132) verwendet T. erstmals systematisch; frühe Zeugen sind Justin (2. Jh., *Dialog mit dem Juden Tryphon*) und als erster lat. Autor Tertullian (ca. 150–230, *Gegen Marcion*). Maßgebliche Textzeugen für die – oft durch Allegorese ausgestaltete – T. sind die reich überlieferten bibelexegetischen Quellen von der Spätant. über die Patristik, das MA (mit Schwerpunkt im 12./13. Jh.) bis zur frühen Neuzeit.

Das Verständnis der T. als einer »Denkform« der Geschichtsbetrachtung ([4. 22–63] = [11. 445–472]) – exemplarisch verwirklicht bei Rupert von Deutz († 1129), Honorius Augustodunensis († 1152) und Joachim von Fiore († 1201; *Liber figurarum*) ist in der Forsch. umstritten. Die Tatsache, daß dies die Annahme einer halb- und außerbiblischen T. ermöglicht, bei der einer oder beide Pole der Sinnbeziehung in der außerbiblischen Geschichte liegen, hat für die Antikerezeption in der Lit. und Kunst des MA große Bed., da nun nicht nur der at. Kult und die kirchliche Liturgie, sondern auch die heidnisch-ant. Geschichte, Myth. und Dichtung in die T. einbezogen werden; so schon bei Ambrosius († 397), der in *De officiis ministrorum* die pythagoreische Jungfrau und die hl. Agnes, Orestes und Pylades den hl. Xystus und Laurentius antitypisch gegenüberstellt. Pagane Typen (Odysseus am Mastbaum als Typus Christi am Kreuz) sind ebenso wie die christl. Vergil- oder Ovid-Deutung gegenüber der at. T. zunächst vergleichsweise seltener (Bedenken des Augustinus und Origenes gegen christl. Deutung paganer Lit.), begegnen dann aber verstärkt seit dem 12. Jh. (z. B. Sokrates und Platon, Orpheus und Herakles, Odysseus [10; 11]). Diese Auslegungspraxis fußt auf der Überzeugung, daß auch in der griech. Myth. und Philos. ein Keim der christl. Wahrheit angelegt sei (Konzept des *lógos spermatikós* [11. 484]). Die Legitimierung von Typen aus der heidnischen Ant. kann sich zudem auf die biblische Lehre von der Berufung der Heiden zum Heil Christi in seiner Kirche stützen (vgl. Eph 3,6). Prinzipiell kann die gesamte heidnische

Myth. wie auch die Naturkunde (*Physiologus*) typologisch-allegorisch gedeutet werden.

Im Hoch-MA findet eine Erweiterung des Bestands an Typen statt. Eine Vielzahl von Präfigurationen unter Einbeziehung von Typen aus der Natur bezieht sich nun nicht mehr nur auf das Christusgeschehen, sondern auch in größerem Ausmaß auf Maria. Wesentliche Veränderungen im Konzept der allegorisch-typologischen Schrifterklärung sind zu erkennen z. B. in der Scholastik (Einschränkung des Spiritualsinns bei Thomas von Aquin), im Protestantismus (Luther, Calvin, Melanchthon), der bei strikter Ablehnung der Allegorese an einem typologisch-christologischen Schriftverständnis festhält, sowie in der frühen Neuzeit in den protestantischen Lehrbüchern. Typologie lebt im geistlichen Drama der Zeit fort und wird (z. B. im »neuen Exodus« der *Pilgrim Fathers* nach New England) auch polit. instrumentalisiert.

Typologie ist über den theologisch-kirchlichen Bereich hinaus auch für weite Bereiche der lat. und volkssprachigen Lit. von Bed., so z. B. für die geistliche dt. Lit. in ahd. Zeit (Otfrid von Weißenburg, 9. Jh.), fundamental für die volkssprachige Bibeldichtung des ausgehenden 11. und frühen 12. Jh., Predigtsammlungen des 12. und 13. Jh. sowie für Texte geistlicher Naturkunde (beginnend mit dem *Physiologus*). Kontrovers diskutiert wird, ob auch innertextuelle Bezüge (z. B. die Beziehung von röm. Heldensage und christl. Heiligenlegende in der *Kaiserchronik*, 12. Jh., von ant. und höfisch-ma. Stoff im *Eneas*-Roman Heinrichs von Veldeke, E. 12. Jh.) als außerbiblisch-typologisches Verhältnis verstanden werden können. Als Methode der Schrifterklärung und als Strukturform der Liturgie bleibt die T. (so im röm.-katholischen Ritus) bis in die Gegenwart lebendig.

C. Typologie in der christlichen Kunst

Bereits in der frühchristl. Katakombenmalerei und in der Sarkophagplastik können at. Inhalte unter der Annahme, daß die Darstellung des Antitypus fehlen dürfe (kritisch: [14]), typologisch verstanden werden. Seit dem 4./5. Jh. werden at. und nt. Themen einander gegenübergestellt (frühes Beispiel: Türen von S. Sabina in Rom, um 410), seit dem 6. Jh. auch at. Opferhandlungen dem Opfer Christi (Mosaiken von S. Vitale in Ravenna, um 547). Im Abendland sind typologische Zeugnisse in den verschiedensten Künsten reich bezeugt, so in der Buchmalerei seit der Karolingerzeit, im Kirchenbau (die Kirche als »neuer Tempel«) und in seinen Bau- und Ausstattungselementen (Bronzetüren von St. Michael, Hildesheim, um 1015), bes. in der Blütezeit der T. (12.–14. Jh.): Altäre, Taufbecken, Portalplastik und Glasfenster der gotischen Kathedralen, Wand- und Deckenmalerei sowie bei liturgischen Gebrauchsgegenständen wie z. B. Kreuzfüßen, Leuchtern, Reliquiaren. Im letzten Viertel des 12. Jh. werden typologische Konzepte erstmals sowohl in größeren Bildprogrammen liturgischer Kunst (Klosterneuburger Altar des Nikolaus von Verdun, 1181; Abb. 1) als auch in theologisch-lit.

Abb. 1, links: Das Heilshandeln Gottes in den drei Epochen *ante legem, sub lege* und – zentral – *sub gratia* (hier: Verkündigung Isaaks, Samsons, Christi), bildsystematisch in drei Registern zu je 17 Szenen dargestellt. Klosterneuburger Altar des Nikolaus von Verdun, 1181 (aus: H. Buschhausen, *Der Verduner Altar*, 1980, Tafel 1–3)

Text-Bild-Zyklen verwirklicht; frühestes Zeugnis ist der *Dialogus de laudibus sanctae crucis* (Clm 14159, um 1175/80; Abb. 2). Herausragend sind zahlreiche Hss. der *Bible moralisée* (13. Jh.) und der *Biblia pauperum*, deren früheste Fassungen (ca. Mitte 13. Jh.) auf das *Speculum humanae salvationis* (ca. 1330, mit Typen aus der ant. Profangeschichte; Abb. 3) eingewirkt haben, sowie die *Concordantiae caritatis* (nach 1351) Ulrichs von Lilienfeld und das mariologische *Defensorium inviolatae vir-*

ginitatis beatae Mariae des Franz von Retz (um 1420; Abb. 4). Im Human. steht T. hauptsächlich im Dienst der Moralisation und Didaxe. Allegorisch-typologische Bildzyklen lassen sich in der Kunst bis ins 18. Jh. (im Barock mit Einwirkung auf die Emblematik) weiterverfolgen.

→ AWI Philon [12] von Alexandreia

1 E. AUERBACH, Figura, in: Archivum romanicum 22, 1938, 436–489 **2** P. BLOCH, Nachwirkungen des Alten Bundes in der christl. Kunst, in: Monumenta Judaica, hrsg. v. K. SCHILLING, 1963, 735–781 **3** Ders., s. v. T., in: LCI 4, 1972, 395–404 **4** V. BOHN (Hrsg.), T., 1988 **5** CHR. DOHMEN, E. DIRSCHERL, V. GREISELMAYER, T., in: LThK³ 10, 2001, 322–325 **6** L. GOPPELT, Typos, 1939, Ndr. 1966 **7** Ders., týpos, antítypos (…), ThWB 8, 1969, 246–260 **8** H.-U. LESSING, 1998, 1594–1607 Typos, T., II. 19. u. 20. Jh., in: HWdPh 10, **9** B. MOHNHAUPT,

Abb. 2: Typologie des Kreuzes: Paradiesszenen, Ecclesia mit dem Kreuz als Lebensbaum, Adam und Eva neben dem Paradiesbaum, Kain und Abel. *De laudibus sanctae crucis* (um 1175/1180). München, Bayerische Staatsbibliothek, Clm 14159, f. 1r (aus: F. Mütherich, *Regensburger Buchmalerei*, 1987, Tafel 30)

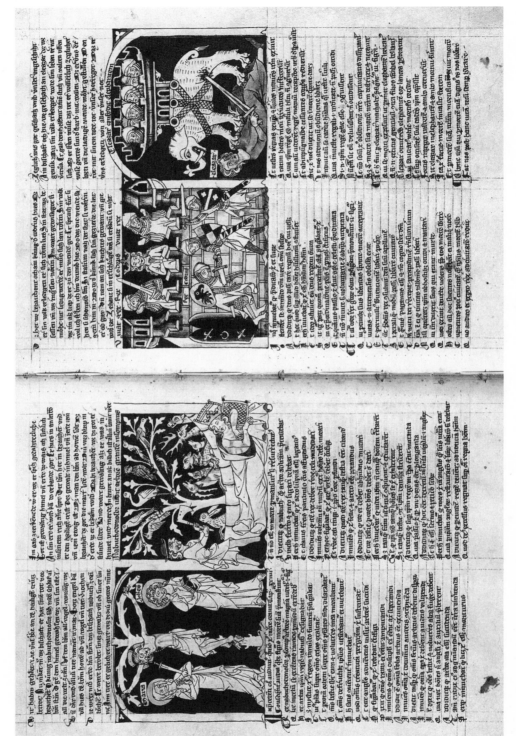

Abb. 3: Kreuzigungsbild mit biblischer und halbbiblischer Typologie: Nebukadnezzar, Opfertod des sagenhaften Griechenkönigs Codrus, Eleazar. *Speculum humanae salvationis*, älteste deutsch-lateinische Handschrift von ca. 1330 aus dem Stift Kremsmünster, Cod. 243, f. 29v/30r (aus der vollständigen Faksimile-Ausgabe, Kommentar W. Neumüller, 1972)

Ibac transire caue:nisi prius diceris
aue.bac nõ vade via nisi diceris aue
maria gfa plena dñs tecu bñdicta tu
in mulieribus z bñdictus fruct⁹ zc.

Ipftifacus a natura. si aue dicere va
let. quare ꝟgo pura per aue non ge
neraret. ysidor⁹ li ryi. etbimologiaꝛ
capitulo. vij.

Si ventus vinũ rusticũ lõge deferre
valet. cur sũmi patris filiũ virgo nõ
generaret. albertus. in metbauris.
tractatu.ij.capitulo. vij.

Uitis si de plice ybernia oꝛtum habet
cur vitẽ veraꝛ virgo non generaret.al
bertus libꝛo quinto tractatu pꝛimo;
capitulo. vi.

Abb. 4: Wunderbare Begebenheiten aus der Natur,
die das Wunder der Jungfrauengeburt (oben links:
Verkündigungsszene) präfigurieren. Franz von Retz,
Defensorium inviolatae virginitatis beatae Mariae,
Typendruck Ende 15. Jahrhundert (aus der
Faksimile-Reproduktion, herausgegeben von
W.L. Schreiber, Weimar 1930, unpaginiert)
→AWI Philon [12] von Alexandria

Beziehungsgeflechte. Typologische Kunst des MA, 2000
10 F. OHLY, Schriften zur ma. Bedeutungsforsch., ²1983,
bes. 312–337, 361–400 u. Reg. s. v. T. (typologische
Bezüge) **11** Ders., Ausgewählte und neue Schriften (...),
hrsg. v. U. RUBERG, D. PEIL, 1995, bes. 445–472, 473–507
12 H.-J. SPITZ, Allegorese/Allegorie/T., in: Fischer Lex.
Lit., Bd. 1, 1996, 1–31 **13** S. SCHRENK, Typos und Antitypos
in der frühchristl. Kunst, JbAC Ergbd. 21, 1995
14 S. SCHRENK, J. ENGEMANN, s. v. T., in: LMA 8, 1997,
1133–1135 **15** B. STRENGE, Typos; T., I. Ant., MA, Neuzeit,
in: HWdPh 10, 1998, 1587–1594 (Überblick; Lit.)
16 R. SUNTRUP, Zur sprachlichen Form der T., in:
Geistliche Denkformen in der Lit. des MA, hrsg. von
K. GRUBMÜLLER et al., 1984, 23–68.   RUDOLF SUNTRUP

Tyrannis A. EINLEITUNG   B. MITTELALTER
C. HUMANISMUS UND REFORMATION
D. KONFESSIONSKONFLIKT UND DESINTEGRATION
DES ÄLTEREN NATURRECHTS
E. JÜNGERES NATURRECHT UND AUFKLÄRUNG
F. SPÄTE NEUZEIT

A. EINLEITUNG

Der Begriff T. erlaubt die Denunziation bestimmter
Herrschaftspraktiken zugunsten einer vermeintlich bes-

seren polit. Ordnung. Diese Ordnung war in der Ant.
das Gemeinwesen der Bürger, die sich selbst regierten.
Nach dem Untergang dieser heidnischen Bürgerstaaten
signalisiert die Rezeption des T.-Begriffs in den Monarchien des MA und der Frühen Neuzeit Anforderungen an die Beschaffenheit der polit. Ordnung, die mit
der christl. Lehre von der Erbsünde und der hierarchisch
gestaffelten Lehens- bzw. Ständeordnung in einem
spannungsreichen Verhältnis standen. In der Ant. ist der
Begriff zunächst im Griech. greifbar, entstammt aber
vermutlich dem lydischen Sprachbereich. Nach zunächst wertneutraler oder sogar positiver Bed. kennzeichnete T. seit dem 6. Jh. v. Chr. eine Herrschaft, die
sich gegen den Willen der Bürger mit Gewalt behauptet
und nur dem eigenen Vorteil verpflichtet ist. Dabei
mochte es sich in Verknüpfung histor. Erfahrungen und
philos. Prämissen guten Zusammenlebens um eine
Herrschaft handeln, die an kein Gesetz gebunden war
und der Kenntnis des notwendig zu Tuenden erman-
gelte (Plat. rep. 545–580). Aristoteles kennzeichnet
demgegenüber T. als eine Verfallsform der Ein- oder
der Volksherrschaft, in deren Folge Freundschaft und
Gespräch unter den Bürgern zerstört und damit das Ziel
des guten Lebens im Gemeinwesen verfehlt worden
war (Aristot. pol. 1279–1295). Die unterschiedlichen
Schwerpunktsetzungen bei Platon (auf der Kenntnis des
zu Tuenden und der Herrschaft der Gerechtigkeit gegenüber einer Herrschaft der Begierden) und Aristoteles
(auf dem Ziel der Entfaltung des guten Lebens aller Bürger im Gemeinwesen) wurden durch Cicero v. a. im
Verlauf der Erfahrungen mit den Bürgerkriegen in der
röm. Republik auf jede Form der Einherrschaft zugespitzt. Cicero entfaltete eine an der röm. Geschichte
geschulte Beschreibung tyrannischer Herrschaft, in der
Entartungsmotiv, Gewaltherrschaft und Mißachtung
der Gesetze und des Eigentums der Bürger und der
Topos von der Verführbarkeit des Volkes zusammengeführt wurden (Cic. off. 2,23–31). Er verband das empirische Verfahren der Peripatetiker mit Platons Vorgehensweise. Cicero lehnte sich an Platons kritische Bewertung der Zügellosigkeit des Volkes an, unterstrich
jedoch in Abgrenzung zu Platon, daß die Einherrschaft
zwar einer reinen Herrschaft des Adels oder des Volkes
vorzuziehen, der Umschlag gerechter königlicher in
ungerechte tyrannische Herrschaft aber stets zu befürchten sei. Daher bezeichnete er die Beteiligung von
Volk und Adel an der Regierung, jeweils ihrem Rang
und Fähigkeiten gemäß, als wahren Ausdruck der dis-
tributiven Gerechtigkeit des *suum cuique* (Cic. rep. 1,
50–52. 65–69. 2, 21–22. 42–47). Kehren die Bürger jedoch Ehre und gegenseitigem Wohlwollen als Grundlagen des Zusammenlebens den Rücken und entscheiden sich für *voluptas* und *otium*, sind die Grundlagen der
T. gelegt (Cic. off. 2,20–28). Cicero deutet T. auch als
göttl. Strafe für solche Entscheidungen gegen die Tugend. Sein Beispiel ist die Mißhandlung der röm. Bundesgenossen durch die Römer. Die inneren Konflikte in
der Folgezeit sind eine Strafe für diese Verfehlung (Cic.

off. 2,28). Die Rezeption von T. wurde in der Folge v. a. durch Augustinus (354–430) beeinflußt, der bis zur Wiederauffindung im J. 1820 die einzige Quelle für Ciceros *De re publica* blieb. In *De civitate Dei* (42,4–26) verband Augustinus mit Bezug auf *De re publica* die Lehre von der Sündhaftigkeit des gefallenen Menschen mit der Bewertung irdischer Herrschaft als Tyrannis. Augustinus irdischer Staat beruht auf der Sündhaftigkeit des gefallenen Menschen. Der Staat bleibt daher immer auch Ausdruck menschlicher Mangelhaftigkeit, er ist nicht möglicher Ort der Erfüllung menschlichen Lebens. Wahre Gerechtigkeit kann nur aus der Vergebung Gottes für die von ihm Erwählten entspringen. Augustinus lehnt in Auseinandersetzung mit Ciceros *De re publica* den dort vertretenen Anspruch der röm. Republik auf Spiegelung der Gerechtigkeit ab (civ. 2,21). Innerhalb dieses veränderten Argumentationsgefüges gesteht er christl. und selbst heidnischen weltlichen Gemeinwesen mögliche nützliche Funktionen der Rechtserhaltung und des Schutzes der Kirche zu, unterscheidet mit Cicero die Pläne einer Räuberbande von der Gerechtigkeit des zu erstrebenden Staates (civ. 4,4; vgl. Cic. rep. 3,24), ehrt das Andenken der von Cicero gepriesenen röm. Staatsmänner wie Scipio und Marcus Regulus (civ. 1,15) und unterscheidet mit Cicero den *rex* vom *rex iniustus*, dem Tyrannen. Augustinus versteht jedoch beide als durch Gott eingesetzt, den Tyrann als Strafe für die Sünde der Menschen (civ. 2,21; 5,19, vgl. Spr. 8,5).

B. MITTELALTER

Diese unterschiedlichen Schwerpunktsetzungen werden in der ma. Rezeption durch die Unterordnung jeder Herrschaft unter das göttl. Recht, das christl. Sittengesetz und das entstehende, am röm. Recht (→ Römisches Recht) orientierte positive Recht überwölbt und in sie in unterschiedlicher Weise eingebunden. Obgleich ein großer Teil der noch Augustinus zugänglichen klass. Texte inzwischen verlorengegangen war und Johannes von Salisbury (1115/20–1180) ebensowenig wie viele andere Gelehrte das Griech. beherrschte, wurde Aristoteles zu einer zentralen Quelle. Ausgehend von der Johannes von Salisbury bekannten Würdigung des Mittelweges und rechten Maßes aus Aristoteles' Organon, bestimmte Johannes in seinem *Polikraticus* Mangel an Mäßigung zum Ausgangspunkt der Bestimmung der Tyrannis. Diese Bestimmung bezog sich sowohl auf das Oberhaupt des kirchlichen oder weltlichen Gemeinwesens als auch auf den Einzelnen ohne Amt (*tyrannus privatus*). Der Gewaltherrschaft des irdischen Tyrannen setzt Johannes Recht und Gesetz als Geschenk Gottes, als Spiegel von Ausgleich und Gerechtigkeit, als Schild gegen die Versuchung und als Maßstab für das Maßhalten der Menschen entgegen. Sie sind Grundlage des christl. Lebens im Gemeinwesen [18. V. 17]. Zwar versteht auch Johannes die T. als Strafe Gottes [18. VIII. 18], gleichwohl kommt der Bekämpfung der T. als sündhafter Verstoß gegen die gottgefällige Ordnung zentrale Bed. zu. Während der *tyrannus privatus* [18. VII. 17]

durch den Fürsten und die Gesetze in die Schranken gewiesen wird, stellt die Maß- und Rechtlosigkeit des Tyrannen an der Spitze des gesamten Gemeinwesens eine besondere Bedrohung dar. Er ist daher der Feind aller und – ebenso wie der gerechte König ein Spiegel Gottes – ein Spiegel Lucifers [18. III. 15]. Die emphatische Beschwörung der Gesetze – des christl. Sittengesetzes ebenso wie der positiven Gesetze [18. IV. 1, VIII. 17] – und der Maßstab der Mäßigung erlauben Johannes, *ambitio*, *avaritia* und *luxuria* [18. VII. 17, VIII. 16] als Ausgangspunkt und Beginn der T. zu kennzeichnen. Alle Tugendhaften sind zum Tyrannenmord aufgerufen, soweit dadurch nicht andere Verpflichtungen wie der Treueeid gegenüber der Person des Tyrannen gebrochen werden [18. VIII. 18, 20].

Thomas von Aquins Begriff der T. (entwickelt in *De Regimine*, entstanden etwa 1265–1267) kennzeichnet seine Auseinandersetzung mit der nun wieder zur Verfügung stehenden *Politik* des Aristoteles. Sein Begriff spiegelt den Versuch, in der Verknüpfung von Hl. Schrift, Trad. und aristotelischem Gedankengut Gnade und menschliche Vernunft zu verbinden. Weniger der durch den Sündenfall korrumpierte, sondern der mit der Vernunft als Gottes Gabe ausgestattete Mensch tritt in den Vordergrund. Auch der heidnische Fürst mochte gut regieren. Das irdische Gemeinwesen und seine Ordnung als Gegenstand des Naturrechts (→ Naturrecht) und die durch Gott gegebene menschliche Vernunft innerhalb der Schöpfungsordnung wurden zum Gegenstand systematischer Erörterung. Dort fand auch die Frage nach der besten → Verfassung ihren Platz. Thomas schloß an die Bestimmungsgründe »Gemeinwohl« und »Gesetzlichkeit« an. Er fächerte die danach zu beurteilenden Regierungsformen aber mit Aristoteles in Monarchie, Aristokratie und Politie sowie in T., Oligarchie und Demokratie auf [31. I.1] und unterschied noch einmal den Tyrannus *ex parte exercitii* vom Usurpator *ex defectu tituli*. Zwar bevorzugte Thomas die Monarchie als Regimentsform [31. I.2], begriff die T. indessen als die gefährlichste der schlechten Formen [31. I.3]. In den früheren *Commentarii Sententiae* hatte er gegenüber dem Usurpator noch den Tyrannenmord des einzelnen für möglich erklärt, zog sich dann aber mit Hinweis auf die Gefahr einer Verschlimmerung der Sachlage durch einen Tyrannenmord auf die mögliche Duldung des Tyrannen oder äußerstenfalls seine Bekämpfung durch Repräsentanten des Gemeinwesens zurück [31. I.6]. Zwar unterstrich er mit Cicero und Aristoteles die Gefahren der T. für den Tyrannen selbst und für das Gemeinwesen und den zerstörerischen Einfluß auf das tugendhafte Leben durch die Eifersucht des Tyrannen auf die tugendhafteren Mitbürger ([31. I.3] mit Hinweis auf Aristot. eth. Nic., [31. III. 2, I.10] mit Hinweis auf Cic. off. 3,10,45); gleichwohl trat die Abwägung der Schwere solcher Gefahren gegenüber der unbedingten Integrität des christl. Sittengesetzes in den Vordergrund. Auch seine Unterscheidung zw. Usurpator und Tyrann steht in diesem Zusammenhang.

C. Humanismus und Reformation

Reformatorische Frömmigkeit und die human. Wiederaneignung der ant. Lehre vom Gemeinwesen verknüpften christl. Sittengesetz, aristotelische Regimententypologie, platonisches Herrscherideal und ciceronianische Pflichtenlehre in einer sich seit den 1530er J. langsam ausdifferenzierenden eigenen Lehre vom Gemeinwesen. Sie übte auf bürgerliche Juristen und Theologen, Adel und Fürsten gleichermaßen, freilich in je unterschiedlicher Schattierung, überragenden Einfluß aus. Dabei rückte die Bindung des Herrschers an das Recht zu einer schrittweise immer deutlicher auf positive Rechtsordnungen bezogenen Forderung auf. Die T. geriet zum Kat. derjenigen Rechtsbrüche des Herrschers, die Ungehorsam gegen ihn rechtfertigen konnten, und damit zur Rechtstitellehre von Untertanen und Ständen. Der Aufruf Luthers zum Schutz der Schöpfungsordnung, Melanchthons Darstellung der irdischen Ordnung in Anlehnung an und in Auseinandersetzung mit Aristoteles und Platon und die Pamphletistik im Reich, wo sie auf die Bindung der Fürsten und des Kaisers an das Recht erinnerte, nutzten den T.-Begriff. Luther griff die geistlichen Fürsten im Reich als ›geistliche Tyrannen‹ und Aufrührer gegen Gottes Wort an [21. WA 11], grenzte aber in seiner Disputation zu Matthäus den *tyrannus* noch einmal vom ›Beerwolf‹ ab, den er außerhalb jeder menschlichen Ordnung stellte und den zu erschlagen er zur Pflicht jedes Haushaltsvorstandes machte: ›Non enim est episcopus neque haereticus neque princeps neque tyrannus, sed vastatrix omnium belua, ut Daniel dicit‹ (»Es ist nämlich weder ein Bischof noch ein Ketzer noch ein Fürst, sondern ein alles verwüstendes Ungetüm«) [22. WA 39 II]. Melanchthon integrierte den Neuplatonismus (→ Platonismus) in die reformatorische Distinktion von Gesetz und Evangelium und bestimmte mit Platon und Cicero den Tyrann als Herrscher, dessen Willkür die Untertanen ausgeliefert sind [23. 425].

In der protestantischen Pamphletistik des Reiches verschmolzen zw. 1530 und 1546 die Glaubensbedrohung durch die heidnischen Türken, die vermeintliche Rechtlosigkeit der türkischen Untertanen gegenüber ›türkischen Tyrannen‹ und schließlich jeder Bruch des christl. Sittengesetzes als ›greuliche Tyrannei‹ [16; 3]. Für die Kennzeichnung der T. wurde seit der zweiten H. des 16. Jh. neben der Verletzung des mit Platon und Cicero formulierten christl. Sittengesetzes die Unterordnung unter das positive Recht des Gemeinwesens zunehmend bedeutsamer. In Verbindung von Regimenten- und christl. und human. Tugendlehre zeichnete der 1559 für Elisabeth I. übersetzte Johannis Ferrarius den Tyrannen noch in erster Linie als Wolf an der ihm anvertrauten Herde der Untertanen und Gegenbild des mit Cicero und Platon fixierten *rex iustus*, dem Arzt und Steuermann des Gemeinwesens [10. IV]. Auch der Schotte George Buchanan skizzierte T. als Gegenbild zum platonischen kenntnisreichen Arzt des Gemeinwesens, der mit der Zustimmung des Volkes Herrschaft unter Freien ausübt, zugleich unter den Gesetzen steht und diese schützt [8. 29, 78–80]. Im Rahmen dieser gemeinsamen Grundlagen entschieden die konkreten polit. Umstände über die Deutlichkeit, mit der zum Kampf gegen die T. aufgerufen wurde. Aufgrund solcher Umstände, nämlich den Auseinandersetzungen mit der katholischen Königin Maria, fiel Buchanans Aufforderung zum Tyrannenmord in seinem *De iure regni* wesentlich deutlicher aus als Ferrarius' Ratschläge, die an den frommen Sohn Philipps von Hessen gerichtet waren. Wilhelm von Oraniens Kennzeichnung der Rechtsbrüche Herzog Albas in den Niederlanden von 1568 als ›unerhörte iniuriies ... Tyrannei und Verfolgung‹ hob demgegenüber v. a. auf spezifische Rechtsbrüche ab [33]. Auch die Schrift *Vindiciae contra Tyrannos*, eine protestantische Rechtfertigung des Widerstandes gegen einen Tyrannen in Reaktion auf die Bartholomäusnacht, unterstrich die Bindung des Fürsten an das Recht [4].

D. Konfessionskonflikt und Desintegration des älteren Naturrechts

In der Folge entwickelte die Regimentenlehre, basierend auf der Unterscheidung zw. dem *tyrannus ex defectu tituli*, gegen den jede Verteidigung berechtigt war, und dem *tyrannus ex parte exercitii*, ein zunehmend fein abgestuftes Notwehrrecht, das sich zunächst in Kombinaton mit der T. als Gegenbild zum *rex iustus* klass. Trad. entfaltete. Im Zuge der Verschärfung der Konfessionskonflikte zw. den 1570er und 1640er J. wurden die Herrschaftsrechte dabei zunehmend im Verhältnis zum positiven Recht bewertet. Die *civitas* als Gemeinwesen tugendhafter Bürger trat im gleichen Zeitraum zugunsten der *res publica* als Herrschaftsordnung im polit. Denken zurück. Das ältere Naturrecht als Ausdruck der göttl. Schöpfungsordnung veränderte sich langsam zum neueren Naturrecht als ethischem Minimalkonsens der widerstreitenden Menschen. Die Diskussion um T. verlor unter diesen veränderten Bedingungen polit. Denkens schrittweise ihre Bindung an einen Kat. wünschenswerter Tugenden des Herrschers, wie noch bei Buchanan oder Ferrarius. Statt dessen entwickelten sich die einschlägigen Abschnitte im Schrifttum zum Gradmesser der monarchischen Herrschaftsrechte und zur Grundlage einer ausgefeilten Rechtstitellehre der Untertanen im entstehenden Staatsrecht [2. Kap. 38]. Am Übergang zu dieser Entwicklung kennzeichnete bei Jean Bodin die ›monarchie tyrannique‹ [7. II. 2.] die Verletzung natürlicher und bürgerlicher Minimalrechte. Die Ausübung der Hausherrschaft über Knechte wurde gegenüber den nur noch als Untertanen konzipierten Bürgern nicht mehr als Rechtsbruch verstanden. Bodin hielt aber gleichwohl an der Beurteilung gerechter Herrschaft am neuplatonischen Maßstab der Harmonie fest. Je nach Natur und Verortung der mit Bodins Souveränitätsbegriff in qualitativ neuer Weise zusammengefaßten Herrschaftsrechte konnte T. bei weiter Fassung dieser Rechte schrittweise zu einer abstrakt denkbaren, in der Praxis aber kaum mehr relevanten Residualkategorie des sein

Volk aktiv bekämpfenden Fürsten [6. B. I. Kap. III; 17. II IX, 4; II, X, 1–2] geraten. Andererseits konnte T. zum Angelpunkt eines mehr oder minder ausgefeilten Verpflichtungs-Kat. im Rahmen der jeweils entworfenen Rechtsordnung werden, in der bereits einzelne Verstöße Widerstand oder sogar die Absetzung des Täters rechtfertigen. Die Ausgestaltung solcher Überlegungen hing v. a. von der spezifischen Rechts- und Machtposition der jeweiligen Konfessionspartei und den spezifischen Umständen des Konfliktes ab [2. XXXVIII; 19. I XI; 11; 12. Bd. 6: De magistrato politico; 27. 22].

Die Religionskriege, die Attentate auf Wilhelm von Oranien, Heinrich III. und Heinrich IV. von Frankreich, Jakob I. von England und schließlich die Hinrichtung Karls I. von England 1649 erschienen zunehmend als blutige Früchte der Diskussion um die T. und ihre Bekämpfung. Extreme Stellungnahmen engl. Republikaner taten ein übriges, die gesamte Diskussion um die T. zu verunglimpfen. In einer international beachteten Debatte denunzierten einige der Gegner Karls I. fast jede Monarchie als T. [28. 47]. Unter der Minderheit überzeugter Republikaner verherrlichte Milton ›to kill an infamous Tyrant at any time without tryall‹ als ›glorious and heroic deed‹, dem Vorbild der ›Greeks and Romans‹ nachlebend [24. 17; 25. 41, 123–127], nachdem er den Tyrannen als ›savage beast‹ [24. 13] außerhalb der menschlichen Ordnung gestellt und die seit Thomas eingebürgerte Unterscheidung zw. dem *tyrannus ex parte exercitii* und dem *tyrannus ex defectu tituli* wieder eingezogen hatte. Die Verrechtlichung des Begriffs in Kategorien des positiven Rechts, wie sie im Reich bis zu den 1660er J. stattgefunden hatte, wurde hier wieder zurückgenommen. Für Milton ebenso wie für William Allen, der in seinem *Killing noe Murder* die Hinrichtung Karls rechtfertigte, wurden bes. Cicero zur Quelle und die Ermordung Caesars durch Brutus zum gefeierten Vorbild [1. 373–377]. Tyrannis wurde aus der Verklammerung mit bes. schweren Verstößen insbesondere auch gegen das positive Recht gelöst und in die Auseinandersetzung zw. Gottes Volk und Satan gestellt. Im Reich stellte mancher lutherische Pamphletist den Kampf mit Habsburg und dem Papst als Kampf mit dem Antichristen dar und berief sich auf das Volk Israel und seinen Kampf gegen den Tyrannen Antiochus [29]. In polemischer Auseinandersetzung mit der von Milton und Allen bemühten ant. Trad. der Rechtfertigung des Tyrannenmordes forderte Thomas Hobbes andererseits den völligen Verzicht auf normativ begründete Vorgaben des guten Lebens als Ziel des Gemeinwesens, auf die Bindung des Monarchen an das positive Recht und auf seine Unterordnung unter das Gemeinwesen. Er plädierte für die Aufgabe des Begriffs: ›For men, by giving names, do usually not only signify the things themselves but also their own affections … and whom one titles a king, another styles a tyrant … these names betoken not a diverse kind of government, but the diverse opinions of subjects concerning them…‹[14. 1. Kap. II, Kap. VII. 2–3; 15].

E. Jüngeres Naturrecht und Aufklärung

Während sich das ältere Naturrecht und die in sie eingebettete human. T.-Rezeption bis zum zweiten Drittel des 17. Jh. im Verlauf dieser Debatten auflösten, gewann T. im jüngeren Naturrecht als Ausdruck des Bruchs des die Gesellschaft allererst konstituierenden Gesellschaftsvertrages eine neue Bed., jedoch nicht mehr allein als Rechtstitellehre innerhalb der Herrschaftsordnung oder im Rahmen von → Fürstenspiegeln, sondern zunehmend auch als Gegenentwurf der sich konstituierenden Privatrechtsgesellschaft und ihres Verhältnisses zur Monarchie als Verfassungsorgan. Den Übergang zu dieser Funktion kennzeichnete die Auseinandersetzung um die Verfassung der Kirche in Schottland zw. 1660 und 1669 und um die Thronfolge des katholischen Jakob II. in England und Schottland zw. 1679 und 1689. Im Reich setzte die naturrechtliche Umdeutung des Reichsrechts durch die aufgeklärte Reichspublizistik im Zuge der Auseinandersetzungen zw. Landständen und Reichsständen ein, beschritt jedoch andere Wege. Die protestantische Pamphletistik in England und Schottland entwickelte das Bedrohungsszenario einer T., die den Glauben und das Eigentum der Untertanen ihrer Willkür unterwirft, um den Aufruf an alle Untertanen zur Notwehr zu rechtfertigen. Sie verband die traditionelle Tyrannenmetaphorik des *rex iniustus* (›As a roaring Lyon and a raging Bear, so is a wicked Ruler over the poor people‹) und vertragsrechtlich mod. ausgefüllte Rechtsbindungen und Souveränitätsvorstellungen (›No supreme magistrate comes justly to power without the call and election of the people‹) [5]. In der in Schottland seit 1666 geführten Debatte um die Rechtfertigung dieser Notwehr wurde die Monarchie bereits bei Verletzung einzelner Eigentumsrechte der Untertanen zur Tyrannis. Kam es zur T., zerfiel die Herrschaftsordnung in die Summe der Menschen als Eigentümer. Sie bildeten im Sinne des jüngeren Naturrechts eine voluntaristisch und vertragsrechtlich gebildete Gemeinschaft rechtsgleicher Personen [30. 78, 119, 160; 20. 232]. Die Unabhängigkeitsbewegung in den amerikanischen Kolonien Englands übernahm diesen T.-Begriff. Der Hinweis auf ›murderous war, rapine and devastation‹ durch den Tyrannen Georg III. und seine Truppen in Predigten, Pamphleten und nicht zuletzt in der Unabhängigkeitserklärung diente der Erläuterung des Rechts zu Notwehr und Sezession, um ›property, life and religion‹ zu retten [9. 612, 623].

Im Schutz des Reichsrechts kam es im Reich nach 1648 zu keiner vergleichbaren Nutzung des T.-Begriffs zur Rechtfertigung von Bürgerkrieg und Sezession. Statt dessen wurde der Begriff zur Rechtfertigung der Reichsexekutive und zur Deutung des Reichs als Herrschaft des Rechts herangezogen. Johannes Nicolaus Hertius führte 1703 zur Kennzeichnung der T. zwar noch Aristoteles, die Zerstörung der Freundschaft unter den Bürgern, die Geschichte von Dionysos von Syrakus, Ciceros *rex iniustus* und Augustinus an, definiert T. aber als Bruch des Gesellschaftsvertrages [13. I, XII, XIV:

Tollitur pactum hoc Tyrannis vocatur]. Zedlers *Universallexikon* bezeichnete T. als ›Regent(schaft), welche sich an die Fundamentalgesetze des Landes durchaus nicht binden will‹ [34. Sp. 2194]. Gottfried Samuel Treuer bezog in diesem Zusammenhang einerseits ›Heydnische‹ Monarchien ausdrücklich ein und kennzeichnete damit den schrittweisen Wegfall der Normen des christl. Sittengesetzes zugunsten des Horizontes aufgeklärter Freiheitsrechte. Zugleich kennzeichnete er den beginnenden Ersatz von T. durch Despotie, wie er auch in Montesquieus *L'esprit des Lois* vollzogen wurde [32. I. Anm. zu § IV, 119, 126]. In dem Maße, in dem die Diskussion über »Despotie« an die Stelle der Erörterung von T. trat, zeichnete sich zugleich die Entstehung mod. Verfassungsvorstellungen ab.

F. Späte Neuzeit

Friedrich Murhard bezeichnete in seiner Auseinandersetzung mit der Reaktion im dt. Bund während des Vormärzes ›Feigheit, Knechtssinn, Eigennutz, Eitelkeit, Dummheit und Trägheit‹ als ›in der Gesellschaft vorhandenes Schlechtes‹ und als ›Schutz der Tyrannis‹. Er signalisierte damit die erneute Loslösung des Begriffs T. aus der Verklammerung mit Verfassungs- und Rechtsbruch und seine Transformation zur Metapher für das jeweils erkannte polit., soziale oder kulturelle Hemmnis freier Persönlichkeits- und Gesellschaftsentwicklung [26]. Mit der völligen Verabschiedung der *conditio humana* als Summe unabänderlicher Umstände menschlichen Lebens durch → Aufklärung und → Revolution wurden T. und Despotie zu Kampfbegriffen des jeweiligen Begehrens nach persönlicher und gesellschaftlicher Freiheit durch vormärzliche Verfassungsbewegung, Demokraten und Sozialisten. In Zusammenhang mit der Ren. der klass. polit. Theorie (→ Politische Theorie) in der Politologie erlebt T. als Metapher jedweder Einschränkung unserer Persönlichkeitsentfaltung eine Ren. eigener Art.

→ AWI Tyrannis

→ Fürstenspiegel; Gerechtigkeit; Herrscher; Humanismus; Naturrecht; Römisches Recht

QU 1 W. ALLEN (= EDWARD SEXBY), Killing noe Murder. Briefly Discourst in Three Quaestions (1657), in: D. WOOTTON (Hrsg.), Divine Right and Democracy, Harmondsworth 1986 2 JOH. ALTHUSIUS, Politica Methodice Digesta, Herborn 1603–14 3 ANON., Berathschlagung, wieferr man allen und ieden oberkeiten zugehorsamen schuldig und verbunden sey... (um 1530), in: [42], Nr. 18 4 ANON., Vindiciae contra Tyrannos (1579), ed. and translated by G. GARNETT, 1994 5 ANON., Tyranny no magistracy, o.O. 1689 6 H. ARNISAEUS, De Jure Maiestatis Libri Tres, Frankfurt 1610 7 J. BODIN, Six Livres de la République (1576), übers. u. mit Anm. versehen v. B. WIMMER, hrsg. v. P.-C. Myer-Tasch, 2 Bde., 1986–88 8 G. BUCHANAN, De Iure Regni apud Scotos, Edinburgh 1579 9 J. CUSHING, Divine Judgment upon Tyrants (1778), in: E. SANDOZ (Hrsg.), Political Sermons of the American Founding Era, 1991 10 JOH. FERRARIUS, De Republica bene instituenda, Basel 1556 11 JOH. GERHARD, Ob alle und jede Untertanen..., in: D. ARUMAEUS, Discursum Academicorum de Juro Publico, Jena 1623 12 Ders., Loci Theologici (1610–22), hrsg. v. F. FRANK, Leipzig 1885 13 JOH. N. HERTIUS, Elementa Prudentiae Civilis, Frankfurt 1703 14 TH. HOBBES, De Cive (1642), hrsg. u. eingeleitet v. S. LAMPRECHT, 1949 15 Ders., Leviathan (1651), hrsg. u. eingeleitet v. R. TUCK, 1991 16 CH. HOFMANN, Eine Vermahnung D. Martin Luther an alle Pfarrherren mit einer Vorrede... (1546), in: FR. HORTLEDER, Der Röm. Kayser und königlichen Majestät... Handlungen und Ausschreiben, Bd. II, Weimar 1618, Nr. 20, 105–7 17 JOH. FR. HORN, Politicorum Pars Architectonia de Civitate, 1668/1672/1699 18 JOHANNES VON SALISBURY, Polikratius (1156–57), hrsg. v. C. C. NEDERMAN, 1990 19 CH. LIEBENTHAL, Collegium Politicum, Gießen/Amsterdam 1619/1652 20 J. LOCKE, Two Treatises of Government (1682/89), hrsg. v. P. LASLETT, 1967 21 M. LUTHER, Von Weltlicher Obrigkeit, wie weit man ihr Gehorsam schuldig sei (1523), Werke, Kritische Gesamtausgabe (WA), Weimar 1883/1948 Bd. 11 22 Ders., Septuaginta propositiones disputandae/Etliche Schlußreden D. Martini Lutheri in öffentlicher Disputation verteidigt (1539) in: WA 39 II 23 PH. MELANCHTHON, Commentarii in aliquot politicos libros Aristotelis (1530), Corpus Reformatorum (CR) 16 (1850) 24 J. MILTON, The Tenure of Kings and Magistrates (1649), hrsg. v. M. DZELZAINIS, 1991 25 Ders., Pro Populo Anglicano contra Glaudii Anonymi, alias Salmasii Defensionem Regiam, London 1651 26 FR. MURHARD, Über Widerstand, Empörung und Zwangsübung der Staatsbürger gegen die bestehende Staatsgewalt in sittlicher und rechtlicher Beziehung, Braunschweig 1832 27 H. PARKER, Observations upon Some of His Majesties late Answers and Expresses, London 1642 28 Ders., Ius Populi, London 1644 29 CH. SCHULTE, Vergleichung der beiden gottseligen Regenten Josiae des Königs Judae und Gustavi Adolphi, Stettin 1633 30 J. STEUART, Jus Populi Vindicatum, London 1669 31 THOMAS VON AQUIN, De Regimine Principum, hrsg. v. J. MATHIS, 1954 32 G. S. TREUER, Wilhelm Freyherr von Schrödern Disquisitio vom absoluten Fürstenrecht, Helmstädt 1719 33 WILHELM VON ORANIEN, Bekentnis samt Defension und Notwehr, o.O. 1568 34 JOH. H. ZEDLER, Großes Vollständiges Universal-Lex. Bd. 45, Leipzig 1745

LIT 35 R. BOESCHE, Theories of Tyranny from Platon to Arendt, 1996 36 A. J. DUGGAN, s. v. Johannes von Salisbury, in: Theologische Realenzyklopädie, Bd. 17 (1988), 153–155 37 R. W. DYSON, Introduction, in: Ders. (Hrsg.), Augustine. The City of God against the pagans (engl.), 1998 38 R. v. FRIEDEBURG, Widerstandsrecht und Konfessionskonflikt, 1999 (engl. Self Defence and Religious Strife in Early Mod. Europe, 2002) 39 J. HÜLLEN, s. v. T., in: HWdPh Bd. 10 (1998), Sp. 1607–1618 40 H. MANDT, T.-Lehre und Widerstandsrecht, 1974 41 B. NICOLIER-DE WECK, H. Languet (1518–81). Un réseau politique internationale de Melanchthon a Guillaume d'Orange, 1995 42 H. SCHEIBLE (Hrsg.), Das Widerstandsrecht der dt. Protestanten 1523–1546, 1969 43 M. TURCHETTI, Tyrannie et tyrannicide de l'Antiquité à nos jours, 2001.　　　　ROBERT V. FRIEDEBURG

U

Überlieferung I. Materielle Überreste
II. Literatur

I. Materielle Überreste
A. Allgemein B. Vom Ende der Antike bis zum Hochmittelalter

A. Allgemein
1. Einleitung

Im folgenden finden sich die möglichen Wege der Ü. materieller Relikte aus der Ant. in die mod. Welt kursorisch nachgezeichnet. Nicht erfaßt wird hierbei die auf museales Kunstinteresse oder Repräsentation fokussierte aktive Aneignung von Ant. sowie ihre systematische, auf forscherische Erkenntnisgewinnung ausgerichtete Inbesitznahme in nach-ant. Zeiten (vgl. hierzu → Altertumskunde, → Antikensammlung, → Klassische Archäologie, → Kunsterwerb/Kunstraub, → Museum).

2. Diskontinuierliche Überlieferungen

Die Tradierung ant. Objekte als Relikte eines allmählichen Vergessens, Verfallens und Verschüttet-Werdens alter Kulturen bzw. alter Siedlungskerne, das förmliche »Überwuchern« von Ant. durch z. T. meterdicke Überdeckung ist Klischee und arch. Faktum zugleich: etwa an einem Ort wie → Rom, wo nicht nur Piranesis Veduten (→ Rom, Abb. 11) diesen Sachverhalt eindrucksvoll visualisiert haben, sondern die bis zu 8 m starken Ablagerungen (z. B. im Bereich der Kaiserfora, → Rom III. Kaiserfora) im Sinne einer wirksamen »Verkapselung« für besondere Konservierungs- und Überlieferungsumstände gesorgt haben. Die bis h. ansprechende Idee vom »Geschichtsbuch Erde« ist dieser im 17. und 18. Jh. ausgeprägten Vorstellung entlehnt. Gleichwohl ist diese vermeintlich »natürliche« Ü. der Ant. bei allen möglichen Unterschieden (sei dies – wie etwa in Rom – als ein langsamer Prozeß der Verschüttung oder – wie im Falle von → Thera, → Pompeji oder → Herculaneum – als abrupte Katastrophe vonstatten gegangen) nur eine von mehreren Facetten der Überlieferung. In allen diesen Fällen – bei den katastrophalen Ereignissen ebenso wie bei dem langsamen »Überwucherung« eines Ortes – gilt einschränkend, daß Relikte der Ant. hier grundsätzlich nicht ansatzweise in vollständiger Breite des einstmals Vorhandenen und somit als ein maßstäbliches Abbild der Vergangenheit, sondern weitgehend selektiv überliefert sind. Präsent sind ganz überwiegend »verlassene« Güter wie unwirtlich gewordene Orte (z. B. die vom Wüstensand überlagerten Römerstädte Nordafrikas, verlandete Hafenstädte oder erdbeben- oder brandzerstörte und dann allmählich durch Ablagerungen verschüttete Heiligtümer wie → Delphi oder → Olympia), ruinöse und aus den verschiedensten Gründen nicht wieder aufgebaute Gebäude oder Stadtviertel mit ihren architektonischen und dekorativen Trümmern oder der Abfall des zivilen oder merkantilen Lebens (wobei sich insbes. Keramik durch ihre Unvergänglichkeit auszeichnet, ansonsten jedoch Erhaltungszustände stark abhängig vom Charakter des Bodeneinschlusses sind). Nur selten finden sich in diesen Kontexten Wertsachen oder intakes Gebrauchsgut, welches im Rahmen der technischen Möglichkeiten selbst aus scheinbar rettungslos von Naturkatastrophen verwüsteten Städten (z. B. Thera, Pompeji) bereits von den ant. Besitzern oder zeitgenössischen Beutegräbern mit z. T. großer Hartnäckigkeit geborgen wurde.

Nicht selten und für die Ü. gerade auch aus konservatorischer Sicht bedeutend ist der Umstand, daß bereits in der Ant. Gegenstände, und hier nun bes. auch solche von Wert, dem Alltag wirkungsvoll und nachhaltig entzogen worden sind – und in diesen Kontexten, abgeschnitten vom Lauf der Zeit, mehr oder weniger ungestört überdauert haben. Eine zentrale, aber keinesfalls einzigartige Rolle spielen hier die oft mit reichen Beigaben versehenen Bestattungen (z. B. etr. Gräber als Zentren der Ü. der att. → Vasen/Vasenmalerei, makedonische Kammergräber als Quellen der Ü. hell. Metall- und Elfenbeinschnitzkunst sowie allg. Gräber als Überlieferungsgaranten von Architektur, Interieur oder Dekoration). Nicht nur der Bereich des Grabes ist hier von Belang; weitere analoge und in Hinblick auf die Ü. materieller Relikte der Ant. nicht minder bedeutende Phänomene treten ergänzend hinzu: etwa die Einbindung von defekten Statuen (Athen, Dipylon; → Athen), obsoleten Grabmälern (Demetrias) oder anderen Gegenständen in spätere Fortifikationen oder zivile Bauten, die regelrechte »Bestattung« kriegszerstörten Heiligtumsinventars in ant. Planierungen (z. B. die Koren auf der Akropolis von Athen im »Perserschutt«) oder die periodisch wiederkehrende »geregelte« Entsorgung der Unmengen kleinerer Weihegaben in griech. Heiligtümern durch Einfüllung derselben in Bothroi oder trockengefallene Brunnen (z. B. Olympia). In allen diesen Fällen sind, z. T. in massiver Konzentriertheit, Gegenstände überliefert, die eigentlich dafür nicht vorgesehen, sondern aus dem ant. Leben ausgegliedert worden waren. Die bisweilen komplexen Folgen für Rekonstruktionen (→ Rekonstruktion/Konstruktion) ant. Lebensrealität, die sich aus diesem leicht zur Überbewertung führenden Umstand ergeben, sind in Rechnung zu stellen, denn auch hier ist Ant. in höchstem Maße selektiv überliefert. Eigentlich nicht dieser Kategorie, aber dennoch dem Bereich der Diskontinuität zugehörig sind die bisweilen äußerst reichhaltigen, z. T. sehr aufwendig im Erdreich versteckten Münzhorte bzw. Schatzfunde: Hier handelte es sich, zum Zwecke der Sicherung, durchweg um als temporär gedachte Verbringungen im Kontext konkreter Bedrohungssituationen. Zufallsfunde (»Streufunde«) solcher Art, aber auch illegale Ausgrabungen (Raubgrabungen, bes. Gräber sind hiervon betroffen) mit ihrer ungebrochenen Attraktivität sind ein weiterer Quell der dinglichen Ü., aus wiss. Sicht allerdings mit dem Manko des meist unwiederbringlichen Verlustes der für eine Auswertung höchst bedeutsamen Fundumstände und -kontexte (»Befunde«) und erst in zweiter Linie mit rechtlichen Problemen behaftet. In diesen Bereich der zufälligen Ü. gehören schließlich auch bedeutsame Fundkomplexe wie z. B. Wrackfunde, deren Ladung für die Kenntnisse wirtschafts- und kulturgeschichtlicher Zusammenhänge höchst aufschlußreich sein kann (z. B. das Mahdia-Wrack) (→ Unterwasserarchäologie).

3. KONTINUIERLICHE ÜBERLIEFERUNGEN

Sind die bis hierhin vorgestellten Überlieferungssituationen im allg. Resultate zufälliger Wiederauffindungen oder systematischer arch. Ausgrabungen, so werden die im folgenden skizzierten, hinsichtlich ihrer Bed. kaum zu überschätzenden Stränge der Ü. der dinglichen Welt der Ant. in der Regel davon nicht oder nur sporadisch erfaßt. Ein durchaus beachtlicher Ausschnitt der ant. dinglichen Welt ist nicht verschüttet oder verschollen und als späteres Fundgut im Rahmen von histor. Diskontinuität auf uns gekommen, sondern andauernd erhalten, mithin im Kontext von Kontinuität überliefert bzw. tradiert worden. Hierzu zählen zunächst diverse Makrostrukturen der ant. Welt: Innerhalb einzelner Orte haben sich ant. Bauten oder Baukomplexe in gewandelter Form und Nutzung etwa als Plätze oder als diese Bauten zumindest noch in ihrer Form nachzeichnende »Abdrücke« in der Bau- bzw. Stadtstruktur bis in die Gegenwart tradiert (z. B. Rom: Piazza Navona und Marcellus-Theater; Split: Diokletianspalast als Altstadtkern; Lucca: Amphitheater als Stadtzentrum); bisweilen haben sich ganze Stadtstrukturen bis in die Gegenwart perpetuiert (z. B. im kampanischen Alife). Von herausragender Bed. nicht nur für die heutige Kenntnis der Ant., sondern auch für nach-ant. Leben war die Tradierung ant. Ü. ant. Infrastruktur, die bis weit ins MA, nicht selten bis in die Neuzeit in Benutzung und damit – wenn auch mannigfach baulich verändert – durch die Jahrhunderte hindurch erhalten blieb. Zu nennen sind hier neben zahlreichen römerzeitlichen Brücken, Straßentrassen und Tunnels bes. Wehr- und Hafenanlagen (Molen) sowie die Fernwasserleitungen. Nicht selten hat sich darüber hinaus das einst eroberten Gebieten aufoktroyierte röm. Landvermessungs- und Land-Einteilungssystem (*limitatio; centuriatio*) in Gestalt von Flurgrenzen bis in die Gegenwart erhalten (gut sichtbar vom Flugzeug aus, z. B. die Flureinteilung in unmittelbarer Stadtnähe bei Terracina, Cesena, Lugo oder Noale, großflächigere Strukturen dann auf Istria, in der Provence und im Landesinneren Tunesiens) (→ Landvermessung; → Luftbildarchäologie).

Eine eigene Qualität der Ü. kommt ant. Architekturen zu, deren dauerhafte und gute Erhaltung in einer baldigen, meist im 4., 5. oder frühen 6. Jh. n. Chr. durchgeführten Umnutzung begründet ist, was dem Bauwerk eine aktuelle Relevanz zukommen ließ und dessen Verfall somit wirksam verhindert hat. An erster Stelle zu nennen sind Umwandlungen ant. Bauten in christl. Kirchen. Hiervon konnten heidnische Tempel betroffen sein (z. B. Athen: Theseion und → Parthenon; Rom: → Pantheon), aber auch Kaisermausoleen (z. B. Thessaloniki: Galerius-Rotunde; Split: Diokletians-Mausoleum) (→ Mausoleum) oder Profanbauten (→ Trier: Palastbasilika) und nicht zuletzt – mittelbar – Katakomben oder Nekropolen, wo Märtyrer- oder Heiligen-Gräber den Gründungsort eines Kirchen-Neubaus definiert haben. Eine analoge Integration in weltlich-repräsentative oder christl. Kontexte konnte, auch jenseits nutzbarer Architekturen, Garant für eine bruchlose Ü. ant. Denkmäler sein, sowohl für Memorial- bzw. Sepulkralbauten (z. B. die Säulenmonumente für Trajan und Marc Aurel in Rom, → Trajanssäule; → Sepulchralkunst) als auch für ausgewählte → Plastik (z. B. die im Lateranspalast in Rom verwahrten Statuen: Dornauszieher, Kapitolinische Wölfin, Reiterstandbild des Marc Aurel, »Camillus«, Kolossalkopf des Constantius II.). In allen Fällen geben nach-ant. Veränderungen an den Bauten und Bildern, die lange Zeit von der Forsch. allein unter dem Aspekt einer zu emendierenden »Beschädigung« des ant. Objekts betrachtet worden sind, wichtige Aufschlüsse über die neuen Nutzungskontexte und ihre Hintergründe.

Ein weiterer Strang im Komplex der kontinuierlichen Ü. ant. Denkmäler ist das Schicksal von Wertgegenständen (Mz., Edelmetallgerät, Glyptik, Elfenbeinschnitzereien u. a. m.). Hier ist eine ununterbrochene, von der Ant. über das MA bis in die Neuzeit reichende Besitzerkette eher die Regel denn die Ausnahme. Insbesondere Edelmetall ist nur selten verlorengegangen, wobei allerdings einschränkend darauf hinzuweisen ist, daß der Vorgang des Einschmelzens und Neuausformens häufig war und deshalb zwar nicht der Wertstoff an sich, wohl aber seine ant. Formgebung als Plastik, dekoriertes Gerät oder Münze verlorengegangen ist (gleiches gilt, in sehr weitgehenden Maße, für die ant. Bronzeplastik, die im MA ein »Fortleben« meist als Gerätschaft in mil. Kontext geführt hat). Zahlreiche Kleinodien haben jedoch, wiederum vorzugsweise in christl. oder herrscherlich-repräsentativem Kontext, überdauert (z. B. der Augustus-Kameo auf dem »Lotharkreuz« im Aachener Domschatz, → Herrscher, Abb. 5) und mit Erwachen eines Kunstinteresses im Spät-MA Einzug in die großen Sammlungsbestände von Monarchen, Fürsten oder kirchlichen Würdenträgern gehalten. Antike Mz. sind noch bis ins frühe MA hinein als konvertierbares Zahlungsmittel verwendet worden und dabei quasi übergangslos zu Sammlerobjekten (und später dann Vorbildern für gegenwärtige Mz.) geworden (→ Numismatik).

Einen letzten Komplex der kontinuierlichen Denkmäler-Ü. bildet die sekundäre Verwendung von Antiken als → Spolien oder Trophäen. Die spolienhafte Demontage und Neu-Eingliederung von Reliefs und Statuen ist bereits in der Ant. geläufig (z.B. Bauschmuck des Konstantinsbogens in Rom, → Triumphbogen); sie erreicht in der romanischen Architektur des MA, bisweilen auch in der byz. Baukunst mit der Wiederverwendung ant. Architekturglieder (bevorzugt Kapitelle und Säulenschäfte, aber auch diverser Prunk-Dekor wie z.B. die Bronzetür der Curia in Rom) einen für die Überlieferungsgeschichte des Alt. recht bedeutsamen Umfang. In großer Quantität sind ant. Denkmäler in der Zeit Konstantins d. Gr. aus ihrem urspr. Kontext herausgenommen und in der neuen Hauptstadt am Bosporus konzentriert worden. Das meiste ist bei der Eroberung und Plünderung → Konstantinopels 1204 untergegangen; einige Denkmäler haben jedoch überlebt: als vor Ort verbliebene Stadt-Dekoration (z.B. die Schlangen-Säule aus Delphi im Hippodrom von Konstantinopel) oder als Kriegsbeute (z.B. die vier Bronzepferde über dem Portal des Marcus-Doms in Venedig, → Rosse von San Marco/ Quadriga). Letzterer Vorgang war nicht singulär; analog sind Antiken auch in anderen nach-ant. Kriegs-, Belagerungs- und Eroberungszenarien (z.B. Akropolis von Athen, 1687) als Trophäen entwendet und somit erhalten geblieben, aber in erheblichem Maße auch geogr. verstreut worden.

4. MITTELBARE ÜBERLIEFERUNGEN

Einen wichtigen Bereich der Ü. ant. Bauten und Bilder bildet der seit dem 16. bis zum frühen 19. Jh. zunehmend dichte Strom antiquarischer, später dann auch erster wiss. Abbildungen in Publikationen zu Antiken. Ins Zentrum rückt hier nicht der Sachverhalt der unmittelbaren, physischen Ü. einzelner Objekte von der Ant. in die Neuzeit an sich, sondern in eher mittelbarer Weise, die Ü. von im Laufe der jüngeren Geschichte verlorengegangenen Zuständen oder beschädigten bzw. abhandengekommenen Details, also die Ü. von Kenntnissen in Bildmedien. Kriegerische Handlungen der Neuzeit können etwa bis dahin gut erhaltene Architekturen zerstört haben (z.B. Explosion des Parthenon 1687), deren urspr. Zustand dabei aber in Form von zuvor gefertigten Zeichnungen mehr oder minder getreu überliefert sein (Parthenon: Carrey-Zeichnungen von 1674 mit zahlreichen Details des in der Explosion teilweise zerstörten Bauschmucks, → Athen III. Akropolis, Abb. 5). Die im frühen 19. Jh. entdeckte Polychromie der griech. Architektur findet sich in zahlreichen dieser Entdeckung zeitlich unmittelbar folgenden zeichnerischen Bestandsaufnahmen dokumentiert, ist im Original h. indessen bis auf wenige unscheinbare Reste der Verwitterung anheim gefallen; gleiches gilt für die Bemalung griech. Plastik (z.B. die Koren von der Akropolis in Athen). Dieser auf die Forschungsgeschichte hinzielende Überlieferungsstrang bildet h. insgesamt eine unverzichtbare Quelle für die moderne arch. oder bau-histor. Forsch. und ist im Begriff, zu einem eigenen Forschungsschwerpunkt der Alt.-Wiss. zu werden.

Eher traditioneller Gegenstand der Kunst-Arch. ist schließlich der weite Bereich der mittelbaren Ü. ant.

Bauten und Bilder, der die Darstellung von (nicht mehr oder nur noch frg. erhaltenen) ant. Bauten, Kunstwerken oder Gerätschaften in ant. Bildern, etwa auf Mz. oder Gemmen, Vasen, Mosaiken oder Reliefs, oder die Ü. ant. Plastik in Form späterer, gleichwohl ant. Kopien einschließt. Die Genauigkeit dieser Ü. ist im einzelnen umstritten und, wie die wenigen Beispiele, in denen etwa bei Skulptur das Original ebenso wie Kopien erhalten sind (z.B. die Koren des Erechtheion), auch von technischen und funktionalen Eigenheiten des Bildträgers abhängig. Überlieferung ist dabei generell nicht mehr mit der physischen Erhaltung des ant. Gegenstands in einem wie auch immer gearteten frg. Zustand gleichzusetzen, sondern mit einer mehr oder minder präzisen, dabei aber nun im Rahmen dieser Spannweite der Interpretation offenstehenden Kenntis von ihm. Von hier bis zu der 1893 von Adolf Furtwängler in seinen *Meisterwerken der griech. Plastik* erstmals methodisch fundierten formgeschichtlichen »Quellenkritik« mit der Idee einer synoptischen Beurteilung und Wiedergewinnung von im Original verschollenen ant.-griech. Denkmälern nicht nur anhand späterer Kopien, sondern nun auch unter Einschluß der textlichen Ü. (z.B. der Beschreibungen des Pausanias) ist es nur ein kurzer Weg, der jedoch den tragfähigen Grund des Faktischen im Rahmen des hier verfolgten Verständnisses von Ü. verläßt.

→ AWI Infrastruktur; Polychromie; Straßen
→ Säule/Säulenmonument

1 T.BOWIE, D. THIMME, The Carrey Drawings of the Parthenon Sculptures, 1971 2 V.BRINKMANN, La polychromie de la sculpture archaique en marbre, in: PACT Revue du Groupe européen d'études pour les techniques physiques, chimiques et mathematiques appliquées à l'archéologie 17, 1987, 35–70 3 F. W. DEICHMANN, Einführung in die Christl. Arch., 1983 4 D. GRAEPLER, Fundort: Unbekannt. Raubgrabungen zerstören das arch. Erbe, 1993 5 M. GREENHALGH, The Survival of Roman Antiquities in the Middle Ages, 1989 6 G. HELLENKEMPER SALIES (Hrsg.), Das Wrack. Der ant. Schiffsfund von Mahdia, Ausst.-Kat. Köln 1994 7 G. HORSTER, Statuen auf Gemmen, 1970 8 H. KÜTHMANN u. a. (Hrsg.), Bauten Roms auf Mz. und Medaillen, 1973 9 H. LAUTER, Zur Chronologie röm. Kopien nach Originalen des 5. Jh. v. Chr., 1966 10 C. MANGO, Antique Statuary and the Byzantine Beholder, in: Dumbarton Oaks Papers 17, 1963, 53–75 11 D. MANNACK, Griech. Vasenmalerei, 2002, 15–17 12 M. MARTIN, Röm. Schatzfunde von Augst und Kaiseraugst, 1977 13 H. G. NIEMEYER, Einführung in die Klass. Arch., ⁴1995, 46–69 14 C. C. PARSLOW, Rediscovering Antiquity, 1995 15 J. POESCHKE (Hrsg.), Ant. Spolien in der Arch. des MA und der Ren., 1996 16 H. SICHTERMANN, Kultur-Gesch. der Klass. Arch., 1996 17 R. WEISS, The Ren. Discovery of Classical Antiquity, ²1988 18 C. WEISSERT, Reproduktionsstichwerke. Vermittlungen alter und neuer Kunst im 18. und frühen 19. Jh., 1999 19 TH. WIEGAND, Die Denkmäler. Ihr Untergang, Wiedererstehen und ihre Erhaltung, in: HdArch I, 1933, 74–144 20 T. WOHLERS-SCHARF, Die Forsch.-Gesch. von Ephesos, 1995 21 CH. ZINTZEN, Von Pompeji nach Troja: Arch., Lit. und Öffentlichkeit im 19. Jh., 1998. CHRISTOPH HÖCKER

B. Vom Ende der Antike bis zum Hochmittelalter

Auch in den ehemaligen nordwestl. Provinzen des Imperium Romanum haben die steinernen Überreste röm. Niederlassungen das Erscheinungsbild von Stadt und Land sowie das Bewußtsein der zwischen bzw. in den Ruinen lebenden Menschen noch lange nach dem Untergang dieses Weltreiches nachhaltig geprägt. Eine frühe Wahrnehmung von »ant.« Siedlungsresten wird bereits aus den Ausführungen des Jonas von Bobbio deutlich. Seine um 640 verfaßte Beschreibung des untergegangenen Luxeuil in der *Vita Columbani* spiegelt jedoch die Blickweise des von außen kommenden, dem mediterranen Erfahrungshorizont entstammenden Oberitalieners, der von einer – wenn auch in starkem Maße reduzierten – so dennoch weiterhin fortlebenden Stadtkultur geprägt ist. Jonas nimmt aus dieser Kenntnis heraus die Ruinen von *Luxovium* wahr und beschreibt die spätant. Ummauerung der ehemaligen Siedlung, die Überreste dortiger Thermen und die in den benachbarten Waldschluchten zu findenden ant. Steindenkmäler. Zugleich identifiziert er sie aber auch als Relikte aus paganen Zeiten und somit folglich aus einer überwundenen Vergangenheit [2. 169]. Derartige Beispiele häufen sich im 8. und 9. Jh. in den hagiographischen Werken einheimischer Kleriker, die über die Gründung von Kirchen und Oratorien in den Ruinen ant.-heidnischer Bauwerke berichten. Somit kommt ein in gebildeten Kreisen weitverbreitetes Bewußtsein zum Ausdruck, diese Überreste als Zeugnisse einer vergangenen Epoche wahrzunehmen [11]. In den ersten Redaktionen einzelner Heiligenviten des 6. und 7. Jh. fehlen hingegen noch vergleichbare Passagen. Offenbar war zum Zeitpunkt ihrer Abfassung die arch. häufig nachgewiesene Umnutzung ant. Ruinen in Klostergebäude und Kirchenschiffe ein so alltäglicher, aus pragmatischen Gründen erfolgter Vorgang, der keiner eigenen Erwähnung bedurfte.

Am E. des 8. Jh. beschreiben die *Gesta Hrodberti* das ant. *Iuvavum* und spätere Salzburg als Ort, ›quo tempore Romanorum pulchra fuissent habitacula constructa, quae tunc temporis omnia dilapsa et silvis fuerant obtecta‹ [1. 160]. Während andere Zeugnisse entsprechende Ruinenfelder lediglich als ›alt‹ charakterisieren oder unbestimmt einer paganen Vergangenheit zuweisen und somit zw. einem zurückliegenden heidnischen und einem gegenwärtigen christl. Zeitalter unterscheiden, ist die zitierte Aussage einer der ersten frühma. Belege aus dem gewählten Untersuchungsraum, der ant. Überreste ausdrücklich der nun als abgeschlossen betrachteten röm. Herrschaft zuweist.

Die Wahrnehmung röm. Bauwerke als Relikte aus einer als beendet empfundenen Vergangenheit setzt eine zeitliche Distanz zu dieser Epoche voraus. Sie tritt erst in einem erheblichen Abstand nach dem Zusammenbruch ant. Kultur und Infrastruktur auf, wie sie sich etwa in der Auflassung von Thermen, Spielstätten und Fernwasserleitungen manifestiert. Gerade derartige Aussa-gen bieten Argumente aus der Feder der Zeitgenossen für die bei weitem noch nicht abgeschlossene Diskussion über eine geogr. sicherlich unterschiedlich zu setzende Trennung zw. Antike und Mittelalter.

Um das J. 1060 berichtet der Mainzer Domscholaster Gozwin von der Frühgeschichte seiner Kathedralstadt. In diesem Zusammenhang erwähnt er neben dem dortigen Drususmonument und zahlreichen im Stadtgebiet aufzufindenden Steininschr. auch die Ruinen des *Romano more* erbauten (Amphi)theaters, über dessen einstige Zweckbestimmung er noch genaue Kenntnis besaß: ›ad ludos circenses et theatrica spectacula constructum est‹ [3. 988; 14]. Mit ›nach röm. Art‹ umschreibt Gozwin prägnant nicht nur das, was den Unterschied dieses Bauwerks hinsichtlich seines äußeren Erscheinungsbildes, der verwandten Baustoffe und Techniken im Vergleich mit den Leistungen zeitgenössischer Architektur ausmachte, sondern auch eine in der ehemaligen Spielstätte zum Ausdruck kommende fremdartigheidnische und doch zugleich großartige Vergangenheit.

Die beiden zeitlich und top. beträchtlich auseinanderliegenden Aussagen der *Vita Hrodberti* und der *Passio sancti Albani* Gozwins verraten bereits eine intensive Auseinandersetzung mit den damals schon Jahrhunderte alten Zeugnissen. Sie lassen erahnen, in welchem Ausmaß ant. Strukturen überdauert hatten. Gemeinsam ist ihnen deren Ansprache als ›röm.‹ beziehungsweise ›römerzeitlich‹. Zugleich gehören sie zu einer ganzen Fülle von Zeugnissen, die uns für den Verlauf des MA nicht nur über die noch vorhandenen materiellen ant. Hinterlassenschaften informieren, sondern zudem wichtige Hinweise auf die jeweilige Wahrnehmung der Überreste durch Einzelne, aber auch größerer Personengruppen vermitteln.

Die enormen Dimensionen fortlebender Ant. selbst noch über ein halbes Jahrtausend nach dem Untergang des einstigen Imperium Romanum lassen sich erst in einer Zusammenschau von arch. Befunden und schriftlicher Quellen-Ü. verläßlich nachzeichnen: Demnach bestanden in den meisten Städten mit ant. Wurzel die spätröm. Befestigungen zwar häufig nicht mehr in verteidigungsfähigem Zustand, so doch in ihrem jeweiligen Verlauf weiterhin sichtbar fort. Während des Hoch-MA setzte sich deren top. Gefüge vielerorts aus locker bebauten Siedlungsinseln zusammen, die sich vornehmlich um Marktplätze, Kathedralen, Klöster und Stifte gruppierten. Sie lagen zw. agrarischen Nutzflächen und ausgedehnten Ruinenfeldern, durchsetzt von den imposanten Resten ant. Großbauten [10; 11]. Diese hatten oftmals eine Umnutzung, sei es als *palatium*, befestigter Familiensitz oder Kirche erfahren [13; 20]. Die Reste ant. Wohnquartiersbebauung konnten durch ihre Einbeziehung in hoch-ma. Häuser oder als Parzellenmauern überdauern. Entlang der ant. Gräberstraßen standen neben den Relikten heidnischer Kult- und Grabbauten die aus Coemeterialbasiliken hervorgegangenen christl. Memorialstätten einschließlich der sie umgebenden

Suburbien. Auf dem Land erstreckten sich vielerorts Ruinen untergegangener Kleinstädte, mil. Festungskomplexe, aufgelassener Villenanlagen, verfallener Heiligtümer und imposanter Grabmonumente teils in Nachbarschaft der Siedlungen, teils in lange Zeit weitgehend unbewohnten Gegenden. Diese Rekonstruktion einer in der ma. Erfahrungswelt unübersehbaren Ant. darf in den Altsiedellanden nördl. der Alpen selbst noch für das 11. Jh. Allgemeingültigkeit beanspruchen.

Städte mit einem vergleichsweise beachtlichen Bestand an weiterhin erhalten gebliebenen röm. Großbauten außerhalb des mediterranen Raumes sind während des Hoch-MA etwa Amiens (Amphitheater, Forum, Stadtmauer und -tore), Besançon (Amphitheater, Brükke, Kapitol, Forum, Porte Noire, Stadtbefestigung, Tempelanlage auf der Citadelle, Wasserleitung), Bordeaux (Amphitheater, Monumentalbau »La Tutelle«, Stadtbefestigung), Clermont (Tempelanlage »Vasso de Jaude«, Aquädukt, Stadtbefestigung und -tore), Köln (Grabmonument »Eigelstein«, Stadttore, Teile der *horrea*, Kapitol, Thermen, Wasserleitung), Lyon (Theater, Odeion, Forum, Cybeletempel, Amphitheater und *ara Romae et Augusti* von Condate), Mainz (Bühnentheater, *tumulus honorarius* des Drusus, Amphitheater, Wasserleitung, Brückenpfeiler, Teile der Stadt- und Lagerbefestigung), Metz (großes und kleines Amphitheater, Nordthermen, der als »Maison Quarrée« bezeichnete Forumstempel, Großbau *aula Romanorum*, Wasserleitung, Stadttor und Stadtbefestigung, Abb. 1–3), Paris (Clunythermen, Forum, (Amphi)theater, Wasserleitung, spätant. Befestigung auf der Seine-Insel), Périgueux (Amphitheater, Monumentalbau »Tour de Vésonne«, Stadtbefestigung), Reims (Amphitheater, Tempelanlage, Kryptoportikus des Forum, vier Ehrenbögen, Stadtbefestigung) oder Saintes (Amphitheater, Thermen, Kapitol, Aquädukt, Ehrenbogen, Stadttor, Stadtbefestigung). Spätantike Bischofssitze wie Augst, Avenches, Tongern oder Windisch sanken seit dem Früh-MA zu Ruinenstädten mit einer degenerierten, nur noch stark verminderten zentralörtlichen Ausstrahlung herab [11].

Bis in das Hoch-MA hinein waren auch in → Trier alle spätant. Großbauten – selbst diejenigen, über deren Vorhandensein wir h. nur noch aufgrund von Ausgrabungen Kenntnis besitzen – oberirdisch wahrnehmbar [8]. Darüber hinaus finden sich Hinweise in der schriftlichen Überlieferung zu Bauwerken, deren genauen top. Standort wir h. nicht mehr beziehungsweise noch nicht wieder kennen. Wichtig ist die Tatsache, daß derartige Monumente nicht lediglich unspezifiziert als alte Ruinen oder Mauern angesprochen werden, sondern die Ansprache eine lokale Kenntnis ihrer ehemaligen Funktion verrät, auch wenn dieses Wissen sicherlich nur sehr vage gewesen ist und keineswegs heutigen wiss. Kriterien entsprochen haben wird. So findet sich das Kapitol am Moselufer als solches noch an der Wende zum 12. Jh. bezeichnet, der Circus wird noch 1101 als Stadion der alten Stadt identifiziert, der Langgraben genannt wird. Auf die spätant. Speicheranlagen verweist das Nonnenkloster St. Maria *ad horrea*, Amphitheater und Aquädukt heißen weiterhin ebenso in der örtlichen Terminologie, und auch das röm. Zentrum der Stadt ist noch bekannt, dessen Ruinen als *forum antiquum* bzw. *vetus forum* bezeichnet werden.

Derartige Beispiele einer – wie auch immer gearteten – Kenntnis über die urspr. Funktion eines röm. Monumentes sind jedoch in der Regel keine Zeugnisse eines wiedererwachten – möglicherweise von außen herangetragenen – Interesses an der Ant. oder gelehrte Interpretationen, sondern Nachweise eines kontinuierlich vor Ort tradierten Wissens über das Bauwerk. So finden sich z. B. die später »Hôtel de Cluny« genannten Thermen von Paris nicht, wie immer nachzulesen ist, erst 1138, sondern bereits im 9. Jh. als *Thermae* bezeichnet [4. 184f.; 11. 129]. Der E. des 12. Jh. für das Kölner Nonnenkloster St. Marien überlieferte Namenszusatz *in capitolio* ist nicht – wie behauptet wurde [18] – ausschließlich ein Reflex der kommunalen Erneuerungs-

RVINES DES ANTIQVES PRES LEGLISE DE SAINCTE MARIE A METZ

Abb. 1: Das kleine Metzer Amphitheater und die moselseitige spätantike Stadtmauer nach einem Stich von Claude Chastillon (Anfang 17. Jahrhundert)

Abb. 2: Die »Maison Quarrée« in Metz nach einem Stich von Claude Chastillon
(Anfang 17. Jahrhundert)

bewegung in Rom, vielmehr verweist er auf das fortlebende Wissen um den Standort des Kapitols in der Rheinmetropole, dessen Überreste arch. zweifelsfrei unter der Kirche nachgewiesen worden sind [16; 18]. Insofern gehören diese Zeugnisse keineswegs in den Kontext einer sog. »Ren. des 12. Jh.«, denn von Wiedergeburt oder von Neuansätzen kann in diesen Fällen keine Rede sein.

Auch eine unter Zuhilfenahme der lokalen Überreste geführte historiographische Auseinandersetzung mit der röm. Vergangenheit ist nicht erst im 12. Jh. zu beobachten und dann als Ausdruck einer besonderen Antikennähe im Gegensatz zu den vorherigen Jahrhunderten zu werten, diese läßt sich vielmehr bereits seit dem 10. Jh. durchgängig nachweisen. Wichtig ist jedoch die Feststellung, daß eine derartige Beschäftigung am E. des Hoch-MA spürbar zurückgeht.

Zahlreiche unterschiedliche Quellenaussagen verweisen nicht nur auf den erheblichen Antikenbestand

bis weit in das Hoch-MA hinein, sondern zugleich auch auf eine intensive Auseinandersetzung breiter Bevölkerungskreise mit der röm. Vergangenheit und auf die vielfältigen Motivationen für diese Beschäftigung. Bis an die Wende zum 13. Jh. lassen die Nachrichten über aufgefundene Inschr., über die beim Bau der röm. Monumente verwandten Materialien, wie Marmor oder Ziegel, sowie die immer wieder auf ant. Gräberfeldern gefundenen Gefäße, darunter Gläser und Sigillaten, eine scheue Bewunderung für derartige Überreste erahnen [5; 6; 11; 15; 21]. Diese Faszination resultiert aus dem Bewußtsein, mit Realien einer untergegangenen, in der eigenen Gegenwart nicht mehr erreichten Kulturstufe konfrontiert zu werden.

Ein überkommenes Wissen um die lokale Ant. bedeutet allerdings noch keine bewußt reflektierende Auseinandersetzung mit den römerzeitlichen Monumenten. Wo wir diese seit dem Früh-MA fassen können, erscheint sie oftmals gezielt in hagiographische oder hi

Abb. 3: Überreste der Metzer Nordthermen nach einem Stich von Claude Chastillon
(Anfang 17. Jahrhundert)

storiographische Werke einbezogen. Dabei spielt die Instrumentalisierung der Vergangenheit bei der Schaffung von Trad. auf unterschiedlichen Ebenen kollektiver Antikenrezeption eine ganz außerordentliche Rolle. So werden im Fall von Gründungen geistlicher Institutionen ant. Ruinen etwa dann erwähnt, wenn es um die Betonung der Altehrwürdigkeit eines Ortes geht. Mittels transferiertem Altmaterial oder Spolien können derartige Trad. auch über größere Entfernungen übertragen werden [11].

Daneben werden ant. Überreste v. a. in die Gründungsgeschichten zahlreicher *civitates* gleichsam als Beweismittel eingebaut. War es zuerst Flodoards *Historia Remensis Ecclesiae*, die andere historiographische Werke inspirierte, so wird diese Vorbildfunktion im 11. Jh. von der Trierer Bistumschronistik abgelöst [11; 17. 357–364; 19]. In der Moselstadt geht man sogar noch einen Schritt weiter, indem man zwei für die Beweisführung benötigte Grabinschr. erfindet. Besondere Bed. erhalten die örtlichen Ruinen in Streit der *civitates* Trier und Reims sowie später auch Mainz um den Primat der Kirchen, werden sie doch als gewichtige Argumente bei der Hervorhebung einer eigenen ruhmvollen Vergangenheit respektive des jeweiligen hohen Alters einer Stadt eingesetzt. In der aufstrebenden Grafschaft Flandern und den *civitates* Arras, Cambrai, Thérouanne und Tournai führen diese Tendenzen in den östl. gelegenen Kathedralstädten zur Rückbesinnung auf die eigenen, allerdings vergleichsweise bescheidenen römerzeitlichen Relikte [11].

Ein bereits im 12. Jh. massiv einsetzender Substanzverlust römerzeitlicher Überreste erreicht seinen Höhepunkt in dem darauffolgenden Saeculum. Die Gründe hierfür sind ein allgemeiner Bevölkerungsanstieg, die damit verbundene Aufsiedlung städtischer Areale und ländlicher Regionen sowie die Versteinerung der Bauweise, die nicht zuletzt in der Errichtung zahlreicher neuer Stadtbefestigungen zum Ausdruck kommt. Dieser Vorgang ist als allgemeines Phänomen anzusprechen, auch wenn Ant. auf dem Land in Nischen länger überdauern kann oder an der Peripherie der städtischen Siedlungen einen zeitlich verzögerten Abbruch erfährt [9; 12]. Deutlich kommt diese Zäsur in einem Verlust an Wissen um die Funktionen einstiger Großbauten und die Dimensionen einmal vorhandener Hinterlassenschaften zum Ausdruck; zugleich geht das Interesse an der ant. Vergangenheit spürbar und nachhaltig zurück [11].

Wo man – wie etwa in Trier – noch an der Wende zum 12. Jh. die Standorte von Kapitol, Circus, Forum oder den Verlauf der röm. Wasserleitung kannte, ist dieses Wissen rund 150 J. später verloren gegangen. Auf die *horrea* bezieht sich der nicht mehr verstandene Ortsname Ören, das dortige Amphitheater wird seit dem Spät-MA als »Kaskeller« angesprochen (von »Kas« moselfränkisch für Eiche), womit nun die mit Bäumen bestandenen Käfige und Substruktionen des Monumentes, also der damalig wahrnehmbare Istzustand, umschrieben wird.

Das Metzer Amphitheater, während des gesamten MA immer wieder als solches erwähnt, wird ausgangs dieser Epoche als ›fosse aux serpents‹ [11. 108] bezeichnet. Folglich wird auf das Motiv der Dämonenaustreibung durch den ersten Metzer Bischof Clemens Bezug genommen, welcher der frühma. Trad. zufolge in den Ruinen der einstigen Spielstätte ein Petrusoratorium einrichtete. Auch an anderen Orten, etwa in Autun, wo die ant. Spielstätte im 14. Jh. als *ès Grottes* Erwähnung findet, oder in Windisch wo das Amphitheater um die Mitte des 15. Jh. »Bärengrube« (*Berlizgruob*) hieß, wird nun lediglich auf die noch sichtbare Beschaffenheit des Areals Bezug genommen. Mit der zuvor eingetretenen Substanzeinbuße ist zugleich auch die korrekte Ansprache verschüttet worden. Ein ähnlicher Kenntnisschwund während des MA ist in Frankreich etwa im Fall einiger zentraler Tempelanlagen zu konstatieren, deren im Hoch-MA überlieferte Identifizierung als *capitolium* der Stadt zu Orts- oder Quartiersnamen wie *Chatol*, *Chadeuil* bzw. *Capduel* degenerierte, wodurch der urspr. Bedeutungsinhalt der Bauwerksbezeichnung nachhaltig verloren ging [11].

Außer solchen zu beobachtenden Wandlungen in der Ansprache ant. Monumente, die zugleich auch eine geänderte Wahrnehmung spiegeln, werden darüber hinaus während des Spät-MA viele römerzeitliche Überreste mit Gebäuden oder Personen aus dem Heldenkreis der »Chansons de Geste« in Verbindung gebracht. Dies gilt etwa für die nach einer sagenhaften Tochter des Grafen von Toledo jeweils als *palacium Galiane* benannten Amphitheater von Bordeaux, Poitiers und Saintes. Bis in die zweite H. des 14. Jh. waren die Bauwerke durchgängig als *Arenae* bezeichnet worden [7]. Auf den persischen König Grohan wird im Spät-MA das Amphitheater von Angers bezogen. In diesen Zusammenhang gehören auch die zahlreichen in → Italien und → Frankreich an ant. Ruinen und Siedlungsstellen haftenden Roland-Toponyme, die zumindest dort, wo differenzierende Unt. vorliegen, frühestens seit dem Verlauf des Spät-MA auftreten. Im 14. Jh. wird das ant. Forum von Paris als *château de Hautefeuille* und so folglich mit der Burg des Verräters von Roland, Ganelon, identifiziert. Auf diesen Helden im Umfeld des mythischen Kaisers Karl des Großen beziehen sich auch weitere Nennungen, wie die eines röm. Stadttors in Sens 1239 als *Porte Ganelon*, oder einer *Tour de Ganelon* seit dem beginnenden 15. Jh. für Überreste des Kapitols von Besançon [5. 112–116; 11].

Neben derart konkreten Bezügen zu einzelnen in den »Chansons de Geste« handelnden Personen oder dort erwähnten Gebäuden gibt es im romanischen Sprachraum – seit der Wende zum 13. Jh. zunehmend nachweisbar – die stereotype Einordnung ant. Überreste als »sarazenisch«. Auch diese Identifizierung ist abhängig von den in den »Chansons de Geste« verarbeiteten Heldenepen und nimmt urspr. Bezug auf die dort thematisierten Kämpfe gegen die Araber in Spanien sowie Süd- und Mittelfrankreich. In diesem Zusammenhang wird »sarazenisch« zum plakativen Gegensatz von »christl.« und zum Synon. von »heidnisch« beziehungsweise »pagan«. So ist es für die damalige Auffassung kein Anachronismus, ant. Überreste, die man in den vorherigen Jahrhunderten noch als »vorchristl.-pagan« erkannt und infolgedessen älter als die eigene Kulturepoche eingeordnet hatte, nun in eine zeitlose, mythisch-christl. Idealwelt einzufügen. Vor diesem Hintergrund sind die Umbenennungen ant. Monumentalbauten und die weitverbreiteten Sarazenenbelege für römerzeitliche Überreste zugleich auch als Reflexe einer geänderten Auseinandersetzung mit derartigen Zeugnissen zu sehen, der ein insgesamt deutlich vermindertes Interesse an der lokalen Ant. einhergeht.

Durch äußere Einflüsse entsteht seit dem letzten Drittel des 15. Jh. auch nördl. der Alpen neben der verbreiteten Gleichgültigkeit gegenüber den röm. Überresten ein neues Interesse an der materiellen Ant. in human. Gelehrtenzirkeln. Vieles von dem, was man noch bis in das Hoch-MA hinein als lebendige Trad. vor Ort wußte, muß nun allerdings erst mühsam wieder erarbeitet werden oder läßt sich oftmals gar nicht mehr aneignen. Voraussetzung ist das unter den Humanisten vorherrschende, letztendlich auf Petrarca zurückreichende Bewußtsein einer histor. Distanz zur Ant. als umfassende Geisteshaltung, die mit dem Wunsch ihrer Wiedergeburt verbunden war. Innerhalb dieses Bedingungsrahmens scheint es, als habe erst der zuvor eingetretene Substanzverlust ant. Überreste sowie ein erheblicher zeitlicher Abstand zu diesem Prozeß mit einem dadurch bedingten Schwund an Wissen den Boden für eine erneute tiefgreifende Auseinandersetzung mit den Zeugnissen der Vergangenheit bereitet, wie sie durchaus vergleichbar bei der Erschließung verlorener Quellentexte zu beobachten ist.

→ Forum/Platzanlage; Humanismus

QU **1** Gesta sancti Hrodberti confessoris, hrsg. v. W. LEVISON, in: MGH SS rer. merov. VI, 1913, 157–162 **2** Ionae Vitae Sanctorum Columbani, Vedastis, Iohannis, hrsg. v. B. KRUSCH, 1905 (=MGH SS rer. Germ. 37) **3** Passio sancti Albani auctore Gozwino, hrsg. v. O. HOLDER-EGGER, in: MGH SS XV,2, 1888, 984–990 **4** Recueil des actes d'Eudes, roi de France (888–898), hrsg. v. R.-H. BAUTIER, 1967

LIT **5** J. ADHÉMAR, Influences antiques dans l'art du Moyen Age français. Recherches sur les sources et les thèmes d'inspiration, 1939, Ndr. 1976 (=Stud. of the Warburg Institute 7) **6** A. BOUTEMY, F. VERCAUTEREN, Foulcoie de Beauvais et l'intérêt pour l'archéologie antique au XIe et au XII siècles, in: Latomus 1, 1937, 173–186 **7** J.-A. BRUTAILS, Notes sur le Palais Galien, in: Revue des Études Anciennes 15, 1913, 285–289 **8** L. CLEMENS, Aspekte der Nutzung und Wahrnehmung von Ant. im hoch-ma. Trier, in: B. KIRCHGÄSSNER, H.-P. BECHT, Stadt und Arch., 2000 (=Stadt in der Gesch. 26), 61–80 **9** Ders., Zur Nutzung röm. Ruinen als Steinbrüche im ma. Trier, in: Kurttrierisches Jb. 29, 1989, 29–47 **10** Ders., Trier um 1120. Prolegomena zum Versuch einer Stadtrekonstruktion, in: Funde und Ausgrabungen im Bezirk Trier 30, 1998, 91–108

(und 1 Beilage) **11** Ders., Tempore Romanorum constructa. Zur Nutzung und Wahrnehmung ant. Überreste nördl. der Alpen während des MA, 2003 (=Monographien zur Gesch. des MA 50) **12** T. EATON, Plundering the Past. Roman Stonework in Medieval Britain, 2000 **13** ST. EISMANN, Ma. Profanbauten auf röm. Mauern, in: Arch. als Sozialgeschichte. Stud. zu Siedlung, Wirtschaft und Ges. im frühgeschichtlichen Mitteleuropa. FS Heiko Steuer zum 60. Geburtstag, hrsg. v. S. BRATHER, CHR. BÜCKER, M. HOEPER, 1999 (= Internationale Archäologie. Studia honoraria 9), 45–56 **14** F. FALK, Röm. Bauwerke in und bei Mainz nach ma. Urkunden, in: Mainzer Zschr. 2, 1907, 37–39 **15** M. GREENHALGH, The Survival of Roman Antiquities in the Middle Ages, 1989 **16** H. HELLENKEMPER, Das röm. Capitol, in: Köln III. Exkursionen: Südl. Innenstadt und Vororte, 1980 (=Führer zu vor- und frühgeschichtlichen Denkmälern 39), 23–26 **17** M. SOT, Un historien et son église: Flodoard de Reims, 1993 **18** H. STEHKÄMPER, Imitatio Urbis. Altröm. Ämterbezeichnungen im Hoch-MA in dt. Städten, bes. in Köln, in: Wallraf-Richartz-Jb. 47, 1986, 205–233 **19** H. THOMAS, Stud. zur Trierer Geschichtsschreibung des 12. Jh. insbes. zu den Gesta Treverorum, 1968 (=Rheinisches Archiv 68) **20** J. VAES, Christl. Wiederverwendung ant. Bauten: ein Forschungsber., in: Ancient Society 15/17, 1984/86, 305–443 **21** G. ZAPPERT, Ueber Antiquitäten-Funde im MA, in: Sitzungsber. der kaiserlichen Akad. der Wiss., phil.-hist. Classe 5, 1850, 752–798.   LUKAS CLEMENS

II. LITERATUR

A. DUNKLE JAHRHUNDERTE   B. GESCHICHTE DER GRIECHISCHEN LITERATUR (500 NACH CHRISTUS BIS ZUM BUCHDRUCK)   C. GESCHICHTE DER LATEINISCHEN LITERATUR (500 NACH CHRISTUS BIS ZUM BUCHDRUCK)

A. DUNKLE JAHRHUNDERTE
1. ALLGEMEINES

Nach dem Tod Justinians (565), der in → Konstantinopel mit seiner Kulturpolitik die heidnische griech. Trad. schon bekämpft hatte (529 Schließung der Akad. von Athen, 546 Verfolgung der »heidnischen« Grammatiker, Rhetoren und Juristen, 562 Verbrennung der heidnischen Bücher), begannen zweieinhalb Jh., die im Rahmen der Forsch. zu den schwierigsten der byz. Geschichte gehören. Unter der Herrschaft des Heraklios (610–641) wurden Nordafrika, Ägypten, Palästina, Syrien und Mesopotamien von den Arabern unterworfen; schon vorher war der größte Teil der Reichsprovinzen im Abendland verlorengegangen, und die Gebiete auf dem Balkan waren durch die Angriffe der Bulgaren und Awaren und v. a. durch die Bildung slawischer Reiche im südl. Teil der Halbinsel bedroht. Am E. beschränkte sich das Reich nur noch auf Konstantinopel und Kleinasien. In der gleichen Zeit breitete sich, ausgehend von den Provinzen, im Inneren Kleinasiens der Ikonoklasmus (Bilderstreit) aus; in seiner Folge kam es zu einem Niedergang ant. Bildungstraditionen. Die Armut an lit. Werken, die kennzeichnend ist für diese dunkle, krisenreiche und schlecht dokumentierte Epoche des byz.

Reichs – eine lit. Produktion in der Hochsprache fehlt vollkommen [1. 114] – machte sich auch in einer kargen Verbreitung des kulturellen Schriftguts bemerkbar. Die wenigen überlieferten Hss., die zw. dem 6. und der ersten H. des 9. Jh. einzuordnen sind, haben fast ausschließlich rel. Inhalt. In der Ü. und der Verbreitung von Texten spielte Konstantinopel daher im 7. und 8. Jh. keine wichtige Rolle.

2. Die Randgebiete der griechischen Welt

In den Randgebieten des Reichs (Ägypten, Palästina, Syrien, Persien, Mesopotamien, Armenien), d. h. in den asiatischen Provinzen und Ägypten, auch wenn sie nicht mehr zum Reich gehörten, ist dagegen eine kulturelle Kontinuität zu beobachten. Die Eroberung durch die Araber und Perser bedeutete keinen völligen Untergang griech. Kultur, da das Interesse der Invasoren an der griech. Bildung groß war, viele Texte in die neuen Landessprachen übersetzt wurden und außerdem Strukturen und Bibl. weiter bestanden, die eine höhere Bildung garantieren konnten. Das *Pratum Spirituale* des Johannes Moschos, der eine Zeit lang als Mönch auf dem Sinai lebte, ist ein greifbares Zeugnis der Verbreitung griech. Kultur in den orientalischen Gebieten: Die Ursprünge dieses Werkes sind mit Sicherheit die von ihm auf seinen Reisen durch Kilikien, Palästina, Syrien und in Alexandria abgehaltenen Lesungen. In Ägypten hatte die byz. Kultur ihren Schwerpunkt ohne Zweifel in Alexandria. Hier überdauerte die Philosophenschule die heidnische von Athen, da sie christianisiert wurde und noch zur Zeit der Eroberung durch die Araber (642) in Betrieb war. Erst danach ging die lit. Tätigkeit in der Metropole langsam ihrem E. entgegen. Die Vitalität der Alexandrinischen Schule ist an den an sie geknüpften Namen abzulesen: Im 6. Jh. z. B. war Johannes Philoponos Leiter der Schule, unter Heraklios vertrat Theophylaktos Simokattes die Historiographie, und die Hagiographie lag in der ersten H. des 7. Jh. in den Händen von Leontios von Neapolis. Das rege intellektuelle Leben in Alexandria ist auch durch die Anfertigung und Verbreitung eines Großteils der ab der zweiten H. des 6. Jh. in Umlauf gebrachten Übers. ins Armenische bezeugt [5. 29–88]. Es handelt sich dabei vorrangig um wiss. Werke, die von Ananians von Shirak in Umlauf gebracht wurden, der unter der Führung von Tychikos, einem Schüler des Stephanos von Alexandreia, in Trapezunt studierte. Auch die Anfertigung einer neuen Art Handbuch, dem »Kompendium der Logik«, fällt in diese Zeit, in dessen Zusammenhang Namen wie Maximus Confessor (geb. in Konstantinopel um 580), Theodoros von Raithu, Anastasios Sinaites und Theodoros Abû Qurra (die letzten drei aus dem palästinensischen Raum) zu nennen sind. Palästina und Syrien waren zwei weitere abgelegene Gegenden, in denen auch während der Dunklen Jh. eine reiche Produktion an lit. Werken und Übers. aus dem Griech. ins Arab. [2; 4. 55ff.] entstand. Auf das 6. und 7. Jh. z. B. gehen die mystisch-asketischen Werke von Johannes Klimakos, die Hymnen von Andreas von Kreta und die von Johannes von Damaskus zurück, im 7. und 8. Jh. entstanden die Hymnen von Kosmas von Maiuma und die von Stephanos Sabbaites im 8. und 9. Jahrhundert.

3. Konstantinopel

Auch wenn die historiographische Trad. nach der Regierung von Heraklios erst zu Beginn des 9. Jh. (Georgios Synkellos, Theophanes, Georgios Monachos) wieder aufgenommen wurde, so war die lit. Produktion in Konstantinopel nicht ganz zum Stillstand gekommen. Im 7. Jh. ist die Dichtung durch Georgios Pisides vertreten, und im 8. Jh. treffen wir auch im Rahmen der Bilderstürmerprobleme auf Namen wie Theodoros Studites (Abt des berühmten Studion-Klosters von Konstantinopel).

4. Der griechische Westen

Ein Problem für sich stellt der griech. Westen dar. Hier bildete sich keine Literatenklasse im eigentlichen Sinne; die Vermittlung der griech. Kultur erfolgte jedoch v. a. durch die Mönchsorden, die außer den rel. Werken auch Werke profaner Lit. in Umlauf brachten (z. B. war in dem um 550 in Kalabrien gegründeten Kloster von Vivarium der achte Schrank für die griech. Bücher bestimmt, vorrangig technische Traktate über Arithmetik, Geom. und Medizin). Im Süden It. konnte sich die Entwicklung und die Ü. der hell. Kultur ungestört bis zur arab. Eroberung (827) behaupten. In Sizilien entstanden so vereinzelt lit. Werke in griech. Sprache (z. B. kann zw. dem 7. und dem 9. Jh. im Rahmen der Hymnograhie auf Georgios von Syrakus, Georgios Sizilianos, Gregorios von Syrakus und Josephus den Hymnopraphen verwiesen werden). Wenn die griech. Kultur auch in → Sizilien und → Kampanien stark verbreitet war, so begann die Byzantinisierung, die sich nach der Eroberung des Ostgotenreichs in It. durch Justinian nach und nach über das ganze Land auszubreiten begann, im Herzogtum Rom doch erst spät. schriftliche Bezeugungen griech. Kultur in Rom sind in dem Griech. sprechenden Kreis zu suchen, der sich ab dem 7. Jh. bildete, als die ersten drei griech. Klöster entstanden (S. Sabas, S. Anastasios und S. Lucia). In jedem Falle war → Rom jedoch ein Kulturzentrum für die Verbreitung griech. Bücher mit größtenteils rel. Inhalt, ohne daß dabei profane Traktate und Geschichtsbücher ausgeschlossen blieben.

5. Der lateinische Westen

Was den lat. Westen betrifft, können die Dunklen Jh. auf den Zeitraum zw. 550 und 750 eingegrenzt werden. Innerhalb dieser J. ist das 6. Jh. die dunkelste Phase im kulturellen Verfall dieser Zeit, in der das Abschreiben klass. Texte so sehr abnahm, daß es einem Abbruch der Kontinuität der heidnischen Kultur gefährlich nahe kam. Die Dunklen Jh. bedrohten unwiederbringlich die Ü. klass. Texte, die noch in den ersten Jahrzehnten des 6. Jh. in It. und den ehemaligen Provinzen vorhanden waren. Von Autoren wie Vergil oder Cicero haben wir so gut wie keine Hss., die auf diese Zeit zurückgehen; insgesamt gibt es zw. der Mitte des 6. Jh und dem späten 8 Jh. eine regelrechte Lücke in der Ü. der Texte klass.

Autoren. Die ausgesprochen dürftige Ü. der klass. Kultur in diesen Dunklen Jh. verleiht dann der → Karolingischen Renaissance bes. Bed., in der aufgrund ant. Codices, die den Zusammenbruch des Röm. Reiches überlebt haben, wiederum ant. Autoren ans Licht kommen, die von den Dunklen Jh. wahrscheinlich zur *damnatio memoriae* verurteilt worden wären [3. xiii ff.].
→ AWI Alexandrinische Schule; Byzanz II.

QU 1 R. BROWNING, The Language of Byzantine Literature, in: S. VRYONIS JR. (Hrsg.), The Past in Medieval and Modern Greek Culture, 1978, 103–133 2 S. H. GRIFFITH, Arabic Christianity in the Monasteries of Ninth-Century Palestine, 1992 3 L. D. REYNOLDS (Hrsg.), Texts and Transmission, 1983 4 Ders., N. G. WILSON, Scribes and Scholars, ³1991 5 R. W. THOMPSON, A Bibliography of classical Armenian Literature to 1500 A. D., 1995

LIT 6 M. L. AGATI, Centri scrittori e produzione di manoscritti greci a Roma e nel Lazio, in: Bollettino della Badia greca di Grottaferrata, n. s. 48, 1994, 141–165 7 G. CAVALLO, Qualche riflessione sulla continuità della cultura greca in oriente tra i secoli VII e VIII, in: ByzZ 88, 1995, 13–22 8 H. HUNGER, s. v. Byz. Lit., in: LMA II, 1983, 1189–1191 9 J. IRIGOIN, La culture grecque dans l'Occident latin du VIIe au XIe siècle, in: La cultura antica nell'occidente latino dal VII all'XI secolo (Settimane di studio del Centro italiano di studi sull'alto medioevo 22), 1975, 425–446 10 P. LEMERLE, Le premier humanisme byzantin, 1971 11 C. MANGO, Greek Cultur in Palestine after the Arab Conquest, in: G. CAVALLO, G. DE GREGORIO, M. MANIACI (Hrsg.), Scritture, libri e testi nelle aree provinciali di Bisanzio, 1991, 149–160 12 W. TREADGOLD, The Break in Byzantium and the Gap in Byzantine Stud., in: ByzF 15, 1990, 289–316.

LORENA DE FAVERI / Ü: PETRA PLIEGER

B. GESCHICHTE DER GRIECHISCHEN LITERATUR (500 NACH CHRISTUS BIS ZUM BUCHDRUCK)

1. EINLEITUNG

Die Ü. der paganen Autoren beruhte für die byz. Zeit fast ausschließlich auf dem Interesse von Gelehrten – die Bed. der heidnisch dominierten Bildungszentren endete z. T. abrupt im 6./7. Jh. –, die ab dem 9. Jh. faßbar sind. Die Abschriften der Klassiker waren weder öffentlich »institutionalisiert« (abgesehen von gelegentlichen Förderern aus dem kaiserlichen Umkreis), noch lagen pagane Texte im Interesse der Kopisten aus dem Klosterbereich. Insofern war die Tradierung an kulturelle Zentren gebunden, v. a. an Konstantinopel, aber ebenso an Thessaloniki oder Mistra (in der späten Palaiologenzeit). Die griech. Hss.-Produktion Süditaliens nahm für die Klassiker eine nur marginale Rolle ein.

2. PAGANE LITERATUR – CHRISTENTUM

Für die Weitertradierung der paganen griech. Lit. war die Etablierung und offizielle Anerkennung der christl. Religion von nachhaltiger Auswirkung. Trotz scharfer Kritik an der heidnischen Lit. seitens der christl. Apologeten gab es keinen wirklichen Bruch mit gängigen Autoren, schon alleine deshalb nicht, weil heid-

nische Autoren stets den Grundstock der Schullektüre bildeten (vgl. dazu die Auswertungen der griech. lit. → Papyri; Tafel »Culture subdivison of schooltext« in [6]). Sofern ein Autor bzw. eine Auswahl seiner Werke in den Kanon der Schullit. Eingang fand, war ihm auch ein sicheres Überleben gewährleistet. Die Papyri bezeugen die an Zitaten verifizierbare folgende Reihenfolge in der Wertigkeit: Homer, Menander, Euripides, Äsop, Demosthenes (Tafel »The top 5 authors read in school« in [6]); ebenso war nicht heidnisch doktrinierter Fachlit. ein Fortbestand gesichert – etwa dem Grammatiklehrbuch des Dionysios Thrax, Hippokrates oder Strabon; vgl. auch den prunkvoll ausgestalteten Wiener Dioskurides (Cod. medicus graecus 1), der um 512 in Konstantinopel geschrieben wurde, inklusive der teilweise ebenfalls bebilderten Paraphrasen zu den Θηριακά und Ἀλεξιφάρμακα des Nikander von Kolophon, den Ἁλιευτικά Oppians sowie zu den Ὀρνιθιακά des Dionysios v. Philadelphia.

Mit dem sozialen Aufstieg der Christen in hohe Funktionen und den entsprechenden Bildungsanforderungen änderte sich auch die Einstellung der heidnischen Lit. gegenüber: Basileios d. Gr. (ca. 330–378) propagierte in seiner vielfach rezipierten Schrift *An die Jugend. Wie man aus den heidnischen Werken Nutzen zieht* eine bereits in der gemäßigten Apologetik angelegte Toleranzhaltung. Bildlich verwendet er dazu den Vergleich des Honigsammelns durch die Biene [4. Kap. 4]. Ebenso wurde versucht, heidnische Autoren zu »verchristlichen«, indem man sie in fingierten Viten als Christen darstellte (etwa Epiktet, Achilleus Tatios, Heliodor) oder ihre Werke dementsprechend bearbeitete, z. B. Epiktet, Dionysios Thrax, Proklos, Galen, Ovid (in der Bearbeitung aus dem Planudes-Kreis).

Neben dem neuen sozialen Aufstieg der Christen war für die lit. Produktion in Byzanz jedoch auch die traditionsgebundene → Mimesis prägend, d. h. die inhaltliche, lexikalische oder strukturelle Anlehnung an (überwiegend) klass. Vorbilder.

3. WECHSEL PAPYRUSROLLE – PERGAMENTCODEX

Ein nachfragebedingtes Selektionsverfahren brachte der Wechsel von der Papyrusrolle zum Pergamentcod.: Autoren, die der Weitertradierung (für klass. Lit. ab dem 3./4. Jh.) nicht für würdig befunden wurden, waren damit endgültig dem Schicksal des zufälligen Überlebens auf Papyrus ausgeliefert, sofern sich nicht Reste in sekundäre Ü. (Lex., Scholien) gerettet haben (etwa Sappho-Verse bei Michael Italikos, 1. H. 12. Jh.). Zu dieser Kategorie zählt eine Reihe von h. nur fragmentarisch (Alkaios, Alkman, Bacchylides, Kratinas, Platon Komikos, die »unkanonischen« Stücke der Tragiker und des Aristophanes etc.) oder gar nur namentlich bekannter Autoren. »Kanonische« Lit. wurde je nach Möglichkeit in der neuen Buchform in Corpora zusammengefaßt. Nur durch Zufall hat sich ein solches Corpus neun »unkanonischer«, d. h. nicht kommentierter Stücke des Euripides (in der alphabetischen Reihenfolge von Ἑλένη bis Κύκλωψ) der Nachwelt erhalten.

4. »DUNKLE JAHRHUNDERTE« – IKONOKLASMUS (7.–9. JAHRHUNDERT)

Zwar brach die lit. Ü. in der Zeit des Überlebenskampfes des byz. Reiches nicht wirklich vollständig ab, allerdings ist eine starke Abnahme der hsl. Produktion festzustellen. Sie war jedoch nicht das Ergebnis des Ikonoklasmus, wie man früher annahm, sondern der polit. Situation [10] (vgl. [5; 12]).

5. MAKEDONENZEIT (867–1056)

Das Erstarken des byz. Reiches im Laufe des 9. Jh. kam auch dem lit. Betrieb zugute, der mit drei herausragenden Gelehrten verbunden ist: Leon Mathematikos (ca. 790–n. 869), Photios (ca. 810–n. 893) und Arethas von Kaisareia (Mitte 9. Jh.-n. 932). Diese Gelehrten standen – entgegen alter Ansichten – nicht in direktem Kontakt zueinander, sondern betrieben einzeln ihre philol. Studien. Für Leon Mathematikos, der seinen Aufstieg in der Ikonoklastenzeit erlebte (Erzbischof von Thessalonike), sind Korrekturen zu Platon und eine Abschrift bzw. der Erwerb eines Ptolemaios-Cod. (Vaticanus graecus 1594) bezeugt; den Besitz eines Archimedes-Cod. belegen zwei mitkopierte Notizen (seine wiss. Bibliogr. läßt sich aus Epigrammen der *Anthologia Palatina* einigermaßen rekonstruieren [10. 148–176]). Die paläographische Forsch. brachte noch einer Reihe von Hss. überwiegend philos. Autoren (Platon, Aristoteles, Strabon), die sog. Collectio philosophica, in Verbindung mit Leons Gelehrtentätigkeit [5. 258–269]. Photios verfaßte ein umfangreiches Werk an Buchbeschreibungen (Βιβλιοθήκη), das allerdings gerade die bekannte und damit auch pagane Lit. größtenteils aussparte; deren Kenntnis erschließt sich allerdings aus Zitaten bzw. Anspielungen in seinen *Amphilochia*. Arethas von Kaisareia ist auch aufgrund hsl. Notizen als Auftraggeber paganer Lit. faßbar: Aristoteles, Vaticanus Urbinas graecus 35; Euklid, Bodleianus d'Orville 301; Platon, Bodleianus Clarkianus 39; sein Interesse an den Klassikern ist auch durch Scholien bezeugt [10. 205–241].

Zu einer Suche nach (alten) Hss. kam es im 10. Jh. in Konstantinopel im Zusammenhang mit einer nur teilweise vollendeten Universalenzyklopädie unter der Leitung des gelehrten Kaisers Konstantinos VII. Porphyrogennetos (905–959). In der Einleitung zu dem Sammelwerk Περὶ πρέσβεων wird ausdrücklich betont, daß man einzelne ›Bücher, die reich an allerlei und verschiedenartigem Wissen waren‹, aus der gesamten Ökumene zusammensammelte (1,21–2,5 in: [1]).

6. WECHSEL MAIUSKEL – MINUSKEL

Zugleich vollzog sich im 9./10. Jh. der für die Buchgeschichte wichtige Übergang von der Maiuskel zur Minuskel, die ein schnelleres Schreiben ermöglichte (erste datierte Minuskel-Hs.: 835, Uspenskij-Evangeliar, St. Petersburg, RNB graecus 219). Für die Ü.-Geschichte entscheidend ist, daß dieser sog. Metacharakterismós zugleich mit philol. Verbesserung verbunden war. Diese Bemühungen sind durch den sog. anon. Professor bezeugt (vgl. Ep. 88 [3. 78–80]). Zum Teil setzte

erst damit im 9./10. Jh. die Ü. noch erhaltener Hss. für die klass. Autoren ein (u. a. Aristoteles, Aristophanes, Demosthenes, Euklid, Herodot, Isokrates, Lykophron, Platon [7]).

Dagegen ist die Zahl der paganen Lit. in Codices bis zur Minuskel-Ü. sehr beschränkt; die Papyri verloren mit dem Übergang zum Pergamentcod. allmählich (freilich nicht abrupt, wie die statistische Auswertung sämtlicher lit. Papyri bezeugt) ihre Bed.; auch die Majuskelcodices auf Pergament wurden, sofern es sich nicht um Prunk-Hss. handelte (vgl. den Wiener Dioskurides, Cod. medicus graecus 1, um 512, oder die *Ilias Ambrosiana*, Cod. Ambrosianus F. 205 inferior, 5. Jh.), gerade noch als Palimpseste wiederverwertet.

7. 11.–12. JAHRHUNDERT

Auch die überlieferten Hss. bis zur Palaiologenzeit beschränken sich auf nur wenige Exemplare (je nach Rezeption z. T. weit unter 5% pro Autoren-Ü.). Somit läßt sich für die Beliebtheit bzw. Verbreitung eines Autors oft nur aus Zitaten oder der gelegentlichen Beschäftigung von Byzantiner mit den paganen Autoren ein indirekter Schluß ziehen. Zu jenen zählt der Gelehrte Michael Psellos (1018–1092/3). Zugleich konnte die zu intensive Beschäftigung mit der heidnischen Philos. den Argwohn der Kirche erregen, wie die Anathematisierung des Psellos-Schülers Ioannes Italos (ca. 1025–n. 1082) bezeugt.

Der Kommentierung von Klassikern widmeten sich im 12. Jh. Ioannes Tzetzes (ca. 1110–1180/1185), dessen autographe Anmerkungen am Rand in einer Thukydides-Hs. (Heidelberg, Palatinus graecus 252) erkannt wurde [11] – erklärt wurden Aristophanes, Hesiod, Homer (in Allegorien), Lykophron, Oppian und die Tragiker [13. 190–196] – und Eustathios von Thessalonike (ca. 1115–1195/6), dessen umfangreiche Homerkomm. als Autographen vorliegen (Cod. Laurentianus, Pluteus 59.2 und 3 (*Ilias*); Parisinus graecus 2702; Venedig, Marcianus graecus 460 (*Odyssee*) [13. 196–204]).

8. DIE EXILREGIERUNG IN NIKAIA

Mit der Eroberung Konstantinopels 1204 durch die Lateiner und der Exilregierung in Nikaia sammelten sich noch einmal polit. und kulturell die Kräfte, um dann mit der Wiedereroberung Konstantinopels (1261) und Etablierung einer neuen Herrscherdynastie, den Palaiologen, eine kulturelle Wiederbelebung zu forcieren. In der Buchproduktion setzte sich zugleich das billigere (zunächst orientalische) Papier als neuer Beschreibstoff durch.

Es gibt zwar keinen sicheren Beleg für eine Klassiker-Abschrift direkt in Nikaia, allerdings hielt man hier in einer Regenerierungsphase gleichfalls an dem kulturellen Erbe – auch von staatlicher Seite – fest. Dies bezeugen einerseits die Bibliotheksgründungen des Kaisers Ioannes III. Batatzes (1222–1254), der einen der bedeutendsten Gelehrten der Zeit, Nikephoros Blemmydes (1197–ca. 1269), auf Büchersuche auch außerhalb des nikänischen Reiches schickte, andererseits die an Klassiker anklingenden, rhet. ausgefeilten Werke des Kaisers

Theodoros II. Laskaris (1254–1258), von dem auch Randbemerkungen zu einer Aristoteles-Hs. (Cod. Ambrosianus M 46 superior) erhalten sind; auch er ließ Bücher sammeln. Bei diesen Bemühungen ging es auch darum, die Verluste nach der Katastrophe von 1204 wettzumachen.

9. PALAIOLOGENZEIT (1261–1453)

Mit der Rückeroberung Konstantinopels unter Michael VIII. Palaiologos (1259–1282) setzte die Ü. paganer Autoren wieder ein. Als Zentren der editorischen und philol. Arbeiten an klass. Texten traten die Hauptstadt und Thessaloniki hervor; konkret ist dies an autographen Werkmanuskripten und Editionen der Gelehrten sowie ihrer Schülerzirkel faßbar (etwa in dem Plutarch-Cod. Ambrosianus C 126 inferior, geschrieben in Konstantinopel um 1294–1295 im »Atelier« des Editors Maximos Planudes, an dem neben Planudes weitere neun Kopisten mitarbeiteten). In Konstantinopel konzentrierten sich diese Arbeiten auf Maximos Planudes (ca. 1255–ca. 1305; Edition und Scholien zu Äsop, Arat, Aristophanes, Euklid, Euripides, Hesiod, Pindar, Plutarch, Ptolemaios, Sophokles, Theokrit, Thukydides; Übers. u. a. von Cicero, Ovid) und seinen Schüler Manuel Moschopoulos (um 1300; Edition von Pindar, Aristophanes, Paraphrasen zu Hesiod und Homer), in Thessalonike auf Thomas Magistros (ca. 1275–n. 1347; Scholien zu Aischylos, Aristophanes, Euripides, Pindar, Sophokles und Synesios) und Demetrios Triklinios (ca. 1300–1325), der bei seinen Tragiker- und Aristophanes-Ausgaben die übliche »byz. Trias« auf alle zugänglichen Werke der Autoren erweiterte; so wurden durch ihn erstmals auch die eingangs erwähnten unkanonischen Schriften des Euripides berücksichtigt (von ihm stammt auch eine Pindarausgabe). Mit dem Beginn dieser philol. Tätigkeit, zu der in Konstantinopel auch noch die Klassikerabschriften und -exzerpte des (späteren Patriarchen) Gregorios Kyprios (ca. 1241–1290) und die Aristoteles-Arbeiten des Georgios Pachymeres (1242–ca. 1310) zu zählen sind, stieg auch die Hss.-Produktion (beginnend in der zweiten H. des 13. Jh.) und erreichte im 15. Jh. ihren Höhepunkt. Dann gingen die Abschriften langsam zurück, bedingt durch den Einsatz des Buchdruckes.

Nachdem in der Palaiologenzeit das byz. Reich allmählich immer mehr zusammenschrumpfte, konnte sich auf der Peloponnes als neues intellektuelles Zentrum Mistra etablieren: Hier wirkte der (»neuheidnische«) Gelehrte Georgios Gemistos Plethon (ca. 1360–1452), der mit seinem Werk Περὶ ὧν Ἀριστοτέλης πρὸς Πλάτωνα διαφέρεται (De differentiis philosophorum Aristotelis et Platonis) den sog. Platon-Aristoteles-Streit auslöste, eine typische Gelehrtenkontroverse, die sich mit der jeweils besseren Übereinstimmung der beiden heidnischen Philosophen mit der Lehre des Christentums auseinandersetzte; die Diskussion wurde dann in It. lit. heftigst ausgetragen.

10. GRIECHISCHE KOPISTEN IM WESTEN

Die Produktion griech. Hss. im Mutterland nahm allerdings – abgesehen von Klosterzentren, die wiederum für die Ü. paganer Texte belanglos waren – aufgrund der polit. Situation immer mehr ab. Griechische Gelehrte und Kopisten trafen in It. auf einen durch den it. → Humanismus und die Initiierung der Griechischstudien durch Manuel Chrysoloras (ca. 1350–1415) bestens bereiteten Boden. Zugleich verband sich mit der Weitertradierung der Texte die von dem aus Trapezunt stammenden, konvertierten Kardinal Bessarion (1399/1400?–1472) ausgesprochene Bemühung um die Aufrechterhaltung des lit. Erbes, ganz bes. nach dem Fall Konstantinopels 1453. All dem kam die gräkophile Gesinnung der Humanisten entgegen; Fürstenhäuser wie etwa die Medici [8] ließen sich Prunk-Hss. anfertigen; und man begann auch alte Hss. zu erwerben. Dem Bedarf an griech. Texten kam nun der Buchdruck nach: Für griech. Lit. führend waren neben Drucken in Rom, Padua, Ferrara, Florenz, Treviso, Vicenza und Mailand die Offizin des Aldus Manutius (1449–1515) in Venedig, der sich griech. Landsleute zur Erstellung kritischer Editionen bediente.

11. RESÜMEE

Summarisch läßt sich festhalten, daß die pagane Lit. zunächst zwei mit der Buchproduktion verbundene Hürden zu überwinden hatte: Die Umschriften von Papyrus(rollen) in Pergament(codices) und die Übertragung der Majuskeltexte in Minuskelschrift; in beiden Fällen war es v. a. die (schulkanonische und) fachspezifische Lit., die übernommen wurde. Zweifellos hat das Vordringen des Christentums, aber auch die nachfolgenden islamischen Eroberungen zu einer Einbuße von Texten geführt (etwa in Zentren wie Alexandria). Ein Schlag gegen das kulturelle Zentrum Konstantinopel war dessen Eroberung 1204 durch die Lateiner. Es ist etwa aus dem Ber. des Athener Bischofs Michael Choniates bekannt, daß auch Hss. vernichtet wurden (Brief 146 [2. 238–239]); wie hoch der Verlust an Hss. durch die Eroberung war, läßt sich allerdings nicht wirklich abschätzen. Auf jeden Fall steht die lit. bezeugte verstärkte Beschäftigung mit paganen Autoren ab dem 9. Jh. im krassen Gegensatz zu den überlieferten Handschriften. Unbestreitbar hat die fortschreitende türk. Eroberung des byz. Reiches zu einem weiteren Verlust beigetragen. Dank der willkommenen Aufnahme griech. Gelehrter und Kopisten im human. It. und dem Ankauf griech. Hss. in Konstantinopel durch westl. Mäzene war – abgesehen von der autonomen südit. Produktion – eine Weitertradierung paganer Texte erst möglich.

→ Byzanz; Konstantinopel; Venedig

→ AWI Arethas; Demetrios [43] Triklinios; Eustathios [4]; Moschopoulos, Manuel; Nikaia [6]; Pachymeres, Georgios; Photios [2]; Planudes, Maximos; Psellos; Thessalonike

QU **1** K. DE BOOR, Excerpta de Legationibus I, 1903
2 F. KOLOVOU, Michaelis Choniatae Epistulae (Corpus
Fontium Historiae Byzantinae 41), 2001
3 A. MARKOPOULOS, Anonymi Professoris Epistulae
(Corpus Fontium Historiae Byzantinae 37), 2000
4 N. WILSON, Saint Basil on the Value of Greek Literature,
1974

LIT **5** K. ALPERS, Eine byz. Enzyklopädie des 9. Jh. Zu
Hintergrund, Entstehung und Gesch. des griech.
Etymologikons in Konstantinopel und im italogriech.
Bereich, in: Scritture, libri e testi nelle aree provinciali di
Bisanzio I, Atti del seminario di Erice (18–25 settembre
1988), a cura di G. CAVALLO, G. DE GREGORIO, M. MANIACI,
1991, 235–269 **6** W. CLARYSSE, Leuven Database of Ancient
Books, CD-ROM, 1998 **7** H. ERBSE, Ü.-Gesch. der griech.
klass. und hell. Lit., in: H. HUNGER, Gesch. der Text-Ü. der
ant. und ma. Lit. I, 1961, 246–283 **8** E. B. FRYDE, Greek
Manuscripts in the Private Library of the Medici 1469–1510,
2 Bde., 1996 **9** CH. GNILKA, ΧΡΗΣΙΣ. Die Methoden der
Kirchenväter im Umgang mit der ant. Kultur. I. Der Begriff
des »rechten Gebrauchs«, 1984 **10** P. LEMERLE, Le premier
humanisme byzantin. Notes et remarques sur enseignement
et culture à Byzance des origines au Xᵉ siècle, 1971 **11** M. J.
LUZZATTO, Tzetzes lettore di Tucidide: note autografe sul
Codice Heidelberg Palatino Greco 252, 1999 **12** D. R.
REINSCH, Lit. Bildung in Konstantinopel im 7. und 8. Jh.
Das Zeugnis der Homiletik, in: I Manoscritti greci tra
riflessione e dibattito I. Atti del V Colloquio Internazionale
di Paleografia Greca (Cremona 4.–10. ottobre 1998), a cura
di G. PRATO, 2000, 29–46 **13** N. G. WILSON, Scholars of
Byzantium, ²1996.　　　　CHRISTIAN GASTGEBER

C. GESCHICHTE DER LATEINISCHE LITERATUR (500 NACH CHRISTUS BIS ZUM BUCHDRUCK)

1. EINLEITUNG

Den Bedürfnissen und Interessen ma. Leser und der
Tätigkeit ma. Schreiber ist es zu verdanken, daß uns die
lat. Autoren der Ant. noch im fast gleichen Umfange
verfügbar sind wie einem Quintilian oder Cassiodor.
Die seit Quintilian eingetretenen Verluste wurden zu
einem beträchtlichen Teil verursacht durch die Verdrängung durch einen übermächtigen Nachfolger, wie
die der früheren Redner durch Cicero, die der Anna-
listen durch Livius oder der älteren Epik durch Vergil.
Hinzu kam für die Szeniker der Verlust des »Sitzes im
Leben«, für Terenz und Plautus darüber hinaus die Reduktion auf einen lit. Kanon.

2. QUELLEN

Die Erhaltung der Texte und ihr Fortleben im MA
lassen sich an Hand folgender Gruppen von Quellen
verfolgen:

1) Wichtigstes Mittel unserer Erkenntnis sind die erhaltenen Textzeugen. Welches Gewicht deren Zahl hat,
welche Relationen zw. erhaltenen und untergegangenen Hss. bestehen, ist von Fall zu Fall verschieden und
im Einzelfalle schwer zu beurteilen [7. 8]. Ebenso wichtig sind die Nachrichten über vorhanden gewesene Hss.,
v. a. in Bibliothekskat. [1. 2]; hinzu kommen urkundli-
che Bezeugungen, z. B. in Schatzverzeichnissen oder te-
stamentarischen Verfügungen, ferner in gelehrten Korrespondenzen, schließlich Notizen über Entleihungen.

2) Die ältesten expliziten Bücherverzeichnisse sind
die der Bodenseeklöster, das der Reichenau von 821/2
und das von St. Gallen aus der Mitte des 9. Jahrhunderts.
Dieses setzt ein mit einer Reihe von Bänden, die ob
ihres obsoleten insularen Schriftcharakters separiert waren, den *Libri scottice scripti.* Darunter findet sich ein einziger heidnischer Text, ein *Metrum Virgilii in volumine I*;
es ist fraglich, ob es sich um das Gesamtwerk oder –
wahrscheinlicher – nur um die *Aeneis* handelt. Hinzu
kommen die Bibelepen des Sedulius und des Iuvencus –
dieses in zwei Exemplaren – und an Sachbüchern die
Arithmetik des Boëthius sowie Bedas *Ars metrica.* Die
restlichen 22 Positionen sind kirchliche Gebrauchslite-
ratur. Überhaupt wird jeder, der zum ersten Male einen
ma. Bibliothekskat. zur Hand nimmt, erstaunt sein über
das erdrückende Übergewicht dieser Lit., angefangen
bei Bibeln und Meßtexten bis hin zu den Hauptwerken
der großen Kirchenlehrer Augustinus, Hieronymus,
Gregor d. Gr. und den Heiligenviten.

Aufschlußreich sind auch Nachrichten über privaten
Bücherbesitz von Mönchen, der nach dem Ableben des
Besitzers der Klosterbibl. zufiel. So hinterließ Hucbald
von St. Amand seinem Kloster 930/1 an heidnischen
Autoren Vergil, Priscian, Chalcidius, Martianus Capella,
Eutropius, die *Proverbia Senecae* und dessen *Apocolocyn-
tosis* (*Ludus de morte Neronis*). Reichhaltiger noch sind
die Hinterlassenschaften Grimalds, Abtes von St. Gallen
[6. Bd. 1. 87ff. Nr. 20] und Reginfrids, Mönchs in Te-
gernsee [6. Bd. 4/2. 750f. Nr. 107].

3) Bisweilen lassen charakteristische Fehler in einem
Text, bes. Verlesungen, auf eine Vorgänger-Hs. mit be-
stimmtem Schriftcharakter schließen. Ein bekanntes
Beispiel bietet die Variante Lucr. 1,27 *ornatum] ora latum*
OQ, die den sicheren Schluß auf eine in einer Capitalis
geschriebene Vorlage von OQ und damit deren Datierung in das 4./5. Jh. zuläßt. Aber der hsl. Befund führt
noch weiter: Ein gleichzeitiger Korrektor hat in O die
richtige Lesart am Rande notiert; das führt zu dem
Schluß, daß es nördl. der Alpen einen weiteren Ü.-
Träger gegeben haben muß, der, der Verlesung *oralatum*
nicht teilhaftig, dem spätant. Archetypus näher stand.
Unsicher ist, ob dieser identisch ist mit der verschollenen Murbacher Hs., von der Poggio Bracciolini eine,
gleichfalls verschollene, Abschrift herstellen ließ und die
ihrerseits Vorlage zahlreicher human. Kopien wurde.
Endlich ist das Richtige auch aus der indirekten Ü. zu
gewinnen: Priscian zitiert den Vers zweimal (Inst. 8,95 =
GL 2,445,1; 10,34 = GL 2,527,7).

4) Schließlich lassen Anspielungen, wörtliche Übereinstimmungen oder Zitate auf die Bekanntheit eines
Autors in einem bestimmten Umkreis schließen; allerdings ist gerade hier vor übereilten Schlußfolgerungen
zu warnen. Solche ergeben sich aus der Überschätzung
der Beweiskraft gängiger Redewendungen oder trala-
tizischen Gutes, wie es bes. in den eingängigen Teilen
des Hexameters, dem Hemiepes und der adoneischen
Klausel verbreitet wird. Außerdem ist in Rechnung zu
stellen, daß manches Zitat durch einen Kirchenschrift-
steller oder durch ein Florilegium vermittelt ist.

3. REGIONALE BEDINGUNGEN

Mit dem Zerfall des weström. Reiches in die von Germanenvölkern beherrschten Staaten der Völkerwanderungszeit geht die Zerstörung des kulturellen Zusammenhaltes der Provinzen, eines umfassenden geistigen Commerciums, Hand in Hand. Die künftigen Staatsgebilde boten für das Überleben der antiken lat. Lit. durchaus unterschiedliche Voraussetzungen. Grundsätzlich ist zu unterscheiden zw. Ländern auf altem lat. Kulturboden und mit lat.-romanischer Muttersprache und flüchtig oder gar nicht romanisierten Gebieten, in denen das Lat. stets nur Bildungssprache, Zweitsprache, »Vatersprache« war.

In It. konnte eine dünne, miteinander versippte Schicht des alten senatorischen Adels, repräsentiert durch die Familien der Symmachi und Nicomachi, die Konservierung ant. Autoren als der Zeugen einstiger röm. Größe zu ihrer Aufgabe machen. Ein Angehöriger dieses Kreises, Cassiodor, initiierte den Übergang der ant. Buchkultur in das Ethos monastischer Schreibtätigkeit. Die von ihm gegründete Bibl. Vivarium wirkte über die Zwischenstationen Rom und Bobbio weit über die Alpen. Darüber hinaus bot die christl.-lat. Kontinuität Raum für solche Glücksfälle wie die Erhaltung der Gedichte Catulls in der Bibl. des Domkapitels von Verona.

Nordafrika, von dessen lit. Leben die im *Cod. Salmasianus* gesammelte Kleindichtung ebenso Zeugnis gibt wie das Werk des Martianus Capella, das für das ganze MA zu einem überaus verbreiteten Grundbuch des in den *septem artes* (→ Artes liberales) geordneten ant. Wissens wurde, erlebte noch im 6. Jh. eine Blüte des Geisteslebens, an der auch ein Vandalenkönig wie Thrasamund (496–523) Anteil nahm. Cassiodor sah noch die Möglichkeit, für seine Bibliothek Lit., allerdings theologische, aus Afrika zu beschaffen (Inst. 1,8,9; 1,29,2). Das letzte Zeugnis schließlich für den kaiserzeitlichen Brauch der öffentlichen Dichterlesung ist das des Corippus, der 550 in Karthago seine *Iohannis*, das Epos über die Taten des *Magister militum* Iohannes gegen die Mauren, rezitierte. Mit der Vernichtung des Vandalenreiches durch Belisar (534) und erst recht ein Jh. später mit der Eroberung der nordafrikan. Küste durch den Islam war das E. der lat. Kultur besiegelt. Ob von nun an die Texte lat. Autoren den Weg aus Afrika über Spanien oder It. fanden, läßt sich nicht einmal mehr vermuten.

Auf der iberischen Halbinsel stellten sich nach den Invasionen der → Vandalen und der Sueben und deren Verdrängung durch die Westgoten nach und nach Verhältnisse her, die einer Bewahrung des ant. Erbes günstig waren. Wichtig war die Angleichung der Eroberer an die romanische Bevölkerung; so war im 6. und 7. Jh. bis zur islamischen Eroberung ein in der Trad. der lat. Bildung stehendes geistiges Leben möglich wie kaum in einem anderen Teil des zerfallenen röm. Reiches. Getragen wurde diese Trad. z.B. von Bischöfen wie Leander von Sevilla und v. a. Isidor von Sevilla, nach dem dieses Zeitalter geistiger Blüte seinen Namen trägt. Ob

lat. Autoren ihren Weg in das Karolingerreich über Spanien genommen haben, läßt sich nur in Ausnahmefällen sichern: So ist die Leidener (*Cod. Vossianus* 111) Sammlung von Gedichten des Ausonius Anf. des 9. Jh. in westgot. Schrift geschrieben; Spuren weiterer Autoren lassen sich an Hand graphischer (Kürzel) und orthographischer Kriterien ermitteln [4. Bd. 3. 58]. Schließlich dokumentiert sich die Bed. → Spaniens für die Trad. ant. Bildungsgutes in der – angesichts des enormen Bedarfs an Pergament – erstaunlichen Ausbreitung von Isidors Monumentalwerk, den *Etymologiae* [4. Bd. 1. 171–194].

Nirgends auf romanischem Kulturboden griff die german. Überformung der Völkerwanderung in ihren Wirkungen so tief wie im fränkischen Gallien. Als Trägerin ant. Trad. blieb nur die Kirche übrig. Die fränkischen Herrscher öffneten sich, anders als manche ostgerman., kaum dem geistigen Erbe Roms. Gregor von Tours, dieser große, wenn auch in der sprachlichen Verwilderung seiner Zeit ebenso wie auch in der inselhaften Verengung seines Gesichtskreises befangene Erzähler, konnte immerhin den Wert einer Hs. des Terentianus Maurus, die ihm zugekommen war, würdigen und sie seinem Freunde Venantius zugänglich machen (Ven. Fort. Carm. 9,7). Die Flucht des Venantius aus dem von den Langobarden bedrohten Oberit. ins Frankenreich kann als Zeichen dafür gelten, wie dieses dazu prädestiniert war, Zuströme nicht nur aus It., sondern auch aus Spanien und dem insularen Bereich aufzunehmen.

Die Christianisierung Britanniens in der Zeit der röm. Provinzialherrschaft und eine mögliche oberflächliche Romanisierung der keltischen Vorbevölkerung nahmen unter der Wirkung der Infiltration durch die als Angelsachsen bezeichneten festländischen Germanenstämme mit dem Rückzug Roms zu Beginn des 5. Jh. ein Ende. Schlüsse auf Bekanntschaft mit röm. Autoren erlaubt immerhin das Werk des Gildas († 570), der für den geschichtlichen Teil seiner Klage- und Anklageschrift Orosius sowie Hieronymus und Rufinus benutzt und von den röm. Dichtern sicher Vergil. Jedoch setzte die Bed. Britanniens für die Ü. der lat. Lit. erst ein mit der Missionierung der Angelsachsen, die von Papst Gregor d. Gr. ausging: Taufe König Ethelberts von Kent 597 durch den Abt Augustinus, Gründung des Bistums Canterbury, Bereicherung der dortigen Schule durch Entsendung Theodors von Tarsus und Hadrians von Nisida unter Papst Vitalian (ca. 669) und die damit einhergehende dauerhafte Verbindung Englands mit Rom.

Diese röm. Missionierung traf einerseits auf die Kirche der von den Angelsachsen in die Randgebiete von Wales und Schottland abgedrängten Briten, andererseits auf die Mission aus → Irland. Die Christianisierung dieser nie zum röm. Reiche gehörenden Insel knüpft sich an den Namen des Palladius, der als *primus episcopus* von Papst Coelestin I. im J. 431 ›ad Scottos in Christum credentes‹ geschickt wurde (Prosper, Chron. ad ann. 431), und an den des Briten Patricius († 461). Im Gegensatz zu England, wo die Verbindung mit Rom zu einem Zustrom auch nichtchristl. Lit. führte, dürfte sich der Import lat. Lit. nach Irland im wesentlichen auf christl. Texte und auf die zu ihrem Verstehen nötigen Gramm. der lat. Lernsprache beschränkt haben [5. Bd. 1. 138]. Die Bed. der Iren für die Ü. der ant. Lit. wird erst greifbar in der Ausstrahlung ihrer festländischen Klostergründungen. Was die irischen Missionare an Büchern mit sich führten, dürfte so gut wie ausschließlich dem Verständnis der Hl. Schrift gedient haben, dem theologischen durch die Exegese, dem sprachlichen durch die Grammatik. Als Beispiel mag die irisch glossierte Priscian-Hs. stehen, die nach St. Gallen gelangte (*Cod. Sangallensis* 904). Wichtiger für die Trad. ant. Texte wurden die Klöster, die die Wege Columbans und seiner Gefährten markieren: Annegray, Fontaines, Luxeuil, Bobbio, St. Gallen; dazu Kilians Gründung Würzburg und das Wirken des gelehrten Iren Virgil in Salzburg. Diese Gründungen zogen nicht nur Bücherbestände aus ihrem Umland auf sich, sondern konnten auch über die sie aufsuchenden Rompilger Zugang zu Büchern gewinnen. Auch die durch die angelsächsische Mission veranlaßten Wanderungen von Büchern waren vom kirchlichen Bedarf bestimmt: Die Bücherwünsche, die Bonifatius und sein Gefährte Lul an die Heimat richteten, beschränkten sich im wesentlichen auf Werke Gregors d. Gr. und Bedas. Die angelsächsisch bestimmte Wanderung eines Klassikertextes ist für den einzigen Textzeugen der Bücher 41–45 des Livius (*Cod. Vindobonensis lat.* 15) anzunehmen: Die im 5. Jh. in It. geschriebene Hs. gehörte nach einem Besitzervermerk des 8. Jh. dem Bischof Theadbert von Duurstede b. Utrecht, einem Knotenpunkt des Handels zw. England und dem Festland. Offen bleibt, ob der Cod. aus England kam oder, etwa durch einen Pilger, direkt aus It. [2. 64]. Simon Grynaeus entdeckte die Hs. 1527 in Lorsch (Erstdruck 1531).

4. KAROLINGISCHE BILDUNGSREFORM

Die moralische und intellektuelle Verwahrlosung der Weltgeistlichkeit führte seit Bonifatius und den Söhnen Karl Martells, Karlmann und Pippin zu ersten Bemühungen um eine Besserung, wobei allerdings der rel.-sittliche Aspekt entschieden im Vordergrund stand. Auf einem Capitulare Karlmanns von 742 (MGH Cap. 1, Nr. 10, S. 24f.) beruht Karls d. Gr. erste diesbezügliche Verlautbarung, das *Capitulare primum*, das erstmals der mangelnden Bildung (*scientia*) der Priester abzuhelfen suchte. Ihren Gipfel erreichten diese Bestrebungen in der *Admonitio generalis* vom 23.3.789, in der dem Ziel eines rechten christl. Lebens alle Bildungsbereiche vom Elementarunterricht bis zur Sicherung der hss. Ü. untergeordnet sind.

Das Ziel Karls, den Dingen auf den Grund zu gehen und über alle erreichbaren Quellen des Wissens zu verfügen, führte zu einer Konzentration von Menschen wie von Büchern am Aachener Hofe. Aus dem untergegangenen Langobardenreich kamen Petrus von Pisa, Paulinus von Aquileia und Paulus Diaconus, aus dem der Westgoten Theodulf und Modoin; aus dem angel-

sächsischen Bereich kam v.a. Alkuin; die irische Gelehrsamkeit war durch Dungal und Dicuil repräsentiert. Karls diesbezügliche Willensbekundung (*sententia*) geht aus dem Gedicht hervor, mit dem Wigbod seinen Oktateuchkomm. dem König überreichte (MGH PL 1,96); Paulus Diaconus übersandte seinen Auszug aus Festus mit den Worten ›cupiens aliquid vestris bibliothecis addere‹. Alkuin bereicherte die Bibl. u.a. um den Briefwechsel zw. Alexander und Dindimus und den zw. Seneca und Paulus. Bemerkenswert ist schließlich der Text des Grammatikers Diomedes, den der Abt Adam von Maasmünster 780 übersandte: Die Dichterzitate wurden (von Adam selbst?) entfernt. Die umfängliche Bücherschenkung, die Papst Leo III. zw. 800 und 814 tätigte, enthielt ausschließlich theologische Werke.

Das Ergebnis der nach Aachen orientierten Sammelbewegung, die Hofbibl., hat B. Bischoff versucht zu rekonstruieren; bes. bemerkenswert ist die Liste von Klassikern, die im Berliner Diez. B 66 erhalten ist und die höchst wahrscheinlich einen Teilbestand der Hofbibl. bietet [4. Bd. 3. 162ff.]: Lucan; Stat. Theb; Ter. Andr., Eun.;Iuv. lib. I; Tib.; Hor. ars; Claud. rapt. Pros.; *In Rufinum, In Eutropium, De bello Gothico, De bello Gildonico*; Mart.; Iul. Vict. rhet.; Servius, *De finalibus*; dann einige Reden Ciceros (Catil., Deiot. Verr.) und eine Zusammenstellung von Reden aus den Werken Sallusts. Beide Corpora haben ihre Parallelen: die Ciceroniana im *Cod. Holkhamicus* 387 (London BM Add. 47678, geschrieben Anf. 9. Jh. in Tours), Sallust im *Vaticanus Latinus* 3864 (2. H. 9. Jh., Corbie). Das Verzeichnis endet mit Werken des Avitus von Vienne und den *Exempla elocutionum* des Messius Arusianus.

Mit der Konzentration von Texten ging die Schreibtätigkeit der Hofschule einher, die sich nicht auf die Herstellung der bekannten kirchlichen Pracht-Hss. beschränkte, sondern v.a. dem Zugewinn von Texten für die Hofbibl. diente. Belegt ist der Auftrag des Königs, das medizinische Lehrgedicht des Serenus Sammonicus zu kopieren (MGH PL 1,97f.). Auch für einen Ü.-Zweig des zweiten Buches von Cassiodors *Institutiones* (Mynors: second interpolated form) läßt sich erschließen, daß die Stamm-Hs. auf Initiative Karls zurückging [4. Bd. 3. 155].

Schließlich manifestiert sich die zentrale Stellung der Hofschule in der Schaffung und Ausbreitung eines durch Klarheit, Ausgewogenheit und Regelmäßigkeit ausgezeichneten Schrifttyps, der karolingischen Minuskel [3. 151ff.].

Der Konzentration von Gelehrten und von Texten am Hofe folgte die zentrifugale Gegenbewegung. Als Personen mögen hier nur Angilbert und Alkuin stehen, die in den ihnen übertragenen Abteien St. Riquier bzw. Tours einen geistigen Aufschwung initiierten, der sich nicht zuletzt in der Buch- und Bibliothekskultur auswirkte. Die Ausstrahlung von Hss. läßt sich z.B. für Corbie und Lorsch nachweisen.

5. TEXTBEHANDLUNG

Im Gegensatz zum Buchdruck, der identische Exemplare eines Textes in beliebiger Zahl herzustellen vermag, setzt die hsl. Vervielfältigung den Text Gefährdungen verschiedener Art aus. Der Mönch als Abschreiber steht zw. der Forderung der Erfüllung einer Gott wohlgefälligen und dem eigenen Seelenheil dienlichen Aufgabe und der die Aufmerksamkeit tötenden Ermüdung durch eine eintönige, auch den Körper beanspruchende Arbeit. Für den gewerblichen Abschreiber tritt der Zwang zu schneller Produktion hinzu. Daraus resultieren die meist leicht zu erkennenden mechanischen Fehler wie Augensprünge, Wortwiederholungen oder Zeilenausfall. Eine weitere Gefährdung ergibt sich aus der Beschaffenheit der Vorlage. Besonders die Steigerung der Hss.-Produktion in der Karolingerzeit und die damit einhergehende Umsetzung der in Capitalis (rustica), Uncialis oder Majuskelkursive geschriebenen Vorlagen in die neue Minuskel führte zu Verlesungen. Weitere Fehlerquellen sind die Umsetzung von nicht verstandenen Abbreviaturen, die Übernahme von Glossen in den Text und falsche Wortgrenzen auf Grund einer durchlaufend geschriebenen Vorlage.

Bisweilen geben sich Schreiber über den Zustand ihrer Vorlage Rechenschaft; so die Subscriptio einer der beiden Hss., aus denen wir den verlorenen *Veronensis* Catulls rekonstruieren, der *Cod. Sangermanensis* 1165 (G; E. 14 Jh.): ›scriptori da veniam, si tibi corruptus videbitur, quoniam a corruptissimo exemplari transcripsit‹. Eine selbständige Entscheidung des Schreibers ist gefragt, wenn die Vorlage beigeschriebene Varianten bietet. Diese Kontamination verschiedener Ü.-Linien bereitet der Konstitution von Hss.-Stemmata nach Lachmanns Methode bisweilen kaum zu überwindende Schwierigkeiten. Selbständige Eingriffe in den Text der Vorlage begegnen bei ma. Schreibern selten.

6. TYPEN DER ÜBERLIEFERUNG

Die verschiedenartigen Barrieren, die die lat. Lit. auf ihrem Wege ins MA zu überwinden hatte (Sieg des Christentums, Verfall der materiellen Kultur und des heidnischen Bildungswesens, Übergang von der Rolle zum Cod.), haben zu unterschiedlichen, bisweilen singulären, bisweilen typischen Pfaden der Ü. geführt. Dem breiten Strom der Schulschriftsteller, an der Spitze Vergil, darunter aber auch ein Maximian, stehen die Fälle gegenüber, in denen die Trad. auf einem einzigen Zeugen beruht; dieser kann ein Palimpsest sein (Plautus, Cic. rep.), er kann sein Überleben einem speziellen Interesse verdanken (Catull in Verona), dem Transport im Geleitzug einer Sammel-Hs. (speziell beim Sachbuch: *Mulomedicina Chironis*), oder unerkannt unterschlüpfen (Minucius Felix bei Arnobius). Besondere editorische Probleme ergeben sich in den Fällen, in denen zwei oder mehrere Stränge der Ü. ins MA gelangten, wie z.B. bei Plautus und Quintilian.

→ Digesten/Überlieferungsgeschichte; Karolingische Renaissance

1 G. BECKER, Catalogi bibliothecarum antiqui, Bonn 1885 2 B. BISCHOFF, Die Abtei Lorsch im Spiegel ihrer Hss., ²1989 3 Ders., Paläographie des röm. Alt. und des abendländischen MA, 1979 4 Ders., Ma. Stud., Bd. 1–4, 1966–1981 5 F. BRUNHÖLZL, Gesch. der lat. Lit. des MA, Bd. 1–2, 1975–1992 6 Ma. Bibliothekskat. Deutschlands und der Schweiz, hrsg. v. P. LEHMANN et al., Bd. 1–4, 1918–1977 7 B. MUNK OLSEN, La réception de la littérature classique au Moyen Age (IXᵉ–XIIᵉ siècles), 1995 8 L. D. REYNOLDS, N. G. WILSON, Scribes and Scholars, 1968.

PAUL KLOPSCH

Übersetzung A. BEGRIFF UND FUNKTION B. ENTWICKLUNG C. ÜBERSETZUNG ALS KÜNSTLERISCHE STILÜBUNG DER DICHTER UND LITERATEN D. URSPRUNGSSPRACHLICHE ÜBERSETZUNGEN IM 20. JAHRHUNDERT E. POPULARISIERUNG F. AKTUALISIERUNG G. PRAXIS DER SCHULÜBERSETZUNG DER GEGENWART

A. BEGRIFF UND FUNKTION

Unter Ü. versteht man h. sowohl Vorgang als auch Resultat der Wiedergabe von Wörtern, Sätzen, Texten einer Ausgangssprache in eine Zielsprache. Übersetzen dient der Kommunikation und Interaktion, ist »kulturell« bestimmt. In der Translationstheorie ist Übersetzen sogar Teilaspekt von kommunikativem »Handeln«: Der Übersetzer muß nicht nur Ziel- und Ausgangssprache beherrschen und fachliche Kenntnisse besitzen, sondern auch kulturelle Konnotationen des Originals zum Ausdruck bringen. Er muß ein »semantisches Äquivalent« erzeugen.

MONIKA BALZERT

B. ENTWICKLUNG

1. ANTIKE UND MITTELALTER

Die griech. Lit. der Ant. ist nur in geringem Maße durch Ü. fremdsprachiger Schriften erweitert worden; ein großer Teil der lat. Lit. entstand hingegen durch Ü. griech. Texte. Dabei handelte es sich in der Regel um freie, zielsprachenorientierte Übersetzungen. Besondere Bed. erlangten die Bibel-Ü. aus dem Griech., speziell diejenige ins Lat. durch Hieronymus. Flankiert wurden die Ü. nicht selten durch Reflexionen über die Übersetzungsmethode. So unterschied z.B. Hieronymus zw. einer freien Ü. für die paganen Texte und – um die »Wahrheit« zu bewahren und dem Häresieverdacht zu entgehen – einer Wort-für-Wort-Ü. der Bibel.

Im MA wurde die ant. Lit. nicht kontinuierlich, sondern nur punktuell durch Ü. rezipiert. Im lat. Westen wurden griech. Texte v. a. in Karolingischer Zeit und im Hohen MA ins Lat. übersetzt. Eine bes. Rolle spielten die lat. Übertragungen von arab. Ü. griech. Philos. und Wissenschaft. Dagegen hatten die griech. Ü. lat. Lit. einen geringeren Einfluß und Umfang.

Neben den Ü. ins Lat. und Griech. bestimmten Ü. aus dem Griech. ins Arab. die Rezeptionsgeschichte ant. Literatur. Mit dem Hohen MA wurden auch volkssprachige Ü. Träger der Rezeption. In Deutschland ge-

schah dies im Laufe der Ottonischen (Notker III. von Sankt Gallen) und Staufischen Ren., in It. im 14. Jh., der Zeit der *volgarizzamenti* (Ü. vom Lat. ins it. *volgare*).
→ Arabisch-islamisches Kulturgebiet I. C.; II. E.; Aristotelismus D.; Byzanz II. F.; Griechisch II.; Italien III. B. 3.; Mathematik B.; Medizin D.; Meteorologie; Naturwissenschaften II. B. und III. B.; Ottonische Renaissance; Staufische Renaissance
→ AWI Bibelübersetzungen; Hieronymus; Übersetzung III. und IV.   MANFRED LANDFESTER

2. RENAISSANCE

2.1 ÜBERSETZUNG INS LATEINISCHE

Latein behauptete in ganz Europa auch in der Ren. weiterhin seinen Platz als Kommunikations-Idiom der Gebildeten; als Vehikel des »rhet.« Wissenschaftskonzepts förderte es wiss. Begriffsbildung gegenüber neuen Phänomenen und mod. Technologien. Als Rezeptionsmedium diente es zur Erschließung wiederentdeckter alter griech. Wiss. und Literatur.

Niccoli, Guarino, Poggio, Filelfo und andere, die vor der Einnahme Konstantinopels 1453 griech. Mss. auf Reisen aufspürten, stellten ebenso wie Giov. Aurispa, der 1423 aus Konstantinopel noch 238 byz. Hss. »heidnischer Autoren« (*gentilium auctorum*) heimbrachte, eine Fülle bisher im Westen ungelesener Autoren zur Ü. bereit (außer aristotelischen Schriften Thukydides, Apollonios Rhodios, Pindar, Demosthenes, Strabo). Giov. Boccaccio (1313–1375) eignete sich originale Homerkenntnisse an, indem er Leonzio Pilato († 1367) nach Florenz holte, der aus griech. Hss. *Ilias* und Teile der *Odyssee* vortrug und ins Lat. übersetzte. Manuel Chrysoloras (geb. um 1350 in Konstantinopel, † 1415 in Konstanz) übersetzte die *Odyssee* und Platons *Staat* in besseres Latein. Griechische Erstdrucke waren, durch obligate lat. Inter- bzw. Sublinearversionen ergänzt, für das Erlernen des Griech. geeignet. Aldus konnte die Musaios-Ausgabe als Hilfsmittel für das Griechischstudium vertreiben [31]: Sich mittels lat. Ü. in das Original einzulesen wurde Usus.

Auch die Griechen als Lehrer übten *Méthode directe*. Die primitive *conversio (...) ad verbum*, wie Pilato sie betrieben hatte, lehnte Chrysoloras ab. Er vertrat als Ü.-Methode ›ad sententiam transferre‹ – allerdings ohne ins Erläutern zu verfallen (*exponere*), wie es Poggio Bracciolini, Niccolo Perrotti oder Marsilio Ficino, der Platon, Plotin, Porphyrios' *Corpus Hermeticum* 1463 und Platos *Dialoge* 1467 ins Lat. übertrug, betrieben: Es ging den Humanisten um Zurschaustellung eigener oratorischer bzw. versifikatorischer Fähigkeiten, um ›Transposition des Originals in die oratorische Pose der Gegenwart‹ [25. 568]. Ihr Stilideal war *elegantia*, wie sie 1420 Leonardo Bruni, fruchtbarster Übersetzer der 1. Hälfte des 15. Jh., in *De interpretatione recta* vertreten hatte. Vergil galt den Humanisten als »Übersetzer« des Homer, an *dignitas* überlegen, gewissermaßen als ihr Vorbild (→ Homer-Vergil-Vergleich).

Papst Nikolaus V. (1447–1455), der mit doppelsprachigen Textausgaben ›ganz Griechenland für die Latinität erobern‹ wollte, setzte Honorare für Ü. aus. Poggio erhielt für die lat. *Kyrupaideia* des Xenophon 500 Dukaten von Alfons V., seit 1442 König von Neapel und Sizilien. Fürstliche Auftraggeber wie Federigo da Montefeltre und Lorenzo il Magnifico machten Autoren ihrer Sammlungen durch Ausgaben mit lat. Versionen der human. Öffentlichkeit Europas zugänglich. Ende des 15. Jh. lagen die meisten griech. Autoren lat. vor. 1543 erschien in Venedig eine erste separate lat. Ü. der Trag. des Sophokles durch I. B. Gabia: ›omnes nunc primum ad verbum factae‹ ›alle zum allererstenmal wörtlich lat. wiedergegeben‹. Der Verleger rühmt sich im Widmungsbrief, er habe schon mehreren griech. Dichtern exakte lat. Ü. verschafft : ›ex poetis graecis quosdam ad verbum latinitate donandos pridie curavimus‹.

2.2 VOLKSPRACHLICHE ÜBERSETZUNGEN

National wichtige Klassiker: Den Livius soll bereits G. Boccaccio († 1375) in Passagen aus der Montecassino-Hs. ins It. übertragen haben, P. Bersuire 1359 ins Französische. 1505 erschienen Livius-Auszüge in Mainz (Schoeffler) dt. von Bernhard Schöfferlin, den J. Grüninger 1507 in Straßburg nachdruckte. Die »vorred«, die Sankt Hieronymus anführte, galt Maximilian I.: ›so ich nun befynd, dass in tütschen Zungen sollicher waren und rechtbeschribner hystorien großer Mangel ist, hab ich bernhardus schöferlin doctor in keyserlichen rechten mir selber fürgenommen (...) zu beschreiben die rechten waren römischen historien‹, d. h. unter Absehung von heidnischem Beiwerk. Auch der erste dt. Caesartext – ›erstmals uß dem Latein in Tütsch bracht‹ von Philesius (Matthias) Ringmann in der Grüninger-Offizin – ist dem ›Keiser‹ gewidmet, ›wiewol ich nit unwissen bin / ob schon diß werck nit transferriert und getütschet wer / das obgemelte Römische K(aiserliche) Maiestet in lateinischer gleich wie in vil andern zungen / durch göttliche schickung gnugsam bericht ist / solichs zu lesen und verston‹. Die veränderte Wortstellung des Dt. gegenüber dem Lat. wird reflektiert: ›Es erfordert ein jegliche sprach iren eygenen louf. (...) In deren ich mich geflissen habe / uff das allerschlechtest das latein von wort zu wort und doch mit veränderter ordenung (denn wer weiß das latein und teutsch nit nit gleiche ordenung hat) zu teutschen. Hab lieber gewölt (...) by dem latein bleiben / dann nach eygnem willen weit davon spacieren‹. Die typische Abfolge der Ü.-Sprachen spiegelt der Titel der dt. Herodian-Ausgabe: ›Der Fürtrefflich Griechisch geschichtschreiber Herodianus den der Hochgelert Angelus Politianus inn das Latein und Hieronimus Boner in nachvolgendt Teütsch pracht, Augsburg, Heinrich Steiner 1532‹.

Speziell Vergil: Von lat. Dichtern wurde bis zur Mitte des 15. Jh. zuerst Vergil volkssprachlich übertragen. Der Schotte Gavin Douglas (1513) erfand sich einen Inspirationsmythus: Von Venus persönlich empfing er den Auftrag, die *Aeneis* zu übertragen. Nach Sebastian

Brants illustrierter lat. Vergil-Ausgabe 1502 brachte Thomas Murner 1515 ebenfalls dort bei Grüninger in Straßburg eine gereimte dt. Vers-Ü. heraus, die Kaiser Maximilian gewidmet wurde: ›Dryzehen Aeneadische B.‹ (mit Apotheose des Aeneas im 13. B. des Mapheius Vegius, das 1427 entstanden war): ›Maximiliano dem unüberwindtlichen Keiser in zeiten des fridens eine gelerte gab (...) Vergilium Maronem (...) uß latynschem verß in tütsche reimen und gewzungne reden mechtig und gewaltiglich vertütschet un dalmetschet / vor mir ein ungehörtes underston‹. »Friedsamkeit« ist der panegyrische Vergleichspunkt; die heidnischen Götter allerdings, ›die iez für tüffel geachtet seind‹, läßt Murner im Text, ›so ich ein dalmetsch und kein dichter was‹. In den Illustrationen wie im Text findet noch Assimilation des Inhalts an den Stil der Zeit statt.

Henry Howard und Richard Stanyhurst in England übertrugen einzelne *Aeneis*-Bücher (1582). John Dryden (1631–1700) übersetzte *Aeneis* und *Georgica* insgesamt am erfolgreichsten. Der Jesuit Antonio Ambrogi (1713–1788), Leiter des Museo Kircher, schuf für die erste Vergil-Ausgabe mit antiquarischen Illustrationen (Rom 1763–1765) eine it. Versübersetzung, it. kommentiert [3].

3. Aufklärung

3.1 Lukrez

Der Physiker Alessandro Marchetti (1633–1714) übersetzte in Pisa die sechs B. des Lukrez in it. Blankverse. Als naturwiss. Schüler des Galilei-Anhängers G. A. Borelli (1608–1679) erhielt er dessen mathematischen Lehrstuhl. Die Rezeption des Lukrez an der Univ., die mit Galilei sympathisiert hatte, wurde von der Kurie mißbilligt, Marchetti wurde schon mit seinen frühen it. Anakreon-Ü. auf den *Index Librorum prohibitorum* gesetzt. Marchettis Lukrez-Ü. erschien noch 1754 (und öfter) in Amsterdam mit der ›Protesta del traduttore‹: ›T. L. Caro per sua disavventura nacque gentile‹; der ›dottissimo traduttore‹ bekundet dagegen im Schoß der Kirche zu leben. Die unter dem Namen Anakreons laufenden Gedichte der *Anthologia graeca*, von H. Etienne 1554 ediert, wurden in ganz Europa übersetzt und nachgeahmt: 1760 gaben Götz und Uz ihre dt. Ü. heraus; J. W. L. Gleim war eher durch freie Nachahmungen »Anakreontiker«.

3.2 Gelehrte Praxis ab dem Barock

Latein fließend zu beherrschen blieb Ziel des gelehrten Unterrichts; in der gemeinsamen Sprache aller Gebildeten wurde publiziert. Samuel Clarke (1675–1729), selbst Physiker, gab Newtons *Optik* 1706 eine lat. Fassung, ebenso Rohaults *Traité de physique* – er lieferte ebenfalls die *versio latina* zu Ernestis Homerausgabe. Geschichtsschreibung sowie alle wiss. Texte seien übersetzbar, allein Dichtung müsse nachempfunden werden – ›the translation of poetry could only be imitation‹ sagt J. Boswell [10]. Philosophie und polit. Wiss. in Lat. waren supranational. Der Niederländer L. C. Valckenaer stellte in seiner Ausgabe der *Phoenissen* des Euripides (1755) Hugo Grotius' lat. Ü. leserfreundlich auf die Recto-Seite. Johannes Schweighäuser verbannte Komm. und Textkritik der in Strasburg 1789–1795 mit Zeitbezug erscheinenden neunbändigen Polybios-Ausgabe in Zusatzbände, um den Lesern die *versio latina* bequem unter dem griech. Text bieten zu können.

3.3 Frauen als Übersetzerinnen

Frauen übersetzten aus den Alten Sprachen deshalb weniger, weil sie am Bildungskanon und an den öffentlichen Ämtern in der Regel keinen Anteil hatten. Elisabeth I. von England (1533–1603) [23] war stolz, ›einige Trag. des Sophokles und zwei Reden des Demosthenes in Lat.‹ übersetzt zu haben, berichtet Edward Gibbon in seiner Autobiographie. Anne Dacier (1651–1720), mit ihrem Bruder unterrichtet und von ihrem Mann André Dacier gefördert, übersetzte im J. 1648 professionell Anakreon, Sappho, die Troja-Romane des Dictys und des Dares, dann Homers *Ilias* 1699 und die *Odyssee* 1708 in Prosa, zur großen Bewunderung Voltaires. Madame Daciers Homerübertragung fand auch in Deutschland große Anerkennung.

3.4 Übersetzungsprojekte der Goethezeit

Goethe konnte Homer zwar die frz. Ü. der Mme. Dacier oder die engl. von George Chapman (1616) und Alexander Pope (*Ilias*, 1715–1720; *Odyssee*, 1725–1726) lesen. Man las das Werk anhand der lat. Übersetzung. Goethe empfahl am 20.11.1774 Sophie la Roche dringend, sich die Homer-Ausgabe J. A. Ernestis (zuerst 1759–1764) mit S. Clarkes *versio latina* zu kaufen, um im Griech. sicher zu werden.

Der Umbruch der Prosazeile erfolgt gemäß dem Versende. Bei der lat. Wiedergabe griech. Texte wendete Clarke nicht unbedingt einen eleganten Stil an. Er verwendete Lat. zwar sprachgerecht, aber in einer Wort-für-Wort-Ü. so, daß sich griech. und lat. Wörter möglichst in derselben Reihenfolge entsprechen: ›In graecis latine reddendis latinitatem adhibitam non elegantem utique (...) sed ita Romanam, ut verbis verba, quoad eius fieri posset, singulis singula ex ordine responderent, graecis latina‹ [13].

Goethe verfolgte die dt. Übersetzungsprojekte um einen zeitgemäßen dt. Homer. G. A. Bürger hatte 1771 Proben (»Rhapsodien«) seiner Ü. der *Ilias* in Jamben veröffentlicht und eine vollständige Übertragung angekündigt [11]. J. J. Bodmer in Zürich hatte erste Proben bereits 1755, dann 1778 eine *Ilias* und eine *Odyssee* in Hexametern herausgegeben. Die ebenfalls 1778 erstmals erschienene hexametrische *Ilias* F. L. Graf Stolbergs wurde von J. H. Voß kritisch begleitet, dessen *Odüssee* 1781 erstmals vorlag. Sie erregte zu Stillage und Versbau Bodmers Spott [16]. Nach dem Grundsatz der Angleichung ließ Voss die Verse der Ü. nach Silben und Zäsuren dem Original entsprechen, um den homerischen Versgang getreu nachzubilden [17]. Goethe konnte damit nicht viel anfangen, billigte aber, Texte ant. Klassiker möglichst eng am Original und ohne Rücksichtnahme auf zielsprachliche Besonderheiten zu übersetzen. Zeitgenössische Texte sah er lieber zielsprachenkonform übersetzt, um sie der Leserschaft angenehmer zu gestalten [15]. Er begann, in schöpferischer Auseinandersetzung mit der »undeutschen« Vers-Ü. von Voß 1793, selbst Teile der *Ilias* und der *Odyssee* zu übersetzen. Dennoch wurde durch dessen Werk Homer in der lange als definitiv betrachteten klassizistischen Kunstsprache den breitesten Bevölkerungsschichten zugänglich und vertraut. Voss hatte seine erste Ü. der *Odüssee* 1781 sogar zunächst auf Plattdeutsch konzipiert. Die Wahl des Dialekts war ästhetisches, ja polit. Programm: Dem Griech., aufgefaßt als Sprache der Natur, der Freiheit des Volkes, schien Dialekt besser als Hochdeutsch zu entsprechen. Für Aristophanes gab z. B. der Tübinger Dozent Karl Moritz Rapp (1803–1883) eine Probe (*D'Acharner*, 1836) davon, Aristophanes ins »Süddeutsche« zu übertragen [33. 341].

Pindars *Ersten püthischen Chor* hatte Voss, wohl von F. L. Graf Stolberg angeregt, schon 1777 übersetzt, Pindar-Ü. von J. G. Herder und W. v. Humboldt folgten. Voss leistete jedoch mit dem gesamten Vergil, d. h. mit seinen Ü. der *Aeneis*, der *Georgica*, der *Eclogen* (*Zehn erlesene Gedichte*) sowie mit Theokrits Idyllen, Ovids *Metamorphosen* 1792, Horaz und Tibull ein schwer nachahmliches Quantum an Übersetzungen. Die Deutschen sind nach ihm zu einem Volk der Übersetzer geworden. Goethes begeisterte Plutarchlektüre der *Moralia* in Karlsbad Mai-Juli 1811 war der ihm vorliegenden dt. Gesamt-Ü. des Schulmannes Joh.Fr. Salomon Kaltwasser (1783–1800) verdankt. In einer seiner Ü.-Maximen zählte er zu den ›Hauptpflichten eines Übersetzers, dem Original treu zu bleiben und der Muttersprache durch die Eigenheiten der fremden keine Gewalt anzutun‹.

Dem Optimismus bleibend-gültiger künstlerischer Identifikation stehen Skepsis und Bescheidung auf die Vermittlungsfunktion gegenüber der eigenen Zeit entgegen. Wilhelm v. Humboldt (1767–1835) formuliert diese Bedenken programmatisch: ›Übersetzungen sind doch mehr Arbeiten, welche den Zustand der Sprache in einem gegebenen Zeitpunkt, wie an einem bleibenden Maßstab, prüfen, bestimmen und auf ihn einwirken sollen, und die immer von neuem wiederholt werden müssen, als dauernde Werke. Auch lernt der Theil der Nation, der die Alten nicht selbst lesen kann, sie besser durch mehrere Ü., als durch eine, kennen. Es sind ebenso viele Bilder des Geistes; denn jeder giebt den wieder, den er auffaßte und darzustellen vermochte; der wahre ruht allein in der Urschrift‹ [21].

C. ÜBERSETZUNG ALS KÜNSTLERISCHE STILÜBUNG DER DICHTER UND LITERATEN

Die dt. Dichtung war lange von der Rezeption lat. Texte geprägt und ›gewissermaßen mit lat. Zunge‹ ausformuliert, wie es z. B. für die Opitzianer nachweisbar ist [2]. Schulung an den alten Sprachen und Emanzipation standen jeweils in produktiver Spannung. Je ausgeprägter die Emanzipation war, um so handgreiflicher wurde die Zielsprachenorientierung. Eine solche Ü. verlangt für Typisches in der Umgangssprache äquivalente Formulierungen, idiomatische Ausdrücke in der Zielsprache. Es gilt also ›diejenige Intention auf die Sprache, in die übersetzt wird, zu finden, von der aus in ihr das Echo des Originals erweckt wird‹ [5. 14].

Ein herausragendes Beispiel für die Emanzipation sind die Ü. von Chr.M. Wieland (1733–1813). Dieser ließ seine Ü. ant. Autoren wie des Lukian, Euripides, der *Vögel* des Aristophanes, der Briefe und Satiren des Horaz fortlaufend in seiner Zeitschrift *Attisches Museum* (1796–1809) erscheinen, neben eigenen Altertumsdichtungen oft im Erstdruck. Im Alter von 73 J. begann er die Briefe Ciceros in chronologischer Anordnung zu übersetzen, als ›ächteste Biographie‹. Sie erschien posthum (abgeschlossen durch F. D. Gräter). Wieland ging es jeweils um den individuellen Stil: Den ›Schein eines Originals‹ wahrend, wollte er den Autor vorstellen, ›wie er gesungen hätte, wenn unsre teutsche Sprache seine Sprache gewesen wäre‹.

Erhalten bleibt die Spannung zw. Zielsprachen- und Ursprungssprachenorientierung in Theorie und Praxis bei bedeutenden Zeitgenossen, so bei F. Schiller, F. G. Klopstock und F. Hölderlin.

Friedrich Schiller übersetzte Euripides' *Iphigenie in Aulis*, um ›mehr Simplizität in Plan und Stil‹, also »»Klassizität«« zu gewinnen; darüber schreibt er am 20.10.1788 an Körner: ›Ich mache sie in Jamben, und wenn es auch nicht treue Wiedergebung des Originals ist, so ist es doch vielleicht nicht zu sehr unter ihm. Die Arbeit übt meine dramatische Feder, führt mich in den Geist der Griechen hinein, gibt mir wie ich hoffe unvermerkt ihre Manier (..)‹ [28]. Schillers Ü. des 2. und 4. Gesangs der *Aeneis* (*Die Zerstörung von Troia*, 1792–1803) in – nach Wielands Vorbild – freie dt. Stanzen [27] gilt als ›erste wirklich lesbare Vergil-Übertragung‹ [25]. Kritisch hatte er 1781 von einer Vergil-Ü. gefordert, ›dass sie Treue mit Wohlklang verbinde, daneben den Genius der Sprache, in der sie geschrieben ist, nicht aber den der Originalsprache atme. Also gehört zu einem guten Übersetzer genaue Philol. in einer doppelten Sprache‹. Künstlerische Übersetzer versuchen in ihrer Ü., ›nachgestaltende Sprachkraft‹ zur Wirkung zu bringen, durch Äquivalente der Eigentümlichkeit des Originals zu entsprechen.

F. G. Klopstock (1724–1803) trat durch seine Ü. der Oden mit Horaz, der ›das Wesentliche‹ des Lyrischen ›durch seine Muster festgesetzt‹ und ›den Haupton der Ode (...) bestimmt‹ habe, in Wettstreit: Gleichzeitig wollte er beweisen, daß die dt. poetische Sprache der Prägnanz eines Horaz (›kurzbündigst‹) am besten gewachsen sei: Er sah Dt. durch ›gewisse Biegsamkeit (...), etwas vom Tone anderer Sprachen anzunehmen‹, durch die – griech. – Möglichkeit der ›Vereinung‹ (Zusammensetzung) und ›Harmosis‹ und durch ›Bildsamkeit‹ als ›getreue Handlangerin der Dolmetschung‹ [22]) im Vergleich der Nationen als fähigste ›Sprache der Poesie‹ an (*Von der Sprache der Poesie*; *Gedanken über die Natur der Poesie*).

Friedrich Hölderlin (1770–1843) ließ Klopstock und Schiller auf sich einwirken. Seine Ü. begannen in der Maulbronner Schulzeit und reichten bis in die letzte produktive Phase [7]. Er wollte 1798 in seinem Pindar-Übertragungs-Experiment (sechs olympische, zehn pythische Oden) ›Wort für Wort am griech. Text entlanggehend (...) dem Kunstcharakter des großen Hymnus auf die Spur kommen, der Stilwirkung der kühnen Wortfolgen, dem großartigen Rhythmus der Vorstellungen‹ [4]. Seine Sophokles-Ü. *Ödipus der Tyrann* und *Antigonä* (gedr. 1804) sind von Anmerkungen begleitet [18], die dem ant. Drama eine überlegen-fortschrittliche ›vaterländische‹ Form und ›Vorstellungsart‹ gegenüberstellen.

Zugunsten der Ursprungssprache löste F.D.E. Schleiermacher die Spannung auf. Bei der Gesamt-Ü. Platons erläuterte er seine Vorgehensweise: Man müsse versuchen, ›das Fremde spürbar zu machen, ohne zu befremden‹ [30].

D. Ursprungssprachliche Übersetzungen im 20. Jahrhundert

Die lit. Ü. antiker Texte sind im 20. Jh. in hohem Maße ursprungsorientiert.

1. R. A. Schröder (1878–1962) hat in der ersten dt. Gesamt-Ü. der Oden und Epoden des Horaz (1935) ›die Versmaße des lat. Originals (...) mit aller im Deutschen erreichbaren Genauigkeit nachgebildet, in ausdrücklichem Anschluß an die von Klopstock begründete Trad.‹ [36. 459]. Seine *Odysse*-Ü. von 1911 zeigt bewußt archaisierende Verfremdungs-Elemente, z.B. Od. 4,1–4: ›Den fanden sie schmausend / weil er die doppelte Freite des Sohns und der adligen Tochter / prächtig im eigenen Hause beging mit Magen und Mannen‹. Anschließend wandte er sich den *Georgica* Vergils zu (1924 gedr.), nach Proben aus der *Aeneis*-Übersetzung. Zur 2000-Jahrfeier Vergils 1930 gab er sie erst 1952 heraus , vereinte also in seinem Werk den kompletten Vergil mit dem ganzen Homer . Künstliche Distanzierung vom Alltagssprachgebrauch war ihm Prinzip: Beispielsweise sagt Dido (Aen. 4,654): ›Bald unter Erden versinkt mein Bild und mächtiger Schatte‹.

2. Rudolf Borchardt (1873–1945) [8], Altphilologe, der sich im Streben nach gültiger Äquivalenz ingeniöse Sprachmasken, u. a. für seine Dante-Ü., schaffte, führte diese Linie weiter [9]. Man müsse ›der fremden Rede unermüdlich nachgehen, ›allmählich ein Gefühl für ihr bes. Meinen in uns ausbilden‹. Borchardts Übertragungen ant., ma. und neuzeitlicher Lit. beruhen auf dem altmeisterlich angewandten ›Übersetzungsprinzip sprachlich-stilistischer Aequivalenz‹ [35]. ›Nachschaffende Restauration‹ übte Borchardt, in ›nachschaffendem Vermögen und strengstem Maßhalten‹ lag seine übersetzerische Qualität (Hugo von Hofmannsthal über Borchardts Homer-Ü.). Verfremdung stimmt den Leser auf die Eigentümlichkeit des Originals ein und vermittelt dessen bes. Züge. Die lit. Ü. steht unter bes. histor.-kulturellem Aspekt: Kolorit kann ihr sprachliches Imitieren eines Zeitstils vermitteln.

3. Gemildert wird die Verfremdung in den Ü. W. Schadewaldts (1900–1974). Er unternahm ›die beiden wichtigsten Gedichte der Welt‹ in Prosa zu übersetzen: Die *Odyssee* erschien 1958; die *Ilias* posthum 1975. In dem Nachwort seiner *Odyssee*-Ü. beruft er sich ausdrücklich auf Schleiermachers ›Richtschnur‹. Sein Prinzip unbedingter Genauigkeit nannte er ›dokumentarisches Übersetzen‹: Gegen ›pseudo-poetische‹ Weglassungen, Hinzufügungen und ›eigene‹ Bilder gestattete er sich Übersetzen nur unter dem dreifachen Gesetz von Vollständigkeit, Wahrung von Bildern und Vorstellungen sowie deren Sukzession im Text. Verzichtet wird auf alle Zugeständnisse an den Leser im ›gefälligen Ausdruck‹ [26]. Die lutherisch-theologische Auffassung, daß Ü. der »Wahrheit« des Wortes dienen müsse, wandelte er nach Heidegger ab: Ü. ›großer Dichtung‹ sei ›Dokumentation von etwas, das sich einmal ereignet hat‹. Überspitzt ausgedrückt: Der Übersetzer als ›Dichter des Dichters‹ habe in der idealen Ü. z.B. des Sophokles sozusagen ›ein griech. Werk‹ zu schaffen. Allerdings kann dies nur eine Konvention in perspektivisch zeitgebundener sprachlicher Umsetzung bedeuten, die ihrerseits zu veralten droht: Das Original statisch betrachten zu können, erweist sich weitgehend als Illusion, ebenso wie ›die Bewahrung der ausgangskulturellen Fremdheit‹ [34. 133].

E. Popularisierung

1. Erotica

Einen bes. Platz – auch in der bibliophilen Darbietung – nehmen erotisch freizügigere ant. Texte in der volkssprachlichen Ü. ein. Hierher gehören die frühen volkssprachlichen Ü. der *Metamorphosen* des Apuleius in der Ren. [1. 1160], in der Goethezeit von A. Rode († 1837), die zahlreichen illustrierten Ausgaben von Longus' *Daphnis und Chloe* (Fr. Jacob 1832), des Petron (W. Heinse, *Begebenheiten des Enkolp*, 1773, mit fiktiven Zusätzen) und aus der Hand der Philologen: *Satyricon*, übers. von F. Bücheler 1862 (L. Friedländer, O. Weinreich 1949; W. Ehlers 1965). Die Lektüre der »Triumviri Amoris« Catull, Tibull, und bes. der Elegien des Properz in der 1788–1790 entstehenden Ü. von Karl Ludwig von Knebel – sein Name ist auf dem Titelblatt der Ausgabe Leipzig 1798 verschwiegen – regten aufs stärkste Goethes Produktivität zu den *Römischen Elegien* an.

2. Deutsche Übersetzungsreihen

a. Deutsche Größere Corpora: Deutschsprachige Übersetzungsreihen mit lit. Anspruch entstanden bereits in der Goethezeit: Hölderlins Freund L. Neuffer ließ seine Ü. der *Aeneis* 1794 im *Mus. für griech. und röm. Litteratur*, einer von Carl Philipp Conz herausgegebenen Reihe, erscheinen. Diese Übersetzer waren jeweils Literaten, die schöpferische Impulse aus eindringlicher Wiedergabe ant. Lit. gewannen. Gerade auch Schulmännern wurde derartige schöpferische »Fortbildung« zugestanden: Übersetzerpersönlichkeiten wie Kaltwasser, der Xenophon-Übersetzer Fr. Grillo oder August Christian Borheck, der z.B. Herodot und zugleich die Erdbeschreibung von Asien (aus dem Engl., Düsseldorf 1792–1794) vermittelte, bleiben zu würdigen. Sie figurieren in der Reihe *Sammlung der neuesten Ü. der griech.*

prosaischen Schriftsteller. Unter der Aufsicht des Herrn Kirchenrath Stroth, Frankfurt 1783–1800. Verlage wollten in Zusammenarbeit mit ausgewiesenen Übersetzern bürgerlichen Schichten den Bildungswert der ant. Lit. durch Ü. erschließen, die den Originalen möglichst gleichwertig zu sein beanspruchten. E. Mörike bot dem Metzler-Verlag 1838 eine ›Blumenlese aus Griechenland und Rom (…) nach den besten vorhandenen Verteutschungen für alle gebildeten Stände‹ an. Wegen Honorarforderungen scheiterte die Zusammenarbeit mit Metzler [19], die *Classische Blumenlese, 1. Bändchen* erschien 1840 bei E. Schweizerbarth in Stuttgart. ›Ist es nur überhaupt billig und wünschenswerth, auch einem nicht gelehrten Publicum die Erzeugnisse ant. Poesie so nahe als möglich zu bringen, und ihm Geschmack für diese reine und gesunde Nahrung zu erwecken (…)‹ setzt die Vorrede ein; ›Veränderung oder Vertauschung‹ vertritt der Herausgeber Mörike, ›wo ein fremdartiger Ausdruck, eine dem Laien ungewohnte Wortstellung‹ vorliegt. ›Die Frage nach dem Sittlichen‹ hinsichtlich der Textauswahl erfordert die Mahnung, ›dass wir, um uns des Schönen bei den Alten zu freuen, unsere sittlichen Begriffe nicht mit den ihrigen vermengen dürfen‹. Um Verbesserung von ›Ausdruck und Wohllaut‹ ging es Mörike auch in seiner Bearbeitung der Anakreon-Ü., mit Anmerkungen 1864 bei Krais und Hoffmann in Stuttgart erschienen.

b. Metzlersche Reihen: Es handelt sich z. B. um die Reihen griech. und röm. Prosaiker: *Griech. Prosaiker in neuen Ü.*, herausgegeben von G. L. F. Tafel, Professor zu Tübingen, E. N. Osiander und Gustav Schwab, Professor zu Stuttgart, später Pfarrer zu Gomaringen, dem Verlag der J. B. Metzlerschen Buchhandlung in Stuttgart, für Österreich in Kommission von Mörschner und Jasper in Wien, ab 1818, parallel dazu von denselben die *Römischen Prosaiker*. Der Übersetzerstamm ist württembergisch, viele Pfarrer und Gymnasialprofessoren, auch Zöglinge des Tübinger Stifts, sind darunter, z. B. der Stuttgarter Gymnasialprofessor August Pauly, später Initiator der Real-Encyclopädie, der mit seiner Ü. des Lukian (1827–1832) neben Wieland tritt. *Röm. Dichter in neuen metrischen Ü.* erschienen im selben Verlag ab 1830.

c. Langenscheidt: Ab 1855 erschien in Berlin volkstümlich ausgerichtet das umfassende Corpus des Methodenneuerers Professor Gustav Langenscheidt (1832–1895). Die *Langenscheidtsche Bibl. sämtlicher griech. und röm. Klassiker in neueren Musterübersetzungen*, mit ›alphabetischer‹ und ›systematischer‹ Inhaltsübersicht der Bände und Übersetzer, zu denen auch die Württemberger Eduard Eyth, E. Mörike und F. Notter gehören, nahm Impulse des → Historismus – definitive Übersetzbarkeit – auf und unterlief Bildungsbarrieren: Das Anliegen, daß jeder ›sein eigner Lehrer‹ werden könne und auch durch Lektüre von Ü. ›das Studium eines Autors für einen dt. Leser fruchtbar zu machen‹ sei, wurde durch die standardisierte Einleitung mit Anweisungen zur Reihenfolge der Lektüre und zum Umgang mit

Noten und Namen – im Druck phonetische Angabe zur Betonung – unterstützt. Autoren wie Ovid liegen komplett vor. Die Reihe *Klassiker des Altertums* erschien in München (Georg Müller, 1911–1913), später im Propyläen-Verlag Berlin.

d. Tusculum: 1923 wurde im Verlag des Dr. Ernst Heimeran in München die neuartig populäre zweisprachige *Tusculum-Bücherei* ant. Texte angebahnt, zuerst als unterhaltsame thematische Textsammlung in Zusammenarbeit von E. Heimeran und M. Hofmann; es erschienen dann mehr als 50 ›zweisprachige ant. Taschen-Ausgaben‹ griech. und lat. Klassiker. Die Sammlung, h. weitergeführt bei Artemis (1943 gegr.), trat dort neben die *Bibl. der Alten Welt Lat. bzw. Griech. Reihe*, begründet von Karl Hoenn. Neben der Ü. von Ciceros philos. Schriften erschien dort M. Fuhrmanns Ü. sämtlicher Reden Ciceros in sieben Bänden (1970–1982); Ernst Hohl demonstrierte hier 1976 mit seiner Ü. der *Historia Augusta*, wie man ›den Commentar in die Übersetzung verlegen‹ kann, so J. Straub im Vorwort S. VII nach Hermann Kurz. Am Rande erwähnt seien hier volkstümliche Reihen, die u. a. auch Ü.-Literatur bringen (Reclam; Rowohlts Klassiker der Lit. und Wiss.; Exempla Classica des S. Fischer-Verlags, Insel-Bändchen, dtv-zweisprachig u. a.m).

e. Wissenschaftliche dt. Projekte: Eine dt. *Bibl. der Kirchenväter* (BKV) erreichte 1869–1888 mit der Sammlung *Auswahl der vorzüglichsten patristischen Werke in dt. Ü.*, herausgegeben von F. X. Reithmayr und V. Thalhofer 80 Bände; sie wurde von O. Bardenhewer und anderen in zwei Reihen (62 Bde. 1911–1931, 20 Bde. 1934–1938) fortgeführt. Die 83-bändige Neuauflage der BKV stellt eines der großen Übersetzungswerke in dt. Sprache dar. An diese Trad. schlossen seit 1990 die *Fontes Christiani* an, zweisprachige Ausgaben mit forschungsgeschichtlicher Einleitung und Komm. (Brepols, Turnhout, hrsg. v. N. Brox, S. Döpp und anderen). In Frankreich begründeten die Jesuiten Jean Daniélou und Henri de Lubac im J. 1944 die *Sources chrétiennes*. Die von Ü. begleiteten *Schriften und Quellen der alten Welt*, herausgegeben vom Zentralinst. für Alte Geschichte und Arch. der Akad. der Wiss. der DDR (SQAW), Berlin 1956ff., wurden von der Humboldt-Univ. weitergeführt; die ebenfalls dort edierte kommentierte Gesamt-Ü. der Werke des Aristoteles, begründet von E. Grumbach, herausgegeben von H. Flashar, ist 1983–1990 auf 20 Bände angewachsen.

3. AUSSERDEUTSCHE REIHEN

a. England: Ein Vorbild für die Interaktion von wiss. und volkstümlicher Arbeitsweise im Verlagsprogramm bot längst die von James Loeb 1912 gegründete *Loeb Classical Library. Latin and English on opposite pages* – eine handliche Gesamtbibl. der griech. (grünes Corpus) und lat. Lit. (rotes Corpus). Strenge dt. Philologen sahen allerdings manchmal auf die bequemen Begleit-Ü. in ihrer nicht immer zufriedenstellenden Qualität herab.

b. Frankreich: Mit frz. Lesetext und Komm. versehen sind die kritischen Ausgaben der Association Guillaume Budé in den *Éditions Les Belles Lettres*; die griech. Reihe begann mit Platon, die lat. mit Lukrez (A. Ernout, ¹1924). Älter ist die *Bibliothèque latine-française de Garnier frères* (Paris, um 1860), später *Collection des Classiques Garnier*.

c. Italien: Die Sammlung (Collana) *Scrittori greci e latini* (Mondadori und Fondazione Lorenzo Valla) verbindet ›testo e traduzione‹ in der Herausgeberschaft auch außerit. Fachgelehrter (Orosius 1976 von A. Lippold; Eusebius von J. Straub; Apuleius von R. Merkelbach, *Vita dei Santi* herausgegeben von Chr. Mohrmann).

F. Aktualisierung

Musik: Carl Orff produzierte 1967 den *Prometheus Desmotes* des Aischylos als Oper. Der altgriech. Text in Original und Umschrift war für den dt. Hörer von zwei Ü. optisch begleitet: der Interlinearversion von W. Thomas und dem gegenüber auf der linken Seite zu lesenden Ü.-Text von Ernst Buschor.

Homer zum Hören: Im Gegensatz zu bisherigen Projekten gibt es in der mod. Medienlandschaft freiere Ü.-Entwürfe: Umgangssprachliche Herabstilisierung der Ü. soll die Patina ant. Literaturdenkmäler beseitigen. Wer z.B. Christoph Martins *Odyssee*-Hör-Projekt von 1996 (mehrfach wiederholt im Hessischen Rundfunk; → Medien II. Rundfunk/Audio) mit den *Odyssee*-Ü. von J.H. Voss (1793), R.A. Schröder (1910) und W. Schadewaldt (1958) vergleicht, sieht, wie auf der mod. Bühne in erster Linie eingängigere Effekte durch Wiedergabe in Alltagssprache angestrebt werden. Die zum Hören geschaffene Prosafassung (in Buchform vorliegend) ersetzt homerische Formeln durch Alltagswendungen. Nicht der Aspekt wird vermittelt, daß das Original in einer nicht alltäglichen eigens geschaffenen Vers-Sondersprache einem aristokratischen Publikum bei festlichen Gelegenheiten vorgetragen wurde, sondern es wird die Unmittelbarkeit des Zugangs für heutige Zuhörer gesucht und, gegenwärtig, auch erreicht. Ein verfremdendes Imitat wird abgelehnt, die ›vergangene Popularität der *Odyssee*‹ gegen Gespreiztheit human.- wiss. Ü. ins Feld geführt: Schadewaldts »Riesenerfolg« sei mittlerweile schwer zu lesen. Der mod. Massengesellschaft mit neuen Medien sei Rechnung zu tragen [20].

G. Praxis der Schulübersetzung der Gegenwart

Der Rückgang des aktiven Gebrauchs des Lat. im wiss. Diskurs erzeugte neue Formen schulischen Umgangs mit den Originalsprachen. Für den gymnasialen → Altsprachlichen Unterricht hat mündliches und schriftliches Übersetzen (als Hin-Ü. wie auch als Interpretation, Übung der Aneignung und der Verstehenskontrolle) methodische Systematisierung, Ausweitung und wieder Reduktion erfahren: Zum Spracherwerb dient das gramm. reflektierte ›Umsetzen der Strukturen‹, das den Kontrast von Muttersprache und Fremdsprache analytisch erfassen und kreativ reproduzieren läßt. Im Lektüreunterricht (Abfolge: Lesen-Übersetzen-Interpretieren) kommt der Ü. rezeptionstechnisch

nur eine Durchgangsfunktion zu. ›Richtig übersetzen‹ ist gefordert, oft als Basis für die Bewertung der Schülerleistung (Klassenarbeit). Die »fehlerfreie« Ü. wird angestrebt und diskutiert. Damit eröffnet sich ein Feld der Methoden- und Übersetzungskritik. Traktate erörtern seit jeher grundsätzlich die Frage, ›ob und warum es denn notwendig sei, dass man, um zu den lit. Kunstwerken der Griechen und Römer zu gelangen, den beschwerlichen, weiten, oft nicht einmal zum Ziele führenden Weg über die Urtexte wähle, statt diese der gelehrten Forsch. zu überlassen und sich im übrigen an getreue und künstlerisch wertvolle Ü. zu halten‹ [14. 291]. Ist das Bildungsprivileg, den Originaltext zu kennen, überholt, ›ohne Kenntnis der Originale eine wahrhafte human. Bildung nicht denkbar‹? Die Argumente kreisen dabei um den Stellenwert der Erschließungsmethoden für umfangreichere Satzkomplexe der Schulautoren.

Die künstlerisch-ästhetisierende Interpretation geht von der eigenständigen Mittlerrolle der Ü. und fruchtbarer Ü.-Kritik gegenüber dem unersetzbaren Original aus: Die Ursprungssprache spielt eine ausgezeichnete Rolle zur Charakteristik eines Volkes, ist ›ein mit nichts zu vergleichendes, durch nichts zu ersetzendes Organ der Annäherung‹. Die ›alte Erfahrung, (...) dass die für griech. und röm. bezeichnendsten Ausdrücke vollkommen unübersetzbar sind: *areté*, *virtus*, *religio*, für das weder Griech. noch Dt. Entsprechungen haben‹, ›die Herkunft der Begriffe *nómos*, *lex*, *árchōn*, *magistratus*‹ führt zur Verallgemeinerung. ›Das Leben, das in den ant. Sprachen seinen Ausdruck gefunden hat, ist in entscheidenden Momenten, ja gerade in seinen elementaren Bedingungen dem gesamten Bereich des mod. Menschen unwiederbringlich entrückt‹. Fazit: Der Zugang durch Lexik und Syntax der Originalsprachen muß im Schulsystem erhalten werden.

→ Neohumanismus

→ AWI Übersetzung

1 M. v. Albrecht, Gesch. der röm. Lit. von Andronicus bis Boëthius. Mit Berücksichtigung ihrer Bed. für die Neuzeit, Bd. 2, ²1994 2 R. Alewyn, Vorbarocker Klassizismus und Ant. Trag. Analyse der Antigone-Ü. des Martin Opitz, 1926, Ndr. 1962, 38 3 A. Ambrogi, Opera. P. Virgilii Maronis Bucolica Georgica et Aeneis (...), 3 Bde., Romae 1763–1765 4 F. Beissner, Hölderlins Ü. aus dem Griech., 1933 (Ndr. 1961), 29–35 5 W. Benjamin, Die Aufgabe des Übersetzers, in: Ders., Gesammelte Schriften, hrsg. v. R. Tiedemann, H. Schweppenhäuser, Bd 4,1, 1981, 9–21 6 K. Bischoff (Hrsg.), Sendbrief vom Dolmetschen von Martin Luther, ²1965 7 B. Böschenstein, Ü., in: J. Kreuzer (Hrsg.), Hölderlin-Hdb. Leben-Wirkung-Werk, 2002, 270–289 8 R. Borchardt, Übertragungen, hrsg. v. M.-L. Borchardt unter Mitarbeit v. E. Zinn, 1958 9 Ders., Das Gespräch über Formen und Platons Lysis dt., 1987 10 J. Boswell, Life of Dr. Johnson, London 1776 11 G. A. Bürger, Gedanken über die Beschaffenheit einer dt. Ü. des Homer, nebst einigen Probefragmenten, in: Dt. Bibl. der schönen Wiss. und der freien Künste 6. 1771. 21. Stück, 1–41 12 St. Elit, Die

beste aller möglichen Sprachen der Poesie, 2002 **13** J. A.
ERNESTI, Homeri Ilias: ex recensione et cum notis Samuelis
Clarkii, S. T. P, Glasgow 1814, Bd. I, XIII Praefatio Samuelis
Clarkii 1732–1740 **14** E. FRÄNKEL, Vom Werte des
Übersetzens für den Human., in: , Vom Alt. zur Gegenwart,
1919, 290–306 **15** M. FUHRMANN, Goethes
Übersetzungsmaximen, in: Goethe-Jb. 117, 2000, 26–45
16 M. GRIEGER, »Ulyssens ward entbunden in Otterndorfe
der blühende Rektor«, in: Vossische Nachrichten 3, 1996,
9–16 **17** G. HÄNTZSCHEL, Johann Heinrich Voss. Seine
Homer-Ü. als sprachschöpferische Leistung (= Zetemata
68), 1977 **18** F. HÖLDERLIN, Sämtliche Werke, hrsg. v.
J. SCHMIDT, Bd. 2, 1994, 1322–1375, 1395–1470
19 U. HÖTZER (Hrsg.), Eduard Mörike, Werke und Briefe.
Histor.-kritische Gesamtausgabe, Bd. 8,2: Ü. Lesarten und
Erläuterungen. Nachlese, 1993, 34–45 (Entstehungsgesch.
Classische Blumenlese) **20** HOMER, Die Odyssee. Erzählt v.
CH. MARTIN, 1996 (Druckfassung des Hörspiels von 1994)
21 W. v. HUMBOLDT, Aeschylos Agamemnon metrisch
übersetzt, Leipzig 1816, I–XXXVII **22** F. G. KLOPSTOCK,
Gramm. Gespräche, Altona 1794/95 **23** C. LEVIN, »We
princes, I tell you, are set on stages«: Elizabeth I and dramatic
self- representation, 1998 **24** H. RÜDIGER, Goethes und
Schillers Übertragungen ant. Dichtungen, 1944, 413–443
25 Ders., Die Wiederentdeckung der ant. Lit. im Zeitalter
der Ren., in: H. HUNGER et al. (Hrsg.), Die
Textüberlieferung der ant. Lit. und der Bibel, 1975, 511–580
26 W. SCHADEWALDT, Das Problem des Übersetzens, in:
Die Ant. 3, 1927, 287–303 (= Ders., Hellas und Hesperien II,
²1970) **27** F. SCHILLER, Werke, Bd. T.1, Übers. aus dem
Griech. und Lat., hrsg. v. H. G. INGENKAMP, 1993, 115–117
(Zerstörung von Troja im zweiten Buch der Aeneide),
195–210 (Die dt. Euripides- und Vergilrezeption zur Zeit
Schillers), 216–241 (Die Vorlagen und Hilfsmittel der Ü.)
28 Ders., Werke, Bd. 25, Briefwechsel. Schillers Briefe
1.1.1788–28.2.1790, hrsg. v. E. HAUFE, 1979 **29** Ders.,
Werke, Bd. 26, Briefwechsel. Schillers Briefe
1.3.1790–17.5.1794, hrsg. v. E. NAHLER, 1992, 59 (Nr 66, an
Körner) **30** F. D. E. SCHLEIERMACHER, Über die Philos.
Platons. Die Einl. zur Ü. des Platon (1804–1828). Gesch. der
Philosophie. Vorlesungen über Sokrates und Platon (zw.
1819 und 1823), hrsg. v. P. M. STEINER mit Beitr. v.
A. ARNDT und J. JANTZEN, 1996 **31** M. SICHERL, Griech.
Erstausgaben des Aldus Manutius. Druckvorlagen,
Stellenwert, kultureller Hintergrund, 1997 (= Stud. zur
Gesch. und Kultur des Altertums, N. F. 1. Reihe:
Monographien10, Kap. 1 **32** H. J. STÖRIG, Das Problem des
Übersetzens, 1963 **33** R. TGAHRT et al. (Hrsg.), Weltlit. Die
Lust am Übersetzen im Jh. Goethes, Ausstellungskat.
Marbach ²1989 (= Marbacher Kataloge 37) **34** H. WITTE,
Die Kulturkompetenz des Translators, Begriffliche
Grundlegung und Didaktisierung, 2000 **35** E. ZINN,
Hinweise zur Gesch. des Übersetzungsprinzips
sprachlich-stilistischer Aequivalenz, in: RUDOLF
BORCHARDT, Übertragungen, hrsg. von M. L. BORCHARDT
unter Mitarbeit v. E. ZINN, 1958, 514–518 **36** Ders., Rudolf
Alexander Schröders Übertragungen aus Horaz, in: Ders.,
Viva Vox. Röm. Klassik und dt. Dichtung (= Stud. zur Klass.
Philol. 80), 1994, 457–462 (Erstmals in: Jb. der dt. Akad. für
Sprache und Dichtung, 1978, 40–46). MONIKA BALZERT

Uffizien, Florenz (Galleria degli Uffizi, Firenze)
A. BAUGESCHICHTE   B. ANTIKENSAMMLUNG

A. BAUGESCHICHTE

Die Uffizien (U.) in Florenz, die größte Gemäldegalerie Europas, besitzen eine bedeutende auf die Medici und Duca di Lorena (Lothringen-Habsburg) zurückgehende Slg. ant. Skulpturen.

Giorgio Vasari erbaute 1560–1580 im Auftrage Cosimos I. de' Medici zur Unterbringung der staatlichen
Verwaltung den Palazzo degli Uffizi. Der Corridoio
Vasariano stellte 1565 eine Verbindung zum Palazzo Pitti
her. Francesco I. ließ durch Bernardo Buontalenti
1581–1588 das Obergeschoß des östl. Korridors für die
Aufnahme der Antikenslg. herrichten und 1584 die ok-
togonale Tribuna anlegen. Unter Ferdinando II. wurden
ca. 1658 auch die übrigen beiden Korridore für die Aufnahme der Slg. umgestaltet sowie einige Räume und ein
Eingangsvestibül hinzugefügt. Cosimo III. ließ 1677 den
westl. Korridor durch acht neue Säle erweitern; ein weiteres Vestibül wurde 1700 von Giovanni Battista Foggini
errichtet. Nach dem Brand von 1762 fanden seit 1771
unter Leitung von Innocenzo Spinazzi Renovierungsarbeiten statt. 1781–1787 stellte Gasparre Maria Paoletti
die Sala dei Niobidi fertig. In dieser Zeit entstanden
auch das Gabinetto delle Gemme und ein neuer Eingang zur Piazzale degli Uffizi.

B. ANTIKENSAMMLUNG
1. 16. UND 17. JAHRHUNDERT

Cosimo I. ist der Begründer der in den U. aufbewahrten Antikenslg., deren Kern in der Sala delle Nic-
chie im Palazzo Pitti entstanden war. Aus der Slg. des
Lorenzo de' Medici, deren Anf. schon auf dessen Großvater Cosimo d. Ä. zurückgehen, gelangten nur wenige
Stücke in die Uffizien. Dagegen kamen zahlreiche Antiken durch Erbschaften, Geschenke der Päpste Pius IV.
und Pius V. u. a., und seit 1561 durch Ankäufe in Rom
nach Florenz: z. B. 1564 die Herakles-Antaios-Gruppe
(im Palazzo Pitti) und 1566–1572 weitere 26 Statuen aus
dem Belvedere und der Guardaroba Vaticana. Parallel
war in der Villa Medici in Rom, beginnend mit Giovanni de' Medici, die Slg. der Kardinäle der Familie
entstanden. 1565 wurden 59 Statuen aus dem Nachlaß
des Bischofs Girolamo Rossi di Parma auf die Villa Medici und die U. verteilt. 1584 erwarb Kardinal Ferdinando, der spätere Ferdinando I., die Slg. Capranica-della
Valle für die Villa Medici, 1586 kamen drei Statuen der
Slg. Cesi hinzu. Schon vor 1574, also noch unter Cosimo I., überführte man einige Stücke nach Florenz. Seit
1581 ließ Francesco I. im Obergeschoß der U., der
»Galleria delle Statue«, die Skulpturenslg. aufstellen. Seit
1584 nahm die Tribuna als Schatzkammer bzw. *studiolo*
ant. Schmuck, Mz. und Gemmen auf. 1657 gelangten
auf Vermittlung des Kardinals Leopoldo de' Medici
Skulpturen aus der Slg. Bolognini (Venus Caelestis) in
die U. 1669 wurden aus der Slg. Ludovisi 29 Statuen und
12 Büsten (Hermaphrodit, Cicero?) erworben. Cosimo
III. ließ 1677 die Venus Medici, den Skythen/Arrotino

und die Ringergruppe aus der Villa Medici kommen und 1688 in der Tribuna aufstellen. Im gleichen J. wurde die Slg. des verstorbenen Kardinals Leopoldo, die auch zahlreiche Antikenzeichnungen umfaßte, überführt. 1699 kam durch Erbschaft die Slg. Bassetti hinzu; weitere Skulpturen wanderten, wie schon mehrfach zuvor, aus den Medici-Villen in die U. Mehrere Inventare (1585–1825) geben einen Eindruck vom Anwachsen der Slg., die um 1700 Sebastiano Bianchi und G. B. Foggini betreuten.

2. 18. UND 19. JAHRHUNDERT

Mit dem *Patto di famiglia* der Anna Maria Ludovica de' Medici von 1737 gingen die U. in den Besitz der Duca di Lorena (Lothringen-Habsburg) über und waren spätestens seit diesem Zeitpunkt der Öffentlichkeit zugänglich. Franz Stephan ließ ca. 1749–1773 unter der Leitung von Benedetto Felice De Greyss Zeichnungen der Skulpturen anfertigen. 1759 verfaßte Giuseppe Bianchi den ersten Museumsführer. Peter Leopold setzte mit der Übergabe der U. in staatlichen Besitz die schon vom *Patto di famiglia* eingeleitete Politik fort. 1770 ließ er die 1583 in Rom gefundenen Niobiden aus der Villa Medici in die U. überführen, wo sie einen eigenen Saal erhielten. Bis 1780/1788 wurden zahlreiche weitere Antiken aus Rom herbeigeschafft (40 Kaiserbüsten, Torso Gaddi). 1780 hatte Luigi Lanzi mit der Neuordnung der Slgg. nach Material und Kunstgattungen begonnen: Er richtete zwei Räume für Bronzen, ein Kabinett mit Portraits berühmter Männer, eine Inschr.- und eine etr. Slg. ein. Die frz. Besatzung hatte 1779–1803 zur teilweisen Auslagerung der Slg. nach Palermo geführt; die 1802 nach Paris geschaffte Venus Medici kehrte 1816 zurück. Nach den letzten Erwerbungen (Slg. Niccolini und 1824 ägypt. Slg.) begann die Trennung einzelner Komplexe von der alten Medicislg.: 1852 kam die ägypt. Slg. in den Convento di Foligno, 1864 wurde das Museo Bargello gegr. und bald darauf das naturhistor. Mus. 1871 entstand das Museo Etrusco, das spätere Arch. Nationalmus., das 1880–1898 auch griech.-röm. Material aus der U. erhielt (Idolino, Mz., Gemmen). Für den Charakter der U. bedeutete die Aufteilung der Slgg. eine Rückkehr zur anfänglichen Skulpturen- und Gemäldeslg. und damit zum Kunstmuseum.

3. 20. JAHRHUNDERT

1970 wurde die Tribuna renoviert, 1973 konnte der im II. Weltkrieg stark beschädigte Corridoio Vasariano wiedereröffnet werden. Nach der Neuordnung der Magazine 1978 und der Einrichtung der *Sale archeologiche* 1981 befaßte man sich mit der Neuaufstellung einiger Antiken, unter Berücksichtigung der histor. Anordnung. Das wachsende Interesse an der Erforsch. der Sammlungsgeschichte hat mehrere Ausstellungen und Publikationen über die Slgg. der Medici hervorgebracht. Bei einem Bombenattentat wurden 1993 das Gebäude und Ausstellungsstücke beschädigt.

1 W. AMELUNG, Führer durch die Antiken in Florenz, München 1897, 13–133 2 P. BAROCCHI (Hrsg.), Gli Uffizi. Quattro secoli di una galleria, Kongreß Florenz, 1982 (1983) 3 P. BAROCCHI, G. GAETA BERTELÀ, Collezionismo mediceo 1540–1587, 1993 4 G. CAPECCHI, La collezione di antichità del cardinale Leopoldo de' Medici, Atti e Memorie dell' Accademia Toscana di Scienze e Lettere »La Colombaria« 44, 1979, 123–145 5 M. CRISTOFANI, Per una storia del collezionismo archeologico nella Toscana Granducale, Prospettiva 17, 1979, 4–15 6 F. CURTI, La primitiva esposizione di sculture antiche nella Galleria degli Uffizi, Xenia 16, 1988, 115–124 7 M. DALY DAVIS, in: Le arti del Principato Mediceo, 1980, 31–54 8 Documenti inediti per servire alla storia dei musei italiani pubblicati per cura del Ministero della pubblica istruzione, Bd. 4, Florenz-Rom 1882, 77–81 9 H. DÜTSCHKE, Ant. Bildwerke in Oberit. III. Die ant. Marmorbildwerke der U. in Florenz, Leipzig 1878 10 Firenze e dintorni. Guida d'Italia del Touring Club Italiano, ⁶1974, 120–148 11 A. GOTTI, Le Gallerie di Firenze, Florenz 1872 12 G. A. MANSUELLI, Galleria degli Uffizi. Le Sculture 1–2, 1958–1961 13 M. MOSCO, Una »descrittione dell' apparato delle stanze del Palazzo de' Pitti in Fiorenza« edita a Venezia nel 1577, Antichità Viva 19.2, 1980, 5–20 14 V. SALADINO, Musei e Gallerie Firenze. Gli Uffizi. Sculture Antiche, 1983 15 Gli Uffizi. Catalogo generale, 1979, 21–47; 1087–1090

Älteste Kat.: 16 G. VASARI, Vite dei più eccellenti pittori, scultori e architettori, Florenz ²1568 17 F. BOCCHI, Le Bellezze della città di Firenze, Florenz 1591 18 A. F. GORI, Musaeum Florentinum exhibens insignoria vetustatis Monumenta quae Florentiae sunt 3, Florenz 1734 19 G. BIANCHI, Ragguaglio delle antichità e rarità che si conservano nella Galleria mediceo-imperiale di Firenze, Florenz 1759 20 G. BENCIVENNI PELLI, Saggio istorico della R. Galleria di Firenze 1–2, Florenz 1779 21 L. LANZI, Giornale de' letterati XXIV 47, 1782, 3–212 22 F. A. DAVID, F. V. MULOT, S. MARÉCHAL, Le Museum de Florence 1–8, Paris 1787–1802 23 G. B. ZANNONI, Reale Galleria di Firenze 4–5, Florenz 1817–1834.   JENS KÖHLER

Ukraine

A. HISTORISCHE EINLEITUNG B. ANTIKEREZEPTION C. KULTUR- UND BILDUNGSEINRICHTUNGEN UND IHRE MITWIRKENDEN D. ÜBERSETZUNGEN ANTIKER LITERATUR INS UKRAINISCHE

A. HISTORISCHE EINLEITUNG

Die U. ist ein unabhängiger Staat, der im J. 1991 auf dem Territorium einer gleichnamigen Republik der ehemaligen UdSSR gegründet wurde. Seine südl. Grenze ist das Schwarze Meer, von Westen nach Osten grenzt er an Moldawien, Rumänien, Ungarn, die Slowakei, Polen, Weißrußland und Rußland. Die U. schließt Gebiete ein, deren Kultur und Geschichte sich in unterschiedlichen Epochen und Staatsformen entwickelt haben [38]. So war Galizien mit seinem Zentrum in L'viv (Lemberg) im 13. und 14. Jh. ein russ. Fürstentum gewesen, im 15. bis 17. Jh. war es ein Teil Polens, im 18. und 19. Jh. gehörte es zu Österreich-Ungarn, nach dem Zerfall des Reiches im J. 1918 erneut zu Polen, bis es 1939–1941 in die UdSSR eingegliedert wurde. Von 1941 bis 1944 war Galizien von Nazi-Deutschland besetzt, von 1945 bis 1991 wieder Teil der Sowjetunion und gehört seit 1991 zur unabhängigen Ukraine. Der südwestl. Teil der U., die Bukowina mit ihrem Zentrum in Černivci (Czernowitz), gehörte im 16.–18. Jh. zum Osmanischen Reich, dann zu Österreich-Ungarn, seit 1918 zu → Rumänien und wurde in den J. 1940–1944 zu einem Teil der Sowjetunion. Den südl. Teil der U., die Halbinsel Krim, hatte das Russ. Reich erst am E. des 18. Jh. dem Osmanischen Reich abgenommen. Erst 1954 wurde es dem Verwaltungsgebiet der U. angeschlossen. Kyïv (Kiew), die Hauptstadt der heutigen U., ist im Geschichtsbewußtsein des Russ. Reiches und der UdSSR die »Mutter der Städte Rußlands«. Die U. selbst galt als »Provinz Rußlands« und ihre Kultur als regionale Variante der russischen. In der histor. Sichtweise → Polens hat der westl. Teil der heutigen U. erst vor kurzem die polnische rel.-kulturelle Einflußsphäre verlassen. Das Selbstbewußtsein der U. wird einerseits von einer kulturellen, histor. und rel. Heterogenität geprägt, andererseits bestimmt der lange Kampf der ukrainischen Sprache ums Überleben im Schatten der russ. bzw. der polnischen Sprache ihre Identität. Man kann die vorsowjetische Zeit in der Geschichte der U. als russ. Epoche in der Ost-U. und als österreichische bzw. polnische Epoche im Westen des Landes bezeichnen. Die ukrainische Sprache, die sich nicht eher als im 14. Jh. von der russ. entfernt hatte, war angesichts des wachsenden russ. Reiches ein »kleinruss. Dialekt«. Auch im Verlauf der nächsten Jh. war ihr Schicksal von der Dominanz der russ. Sprache und der russ.-orthodoxen Kirche in den weitesten Teilen der östl. U. bestimmt. Im westl. Teil des Landes herrschten die polnische Sprache und die katholische Kirche vor [36].

B. Antikerezeption

Als unmittelbarer Teil der ant. Welt [13; 25] und ihrer Nachfolger kam die Krimregion erst im J. 1783 zum Russ. Reich. Die griech. Ortsnamen der Krim lassen sich in zwei Gruppen einteilen. Zur ersten gehören diejenigen Namen, die von den griech. Bewohnern der Küstenregionen vergeben worden waren. Dazu gehören z. B. Theodosia (Feodosia), das von den Miletern gegründet wurde, Chersones, Kapsichor und andere. Die wichtigsten Städte der Halbinsel, Sewastopol und Simferopol, bekamen ihre griech. Namen als Zeichen des Übertritts der Halbinsel von der Herrschaft der Muslime zum christl.-orthodoxen Russ. Reich [1]. Dabei kann man nicht so sehr von einer Rezeption der ant. Trad. sprechen; vielmehr handelt es sich um den Versuch einer Wiedereinführung griech. oder skythischer Namen in Gebieten, die vor den Kreuzzügen byz. Kolonien waren, im 13.–15. Jh. von Genua besetzt wurden und im 15.–18. Jh. dem Osmanischen Reich angehörten. Im J. 1944 erfolgte die Deportation der urspr. Bewohner der Halbinsel (Tataren, Griechen und einiger anderer Völker). Dieser Sachverhalt und die ständige Ausfuhr arch. Funde für Sammlungen der Hauptstädte

des Russ. Reiches bzw. der Sowjetunion, Sankt Petersburg (1924–1991 Leningrad) und Moskau, führte dazu, daß die Krim ihr kulturelles Erbe verlor. Dies betrifft nicht nur die Zeit ihrer Zugehörigkeit zum Russ. Reich, sondern auch die frühere Periode. Mit der Erforsch. der ant. und der folgenden Epochen in der Geschichte der Krim beschäftigte sich zunächst die *Gesellschaft für Geschichte und Alt.* in Odessa (1839–1922), später mehrere Institutionen der Akad. der Wiss. der UdSSR [6; 26; 37]. Gegenwärtig werden auf der Krim weiterhin arch. Ausgrabungen vorgenommen, doch für die Rezeption der Ant. in der U. hat sie bisher noch keine bes. Bed. erlangt [4; 33]. Das Thema der Rezeption der Ant. in der U. bekommt eine bes. Schärfe durch die Tatsache, daß das Land in der Vergangenheit im Schatten einflußreicherer Nachbarn stand oder direkter Unterdrückung durch diese ausgesetzt war. Es existierten so verschiedene Zentren der ukrainischen Kultur, die nicht miteinander verbunden waren. Die ukrainische Sprache erwies sich dabei in den seltensten Fällen als Instrument der Rezeption der Antike. Die Sprachen, in denen unterrichtet und mit denen somit auch das Bild der Ant. vermittelt wurde, waren in Galizien Lat. und Polnisch, in der Bukowina Dt. und Rumänisch und im östl. oder links des Dnjepr gelegenen Teil des Landes Russisch. Erst nach 1991 trat das Ukrainische als Amts- und Bildungssprache hervor.

C. Kultur- und Bildungseinrichtungen und ihre Mitwirkenden

Die Klass. Philol. wurde zuerst als Hilfswiss. an der Akad. von Ostrih eingeführt (ca. 1580–ca. 1640). Der Jesuit Antonio Possevino, der in den J. 1579–1582 zw. Rußland und Polen vermittelte und zum Frieden zw. Ivan IV. (dem Schrecklichen) und Stefan Báthory beigetragen hatte, sah in der Lehre der griech. Sprache in der Akad. eine Quelle des Schismas und einen Grund für die fehlende Aufnahmebereitschaft der russ. Kirchendiener für den katholischen Glauben. Seitdem bedeutete das Festhalten an der lat. sprachlichen Trad. eher eine Annäherung an das katholische Polen, während die griech. Ausrichtung auf die Nähe zum orthodoxen Rußland hindeutete [28]. Als erste griech.-ukrainische Gramm. gilt die Ἀδελφότης, der die Gramm. von Crusius und Melanchthon als Grundlage diente. Im J. 1591 vom Bischof Arsenias von Elasson (1549–1626) herausgegeben, wurde sie zum Lehrbuch an der → Klosterschule von Lemberg. Hier bekam Petro Mohyla seine Ausbildung. Mohyla wurde später Archimandrit des Kiewer Höhlenklosters und Metropolit von Kiew und gründete die erste Hochschule der U. – das Kiewer Kollegium, von 1701 bis zur Schließung 1817 als Kiewer Mohyla-Akad. bekannt. Im Zentrum der Ausbildung stand dort die Lehre der griech. und lat. Sprache [15]. Zu den wichtigsten Schülern der Akad. zählten Daniil Tuptalo (1651–1709), bekannt als russ. Hl. Dimitrij Rostovskij, ein Kirchendiener und Schriftsteller, der in seiner ersten Lebenshälfte in der U. gelehrt hatte; Antonij Radziwiliwskij, ein Prediger aus dem 17. Jh.; der ukrainisch-russ.-polnische Schriftsteller und russ. rel. und polit. Denker Theophan Prokopovič (1681–1736) [23] – als Rektor führte er in den Lehrplan der Akad. Methoden ein, die er von seiner Ausbildung in dem Kollegium des hl. Athanasios in Rom kannte –; der Philosoph Grigorij Skovoroda (1722–1794), der einige Übers. Ciceros und Plutarchs ins Russ. hinterließ und lat. Fabeln für die Hörer des Seminariums in Charkiw schrieb [35].

Die Univ. von Lemberg wurde 1661 gegründet. Unterrichtssprachen waren Lat., Dt., Polnisch, später Russ. und zuletzt Ukrainisch. Vor der Teilung Polens zw. Deutschland und der UdSSR im J. 1940 gab es mehrere altphilol. Zeitschriften (u. a. *Filomata, Palaestra, Kwartalnik klasyczny, Przegląd klasyczny*). Nach dem II. Weltkrieg wurde der Versuch unternommen, die Klass. Philol. in Lemberg wiederzubeleben, nun nicht mehr in der polnischen, sondern in der russ. und, zu einem gewissen Grad, in der ukrainischen Sprache [17; 24]. Von 1953–1964 hatte der Philologe, Mykenologe und Herausgeber Demokrits, Salomo Luria, den Lehrstuhl für Klass. Philol. inne. 1959 wurde die ukrainische Zeitschrift *Pytannja klasičnoj filologii* gegründet (Hrsg. Josef Kobiv) [21]. Zu dieser Zeit entstanden auch die ersten Übers. von Aristoteles (J. Kobiv und J. Muschak), Lukian (J. Kobiv), Horaz, Lukrez, Menandros (Andrij Sodomora), Euripides (J. Muschak) sowie die neulat. Literatur ins Ukrainische. Eine ukrainische Übers. der lat. *Rhet.* des Theophan Prokopovič durch Jurij Muschak sollte die Anknüpfung an die verlorengegangene Trad. wiederherstellen. In der 2. H. des 20. Jh. bildete sich die Lemberger Schule der Übers. ant. Lit. ins Ukrainische heraus [9; 11; 19; 20].

In Kiew behielt die klass. Bildung nach der Umgestaltung der Kiewer Mohyla-Akad. zur Kiewer Geistlichen Akad. Anf. des 19. Jh. ihre Position an der neu gegründeten Univ. des hl. Wladimir. Russisch oder Lat. waren hier im Verlauf des gesamten 19. Jh. die Sprachen für Lehre und Wiss., wie überall im links des Dnjepr gelegenen »russ.« Teil der Ukraine. Die ukrainische Sprache war weder an den zahlreichen Gymnasien noch an den höheren Lehranstalten zugelassen. Die ukrainischen Professoren der Kiewer Univ. übersetzten griech. und röm. Autoren ins Russ. [27]. Nach der Etablierung der Sowjetherrschaft und der Beseitigung der ukrainischen Unabhängigkeit 1919–1920 wurde die Klass. Philol. als wiss. Disziplin in Lehre und Forsch. abgeschafft und erst nach dem II. Weltkrieg wieder eingeführt; dies allerdings auch nur an wenigen Universitäten. Seit 1948 hatte Andrij O. Bileckij (1911–1995) den Lehrstuhl inne, ein Kenner der altgriech. und der neugriech. Dialekte des Schwarzmeergebietes. Von Bileckij stammt die erste vollständige Übers. Herodots ins Ukrainische. Seit 1958 entsteht allmählich das Fach Neugräzistik, das es erlaubt, die Idee der kulturellen Kontinuität ins Lehrprogramm aufzunehmen und die U. als Nachfolgerin der ant. Zivilisation zu präsentieren. Zu den ehrgeizigen Verfechtern dieser Ansicht zählten A. O. Bileckij und

seine Frau T. N. Czernysheva (1927–1993). 1999 wurde der Lehrstuhl für Neugräzistik geschaffen (Lehrstuhlinhaberin: Natalja Klimenko) [2; 8].

An der Univ. Charkiw (gegr. 1804) zählte die Klass. Philol. zu den wichtigsten Fachbereichen. Im 19. Jh. wurden Altphilologen zweimal zu Rektoren der Univ. ernannt. 1939 wiederhergestellt, wurde der Lehrstuhl für Altphilol. 1954 abgeschafft und erst 1994 wieder eingerichtet [22]. In der spätsowjetischen Zeit entwickelte sich hier allmählich ein Interesse für die neulat. Lit. der Ukraine. Die Professorinnen Frida Luckaja und Natalja Korž übersetzten lat. Werke von Grigorij Skovoroda und Theophan Prokopovič ins Ukrainische. In den 1990er J. wurden erste Lehrbücher für Schulen herausgegeben, in denen der Unterricht in griech. und lat. Sprache eine Renaissance erfährt [7; 12; 16]. Außer in Kiew, Lemberg und Charkiw werden Alte Sprachen h. auch an den Hochschulen von Poltawa, Užgorod, Odessa und Czernowitz unterrichtet [32].

D. Übersetzungen antiker Literatur ins Ukrainische

Das bekannteste Werk der weltlichen ukrainischen Lit., das gänzlich auf der Travestie einer ant. Quelle aufgebaut ist, ist die *Aeneis* von Ivan Kotljarevskij (1769–1838), geschrieben in der Trad. der *Eneide travestita* (vgl. z. B. Lalli, 1633). Petro Niščinskij (Petro Bajda, 1832–1896) hat die *Odyssee* (1890) und die *Ilias* (1902–1903) ins Ukrainische übersetzt. Ivan Stešenko (1873–1918) gab die erste ukrainische Übers. von Ovids *Metamorphosen* heraus. Die Blütezeit der Übers. antiker Lit. ist in der westl. U. mit dem Namen Ivan Frankos verknüpft, der seine Übers. aus Werken des Sophokles, Horaz und Ovid als Instrumente für die Schaffung einer Schriftsprache ansah. Dieses Konzept wurde in der Zeit des Zerfalls der österreich-ungarischen und russ. Imperien im Laufe des I. Weltkriegs weiterentwickelt [18].

In den 1920–30er J. nahmen Mykola Serov (1890–1937), Konstantin Lubenskij (Aristophanes) und Boris Ten (eigentlich Nikolaj W. Chomičevskij, 1897–1983) Übers. antiker Lit. vor. Boris Ten hinterließ eine vollständige Übers. der *Ilias* und *Odyssee* ins Ukrainische. Angesichts der Verfolgung der ukrainischen nationalen »Intelligenzia« in den 1930–1950er J. und der fehlenden Ausbildung qualifizierter Wissenschaftler bekam die Arbeit des Übersetzers in der U. eine polit. Konnotation. So gab Oleksandr Bileckij (1884–1961) in seiner Anthologie antiker Lit. Übers. etwa von Mykola Serov und Ivan Stešenko ohne Angabe ihrer Namen heraus: Der eine war im stalinistischen Lager erschossen, der andere nach seinem Tod zu einem bürgerlichen Nationalisten erklärt worden. Für die ukrainische Sprachgemeinschaft haben bes. die Übertragungen aus dem Lat. und Griech. zur Bereicherung ihrer Muttersprache beigetragen [5; 10; 30; 34]. Dies galt nicht nur für die Metropole, sondern auch für die weite ukrainische Diaspora [3; 14]. So publizierte Vasil' Stecjuk (im amerikanischen Exil bekannt als Basil Steciuk, 1910–1975) eine histor. Gramm. des Lat. (Bd. 1–2, 1950, 1953) und ein

Buch über griech. Lehnwörter im ukrainischen Wortschatz (1958). Zu Beginn der 1980er J. werden Übers. ant. Autoren ins Ukrainische zu einem wichtigen Bestandteil der nationalen Literatur. Die Übers. griech. Tragiker von Boris Ten und Andrij Sodomora (geb. 1937, bekannt u. a. als Autor eines Romans über Horaz, 1982) nehmen hier eine bes. herausragende Stellung ein. Zur Popularisierung der ant. Kultur in der U. trugen auch Ella Solomonik, M. Skržinskaja und Ju. Schanin bei [29; 31].

1 A.O. Bilec'kyj, Adaptacija davn'ogrec'kogo onomastykonu v schidnoslov'jans'kych movach, in: Inozemna filologija, vyp. 24. Pytannja klasyčnoï filologiï, Nr. 9, L'viv, Vyd. L'vivs'kogo un-tu, 1971, 17–23; vyp. 28, Nr. 10, L'viv, Vyd. L'vivs'kogo un-tu, 1972, 13–18 2 Biografičnyj slovnyk »Greky v Ukraïni«: Imennyj pokažčik. NAN Ukraïny; Instytut biografičnych doslidžen' Nacional'noï biblioteky Ukraïny im. V.I. Vernads'kogo ta in., hrsg. v. V.S. Čiško, Kyïv 1996 3 D. Blazejovskyj, Byzantine Kyivan Rite Students in Pontifical Colleges, and in Seminaries, Universities, and Institutes of Central and Western Europe (1576–1983), 1984 4 V. Dovgich, Kosmos drevn'oï Ukraïny: Trypillia-Trojan', mitologija, filosofija, etnogenez, Kyïv 1992 5 O.V. Gal'čuk, Antyčni tradyciï u tvorčosti Mykoly Zerova: Avtoref. kand. dis. Nacional'nyj pedagogičnyj un-t im. M.P. Dragomanova, Kyïv 1998 6 A.V. Gavrilov, Problemy archeologii Severnogo Pričernomor'ja (k 100–letiju osnovanija Chersonskogo Muzeja Drevnostej), Cherson 1991 7 I.M. Gnatyšena, T.R. Kyjak, Slovnyk internacional'nych terminoelementiv grec'kogo ta latyns'kogo pochodženija v sučasnij terminologiï, Kyïv 1996 8 K. Kaurinkoski, Les Grecs dans le Donbass: analyse des identités collectives dans deux villages d'Ukraine orientale, 1997 (Mikrofiche-Ausgabe) 9 J.U. Kobiv, Rozvytok klasyčnoï filologiï v Radjan'skij Ukraïny, in: Inozemna filologija (mižvidomčyj respublikan'skyj zbirnyk), vyp. 13. Pytannja klasyčnoï filologiï, Nr. 6, L'viv 1967, 3–12 10 N.G. Korš, »Pam'jatnyk« Goracija u perekladi M. Zerova, in: Visn. Char'k. Un-ty 1971, Nr. 64. Filologija, vyp. 6, 64–71 11 Ders., Goracij v ukraïns'kich perekladach (pro pereklady V. Ščurata, T. Franka), in: Visn. Char'k. Un-tu 1971, Nr. 64. Filologija, vyp. 6, 84–94 12 Ders., S.A. Švedov, Latyns'ka mova: Pidručnyk dlja 9–10 kl. liceïv, gimnazij ta gumanitarnych kl. zagal'noosvitnich šk. Mižnarodnyj fond »Vidrodžennja«, Kyïv 1995 13 S. D. Kryžyc'kij, Antyčni deržavy pivničnego Pryčornomor'ja, Kyïv 1998 14 V. Kubijovyč, D. Husar Struk (Hrsg.), Encyclopedia of Ukraine, Bd. 1–5, 1984–1993 15 M. Linčevskij, Pedagogija drevnich bratskich škol i preimuščestvenno drevnej Kievskoj akademii, in: Trudy Kievskoj duchovnoj akademii 1870, Nr. 7, 104–154; Nr. 8, 437–500; Nr. 9, 535–588 16 V.D. Lytvynov, Latyns'ko-ukraïns'kyj slovnyk: 10 tysjač najužyvanišych latyns'kych sliv z maksymal'nym vidtvorennjam ichnich značen' ukr. movoju. Mižnarodnyj fond »Vidrodžennja«, Kyïv 1998 17 A. Majkowska-Aleksiewicz, Historia drukarstwa Galicji Wschodniej w łatach 1815–1860, Wrocław 1992 18 Ju.O. Mykytenko, Antyčna spadščyna y stanovlennja novoï ukraïns'koï lyteratury, Kyïv 1991 19 P. Ovidij Nazon (Ovid), Ljubovni elegiï. Mystectvo kochannja. Skorbotni elegiï. Andrij Sodomora (per.z lat., peredm., koment.), Kyïv 1999 20 Ders., Do 2000–riččja z dnja naroždennja, L'viv

1960 21 Pytannja klasyčnoï filologiï, vypusk peršyj, L'viv 1959; vypusk drugyj, 1961; vypusk tretij, 1963 22 L.Ju. Posochova, Charkivskyj kolegyum, XVIII – perša polovyna XIX st., Charkiv 1999 23 F. Prokopovic, De arte rhetorica libri X, Kijovae 1706, 1982 24 I. Röskau-Rydel, Kultur an der Peripherie des Habsburger Reiches. Die Gesch. des Bildungswesens und der kulturellen Einrichtungen in Lemberg von 1772 bis 1848, 1993 25 A.S. Ruzjaeva, Religija i kul'ty antičnoj Ol'vii, Kiev 1991 26 S.J. Saprykin, Ancient farms and land-plots on the khora of Khersonesos Taurike: research in the Herakleian Peninsula (1974–1990), 1994 27 D. Saunders, The Ukranian Impact on Russian Culture, 1750–1850, 1985 28 I. Sevcenko, Ukraine between East and West: essays on cultural history to the early 18th century, 1996 29 M.V. Skržinskaja, Severnoe Pričernomor'e v opisanii Plinija Starševo, Kiev 1977 30 A. Sodomora, Mystectvo poeziï, in: Žovten', L'viv 1973, 1, 9–11 31 É.I. Solomonik, Drevnie nadpisi Kryma, Kiev 1988 32 V. Stepanenko, The construction of identity and school policy in Ukraine, 2000 33 V.D. Stanko, Archeologyja pivdennogo zachodu Ukraïny, Kyïv 1992 34 B. Ten, Goracij po-ukraïns'ky, in: Žovten', L'viv 1973, 1, 11–12 35 O.O. Tuljakov, Antyčni ideï osvity ta vychovannja u tvorčij spadščyni G.S. Skovorody, Sumy 1998 36 S. Velychenko, National history as cultural process: a survey of interpretations of Ukraine's past in Polish, Russian, and Ukranian historical writing from the earliest times to 1914, 1992 37 Ju.G. Vinogradov, Olbia. Eine altgriech. Stadt im nordwestl. Schwarzmeerraum, 1995 38 S.L. Wolchik, Ukraine: the search for a national identity, 2000. GASSAN GUSSEJNOV

Ungarn I. Der klassische Einfluss auf die Kultur Ungarns II. Geschichte der Altertumswissenschaften

I. Der klassische Einfluss auf die Kultur Ungarns
A. Mittelalter (11.–14. Jahrhundert)
B. Humanismus und Reformation C. 17. und 18. Jahrhundert D. 19. und 20. Jahrhundert

A. Mittelalter (11.–14. Jahrhundert)

Wie überall im ma. Europa bildeten lat. Autoren auch in U. ein bestimmendes Element der höheren Kultur. Spuren von Kenntnissen dieser Autoren (bes. Horaz und Vergil) sind von den ältesten lat. geschriebenen Texten (11. Jh.) an nachweisbar. Außer den sachlichen Kenntnissen waren in erster Linie die sprachlichen Wendungen und moralischen → Geflügelten Worte bedeutend. Es mußte nicht unbedingt eine Kenntnis von ganzen Werken hinter ihnen stehen; sie konnten auch aus Florilegien geschöpft sein. Die ant. Kultur wirkte infolge ihrer Sprache v.a. unter Gebildeten; einige Komponenten wurden jedoch von breiteren Kreisen aufgenommen: z.B. ist ein ungarischer Troja-Roman nachweisbar. Manche Elemente wurden folklorisiert.

ISTVÁN BORZSÁK UND ZSIGMOND RITOÓK

B. Humanismus und Reformation

1. Anfänge

Ungarn hatte seit dem 14. Jh. (Anjou-Könige) und später, zur Zeit König Sigismunds von Luxemburg (1387–1437), rege Verbindungen mit → Italien. Viele Humanisten kamen aus It. nach U., einige Ungarn studierten in Italien. Da in U. keine entwickelte muttersprachliche höfische Kultur vorhanden war (die Sprache der höheren Kultur war Lat.), wurde der ebenfalls lateinsprachige it. → Humanismus schnell rezipiert. Sein Bahnbrecher war P. P. Vergerio, der seit 1417 im Dienste des Königs Sigismund stand und 1444 in Buda starb. Für kürzere Zeit haben mehrere Humanisten am Hof verkehrt.

2. Die Zeit des Mathias Corvinus (1458–1490)

2.1 Bis zur ersten Hälfte der 70er Jahre

Diesen hoffnungsvollen Anfängen hat J. Vitéz (nach 1400–1472) zur Entfaltung verholfen. Er besaß eine gute human. Bildung, lernte in Wien, wurde Bischof zu Várad und königlicher Kanzler (1445), war als solcher auch Redner und Diplomat und wurde schließlich Erzbischof von Gran. Er war mit Vergerio, später auch mit Bessarion befreundet und hatte eine reiche Bibliothek. Ihm ist die Gründung der Univ. Preßburg (Academia Istropolitana, 1465) zu verdanken, wo auch ausländische Humanisten tätig waren (u.a. J. Regiomontanus, G. Gatti, M. de Bylica). Vitéz bereitete auch die Gründung einer Druckerei in Buda vor, deren Eröffnung (1473) er jedoch nicht mehr erlebte. Um begabten jungen Leuten eine zeitgemäße human. Bildung zu ermöglichen, schickte er sie an it. Univ., worin ihm später auch andere Kirchenfürsten folgten. Unter diesen jungen Leuten befand sich sein Neffe, der berühmte Dichter Janus Pannonius. Als 13jähriges Wunderkind war dieser Schüler von Guarino in Ferrara, wo er auch gründliche griech. Sprachkenntnisse erwarb. Später studierte er in Padova, wo er 1458 den Doktorhut erhielt. Er war befreundet mit Galeotto und Mantegna. 1459 wurde er Bischof von Fünfkirchen, Kanzler der Königin und Diplomat. Er dichtete elegante, geistreiche Epigramme, dem Geschmack der Zeit entsprechende großangelegte Panegyriken und tief ergreifende Elegien in musterhaftem Lat. und übersetzte bravourös Proben aus der *Ilias* und andere griech. Texte.

Das Ideal der Zeit war der »poeta et orator«, der den Glanz des königlichen Hofes erhöhte. Zu dessen Aufgaben gehörten auch die diplomatische Tätigkeit (evtl. diplomatische Noten in Form eines Gedichtes) und die anspruchsvolle Korrespondenz, die in ein Corpus zusammengefaßt wurde. Bis zum E. des 16. Jh. blieb die Brieflit. (→ Briefkunst/ars dictaminis) die bezeichnendste Gattung des ungarischen Humanismus. Der Sturz der beiden Intellektuellen J. Vitéz und Janus Pannonius infolge ihrer Teilnahme an einer gewaltsam unterdrückten polit. Verschwörung gegen den König bedeutete das E. einer wichtigen Epoche.

2.2 Seit der zweiten Hälfte der 70er Jahre

Obwohl König Mathias, der sich in seinen ungarischen Humanisten schwer getäuscht hatte, sich mehr den it. Humanisten zuwandte und die Rolle der Italiener allseits bestimmend war, setzte sich die Entwicklung einer human. gebildeten ungarischen Schicht fort.

Die wichtigsten Züge der Epoche sind: a) die Rezeption von ganzen Werken, Autoren und Gattungen (auch von Griechischem); Kenntnis der röm. Philol. (Servius) und Astrologie; die Rezeption war sprachlich (doch kein Ciceronianismus) und rhet. (Reden, panegyrische Dichtung), polit. (die Reden des Demosthenes gegen Philippos wurden im Kampf gegen die Türken aktualisiert) und weltanschaulich (Betonung des Individuums, der Gefühle, dichterisches Selbstbewußtsein gegenüber feudalem Adelsstolz); b) die Blüte der in den 80er J. gegründeten → Bibliotheca Corviniana; c) der Beginn einer human. Geschichtsschreibung (M. Galeotto, A. Bonfini, P. Ransanus): Mathias wurde nicht nur als Nachfolger der Römer, als der neue Alexander, sondern auch als der neue Attila/Etzel dargestellt – bei Bonfini im positiven, bei Callimachus Experiens im negativen Sinn; d) starke Wirkung des florentinischen → Neuplatonismus. Der Neuplatonismus war zwar schon früher bekannt – J. Vitéz und Janus Pannonius pflegten Beziehungen zu Bessarion und Ficino –; jetzt aber entwickelte sich ein kleiner Platonistenkreis in Buda, dessen wichtigste Mitglieder P. Garázda, P. Váradi und N. Báthory in It. studierten. Ficinos Freund F. Bandi kam 1476 nach Buda, und nicht nur Ficino, sondern auch mehrere seiner Schüler (A. Poliziano, N. Naldi) standen im Kontakt mit dem dem Platonismus zugeneigten König. Nach dem Tod von Mathias zerfiel zwar dieser Kreis, seine Ideen aber wirkten weiter und wurden zum Wegbereiter des Erasmismus; e) Anfänge der Altertumswiss. in U., Sammlung von Inschr., zunächst von Italienern. Von den ungarischen Dichtern, die, Janus als Vorbild betrachtend, lat. schrieben, ist fast nichts erhalten geblieben.

2.3 Die Zeit nach dem Tode von Mathias (etwa bis zum Ende des 16. Jahrhundert)

Nach Mathias' Tod wurde die zentrale Macht unter den jagellonischen Königen (1490–1526) schwächer; nach der unglücklichen Schlacht bei Mohács (1526) hatte das Land zwei Könige, Ferdinand von Habsburg und János Zápolya. Nachdem die Türken Buda und den mittleren Teil des Landes erobert (1541) und anderthalb Jh. besetzt hatten, zerfiel U. in drei Teile: In West- und Nord-U., dem sog. Königlichen U., regieren die habsburgischen Könige, während Siebenbürgen ein bald loser, bald enger vom Türkenreich abhängiges Fürstentum wurde, in dem Mitglieder verschiedener ungarischer Adelsfamilien herrschten.

Die Bed. des königlichen Hofes nahm ab, die bischöflichen Höfe (Kapitel) bzw. in der 2. H. des 16. Jh. der Hof der siebenbürgischen Fürsten wurden zu Zentren der human. Kultur. Die human. Kultur erreichte durch die Schulen auch breitere Schichten. (Dazu hat auch der Einfluß von Erasmus bzw. Melanchthon beigetragen.) Neben den Beziehungen zu It. wurden die Kontakte mit Humanisten deutschsprachiger Länder immer wichtiger. Die Gewohnheit, junge Leute zum Studium ins Ausland zu schicken, setzte sich fort – aber mit wachsender Zahl von weltlichen Patronen. Die Bibliotheca Corviniana wurde gleich nach dem Tod von Mathias zersplittert; es bildeten sich aber kleinere human. Bibliotheken. An die Stelle des Platonismus traten der Erasmismus und die Reformation. Die humanismusnahe Richtung der letzteren (Melanchthon) gewann viele Anhänger. Von beiden Richtungen gingen Anregungen zur Übers. der Bibel und griech. Trag. aus (teilweise den moralischen und polit. Ansprüchen der Zeit angepaßt, so die ungarische *Elektra*-Umarbeitung von P. Bornemissza).

Vom 15. Jh. an entwickelten sich die → Epigraphik und die Philol. ununterbrochen, jetzt aber auch von Ungarn gepflegt. Im 16. Jh., auch von den Bedürfnissen der Schulen befördert, schlossen sich daran die griech. und lat. Gramm. sowie Textausgaben an. Es erschienen die ersten ungarischen Gramm., noch lat., auch die hebräische Gramm. in Betracht ziehend.

Die Gattung der Geschichtsschreibung wurde von U. übernommen, teilweise in Form von Gedenkschriften bei den Erasmisten St. Brodarics (über die Schlacht von Mohács) und N. Oláh (über den einstigen Glanz und Ruhm U. mit Einbau der Attila-Trad.), teilweise in umfassenden Werken, so bei A. Verancsics, F. Forgách, St. Szamosközy, N. Istvánffy, bes. von Livius und Tacitus inspiriert. Gedichte, die keine große Bed. erlangten, wurden von fast allen geschrieben. Die übrigen lat. Dichtungen der Zeit, wie etwa die fünf Bücher der *Stauromachia* des St. Taurinus (1519) über den ungarischen Bauernkrieg von 1514 oder die zwölf Bücher der *Ruinae Pannoniae* des Chr. Schesaeus über die Geschichte U. von 1540 bis 1571, sind mehr histor. als ästhetisch von Interesse. Die schöne Lit. verwandte damals schon die Muttersprache. Die Rezeption der Ant. brachte nämlich Anregungen zur Entwicklung einer hohen Kultur in der Muttersprache, wobei man sich gerade auf Ciceros Stellungnahme für das Lat. als Muttersprache gegenüber dem Griech. berief. Nach dem Vorbild des Lat. wurde auch eine rein quantitierende ungarische Metr. (→ Verslehre) entwickelt, die einzige ihrer Art im neuzeitlichen Europa.

Was die Philos. betrifft, entwickelte sich gegen E. des 16. Jh. in Siebenbürgen ein → Aristotelismus. Dieser wurde von jungen Adligen, die um 1570 in Padua im Geist des Pomponazzi erzogen worden waren, in antitrinitarischen oder rel. gleichgültigen Kreisen verbreitet und deutete den Stagiriten im materialistischen Sinn. Am Anf. der 90er J., nach dem Tod seiner Anhänger, erlangte unter dem Einfluß von J. Lipsius der Neu-Stoizismus Bed., der wieder die ant. Stoiker Seneca, Plutarch und Epiktet in den Vordergrund rückte.

ÁGNES RITOÓK-SZALAY

C. 17. UND 18. JAHRHUNDERT

Im 17. und 18. Jh. wurde v. a. die epische Dichtung der Alten rezipiert. Die mehr schulmäßige lat. Epik der Jesuiten über den Hunnenkönig Attila/Etzel griff auf ma. und human. Trad. zurück. In seinem großartigen ungarischen Epos über die türk. Belagerung der Festung Szigetvár rezipierte der Dichter und Politiker N. Zrínyi, ähnlich wie seine großen barocken Zeitgenossen, in einer souveränen, zeitgemäßen Weise Vergil, Ovid und auch Tasso. Andererseits wirkte in der Epik von I. Gyöngyösi, der die Liebe in den Mittelpunkt stellte, v. a. Ovid als Vorbild. Gyöngyösi arbeitete aber auch Heliodors Liebesroman um. Im polit. Denken übte Tacitus (*virtus* gegenüber *otium*) einen großen Einfluß aus. Am E. des 18. Jh. bekam diese Wirkung bei den ungarischen Jakobinern andere Akzente. Sie kämpften als Republikaner gegen den kaiserlichen Absolutismus und sahen in Tacitus, ihn fruchtbar mißverstehend, ihren Gesinnungsgenossen. (Diese Deutung kehrt aus ähnlichen Gründen nach der Niederlage im Freiheitskrieg 1848/49 zurück, als auch Lucan viel gelesen wurde.)

Da außerhalb der Grundschule die Unterrichtssprache Lat. war (Lat. war bis 1844 Amtssprache in U.), gehörte die lat. Kultur (weniger die griech.) zur Bildung von Adligen und Bürgerlichen, jedoch in sehr unterschiedlichem Maß. Bis zum E. des 19. Jh. war es auch für einen Landedelmann üblich, regelmäßig ant. Autoren zu lesen und sie in Reden aus dem Gedächtnis anzuführen.

D. 19. UND 20. JAHRHUNDERT

Das Streben nach einer bürgerlich-fortschrittlichen Modernisierung am E. des 18. und am Anf. des 19. Jh. förderte auch das Streben nach der »Reinigung der Nation« (Entwicklung einer zeitgemäßen Kultur), eine fruchtbare Rezeption der frz. → Aufklärung und der dt. → Klassik sowie eine neuartige Rezeption der Kultur des Altertums.

Zahlreiche → Übersetzungen sind – v. a. aus den Werken des Vergil und Horaz, aber auch aus denen des Homer – entstanden; griech. Trag. und Anacreontea wurden übertragen, teilweise mit dem Ziel der »Polierung« der ungarischen Sprache (Spracherneuerung), teilweise wegen ihrer verwandten Vorstellungen (Maßhalten, Rokoko- oder Ländlich-Idyllisches, Tyrannenfeindliches, je nach der Einstellung des Übersetzers).

Der klass. Einfluß wirkte stark auf die Dichtung. Die Lyr. wurde bes. von der Horazrezeption beeinflußt, so bei einem der größten Dichter der Zeit, D. Berzsenyi, der in klass.-horazischen Formen und Wendungen auch schon romantische Gefühle ausdrückte. In der Epik wirkten Vergil und Claudian. Das Erwachen des bürgerlichen Nationalgefühls brachte die Erwartung eines ungarischen Nationalepos, dessen Thema aus der ungarischen Frühgeschichte stammen sollte, mit sich, was auch eine gewisse Anknüpfung an die Attila-Trad. bedeutete. Diese Erwartung erfüllte M. Vörösmarty, der wiederum in klass.-vergilischer Form, aber in zauberhafter romantischer Sprache ein Epos schrieb. Die

Epos-Frage war damit aber nicht erledigt. Seit Anf. des 19. Jh. erhielt, teils unter Herderschem Einfluß, die Volksdichtung, das »naive« (Volks)epos eine immer größere Bedeutung. Der Dichter J. Arany, der in dieser Art von Epik Großartiges schuf, beschäftigte sich mit der Situation des homer. Dichters in der ant. Gesellschaft, seiner Beziehung zur Trad. und zum Publikum und mit dem Unterschied zw. der Lage des ant. und des mod. Epikers. In seinen Unt. erarbeitete er nicht nur wichtige ästhetische Ideen, sondern auch Gedanken, mit welchen er Ergebnisse der mod. vergleichenden Homerforsch. und der Parry-Schule vorwegnahm. Er sah, anders als seine Zeit, in Homer nicht bloß eine problemlos harmonische Welt, sondern auch das Tragische (»der epische Held kämpft gegen das Schicksal, obwohl er weiß, daß er es nicht besiegen kann«). Damit bereitete er ein neuartiges Homer- und Altertumsverständnis vor, das sich am E. des 19. Jh. zunächst bei »nicht-zünftigen« Kritikern anbahnte und sich in der Lit. des 20. Jh. entfaltete. In Homer und im Alt. wurde nicht mehr die stille Größe, das Klass.-Harmonische, geschweige denn das Kindlich-Naive, sondern vielmehr das Problematische, Beunruhigende gesehen. Statt der *Ilias* wurde der unruhige Wanderer Odysseus in der Novelle von M. Babits, im Drama von Zs. Móricz oder im Roman von S. Márai als Symbol eines zeitgemäßen Lebensgefühls gedeutet. Babits übersetzte die Ödipus-Dramen, nicht etwa die *Antigone*. D. Kosztolányi schrieb über Nero einen Roman, über Mark Aurel ein Gedicht. Gestalten und Situationen der Myth. und der Alten Geschichte wurden von Dichtern übernommen, in welchen die Zeit der Krise sich erkennen, durch welche sie sich selbst verstehen konnte. Die lit. Kunstwerke wurden als solche mehr von Nicht-Philologen analysiert (vgl. z. B. die Essays von L. Németh).

Obwohl Lat. immer noch zum Grundstock der höheren Bildung gehörte, verschob sich das Interesse zum Griechischen. Begünstigt wurde dies ab Mitte des 19. Jh. durch die klass. Gymnasien, obwohl sich mit der Zeit auch andere Schultypen entwickelten. »Lateiner« zu sein bedeutete also Zugehörigkeit zu einer bes. Schicht – was Anlaß zu viel Kritik gegen klass. Bildung im allg. gab.

Auch diese Kritik spielte eine Rolle bei den Wandlungen im → Schulwesen nach 1945. In der Nachkriegszeit wurde Griech. in den Schulen überhaupt nicht mehr gelehrt, Lat. nur wenig, das Sprachliche wurde also verdrängt. Stattdessen entwickelte sich eine sehr reiche Übersetzungslit., woran auch die besten Dichter mitarbeiteten. Das Übersetzen galt zu jeder Zeit als eine Arbeit der Dichter in Ungarn. Durch diese Übers. wurde die ant. Dichtung für breitere Schichten zugänglicher als je. Von den 60er J. an wurden griech. Dramen (in Übers., nicht in Bearbeitung) in Theatern und im Rundfunk häufig aufgeführt, es entstand eine fruchtbare Zusammenarbeit zw. Philologen und Theaterleuten.

Da auch Texte des Alten Orients in Übers. zugänglich wurden, verschob sich das Interesse von den 80er J. an in diese Richtung. In den letzten Jahrzehnten tritt wieder jene Art der Rezeption auf, in der Schriftsteller die Maske eines ant. Dichters annehmen (oder ihm poetische Briefe schreiben), doch Probleme des Jahrtausendes gestalten.

ISTVÁN BORZSÁK UND ZSIGMOND RITOÓK

II. GESCHICHTE DER ALTERTUMSWISSENSCHAFTEN

A. 15.–16. JAHRHUNDERT
B. 17.–18. JAHRHUNDERT   C. 19. JAHRHUNDERT
D. JAHRHUNDERTWENDE
E. ZWISCHEN DEN BEIDEN WELTKRIEGEN
F. DER II. WELTKRIEG UND DIE NACHKRIEGSZEIT

A. 15.–16. JAHRHUNDERT

Römische Autoren waren unter den Gebildeten auch im ma. U. bekannt; die wiss. Beschäftigung mit dem Alt. begann aber erst im 15. Jh., als der it. → Humanismus (P. P. Vergerio) U. erreichte und schnell eine große Wirkung ausübte. Zunächst kamen Italiener, um röm. Inschr. zu sammeln, so F. Giustiniani (1464), F. Feliciano (1479, der mit jenem Epigraphiker identifiziert werden konnte, den Mommsen im CIL nur »Antiquus« genannt hat). Fast gleichzeitig fanden sich auch Ungarn, die an röm. Autoren arbeiteten (J. Vitéz), griech. Autoren ins Lat. übersetzten (Janus Pannonius) und etwas später auch röm. Inschr. sammelten (J. Megyericseis Sammlung wurde zum Druck bei Aldus vorbereitet). 1522 erschien die Ausgabe der *Quaestiones naturales* des Seneca von Matthaeus Fortunatus, die selbst Erasmus mit Anerkennung aufnahm. Im 16. Jh. verlor der Aufschwung etwas an Kraft: Einerseits lenkten die polit. Ereignisse, andererseits die Reformation das Interesse in andere Richtungen (Kampf ums Überleben bzw. Entwicklung einer muttersprachlichen Hochkultur, theologische und philos. Fragen). Dennoch entfaltete um die Mitte des Jh., freilich nicht in U., J. Sambucus eine umfangreiche Tätigkeit beim Sammeln von Handschriften. Auch das Sammeln von röm. Inschr. ging weiter (A. Verancsics, St. Szamosközy), und in Preßburg, der damaligen Hauptstadt des sog. Königlichen U., bildete sich ein kleiner Humanistenkreis um den niederländischen Humanisten N. Ellebodius, der im Druck zwar nur die Schrift *De natura hominis* des Nemesios herausgab (1565), sich aber auch mit anderen griech. Autoren, bes. Aristoteles, eingehend beschäftigte.

B. 17.–18. JAHRHUNDERT

Das 17. und 18. Jh. brachte keine wesentlich neuen Erkenntnisse. Inschriften wurden auch weiterhin gesammelt, ein lat.-ungarisches und ungarisch-lat. WB wurde vom Reformator A. Szenci Molnár (drei immer wieder stark erweiterte Auflagen: 1604, 1611, 1621) bzw. ein lat.-ungarisches und ungarisch-lat.-dt. WB vom Arzt und reformierten Theologen F. Pápai Páriz

(1708, umgearbeitet vom Pfarrer P. Bod) herausgegeben. Nach der Verdrängung der Türken (1686–1699)
kam das ganze Land, auch Siebenbürgen, unter die Regierung der habsburgischen Könige. Im verwüsteten
Land schienen nicht die Fragen einer Altertumswiss. die
wichtigsten zu sein (etwa wie in → Deutschland nach
dem Dreißigjährigen Krieg); um so mehr wirkte der
utilitaristische Geist der → Aufklärung. Die erste Anregung zur Entwicklung einer klass. Altertumswiss. in
heutigem Sinne kam aus Göttingen, wo viele Ungarn
studierten, so u. a. É. Budai und L. Schedius. Nach seiner Heimkehr veröffentlichte Budai einige nützliche
Schulausgaben mit Erläuterungen (Cicero, Terenz) und
eine griech.-röm. Literaturgeschichte. Obwohl sowohl
er als auch Schedius im Schulwesen tätig waren, wurde
keiner der beiden zum Begründer der ungarischen Altertumswissenschaft. Unter den rückständigen wirtschaftlichen und gesellschaftlichen Umständen schienen in erster Linie diesbezügliche Reformen vonnöten
zu sein, und für den aufklärerischen und philanthropi-
schen Bildungsutilitarismus war die Philol. etwas Un-
nützes. Auch im Universitätssystem (→ Universität) war
ihre Lage sehr ungünstig. Lateinkenntnisse waren zwar
als gegeben betrachtet, die Philol. hatte aber keinen
Lehrstuhl. Die → Provinzialrömische Archäologie war
hingegen an der Univ. Pest durch renommierte Gelehrte (St. Schönvisner, P. Katanchich) vertreten. Unter
dem Einfluß des dt. → Neuhumanismus wandte sich
eine nicht-zünftige intellektuelle Elite stark auch der
griech. Kultur zu, was in der Beschäftigung mit Dichtung und Philos. Früchte trug und zur Basis einer fach-
gemäßen klass. Philol. wurde.

C. 19. JAHRHUNDERT

Die eigentliche Entwicklung der klass. Altertumswiss. im 19. Jh. begann mit der Universitätsreform
(1848–1850), die nach preußischem Vorbild die Lehrfreiheit deklarierte und die Philos. Fakultät von einer
Art Propädeutikum zu einer regelrechten Fakultät
machte. Die Klass. Philol. wurde zum selbständigen
Fach. An die Stelle des aufklärerischen Enzyklopädismus trat damit das Fachgemäße, an die Stelle des Schul-
mäßigen das Wissenschaftliche. Die auf die Revolution
und den Freiheitskrieg 1848/49 folgende, streng absolutistische Regierung lockerte sich vom Anf. der 60er J.
an allmählich, so daß 1867 ein Ausgleich zw. Österreich
und U. zustande gebracht werden konnte. Dieser Ausgleich gab u. a. auch dem Wiss. einen Aufschwung und
half eine zeitgemäße Altertumswiss. zu entwickeln.
Zeitgemäß war in den Geisteswiss. das Geltendmachen
der histor. Betrachtungsweise, in der Philol. das Geltendmachen der Lachmannschen Methode bzw. der
vergleichenden und histor. Sprachwissenschaft. Beide
wurden von E. Thewrewk von Ponor, der Schüler
Vahlens in Wien gewesen war, sowohl in seinen niveau-
vollen Schulkomm. als auch in seiner wiss. und Lehrtätigkeit gefördert. Dadurch und durch seine organisatorische Tätigkeit (Philol. Gesellschaft, Zeitschrift, Publikationsreihen) gilt er als Begründer der ungarischen

Klass. Philologie. Seine Schüler, die auch an dt. Univ.
studierten und ihren Meister wiss. teilweise überholten,
arbeiteten in verschiedenen Richtungen weiter: E. Ábel
(spätgriech. Dichtung, Pindar-Scholien, ungarischer
Human.), W. Petz (vergleichende Tropenforsch., Begründer der ungarischen → Byzantinistik), G. Némethy
(Euhemeros, röm. Dichtung, divinatorische Textkritik), Gy. Czebe, J. Révay (Spätant., silberne Latinität).
Seit 1883 gab es an der 1825 gegründeten Ungarischen
Akad. der Wiss. eine eigene Kommission für Klass. Philol., die kritische und zweisprachige Ausgaben sowie
Übers. veröffentlichte und die allg. sprach- und literaturwiss. Zeitschrift *Egyetemes Philologiai Közlöny* sowie
die Budapester Philol. Gesellschaft unterstützte.

D. JAHRHUNDERTWENDE

Die Übernahme der Methode der dt. Klass. Philol.
war jedoch nicht problemlos. Das enorme Anwachsen
von Quellen und Kenntnissen brachte in ganz Europa
eine zunehmende fachliche Spezialisierung. Die Er-
kenntniskrise des Jahrhundertendes und die sich ab-
zeichnende Krise des → Historismus ließen hinsichtlich
der vorher für völlig richtig gehaltenen Methode Skepsis aufkommen und rieten zur Detailforschung. Die
Klass. Philol. drohte damit das große Erbe der Altertumswiss. des Neuhuman., den Gesamtblick des Alt.
und den Lebensbezug der Altertumswiss. zu verlieren.
Von den neuen, nicht-histor., strukturalistischen, sy-
stemgemäßen Methoden hat die klass. Altertumswiss.
herzlich wenig Kenntnis genommen. Dazu kam seitens
des radikalen Bürgertums und der Arbeiterbewegung
der Einwand, die Klass. Philol. sei für das mod. Leben
nutzlos; von extrem-nationalistischer Seite kam der
Vorwurf, sie sei für die nationale Kultur belanglos. Die
ungarische Altertumswiss. war also am E. des 19. Jh. in
der paradoxen Lage, das überholen und modernisieren
zu sollen, was erst eben einzuholen gewesen wäre. Die
Lösung wurde in verschiedenen Richtungen gesucht: a)
in einer »linearen« Ausdehnung der Altertumswiss., um
sie mit der Neuzeit zu verbinden, d. h. im Einbeziehen
mittel- und neugriech. bzw. -lat. Studien (W. Petz); b)
in einer Annäherung an die Politologie (J. Schvarcz); c)
in der Rezipierung der Ergebnisse und Methoden der
frz. Soziologie und Psychologie bzw. der britischen eth-
nologischen Schule (Gy. Hornyánszky, K. Marót); d) in
der Annäherung an das Zeitgeschehen, d. h. in der Betonung der Bed. der Altertumswiss. für die Erforsch. der
nationalen Kultur (R. Vári).

Die drei Letztgenannten verschoben den Schwerpunkt in Richtung »Realphilol.« zum Schaden der
Textphilol., die nur noch in den byz. und mittellat. Studien blühte. Unter den traditionellen Forschungsgebie-
ten wurde die Provinzialarch. weiter gepflegt (B.
Kuzsinszky). Auch die Erforsch. der ant. Kunst stieg an
(N. Láng, A. Hekler).

E. ZWISCHEN DEN BEIDEN WELTKRIEGEN

In der wirtschaftlich, gesellschaftlich und polit. sehr
kritischen Lage nach dem I. Weltkrieg (U. hatte zwei
Drittel seines früheren Gebietes verloren) war eine Po-

larisierung der Tendenzen der Vorkriegszeit zu beobachten: Einerseits gab es den Trend, die Altertumswiss. als nationale Wiss. darzustellen bzw. durch entsprechende Zielsetzungen (Provinzialarch., mittelgriech. und -lat. Studien, Rezeptionsprobleme usw.) umzugestalten (J. Huszti, Gy. Moravcsik); andererseits wurde das Konzept einer einheitlichen, nicht mehr nur »klass.« Altertumswiss. entwickelt, die außer der gesamten Kultur der griech.-röm. Welt auch die des Alten Orients und der Randvölker sowie alle Nachbardisziplinen umfaßt. Dieses Konzept zog die Konsequenz aus den gewachsenen Kenntnissen des 19. Jh. und strebte die Verwirklichung des neuhuman. Gesamtblicks auf einer höheren Ebene an. Diese Bestrebung war damals ganz neu, etwas ähnliches war früher allein in Ed. Meyers Geschichtsschreibung und im Programm der *Cambridge Ancient History* zu finden. Dieses Konzept gestaltete sich von den 20er J. an in der Forschungspraxis von K. Marót bzw. A. Alföldi und wurde in den 30er J. von K. Kerényi programmatisch formuliert.

F. Der II. Weltkrieg und die Nachkriegszeit

Die Generation, deren wiss. Laufbahn in den 30er J. begann, wurde von diesen Anregungen bestimmt. Freilich ging jeder seinen eigenen Weg: I. Trencsényi-Waldapfel (griech. Lit., Religionsgeschichte, AT, Humanismusforsch.), Á. Szabó (Schüler von K. Reinhardt, griech. Lit. und Geschichte, Philosophiegeschichte, Geschichte des mathematischen Denkens und der Astronomie), I. Borzsák (röm. Lit., Alexandergeschichte, Textkritik, Humanismusforsch.), I. Hahn (Alte Geschichte, Religionsgeschichte), J. Harmatta (griech. Geschichtsschreibung, indoeurop. Sprachwiss. im Rahmen der Kulturgeschichte, bes. Iranistik, Indologie, ungarische Urgeschichte), J. Gy. Szilágyi (griech. Kunst, etrusko-korinthische Vasenmalerei, röm. Lit.). Die Forsch. realisierte somit das Prinzip der Totalität. Neben der etwas einseitig gewordenen »realphilol.« Einstellung erschien nach dem II. Weltkrieg wieder die Textphilologie. Die mgriech. und mittellat. Studien blühten auf, von den 30er J. an wurde eine wichtige Reihe von mittellat. Texten herausgegeben (J. Juhász). In der Nachkriegszeit herrschte zunächst eine orthodoxe Form des → Marxismus, was von der Weltanschauung her bestimmte Schranken bedeutete (schroffe Ablehnung ahistor., formaler Prinzipien, so auch der neuen strukturalistischen Methoden, wodurch bes. der Literaturwiss. großer Schaden zugefügt wurde; ständige Zurückführung der Erscheinungen auf die Produktionsverhältnisse). Sie wirkte jedoch auch positiv, v.a. durch Einbeziehung von früher übersehenen wirtschafts- und gesellschaftsgeschichtlichen Fragen bzw. soziologischen Gesichtspunkten. Die Tätigkeit jener Generation entfaltete sich in den Jahrzehnten nach dem Krieg, ein großer Teil der Ergebnisse fällt in diese Zeit. Ein bes. Aufschwung ist in der Forsch. des Alten Orients zu beobachten. Die Provinzialarch. florierte, junge Forscher erschienen an der Seite der älteren (A. Mócsy, J. Fitz). Als die ideologische Atmosphäre von den 60er J. an li-

beraler wurde, eigneten sich sowohl die jüngere als auch die ältere Generation die strukturalistischen Methoden an, was die immanente Analyse von Kunstwerken beförderte, ohne die histor. Zusammenhänge außer acht zu lassen. In den mgriech. Studien wurden statt des Problemkreises der ungarisch-byz. Beziehungen andere Fragen der byz. Kultur in den Vordergrund gerückt. Die Veröffentlichung des großen WB der Latinität des ma. U. (→ Mittellatein) ist bereits im Gang, es erscheinen auch neue kritische Textausgaben. Im Mittelpunkt der gegenwärtigen Forsch. stehen folgende Gebiete: a) die Ergebnisse einer ungarischen Ausgrabung in Ägypten; wirtschafts- und gesellschaftsgeschichtliche Fragen des alten vorderen Orients; b) mykenische Forsch., frühgriech. Epik, Geschichte der athenischen Demokratie, griech. Drama; röm. Komödie, röm. Epik, bes. der nachaugusteischen Zeit, röm. Geschichtsschreiber und ihre Textkritik; das ästhetische Denken im Alt., ant. Rhet., der ant. Roman, Geschichte der Philos. (bes. der Logik) und der Wiss. im Alt., spätant. Kultur; griech. Vasenmalerei; Pannonienforschung. c) frühbyz. Geschichtsschreibung; Humanismusforschung. Ein Teil dieser Arbeiten wird von der Ungarischen Akad. der Wiss. betreut, die u.a. seit 1950 bzw. 1954 auch die Zeitschriften *Acta Archaeologica, Acta Antiqua* (in fremden Sprachen) bzw. (statt des 1948 eingestellten *Egyetemes Philologiai Közlöny*) *Antik Tanulmányok* (in ungarischer Sprache) herausgibt.

1 J. Balázs (Hrsg.), Klasszikus álmok. Antológia, Einl.: D. Keresztury, Budapest 1943 2 I. Borzsák, Az antikvitás XVI. századi képe, Budapest 1960 3 A. Förster, A Magyar Tudományos Akadémia és a klasszikus ókor, Budapest 1927 4 J. Harmatta, The Study of the Ancient World, in: T. Erdey-Gruz, K. Kulcsár (Hrsg.), Science and Scholarship in Hungary, Budapest 1975 5 D. Hegyi, Zs. Ritoók, 25 J. Indogermanistik in U., in: Acta Linguistica Academiae Scientiarum Hungaricae 22, 1972, 401–417 6 J. Horváth, Az irodalmi müveltség megoszlása. Magyar humanizmus, Budapest ²1944 7 J. Huszti, Tendenze platonizzanti alla corte di Mattia Corvino, in: Giornale critico della filosofia italiana, 1930, 1–37, 135–162, 220–236 8 Ders., Klass. Philol., in: Z. Magyary (Hrsg.), Die Entstehung einer internationalen Wissenschaftspolitik, 1932, 68–72 9 Ders., Pier Paolo Vergerio s a magyar humanizmus kezdete, in: Filológiai Közlöny 1, 1955, 521–533 10 G. Istványi, Die mittellat. Philol. in U., in: Dt. Archiv für Gesch. des MA 4, 1940, 206–223 11 T. Kardos, La tradizione classica in Ungheria, Budapest 1944 12 Ders., La Hongrie latine, Paris 1944 13 Ders., A magyarországi humanizmus kora, Budapest 1955 14 K. Kerényi, Klasszika-filológiánk és a nemzeti tudományok, in: Egyetemes Philológiai Közlöny 54, 1930, 20–35 (cf. PhW 50, 1930, 947f.) 15 T. Klaniczay, La Ren. hongroise. Les nouvelles recherches et l'état de la question, in: Bibliothèque d'Humanisme et Ren. 26, 1964, 439–475 16 Ders., Das Contubernium von Johannes Vitéz. Die erste ungarische »Akad.«, in: K. Benda, Th. v. Bogyay, H. Glassl, Zs. K. Lengyel (Hrsg.), Forsch. über Siebenbürgen und seine Nachbarn, Bd. 2, 1988, 227–243 17 J. Kornis, Ungarische Kulturideale 1777–1848, 1930 18 Gy. Moravcsik, Stand und Aufgaben der klass. Philol. in

U., 1955 **19** Ders., Dix années de philologie classique hongroise (1945–1955), in: Acta Antiqua Academiae Scientiarum Hungaricae 3, 1955, 191–206 **20** Zs. RITOÓK, Emil Thewrewk von Ponor und die Klass. Philol. in U. bis zum E. des I. Weltkrieges, in: E. KLUWE, Zs. RITOÓK, J. SLIWA (Hrsg.), Zur Gesch. der klass. Altertumswiss., 1990, 13–39 **21** Ders., Die Alten Sprachen in U., in: Gymnasium 100, 1993, 163–166 **22** Ders., The Contribution of Hungary to International Classical Scholarship, in: Hungarian Stud. 12, 1997, 5–15 **23** Ders., L'enseignement du Latin dans les écoles secondaires de Hongrie (1945–1995), in: Acta Antiqua Academiae Scientarum Hungaricae 38, 1998, 275–296 **24** Ders., Ein Kampf um das Griech., in: Acta Antiqua Academiae Scientarum Hungaricae 41, 2001, 225–230 **25** A. RITOÓK-SZALAY, Der Kult der röm. Epigraphik in U. zur Zeit der Ren., in: A. BUCK, T. KLANICZAY, S. K. NÉMETH (Hrsg.), Geschichtsbewußtsein und Geschichtsschreibung in der Ren., Budapest 1989, 65–75 **26** G. STANGLER (Hrsg.), Schallaburg '82. Mathias Corvinus und die Ren. in U., Ausstellungskat. Wien 1982 **27** R. VÁRI, A classica-philologia encyclopaediája, Budapest 1906, 436–456.   ZSIGMOND RITOÓK

United Kingdom I. MITTELALTER II. NEUZEIT III. LITERATUR NACH 1945 IV. POSTKOLONIALE LITERATUREN NACH 1945 V. MUSEEN

I. MITTELALTER
A. EINLEITUNG B. ANGELSÄCHSISCHES ENGLAND (CIRCA 500–1000) C. ÜBERGANGSZEIT (10.–12. JAHRHUNDERT) D. SYSTEMATISCHE ZUGRIFFE (11.–15. JAHRHUNDERT)

A. EINLEITUNG

Die kollektive Erinnerung an das E. der röm. Herrschaft in Britannien hat sich im angelsächsischen England offenbar bald mit einem Mythos verbunden: ›In diesem J. (418) sammelten die Römer alle Schätze ein, die sich in Britannien fanden, und verbargen einen Teil in der Erde, so daß sie danach nicht mehr wiedergefunden wurden, und einen anderen Teil nahmen sie mit nach Gallien‹ (*Angelsachsenchronik*, sub anno 418). Das Vergraben des Schatzes kommt in der angelsächsischen Vorstellungswelt einem Verzicht auf Macht gleich; der röm. Machtverzicht wird so auch zur german. und dann angelsächsischen Rechtfertigung der Eroberung des Machtvakuums Britannien durch die german. Stämme vom Kontinent ab der Mitte des 5. Jh.; ohne Schatz keine Krieger, ohne Krieger keine Herrschaft. Die Rezeption der röm. Ant. beginnt im frühma. Britannien also mit der Konstruktion ihrer Geschichte auf der Basis angelsächsischer Wertvorstellungen. Ihre Aneignung ist utilitaristisch nur auf die Gegenwart bezogen; nur was angelsächsische Gegenwart verständlich macht und Handlungsmuster der Gegenwart legitimiert, ist erinnerungswürdig. Mit vergleichbarer Einstellung verliert die überall sichtbare röm. Vergangenheit der Insel in Form von Städten und Stadtbauten wie Stadtmauern, in Form von röm. → Villen oder in Form von Straßen ihre

Bed. für die (neuen) Siedler der Zeit ab ca. 500. Die röm. Vergangenheit ist zwar da, sie ist sichtbar; sie wird aber, bis auf ihren gelegentlichen Gebrauch für neue Bauzwecke, wohl nicht als sinnstiftend für die Gegenwart erfahren. Unterstellt man, daß sich das altengl. Fr. *The Ruin* auf die Stadt Bath bezieht, so werden an diesem lit. Beispiel durch seinen allenfalls nostalgischen Blick in die Vergangenheit der materielle Verfall röm. Bauten ebenso deutlich wie auch eine Einschätzung röm. Lebensart als sinnlos für die Gegenwart. ›Kunstvoll ist der Steinbau, der Lauf der Geschehnisse (*wyrd*) zerstörte ihn; die Stadt zerfiel, es zerbrach das Werk der Riesen (. . .). Hell waren die befestigten Gebäude, die vielen Badehäuser, hoch die reichen Hauszinnen, lauter Kriegsruf, manche Methalle war voll vom Jubel der Männer, bis der Lauf der Ereignisse (*wyrd*) das (alles) umwandelte (. . .). Daher veröden nun diese Paläste (. . .)‹ (V. 1–2, 21–24, 29b in [102. I. 357f.]).

Ganz anders die Wahrnehmung röm. Ant. während der Zeit der engl. Ren., um 1540: Auf seiner Wanderung durch England kommt der Antiquar und Gelehrte John Leland nach Bath und notiert sorgfältig die vermutlich ant. Skulpturen in der Stadtmauer: die Herkules-Figur; den Kopf des Mannes, der einer Münze von Gaius Antius gleiche; die Figur eines Soldaten; die nackten Figuren in Umarmung; die Inschriften. Hier ist Wissen über die Ant. erkenntnisgewinnend eingesetzt zur wiss. Beobachtung. Sie will nicht mehr bloß aneignen, sie will identifizieren und histor. möglichst exakt verorten: ›Welche ant. Skulpturen auch immer an den Stadtmauern zw. dem Nord- und dem Ost-, dem Ost- und dem Südtor vorhanden gewesen sein mögen, sie sind beim Bau der Abtei und beim Bau neuer Mauern zerstört worden. Ich habe große Zweifel, ob diese ant. Werke während der röm. Besatzung Britanniens an ihre gegenwärtige Stelle in die Mauern eingesetzt wurden, oder ob sie nicht doch von alten Ruinen in der Stadt stammen und später in die Mauern gesetzt wurden, als Beleg für das Alter der Stadt‹ [71. 407].

Zwischen dem frühma. Mythos des verborgenen Schatzes als Zeichen des E. röm. Herrschaft und der gelehrten Spekulation über die Herkunft und den sinntragenden Ort ant. Skulpturen an den Stadtmauern von Bath liegen ca. 1000 J. Rezeption der klass. Vergangenheit, in denen die Wahrnehmung röm. wie griech. Ant. nie wirklich abgerissen ist. Die Ant. war sozusagen ständig präsent, war gegenwärtig in vielfältigsten Formen ihrer gegenwartsbezogenen Aneignung: in der gründlichen Umarbeitung ant. Stoffe; in ihrer (mehr als einmal fehlerhaften) → Übersetzung; in der Nachahmung ant. lit. Vorbilder oder bildlicher Vorlagen in Hss. oder auf Münzen; in der Zusammenstellung von Sentenzen der *auctores* in Florilegien; in Zitaten oder in dem bloßen Verweis auf einen Namen; im Wiedergebrauch röm. Bauten oder im Gebrauch röm. oder byz. Titel. Von der → Spolie bis zur archivierenden Sammlung ant. Hss. findet sich auch im England des MA eine erhebliche Variationsbreite im Umgang mit ant. Kultur. Es muß aber ebenso festgehalten werden, daß diese Rezeption bei aller Verschiedenartigkeit der Inhalte und der Modi von Aneignungen nie systematisch erfolgt, daß sie immer nur punktuell stattfindet; daß sie v. a. im Früh- und Hoch-MA gebunden ist an kleine und elitäre Kreise gebildeter Kleriker; daß die Fülle der Verweise auf ant. Autoren, auf ant. Stoffe oder Mythen etc. in der ma. engl. Literatur allzu oft nur Zitate aus zweiter oder dritter Hand sind, die eben nicht eine aktive oder gar kritisch-konstruktive Rezeption der Ant. belegen; daß all solche Rezeptionen auch und immer beeinflußt sind von dem christl. Grundsatz des *ad nostrum dogma* – ohne eine mehr oder weniger explizit verdeutlichte, christl. Nutzanwendung und Umdeutung, auch wo sie manchmal nur formal bekannt wird, kommt im engl. MA kaum ein sinntragender Verweis auf die Ant. aus. Auf der Grundlage gängiger Theorien über Rezeption als Prozeß einer Aneignung fremder Trad. bei gleichzeitiger Integration des Tradierten in die Interessensphäre und die Weltsicht derjenigen, die sich solche Trad. aneignen (→ Nachträge: Akkulturation; → Rezeptionsformen), läßt sich zunächst generell festhalten, daß die ma. Rezeption der Ant. in England nicht grundsätzlich anders verläuft als auf dem Kontinent. Anders als nach der Normannischen Eroberung und der Ren. des 12. Jh. lassen sich aber für die angelsächsische Zeit solche Aneignungen nur wenig systematisieren.

B. Angelsächsisches England (circa 500–1000)

Die Spuren der röm. Eroberung und des daraus folgenden kulturellen Austausches der Provinz Britannia mit Rom sind auch in Großbritannien noch h. in arch. Funden, in röm. Bauten, in Resten röm. Straßen und in Ortsnamen überall präsent. Mosaikböden wie der der Villa in Fishbourne (Sussex), die Grundmauern von Tempel- und Verwaltungsbauten wie die unter der Kathedrale von York (Eburacum) oder etwa Teile der Straßenverläufe entlang der alten Handelsstraße von London (Londinium) nach Chester (Deva) zeugen von dieser Vergangenheit. Sicherstes Indiz hingegen dafür, daß die Angelsachsen diese Vergangenheit nicht nur distanziert wahrnahmen, sondern sie in ihren eigenen Lebensraum integrierten, sind die Ortsnamen, mit denen sie eine stattliche Reihe von röm. Siedlungen neu benannten. Caister, »röm. Lager« oder »Stützpunkt« (röm. Name Venta Icenorum); Chester, »röm. Fort« (Deva); Chichester, »röm. Stützpunkt des Cissi« (Noviomagus); Cirencester, »röm. Stützpunkt der Cornovii« (Corinium); oder Colchester, »röm. Stützpunkt am Fluß Colne« (Colonia Camulodunum) sind nur fünf Beispiele mit dem Initial C-, neben sicher bekannteren Orten wie Worcester, »röm. Lager des Stammes der Wigora« (Uueogorna civitas) ; Winchester, »röm. Stützpunkt am bevorzugten Ort der Belgae« (Venta Belgarum), Leicester, »röm. Lager der Ligorae« (Ratae Coritanorum) oder Cambridge (Grantacæstir, »röm. Lager am Fluß Granta«) tragen alle das altengl. Namenselement *–ceaster* als Bezeichnung für ein röm. *castrum*. Neben den ehe-

maligen *castra* gehen auch viele der mit dem german. Ortsnamenselement *–burh* bezeichneten Orte auf solche befestigten röm. Orte zurück, wie z. B. Canterbury, der befestigte Ort, die *burh* der Kenter (Darovernum). Das arch. am besten erforschte Winchester läßt überdies erkennen, daß bei späterer Stadtplanung im Zuge des Festungsbaus unter der Herrschaft des westsächsischen Königs Alfred (871–899) möglicherweise der röm. Straßenverlauf in der Stadt berücksichtigt wurde. Die rechteckige Anlage der Straßen im Winchester des späten 9. und 10. Jh. folgt weitgehend derselben Anlage aus röm. Zeit. Allerdings muß man wohl davon ausgehen, daß es nur in seltenen Fällen eine direkte Nutzung der röm. Villen, Siedlungen und Festungen durch die neuen german. Herren in Großbritannien gegeben hat. Archäologische Funde legen eher nahe, daß die german. Eroberer zunächst zwar in der Nähe röm. Orte, aber nicht unbedingt in ihnen selbst siedelten. Das Ausmaß an Kontinuität zw. röm.-keltischer und angelsächsischer Nutzung der Villen und Städte bleibt demnach ebenso unklar wie der Grad an histor. Bewußtheit, mit dem die Angelsachsen diesen Zeugnissen röm. Ant. in Britannien begegneten. Es läßt sich anhand der Funde und der histor. Quellen aber ablesen, daß mit der Bekehrung zum Christentum und der daraus folgenden Anforderung, christl. Kultstätten in Stein zu bauen, zumindest eine intensivere Baunutzung der röm. Vergangenheit gefördert wurde. Die Krypta in Hexham (Nordhumbrien) etwa ist aus Steinen der röm. Siedlung Corbridge gebaut, während in Brixworth (Northamptonshire) röm. Ziegel in den Säulen des Kirchenschiffes verbaut wurden. Ein Hinweis bei Beda läßt jedoch vermuten, daß solche Nutzung eben nicht einfach gleichzusetzen ist mit bewußter Rezeption der Antike. Von ihrer Äbtissin um 695 auf die Suche nach einem passenden Stein für ein Grabmal geschickt, finden einige Brüder aus Ely an der Stadtmauer in Cambridge einen offenbar röm. Sarkophag aus weißem Marmor; sie erkennen in dem Fund zwar die Fügung Gottes, einen Bezug zur Ant. sehen sie dagegen nicht (6,19(17) in [8]).

Papst Gregors Missionsauftrag an die Missionare aus Rom, die 597 nach England kamen, enthielt auch die Anweisung, die heidnischen Heiligtümer nicht zu zerstören, sondern sie christl. zu weihen, Altäre zu bauen und Reliquien niederzulegen; lediglich die Götzenbilder sollten zerstört werden (1,30 in [8]). Es wäre denkbar, daß auch röm. Tempel in England zu solchen Zwecken neu geweiht und dabei z. B. ihr heidnischer Figurenschmuck beseitigt wurde. Im Südwesten Englands sind eine Reihe von Kirchen auf röm. Villengelände erbaut, so daß kontinuierliche Nutzung von Kultstätten möglich scheint. In York steht die ma. Kathedrale auf röm. Gründung der → Basilika ; wiewohl deren Gebrauch für kultische Zwecke keineswegs sicher ist, fanden sich dort auch eine Reihe röm. und späterer angelsächsischer Gräber. Von dort ist auch der Grabstein eines Römers überliefert, des Antonius Gargilianus, Präfekt der 6. Legion. Sein Grabstein wird in angelsächsischer

Zeit mit neuer Inschr. neu genutzt; nach einem Kreuz-
zeichen trägt er die Aufforderung ›Betet für die Seele
von Costaun‹ [114. 29]. Klare Nachweise einer Nutzung
röm. Kultstätten gibt es allerdings nicht, weil die arch.
Funde mehrdeutig sind und zudem die Möglichkeit nie
ausgeschlossen werden kann, daß die röm. Vorläufer-
gebäude schon von den Kelten oder den Römern selbst
als christl. Kultstätten genutzt wurden.

Die dem MA eigene christl. Umdeutung alles Ant.
sowie die Beschränkung des Rezipierten vornehmlich
auf das, was dem Dogma des Glaubens dient, zeigt sich
auch in der Verarbeitung von im weitesten Sinne lit.
Texten. Der überaus kritische Umgang mit der klass. als
heidnischen Lit. wird z. B. durch Bedas rhet. Schriften
erhellt, die als Lehrbuch-Typus im späteren MA zugleich
immer auch Zitatensammlung der ant. Dichtung sind.
Wiewohl Beda in diesen Lehrschriften den ant. Grammatikern und unter ihnen hauptsächlich Charisius, Diomedes und Pompeius folgt, ersetzt er sowohl in seinem
Traktat *De arte metrica* als auch in seinem Rhetorik-
schulbuch *De schematibus et tropis* die in seinen Quellen
wie andernorts üblichen Zitate aus der klass. Lit. durch
solche aus der Bibel bzw. aus christl., spätant. Dichtern.
Offenbar soll die ant. Lit. nicht in die Hände von Schülern kommen, denn eine sorgfältige Durchsicht seiner
Schriften enthüllt gegen die denkbar pädagogische Vor-
sichtsmaßnahme in den Lehrbüchern z. B. den Einfluß
Vergils, wie denn auch Beda als der Typus des klass.
gebildeten Klerikers gelten kann, dessen Bekanntschaft
mit einer ganzen Reihe ant. Autoren Merkmal seiner
Schriften ist. In seinen einflußreichen, wenn auch wenig verläßlichen Studien *Books known to the English,
597–1066* hat Ogilvy [86] akribisch jeden einzelnen Beleg für Zitate aus oder Verweise auf Cicero, Dioscori-
des, Ennius, Horaz, Juvenal, Livius, Lucan, Ovid, Plinius, Seneca, Statius, Symphosius, Terenz oder Vergil in
den Werken angelsächsischer Autoren gesammelt und
aktenkundig gemacht. Viele der Belege in seiner Kollektion und in vergleichbaren Listen (z. B. [35; 97; 60])
sowie Textreferenzen lassen bei den angelsächsischen
Gelehrten Kenntnis der klass. Autoren oft nur aus zweiter Hand vermuten (vgl. z. B. [89. 127–161]); die gelegentlichen Zitate, der beiläufig erwähnte Verweis auf
eine Quelle, v. a. aber stilistische Einflüsse sind nachweisbar, aber immer eingefügt in und adaptiert für einen christl. fundierten Argumentationszusammenhang.
Vor allem aber belegen diese Kollektionen eines: Die
Rezeption ist auf eine kleine Handvoll von *eruditi* beschränkt, auf einen elitären, intellektuellen Zirkel; die
gelehrte Rezeption einzelner ant. Autoren macht sie
nicht zum Allgemeinbesitz. Von Erzbischof Theodor
(602–690) und Abt Hadrian († 709/10), die zw. 670–700
in Canterbury lehrten, von Bischof Aldhelm (ca. 640–
709/10), Beda (ca. 673–735), Erzbischof Tatwine († 734)
und Alkuin (ca. 735–804) im späten 7. und 8. Jh. über
Bischof Asser († 908/9) im späten 9. Jh. bis zu Bischof
Æthelwold (ca. 905–984), Abt Ælfric (ca. 950– ca. 1010)
und Wulfstan von Winchester (um 996) oder Byrhtferth

von Ramsey (ca. 970– ca. 1020) um die Millenniums-
wende lassen sich somit Gruppen von wenigen Gebildeten ausmachen, die sich drei Zeiten assoziieren und
deren Schriften wie Wirken Zeitinseln des Wissens in
einem umgebenden Meer von mangelnder oder fehlen-
der Latinität darstellen. Das späte 7. Jh. mit der Schule
von Canterbury und das 8. Jh. mit Bedas Nordhumbrien als intellektuellem Zentrum, die vom Westsach-
senhof König Alfreds ausgehende Reform des späten
9. Jh. und die Benediktinerreform des späten 10. und
frühen 11. Jh. sind drei Zeitabschnitte der Förderung
von Bildung und Gelehrsamkeit, die ganz wesentlich
über die monastischen Schulen vermittelt wurden und
auch Bedingung für die Möglichkeit der Antikerezeption waren. Jede solche Rezeption im angelsächsischen
England ist somit bedingt durch monastische Bildung.
Der Niedergang der Klöster ab ca. 800 (mit dem Beginn
der Angriffe und Zerstörungen der Ersten Wikinger-
zeit, ca. 780– ca. 900) markiert ein deutliches E. der
Blütezeit von Bildung und Gelehrsamkeit im 7. und
8. Jh.; ein vergleichbares Ausmaß an intellektueller
Größe wurde in den folgenden Reformversuchen zw.
ca. 880 und 900 (König Alfred) sowie zw. ca. 960 und
1020 (Benediktinerreform) nicht wieder erreicht.

Monastische Schulen und deren Bibl. sind die Aus-
bildungsstätten für die angelsächsische klerikale Elite
gewesen; die ebenso vorhandenen Kathedralschulen
haben den Rang der monastischen nur selten erreichen
können. Am E. des 8. Jh. zählten die engl. Schulen zu
den herausragendsten Bildungsstätten in Westeuropa;
einige ihrer Schüler wie z. B. Beda oder Alkuin haben
Geschichte und Inhalte europ. Bildung über lange Zeit
wesentlich geprägt, aus ihnen kamen eine ganze Reihe
der Lehrer und Missionare, die im 8. Jh. die Germanen
auf dem Kontinent bekehrten. Alkuin preist die Schule
von York in seinem gelehrten Gedicht über die Bischöfe, Könige und Heiligen der Stadt; ihr Curriculum
umfaßte Gramm., → Rhetorik, Computistik (→ Zeitrechnung), Astronomie, Geom., Arithmetik und wahrscheinlich auch Logik (wenn sich Alkuins Hinweis auf
acer Aristoteles in seinem gereimten Bibliothekskat. auf
die *Kategorien* nach der Übers. des Boëthius beziehen
läßt: [60. 46 ff.]). Aus den Ausbildungsprogrammen wie
aus Bibliothekslisten und Einzelreferenzen ist aber ersichtlich, daß allenfalls spätant. christl. Autoren wie Ju-
vencus mit seiner *Evangelienharmonie* (aus der Mitte des
4. Jh.), Caelius Sedulius mit seinem *Carmen paschale* (1.
H. 5. Jh.) oder Arator mit seiner *Historia apostolica* (Mitte
6. Jh.) Eingang in den Schulunterricht fanden; dieser
Grundbestand an Schullektüre konnte im fortgeschrittenen Stadium des Lateinstudiums mit weiteren christl.-
spätant. Autoren wie Prudentius (4. Jh.), Dracontius (E.
5. Jh.), Avitus (um 500) oder Venantius Fortunatus (2.
H. 6. Jh.) angereichert werden (im spätangelsächsischen
England finden sich dann auch noch Beda und Aldhelm
auf dem Lehrplan der besten Schüler). Es ist also in den
meisten Fällen der kulturelle Kontext der spätant. Autoren, durch ihre eigene Ausbildung selbst auch Rezi-

pienten der ant. Trad., über den angelsächsische Autoren Zugang zur Ant. fanden. In der Tat scheinen Vergil, Horaz und Persius die einzigen Autoren zu sein, für die sich im angelsächsischen England Studium und gründlichere Lektüre relativ sicher nachweisen lassen – wenn man aus dem Gebrauch von Worten, der Parallelität und Imitation metrischer Muster oder aus verbalen Ähnlichkeiten und Anklängen auf eine intensivere Beschäftigung sicher schließen kann (Vergil: z.B. [89. 130–135] für Aldhelm, [128] für Beda; Horaz: [89. 141–145] für Aldhelm, [63. 37–38, 249. Anm. 14–18] für Aethelwolds Schule im Winchester des späten 10. Jh., [63. 44] für Wulfstan Cantor in Winchester; Persius Flaccus: [89. 135–136] über Aldhelm und Persius-Hss. in England).

Für die Kenntnis ant. Quellen im angelsächsischen England ist demnach eine Vermittlung über spätant. und frühma. christl. Autoren typisch; eine Rezeption, in der die urspr. Quelle bereits verarbeitet, transformiert und an andere Interessen adaptiert erschienen ist; eine Rezeption, an der nur in den seltensten Fällen ein Bewußtsein dessen abzulesen ist, daß sich mit einem Zitat, mit einer Wissensformation, mit dem Verweis auf eine Geschichte oder mit der einfachen Referenz auf eine frühere Quelle ant. Vergangenheit verbindet. Sehr gut illustrieren läßt sich dieser Grundsatz sekundärer Rezeption und christl. Adaptation am Beispiel der altengl. Version eines spätant. Autors und seines in der Reformzeit König Alfreds übersetzten und überarbeiteten Werks, nämlich der *Historia adversum paganos* des Paulus Orosius.

Die altengl. Version des Orosius ist keine Übers. im strikten Sinne; sie ist eher eine komplette Revision der spätant.-christl. Quelle. Trotz vieler gelehrter Zusätze, Komm. und Erklärungen wird der lat. Text von 236 Kap. auf 84 reduziert, der engl. Text umfaßt nur noch rund ein Fünftel der Vorlage. Alles, was Orosius im röm. Kontext um 417/8 Anlaß zur Polemik gegen die heidnischen Römer war, alles, was Argument für die Rückweisung des Vorwurfs war, die Christen hätten den Niedergang Roms verursacht, ist eliminiert oder auf ein Minimum reduziert. Statt dessen erhält die altengl. Version einen neuen Fokus: Weltgeschichte wird in der Umarbeitung ausschließlich zur Heilsgeschichte mit der Geburt Christi in ihrem Zentrum; der Fall Roms um 410 ist nicht mehr zentrales Argument. Neben dieser massiven Kürzung gibt es aber auch eine Reihe von Zusätzen, die den Text für ein angelsächsisches Publikum aufbereiten und zum Verständnis des Textes beitragen wollen. Untersucht man die letztendlichen Quellen der ausführlicheren Zusätze und Erklärungen, so kommt dabei auf den ersten Blick eine erstaunliche Reihe ant. Autoren zum Vorschein, u.a. Sallust, Livius, Quintus Curtius, Valerius Maximus oder auch Plinius (d.Ä.). Was jedoch auf den ersten Blick wie erstaunliche Belesenheit im ant. Schrifttum aussehen mag, hält auf den zweiten einer Überprüfung oft nicht stand. Da gibt es Mißverständnisse, falsche Informationen, Namens-

verdrehungen, Fehlinterpretationen u.v.m. Solche »Fehler« der Umarbeitung legen den plausiblen Schluß nahe, daß hier eine Rezeption aus zweiter Hand stattgefunden hat; daß viele der Erläuterungen nicht aus den urspr. Quellen, sondern aus Glossen, aus Komm., aus anderen und früheren Aneignungen stammen. Es wird ebenso deutlich, daß philol. Genauigkeit eben nicht Ziel der Zusätze ist, daß es nur auf das Vorhandensein einer Erklärung ankommt. Denn wer in einem denkbaren angelsächsischen Publikum würde gewußt haben, daß der Minotaurus nicht »halb Mensch, halb Löwe« ist; oder wer hätte entdeckt, daß der vorgeblich in Smyrna erschlagene Konsul Cinna in Wirklichkeit der Dichter und Smyrna der Titel eines seiner Gedichte ist (Orosius 28 Z. 16; 125 Z. 12–13; vgl. [5])? Oder wer hätte mangelnde histor. Exaktheit in der gegenüber dem lat. Orosius erweiterten Geschichte des Raubs der Sabinerinnen aufdecken können (Orosius 39 Z. 4–24)? Es geht um die Illustration des theologischen Grundsatzes der Heilsgeschichte und um den Nachweis, daß Geschichte vor der Geburt Christi als Unglücksgeschichte und seit seiner Geburt als Friedensgeschichte gesehen werden muß. Es geht auch um die didaktische Absicht, anhand eines histor. Musterbuches den angelsächsischen Herrschenden zu zeigen, wie gottgefälliges Verhalten, bestimmt nach christl. Werten und Normen, schon in der Vergangenheit zu geglückter Herrschaft geführt hat, während negatives Verhalten zu Zerstörung und Verlust von Herrschaft führt. Wenn dabei ant. Inhalte oder Phänomene behandelt werden, so geschieht das immer funktional und auf diese Redeabsicht hin orientiert; die histor. Erinnerung an die Ant. hat keinen Eigenwert außer dem, Lehrbuch für die Gegenwart zu sein.

Neben der selbstverständlichen überragenden Stellung des Lat. im Bildungssystem der Angelsachsen nehmen sich Hinweise auf eine Aneignung der griech. Ant. eher bescheiden aus. Man weiß, daß Erzbischof Theodor aus Tarsus und Abt Hadrian aus Nordafrika als Byzantiner griech. Bildung und Gelehrsamkeit nach Canterbury brachten; in ihrer Schule hat Aldhelm gelernt. Beda zufolge sprachen einige ihrer Schüler Griech. und Lat. wie ihre Muttersprache (Historia ecclesiastica 64,2). Auswirkungen intensiver Beschäftigung mit der Trad. der griech. Ant. zeigen sich aber nur im Gebrauch der lat. Sprache. Die Schriften Aldhelms, einige der lat. Urkunden vom Hof König Athelstans (924/5–939) sowie Dichtung, Prosa und Urkunden aus der zweiten H. des 10. Jh., insbes. aus der Schule von Winchester, zeigen eine so ausgeprägte Vorliebe für Gräzismen, daß dieses Stilelement als Gruppenmerkmal für eine kleine Elite von Gelehrten gelten kann, deren Lateingebrauch sich bewußt von anderen Varietäten absetzen will und somit Gruppenidentität schafft [59; 64; 16. 94–99, 228–231]. Es bleibt zu untersuchen, inwieweit die identitätsstiftende Funktion solchen Gebrauchs auch in Zusammenhang gebracht werden kann mit der neuen Rolle, die Bildung als Statusmerkmal in der zweiten H. des 10. Jh. und bes. in der Benediktinerreform spielt. Das exotische

Vokabular des »hermeneutischen« Stils stammt aber offenbar nicht aus einem direktem Studium griech. Autoren, sondern findet seine Quelle in griech.-lat. Glossaren des Hermeneumata-Typus; der weitaus größere Teil der griech. Lehnwörter in Frithegods Heiligenleben des Wilfrid (*Breviloquium vitae beati Wilfredi*, in rund 1400 Hexametern) stammt aus solchen Glossaren; nur ein kleinerer Teil findet sich in den Schriften Aldhelms oder dem dritten Buch von Abbo von Fleurys *Bella Parisiacae Vrbis*. Dieses 3. Buch handelt nicht mehr von der Belagerung der Stadt durch die Wikinger/Normannen in den J. 888–895, sondern beschreibt monastisches Leben; in England gehörte es offenbar zum Schulcurriculum für Fortgeschrittene. Auch hier zeigt sich, daß die Rezeption der Ant. ganz wesentlich eine sekundär vermittelte ist; der hermeneutische Stil mit seinem hohen Anteil an Gräzismen ist Merkmal bes. Bildung – er ist nicht Merkmal eines intensiveren Studiums der griech. Ant.; oft nicht einmal dafür, daß diejenigen, die ihn als Ornatus verwenden, über Sprachkenntnisse des Griech. verfügten.

Die Grundstrukturen der Rezeption klass. Trad. im angelsächsischen England bleiben über den gesamten Zeitraum vergleichbar. Weil lit. Rezeption, wo sie nicht bloß Zitat ist, immer intensivere Auseinandersetzung und Transformation bedeutet, ist sie an Bildungsvoraussetzungen gebunden, die nur wenige Gelehrte im angelsächsischen England mitbrachten oder erwerben konnten. Die Zahl der Schulen wie die Zahl der Schüler in ihnen war immer relativ klein; folglich sind auch nennenswerte Einflüsse ant. Autoren nur im Umfeld bedeutsamer Schulen mit bedeutsamen Lehrern zu finden. Solche Rezeption ist dann immer punktuell geblieben, weil sie überdies für ihr Fortbestehen immer gebunden war an eine ausreichend große Zahl derjenigen in den nachfolgenden Generationen, die selbst wieder das rezipieren konnten, was frühere Lehrer hinterließen. Im wesentlichen bleibt solche Rezeption beschränkt – wie die Wiedernutzung der Bauwerke – auf die Rezeption der Ant. als Steinbruch für die Gegenwart, weil in ihr die ant. Stücke nur nach ihrem christl. ausgerichteten Lehr- und Nutzwert als Musterbuch für die Gegenwart befragt sind

C. ÜBERGANGSZEIT (10.–12. JAHRHUNDERT)

Anders als in der Geschichte der engl. Sprache oder der engl. Literaturen des MA oder auch in der Sozialgeschichte kann für die Geschichte der Antikerezeption wie der von Bildung und Gelehrsamkeit die Normannische Eroberung nicht als Wasserscheide gelten. Schon zum E. der angelsächsischen Zeit kündigt sich nämlich ein Wandel an, der in seinem Verlauf bis rund 1200 zwar nicht die Qualität der Antikerezeption, wohl aber ihr Ausmaß erheblich verändern wird. Im 10. Jh. wird das Schulcurriculum in England erstmals auf die → Artes liberales als Gesamtkonzept ausgerichtet. Vor dem 10. Jh. lag der Fokus der → Klosterschulen auf Lesen, Schreiben, Singen und Lat., aus den *Artes* wurde systematisch nur das Trivium mit seinen »geisteswiss.« Teilen

der Textunterweisung in Gramm., Rhet. und Dialektik vermittelt; die eher mathematisch-naturwiss. Teile des Quadriviums waren offenbar nie zentraler Lehrgegenstand. Erst gegen E. des 10. Jh. mehren sich Nachweise für das Studium der Arithmetik, der Geom., Astronomie und der Musik. Für das Kloster Ramsey, in dem Abbo von Fleury kurze Zeit lehrte, belegt das *Enchiridion* des Byrhtferth ein neuerwachtes Interesse an Computistik und zugleich auch die weitere Beachtung, die Bildung und Gelehrsamkeit nun im gesamtgesellschaftlichen Raum und nicht mehr nur in der gelehrten Welt klerikaler Eliten erfahren. Mangelndes Wissen und fehlende Gelehrsamkeit, so Byrhtferth, bereiten nämlich nicht nur Schande, wenn die Schüler fehlerhafte Kalkulationen vor ihrem Bischof aufsagen; Mangel an Wissen in der Zeitberechnung fällt auch negativ auf vor dem König und seinen Kriegern (I.2.323–325, II.1.151–158 in: [18]). Natürlich artikuliert sich hier nur ein Anspruch, denn Schulbildung muß sich in der Welt der *illitterati* um 1000 erst noch einen Platz erobern. Mit Ealdorman Aethelweard, der zw. 975 und 983 eine lat. Version der *Angelsachsenchronik* verfaßt und sie Äbtissin Mathilde von Essen widmet, mit ihm und seinem Sohn Æthelmær, auf deren Betreiben Abt Ælfric systematisch Predigten für das liturgische J. zusammenstellt, seine Heiligenleben verfaßt und einen Teil der Bibel ins Engl. übersetzt, finden sich aber erste Beispiele für ein literates Laienpublikum. Die Laien werden sich im Verlauf dieser Übergangszeit zunehmend für formale schulische Bildung, für Lateinbildung interessieren. Der engl. König Heinrich I. soll eine solche formale Ausbildung in den *Artes liberales* erhalten haben; eine spätere Zeit nennt ihn Beauclerc, weil solche Bildung um 1100 für die Laien noch alles andere als selbstverständlich ist. So findet auch größte Beachtung in den Chroniken, daß Robert und Waleran von Meulan, die Beaumont Zwillinge, trotz ihrer Ausbildung als Ritter in ihren jungen J. mit dem päpstlichen Legaten theologische Fragen in Lat. disputieren konnten. Um 1200 schließlich haben die ritterbürtigen Familien entdeckt, daß man mit solcher Bildung an den Höfen Karriere machen kann; sie erkennen den Vorteil einer Ausbildung, deren Möglichkeiten für sozialen Aufstieg bis dahin nur von den Klerikern genutzt worden waren [116]. Das Bildungspotential der Kirche und ihrer Kloster- wie Kathedralschulen wird somit auch von Laien genutzt; das verschafft Zugang zu den im weiteren Sinne lit. Texten der Ant., die dann ab dem 12. Jh. mit den großen Stoffen des MA im antikisierenden Roman auch Gegenstand adliger Aneignung der klass. Vergangenheit sind.

Möglich wird dies u. a. auch durch die Systematisierung der Schullektüren und die bedeutsame Ergänzung des Kanons solcher Lektüren in Form von Komm. und Einleitungen zu den Schulautoren (*accessus ad auctores*). Die Anf. dieser Trad. reichen bis in die Ant. zurück; im frühen MA lebt sie zunächst in der Trad. der Glossierungen von Texten, in den *scholia* und den Bibelkomm., findet dann aber systematischere Formen in den ersten

Mustern von Autorenlisten und *accessus* aus dem 8.–9. Jh., bis diese verschiedenen Formen in den weithin genutzten Schultexten des Remigius von Auxerre sowie ihren Einleitungen und Komm. so etwas wie eine allg. gebräuchlichere Ausgestaltung finden. In England wird im Zuge dieser Entwicklung die Schullektüre dem auf dem Kontinent üblichen Kanon angeglichen. Im 12. Jh. besteht der Kanon – nach dem Elementar- und dem Grammatikunterricht – aus den *sex auctores*, die im *Liber Catonianus* zusammengefaßt sind: die *Disticha Catonis*, eine Kollektion von Sprichwörtern moralischen Inhalts; die *Ecloga Theoduli*, ein Streitgedicht zw. einem heidnischen Hirten (mit Flöte, Falschheit) und einem hebräischen Mädchen (mit davidischer Kithara, Wahrheit) über die griech. *fabulae* und die at. *historiae*, die allegorisch und moralisch ausgedeutet sind; die Tierfabeln des Avianus; die sechs Elegien des Maximianus, Alterserinnerungen an mißglückte und gelungene erotische Abenteuer eines alten Mannes in seiner Jugend, die im *accessus* als Behandlung von *mores* zur ethischen Unterweisung der Schüler gerechnet werden; in gleicher Weise werden die (kommentierten) Auszüge aus Claudians Epos *De raptu Proserpinae* und aus der *Achilleis* des Statius moralisch ausgelegt und der ethischen Ausbildung zugerechnet. Im späteren MA, etwa ab dem 13. Jh., werden die ant. Texte von Maximian, Claudian und Statius offenbar wegen ihrer teils expliziten Erotik durch ma. ersetzt, die sehr viel stärkeres Gewicht auf direkte moralische Belehrung legen. Wiewohl in England dieser neue Kanon der *auctores octo* weniger fixiert ist als auf dem Kontinent, gehören die Sprichwörtersammlung des Alanus ab Insulis (*Liber Parabolarum* oder *Parvum doctrinale*), der Traktat *De contemptu mundi* und das Benimmbuch *Facetus* zu den stabilen Teilen der Kollektion.

Schon dieser erste Einblick in den Lektürekanon läßt einen umfassenderen Umgang mit ant. Autoren vermuten, der aber natürlich wegen der in den Lehrbüchern üblichen Textklitterung sogar für die in ihnen enthaltenen Texte fr. geblieben sein muß. Das Wissen über und die Lektüre von ant. Schriftstellern wird ergänzt und literarhistor. aufbereitet eben durch die *accessus*-Trad.; in den Einleitungen zu Textauszügen werden – nach unterschiedlichen Mustern – in der Regel mindestens Erklärungen über die Autoren (mit biographischem Material), über die Texte, ihren Inhalt und ihre Nutzanwendung gegeben. Die *accessus*, die Komm. zu den Texten und selbst die Glossierungen in Mss. lassen erkennen, welche Autoren über die Pflichtlektüren hinaus vermittelt wurden. Ein typischer *accessus* enthält folgende Autoren- und Textliste weiterführender Lektüre mit Hinweisen auf ihre Erklärung [81. 15–36]: Prudentius (u. a. *Psychomachia*); Cato (*Disticha*); Avian (Fabeln); Maximianus; Homer (das meint die *Ilias latina*); der *Physiologus* mit seiner Beschreibung von Tieren und ihrer allegorischen Ausdeutung; die *Ecloga* des Theodulus; Arator (*Apostelgeschichte*); Prosper; Caelius Sedulius (*Carmen Paschale*); die *Heroiden* des Ovid, Ovids *Ars*

amatoria und *Remedia amoris*, *Epistulae ex Ponto*, *Tristia*, *Amores* und *Fasti*; Lucan; die *Paradoxa* Ciceros; Boëthius; Priscians gramm. *Institutiones*; die *Ars poetica* und andere Werke des Horaz. Trotz des Wandels des Grundkanons im Spät-MA läßt sich somit begründet sagen, daß um 1200 eine sowohl systematischere wie auch umfassendere Rezeption ant. Autoren stattfindet; sie stehen in einer Reihe mit spätant.-christl. Autoren. Zu dieser Aussage gehört aber auch die eingrenzende Feststellung, daß es sich dabei erneut um eine Rezeption aus zweiter Hand handelt, die keinen direkten und durch christl. Nutzanwendung unverstellten Umgang mit den klass. Trad. zuläßt. Gerade die *accessus* mit ihrer systematischen Forderung, denjenigen Zweig der Philos. zu bestimmen, zu dem ein (lit.) Text gehöre (*cui parti philosophiae supponitur*, Typ C des *accessus*), leisten zwar eine Rechtfertigung der Beschäftigung mit paganer Lit., fordern damit zugleich aber auch den Nachweis ihrer *utilitas* zwingend ein und fördern damit die moralisch-allegorischen Auslegungen ant. Schriftsteller, die die Rezeption im 13.–15. Jh. bestimmen wird. Es versteht sich von selbst, daß die in vielen Einleitungen anzutreffende Feststellung, der in Rede stehende Text sei moralisch förderlich für ein gutes Christenleben, im Einzelfall immer strittige Behauptung blieb (s. den Wandel in der Textauswahl des Grundlagenkanons); die Unterstellung jedoch, die Beschäftigung mit den ant. Autoren sei – nach einer gängigen Einteilung von Wiss. – als Ethik ein Zweig der → Praktischen Philosophie, hat sicher Freiräume geschaffen, in denen die Rezeption anders als im Früh-MA verlaufen konnte [81. 12–13].

Mit dem inhaltlichen Wandel und der größeren Systematik der Schulausbildung sowie mit dem Aufschwung der Schulen wurden bessere Möglichkeiten einer größeren Verbreitung eröffnet, die dann auch einen Weg in die Laienkultur ebnen. Gesagt wurde schon, daß ab dem späten 12. Jh. immer mehr Laien auch in die Grammatikschulen drängten, die mit ihrer Lehre über die Kunst des richtigen Redens und Schreibens zugleich den Anspruch zur Menschenbildung verbanden; und für diese Menschen- und Sprachbildung waren die *enarrationes poetarum*, die Erzählungen der Dichter und ihre richtige Auslegung im Schulunterricht zentraler Lehrgegenstand. Für den Aufschwung solcher Schulen gibt es aus England sogar – sicher vorsichtig zu handhabende – statistische Zahlen: Zwischen rund 1100 und 1200 sind Schulen in 32 Orten nachgewiesen; im 13. Jh. sind es mehr als doppelt so viele (67), im 14. Jh. steigt die Zahl noch einmal auf 105, um im 15. Jh. mit 114 Grammatikschulen dann fast zu stagnieren [91]. Gefördert wurde diese Entwicklung durch einen ständig steigenden Bedarf an solide ausgebildeten Hofbeamten sowohl in der königlichen und baronialen als auch in der kirchlichen Verwaltung; gefördert wurde sie auch in der Folge der 3. und 4. Laterankonzile (1179, 1215) mit ihren jeweiligen Lehrsätzen zur Priester- und Laienbildung. Ein Effekt der generelleren Verfügbarkeit von Bildung ist dabei eben auch die größere Verbreitung des Wissens über die Autoren der Antike.

Das Gesagte gilt für ein Grundwissen, das sich an den Schullektüren orientiert und eine Bekanntschaft aus zweiter Hand vermittelt. Weitergehende klass. Bildung stand nur wenigen offen auf dem Weg über die → Universitäten oder die berühmten Schulen auf dem Kontinent. Die immense Bildung etwa eines Johannes von Salisbury (ca. 1115/1120–1180), eines Peter von Blois (ca. 1130–1212), eines Walter Map (ca. 1130/1135–1209/10) oder eines Giraldus Cambrensis (1146–1223), die man an ihren Schriften ablesen kann, ist untypisch für Bildungsstände im ma. England; sie macht diese Kleriker zu Humanisten europ. Zuschnitts, die zu der Gruppe der intellektuellen Elite der *eruditi* des 12. und des frühen 13. Jh. zählen. Aber selbst bei Johannes von Salisbury, ohne Zweifel der gelehrteste unter den vier Genannten, sind inzwischen Zweifel geäußert worden bezüglich seiner Kenntnis ant. Schriftsteller aus erster Hand [75]. Mit seinem *Entheticus* rechtfertigt er die Notwendigkeit trivialer Bildung und ant. Philos.; in seinem *Metalogicon* versucht er, klass. Bildung über Gramm., Dialektik und aristotelische Logik zu systematisieren; sein profundes Wissen über die ant. Autoren will er verstanden wissen als notwendiges Fundament ethischer Ausbildung, wie denn auch seine Klage über die Profit- und Karriereorientierung der Studien an den großen Schulen des 12. Jh. zugleich Plädoyer für eine umfassende klass. Menschenbildung ist.

D. SYSTEMATISCHE ZUGRIFFE (11.–15. JAHRHUNDERT)

Typischer als die Rezeption ant. Bildung bei den wenigen *eruditi* ist dagegen eine Rezeption, die über die Schulen und ihr grundlegendes Wissen Wege zu aus der ant. Lit. entlehnten Bildern und Motiven öffnet, mit denen auch Weltverständnis vermittelt wird; zu rezipierten und transformierten Mustern menschlichen Handelns, die als ethische Orientierung dienen können; aber auch zur Rezeption der großen Erzählstoffe, die ab dem 12. Jh. in Europa und auch in England in Lat. wie in den Volkssprachen geschrieben werden. Aus der Fülle der Referenzmuster, die erneut vom einfachen Verweis bis zur Aneignung ganzer Geschichten reichen, können hier nur einige wenige Themenbereiche exemplarisch ausgewählt werden; dabei reichen die frühesten Rezeptionsbelege gelegentlich vor das 11. Jh. zurück.

1. APOLLONIUS

Eine der frühesten Rezeptionen in England betrifft den Apollonius-Stoff, dessen altengl. Fassung schon aus dem späten 10. oder dem frühen 11. Jh. stammt; es handelt sich dabei offenbar um eine isolierte Rezeption, die weit vor allen anderen ma. Bearbeitungen des Stoffes liegt. Als westsächsische Prosaübers. der *Historia Apollonii* (Überlieferung des lat. Textes ab dem späten 5./frühen 6. Jh.) folgt sie der inhaltlichen Struktur der bekannten lat. Versionen relativ genau; eine exakte Quelle ist allerdings nicht bekannt. In der altengl. Version ist ein größerer Teil des lat. Textes ausgelassen; die Fassung übersetzt Kap. 1–22 und Kap. 48–51. Es läßt sich nicht mehr mit Bestimmtheit sagen, warum die

Szenen mit der Hochzeit des Apollonius, dem Scheintod seiner Frau, der Entführung seiner Tochter und deren Verkauf an ein Bordell sowie dem Wiedersehen mit ihrem Vater fehlen. In der erhaltenen Form liegt der Fokus daher deutlicher auf dem Erfolg des späteren Königs als Lehrer am Hof des Königs von Kyrene, wo er die Liebe der Tochter des Königs, Archistratis, eben wegen seiner Bildung gewinnt. Es könnte sein, daß dieses Motiv im Bildungskontext des späten 10. und frühen 11. Jh. bes. ansprechend schien, weil es entgegen dem tradierten Bild vom König als Kriegerfürsten das lit. Beispiel eines Königs als Gebildeten zeigt und somit den Vorstellungen sehr entgegenkam, die sich die gelehrten Reformer gegen E. des 10. Jh. in ihren Schriften vom König gemacht hatten. Zwar gibt es aus England einige Hss. der lat. *Historia*, aber es ist nicht zu sehen, daß der altengl. Apollonius irgendeinen Einfluß gehabt hätte (was damit zusammenhängen mag, daß nach der Normannischen Eroberung und ihren sprachlichen Folgen die neuen literaturrezipierenden Schichten an altengl. Lit. nicht interessiert waren). Jedenfalls ist auch kein Zusammenhang zu sehen mit dem mittelengl. Fr. von 144 Zeilen (die letzten Zeilen der Geschichte), das in einem Ms. aus dem 15. Jh. enthalten ist, aber als Text vermutlich schon zw. 1376 und 1381 entstanden ist.

Der Forderung der *accessus ad auctores* entsprechend stellt John Gower (ca. 1330–1408) seine Version der Apollonius-Geschichte in den Dienst der moralischen Unterweisung. In den acht Büchern seiner trotz ihres Titels in rund 32400 engl. vierhebigen Reimpaaren gedichteten *Confessio Amantis* sind im Rahmen einer Beichte des Liebenden die sieben Todsünden gegen die Liebe illustriert (1. Buch Superbia, 2. Invidia, 3. Ira, 4. Tristitia, 5. Avaritia, 6. Gula, 8. Luxuria; das 7. Buch enthält eine Art Staatslehre). Das achte Buch über die Wollust bildet mit seiner Darlegung der Inzest-Sünde in Doktrin und vier Exempla den Abschluß der Beichte des Liebenden vor dem Priester der Venus, Genius; das vierte Exemplum ist die Geschichte von Apollonius, die den größten Teil des Buches in Anspruch nimmt (V. 271–2028 von 3172 V.). Über die Moralanwendung allein ist die Geschichte allerdings nur unzureichend gerechtfertigt, das Geschichtenerzählen übersteigt allemal ihre exemplarische und illustrierende Funktion. Dennoch geht dieser Zusammenhang nicht etwa verloren, weil die alle Unbilden überstehende Liebe zw. Apollonius, seiner Frau und seiner Tochter (sie lieben *honesteliche*, ehrenhaft) als Gegenpol zur inzestuösen Beziehung des Tyrannen Antiochus zu seiner Tochter gestaltet ist; in der Rahmenhandlung der Beichte, in die alle Geschichten der *Confessio* eingebunden sind, macht Genius diese Nutzanwendung der Geschichte noch einmal deutlich: Sie ist ein Beispiel für den Gegensatz zw. einer Liebe, die sich im Einklang mit der Vernunft weiß (Apollonius), und einer sündhaften Liebe, die nur der Lust frönt und den Tieren eignet (Antiochus). Vor dieser Belehrungsabsicht steht jeder ant. Bezug zurück. An keiner Stelle des Exempels macht Gower den Versuch, einen Zusammenhang mit der paganen Welt der Griechen herzustellen; die Geschichte spielt in der undefinierten Vergangenheit einer ›Cronique in daies gon‹ (8,271), einer Chronik aus alter Zeit (neben der lat. *Historia Apollonii*, Gowers zweite Quelle, Gottfried von Viterbos *Pantheon*).

Den Grad der Bekanntheit der Apollonius-Geschichte im engl. MA indizieren gelegentliche Verweise auf den Stoff, die alle in der beiläufigen Art, in der die Referenzen gesetzt sind, die Geschichte als bei ihrem jeweiligen Publikum bekannt voraussetzen. Aus dem letzten Viertel des 12. Jh. stammt ein Hinweis aus dem anglofrz. *Alexander*, dem *Roman de Toute Chevalerie* des Thomas von Kent (s.u.); dort ist in einer Verszeile auf *Apollonius* verwiesen anläßlich von Alexanders Durchmarsch durch Tyrus. Dieselbe Referenz wird auf gleiche Weise verwandt in der mittelengl. Überarbeitung des *Roman*, dem *Kyng Alisaunder* vom Beginn des 14. Jahrhunderts. In John Capgraves Heiligenleben der Katharina von Alexandria (ca. 1440) findet sich eine Verurteilung der Beziehung zw. Vater und Tochter als ›onkyndely‹, wider die Natur (wie bei John Gower), zusammen mit einem Verweis auf die Rätsel, die Antiochus den Bewerbern um die Hand seiner Tochter vorlegte; in Robert Henrysons *Orpheus and Eurydice* (ca. 1470) findet Orpheus den Tyrannen Antiochus wegen seines ›foule incest‹ in der Hölle. Mit leicht ironischem Unterton, aber auch moralischer Entrüstung hat sich Geoffrey Chaucer schon im späten 14. Jh. von der Apollonius-Geschichte wegen ihres Inzest-Motivs distanziert. Als in seinen *Canterbury Tales* der *Man of Law* aufgefordert wird, eine Geschichte zu erzählen, reklamiert er, daß er keine Geschichte über die Liebe erzählen könne, die nicht schon irgendwo bei Chaucer (ca. 1343–1400) behandelt worden sei. Nicht zu finden bei Chaucer seien allerdings Geschichten über die inzestuösen Beziehungen der Candace zu ihrem Bruder und des ›cursed kyng Antiochus‹ zu seiner Tochter, weil der Dichter über solche ›unkynde abhomynacions‹ (widernatürliche und abstoßende Laster) in seinen ›sermons‹ (Predigt-Schriften) nichts schreiben wollte (*Man of Law's Tale*, V. 77–90); beide Geschichten kommen dagegen in Gowers *Confessio Amantis* vor, so daß hier durchaus eine ironische Anspielung vorliegen mag. Diese Verweise lassen keinen Zweifel an der Funktion, die die Apollonius-Geschichte im engl. MA hatte: Sie dient als Exempel für den Inzest und wird in der Bestrafung des Tyrannen hergenommen als abschreckendes, in der alle Fährnisse überstehenden Liebe des Apollonius als vorbildliches und belohntes Muster von Verhalten in der Liebe.

2. ALEXANDER

Wie der Apollonius- ist auch der Alexander-Stoff schon in spätangelsächsischer Zeit rezipiert worden. Da ist zunächst mit dem Brief Alexanders an Aristoteles aus dem *Beowulf*-Ms. (ca. 1000) die früheste volkssprachliche Version einer lat. Trad., deren eigene früheste Version wohl auf Julius Valerius (4. Jh.) zurückgeht. Der Brief gibt vor, aus der Sicht Alexanders seine mil. Erfolge in → Indien zu beschreiben; seine Entdeckungen und Begegnungen mit einer Reihe von monströsen Kreaturen stehen im Vordergrund, der Fokus liegt allerdings deutlicher auf der Figur Alexanders als auf seinen Abenteuern im Orient. Da ist weiter die Sammlung der *Wunder des Ostens*, von denen mehrere Hss. entweder lat. oder lat. und altengl. oder nur altengl. Versionen bewahren. Im *Beowulf*-Ms. sind 32 Wundererscheinungen beschrieben und illustriert, in denen Fabelwesen wie z.B. hundsköpfige Menschen oder riesengroße Widder figurieren. Als Quelle gelten letztlich lat. Versionen des Kontinents, die die Monstergeschichten in den Rahmen eines fiktiven Briefes an Kaiser Hadrian kleiden; damit läßt sich die Kollektion strukturell mit dem Brief Alexanders an Aristoteles vergleichen. Allerdings fehlt dieser Briefkontext in den altengl. Versionen. Thematisch rücken sie in die Nähe des anglo-lat. *Liber monstrorum* (7./8. Jh.?), das für seine rund 120 Monsterbeschreibungen lat. Quellen der beiden vorgenannten Werke nutzt und so mit dem Alexanderstoff verbunden ist; dabei werden die klass.-ant. Quellen der Darstellungen ständiger Abwertung unterzogen, so daß sich eine Art Gegensatz zw. heidnischer Ant. und Christentum auftut. Während alle drei Texte allein schon durch ihr Interesse an Monstern die Alexanderfigur in die Nähe von Monstrosität, Abwegigkeit und Sünde rücken, ist solche Tendenz der Rezeption auch deutlich an den Alexander-Passagen des altengl. Orosius [81] abzulesen. Dort gilt der Makedonier als Exemplum für Hybris, weil er bei seinen Eroberungen nur eigene Interessen verfolgt, die Fürsorge und den Schutz seiner Männer hintan stellt und keinerlei Regung von Milde oder Nachsicht erkennen läßt. Letztlich bringt ihn sein »Blutdurst« zu Fall. Als seine Männer erkennen müssen, daß er vom Krieg nicht lassen will und ihn ein ›þurst monnes blodes‹ beherrscht, sinnen sie darauf, wie sie ihn umbringen können. Mit einem Gifttrunk verliert er sein Leben (Orosius 74,7–12).

Die Alexanderfigur ist in den altengl. Texten ausschließlich hergenommen als Sinnbild für die Selbstüberschätzung des weltlichen Herrschers, der seinem Handeln keine Grenzen durch ethisch-moralische (christl.) Restriktion gesetzt wissen will. Es bleibt späteren Texten vorbehalten, an Alexander auch positive Seiten zu entdecken, ihn als Beispiel für Ritterlichkeit, für Tatendrang oder gar als das Muster eines vollendeten Herrschers darzustellen. Spätestens seit dem frühen 14. Jh. figuriert er auch in England in der Liste der *Nine Worthies*, der besten Helden und Ritter aller Zeiten (das Grundmuster nennt drei Heiden, drei Juden und drei Christen: Hektor, Alexander, Caesar; Josuah, David, Judas Makkabaeus; Arthur, Karl d. Große, Gottfried von Bouillon). Ein erster und wesentlicher Schritt in diese Richtung ist in England mit dem anglo-normannischen *Roman de Toute Chevalerie* getan (ca. 1174–1200). Diese insulare, in drei illustrierten Mss. und einem Fr. überlieferte Version der Alexander-Geschichte greift zurück auf die in England im 11. und 12. Jh. bekannten Alexander-Texte (u. a. die Zacher-Epitome des Julius Valerius, lat. Versionen der *Epistola ad Aristotelem*, die frz. Versionen des *Roman d'Alexandre*). Die in 546 Strophen (Laissen) organisierten 8054 Verse der mod. Edition decken das gesamte Leben, v. a. die Kriegszüge Alexanders ab; schon bei seiner Geburt künden Vorzeichen von seiner späteren Größe. In die Episoden des Kriegszuges gegen den indischen König Porrus sind die *Wunder des Ostens* integriert; die Passage über die Monster, die fremd-eigenartigen Stämme oder die Riesenschlangen enthält auch Alexanders Besuch im Irdischen Paradies sowie seine Unterwasserfahrt. Nach dem endgültigen Sieg über Porrus fügt der Autor, Thomas von Kent, mit rund 400 Versen auch die Episode der Liebesbeziehung zw. Alexander und der indischen Königin Candace ein. Allerdings ist diese Beziehung nicht als eine der höfischen Liebe mit entsprechendem Frauendienst gestaltet, Alexander erscheint vielmehr als Opfer von Candaces Verführungskünsten, in einer Reihe mit anderen durch die Frauen zu Fall gebrachten großen Männern wie Adam, Samson oder Salomo (V. 7623–7638, 7723–7731). Die expliziten frauenfeindlichen Aussagen werden nur wenig zurückgenommen durch den Verweis auf Maria, denn ›Wer seinen Sinn auf Frauen richtet, muß im Herzen oftmals Verdacht tragen‹ (7631–7632). Wenn sie es nur will, ist die Frau ›demütiger als ein Lamm oder eine Taube, verschlagener als die Schlange, feurig wie ein Drache, listenreich wie ein Fuchs, grausam wie ein Löwe, voller List und Trug wie der Teufel: sie hat ein böses Herz‹ (7616–7619). Man kann also nicht davon sprechen, daß die Liebe in diesem Roman integriert sei und ihn zu einem *roman courtois* mache. Zwar ist der königliche Held schon auf dem Weg zu zivilisierterem Betragen, aber er ist kein höfischer Ritter, da Höfischkeit und Hofleben keine große Rolle spielen. Während der Arthur der höfischen Romane längst jedem Zwang zur Legitimation enthoben ist und sich allenfalls durch eine bes. Pflege der *courtoisie* und des höfischen Festes legitimiert, muß der Ritterkönig vom Typ dieses Alexanders seine Herrschaft über ständige Eroberungsfahrten legitimieren, bei denen er als aktiver Kämpfer seinen Mannen voran in den Kampf zieht und Vorbild seiner Ritter ist. Im Vergleich zum Erobererkönig des Artusideals in Geoffrey of Monmouths *Historia regum Bitanniae* ist der *Alexander* des Thomas von Kent aber auch schon ein gebildeter und gnadenvoller Herrscher.

Der anglo-normannische *Roman de Toute Chevalerie* ist direkte Vorlage des am Beginn des 14. Jh. geschriebenen mittelengl. Alexanderromans *Kyng Alisaunder*. In dieser Rezeption des Alexander-Stoffes wird die anglo-normannische Vorlage noch einmal auf rund 8000 Verse in vierhebigen Reimpaaren reduziert, die sich ganz auf Alexanders Kriegszüge konzentrieren und den Umständen seiner Geburt wie seines Todes nur kurze Aufmerksamkeit schenken. Eingefügt gegenüber der Vorlage wird Material aus anderen Alexander-Bearbei-

tungen, Exotisches wird verständlich gemacht unter Beifügung entsprechender Erklärungen, Listen von Namen geben den Kämpfen und den Beratungen zw. König und Kriegern so etwas wie den Anspruch histor. Gewandung. Eingefügt werden auch kurze Passagen von Naturbeschreibung, die den Ablauf der Jahreszeiten markieren, dem Ablauf der Kriegszüge eine zeitliche Struktur geben wollen, aber auch ein Grundthema des Textes unterstreichen, nämlich den Wandel und die Vergänglichkeit der Welt. Denn geblieben ist aus der Vorlage die Absicht, den Text als Exemplum zu sehen für herausragendes Ritterkönigtum, für Tugenden wie Großmut und Tapferkeit, aber auch für Hochmut und Selbstüberschätzung. Vom Prolog an ist klar, daß Hauptziel auch dieser Aneignung eines ant. histor. Stoffes die moralische Unterweisung ist: ›Eines anderen Menschen Leben ist uns Lehre, so sagte schon Cato, der ein guter Lehrer war‹ (V. 17–18). Im Stil der gelehrten lat. Komm. sind belehrende Sentenzen über den Text verteilt und ziehen die moralische Summe einer Handlung oder eines Ereignisses. Die heidnische Welt der Ant. wird immer wieder mit christl. Versicherung kommentiert, immer wieder ist der Wandel der Welt gegen die selbstgefällige Gewißheit Alexanders von der Eroberung der Welt gesetzt, auch gegen seine Überzeugung, daß er seinem prognostizierten Gifttod schon irgendwie entkommen werde: Denn keinem ist die Gewißheit gegeben, vom Abend bis zum nächsten Morgen weiterzuleben (V. 6986–6987), *vide* die hübschen Damen und Mädchen, die alle wie Blumen im Gras vergehen (7826–7828). So stürzt Alexander, trotz all seiner Rittertugenden, weil er eben diesen Grundsatz mißachtet; das Faszinosum des Exotischen der fremden Welten wie die weitgehend positive Darstellung der Alexanderfigur werden also auch in diesem Roman wieder auf die Ebene christl. Morallehre zurückgeholt.

In England ist der Alexanderstoff in ähnlicher Weise noch mehrfach verarbeitet worden als Exemplum für die Vergänglichkeit allen Ruhms und alles Irdischen. Daß Alexander eben deswegen auch als Standardfigur in den Listen des *Ubi sunt*-Motivs auftaucht, versteht sich schon fast von selbst. Neben solchen Standardverweisen in der *Contemptus mundi*-Trad. bleibt die Figur im 14. und 15. Jh. aber auch als Erzählstoff interessant; von dessen relativ weiter Verbreitung zeugen z. B. das Cambridger Alexander-Cassamus-Fr. (566 V. aus dem 15. Jh.), eine Prosaversion der gesamten Alexandergeschichte (1. H. 15. Jh.) oder die beiden Alexanderversionen aus Schottland, das *Buik of King Alexander* des Gilbert Hay (rund 20 000 V. von ca. 1460) und das *Alexander Buik* (11 138 V. von 1438). Gerade letzteres belegt mit seiner Überarbeitung der altfrz. Romane *Fuerre de Gadres* und der *Voeux du paon*, daß die Alexandergeschichte nicht nur als historisierender, sondern auch als höfischer Roman mit breiter Darstellung höfischer Sitten und höfischen Lebens rezipiert werden konnte. In der Konzentration auf zwei groß ausgemalte Episoden verliert diese Version den Zusammenhang mit dem

Thema der Welteroberung; sie bedient sich der typischen Darstellungsweise höfischer Ritterromane und ist dann auch nicht mehr der christl. Moralisierung des ant. Stoffes unterworfen. Die sog. alliterierenden Alexander-Fr. A (*Alisaunder*), B (*Alexander and Dindimus*) und C (*The Wars of Alexander*) berichten in unterschiedlicher Länge und unter Nutzung verschiedener Quellen von unterschiedlichen Abschnitten in Alexanders Leben. Fragment A (1247 V. von ca. 1340–1370) nutzt als Quellen die *Historia adversum paganos* des Orosius und (wie fast alle ma. Alexanderlegenden) eine Version der *Historia de preliis*, die als lat. Übers. letztlich des Pseudo-Kallisthenes ab dem 11. Jh. in vielfältigen Versionen vorliegt. In diesem Fr. ist der erste Abschnitt aus dem Leben Alexanders bis zur Belagerung Konstantinopels erzählt. Fragment B (1139 V. von ca. 1340–1370), das sich eng an eine Version der *Historia de preliis* anlehnt, besteht im wesentlichen aus dem Briefaustausch zw. Alexander und Dindimus, in dem der Brahmane die weltzugewandte und materielle Basis der Lebensweise Alexanders mit der asketisch-ideellen eigenen Lebensweise vergleicht und Alexanders Weg brandmarkt als den, der direkt zur Hölle führe. Fragment C (5677 V. von ca. 1450) erzählt auf der Basis der *Historia* in 27 Abschnitten die gesamte Alexandergeschichte; es fehlen nur die Szenen der Vergiftung und von Alexanders Tod. Hier liegt der Fokus ganz auf Alexander und seinen Heldentaten, auf den Kriegen und den exotischen *Wundern des Ostens*. Dennoch bleibt die moralische Deutung stets präsent; auch diese Welteroberung ist nur der Versuch, sich vergänglichen weltlichen Ruhm anzueignen. Seit dem ersten Kriegstriumph begleitet Alexander das Orakel des Ammon über seinen frühen Tod; es wird im Text beständig in Varianten erinnert. Mit seinem oft wiederholten Lob der Heldentaten wie des Großmuts und der ebenfalls wiederholt erinnerten Kritik am Heidentum Alexanders, an seiner Ruhmsucht, profiliert dieser Text den Zwiespalt der Alexanderfigur für seine Rezeption im engl. MA noch schärfer. Einerseits ist Alexander das Idealbild des höfischen Ritters und vorbildlichen Herrschers; andererseits ist er maßlos und grausam zugleich; einer, der sich so der Welt und ihren Werten verschreibt, ist Typus für die Reihe derjenigen, die auf das Rad der Fortuna steigen und von ihr zwangsläufig gestürzt werden.

Auf dem Rad der Fortuna erscheint Alexander in Chaucers *Monk's Tale* von ca. 1380/1385 und in Lydgates *Fall of Princes* von ca. 1438/39. ›Die Geschichte ist weithin so bekannt, daß jeder mit ein bißchen Verstand von ihr schon etwas oder auch von (Alexanders) ganzem Schicksal gehört hat‹, so die Einleitung des Mönchs. Chaucer (ca. 1343–1400) und Lydgate (ca. 1370–1449) folgen der von Boccaccio initiierten *De Casibus*-Trad. und nehmen den Sturz der Großen als Zeichen einer grundlegenden Sünde, weniger als Zeichen des Wirkens der Göttin Fortuna. Wiewohl in der Version Chaucers Alexander erneut gelobt ist (›Blüte der Ritterschaft und der Großzügigkeit‹, V. 2642) und nicht

explizit getadelt wird, reicht der Hinweis auf seine Weltherrschaft, die ihm nicht genügte (V. 2666), zur richtigen moralischen Einordnung hin; mit Alexanders Aufnahme in den Reigen der Gestürzten ist trotz aller Achtung seiner positiven Merkmale eine Einordnung in die Todsünde *superbia* als dem Hauptmakel der Figur gewährleistet; in gleicher Weise ist Alexander in Gowers *Confessio Amantis* von ca. 1390/1393 kritisiert (3,2438–2446: ›Vernunft beherrschte ihn nicht‹). Eine ähnliche Einschätzung ergibt sich auch aus Chaucers *Manciple's Tale*, wo im Zitat der weithin verwandten Anekdote von Alexander und dem Piraten der Makedonier implizit als Tyrann und seine Weltherrschaft als Gewaltanwendung eingestuft werden (V. 223–234). Die Anekdote erscheint auch bei Gower (ca. 1330–1408), der sie als Illustration der Übel des Krieges hernimmt (*Confessio* 3, 2363–2437); Alexander entgeht, so die Anekdote bei Gower, vernichtendem Urteil über seine Taten nur deswegen, weil er auf höherem Niveau als der einfache Räuber und Pirat agiere: »wir tun beide dasselbe, sagt der Pirat, aber du wirst ›emperour‹ und ich werde ein Dieb genannt«.

Die Alexanderfigur ist im engl. MA spätestens seit dem 12. Jh. weithin bekannt und im späte 14. Jh. ›commune‹, wie es Chaucer formuliert. Zwar kann man die Grundlinien ihrer Darstellung wie die der zwiespältigen Einschätzung auf verschiedene lat. Alexandergeschichten des 11.–13. Jh. und von dort auf frühere Quellen zurückverfolgen; die Einschätzung eines Gegensatzes zw. irdischer Größe und menschlicher Vergänglichkeit wie Nichtigkeit, für die die Alexanderfigur offenbar bes. geeignet schien, muß sich aber auch aus dem Beitr. der Kurzdarstellungen Alexanders in den *accessus ad auctores*, in Enzyklopädien, in Komm. oder in Handbüchern christl. Unterweisung ergeben haben; dieser Beitr. ist bisher erst ansatzweise erforscht. John Bromyard (Robert von Basevorn) z.B., engl. Dominikaner und Autor eines einflußreichen Handbuches für Prediger (*Summa praedicantium*, ca. 1330), verteidigt die Verwendung ant. Exempla zur Illustration von Verhaltensmustern in seinem Handbuch, das in alphabetischer Reihenfolge thematische Schwerpunkte setzt und voller Verweise auf ant. Quellen ist [94]. Der *Fasciculus Morum*, ein vergleichbares Handbuch vom Beginn des 14. Jh., das in verschiedenen Versionen aus dem 14. und 15. Jh. überliefert ist und ständig aktualisiert wurde, führt Muster und Beispiele aus dem Leben Alexanders unter den Lastern *superbia*, *invidia*, *avaritia*, *accidia* und *luxuria*, die dieselbe Struktur des Zwiespalts wie die narrativen Texte offenbaren: Alexander kann im engl. MA Beispiel für Großmut wie für Hochmut sein [123]. Auch die Rezeption der Alexandergeschichten ist also erheblich beeinflußt durch eine vorgängige christl.-moralische Aneignung, die wesentlich zum Alexanderbild im engl. MA beiträgt; in fast allen lit. Verarbeitungen oszilliert die Figur daher zw. Idealbild und Verurteilung, kann Muster für Tugend sein (z.B. in Gowers Verarbeitung der Geschichte von Alexander und Dio-

genes, *Confessio Amantis* 3,1201–1311) und ist zugleich
Beleg für Laster (über die Glaubensformen der Griechen: 3,1452–1459).

3. DIE TROJANER-GESCHICHTE

Für engl. Aristokraten des MA wie für viele herrschende Gruppen in Europa war die Trojanergeschichte
als Gründungsmythos von herausragender Bed., weil sie
ihre Abstammung von Troja herleiteten (→ Troja II.
Trojaner-Geschichte als Ursprungsmythos). So wurden
die Trojanergeschichten vornehmlich als histor. Wahr-
heit, als *res gestae*, und nicht so sehr als *res fictae*, als Fiktion
der Poeten angesehen. Die lit. Genealogie solcher
Gründungsmythen läßt sich leicht nachzeichnen: Sie
tauchen zuerst in der Fredegar-Chronik auf, die die
Franken schon im 7./8. Jh. mit einer trojanischen Abstammung versieht; sie kehren wieder um rund 800, als
Nennius die Geschichte der Kelten durch den epony-
mischen Helden Brutus mit Rom und Troja verbindet.
Der Gründungsmythos wird wiederholt in den Chroniken der Normannenherzöge bei Dudo von St. Quen-
tin und Wilhelm von Jumièges sowie in der *Historia
Regum Britanniae* des Geoffrey von Monmouth; alle drei
nutzen den Mythos zur Legitimation der jeweiligen
Herrscher, wollen ihre Herrscher mit dem Imperium
Romanum in Verbindung bringen und ihre Herrschaft
mit vergleichbarer Größe ausstatten. Vom 12. Jh. an sind
die Trojanabstammung und mit ihr Geschichten über
den Trojanischen Krieg durch Dictys Cretensis und Dares Phrygius, durch den um 1160–1170 geschriebenen
Roman de Troie des Benoît de Sainte Maure und dann die
lat. Redaktion des Romans in Guido delle Colonnes
Historia destructionis Troiae universell verfügbar und Allgemeingut in Westeuropa. Guido delle Colonne konnte
sich um 1287 schon auf ein weitverbreitetes Vorver-
ständnis bei seinem Publikum verlassen: Die Engländer,
die Franzosen, die Venetier , die Sizilianer, die Toskaner
und die Kalabrier, so zählte er auf, leiteten ihre Herkunft von Troja ab [36].

Allerdings scheint das aristokratische Publikum in
England zunächst weniger Interesse an seiner trojanischen Abstammung gehabt zu haben; den Normannen,
den Angevinern und den Plantagenets lag offenbar
mehr daran, sich von König Arthur herleiten zu können. Zwar ist berichtet, daß sich Heinrich I. im J. 1128
während einer Militäraktion in frz. Gebiet ausreichend
Zeit genommen habe, sich die Herkunftssage der Franzosen erklären zu lassen [112. 427. Anm. 22]; zwar hatte
Geoffrey von Monmouth in seiner *Historia regum Britanniae* ein eigenes Bild von der trojanischen Gesellschaft entworfen, komplett mit Bräuchen und Sprache,
und sie nach London verpflanzt, der einzigen Stadt, die
Felix Brutus als Abkömmling aus Troja vorgeblich in
England gegründet hatte, als Nova Troia zudem. Zwar
hatte vermutlich Joseph von Exeter um 1180–1190 für
Erzbischof Baldwin eine eigene Version der Trojanergeschichte mit seiner *De excidio Troiae historia* verfaßt; es
gibt auch die Vermutung, daß Benoît seinen *Roman* für
den Hof von Heinrich II. geschrieben haben könnte. All

diese Bearbeitungen scheinen aber keinen bes. Eindruck
hinterlassen zu haben, offenbar wurde die Konstruktion
der trojanischen Verwandtschaft einfach als gegeben
und wie selbstverständlich als Faktum hergenommen.
Das mag erklären, warum man auf Bearbeitungen der
Trojanergeschichte in England – soweit sie nicht den
bloßen Verweis auf ein wie selbstverständlich verfügbares Herkunftsbild betreffen – bis zum E. des 14. und
zum Beginn des 15. Jh. warten muß. Mit seinem großen
Roman über die (höfische) Liebe von *Troilus and Criseyde* (ca. 1385) setzt Geoffrey Chaucer allerdings die Reihe der Trojaaneignungen zum Zwecke moralischer Unterweisung und der Herrschaftslegitimationen nicht
fort. In nur einer einzigen Strophe der ca. 8300 Verse
langen Dichtung verweist er auf die lat. Quellen solcher
Versionen und damit auf den üblichen Rezeptionszusammenhang: Es sei nicht seine Absicht, über die Zerstörung der Stadt zu dichten; wer etwas über die ›Troian
gestes‹ wissen wolle, solle ›In Omer, or in Dares, or in
Dite‹ nachlesen – so als ob diese Quellen (die *Ilias Latina*,
die *Historia de excidio Troiae* des Dares Phrygius und die
Ephemeris belli Troiani des Dictys Cretensis) für Gebildete
allg. verfügbar gewesen wären (Troilus I.141–147).
Chaucers Version greift aus dem *Roman* des Benoît die
Liebesgeschichte des trojanischen Königssohnes Troilus
und der Witwe Criseyde heraus (sie ist Tochter des Se-
hers Kalchas) und diskutiert an diesem Liebesverhältnis
die Validität des lit. Modells von der höfischen Liebe.

Erst zu Beginn des 15. Jh. finden sich in der mittelengl. Lit. gleich mehrere Rezeptionen der Trojanergeschichte, die den Krieg zw. Griechen und Trojanern darstellen, eine allg. bekannte Geschichte als Ritteraben-
teuer erzählen, aber auch am Beispiel des Untergangs
einer bedeutsamen Stadt Belehrung über die Folgen ver-
heerender Kriege geben wollen; die gesteigerte Popularität des Stoffes zu Beginn des Jh. zeigt sich auch an
einer auffälligen Produktion von Gobelins mit Darstellungen der Geschichte der ant. Stadt. Nach der Datierung der Mss. ist die früheste überlieferte Textversion
eine auf 2066 Verszeilen reduzierte Fassung unter dem
Titel *The Seege of Troye*. Die vier erhaltenen Mss. differieren erheblich; in ihrer Differenz zeigen allein diese
vier Hss. schon die Wandlungsfähigkeit der Geschichte
und ihre jeweilige Anpassung an die Interessen unterschiedlicher Rezipientenkreise an. Denn während z. B.
ein Ms. mit Illuminationen versehen ist und folglich aufgrund seiner Produktionskosten auf eine gehobene
Schicht verweist, zeigt ein anderes eine umfangreichere
Revision des Textes, der in dieser Version deutlich hö-
fisiert ist und zusätzliches Bildungswissen enthält. Auffällig ist auch eine gewisse Unabhängigkeit von anderen
mittelengl. Trojageschichten, weil in diese vier Versionen Material aus dem spätant. *Excidium Troiae* eingearbeitet ist, das vornehmlich der Ausgestaltung der Rollen von Paris und Achilles dient. Trotz der vordergründig gelehrten Zusätze sind diese Versionen jedoch keine
Historiae destructionis Troiae mehr; sie erzählen die Handlung im Geschwindschritt und konzentrieren sich auf

die Helden Paris und Achilles. Deren Handeln und deren Ritterkarrieren sind einerseits als heroisch mit dem Akzent auf ihre martialischen Heldentaten dargestellt; andererseits dienen beide als Beispiele für menschliches Versagen. Es spielt dabei nur eine nebensächliche Rolle, daß ihr Leben und Handeln in eine ferne Vergangenheit gehören; sie sind ganz der Gegenwart und ihrem Interesse an Mustern von ma. Ritterschaft einverleibt, es fehlt selbst die andernorts übliche, moralische Abwertung der ant.-heidnischen Zeit. Dasselbe läßt sich auch über das *Laud Troy Book* sagen, eine knapp 19000 Verse lange Adaptation von Guido delle Colonnes *Historia*, die in der ersten H. des 15. Jh. entstanden ist. Die lat. Prosavorlage wird in der engl. Paarreimversion so zurechtgerückt, daß ein Ritterroman über Hektor dabei herauskommt, der nicht mehr die Trojanergeschichte erzählen, sondern eine ›noble storye‹ aus alter Zeit hernehmen will zur Illustration sowohl idealer Ritterschaft wie ihres Versagens aufgrund sündhaften Verhaltens.

Ein Teil der Rezeption des Trojastoffes im frühen 15. Jh. nähert die Geschichte also der Märchenwelt des Ritterromans an; daneben gibt es eine andere, von der Zahl der Textzeugen her wirkungsmächtigere Trad., die an Troja in Form der *Historia* erinnert und am Fall der Stadt als »wahre« Geschichte illustrieren will, daß Verrat, Eigennutz, Neid und andere Laster der Herrschenden noch immer in den Untergang geführt haben. In diese Gruppe von Aneignungen des Trojastoffes gehören das rund 30000 Verse lange *Troja-Buch* des Mönchs John Lydgate aus Bury St. Edmunds (1412–1420); die über 14000 alliterierenden Langverse der *Gest Historiale of the Destruction of Troy* in einer Hs. von ca. 1450; zwei schottische Troja-Fr. aus dem 15. Jh., die in Abschriften von Lydgates Troja-Buch eingefügt sind; eine knappe Prosaversion der Geschichte als *The Siege of Troy* aus der Mitte des Jh., die auf Lydgates Troja-Buch beruht; Caxtons Recuyell of the *Histories of Troy* (ca. 1476–1478) und seine *History of Jason* (1476–1478), Übers. bzw. Überarbeitungen, die auf den *Recueil des histoires de Troyes* des Raoul Lefèvre und auf dessen *Jason et Médée*, auf Boccaccios *Genealogia deorum* und auf Guidos *Historia* zurückgehen. Allen ist gemeinsam, daß sie ihre Darstellung der Zerstörung der Stadt verstanden wissen wollen als Musterbuch der Folgen von Zwietracht und Streit. Dazu gehört, daß sie sich auch, wie z. B. der Autor der *Gest Historiale* in seinem Prolog, explizit von anderen Versionen absetzen: Homer z. B. hat die Unwahrheit erzählt, weil er Götter auf dem Schlachtfeld kämpfen ließ und auch noch andere ›errours‹ in seine Geschichte einwob; Dichter von Preis dagegen (genannt werden Ovid und Vergil), die immer ›onest‹, aufrichtig und ehrenhaft gewesen seien, hätten diese Irrtümer des Homer korrigiert (Gest historiale V. 27–77). Mit solcher Anlage der Geschichten geht der Anspruch einher zu erzählen, wie es wirklich gewesen sei, ›þe dedes (...) as þai done were‹ (V. 79); mit katalogartigen Listen der Teilnehmer an der Belagerung und den Schlachten, mit präzisen Beschreibungen der Schiffe und ihrer Ausrüstung, mit

quasi exakten heraldischen Darstellungen, die alle auch der Buchführung der Herolde in zeitgenössischen Turnieren und Schlachten geschuldet sind, wird der Eindruck von Wirklichkeit erzeugt. So quasi zur Geschichtsschreibung über die Gegenwart umkonstruierte Geschichte der Ant. wird dann in der Manier der gelehrten Komm. der scholastischen Trad. einem durchgehenden moralischen Komm. unterzogen, in den sowohl die Helden als auch die Frauen der Geschichte als auch das Publikum einbezogen werden. Wiewohl die Helden zeitweise für Ideale der Ritterschaft stehen mögen, wird eben deswegen aus diesen Versionen doch kein *Book of Chivalry*, wie es der engl. König Heinrich V. als Auftraggeber von Lydgates Troja-Buch gefordert hat. Im Fall der einen von den Ursachen des Krieges bis zum Tod des Odysseus reichenden Version aus dieser Gruppe (von der *Gest Historiale* fehlen nur einige Zeilen am E.) läßt sich sagen, daß in ihr die Ant. einer gründlichen christl. Umarbeitung unterzogen wird, in der sich zwar die heroischen Taten der Helden gepriesen finden, in der sie aber auch beständig an christl. → Ethik gemessen werden. Diese Heldentaten werden nutzlos, weil in ihnen letztlich Eigeninteresse über Gemeininteresse obsiegt; sie werden wertlos, weil in ihnen Lust und Begierde das Handeln bestimmen; sie werden sinnlos, weil in ihnen Stolz und Hochmut die eigene Begrenztheit nicht mehr erkennen: Der Sinn dieser Heldentaten liegt nur noch darin, ihre Sinnlosigkeit als Folge menschlicher Fehlbarkeit auf der Basis christl. Morallehre zu erkennen − und aus dieser Erkenntnis entläßt der Erzähler keinen seiner Zuhörer oder Leser, wegen seiner allgegenwärtigen Komm., durch seine ständigen Verweise auf christl.-ethische Standards, mit seiner expliziten Verdammung der heidnischen Mythologie. In der Version der *Gest Historiale* werden die Götter und unter ihnen das goldene Abbild Apollos Steine, aus denen die Teufel reden und Menschen in die Irre leiten (V. 4279–94, 4459–61); in seinem Komm. zur Myth. der Griechen wird die Götterwelt mit dem Zitat von Autoritäten (u. a. ›ysidre in ethemoleger‹, V. 4426) aus der Sippschaft der gestürzten Engel und damit von Satan abgeleitet. Was Wunder, daß Achilles und Patroclus von solchem Orakel auf den falschen Weg gebracht werden, so daß letztlich die Trojanergeschichte insgesamt als Irrweg erscheint.

So ist sie auch bei John Lydgate (ca. 1370−1449) in der anderen von den Ursachen des Krieges bis zum Tod des Odysseus reichenden Version aus dieser Textgruppe angelegt; auch diese Version kennzeichnet eine implizite Spannung zw. einerseits den als positiv gesehenen ritterlichen Idealen, denen die Helden des *Troy Book* verpflichtet sind, und andererseits der christl. Morallehre, die den Mönchen aus Bury verständlicherweise bes. am Herzen lag. Er konnte sein zw. 1412 und 1420 geschriebenes Troja-Buch offenbar erfolgreich anbieten; 23 zum Teil kostbar illuminierte Mss. und ein früher Druck von 1513 zeugen von dem Interesse auch hochadliger Kreise, das seiner Version entgegengebracht wurde. Im Auftrag Heinrichs V. verfaßte Lydgate ein Buch über die Ritterschaft; es sollte aber auch so etwas wie ein Nationalepos in Engl. werden, das sich (nach Lydgates Angaben) Benoîts Roman und Guidos *Historia* gleichrangig zur Seite stellen, das die Vorgeschichte zur sattsam bekannten Britengeschichte (in den jeweiligen *Brut*-Versionen (mit der Darstellung der Ankunft des Brutus nach dem Untergang Trojas) des Geoffrey of Monmouth, des Wace und des Layamon) erzählen sollte. Herausgekommen ist eine durchweg gelehrte und belehrende Abh., in der die Geschichte des Krieges und der Eroberung Trojas eigentlich nur noch Illustration sind für den Anspruch, mit dieser moralisierenden Version die Basis zu liefern für eine Besserung der zeitgenössischen Welt und ihrer Menschen. Bei jeder sich bietenden Gelegenheit nutzt Lydgate die Trojanergeschichte als Sprungbrett in oft predigthaft vorgetragene Komm. mit instruierender Absicht: Da finden sich Digressionen über die Rolle und Funktion der Dichter als Moralapostel der Gesellschaft; da wird über die Rolle der Frauen in der Gesellschaft generell und in der Geschichte im bes. doziert, natürlich in satirischer Verzerrung; da wird Kritik geübt an der Kirche und an Kirchenmännern; da werden Lehren praktischer Philos. und Ethik ausgebreitet; über die verschiedenen Laster ist man belehrt, v. a. über Neid und Rachlust, die Troja zu Fall bringen; in quasi wiss. Manier werden Astronomie und Navigation abgehandelt; die Leser des Troja-Buches unterrichtet der Mönch auch über Rhet. und ihre Funktionen; auf dem Fundament christl. Doktrin über die Providenz denkt Lydgate über Fortuna und ihr Wirken nach; in detaillierten Beschreibungen belehrt er über Heraldik und über Waffenkunde inklusive der Pflege der Waffen; er verlangt mit häufiger Wiederholung das Nachdenken seines Publikums über die Unstetigkeit der Welt und alles Weltlichen; Digressionen rel. Unterweisung sollen das richtige christl. Verständnis der Geschichte sicherstellen; Passagen mit Wissensinhalten, z. B. über die Myth. der Griechen, wollen Bildung und Gelehrsamkeit vermitteln. Was im Auftrag vielleicht als Lobpreis der Ritterschaft gedacht war, wird durch Zusätze dieser und vergleichbarer Art letztlich zu einem Kompendium des Wissens, in dem das Thema der Vergänglichkeit der Welt die zentrale Rolle spielt – vor aller Erzählung der Geschichte des Trojanischen Krieges. Die Redeabsicht, am Beispiel Trojas über die desaströsen Folgen von Zwietracht und Streit zu belehren, überwuchert den eigentlichen Gang der Geschichte so stark, daß fast ein Plädoyer für den Frieden daraus geworden ist. Eine ganze Reihe von Komm. im Troja-Buch legen ein Verständnis nahe, das in Lydgates Ratschlag lautet: »Es ist besser, den Weg des Friedens zu wählen als einen Krieg zu beginnen, dessen Vor- und Nachteile man nicht abschätzen kann« (2,1265 f.). In seiner Version der Thebanergeschichte (1420–1422) wird Lydgate diese Forderung noch expliziter artikulieren als ein generelles Verlangen nach Frieden, in dessen Formulierung im Epilog er sogar Klauseln des Friedens-

vertrages von Troyes (1420) zw. England und Frankreich einbezieht (*Siege of Thebes* V. 4628–4716, bes. 4690–93, 4702 f.). Die enzyklopädische Anlage dieser Trojanergeschichte sowie die didaktische Funktion des enzyklopädischen Wissens als Weg zur Belehrung und Unterweisung, dazu ihr offensichtlicher Erfolg beim Publikum markieren insgesamt noch einmal den signifikantesten Zug der engl. wie generell ma. Rezeption ant. Geschichte und Geschichten: Sie dienen moralischer Belehrung und Unterweisung, sie haben kein Eigenrecht als Darstellung ant. Vergangenheit.

Man kann noch nicht erklären, woher das plötzliche Interesse am Trojanischen Krieg und der Zerstörung der Stadt im frühen 15. Jh. in England kommt. Rascher polit., sozialer und rel. Wandel sind Zeichen einer Zeit, in der z. B. mit der Absetzung Richards II., mit der Usurpation Heinrichs IV. oder der Lollardenbewegung alte Gewißheiten erschüttert werden. In Zeiten sozialer Unsicherheit steigt das Bedürfnis von Menschen, sich über histor. Vergewisserung neue Sicherheiten und Orientierungen zu verschaffen [28; 117]. Politische Erschütterungen wie die Verurteilung und Vertreibung der Favoriten Richards II. oder der Versuch des Parlaments, die Politik, das Personal und die Ausgaben der Regierung und des Hofes von Heinrich IV. zu kontrollieren, oder weiter die Rebellion der Percys gegen diesen König werden alle zur konservativen Wende beigetragen haben, die die erste H. des 15. Jh. im Unterschied zum relativen Liberalismus des späten 14. kennzeichnet. Diese Wende zeigt sich auch an der starken Tendenz zur Moralisierung in lit. Werken, wie sie v. a. bei John Lydgate (ca. 1370–1449), aber auch an den Werken von Thomas Hoccleve (ca. 1369–1426) abzulesen ist, der u. a. für Heinrich V. einen → Fürstenspiegel schreibt. Darüber hinaus wuchs in England die Unzufriedenheit mit dem Verlauf des Hundertjährigen Krieges mit Frankreich, wegen der Kosten, aber auch z. B. wegen des polit. Problems mit den verletzten und verstümmelten Kriegsveteranen, mit dem sich sogar das Parlament befaßte. All das führte zu einem immer wieder erklärten Wunsch nach Frieden, den Lydgate mit seinem Troja-Buch eingefangen haben könnte. Obwohl diese Friedenssehnsucht im *Troy Book* weniger expliziten Ausdruck findet als im *Siege of Thebes*, findet Lydgate auch in seiner Trojageschichte einen Weg für solche Propaganda: Die Heirat zw. Heinrich V. und der frz. Königstocher Katharina möge dem Krieg ein E. setzen, so daß die gute, glückliche alte Zeit zurückkehren möge (›þe tyme fortunat, / Of the olde worlde called aureat‹), deklariert er in seinem 5. Buch (V. 3392–3416). Für Lydgate wie für den Autor der *Gest Historiale* war die Zerstörung Trojas illustrierendes Beispiel für die Folgen einer kriegswütigen Einstellung, die nicht gezügelt wird durch diejenigen Rittertugenden, die in beiden Troja-Aneignungen immer wieder eingefordert werden. Es mag also sein, daß das plötzliche Interesse an den Trojanergeschichten diesem Belehrungsinteresse entsprach. Der ant. Stoff bot dabei die Möglichkeit, das

ritterlich-heroische Handeln vergangener Zeiten darzustellen, es zu preisen und zu belobigen; mit der Darstellung seines Scheiterns aber wird zugleich der nur
weltlichen Basis solcher Heldentaten eine Absage erteilt, um umso eindringlicher eine christl.-ethische Basis
einzufordern.

Beide Darstellungen wie (in begrenzterem Maße) die
der anderen Trojaversionen aus dem 15. Jh. geben auch
Einblick in einen Wandel der Rezeption ant. Inhalte,
die längerfristig zur → Renaissance führen wird. Man
hat im Zusammenhang mit dem 15. Jh. in England von
Frühhuman. gesprochen, weil ein offenbar unbefan-
generer Umgang mit ant. Inhalten zu beobachten ist
[105; 121]. Eine Erklärung dieser anderen Rezeptions-
einstellung muß schon im 14. Jh. gesucht werden und
dort auf die Vermittlung ant. Inhalte an Publikumskreise
verweisen, die sich nicht mehr nur aus hochgebildeten
Klerikern rekrutieren.

4. CHAUCER, GOWER, LYDGATE UND ANDERE

Im 14. Jh. mehren sich deutlich die Zeichen für eine
Ausweitung von Studium und Lehre über die Kathedralschulen hinaus [95. 109–122, 143–165]. In der Folge
der Beschlüsse der Lateran-Konzile von 1179 und 1215
zur Unterweisung von Klerikern und Laien, aber auch
als Folge der Ankunft der Bettelorden mit ihrem ausgeprägten Interesse an Studium, an Schulen und an der
predigenden Unterweisung der Stadtbevölkerung läßt
sich beobachten, daß und wie klass. Ant. Einzug hält in
Handbücher zur Unterweisung, in Predigten, in Schullektüren, in gelehrte Kommentare. Hier ist weder der
Ort, diese Entwicklung nachzuzeichnen, noch reicht
der Platz, alle Referenzen aufzuzählen (vgl. u. a. [5; 31;
81; 108; 125]); es muß genügen, an exemplarischen Beispielen den Weg der Vermittlung und die sich daraus
ergebenden Erkenntnismöglichkeiten zu skizzieren.

Das Beispiel Chaucers verdeutlicht, wie sich unser
Wissen um die Rezeption der Ant. durch volkssprachliche engl. Autoren des 14. und 15. Jh. verändert hat;
man glaubt nicht mehr wie eine frühere Zeit, daß jede
einzelne Referenz auf die Ant., auf ant. Autoren und
Werke in Chaucers Dichtungen Beleg für seine Lektüre
der Originale gewesen sei. Es gilt als relativ gesichert,
daß er Ovids Dichtungen gut kannte, ebenso Vergils
Aeneis. Doch schon mit Bezug auf diese letztere Rezeption scheint es Begrenzungen zu geben; es ist gezeigt
worden, daß Chaucers Bekanntschaft mit der Aeneis
sich vornehmlich auf die Bücher 1–2 und 4 beziehen
könnte. Neben Ovids Werken und Vergils Aeneis zählt
auch die Thebais des Statius und einiges von Claudianus
zur Liste derjenigen Werke, über die Chaucer wahrscheinlich profunderes Wissen besaß; die spätant. Autoren Macrobius, dessen Komm. über Scipios Traum er
wiederholt benutzt und zitiert, und Boëthius, dessen
Consolatio er selbst übersetzt hat, sind weitere Gewißheiten in einer Liste seiner Lektüren und Aneignungen
(spät-)ant. Literatur. Darüber hinaus läßt sich kaum
noch Sicheres über Chaucers Kenntnis ant. Autoren
und Werke sagen. Abgesehen davon, daß Quellenver-

weise nicht nur in seinen Dichtungen eine trügerische
Fährte sein können, ist wahrscheinlich wichtiger als eine
möglichst exakte Beschreibung der Bildung engl. Autoren des 14. und 15. Jh. mit Bezug auf die Antike eine
Antwort auf die Frage, woher denn Chaucer, Gower
oder Lydgate und andere ihr Wissen über solche Lit.
bezogen haben könnten.

Die Quellen des Wissens über die Ant. scheinen weniger in den Texten selbst als in Komm., den accesus ad
auctores, den Enzyklopädien oder in Predigthandbüchern und Predigten zu liegen. Seit G. R. Owst 1933
mit seiner einflußreichen Studie Literature and pulpit in
medieval England [94] zuerst der These gewichtige Substanz gegeben hat, daß die Handbücher für Predigten
und Predigtsammlungen aus dem 14. und 15. Jh. eine
immense Fundgrube für lit. Bilder, lit. Motive und Themen der Lit. seien, hat sich unser Wissen über diese
Vermittlungsinstanz ant. Lit. enorm erweitert. Ein paar
Hinweise müssen genügen. In der Einleitung zu seiner
Summa praedicantium von ca. 1360, einem alphabetisch
nach Themen geordneten Handbuch für die Prediger,
diskutiert der Dominikaner John Bromyard (Robert
von Basevorn) die Verwendung ant. Mythen und ant.
Lit. als Exempla zur Illustration moralischer Grundsätze
und bescheidet potentielle Gegner dieses Verfahrens mit
dem auf die Kirchenväter zurückgehenden Grundsatz
fas est et ab hoste doceri, es verstößt nicht gegen die Sitten,
durch Rückführung auf die moralischen Prinzipien aus
den Mythen und Fabeln der Heiden Lehren zu ziehen.
Sein Handbuch ist voll von Erzählungen und Zitaten
aus der ant. Lit., Alexander und Enoch werden ebenso
in einem Argumentzusammenhang genannt wie Aristoteles, Seneca und Augustinus. Bromyards Summa steht
in einer Trad. mit z. B. dem Communiloquium sive Summa
Collationum des Franziskaners John of Wales (Waleys,
vor 1300), einer Sammlung erbaulichen Materials für
Predigten und unterweisende Konversation, die ge-
spickt ist mit Auszügen aus der ant. Lit. und die mit ihrer
Funktionsbestimmung bereits die Nahtstelle zw. der gelehrten akad. Welt der Prediger und der der gebildeten
Laien für die Vermittlung von Wissen über die Ant.
andeutet [95.147–148; 111. 63 ff.]. Im ersten Teil seiner
Summa sind die fünf am häufigsten zitierten Autoren
Augustinus, Seneca, Valerius Maximus, Cicero, Johannes von Salisbury und Gregor der Große; der auffällige
Anteil der heidnischen Philosophen muß nicht weiter
betont werden. Neben dieser Summa hat Johannes auch
ein Compendiloquium heidnischer und ein Breviloquium
christl. Philosophen hinterlassen, in denen bedeutsame
Aussagen zusammengestellt und für den Gebrauch sorgsam klassifiziert sind; im Breviloquium de virtutibus antiquorum principum et philosophorum finden sich die vier
klass. Tugenden iustitia, prudentia, temperantia und fortitudo diskutiert und mit Exempla aus der ant. Lit. illustriert, allen voran aus Valerius Maximus. Mss. und frühe
Drucke mit diesen und anderen Werken des John of
Wales finden sich über ganz Europa verstreut; allein
vom Breviloquium und vom Communiloquium existieren

noch heute 151 bzw. 144 Mss. [111. 257–290]. Neben der großen Zahl von Rezipienten seiner Werke in klerikalen Zirkeln läßt sich sein Einfluß auch bei zwei der bekanntesten Dichter des engl. MA nachweisen. John Gowers 7. Buch der *Confessio Amantis*, eine Art Staatslehre, greift für seine Exempla immer wieder auf das *Breviloquium* zurück, während Chaucer das *Communiloquium* für Teile seiner *Canterbury Tales* benutzte. Verwandt mit der *Summa* des John Bromyard und den Predigthandbüchern des John of Wales ist auch die Exempelsammlung *Moralitates* des Dominikaners Robert Holcot (vor 1349), die ebenfalls für Prediger zusammengestellt ist und eine Fülle ant. Exempel bereithält. Bekannter ist Holcot allerdings im 14. und 15. Jh. durch seine Bibelkomm., von denen derjenige zur Weisheit Salomos (*Sapientia*) einer der Bestseller seiner Zeit war [95]; auch diese Komm. machen ausführlichen Gebrauch von Beispielen aus der ant. Literatur. »Holcot upon Sapience« ist daher auch engl. Dichtern Quelle für ant. Exempel – so bei Thomas Hoccleve (ca. 1369–1426) in seiner *Male Regle* für die Geschichte von Odysseus und den Nixen oder für John Lydgate (ca. 1370–1449) in seiner Version der Aesopschen Fabeln. Auch Chaucer hat Holcots Komm. gekannt und für seine *Nun's Priest's Tale* mit ihrer Diskussion der prognostischen Kraft von Träumen benutzt. Die Reihe von Handbüchern und Komm. aus dem 14. und 15. Jh. mit ihrer wenig begrenzten Aneignung. Stoffe und Geschichten ließe sich fortsetzen; erwähnt seien nur noch Nicholas Trevet (ca. 1258–1334) und der anon. *Fasciculus Morum* aus dem 14. Jahrhundert. Trevets Komm. zu klass. Autoren trugen ihm den päpstlichen Auftrag zu einem Livius-Komm. ein, sie gelten aber auch als wesentliches Bindeglied zw. der gelehrten Kommentartrad. und einem allmählich erwachenden, breiteren Interesse an der Ant. unter gebildeten Laien. Seine Moralisierung der *Metamorphosen* des Ovid oder sein Komm. zu einigen Seneca-Trag. rechtfertigen die Verwendung ant. Exempla bei der Unterweisung der Laien, weil man aus ihnen moralischen Sinn gewinnen könne [94. 180]. Im *Fasciculus Morum* von ca. 1300 schließlich, das in 28 Mss. aus dem 14. und 15.Jh. überliefert ist und dessen Texttrad. mehrere Aktualisierungen kennt, sind die sieben Todsünden und ihre positive Kehrseite, die Kardinaltugenden, mit einer Fülle von Exempla aus der Ant. illustriert und *moraliter* ausgelegt. Unter dem Stichwort *avaritia* findet sich z.B. die Geschichte des Römers, der sein Orakel befragt, warum Krieg und Elend in Rom herrschten; diese Geschichte wird ausgelegt und mit weiteren Exempla angereichert [123. 316–320]; unter dem Stichwort *accidia* wird z.B. zur Illustration der Tugend Duldsamkeit kurz nach einander Ciceros Definition der *patientia* zitiert, über Sokrates und Xantippe erzählt sowie auf die christl. Märtyrer und ihre Standhaftigkeit verwiesen; darauf folgt das Exempel des Theodor von Cyrene und seiner Verurteilung durch Lysimachus, dann das des Spartaners Leonidas im Kampf gegen Xerxes, dann Cicero mit einem Beispiel von

Caesar, dann Augustinus, Seneca *De ira* mit dem Beispiel des Sokrates sowie dem des Diogenes und Lentulus, dann Valerius über Archytas von Tarent; die Beispielreihe endet mit dem Hinweis, daß noch mehr Material zur Illustration im *Breviloquium* des John of Wales zu finden sei [123. 620–622]. All das ist mit einer Selbstverständlichkeit ausgeführt, die zu unterstellen scheint, daß das Verständnis der Geschichten allg. gesichert sei. Die Exempla sind also auf ihre moralischen Prinzipien reduziert und werden damit nach Art einer Datenbank allg. verfügbar.

Aus den Handbüchern und Materialsammlungen für die Prediger, aus den Komm. zur Bibel, zu den Schriften der Kirchenväter und zu den Klassikern, ferner aus den Enzyklopädien wie den *Speculi* des Vincenz von Beauvais wandern die klass. Exempla in die Predigten. Auch hier müssen einige exemplarische Belege zur Illustration des Prinzips ausreichen. Dabei geht die Integration ant. Beispiele in die Unterweisung der Laien nicht immer reibungslos vonstatten. Owst verweist auf den Protest eines Predigers aus dem 15. Jh., dessen Gemeinde sich offenbar beschwert hatte über die Verwendung von Dichtung zu Beginn seiner Predigt; er fühlte sich daher zu der ausdrücklichen Erklärung genötigt, daß er nun aus der Bibel zitiere, und nicht aus ant. Autoren wie ›Ovidie‹ und ›Oras‹ [94. 179]. In der Regel aber werden ant. Exempel in volkssprachlichen Predigten des 14. und 15. Jh. ant. Exempel wie selbstverständlich benutzt und benötigen keine Rechtfertigung mehr für ihre Verwendung in einem christl. Argumentationszusammenhang und in christl. Unterweisung. Ein Beispiel für Stolz und seine Demütigung, so heißt es in einer Predigtsammlung von ca. 1415, kann man in den Briefen Senecas nachlesen, der über eine Demütigung Alexanders berichtet; das Ms. der Predigt notiert am Rande sorgfältig ›Nota fabula‹. In derselben Sammlung wird, ebenfalls aus Senecas Briefen, die Geschichte von Alexanders Sohn Sares erzählt, der wegen seiner Schönheit für den Sohn Jupiters gehalten wird, sich selbst aber wegen einer Wunde aus einem Kampf für menschlich ausgibt; diese Geschichte wird dann gebührend moralisiert und auf das aufrichtige Bekenntnis der Sünden appliziert. An wieder anderer Stelle werden zur Rechtfertigung der gesellschaftlichen Hierarchie der drei Ordnungen und in Anwesenheit des Königs (›unser hier anwesender Souverän‹) wie selbstverständlich Aristoteles, Vegetius, Aegidius Romanus, Horaz und eine Aristoteles-Auslegung des Boëthius zitiert. Und ein letztes Beispiel: Als vernunftbegabte Wesen sollten alle Menschen zur Tugend neigen – so sagen jedenfalls alle wesentlichen Philosophen, die Stoiker, die Peripatetiker, die Platoniker, *secundum Augustinum et Tullium* [101. 323, 307 ff., 224, 267]; der Zusatz signalisiert noch einmal den bereits bekannten Grundsatz, daß auch die Vermittler von Wissen über die Ant. ihre Kenntnis ant. Autoritäten keineswegs immer aus erster Hand hatten.

Mit der kleinen Auswahl an Beispielen ist überhaupt nicht gesagt, daß alle lit. Aneignungen ant. Stoffe und Texte den Weg über Predigthandbücher oder Komm. und Predigten genommen haben. Die Auswahl dient lediglich als Stütze des prinzipiellen Arguments, daß ab rund 1300 durch die akad. Arbeit der Bettelorden und in Sonderheit der Franziskaner und Dominikaner Bildungswissen aufbereitet und zur Verfügung gestellt wird, das nicht mehr nur der klerikalen Elite zugänglich ist. Man weiß, daß etwa die Kathedralschulen und die Konvente der Bettelorden auswärtige Schüler zuließen, daß an ihnen Lektoren beschäftigt waren, die öffentliche Vorlesungen und Disputationen über theologische Fragen hielten; selbst die monastisch ausgerichteten Kathedralkirchen wie Canterbury kannten diese Einrichtung. Diese Unterweisung erreicht zunächst den Klerus, dann mit der Öffnung der Bildungsmöglichkeiten auch Söhne aus adligen oder ritterlichen Familien, schließlich auch solche aus Familien reicher Stadtbürger, für die eine klerikale Karriere, eine Karriere als Juristen oder eine Laufbahn in den königlichen oder baronialen Verwaltungen in Aussicht genommen war; ihr Langzeiteffekt ist das implizite Angebot, sich solches Wissen anzueignen und je nach Eigeninteresse zu verwerten oder zu vertiefen. Es ist nicht gesagt, dass diese neuen Bildungsmöglichkeiten von vielen genutzt und viele zu Rezipienten ant. Stoffe und Texte gemacht haben; im 14. Jh. wie auch im 15. Jh. gibt es noch enorme Unterschiede im Grad der Bildung und im Grad des Verständnisses der Bildungsinhalte. Die selbstverständliche Art und Weise, mit der etwa der anon. klerikale Autor des *Seege of Troy* (Mss. um 1400) das Urteil des Paris als eine Entscheidung zw. Venus und den »Göttinnen« Jupiter, Merkur und Saturn darstellt, mag ausreichender Hinweis auf den in den meisten Fällen geringen Grad souveräner Verfügung über neue Bildungsinhalte sein. Während also auf der einen Seite der Skala lücken- und sogar fehlerhaftes Wissen dokumentiert ist, hat man auf der anderen Seite mit hochgebildeten Literaten vom Schlage eines John Gower, eines Geoffrey Chaucer, William Langland, John Lydgate, Thomas Hoccleve und anderen Autoren, die das neue Bildungsangebot und die zur Verfügung stehenden Quellen solcher Bildung sehr wohl zu nutzen wußten. Das muß notwendigerweise zu einer Emanzipation dieses Wissens vom Bildungsmonopol der Kirche geführt haben, zu einem Prozeß, in dessen Verlauf sich nicht nur die Inhalte des Wissens über die Ant., sondern auch seine Einschätzung und Wertschätzung ändern. Der Beginn dieses Prozesses ist schon an den Darstellungen derjenigen abzulesen, die das Wissen zuallererst zur Verfügung stellen; die bes. Wertschätzung, mit der etwa John of Wales der Ant. und ant. Autoren begegnet, ist sowohl im *Communiloquium* wie auch seinen anderen Kompilationen geradezu mit Händen zu greifen. In diesem Prozeß werden die paganen ant. Autoren mit Hilfe einer moralisierenden Sinngebung zu »Philosophen« umgewertet; sie werden zu zuverlässigen Autoritäten, die sowohl christl. Auto-

ren wie den Kirchenvätern quasi gleichberechtigt an die Seite gestellt werden können. Die ant. Quellen auf diese Weise neu bewertet zu haben, ist eine Leistung der Komm.- und Predigttrad. seit dem 13. Jh.; ihre Wirkung läßt sich z. B. ablesen an der Selbstverständlichkeit, mit der der Prediger der Sammlung Royal 18 B.xxiii Augustinus in einem Atemzug mit Stoikern und Peripatetikern nennt [101. 267].

In diesem Prozeß der Neubewertung und der Emanzipation ändert sich allerdings noch nicht die grundsätzlich ma. Einstellung, alles Ant. einer christl. Nutzanwendung zu unterziehen. Im Unterschied zur Ren. des 16. Jh. findet eine wirkliche Neubewertung und v. a. ein Rückgriff auf die originalen Texte noch nicht systematisch statt. Die »Frühhumanisten« des 14. und des 15. Jh. haben lediglich Tore aufgestoßen und Wege eröffnet, auf denen auch Laien zu einer Bildung kommen können, die ihnen lange versperrt geblieben war und die sie allenfalls indirekt rezipiert hatten. Das Beispiel Chaucer mag erneut als Illustration der Möglichkeiten dienen, die zuerst wohl nur wenige nutzen konnten. Wiewohl der Prozeß seiner Bildung und Ausbildung auch nicht mehr annähernd aufgeklärt werden kann, bleibt doch unstrittig, daß er über eine formale Ausbildung hinaus Lit. in einem Umfang rezipiert haben muß, die nicht überall und nicht jedem zur Verfügung stand. Es ist vorstellbar, daß er Zugang zu Bibl. hatte, wie sie etwa von Richard de Bury beschrieben werden, z. B. zu denen der Bettelorden [17a. 88–92]. Dort würde er Komm. und Handbücher und in ihnen die ant. Texte gefunden haben, die er für seine Werke und in seinen Werken auf vielfältige Weise genutzt hat – von der Quellenvorlage über Themen und Motive bis hin zum reinen Verweis. Das setzt eine enorme Leseleistung voraus, die er selbst bestätigt und zugleich ironisiert, wenn in seinem *House of Fame* der Adler davon redet, daß sich der Dichter Chaucer nach getaner Arbeit über den Abrechnungsbüchern der Zölle auf Wolle zu Hause über andere Bücher beuge ›tyl fully daswed ys thy look‹, »bis du ganz benommen bist« (V. 652–658). Es ist allerdings schwer vorstellbar, daß Chaucer selbst eine Bibl. gehabt hätte, in der alle ihm bekannten, von ihm zitierten oder verarbeiteten Texte präsent gewesen wären; für das *House of Fame* etwa hätte er mehrere Werke Ovids (*Metamorphosen*, *Heroiden*, *Ars amatoria*) und die *Aeneis* gebraucht; trotz der glaubwürdigen Annahme, daß er mindestens einen Teil dieser Werke im Original kannte, hat er vermutlich für diese Dichtung auch eine Ovid-Übers. vom Typ des *Ovid Moralisé*, Komm. wie den des Servius über Vergil und möglicherweise auch den Bersuires im *Ovidius moralizatus* benutzt. Die Vielfalt der in seinen Werken vorkommenden Motive und Themen sowie sein souveräner Umgang mit ihnen lassen auch Rückschlüsse auf das Publikum zu, das Chaucer für seine Antikerezeption brauchte. Es bedarf eines hochgebildeten Zirkels von Connaisseurs (Laien wie Kleriker), in dem wie selbstverständlich, aber auch fern von klerikaler Sinngebung und Moral über lit. Bilder, Motive und Themen der Ant. verfügt, diskutiert und nachgedacht werden konnte, in dem solch reicher Motivvorat bekannt und in dem auch noch kürzeste Allusionen des Dichters verstanden wurden und goutiert werden konnten. Der Grad an Bildung und Wissen über die ant. Lit., den Chaucers Dichtung zu ihrem Verständnis voraussetzt, ist enorm; die oben beschriebene Trad. ist Bedingung solcher Möglichkeiten der Aneignung und Transformation; sie werden durch diese Trad. erst eröffnet.

Prinzipiell hätte ab etwa der Mitte des 14. Jh. vielen der Zugang zu solcher Bildung offengestanden; Unterschiede im Grad der Bildung und in der Verwendung des Wissens ergaben sich wohl aus der Verfügbarkeit entsprechender Quellen, aber auch aus dem mehr oder weniger kreativen Umgang mit dem verfügbaren Textmaterial. Ein Vergleich zw. Chaucer, Gower und Lydgate erhellt leicht, wie vergleichbare Voraussetzungen doch zu ganz unterschiedlichen Ergebnissen der Rezeption führten. Chaucer und Gower werden in der Hauptstadt in ausreichendem Maße Bibl. gefunden haben; Lydgate hatte die bedeutende Bibl. eines der wichtigsten Klöster im Lande zu seiner Verfügung, die von Bury St. Edmunds. Während jedoch bei Chaucer – trotz all seiner Einbindung in die christl. Rezeption der Ant. und ihre generelle moralische Sinngebung – die von ihm verwandten lit. Muster einen rhet. und poetischen Eigenwert gewinnen und damit auf die lit. Ästhetisierung des Rezipierten verweisen, bleiben Gower und Lydgate ganz der moralisierenden Trad. verhaftet. Für Gower ist trotz der behaupteten Gleichgewichtung von ›lust‹ und ›lore‹, von *delectare et prodesse* im Prolog zur *Confessio Amantis*, der Lehraspekt allemal der wichtigere in allen seinen Werken; und Lydgate versucht mit seinem *Siege of Thebes* gar, die vorgeblichen moralischen Mängel in Chaucers *Canterbury Tales* zu bessern, weil dies seiner Auffassung von der gesellschaftlichen Rolle des Dichters entspricht. Der Dichter, so Lydgate im Prolog zum *Fall of Princes*, soll vornehmlich moralisch belehren (*delectare* ist diesem Mönch eher fremd), er soll mit ›parfit charite‹ aus Altem Neues schaffen und es zur moralischen Besserung der Gesellschaft einsetzen. Diese Auffassung überwiegt im 15. Jh., und in sie paßt sich die christl. Aneignung ant. Lit. bis zum E. des Jh. nahtlos ein. Nur ein Beispiel für diesen Unterschied: Selbst wenn die Gesamtaussage der *Legend of Good Women* eine Ironisierung der vorgeblich tugendhaften Heiligen des Liebesgottes ist: Wo Chaucer die Geschichte von Pyramus und Thisbe aus den *Metamorphosen* des Ovid ohne expliziten Komm. und ohne Wertung der Selbstmorde darstellt, führt John Metham in seinem *Amoryus and Cleopes* in der Mitte des 15. Jh. die Geschichte zu einem christlichen Happyend. Es erfüllt sich dort die Prophezeiung der Venus, daß ein Gekreuzigter ihren Tempel erobern wird; ein Eremit erweckt das Liebespaar mit seinen Gebeten wieder zum Leben und bekehrt es auch gleich noch zum Christentum. Zur gleichen Zeit bricht – sozusagen als Zeichen des Untergangs der heidnischen

Ant. – das pagane Weltmodell in sich zusammen, dessen minutiöse Beschreibung bei Metham etwas von der Technik-Faszination der Zeit verrät. Der Ant. und ihren Werten wird hier eine deutliche Absage erteilt.

Der Vergleich zw. der Rezeption ant. lit. Muster im 14. und 15. Jh. fördert dieselbe Differenz zutage, die sich auch in vielen anderen kulturellen und sozialen Aspekten zeigen läßt: Das 15. Jh. kennt eine Wende zur Orthodoxie, die dem 14. noch fremd ist. Es steht daher auch nicht zu erwarten, daß der zu Beginn des 14. Jh. einsetzende Wandel in der Verfügbarkeit von ant. Bildungsinhalten schon im 15. zu einer grundsätzlichen Neubewertung hätte führen können. Wo in Chaucers Werken und in seiner Handhabung ant. Stoffe trotz all ihrer christl. Fundierung der Experimentcharakter, die kritische Haltung, der spielerische Umgang mit dem Tradierten oder schiere Intellektualität vorherrschen, bestimmen im 15. Jh. nur noch moralischer Ernst und die schon in den Texten vorgeschriebene moralische Deutung des Gelesenen oder Gehörten die lit. Szene. Das hat auch etwas mit der Entstehung eines lit. Marktes zu tun. Denn im Zuge beider Jh. weitet sich im 15. Jh. die Schicht der Literaturrezipienten erheblich aus; es entstehen neue Publikumskreise im Landadel wie im reichen Stadtbürgertum. Klare Deutungslinien und Orientierungen, moralische Vergewisserung und eindeutig definierte Werte kamen deren Interessen offenbar mehr entgegen als Mehrdeutigkeit und lit. Experiment. So bleibt letztlich – trotz oder vielleicht gerade wegen der größeren Verbreitung des Wissens über ant. Lit. – im Grundsatz für das 13. bis 15. Jh. in England bei allen Unterschieden der Rezeption im Individualfall gültig, was Richard de Bury in seinem *Philobiblon* von 1345 ausgeführt hatte. Traditionsverhaftet verteidigt Bury die Rezeption ant. Lit. mit einem Verweis auf Beda und die Position der Kirchenväter, daß nämlich derjenige die Lit. der heidnischen Dichter *laudabiliter* studiere, der an ihnen die *errores* der Heiden erkennen und verachten lerne und das, was an ihnen nützlich sei, demütig für das Studium christl. Gelehrsamkeit verwende [17a. 128]; mit der richtigen Einstellung (›piae intentionis affectum‹) wird die Lektüre der Klassiker ein für Gott akzeptables Studium. Diesen Grundsatz sicherzustellen war fast zwangsläufig Begleitumstand der größeren Verbreitung des Wissens im 14. und 15. Jahrhundert. Denn wo die Wissensinhalte in die Ohren und vor die Augen von vielen gerieten und somit eine Kontrolle ihres Verstehens, ihrer Deutung und ihrer weiteren Verwendung kaum noch möglich schien, da mußte diese unkontrolliertere Rezeption kontrolliert werden durch die Beigabe einheitlicher und eindeutiger moralisch-christl. Wertung. So bleibt die ma. Rezeption des Antiken in England bis zum E. des 15. Jh. prinzipiell der Trad. christl. Aneignung und Transformation verhaftet. Dennoch legt sie den Grund für die Rezeption der Ant. in der engl. Ren; sie weist mit ihrer allmählichen Emanzipation vom Bildungsmonopol der klerikalen Elite auf einen Weg, der fast zwangsläufig zu den Urtexten zu-

rückführen mußte. Es dauerte allerdings bis zum E. des
15. Jh., bis die vorherrschende Rezeptionstrad. allmählich unter Druck geriet durch eine neue Rezeption der
Originale und eine neue Sicht auf sie, die sich erst in der
engl. Ren. durchsetzte. Die ersten Versuche dieses anderen Umgangs mit der Ant. tragen aber noch deutlich
die Folgen ihrer Christianisierung. Als Caxton 1490 seine Übers. der Vergilschen *Aeneis* als *Eneydos* publiziert,
wird diese Übers. bald darauf als nicht authentisch kritisiert; Caxton hatte als seine Quelle nicht das Original,
sondern eine frz. Zusammenstellung von Texten aus
Boccaccio und aus nicht identifizierten Texten über
Troja und Aeneas benutzt, eine Kompilation also nach
dem ma. Rezeptionsmuster, die er für eine Übers. des
Originals gehalten hatte. Einer seiner schärfsten Kritiker
war Gavin Douglas, jüngerer Sohn des fünften Grafen
von Angus, Absolvent der *Artes* in St. Andrews, Kleriker, dann Bischof von Dunkeld. Ihm blieb es vorbehalten, die erste vollständige Übers. des Originaltextes der
Aeneis ins Engl. zu übertragen, die er 1513 unter dem
Titel *Eneados* fertig stellte. Sie enthält neben dem Text
einen Randkomm. (wenn auch nur für die ersten Kap.
von Buch I), und auch die Prologe des Übersetzers beziehen Material aus ma. Komm. mit ein. Vor allem aber
enthalten sie – ganz in der Trad. der ma. Aneignung ant.
Stoffe – den Deutungshinweis, daß unter den ›clowdis
of dyrk poecy‹, unter dem Schleier verbergender poetischer Redeweise philos. Wahrheiten zu finden seien
(Eneados, Prol. I).

1 J.B. ALLEN, The ethical poetic of the later middle ages,
1982 **2** E. ARCHIBALD, Apollonius of Tyre: medieval and
ren. themes and variations. Including a text and translation
of »The Historia Apollonii Regis Tyri«, 1991
3 E. ARMSTRONG, Der Beitr. des Buchdrucks zur klass. Trad.
an Hand einiger engl. und frz. Beispiele, in: A. BUCK
(Hrsg.), Die Rezeption der Ant.: Zum Problem der
Kontinuität zw. MA und Ren. (= Wolfenbütteler Abh. zur
Renaissanceforsch. 1), 1981, 225–235 **4** C. BASWELL, Virgil
in medieval England: figuring the »Aeneid« from the twelfth
century to Chaucer, 1995 **5** Ders., Latinitas, in:
[118. 122–151] **6** J. BATELY, The classical additions in the
Old English Orosius, in: P. CLEMOES, K. HUGHES, England
before the Conquest, 1971, 237–251 **7** Ders., Those books
that are most necessary for all men to know: the classics and
late ninth-century England, a reappraisal, in: [10. 45–78]
8 Bede's Ecclesiastical History of the English People, hrsg. v.
B. COLGRAVE, R. A. B. MYNORS, 1969 (dt. Beda der
Ehrwürdige: Kirchengesch. des engl. Volkes, hrsg. und
übers. v. G. SPITZBART, ²1997) **9** C. D. BENSON, The history
of Troy in Middle English literature, 1980 **10** A. S.
BERNARDO, S. LEVIN (Hrsg.), The classics in the middle ages
(= Medieval & Ren. Texts & Stud. 69), 1990
11 W. BERSCHIN, Griech.-lat. MA: Von Hieronymus zu
Nikolaus von Kues, 1980 **12** F. M. BIGGS, T. D. HILL, P. E.
SZARMACH (Hrsg.), Sources of Anglo-Saxon literary
culture: a trial version (= Medieval & Ren. Texts & Stud.
74), 1990 **13** M. C. BODDEN, Evidence for knowledge of
Greek in Anglo-Saxon England, in: Anglo-Saxon England
17, 1988, 217–246 **14** R. R. BOLGAR, The classical heritage
and its beneficiaries: from the Carolingian Age to the end of
the Ren., 1954, Ndr. 1964 **15** Ders. (Hrsg.), Classical
influences on European culture a.D. 500–1500: proceedings
of an international conference held at King's College,
Cambridge, April 1969, 1971 **16** N. BROOKS, The early
history of the Church of Canterbury, 1984 **17** T. J. BROWN,
An historical introduction to the use of classical Latin
authors in the British Isles from the fifth to the eleventh
century, in: Settimane di Studio 22, 1975, 237–299 • 17a)
RICHARD DE BURY, Philobiblon, übers. v. E. C. THOMAS
hrsg. v. M. MACLAGAN, 1962 (Ndr. 1970) **18** Byrhtferth's
Enchiridion, hrsg. v. P. S. BAKER, M. LAPIDGE, Early English
Text Society Supplementary Series 15, 1995 **19** M. L.
CAMERON, The sources of Anglo-Saxon medical
knowledge, in: Anglo-Saxon England 11, 1983, 135–156
20 Ders., Anglo-Saxon medicine (= Cambridge Stud. in
Anglo-Saxon England 7), 1993 **21** G. CARY, The medieval
Alexander, hrsg. v. D. J. A. ROSS, 1967 **22** R. COPELAND,
Rhetoric, hermeneutics, and translation in the middle ages:
academic traditions and vernacular texts (= Cambridge Stud.
in Medieval Literature 11, 1991 **23** Ders., Lydgate, Hawes,
and the science of rhetoric in the late middle ages, in:
Modern Language Quarterly 53, 1992, 57–82 **24** W. J.
COURTENAY, Schools and scholars in fourteenth-century
England, 1987 **25** E. R. CURTIUS, Europ. Lit. und lat. MA,
1948, Ndr. ⁷1969 u.ö **26** M. R. DESMOND, Reading Dido:
gender, textuality and the medieval Aeneid (= Medieval
Cultures 8), 1994 **27** D. DUMVILLE, The importation of
mediterranean manuscripts into Theodore's England, in:
M. LAPIDGE (Hrsg.), Archbishop Theodore:
Commemorative Stud. in His Life and Influence, 1995,
96–119 **28** S. N. EISENSTADT, Some observations on the
dynamics of trad., in: Comparative Stud. in Society and
History 11, 1969, 451–75 **29** W. ERZGRÄBER (Hrsg.),
Kontinuität und Transformation der Ant. im MA.
Veröffentlichung der Kongreßakten zum Freiburger
Symposium des Mediävistenverbandes, 1989
30 M. ESPOSITO, Latin learning in medieval Ireland, hrsg. v.
M. LAPIDGE, 1988 (Originalbeitr. über das Thema von
1907–1960) **31** J. V. FLEMING, The friars and medieval
English literature, in: [118. 349–375] **32** C. FRUGONI, La
fortuna di Alessandro dall'antichità al medioevo,
1978 **33** S. GILLESPIE, The poets on the classics: an anthology
of English poets' writings on the classical poets and
dramatists from Chaucer to the present, 1988
34 G. GLAUCHE, Schullektüre im MA: Entstehung und
Wandlungen des Lektürekanons bis 1200 nach den Quellen
dargestellt (= Münchener Beitr. zur Mediävistik und
Ren.-Forsch. 5), 1970 **35** H. GNEUSS, A preliminary list of
manuscripts written or owned in England up to 1100, in:
Anglo-Saxon England 9, 1981, 1–60 **36** F. GRAUS, Troja und
trojanische Herkunftssage im MA, in: [29. 25–43]
37 M. GREENHALGH, The survival of Roman antiquities in
the middle ages, 1989 **38** M. GRETSCH, The intellectual
foundations of the Engl. Benedictine reform movement (=
Cambridge Stud. in Anglo-Saxon England 25), 1998
39 K. GUTH, Johannes von Salisbury: Stud. zur Kirchen-,
Kultur- und Sozialgesch. Westeuropas (= Münchner
theologische Stud. I.20), 1978 **40** P. R. HARDIE, The
successors of Virgil: a study in the dynamics of a trad., 1993
41 M. W. HERREN (Hrsg.), The sacred nectar of the Greeks:
the study of Greek in the West in the early middle ages (=
Kings College London Medieval Stud. 2), 1988 **42** Ders.,
The transmission and reception of Graeco-Roman
mythology in Anglo-Saxon England, 670–800, in:

Anglo-Saxon England 27, 1998, 87–103 **43** R. J. HEXTER, Ovid and medieval schooling: stud. in medieval school commentaries on Ovid's »Ars Amatoria«, »Epistulae ex Ponto«, and »Epistulae Heroidum« (= Münchner Beitr. zur Mediävistik und Ren.-Forsch. 38), 1986 **44** Ders., »Latinitas« in the middle ages: horizons and perspectives, in: Helios 14, 1987, 69–92 **45** J. C. HIGGITT, The Roman background in medieval England, in: Journal of the British Archaeological Association 3rd series 36, 1973, 1–15 **46** B. P. HINDLE, Medieval roads (= Shire Archaeology 26), 1982 **47** Ders., Medieval town plans (= Shire Archaeology 62), 1990 **49** J. A. HOEPPNER MORAN, The growth of English schooling 1340–1548: learning, literacy, and laicization in pre-reformation York diocese, 1985 **50** H. HOLLÄNDER, H. ALEXANDER, »Curiositas«, in: [29. 65–79] **51** T. HUNT, Teaching and learning Latin in thirteenth-century England, 3 Bde., 1991 **52** M. HUNTER, Germanic and Roman antiquity and the sense of the past in Anglo-Saxon England, in: Anglo-Saxon England 3, 1974, 29–50 **53** M. IRVINE, Bede the Grammarian and the scope of grammatical stud. in eighth-century Northumbria, in: Anglo-Saxon England 15, 1986, 15–44 **54** Ders., The making of textual culture: grammatica and literary theory, 350–1100 (= Cambridge Stud. in Medieval Literature 19), 1994 **55** R. JENKYNS (Hrsg.), The legacy of Rome: a new appraisal, 1992 **56** J. W. JONES, The allegorical traditions of the Aeneid, in: J. D. BERNARD (Hrsg.), Vergil at 2000: commemorative essays on the poet and his influence (= AMS Ars Poetica 3), 1986, 107–132 **57** H. A. KELLY, Aristotle – Averroes – Alemannus on tragedy: the influence of the »Poetics« on the Latin middle ages, in: Viator 10, 1979, 161–209 **58** G. KNAPPE, Trad. der klass. Rhet. im angelsächsischen England, 1996 **59** M. LAPIDGE, The hermeneutic style in tenth-century Anglo-Latin literature, in: Anglo-Saxon England 4, 1975, 67–111, Ndr. in [65. 105–149] **60** Ders., Surviving booklists from Anglo-Saxon England, in Ders., H. GNEUSS (Hrsg.), Learning and literature in Anglo-Saxon England: stud. presented to Peter Clemoes, 1985, 33–89 **61** Ders., The school of Theodore and Hadrian, in: Anglo-Saxon England 15, 1986, 45–72, Ndr. in [66. 141–168] **62** Ders., The study of Greek at the school of Canterbury in the seventh century, in [41. 169–194]. Ndr. in [66. 123–139] **63** Ders., Schools, learning and literature in tenth-century England, in: Settimane di Studio 38, 1991, 951–998, Ndr. in [65. 1–48] **64** Ders., Israel the grammarian in Anglo-Saxon England, in: H. J. WESTRA (Hrsg.), From Athens to Chartres: neoplatonism and medieval thought, 1992, 97–114, Ndr. in [65. 87–104] **65** Ders. (Hrsg.), Anglo-Latin literature 900–1066, 1993 **66** Ders. (Hrsg.), Anglo-Latin literature 600–899, 1996 **67** Ders., Latin learning in ninth-century England, in: [66. 409–454] **68** V. LAW, The insular Latin grammarians, 1982 **69** Ders., The study of Latin grammar in eighth-century Southumbria, in: Anglo-Saxon England 12, 1983, 43–71 **70** Ders., The history of linguistics in Europe: from Plato to 1600, 2003 **71** J. LELAND, John Leland's itinerary: travels in Tudor England. Übers. von J. CHANDLER, 1993 **72** S. LERER, John of Salisbury's Virgil, in: Vivarium 20, 1982, 24–39 **73** K. M. LYNCH, The Venerable Bede's knowledge of Greek, in: Traditio 39, 1983, 432–439 **74** M. MANITIUS, Zu röm. Schriftstellern im MA, in: Philologus 61, 1902, 455–72 **75** J. MARTIN, John of Salisbury and the Classics, Diss. Cambridge MA 1968 **76** G. MILES (Hrsg.), Classical mythology in English

literature: a critical anthology, 1999 **77** J. N. MINER, The grammar schools of medieval England: A. F. Leach in historiographical perspective, 1990 **78** A. J. MINNIS, Chaucer and pagan antiquity, 1982 **79** Ders., The medieval Boethius: stud. in the vernacular translations of »De Consolatione Philosophiae«, 1987 **80** Ders., Medieval theory of authorship: scholastic literary attitudes in the later Middle Ages, ²1988 **81** Ders., A. B. SCOTT (Hrsg.), Medieval literary theory and criticism c.1100 – c.1375: the commentary-trad., ²1991 **82** R. MORRIS, R. u. J. ROSAN, Churches on Roman buildings, in: W. RODWELL (Hrsg.), Temples, churches and religion, 1980, 175–209 **83** B. MUNK OLSEN, Les classiques latins dans les florilèges médiévaux antérieurs au XIIIᵉ siècle, in: Revue d'Histoire des Textes 9, 1979, 47–121, 10 (1980), 115–164 **84** Ders., L'étude des auteurs classiques latins au XIᵉ et XIIᵉ siècles, 3 Bde., 1982–1989 **85** B. NOLAN, Chaucer and the trad. of the »Roman Antique« (= Cambridge Stud. in Medieval Literature 15), 1992 **86** J. D. A. OGILVY, Books known to the English, 597–1066, 1967 **87** Ders., Books known to the English, 597–1066: addenda and corrigenda. Old English Newsletter Subsidia 11, 1985 **88** A. ORCHARD, After Aldhelm: the teaching and transmission of the Anglo-Latin hexameter, The Journal of Medieval Latin 2 (1992), 96–133 **89** Ders., The poetic art of Aldhelm. Cambridge Studies in Anglo-Saxon England 8, 1994 **90** Ders., Pride and prodigies: stud. in the monsters of the Beowulf-Ms., 1995 **91** N. ORME, English schools in the middle ages, 1973 **92** Ders., From childhood to chivalry: the education of the English kings and aristocracy 1066–1530, 1984 **93** The Old English Orosius, hrsg. v. J. BATELY (= Early English Text Society, Supplementary Series 6), 1980 **94** G. R. OWST, Literature and pulpit im medieval England: a neglected chapter in the history of English letters & of the English people, ²1961, Ndr. 1966 **95** W. A. PANTIN, The English church in the fourteenth century, 1955, Ndr. 1980 **96** W. PORTER, The Latin syllabus in Anglo-Saxon monastic schools, in: Neophilologus 78, 1994, 463–482 **97** L. D. REYNOLDS, Texts and transmission: a survey of the Latin classics, 1983 **98** S. REYNOLDS, Medieval reading: grammar, rhetoric, and the classical text, 1996 **99** P. RICHÉ, Education and culture in the barbarian West, sixth through eighth centuries, 1976 **100** A. G. RIGG, A history of Anglo-Latin literature 1066–1422, 1992 **101** W. O. ROSS (Hrsg.), Middle Engl. sermons edited from British Mus. MS. Royal B. xxiii (= Early English Text Society Original Series 209), 1960 **102** The Ruin, hrsg. v. B. J. MUIR, The Exeter anthology of Old English poetry: an edition of Exeter Dean and Chapter MS 3501, Exeter Medieval Texts and Stud., 2 Bde., ²2000, Bd. 1, 357–358 **103** N. SAUL (Hrsg.), The National Trust historical atlas of Britain: prehistoric to medieval, 1997 **104** M. SCHERER, The Legends of Troy in Art and Literature, 1963 **105** W. F SCHIRMER, Der engl. Frühhuman., 1963 **106** J. SEZNEC, Das Fortleben der ant. Götter, 1990 (frz. La survivance des dieux antiques, 1940) **107** J. E. SINGERMAN, Under clouds of poesy: poetry and truth in French and English reworkings of the Aeneid, 1160–1513, 1986 **108** B. SMALLEY, English friars and antiquity in the early fourteenth century, 1960 **109** E. SMITH, A dictionary of classical reference in English poetry, 1984 **110** F. STOK, Virgil between the Middle Ages and the Ren., in: IJCT 1:2, 1994, 15–22 **111** J. SWANSON, John of Wales: a study of the works & ideas of a thirteenth-century friar (= Cambridge Stud. in Medieval Life & Thought 10), 1989 **112** J. S. P.

TATLOCK, The legendary history of Britain: Geoffrey of Monmouth's Historia Regum Britanniae and its early vernacular versions, 1950 **113** H. O. TAYLOR, The classical heritage of the Middle Ages, 1901 **114** J. TOY, The story of the foundations: York Minster; a description and guide to the excavations and finds under the central tower, 1993 **115** H. L. C. TRISTRAM, Der insulare Alexander, in: [29. 129–155] **116** R. TURNER, The »miles literatus« in twelfth- and thirteenth-century England: how rare a phenomenon?, in: American Historical Review 83, 1978, 928–45 **117** V. TURNER, Social dramas and stories about them, in: Critical Inquiry 7, 1980, 141–67 **118** D. WALLACE (Hrsg.), The Cambridge history of medieval English literature, 1999 **119** L. WALTHER (Hrsg.), Ant. Mythen und ihre Rezeption: Ein Lex., 2003 **120** J. A. WEISHEIPL, Classification of the sciences in medieval thought, in: Mediaeval Studies 27, 1965, 54–90 **121** R. WEISS, Humanism in England during the 15th century, ²1957 **122** A. WELKENHUYSEN (Hrsg.), Mediaeval antiquity (= Mediaevalia Lovaniensia Series 1, Studia 24), 1995 **123** S. WENZEL (Hrsg., Übers.), Fasciculus Morum: a fourteenth-century preacher's handbook, 1990 **124** A. WENDEHORST, Wer konnte im MA lesen und schreiben?, in: J. FRIED (Hrsg.), Schulen und Studium im sozialen Wandel des hohen und späten MA (= Vorträge und Forsch. 30), 1986, 9–33 **125** M. C. WOODS, R. COPELAND, Classroom and confession, in: [29. 376–406] **126** P. WORMALD, The uses of literacy in Anglo-Saxon England, in: Transactions of the Royal Historical Society 5th series 27, 1977, 95–114 **127** F. J. WORSTBROCK, Die Antikenrezeption in der ma. und der human. Ars Dictandi, in: A. BUCK (Hrsg.), Die Rezeption der Ant.: Zum Problem der Kontinuität zw. MA und Ren. (= Wolfenbütteler Abh. zur Renaissanceforsch. 1), 1981 **128** N. WRIGHT, Bede and Vergil, in: Romanobarbarica 6, 1981–2, 361–379 **129** B. YORKE, Wessex in the early middle ages, 1995 **130** A. M. YOUNG, Troy and her legend, 1948.

WILHELM BUSSE

II. NEUZEIT

A. DIE FRÜHE NEUZEIT: VON MORUS BIS MILTON
B. VON DER RESTAURATION ZUR VORROMANTIK
C. ROMANTIK UND VIKTORIANISCHE ZEIT
D. VORMODERNE, MODERNE UND GEGENWART

A. DIE FRÜHE NEUZEIT: VON MORUS BIS MILTON

Renaissancehumanismus und Reformation, die beiden zentralen Faktoren für die Modernisierungsschübe der Frühen Neuzeit, gründeten in gemeinsamen, Texte ins Zentrum des Erkenntnisinteresses rückenden Fragen: ›In beiden ging es um das Zugänglichmachen und Auslegen von Texten, um die Wiedergewinnung eines urspr. Wortlauts und Wortsinns von Texten, den ant. Klassikern und der Hl. Schrift‹ [52. 46]. Während die Reformation – wesentlich aufgrund der neuen technischen Möglichkeiten, die der Buchdruck bot – ohne große zeitliche Verzögerungen die Insel erreichte, läßt sich der Beginn der aus It. importierten → Renaissance in England fast genau auf den Beginn der Tudorherrschaft (1485) datieren. Es sind v. a. die noch von unmittelbarem Erleben der it. Renaissancekultur geprägten William Grocyn (1449–1519), Thomas Linacre (um

1460–1524) und John Colet (1466–1519), die ab 1490 das neue Gedankengut, die zentralen Ideen der it. Ren. propagieren [13; 61], und – begünstigt durch den für human. Bildung aufgeschlossenen jungen König Heinrich VIII. (1509–1547) – die Univ. Oxford zu einem anerkannten Zentrum für das Studium des Griech. machten, zunächst gegen den Widerstand der Traditionalisten, die sich selbst als »Trojaner« bezeichneten [58. Nr. 60].

Die primäre Sorge auch der engl. Humanisten galt dem Sprachverfall, einem Symptom der allg. geistigen Dekadenz, wie schon Valla konstatiert: ›alle Studien und Disziplinen blühen, wenn die Sprache in Blüte steht und sie verfallen, wenn die Sprache verfällt‹ (L. Valla, *In sex libros Elegantiarum praefatio*). Das Programm Vallas, die Einheit von *eloquentia* und *sapientia* durch den Rückgriff auf das Lat. der ant. (Muster-)Autoren wiederherzustellen (*Elegantiae*, 1435–1444), konzentriert die human. Sprachausbildung auf ein möglichst korrektes, an den Regeln der ant. Gramm. und → Rhetorik orientiertes und stilistisch den Autoren der goldenen und silbernen Latinität folgendes klass. Lat., das enthusiastisch zum kostbarsten Vermächtnis Roms erklärt wird: ›Wir verloren Rom, verloren die Herrschaft und die Macht, obschon nicht durch unsere, sondern der Zeiten Schuld. Aber kraft dieser glänzenderen Herrschaft (mittels des Lat.) herrschen wir weiter in einem großen Teil der Welt‹ (L. Valla, *In sex libros Elegantiarum praefatio*). Ungeachtet der zeitlichen Differenz und der fast sakralen Überhöhung expliziert diese Position des it. Human. [13] das Sprachverständnis der frühen engl. Humanisten, für die das an Cicero orientierte Lat. das Medium der nationalen wie internationalen Kommunikation ist [10].

Ziel human. Spracherziehung war – wenn die elementaren Fähigkeiten in Lesen, Schreiben und Rechnen anhand engl. Bücher vermittelt waren – die weitgehende Beherrschung des Lat., wobei der Lateinunterricht als Grammatikstudium, Textanalyse, Verfassen eigener Texte und lat. Konversation den Kern der etwa siebenjährigen *grammar school*-Ausbildung bildete. In diesen *grammar schools*, ab den 50er J. des 16. Jh. unter der Rechtsaufsicht der anglikanischen Kirchenbehörden nahezu flächendeckend von städtischen Behörden, Kaufmanns- und Handwerkergilden gegründet und finanziert, konzentrierte sich der Unterricht ab dem zweiten J. auf die genaue Lektüre ant. Autoren (insbes. Aesop, Terenz, Plautus, Cicero, Vergil, Ovid, Sallust, Caesar, und Juvenal). In den beiden letzten J. wurde der Unterricht um die ant. Rhet. und Poetik ergänzt, so daß daneben Mathematik, Musik, Geogr. und Geschichte im Curriculum so marginalisiert erscheinen wie die ebenfalls an einigen *grammar schools* vermittelten Kenntnisse des Griech. und Hebräischen [18]. Kaum der Erwähnung bedarf, daß ein so konzipierter und intensiver Lateinunterricht zugleich den Schülerinnen und Schülern auch die Inhalte und Kontexte der jeweiligen ant. Texte vermittelte, wiewohl primäres Ziel der Ausbildung funktionale Zweisprachigkeit (Beherrschung von Lat. und Engl.) blieb.

Einen guten Einblick in human. Erziehungskonzepte vermitteln die Briefe und die übrigen Werke Sir Thomas Mores (1477/8–1535), der zentralen Figur des engl. Human. der ersten Jahrzehnte des 16. Jahrhunderts [8; 21]. Selbst noch von den frühen Humanisten Thomas Linacre und William Grocyn während seines nur etwa zweijährigen Studiums in Oxford (ca. 1492–1494) unterrichtet, bilanziert er in seinen Briefen immer wieder die Fortschritte der häuslichen Erziehung seiner Kinder. Die täglichen Übungen seiner Töchter erfüllen ihn mit Stolz, und deren dem Vater übermittelten Früchte (Briefe, Essays, Traktate) rechtfertigten die lobenden Berichte des Lehrers [58. Nr. 43, Z. 13 ff.]. Die Eleganz der an ihn gerichteten Briefe, insbes. Johns und Margarets, wird von ihm immer wieder gelobt [58. Nr. 70, 106, 107], seine eigenen Briefe an die Kinder sind dabei zugleich als rhet.-stilistische Vorbilder gedacht, wie insbes. ein in Form eines lat. Epigramms abgefaßter Brief [58. 76] zeigt. More empfiehlt seinen Kindern, Schriftstücke zuerst in Engl. abzufassen, sie dann ins Lat. zu übersetzen [58. Nr. 107. Z. 32 ff.] und anschließend aufmerksam und sorgfältig zu korrigieren, denn unabhängig von der Bedeutsamkeit des Gegenstandes gewänne der Bericht durch eine sorgsam gewählte Sprache [58. Nr. 107. Z. 44 ff.]. Ein Brief an den Hauslehrer der Kinder, William Gonell [58. Nr. 63], expliziert *en detail* die Grundlagen der Erziehung: Höchstes Ziel der Ausbildung sei es, zur wahren Tugend zu verhelfen, wahre Tugend oder Weisheit bestehe in dem moralischen Urteilsvermögen, darüber entscheiden zu können, was richtig und was falsch sei. Aus diesem Grunde bedürfe der Wissenserwerb auch nicht weltlicher Anerkennung, entscheidend sei – so der *consensus omnium* der Gemeinschaft der Gelehrten – das Wissen, die Bildung in der Praxis anzuwenden. Genau wie diese Wertung primär Topoi der ant. Bildungslehre (re-)formuliert, rechtfertigt More die Sorgfalt, die er in der Ausbildung seiner Töchter walten läßt, explizit mit einem ant. Vorbild: Die Kirchenväter Hieronymus und Augustinus hätten sich wiederholt und gerne der Frauen angenommen und ihnen ausführlich schwer verständliche Abschnitte aus der Hl. Schrift erklärt. Den Brief beschließt More mit konkreten Textvorschlägen für den Unterricht: ›(...), unterrichtet sie in der Tugend, ohne das Laster zu rügen; denn durch Liebe werdet ihr eher etwas erreichen als durch Strenge. Wer behutsam vorgehen will, der lese die Schriften der Kirchenväter; nie brausten sie im Zorn auf. Ihre Gehorsam gebietende Heiligkeit mahnt uns zur Nachahmung. Wenn Du außer Sallust mit Margaret und Elizabeth (Cecily und John sind wohl noch nicht reif genug) etwas in dieser Art lesen würdest, wäre ich Dir zu großem Dank verpflichtet. Meine Kinder, die mir schon durch natürliche Bande sehr nahe stehen, die mir durch ihre Gelehrsamkeit und ihre guten Sitten noch näher gebracht wurden, wirst Du durch den Unterricht in diesen Dingen ganz untrennbar mit mir

verbinden‹ [58. Nr. 63]. Dieses Erziehungskonzept Mores, das nachdrücklich auf Topoi der ant. Erziehungslehre zurückgreift [3] und das ant. Vorbild der Kirchenväter als hinreichende Rechtfertigung für praktisches Handeln in der Gegenwart versteht, verdeutlicht zugleich exemplarisch die charakteristisch engl. Ausprägung des Human., der – nicht zuletzt durch die zeitliche Verzögerung im Vergleich zu It. – die in der ant. paganen Lit. tradierten sittlichen Normen mit der aus der christl. Tugendlehre abgeleiteten Ethik harmonisierte.

Fand in der it. Ren. der Idealtypus des als Kunstwerk erscheinenden *uomo universale* seine letzte Begründung in der platonischen Idee der Schönheit, so zielte die Erziehung des engl. Human. auf eine Persönlichkeit, deren Bildung und Tugend sich im tätigen Dienst für die Gemeinschaft verwirklichten, ein Konzept, das entscheidende Konsequenzen zeitigte: Adlige Abstammung war für dieses Modell des *gentleman* [36] nicht mehr Voraussetzung, sondern im Prinzip war jeder, der die nötige Bildung erfahren hatte und sein Handeln an den sittlich-ethischen Normen ausrichtete, ein *gentleman*, womit dem Bildungsideal des engl. Human. weite Verbreitung und über das 16. Jh. hinausreichende allg. akzeptierte Verbindlichkeit zuteil wurde.

Die human. Schriften des Thomas More, das *Life of John Picus* (ca. 1510), die Lukian-Übersetzungen (1506), seine *Epigrammata* (1518), die *History of King Richard III* und sein wohl bekanntestes Werk, das einer lit. Gattung den Namen geben sollte, die *Utopia* (1516), entstanden in dem biographisch entscheidenden Jahrzehnt, in dem er als Jurist Karriere machte; sie konstituieren ein einzigartiges Werk-Korpus, das sowohl insgesamt wie im Detail die Spannbreite produktiver Rezeption der Ant. verdeutlicht [3; 8].

Herodot, Platon und Aristoteles als Autoren der klass. griech. Epoche sind ihm vertraut, wie die Übernahme einzelner Motive bezeugt; die klass. griech. Logik (des Aristoteles), insbes. die aristotelische und stoische Syllogistik, kennt er nicht nur, sondern weiß sie auch immer wieder geschickt in seine Argumentation einzubringen. Aus der griech. Spätzeit kennt More – neben Plutarch – v. a. die Schriften Lukians, von denen er vier Dialoge ins Lat. übersetzte. Die *Anthologia Graeca*, aus der er 93 Epigramme übersetzte, regte ihn zu einer ganzen Reihe eigener Epigramme an, die sich sowohl der Themen wie der Figurentypen der griech. Anthologie bedienten.

Anspielungen und Zitate lat. Dichter und Historiker gehen allein in Mores Briefen in die Hunderte, wobei ihm Terenz, Plautus, Ovid, Vergil und Cicero wohl bes. vertraut sind, wie allein die Häufigkeit der intertextuellen Verweise auf sie auch in seinen späteren kontroverstheologischen und meditativen Werken zeigt. Die kleine Schrift des Horaz *De arte poetica* ist ihm ebenso geläufig wie Quintilians *Institutio Oratoria*, beide werden akzeptiert als Richtschnur für die Gegenwart, wobei er sich bes. die horazische Forderung an die Dichtung, sie solle erfreuen und nützen, zu eigen macht. Vor diesem

Hintergrund sind wohl auch die herausragenden Kenntnisse der ant. Fabellit. zu sehen, da die → Fabel diese Forderung in bes. Maße erfüllte. Die röm. Historiker und Biographen Sallust, Sueton und Tacitus hat er offensichtlich voller Interesse studiert und sich deren rhet. Darstellungsmethoden in seiner *History of King Richard III* zu eigen gemacht [8; 31; 65]. Insbesondere das Vorbild der taciteischen Darstellung der Herrschaft des Tiberius prägt nachhaltig die eindringliche Schilderung der Atmosphäre von Mißtrauen und Bedrohung, die den König Richard III. umgibt, wie wohl auch die Verknüpfung zentraler Aussagen mit Floskeln wie ›it is for truth reported‹, ›as menne constantly saye‹ und ›some wise men also weene‹ auf taciteische Muster zurückgehen. Strukturell folgt More den Darstellungsprinzipien der Herrscherbiographie Suetons, indem er an die kurze Vorstellung der Ahnen Richards die Beschreibung Richards anschließt und dabei dessen Geburt zu einem von düsteren *omina* begleiteten, die wahre tyrannische Natur des Königs bereits enthüllenden, epochalen Ereignis ausgestaltet.

Mores Kenntnisse der lat. Lit., wozu für ihn auch die Kirchenväter gehörten, kann insgesamt kaum überschätzt werden. Wenn man darüber hinaus berücksichtigt, daß er mit großem Interesse die Sammlung ant. Münzen Jerome Busleidens beschreibt [3. 85], selbst dem Freund Cranevelt einen röm. Denar und einen Aureus schenkte [3. 169] und ein Ren.-Rifacimento nach einer röm. Münze mit einem Lorbeer bekränzten Titusporträt zw. 1519 und 1525 als privates Siegel benutzte, so konturiert dies das Bild eines Humanisten, für den das lebendige Erbe der Ant. bis in den Alltag hineinreichte, für den die – einerseits von Gelehrsamkeit, Kunst und Wiss. und andererseits vom Christentum geprägte – Ant. zum Maßstab des Handelns und zur Meßlatte für die Beurteilung der Leistungen der eigenen Zeit wurde.

Gleichwohl war sich Thomas More auch bewußt, daß eine solche umfassende Rezeption der ant. Kultur und des Austauschs darüber primär Aufgabe der gesamteurop. *res publica literarum* blieb, wie u. a. sein reger lat. Briefwechsel mit den führenden europ. Humanisten (z. B. Erasmus von Rotterdam, John Colet, William Budaeus, Conrad Goclenius, Johann Cochlaeus) bezeugt. Die vielen aus dem Griech. entlehnten sprechenden Namen in der *Utopia* (z. B. Utopia = Nichtort, Eutopia = Gutort, Anhydrus = Wasserlos) etablieren Griechischkenntnisse als Vorbedingung für ein umfassendes Textverständnis; die vielen den frühen *Utopia*-Editionen beigegebenen Parerga situieren das kleine Büchlein unmißverständlich in der zeitgenössischen human. Diskussion über die besten Grundlagen der Staatsverfassung (→ Verfassung, Verfassungsformen). Als Kommunikationsmittel innerhalb dieses europ. Humanistenkreises benutzte More ausschließlich sein elegantes Humanistenlat., und auch für seine Übers. aus dem Griech. (Epigramme, Lukian), die bald nach Erscheinen von führenden Gräzisten der Romania gerühmt wurden, wählte er Lat. als Zielsprache, nicht etwa das Englische.

Eine gänzlich andere Position vertrat Sir Thomas Elyot, ein unmittelbarer Zeitgenosse Mores. Elyot, um 1490 geboren und sorgfältig an den Inns of Court und der Univ. Oxford (aus-)gebildet, blendete für sein lit. Werk die internationale *res publica literarum* als intendierten Adressatenkreis von vornherein aus; stattdessen verschrieb er sich der Aufgabe, wichtige Texte der ant. Lit. ins Engl. zu übersetzen und somit seinen des Lat. unkundigen Landsleuten die Schätze der ant. Wiss. und Kultur zu erschließen. Im Vorwort zur *Swete and Devoute Sermon of Holy saynt Ciprian* (1534) formulierte Elyot den bisher immer vehement bestrittenen Anspruch [34], daß die engl. Sprache in der Lage sei, nicht nur den geistigen Gehalt, sondern auch die sprachliche Eleganz der klass. Sprachen nachzubilden: ›(...) I have traunslated this lyttell boke: not supersticiousely folowynge the letter, whiche is verely elegante, and therefore the harder to translate into our langage, but kepynge the sentence and intent of the Authour I have attempted (not with lyttell study) to reduce into english the right phrase or forme of speaking, used in this treatise‹ [70. 50]. Dieser Anspruch ist um so bemerkenswerter, berücksichtigt man, daß Elyot andererseits lexikalische Defizite seiner Muttersprache freimütig eingestand, zugleich jedoch mit einer Vielzahl von Neologismen, die er dem Griech., Lat. und Frz. entlehnte und durch Erklärung und wiederholten Gebrauch im Engl. einbürgerte, Abhilfe schuf. Elyots bekannteste Schrift, der → Fürstenspiegel *The Governor* (1531), bietet dafür eine Fülle von Beispielen aus den Bereichen der → Rhetorik, der Gramm. und der Staatstheorie, die er nicht als rhet. Ausschmückung, sondern als präzise Wiedergabe fremdsprachlicher wiss. Begriffe verstanden wissen wollte.

Kritik und energischer Widerstand gegen Übers. ins Engl. meldeten sich nicht nur aus grundsätzlich sprachwiss. Erwägungen zu Wort, sondern auch aus sehr viel profaneren Motiven. Vornehmlich Mediziner und Theologen eiferten dagegen [34. 48 ff.], daß die hl. Erkenntnisse ihrer Wiss. nun für quasi jedermann in der Muttersprache zugänglich gemacht werden sollten. Ein repräsentatives Beispiel für solche Kritik bietet das Vorwort zur dritten Auflage von Elyots *Castle of Health*, in dem sich der Verfasser mit den gegen die ersten beiden Auflagen erhobenen Vorwürfe detailliert auseinandersetzt: Nicht etwa die altruistische Sorge, ein Kranker könne sich anhand seines Traktats selbst (und falsch) behandeln, spräche aus den vorgetragenen Einwänden, sondern ausschließlich Neid, Begehrlichkeit und die Angst, potentielle Patienten und damit deren Honorare zu verlieren [70. 59–60]. Ziel seiner Übers. sei es, einem engl. Lesepublikum den Zugang zu in fremden Sprachen (Lat. und Griech.) verborgenem Sachwissen zu eröffnen, den Weg zu ›virtue and learning‹ zu ebnen. Das Büchlein *The Defense of Good Women*, 1540 veröffentlicht und Anna von Kleve, der vierten Ehefrau Heinrichs VIII. gewidmet, habe er verfaßt, um speziell den Frauen das nachahmenswerte *exemplum* der Königin Zenobia vor Augen zu führen: ›After that I had diligently rad and considered, the lyfe and history of queene Zenobia, a ladye of mooste famouse renoume for her excellente vertues and moste noble courage: I was rygthe desyrouse, that it shulde be radde in our owne language, wherby women (specially) moughte be provoked to imbrace vertue more gladly, and to be circumspecte in the bryngynge up of theyr children‹ [70; 71].

Das Übersetzen in die Muttersprache stilisierte Elyot zur nationalen Aufgabe, wie er bereits 1531, im ersten Buch seines *Governor*, mit dem typisch human. Rückgriff auf das auch für die Gegenwart autorisierenden Vorbild der Ant., festhielt: ›That like as the Romans translated the wisdom of Greece into their city, we may, if we list, bring the learning and wisdom of them both into this realm of England, by the translation of their works; since like enterprise hath been taken by Frenchmen, Italians, and Germans, to our no little reproach for our negligence and sloth‹ (I,25). Läßt man einmal unberücksichtigt, daß sich Elyot mit seinen Übers. als Lohn für seine Mühen auch eine einträgliche und angesehene Stellung bei Hofe als Berater des Königs erhoffte, so sollten sich die sachlichen Positionen, mit denen Elyot seine Übers. insgesamt wie im Detail verteidigte, als diejenigen erweisen, die in der noch lange andauernden engagierten Debatte um Sinn und Unsinn von Übers. ins Engl. schließlich den Sieg davontrugen. Begünstigt vom neuen, u. a. von der Reformation gespeisten Klima und den engl. Bibelübersetzungen, waren etwa ein Jh. nach Elyots Tod (1546) alle bedeutenden Schriften der Griechen und Römer ins Engl. übersetzt [39], nicht zu reden von den ebenfalls in die Hunderte gehenden Übers. frz., it., span. oder dt. Werke, so daß nicht zu Unrecht ein mod. Standardwerk den Titel trägt: *Translation. An Elizabethan Art* [43].

Die Konzentration auf die Übers. Sir Thomas Elyots, sein Ruhm als Lexikograph (*Dictionary*, 1538) wie auch die Bed. seines Fürstenspiegels *The Governor* marginalisierten in der Forsch. ein kleines Meisterwerk, *The Image of Governance* (1541), ein Büchlein, das ein ingeniöses Beispiel für die produktive Rezeption ant. Vorlagen bildet. Elyot kommt das Verdienst zu, offensichtlich als einer der ersten Philologen erkannt zu haben, daß die Vita des Severus Alexander (222–235 n. Chr.) der *Historia Augusta* ein Fürstenspiegel ist; darüber hinaus macht sein Buch deutlich, daß er die lit. Spiele des Verfassers zumindest zum Teil durchschaut und sich dessen Gestaltungsprinzipien zu eigen macht [4]: Typische Elemente dieser lit. Spielereien greift er auf und knüpft den Faden des erfundenen Gewährsmannes Encolpius weiter; wie der Verfasser der *Historia Augusta* montiert er histor. überlieferte Details in andere Kontexte und autorisiert sie dort mit erfundenen Gewährsmännern. So entlehnt er beispielsweise eine Notiz über ein Zusammentreffen der Mutter des Kaisers mit dem Kirchenvater Origenes der Kirchengeschichte des Eusebius (Eus. HE 6,21,3–4), baut sie aus und beruft sich für die nun erfundene Anekdote auf die Autorität des Encol-

pius. Wiederholt zitiert Elyot für ebenfalls erfundene Nachrichten die Biographien des Marius Maximus als Informationsquelle, die ihm nach allen Regeln der Wahrscheinlichkeit nicht mehr vorgelegen haben können und die zweitens mit der Biographie des Elagabal (218–222 n. Chr.), also des Vorgängers des Severus Alexanders, endeten.

Der große Fürstenspiegel Elyots, *The Governor* (1531), verdeutlicht exemplarisch, wie direkte Rezeption der ant. Lit. mit der indirekten Rezeption über den it. Renaissancehuman. zusammengeführt wird: Einerseits folgt Elyot in Aufbau und Argumentation seines Buches weitgehend Francesco Patrizis *De regno et regis institutione*, andererseits bezeugen die vielen ant. Beispiele, die der Verfasser zur Unterstützung seiner Thesen heranzieht, wie auch der vorgeschlagene Lektürekanon die individuelle Auswahl Elyots, die wiederum auf seinen sehr guten Kenntnissen speziell der lat. Lit. und der röm. Geschichte gründet.

Die gleiche – nicht immer gelungene Kombination ant. Gedankenguts mit der human. Lit. Italiens – kann für eine Vielzahl engl. Fürstenspiegel, Handbücher der Poetik und/oder der Rhet. der Epoche konstatiert werden (vgl. die Bibliogr. in [54]), obwohl nur wenige dieser Texte bisher im Mittelpunkt ausführlicher Analysen gestanden haben.

Produktive Rezeption ant. Ideen und Konzepte prägte in nahezu allen Bereichen das Geistesleben der Zeit bis John Milton, obwohl die kritische Reflexion dieser Konzepte auf die kleine Gruppe der gelehrten Humanisten und etwa ab den 1580er J. auf die Dramatiker und Literaten beschränkt blieb, die mit ihren Schöpfungen im Einzelfall nur schwer abzuschätzende Breitenwirkung anstrebten. So gründeten etwa die Dramatiker der Epoche, zurückgehend auf medizinisch-physiologische Traktate, einen Teil ihrer Figurentypen auf die ant. → Säftelehre, wobei das Vorherrschen eines der vier Lebenssäfte (schwarze Galle, Schleim, rotes Blut, rote/gelbe Galle) ein bestimmtes Temperament generierte: Choleriker, Sanguiniker, Phlegmatiker und Melancholiker, die dann wiederum – um die Identifizierung für das Publikum zu erleichtern – mit bestimmten Farben und stereotypen Eigenschaften assoziiert wurden. Anspielungen auf solche humoral-pathologischen Vorstellungen sind allein in den Werken Shakespeares und seiner unmittelbaren Zeitgenossen kaum zu zählen, und selbst William Harveys *De motu cordis et sanguinis* (1628), das dem Kreislauf des Blutes den Vorrang einräumte, markierte kaum einen Einschnitt in der Rezeptionsgeschichte der Säftelehre, zumal Harvey selbst in seinen therapeutischen Abschnitten weiterhin von vier Säften sprach, die sich als Bestandteile des Blutes verstehen ließen [49]. Eine Umakzentuierung der ant. Säftelehre nahm der gelehrte Dramatiker und Horaz-Übersetzer Ben Jonson vor, indem er in der *Induction* zu seiner Kom. *Every Man Out of His Humour* (1599) den zentralen Begriff *humour* umdefinierte (*Induction*, 98–109): ›So in every human body / The choler, melancholy, phlegm, and blood, / By reason that they flow continually/ In some one part, and are not continent, / Receive the name of humours. Now thus far / It may, by metaphor, apply itself / Unto the general disposition: / As when some one peculiar quality / Doth so possess a man that it doth draw / All his affects, his spirits, and his powers, / In their confluctions, all to run one way; / This may be truly said to be a humour‹.

Die lat. und engl. Lit. der Frühen Neuzeit, von der Literaturtheorie über die Entwicklung einzelner Gattungen bis hin zum Einsatz einzelner ant. *exempla*, liefert eine Vielzahl unterschiedlicher Beispiele für produktive Antikerezeption, indem die ant. Konzepte und Elemente in aktuelle Kontexte integriert werden. Die ant. Vorstellung des → Poeta vates charakterisiert das poetische Selbstverständnis eines Sir Philip Sidney (1554–1586) genauso wie das John Miltons; ganze Gattungen wie etwa das Epos und die Satire orientieren sich formal am ant. Vorbild und bearbeiten darüber hinaus immer wieder ant. Stoffe und Motive [32. 144ff], wie Michael Draytons *Poly-Olbion* (1612–1622), Edmund Spensers *The Fairie Queene* (1590) und die ovidischen Versepyllien der 1590er J., u.a. Shakespeares *Venus and Adonis* (1593) und *The Rape of Lucrece* (1593), eindrucksvoll verdeutlichen.

Kaum zu überschätzende Bed. hat insgesamt die ant. Myth., deren genaue Kenntnis wohl zu gleichen Teilen den ant. Texten direkt (insbes. Ovids *Metamorphosen*) wie auch den umfangreichen Lexika der Ren. zu verdanken ist [9; 69], wie exemplarisch ihre propagandistische Funktionalisierung zeigt. Das gesamte Arsenal der klass. → Panegyrik, die formale Gestaltung wie auch die zahllosen *exempla* zur Akzentuierung spezifischer Herrschertugenden finden ihren Widerhall in den Gedichten und Traktaten, mit denen die Tudorherrscher gefeiert werden. Heinrich VIII. etwa wird noch rund 30 J. nach seinem Tod (1547) in Ulpian Fulwells Büchlein *The Flower of Fame* (1575) zum vorbildlichen Monarchen stilisiert, zur Personifizierung der traditionellen Herrschertugenden *temperantia, prudentia, iustitia* und *fortitudo*: Von der göttl. Vorsehung schon früh zum Herrscher erkoren, machte sich Heinrich die Göttin Fortuna zur Magd; der offensichtliche Erfolg in allen Dingen, die der König unternahm, wird als Bestätigung des Wirkens der göttl. Vorsehung gewertet. Im erfolgreichen Kampf gegen die ›Romysh Hydra‹, den Papst, wurde Heinrich explizit zum engl. Herkules (f. 3r); als letzte Bestätigung für die Größe seiner polit. Erfolge wird er mit einer Sammlung topischer myth. Vergleiche in die Reihe der unsterblichen Heroen und Götter versetzt (f. 37r–38r).

Durchaus ähnlich wird Elisabeth I. (1558–1603), verstärkt ab den 1580er J., in zahllosen Gedichten als Cynthia, Diana und insbes. Astraea gefeiert; zahllos sind die Belege dafür, wie Elisabeth selbst diesen Kult förderte, ihn zur Selbstdarstellung ihrer Person und der Monarchie im Allgemeinen nutzte. Bei öffentlichen Einzügen in London, orientiert am röm. *adventus*, bei den jährlich durchgeführten sommerlichen Rundreisen (den sog. *progresses*), bei den jährlich zum Gedenken an ihren Regierungsantritt abgehaltenen festlichen Turnieren, überall stand sie und ihre mythische Verehrung im Zentrum des Geschehens. Man scheute keinerlei finanzielle Mühen; so feierte etwa 1591, drei J. nach dem Sieg über die span. Armada, Lord Hertford Elisabeth I. als ›Faire Cinthia the wide Ocean's Empresse‹ und ließ zu diesem Zweck einen riesigen sichelförmigen See ausheben, als Symbol des Zuwachses all dessen, was Elisabeth teuer war. Die ant. Myth. stellte die Kriterien, nach denen sich die überreichen Tugenden und großartigen Leistungen der Königin allenfalls noch bemessen ließen [7]. Daß sowohl Heinrich VIII. als auch Elisabeth I. über einen großen Teil der Tugenden und Stärken, die ihnen über myth. Rollen und Vergleiche zugeschrieben wurden, auch tatsächlich verfügten, erleichterte den Rückgriff auf die ant. Mythologie. Gleichzeitig jedoch erklärt die allg. Theorie und Praxis der Mythologiedeutung der Zeit, wie sie etwa Sir Francis Bacon in seinem *De Sapientia Veterum* (1609) formuliert, diese primär polit. Mythendeutung. ›Es scheint‹, so Bacon in seinem Vorwort, ›als sei in der Mitte zw. den verborgenen Tiefen des Alt. und der Zeit der schriftlichen Überlieferung ein Schleier von Sagen gespannt, der das, was verloren gegangen ist, von dem trennt, was erhalten geblieben ist‹. Wenn die ant. Mythen ohnehin eine Belehrung und Offenlegung primär polit. Bed. anstreben – und Bacon liefert in seiner Interpretation von 31 ant. Mythen (vgl. bes. I: Kassandra, II: Typhon, VII: Perseus, VIII: Endymion, IX: Fama, X: Actaeon und Pentheus, XI: Orpheus, XVIII: Diomedes, XIX: Daedalus, XXII: Nemesis und XXX: Metis) dafür eine Fülle von unmittelbar einsichtigen Beispielen –, so ist es umgekehrt nur naheliegend, den ant. Mythen durch Einbindung in die zeitgenössische Selbstrepräsentation der Monarchie diesen ihre urspr. polit. Bed. zurückzugeben [7]. Gleichzeitig wurden mit dem Rückgriff auf die bekannten Mythen des Alt. die Herrscher, insbes. Heinrich VIII. und Elisabeth I., auf unaufdringliche und theologisch unbedenkliche Weise der Unsterblichkeit teilhaftig, die ihnen juristisch aufgrund der Zwei-Körper-Theorie [35] ohnehin zukam. Die überragende Bed. der myth. überhöhten Selbstrepräsentation des engl. Königs für die polit. Stabilität der Herrschaft bekundet der feierliche *adventus* Karls II. in London. Nachdem Karl I. am 30. Januar 1649 hingerichtet worden war, nach Revolution und Commonwealth, wurde die Restauration der Monarchie am 23. April 1661 (zugleich der bewußt gewählte Geburtstag des Nationalheiligen, des Hl. Georg) durch einen – an die Praxis der Tudorherrscher erinnernden – feierlichen Einzug in London in aller Öffentlichkeit zelebriert, mit *pageants*, Hymnen und panegyrischen Gedichten, vier → Triumphbögen, und unter beständigem Rückgriff auf die klass. Myth., wie die offizielle Buchdokumentation von John Ogilby, *The Entertainment of His Most Excellent Majestie Charles II in His Passage through the City of London to His Coronation* (1662), eindrucksvoll zeigt.

Wie sehr die pastorale Dichtung der Ant. sowohl formal als auch mit ihrer Motivtrad. die elisabethanische Schäferdichtung (→ Bukolik/Idylle) beeinflußte, zeigt am deutlichsten Edmund Spensers *The Shepheardes Calendar* (1579), in deren 12 rhet. durchstrukturierten, unterschiedliche Metren erprobenden Eklogen die detailreich ausgestaltete Schäferwelt immer wieder Anregung bietet, über die Liebe, die Politik und das goldene Zeitalter zu reflektieren. Pastorale Motive erscheinen in einer Fülle weiterer Gedichte Spensers (u. a. *Daphnaida*,1590, und *Colin Clout Comes Home Again*, 1595), wobei diese den Hintergrund für autobiographische und zeitgeschichtliche Reflexionen konstituieren. In seinen *Fowre Hymns* (1596) verschmilzt Spenser eindringlich die Vorstellung der durch Christus verkörperten himmlischen Liebe und die sich in der kosmischen Ordnung manifestierenden himmlische Schönheit mit platonischen Vorstellungen und Begriffen, während er sich mit seinem Hauptwerk, *The Fairie Queene*, bewußt in die Trad. der ant. Epen Homers und Vergils, zugleich aber auch der it. Epen Ariosts und Tassos einreiht.

Wichtige Impulse für die Ausdifferenzierung der Erzählprosa in England verdanken John Lyly, Sir Philip Sidney, Robert Greene, Thomas Nashe und Thomas Lodge – neben it. Vorbildern – der Orientierung am Modell des griech. Liebes- und Abenteuerromans, d. h. zumeist an Heliodor, auf dessen geradezu archetypische Topik und Motivik immer wieder zurückgegriffen wurde, wie exemplarisch Sidneys Prosaromanze *Arcadia* (1590) mit ihrer Figurenkonzeption, den vielen, teils durch Verwechslung und Verkleidung provozierten, skurrilen, überraschenden Handlungssequenzen verdeutlichen kann [22].

Blieb die Reichweite der Rezeption ant. Konzepte und Ideen wie auch die Rezeption ant. Literaturtheorie und der ant. Literaturgattungen weitgehend auf den Kreis der des Lesens Kundigen beschränkt, d. h. auf signifikant weniger als die H. der engl. Bevölkerung der Frühen Neuzeit, so ist der Einfluß des engl. Dramas als – neben der Predigt wichtigstes – Massenmedium der Zeit kaum zu überschätzen. Die öffentlichen Theater im Norden und Süden Londons boten speziell in den mehr als fünfzig J. zw. 1585 und ihrer Schließung 1642 als Teil größerer Amüsierviertel – in unmittelbarer Nachbarschaft und Konkurrenz zu Tierhetzarena, Gasthaus, Schänke und Bordell – nahezu täglich einem sozial und bildungsmäßig heterogenen Publikum von bis zu 15000 Zuschauerinnen und Zuschauern Unterhaltung, Belehrung und Orientierung.

Wie die spezifischen Bühnenverhältnisse die Dramaturgie, die Struktur der einzelnen Dramen beeinflußten, so wirkten auch die vielfältigen dramatischen Trad. in den Dramen Shakespeares und seiner Zeitgenossen fort, wobei die Dramatiker die heimische ma. Trad. der *mystery plays* und *morality plays* mit der ant., d. h. im wesentlichen lat. Trad. zusammenführten. Aus der Ant. übernahmen sie die Differenzierung von → Komödie und → Tragödie, allerdings setzten sie sich

– verstärkt nach der Jh.-Wende – mit Mischformen wie der Tragikomödie sogleich über fast alle der sechs traditionellen Differenzierungskriterien (Historizität, moralische Qualität, sozialer Stand und Redestil der Figuren, Stoff und Dramenausgang) hinweg. Dennoch verdankt die engl. Kom. der Tudor- und Stuartzeit Plautus und Terenz entscheidende Impulse: die logisch entwickelte Handlung, die Einteilung in Akte und Szenen und eine ganze Reihe von stereotypen Bühnenfiguren (z. B. den *miles gloriosus*) und Bühnenkonventionen (z. B. Prolog- und Epilogsprecher). Vergleichsweise selten sind direkte Bearbeitungen ant. Kom. wie etwa Shakespeares *Comedy of Errors* (1590–1594), die auf Plautus' *Menaechmi* zurückgeht und Motive aus einer weiteren Kom. des Plautus (*Amphitrio*) in die skurrile Handlung integriert, die weitgehend ihre komische Wirkung mit durch Verwechslungen von Zwillingspaaren generierten Irritations- und Überraschungsszenen erzielt [57].

In gleicher Weise wie Plautus und Terenz für die Kom. müssen die Trag. Senecas, im lat. Original oder in engl. Übers., als Geburtshelfer der elisabethanischen Trag. gelten, wie die Übernahme senecaischer Motive (z. B. der zur Rache mahnende Geist oder das kannibalistische Horrorbankett) und technischer Mittel (z. B. integrierte Geisterszene, Botenbericht) zeigen [12; 37]. Eine kleine Gruppe von Dramatikern um die Mäzenatin Mary Sidney (bzw. Herbert), Countess of Pembroke, bemühte sich ab etwa 1590 um die »Literarisierung« der engl. Trag., indem sie in Nachahmung senecaischer Vorbilder oder Übers. bzw. Bearbeitung frz. Seneca-Imitatoren, insbes. Robert Garniers, handlungsarme Rezitationstrag. (z. B. Samuel Daniel, *The Tragedy of Cleopatra*, 1593; Samuel Brandon, *The Tragicomoedi of the Vertuous Octauia*, 1598; William Alexander, *The Tragedy of Julius Caesar*, 1607) schuf, denen kein großer Erfolg beschieden war. Gleichwohl verdeutlicht dieser kleine Kreis, dem zumindest zeitweise auch der auf den öffentlichen Bühnen mit seiner archetypischen Rachetrag. *The Spanish Tragedy* (1582–1592) überaus erfolgreiche Thomas Kyd angehörte, die Problematik der scheinbar so offenkundigen Seneca-Rezeption, da ihr neben der Kenntnis der Texte selbst auch die medial über die – in diesem Falle – frz. Trag. oder auch über die im Gespräch des Sidney-Kreises mündlich vermittelten Strukturmerkmale der Trag. Senecas zugrunde liegen kann. Diese prinzipiellen Schwierigkeiten, wie auch die Tatsache, daß die Wechselwirkungen zw. den fest in die Universitätsausbildung integrierten lat. (und wenigen griech.) Dramen noch kaum erforscht sind, obwohl einige der führenden Dramatiker, die für die öffentlichen Theater schrieben, eine universitäre Ausbildung durchliefen, erzwingen Zurückhaltung in der Behauptung weitreichender und unmittelbarer Rezeption des ant. Dramas durch die Dramatiker der Tudor- und Stuartzeit.

Von solch prinzipieller Zurückhaltung ausgenommen sind selbstverständlich gut dokumentierbare Einzelfälle und insbes. die Dramen (z. B. Shakespeares *Titus Andronicus*, 1589–1594?, und *Timon of Athens*, 1605–

1608), die sich zugleich Stoffen und Motiven der ant. Lit. und Kultur widmen, wie exemplarisch die bes. in den Jahrzehnten zw. 1590 und 1620 einen Modetrend konstituierende große Gruppe der Römerdramen zeigt [5]. Etwa 30 Dramen, von den weltberühmten Trag. William Shakespeares (*Julius Caesar*, 1599, *Antony and Cleopatra*, 1606–1608, *Coriolanus*, 1605–1610) und Ben Jonsons (*Sejanus His Fall*, 1603, *Catiline His Conspiracy*, 1611) über Universitätsdramen (z. B. Anon., *Caesar and Pompey, or Caesar's Revenge*, 1595, Jasper Fisher, *Fuimus Troes, The True Trojans*, 1625) bis hin zu reinen Rezitations- und Lesedramen (z. B. William Alexander, *The Tragedy of Julius Caesar*, 1607) präsentieren bedeutende Figuren und entscheidende Episoden röm. Geschichte auf der engl. Bühne, wobei in der Stuartzeit die dramatische Repräsentation der röm. Kaiserzeit vorherrscht. Dabei führten die dramatischen Präsentationen der röm. Bürgerkriegszeit der eigenen Zeit ein warnendes Beispiel vor Augen, wie es ein mod. Interpret für Thomas Lodges *The Wounds of Civil War, or Marius and Scilla* (1588) herausstellt: ›The history of Rome, however, was told and re-told for a public of readers and spectators who already knew the end of the story: the fall of the greatest Empire ever, undermined by a series of discords and domestic conflicts (...). Therefore, every episode narrated or dramatized is a metonym for the whole historical circle, and a metaphor for what must not take place in the present and future history of the English Kingdom united under its absolute sovereign‹ [28. 147–151].

Die konkrete polit. Botschaft und der Fokus des Interesses verschiebt sich, wenn in der Stuartzeit die Dramatiker wiederholt despotische Gewaltherrscher, Tiberius, Nero, Domitian und Valentinian, auf die Bühne bringen (z. B. Ben Jonson, *Sejanus His Fall*, 1603, Anon., *Claudius Tiberius Nero*, 1607, John Fletcher, *The Tragedy of Valentinian*, 1614, Anon., *Nero*, 1624, Philip Massinger, *The Roman Actor*, 1626, Thomas May, *The Tragedy of Julia Agrippina, Empresse of Rome*, 1628, und Nathanael Richards, *The Tragedy of Messallina, The Roman Empresse*, 1635) und so der eigenen Zeit – über das Prinzip der Korrespondenzbeziehungen (vgl. die Diskussion in Philip Massingers *The Roman Actor* I,3,56–140) – einen Spiegel vorhalten und ihrem Publikum Kriterien für die Beurteilung polit. und gesellschaftlicher (Macht-)Verhältnisse an die Hand geben. In einer Zeit, in der selbst im Parlament Tacitus-Zitate polit. Argumente ersetzen konnten (der Günstling des Königs, der Herzog von Buckingham, erhielt unter direktem Verweis auf die berühmte Charakterskizze des Sejan (Tac. Ann. 4,1,1–3) den Spitznamen Sejanus [6]) und Herrscher sich in ihrem öffentlichen Auftreten und ihrer Münzprägung ikonographisch als neue röm. Imperatoren inszenierten, lag es nahe, daß die Bühnenrepräsentationen röm. Tyrannenkaiser zum Vergleich mit den eigenen Herrschern (James I. und später Charles I.) einluden, deren Fähigkeiten in der Kunst der Heuchelei allg. bekannt waren und die darüber hinaus bei den höfischen Mas-

kenspielen immer wieder Proben ihrer Schauspielkunst gaben [6].

Der Rückgriff auf die zumeist sehr genau recherchierten Porträts röm. Tyrannenherrscher ermöglichte den Dramatikern die von der Zensur eigentlich verbotene Diskussion polit. Grundsatzfragen, wie etwa des Widerstandsrechts gegen solche Unrechtsherrschaft bis hin zur Legitimität des Tyrannenmords, und zugleich gewährte die verhüllte Art der Darstellung den Dramatikern Schutz vor dem Zugriff der Obrigkeit, da sich – wie Ben Jonsons *Sejanus His Fall* (1603) zeigt – der Vorwurf der verbotenen Stellungnahme nicht explizit beweisen ließ, obwohl selbst von einem der führenden Dramatiker, Thomas Heywood, in seiner *Apology for Actors* (1612) eingeräumt wird: ›If wee (the playwrights) present a forreigne History, the subiect is so intended, that in the lives of Romans, Grecians, or others, either the vertues of our Country-men are extolled, or their vices reproved‹ (f. 3v).

Reflektierten die Römerdramen, zumal in der Stuartzeit, die polit. Diskurse ihrer Zeit und hatten selbst teil an diesen Diskursen, so gründeten republikanische Theoretiker des Commonwealth, bes. nach der Hinrichtung des Königs (30.01.1649), ihre säkularen Verfassungsvorstellungen auf ant., altisraelitische und venezianische Muster. John Milton (1608–1674) vertrat in seinen Schriften den aus der konkreten polit. Situation heraus geborenen wichtigen Schritt vom radikalprotestantischen Widerstandsrecht des souveränen Volkes (*Tenure of Kings and Magistrates*, 1649) zum prinzipiellen Antimonarchismus, der nach Cromwells Tod einen Freistaat, regiert von einer auf Lebenszeit gewählten Elite gottesfürchtiger Männer, propagierte (*The readie and easie way to establish a free Commonwealth*, 1660). In ähnlicher Weise wie Thomas More zu Beginn der Epoche suchte Milton, Universalgelehrter und glänzender Latinist, in seinem Werk, insbes. in den bedeutenden Epen *Paradise Lost* (1667/erweitert 1674) und *Paradise Regained* (1671), die christl. Trad. mit der heidnisch-paganen zu harmonisieren. Strukturell die Trad. von Homer und insbes. Vergil fortsetzend [15; 24; 56; 67] bezeugen ungeachtet der biblischen Stoffe zahllose intertextuelle Verweise und/oder Anspielungen auf mehr als 1500 Autoren der Ant., wie souverän Milton über das ant. Erbe verfügte, das er immer aufs Neue seinen Kontexten anverwandelte, wie es pointiert ein moderner Kritiker konstatiert: ›Milton (...) owed much to the Classics, but always ended by turning his borrowings into something quite contemporary as well as quite his own‹ [67. 63].

B. VON DER RESTAURATION ZUR VORROMANTIK

Die Zeit von der Restauration bis zur Vorromantik zusammenzufassen betont den Einschnitt, der mit der Rückkehr des Stuart-Monarchen aus dem frz. Exil auf den engl. Thron (1660) auch im kulturellen und lit. Leben zu konstatieren ist, und zugleich wird damit die histor. Zäsur der *Glorious Revolution* (1688) und die Machtübernahme des Hauses Hannover mit der Thronbesteigung Georgs I. (1714) in ihrer Bed. für die Kultur- und Geistesgeschichte marginalisiert. Beides ist im Kontext einer Geschichte der Rezeption der ant. Kultur und Lit. berechtigt, erweist sich die gesamte Epoche doch speziell darin als weitgehend homogen, wie eine neuere Studie herausstellt: ›the British century from 1688 must rank as outstanding in the degree to which its cultural and political elite appropriated and assimilated classical, and particularly Roman, habits of mind‹ [1. 165]. Ungeachtet der prinzipiellen Problematik von Epochenbegriffen betont die seit Beginn des 20. Jh. etablierte – wenngleich nicht allg. akzeptierte – Bezeichnung *Age of Classicism* diese Gemeinsamkeiten (→ Klassizismus). Auf die spezifisch engl. Hinwendung zum lat. und röm. Erbe verweist der – noch problematischere – Begriff *Augustan Age*, der eine kulturelle Korrespondenz zw. der Gegenwart des 17./18. Jh. und der Zeit des Augustus, der Zeit Vergils, des Horaz und Ovids suggeriert, wiewohl die Beurteilung des Augustus wie des Prinzipats durchaus umstritten war. In der Sache zutreffend ist das Resümee eines mod. Standardwerks: ›the eighteenth century and the very end of the seventeenth stand out through their reiterated attempts to claim or to deny an English Augustan Age. (...) the positive sense of the word »Augustan« was used through the century from (...) 1690 to (...) 1802‹ [25. 265].

Die weitgehende Homogenität in der Rezeption des ant. Erbes, wie auch die deutliche Favorisierung lat. Lit. und röm. (Kultur-)Geschichte, gründet zum einen auf dem Bildungswesen der Zeit, das sich seit der Mitte des 16. Jh. kaum verändert hatte und nach wie vor den Lateinunterricht und das Studium der Klassiker ins Zentrum stellte, und zum anderen auf dem Einfluß kontinentaler, zumeist frz. Konzepte und Vorstellungen, die ihrerseits größtenteils beeindruckende Dokumente produktiver Antikerezeption waren und damit mittelbar zur erneuten, intensiven Auseinandersetzung mit den klass. Texten der Ant. einluden.

Um die Wende vom 17. zum 18. Jh. eskalierte – wie bereits zuvor in Frankreich – der Streit zw. Traditionalisten und Modernisten (→ Querelle des anciens et des modernes) zu einem förmlichen *Battle of the Books* (1704), wie Jonathan Swift einen seiner Beitr. zu dieser erbitterten Kontroverse betitelte, eine seiner frühen Satiren, die zugleich eine brillante Prosa-Parodie des ant. Epos ist. Pikanterweise, damit jedoch Ausweis der großen Bed., die diesem Streit jenseits persönlicher Eitelkeiten beigemessen wurde, sind es gerade die besten Kenner der Ant. (Wotton und Bentley), die als Modernisten, und die weniger mit dem Alt. Vertrauten (Temple und Boyle), die als Traditionalisten erscheinen [68].

Als die einflußreichsten (und erfolgreichsten) Dichter der Epoche gelten John Dryden (1631–1700) und Alexander Pope (1688–1744); für beide stand die lebendige, produktive Auseinandersetzung mit ant. Kultur und Lit. im Zentrum ihres lit. Schaffens [16; 27; 45; 50; 59; 69]. Sowohl Dryden als auch Pope erreichten mit Versübers. des bes. geschätzten ant. Epos (Dryden,

Works of Virgil, 1697; Pope, *The Iliad*, 1715–1720, *The Odyssey*, 1725–1726) höchste Aufmerksamkeit und erzielten damit bisher kaum vorstellbare Einkünfte. Ihre eigene Dichtung, bes. ihre Beitr. zur Satire, bediente sich der ant. Modelle, zeitigte jedoch – nicht nur in der Wahl unterschiedlicher Vorbilder – Differenzen: ›Dryden (...) did not take much from his English precursors, but went direct to the Latin models, above all to Juvenal, who suited him better than Horace. It is true that Dryden attacks living contemporaries, which Juvenal did not do, and is therefore more personal in his attack, at least in appearance, for Juvenal can be personal enough in his censures of the dead. But Dryden has got the invective force of Juvenal, his inexhaustible variety and resource, his moral superiority, real or assumed, to the men he assails. Pope has not this superiority; he is jealous and spiteful. But he assumes the air of having it, and professes himself a follower of Horace in satire‹ [66. 203].

Alexander Pope, dessen Lateinkenntnisse so überragend wie seine Griechischkenntnisse bescheiden waren, was weder ihn noch die meisten seiner Zeitgenossen daran hinderte, seine Homerübers. zu rühmen (›What they wanted was to see what their best poet made of the best Greek poet‹ [66. 205]), orientierte sein dichterisches Schaffen an der *rota Vergilii*: Pastoraldichtung (*Pastorals*, 1709), Lehrgedicht (*An Essay on Criticism*, 1711) und Epos. Den lang gehegten Plan, ein Epos über den röm. Brutus zu verfassen, verwirklichte Pope nicht; der Mentalität der Epoche und seiner eigenen eher satirischen Muse folgend, veröffentlichte er zunächst 1714 die erweiterte Fassung von *The Rape of the Lock*, ein satirisches Versepos, in dem er – in parodistischer Verzerrung der Strukturelemente des ant. Epos – ein ironisch-witziges Porträt der zeitgenössischen Hofgesellschaft und ihrer affektierten Rituale präsentiert.

Andere Dichter der Epoche, insbes. Jonathan Swift und Samuel Johnson (1709–1784), zeichneten sich ebenfalls durch hervorragende Lateinkenntnisse aus; Swift war stolz auf seine lat. Gedichte, und Johnson übersetzte bereits als junger Student in Oxford Popes *Messiah*, das seinerseits auf Vergils 4. Ekloge zurückgeht, in lat. Hexameter. Wie More und Milton sprach Johnson fließend Lat., er führte ein lat. Tagebuch, und auch seine größten Erfolge als Dichter verdankte er der lebendigen Rezeption ant. Vorbilder: *London* (1738) ist eine freie Bearbeitung von Juvenals 3. Satire, und *The Vanity of Human Wishes* (1749), immer wieder als bestes Gedicht Johnsons bezeichnet, basiert auf Juvenals 10. Satire [38].

Die Rezeption ant. Konzepte, Stoffe und Motive im Drama der Epoche erfolgte in erster Linie mittelbar über frz. Theorien und Vorbilder, wie exemplarisch der bedeutendste dramentheoretische Versuch der Zeit zeigt: In Drydens *Essay on Dramatic Poesy* (1668) diskutieren in der Art eines Ciceronianischen Dialogs die vier Freunde Crites, Eugenius, Lisideius und Neander neben der allg. *Querelle* den Begriff der → Mimesis und bes. die Frage der drei Einheiten. Dryden selbst folgte in seinen – sehr erfolgreichen Dramen – den neoklassischen Vorgaben, wie seine Trag. *All For Love, or, The World Well Lost* (1678) am besten verdeutlicht. Im Unterschied zu Shakespeares *Antony and Cleopatra,* aber durchaus dem senecaischen Rezitationsdrama Samuel Daniels (*Cleopatra,* 1593) vergleichbar, konzentriert Dryden seine Bearbeitung des Antonius-und-Cleopatra-Stoffes auf die tragischen Höhepunkte der Handlung in Ägypten. Das am meisten diskutierte Drama der Epoche war Addisons Römertrag. *Cato* (1713), in der Cato Uticensis als Personifikation republikanischen Freiheitsverständnisses verherrlicht [72] und zugleich – wie schon im Römerdrama der Tudor- und Stuartzeit – mit der eigenen Zeit verknüpft wurde, wie der Prolog expliziert: ›He bids your breast with ancient ardour rise, / And calls forth Roman drops from British eyes‹. Fast gleichzeitig erschien jedoch auch ein nahezu unpolit. Römerdrama, William Hunts *The Fall of Tarquin or, The Distress'd Lovers* (1713). In den 1670er und 1680er J. waren die extravaganten, in Wutausbrüchen und großen Gefühlen schwelgenden Trag. Nathaniel Lees (1653?–1692), die zumeist ant. Stoffe variierten, auf der Bühne populär, wiewohl sie h. nur noch Spezialisten bekannt sein dürften: *Nero* (1675), *Sophonisba* (1676), *The Rival Queens, or The Death of Alexander the Great* (1677), *Mithridates* (1678), *Theodosius* (1680) und *Lucius Junius Brutus* (1681).

Indikator für die überragende Bed. des ant. Erbes für das geistige Leben der Epoche sind die zahllosen Zitate und Verweise auf die klass. Autoren der Ant. in den neuen »moralischen Wochenschriften« *The Tatler* (1709–1711) und *The Spectator* (1711–1714), genau so wie die großen histor. Analysen, mit denen insbes. David Hume (*History of Great Britain,* 1754–1757, *History of England,* 1759–1763) und Edward Gibbon (*The History of the Decline and Fall of the Roman Empire,* 1776–1788) berühmt wurden.

Für die wichtigste lit. Innovation der Epoche, die Entwicklung des → Romans, der zunehmend das Epos als führende Gattung verdrängte, spielte die ant. Trad. zunächst nur eine untergeordnete Rolle: Weder Daniel Defoe (1660–1731) noch Samuel Richardson (1689–1761) war der Genuß einer human.-klass. Bildung zuteil geworden, ganz im Unterschied zu Henry Fielding (1707–1754), der sich daher der gattungstypologischen Einordnung seiner Romane bewußt war [40] und im Vorwort zu seinem *Joseph Andrews* (1742) diesen als ›a comic epic-poem in prose‹ klassifizierte. Noch deutlicher ist die ironisch-spielerische Anknüpfung an das ant. Epos in *Tom Jones* (1749), wie das auf die *Odyssee* verweisende Motto, die Einteilung in 18 Bücher, womit exakt die Mitte zw. Homer (24) und Vergil (12) eingenommen wird, und zahllose weitere Anspielungen und Verweise (u. a. die Kapitelbezeichnung von IV,8: ›A Battle sung by the Muse in the Homerican Style‹) verdeutlichen. Die führenden Romanciers der nächsten Generation, Tobias Smollett (1721–1771), Laurence Sterne (1713–1768), und Oliver Goldsmith (1730–

1774), die allesamt über eine gute klass. Bildung verfügten, orientierten sich in ihren Romanen, immer wieder auf ant. Muster und Motive zurückgreifend, an den Zielvorgaben, die Henry Fielding für den Roman vorgegeben hatte: ›His real object was rather to be a sort of prose Homer, saving himself from the absurdity or presumption of this by the use of irony and humour. He knew the famous criticism of the *Odyssey* by an ancient writer, quoted by Aristotle, that it was a »mirror of human life«. Fielding saw that the novel should be a mirror of human life and not merely (as Richardson had thought) the history of human soul‹ [66. 219].

Ungeachtet der eindeutigen Bevorzugung, die der lat. Lit. und der röm. Kulturgeschichte zuteil wurde, sollte nicht übersehen werden, daß – beschränkt auf die Univ. – sowohl die platonische Philos. in Cambridge [17] als auch die Gräzistik in Cambridge und Oxford den kritischen Vergleich mit früheren Epochen oder anderen Ländern nicht zu fürchten hatten; insbes. Richard Bentley (1662–1742) galt seit seinen Studien zu den Phalaris-Briefen (*Dissertation upon the Epistles of Phalaris,* 1697) als anerkannte Autorität [51. 179–197].

C. Romantik und Viktorianische Zeit

In der engl. Vorromantik, früher als in den übrigen europ. Nationallit., wurde die Akzeptanz der ant. Normen, wie sie etwa die Poetik des Horaz präsentierte, zunehmend geringer, was einerseits in der Liberalität des ausgehenden Klassizismus, andererseits in der von der Diskussion um die *Querelle des Anciens et des Modernes* geförderten Neubewertung der wilden, nicht diesem Regelkanon folgenden Überlieferung (u. a. *Edda, Nibelungenlied,* Ritterromanzen, Taliesin, Firdausi und Hafis) gründete. Insbesondere Homer und Pindar rückten dabei ins Zentrum der Diskussion, die von der programmatischen Deutung Homers als Vorläufer keltischer Barden, german. Skalden und ma. Minnesänger bis zur Erhebung der Oden Pindars zu einer Gegennorm (u. a. bei William Collins, Thomas Gray) reicht. Die allg. respektvolle Distanz zum ant. normativen Regel- und Lektürekanon entwickelte sich etwa ab 1760 zu einer Stimmung von emotionaler Nähe und vergrößerte damit die Möglichkeiten zur individuellen Interaktion mit dem ant. Erbe, was in der zeitgleichen bewußten Annäherung von Leser und Werk im Roman eine keineswegs zufällige Entsprechung findet (vgl. Laurence Sternes *Tristram Shandy,* 1760–1768). Die Konsequenz dieser Individualisierung in der Folgezeit war, daß die produktive Rezeption des ant. Erbes in der → Romantik so unterschiedlich war, daß bisher noch keine übergreifenden systematisierten Unt. der romantischen Antikerezeption vorgelegt wurden [29; 30; 63; 74]. Wenn man überhaupt eine generalisierende, individuelle Differenzen etwa zw. William Blake, William Wordsworth und Percy Bysshe Shelley marginalisierende Aussage machen kann, dann gilt festzuhalten: Im Unterschied zum Zeitalter des Klassizismus, das sich primär an Rom und der lat. Lit. orientierte, rückt die engl. Romantik primär das griech. und hell. Erbe in das Zentrum ihrer

Antikerezeption. Befördert von dem polit. motivierten → Philhellenismus eines Lord Byron (u. a. *Childe Harold's Pilgrimage*, Canto II, 1812), der antiquarischen Erschließung des kulturellen Erbes Griechenlands (u. a. durch John Potters *Archaeologiae Graecae*, 1697–1699, und viele Reiseberichte), der unmittelbaren Anschauung einzigartiger griech. Kunstwerke wie der 1816 an Großbritannien verkaufte Parthenonfries (die sog. *Elgin Marbles*), wurde Griechenland zum Inbegriff von Ästhetik und Schönheit, wie exemplarisch etwa John Keats Gedichte *On First Looking into Chapman's Homer* (1816) und *Ode on a Grecian Urn* (1819) illustrieren. Darüberhinaus basierte das romantische Weltverständnis, bei allen Differenzen im Einzelnen, auf der Philos. Platons, die immer wieder zu synkretistischen oder – insbes. nach der Jh.-Wende – zu neo-myth. Weltentwürfen ausdifferenziert wurde [30; 32; 60; 66].

Im Bildungssystem der Vorromantik und Romantik standen Lat., Griech. und die eingehende Lektüre der ant. Autoren nach wie vor im Zentrum des Unterrichts, lediglich in der Mädchen-Erziehung begannen die »praktischeren« mod. Fremdsprachen, insbes. das Frz., den klass. Sprachen ihren Rang streitig zu machen. Dies ist Reaktion auf und zugleich Symptom für die zu Beginn des 19. Jh. einsetzende Diskussion um die Nützlichkeit des Bildungskanons, wobei speziell das an den klass. Sprachen orientierte akad. Curriculum sich vehementer Angriffe zu erwehren hatte, wie Richard Lovell Edgeworths *Essays on Professional Education* (1809) verdeutlichen. In dieser Programmschrift, die schon im Titel mit dem bisherigen Konzept der *liberal education* brach, forderte Edgeworth eine an die Erfordernisse der Berufswelt angepaßte, die → Naturwissenschaften integrierende Universitätsausbildung. In einer Besprechung des Buchs von Edgeworth intensivierte Sidney Smith, früher selbst Fellow am New College in Oxford, die Vorwürfe gegen die Nutzlosigkeit eines Studiums in Oxford, indem er die klass. Orientierung des Studiums für die Marginalisierung der anderen und bedeutenderen Wiss. verantwortlich machte (*Edinburgh Review* XVI, 1810, 158 ff.): ›A learned man! – a scholar! – a man of erudition! Upon whom are these epithets of approbation bestowed? Are they given to men acquainted with the science of government? Thoroughly masters of geographical and commercial relations of Europe? To men who know the properties of bodies; and their action upon each other? No; this is not learning; it is chemistry, or political economy – not learning. The distinguishing abstract term, the epithet of Scholar, is reserved for him who writes on the Aeolic reduplication, and is familiar with Sylburgius his method of arranging defectives in ων and ντ. The picture which a young Englishman, addicted to the pursuit of knowledge, draws – his beau ideal of human nature – his top and consummation of man's power – is a knowledge of the Greek language. His object is not to reason, to imagine or to invent, but to conjugate, decline and derive‹. Selbstverständlich fand das an den klass. Sprachen orientierte Curriculum auch

energische Verteidiger, etwa in dem anon. Traktat *A Reply to the Calumnies of the Edinburgh Review against Oxford* (1810). Diese öffentlich geführte Diskussion wie auch real zu konstatierende Mißstände zeitigten – zumindest mittelfristig – entscheidende Konsequenzen für das engl. Bildungssystem. In der Mitte des Jh. schrieben zwei Gesetze (*Oxford University Act*, 1854, und *Cambridge University Act*, 1856) einschneidende bildungspolit. Veränderungen fest, die zum einen die gewachsene Bed. des Engl. und der mod. Fremdsprachen berücksichtigten, und zum anderen die zentrale Rolle der Mathematik und der übrigen Naturwiss. herausstellten, womit die Konzentration der Bildung und Ausbildung auf die Beherrschung der klass. Sprachen und die Lektüre der klass. Autoren aufgegeben wurde.

Die öffentliche Diskussion um die Nützlichkeit des am ant. Erbe orientierten Konzepts der *liberal education* änderte nichts daran, daß die ant. Autoren weiterhin übersetzt (u. a. veröffentlichte William Morris 1876 seine viel beachtete Übertragung der *Aeneis*, der er 1887 eine Übers. der *Odyssee* folgen ließ) wurden und daß sie mit ihren Stoffen und Motiven die viktorianische Lit. nachhaltig beeinflußten, wie allein schon die zahllosen Gedichte über griech. Kunstgegenstände, Landschaften und kulturelle Werte bezeugen [53]. Nahezu jeder Dichter und jede Dichterin fühlte sich aufgerufen, mit seinem bzw. ihrem Werk die tiefe Wahrheit der bereits 1813 formulierten Formel (*Edinburgh Review* XXII, 1813, 37) zu erweisen: ›Greece, the mother of freedom and poetry in the West, which had long employed only the antiquary, the artist, and the philologist, was at length destined, after an interval of many silent and inglorious ages, to awaken the genius of a poet‹.

Wenn eine der weiblichen Hauptfiguren aus Charlotte Brontës *Shirley* (1849) ihrem Freund und späteren Ehemann mit der gemeinsamen Lektüre von Shakespeares *Tragedy of Coriolanus* (Kap. 6) seine großen Schwächen, Überheblichkeit und Stolz, nachdrücklich vor Augen führt, so dient dieses ant. *exemplum* eindeutig der differenzierteren Figurencharakterisierung, wie u. a. auch die vielen myth. Anspielungen und Vergleiche in den Romanen George Eliots (1819–1880); die Rezeption der Ant. ist dabei jedoch eine mittelbare. Der unmittelbaren Auseinandersetzung mit den ant. Trad. und ihrer zeitgenössischen Deutungen verdanken sich demgegenüber die Hauptwerke des bedeutenden viktorianischen Kunst- und Kulturtheoretikers Walter Pater (1839–1894): *Marius the Epicurean* (1885) und *Plato and Platonism* (1893). Auch die neue Gattung des histor. Romans öffnete sich ant. Stoffen, wenngleich sporadisch und nur mit bescheidenem Erfolg, wie das bekannteste Beispiel, Edward Bulwer-Lyttons *The Last Days of Pompeii* (1834), dokumentiert.

Den letzten und wichtigsten Versuch nach Algernon Charles Swinburnes *Atalanta in Calydon* (1865), den Geist der klass. griech. Tragödie wieder zu beleben, konstituiert das späte Romanwerk Thomas Hardys (1840–1928): *The Mayor of Casterbridge* (1886) orientiert sich dabei am Vorbild von Sophokles' *König Ödipus*, während Hardy in *Tess of the d'Urbervilles* (1891) und *Jude the Obscure* (1895) (klass.) tragische Konflikte ins Zentrum seiner Darstellung rückt.

D. Vormoderne, Moderne und Gegenwart

Die zu Beginn des 19. Jh. begonnene öffentliche Diskussion um das Bildungscurriculum, insbes. um den Stellenwert der klass. Sprachen, fand mit den Gesetzen der J. 1854 und 1856 keineswegs ein Ende. Aus theologischer Sicht erschien die Hinwendung zu den Naturwiss. bedenklich, so daß der altphilol. anti-utilitaristischen Reaktion auf diese Entwicklung ungeteilte Unterstützung zuteil wurde. In immer neuen Kompromissen wurde versucht, sowohl die prinzipiellen Differenzen aufzulösen, als auch die Interessen der unterschiedlichen gesellschaftlichen Gruppen auszubalancieren, eine Entwicklung, die im Grunde erst mit dem *Education Act* von 1944 (*Butler Act*) einen vorläufigen Abschluß fand, der das britische Bildungssystem in *primary*, *secondary* und *further education* untergliederte und mit der Einführung von Eignungsprüfungen zugleich soziale Chancengleichheit garantierte. Die klass. Sprachen hatten damit endgültig ihre Vorrangstellung eingebüßt, was für T.S Eliot [20] in einer kulturpessimistischen Analyse der Gegenwartskultur eine unter mehreren Ursachen für den allg. Niedergang konstituierte und zugleich unabsehbare Folgen für die engl. Lit. befürchten ließ (*The Classics and the Man of Letters*, 1942). Der Gegenwart, die sich für ihn wesentlich durch den Verlust aller Gemeinsamkeiten definiert (›the disappearance of any common background of instruction, any common body of literary and historical knowledge‹), hält er die vorbildliche Vergangenheit entgegen: ›The significance of a type of education may lie almost as much in what it omits as in what it includes. Shakespeare's classical knowledge appears to have been derived largely from translations. But he lived in a world in which the wisdom of the ancients was respected, and their poetry admired and enjoyed‹.

So idealistisch (und kulturhistor. nur mit der signifikanten Einschränkung auf die Gebildeten zutreffend) Eliots Bild der Shakespearezeit erscheint, so zutreffend ist die Annahme eines allg. akzeptierten klass. Kanons, der als Inspirationsquelle und Anspielungshorizont verfügbar war, der etwa seit der Mitte des 19. Jh. nur noch als Idealbild der Vergangenheit gefeiert wird. Dieser beklagte Verlust an kulturelle Identität stiftenden Gemeinsamkeiten verhinderte keineswegs, daß einzelne Autorinnen und Autoren sich des imaginierten klass. Kanons bedienten: So integriert etwa Edward Morgan Forster (1879–1970) nach dem Vorbild viktorianischer Romanciers in seinen Roman *Room with a View* (1908) eine ganze Kette klass. myth. Anspielungen, die einerseits die Charakterzeichnung der Protagonistin Lucy vertiefen und andererseits zentrale Elemente der auktorialen Vorausdeutung konstituieren, und T. S. Eliot präsentiert Figuren und Handlung seiner Dramen *The Family Reunion* (1939) und *The Cocktail Party* (1949) vor dem für

das Publikum ständig präsent gehaltenen Hintergrund des Orest- und des Alkestis-Mythos. Die ant. Mythologie erscheint immer wieder als Referenzrahmen, auf den sich mod. Autorinnen und Autoren in ihren Werken beziehen, wie etwa C. S. Lewis' *Till We Have Faces* (1956), oder die Dramen Christopher Frys, dem nach Eliot wichtigsten Vertreter des engl. Versdramas der Moderne, verdeutlichen: *A Phoenix Too Frequent* (1946) und *Venus Observed* (1950). Dem Krieg aller Kriege, d. h. dem Trojanischen Krieg, und zugleich dem Problem der Domestizierung von Gewalt und Aggression widmet Edward Bond sein – leider wenig gespieltes – Drama *The Woman* (1978), eine eindringliche Warnung vor den alle menschlichen Werte zerstörenden Automatismen eines Bewußtseins, das kriegerische Gewalt als legitimes Mittel der Konfliktlösung begreift [64]. Eine der bekanntesten Bearbeitungen eines myth. Stoffes ist zweifellos George Bernard Shaws *Pygmalion* (1914), obwohl die Verweise auf den variierten Mythos, sieht man einmal vom die Referenz stiftenden Titel ab, eher spärlich sind; sein histor. Drama *Caesar and Cleopatra* (1901) schrieb Shaw in ausdrücklicher Konkurrenz zu Shakespeares *Antony and Cleopatra* (1607) und setzte insbes. Shakespeares Bild der Cleopatra als orientalischer Verführerin das Bild einer naiven Kindfrau entgegen, die erst von Caesar die brutale Kunst der polit. Führung erlernt. Alle genannten Werke seit der Romantik sind individualisierte und teils aus unmittelbarer, teils aus mittelbarer Begegnung mit der ant. Trad. inspirierte Dokumente produktiver Antikerezeption, die für die einzelnen Kunstwerke zentral ist; jedoch können sie angesichts eines nach Bildungshintergrund und Lektüreerfahrung diversifizierten Publikums die Aufgabe der Bedeutungsgenerierung nur noch ebenso diversifiziert wahrnehmen. Musterbeispiele für die überbordende Komplexität der produktiven Antikerezeption der Moderne sind die enigmatischen Hauptwerke von James Joyce (1882–1941), die nicht zu Unrecht als individualisierte Kompendien der abendländischen Kulturgeschichte gelten: *Ulysses* (1922) und *Finnegans Wake* (1939) [26; 48].

Keine Ausnahme bildet das lyr. Werk von David Jones (1895–1974), der unter Rückbesinnung auf seine walisischen Wurzeln vielfältige Anregungen aus der keltischen Geschichte und Myth., der Bibel und der röm. Ant. zu hoch individualisierten, idiosynkratischen Gedichten wie *The Anathemata* (1952), einer Chronik des christl. Abendlandes, und in den Sammlungen *The Sleeping Lord and Other Fragments* (1974), *The Kensington Mass* (1975) und *The Roman Quarry and Other Sequences* (1981) verband.

Auch die mod. Fantasylit. bildet in Bezug auf Selektion und Individualität der rezipierten Aspekte und Motive keine Ausnahme: Selbstverständlich steht hinter dem zentralen Motiv in J. R. R. Tolkiens *The Lord of the Rings* (1954–1955), dem Ring der Macht, das ant. Motiv des Rings des Gyges, wiewohl dieses höchst kunstvoll mit den myth. Trad. des Nordens verknüpft ist. Auch die Fabelwesen, die in der von Joanne K. Rowling inszenierten Welt des Harry Potter (z. B. 1997: *Harry Potter and the Philosopher's Stone*) ihr Wesen und Unwesen treiben, vom Phönix, über den Basilisk bis zum Hippogryph, entstammen nahezu ausnahmslos der ant. Tradition.

Zentrale Handlungsträger und Episoden der griech. und röm. Geschichte standen im 20. Jh. immer wieder im Mittelpunkt histor. Romane, die – u. a. auch über Verfilmungen – ein Millionenpublikum erreichten. Robert Graves (1895–1985), ein profunder Kenner der ant. Überlieferung, legte mit *I, Claudius* und *Claudius the God* (1934) eine fiktionale Autobiographie des Kaisers Claudius vor (41–54 n. Chr.), die als Musterbeispiel minutiöser histor. (Re-)Konstruktion gelten darf, das zugleich in seiner fiktionalisierten Neu-Interpretation der Überlieferung ein hohes Maß an revisionistischem Potential entfaltet und dabei das überaus einseitige Porträt der historiographischen und biographischen Überlieferung zumindest in einigen Details in Frage stellt. In ähnlicher Weise an die ant. Überlieferung anknüpfend und diese ingeniös weiterführend präsentiert sich die histor. Roman-Trilogie von Allan Massie. In *Augustus. A Novel* (1986), einer brillanten fiktionalen (Re-)Konstruktion der Memoiren des Augustus, wird – verteilt auf zwei Bücher – die Geschichte Roms von der Ermordung Caesars bis zur Konsolidierung des Prinzipats aus der Perspektive des Kaisers erzählt, wobei insbes. die Schilderungen der nicht spannungsfreien Ehe zw. Augustus und Livia wie die der innigen – in gemeinsamen Überzeugungen wurzelnden – Freundschaft zw. Vergil und dem Kaiser lit. Kabinettstücke sind. Konventioneller, wenngleich auch zumeist auf solide Kenntnisse der ant. Überlieferung wie der mod. Forschungslit. gegründet, ist eine Vielzahl weiterer histor. Romane, für die stellvertretend Robert Graves' *Count Belisarius* (1938), Mary Renaults *The Last of the Wine* (1956), Naomi Mitchisons *Cleopatra's People* (1972), Colleen McCulloughs *The First Man in Rome* (1990) und Jack Whytes *The Skystone* (1996) genannt seien. Aus dem Bereich der *New English Literatures* (s. Abschnitt IV. Postkoloniale Literaturen) ließe sich diese Liste histor. Romane ergänzen, z. B. um Pauline Gedges *The Eagle and the Raven* (1978). Am eindringlichsten zeigt sich die Nationen übergreifende Internationalität und Individualität der Antikenrezeption in der engl. Sprache in Derek Walcotts *Omeros* (1990), ein Gedicht epischen Ausmaßes, das in seiner Figurenkonstellation und Handlung so unterschiedliche kulturelle Trad. wie die afro-karibische Volkskultur, den anglo-irischen Kolonialismus und griech. sowie danteske Epik zusammenführt.

Seit knapp drei Jahrzehnten erfreut sich eine neue hybride Romangattung der uneingeschränkten Gunst des Publikums: der mod. histor. Kriminalroman, wobei das ant. Rom der ausgehenden Republik und der frühen Kaiserzeit eine bes. favorisierte Epoche für die Verbrechensaufklärung durch sehr unterschiedlich konzipierte *hard-boiled detectives* ist. Berühmt und mittlerweile

in viele Sprachen übersetzt sind bes. vier große Serien: Steven Saylors *Roma Sub Rosa*-Reihe (ab 1991, z. B. *Roman Blood*, mit dem Detektiv Gordianus the Finder), John Maddox Roberts *SPQR*-Reihe (ab 1990, z. B. *SPQR*, mit dem Detektiv Decius Caecilius Metellus), David Wisharts Reihe um seinen Detektiv M. Valerius Messalla Corvinus (ab 1995, z. B. *I, Virgil*) und Lindsey Davis' Serie der Abenteuer des M. Didius Falco (ab 1989, z. B. *Silver Pigs*). Alle vier Serien, die mittlerweile auf ein Korpus von insgesamt mehr als 40 Einzelbänden angewachsen sind, zeichnen sich durch – zumeist gut recherchierte – eingehende Detailschilderungen des röm. Alltagslebens aus und vermitteln anhand der jeweiligen spannenden Aufklärungshandlung einem breiten Publikum Einblick in eine ihm weitgehend fremde Kulturepoche. Die Tatsache, daß Steven Saylor wie auch John Maddox Roberts Amerikaner sind, stellt dabei kaum mehr als ein biographisches Detail dar.

Den Wandel in der Rezeption des antiken Erbes vom Beginn der Neuzeit bis in die Gegenwart illustriert eine Tatsache nachdrücklich: Die histor. Kriminalromane der M. Didius Falco-Reihe werden mittlerweile an einigen amerikanischen Colleges in Anfängerkursen über röm. Geschichte zugrundegelegt – vielleicht mehr als eine kleine Bestätigung dafür, daß die Befürchtungen T. S. Eliots nicht ganz unbegründet waren.

1 P. Ayres, Classical Culture and the Idea of Rome in 18th Century England, 1997 2 B. Baldwin, Samuel Johnson and the Classics, in: Hellas 2 (1991), 227–238 3 U. Baumann, Die Ant. in den Epigrammen und Briefen Sir Thomas Mores, 1984 4 Ders., Übersetzungstheorie und Übersetzungspraxis im engl. Frühhuman. Sir Thomas More und Sir Thomas Elyot, in: K.-E. Lönne (Hrsg.), Kulturwandel im Spiegel des Sprachwandels, 1995, 107–135 5 Ders., Vorausdeutung und Tod im engl. Römerdrama der Ren. (1564–1642), 1996 6 Ders., Tyrannen, Attentäter und Intrigen: Die Darstellung des Röm. Kaiserhofes in der Jakobäischen Trag., in: Ders. (Hrsg.), Basileus und Tyrann, 1999, 419–440 7 Ders., Politik, Propaganda und Myth. Zur polit. Mythologiedeutung in der engl. Ren., in: B. Guthmüller, W. Kühlmann (Hrsg.), Renaissancekultur und ant. Myth., 1999, 207–229 8 Ders., H. P. Heinrich, Thomas Morus, Human. Schriften, 1986 9 M. Bierbach, Grundzüge human. Lexikographie in Frankreich, 1997 10 J. W. Binns, Intellectual Culture in Elizabethan and Jacobean England: The Latin Writings of the Age, 1990 11 R. R. Bolgar, The Classical Heritage and its Beneficiaries, 1954 12 G. Braden, Ren. Tragedy and the Senecan Trad., Anger's Privilege, 1985 13 A. Buck, Human.: Seine europ. Entwicklung in Dokumenten und Darstellungen, 1987 14 P. Burton, The Values of a Classical Education: Satirical Elements in Robert Graves's Claudius Novels, in: Review of English Stud. 46 (1995), 191–218 15 G. F. Butler, Spenser, Milton, and the Ren. Campe: Monsters and Myths in »The Faerie Queene« and »Paradise Lost«, in: Milton Stud. 40 (2002), 19–37 16 N. Callan, Pope and the Classics, in: P. Dixon (Hrsg.), Alexander Pope, 1975, 230–249 17 E. Cassirer, Die Platonische Ren. in England und die Schule von Cambridge, 1932 18 K. Charlton, Education in Ren. England, 1965 19 R. W. Clancey, Wordsworth's Classical

Undersong: Education, Rhetoric and Poetic Truth, 2000
20 L. A. CUDDY, Eliot's Classicism: A Study in Allusional Method and Design, in: T. S. Annual 1 (1990), 27–62
21 M. A. DOODY, Heliodorus Rewritten: Samuel Richardson's »Clarissa« and Frances Burney's »Wanderer«, in: J. TATUM (Hrsg.), The Search for the Ancient Novel, 1994, 117–131 **22** M. DOWLING, Humanism in the Age of Henry VIII, 1986 **23** R. J. DUROCHER, Milton Among the Romans: The Pedagogy and Influence of Milton's Latin Curriculum, 2001 **24** H. ERSKINE-HILL, Augustan Idea in English Literature, 1983 **25** D. S. FERRIS, Silent Urns: Romanticism, Hellenism, Modernity, 2000
26 W. ERZGRÄBER, James Joyce und die Ant., in: Literaturwiss. Jb. 33 (1992), 319–341 **27** D. M. FOERSTER, Homer in English Criticism, 1947 **28** V. GENTILI, Thomas Lodge's »Wounds of Civil War«: An Assessment of Context, Sources and Structure, in: Research on English and American Literature 2 (1984), 119–164 **29** K. HANLEY, The Shock of the Old: Wordsworth and the Paths to Rome, in: P. SHAW (Hrsg.), Mortal Pages, Literary Lives: Stud. in Nineteenth-Century Autobiography, 1996, 31–60
30 G. M. HARPER, The Neoplatonism of William Blake, 1961 **31** H. P. HEINRICH, Sir Thomas Mores »Gesch. König Richards III« im Lichte human. Historiographie und Geschichtstheorie, 1987 **32** G. HIGHET, The Classical Trad. Greek and Roman Influences on Western Literature, 1949 **33** H. JAMES, Shakespeare's Troy, 1997 **34** R. F. JONES, The Triumph of the English Language, 1953 **35** E. H. KANTOROWICZ, The King's Two Bodies: A Study in Mediaeval Political Theology, 1957 **36** R. KELSO, The Doctrine of the English Gentleman in the Sixteenth Century, 1929 **37** F. KIEFER, Seneca's Influence on Elizabethan Tragedy, in: Research Opportunities in Ren. Drama 21 (1978), 17–34 **38** W. KUPERSMITH, Johnson's London in Context: Imitations of Roman Satire in the Later 1730s, in: The Age of Johnson 10 (1999), 1–34 **39** H. B. LATHROP, Translations from the Classics into English from Caxton to Chapman 1477–1620, 1933 **40** N. A. MACE, Henry Fielding's Classical Learning, in: Modern Philology 88 (1991), 243–260 **41** M. A. McGRAIL (Hrsg.), Shakespeare's Plutarch, 1997 **42** C. A. MATTEO, Muses and Mentors: The Chronotope and the Classical Trad in the British Epic Novel, 2000 **43** F. O. MATTHIESSEN, Translation. An Elizabethan Art, 1931 **44** G. MELCHIORI (Hrsg.), Joyce in Rome: The Genesis of Ulysses, 1984 **45** D. C. MELL, Dryden and the Transformation of the Classical, in: Papers on Language & Literature 17 (1981), 146–163 **46** R. S. MIOLA, Shakespeare and Classical Tragedy: The Influence of Seneca, 1992 **47** A. NÜNNING, Kanonisierung, Periodisierung und der Konstruktcharakter von Literaturgeschichten, in: Ders. (Hrsg.), Eine andere Gesch. der engl. Lit., 1996, 1–24 **48** B. O'HEHIR, A Classical Lexicon for Finnegans Wake: A Glossary of the Greek and Latin in the Major Works of Joyce, 1977 **49** W. PAGEL, William Harvey's Biological Ideas, 1967 **50** E. PECHTER, Dryden's Classical Theory of Literature, 1975
51 R. PFEIFER, Die Klass. Philol. von Petrarca bis Mommsen, 1982 **52** M. PFISTER, Die Frühe Neuzeit: Von Morus bis Milton, in: H.-U. SEEBER (Hrsg.), Engl. Literaturgesch., 1991, 43–148 **53** F. E. PIERCE, The Hellenic Current in English Nineteenth-Century Poetry, in: Journal of English and Germanic Philology 16 (1917), 103–135 **54** H. F. PLETT, English Ren. Rhetoric and Poetics. A Systematic Bibliography of Primary and Secondary Sources, 1995

55 D. H. RAWLINSON, Pope and Addison on Classical Greatness, in: Wascana Review 2 (1967), 69–74 **56** S. P. REVARD, Milton and Classical Rome: The Political Context of Paradise Regained, in: P. A. RAMSEY (Hrsg.), Rome in the Ren.: The City and the Myth, 1982, 409–419 **57** W. RIEHLE, Shakespeare, Plautus and the Humanist Trad., 1990 **58** E. F. ROGERS (Hrsg.), The Correspondence of Sir Thomas More, 1947 **59** W. E. H. RUDAT, Pope and the Classical Trad.: Allusive Technique in »The Rape of the Lock« and »The Dunciad«, in: Anglia 100 (1982), 435–441 **60** N. RUDD, The Classical Trad. in Operation, 1994 **61** W. F. SCHIRMER, Der engl. Frühhuman., 1931 **62** R. J. SCHORK, Latin and Roman Culture in Joyce, 1997 **63** K. SOLOMOU, The Influence of Greek Poetry on Byron, in: Byron Journal 10 (1982), 4–19 **64** J. S. SPENCER, Rewriting »Classics«: Edward Bond's »The Woman«, in: Modern Drama 32 (1989), 561–573 **65** R. S. SYLVESTER (Hrsg.), Thomas More, The History of King Richard the Third/Historia Richardi Regis Angliae Eius Nominis Tertii, 1963 **66** J. A. K THOMPSON, The Classical Background of English Literature, 1948 **67** E. M. W. TILLYARD, Milton and the Classics, in: Essays by Divers Hands 26 (1953), 59–72 **68** J. F. TINKLER, The Splitting of Humanism: Bentley, Swift, and the English Battle of the Books, in: Journal of the History of Ideas 49 (1988), 453–472 **69** H. D. WEINBROT, The Conventions of Classical Satire and the Practice of Pope, in: Philological Quarterly 59 (1980), 317–337 **70** K. J. WILSON (Hrsg.), The Letters of Sir Thomas Elyot, in: Stud. in Philology 73 (1976), IX-XXX und 1–78 **71** E. WIND, Heidnische Mysterien in der Ren., 1984 **72** C. WINTON, The Roman Play in the 18th Century, in: Stud. in the Lit. Imagination 10 (1977), 77–90 **73** S. L. WOLFF, The Greek Romances in Elizabethan Prose Fiction, 1912 **74** J. WORTHINGTON, Wordsworth's Reading of Roman Prose, 1946.   UWE BAUMANN

III. LITERATUR NACH 1945
A. ROMAN UND KURZGESCHICHTE   B. DRAMA   C. DICHTUNG

A. ROMAN UND KURZGESCHICHTE

Der Roman in England nach 1945 ist inhaltlich zunächst geprägt von der Darstellung zeitgenössischer Probleme der engl. Gesellschaft; erst nach und nach treten andere Themenbereiche und Genres wie etwa verschiedene Formen des histor. Romans stärker hervor. Formal wird die lit. Produktion lange Zeit von einer bewußten Abkehr von den Formexperimenten des Modernismus und damit von realistischen Erzählweisen bestimmt [20. 91 f.]. Die Antikerezeption ist daher in den 1950er und 1960er J. nahezu ausschließlich auf histor. Romane mit traditionellen Erzählformen beschränkt, ein Genre, das sich bis h. großer Beliebtheit erfreut. Zu den bekanntesten Beispielen gehören die Romane von Mary Renault, die Gestalten aus der griech. Myth. und Geschichte in den Mittelpunkt stellen. Renault verfaßte u. a. eine fiktive Theseus-Autobiographie in zwei Teilen (*The King Must Die* (1958) und *The Bull from the Sea* (1962)), die eine Deutung der Theseus-Sage im Sinne der *Cambridge Ritualists* (→ Psychoanalyse) mit starker

Psychologisierung der Charaktere und vorsichtiger Rationalisierung der mythischen Elemente verbindet, sowie drei Romane über Alexander den Großen (*Fire from Heaven* (1970), *The Persian Boy* (1972), *Funeral Games* (1981)). Von Rex Warner stammt u. a. eine fiktive Caesar-Autobiographie in zwei Teilen (*The Young Caesar* (1958), *Imperial Caesar* (1960)), in der Caesar sich selbst als fast übermenschliche geschichtsformende Persönlichkeit stilisiert [17. 357–359, 363]. Kommerziell erfolgreich sind die histor. Romane von Allan Massie (aus dem Bereich der Ant. *Augustus: The Memoirs of an Emperor* (1986), *Tiberius: The Memoirs of an Emperor* (1990), *Caesar* (1993), *Antony* (1997), *Nero's Heirs* (1999), *The Evening of the World*, (1999)) sowie der im Britannien des 5. Jh. n. Chr. spielende Zyklus *A Dream of Eagles* von Jack Whyte (*The Skystone* (1992), *The Singing Sword* (1993), *The Eagle's Brood* (1994), *The Saxon Shore* (1995), *The Sorcerer* (1997)).

Zu diesen histor. Romanen im eigentlichen Sinn treten Untergattungen wie der histor. Kriminalroman, der histor. Abenteuer- und Liebesroman sowie Kinder- und Jugendromane, die in der Ant. spielen. Solche Werke werden oft zu ganzen Serien ausgebaut, so etwa Lindsey Davis' Kriminalromane um M. Didius Falco, der im flavischen Rom als Privatdetektiv ermittelt (*The Silver Pigs* (1989), *Shadows in Bronze* (1990), *Venus in Copper* (1991), *The Iron Hand of Mars* (1992), *Poseidon's Gold* (1993), *Last Act in Palmyra* (1994), *Time to Depart* (1995), *A Dying Light in Corduba* (1996), *Three Hands in the Fountain* (1997), *Two for the Lions* (1998), *One Virgin Too Many* (1999), *Ode to a Banker* (2000), *A Body in the Bath House* (2001), *The Jupiter Myth* (2002)). Die Autorin bemüht sich um eine möglichst realistische Darstellung des Alltagslebens im 1. Jh. n. Chr., variiert daneben jedoch auch Topoi des im 20. Jh. spielenden Detektivromans. Das Genre des histor. Kriminalromans umfaßt auch zahlreiche Kurzgeschichten; zu den frühesten gehört Wallace Nichols' ab 1950 entstandene Reihe um Sollius, einen Sklaven im Rom des 2. Jh. n. Chr. [8].

Romane für Kinder und Jugendliche übernehmen z. T. das Handlungsschema von Abenteuergeschichten für diese Zielgruppe, etwa in den von Caroline Lawrence, einer gebürtigen US-Amerikanerin mit enger Bindung an England, verfaßten Romanen für acht- bis 14jährige (*The Thieves of Ostia* (2001), *The Secrets of Vesuvius* (2001), *The Pirates of Pompeii* (2002)): Vier Kinder aus flavischer Zeit kommen in Ostia, Rom und Kampanien Geheimnissen auf die Spur. Daneben gibt es jedoch auch für diese Zielgruppe Romane, die stärker Zeitkolorit und Lebensgefühl im Sinne des histor. Gesellschaftsromans vermitteln wollen, wie etwa die in unterschiedlichen Epochen der britischen Geschichte spielenden Romane von Rosemary Sutcliff (aus der Phase der röm. Besetzung Britanniens: *The Eagle of the Ninth* (1954), *The Silver Branch* (1957), *The Lantern Bearers* (1959)).

Ab den 1960er J. wird das Genre des histor. Romans weiterentwickelt. Die wachsende Bed. der Alltags-, Mentalitäts- und Frauengeschichte führt zu einer großen Zahl revisionistischer histor. Romane, also solcher, die das Vorwissen der Rezipienten benutzen, um alternative Geschichtsversionen zu präsentieren [22. 73; 20. 113 f.]; seit den 1980er J. liegt ein weiterer Schwerpunkt der Romanproduktion auf der historiographischen Metafiktion [20. 139 f.]. Gleichzeitig kommt es durch den wachsenden Einfluß des Postmodernismus auf die engl. Lit. und die damit einhergehende Auflösung traditioneller Erzählformen auch im Bereich des histor. Romans zu erzählerischen Neuerungen wie der Durchbrechung narrativer Illusionsbildung durch metafiktionale Elemente [20. 116–118]. Ein Beispiel für einen revisionistischen histor. Roman realistischer Erzählweise ist John Ardens Roman *Silence among the Weapons: Some Events at the Time of the Failure of a Republic* (1982), der in die *Booker Prize Short List* aufgenommen wurde. Mit Hilfe eines pikaresken Helden schildert er den Bürgerkrieg zw. Marius und Sulla aus der Perspektive der unterworfenen Völker des röm. Reiches [19. 273, 275]. Formal wesentlich innovativer sind Christine Brooke-Roses experimentelle metafiktionale Romane *Amalgamemnon* (1984) sowie *Textermination* (1991). In *Amalgamemnon*, dem Monolog einer Universitätsdozentin für Klass. Philol., die ihre Existenz und die von ihr vertretenen Werte durch die drohende Entlassung gefährdet sieht, verschmelzen zeitgenössische Themen mit Passagen aus Herodot. Die Unbestimmtheit ihrer Situation kommt formal durch die Beschränkung auf Fut. und Irrealis im Bewußtseinsstrom der Hauptfigur zum Ausdruck. In *Textermination* kommen Charaktere zahlreicher Werke der Weltlit., unter anderem Homers Odysseus, Christa Wolfs Kassandra sowie Dantes und Hermann Brochs Vergil, auf einer Tagung zusammen; der metafiktionale Roman thematisiert die Frage nach dem Stellenwert lit. Kanonbildung und Leserfahrung im Zeitalter der Postmoderne.

B. DRAMA

Das britische Theater nach 1945 ist zunächst von einer stark konservativen Grundhaltung geprägt, die sich in einer Konzentration auf konventionelle Handlungsschemata (*well-made play*) und die Klassiker des engl. Theaters ausdrückt. Erst ab der Mitte der 1950er J. setzt ein Prozeß ein, der einerseits von der Aufnahme US-amerikanischer und kontinentaler Einflüsse, andererseits von einer zunehmenden Gegenwartsorientierung und Politisierung des Dramas geprägt ist. Nach der Abschaffung der Zensur durch den Lord Chamberlain im J. 1968 etablierten sich zahlreiche alternative Bühnen, die experimentellen Autoren ein Forum bieten [23. 364–367, 376–380].

Edward Bond nutzt die Ästhetik des in den 1960er J. entstandenen Theaters der Grausamkeit als Medium für ein Theater mit polit.-didaktischen Absichten. So präsentiert er in seinem Drama *The Woman* (1978), einer Adaptation von Euripides' *Troades* und *Hekuba*, in der Helena zu einer steinernen Glücksgottheit reduziert wird, eine von Macht und Gewalt geprägte Welt; am

Schluß stehen jedoch die Rache der Unterdrückten und die Aussicht auf eine gerechtere Gesellschaftsordnung. Steven Berkoffs *Greek* (1980), das die Ödipus-Handlung ins zeitgenössische London versetzt, verbindet theatralisch außerordentlich wirkungsvolle Gestaltungsmittel mit einer sozialkritischen Aussage: Das 1990 in einer Opernfassung verfilmte Stück (Musik: Mark-Anthony Turner, Regie: Peter Mamiera/Jonathan Moore) interpretiert die ödipale Suche nach Liebe als Ausdruck einer von Gewalt und Lieblosigkeit geprägten Gesellschaft [12. 139]. Auch Tony Harrison verbindet profunde Kenntnis der ant. Lit. mit dem Wunsch nach klaren polit. Botschaften. Neben Adaptationen (*The Common Chorus: A Version of Aristophanes' Lysistrata* (1973), *Oresteia* (1981)) verfaßt er eigenständige Dramen sowie Filmskripte in Gedichtform. Das in Delphi uraufgeführte Stück *The Trackers of the Oxyrhynchus* (1988/1990) verbindet auf mehreren Zeitebenen den Fund des Sophokleischen Satyrspiels *Ichneutai* im J. 1907 und seine Entzifferung und Aufführung in der Gegenwart mit der Sophokleischen Handlung; das Leitmotiv der Suche führt zur Kritik am Streben des kulturellen Establishments nach einer elitären Kunst. *Medea: A Sex War Opera* (1985) interpretiert die Medea-Handlung als Ausdruck eines Geschlechterkonfliktes; das nur auf der Bühne von Carnuntum aufgeführte *Marcus Aurelius: The Kaisers of Carnuntum* (1995) demonstriert die Unfähigkeit der Kunst, brutale Gewalt zu verhindern. Als Filmskripte konzipiert sind *The Gaze of the Gorgon* (1992), ein Gedicht, in dem die Gorgo zum Symbol für die unter der Fassade des mod. Europas verborgenen Schrecken wird, und *Prometheus* (1998), das die positiven und negativen Folgen der industriellen Revolution als Ausdruck des Konflikts zw. Hermes und Prometheus interpretiert. Eine Politisierung ant. Dramen findet sich auch bei irischen Autoren in Auseinandersetzung mit dem Nordirlandkonflikt. Hierzu gehören Brendan Kennellys *Antigone* (1984), *Medea* (1988) und *The Trojan Women* (1992), Aidan Carl Mathews *Antigone* (1984) und *Trojans* (1994), Tom Paulins *The Riot Act* (eine Adaptation von Sophokles' *Antigone*, 1985) und *Seize the Fire* (eine Adaptation von Aischylos' *Prometheus*, 1989) sowie Seamus Heaneys *The Cure at Troy: A Version of Sophocles' Philoctet* (1991). Die in den ant. Dramen zum Ausdruck kommende Gewalt und Unterdrückung wird hier auf die britische Besetzung Nordirlands übertragen, etwa indem die Handlung in *Seize the Fire* und Mathews' Version der *Antigone* in einen mod. Polizeistaat versetzt wird [21. 230–237]. Brian Friels *Living Quarters: After Hippolytus* (1978) ist dagegen eher ein Porträt der irischen Gesellschaft.

Im Gegensatz zu solchen Aktualisierungstendenzen wendet sich Howard Barker gerade gegen jede didaktische oder unterhaltende Funktion des Theaters und ersetzt eindeutige Botschaften durch die erschütternde Wirkung seines *theatre of catastrophe*, das alle Erwartungshaltungen des Publikums zerstört. So steht am E. von Barkers *The Bite of the Night* (1988), das den Besuch eines wissenssuchenden Klass. Philologen in den Ruinen der elf ant. Trojas schildert, die Erkenntnis, daß Wissen völlige Leere sei. Bei seinem Rundgang durch Orte wie das aus Büchern bekannte, wehrlose *Paper Troy*, das Schmerz verniedlichende *Laughing Troy* oder das moralische und körperliche Reinlichkeit verordnende *Soap's Troy* trifft er immer wieder auf Helena, die als Ursprung des Eros zum ständigen Objekt und Katalysator des Hasses der Trojaner wird. Das Stück schockiert durch die Helena entgegengebrachte physische Gewalt. In einem Prolog formuliert Barker die von ihm intendierte Publikumsreaktion auf seine Dramen [15. 46f.].

Unter den Stücken, die aus dem alternativen *fringe theatre* hervorgingen, ist Caryl Churchill und Dan Lans Adaptation von Euripides' *Bacchae, A Mouthful of Birds* (1986), zu nennen. Sieben Menschen der Gegenwart werden plötzlich von Geistern oder Gefühlen besessen. Vor allem die Frauen werden von ihnen zu gewalttätigen Handlungen getrieben, mit denen sie am E. leben. Gewalt gegen Frauen in einer patriarchalischen Gesellschaft, ein zentrales Thema feministischer Autorinnen seit den 1970er J. [14. 62f.], thematisiert Timberlake Wertenbaker in ihrem Stück *The Love of the Nightingale* (1988) anhand des Philomela-Mythos. Wertenbaker stellt hier Philomelas Wunsch nach Wissen und ihre sprachliche Ausdrucksfähigkeit männlicher Gewalt und Sprachlosigkeit gegenüber.

Neben dem Mythos entnommenen Stücken werden vermehrt auch histor. Stoffe mit der Absicht auf die Bühne gebracht, die Vergangenheit als Vorausdeutung oder Veranschaulichung der Gegenwart zu interpretieren oder auch die Vergangenheit umzudeuten [18. 30–32; 13. 428f.]. Ein solches Geschichtsdrama ist Howard Brentons Stück *The Romans in Britain*, das 1980 bei seiner Premiere einen Skandal auslöste, der sich zu einer Grundsatzdebatte über die Freiheit der Kunst im staatlich subventionierten Theater ausweitete. Anstoß erregte allerdings nicht so sehr die imperialismuskritische Grundhaltung des Dramas, das eine Parallele zw. Caesars Invasion in Britannien und der britischen Besetzung Nordirlands zieht, als vielmehr die unverhüllte Darstellung sexueller Gewalt durch die versuchte Vergewaltigung eines Kelten durch röm. Soldaten.

C. DICHTUNG

In der engl. Lyrik nach dem II. Weltkrieg läßt sich ein Generationswechsel beobachten zw. Autorinnen und Autoren, die, um die Jahrhundertwende geboren, von der Lyrik der klass. Moderne geprägt wurden, und zw. solchen, die ab etwa 1930 geboren wurden und, zusammen mit jüngeren Autorinnen und Autoren, unterschiedlichen Dichtungstendenzen angehören. Eine eindeutige Trennung zw. diesen Gruppen ist jedoch nicht möglich, da es große Überschneidungen der Lebenszeit und der lit. Produktion gibt. So verfassen Autoren wie Edwin Muir, Robert Graves, der auch durch seine histor. Romane (*I, Claudius* (1934), *Claudius the God* (1935), *Count Belis* (1938), *King Jesus* (1943), *Hercules, My Shipmate* (USA)/*The Golden Fleece* (UK) (1945), *Ho-*

mer's Daughter (1955)) bekannt wurde, W. H. Auden, Louis MacNeice, Kathleen Raine und C. H. Sisson auch nach 1945 zahlreiche Gedichte mit ant. Inhalten. Muir (*The Return of the Greeks* (1946) [9]) und Auden (*The Shield of Achilles* (1955) [1]) etwa nutzen den Mythos des Trojanischen Krieges zur Darstellung der desillusionierenden Erfahrung des II. Weltkriegs, während Raines Gedichte individuelle Erfahrungen beleuchten (*Kore in Hades* (1965) [11], *Medea* (1978) [10]).

In den 1950er J. vollzieht die engl. Dichtung zunächst eine bewußte Abkehr von der als elitär empfundenen Dichtung der Moderne und wendet sich Alltagsthemen und der Alltagssprache zu. Die Gedichte der als *Movement* bezeichneten Gruppe von Autoren rufen jedoch in den folgenden Jahrzehnten unterschiedliche Reaktionen hervor, die auch der Antikerezeption zu neuer Bed. verhelfen. So verfaßt Thom Gunn, selbst einer der prominentesten Dichter des *Movement*, der seit 1954 in den USA lebt, zahlreiche Gedichte zu myth. Themen (neben *The Wound* (1954), dem ersten Gedicht in Gunns erstem Gedichtband, u. a. *The Goddess* (1967) sowie *Philemon and Baucis* und *Odysseus on Hermes* aus dem der AIDS-Problematik gewidmeten Band *The Man with Night Sweats* (1992) [2]). Geoffrey Hill, der in oft voraussetzungsreichen Gedichten sein Verständnis von Geschichte und Geschichtsschreibung zum Ausdruck bringt [16. 36f.], führt in *Ovid in the Third Reich* (1968) [4], dem Monolog eines Klass. Philologen, dem ein Zitat aus Ovid (am. 3,14,5f.) vorangestellt ist, vor, wie das dt. Bildungsbürgertum aus Selbstschutz die Augen vor der Brutalität des Nazi-Regimes verschloß. Der Literaturnobelpreisträger Seamus Heaney stellt in seinen Gedichten immer wieder mit Hilfe von Bildern aus der ant. Myth. seine Suche nach einem Standpunkt innerhalb der Geschichte dar (*Personal Helicon* (1966), *Antaeus* und *Hercules and Antaeus* (1975), *The Haw Lantern* (1987) [3]) [16. 65–88]. Ted Hughes benutzt ant. und biblische Mythen, um die von animalischer Gewalt gekennzeichnete Welt darzustellen, so etwa in seinem Gedichtzyklus *Prometheus on His Crag* (1973) [6. 1973], einer Umdeutung des Prometheus-Mythos [16. 58–60].

Daß das Interesse an der Ant. in der engl. Lyrik weiterhin ungebrochen ist, demonstrieren Ted Hughes preisgekrönte Nachdichtungen *Tales from Ovid: 24 Passages from the Metamorphoses* (1997) sowie die Anthologie *After Ovid: New Metamorphoses* (1994). Die Sammlung von Gedichten, die Mythen aus Ovids *Metamorphosen* aufgreifen, enthält ausschließlich Originalbeitr. zeitgenössischer englischsprachiger Dichter, v. a. aus England und Irland.

QU **1** W. H. AUDEN, Collected Poems, 1969 **2** TH. GUNN, Collected Poems, 1993 **3** S. HEANEY, Opened Ground: Selected Poems, 1966–1996, 1998 **4** G. HILL, New and Collected Poems 1952–1992, 1994 **5** M. HOFMANN, J. LASDUN (Hrsg.), After Ovid: New Metamorphoses, 1994 **6** T. HUGHES, Prometheus on His Crag, 1973 **7** Ders., Tales from Ovid: 24 Passages from the Metamorphoses, 1997 **8** London Mystery Magazine, 1950–1967 **9** E. MUIR,

Collected Poems, 1960 **10** K. RAINE, Selected Poems, 1988 **11** Dies., The Collected Poems of Kathleen Raine, 2000

LIT **12** ST. BERKOFF, The Theatre of Steven Berkoff, 1992 **13** U. BROICH, Gesch. und Intertextualität im engl. Drama der Gegenwart, in: KL. P. MÜLLER (Hrsg.), Engl. Theater der Gegenwart: Geschichte(n) und Strukturen, 1993, 413–431 **14** S.-E. CASE, The Power of Sex: English Plays by Women 1958–1988, in: KL. P. MÜLLER (Hrsg.), Engl. Theater der Gegenwart: Geschichte(n) und Strukturen, 1993, 61–72 **15** R. COHN, Digging the Greeks: New Versions of Old Classics, in: TH. SHANK (Hrsg.), Contemporary British Theatre, 1994, 41–54 **16** G. HAEFNER, Engl. Lyr. vom II. Weltkrieg bis zur Gegenwart: Konzepte, Themen, Strukturen, 1997 **17** E. LEHMANN, Dreimal Caesar: Versuch über den mod. histor. Roman, in: Poetica 7, 1977, 352–369 **18** KL. P. MÜLLER, Theater als Sinnsuche und Geschichtsschreibung: Signifikante Entwicklungen im engl. Theater der Gegenwart, in: Ders. (Hrsg.), Engl. Theater der Gegenwart: Geschichte(n) und Strukturen, 1993, 3–58 **19** A. NÜNNING, Von histor. Fiktion zu historiographischer Metafiktion, Bd. 1: Theorie, Typologie und Poetik des histor. Romans, 1995 **20** Ders., Der engl. Roman des 20. Jh., 1998 **21** A. ROCHE, Ireland's Antigones: Tragedy North and South, in: M. KENNEALLY, Cultural Contexts and Literary Idioms in Contemporary Irish Literature, 221–250 **22** I. SCHABERT, Der histor. Roman in England und Amerika, 1981 **23** H. U. SEEBER (Hrsg.), Engl. Literaturgesch., 1999. BARBARA KUHN-CHEN

IV. POSTKOLONIALE LITERATUREN NACH 1945
A. EINLEITUNG B. AUSTRALIEN C. NEUSEELAND D. KANADA E. INDIEN F. KARIBIK G. NIGERIA UND SÜDAFRIKA

A. EINLEITUNG

Die Entwicklung der englischsprachigen postkolonialen Literaturen ist stark von den jeweiligen Rahmenbedingungen abhängig. So ist grundsätzlich zw. den ehemaligen Siedlerkolonien (Australien, Neuseeland, Kanada) und den Erobererkolonien der Dritten Welt zu unterscheiden: Die Lit. der Siedlerländer war stets eng auf diejenige des Mutterlandes bezogen, während für die in den Staaten der Dritten Welt entstehende englischsprachige Lit. stärker autochthone Trad. charakteristisch sind. Allerdings wird diese Trennung bei zahlreichen Autorinnen und Autoren durch enge Beziehungen des Bildungs- und Kultursystems zu Großbritannien oder auch aufgrund polit. Exilierung wieder aufgehoben. Hinzu kommt für die ehemaligen Kolonien der Dritten Welt die Konkurrenz des Engl. zu Lit. in autochthonen Sprachen, für die Siedlerländer eine stetig wachsende Lit. autochthoner oder aus unterschiedlichen Kulturkreisen eingewanderter ethnischer Minoritäten, die die lange vorherrschende Orientierung am britischen Bildungskanon aufbrechen. Insgesamt wird die Lit. der ehemaligen Commonwealth-Staaten seit dem II. Weltkrieg stark von Fragen der nationalen, ethnischen, sozialen, sexuellen und individuellen Identitätsfindung bestimmt [25. 394–413]. Diesen Interessen ist auch die Antikerezeption untergeordnet. In den aus

Ländern der Dritten Welt stammenden Literaturen ist sie mit spezifischen polit. Aussagen verbunden. In der Lit. der Siedlerländer, deren Publikum stärker vom westl. Bildungskanon geprägt ist, wird sie daneben auch zur Darstellung individueller Erfahrungen eingesetzt.

B. AUSTRALIEN

Die Lit. Australiens und Neuseelands ist neben der allen ehemaligen Kolonien gemeinsamen Problematik der Selbstfindung geprägt vom Bewußtsein der geogr. Lage als Antipoden [25. 445–449]. Dies wird u. a. an David Maloufs fiktiver Ovid-Autobiographie *An Imaginary Life* (1978) deutlich, die Ovids Verbannung als Fremdheitserfahrung interpretiert [24. 966]. Kommerziell auch international erfolgreich sind allerdings v. a. populäre Genres, zu denen auch der histor. Unterhaltungsroman gehört [16. 204f.]. Für den Bereich der Antikerezeption sind hier die Romane von Colleen McCullough zu nennen, die sich seit den 1990er J. v. a. auf das spätrepublikanische Rom konzentriert (*The First Man in Rome* (1990), *The Grass Crown* (1991), *Fortune's Favorites* (1993), *Caesar's Women* (1996), *Caesar: Let the Dice Fly* (1997), außerdem *The Song of Troy* (1998)).

Unter den australischen Dichtern hat die Antikerezeption etwa für den einflußreichen Literaturkritiker Alec Derwent Hope große Bedeutung. Hope, dessen Dichtung sich bewußt von zeitgenössischen Strömungen fernhält, verbindet klass. Bildung mit allg. menschlichen Themen (etwa die Verlusterfahrung in *Circe* (1948) und *The Return of Persephone* (1953)), aber auch mit lit. Satire (*Conversation with Calliope* (1962) [5]) [13. 92f.]. Seit den 1980er J. wird die Dichtung ethnischer Minoritäten, v. a. griech.-australischer Autorinnen und Autoren, verstärkt wahrgenommen [20. 175f.]. Timoshenko Aslanides, der Sohn eines griech. Einwanderers, verbindet zeitgenössische Sprache mit der Form der sapphischen Strophe (*Prayer to Aphrodite, Imitation of Imitations* [8]).

Eine literaturtheoretische Kontroverse der 1970er J. zw. Peter Porter, dessen anspielungsreiche Gedichte sein Kultur- und Geschichtsbewußtsein zum Ausdruck bringen (*The Story of Jason, Alcestis and the Poet, Landscape with Orpheus* (1981) [12]), und Les Murray, der sich ganz auf urspr. australische Themen konzentriert, greift auf ant. Konzepte des Stadt- und Landlebens zurück. Murray kontrastiert in seiner Auseinandersetzung mit Peter Porters Gedicht *On First Looking into Chapman's Hesiod* (1975) [12] Böotien als Sitz der Imagination und Kreativität mit Athen als Ort des Verstandes und setzt Böotien mit dem australischen Busch, Athen mit den Städten der weißen Einwanderer gleich [7]. Diese zunächst scheinbar nicht auflösbare Dichotomie wurde zum Ausgangspunkt für eine heftig geführte Debatte darüber, was das wahre Wesen Australiens und der australischen Lit. ausmache [15. 143–146].

C. NEUSEELAND

Für die neuseeländische Antikerezeption ist v. a. eine Gruppe von Autorinnen und Autoren relevant, die in den 1920er beziehungsweise 1930er J. geboren wurden.

Es handelt sich einerseits um James K. Baxter, der in den 1950er und 1960er J. eine führende Rolle in der neuseeländischen Literaturkritik innehatte, andererseits um die seit 1963 in London lebende Fleur Adcock sowie Vincent O'Sullivan. Baxters Dichtung (*Sisyphus* (1959), *Back to Ithaca* (1967) [4]) greift ebenso wie ein Teil seiner Dramen (*The Temptations of Odysseus* (1968)) häufig gesellschaftliche oder rel.-philos. Themen auf. Fleur Adcocks Dichtung (*Note on Propertius* (1964) [6], *Variations on a Theme of Horace* (1979) [1]) sowie Vincent O'Sullivans Frühwerk (*Poems of Place* und *Medusa* (1965) [9], *Semele* (1973), *Interview with Theseus* (1973) [10]) sind geprägt von myth. und lit. Zitaten, mit deren Hilfe individuelle zeitgenössische Erfahrungen zum Ausdruck gebracht werden; diese Thematik setzt sich auch in O'Sullivans Kurzgeschichten fort (*Letter from Orpheus* (1978) [11]).

Die gebürtige Neuseeländerin Pauline Gedge verfaßt v. a. Bestseller über das alte Ägypten, thematisiert in ihrem Roman *The Eagle and the Raven* (1978) jedoch Boudiccas Aufstand gegen die röm. Besatzung Britanniens im 1. Jh. n. Christus.

D. KANADA

Die kanadische Lit. nach dem II. Weltkrieg spiegelt einerseits die kulturelle Pluralität (anglophone, frankophone, autochthone, Migrantenlit.), andererseits die Suche nach einer kanadischen Identität in Abgrenzung von der britischen und US-amerikanischen Lit. [19. 7–10]. In den Dienst dieser Identitätsfindung stellt Robert Kroetsch seine Mischung aus Prairieroman und *Odyssee*-Parodie, *The Studhorse Man* (1969). Michael Ondaatjes Roman *The English Patient* (1992) und Anne Michaels' *Fugitive Pieces* (1996) vermitteln durch verschiedene Erzählperspektiven, aber auch durch die Bed. von Arch. und Geschichtsschreibung für die Romanhandlung die histor. Dimension des Erzählten [19. 80–82]. Hinter den zeitgenössischen Heldinnen der Romane von Aritha van Herk stehen myth. Gestalten, die die in den Romanen aufgeworfene Frage nach der Rolle von Frauen in einen histor.-archetypischen Kontext stellen (Arachne in *No Fixed Adress: An Amorous Journey* (1986)) [18. 91f.]. Auch die Dichtung von Margaret Atwood benutzt myth. Anspielungen, um zeitgenössische Erfahrungen, insbes. von Frauen, darzustellen (*Circe/Mud Poems* (1974) [3], *Orpheus (1), Eurydice, Letter from Persephone, Orpheus (2)* (1984) [2]) [19. 115, 119–121].

E. INDIEN

Für die englischsprachige Lit. Indiens hat die Antikerezeption kaum Bedeutung. Eine Ausnahme bildet zum Beispiel Suniti Namjoshi, die seit den 1970er J. in Kanada und England lebt. Die Autorin greift auf Mythen der engl. Trad. zurück und deutet sie in ihrem Sinne um: In Werken wie *Feminist Fables* (1981) und *From the Bedside Book of Nightmares* (1984) werden u. a. *The Reformed Antigone* und Penelope zu Trägerinnen feministisch-revisionistischer Kritik an der traditionellen Mytheninterpretation [22. 293–295].

F. Karibik

Für die englischsprachige Lit. der Karibikstaaten ist die geogr. Situation der Inselstaaten sowie die oft orale lit. Trad. der multikulturellen Bevölkerung kennzeichnend [25. 425]. Sowohl der aus Guyana stammende Wilson Harris als auch der in St. Lucia geborene Literaturnobelpreisträger Derek Walcott verbinden lokale Trad. mit Motiven und Charakteren aus der Ant., v. a. aus dem trojanischen Sagenkreis. So verlegt Wilson Harris in seinem Gedichtband *Eternity to Season* (1954/1978) Odysseus' Unterweltreise in ein guyanisches Dorf; auch in seinem Roman *The Secret Ladder* (1963) treten myth. Charaktere auf. Dieses Verfahren übernimmt Derek Walcott in seinem Langgedicht *Omeros* (1990), in dem die Figuren Achille, Philoctete, Hector, Helen sowie der blinde Sänger Omeros durch ihre Namen archetypischen Charakter erhalten. Durch das zeitgenössische karibische Setting kann Walcott die Insel- und Seereisenmetaphorik als Exilerfahrung und als Suche des mod. Menschen nach seinem eigentlichen Wesen interpretieren, eines von Walcotts zentralen Themen [25. 432; 14. 468]. In *The Odyssey: A Stage Version* (1993) hält sich Walcott enger an die homer. Handlung, verlegt sie jedoch ebenfalls in eine zeitgenössische karibische Umgebung.

G. Nigeria und Südafrika

Die englischsprachige Lit. in Nigeria und Südafrika zeigt den Einfluß unterschiedlicher ethnischer Ursprünge und steht in Konkurrenz zu mündlichen und schriftlichen lit. Trad. in verschiedenen afrikan. Sprachen sowie (in Südafrika) zu Lit. in Afrikaans. Die Rezeption der Ant. kann vor diesem Hintergrund nur einen kleinen Teil der lit. Produktion ausmachen. Immer wieder greifen jedoch Autoren unterschiedlicher Herkunft ant. Dramen auf und beziehen sie auf ihre jeweilige polit. Situation.

So interpretiert der Nigerianer Ola Rotimi in *The Gods Are Not to Blame* (1968) Sophokles' *Oedipus* als Trag. über den nigerianischen Bürgerkrieg. Der nigerianische Literaturnobelpreisträger Wole Soyinka zieht in *The Bacchae of Euripides: A Communion Rite* (1973), einem Stück, das sich ebenso wie Rotimis Drama durch die Integration afrikan. Elemente (Masken, Tänze) auszeichnet, eine Parallele zw. Pentheus und der Unterdrückung durch die Kolonialherrschaft, die durch Dionysos zerstört wird [18]. Der südafrikan. Autor Athol Fugard verbindet zeitgenössische Ereignisse mit griech. Mythen und stellt so die Auswirkungen der Apartheid auf das Leben der Südafrikaner dar. In *Orestes* (1971) überträgt er einen Sprengstoffanschlag, den der Weiße John Harris 1964 in Johannesburg als polit. Signal gegen Weiße richtete, auf Orests Muttermord. *The Island* (1973) spielt auf der Gefängnisinsel, auf der auch Nelson Mandela inhaftiert war. In einem Spiel im Spiel führen die Gefängnisinsassen Sophokles' *Antigone* auf, mit deren Situation (Tod/Leid aus Treue gegenüber human. Prinzipien) sie sich identifizieren [20. 96–104]. Auch in Produktionen, die nach 1994 (dem J. der ersten freien Wahlen in Südafrika) aufgeführt wurden, werden griech. Mythen (Orest, Medea) auf die polit. und gesellschaftliche Situation in Südafrika nach dem E. des Apartheid-Regimes bezogen [23].

→ Australien und Neuseeland; Indien; Südafrika

QU **1** Fl. Adcock, Selected Poems, 1983 **2** M. Atwood, Interlunar, 1984 **3** Dies., Poems: 1965–1975, 1991 **4** J. K. Baxter, Collected Poems, 1981 **5** A. D. Hope, Collected Poems 1930–1970, 1972 **6** M. P. Jackson, V. O'Sullivan (Hrsg.), The Oxford Book of New Zealand Writing Since 1945, 1983 **7** L. Murray, On Sitting Back and Thinking About Porter's Boeotia, in: Ders., The Peasant Mandarin: Prose Pieces by Les A. Murray, 1978, 172–184 **8** A. Niven (Hrsg.), Under Another Sky: An Anthology of Commonwealth Poetry Prize Winners, 1987 **9** V. O'Sullivan, Our Burning Time, 1965 **10** Ders., Bearings, 1973 **11** Ders., The Boy, the Bridge, the River, 1978 **12** P. Porter, Collected Poems, 1984

LIT **13** M. Ackland, Poetry from the 1890s to 1970, in: E. Webby (Hrsg.), The Cambridge Companion to Australian Literature, 2000, 74–104 **14** E. Baugh, Derek Walcott, in: D. C. Dance (Hrsg.), Fifty Caribbean Writers: A Bio-Bibliographical Critical Sourcebook, 1986, 462–473 **15** Br. Bennett, Spirit in Exile: Peter Porter and His Poetry, 1991 **16** D. Bird, New Narrations: Contemporary Fiction, in: E. Webby (Hrsg.), The Cambridge Companion to Australian Literature, 2000, 183–208 **17** A. Boxill, Wilson Harris, in: D. C. Dance (Hrsg.), Fifty Caribbean Writers: A Bio-Bibliographical Critical Sourcebook, 1986, 187–197 **18** U. Broich, Postkoloniales Drama und griech: Trag., in: H. Flashar (Hrsg.), Trag.: Idee und Transformation, 1997, 332–347 **19** M. u. M. Löschnigg, Kurze Gesch. der kanadischen Lit., 2001 **20** D. McCooey, Contemporary Poetry: Across Party Lines, in: E. Webby (Hrsg.), The Cambridge Companion to Australian Literature, 2000, 158–182 **21** M. McDonald, Black Dionysus: Greek Tragedy from Africa, in: L. Hardwick (Hrsg.), Theatre: Ancient and Modern. Selected proceedings of a two-day international research conference hosted by the Department of Classical Stud., Faculty of Arts, The Open University, Milton Keynes, 5th and 6th January 1999, 2000, 95–108 **22** D. McGifford, Suniti Namjoshi, in: E. S. Nelson (Hrsg.), Writers of the Indian Diaspora: A Bio-Bibliographical Critical Sourcebook, 1993, 291–297 **23** M. R. Mezzabotta, Ancient Greek Drama in the New South Africa, in: L. Hardwick (Hrsg.), Theatre: Ancient and Modern. Selected proceedings of a two-day international research conference hosted by the Department of Classical Stud., Faculty of Arts, The Open University, Milton Keynes, 5th and 6th January 1999, 2000, 246–268 **24** Ph. Neilsen, s. v. Malouf, David, in: E. Bensonel, L. W. Connolly (Hrsg.), Encyclopedia of Post-Colonial Literatures in English, 1994, 965 f. **25** H. U. Seeber (Hrsg.), Engl. Literaturgesch., ³1999 **26** E. Webby, Introduction, in: Ders. (Hrsg.), The Cambridge Companion to Australian Literature, 2000, 1–18.　　　Barbara Kuhn-Chen

V. Museen

s. London, British Museum

United States of America I. KOLONIALZEIT BIS ZUR NEUEN REPUBLIK (1607–1820) II. 19. JAHRHUNDERT (1820–1900) III. 20. JAHRHUNDERT (1900–1945) IV. LITERATUR NACH 1945

I. KOLONIALZEIT BIS ZUR NEUEN REPUBLIK (1607–1820)
A. DIE KOLONIALZEIT (1607–1763)
B. DAS ZEITALTER DER REVOLUTION UND DIE NEUE REPUBLIK (1763–1820)

A. DIE KOLONIALZEIT (1607–1763)
1. GESCHICHTE UND SOZIALE ENTWICKLUNG

Die Geschichte der engl. Festlandskolonien verläuft in den drei Hauptgegenden – dem südatlantischen Süden, dem neuengl. Norden und der mittelatlantischen Region – höchst unterschiedlich.

1.1 DER SÜDEN

Die mit der Gründung von Jamestown (1607) einsetzende Besiedlung des Südens war in erster Linie ein wirtschaftliches Unternehmen, das von der sog. Virginia Company, einer durch königlichen Freibrief autorisierten Gruppe von Kaufleuten und adligen Investoren initiiert wurde. Dank des günstigen Klimas entwickelte sich in den ersten Kolonien Virginia und Maryland schon früh eine auf Tabak spezialisierte Plantagenwirtschaft, deren Bedarf an Arbeitskräften zunächst durch vertraglich verpflichtete Europäer, gegen E. des 17. Jh. aber überwiegend durch afrikanische und karibische Sklaven gedeckt wurde. 1663 folgte die nach König Charles II. benannte Kolonie Carolina, die 1691 in North und South Carolina aufgeteilt wurde, und 1732 das nach George II. benannte Georgia. Auch in diesen Kolonien wurden unter zunehmendem Einsatz von Sklaven hauptsächlich die in Europa begehrten Agrarprodukte Tabak, Reis und Indigo angebaut. Die gesellschaftliche und polit. Oberschicht der Südatlantik-Kolonien rekrutierte sich aus den Plantagenbesitzern. Diese sog. Pflanzeraristokratie hob sich durch Bildung und luxuriösen Lebensstil von den Handwerkern, Händlern und den im Hinterland kleine Farmen betreibenden Bauern ab, die den Führungsanspruch der Oberschicht bereitwillig akzeptierten, zumal da sie in der sozialen Hierarchie über den schwarzen Sklaven standen. Die Pflanzerelite bestückte ihre Bibl. mit ant. Autoren und zitierte sie häufig, nicht zuletzt deswegen, weil die klass. Bildung ein Standeskriterium war. In Ermangelung städtischer Zentren und entsprechender Bildungsinstitutionen ließen die Plantagenbesitzer ihre Kinder von Hauslehrern erziehen oder sandten sie nach Europa.

1.2 NEUENGLAND

Die Besiedlung Neuenglands stand dagegen ganz unter rel. Vorzeichen. Nachdem 1620 die sog. Pilgrims, eine kleine Schar strenggläubiger, mit der Mayflower in der Massachusetts Bay gelandeter Calvinisten, die Gründung der Kolonie Plymouth Plantation vollzogen hatten, erfolgte 1630 diejenige der Kolonie Massachu-

setts Bay durch eine Gruppe gemäßigter Calvinisten unter der Führung von John Winthrop (1588–1649). In den nächsten zehn J. strömten etwa 20000 engl. Puritaner in das Siedlungsgebiet, das sich beständig über den Mittelpunkt Boston hinaus erweiterte und schließlich bis nach Maine und New Hampshire erstreckte. Da wirtschaftlicher Erfolg im Puritanismus als Zeichen göttl. Auserwähltheit galt, die kargen Böden aber nur geringen Ertrag abwarfen, wandten sich die Anhänger der Gnadenwahllehre profitableren Wirtschaftszweigen wie dem Fischfang, dem Schiffsbau oder dem Küsten- und Überseehandel zu. Geistliche und polit. Führung waren zwar getrennt, doch bildeten Kirche und Staat eine feste Einheit. So blieb etwa das Wahlrecht bis 1691 männlichen puritanischen Kirchenmitgliedern vorbehalten. Vorbild des geistlichen wie des weltlichen Zusammenlebens war der biblische Bund (*covenant*), der seine Mitglieder dazu verpflichtete, in all ihrem Tun nach dem Wohl der Gemeinschaft zu trachten. Die Durchsetzung puritanischer Tugenden – wie Fleiß, Rechtschaffenheit, Bescheidenheit, Selbstbeherrschung –, die zu einer gottesfürchtigen Existenz des Einzelnen und der Gemeinde beitragen sollten, versuchte man durch rigide Formen von Sozialkontrolle zu gewährleisten, was häufig zu inneren Spannungen führte, wie man etwa an dem – extremen – Fall der Salemer Hexenprozesse der 1690er J. erkennen kann, oder zur Verbannung Andersdenkender, wie das Beispiel von Roger Williams (1604?–1683) zeigt, der bereits 1636 mit seinen Anhängern Providence Plantation auf Rhode Island gründete. Auch die Kolonie Connecticut war eine Gründung einer aus Cambridge vertriebenen Kongregation unter der Führung Thomas Hookers (1586–1647), die sich 1662 mit der Puritaner-Siedlung in New Haven zusammenschloß. 1679 spaltete sich New Hampshire von Massachusetts ab. Trotz dieser rel. Konflikte zeichnet sich Neuengland durch kulturelle Homogenität aus. Während die Geistlichkeit die moralische Autorität ausübte, lag die polit. Führung in Händen einer kleinen Schar wohlhabender Familien aus der ersten Generation von Einwanderern. Beide Gruppen strebten nach Errichtung eines soliden Erziehungssystems und betrachteten trotz ihrer rel. Grundorientierung die Kenntnis der »heidnischen« Autoren der Ant. als integralen Bestandteil von Bildung.

1.3 DIE MITTELATLANTIK-KOLONIEN

Die Mittelatlantik-Kolonien sind ethnisch, ökonomisch, kulturell und rel. weit weniger homogen als die des Südens oder Neuenglands. So war etwa das Gebiet der späteren Kolonien New York und New Jersey urspr. von Niederländern und Skandinaviern besiedelt und ging erst in den 1660er J. in Folge der englisch-niederländischen Seekriege in engl. Besitz über. Typisch für diese Heterogenität ist auch die Kolonie Pennsylvania. William Penn (1644–1718), der als Quäker zwar zu den radikalen Dissidenten der anglikanischen Staatskirche zählte, gleichwohl aber exzellente Verbindungen zu Charles II. und zum engl. Parlament hatte, wurde im J.

1681 mit einem riesigen Gebiet zw. New York und Maryland belehnt. Die Kolonie Pennsylvania und die »Stadt der brüderlichen Liebe«, Philadelphia, lockten mit den Grundprinzipien der Quäker (Pazifismus, soziales Engagement und Ablehnung von staatlichen oder kirchlichen Autoritäten, Institutionen und Ritualen) sowie mit günstigen ökonomischen Bedingungen (fruchtbare Böden, vorteilhafte geogr. Lage, niedrige Steuern) auch andere Glaubensgemeinschaften aus ganz Europa an. Obgleich die Quäker gegenüber Lutheranern, Presbyterianern und Reformierten bald schon in der Minderheit waren, prägten sie das geistige Klima Pennsylvanias nachhaltig. Bis zur Revolution entwickelte sich Philadelphia mit 40000 Einwohnern zur größten Stadt der Kolonien und zu einem intellektuellen Zentrum. Benjamin Franklin (1706–1790), der prominente Sohn der Stadt, sorgte als Buchdrucker und Zeitungsverleger, als Initiator der ersten öffentlichen kolonialen Bibl., als Gründer der American Philosophical Society sowie des College of Philadelphia und nicht zuletzt als Schriftsteller für die Verbreitung aufklärerischer Gedankenguts. In der – Mitte des 17. Jh. aufkommenden – Debatte darüber, welches Wissen als »nützlich« anzusehen sei und welche Funktion der Erwerb der Alten Sprachen und die Kenntnis ant. Autoren in der Neuen Welt noch haben könne, plädiert Franklin entschieden für ein strikt anwendungsorientiertes Wissen [16. 1–20].

2. Schule und Bildung

Da nach puritanischer Auffassung möglichst jedes Gemeindemitglied in der Lage sein sollte, die Bibel zu lesen, gingen die neuengl. Kolonialparlamente ab Mitte des 17. Jh. daran, ein Netz von Grundschulen und höheren → Lateinschulen (*grammar schools*) zu schaffen. Neuengland hatte denn auch bald schon die höchste Alphabetisierungsrate und die beste Allgemeinbildung in ganz Amerika [16. 13]. Die Sorge um die Ausbildung der geistlichen und weltlichen Elite führte 1635 in Massachusetts zur Gründung der renommierten Schule für höhere Bildung, der Boston Latin School, die zum Vorbild für viele andere koloniale Lateinschulen werden sollte. In einem urspr. auf sieben J. angelegten, von der Bostoner Lateinschule 1789 auf vier J. verkürzten Curriculum wurden die Absolventen hauptsächlich durch die Lektüre ant. Autoren auf den Besuch der Univ. vorbereitet. Ezekiel Cheever (1614–1708), einer der einflußreichsten Rektoren der Bostoner Lateinschule, gilt als Autor des einzigen amerikanischen Lateinlehrbuchs, *Accidence, a Short Introduction to the Latin Tongue* (1707), das bis 1838 zahlreiche Neuauflagen erlebte [14. 58; 25. 29]. Als erste Univ. der Neuen Welt nahm Harvard College (Cambridge, Massachusetts) 1636 den Lehrbetrieb auf; bis 1776 entstanden in den Kolonien weitere acht Colleges. Zahlreiche Geistliche der ersten Siedlergeneration waren Absolventen der engl. Univ. Cambridge und Oxford. Die Curricula der kolonialen Bildungseinrichtungen orientierten sich am britischen Erziehungssystem, das auf dem Studium der lat. und

griech. Sprache und Lit. sowie auf dem der Alten Geschichte beruhte. Der Lehrstoff der Lateinschulen richtete sich an den Aufnahmebedingungen für die Colleges aus und veränderte sich in den ersten zweihundert J. kaum. Die Aufnahmeprüfungen verlangten von den Kandidaten, daß sie Lat. sprechen und schreiben, lat. Schriftsteller wie Cicero, Vergil, Sallust oder Caesar und im Griech. Autoren wie Isokrates oder Texte wie das NT übersetzen konnten [25. 25–28].

3. Bibliotheken und Sammler

Alle bedeutenden öffentlichen und privaten Bibl. enthielten beträchtliche Bestände ant. Schrifttums. 1735 besaß Harvard mit ca. 3000 Bänden die größte College-Bibliothek. Zu dieser Zeit entstanden auch die ersten öffentlichen Büchereien, wie z. B. die 1732 gegründete Library Company of Philadelphia. Die Leihbüchereien boten die klass. Autoren in engl. Übersetzung. Unter den neuengl. Privatbibl. ist v. a. die Sammlung der puritanischen Geistlichen und Gelehrten Increase Mather (1639–1723) und Cotton Mather (1665–1728) zu nennen. Eine der umfangreichsten kolonialen Sammlungen (3600 Bde.) gehörte dem Plantagenbesitzer William Byrd II of Westover (1674–1744), ein herausragender Repräsentant der im Vergleich zur Führungselite Neuenglands viel weltläufigeren Virginia Aristocracy. »Um in Übung zu bleiben«, pflegte Byrd allmorgendlich hebräische, griech. oder lat. Texte zu lesen, mit Vorliebe Homer, Lukian und Plutarch [25. 31; 14. 83–91]. Ein wahrhaft umfassend gebildeter Mann war der in Philadelphia ansässige Quäker James Logan (1674–1751). Seine breitgestreuten Interessen erstreckten sich auch auf das Gebiet der Naturwiss., doch galt seine bes. Vorliebe dem Altertum. Dieser vielleicht brillanteste klass. Philologe der Kolonien war im Besitz der bedeutendsten kolonialen Sammlung klass. Autoren. Sie enthielt »fast alle griech. Autoren (und) ausnahmslos alle (...) röm. Klassiker, einige in mehreren Ausgaben« (»almost all the *Greek* Authors (...) all the Old Roman Classics without exception, and some of them in several editions« [44. 63]). Wie Logans Korrespondenz mit europ. Spezialisten und die gelehrten Marginalien in seinen Büchern eindrucksvoll bezeugen, gab er sich, soweit es seine Geschäfte und hohen polit. Ämter zuließen, einem intensiven Studium der Alten hin. Seine engl. Übers. der Sentenzensammlung *Dicta Catonis* (1735) sowie seine Übertragung von Ciceros *Cato maior de senectute* (1744) wurden bei Benjamin Franklin in Philadelphia gedruckt [44. 59]. Aus Mangel an heimischen Druckerpressen wurden allerdings bis zum E. des 18. Jh. die meisten Bücher für den amerikanischen Markt aus Europa importiert und von den vornehmlich in Boston und Philadelphia tätigen Buchhändlern vertrieben. Noch 1760, als der Bostoner Anwalt James Otis (1725–1783) eine Abh. über die griech. Prosodie verfaßte, konnte sie nicht gedruckt werden, da es in Amerika keine griech. Typen gab bzw. keine Setzer, die des Griech. mächtig waren [25. 29].

4. Literatur

Zu den bemerkenswerten lit. Leistungen der Anfangszeit der Besiedlung zählt eine vielgepriesene Übers. von Ovids *Metamorphosen* (London 1626), die der Absolvent der Univ. Oxford George Sandys (1578–1644) größtenteils in den zehn J. erstellte, in denen er in der Neuen Welt als Plantagenbesitzer und Schatzmeister der Virginia Company tätig war [14. 25–26]. Bis Mitte des 18. Jh. suchte die lit. Produktion der Südatlantik-Kolonien jedoch v. a. der lebhaften Neugierde zu genügen, die man anderenorts, namentlich in Europa, der Neuen Welt entgegenbrachte. Daß die damaligen Reiseberichte, histor. Abh. oder Ratgeber für Pflanzer neben der christl. Botschaft auch eine Fülle von Anspielungen auf ant. Myth. und Geschichte enthalten, verweist auf ihre Zugehörigkeit zu der noch immer stark von der Ren. inspirierten engl. Lit. des 17. Jh. [14. 20–36].

Anders als die lit. Produktion des Südens ist die Neuenglands entschieden rel. oder genauer gesagt am christl. Heilsgeschehen ausgerichtet. Trotz dieser fraglosen Vorliebe für die christl. Trad. hielten es die puritanischen Intellektuellen für unklug, auf die wiss. Erkenntnisse und moralischen Einsichten der Ant. gänzlich zu verzichten. In ihren Predigten, histor. Abh. und Briefen berufen sie sich denn auch immer wieder auf ant. Autoritäten. Besonders geschätzt waren neben den durch Augustin vermittelten Platonikern und Neuplatonikern [34. 364] Historiker und Philosophen wie Herodot, Plutarch oder Livius, v. a. wegen der von ihnen gebotenen Fülle von lehrreichen Exempeln für Klugheit und tugendhaftes Handeln.

Das puritanische Geschichtsbild ist bekanntlich stark typologisch, also durch ein Denken bestimmt, welches Personen, Dinge oder Ereignisse des AT als Präfigurationen des NT und die puritanische Geschichte wiederum als »typische« Entsprechung biblischer Vorausdeutung interpretiert. In seiner Kirchengeschichte *Magnalia Christi Americana, or, the Ecclestical History of New England* (London 1702) bezieht Cotton Mather in die → Typologie auch die weltliche Geschichte, namentlich die der Ant. ein. Die Geschichte der amerikanischen Puritaner wird als Erfüllung von Verheißung gedeutet und durch ein dichtes Netz von Analogien und Parallelen erhellt. So hebt die *Magnalia* mit einer Anspielung auf die ersten Verse von Vergils *Aeneis* an: ›I write the wonders of the Christian religion, flying from the Depravations of *Europe*, to the *American Strand*‹ [25. 229–230]. Im Mittelpunkt der *Magnalia* stehen die Biographien der geistlichen und weltlichen Führergestalten Neuenglands, die durch Vergleich mit biblischen und herausragenden histor. Personen charakterisiert werden. Im Falle seines Großvaters John Cotton (1595–1652) etwa bemüht Cotton Mather die Analogie zu Moses, Melanchthon und Cato, wobei er das theologische Muster der Typologie bezeichnenderweise mit dem Parallelitäts-Konzept des Plutarch verbindet. Es kann daher nicht überraschen, daß die *Parallelviten* des ›incompara-ble Plutarch‹ zu den von Mather bes. häufig angeführten Werken gehören [3. 38–48; 6].

Auf Plutarch bezieht sich auch die erste amerikanische Dichterin Anne Bradstreet (1612–1672) in dem auf Sir Walter Raleighs *History of the World* basierenden Langgedicht *The Four Monarchies* (postum 1678). Sie war die Tochter von Thomas Dudley und Gattin von Simon Bradstreet, beides Gouverneure der Massachusetts Bay Kolonie. In ihren frühen, das Wissen der Zeit versammelnden Werken verweist sie häufig – in vornehmlich illustrativer Absicht – auf die ant. Geschichte und Mythologie. Die im Titel ihres ersten Gedichtbands antonomastisch als *The Tenth Muse Lately Sprung Up in America* (1650) gepriesene Dichterin wurde von den Zeitgenossen v. a. wegen ihrer Gelehrsamkeit geschätzt, während sie ihren heutigen Ruhm in erster Linie dem schlichten, persönlichen Ton ihrer späteren Gelegenheitsgedichte verdankt [25. 251; 14. 149–152].

Ebenso wie John Cotton hatte auch sein Kontrahent Roger Williams seine klass. Bildung an der Univ. Cambridge in England erworben. Seine Predigten, Traktate und Briefe zeugen von einer profunden Kenntnis der ant. Lit. und Geschichte. Im Gegensatz zu den meisten seiner Zeitgenossen entwickelte er nach seiner Ankunft in Amerika aber auch ein genuines Interesse an der Kultur der indianischen Ureinwohner. In seiner zugleich sprachhistor. und anthropologisch orientierten Schrift *A Key into the Language of America* (1643) stellt er eingehende, wenn auch gelegentlich recht kühne Vergleiche zw. verschiedenen indianischen Dialekten Neuenglands und dem Altgriech. an und zieht religionswiss. Parallelen zw. dem mystischen Naturglauben der Indianer und dem griech. Pantheismus [14. 52–54].

B. Das Zeitalter der Revolution und die Neue Republik (1763–1820)

1. Geschichte

Aus dem Krieg zw. Frankreich und Großbritannien um die nordamerikanischen Gebiete gingen die Briten 1763 mit dem Frieden von Paris als Sieger hervor. Bereits 1783 besiegelte das Pariser Friedensabkommen die Unabhängigkeit der Vereinigten Staaten von Amerika. Anfangs ging es bei den Differenzen zw. Mutterland und Kolonien allein um divergierende wirtschaftliche Interessen fiskal- oder handelspolit. Art. Um ihrer Selbstbestimmung willen reagierten die Kolonisten auf den wachsenden Druck Englands mit zunehmendem Widerstand, so daß der polit. Streit Mitte der 70er J. zu einem mil. Konflikt eskalierte. Bereits unmittelbar nach Ausbruch des Unabhängigkeitskriegs im J. 1775 und den damit zugleich anhebenden bürgerkriegsartigen Kämpfen zw. königstreuen Loyalisten und Revolutionären setzten in allen Kolonien intensive Verfassungsdebatten und entsprechende Bestrebungen um eine konstitutionelle Neuordnung ein. Nach der Unabhängigkeitserklärung von 1776 gaben sich denn auch die meisten ehemaligen Kolonien Verfassungen, und 1777 verabschiedete der Kontinentalkongreß mit den *Articles of Confederation* auch eine erste Konföderationsverfassung. Da diese Verfassung dem Kontinentalkongreß nicht die geeigneten Instrumente zur Wahrung der wirtschafts- und außenpolit. Interessen des Landes an die Hand gegeben hatte, erarbeitete der 1787 eingesetzte Verfassungskonvent von Philadelphia unter dem Vorsitz von George Washington (1732–1799) eine neue Bundesverfassung. Nach intensiven öffentlichen Debatten trat sie 1788 in Kraft und wurde 1791 durch einen Grundrechtekat., die *Bill of Rights*, ergänzt. In den der Wahl Washingtons zum ersten Präsidenten unmittelbar folgenden J. stand die junge Republik vor einer doppelten Herausforderung: die Bewährung des verfassungsrechtlichen Regelwerks in der polit. Praxis und die Konsolidierung des nationalen Identitätsbildungsprozesses. Ebenso wie die Revolutionszeit zeichnete sich auch die Anfangsphase der Republik durch leidenschaftlich geführte öffentliche Debatten aus, denn auch der Neubeginn erforderte ein grundsätzliches Nachdenken über das »amerikanische Experiment«. Die in diese Diskussionen involvierten Politiker und Intellektuellen rekurrieren in ihren Einlassungen zu Fragen der Ethik, Rechtsphilos. oder Politik immer wieder auf die Antike. Auch die Künstler und Literaten greifen in ihren Anstrengungen zur Förderung einer nationalen Identität häufig ant. Formen und Sujets auf, um sie den Bedingungen der Neuen Welt anzuverwandeln [16. 29–76] (→ Revolution; → Republik; → Verfassungsformen).

2. Die Gründungsväter und die Antike

Die Epoche des Unabhängigkeitskriegs und der Verfassungsdebatten gilt als das Goldene Zeitalter der amerikanischen Antikerezeption [25. 95]. Insbesondere bei der Gründung der amerikanischen Republik kam der Rückbesinnung auf die polit. Geschichte, die Staats- und Rechtstheorien des Alt. große Bed. zu. Die Abkehr von der Kolonialmacht England eröffnete den Gründungsvätern die Möglichkeit, Regierungs- und Verfassungsprinzipien völlig neu zu gestalten. In dieser Phase des radikalen Umbruchs und der massiven polit. Auseinandersetzung beschworen alle Parteien und Lager geradezu topisch einen Kanon ant. Autoren, der in seiner Allgemeinverbindlichkeit um so fragloser akzeptiert wurde, je intensiver man um Identitätsstiftung und Homogenisierung der Debatten rang. Bei diesem Rückgang auf das ant. Schrifttum lassen sich verschiedene Formen unterscheiden: die Bezugnahme auf ant. Gedankengut im allg., der Rekurs auf die ant. → Rhetorik im bes. und die Vergegenwärtigung von histor. Beispielen oder der gezielte Rückgriff auf spezifisches Fachwissen aus konkreten Quellen [20. 119]. Die pragmatisch orientierten Gründungsväter favorisierten die beiden letztgenannten Formen. Griechische und röm. Quellen sowie das tradierte Schrifttum über die Ant. wurden nach bestimmten Vorbildern und Mustern für die Bewältigung aktueller Probleme durchforstet. Dieser eklektizistische Umgang mit den Quellen erlaubte es den rebellierenden Kolonisten und späteren Verfassungsvätern auch, die ausgewählten Ideen losgelöst von

ihrem Kontext zu adaptieren. Ob die im Schrifttum der Revolutionszeit zwar allgegenwärtigen, doch angesichts ihres Eklektizismus häufig beliebig erscheinenden Verweise auf ant. Quellen bloß illustrative Funktion haben oder aber von eingehender gedanklicher Auseinandersetzung zeugen, ist in der Forsch. umstritten [1. 26; 27. 1–2; 30. 20–23].

Im Streit mit dem Mutterland Großbritannien beklagte John Adams (1735–1826) z. B., London gewähre seinen Kolonien ein viel geringeres Maß an Unabhängigkeit als einstmals Athen oder Rom. Andere hingegen betonten in diesem Zusammenhang den großen Unterschied zw. der humanen, gerechten und großzügigen Einstellung des klass. Griechenlands und der strengen und grausamen Haltung der röm. Republik und setzten letztere mit derjenigen Londons gleich [27. 75–76]. In beiden Fällen suchte man durch exemplarischen Rückgriff auf die Ant. die Kritik an der repressiven Kolonialpolitik Großbritanniens und die Legitimität des eigenen Strebens nach Autonomie zu stützen.

Ähnlich wie einst die Vertreter des Neustoizismus im Europa der Frühen Neuzeit räumten auch die amerikanischen Gründungsväter unter den philos. Schulen der Ant. der Stoa den höchsten Rang ein, zum einen weil der Tugendbegriff im Denken der Stoiker von zentraler Bed. war, zum anderen weil die stoische Ethik sich vorzüglich mit der christl. Lehre vereinbaren ließ [27. 184–185]. Das ant. Schrifttum hielt einen unerschöpflichen Vorrat an Paradigmen für tugendhaftes Handeln bereit. Auf der Suche nach solchen Exempla konsultierten die Gründungsväter vorwiegend die *Parallelviten* Plutarchs. Obwohl sie nicht Bestandteil des schulischen oder universitären Kanons waren, finden sich die *Parallelviten* in verschiedenen engl. Übers. in fast allen bedeutenden privaten und öffentlichen Bibliotheken [25. 250]. Herausragende Persönlichkeiten der Politik nach den Heroen, Staatsmännern oder Philosophen des Alt. zu stilisieren, war rhet. Standard: Griech. Paradigmen fand man nicht nur bei Plutarch, sondern auch bei Hesiod, Herodot, Thukydides und Xenophon; röm. Vorbilder entnahm man Polybios, Livius, Ovid, Sallust, Tacitus, Vergil und wiederum Plutarch. Besondere Bewunderung zollte man denjenigen röm. Staatsmännern, die wie Cato der Jüngere, Brutus, Cassius und Cicero ihr Leben der Republik geopfert hatten [27. 57]. Die in enger Anlehnung an Plutarchs Parallelbiographie von Cato und Caesar entstandene Trag. *Cato* (1731) von Joseph Addison (1672–1719) erfreute sich als Schatz patriotischer Sentenzen großer Beliebtheit. Washington ließ das Drama im entbehrungsreichen Kriegswinter 1778 zur Steigerung der Moral seiner Truppen aufführen, und noch h. sind Sinnsprüche wie Catos Alternative ›liberty or death‹ (Akt II, Szene 4) oder sein Bedauern ›That we can die but once to serve our country‹ (Akt IV, Szene 4) geflügelte Worte. Patriotismus als uneigennütziger Dienst am Vaterland und Verzicht auf polit. Macht sah man in dem sagenumwobenen Kleinbauern Lucius Quinctius Cincinnatus verkörpert, der nur wi-

derwillig das ihm angetragene Amt des Diktators ange-
nommen hatte und nach dem Sieg über Roms Feinde
zum heimischen Pflug zurückgekehrt war. Als der
Oberbefehlshaber der amerikanischen Truppen General
George Washington nach dem Sieg über den britischen
Gegner 1783 abdankte und sich aus dem öffentlichen
Leben auf seinen Landsitz Mount Vernon zurückzog,
wurde die Parallele zu Cincinnatus zum Gemeinplatz.
Erst als sein Land seiner Dienste erneut bedurfte, stellte
sich der »amerikanische Privatbürger« Washington dem
Gemeinwesen wieder zur Verfügung, um der verfas-
sungsgebenden Versammlung vorzustehen. Ebenfalls
aus Pflichtgefühl nahm der von Byron als »Cincinnatus
of the West« apostrophierte Washington (vgl. Byron,
Ode to Napoleon) 1789 die Wahl zum Präsidenten an [40;
27. 72]. Auch bei der Gründung der Society of the Cin-
cinnati durch Offiziere der Kontinentalarmee im J. 1783
stand Cincinnatus Pate. Für den zweiten Präsidenten J.
Adams war die republikanische Tugend der Uneigen-
nützigkeit in der Person Ciceros verkörpert, die ihm
zeitlebens ein Vorbild war [27. 62–63]. Sowohl in der
Revolutionszeit als auch während der Verfassungsdebatten gestalteten Politiker aller Lager ihre Reden nach
berühmten rhetor. Mustern des Alt. oder legten sich ant.
Pseudonyme zu, und zwar vornehmlich solche, die ihre
Sympathie mit den polit. Führern der röm. Republik
oder den Feinden der röm. Tyrannen oder Kaiser indi-
zierten. Ebenfalls beliebt war das entsprechende Spiel
mit Namen griech. Gesetzgeber wie Aristides oder Solon [30. 8–10].

Achtung zollte man unter den griech. Stadtstaaten
insbes. → Sparta. Im Rückgriff auf Plutarchs *Lykurgos*
bewunderte man den tugendhaften, einfachen Lebensstil der Spartaner, ihre Freiheitsliebe und ihren Patriotismus, aber auch ihre auf Landbau basierende Ökonomie sowie ihre – verschiedene Herrschaftsformen ver-
einigende – → Mischverfassung. Das republikanische
Ideal sah man jedoch in Rom verkörpert. Die Vorbildlichkeit der röm. Republik schien wiederum durch ihre
auf Machtausgleich angelegte Verfassung und ihre agrarisch fundierte Ökonomie verbürgt, aber auch durch
ihre Pflege kultureller Vielfalt und rel. Toleranz, v. a.
aber durch ihre großen Männer, welche die republikanischen Tugenden des aufopfernden Patriotismus, der
Freiheitsliebe und der Genügsamkeit exemplarisch vor-
gelebt hatten. Nach Adams hatte die röm. Verfassung
das edelste Volk der Weltgeschichte und die größte je
existierende Macht hervorgebracht [25. 98].

Es gab auch Stimmen, die vor einer allzu engen Anlehnung an die ant. Modelle warnten. Schließlich hatten
die ant. Republiken neben den Tugenden auch zahllose
Laster hervorgerufen, an denen sie zugrunde gegangen
waren. Zur Orientierung dienten daher nicht nur die
Wunsch-, sondern auch die Schreckbilder des Alt., denn
die Suche nach vorbildlichen Persönlichkeiten und polit. Modellen ging stets mit der Sorge einher, wie sich
die Fehler und Irrwege am besten vermeiden ließen,
welche die ant. Gesellschaften in den Untergang geführt

hatten. Die Herausforderung lag darin, die röm. Republik nachzuahmen, ohne ihr Schicksal teilen zu müssen. Als abschreckendes Beispiel dienten v. a. die ant.
Gewaltherrscher wie die röm. Tyrannen und Kaiser,
oder aber diejenigen, die wie etwa Sulla oder Catilina in
ihrer Lasterhaftigkeit den Niedergang der röm. Republik und den Aufstieg der kaiserlichen Despoten allererst
ermöglicht hatten. Als Erzschurke galt den Gründungsvätern jedoch Julius Caesar. Das abschreckendste Beispiel institutioneller Verderbtheit war das röm. Imperium, das als Inbegriff von Machtgier, Korruption und
Dekadenz betrachtet wurde. Ebenso wie die Tyrannei
aber fürchtete man die Ochlokratie. Die Verfassungsdebatten kreisten daher um die Frage nach der best-
möglichen Form der Institutionalisierung von wechsel-
seitiger Kontrolle und Machtausgleich zw. den Regie-
rungsgewalten [27. 85–92].

2.1 VERFASSUNG

Im Vorfeld ihrer Arbeit an der Bundesverfassung
widmeten sich die Delegierten des Philadelphia-Kon-
vents von 1787 in ausgedehnten Lektüren dem Studium
der ant. Staatstheorie. Thomas Jefferson (1743–1826)
sandte daher von Paris aus an Mitglieder des Verfas-
sungskonvents die Werke verschiedener ant. Autoren
und gleich mehrere Exemplare der *Universalgeschichte*
des Polybios (ca. 200–118 v. Chr.) [14. 174]. Den Amerikanern war der hell. Historiker ein wichtiger Gewährsmann nicht nur für die Geschichte der griech.
Stadtstaaten, sondern auch für die röm. Verfassung.
Letztere betrachtete er als optimale Verbindung von
Monarchie (Konsuln), Aristokratie (Senat) und → Demokratie (*comitia*) in einer einzigen Republik, und er
war der Ansicht, daß eine solche Mischverfassung vor
Machtmißbrauch besser schütze als dies die Reinfor-
men von Monarchie, Aristokratie oder Demokratie
vermöchten, die nur allzu bald in Tyrannei, Oligarchie,
bzw. Pöbelherrschaft umschlügen. Als einflußreicher
Verfechter der Mischverfassung glaubte Adams denn
auch einem Schicksal wie dem der röm. Republik dadurch vorbeugen zu können, daß er allen Regierungs-
zweigen in der Legislative ein Vetorecht einräumte
[30. 48]. Der erste Band seiner Schrift *A Defence of the
Constitutions of Government of the United States of America*
(1787–88) zirkulierte unter den Mitgliedern des Verfas-
sungskonvents [27. 138]. Die Grundsätze seiner polit.
Theorie ebenso wie seine histor. Beispiele entnahm
Adams der Lit. des Altertums. Obschon er natürlich
auch neuzeitliche Staatstheorien wie etwa Montesquieus Lehre von der Gewaltenteilung in seine Überlegungen einbezogen hatte, hob Adams in seinem Rückblick
auf die Entstehung der amerikanischen Verfassung insbes. hervor, daß die Lehren des Polybios in die Überlegungen der Verfassungsväter eingegangen seien
[27. 139; 25. 100–105].

Die sich als »Federalists« bezeichnenden Befürworter
der Bundesverfassung und ihre von ihnen als »Antifederalists« diffamierten Gegner trugen ihren Streit in der
sog. Ratifizierungsdebatte aus, einer Diskussion, die

von September 1787 bis Juni 1788 andauerte, öffentlich geführt wurde und das ganze Land bewegte. Während die »Federalists« den Bund gegenüber den Einzelstaaten stärken wollten, befürchteten die »Antifederalists«, eine solche Zentralisierung würde die Republik zur Aristokratie oder Monarchie pervertieren lassen, und suchten dieser Gefahr durch die Festigung föderaler Stukturen und den Ausbau der Grundrechte zu steuern. Zu den bedeutendsten polit. Schriften Amerikas zählt bis h. eine Reihe von 85 Essays, die zunächst ab Herbst 1787 in verschiedenen New Yorker Zeitungen unter dem Pseudonym Publius einzeln erschienen und schließlich im Frühjahr 1788 – gezeichnet von ihren drei Autoren Alexander Hamilton, James Madison und John Jay – unter dem Titel *The Federalist* als Buch publiziert wurden. »Federalists« wie »Antifederalists« bezogen sich in diesem Verfassungsstreit wiederholt auf ant. Exempel. Als Beispiel für die Gefahr der Schwächung durch Dezentralisierung führten die »Federalists« etwa den häufigen Zerfall der griech. Staatenbünde an, während die »Antifederalists« ihre Bedenken gegen die Stärkung der Zentralmacht durch Hinweis auf den Niedergang der röm. Republik unterstrichen [4; 16. 72–76; 20. 119–138; 27. 104–115].

Auch für den zunächst auf zehn Artikel beschränkten Grundrechtekat. der *Bill of Rights*, der 1791 in Form von *Amendments* an die Verfassung angehängt wurde, lassen sich ant. Vorläufer, v. a. das auf den Stoizismus zurückgehende → Naturrecht, ausmachen [42. 13–22].

2.2 Sklaverei

Der Verfassungskonvent von Philadelphia machte 1787 mit seinem Beschluß zur Beibehaltung der → Sklaverei ein Zugeständnis an die von ihr ökonomisch abhängigen Südstaaten, zugleich aber erließ er ein Verbot zur Einfuhr von Sklaven ab 1808. Diesem Kompromiß gingen heftige Debatten voraus, in denen sich die Befürworter und Gegner der Sklaverei gleichermaßen auf die Ant. beriefen. Leiteten erstere aus dem Faktum der Sklaverei im griech. und röm. Alt. ihre moralische Legitimität ab, so stützten letztere ihre ablehnende Haltung mit dem Argument, die Sklaverei habe entscheidend zum Untergang der ant. Staaten beigetragen [27. 96]. Auch die Theorien, die beide Lager in Anschlag brachten, waren ant. Quellen entnommen. Die zumeist umwelt- oder klimatheoretisch ausgerichteten Gegner der Sklaverei zogen z. B. entsprechende Lehren aus den Schriften von Hippokrates, Platon oder Plinius d. Ä. heran, wohingegen die in der Regel rassentheoretisch orientierten Anhänger der Sklaverei ihre Grundüberzeugung von der ethnischen Bedingtheit des Menschen etwa in der These des Aristoteles, alle Barbaren seien von Natur aus Sklaven (pol. 1252 und 1255a), bestätigt fanden [39. 196 f.]. Jeffersons berühmte Ausführungen zur Sklaverei in seinen *Notes on the State of Virginia* (1785; 1787) lassen die logischen Widersprüche erkennen, in die sich dieser sklavenhaltende Gegner der Sklaverei verstrickte, wenn er negative Eigenschaften bei Indianern und weißen Amerikanern auf Umwelt-

faktoren, bei schwarzen Sklaven hingegen nur partiell auf ihre Lebensumstände, im wesentlichen aber auf ihre Rasse zurückführte [27. 95–98]. Ähnlich widersprüchlich argumentiert Jefferson auch in seinem Umgang mit einer Reihe von Stellen aus Cato, Seneca und Tacitus, die der einflußreiche frz. Staatsrechtler und Gegner der Sklaverei Jean Bodin (1530?–1596) zum Beleg für die Grausamkeit der röm. Sklaverei angeführt hatte. Der Amerikaner benutzt diese Stellen, um die in seinen Augen merkwürdige Differenz zw. der lit. Produktivität von röm. Sklaven wie Epiktet oder Terenz und der geistigen Beschränktheit amerikanischer Durchschnittssklaven herauszustellen und aus ihrer unterschiedlichen rassischen Herkunft zu erklären, bezeichnenderweise unter völliger Außerachtlassung der Tatsache, daß die einen Hauslehrer der gebildeten Oberschicht waren, den anderen aber Lesen und Schreiben verwehrt wurde [39. 200–202].

2.3 Politische Ikonographie

Die polit. Repräsentanten des urspr. 13 Kolonien umfassenden Bundes der Vereinigten Staaten von Amerika suchten die Überwindung der inneren Differenzen, die Herausbildung vaterländischer Gefühle und Werte und die Bereitschaft zur Identifikation mit der staatlichen Einheit von Anf. an durch die Schaffung nationaler Symbole zu fördern, wobei sie sich häufig durch Gedankengut und Bildersprache des griech.-röm. Alt. inspirieren ließen und die entsprechenden Aufträge – aus Mangel an einheimischen Künstlern von Rang – zumeist an europ. Klassizisten vergaben. Bereits in den ersten J. der Unabhängigkeit wird die engl. Heraldik der Kolonialzeit auf Medaillen, Mz. und Siegeln weitgehend durch ant. Symbole und Motti ersetzt. Solche Motti propagieren die Republik als eine der Öffentlichkeit verpflichtete Regierungsform (*res publica*), beschwören die Einheit des neuen Staatenbundes (*e pluribus unum*) oder erinnern in Verbindung mit der figürlichen Darstellung von Gewaltopfern an das abgeworfene Joch der Tyrannei (*Sic Semper Tyrannis*). In der allegorischen Versinnbildlichung der jungen Nation kommt es häufig zu einer Amerikanisierung ant. Vorbilder, sei es durch Bedeutungserweiterung wie z. B. in Giuseppe Ceracchis Büste *Minerva als Schutzherrin der amerikanischen Freiheit* (1792), wo den Brustschild der Göttin Freiheitsstab und phrygische Mütze zieren, sei es durch Mischung von ant. und indianischen Elementen wie etwa auf dem vom damaligen frz. Botschafter Marquis de Barbé-Marbois stammenden Aquarell *Allegory of the American Union* (1784), das einen Herkules mit indianischem Federschurz zeigt [29. 9–20]. Doch kommt es dabei umgekehrt gelegentlich auch zur Antikisierung kolonialer Entwürfe, wie etwa die Umprägungen der berühmten, aus dem frühen 16. Jh. stammenden Allegorie der indianischen Prinzessin belegen: Ursprünglich für die Neue Welt, später für den amerikanischen Kontinent und im 18. Jh. für die britischen Kolonien stehend, verkörpert sie zu Beginn der Republik die amerikanische Nation, wobei sie zwar zumeist noch in ihrem traditionellen Kopfschmuck aus Straußenfedern auftritt, doch häufig bereits nach klassizistischer Mode in ein gräzisierend drapiertes Gewand gekleidet ist und Rüstung und Waffen in röm. Stil trägt. Die komposite Gestalt dieser zugleich gefiederten und antikisch stilisierten Göttin wurde denn auch zu Recht als ›Indian-Graeco-Roman-American personality‹ bezeichnet [17. 242; 11. 10].

Unter den allegorischen Darstellungen der amerikanischen Republik begegnet am häufigsten derjenige Typus, der die Göttin der Freiheit mit den Insignien *vindicta* und *pilleus* zeigt. Ist diese Göttin jedoch als »Amerikanische Freiheit« spezifiziert, dann ist sie zudem für gewöhnlich in die amerikanische Flagge gehüllt oder wird von dem kahlköpfigen – nur in Nordamerika heimischen – Adler begleitet. Auf der berühmten von Benjamin Franklin in Auftrag gegebenen und von dem frz. Medailleur Augustin Dupré (1748–1833) gefertigten Medaille *Libertas Americana* (1782) zeigt indessen die Vorderseite lediglich eine junge Schönheit mit flatterndem Haar, Freiheitsstab und geschulterter phrygischer Mütze, wohingegen auf der Rückseite ein ebenfalls beliebtes Emblem für die junge Nation zu sehen ist: der Knabe Herkules, der zwei Schlangen erdrosselt, während eine durch die *fleurs de lis* auf ihrem Schild als Allegorie Frankreichs charakterisierte Heroine den Löwen Britannien abwehrt [28. 236]. Gelegentlich wird die junge Nation auch einfach durch eine Justitia oder Virtus verkörpert sowie durch die Göttin Ceres als Repräsentantin des neuen, v. a. auf agrarischem Wohlstand basierenden Staatenbundes.

Die ersten nach der Unabhängigkeitserklärung ausgegebenen Mz. und Banknoten trugen fast ausschließlich lat. Motti und Embleme, wie sie von Münzprägungen der röm. Republik her vertraut sind, wie z. B. Justitia mit Waage und Schwert oder Libertas mit *pilleus* und *vindicta*. Die ant. Symbole sind häufig mit Emblemen der Neuen Welt verbunden. So zeigt die 1776 ausgegebene »Halfpenny« Münze von Massachusetts auf der Vorderseite einen Indianer mit Pfeil und Bogen, auf der Rückseite die Göttin der Freiheit mit ihrer *vindicta*. Auf dem 1782 eingeweihten Großen Siegel der Vereinigten Staaten erscheint der nordamerikanische Adler, der im Schnabel die Devise *E Pluribus Unum*, in der rechten Klaue das christl. Friedenssymbol des Olivenzweigs und in der linken das die dreizehn Staaten repräsentierende Pfeilbündel hält. Das röm. Herrschaftszeichen und königliche Wappentier Europas erfuhr eine demokratische Abwandlung, denn es sollte die Machtfülle des amerikanischen Kongresses repräsentieren; zugleich aber klang in dieser Modifikation die indianische Verehrung des Adlers als Macht- und Friedenstier an [29. 11]. Auf der Rückseite kennzeichnen zwei lat. – durch Vergil inspirierte – Motti den Neubeginn als Wagnis und Verheißung: ANNUIT COEPTIS (vgl. Verg. Aen. 9,625: ›Iuppiter omnipotens, audacibus adnue coeptis‹; »Juppiter, Herr der Allmacht, sei hold dem kühnen Beginnen«, Übers. J. Götte) und NOVUS ORDO SECLORUM (vgl. Vergil, Vierte Ekloge, Zeile 5: ›Magnus ab integro saeclorum nascitur ordo‹; »Die große Reihe der Zeitalter wird von neuem geboren«, Übers. F. Klingner). Die Motti umrahmen eine dreizehnstufige unvollendete Pyramide, deren Spitze das Freimaurersymbol des allessehenden Auge Gottes in einem von Lichtstrahlen umgebenen Dreieck bildet [30. 11–19].

Auch die öffentlichen Gebäude der jungen Republik waren integraler Bestandteil ihrer polit. Symbolik, denn sie artikulierten ihr Selbstverständnis und dienten dem Ausdruck nationaler Identität, allen voran die – nach einem Entwurf von Pierre Charles L'Enfant (1754–1825) großzügig angelegte – Hauptstadt Washington mit ihren vielen Repräsentationsbauten. Herausragende Bed. sollte dem Regierungssitz zukommen, für den Jefferson in bewußter Anspielung an die Röm. Republik die Bezeichnung Kapitol eingeführt hatte. Jefferson nannte das in wechselvoller Baugeschichte zw. 1791 und 1831 in klassizistischem Stil erbaute – 1851–1864 zur heutigen Form erweiterte – U. S. Capitol ›the first temple dedicated to the sovereignty of the people‹ [27. 45; 29].

2.4 THOMAS JEFFERSON

Einer der bedeutendsten Köpfe der Revolutionszeit und der jungen Republik war der zur Virginia Aristocracy zählende Jurist und Staatsmann Jefferson, der eine Reihe von hohen polit. Ämtern innehatte: Gouverneur von Virginia (1779–1781), amerikanischer Sonderbotschafter in Frankreich (1785–1789), Außenminister in Washingtons erstem Kabinett (1790–1793), Vizepräsident (1797) und schließlich dritter Präsident der USA (1801–1809). Bedeutung erlangte er jedoch auch als Vater der Unabhängigkeitserklärung (1776), als Verfasser berühmter Gesetzesentwürfe, wie z. B. des Gesetzes zur Religionsfreiheit in Virginia (1786), sowie nicht zuletzt als Gründer der Univ. von Virginia. Der wegen seiner umfassenden Bildung oft mit Goethe verglichene Aufklärer und Humanist [21. 10–11] las griech. und lat. – ebenso wie frz., it. und span. – Texte mit Vorliebe im Original. Seine Lieblingssprache war Griech., sein Lieblingsdichter Homer. Der bibliophile Jefferson trug die größte Privatbibl. seiner Zeit mit einer umfangreichen Sammlung klass. Texte und Schriften über das Alt. zusammen, die 1815 durch Kauf in den Besitz des Kongresses gelangte und so zum Grundstock der Library of Congress wurde. Wie intensiv Jefferson die Lektüre ant. Autoren betrieb, belegt etwa sein lit. Kollektaneenbuch, in dem 40 Prozent der zw. 1758 und 1773 vorgenommenen Eintragungen aus ant. Texten stammen. Vor allem in späteren J. waren seine Briefe reichlich mit Anspielungen auf die Ant. versehen, und er pflegte insbes. aus dem Griech. so häufig zu zitieren, daß sein kaum minder gelehrter Korrespondent Adams schließlich aufbegehrte: ›Lord! Lord! What can I do with so much Greek!‹ [27. 27]. Die röm. Historiker Livius, Sallust und Tacitus galten ihm als vorbildliche Redenschreiber und beeinflußten seinen Stil. Als Politiker, Denker, Erzieher und Architekt berief sich der »Weise von Monticello«

eklektizistisch auf das praktische und theoretische Wissen des Alt. und verstand die ant. Überlieferung stets als lebendige Tradition [27. 26–30].

2.4.1 PHILOSOPHIE UND POLITIK

Der Aufklärer Jefferson bewunderte v. a. die ant. Weisheiten zur vernunftgeleiteten Lebensführung und zur Selbstvervollkommnung des Individuums. Für unzulänglich hielt er die Philosophen des Alt. jedoch in Fragen des Gemeinwohls und der Sozialethik, weshalb er ihre Theorien durch die Lehren Jesu zu ergänzen suchte, und zwar in ihrer urspr., noch nicht durch Platonismus oder Calvinismus korrumpierten, Form. Beeinflußt durch die von dem Unitarier Joseph Priestley (1733–1804) verfaßte Schrift *Jesus and Socrates Compared* (1803), gab sich Jefferson daher dem vergleichenden Studium der ant. und christl. Ethik hin. Unter den Stoikern ließ er nur die moralphilos. Praktiker wie Epiktet, Seneca und Mark Aurel gelten [21. 139]. Auch teilte er zwar die zeitgenössische Wertschätzung der Verbindung von Stoizismus und Christentum, doch ergänzte er sie durch den Rationalismus seines Lieblingsphilosophen Epikur [27. 187–195].

Mit eher kritischem Blick betrachtete Jefferson die Leistungen der Ant. auf den Gebieten der Staatstheorie und der Staatsverfassung, denn in seinen Augen waren die Alten zwar zu wertvollen Einsichten über das Problem der persönlichen Freiheit gelangt, hatten es aber versäumt, die für den Erhalt der Freiheit geeignete Staatsform zu schaffen. Die Geschichte zeige nur allzu deutlich die Tendenz der ant. Republiken, sich auf Kosten des Volkes zur Tyrannei zu entwickeln. Daher sei das Studium der polit. Geschichte des Alt. in bes. Maße dazu angetan, die Gefahren für das amerikanische Experiment zu erkennen. In Anlehnung an Horaz und Vergil propagierte Jefferson die Vorzüge einer agrarischen Gesellschaft, deren Mitglieder die Tugenden der Tatkraft und Freiheitsliebe mit der Liebe zum Vaterland zu verbinden wüßten. Jefferson glaubte, die Integrität der Regierung sei solange garantiert, als die Gesellschaft im wesentlichen auf Landwirtschaft basiere, was ihm im Falle Amerikas aufgrund der ungeheueren Weite des Kontinents für Jh. garantiert zu sein schien [27. 163; 41].

2.4.2 ERZIEHUNG

Bildung und Wissen betrachtete Jefferson als Grundvoraussetzung menschlichen Glücks. Er trat daher nachdrücklich für die Verbesserung von Bildungschancen ein und entwickelte in seiner *Bill for the More General Diffusion of Knowledge* (1779) ein dreistufiges Bildungssystem, das es der männlichen Jugend – ausschließlich nach Maßgabe ihrer Begabung, also unabhängig von Herkunft oder Einkommen der Familie – nach Absolvierung der Grundschule ermöglichen sollte, auf Staatskosten weiterführende Schulen oder die Univ. zu besuchen. Das Studium der Alten Sprachen hielt Jefferson für unverzichtbar. Die möglichst bereits in der Sekundarschule zu erwerbende Kenntnis des Griech. und Lat. sollte der unverfälschten Erschließung des reichen Fundus dienen, den das Alt. v. a. an praktischem und theoretischem Wissen bereithielt. Einen herausgehobenen Platz sollte in den Curricula der Schulen und Univ. auch das Geschichtsstudium haben, denn nach Jefferson ist die Auseinandersetzung mit der Geschichte bes. geeignet, den menschlichen Erfahrungshorizont zu erweitern [21. 189–209; 27. 34–35].

2.4.3 ARCHITEKTUR

Die Baukunst verstand der Amateur-Architekt Jefferson in erster Linie als symbolischen Ausdruck polit. und sozialer Werte, deren Funktion in Amerika darin bestand, das Unabhängigkeitsstreben der jungen Republik und die Würde der Nation zu repräsentieren. Prädestiniert dafür erschienen ihm die Baustile des it. Renaissancearchitekten Andrea Palladio (1508–1580), des zeitgenössischen frz. Klassizismus und der röm. Antike. Das erste Bauprojekt Jeffersons war sein Wohnhaus Monticello in Virginia. Der erste Entwurf für dieses Haus (1769) kombinierte palladianische Elemente mit Merkmalen der röm. → Villa, wie er sie aus seiner Lektüre Plinius d. Ä. kannte, also etwa die in Virginia unübliche Hügellage oder der *crypto porticus*, ein unterirdischer Verbindungsgang zw. Haupt- und Nebengebäuden für die Dienerschaft. Jefferson bezog seine Kenntnisse zu diesem Zeitpunkt noch ausschließlich aus Büchern, z. B. aus dem Bestand der ihm zugänglichen Bibl. W. Byrds of Westover, die u. a. Palladios *Quattro Libri dell'Architettura* sowie mehrere Bände über Baudenkmäler des ant. Rom enthielt [24. 287–88]. Im Laufe seiner eigenen fünfundvierzigjährigen Sammlertätigkeit trug Jefferson übrigens die bedeutendste amerikanische Sammlung von Architekturbüchern zusammen. Während seines Europa-Aufenthalts (1784–1789) bewunderte Jefferson neben den klassizistischen Stadtpalais in Paris (z. B. Pierre Rousseaus Hôtel de Salm) v. a. die Maison Carrée in Nîmes. Dieser gut erhaltene röm. Tempel diente Jefferson als Modell für seinen Entwurf des Virginia State Capitol in Richmond, Virginia (1785–1789). Den direkten Rückgriff auf die röm. Ant. betrachtete Jefferson nicht zuletzt als Absage an den von England dominierten Kolonialstil. 1817–1826 entstand nach Jeffersons Plänen die University of Virginia in Charlottesville. Bezeichnenderweise ist es kein sakrales Gebäude, sondern die Bibl., die in Form eines auf die Hälfte seiner Größe reduzierten röm. → Pantheons die Stirnseite eines Pavillonsystems einnimmt. Die Pavillons mit ihren unterschiedlich gestalteten Portiken und verschiedenen → Säulenordnungen greifen Stilelemente diverser Bauwerke der röm. Ant. und Palladios auf und sollten Architekturstudenten als Anschauungsmaterial dienen [21. 182–188; 24. 286–334].

Mit dem Landhaus Monticello, dem Virginia State House und der Univ. von Virginia schuf Jefferson also Bauwerke, die im Rückgriff auf ant. Modelle sein Ideal einer Nation symbolisierten, die auf Landbau gründete und zugleich den Ideen der Republik und des → Humanismus verpflichtet war.

2.5 ERZIEHUNGSDEBATTE

Die unter den Quäkern Pennsylvanias bereits im 17. Jh. geführte Diskussion, welche Art von Wissen in der Neuen Welt als nützlich zu erachten sei, flammte Mitte des 18. Jh. auch in anderen Kolonien auf und steigerte sich zw. 1785 und 1800 im Rahmen der nationalen Selbstverständigung zu einer landesweit mit großer Leidenschaft geführten Debatte. Die Kernfrage lautete, inwiefern die curriculare Vorherrschaft der Alten Sprachen in einer Republik zu rechtfertigen sei, deren praktische Belange als vorrangig galten und die sich einem egalitären Geist verpflichtet fühlte [25. 50–93]. Zu den prominentesten und zugleich hartnäckigsten Gegnern der traditionellen Vermittlung des Griech. und Lat. gehörte Benjamin Rush (1746–1813). Der Chemiker und Mediziner, Unterzeichner der Unabhängigkeitserklärung und Gründer des Dickinson College, der selbst eine ausgezeichnete klass. Bildung genossen hatte und seinen Sohn zum Lateinstudium anhielt, setzte sich vehement für die Verbannung der toten Sprachen aus den Lehrplänen ein. Sie seien der Verbreitung der Naturwiss. hinderlich, von denen die Lebensfähigkeit der demokratischen Institutionen und die Entwicklung des materiellen Wohlstands abhänge. Erziehung in einer Republik sei das Instrument sozialen Fortschritts. Sie solle in den jungen Menschen rel. Glauben, Liebe zur Tugend und Patriotismus wecken. Latein und Griech. könnten dazu nichts beitragen, ja sie seien sogar schädlich, da sie zu einer Verhärtung der Herzen führten [38. 60–62; 25. 128–136]. Mit dem nachlassenden revolutionären Feuer verlor um 1800 auch die Debatte um die Alten Sprachen an Elan. Ungeachtet der eloquenten Argumente eines Franklin, Rush oder Thomas Paine hatten sich die Traditionalisten durchgesetzt [25. 135].

3. LITERATUR

In den Revolutions- und Gründungsjahren waren die amerikanischen Dichter in ihrer Mehrzahl glühende Anhänger der republikanischen Ideale. Die Erschütterung der christl. Religion durch die → Aufklärung stürzte zahlreiche Autoren, die in der christl. Trad. aufgewachsen waren und in der Regel sogar Theologie studiert hatten, in einen tiefen Konflikt: Obschon sie sich vom Christentum rational zunehmend distanzierten, blieben sie ihm emotional stark verbunden. Und da auch ihre Sprache tief von der christl. Trad. geprägt war, fiel es ihnen schwer, ihrer Vision vom neuen Amerika adäquaten Ausdruck zu verleihen [8. 17]. Wiewohl sie in dieser Situation auf die Rhet., Bilder- und Formensprache der Ant. und des europ. → Klassizismus zurückgriffen, weisen ihre Schriften häufig anti-klassizistische Tendenzen und nicht-klass. Denkfiguren auf [7. 113]. In ihren Beiträgen zur Stiftung eines neuen Nationalgefühls rekurrierten diese Autoren daher noch immer auf das puritanische Interpretationsmuster der Typologie und feierten Amerika – wie ihre Vorväter – als das Neue Kanaan oder Jerusalem. Gleichzeitig machten sie sich aber auch die aus dem → Römischen Recht und der abendländischen Geschichtsphilos. stammende Vorstellung der *translatio studii* oder der *translatio imperii* zu eigen, nach welcher sich in Fortschreibung des bisherigen Verlaufs der Weltgeschichte die Zentren herrschender Kulturen und Reiche immer weiter gen Westen verlagern, eine These, die schon Bishop Berkeley propagiert hatte, als er in seinen berühmten *Verses on the Prospect of Planting Arts and Learning in America* (1725) die Neue Welt als künftigen Hort der Künste und der Gelehrsamkeit pries. Die skizzierte Verschränkung von christl. und paganer sowie heilsgeschichtlich-typologischer und aufklärerisch-fortschrittsgläubiger Perspektive verlieh Amerika in den 1770er J. das Doppelantlitz eines Neuen Zion und Neuen Athen und vindizierte der jungen – als *Genius of America* apostrophierten – Republik jene histor. Ausnahmestellung, aus der Amerika sein außerordentliches Selbst- und Sendungsbewußtsein bezieht [8. 29].

3.1 VERSEPEN

In ihrem Ringen um Schaffung eines Nationalepos orientierten sich die amerikanischen Dichter zwar fraglos an der *Ilias* und der *Aeneis*, doch übten sie auch scharfe Kritik an Homer und Vergil, deren Hang zu drastischer Darstellung von Grausamkeit und Laster mit ihren moralischen Grundsätzen unvereinbar war. Gleichwohl pflegte die zeitgenössische Literaturkritik ihre Hochschätzung heimischer Autoren durch antonymischen Vergleich mit den Vätern des ant. Epos zum Ausdruck zu bringen [7. 99]. Der »amerikanische Homer« Timothy Dwight (1752–1817), Enkel des führenden Geistlichen des *Great Awakening* Jonathan Edwards (1703–1758), selbst Geistlicher und späterer Präsident von Yale, vertraute noch ganz der puritanischen Typologie, wenn er in seinem biblischen Versepos *The Conquest of Canaan* (1785) das revolutionäre Amerika als Neues Kanaan pries. Auf eine Mischung von christl. und heidnisch-ant. Symbolik setzte hingegen der »amerikanische Vergil« Joel Barlow (1754–1812), der zwar ebenso wie sein polit. konservativer Tutor Dwight zur Dichtergruppe der sog. Connecticut oder Hartford Wits gehörte, sich jedoch anders als dieser für die Frz. Revolution engagierte. Von seinem Nationalepos *The Vision of Columbus* (1787) hat Barlow zwanzig J. später eine erweiterte Fassung *The Columbiad* (1807) vorgelegt. In beiden Versionen geht es um den panoramatischen Blick, mit dem der sterbende Entdecker Amerikas die Zukunft des Landes erschaut. Doch während in der urspr. Fassung noch christl. Myth. bzw. rel. Bildersprache vorherrschen und der Titelgestalt die Vision von einem Engel gewährt wird, ist die zweite Fassung, in der Kolumbus von Hesper, dem Sohn des Helios, erleuchtet wird, durch das klassizistische Verfahren der mod. Abwandlung oder puritanischen Einfärbung ant. Mythologeme geprägt, wie etwa das achte Buch zeigt, wo Atlas als Schutzgeist Afrikas auftritt und in der Trad. der puritanischen Jeremiade eine feurige Rede gegen die Sklaverei hält [8. 119]. Daß Dwights und Barlows Versepen nicht die Gunst des Publikums fanden, ist zum einen auf den rapiden Popularitätsverlust des Epos und seine Verdrängung durch den mod. Roman zurückzuführen, zum anderen aber ihrem inneren Grundwiderspruch, der offenkundigen Diskprepanz zw. kühner Zukunftsvision und altmodischer Form geschuldet [8. 124]. Nicht von ungefähr waren daher die zeitgenössischen Autoren gerade in der Gattung des komischen Heldengedichts (*mock epic*) erfolgreich, die auf ironische Brechung und Persiflierung jedweder Prätention von Heroismus angelegt ist. In Anlehnung an Samuel Butlers (1612–1680) Verssatire *Hudibras* (1663–1678) verspottete z. B. John Trumbull (1750–1831) in seinem *M'Fingal* (1775; 1782) die Wichtigtuerei in den polit. Debatten der Provinz. Besonders populär war auch das humoristische Gedicht *The Hasty Pudding* (1793), in dem Barlow das unheroische, an sinnlichen Freuden dafür um so reichere Landleben Neuenglands schildert. Zu seiner großen Enttäuschung stieß dagegen Hugh Henry Brackenridge (1748–1816) beim Publikum auf wenig Anklang, als er seiner Vorliebe für lat. Originalzitate in seinem eher an Cervantes als an Homer orientierten komischen Versepos *Modern Chivalry* (1792–1815) die Zügel schießen ließ [18; 22. 84–85].

3.2 PHILIP FRENEAU

Der v. a. für seine polit. – panegyrisch oder auch satirisch ausgerichtete – Verskunst bekannte Philip Freneau (1752–1832), der von den Zeitgenossen als ›amerikanischer Horaz‹ [2. 30–32] bezeichnet wurde, verfaßte bereits 1771 am College von New Jersey, dem späteren Princeton, gemeinsam mit seinem Kommilitonen Brackenridge das epische Gedicht *The Rising Glory of America*. Nach dem Muster von Vergils epischen Zukunftsvisionen und im Rückgriff auf die Vorstellung der *translatio studii et imperii* malen Freneau und Brackenridge die – auf weltweitem Handel basierende – künftige kulturelle und polit. Bed. Amerikas phantasievoll aus, und tragen damit zur klassizistischen Gattung der sog. *Rising Glory*-Gedichte, einer im zeitgenössischen Amerika beliebten Untergattung des Versepos bei, zu der auch Gedichte wie Dwights *America; or, a Poem on the Settlement of the British Colonies* (ca. 1772) oder Barlows *The Prospect of Peace* (1778) gehören.

Auf die jungen amerikanischen Dichter übte der 1768 aus Schottland als Präsident nach Princeton berufene John Witherspoon (1723–1794) großen Einfluß aus. Der dem ciceronianischen Ideal des rhet. wie moralisch herausragenden Staatsmannes (*vir bonus dicendi peritus*) verpflichtete Geistliche betrachtete ein gründliches Studium der Alten Sprachen und der ant. → Rhetorik als unabdingbare Voraussetzung für den Erfolg auf der Kanzel wie auf der Rostra. Er ermutigte seine Studenten zur Übernahme von polit. Verantwortung und ging als Mitglied des Kontinentalkongresses und wenig später als Unterzeichner der Unabhängigkeitserklärung mit gutem Beispiel voran. Seine ungeheure Wirkung als Erzieher läßt sich u. a. daraus ersehen, daß während seiner 25jährigen Präsidentschaft ungewöhnlich viele Absolventen von Princeton führende Positionen in Staat und Justiz erlangten [27. 20; 14. 71–75].

Im Hinblick auf die Unermüdlichkeit seines polit. Engagements erwies sich Freneau zwar als getreuer Schüler Witherspoons. Doch anders als sein tief in der christl. Trad. verwurzelter, polit. gemäßigter Lehrer war Freneau ein überzeugter Deist und entschiedener Anhänger der Frz. Revolution. Gegen Kritik aus dem konservativen Lager hat ihn Jefferson einmal mit dem Hinweis verteidigt, er habe die amerikanische Republik in dem Moment gerettet, als diese sich im Galopp auf die Monarchie zubewegte. Gefürchtet wegen seiner scharfen Zunge und seiner kompromißlosen Haltung, vertrat Freneau in seinen Zeitungskolumnen eine radikal-demokratische Position, die sich gegen die britischen Tyrannen, zugleich aber mit Nachdruck auch gegen diejenigen seiner Landsleute richtete, die ihm die Sache der Revolution zu verraten schienen. Soweit sich bei diesem Verehrer von Horaz, Vergil, Lukrez und Ovid [2] überhaupt Vorbehalte gegenüber der Ant. zeigen, sind sie denn auch nicht rel. oder moralisch, sondern polit. motiviert. Wie z. B. aus seiner → Elegie mit dem Titel *Stanzas to the memory of General Washington* (1800) hervorgeht, machte Freneau seine Kritik an den ant. Staaten insbes. am undemokratischen Verhalten ihrer Herrscher fest, die er als Kriegstreiber und Unterdrücker anderer Völker brandmarkt und in dieser Hinsicht mit den Königen des zeitgenössischen Europa auf eine Stufe stellt [13. Bd. 3. 232f.]. Leuchtendes Gegenbeispiel zu diesen Tyrannen ist ihm Washington, den er in einem polemischen Epitaph, das er in Reaktion auf den nach dem Tod des Präsidenten ausgebrochenen Heroenkult verfaßte, als Ideal des integren Menschen preist: ›He was the upright, Honest Man‹ (*Stanzas occasioned by certain absurd, extravagant, and even blasphemous panegyrics on the late General Washington*, 1800, in: [13. Bd. 3. 235ff.]). In diesem Enkomion verherrlicht Freneau also nicht die Heldentaten des Staatsmanns, sondern den vorbildlichen Charakter des – in den Herzen seines Volkes und nicht in Marmorstatuen fortlebenden – häufig als *pater patriae* bezeichneten, ersten »Vaters« der amerikanischen Republik.

3.3 PHILLIS WHEATLEY

Die Dichtung der als junges Mädchen aus Westafrika verschleppten, von der wohlhabenden Bostoner Familie Wheatley gekauften Sklavin Phillis Wheatley (1754?–1784) wurde von der Forsch. lange Zeit als epigonal verkannt. Gefördert durch ihre Besitzer, wuchs sie zu einer mit der ant. und christl. Trad. gründlich vertrauten Dichterin heran, deren bes. Vorliebe Popes *Iliad* (1720) galt. In dem durch Vermittlung ihrer engl. Gönnerin, der Countess of Huntingdon (1707–1791), 1773 in England gedruckten Gedichtband *Poems on Various Subjects, Religious and Moral* praktiziert Wheatley die Kunst der synkretistischen Verschmelzung von heidnisch-ant., biblischen und afrikanischen Mythologemen in klassizistischem Gewand, wobei sie die Gattungen der Elegie, der horazischen Ode oder des Epyllion bevorzugt und sich v. a. des Versmaßes des *heroic couplet*, also des paarweise gereimten, jambischen Fünfhebers bedient. Ihre

Meisterschaft erweist sich darin, daß sie sich die ant. Trad. in subtiler, ironischer Umdeutung auf eine Art und Weise anverwandelt, die ihre Verse zu verdeckten Freiheitsbotschaften macht, etwa wenn sie Niobe – in Abwandlung von Ovids *Metamorphosen* – gegen die Macht der Götter rebellieren läßt [31. 267; 15. 435–443]. Unter Berufung auf den sich mit der Feder die Freiheit erschreibenden Terenz begehrt die »afrikanische Muse« [36. 96] somit in der kontrollierten Form klassizistischer Verse gegen die Unterdrückung ihrer Brüder und Schwestern auf [19; 31].

4. Historienmalerei

4.1 Benjamin West

Benjamin West (1738–1820), in Philadelphia aufgewachsen und schon früh durch kosmopolitische Gönner gefördert, malte bereits vor seinem Kontakt mit den europ. Klassizisten sein erstes Historienbild *The Death of Socrates* (ca. 1756) [12. 6]. Nachdem er dank seiner Gönner als erster amerikanischer Künstler für längere Zeit nach → Rom gereist war, wo er in engem Kontakt zu dem frühklassizistischen Kreis um Winckelmann stand, ließ er sich 1763 in London nieder, wurde Hofmaler Georgs III. und 1792 – als Nachfolger von Sir Joshua Reynolds – Präsident der Royal Academy. In seinem großen Atelier bildete er viele amerikanische Maler aus, u. a. John Singleton Copley (1738–1815), Charles Willson Peale (1741–1821) und John Trumbull (1756–1843). Berühmt wurde West durch das Historiengemälde *Landing of Agrippina at Brundisium with the Ashes of Germanicus* (1768), das nach einer von Tacitus im dritten Buch der Annalen überlieferten Szene die in stoischer Würde um ihren Gatten trauernde Heldin zeigt und damit der klassizistischen Vorschrift entspricht, durch exemplarische Darstellung tugendhaften Handelns zur Erbauung des Betrachters beizutragen. Das horazische *dulce et decorum*, das in diesem ant. Sujet anklang, übertrug West in dem 1772 ausgestellten Historienbild *Death of General Wolfe at the Battle of Quebec* auf ein Ereignis der Zeitgeschichte: die siegreiche Eroberung Quebecs durch die britische Armee unter der Führung von General James Wolfe (1759). Indem West die Protagonisten nicht mit antikisierenden Gewändern, sondern mit Uniformen seiner Zeit ausstattete, verstieß er gegen die von Reynolds aufgestellte Akademieregel des *grand style*, wonach die Erhabenheit eines heroischen Sujets durch die Verwendung zeitgenössischer Attribute geschmälert würde [43]. Das zeitgeschichtliche Sujet wird nicht nur antikisierend, sondern zugleich christologisch überformt, wie insbes. die Gestalt des sterbenden Wolfe belegt, welche die Formel der Pietà zitiert und somit den für sein Vaterland sterbenden General typologisch in die Nachfolge des Gekreuzigten stellt [5]. Heroische Exempel sind nach West somit nicht der Ant. vorbehalten; sie haben ihre Berechtigung vielmehr auch in der Realität des 18. Jh. – oder wie es in Addisons Trag. *Cato* heißt: ›Whoe'er is brave and virtuous, is a Roman‹ (Akt V, Szene 4) [33. 30–31]. Diese Gleichsetzung von ant. und zeitgenössischer Tugend nimmt West auch bei

den Indianern Nordamerikas vor. Beim ersten Anblick des → Apoll von Belvedere soll er ausgerufen haben: ›My God, how like it is to a young Mohawk warrior!‹ (J. Galt, *The Life and Studies of Bejamin West*, Philadelphia 1816, 132). Es ist daher nur konsequent, wenn er bei der Darstellung amerikanischer Ureinwohner – wie z. B. in dem Gemälde *Penn's Treaty with the Indians* (ca. 1771), das eine Begebenheit aus den Anf. der Kolonialgeschichte Pennsylvanias festhält – den Körpern der Indianer die heroische Gestik und Würde ant. Skulpturen verleiht.

4.2 John Trumbull

Auf Anregung seines Lehrers West widmete sich der Historienmaler John Trumbull v. a. der Darstellung der amerikanischen Revolution und ihrer Helden. Um die ruhmreichen Taten der Revolutionszeit dem Gedächtnis der Nachwelt zu bewahren und seine Landsleute für die Werte der jungen Republik zu begeistern, folgte Trumbull dem Beispiel Jacques Louis Davids (1748–1825), den er in Paris kennengelernt hatte, und gab in zahlreichen Historienbildern die verschiedensten Exempel ziviler und mil. Tugend wieder. Doch erst 1817 erhielt er von der Regierung den Auftrag, einen Zyklus von vier Gemälden für die Rotunde des US Kapitols zu malen (1819–1824), darunter auch die *Unabhängigkeitserklärung* und – als Gegenstück – ein Bild mit der *Abdankung General Washingtons*, das den patriotischen Machtverzicht des amerikanischen Cincinnatus feiert [40. 13–16].

4.3 John Vanderlyn

John Vanderlyn (1775–1852) ging 1796 zum Studium der Malerei nach Paris, wo er im Kreis der Neo-Klassizisten um Jacques Louis David ausgebildet wurde. Dort begegnete er in der amerikanischen Künstlerkolonie Barlow, dessen Epos *The Columbiad* ihm zum Vorwurf für das 1804 im Pariser Salon ausgestellte Gemälde *The Death of Jane McCrea* diente. Der Ausdruck dieses der amerikanischen »Wildnis« entnommenen Sujets wird durch ant. Pathos erhöht, denn der Todeskampf der zw. ihren beiden indianischen Mördern kniend dargestellten Frau ist durch ihre statuarische Gestalt ins Tragisch-Sublime gesteigert. In der Mehrzahl seiner Gemälde ist Vanderlyn auch thematisch der Ant. verpflichtet. In Rom malte er 1806–7 das großformatige Historienbild *Marius amidst the Ruins of Carthage*, für das ihm im Pariser Salon von 1808 von Napoleon eine Goldmedaille verliehen wurde. Als er den in Paris gepriesenen Frauenakt *Ariadne Asleep on the Island of Naxos* (1814) im J. darauf in New York ausstellte, stieß er bei seinen Landsleuten auf Entrüstung [35. 55] (→ Historienmalerei).

5. Architektur

Da die koloniale Architektur bis zum Unabhängigkeitskrieg im wesentlichen an engl. Baustilen orientiert war, hielt auch der Klassizismus in Amerika zunächst in Form des Anglo-Palladianismus Einzug. Das erste Beispiel hierfür ist die ionische Türeinfassung von Whitehall, ein bei Newport, Rhode Island, gelegenes Haus, das George Berkeley, der spätere Bischof von Cloyne, von 1728 bis 1731 bewohnte und für diesen Zweck im Stil Palladios umbauen ließ. Die Idee für die Türrahmung entnahm Berkeley daher auch nicht Palladio selbst, sondern den Entwürfen des in England nicht minder geschätzten Inigo Jones (1573–1652), die William Kent 1727 unter dem Titel *The Designs of Inigo Jones* publiziert hatte. Drayton Hall (1738–1742) bei Charleston, South Carolina, ist das erste ganz im anglo-palladianischen Stil erbaute Haus in den Kolonien. Der unbekannte Architekt benutzte wiederum einen Entwurf aus Kents *Inigo Jones*, nahm aber – für die doppelstöckige Portikus – auch Palladio selbst, nämlich dessen Villa Pisani zum Vorbild. In einem solchen direkten Rückgriff auf Palladio schuf auch der aus England stammende Amateur-Architekt Peter Harrison (1716–75/76?) mit der ebenfalls in Newport gelegenen Redwood Library (1749–50), einer der frühesten öffentlichen Bibl., das erste öffentliche Gebäude in der Form eines röm. Podiumtempels [37. 66–77].

In Europa erhielt der Klassizismus entscheidende arch. Impulse durch die Ausgrabungen ant. Stätten wie → Herculaneum (1738), → Pompeji (1748) oder Spalato (1757). Der den Palladianismus ablösende – nach dem schottischen Architekten Robert Adam (1728–1792) benannte – Adam-Stil dominierte die engl. Architektur der 1760er Jahre. Adam, der selbst an Ausgrabungen teilnahm, wurde sich der Vielfalt ant. Bauformen bewußt und veränderte daraufhin in seinen Entwürfen v. a. den Grundriß der Wohnhäuser, indem er die im Palladianismus ausschließlich verwendeten Quadrate und Rechtecke kontrastiv mit oktogonalen, runden und ovalen Formen mischte. Durch die polit. Unruhen in den Kolonien verzögerte sich die Rezeption Adams, so daß das erste auf amerikanischem Boden im Adam-Stil erbaute Haus erst 1788 entstand (The Woodlands, West Philadelphia) [24. 206, 216–221; 37. 117].

Der Übergang vom Adam-Stil der späten kolonialen Periode zu der durch Charles Bulfinch (1763–1844) vertretenen konservativen Variante des amerikanischen Klassizismus (*Federal Style*) ist fließend. Bulfinch stellte seine neuengl. Klientel v. a. durch eklektizistischen Bezug auf diverse klassizistische Stile zufrieden. Sein bekanntestes Bauwerk, das bereits 1787 unmittelbar nach seiner Europareise entworfene Massachusetts State House in Boston (1795–1797) ist inspiriert durch zwei berühmte Londoner Gebäude, das von Sir William Chambers stammende Somerset House (1776–1786) und das von James Wyatt entworfene Pantheon (1772). Von diesen Vorbildern weicht Bulfinch allerdings durch die aus der kolonialen Bautradition übernommene rote Ziegelfassade und die weißen Architekturglieder markant ab.

Im Unterschied zur Phase des traditionellen oder idealistischen Klassizismus wurde diejenige des rationalen Klassizismus von professionellen Architekten geprägt [24. 210–216]. Der seit 1795 in den Vereinigten Staaten lebende engl. Architekt Henry Benjamin La-

trobe (1764–1820) und seine amerikanischen Schüler Robert Mills (1781–1855) und William Strickland (1788–1854) wurden wegen der Funktionalität und Schlichtheit ihrer Entwürfe geschätzt und nahmen nachhaltigen Einfluß auf die staatlichen Bauten der jungen Republik. Latrobes Bank of Pennsylvania in Philadelphia (1798–1800) zeigt die erste Verwendung einer griech. Säulenordnung in Amerika und gilt daher als Vorläufer des → Greek Revival: Die ionischen Säulen der beiden Portiken nehmen die Säulen der Nordportikus des Erechtheions auf [29. 134]. 1803 übertrug Jefferson Latrobe die Bauaufsicht über die Regierungsgebäude in Washington und damit auch die Verantwortung für das seit 1793 in Bau befindliche Kapitol, die er bis zu seinem Rücktritt 1817 innehatte. Von bes. Bed. sind Latrobes Entwürfe für die Innenausstattung des Kapitols: In Analogie zu der seit der Ren. in verschiedenen europ. Staaten vorgenommenen nationalen Abwandlung der ant. Säulenordnungen schuf auch er drei neue, genuin amerikanische Säulenordnungen, die den Akanthus durch die einheimischen Pflanzen Mais, Tabak und Magnolie ersetzen [29. 76–79].

1 B. BAILYN, The Ideological Origins of the American Revolution, 1992 **2** R. W. BROWN, Classical Echoes in the Poetry of Philip Freneau, in: CJ 45, 1949, 29–34 **3** U. BRUMM, Die rel. Typologie im amerikanischen Denken. Ihre Bed. für die amerikanische Lit.- und Geistesgesch., 1963 **4** G. CHINARD, Polybius and the American Constitution, in: Journ. of the History of Ideas 1, 1940, 38–58 **5** M. CHRISTADLER, Republicanism, Gender and Revolution: The Painting of History during the American and French Revolutions – Benjamin West, John S. Copley, John Trumbull, Jacques-Louis David, in: Y. CARLET, M. GRANGER (Hrsg.), Confluences Américaines, 1990, 135–151 **6** G. VAN CROMPHOUT, Cotton Mather as Plutarchan Biographer, in: American Literature 46, 1974–75, 465–481 **7** J. W. EADIE (Hrsg.), Classical Traditions in Early America, 1976 **8** E. ELLIOTT, Revolutionary Writers: Literature and Authority in the New Republic 1725–1810, 1982 **9** E. McC. FLEMING, The American Image as Indian Princess, 1765–1783, in: Winterthur Portfolio 2, 1965, 65–81 **10** Ders., From Indian Princess to Greek Goddess: The American Image, 1783–1815, in: Winterthur Portfolio 2, 1967, 37–66 **11** Ders., Symbols of the United States: From Indian Queen to Uncle Sam, in: Winterthur Portfolio 3, 1967, 1–24 **12** J. T. FLEXNER, Benjamin West's American Neo-Classicism, in: The New York Historical Society Quarterly 36, 1952, 5–41 **13** PH. FRENEAU, Poems, 1963 **14** R. M. GUMMERE, The American Colonial Mind and the Classical Trad.: Essays in Comparative Culture, 1963 **15** L. K. HAYDEN, Classical Tidings from the Afric Muse: Phyllis Wheatley's Use of Greek and Roman Mythology, in: College Language Association Journ. 35.4, 1992, 432–447 **16** J. HEIDEKING, Gesch. der USA, ²1999 **17** H. M. JONES, O Strange New World. American Culture: The Formative Years, 1965 **18** L. M. KAISER, An Aspect of Hugh Henry Brackenridge's Classicism, in: Early American Literature 15, 1980–81, 260–270 **19** R. L. KENDRICK, Snatching a Laurel, Wearing a Mask: Phillis Wheatley's Literary Nationalism and the Problem of Style, in: Style

27.2, 1993, 222–251 **20** G. Kennedy, Classical Influence on »The Federalist«, in: J. W. Eadie (Hrsg.), Classical Traditions in Early America, 1976, 119–138 **21** K. Lehmann, Thomas Jefferson. American Humanist, 1965 (1947) **22** J. P. McWilliams, Jr., The American Epic: Transforming a Genre, 1770–1860 **23** R. Middlekauff, A Persistent Trad.: The Classical Curriculum in Eighteenth-Century New England, in: William and Mary Quarterly 3rd series, XVIII, No. 1, 1961, 54–67 **24** W. H. Pierson, Jr., American Buildings and their Architects, Bd. 1: The Colonial and Neo-Classical Styles, 1970 **25** M. Reinhold, Classica Americana: The Greek and Roman Heritage in the United States, 1984 **26** Ders. (Hrsg.), The Classick Pages: Classical Reading of Eighteenth-Century Americans, 1975 **27** C. J. Richard, The Founders and the Classics: Greece, Rome, and the American Enlightenment, 1994 **28** W. Schleiner, The Infant Hercules: Franklin's Design for a Medal Commemorating American Liberty, in: Eighteenth Century Stud. 10, 1976–77, 235–244 **29** P. Scott, Temple of Liberty: Building the Capitol for a New Nation, 1995 **30** M. N. S. Sellers, American Republicanism: Roman Ideology in the United States Constitution, 1994 **31** J. C. Shields, Phillis Wheatley's Subversion of Classical Stylistics, in: Style 27.2, 1993, 252–270 **32** Ders., Phillis Wheatley's Use of Classicism, in: American Literature 52.1, 1980, 97–111 **33** M. D. Snyder, The Icon of Antiquity, in: S. F. Wiltshire (Hrsg.), The Usefulness of Classical Learning in the Eighteenth Century, 1976, 27–43 **34** W. U. Solberg, Cotton Mather, »The Christian Philosopher«, and the Classics, in: Proc. of the American Antiquarian Society 96.2, 1986, 323–366 **35** J. C. Taylor, The Fine Arts in America, 1979 **36** Ph. Wheatley, Poems, 1989 **37** M. Whiffen, F. Koeper, American Architecture 1607–1976, 1981 **38** D. S. Wiesen, Ancient History and Early American Education, in: S. F. Wiltshire (Hrsg.), The Usefulness of Classical Learning in the Eighteenth Century, 1976, 53–69 **39** Ders., The Contribution of Antiquity to American Racial Thought, in: J. W. Eadie (Hrsg.), Classical Traditions in Early America, 1976, 191–212 **40** G. Wills, Cincinnatus: George Washington and the Enlightenment, 1984 **41** D. L. Wilson, The American Agricola: Jefferson's Agrarianism and the Classical Trad., in: South Atlantic Quarterly 80, 1981, 339–354 **42** S. F. Wiltshire, Greece, Rome, and the Bill of Rights, 1992 **43** E. Wind, Penny, West, and the »Death of Wolfe«, in: Journ. of the Warburg Institute X, 1947, 159–162 **44** E. L. Wolf, The Classical Languages in Colonial Philadelphia, in: J. W. Eadie (Hrsg.), Classical Traditions in Early America, 1976, 49–80.

II. 19. Jahrhundert (1820–1900)

A. Einleitung B. Hellenismus C. Skulptur
D. Literatur

A. Einleitung

Die Vereinigten Staaten erfuhren zw. der national-staatlichen Konsolidierung in den 1820er J. und dem Eintritt in den I. Weltkrieg einen grundlegenden Wandel in allen Bereichen der Gesellschaft. Aufgrund der ab 1845 unter der Devise *Manifest Destiny* betriebenen Expansionspolitik erstreckte sich das staatliche Territorium schon 1853 über die ganze Breite des Kontinents, dessen Besiedlung 1890 als abgeschlossen galt. Zugleich kam es zu einem rapiden Bevölkerungswachstum: Allein zw.

1865 und 1895 verdoppelte sich die Zahl der Einwohner auf 70 Millionen. Die gegensätzlichen ökonomischen Interessen zw. den Südstaaten mit ihrer auf Sklaverei basierenden vorkapitalistischen Plantagenwirtschaft und den Nordstaaten mit ihrem Agrarkapitalismus und ihrer fortgeschrittenen Industrialisierung hatten seit den 1830er J. zu ständig wachsenden Spannungen geführt, die sich schließlich in dem für beide Seiten äußerst verlustreichen Bürgerkrieg (1861–1865) entluden. Während der besiegte Süden polit. und wirtschaftlich entscheidend geschwächt und moralisch gedemütigt aus dem Konflikt hervorging, fand im Norden ein durch den Krieg dynamisierter Technisierungs- und Industrialisierungsschub statt, im Zuge dessen die gewaltigen Industrieimperien eines Carnegie oder Morgan entstanden und die USA zu einer der wirtschaftlich bedeutendsten Nationen heranwuchsen. Die aufstrebende Hegemonialmacht orientierte ihre Expansionspolitik nunmehr nach außen und eroberte 1898 im span.-amerikanischen Krieg Puerto Rico. Im Inneren waren die verbliebenen Indianerstämme zw. 1865 und 1878 wiederholt mit Krieg überzogen und schließlich in abgelegene Reservate übergesiedelt worden. Der auch nach der Sklavenbefreiung (1863) anhaltende Rassismus manifestierte sich u. a. in der – 1896 vom Obersten Gerichtshof verfassungsrechtlich sanktionierten – Segregation und führte im Süden darüberhinaus zu einer die Afro-Amerikaner diskriminierenden Gesetzgebung. Ungeachtet der polit.-sozialen Konflikte entstand aus der geogr. Expansion, dem ökonomischen Erfolg und den technisch-industriellen Errungenschaften ein unerschütterlicher Fortschrittsglaube [12. 43–76]. Der optimistischen Grundstimmung entsprach ein gesteigertes Selbstbewußtsein, das die – nicht zuletzt von Intellektuellen und Künstlern erhobene – Forderung nach geistiger Unabhängigkeit von Europa immer dringlicher werden ließ. Dabei verstand es sich von selbst, daß die angestrebte Eigenständigkeit nicht durch einen Bruch mit der abendländischen Trad., sondern vielmehr durch ihre – die bes. heimischen Bedingungen berücksichtigende – Anverwandlung zu verwirklichen war.

B. Hellenismus

1. Greek Revival

Als der erste in Amerika gebürtige Berufsarchitekt Robert Mills im J. 1836 die Bauaufsicht über die Regierungsgebäude in Washington übernahm, herrschte schon seit gut 15 J. das → Greek Revival (ca. 1820–1860), das zum ersten nationalen Baustil der Vereinigten Staaten wurde. Die ganz Europa ergreifende Begeisterung für den griech. Freiheitskampf (1821–1829) wurde von den Amerikanern noch übertroffen, denn sie sahen in ihm eine Parallele zu ihrem eigenen Unabhängigkeitskrieg gegen die britische Kolonialmacht und brachten ihren Enthusiasmus u. a. dadurch zum Ausdruck, daß sie etlichen in dieser Zeit gegründeten Gemeinden griech. Städtenamen verliehen, wie etwa Athens, Troy oder Ithaca. Der Stil des *Greek Revival* hatte nicht nur den Vorzug relativ einfacher Realisierbarkeit; vielmehr bot sich die schlichte Tempelfassade auch in bes. Maße als Träger symbolischer Vieldeutigkeit an. Sie schien geeignet, der neuen, in beständigem Wandel begriffenen und zunehmend materialistisch orientierten Kultur einen idealen Ausdruck zu geben, in welchem die mit der griech. Demokratie assoziierte Idee der Freiheit eine Aura rel. Weihe erhielt. Der zw. 1780 und 1820 favorisierte röm.-palladianische Stil erschien in seiner Prachtentfaltung nunmehr als zu üppig. Nach Meinung der Zeitgenossen wurden die in der griech. Architektur vorherrschenden Prinzipien der Schlichtheit und Strenge dem amerikanischen Nationalcharakter weit eher gerecht [26. 218]. Das auffälligste Merkmal dieses binnen kurzem populär gewordenen Stils, die Tempelfront mit griech., überwiegend dor. → Säulenordnung, zierte unzählige Bauwerke völlig unterschiedlicher Funktion: Regierungs- und Gerichtsgebäude, Univ., Schulen, Hospitäler, Kirchen, Banken und Fabriken, aber auch Privatbauten, Landsitze im Süden ebenso wie Wohnhäuser im Norden. Trotz enger Anlehnung an die griech. Formensprache kam es auch zu einer Fülle von originellen Abwandlungen [20. 330]. Innovation entstand z. B. durch die vielfältige Mischung mit anderen Stilelementen, etwa die Kombination von röm. Kuppeldach und griech. Portikus und Giebel, wofür das New York Customs House ein prominentes Beispiel ist, oder die Verbindung des traditionellen Wren-Gibbs Kirchenbaus mit griech. Details, v. a. aber Modifikationen architektonischer Grundelemente, wie etwa die der Säulenordnung, etc. [20. 344–355; 23].

2. EDWARD EVERETT: PIONIER DER GRÄZISTIK
Bevor die Überquerung des Atlantiks im zweiten Drittel des 19. Jh. durch regelmäßig verkehrende Dampfschiffe erleichtert wurde, war die Anzahl der Amerikaner, die Bildungsreisen nach It. und Griechenland unternahmen, relativ gering [26. 265; 24; 2] und rekrutierte sich vornehmlich aus Gelehrten, wie etwa dem späteren Präsidenten von Harvard Edward Everett (1794–1865), der auch zur ersten Welle des im Laufe des Jh. stark anschwellenden Stroms amerikanischer Studenten in Deutschland gehörte [11]. Bevor er 1819 nach seinem Studium der Altphilol. in Göttingen wieder nach Harvard zurückkehrte, wo er die erste Professur für Griech. Sprache und Lit. antrat, besuchte er die griech. Tempelanlage in → Paestum und andere bedeutende arch. Stätten It. und sogar Griechenlands. Sein in Europa erworbenes Wissen vermittelte Everett in Amerika z. B. mit der Übers. der Standardwerke der Altphilol. (z. B. der griech. Gramm. Philipp Karl Buttmanns, 1822) oder mit Vorträgen, wie etwa der im Winter 1822–23 vor einem begeisterten Bostoner Publikum gehaltenen Vorlesungsreihe über ant. Altertümer und Kunst. Unter seinen Zuhörern war auch Emerson, der mit Everett einen ›neuen Morgen‹ für das Antikestudium in Amerika anbrechen sah [26. 206]. Doch der Pionier Everett scheiterte mit seinem Versuch, die Gräzistik als Wiss. zu etablieren, und so sollte die Professionalisierung der Altertumswiss. erst ein halbes Jh. später, näm-

lich mit dem 1876 erfolgten Ruf des »Vaters« der amerikanischen Altphilol. Basil L. Gildersleeve (1831–1924) an die neugegründete Johns Hopkins Univ. beginnen [4. 218–221]. Ebensowenig Erfolg hatte Everett in den J. 1820 bis 1830 mit seinen Bemühungen, in den Lehrplänen dem Griech. den Vorrang gegenüber dem Lat. zu geben und in renommierten Zeitschriften für die Idee des Hellenismus zu werben. Das breite amerikanische Publikum war trotz seiner polit. Sympathien mit den griech. Freiheitskämpfern nicht für ein in seinen Augen elitäres Kulturideal zu gewinnen [26. 204–213].

3. GRIECHENVEREHRUNG IM SÜDEN
Eine Ausnahme bildete der Süden. Die vor dem Bürgerkrieg geführten Auseinandersetzungen zw. Nord- und Südstaaten kreisten v. a. um die euphemistisch als »Peculiar Institution« bezeichnete → Sklaverei. In ihrer Verteidigung identifizierten sich die Plantagenbesitzer mit den kulturellen Errungenschaften der »Southern slave states of Greece and Rome« und entwickelten gleichzeitig ein Überlegenheitsgefühl gegenüber den in ihren Augen ungebildeten, nur auf Profit ausgerichteten Yankees. Hochkultur und Sklaverei – so argumentierte George Fitzhugh (1806–1881), einer der bekanntesten Apologeten des Systems – existierten in der Ant. nicht nur Seite an Seite, sondern bedingten einander [13. 242; 25. 267]. Politiker aus den Südstaaten, wie z. B. Senator John C. Calhoun aus South Carolina, pflegten die Kunst der → Rhetorik und richteten ihre Reden häufig nach berühmten ant. Vorbildern aus [25. 266]. In ihren Auffassungen über Sklaverei, Staats- und Gesellschaftstheorie sahen sich die Südstaatler insbes. durch die Schriften des Aristoteles bestätigt. Im Gegensatz zum Norden erfüllte der Rekurs auf die Ant. in den Südstaaten also noch eine identitätsstiftende Funktion [25; 35].

C. SKULPTUR
Die junge Nation hatte noch immer einen großen Bedarf an Kunstwerken, die ihre polit. Ideale verkörperten oder ihre Staatsmänner darstellten. Die Bildhauerei nahm daher innerhalb der Künste eine zentrale Stellung ein. In nur wenigen J. wuchs eine beachtliche Schar amerikanischer Bildhauer und Bildhauerinnen [28] heran, die ihr Handwerk in Florenz und Rom erlernten, häufig nicht mehr in ihre Heimat zurückkehrten, gleichwohl aber weitgehend von amerikanischen Aufträgen lebten. Ausgebildet von europ. Klassizisten und geschult durch die Anschauung der ant. Kunstwerke Italiens, schufen sie Skulpturen, die in Amerika bes. erfolgreich waren, wenn man die klass. Vorbilder nicht auf den ersten Blick erkannte. Auf den Rat Everetts hin gestaltete z. B. Horatio Greenough (1805–1852) seinen *Washington* (1832–1841) in enger Anlehnung an die Kolossalstatue des *Olympischen Zeus* von Phidias. Die Apotheose des mit freiem Oberkörper gebieterisch thronenden Vaters der Republik stieß in Amerika auf Entrüstung. Daniel Chester French (1850–1931) nahm für die Gestalt des *Lincoln* (1916) im gleichnamigen, im Stile eines dor. Tempels errichteten *Memorial* ebenfalls den

Zeus des Phidias zum Vorwurf, stellte den Präsidenten aber in zeitgenössischer Kleidung und natürlicher Haltung dar, so daß keinerlei Assoziationen mehr an die Ant. oder gar an einen Gott geweckt werden: Sein *Lincoln* gehört zu den beliebtesten amerikanischen Präsidentenbildnissen. Nach demselben Verfahren der strukturellen Nachahmung [9] gestaltete Thomas Crawford (1813–1857) den weitverbreiteten Typus des in melancholische Betrachtung über den Untergang seines Volkes versunkenen Indianers in seiner Statue *The Indian: Dying Chief Contemplating the Progress of Civilization* (1856) nach einem ant. Vorbild, dem → Torso von Belvedere des Apollonios von Athen, der wenig später auch das Modell für John Quincy Adams Wards (1830–1910) *The Freedman* (1863; 1865), die Darstellung eines Afroamerikaners nach der Emanzipationserklärung, war [7; 9; 16. 116–119].

Besondere Verehrung genossen im 19. Jh. – nicht nur in den Südstaaten – die großen amerikanischen Redner, wie z.B. Daniel Webster, John C. Calhoun oder Edward Everett, die für gewöhnlich mit berühmten ant. Vorbildern verglichen wurden – so nannte man Everett etwa den »American Cicero«. Die Bildhauer wiederum, die diesen Rhetoren Denkmäler setzten, ließen sich durch ant. Skulpturen der Redner des Alt. inspirieren, wie z.B. Thomas Ball (1819–1911), dessen *Daniel Webster* (1853) nach dem *Sophokles* eines unbekannten ant. Künstlers gearbeitet ist [8].

D. LITERATUR

1. EDGAR ALLAN POE

Poe (1809–1849) teilte das auf klass. Bildung basierende Erziehungsideal der Südstaaten wie auch deren Vorliebe für die griech. Kultur gegenüber der römischen. Als Student an der Univ. von Virginia widmete er sich v.a. dem Studium der Alten Sprachen und der intensiven Lektüre ant. Autoren, wie z.B. Horaz oder Cicero, Platon, Homer, Lukian oder Aristoteles. Obwohl der Einfluß der Ant. auf Poes Denken und Schreiben daher beträchtlich ist, werden in der Forsch. die klassizistischen Elemente seines Werks gegenüber den auffälligeren romantischen und schauerromantischen Aspekten häufig vernachlässigt. Prominent sind z.B. Anspielungen auf griech. Götter und Mythen, insbes. diejenigen, die einen rationalen Gegenpol zu den irrational-wahnhaften Anwandlungen der Protagonisten bilden. In Poes wohl berühmtestem Gedicht *The Raven* (1844) wird der Sprecher durch das ›Nevermore‹ des zu mitternächtlicher Stunde ihn heimsuchenden Unheilvogels in immer tiefere Verzweiflung gestürzt, so daß die der Gelehrtenklause vorstehende Göttin der Weisheit und Schutzpatronin der Künste Athene, auf deren Büste sich der Rabe niedergelassen hat, an Einfluß verliert. Das im Stil einer horazischen Ode verfaßte Gedicht *Coliseum* (1833) ist ein Lobpreis auf das Alt., in welchem der nach Weisheit strebende Sprecher zu der Überzeugung gelangt, daß die Macht der Ruine ungebrochen ist, da das Kolosseum noch immer zu zeitlosen Kunstwerken inspiriert. Poes Hommage an Helena, *To*

Helen (1831, 1845), offenbart, daß es die Schönheit ist, die den Wanderer in seine wahre Heimat, die Ant., geleitet: ›To the glory that was Greece, / and the grandeur that was Rome‹. Auch in denjenigen Werken, in denen die Myth. der Alten nicht präsent ist, macht sich Poes Orientierung an der Ant. in Gestalt des klassizistischen – in der Auseinandersetzung mit Aristoteles gewonnenen – Prinzips der Formstrenge geltend, mit dem der Dichter Wahnsinn und Todesangst künstlerisch zu bannen sucht [33; 3].

2. TRANSZENDENTALISMUS

Mit dem Entstehen des histor. Denkens im letzten Drittel des 18. Jh. kam zunehmend die Frage nach dem geschichtlichen Gehalt und der Bed. der tradierten Mythologien und Religionen auf. Deutsche Bibelkritik und europ. Mythenforsch. wurden seit den 1820er J. im Kreis der sich um Ralph Waldo Emerson (1803–1882) scharenden Transzendentalisten mit lebhaftem Interesse rezipiert. Mythologien jeglicher Provenienz – nicht zuletzt auch die der griech. und röm. Ant. – sowie Reflexionen zu Form und Wirkungspotential des Mythos sind von zentraler Bed. in der essayistischen Prosa Emersons, Margaret Fullers und Henry David Thoreaus wie auch in den Erzählungen und Romanen von Nathaniel Hawthorne und Herman Melville. Trotz der höchst unterschiedlichen Form ihrer Mythenverarbeitung sind die Autoren einem gemeinsamen Problem, nämlich der Frage verpflichtet, wie Götter und Helden in einer demokratischen Gesellschaft beschaffen sein müßten, bzw. ob eine amerikanische Myth. möglich sei.

2.1 RALPH WALDO EMERSON

Philosophisch ist Emerson entscheidend vom Platonismus, insbes. von den durch Thomas Taylor (1670–1730) vermittelten Lehren des → Neuplatonismus und der Orphik geprägt [37], die den göttl. Funken nicht in einer fernen Gottheit, sondern in der menschlichen Seele ansiedeln. Emerson artikuliert diesen fundamentalen Glaubenssatz in seinem Essay *Self-Reliance* (1841) in der emphatisch erhobenen Forderung nach radikaler Selbstbestimmung des Individuums. Dieses Ideal polit. und geistiger Unabhängigkeit impliziert die Absage an jegliche äußere Autorität. Unsere Bewunderung der Ant. gründet Emerson zufolge daher auch nicht in ihrem Alter, sondern in ihrer Natürlichkeit [27. 77]. Der amerikanische Plutarch [27. 86; 26. 259–261] versteht die in seinen Essays *Representative Men* (1849) mit Platon beginnende und mit Goethe endende Reihe herausragender Menschen als Vorbilder, die auf den Einzelnen ermutigend wirken, weil sie ihm die Möglichkeit zu eigener Größe vor Augen führen. Auch dem Dichterpropheten fällt daher nach Emerson die Aufgabe zu, das gewöhnliche Leben durch Mythologisierung zu erhöhen und dadurch die Vision eines neuen Heroismus zu schaffen. Wie Emerson 1837 in seinem Essay *The American Scholar* betont, müsse der amerikanische Intellektuelle in bes. Maße darauf bedacht sein, sich von der Vorherrschaft fremder Denktraditionen zu befreien. Orientierung solle er v.a. im Studium der Natur suchen,

Bücher hingegen nur als Inspirationsquelle heranziehen. Nicht der Bücherwurm, sondern der frei denkende Mensch (*Man Thinking*) ist für Emerson der wahre Gelehrte [27. 65–83].

2.2 HENRY DAVID THOREAU

Henry David Thoreau (1817–1862) gilt als Inbegriff des Emersonschen Ideals des *American Scholar*. Mit der gleichen Intensität und Ernsthaftigkeit, mit der er die Natur erforschte, erkundete Thoreau die Welt des Geistes. Neben dem fernöstl. Denken und der Kultur der nordamerikanischen Indianer spielen ant. Autoren, die er im Original las, in allen Phasen seiner intellektuellen Entwicklung eine bedeutende Rolle. In der Zeitschrift der Transzendentalisten, *The Dial*, veröffentlichte er einige Übers. (darunter Gedichte von Anakreon und Pindarische Hymnen sowie Aischylos' *Der gefesselte Prometheus*, 1843) [34]. Als wahrhaft große Dichtung galt ihm die *Ilias*, die er mehrfach las, in seinen Schriften immer wieder zitierte und während seines zweijährigen Aufenthalts in der Holzhütte am Walden Pond bei Concord (1845–1847) im griech. Original auf dem Tisch liegen hatte. Er bewunderte an Homer die archa. Einfachheit der Sprache und des geschilderten Lebens, der er in seinem Streben nach einem möglichst naturnahen Dasein nacheiferte. In seinem Hauptwerk, dem aus Tagebuchnotizen hervorgegangenen Essayzyklus *Walden, or Life in the Woods* (1854), spricht er von seinem Refugium denn auch als Ithaca. Auch in seiner Schilderung einer Flußfahrt *A Week on the Concord and Merrimack Rivers* (1849), seinem Bericht über eine Bergbesteigung *Ktaadn* (in: *The Maine Woods*, 1864) sowie in dem philosophischsten seiner Essays, *Walking* (1863), ließ sich Thoreau vom ›unzivilisierten freien und wilden Denken‹ (übers. nach [27. 121]) der *Ilias* inspirieren und suchte das Ideal einer ›American mythology‹ dadurch zu realisieren, daß er seine Naturbeschreibungen mit klass. Mythologemen verwob. Thoreaus wirkungsmächtigste Schrift *Resistance to Civil Government* (1849), die unter dem Titel *Civil Disobedience* bekannt wurde und großen Einfluß auf Gandhi und Martin Luther King, Jr., ausübte, verdankt ihre zentrale Einsicht seiner wiederholten Lektüre der Sophokleischen *Antigone* [27. 90–127].

2.3 MARGARET FULLER

Die zu den ersten amerikanischen Feministinnen zählende Transzendentalistin Margaret Fuller (1810–1850) beanspruchte das Prinzip der *Self-Reliance* in vollem Umfang auch für die Existenz der Frau. Da sie im Zugang zur Bildung eine wesentliche Voraussetzung für die weibliche Unabhängigkeit sah, gründete sie in Boston einen lit. Salon, in dem unter ihrer Leitung *Conversations* stattfanden, Gespräche, welche die Frauen umfassend bilden, also mit Fragen der Religion oder Philos. und nicht zuletzt mit der klass. Ant. und ihrer Myth. vertraut machen sollten [14. 101]. Zu Beginn ihres ebenfalls im Konversationsstil gehaltenen Hauptwerks *Woman in the Nineteenth Century* (1844) erweist sich Fuller als frühe Vertreterin einer poetischen Mythenrevision, wie sie von zahlreichen Dichterinnen des 20. Jh.

praktiziert wurde. Im Rückgriff auf den für die Transzendentalisten zentralen Orpheus-Mythos deutet sie den verehrten Sänger-Propheten als eine dem Ideal der Perfektion nahekommende Gestalt, um dann zu erklären, daß die Menschheit diesem Ziel durch Rollentausch der Geschlechter noch näher kommen könne, nämlich wenn statt Orpheus Eurydike die Führung übernehme.

3. NATHANIEL HAWTHORNE

Hawthorne (1804–1864) betont in seinem von intensiver Auseinandersetzung mit der puritanischen Vergangenheit zeugenden Werk den Gegensatz zw. christl. und paganer Welthaltung. Als Inbegriff sinnenfroher Diesseitigkeit kann die heidnische Ant. z.B. zum Korrektiv puritanischer Körperfeindlichkeit werden, wie etwa in seinem Hauptwerk *The Scarlet Letter* (1850), in welchem die von einer lebens- und kunstfeindlichen Puritanergemeinde als Ehebrecherin verurteilte Protagonistin Hester Prynne mit der Priesterin der eleusinischen Mysterien Hetaira Phryne und der Liebesgöttin Aphrodite assoziiert wird [22]. In seiner frühen Erzählung *The Maypole of Merry Mount* (1835) beschreibt Hawthorne die Faune und Nymphen eines von strenggläubigen Puritanern rigoros bekämpften orgiastischen Maifests als ›Gothic monsters, though perhaps of Grecian ancestry‹ und nimmt in dieser schauerromantischen Dämonisierung der Ant. ein Verfahren vorweg, das für seine Mythosbearbeitungen in *A Wonder Book* (1852) und *Tanglewood Tales* (1853) konstitutiv werden sollte. Hawthorne hat die für Kinder erzählten griech. Mythen in doppeltem Sinn domestiziert, indem er sie nach Neuengland transponierte und gleichzeitig von allem Anstößigen und Tragisch-Düsteren reinigte [27. 169–176]. In dem Künstlerroman *The Marble Faun* (1860) bildet das zeitgenössische Rom – durchwaltet von heidnisch-ant. Zauber und katholischen Machenschaften – die geschichtsträchtige Kulisse für die Begegnung eines unschuldigen und sittenstrengen amerikanischen Künstlerpaars mit der moralisch ambivalenten, in mysteriöse Schuld verstrickten und – wie die Titelfigur des Praxitelischen Fauns versinnbildlicht – stark erotisch konnotierten Alten Welt. Eingehende Beschreibungen der Bauten und Kunstschätze Roms, in die Hawthornes Notizen aus seinem it. Tagebuch (1857–1859) einflossen, machten den Roman im 19. Jh. zu einem beliebten Kunstführer amerikanischer Touristen [14. 105–107; 27. 184–194; 9].

Henry James (1843–1916) knüpft in seiner frühen Erzählung *The Last of the Valerii* (1874) unmittelbar an Hawthornes *Marble Faun* an [14. 106], um in den folgenden J. das *international theme* des Zusammenpralls der Kulturen in zahlreichen Novellen und Romanen kunstvoll zu variieren: z.B. *The American* (1877), *Daisy Miller* (1879), *The Portrait of a Lady* (1881) oder *The Wings of the Dove* (1902). Die von James letztlich auf Kulturvermittlung angelegte Begegnung zw. den unschuldig-naiven Protagonisten der Neuen und den verfeinert-kultivierten bis dekadent-korrupten Exponenten der Alten

Welt, die er mit großer psychologischer Subtilität schildert, findet in Mark Twains *Innocents Abroad* (1869) ein Gegenstück, das in humoristischer Zuspitzung die Konfrontation zw. den Kulturen betont [38. 180].

4. HERMAN MELVILLE

Im Gegensatz zu Hawthorne faszinierte Herman Melville (1819–1891) der Mythos nicht wegen seines weltanschaulichen Gehalts, sondern als probates Werkzeug poetischer Sinnstiftung und nicht zu verachtendes Mittel philos. Erkenntnis. Daher spielte er die christl. und heidnisch-ant. Myth. auch nicht gegeneinander aus. Vielmehr koexistieren sie in seinen Romanen, häufig sogar im Verein mit anderen Sagen höchst unterschiedlicher Provenienz, wie etwa ägypt., hinduistische, persische, nordische oder polynesische Mythen. In Melvilles Opus magnum *Moby-Dick or, The Whale* (1851) ist der den weißen Wal in selbstzerstörerischer Jagd verfolgende Kapitän Ahab durch seinen Namen mit dem at. König assoziiert, gewinnt aber im Laufe des Romans durch Anspielungen auf zahlreiche lit. oder mythische Gestalten – wie z. B. Goethes Faust und Miltons Satan oder Prometheus, Ödipus und Narziß – ein äußerst facettenreiches Profil, das die Funktion hat, einem gemeinen Mann durch mythische Überhöhung tragische Größe zu verleihen. So stattet Melville auch alle anderen Romanfiguren bis hin zu den geringsten Matrosen mit heroischer Würde aus, ja er wendet dieses Verfahren der Bedeutsamkeitsstiftung selbst auf die Natur, namentlich auf Moby Dick an. In Metareflexionen, wie der programmatischen Anrufung des ›Spirit of Equality‹ (*Moby-Dick*, zitiert nach [27. 216]), macht Melville deutlich, daß es ihm um nichts weniger als um die Schaffung einer neuen amerikanischen Myth. geht: Melvilles mythopoetisches Verfahren ist ein demokratisches [27. 210–216].

In dem Roman *Pierre, or the Ambiguities* (1852) ist der heroische Kampf des Protagonisten gegen die übermächtige Natur nach Innen verlegt. Neben Anspielungen auf einzelne ant. Heroen und Götter wie Memnon, Enkelados und die Titanen ist es die Geschichte des Orest, die das Schicksal Pierres grundiert, der zu seiner Schwester in Liebe entflammt und nach vergeblichem Ringen gegen seine unbewußten Triebe im Selbstmord tragisch scheitert [14. 103–105; 32]. Unter dem Einfluß des Niebuhrschen → Historismus [27. 228] wuchs in den 1850er J. Melvilles Skepsis gegenüber der Erkenntniskraft des Mythos. Davon zeugen v. a. die während seiner Reise nach Rom, Griechenland und ins Hl. Land (1856–1857) entstandenen Tagebuchnotizen (*Journal Up the Straits*, 1935), die den Verlust der Aura solch mythenträchtiger Orte wie Patmos oder Delos beklagen, sowie die religionskritischen Reflexionen in dem diese »Pilgerfahrt« besingenden Versepos *Clarel: A Poem and Pilgrimage in the Holy Land* (1876). Nicht auf klass. Mythos, sondern auf ant. Geschichte basiert denn auch Melvilles *Timoleon* (1886–1888), ein auf Plutarchs gleichnamige Biographie zurückgreifendes Langgedicht, in welchem Melville durch breite Ausgestaltung der rel., morali-

schen und psychischen Konflikte, in die der Titelheld durch den Mord an seinem Bruder, dem Tyrannen Timophanes, gestürzt wird, weit über das ant. Vorbild hinausgeht [31; 26. 260].

5. WANDEL DER MYTHOSREZEPTION

Melvilles Abkehr vom Mythos ist repräsentativ für die kulturelle Entwicklung im letzten Drittel des 19. Jh., in der Glaubensfragen hinter dem Interesse an Naturwiss. und Technik zurücktreten. Diese Faszination durch die Moderne manifestiert sich etwa in Melvilles Kulturvergleich zw. dem *Laokoon* als Sinnbild ant. Kraft und der Lokomotive als Verkörperung amerikanischer Dynamik. Von Fortschrittsglauben beseelt, fordert denn auch Walt Whitman (1819–1892) in seinem Gedicht *Song of the Exposition* (1871) die griech. Muse ironisch auf, ihre europ. Heimstätten zu vermieten und sich im dynamischeren Amerika niederzulassen. Dagegen beklagt der Kulturpessimist Henry Adams (1838–1918) anläßlich eines Besuchs der Pariser Weltausstellung von 1900 unter dem Titel *The Dynamo and the Virgin* (1900; in: *The Education of Henry Adams: An Autobiography*, 1907, 1918) den mod. Verlust an Vitalität, der daran abzulesen sei, daß der neue Kult der Technologie die – in Amerika nie stark ausgeprägte – Huldigung der in Venus oder Maria verehrten Zeugungskraft ersetzt habe. Das als *White City* verherrlichte Ensemble klassizistischer Ausstellungsbauten der Chicagoer Weltausstellung von 1893, in dem sich Amerika als neues Hellas feierte, war denn auch von Adams als bloße Fassade entlarvt worden [29. 292–293; 14. 102]. Während seines mehrmonatigen Aufenthalts in der Südsee (1890–1891) griff Adams zur Idealisierung der exotischen Gefilde immer wieder auf die *Odyssee* zurück und stilisierte sich selbst in der für ihn typischen Ironie als wandernden Odysseus [1]. Melville hatte in *Pierre* die Bed. der griech. Myth. für die Psychologie reklamiert, eine Einsicht, die sich im 19. Jh. zunehmend Bahn brechen und in Freuds expliziten Rekursen auf den griech. Mythos endgültig durchsetzen sollte. Tatsächlich ist die Anverwandlung ant. Mythen in der Lit. des 20. Jh. aufs engste mit dem Paradigma der → Psychoanalyse verbunden. Gleichzeitig tritt eine Internationalisierung der lit. und künstlerischen Strömungen ein, so daß die nationalen Besonderheiten der amerikanischen Antikerezeption weitgehend verblassen.

1 H. ADAMS, The Letters of Henry Adams, hrsg. v. J. C. LEVENSON et al., Bd. III, 1982 2 P. R. BAKER, The Fortunate Pilgrims: Americans in Italy 1800–1860, 1964 3 H. BLYTHE, C. SWEET, A Note on Poe's »Berenice«: A Classical Source for the Narrator's Fantasy, in: Univ. of Mississippi Stud. 1.3, 1982, 64–67 4 W. M. CALDER III, Die Gesch. der klass. Philol. in den Vereinigten Staaten, in: Jb. für Amerikastudien 11, 1966, 213–240 5 G. COFFLER, Melville's Classical Allusions: A Comprehensive Index and Glossary, 1985 6 R. COOK, Ancient Rites at Walden, in: Emerson Society Quarterly 39, 1965, 52–56 7 W. CRAVEN, Horatio Greenough's Statue of Washington and Phidias' Olympian Zeus, in: Art Quarterly 26, 1963, 429–439 8 J. S. CRAWFORD, The Classical Orator in Nineteenth-Century

American Sculpture, in: American Art Journ. 6, 1974, 56–72 **9** Ders., The Classical Trad. in American Sculpture: Structure and Surface, in: American Art Journ. 11, 1979, 38–52 **10** W. W. CUTLER, Symbol of Paradox in the New Republic: Classicism in the Design of Schoolhouses and other Public Buildings in the United States, 1800–1860, in: F. T. HAGER et al., Aspects of Antiquity in the History of Education, 1992, 163–179 **11** C. DIEHL, Americans and German Scholarship 1770–1870, 1978 **12** H. DIPPEL, Gesch. der USA, ⁵2002 **13** G. FITZHUGH, Sociology for the South, or the Failure of Free Society, Richmond 1854 **14** E. FOELLER-PITUCH, Ambiguous Heritage: Classical Myths in the Works of Nineteenth-Century American Writers, in: IJCT 1.3, 1995, 98–108 **15** H. B. FRANKLIN, The Wake of the Gods: Melville's Mythology, 1963 **16** V. G. FRYD, Art and Empire: The Politics of Ethnicity in the U. S. Capitol, 1815–1860, 1992 **17** A. T. GARDNER, Yankee Stonecutters: The First American School of Sculpture 1800–1850, 1947 **18** W. GERDTS, American Neo-Classic Sculpture: The Marble Resurrection, 1973 **19** Ders., The Marble Savage, in: Art in America, July-August 1974, 64–70 **20** T. HAMLIN, Greek Revival Architecture in America, 1944 **21** M. F. HEISER, The Decline of Neoclassicism 1801–1848, in: H. H. CLARK (Hrsg.), Transitions in American Literary History, 1953, 93–124 **22** E. R. HUTCHISON, SR., Antiquity and Mythology in »The Scarlet Letter«: The Primary Sources, in: Univ. of Hartford Stud. in Lit. 13.2, 1981, 99–110 **23** R. G. KENNEDY, Greek Revival America, 1989 **24** S. A. LARRABEE, Hellas Observed: The American Experience of Greece, 1775–1865, 1957 **25** E. A. MILES, The Old South and the Classical World, in: North Carolina Historical Rev. 48.3, 1971, 258–275 **26** M. REINHOLD, Classica Americana: The Greek and Roman Heritage in the United States, 1984 **27** R. D. RICHARDSON, JR., Myth and Literature in the American Ren., 1978 **28** C. S. RUBINSTEIN, American Women Sculptors, 1990 **29** E. SAMUELS, Henry Adams, 1989 **30** E. SEYBOLD, Thoreau: The Quest and the Classics, 1951 **31** R. SHULMAN, Melville's »Timoleon«: From Plutarch to the Early Stages of »Billy Budd«, in: Comparative Literature 19, 1967, 351–361 **32** G. M. SWEENEY, Melville's Use of Classical Mythology, 1975 **33** D. H. UNRUE, Edgar Allan Poe: The Romantic as Classicist, in: IJCT 1.4, 1995, 112–119 **34** K. P. VAN ANGLEN, The Sources for Thoreau's Greek Translations, in: Stud. in the American Ren., 1980, 291–299 **35** D. S. WIESEN, The Contribution of Antiquity to American Racial Thought, in: J. W. EADIE (Hrsg.), Classical Traditions in Early America, 1976, 191–212 **36** H. WISH, Aristotle, Plato, and the Mason-Dixon Line, in: Journ. of the History of Ideas 10, 1949, 254–266 **37** R. A. YODER, Emerson and the Orphic Poet in America, 1978 **38** H. ZAPF (Hrsg.), Amerikanische Literaturgesch., 1997.

III. 20. Jahrhundert (1900–1945)
A. Architektur und Skulptur   B. Literatur

A. Architektur und Skulptur

Im ausgehenden 19. Jh. begannen die Vereinigten Staaten das äußere Erscheinungsbild ihrer Großstädte durch gezielte Förderung von Architektur und Kunst zu verändern, um der in wenigen Jahrzehnten errungenen Bed. Amerikas als führender Industrienation gerecht zu werden und zugleich dem auf technischem Fortschritt

basierenden Ansehen des Landes ein kulturelles Äquivalent entgegenzusetzen, ein Bemühen, in dem die polit. Entscheidungsträger von den zu ungeheurem Reichtum gelangten Industriemagnaten durch großzügige Stiftungen nach Kräften unterstützt wurden. In der zweiten H. des 19. Jh. von einer raschen Abfolge verschiedener historisierender Stile geprägt, überwand die amerikanische Architektur diesen Eklektizismus seit den 1880er J. in der sog. Amerikanischen Ren. durch einen erneuten Rückgriff auf den → Klassizismus. Nachhaltigen Einfluß auf Stadtplanung und Gestaltung öffentlicher Bauten gewann das gesamte als *White City* oder *Dream City* bezeichnete Ausstellungsgelände der *World's Columbian Exposition* in Chicago (1893) – insbes. der berühmte *Fine Arts Palace* – sowie die durch diese Weltausstellung inspirierte Bewegung zur Verschönerung der Städte, das sog. *City Beautiful Movement* [43. 56–68; 49. 273–276]. Herausragende Beispiele für den Neo-it. Renaissancismus sind die Boston Public Library (1887–1895) und die Pierpont Morgan Library in New York (1906), die von dem erfolgreichen Architektenbüro McKim, Mead, and White entworfen wurden [49. 270–273]. Das Metropolitan Museum of Art und das Boston Museum of Fine Arts, die beide 1870 gegründet und zunächst in viktorianisch-neugot. Gebäuden untergebracht waren, erhielten in der ersten Dekade des 20. Jh. einen Neubau im Stil des monumentalen Klassizismus, und wie das New Yorker Mus. wurde nunmehr auch das Bostoner Kunstmus. in einem großzügigen von Frederick Law Olmsted (1822–1903) angelegten Stadtpark angesiedelt [43. 91–94]. In der Trad. des Beaux-Art-Klassizismus stehen schließlich auch die New York Public Library (1897–1911), die beiden imposanten Bahnhöfe New Yorks, die Grand Central Station (1907–1913) und die Pennsylvania Station (1909) [49. 277–281], sowie die meisten der etwa 50 zw. 1890 und 1930 erbauten Mus. [43; 49. 281–283].

Die öffentlichen Gebäude waren häufig mit Skulpturengruppen geschmückt, denen meist ein elaboriertes didaktisches Programm zugrunde lag. So wurde z. B. für das wiederum von McKim, Mead, and White entworfene Brooklyn Institute of Arts and Sciences von einer wiss. Kommission ein Ensemble von 30 allegorischen Simsfiguren ersonnen, das die renommiertesten Bildhauer der Zeit unter der Leitung von Daniel Chester French ausführten. Jede dieser allegorischen Figuren hatte einen dreifachen Sinn, denn sie repräsentierte erstens eine der Weltkulturen, die wie etwa Persien oder Indien auf die westl. Zivilisation maßgeblichen Einfluß hatten, verkörperte zweitens eine mit dieser Kultur in bes. Maße assoziierte Disziplin, in den genannten Fällen z. B. Philos. oder Religion, und stellte drittens deren berühmtesten Vertreter, hier also Zarathustra bzw. Buddha, dar. Als Ausdruck der human. Idee von Griechenland als der Wiege des Abendlandes wurde der mit zehn Figuren vertretenen griech. Ant. vor der persischen, indischen, chinesischen, islamischen, hebräischen und röm. Kultur der erste Rang eingeräumt:

Greek Epic (Homer), *Greek Lyric Poetry* (Pindar), *Greek Drama* (Aeschylus), *Greek State* (Pericles), *Greek Science* (Archimedes), *Greek Religion* (Athene), *Greek Philosophy* (Plato), *Greek Architecture* (Phidias), *Greek Sculpture* (Praxiteles) und *Greek Letters* (Demosthenes) [3. 165–176]. Im Rahmen des *City Beautiful Movement* entstanden zw. 1900 und 1920 auch zahlreiche Denkmäler und Brunnen, deren Ikonographie auf ant. Vorbilder zurückgeht, u. a. das von Augustus Saint-Gaudens (1848–1907) geschaffene → Reiterstandbild des Generals *William Tecumseh Sherman* (Grand Army Plaza, New York, 1903), in dem der Reiter und die ihm voranschreitende Viktoria mit Engelsflügeln nach einer Goldmedaille des Kaisers Justinian gearbeitet sind [3. 185–217; 47. Abb. 42, 43].

Gleichzeitig begann auch die Moderne mit ihren Hochhäusern die Physiognomie der Großstädte zu prägen, wobei sogar die Wolkenkratzergestaltung Anleihen aus der Ant. machte. Schon die ersten Hochhäuser, wie etwa Louis Sullivans Wainwright Building (St. Louis, 1890–1891), wiesen eine triadische Gliederung auf, was häufig mit der aristotelischen Lehre, daß jedes Kunstwerk einen Anf., eine Mitte und ein E. haben müsse, bzw. mit der sog. → Säulenordnung begründet wurde, wonach sich der Aufbau des *skyscrapers* an der Dreiteilung der klass. Säule in Basis, Schaft und Kapitell orientiert [49. 257].

B. LITERATUR

1. KULTURPESSIMISMUS

1.1 ROBINSON JEFFERS

Robinson Jeffers (1887–1962) wurde als der griech. Tragiker des 20. Jh. bezeichnet [42. 193]. Diese Charakterisierung basiert zum einen auf seinen Bearbeitungen griech. Trag. – etwa das Versdrama *The Tower Beyond Tragedy* (1925) nach der *Orestie* des Aischylos; die Verserzählung *Solstice* (1935) sowie das Drama *Medea* (1946) nach dem gleichnamigen Trag. des Euripides; das epische Gedicht *Cawdor* (1928) sowie das Drama *The Cretan Women* (1954) nach des Euripides *Hippolytos* – und auf seinem Versuch der Wiederbelebung des Päons, des seltenen, v. a. im altgriech. Chorlied und Drama verwendeten 5zeitigen, aus drei Kürzen und einer Länge bestehenden Versfußes [31], verdankt sich zum anderen aber auch seiner düsteren Prognose, Amerika werde mit dem Eintritt in den II. Weltkrieg ein ähnliches Schicksal erleiden wie Athen mit dem Eintritt in den Peloponnesischen Krieg, der den Niedergang der griech. Polis einleitete [42. 194]. Jeffers' Pessimismus manifestiert sich jedoch nicht nur in seiner Zivilisationskritik, sondern auch in seiner anthropologischen Grundannahme von der kosmischen Randständigkeit des Menschen. Sein im Anschluß an Schopenhauer und Freud entwickelter »Inhumanismus« fordert eine Überwindung des Anthropozentrismus zugunsten eines – von seinen Protagonisten als mystische Vereinigung erfahrenen – pantheistischen Eingehens in die gewaltige, dem Menschen gegenüber völlig indifferente Natur. Jeffers' Domizil, das an der felsigen Pazifikküste Kaliforniens gelegene Carmel, bildet die wilde und rauhe Szenerie für die in seiner dramatischen Dichtung gestalteten tragischen Begegnungen des Menschen mit der Natur [4; 7; 19; 29].

1.2 EUGENE O'NEILL

Ebenso wie Jeffers steht auch Eugene O'Neill (1888–1953) unter dem Einfluß fernöstl. Religion und lebensphilos. Denker wie Schopenhauer und v. a. Nietzsche. Eines der Hauptwerke des Tragikers O'Neill ist die Dramentrilogie in 13 Akten *Mourning Becomes Electra* (1931), welche den – im Anschluß an die *Orestie* des Aischylos und unter gelegentlichen Anleihen bei Sophokles und Euripides gestalteten – Atriden-Stoff in das Neuengland nach dem Bürgerkrieg verlegt. Das seiner Auffassung nach entscheidende Problem, für die griech. Schicksalsauffassung ein modernes psychologisches Äquivalent zu finden, löst O'Neill – wie schon in seinem auf dem Hippolytos-Phädra-Stoff basierenden Schauspiel *Desire Under the Elms* (1924) – durch die Verknüpfung von ant. Trag. und → Psychoanalyse, insbes. durch den Rückgriff auf Freuds Ödipus- und Elektra-Komplex. O'Neill ist es auch um eine Auseinandersetzung mit der Trad. des Puritanismus zu tun, in dessen Glaube an die dem Menschen inhärente Sündhaftigkeit er eine Analogie zum ant. Fatum sah [8; 9; 13; 25].

2. GESTALTUNG DER MODERNE

2.1 ANVERWANDLUNG DER TRADITION

Die zu den bedeutendsten Literaten der Moderne zählenden Lyriker Ezra Pound (1885–1972) und T. S. Eliot (1888–1965) zielen mit ihrer letztlich an klassizistischen Prinzipien ausgerichteten Poetologie auf eine Revitalisierung der Dichtung durch Überwindung der Spätromantik. Gegen die in seinen Augen bloß ornamentale und vage Dichtung des Viktorianismus insistiert Pound – etwa in den programmatischen Regeln des von ihm initiierten Imagismus oder in dem im Anschluß an Ernest Fenollosa (1853–1908) entwickelten Konzept des Ideogramms – auf sprachlicher Präzision und umrißklarer Bildlichkeit; desgleichen fordert Eliot gegen die romantischen Exzesse des Gefühls die Kontrolle der Emotionen durch objektivierende Form (*objective correlative*). Im Gegensatz zur romantischen Ästhetik betrachten Pound und Eliot den Dichter nicht als Originalgenie, sondern als Hüter der Sprache und Wahrer der Tradition. Pound wie Eliot stützen sich auf anthropologische, ethnologische und religionswiss. Studien, die einem ganzheitlichen Denken verpflichtet sind und hinter aller Verschiedenheit der Kulturen eine basale Einheit gewahren, wie etwa die von Leo Frobenius (1873–1938) stammende Kulturgeschichte *Paideuma* (1921), welche Kulturen nach Maßgabe der Evolutionstheorie als Organismen auffaßt, oder James George Frazers (1854–1941) wirkungsmächtiges Kompendium *The Golden Bough. A Study in Magic and Religion* (1907–1915; 12 Bde.), das zw. den Riten, Mythen und Bräuchen zeitlich und räumlich getrennter Völker eine Vielzahl von Strukturhomologien ausmacht.

2.2 Ezra Pound

Mit der berühmten Devise ›Make it new‹ formuliert Pound seine Grundhaltung gegenüber der Tradition. Überzeugt von der Synchronizität aller Zeitalter, transponiert er in seinem nicht zu E. geführten Lebenswerk, den *Cantos* (1915–1959), zahllose Bruchstücke aus tausenden von J. der abendländischen und fernöstl. Lit. und Geschichte in die Gegenwart eines mod. Epos. Wenn Pound sein Werk als ›geschichtshaltiges episches Gedicht‹ definiert, hat er keine narrative Struktur im Sinn. Vielmehr werden in den *Cantos* die Stimmen der Vergangenheit in Form von Zitaten, Übers. oder Anspielungen aufgerufen und dadurch zu neuem Leben erweckt, daß sie in einer Art Collage – durch diverse Verfahren der Interpolation, Gegenüberstellung und Verschränkung – mit anderen histor. Fragmenten in einen Dialog treten. In den 109 Gesängen findet sich eine Vielzahl von Rekurrenzen: Epochen (u. a. die it. Ren. und das amerikanische 18. Jh.), lit. und histor. Gestalten (wie Homer, Konfuzius, Dante oder John Adams), Motive (wie der Abstieg des Odysseus in die Unterwelt) oder Themen (wie die Korruption der mod. Zivilisation durch den Wucher). Dennoch bilden diese Wiederholungen keine bestimmten Muster, so daß das Ganze die Form eines offenen Kontinuums erhält. Pound verwendet nicht die Zentralperspektive des traditionellen Epos, sondern bedient sich – wie schon in seinem Frühwerk *Homage to Sextus Propertius* (1919) oder in den Kurzgedichten *Personae* (1926) – verschiedener Masken, wie etwa zu Beginn von Canto I der *persona* des sich auf Fahrt begebenden, also nach Wissen strebenden Odysseus. Neben Homer, dessen zeitlose »Frische« Pound preist, sind es v. a. Ovids *Metamorphosen* mit ihrem Prinzip der kontinuierlichen Verwandlung, die den *Cantos* ihr unverwechselbares Gepräge geben. Auch die ant. Überlieferung versteht Pound somit als eine beständig wieder zu entdeckende, stets aufs neue zu gewinnende Trad. [22].

2.3 T. S. Eliot

Auch Eliot, der Pound als dem ›miglior fabbro‹ sein zivilisationskritisches Langgedicht *The Waste Land* (1922) widmet, sucht Erneuerung durch Rückwendung auf Geschichte, die er ebenso wie sein Förderer als aktive Auseinandersetzung versteht. Wie er in seinem einflußreichen Essay *Tradition and the Individual Talent* (1919) ausführt, kann ›Trad. nicht vererbt werden; und wer ihrer teilhaftig werden möchte, muß sie sich mit großer Mühe selbst erarbeiten‹ [48. 68]. Das somit allererst im Dialog mit der Überlieferung entstehende Einzelwerk wirkt seinerseits wiederum auf die Trad. zurück, die nach Maßgabe der zeitgenössischen Evolutionstheorie als ein ideales organisches Ganzes aufgefaßt wird [12]. Wenn Eliot 1923 das von Joyce im Roman *Ulysses* (1922) befolgte Prinzip unter Berufung auf Frazer als ›mythische Methode‹ bezeichnet (*Ulysses, Order, and Myth*) und diese Schreibweise als ein geeignetes Mittel zur Kontrolle mod. Anarchie preist, so charakterisiert er damit im Grunde sein eigenes Verfahren in *The Waste Land* [15; 45. 146], in welchem er auf eine Vielzahl von Fragmenten aus Mythos und Lit., nicht zuletzt griech. Provenienz, zurückgreift, um der Sterilität des Großstadtlebens die Vitalität des Mythos entgegenzuhalten und die Abstraktheit und Sinnlosigkeit der mod. Welt gestaltend zu bannen [41].

3. Mythenrevision

3.1 Weibliche Mythopoesis: H. D.

Die unter ihrem Künstlernamen H. D. bekannte Hilda Doolittle (1886–1961) wandte bereits in ihren ersten Lyrikbänden (1916–1924) das Verfahren mythopoetischer Revision an, das erst ab den 1960er J. zu einem zentralen Prinzip weiblichen Schreibens avancieren sollte [33. 215]. In Gedichten wie *Helen* oder *Circe* dekuvriert sie die den entsprechenden Mythen einbeschriebene Misogynie, während sie in Gedichten wie *Eurydice, Demeter* oder *Leda* die Titelgestalten als Heroinen reinterpretiert, die sich ihrer Kreativität und Macht bewußt werden [38. 176–178]. Wie in Adrienne Richs (geb. 1931) programmatischem Essay *When We Dead Awaken: Writing as Re-Vision* (1972) wird »Re-Vision« in H. D.s Werk zu einem Akt des Überlebens. Außer in ihren zahlreichen Anverwandlungen griech. Mythen manifestiert sich H. D.s »Hellenismus« in ihrer Vorliebe für griech. Schauplätze, in den ihren eigenen Stil prägenden Übers. aus dem Griech. (Chorlieder aus dem *Hippolytos* und der *Iphigenie in Aulis* des Euripides sowie aus der *Odyssee*, 1915–1920), in dem sich durch ihr gesamtes Œuvre ziehenden Dialog mit der Dichterin Sappho (u. a. in dem Essay *The Wise Sappho*, ca. 1920) [10], im häufigen Rückgriff auf die *Griech. Anthologie* und nicht zuletzt in dem durch griech. Mythen inspirierten Kinderbuch *The Hedgehog* (1936). Die auch für ihre Experimente mit der Autobiographie (*HERmione*, 1922; 1981 oder *Bid Me to Live* 1939–1949; 1960) und dem Medium Film (*Borderline*, 1930) bekannte Autorin versteht den Prozeß des Re-vidierens – insbes. nach ihren therapeutischen und wiss. Gesprächen mit Freud (1933–1934; vgl. *Tribute to Freud*, 1956) – als Arbeit am kollektiven Mythos [2] wie am individuellen Gedächtnis. Mit dem epischen Gedicht *Helen in Egypt* (1961), das sie in Anspielung auf das Opus magnum ihres langjährigen Freundes Pound (vgl. die Memoiren *End to Torment* 1958; 1979) als ihre ›Cantos‹ bezeichnete, erreicht sie den Gipfel ihrer poetischen Mythenrevision. In Überbietung der von Stesichoros vorgenommenen Freisprechung der Helena transformiert H. D. das klass. Objekt männlicher Begierde in eine – mit autobiographischen Zügen ausgestattete – selbstreflexive Heldin, die sich in einem langen Prozeß kontemplativer Rückschau mit dem v. a. durch Achill verkörperten Prinzip der Männlichkeit auseinandersetzt [5. 600–603; 17; 29; 46. 105–135]. H. D.s Œuvre, das abgesehen von ihren frühen, dem Imagismus verpflichteten Lyrikbänden erst im Zuge der feministischen Bewegung wiederentdeckt wurde, übte einen großen Einfluß auf mythenrevisionistische Werke amerikanischer Lyrikerinnen aus, z. B. auf Anne Waldmans *Iovis* (Bd. 1, 1993, Bd. 2, 1997) [5. 604–609].

3.2 Afro-amerikanische Literatur

Die Reinterpretation klass. Mythen durch afro-amerikanische Autorinnen und Autoren zielt vornehmlich auf die Kritik an den noch immer durch Rassismus und die Nachwirkungen der → Sklaverei geprägten Lebensbedingungen ihrer Ethnie. So gestaltet z.B. Countee Cullen (1903–1946) in seinem Gedicht *Medusa* (*On These I Stand*, 1927) die für den afro-amerikanischen Mann von einer verführerischen weißen Frau ausgehende Gefahr, gelyncht zu werden, während etwa Colleen McElroy (geb. 1935) die in ihrem Gedicht *A Navy Blue Afro* (*Music from Home: Selected Poems*, 1976) als ›Medusa hair‹ bezeichnete Haartracht zum Sinnbild der Selbstermächtigung schwarzer Frauen im polit. Kampf macht [6. 74–75]. Auf dem Mythos der um die Freilassung ihrer geraubten und vergewaltigten Tochter Persephone kämpfenden Demeter basieren die Romane einiger afro-amerikanischer Schriftstellerinnen, die wie Zora Neale Hurston (1901?–1960) in *Their Eyes Were Watching God* (1937) oder Toni Morrison (geb. 1931) in *The Bluest Eye* (1970) den sexuellen Mißbrauch der durch Rassismus und paternalistische Familienstrukturen gefährdeten Mädchen schildern [21]. Synkretismen entstehen durch die Verbindung afro-amerikanischer Folklore mit klass. Mythen, wie sie etwa Robert Hayden (1913–1980) in seinem Gedicht *O Daedalus, Fly Away Home* (*Selected Poems*, 1966) herstellt [6. 76]. Die Verschmelzung von ähnlichen Mythen aus der afrikanischen und abendländischen Kultur, die bei Hayden noch ohne Ironie erfolgt, entwickelt sich in der zweiten H. des 20. Jh. – etwa in dem Werk des karibischen Autors Derek Walcott (geb. 1930) – zu einem vielfach gebrochenen, postmod. Spiel mit hybriden Identitäten.

4. Arkadien

In der Jagdnovelle *The Bear* (1942) vergleicht William Faulkner (1897–1962) eine Eisenbahn mit einer in die unberührte Wildnis eindringenden Schlange und verbindet auf diese Weise den biblischen Mythos vom Sündenfall im Paradies mit dem ant. Topos des gefährdeten – hier durch die Maschine bedrohten – pastoralen Gartens [28]. Die Vorstellung Arkadiens oder der gestörten Idylle ist ein zentrales, seit der Besiedlung des Kontinents weit verbreitetes Motiv nationaler Selbstauslegung [18; 24], das insbes. im 19. Jh. mit der verkehrs- und kommunikationstechnischen Erschließung des Westens nicht nur häufig lit. verarbeitet wurde, sondern auch in zahlreiche bildkünstlerische Darstellungen Eingang fand [32. 166–200]. In Walcotts *Omeros* heißt es dazu ironisch: ›Homer and Virg are New England farmers, / and the winged horse guards their gas-station...‹ (1. Buch, 2. Kap., 3. Gesang; vgl. [20]). Als Entdecker des pastoralen Ideals und Autor der *Aeneis* erfreute sich Vergil in Amerika stets großer Beliebtheit [35; 51], v.a. im agrarischen Süden, namentlich bei den sich als *Agrarians* bezeichnenden Literaten wie John Crowe Ransom, Allen Tate, Donald Davidson oder Robert Penn Warren, denn diese stilisierten die Ante-bellum-Sehnsucht der Südstaatler als arkadisches Verlangen nach dem Gol-

denen Zeitalter [40] und identifizierten sich – wie Tate (1899–1979) in seinem Nachruf auf Faulkner (1963) oder in seinem Gedicht *Aeneas at New York* (1932) – mit dem Titelhelden der *Aeneis* und dessen Sinn für *fatum*, *pietas* und *memoria* [51. 164–173]. Das Manifest dieser sich auch als *Fugitives* apostrophierenden Gruppe, *I'll Take My Stand* (1930), ist ein Dokument der Antimoderne, das den Human. und Traditionalismus des agrarischen Südens als Ausweg aus der Krise der Moderne propagiert.

1 D.Z. Baker, Mythic Masks in Self-Reflexive Poetry: A Study of Pan and Orpheus, 1986 **2** H. Blumenberg, Arbeit am Mythos, 1979 **3** M.H. Bogart, Public Sculpture and the Civic Ideal in New York City 1890–1930, 1997 **4** R.J. Brophy, Jeffers' »Cawdor« and the Hippolytus Story, in: Western American Literature 7, 1972, 171–178 **5** C. Buschendorf, Gods and Heroes Revised: Mythological Concepts of Masculinity in Contemporary Women's Poetry, in: Amerikastud./American Stud. 43.4, 1998, 599–617 **6** Dies., White Masks: Greek Mythology in Contemporary Black Poetry, in: H. Ickstadt (Hrsg), Crossing Borders: Inner- and Intercultural Exchanges in a Multicultural Society, 1997, 65–82 **7** F.I. Carpenter, Robinson Jeffers, 1962 **8** J. Chioles, Aeschylus and O'Neill: A Phenomenological View, in: Comparative Drama 14, 1980,159–187 **9** B.H. Clark, Aeschylus and O'Neill, in: English Journ. 21, 1932, 699–710 **10** D. Collecott, H.D. and Sapphic Modernism, 1999 **11** W. Craven, Sculpture in America, 1968, ²1984 **12** L.A. Cuddy, T.S. Eliot and the Poetics of Evolution: Sub/Versions of Classicism, Culture, and Progress, 2000 **13** J.H. Dee, Orestes and Electra in the Twentieth Century, in: Classical Bull. 55.6, 1979, 81–86 **14** C. Downing (Hrsg.), The Long Journey Home: Re-visioning the Myth of Demeter and Persephone for Our Time, 1994 **15** E. Drew, T.S. Eliot: The Mythical Vision, in: R.P. Sugg (Hrsg.), Jungian Literary Criticism, 1992, 9–20 **16** B. Fogelman, Pan with Us: The Continuity of the Eclogue in Twentieth-Century Poetry, in: Classical and Modern Literature 6, 1986, 109–125 **17** S.S. Friedman, Creating a Woman's Mythology: H.D.'s »Helen in Egypt«, in: S.S. Friedman, R.B. DuPlessis (Hrsg.), Signets: Reading H.D., 1990, 373–405 **18** R.M. Gentilcore, Ann Eliza Bleecher's Wilderness Pastoral: Reading Vergil in Colonial America, in: IJCT 1.4, 1995, 86–98 **19** C. Georgoudaki, Jeffers' »Medea«: A Debt to Euripides, in: Rev. des langues vivantes 42, 1976, 620–623 **20** L. Hardwick, Reception as Simile: The Poetics of Reversal in Homer and Derek Walcott, in: IJCT 3.3, 1997, 326–332 **21** E.T. Hayes, »Like Seeing You Buried«: Persephone in »The Bluest Eye«, »Their Eyes Were Watching God«, and »The Color Purple«, in: Dies. (Hrsg), Images of Persephone: Feminist Readings in Western Literature, 1994, 170–194 **22** E. Hesse (Hrsg.), New Approaches to Ezra Pound, 1969 **23** D. Hoffman, History as Myth, Myth as History, in Faulkner's Fiction, in: J.G. Kennedy (Hrsg.), American Letters and the Historical Consciousness: Essays in Honor of Lewis P. Simpson, 1987, 237–253 **24** H. Hofmann, Die Geburt Amerikas aus dem Geist der Ant., in: IJCT 1.4, 1995, 15–47 **25** L. Käppel, Der Fluch im Haus des Atreus: Von Aischylos zu Eugene O'Neill, in: H. Hofmann (Hrsg.), Ant. Mythen in der europ. Trad., 1999, 221–241 **26** E.C. Kopff, Wilamowitz and Classical Philology in the United States of America: An Interpretation, in: W. M. Calder III, H. Flashar, T. Lindken (Hrsg.), Wilamowitz nach 50 J., 1985, 554–580 **27** A. B. Malgarini, I classicisti tedeschi in America fra il 1933 e il 1942: Aspetti storici e methodologici, in: Cultura 27, 1989, 155–166 **28** L. Marx, The Machine in the Garden: Technology and the Pastoral Ideal in America, 1964 **29** C. S. McClure, Helen of Troy in America: From Ideal Beauty to Heroic Quester, in: Classical and Modern Literature 11.4, 1991, 325–336 **30** R. S. Newdick, Robert Frost and the Classics, in: CJ 35.6, 1940, 403–416 **31** E. Nickerson, Robinson Jeffers and the Paeon, in: Western American Literature 10, 1975, 189–193 **32** B. Novak, Nature and Culture: American Landscape and Painting 1825–1875, 1980 **33** A. S. Ostriker, Thieves of Language: Women Poets and Revisionist Mythology, in: Dies., Stealing the Language: The Emergence of Women's Poetry in America, 1986, 210–238 **34** M. Reinhold, Past and Present: The Continuity of Classical Myths, 1972 **35** Ders., Virgil in the American Experience from Colonial Times to 1822, in: Ders., Classica Americana: The Greek and Roman Heritage in the U. S., 1984, 221–249 **36** H. C. Rutledge, The Guernica Bull: Stud. in the Classical Trad. in the Twentieth Century, 1989 **37** W. Schleiner, In the Lumber Room of Faulkner's Memory: »As I Lay Dying« and Hellenic Myths, in: Lit. in Wiss. und Unterricht 20.1, 1987, 131–140 **38** C. Segal, Orpheus: The Myth of the Poet, 1989 **39** J. M. Serafin, Faulkner's Uses of the Classics, 1983 **40** L. P. Simpson, The Dispossessed Garden: Pastoral and History in Southern Literature, 1975 **41** G. Smith, T. S. Eliot's Poetry and Plays: A Study in Sources and Meaning, ²1974 **42** G. A. Staley, »But Ancient Violence Longs to Breed«. Robinson Jeffer's »The Bloody Sire« and Aeschylus' »Oresteia«, in: Classical and Modern Literature 3.4, 1983, 193–199 **43** I. A. Steffensen-Bruce, Marble Palaces, Temples of Art: Art Museums, Architecture, and American Culture, 1890–1930, 1998 **44** C. F. Terrell, A Companion to »The Cantos« of Ezra Pound, 1993 **45** A. Von Hendy, The Modern Construction of Myth, 2002 **46** C. Walker, Masks Outrageous and Austere: Culture, Psyche, and Persona in Modern Women Poets, 1991 **47** M. Warner, Monuments and Maidens: The Allegory of the Female Form, 1985 **48** R. Weimann, Literaturgesch. und Myth., 1972 **49** M. Whiffen, F. Koeper, American Architecture 1607–1976, 1981 **50** J. Yarnall, Transformations of Circe: The History of an Enchantress, 1994 **51** T. Ziolkowski, Virgil in the New World, in: Ders., Virgil and the Moderns, 1993, 146–193.

CHRISTA BUSCHENDORF

IV. Literatur nach 1945
A. Roman und Kurzgeschichte B. Drama C. Dichtung

A. Roman und Kurzgeschichte

Die Romanproduktion in den USA ist nach 1945 von der Darstellung individueller Sinnsuche geprägt. Persönlich-existentielle und gesellschaftliche Krisenerfahrungen werden oft in Entwicklungsromanen dargestellt [32. 316–321]. Kontinuität zur Romanproduktion der 1920er und 1930er J. leisten Autoren der Südstaaten, die in ihren Romanen die Geschichte und Gesellschaft des US-amerikanischen Südens thematisieren [30. 111–

118]. Auf ant. Mythen greifen Autoren beider Bereiche zurück: John Updikes Roman *The Centaur* (1963), der mit Hilfe des Mythos von Chiron und Prometheus eine Vater-Sohn-Beziehung in einer pennsylvanischen Kleinstadt der 1940er J. aufzeigt, ist ein typisches Beispiel für einen Entwicklungsroman in realistischer Erzählweise, zeichnet sich allerdings durch die Vermischung von realistischer und myth. Ebene aus. Eine vergleichbare Methode verwendet Eudora Welty, die der Gruppe der Südstaatenautoren angehört, in ihrer Kurzgeschichtensammlung *The Golden Apples* (1949): Hinter den fiktiven Charakteren, die in der ersten H. des 20. Jh. im US-Bundesstaat Mississippi leben, stehen myth. Gestalten.

Neben solchen Werken, in denen ant. Vergangenheit und Gegenwart in unterschiedlicher Weise miteinander vermischt werden, gibt es in der US-amerikanischen Lit. zahlreiche Beispiele für histor. Romane, die ausschließlich in der Vergangenheit spielen. Mit wenigen Ausnahmen dominieren in diesem Bereich traditionelle Erzählweisen. Zu den formal anspruchsvolleren Romanen gehören Thornton Wilders *The Ides of March* (1948) und Gore Vidals *Julian* (1964). Wilder zeichnet mit Hilfe von fiktivem dokumentarischem Material verschiedener Zeitzeugen, das nur durch Hinweise eines ebenfalls fiktiven Herausgebers verbunden ist, das Bild eines fundamental enttäuschten Caesars [27. 359–364]; Vidal schildert das Leben des Kaisers Julian Apostata durch den Briefwechsel zw. dem Rhetor Libanios und dem Philosophen Priscus von Athen (im Gegensatz zu Libanios keine histor. Gestalt), ergänzt durch Ausschnitte aus fiktiven Memoiren des Kaisers.

Neben solchen histor. Romanen im eigentlichen Sinn stehen Untergattungen wie der histor. Unterhaltungsroman und der histor. Kriminalroman sowie der Science-Fiction-Roman. Gilian Bradshaw etwa verfaßt histor. Unterhaltungsromane um fiktive Personen oder um solche, über die nur wenige histor. Fakten bekannt sind, oft mit sehr selbstbewußten weiblichen Hauptfiguren (*The Beacon at Alexandria* (1986), *The Bearkeeper's Daughter* (1987), *Island of Ghosts* (1992), *The Colour of Power* (UK) / *Imperial Purple* (USA) (1988), *The Sand Reckoner* (2000), *Cleopatra's Heir* (2002)). Steven Pressfield konzentriert sich v. a. auf die Militärgeschichte (*Gates of Fire: An Epic Novel of the Battle of Thermopylae* (1998), *Tides of War: An Epic Novel of Alcibiades and the Peloponnesian War* (2000), *Last of the Amazons* (2002)).

Beispiele für den histor. Kriminalroman sind die Kurzgeschichten und Romane des britisch-US-amerikanischen Autorenpaares Mary Reed und Eric Mayer (*A Byzantine Mystery* (1993) [4], *A Mithraic Mystery* (1993) [3], *Beauty More Stealthy* (1997) [4], *Leap of Faith* (1998) [7], *A Lock of Hair for Proserpine* (1999) [10], *And All that He Calls Family* (2001) [5], *One for Sorrow* (1999), *Two For Joy* (2000), *Three for a Letter* (2001)), deren Held John der Eunuch am Hof des Kaisers Justinian ermittelt, sowie die in spätrepublikanischer Zeit spielenden Serien von Steven Saylor (*Roman Blood* (1991), *Arms of Nemesis*

(1992), *Catilina's Riddle* (1993), *The Venus Throw* (1995), *A Murder on the Appian Way* (1996), *Rubicon* (1999), *Last Seen in Massilia* (2000), *A Mist of Prophecies* (2002), *A Will Is a Way* (1992), *Death Wears a Mask*, *The Lemures* (1992), *The House of the Vestals* (1993), *The Treasure House* (1993), *The Disappearance of the Saturnalia Silver* (1993), *The Alexandrian Cat* (1994), *Little Caesar and the Pirates* (1995), *King Bee and Honey* (1995) [22], *The White Fawn* (1996) [4], *Archimedes' Tomb* (1997) [14], *Poppy and the Poisoned Cake* (1998) [5], *Death by Eros* (1999) [11], *The Consul's Wife* (2000) [16]) und John Madox Roberts (*SPQR* (1990), *SPQR II: The Catiline Conspiracy* (1991), *The Sacrilege: An SPQR Mystery* (1992), *The Temple of the Muses: An SPQR Mystery* (1992), *SPQR V: Saturnalia* (1994), *SPQR VI: Nobody Loves a Centurion* (1995), *SPQR VII: The Tribune's Curse* (1996), *SPQR VIII: The River God's Vengeance* (1997), *SPQR IX: The Princess and the Pirates* (2000), *SPQR X: A Point of Law* (2001), *SPQR XI: Under Vesuvius* (2001), *The King of Sacrifices* (1993) [2], *Mightier Than the Sword* (1993) [3], *The Statuette of Rhodes* (1996) [4], *An Academic Question* (1998) [11], *The Etruscan House* (1998) [14]). Roberts ist auch durch seine Fantasy- und SF-Romane bekanntgeworden; für die Antikerezeption ist aus diesem Bereich das Handlungsmuster des alternativen Geschichtsverlaufs zentral (John Maddox Roberts, *Hannibal's Children* (2002), Poul Anderson, *Delenda Est* (1955) [13]). Marion Zimmer Bradley überträgt ihr Interesse an der Rolle von Frauen in alternativen Gesellschaftsformen aus dem SF- und Fantasy-Bereich in Romane wie *The Firebrand* (1987), der die Schilderung des Trojanischen Krieges aus der Perspektive von Kassandra mit dem Konflikt zw. matriarchalischer und patriarchalischer Kultur im Sinne der Cambridge Ritualists verbindet.

Ab den 1960er J. erscheinen Romane, die von postmodernistischen Gestaltungsprinzipien wie Multiperspektivität, Offenheit der Form und Betonung des Performanzcharakters von Lit. gekennzeichnet sind [30. 143–147]. Wegbereitend ist hier v. a. John Barth, der in seinen Werken *Lost in the Funhouse: Fiction for Print, Tape, Live Voice* (1968) und *Chimera* (1972) die Problematik postmodernistischen Erzählens behandelt. Die Folge von Geschichten thematisiert u. a. anhand von ant. Gestalten metafiktionale Fragestellungen. So geht es in der im Zentrum der Sammlung stehenden Geschichte *Echo* um das Problem von Erkenntnis und Identität. In *Glossolalia* äußern sich verschiedene Charaktere, darunter Kassandra und Philomela, über die Sinnlosigkeit von Sprache. Die Erzähler der letzten beiden Geschichten, *Menelaid* und *Anonymiad*, verlieren sich bei dem Versuch, »ihre« Geschichte (die des Menelaos über seine Rückreise von Troja nach Sparta sowie die eines namenlosen Sängers über seine Erlebnisse am Hof von Mykenae) zu erzählen, in unterschiedlichen Erzählebenen, lit. Genera und Versionen einer Geschichte. In *Chimera* treten neben einer Erzählerin aus *Tausendundeiner Nacht* Perseus und Bellerophon auf, die bei der Schilderung ihrer Abenteuer in eine Erzähl-

und Identitätskrise geraten [26. 392–404]. Auch *The Medusa Frequency* (1987), ein Roman des US-amerikanischen, seit 1969 in London lebenden Autors Russell Hoban, thematisiert Probleme des Schreibprozesses. In dem Roman, in dem innere und äußere Realität verschmelzen, trifft der an einer Schreibblockade leidende Autor Herman Orff nach einer neuartigen EEG-Behandlung immer wieder auf den Schädel des Orpheus, der ihm seine Geschichte erzählt. Die aus dieser Erzählung resultierende Erkenntnis, Kunst sei nichts anderes als die Verherrlichung von Verlusterfahrungen, sowie die Begegnung mit Medusa ermöglichen es Orff schließlich, seinen Roman zu schreiben.

B. DRAMA

Das US-amerikanische Drama der 1940er und 1950er J. wird zunächst durch Kontinuität zur Vorkriegsproduktion bestimmt. Bedeutende Autoren der 1920er und 1930er J. schreiben weiterhin wichtige Bühnenwerke. Maxwell Anderson knüpft mit einer Reihe histor. Trag., darunter *Barefoot in Athens* (1951), einer Dramatisierung der letzten Tage des Sokrates, an seine Versdramen der 1930er J. an; Robinson Jeffers übernimmt diese Form für seine Adaptationen ant. Trag. (*Medea* (1947), *The Tower Beyond Tragedy* (eine Bühnenfassung seines auf der *Orestie* basierenden Gedichts von 1927, 1950) und *The Cretan Woman* (eine *Phaedra*-Adaptation, 1954)). Thornton Wilder verfaßt 1955 *The Alcestiad or A Life in the Sun* (1962 von Louise Talma vertont), eine Neufassung der *Alkestis* des Euripides, in der Apoll als Gott der Liebe über Leid und Tod siegt; an das Drama schließt Wilder ein Satyrspiel *The Drunken Sisters* an, das thematisch die Tragödienhandlung aufgreift.

In den 1950er J. erwacht das Interesse an der → Psychoanalyse und damit an der Ausleuchtung psychologischer Konflikte auf der Bühne. Tennessee Williams stellt die Reaktion einer geschlossenen Gruppe auf einen Außenseiter dar, indem er den Orpheus-Mythos in eine von Vorurteilen, Lieblosigkeit und Gewalt geprägte Südstaaten-Kleinstadt namens Hades versetzt (*Orpheus Descending*, 1957) [25. 118]. Mit der Problematik von Rollenerwartungen setzt sich Jack Richardsons *The Prodigal* (1960) auseinander. Nachdem es Orest gelungen ist, sich dem ideologischen Konflikt zw. seinem Vater (moralische Rechtfertigung heroischer Kriegsführung) und Aegisth (Religion als Garantin des Friedens des »kleinen Mannes«) zu entziehen, wird er gegen seinen Willen durch die Erwartungen der Gesellschaft und des Publikums zur Rache für den Mord an seinem Vater und damit zum Heldendasein gezwungen [24. 1–9].

Vor allem die 1960er J. bringen eine ganze Reihe von Stücken hervor, in denen ant. Mythen mit einer polit. Botschaft versehen werden. Archibald MacLeish wendet sich bereits 1952 in seinem Hörspiel *The Trojan Horse* gegen die irrationale Kommunismus-Angst der McCarthy-Ära; das Drama *Herakles* (1964) macht die ständige Bedrohung der Welt durch Leid und Gewalt deutlich [24. 30–37]. Robert Lowell warnt in seiner

Aischylos-Adaptation *Prometheus Bound* (1967) vor den Risiken des Vietnamkrieges und der atomaren Bedrohung [24. 28 f.]. Auch David Rabe setzt sich in mehreren Dramen mit dem Vietnamkrieg auseinander. In *The Orphan* (1972), einer Adaptation der *Orestie*, werden die ant. Figuren zu Opfern falscher Ideologien und als solche selbst zu Vertretern sinnloser Gewalt [24. 66–75]. In der Trad. solcher Anti-Kriegs-Dramen steht Robert Aulettas und Peter Sellars' Auseinandersetzung mit dem Golfkrieg (*The Persians*, 1993); einige J. zuvor problematisierten Autor und Regisseur bereits mit *Ajax* (1985) den Stellenwert heroischer Kriegsführung im US-Militär.

Eine Entwicklung der 1970er und 1980er J. ist das ethnische Drama als Ausdruck eines gestiegenen Selbstbewußtseins ethnischer Minderheiten in den USA. Rita Dove, 1993–1995 *Poet Laureate* der USA, nutzt den Ödipus-Mythos für die Darstellung eines zentralen Bestandteils afroamerikanischer Geschichte, der Sklaverei, indem sie die Handlung auf eine Plantage im US-amerikanischen Süden des 19. Jh. versetzt (*The Darker Face of the Earth*, 1996).

Die Dramenproduktion zeichnet sich seit den späten 1960er J. außerdem durch zahlreiche ästhetische Experimente aus. Eine solche Entwicklung stellt der Versuch dar, durch Einbeziehung des Publikums in ein gemeinsames Ritual die Grenze zw. Bühne und Publikum aufzuheben, wie er in der von Richard Schechners *Performance Group* inszenierten Adaptation der Euripideischen *Bakchae*, *Dionysus in 69* unternommen wurde. Das psychologisch überfrachtete Stück schockierte durch die ungebremste Darstellung von Sexualität auf der Bühne [25. 145; 24. 44–49]. Eine weitere Tendenz ist die Abkehr vom traditionellen Sprechtheater hin zu einer allumfassenden Theaterkonzeption (*total theatre*) und zu einer Aufwertung außersprachlicher Elemente bis hin zur Konzentration allein auf die visuelle Wirkung (*performance theatre*, *theatre of images*) [32. 347; 25. 43–51, 178 f.]. Lee Breuer, einer der Hauptvertreter des *performance theatre*, stellt sich mit *The Gospel at Colonus* (1983, Musik: Bob Telson) in die Trad. der afroamerikanischen Musik und des Musicals; das mit einem *Obie* ausgezeichnete Stück verlegt die Ödipus-Handlung in eine afroamerikanische Pentecostal-Gemeinde. In Zusammenarbeit mit Heiner Müller und der Performance-Künstlerin Laurie Anderson entstand Robert Wilsons *Alcestis* (1986), eine kulturgeschichtlich-pessimistische Interpretation des Euripideischen Dramas in der Trad. des *theatre of vision* [25. 178 f.].

C. DICHTUNG

Für die US-amerikanische Lyrik nach dem II. Weltkrieg ist zunächst die Auseinandersetzung mit der Dichtung des Modernismus bestimmend. So greift H. D., die zahlreiche Gedichte mit myth. Inhalten verfaßte, in ihrem Langgedicht *Helen in Egypt* (1961) das Thema eines noch ganz vom Imagismus geprägten Gedichts, *Helen* (1924), wieder auf und interpretiert Helena als Symbol für unterschiedliche weibliche Identitäten [28. 185 f.].

Ab den 1950er J. bilden sich unterschiedliche Richtungen der Dichtung heraus, die z. T. in »Schulen« zusammengefaßt werden können. Hierzu gehören die Autoren der *Beat Generation*, die *Black Mountain School*, die *New York Poets* und die sog. *Confessional Poets*.

Zu den Dichtern der *Beat Generation* gehört Kenneth Rexroth, der sich durch Kreativität und Improvisation gegen die Vergänglichkeit der Welt stellen will (*Homer in Basic* (1958/1963) [19]) [28. 583]. In der *Black Mountain School* finden sich neben Künstlern wie John Cage Autoren zusammen, die feste Dichtungsschemata zugunsten von offenen Formen und einer dynamischen Prosodie auflösen wollen. Beispiele sind Charles Olson (*The Distances* (1960), *Ferrini – I* (1963) [17]) und Robert Creeley (*Kore* (1960) [6]).

Das Verhältnis von Dichtung und Wirklichkeit wird seit den 1960er J. zu einem zentralen Thema zahlreicher Autoren [28. 666]. So beschreibt John Ashbery, einer der Hauptvertreter der *New York School*, in *Syringa* (1975) [1] Orpheus' Versuch, die Realität in Worte zu fassen. *The Judgment of Paris*, ein Gedicht aus W. S. Merwins mit dem Pulitzer-Preis ausgezeichneten Band *The Carrier of Ladders* (1970), demonstriert durch fragmentarische Syntax Paris' Begegnung mit den drei Göttinnen. Der 1990 mit dem Pulitzer-Preis ausgezeichnete Charles Simic thematisiert in *The Friend of Heraclitus* (1995) [23] die Erfahrung von Vergänglichkeit.

Die Rezeption ant. Mythen ist jedoch v. a. für die autobiographische Dichtung wichtig. Im engeren Sinne gehört hierzu die »Bekenntnisdichtung« u. a. von Robert Lowell, der den Mythos sowohl zur Veranschaulichung individueller psychologischer Konflikte als auch zur Darstellung seines Geschichtsverständnisses benutzt (*History* (1973)) [31. 116–118], sowie von Sylvia Plath, die Dichtung zur Verarbeitung psychologischer Probleme einsetzt (*The Colossus* (1960) [18]). Darüberhinaus wird die Bezeichnung für zahlreiche Autorinnen und Autoren verwendet, die in ihren Gedichten alternative Lebensformen thematisieren. Zentral sind hier u. a. die Bereiche der weiblichen Identität und der Homosexualität, die häufig mit dem ant. Mythos verbunden werden. So interpretiert Adrienne Rich in *I Dream I'm the Death of Orpheus* (1968) [20] Eurydike als kraftvolle Frau des 20. Jh.; für Linda Pastan wird Penelope zum Symbol für die Befreiung einer Frau durch die Kunst (*You Are Odysseus* (1975) [29. 277 f.]. Dagegen benutzt Louise Glück den Mythos eher zur Darstellung privater Themen wie der Analyse von Beziehungen zw. Mann und Frau (*Meadowlands* (1996)). Auch afro-amerikanische Dichter nutzen die ant. Myth. als Bild für ihre Identitätsfindung, so Robert Hayden in *O Daedalus Fly Away Home* (1962/1966) [8].

Die Lebendigkeit ant. Myth. in der zeitgenössischen US-amerikanischen Lyrik demonstrieren zwei in jüngster Zeit erschienene Sammelbände: *Orpheus and Company: Contemporary Poems on Greek Mythology* (1999), der sich ganz auf neueste US-amerikanische Autorinnen und Autoren konzentriert, sowie *Gods and Mortals: Mo-*

dern Poems on Classical Myths (2001), der trotz internationaler Anlage einen deutlichen Schwerpunkt auf die US-amerikanische Lyrik des 20. Jh. setzt.

QU 1 J. ASHBERRY, Houseboat Days, 1975 2 Ders. (Hrsg.), The Mammoth Book of Historical Detectives, 1993 3 Ders. (Hrsg.), The Mammoth Book of Historical Whodunnits, 1993 4 M. ASHLEY (Hrsg.), Classical Whodunnits, 1996 5 Ders. (Hrsg.), The Mammoth Book of Historical Whodunnits: A New Collection, 2001 6 R. CREELEY, The Collected Poems of Robert Creeley 1945–1975, 1982 7 Ellery Queen's Mystery Magazine 1998 8 R. HAYDEN, Collected Poems, 1985 9 D. DeNICOLA (Hrsg.), Orpheus and Company. Contemporary Poems on Greek Mythology, 1999 10 M. JAKUBOWSKI (Hrsg.), Chronicles of Crime, 1999 11 Ders. (Hrsg.), Past Poisons: Brother Cadfael's Legacy, 1999 12 N. KOSSMAN (Hrsg.), Gods and Mortals. Modern Poems on Classical Myths, 2001 13 The Magazine of Fantasy and Science Fiction, Dez. 1955 14 M. GR. MONFREDO, SH. NEWMAN (Hrsg.), Crime Through Time, 1997 15 Dies. (Hrsg) Crime Through Time 2, 1998 16 SH. NEWMAN (Hrsg.), Crime Through Time 3, 2000 17 CH. OLSON, The Collected Poems of Charles Olson, 1987 18 S. PLATH, The Colossus, 1960 19 K. REXROTH, Natural Numbers, 1963 20 A. RICH, Poems: Selected and New. 1950–1974, 1975 21 M. L. ROSENTHAL (Hrsg.), Poetry in English: An Anthology, 1987 22 ST. SAYLOR, The House of the Vestals: The Investigations of Gordianus the Finder, 1997 23 CH. SIMIC, Walking the Black Cat: Poems, 1996

LIT 24 M. COLAKIS, The Classics in the American Theater of the 1960s and Early 1970s 25 H. GRABES, Das amerikanische Drama des 20. Jh., 1998 26 H. HEUERMANN, Mythos, Lit., Ges.: Mythokritische Analysen zur Gesch. des amerikanischen Romans, 1988 27 E. LEHMANN, Dreimal Caesar: Versuch über den mod. histor. Roman, in: Poetica 7, 1977, 352–369 28 FR. LINK, Make It New: US-amerikanische Lyr. des 20. Jh., 1996 29 L. PASTAN, Penelope – The Sequel: Some Uses of Mythology in Contemporary Poetry, in: R. PACK, J. PARINI (Hrsg.), The Bread Loaf Anthology of Contemporary American Essays, 1989, 273–285 30 H.-W. SCHALLER, Der amerikanische Roman des 20. Jh., 1998 31 R. SCHIFFER, Ant. Myth. und mod. amerikanische Lyr.: Bemerkungen zu einigen Rezeptionsweisen, in: H. BUNGERT (Hrsg.), Die amerikanische Lit. der Gegenwart. Aspekte und Tendenzen, 1977, 112–127 32 H. ZAPF et al., Amerikanische Literaturgesch., 1996.

BARBARA KUHN-CHEN

V. MUSEEN

s. Boston, Museum of Fine Arts; Chicago, Oriental Institute; Dumbarton Oaks; Malibu, J. Paul Getty Museum; New York, Brooklyn Museum of Art; New York, Metropolitan Museum; Philadelphia, University of Pennsylvania Museum of Archaeology and Anthropology, Ancient Near Eastern Section

Universität I. MITTELALTER II. FRÜHE NEUZEIT BIS 1800 III. NEUZEIT AB 1800

I. MITTELALTER
A. ENTSTEHUNG UND INSTITUTIONELLE ENTWICKLUNG B. LEHRINHALTE

A. ENTSTEHUNG UND INSTITUTIONELLE ENTWICKLUNG

Die ersten U. entstehen um 1200. Sie leiten sich selbst aus ant. Wurzeln ab. So gibt sich Paris im 13. Jh. als Gründung Karls des Großen [23. 26] und damit als letzte Station einer in Athen begründeten und über Rom weitergetragenenen *translatio studii* aus, was jüngere »Töchter« der Pariser U. dann nicht hindert, ihrerseits diese *translatio* noch für sich selbst geltend zu machen, wie etwa der Stiftungsbrief der U. Wien vom J. 1365 zeigt [8. 404]. Damit erneuert sich *mutatis mutandis* die spätant. Legende vom ununterbrochenen Fortleben der platonischen Akademeia, die tatsächlich schon im 1. Jh. n. Chr. untergegangen war. In Wahrheit steht die ma. U. in keinem Verhältnis institutioneller Kontinuität zu den öffentlichen Hochschulen der Spätant., welche auch im ma. byz. Reich nur ephemere Nachfolge finden, nachdem Kaiser Justinian 529 n. Chr. allen Nichtchristen die Lehrerlaubnis entzogen hatte. Die frühen U. stellen keine rechtlich eindeutig umschriebenen, bürokratisch durchstrukturierten Institutionen dar. Sie erwuchsen aus korporativen Zusammenschlüssen von Lehrern und Schülern eines Studienortes (*universitas magistrorum et scholarium*, so in Paris vor 1200, in Oxford und Montpellier vor 1220) oder auch nur der Schüler (*universitas scholarium*, so in Bologna vor 1200) sowie aus der Abspaltung von diesen ersten Gründungen (so in Cambridge von der U. Oxford vor 1220, in Padua von der U. Bologna 1222). Zumindest im nachhinein mußten allerdings Gründung und rechtliche Privilegien (Schutz, Autonomie, finanzielle Grundlage, universale Lehrbefugnis – *licentia ubique docendi*) von einer universalen Macht, dem Papst oder – seltener – dem Kaiser, bestätigt werden. Erst dadurch erhielt die Hochschule den echten Status eines *studium generale*. Diesen Status erlangte etwa die ehrwürdige Medizinschule in Salerno mangels Autonomie nicht, wohl jedoch die in Montpellier. Nach dem Vorbild der »gewachsenen« U. gründeten dann Papst, Kaiser oder Landesherrn per Dekret neue *studia generalia*, z. B. an der röm. Kurie (1244/45), in Neapel (1224), Toulouse (1229), Salamanca (1218/19), Lissabon (1288) oder Lérida (1300). Die Existenz aller vier Fakultäten, der artistischen, der juristischen, der medizinischen und der theologischen, war keine notwendige Bedingung für eine U., vielmehr die Ausnahme. Bis weit ins 14. Jh. hinein gab es eine theologische Fakultät nur in Paris, Oxford und Cambridge, an den anderen U. dagegen nur zwei oder drei Fakultäten, manchmal sogar nur eine, wie in Orléans die juristische. Die → Artes liberales wurden fast überall unterrichtet, genügten aber infolge ihrer ant. und profanen

Herkunft den Anforderungen der Kirche an ein *studium generale* nicht. Unbestritten den größten Umfang und die größte Ausstrahlung besaß im MA die U. von Paris, die allerdings die Führungsrolle in den juristischen Studien Bologna, dem institutionellen Vorbild der meisten U. des Mittelmeerraums, überließ. Hier herrschte also ein ähnlicher Gegensatz wie in der Ant. zw. dem mehr auf die Philos. ausgerichteten Hochschulunterricht in Athen und dem stärker rhet. geprägten in Rom. Die Universitätsgründungswelle hielt in Frankreich und It. auch im 14. Jh. ziemlich unvermindert an; nun suchte aber auch Mitteleuropa den kulturpolit. Anschluß an den Süden und Westen, ohne seine Studenten weiter nach Paris, Bologna usw. schicken zu müssen. Im vollen Ausmaß gelang dies aber erst mit Beginn des Großen Abendländischen Schismas 1378, als viele Magister aus Paris auszogen und an die neuen U. gingen, welche 1347 in Prag, 1364 in Krakau, 1365 in Wien gegr. worden waren und im folgenden auch an anderen Orten Mitteleuropas gegr. wurden (z. B. 1379 in Erfurt, 1385 in Heidelberg). Insgesamt stieg die Zahl der U. in Europa schätzungsweise von 13 (vor 1300) auf 28 (vor 1378) und 63 (bis 1500). Erst um 1500 waren vermutlich klerikale Studenten in der Minderheit. In der Frühzeit unterstanden Lehrende wie Lernende fast ausnahmslos dem kanonischen Recht, besaßen also zumindest die niederen Weihen. Nur langsam trat hier ein Wandel ein. Die Magister erhielten ihre Einkünfte ohnehin ganz überwiegend aus geistlichen Pfründen. Die U. war und blieb eine kirchennahe Institution, und dies vielerorts sogar noch nach der human. Reform, welche die ma. Epoche beendete. Die human. Bildungsbewegung kam von außen und setzte sich an den U. erst im 16. Jh. ziemlich allg. durch. An it. U. waren – nach ersten Ansätzen schon im frühen 14. Jh. und massiveren im späten 14. Jh. – die *studia humanitatis* allerdings bereits um 1450 fest etabliert, zu einer Zeit also, wo andernorts das alte *studium generale* erst durch »Wanderhumanisten« ergänzt wurde [17; 18].

B. Lehrinhalte

Inhaltlich standen freilich die scholastischen Studien nicht weniger in ant. Trad. als die human., wenngleich auf durchaus andere Weise, d. h. mit völlig anderer Gewichtsverteilung. Die Verehrung der Vertreter der »Ren. des 12. Jh.«, Bernhard von Chartres, Johannes von Salisbury, Alain von Lille u. a., für die Gramm., Rhet., Dichtung und praktische Moralphilos. der – paganen wie christl. – Ant. stieß bei den Juristen, Dialektikern, Theologen und Medizinern der werdenden U. auf wenig Verständnis. Für sie wurde die Rezeption des röm. Rechts und der neu aus dem Griech. und Arab. übers. ant. Schriften insbes. des Aristoteles zum Schlüsselerlebnis. Damit brach ein Zeitalter der Vernunft im MA an. Alles sollte nach den logischen Regeln scholastischer Disputation (*sic et non*, ja und nein, These und Gegenthese) ablaufen, die entfernt an die Methode der Mittleren Akademeia erinnert, jedoch selbstverständlich ohne deren Kenntnis entwickelt wurde. Alles dagegen

Überschüssige wurde aus dem nunmehr streng geordneten Aufbau des Studiums ausgeschlossen [3; 4; 6; 18. 49–80, 279–320]. Dieses kann hier im wesentlichen nur nach dem Pariser Modell dargestellt werden. Das meiste gilt aber auch für das Bologneser Modell, wenngleich hier die dominierende Rolle der eigenständigen *universitas legistarum* vor der *universitas artistarum et medicorum* zukam [18. 110] und vorerst Theologie von den Bettelorden nur am Rande des *studium generale* gelehrt wurde. Während *universitas* immer nur zur Bezeichnung einer Korporation von Personen dient, wird der Terminus *facultas* erst sekundär darauf übertragen. Ursprünglich bezeichnet er ja allg. eine geistige Befähigung oder Anlage. Im Sinne einer wiss. Disziplin verwendete ihn erstmals Gilbert von Poitiers († 1154), um die Theologie von den anderen *facultates* abzuheben [18. 361].

1. Artistenfakultät

An der *facultas artium* las und kommentierte man die vorgeschriebenen *auctores* der sieben *artes liberales*. Vorausgesetzt wurden ausreichende an den Elementarschulen erworbene Lateinkenntnisse. Vorlesungen (*lectiones*) über die *Ars minor* des Donat waren daher seltener als über dessen *Ars maior* und über Priscians *Institutiones grammaticae*. Noch beliebter waren aber in der Regel die versifizierten hochma. Gramm. Alexanders von Ville-Dieu und Eberhards von Béthune († um 1212), das *Doctrinale* (um 1200) bzw. der *Grecismus*. Antike Musterautoren, an denen man ehemals den lat. Stil zu schulen pflegte, wurden an den U. kaum noch gelesen. Dergleichen blieb nicht nur den Lateinschulen vorbehalten, sondern wich auch dort seit längerem immer mehr einem formalen Sprachunterricht nach den Regeln reiner Logik, wie er sich seit dem 12. Jh. in Frankreich (Petrus Helie u. a.) entwickelt hatte. Dementsprechend gering war außerhalb der auf die Jurisprudenz spezialisierten U. das Interesse an der – im MA mit Ciceros Namen verbundenen (v. a. *De inventione* und *Rhetorica ad Herennium*) – Rhet. [15]. Nördlich der Alpen wurde sie meist der Dialektik subsumiert, sofern nicht wenigstens Vorlesungen über die *Poetria nova* Galfreds von Vinsauf (vom Anfang des 13. Jh.) gehalten wurden, welche nicht nur als Erneuerung der »alten« Poetik des Horaz, sondern auch als *Nova rhetorica* galt. Das Schwergewicht der »artistischen« Ausbildung lag hier eindeutig auf dem Felde der Logik bzw. der Dialektik (die meist als mehr oder minder identisch aufgefaßt wurden). Auf diesem Gebiet herrschte Aristoteles nahezu uneingeschränkt, freilich in lat. Übers. und Kommentierung (→ Aristotelismus). Vorgetragen und interpretiert wurden die *Categoriae vel Praedicamenta* und *De interpretatione* (*Perí hermenéias*), welche zusammen mit der *Isagoge* (»Einführung«) des Porphyrios in der Übers. des Boëthius unter dem Titel *ars vetus* oder *logica vetus* liefen, sowie die anderen erst seit dem 12. Jh. (als spätere *ars nova* oder *logica nova*) ins Lat. übers. Teile des Organon, *Analytica priora*, *Analytica posteriora*, *Topica* und *Sophistici elenchi*. Neben den Komm. des Boëthius fanden vornehmlich die der arab. Philosophen, Avicenna (Ibn Sina, gest. 1037), Avicebron (Ibn Gabirol, 1021–1058), Averroes (Ibn Ruschd, 1126–1198) u. a., Verwendung. Zur Vorbereitung auf das Aristotelische Organon griff man v. a. nach einem Handbuch (*Summulae*) und kleineren logischen Traktaten des Petrus Hispanus, des aus Lissabon stammenden Philosophen, Mediziners und späteren Papstes Johannes XXI. († 1277), wo die logischen Grundbegriffe und Operationen, traditionelle und ma. (*logica moderna*), erklärt wurden. Beträchtlich über Aristoteles hinaus führten aber erst die begriffslogischen Schriften spätma. Magister, insbes. Wilhelms von Ockham († 1349) in Oxford und des Johannes Buridanus († 1358/1360) in Paris, die dem Nominalismus vielerorts zum Durchbruch verhalfen [1; 3; 4; 9; 10; 18. 279–302; 22]. Was die Wiss. des Quadriviums betrifft, so sehen die Fakultätsstatuten der U. in der Regel für die Arithmetik das Handbuch *De institutione arithmetica* des Boëthius und/oder den sogenannten *Algorismus* oder *Algorithmus* (Rechenkunst mit indischen Zahlen, so genannt nach dem islamischen Gelehrten al-Hwarizmi um 820) von Johannes de Sacro Bosco († um 1256) vor, für die Geom. die *Elementa* Euklids, für die daraus abgeleitete Optik dagegen v. a. ma. Schriften von Alhazen (al-Hasan, gest. um 1041), Robert Grosseteste († 1253) oder Johannes Peckham († 1292), für die Astronomie in erster Linie *De sphaera* des Johannes de Sacro Bosco, zudem eine anon., letztlich auf den (von den Arabern so genannten) *Almagest* des Ptolemaios zurückgehende *Theorica planetarum*, schließlich für die Musik den Traktat des Boëthius *De institutione musica*, der im Spät-MA oft in einer Bearbeitung durch den frz. Naturwissenschaftler Johannes de Muris (Jean de Murs, † um 1350) gelesen wurde [2; 3; 18. 303–320; 24].

Im Laufe des 13. Jh. geriet in Paris und anderenorts der klass. »Vierweg« jedoch an den Artistenfakultäten zusehends ins Hintertreffen gegenüber den »drei Philosophien«, der Metaphysik, der Naturkunde und der Ethik, die man aus den neu entdeckten Aristotelischen Schriften lernte, zum einen aus der *Metaphysica* (die nicht selten durch den arab., v. a. auf Proklos beruhenden *Liber de causis* ergänzt wurde), zum andern aus der *Physica* und den anderen naturphilos. Schriften, *De anima*, *De caelo*, *De mundo*, *De generatione et corruptione*, *Meteorologica*, *Parva naturalia*, und zum dritten aus der *Ethica Nicomachaea*, der *Ethica Eudemia* und der (unechten) *Ethica magna*, unter Umständen auch der *Oeconomica* und *Politica*. Eine bedeutsame Stellung behaupteten dagegen die nichtaristotelischen Naturwiss., insbes. griech.-arab. Mathematik und Astronomie, wenngleich nun im Verein mit den aristotelischen, an den engl. U. Oxford und Cambridge. Hier macht sich auch das Heraufkommen neuzeitlichen Denkens am stärksten bemerkbar [7; 18. 279–320; 22].

Aufs Ganze gesehen ist jedoch das Bemühen unverkennbar, im Rahmen der Artistenfakultät möglichst den gesamten Aristoteles, den *philosophus*, wie er schlichtweg genannt zu werden pflegte, zu lesen, so daß man

mit einigem Recht behaupten konnte, die Bezeichnung »Philos. Fakultät« würde von Anf. an berechtigt gewesen sein [14. 108]. Damit ist aber zugleich gesagt, daß hier von der früh- und hochma. – immer noch entfernt an die ant. Rhetorenschulen gemahnenden – Ausbildung in den *septem artes liberales* mit ihrer Dominanz des Triviums und insbes. der Gramm., der Mutter aller *artes*, recht wenig übrig geblieben ist. Auch der – hier nicht darzustellende – Lehr- und Lernprozeß in Form der Vorlesungen (*lectiones*), Unt. in Frageform (*quaestiones*), streng reglementierten Disputationen (*disputationes*) und Ansprachen, welche allerdings nur an den höheren Fakultäten eine zentrale Stellung einnahmen (*collationes, orationes, sermones*), sowie das Prüfungs- und Graduierungssystem lassen nur ganz wenige ant. Wurzeln erkennen [1; 4; 9; 10; 18].

2. MEDIZINISCHE FAKULTÄT

Die Lehrer der höheren Fakultäten betrachteten die *artes* meist nur als Propädeutika. Das medizinische Studium setzte die naturwiss. Kenntnisse der Artisten voraus, nicht jedoch zwingend den artistischen Magistergrad. Das Fakultätsstudium machte mit den namhaftesten arab. Autoritäten der Arzneikunde bekannt, um schließlich zu den Werken der griech. Ärzte Hippokrates und Galenos, aus denen schon die Araber geschöpft hatten, zu gelangen – und auch im wesentlichen bei deren Erkenntnissen stehenzubleiben. Als Lehrstoff waren in der Regel für den Anfänger Schriften von Johannicius (Hunain ben Ishaq al-Ibadi, gest. 873), Rhazes (Abu Bakr Muhammad ben Zakariya ar-Razi, gest. 925) und Avicenna (Ibn Sina, 980–1037), für den Fortgeschrittenen die *Aphorismi* und das *Prognosticon* des Hippokrates und die *Ars medica* des Galenos, eventuell auch noch weitere Teile des sog. *Corpus Hippocraticum*, vorgeschrieben. Der tatsächliche Unterricht unterschied sich jedoch nicht unerheblich von den Vorschriften, die auch die praktische Ausbildung meist zu wenig berücksichtigten [18. 321–342; 19; 20].

3. JURISTISCHE FAKULTÄT

Die Ausbildung an den juristischen Fakultäten war entweder allein auf das kanonische Recht (so in Paris) oder sowohl auf das kanonische als auch das bürgerliche Recht (wie an den it. Fakultäten) ausgerichtet. Manche U. (wie Oxford) boten zwar beide Studien an, konzentrierten sich aber weitestgehend auf das Kirchenrecht. An anderen U. (wie in Wien) schloß überhaupt trotz eines gegenteiligen formalen Anspruchs kaum ein Student sein Studium als *Doctor iuris utriusque* ab. Nur das Zivilrecht stand in direkter, wenngleich im Früh-MA weitgehend verschütteter ant. Trad., die im 11. Jh. von Bologneser Rechtsschulen aufgegriffen wurde, wo man das Röm. Recht erstmals neu redigierte und kommentierte. Kaiser Justinian hatte es im 6. Jh. mustergültig kodifiziert. Die Juristen des MA teilten die Kodifikation, das *Corpus iuris civilis*, in die *Digesta*, den *Codex Iustiniani*, die *Institutiones* und die *Novellae* ein. Es blieb die wesentliche, nur unerheblich durch spätere Gesetze erweiterte Grundlage des Studiums, so daß man auf diesem Gebiet wohl am ehesten von einer fast ungebrochenen Kontinuität von Ant., MA und früher Neuzeit sprechen kann. Das *Corpus iuris canonici* wurde in formaler Anlehnung an das *Corpus* des Zivilrechts geschaffen, ausgehend von dem *Decretum Gratiani* von ca. 1140, dem Kompendium der älteren kirchenrechtlichen, namentlich synodalen Bestimmungen, das dann laufend durch die bis 1311/12 folgenden päpstlichen Erlässe, die *decretales* oder *decretalia*, ergänzt wurde [12; 18. 343–358; 25; 26; 27].

4. THEOLOGISCHE FAKULTÄT

Das höchste und angesehenste Studium war das an der theologischen Fakultät. Es setzte den Erwerb des artistischen Magistergrades voraus, stand zu jener »Propädeutik« aber auch in einem ständigen Spannungsverhältnis, seitdem diese mit den »drei Philos.« über die *artes liberales* hinaus auf Grundfragen der Ontologie, Moral etc. ausgriff, die auch Gegenstand der Theologie waren. Die bald darauf in Paris (nicht aber in Oxford!) einsetzenden und regelmäßig wiederholten Versuche, den Mitgliedern der Artistenfakultät die Behandlung rein theologischer Fragen und umgekehrt den Theologen das reine Philosophieren zu verbieten, waren wenig erfolgreich. Im Prinzip sollte das – gleichwohl zeitlich aufwendigste – Theologiestudium nur aus der Lektüre und Auslegung der Bibel und der *Sententiae* des Petrus Lombardus († 1160) bestehen. In beidem kommt eine enge Bindung an die ant. Ursprünge des Christentums zum Ausdruck. Von der hell. Färbung der Bibel einmal abgesehen, las man sie natürlich mit den Augen der alten Kirchenväter, der griech., namentlich aber der lateinischen. Aber auch der lombardische Frühscholastiker Petrus Lombardus tat in seinem so überaus erfolgreichen Schulbuch nichts anderes, als die wichtigsten Äußerungen der Kirchenväter (*patrum sententiae*) zu zentralen theologischen Problemen in musterhafter Klarheit und Kürze zusammenzustellen und, wenn möglich, zu harmonisieren, wobei wiederum die Lehrer des Altertums zahlenmäßig dominieren: Augustinus, Ambrosius von Mailand, Hieronymus, Gregorius Magnus, Hilarius von Poitiers, Boëthius, Isidorus von Sevilla, Fulgentius von Ruspe, Johannes Chrysostomos, Origenes u. a. Ja, jeder der am Anf. dieser Reihe genannten vier großen lat. Kirchenväter kommt sogar noch öfter zu Wort als die wichtigsten ma. Theologen wie Anselm von Canterbury († 1109) oder Petrus Abaerlardus († 1142), und wiederum keiner von jenen auch nur annähernd so oft wie Augustinus, der in fast jedem Paragraphen zitiert wird, so daß man fast von *Sententiae Augustini* sprechen könnte, welche Petrus hier gesammelt hat. In den Vorlesungsmanuskripten der zahllosen Kommentatoren schwillt das knappe Schulbuch dann wiederum zu gewaltigen Kompendien an, die aber gleichwohl den Charakter einer im wesentlichen ant., v. a. augustinischen Dogmatik bewahren, da sie zwar auch neuere und mitunter sogar eigene Meinungsäußerungen, aber mindestens ebenso viele aus den alten Kirchenvätern hinzufügen. In formaler Hinsicht werden die Sentenzenkommentare allerdings immer stärker von exkursartigen Quästionen überwuchert. Aus solchen setzen sich schließlich die großen theologischen Summen der Hochscholastik vollends zusammen. Die nobelste Aufgabe eines Doktors der theologischen Fakultät bestand jedoch in der magistralen Bibelexegese und in der traktatartigen Universitätspredigt, die freilich beide ebenfalls Quästionen der genannten Art breiten Raum gaben [5; 13; 16; 18. 359–385].

5. WISSENSCHAFT UND GLAUBE

Wie hoch das Prestige der Theologie an den U. auch immer sein mochte, so sah sie sich doch immer wieder dem traditionellen Zweifel an ihrer Wissenschaftlichkeit ausgesetzt. Petrus Lombardus hatte die Grundfrage nach dem Verhältnis von Wissen und Glauben, wie üblich, mit Rekurs auf Augustinus dahingehend beantwortet, daß es notwendig sei, sowohl zu verstehen, um zu glauben, als auch zu glauben, um zu verstehen: Für die Glaubensinhalte, welche von der natürlichen Vernunft nicht erkannt werden können, gelte das Prophetenwort des Jesaja (7,9): ›Wenn ihr nicht geglaubt habt, werdet ihr nicht verstehen!‹ Er greift auch Augustins Unterscheidung von *sapientia*, »Weisheit«, und *scientia*, »Wissen(schaft)« auf. Die *scientia* beschränke sich auf menschliche Belange, nur die *sapientia* gehe darüber hinaus. Die Anhänger Augustins halten daher auch in der Zeit der Hochscholastik die Theologie für keine Wiss. im engeren Sinne. Thomas von Aquin († 1274) meint dagegen, auf der sicheren Grundlage des Glaubens genuin wiss. (logische) Beweise aufbauen zu können. Die Anhänger des franziskanischen Theologen Johannes Duns Scotus († 1308) benützen zwar in vergleichbarer Weise natürliche Vernunftgründe, um Glaubenswahrheiten außerhalb des Glaubens zu verankern, halten aber gleichwohl an der genannten strengen definitorischen Unterscheidung im Sinne Augustins fest. Erst Wilhelm von Ockham verabsolutiert diese Differenz. Die dadurch ermöglichte Unabhängigkeitserklärung der Wiss. gegenüber der Dogmatik zu unterschreiben, ist die kirchliche Obrigkeit allerdings nicht bereit. Gerade die theologischen Fakultäten, allen voran die der U. Paris, sehen sich als Hüterinnen des wahren Glaubens, insbes. zur Zeit der größten Schwäche des Papsttums während des Schismas ab 1378, aber im Grunde schon seit den Anf. der Universität. So wurden in Paris im 13. Jh. immer wieder Aristotelische B. über Metaphysik und Naturphilos. verboten, da sie mit der christl. Lehre unvereinbare Thesen enthielten. 1277 verurteilte der Bischof von Paris, ein ehemaliger Universitätskanzler, 219 Thesen von Mitgliedern der Artistenfakultät, darunter aber auch Thesen, die von namhaften Theologen wie Thomas von Aquin vertreten worden waren. Seither galt der radikale Aristotelismus eindeutig als ketzerisch. Aber auch der Versuch der hochscholastischen Summen, die Aristotelische und die christl. Lehre auf der Basis von Vernunftbeweisen zu harmonisieren, hatte sich als äußerst schwankendes Fundament erwiesen. Die stets gefährdete, weil letztlich auf diesem Fundament gegr. innere geistige Einheit der ma. U. zerbrach schließlich schon vor der Reformation nicht nur an unüberbrückbaren Schulgegensätzen, sondern auch an »Angriffen« von außen. Diese kamen von zwei entgegengesetzten Seiten, orientierten sich aber beide auf ihre Weise wiederum an ant. Vorstellungen, die Frömmigkeitstheologie des 15. Jh. in erster Linie an Augustinus, der Human. v. a. am Platonismus und an der Stoa, und setzten beide ihr Vertrauen wiederum weniger in die natürliche Vernunft des Menschen als vielmehr in die Überzeugungskraft ethischer Vorbilder und geschliffener Rhet. [1; 4; 6; 11; 16; 18; 21].

→ AWI Ambrosius; Aristoteles [6]; Augustinus, Aurelius; Bildung; Boëthius; Cicero; Donatus [1]; Eukleides [3]; Fulgentius [2]; Galenos; Gregorius [3]; Hieronymus; Hilarius [1]; Hippokrates [6]; Horatius [7]; Isidorus [9]; Iohannes [4]; Iustinianus [1]; Origenes [2]; Porphyrios; Priscianus; Proklos [2]; Ptolemaios [65]); Rhetorica ad Herennium; Schule II., III.

1 J. P. BECKMANN, H. HUNGER, U. RUDOLPH, R. SCHMITZ, s. v. Philos., in: LMA VI, 1993, 2086–2104 2 M. BERNHARD, s. v. Musik I. Abendländisches MA, in: LMA VI, 1993, 948–955 3 G. BERNT, L. HÖDL, H. SCHIPPERGES, s. v. Artes liberales, in: LMA I, 1980, 1058–1063 4 L. BOEHM, s. v. Erziehungs- und Bildungswesen. A. Westl. Europa, in: LMA III, 1986, 2196–2203 5 M.-D. CHENU, La théologie comme science au XIIIᵉ siècle, 1957 6 A. C. CROMBIE, Medieval and Early Modern Science, 2 Bde, 1959 7 S. DONATI, A. SPEER, s. v. Physik und Naturphilos., in: LMA VI, 1993, 2111–2117 8 H. ENGELBRECHT, Gesch. des österreichischen Bildungswesens, Bd. I: Von den Anf. bis in die Zeit des Human., 1982 9 P. GLORIEUX, La Faculté des arts et ses maîtres au XIIIᵉ siècle, 1971 10 J. HAMESSE (Hrsg.), Manuels, programmes de cours et techniques d'enseignement dans les universités médiévales, 1994 11 M. HOENEN, J. SCHNEIDER, G. WIELAND (Hrsg.), Philosophy and Learning. Universities in the Middle Ages, 1995 12 S. KUTTNER, The History of Ideas and Doctrines of Canon Law in the Middle Ages, 1980 13 U. G. LEINSLE, Einführung in die scholastische Theologie (= UTB 1865), 1995 14 A. LHOTSKY, Die Wiener Artistenfakultät 1365–1497, 1965 15 J. J. MURPHY, Rhetoric in the Middle Ages, 1974 16 W. H. PRINCIPE, s. v. Theologie A. Westen, in: LMA VIII, 1997, 650–656 17 H. RASHDALL, The Universities of Europe in the Middle Ages, hrsg. v. F. M. POWICKE, A. B. EMDEN, 3 Bde., 1936 18 W. RÜEGG (Hrsg.), Gesch. der U. in Europa. Bd. I: MA, 1993 19 H. SCHIPPERGES, Die Assimilation der arab. Medizin durch das lat. MA, 1964 20 N. G. SIRAISI, Medieval and Early Renaissance Medicine, 1990 21 A. SPEER, s. v. Wissen, Wiss., in: LMA IX, 1999, 260–262 22 F. VAN STEENBERGEN, Aristotle in the West, 1955 23 J. VERGER, s. v. Translatio studii, in: LMA VIII, 1998, 946f. 24 B. L. VAN DER WAERDEN, s. v. Astronomie, in: LMA I, 1980, 1145–1153 25 R. Weigand, s. v. Kanonisches Recht, in: LMA V, 1991, 904–907 26 P. WEIMAR, s. v. Corpus iuris civilis, in: LMA III, 1986, 270–277 27 H. ZAPP, s. v. Corpus iuris canonici, in: LMA III, 1986, 263–270.   FRITZ PETER KNAPP

II. FRÜHE NEUZEIT BIS 1800

A. UNIVERSITÄT IM FÜRSTENSTAAT: VERFASSUNG UND ENTWICKLUNGEN   B. HUMANISMUS, REFORMATION, KATHOLISCHE REFORM
C. DIE AUFKLÄRUNG: REFORMDRUCK UND FUNKTIONSWANDEL

A. UNIVERSITÄT IM FÜRSTENSTAAT: VERFASSUNG UND ENTWICKLUNGEN

Ihrer Verfassung nach verstand sich die frühneuzeitliche U. [15; 25; 31; 32; 53; 55; 61; 62; 68; 75; 77–79; 17; 82] weiterhin als eine Institution der akad. Selbstverwaltung (Organe: Rektor, Senat, Fakultäten). Sie lehnte sich im Verfahren der Graduierung (gestaffelt nach den Abschlüssen des Baccalaureus, Magisters und Doktors der höheren Fakultäten), aber auch in der rechtlichen Sonderstellung der »Universitätsverwandten« (Immatrikulation nicht als Studienbeginn, sondern als Rechtsakt) an ihre ma. Vorgänger an. Trotz des mit dem Human. forcierten Ausbaus der *artes*-Studien, die sich in Deutschland bald – anders als in England und Frankreich – zu einer eigenen Fakultät entwickelten, erhielt sich auch in Besoldung und Prestige das hierarchische Verhältnis der Lehrgebiete und ihrer Vertreter. Allerdings wurde die Führungsstellung der Theologie seit dem 17. Jh. – jedenfalls der sozialen Geltung nach – von der Jurisprudenz unter Einschluß der Staatswiss. [18; 28; 78; 79] angefochten. Das medizinische Fach [35; 69], in seiner Effizienz bald problematisiert, blieb dagegen an den meisten dt. U. vorerst eher unterentwickelt, was auch zu tun hatte mit mangelnden sachlichen Investitionen (botanische Gärten, Seziersäle). Bis gegen E. des 17. Jh. versuchten viele Mediziner im benachbarten Ausland zu promovieren (Basel; Montpellier und Paris; Padua und andere oberit. U.). Dies gilt auch für die Juristen, auf die neben den it. Lehrstühlen (darunter immer noch Bologna) seit dem späteren 16. Jh. frz. Zentren (Bourges, Orleans) eine bes. Anziehungskraft ausübten. Dieser international geprägte, in der Auslandsreise (*peregrinatio academica*) gepflegte Austausch, der bald auch die Niederlande (bes. berühmt die 1575 gegr. U. Leiden [44; 72]) einbezog und sich – abseits der Theologie – vorerst durch territorial- und konfessionspolit. Zwänge kaum behindern ließ, wurde durch verschiedene Faktoren ermöglicht: a) den universalen mündlichen wie schriftlichen Gebrauch der lat. Sprache, die ein soziales Distinktionsmerkmal des gelehrten »Standes« bildete und den wiss. Betrieb und Buchmarkt gerade in Deutschland teilweise noch über das 17. Jh. hinaus beherrschte; b) die analoge Ausrichtung der Fächer und Lehrpensen nach Maßgabe der kanonisierten, wie auch immer neu komm., in der Regel ant. Autoritäten; c) die weitgehend identischen Prozeduren und Qualifikationsformen des Lehrbetriebs (Vorlesungen, Disputationen, Deklamationen), mit denen sich die U. nicht wie seit dem 19. Jh. zugleich als Forschungsinstitution, sondern im wesentlichen als Stätte zu definieren hatte, an der autoritativ abgesicherte Kenntnisse innerhalb eines nur ansatzweise historisierten und demgemäß auch nur bedingt »offenen« Wissensbegriffs weitergegeben und abgeprüft wurden; d) die internationale, vorerst noch von der päpstlichen Anerkennung abgeleitete Geltung der akad. Grade.

Die zunehmende, durch den Buchdruck stimulierte »Verschriftlichung« der Lebenspraxis, gefördert vom Ausbau der Bürokratie, aber auch Impulse der Spezialisierung in einem sich ausdehnenden Wissensfeld hatten bis 1500 im dt. Reichsgebiet zu 15 Universitätsgründungen geführt, denen – parallel zur außer-dt. Entwicklung (Gesamtstatistik im europ. Rahmen 1500–1800: Frijhoff in [62. 81–86]) – weitere folgten: etwa Wittenberg 1502, Marburg als erste protestantische Neugründung 1527 und endgültige Erhebung der Straßburger Akad. zur Voll-U. 1621 (dazu exemplarisch [67]). Der Zusammenbruch des kirchlichen Versorgungsapparats im Gefolge der Reformation führte in Deutschland zwar nach 1520 zu einer kurzfristigen studentischen »Frequenzkrise«, förderte aber die Neubestimmung der U. als staatlicher Bildungsorgane, damit auch die Verwandlung der ›mittelalterlichen Magister-U. in eine Professoren-U. mod. Stils‹ [75. 204]. Landesherren bzw. Ratskollegien kontrollierten das Universitätsvermögen, kümmerten sich um die Ausbildungseffizienz und beeinflußten – oft im Konflikt mit den Selbstverwaltungsgremien – die Zahl, die Ausrichtung, oft auch die Besetzung von Lehrstühlen. Überdies wurden akad. Dienstleistungen oft direkt für staatliche Aufgaben in Anspruch genommen (Zensur, juristische und theologische Gutachten, Aufsicht über die öffentliche Gesundheitsvorsorge, diplomatische Aktivitäten). Mit Luthers markanter Wendung gegen die außerakad. Theologie, v. a. aber mit der von Melanchthon geleiteten inneren und äußeren Reorganisation des protestantischen Bildungswesens, von dem sich später auf katholischer Seite auch die Jesuiten in ihrer weltweit verbindlichen *Ratio studiorum* (1599 [3; 4]) anregen ließen, hatte die dt. U. eine bis in die Moderne reichende Stabilität gewonnen. Zumal in Gestalt der von der Mehrheit besuchten, sprachlich-lit. Basiswissen vermittelnden und curricular mit den Gymnasien eng verflochtenen Artistenfakultät bestimmte sie – stärker jedenfalls als in England oder Frankreich – das intellektuelle Profil der bald auch den Adel einbeziehenden Bildungs- und Führungsschicht.

Daran konnte auch die kaum mehr abreißende Reihe äußerer Widerstände gegen das akad. Ausbildungs- und damit auch Aufstiegsmonopol wenig ändern. Proteste der laizistisch-spiritualistischen Frömmigkeit und Vorschläge der auch die Muttersprache einbeziehenden Reform- und Realienpädagogik [39] blieben vorläufig ohne kulturpolit. Folgen. Allerdings formierten sich in der von It. ausgehenden Akademiebewegung, in Deutschland auch durch die sog. Sprachgesellschaften des 17. Jh. repräsentiert, ebenso wie in konkurrierenden Formen der Adelserziehung (sog. Ritterakademien [20]) alternative Möglichkeiten des geistigen Verkehrs

bzw. der standesgemäßen Erziehung. Erst infolge eines neuen, auch fiskalisch-merkantilistisch bewegten Staatsdenkens im Horizont der das Naturrecht wie die Naturwiss. aufwertenden Aufklärung [29; 30; 66; 83] wurden die dt. U. erhöhtem Rationalisierungsdruck ausgesetzt. Was sich zunächst v. a. in Halle (gegr. 1694 [10; 74]) und Göttingen (gegr. 1737 [19; 76; 83; 84]), auch in fachschulartigen Sondergründungen (Stuttgarter Militärakad. 1773) anbahnte, zeitigte – für die habsburgischen, mittelbar auch für die anderen katholischen Territorien – geradezu umstürzlerische Konsequenzen nach der Aufhebung des Jesuitenordens (1773) im Zuge der »von oben« diktierten theresianisch-josephinischen Bildungsreform.

B. HUMANISMUS, REFORMATION,
KATHOLISCHE REFORM
1. HUMANISMUS

Trotz vielfältiger Kontinuitätsbrücken zum ma. Universitätswesen und trotz der institutionellen Beharrlichkeit der U. bewirkte die gegen E. des 15. Jh. einsetzende Einbürgerung des zuerst in It. entwickelten human. Bildungsprogramms (A. Buck in [31. 1–56]) eine tiefgreifende Neuorientierung der akad. Basiserziehung und der sie leitenden kulturanthropologischen Verständigung. Dabei ging es: a) um die Entdeckung des »mod.« Wissens- und Verhaltenspluralismus in der ant. Subjekt-, Moral- und Sozialphilos. und damit auch um die Reflexion der histor. Empirie als des von göttl. Providenz, sozialer Normativität und erfahrener Kontingenz beeinflußten Handlungs- und Entscheidungsfeldes; b) um die philol. Rückbindung des Erkenntnisstrebens nicht mehr an zeitlose, theologisch garantierte Wahrheiten, sondern an den auktorial verbürgten Sinn und Aussagegehalt des ant. Schriften- und Formenkanons; c) um die Vermittlung sprachlicher und exegetischer Fähigkeiten nach Maßgabe der »drei hl. Sprachen« (Lat., Griech., Hebräisch) und demgemäß um die Wiederentdeckung bisher vergessener Werke (darunter Teile des Ciceronischen Oeuvres, Tacitus, Lukrez, die Mehrzahl der griech. Autoren unter Vermittlung der byz. Emigranten) bzw. um die »Reinigung« der bislang schon benutzten Textkorpora von einer als belastend und verfälschend empfundenen Übers. oder Kommentartrad.; d) um die Aufwertung der ästhetisch-symbolischen Eleganz wie der pragmatisch-kommunikativen, also der sozialen wie emotionalen Wertigkeit von Sprache und Lit. vornehmlich in Gestalt des nun nach den ant. Klassikern normierten Lat.; e) um die diesseits der Alpen v. a. durch Erasmus von Rotterdam propagierte Überzeugung, daß der Mensch in seiner durch die *bonae litterae* als Gegenstand der *studia humanitatis* bewirkten Selbstbildung (*eruditio*) an dem moralisch wie theologisch begründeten Projekt der sozialen Zivilisierung teilzunehmen habe.

Seine akad.-reformerische Domäne fand der Human. [37; 45], nach it. Vorbild von zahlreichen Reden und Programmschriften wie etwa Rudolf Agricolas *De formando studio* (1484 [38; 39]) oder Hermann von dem Busches *Vallum humanitatis* (1518) bekräftigt, zunächst in der Revision der gramm. wie rhet. Lehrpraxis, damit aber im Kampf gegen den scholastischen, als ›barbarisch‹ bezeichneten Sprachlogizismus. Mittelalterliche Lehr-B. (wie die Gramm. des Alexander de Villa Dei) wurden nach und nach ersetzt, und viele pädagogische oder hodegetische Traktate zur Jugend-, aber auch zur speziellen Standes- oder gar Fürstenerziehung (wie etwa in Münster von Johannes Murmellius oder am Oberrhein von Jacob Wimpfeling) präsentierten sich als zeitbezogene Kompilationen ant. Leittexte. Schon um die Jahrhundertwende widmeten sich zahlreiche, oft von den Landesherren unterstützte und zeitweise mit außerordentlichen Lektoraten betraute »Wanderlehrer« (darunter Peter Luder, Rudolf Agricola, Konrad Celtis, Ulrich von Hutten, Hermann von dem Busche, Jakob Locher) der neuen Autorenexegese unter Einschluß der bisher ungewohnten Poetenlektüre. Die diesbezüglichen Vorlesungen zielten zumeist auch auf die produktive Aneignung der Textmodelle im Modus einer Kommentierung, Methode ins 18. Jh. [12] – in der Dreiheit von Kunstlehre, exemplarischem Textstudium und individueller stilistisch-formaler Nachahmung (doctrina, exempla, imitatio) verfestigte.

Im Leitbild des »Poeten« und in der neuen Würde des »gekrönten Dichters« kündigte sich nicht nur die mit Celtis und später mit vielen Melanchthonschülern aufblühende neulat. Kunstdichtung an [40], sondern auch der kulturphilos. Anspruch eines zukunftsweisenden Typus der rede- und schreibgewandten Intelligenz abseits klerikaler Bevormundung. Die entstehenden Fronten verhärteten sich im sog. Dunkelmännerstreit (1510ff. [52], d.h. im publizistischen Einsatz (Dunkelmännerbriefe, 1514) namhafter Humanisten für die von Johannes Reuchlin, dem Pionier der dt. Hebraistik und Gräzistik, verkörperte Freiheit der Lektüre und der Forschung. Reuchlin hatte sich gegen das von den Kölner Dominikanern bewirkte Verbot der sog. Juden-B. gewandt. Seine Verteidigungsschrift (Augenspiegel, 1513) wurde von mehreren theologischen Fakultäten als häresieverdächtig verboten, er selbst mit inquisitorischen Prozessen überzogen. Die liberale Geschichtsschreibung hat aus dem Kampf Reuchlins und seiner Freunde eine unversöhnliche Antinomie zw. Human. und ma. Scholastik ablesen wollen. Dabei wurde leicht unterschlagen, daß sich die U. zumeist ohne spektakuläre Konflikte dem neuen Bildungshabitus öffneten, hier und da die ersten Griech.-Lekturen einrichteten (Wittenberg, Leipzig, Ingolstadt) und sich bald auch in den höheren Fakultäten den alten Textquellen ihrer Disziplinen zuwandten: Galen (Werkausgabe 1525) und Hippokrates bei den Medizinern, dem griech. Aristoteles im gesamten Kreis der Philos. (seit 1497 in den Ausgaben des Franzosen Lefèvre d'Etaples), dem ant. Corpus Iuris als Basis der Rechtsstudien. Wo das alte System der ma. Magister-U. im Wege stand, gründete man auch assoziierte Inst. wie in Wien das Collegium Poetarum et Mathematicorum (1501), in Löwen das von Erasmus inspirierte Collegium trilingue (1518) oder in Paris das

durch hervorragende Lehrer – wie Guillaume Budé (1468–1540) – einflußreiche Collège Royale (1530, später Collège de France).

2. DIE REFORMATION

Luthers theologischer Ansatz, dessen anthropologische Implikate dem human. Moralismus eher fremd blieben (Streit mit Erasmus um den freien Willen), profitierte in seiner biblischen wie kirchenpolit. Stoßrichtung von den Leistungen der Philol.: von der griech.-lat. Bibelausgabe des Erasmus (1516), aber auch von Lorenzo Vallas Widerlegung der sog. Konstantinischen Schenkung, d. h. der Grundurkunde des Kirchenstaates. Im antiröm. Affekt der nationalen Wortführer (an erster Stelle Ulrich von Hutten) wie auch in der antischolastischen Wendung der frühen Reformationstheologie kündigte sich eine geistige Allianz an, die unter bald veränderten Vorzeichen von Philipp Melanchthon, seit 1519 als Griechischprofessor an Luthers Seite in Wittenberg, zu einem in sich geschlossenen System des protestantischen Gelehrtenschulwesens ausgebaut wurde [1; 2; 12; 14; 31; 36; 42; 53; 60; 64; 86].

Melanchthons wegweisende Wittenberger Antrittsrede (De corrigendis adolescentiae studiis) übernahm die kulturgeschichtlichen Interpretamente der it. Ren. (studium renascentium litterarum) und erweiterte den Verband der artes zu einem enzyklopädischen Ausbildungsideal, das sich in den Dienst der evangelischen Verkündigung und der staatlichen Notwendigkeiten zu stellen hatte. Die Rückkehr ad fontes sollte sprachlich-logische Kompetenz (Beherrschung der Dialektik und Rhet.) mit der Kenntnis der »Sachen« verbinden, die Hinwendung zu den griech. Autoren bestärken und sich in der Festigung moralischer Verhaltensnormen, auch im Studium der Geschichte und Naturkunde, bewähren. Indem Melanchthon neben den überkommenen Disputationen die Übungsreden (»Deklamationen«) einführte, machte er die Beherrschung der praktischen Redekunst (nach Cicero und Quintilian) zu einem akad. Qualifikationsmerkmal und trug so auch zur Blüte des reformatorischen Schuldramas bei, das sich nicht selten aus der Inszenierung von orationes fictae entwickelte. Entwickelt wurde dieses Programm in einer staunenerregenden lit. Produktion, in der zwar pagane Ideen (namentlich alle Spielarten des sog. Epikureismus) bekämpft wurden, sich ansonsten aber der gesamte Kreis des »Triviums« und »Quadriviums«, damit aber auch das Spektrum der ant. Autoren präsentierte. Melanchthons Werk insgesamt verweist auf die Verfahren der kanonischen Selektion, thematischen Adaption und moralisch-christl. Assimilation des ant. Erbes.

Zu unterscheiden sind, vorausweisend auch auf die Texttypologie des akad. Schrifttums bis weit ins 18. Jh.: 1. die mündlichen, oft auch – manchmal nach studentischen Mitschriften – gedr. Vorlesungen in Form von Autorenkomm., bisweilen unter anderem Namen publ. (wie etwa des Sabinuskomm. zu Ovids Metamorphosen, 1554), zumeist auch von grundsätzlichen Erörterungen und Empfehlungen begleitet. Hier standen im

Mittelpunkt die logisch-rhet. Texterklärung und die Ableitung aktueller moralischer Präzepte – oft im Blickwechsel zw. der *hypothesis* des konkreten Falls und der *thesis*, d. h. der jeweils topologisch verallgemeinerten *Quaestio*;

2. die darauf aufbauende Publikation von Lehrbüchern. Dazu zählen ungemein verbreitete Leitfäden

a) der griech. und lat. Gramm. unter Einschluß der Verslehre, v. a. aber der Logik bzw. Dialektik (u. a. *Erotema dialectices*, 1547) und der Rhet. (u. a. *Elementorum Rhetorices Libri Duo*, 1531). Dabei verschmolz Melanchthon unter Einfluß von Rudolf Agricolas *De inventione Dialectica* die aristotelische Kategorienlehre mit der von Cicero und Quintilian abgezogenen Inventionstopik und Statusdoktrin. Die Einführung eines *genus didaktikon* zielte auf die Förderung der geistlichen Beredsamkeit. Generell verstand sich Rhet. aber nicht nur als System der Redelehre, sondern zugleich als kategoriale Anleitung der Texthermeneutik;

b) der Ethik, vornehmlich in der Exegese des Aristotelischen Corpus (u. a. *Ethicae doctrinae elementa*, 1550), mit dem Ziel, daraus moralische Regeln des »bürgerlichen« Lebens abzuleiten und Vorstellungen des elementaren »Naturrechts« mit dem christl. Dekalog zu harmonisieren, zugleich aber – nicht ohne Spannungen zum strengen Luthertum – die Grenzlinien zw. Ethik und Theologie, »Gesetz« und »Evangelium«, zu bestimmen;

c) der theologisch rückversicherten Psychologie und Anthropologie in Gestalt des *Liber de anima* (Neubearbeitung 1553) mit Rückgriffen auf Galen, aber auch schon in Beachtung der von Vesal verkörperten neuen Anatomie;

d) der Physik und kosmologisch orientierten Naturkunde, namentlich durch die *Initia doctrinae physicae* (1549), die Aristotelisches mit der ptolemäischen Astronomie sowie platonischen bzw. stoischen Kosmologie verknüpfte und die Erkenntnisse von Spezialvorlesungen (etwa zu Euklids *Elementa*) verarbeitete;

3. eine Fülle von Chrestomathien bzw. Textausgaben (bevorzugt: Cicero, aber auch Sallust, Tacitus, Quintilian, Vergil und Ovid), teilweise komm., darunter viele lat. Übers. griech. Autoren (Demosthenes, Lykurg, Euripides, Pindar und andere griech. Lyriker), beginnend schon in der Tübinger Zeit mit einer Terenz-Ed. (1516), zumeist von programmatischen und pädagogisch-propädeutischen Vorreden begleitet;

4. eine kaum überschaubare Serie von Hochschulreden, oft für Studenten geschrieben und in feierlichen *actus* gehalten, bald auch zu Sammlungen vereinigt. Hier ging es nicht nur um zeitgeschichtliche Themen, sondern oft um eine adhortativ gefaßte Darstellung der einzelnen Fächer und ihrer Leitautoren (Auswahl von Richard Nürnberger).

Nicht nur an seiner Lehre und Publikationstätigkeit ist Melanchthons Bed. zu messen, sondern auch an den Wirkungen seines weiten Schülerkreises sowie an seiner in zahlreichen Visitationsreisen und Gutachten wirksamen Führungsrolle im Zuge der inneren und äußeren Reorganisation vieler Schulen und U. der protestantischen Territorien (etwa in Heidelberg [22], Tübingen, Frankfurt/O. oder bei der Gründung der U. Königsberg).

3. Katholische Reform

Die mit dem Seminardekret des Konzils von Trient (1563) einsetzende und in der jesuitischen Schulordnung (*Ratio studiorum*, 1599 [3; 4]) penibel geordnete Ausbildungsoffensive der katholischen Territorien bestimmte bis ins 18. Jh. hinein die führende akad. Position der Jesuiten: in Gestalt der flächendeckend gegründeten Gymnasien mit angeschlossenen Ordenskollegien und zumeist auch Internaten, schließlich in der Neugründung (z. B. Graz) oder der weitgehenden Übernahme älterer U. wie Dillingen, Freiburg [41], zeitweise Heidelberg, Ingolstadt, Innsbruck, Köln [46], Mainz, Wien, Würzburg, von zunächst kurzlebigen Neugründungen wie Molsheim (bei Straßburg), Paderborn, Münster oder Osnabrück ganz abgesehen [13; 23; 24; 33]. Erhebliche Konflikte ergaben sich dabei in Fragen der Finanzierung, der Rechtsaufsicht und der Privilegierung, insofern die Patres innerhalb der U. einen Sonderstatus beanspruchten. Ordensobere und Ordensregeln bestimmten Lehrbetrieb und Lehrgehalt. Die Autonomie der Hochschulen wurde untergraben, zugleich verlagerte sich das *artes*-Studium in die oft selbst für Protestanten attraktiven Ordensgymnasien. Sie führten in fünf J. über die »Klassen« der »Gramm.«, der *humanitas* und der »Rhet.« zu einem dreijährigen, wahlweise auch abzukürzenden Philosophiestudium. Es gliederte sich in die Teilbereiche der aristotelisch bestimmten Logik, der Naturphilos. und der – bei Katholiken wie Protestanten wiederauflebenden – Metaphysik [43; 54; 89]. Dem schloß sich für den Ordensnachwuchs ein vierjähriges Theologiestudium an. Erhalten blieb im Sinne einer glaubenskonformen *litterata pietas* nicht nur das Studium zentraler ant. Autoren (vor allem Ciceros), ggf. in »von allen Obszönitäten gereinigter« Form (Ovid, Horaz, Martial), sondern auch das Miteinander von Anleitungsdoktrin und praktischen »Exercitien« nach Maßgabe gattungsspezifischer Vorbilder, denen man in *imitatio* und *aemulatio* nachzueifern hatte. Dieses streng umgesetzte Bildungsprogramm führte in den katholischen Ländern zu einer Blüte der christl., zwar oft konfessionalistisch-kämpferischen, der impliziten Ästhetik nach aber immer noch genuin human. Literaturproduktion [13]. Sie basierte auf international weitverbreiteten Textsammlungen (wie A. Possevino: *Bibliotheca Selecta*), den manchmal mehrbändigen Lese-B. (J. Pontanus: *Progymnasmata latinitatis*), den Lehr-B. der Dialektik und Rhet. (etwa: C. Soarez: *De arte rhetorica*; N. Caussinus: *De eloquentia sacra et humana*; J. Masen: *Palaestra oratoria*) oder der neuen emblematischen Text-Bild-Semantik (J. Masen: *Speculum imaginum veritatis occultae*). Dazu kamen Sammlungen von Musterreden oder rhet. Übungsaufgaben. In diesen Werken spiegelten sich nicht selten philos. und staatspolit. Konflikte (Platonismus *versus*

Aristotelismus, moralischer Rigorismus *versus* pragmatischer »Probabilismus«), aber auch die ganze Bandbreite des umstrittenen lat. Stilpluralismus (Ciceronianismus *versus* »concettistische« oder »lipsianistische« Schreibweisen). In Fortführung der älteren Komm. zur Aristotelischen *Poetik* arbeiteten führende Jesuiten an der theoretischen Grundlegung einer zeitgemäßen Dramentheorie unter Einschluß des Märtyrerdramas und des polit. Lehrstücks im Horizont der höchst aktuellen Seneca- und Tacitusrezeption. Flankiert wurde so die üppige, manchmal wie in Bayern staatlich subventionierte katholische Theaterkultur, die Trad. des älteren Schuldramas fortführte, jedoch sowohl thematisch wie bühnentechnisch modernisierte [13; 80; 81]. Gerade die Konstellationen der fürstenstaatlichen Macht- und Interessenpolitik, der Gegensatz also zw. dem drohenden »Machiavellismus« und der christl. Regimentslehre, aber auch die Konturen eines intellektuellen, ggf. neostoizistisch gefärbten Modernismus wurden in ganz Europa von Jesuitendramatikern nicht selten im parabolischen Rückgriff auf ant. Figuren und Stoffe abgehandelt: im dt. Reichsgebiet z. B. von Jacob Gretser, Jacob Bidermann, Nicolaus Avancini und Jacob Masen. Sie gelten als Exponenten eines meist allegorisch instrumentierten, bald auch opernhafte Züge integrierenden, in seiner Masse kaum mehr überschaubaren, jedenfalls bis zur Ordenauflösung (1773) reichenden Dramenschaffens, das unter der Leitung jeweils des *pater comicus* fast alle Kollegien zu mindestens jährlichen Aufführungen versammelte. Diese bis Anf. des 18. Jh. durchweg lat. Dramen wurden dem muttersprachlichen Publikum anhand gedruckter Kurzfassungen (»Periochen«) erläutert [5].

Neben den Dramen entstanden – oft in christl. Kontrafaktur – herausragende lat. Gedichtsammlungen: im Zeichen einer christl. Anakreontik bei Jacob Pontanus, im Zeichen Martials (kurz nach 1600 von dem Jesuiten Matthäus Rader hrsg. und komm.) bei Jacob Bidermann, im Zeichen des Horaz, sowohl des Odendichters wie des Satirikers, bei Jacob Balde [63]. Pagane Elemente wurden dabei, wenn nicht zensorisch ausgeschlossen oder bekämpft, allegorisch entschärft oder in die neuen Konzepte der ignatianischen Gebets- und Meditationstechniken eingebunden. Gegenüber der von den akad. Dichtern gepflegten Meditations- und Andachtslyr. trat in Deutschland das von Vergil bestimmte Versepos unter Einschluß der Lehrdichtung – beide eher in der Romania gepflegt – zurück.

Die durch Effizienz, Produktivität und waches Problembewußtsein gekennzeichnete jesuitische Literaturkultur kann nicht darüber hinwegtäuschen, daß in dem ordenseigenen Bildungssystem strukturelle Probleme eingelagert waren, die im 18. Jh. zu wachsendem Unbehagen führten. Dies betraf trotz mancher bedeutender Köpfe die akad. marginale und dogmatisch – etwa in Fragen des Heliozentrismus – behinderte Position der Naturwiss. samt der Medizin, auch die offenkundige Vernachlässigung der histor., v. a. aber der juristischen und staatsrechtlichen Studiengänge, mithin die Mißachtung der Interessen jener Elite, die gerade der Jesuitenorden für sich gewinnen wollte.

C. DIE AUFKLÄRUNG: REFORMDRUCK UND FUNKTIONSWANDEL

Nur am Rande wurden die dt. U. während des 17. Jh. in Gestalt einzelner Hochschullehrer von Konzepten der außerakad. Oppositionswiss. beeinflußt (Lehrstuhl für Chemie in Marburg, Reformpädagogik in Gießen und Jena, Cartesianismus in Duisburg). Erst mit der systematischen Entschlossenheit des in Halle, einer preußischen Neugründung (1693/94 [10; 74]), wirkenden Juristen Christian Thomasius (1655–1728 [71; 85]) veränderten sich Axiome der Lehrpraxis, der Lernziele und des Lehrkanons. Im Interesse des überkonfessionellen Vernunftstaates und als Gebot der weltläufigen polit. Beamtenerziehung propagierte Thomasius die dt. Unterrichtssprache, förderte den kritischen Journalismus, verwarf das autoritätsgebundene Denken und trennte im Zeichen naturrechtlicher Toleranz die staatliche Rechtshoheit von der Moralität des privaten Verhaltens. Nicht ohne erhebliche Spannungen mit den in Halle benachbarten, in lit. Hinsicht eher puritanischen Schulinstitutionen des Pietismus (Franckesche Stiftungen [34]) wurde so die theologische Rückbindung der wiss. Verständigung gelockert. Diese Reformen wurden in Halle weitergetragen namentlich von dem Philosophen Christian Wolff (1679–1754 [70]), dem überragenden Systematiker einer alle Wissensgebiete umfassenden, nach mathematischen Prinzipien deduzierten und nun auch in die dt. Sprache umgesetzten Philosophie. Daß Wolff unter dem Vorwurf des »Atheismus« vorübergehend, von den Pietisten attakkiert, nach Marburg ausweichen mußte (1723), bis er von Friedrich d. Gr. ostentativ als »Curator aller Preußischen U.« nach Halle zurückberufen wurde, deutet auf die Brisanz der akad. Positionskämpfe unter dem Druck einer praxisbezogenen Neubestimmung des Hochschulwesens in Konkurrenz zu den entstehenden Akad. und den eher berufsbildenden Neugründungen (wie etwa dem Braunschweiger Collegium Carolinum, 1745). Die U. Halle – mit Alexander Gottlieb Baumgarten (1714–1762) Lehrstätte einer die Sinnlichkeit aufwertenden, damit auch die anakreontische Dichtung begründenden »Ästhetik«, bald mit Johann Salomo Semler (1725–1791) auch Hort der neuen histor.-kritischen Theologie – übernahm so die Vorreiterrolle gegenüber der später maßgeblichen Neugründung (1733/1737) der U. Göttingen [19; 28; 47; 48; 49; 76; 83; 84]. Bis in weite Bereiche des popularisierenden Schrifttums hinein und in fast allen Domänen der Wiss. wirkten Göttinger Gelehrte meinungsbildend im Sinne eines empirischen, d. h. aber auch histor. gegründeten Rationalismus. Dies gilt für namhafte Naturwissenschaftler (Albrecht von Haller, Abraham Gotthelf Kästner [11], Georg Christoph Lichtenberg) wie für die Exponenten einer nun methodisch revidierten, kulturkundlich ausgreifenden Bibelexegese, Kirchengeschichte und oft moraldidaktisch reduzierten Predigtlehre in der ganzen Bandbreite des nun entschieden »vernünftigen« Christentums (u. a. Johann Lorenz Mosheim [50], Johann David Michaelis). Parallel dazu entwickelte sich Göttingen zu einem Mekka der mod. Rechts- und Staatswiss. auf der Basis der histor.-kritischen Reichspublizistik (Johann Stephan Pütter, August Ludwig Schlözer).

In dieses intellektuelle Feld müssen auch Impulse eingeordnet werden, durch die polyhistor. Philol. in mod. Altertumswiss. und Texthermeneutik überführt wurde. Einerseits lösten sich allmählich Beruf und Begriff des Philologen und Gymnasiallehrers vom theologischen Ausbildungsgang, anderseits diente die Lektüre der ant., bislang v. a. lat. Autoren nicht mehr in erster Linie der Reproduktion überkommener Imitationsmodelle im Rahmen der praktischen Rhet., sondern den Zielen einer moralisch fundierten, gedanklich geschulten und auch die muttersprachliche Lit. einbeziehenden Allgemeinbildung. Die so zu umreißenden Frühstadien des sog. Neuhuman. wurden in Göttingen v. a. durch Johann Matthias Gesner (1691–1761 [19; 49]) verkörpert. Ihm ist die Wiederbelebung der griech. Studien zu verdanken, und sein »philol. Seminar«, das erste seiner Art in Deutschland, erwies sich als Vorbild künftiger philol. Propädeutik. Christian Gottlob Heyne (1729–1812 [19; 49; 57]), seit 1763 Gesners Nachfolger in Göttingen, verstärkte die reformerische Symbiose von Schule und U. und setzte sich für Leitvorstellungen der Textbehandlung ein, die – im Gegensatz zur strengen Ed.- und Emendationsphilol. etwa eines Richard Bentley (1661–1742 [56. 179–197]) am Oxforder Trinity College – das empfindsame Verständnis des Kunstwerks im Horizont aktueller Paradigmen zu fördern suchte. Zugleich erweiterte er den Interessenkreis der Philol. auf die Probleme der ant. Myth. und Religionsgeschichte sowie auf histor., arch. und kunstwiss. Begleitstudien. Dabei machte sich nicht nur der Einfluß Johann Joachim Winckelmanns (1717–1768 [56. 207–213]) bemerkbar, sondern auch die weltmännische Neuinterpretation des althuman. Enzyklopädismus, wie sie im »galanten« Leipzig [88] von Johann August Ernsti (1707–1781) und Johann Friedrich Christ (1700–1756) vorgetragen wurde. Bald darauf wurde in Leipzig durch Christian Fürchtegott Gellert (1715–1769), v. a. aber – in der Synthese von mod. »Weltweisheit« und einem ebenso von Horaz wie Boileau inspirierten Klassizismus – durch Johann Christoph Gottsched (1700–1766 [16]) der Lern- und Lektürekursus der älteren Poetik und Rhet. in das weite publizistische Feld einer muttersprachlichen Literaturdoktrin umgesetzt.

Von Heyne aus führt der Weg der Philologiegeschichte zu Friedrich August Wolf (1759–1824 [19; 49; 56. 214–219]), zunächst in Halle, seit 1810 an der neugegr. Berliner U. lehrend. Wolf stimulierte mit seinen *Prolegomena ad Homerum* (1795, Nachdr. 1963, engl. Übers. hrsg. v. A. Grafton et al., 1985) auch bei Dichtern wie Schiller und Goethe die Diskussion über die Einheit oder rhapsodische Vielfalt der Homer. Epen. Zugleich

gilt er als Wortführer einer nun umfassend systematisierten Altertumswiss. (*Darstellung der Alterthums-Wissenschaft*, 1807, zurückgehend auf ältere Hallenser Vorlesungen). Besonderes Interesse verdient Wolfs intensive Korrespondenz – u. a. mit Wilhelm von Humboldt [6; 7]. Die dabei unverkennbar gegenläufigen Tendenzen einer Spezialisierung wie gleichzeitigen Universalisierung der Altertumswiss., auch die Antinomie zw. einer Historisierung und einer normativen Überhöhung der Ant. im Entwurf der neuhuman., betont »philhellenischen« Bildungsidee aufzufangen, blieb fortan eine offenkundig oder latent aporetische Aufgabe.

QU **1** Ph. Melanchthon, Human. Schriften, hrsg. v. Richard Nürnberger (= Werke III), 1961; **2** Ders., Glaube und Bildung. Texte zum christl. Human., lat./dt., hrsg. v. G. R. Schmidt, Stuttgart 1989; **3** G. M. Pachtler SJ (Hrsg.), Ratio studiorum et Institutiones Scholasticae Societatis Jesu …, 2 Bde., 1887 **4** B. Duhr, Die Studienordnung der Ges. Jesu, Freiburg 1896 **5** E. M. Szarota (Hrsg.), Das Jesuitendrama im dt. Sprachgebiet. Eine Periochen-Ed. – Texte und Komm., 3 Bde., 1979–1983 **6** S. Reiter (Hrsg.), Friedrich August Wolf. Ein Leben in Briefen. 3 Bde., 1935; Ergänzungsbde. 1–2, 1990 **7** Ph. Mattson (Hrsg.), Wilhelm von Humboldt, Briefe an Friedrich August Wolf, 1990

LIT **8** K. Aner, Die Theologie der Lessingzeit, 1929 **9** T. H. Aston (Hrsg.), The History of the University of Oxford, Bd. 3–5, 1986 **10** Aufklärung und Erneuerung. Beitr. zur Gesch. der U. Halle im ersten Jh. ihres Bestehens 1694–1806, hrsg. v. G. Jerouschek et al., 1994 **11** R. Baasner, Abraham Gotthelf Kästner, Aufklärer (1719–1800), 1991 **12** W. Barner, Barock-Rhet., Unt. zu ihren geschichtlichen Grundlagen, 1970 **13** B. Bauer, Jesuitische »ars rhetorica« im Zeitalter der Glaubenskämpfe, 1986; **14** Dies. (Hrsg.), Melanchthon und die Marburger Professoren (1527–1627), 2 Bde., 1999; **15** P. Baumgart, N. Hammerstein (Hrsg.), Beitr. zu Problemen dt. Universitätsgründungen der frühen Neuzeit, 1978 **16** W. F. Bender, s. v. Gottsched, Johann Christoph, in: Lit.-lex., hrsg. v. W. Killy, Bd. 4, 1989, 287–292 **17** L. W. B. Brockliss, French Higher Education in the Seventeenth and Eighteenth Centuries, 1987 **18** K. H. Burmeister, Das Studium der Rechte im Zeitalter des Human. im dt. Rechtsbereich, 1974 **19** C. J. Classen (Hrsg.), Die Klass. Altertumswiss. an der U. Göttingen, 1989 **20** N. Conrads, Ritterakad. der Frühen Neuzeit. Bildung als Standesprivileg im 16. und 17. Jh., 1982 **21** A. Demandt (Hrsg.), Stätten des Geistes. Große U. Europas von der Ant. bis zur Gegenwart, 1999 **22** W. Doerr (Hrsg.), Semper Apertus. 600 J. Ruprecht-Karls-U. Heidelberg 1386–1986, Bd. I, MA und Frühe Neuzeit, 1985 **23** B. Duhr SJ, Gesch. der Jesuiten in den Ländern dt. Zunge vom 16. bis 18. Jh., 4 Bde., 1907–1928; **24** K. Erlinghagen, Katholische Bildung im Barock, 1972; **25** W. Erman, E. Horn, Bibliogr. der dt. U. Systematisch geordnetes Verzeichnis der bis E. 1899 gedr. B. und Aufsätze über das dt. Universitätswesen, 3 Bde., 1904; **26** A. Grafton, G. W. Most, Philol. und Bildung seit der Ren., in: Einl. in die lat. Philol., 1997, 35–50 **27** G. Grimm, Lit. und Gelehrtentum in Deutschland. Unt. zum Wandel ihres Verhältnisses vom Human. bis zur Frühaufklärung, 1983 **28** N. Hammerstein, Jus und Historie. Ein Beitr. zur Gesch. des histor. Denkens an dt. U. im späten 17. und im

18. Jh., 1972 **29** Ders., Aufklärung und katholisches Reich. Unt. zur Universitätsreform und Politik katholischer Territorien des hl. Röm. Reiches dt. Nation im 18. Jh., 1977 **30** Ders. (Hrsg.), U. und Aufklärung, 1995 **31** Ders. (Hrsg.), Hdb. der dt. Bildungsgesch., Bd. 1, 15. bis 17. Jh., 1996 **31** K. HARTFELDER, Philipp Melanchthon als Praeceptor Germaniae, Berlin 1889, Nachdr. 1972 **32** E. HASSINGER (Hrsg.), Bibliogr. zur Universitätsgesch., Verzeichnis der im Gebiet der Bundesrepublik Deutschland 1945–1971 veröffentlichten Lit., bearb. v. E. STARCK, 1974 **33** K. HENGST, Jesuiten an U. und Jesuiten-U., 1981 **34** C. HINRICHS, Preußentum und Pietismus. Der Pietismus in Brandenburg-Preußen als rel.-soziale Reformbewegung, 1971 **35** G. KEIL et al. (Hrsg.), Der Human. und die oberen Fakultäten, 1987 **36** H. KOEHN, Philipp Melanchthons Reden. Verzeichnis der im 16. Jh. erschienenen Drucke, in: Archiv für Gesch. des Buchwesens 25, 1984, 1278–1484 **37** W. KÜHLMANN, Gelehrtenrepublik und Fürstenstaat, 1982 **38** Ders.(Hrsg.), Rudolf Agricola 1444–1485, 1994 **39** Ders., Pädagogische Konzeptionen, in: [31. 153–196] **40** Ders., R. SEIDEL, H. WIEGAND (Hrsg.), Human. Lyr. des 16. Jh., lat./dt., 1997 **41** T. KURRUS, Die Jesuiten an der U. Freiburg i. Brg. 1620–1773, 2 Bde., 1963–1977 **42** J. LEONHARDT (Hrsg.), Melanchthon und das Lehr-B. des 16. Jh., 1997 **43** E. LEWALTER, Span.-jesuitische und dt.-lutherische Metaphysik des 17. Jh., 1935, Nachdr. 1967 **44** TH.H. LUNSINGH SCHEUERLEER, G. H. M. POSTHUMUS MEYES (Hrsg.), Leiden University in the Seventeenth Century: An Exchange of Learning, 1975 **45** E. MEUTHEN, Charakter und Tendenzen des dt. Human., in: Säkulare Aspekte der Reformationszeit, hrsg. v. H. ANGERMEIER, 1983, 217–266 **46** Ders., Kölner Universitätsgesch., Bd. 1, Die alte U., 1988 **47** B. MOELLER et al. (Hrsg.), Stud. zum städtischen Bildungswesen des späten MA und der frühen Neuzeit, 1983 **48** Ders. (Hrsg.), Theologie in Göttingen, 1987 **49** U. MUHLACK, Klass. Philol. zw. Human. und Neuhuman., in: [83. 93–119] **50** M. MULSOW et al. (Hrsg.), J. L. Mosheim. Theologie im Spannungsfeld von Philos., Philol. und Gesch., 1997 **51** S. NEUMEISTER, C. WIEDEMANN (Hrsg.), Res publica Litteraria. Die Institutionen der Gelehrsamkeit in der frühen Neuzeit, 2 Bde., 1987 **52** J. H. OVERFIELD, Humanism and Scholasticism in Late Medieval Germany,1984 **53** F. PAULSEN, Gesch. des gelehrten Unterrichts auf den dt. Schulen und U. vom Ausgang des MA bis zur Gegenwart, 3. erw. Auflage hrsg. v. R. LEHMANN, 2 Bde., 1919–1921, Nachdr. 1965; **54** P. PETERSEN, Gesch. der aristotelischen Philos. im protestantischen Deutschland, 1921, Nachdr. 1964 **55** T. PESTER, Gesch. der U. und Hochschulen im deutschsprachigen Raum von den Anf. bis 1945. Auswahlbibliogr. der Lit. der J. 1945–1986, 1990 **56** R. PFEIFFER, Die Klass. Philol. von Petrarca bis Mommsen, 1982 **57** B. PREISS, Die wiss. Beschäftigung mit der Laokoongruppe. Die Bed. Christian Gottlob Heynes für die Arch. des 18. Jh., 1995 **60** S. RHEIN, H. SCHEIBLE (Hrsg.), Melanchthon und die Naturwiss. seiner Zeit, 1998 **61** H. RÖSSLER, G. FRANZ (Hrsg.), U. und Gelehrtenstand 1400–1800, 1970 **62** W. RÜEGG (Hrsg.), Gesch. der U. in Europa, Bd. 2, Von der Reformation zur Frz. Revolution (1500–1800), 1996 **63** E. SCHÄFER, Dt. Horaz, Conrad Celtis, Georg Fabricius, P. Melissus, Jacob Balde, 1976 **64** K. SCHEIBLE, s. v. Melanchthon, Philipp, in: TRE 12, 1992, 371–410 **65** Ders. (Hrsg.), Melanchthon in seinen Schülern, 1997 **66** J. SCHIEWE, Sprachenwechsel –

Funktionswandel – Austausch der Denkstile. Die U. Freiburg zw. Lat. und Dt., 1996; **67** A. SCHINDLING, Human. Hochschule und Freie Reichsstadt. Gymnasium und Akad. in Straßburg 1538–1621, 1977 **68** Ders., Bildung und Wiss. in der frühen Neuzeit 1650–1800, 1994 **69** R. SCHMITZ, G. KEIL (Hrsg.), Human. und Medizin, 1984 **70** W. SCHNEIDERS (Hrsg.), Christian Wolff 1679–1754 … Mit einer Bibliogr. der Wolff-Lit., 1983 **71** Ders. (Hrsg.), Christian Thomasius 1655–1728, 1989 **72** H. SCHNEPPEN, Niederländische U. und dt. Geistesleben von der Gründung der U. Leiden bis ins späte 18. Jh., 1960 **73** A. SCHÖNE (Hrsg.), Stadt-Schule-U.-Buchwesen und die dt. Lit. im 17. Jh., 1976 **74** W. SCHRADER, Gesch. der Friedrichs-U. zu Halle, Berlin 1894 **75** A. SEIFERT, Das höhere Schulwesen. U. und Gymnasien, in: [31. 197–374] **76** J.v. STACKELBERG (Hrsg.), Zur geistigen Situation der Zeit der Göttinger Universitätsgründung 1737, 1988 **77** R. STICHWEH, Der frühmod. Staat und die europ. U., 1991 **78** M. STOLLEIS, Gesch. des öffentlichen Rechts in Deutschland, Bd. 1, Reichspublizistik und Policeywissenschaft 1600–1800, 1988 **79** H. E. TROJE, Human. Jurisprudenz, 1993 **80** J.-M. VALENTIN, Le Théâtre des Jésuites dans les pays de langue allemande (1554–1680). 3 Bde., 1978; **81** Ders., Le Théâtre des Jésuites dans les pays de langue allemande: Répertoire chronologique des pièces représentées et des documents conservés (1555–1773). 2 Bde., 1983–1984 **82** J. VERGER (Hrsg.), Histoire des Universités en France, 1986 **83** R. VIERHAUS (Hrsg.), Wiss. im Zeitalter der Aufklärung, 1985 **84** Ders., Die U. Göttingen und die Anf. der mod. Geschichtswiss. im 18. Jh., in: Geschichtswiss. in Göttingen, hrsg. v. H. BOOCKMANN, H. WELLENREUTHER, 1987, 9–29 **85** F. VOLLHARDT (Hrsg.), Christian Thomasius (1655–1728), Neue Forsch. im Kontext der Frühaufklärung, 1997 **86** G. WARTENBERG (Hrsg.), Werk und Rezeption Melanchthons in U. und Schule bis ins 18. Jh., 1999 **87** U.v. WILAMOWITZ-MOELLENDORFF, Gesch. der Philol., 1921, Nachdr. 1998; **88** G. WITKOWSKI, Gesch. des lit. Lebens in Leipzig, Leipzig 1909 **89** M. WUNDT, Die dt. Schulmetaphysik des 17. Jh., 1939.

WILHELM KÜHLMANN

III. NEUZEIT AB 1800

A. 1800 BIS 1871   B. 1871 BIS 1914/1918
C. 1918 BIS 1945
D. AUSBLICK: DIE ENTWICKLUNG NACH 1945

A. 1800 BIS 1871

1. ALLGEMEINE ENTWICKLUNG

Die reformierte dt. U. ist eine Erfolgsgeschichte (zur allg. Entwicklung siehe [62. 101–232; 67. 56–65, 470–482; 72. 247ff.; 93; 95; 96; 103. 504–520; 104. 417–429]). Sie beginnt mit der Auflösung und Neugründung einzelner U., der neuhuman. Konzeptualisierung und Säkularisierung der höheren Bildung sowie der institutionellen und administrativen Reorganisation und Bürokratisierung der Hochschulen. Gab es 1789 auf dem Gebiet des späteren Dt. Reiches 35 U., so führen die polit. Veränderungen der Napoleonischen Zeit zu einem deutlichen Rückgang auf 18 U., zu denen 1810 Berlin als Neugründung und 1818 Bonn als Wiedergründung hinzukommen. Bis 1872 die U. Straßburg ihre Pforten öffnet, bleibt die Zahl der U. auf dt. Boden unverändert.

Das preußische Reformkonzept, das mit dem Namen Wilhelm von Humboldts verbunden ist [66. 666 ff.; 80; 100. 383 f.], wird der dt. Wiss. Weltgeltung verschaffen und die dt. U. zum international wirkmächtigen Paradigma einer mod. Hochschulpolitik machen. Die »Humboldtsche« Idee wird nicht nur in Europa, sondern auch in Amerika [38; 92] und Japan imitiert. Sie transzendiert den universitären Bereich. Erziehung und Wiss. werden als Teil einer umfassenden Erneuerung von Staat und Gesellschaft verstanden. Das liberale Ideal einer auf der Freiheit von Forsch. und Lehre basierenden U. grenzt sich vom dirigistischen Hochschulsystem frz. Provenienz ab. Bildung durch Wiss. wird zum Leitmotiv. Selbstbewußt wird ein bürgerliches Leistungsethos vertreten, das die alte Ständearistokratie durch eine neue »Geistesaristokratie« ersetzt. Jeder Mensch, so lehren die Vertreter des philos. Idealismus, trage die Idee der Wiss. in sich, so daß das Studium zur geistigen und sittlichen Perfektion diene. Der praktische Nutzen der wiss. Wahrheitssuche wird negiert: Wiss. ist Selbstzweck. Die Reformen künden zugleich ein neues Verständnis von Forsch. und Lehre. Die Forsch. ist strenger Methode verpflichtet. Die Professoren werden zur Veröffentlichung ihrer Ergebnisse angehalten und müssen sich der gelehrten Diskussion und Kritik stellen. Der Forschungsprimat ist unbestritten. Nur der gute Wissenschaftler ist ein guter Lehrer. In enger Kooperation zw. Schüler und Lehrer sollen die Methoden des Faches eingeübt und wiss. Arbeiten vermittelt werden. Die Krönung dieser universitären Erziehung ist die Inaugural-Dissertation, die einen wiss. Erkenntnisgewinn vorweisen muß. Sie findet ihre Fortsetzung in universitären Forschungsleistungen und gelehrten Schulprogrammen.

Zunächst wirkt die Reform über die neu gegr. U. Berlin in den dt. Ländern. Berlin ist dabei nicht der Ausgangspunkt der Reformen, wohl aber Motor der Veränderung. Vergleichbare Bestrebungen gibt es auch an anderen dt. U. [29], v. a. in Göttingen, der bedeutendsten Reform-U. des 18. Jh. und größten dt. Hochschule am Anf. des 19. Jh. [28]. Hier ist längst ein neuer wiss. Stil in den Seminaren eingeführt, Lern- und Lehrfreiheit garantiert und das schwierige Verhältnis zw. staatlicher Supervision und universitärer Korporation neu geordnet worden. Die Generation der preußischen Reformpolitiker, allen voran Wilhelm von Humboldt, optieren für dieses Modell einer reformierten U., mit dem sie durch ihr Studium ohnehin bestens vertraut sind. Die U. Breslau, Bonn, Heidelberg, Würzburg und Landshut (1825/26 nach München verlegt) werden allmählich nach dem Berliner Vorbild (re-)organisiert und ziehen viele Professoren und Studenten an. Schon wenige J. nach dem Wiener Kongreß besuchen etwa 40% der Studenten die vier großen U. Berlin, Breslau, Bonn und Landshut/München. Göttingen kann mit der Innovationskraft der preußischen Neugründung in Berlin auf Dauer nicht Schritt halten.

Der Staat unterstützt weniger aus idealistischen als pragmatischen Gründen die Expansion der Universitäten. In Berlin verdreifacht sich der Etat zw. 1820 und 1870. Die U. werden nicht als Horte der Freiheit geschützt – im Zuge der Karlsbader Beschlüsse und der Repressionsgesetze der 1830er J. werden die liberalen Studenten und Professoren diszipliniert –, sondern als Ausbildungsinstitutionen der staatstragenden Beamtenschaft gefördert. Inst. und Seminare entstehen. In Berlin gibt es 1820 7 medizinische sowie 3 theologische und philos. Inst.; 1850 sind es 10 und 8, 1870 16 und 11. Neue Lehrstühle werden eingerichtet; hierbei haben die preußischen U. eine wichtige Vorreiterrolle. Innerhalb der Philos. Fakultät entwickeln sich aus den traditionellen Disziplinen Philos., Klass. Philol., Geschichte und Orientalistik die »jüngeren« Fächer Germanistik, Romanistik, Anglistik, Sanskrit und Vergleichende Sprachwiss., Alte Geschichte, Klass. Arch. und Kunstgeschichte. Dieser Kanon bildet die »geisteswiss.« Grundausstattung aller dt. Universitäten. Auch naturwiss. Fächer wie Chemie, Botanik und Zoologie, die an älteren U. zur Medizinischen Fakultät zählten, werden nun in die Philos. Fakultät eingegliedert [3. 30–92].

Die dt. Universitätslandschaft diversifiziert und hierarchisiert sich. Unterschieden werden »Einstiegs-U.« (wie Erlangen, Gießen, Greifswald, Kiel und Rostock), in denen Wissenschaftler ihre Karrieren beginnen, »Durchgangs- (Breslau, Freiburg, Jena, Königsberg und Marburg) und Aufstiegs-U.« (Göttingen, Halle, Tübingen und Würzburg) und die »Groß-U.«, an die berufen zu werden die Krönung einer akad. Laufbahn bedeutet. Zu der letztgenannten Gruppe zählen Berlin, München und Leipzig und – mit einem gewissen Abstand – Bonn und Heidelberg. Hier werden vorrangig Ordinarien kooptiert [3. 160–266].

2. Die Altertumswissenschaften

Die Grundlage der Universitätsreform ist das neuhuman. Bildungsideal, das die Wiss. und damit auch den Status des Wissenschaftlers aufwertet und ein gewaltiges Innovationspotential freisetzt. Die Theoretiker der neuen U. – Friedrich August Wolf, Friedrich Schleiermacher und Wilhelm von Humboldt – knüpfen an die Trad. des Göttinger Neuhuman. (Johann Mathias Gesner und Christian Gottlob Heyne) an. Die alten Sprachen werden nicht mehr – wie früher – als Teil der propädeutischen Ausbildung in der Artistenfakultät unterrichtet, sondern sind die Grundlage einer umfassenden Wiss. vom griech. und röm. Alt., die im Zentrum der erneuerten dt. U. steht. Nicht enzyklopädisches Wissen über das Alt. ist das Ziel des Studiums, sondern die intellektuelle und charakterliche Erziehung eines breit gebildeten »Generalisten«, der vielfältig einsetzbar ist und über die Fähigkeit der selbständigen Urteilsbildung und kritischen Analyse verfügt. Die Funktionalität dieser Ausbildung ist zu Recht betont worden [103. 510].

Die Altertumswiss. profitieren vom Ausbau der philos.-histor. Fächer zu Beginn des 19. Jahrhunderts. Sie

sind in ihrer Methodologie und Organisation richtungweisend. An altertumswiss. Gegenständen wird die Frage nach den Bedingungen der Möglichkeit objektiver
Erkenntnis diskutiert, und die philol.-histor. Analyse
ant. Texte konstituiert eine neue Hermeneutik [37]. Die
neuen Seminare der Klass. Philol. in Halle (Friedrich
August Wolf), Berlin (August Boeckh), Leipzig (Gottfried Hermann) und München (Friedrich Thiersch), die
den Perspektivenwandel von den traditionellen Hu-
manitätsstudien zur wiss. Philol. vollziehen, sind die
Keimzelle eines Institutssystems, das die universitäre
Ausbildung professionalisiert und die wiss. Arbeit systematisiert. Bis 1824 gibt es (Klassisch-) Philol. Seminare an allen preußischen, bis 1838 an fast allen dt. U.;
Würzburg folgt 1847, Wien 1850 [15. 128f]. Nach ihrem Vorbild werden histor., neuphilol. und staatswiss.
Seminare begründet. Die hier grundgelegte Idee einer
mod. Forschungs-U., die auf Strukturen kollegialer und
korporativer Autonomie beruht, wirkt nicht nur in
Kontinentaleuropa, sondern auch in den angelsächsischen Ländern [81; 82]. Selbst Oxford sei, so Arnaldo
Momigliano, nach 1845 dt. geworden [63. 128 (204)].

Fortschrittsgläubigkeit und Wissenschaftsoptimis-
mus begleiten die dynamische Expansion der Altertumswiss. an den dt. Universitäten. Das »Totalitätsideal«
führt notwendigerweise zur innerfachlichen Differenzierung. Neue Disziplinen und Subdisziplinen erschließen neue Quellen der Alten Welt und begründen neue
Methoden. Die Wiss. vom Alt. zerfällt in verschiedene
Sparten. Damit wird die Ant. als fächerübergreifendes
Ideal zerstört und die Desintegration der einzelnen
Fachbereiche beschleunigt. Aus der einen Altertumswiss. gehen die verschiedenen Altertumswiss. hervor.
Die Arch. wird als ein eigenständiges Fach begründet,
die ersten Lehrstühle werden eingerichtet: 1842 in Göttingen, 1844 in Berlin, 1845 in Halle und 1853 in Leipzig
[61. 36–115; 83. 67–94, 160f.]. Die Alte Geschichte
emanzipiert sich gleichermaßen von der Universalhi-
storie und der Klass. Philol. [45]: 1860 wird Carl Neu-
mann in Breslau zum Extraordinarius für Alte Geschichte und allg. Geogr. ernannt (ein althistor. Ordi-
nariat wird dort erst 1880 geschaffen [52. Bd. 2. 366]).
1861 übernimmt Theodor Mommsen einen Lehrstuhl
für Röm. Altertumskunde an der U. Berlin [30. 165].
Dennoch halten an den meisten U. Vertreter der Geschichte oder der Klass. Philol. nach wie vor althistor.
Veranstaltungen. An manchen Orten werden Doppel-
professuren für Klass. Philol. und Arch. (Göttingen)
oder für Klass. Philol. und Alte Geschichte (Jena) aus-
geschrieben. Allerdings werden die Bemühungen um
eine wiss. Theorie und universale Methodologie nicht
fortgesetzt; die Altertumswissenschaftler an den U. beschränken sich statt dessen immer häufiger auf die hochspezialisierten Operationen der Quellenkritik und der
Texthermeneutik [75].

3. PROFESSOREN

Der Professionalisierung der Forsch. folgt die »Verwissenschaftlichung« und Standardisierung der universitären Karriere. Das Eintrittsbillett ist die Habilitation,
die das Recht verleiht, Vorlesungen zu halten (die sog.
venia legendi). Für die weitere Karriere wichtig wird die
individuelle Forschungsleistung und die wiss. Anerkennung in der *scientific community* [3. 93–159]. Damit einher geht die länderübergreifende Rekrutierung der
Wissenschaftler und die Aufgabe der traditionellen Ko-
optation des Gelehrten durch die Kollegen. Der Staat,
will sagen die Kultusbürokratie, greift oft und entschieden in die Berufungspolitik ein und widersetzt sich kol-
legialen Vorlieben, lokalen Cliquen und zünftigen Interessen. Die durchaus an Nützlichkeitsüberlegungen
orientierte Personalpolitik ist zwar nicht frei von Miß-
griffen, kann insgesamt aber eindrucksvolle Erfolge aufweisen. Der dt. Föderalismus verschärft die innovati-
onsfördernde Konkurrenz der Länder auf dem Gebiet
der Universitätspolitik und stimuliert den Fortschritt in
den Wissenschaften. Eine Universitätskarriere reizt bes.
Angehörige des Bürgertums, das durch universitäre Bil-
dungspatente seine faktische Benachteiligung gegenüber dem Adel, der nach wie vor die führenden Positionen in Verwaltung, Militär und Politik bekleidet, zu
kompensieren versucht. Die akad. Meritokratie mit ihrer theorieorientierten und säkularen Bildungsidee ist
v. a. attraktiv für aufstiegsorientierte Bildungsbürger
und protestantische Pfarrerssöhne, die sich nicht selten
vom ererbten Glauben ihrer Väter abwenden. Innerhalb
der bildungsaristokratischen Funktionselite entstehen
Wissenschaftlerdynastien, die oft mehrere Generationen von Hochschullehrern hervorbringen. In der bürgerlichen Gesellschaft wird weniger der einsame Forscher als der »polit. Professor« zum Leitbild, der sich in
Parteien und Parlamenten engagiert und der zunächst
liberal-nationale und später national-liberale Positionen
vertritt.

Gleichzeitig steigt die Zahl der Extraordinarien und
Privatdozenten, auf deren Kosten die Kultusbürokrati-
en mit geringem finanziellem Aufwand das Lehrange-
bot vergrößern und neue Forschungsrichtungen etablieren können. Viele unbezahlte oder schlecht bezahlte
Nachwuchswissenschaftler müssen sich daher zur er-
sehnten ordentlichen Professur »durchhungern« [19]
(für Heidelberg: [34]). Während 1796 auf 100 Ordinarien nur 37 Nichtordinarien kamen, liegt das Verhältnis
1864 bei 100 zu 88 [67. 472; 103. 516f.]. Der deutliche
Zuwachs an Nichtordinarien, die die Erweiterung auch
des altertumskundlichen Fächerkanons vorantreiben
und für einen reibungslosen Lehrbetrieb verantwortlich
sind, beschleunigt den Niedergang des traditionellen
Korporatismus und fördert die Hierarchisierung des
Lehrkörpers.

4. STUDENTEN

Die Studentenzahl steigt auf dem Gebiet des späteren
Dt. Reiches von rund 5500 um 1800 auf knapp 16000
um 1830, sinkt dann (von 1835 bis 1860) wieder auf

unter 12 000 im Jahresdurchschnitt (zur allg. Entwicklung vgl. [50. 13–58]). Erst Mitte der 60er J. kommt es zu einem erneuten Aufschwung (13 500). Besonders beliebt ist das Studium der Rechtswiss. (zw. 28,3% und 33,6%) und der Medizin (ca. 15%), das ein sicheres Auskommen verspricht. Die philos. Fakultäten wachsen ständig; dort ist Anf. der 1850er J. ein Viertel aller Studenten eingeschrieben. Demgegenüber sinkt die Zahl der evangelischen Theologen deutlich (1830/31: 26,8%; 1846/51: 15,9%). Nur ein Bruchteil der Bevölkerung besucht die U. (1830: 0,5%; 1850: 0,35%). Die Studenten kommen zu einem Großteil aus akad. gebildeten Familien (ca. 50–60%) sowie aus der Aristokratie (ca. 12,5%) und dem Besitzbürgertum (ca. 14%). Doch gibt es nicht wenige soziale Aufsteiger (in Berlin bis zu 29%, in Halle und Leipzig über 30%) aus den unteren Mittelschichten (Handwerker, Volksschullehrer, mittlere und niedere Beamte). Deren Anteil, der durchaus regionalen und zeitlichen Schwankungen unterworfen ist, ist gerade im Vergleich zu den engl. und frz. Elite-U. und den nordamerikanischen Privatkollegs signifikant und unterstreicht das sozial diversifizierte Rekrutierungspotential der dt. Hochschulen [67. 476 f.; 103. 513–516; 104. 426–429].

Das Studium unterliegt wenigen Regeln. Es ist auf die Erziehung durch Wiss. ausgerichtet, postuliert den Forschungsimperativ und glorifiziert die innerweltliche Gelehrtenaskese. Eine kollektive Identität wird an dt. U., im Gegensatz etwa zu den engl. Colleges, nicht vermittelt, die Studierenden sind nicht an »ihre« U. gebunden. Die Mobilität unter den Studenten (wie auch unter den Professoren) ist hoch; sie studieren regionen- und länderübergreifend an verschiedenen U. und fördern gegen die partikularen Tendenzen des dt. Föderalismus die Idee einer geeinten dt. Nation. Die »Einsamkeit« des Forscherlebens wird indes durch die studentische Subkultur kompensiert, die bald den liberal-idealistischen Elan der Gründerzeit verliert. Die Burschenschaften imitieren in ihren Corps vorbürgerliche, feudale Verhaltensnormen und propagieren einen formalisierten »Ehrbegriff«.

B. 1871 BIS 1914/1918

1. ALLGEMEINE ENTWICKLUNG

Im Dt. Kaiserreich sind die U. tiefgreifenden Veränderungen unterworfen (zur allg. Entwicklung vgl. [51; 62. 239–322; 68. Bd 1. 568–691; 72. 695 ff.; 93; 95; 104. 1209–1224]). Ihre Zahl bleibt annähernd konstant – zu den 19 U. kommen 1872 Straßburg, 1902 Münster (das zur Voll-U. ausgebaut wird) und 1914 Frankfurt hinzu –, aber mit ihnen treten nun die Technischen Hochschulen in Konkurrenz, die z. T. neu gegr. werden und z. T. aus den alten Polytechnika hervorgehen. Die von ihnen angebotene praxisnahe Ausbildung, die die Humboldtschen U. mit ihrer kategorischen Ablehnung einer anwendungsorientierten Wiss. nicht garantieren können und wollen, ist die notwendige Voraussetzung für die Modernisierung und Expansion der dt. Wirtschaft. Seit der Jahrhundertwende werden zudem Han-

delshochschulen errichtet (1901 in Köln und Frankfurt, 1906 in Berlin, 1907 in Mannheim, 1910 in München und 1915 in Königsberg). Der Staat steuert das quantitative Wachstum der Hochschulen durch eine überproportionale Steigerung seiner finanziellen Leistungen. Preußen bringt 1866 2, 1882 bereits 9,6 und 1914 schließlich 27 Millionen Mark für die U. auf – die Technischen und Handelshochschulen ausgenommen. Die äußeren Veränderungen haben für die innere Struktur erhebliche Konsequenzen. Die forcierte Gründung neuer Seminare, Inst. und Kliniken beschleunigt die Differenzierung und Spezialisierung von Forsch. und Lehre [62. 280–287]. Wissenschaftliche Pluralität ersetzt die Einheit des Wissens, an die eine neuhuman. Rhet. programmatisch festhält. Zunehmend gewinnen außeruniversitäre Einrichtungen und private Ressourcen für eine kapitalintensive Forsch. an Bedeutung. 1911 wird nach schwierigen Verhandlungen die Kaiser-Wilhelm-Gesellschaft gegr. [99]. Die Hochschulen verwandeln sich in einen »Großbetrieb der Wiss.«, der internationale Maßstäbe setzt und ausländische Studenten und Gelehrte anzieht. In den J. 1911/12 studieren 4589 Ausländer an den U. des Dt. Reichs (8,3% aller Studierenden; im Vergleich dazu liegt der Frauenanteil bei 6,73% = 4056 Studentinnen) [31]. Die zahlreichen internationalen Austauschprogramme, die die dt. Hochschulen mit dem Ausland verbinden, werden jedoch durch den I. Weltkrieg unterbrochen.

Die staatliche Wissenschafts- und Kulturpolitik wird ein Viertel-Jh. nachhaltig von dem Ministerialbeamten Friedrich Althoff (1839–1908) beeinflußt, der entscheidenden Anteil an der Expansion und Differenzierung des dt. Hochschul- und Bildungswesens im Wilhelminischen Zeitalter hat [12; 14; 66. 766 ff.]. Zentrale Elemente des »Systems Althoff« sind die Modernisierung der Hochschulverwaltungen, die Bürokratisierung der U., die Begrenzung korporativer Autonomie, der Ausbau nationaler und internationaler Einrichtungen zur wiss. Kooperation, die private Finanzierung universitärer und außeruniversitärer Forsch. und ein komplexes Netzwerk persönlicher Beziehungen. Unter Althoffs Ägide werden auch notwendige Reformen des Bibliothekswesens, der akad. Besoldungsrichtlinien, des Prüfungswesens und des Universitätsrechtes auf den Weg gebracht.

2. ALTERTUMSWISSENSCHAFTEN

Die Altertumswiss. an den dt. Hochschulen, die den europ. und nordamerikanischen U. als Vorbild dienen [20. 15–42; 82], profitieren von der ungeheuren Dynamik der neuhuman. Bildungsreligion und der institutionellen Konkurrenz der reformierten U., der innovativen Differenzierung der Disziplinen und der sprunghaften Steigerung der staatlichen Alimentation. Mit Hilfe der bisweilen rigiden ministeriellen Kontrolle der Berufungen [23; 74. 94 ff.] schreitet die Institutionalisierung der einzelnen altertumskundlichen Fächer an den dt. U. weiter voran. Die sogenannten Hilfswiss. (Numismatik, Epigraphik, Papyrologie, Prosopographie, Paläographie etc.) werden in der universitären Forsch. und Lehre verstärkt berücksichtigt. Die Stellen an den Klass.-Philol. Seminaren werden vermehrt, die Latinistik und Gräzistik verselbständigen sich als Universitätsfächer (P. L. Schmidt in [36. 119 ff.]). Neue arch. Lehrstühle werden geschaffen [83. 67–94, 160 f.] und die Byzantinistik (München 1892: Karl Krumbacher) sowie die Mittellat. Philol. (München 1902/1904: Ludwig Traube, vgl. P. L. Schmidt in [22. 491–503]) als autarke Disziplinen begründet. Spezielle Professuren respektive Seminare für Alte Geschichte werden eingerichtet [24. 74]: 1863 in Kiel, 1865 in Bonn, 1870 in Marburg, 1873 in Königsberg, 1876 in Jena und Wien, 1877 in Göttingen und Würzburg, 1880 in Leipzig, 1881 in Greifswald, 1885 in Innsbruck, 1887 in Heidelberg, 1888 in Freiburg, 1889 in Halle, 1898 in Erlangen und Gießen, 1900 in München, 1902 in Tübingen und 1904 in Rostock. 1885 wird in Berlin nach dem Vorbild des Arch.-epigraphischen Seminars in Wien das Inst. für Altertumskunde eröffnet. Das zunächst rein althistor. ausgerichtete Inst. ist in eine griech. Sektion, die Ulrich Köhler (später Eduard Meyer) leitet, und eine röm., der Otto Hirschfeld vorsteht, unterteilt. 1897 tritt eine philol. Abteilung hinzu (Ulrich von Wilamowitz-Moellendorff, Hermann Diels und Eduard Norden). 1912 wird schließlich das Arch. Seminar eingegliedert (Georg Loeschke, Theodor Wiegand und Ferdinand Noack, vgl. [30. 173; 98. 730 ff.]). Mit diesem Berliner Universitätsinst. soll auch der Tendenz zur innerfachlichen Fragmentierung im Zeichen der Großforsch. entgegengewirkt werden, um die Einheit der Altertumswiss. institutionell zu erhalten.

Gegen den heftigen Widerstand der altertumswiss. Fachvertreter werden die Berechtigungsdiplome mod. Schulanstalten wie der Oberrealschule und des Realgymnasiums anerkannt und damit das Abiturmonopol des human. Gymnasiums aufgehoben. Der Anteil der Studenten mit neuhuman. Bildung sinkt von über 90% um 1900 auf unter 70% vor dem Ausbruch des I. Weltkrieges. Nachhilfekurse in Lat. und Griech. werden immer häufiger angeboten. Der Streit um die allgemeinbildende Funktion der Alten Sprachen dauert an [57. 173–202; 72. 564 ff., 637 ff., 715 ff.].

3. PROFESSOREN

Im Kaiserreich wächst das Lehrpersonal stark an, zw. 1864 und 1910 um 159% (von 1468 auf 3807 Personen). Vor allem die Naturwiss. und technischen Disziplinen profitieren hiervon. Doch auch in den übrigen Fächern werden neue Stellen eingerichtet. 1864 sind in den geisteswiss. Disziplinen 422 Hochschullehrer tätig, darunter 179 Ordinarien; 1890 steigt deren Zahl auf 649 (282 Ordinarien) und 1910 auf 1051 (352 Ordinarien). Allein die U. Berlin erhält in den 70er und 80er J. des 19. Jh. 18 neue kultur- und naturwiss. Lehrstühle. Die Klass. Philol. verfügt 1864 über 68 Hochschullehrer (43 Ordinarien), 1890 über 85 (56) und 1910 über 109 (62), in der Geschichtswiss. unterrichten 1864 73 Hochschullehrer (37 Ordinarien), 1890 127 (62) und 1910 185 (76). Zwar

werden nicht wenige Ordinariate neu geschaffen, noch schneller aber wachsen – bes. seit 1890 – die Zahlen der nicht oder nur schlecht bezahlten Privatdozenten und Extraordinarien. Damit verlängern sich für die Nichtordinarien die Wartezeiten bis zur Berufung, und für einen Teil wird die Privatdozentur nicht mehr Durchgangs-, sondern Dauerzustand. In Heidelberg sind 1914 die H. der Assistenten habilitiert. Die weitere Hierarchisierung der U., die Entstehung der Nichtordinarienbewegung und eine veränderte soziale Rekrutierung der Hochschullehrer sind die Folgen dieser Entwicklung [17; 19. 106 ff.; 84]. Der retrospektiven Idealisierung des forschungsbezogenen »Seminars«, das bereits dem Studierenden die Möglichkeit eröffnet, sich wiss. zu qualifizieren, und der großen »Vorlesung«, die ein umfangreiches Stoffgebiet systematisch darstellt, stehen durchaus kritische Zeitzeugnisse entgegen wie etwa Ludwig Hatvanys berühmte Satire *Die Wiss. des nicht Wissenswerten* (Leipzig 1908; München ²1914 = Oxford 1968), die die Zustände am Berliner Inst. für Altertumskunde in den J. 1906/07 parodiert.

Die dem wiss. Leistungsprinzip verpflichteten Altertumswissenschaftler sind zumeist Repräsentanten des protestantischen Bildungsbürgertums. Der »polit.« Professor, der aktiv in den Parlamenten Politik macht, weicht dem »überparteilichen« Gelehrtenpolitiker, der sich vom tagespolit. Engagement fernhält und über Petitionen, Eingaben, Vereinstätigkeit und Salondiplomatie hochschul- und forschungspolit. Anliegen zu realisieren versucht [16]. Die um die Jahrhundertmitte oder später geborenen Universitätsprofessoren stehen mehrheitlich loyal zum polit. System des Wilhelminismus und fühlen sich gleichermaßen von Parlamentarismus, Liberalismus und Sozialismus abgestoßen. Die Weltgeltung der dt. Wiss. ist ihnen Teil der nationalen Sendung des Kaiserreichs. Die Mehrheit der »dt. Mandarine« [78] widersetzt sich der polit. und sozialen Modernisierung und beharrt auf überkommenen akad. Traditionen. Im I. Weltkrieg beteiligen sich viele herausragende Gelehrte, darunter bedeutende Altertumswissenschaftler wie Eduard Meyer, Eduard Schwartz, Otto Seeck und Ulrich von Wilamowitz-Moellendorff, an der Kriegspropaganda [13; 97].

4. STUDENTEN

Die Studentenzahlen explodieren (zur allg. Entwicklung vgl. [48; 50. 59–115]). Immer mehr Studierende unterschiedlicher sozialer Herkunft drängen an die U. und Technischen Hochschulen. Die proletarischen Unterschichten bleiben jedoch weiterhin fast völlig vom universitären Studium ausgeschlossen. Die elitäre Hochschule der Vergangenheit, die v. a. das akad. gebildete Großbürgertum reproduziert, verwandelt sich in eine mod. U. der wirtschaftlich prosperierenden Mittelklassen und wird schon von den Zeitgenossen als Massen-U. wahrgenommen [49]. Berlin hat vor dem I. Weltkrieg rund 10 000 Studierende. 1865 besuchen etwa 13 500 Studenten die Hochschulen, 1911 sind es ca. 55 600, im letzten Vorkriegssemester 1914 über 60 000.

Dabei bilden die Studierenden der Philos. Fakultäten den stärksten Wachstumsfaktor; ihr Anteil steigt von 40,4% 1870 über 42,7% 1880 auf 52,1% 1910. Die Zahl der dt. Studenten der alten und der neuen Philol. sowie der Geschichte wächst von 3263 im Wintersemester 1886/87 auf 12454 im Wintersemester 1911/12 (= 10,16% aller Studierenden) [93. 122]. Der auf die Schulreform von 1890 zurückzuführende Frequenzeinbruch ist nur vorübergehend. Größere statistische Unt. zu der Herkunft und dem Sozialprofil der Studenten der Altertumswiss. fehlen (vgl. für Greifswald [42]). Zugleich wird das männliche Universitätsmonopol gegen z. T. heftigen Widerstand gebrochen; in Preußen sind Studentinnen seit 1898 als Hörerinnen zugelassen, zehn J. später wird ihnen die formelle Immatrikulation zugestanden [1]. Die Zahl der Studenten wächst schneller als die der Ordinarien, so daß kurz vor dem I. Weltkrieg doppelt so viele Studierende auf einen ordentlichen Professor kommen wie 50 J. zuvor. Die Studenten verlieren folglich immer öfter den Kontakt zu den Professoren und werden von Privatdozenten oder Assistenten betreut [9. 77ff.]. Die universitäre Lehre reagiert nicht auf die veränderte Studentenstruktur; die Forderung, »Jünger der Wiss.« zu erziehen, verkennt die Tatsache, daß viele durch ein mehr und mehr verschultes »Brotstudium« mit teils universitären, teils staatlichen Prüfungen die Grundlagen für den beruflichen Aufstieg schaffen wollen [73. 88ff.]. Der rasante Anstieg der Studentenzahlen führt – wie schon 1830 – zur Überfüllung der akad. Berufe, so daß die Angst vor der »Proletarisierung« und polit. Radikalisierung der arbeitslosen Universitätsabsolventen umgeht. Die studentische Subkultur wird dominiert von den schlagenden Verbindungen, deren neo-feudaler Verhaltenskodex durch nationalistische, völkische, antisemitische und monarchistische Elemente geprägt ist. Für nicht wenige Studenten, die sich ideologisch anpassen und sozial abgrenzen, garantieren die Männerbünde den gesellschaftlichen Aufstieg.

C. 1918 BIS 1945

1. ALLGEMEINE ENTWICKLUNG

Nachdem die dt. U. Straßburg Anf. Dezember 1918 geschlossen wurde und 1919 sowohl in Hamburg als auch in Köln Neugründungen vollzogen wurden, zählt das Dt. Reich bis zum II. Weltkrieg 23 voll ausgebaute U. (zur allg. Entwicklung vgl. [33. 227–238; 94; 95]). Sie reagieren auf die rasant fortschreitende organisatorische und inhaltliche Pluralisierung der Forsch. mit einer höchst differenzierten Arbeitsteilung. Erst jetzt entwickelt sich eine überregionale Hochschulgesetzgebung. Die persistierende ökonomische Krise der 20er J. führt zur Gründung subsidiärer Einrichtungen für Wissenschaftler und Studenten (Notgemeinschaft der dt. Wiss.; Studentenwerke, allg. zugängliche Mensen, Wohnheime). Mit sozialer und nationaler Zielsetzung wird 1925 die Studienstiftung des dt. Volkes ins Leben gerufen [56]. Die Phase institutioneller Stabilität und internationaler Anerkennung findet mit der Machtübergabe an die Nationalsozialisten am 30. Januar 1933 ein abruptes Ende.

Die nationalsozialistische Hochschulpolitik beginnt mit der »Gleichschaltung« der Hochschulen [44; 79. Bd. 1. 895ff.]; administrative Maßnahmen der neuen Machthaber korrespondieren mit tumultuarischen Einzelaktionen der nationalsozialistischen Studenten und Dozenten. Am 10. Mai 1933 inszenieren die Studierenden fast überall (außer an den württembergischen Hochschulen) das inquisitorische Ritual der Bücherverbrennung. Auf die nationalsozialistische »Säuberungspolitik« folgt die Verkleinerung der Zahl der Professoren und Studierenden sowie die drastische Reduzierung der staatlichen Zuwendungen. Im Herbst 1933 wird das Führerprinzip in den Hochschulen installiert und die akad. Selbstverwaltung liquidiert. Seit dem 1. Mai 1934 ernennt der Reichsminister für Wiss., Erziehung und Volksbildung (Bernhard Rust) die Rektoren, deren Macht durch die neue Hochschulverfassung vom 1. April 1935 gestärkt wird. Die neue Reichshabilitationsordnung vom 13. Dezember 1935 will den Hochschullehrernachwuchs ideologisch uniformieren und kontrollieren [59]. Soll die akad. Karriere reibungslos verlaufen, sind Bekenntnisgesten und Loyalitätsleistungen wie die formelle Mitgliedschaft in der Partei oder einer NS-Berufsorganisation dienlich. Doch die polykratische Struktur der nationalsozialistischen Administration und die offene Konkurrenz verschiedener Nazi-Ideologen und Funktionäre verhindern eine konzise Wissenschaftspolitik, so daß sich den U. zumindest zeitweise Handlungsspielräume eröffnen, die einzelne Dekane und Rektoren durchaus erfolgreich zu nutzen verstehen, um wiss. Standards und institutionelle Autonomie zu wahren [77]. Der durch die Säuberungsaktionen verursachte Niveauverlust und Nachwuchsmangel in vielen akad. Bereichen führen in der zweiten H. der 30er J. zudem zu einer Lockerung der polit. Pressionen und einer gezielten Werbung für das Studium an dt. Hochschulen.

2. DIE ALTERTUMSWISSENSCHAFTEN

In der Weimarer Republik sind die Klass. Phil., die Alte Geschichte und die Klass. Arch. in den dt. U. fest verankert. Altertumskundliche Professuren werden nach und nach an den Neugründungen in Hamburg und Köln eingerichtet. Die Fächer leiden unter der schwierigen wirtschaftlichen Lage und müssen ihre Position unter geänderten (hochschul-) polit. Rahmenbedingungen neu definieren. Mit einer hochspezialisierten positivistischen Forsch. allein wollen sich immer weniger Altertumswissenschaftler zufriedengeben. Der scheinbare Verlust normativer Werte und die offene Konkurrenz kulturell-polit. Leitsysteme sollen durch eine bewußte Rückwendung zur klass. Ant. überwunden werden [36; 76]. Die Kritik an einem vermeintlich degenerierten Historismus und an dem epigonalen Charakter eines reinen Forschungspositivismus prägt viele Hochschullehrer, deren antirationalistische, vitalistische, biologistische und aristokratisch-elitäre Betrachtung der Ant. unverkennbare Affinitäten zur nationalsozialistischen Weltanschauung aufweist (grundlegend für die Altertumswiss. [58; 65]; vgl. auch [24. 195 ff.; 27. 243 ff.] sowie für die Geschichtswiss. [86]). Einzelne Altertumswissenschaftler, wie etwa Helmut Berve [26. 125–187; 77], engagieren sich deshalb sofort nach dem 30. Januar 1933 für den neuen Staat. Sie beteiligen sich an der nationalsozialistischen Umdeutung der Ant. und übernehmen völkisch-rassistische Kategorien [53; 61. 341 ff.; 64]. Die Mehrheit paßt sich geräuschlos an. Der ideologischen Bedrohung der Altertumswiss. suchen einzelne Fachvertreter durch Bekenntnisse zum Nationalsozialismus und durch die Mitarbeit an zeitgemäßen Prestigeunternehmungen (etwa dem »Kriegseinsatz der Geisteswiss.« [43]) entgegenzuwirken. Der Bestand an altertumswiss. Fächern bleibt erhalten; an den »Reichs-U.« Posen und Straßburg werden sogar neue altertumskundliche Lehrstühle geschaffen [107]. Wissenschaftliche Leistungen alten Stils werden nach wie vor bei den Berufungen gefordert, auf die einzelne Repräsentanten und Institutionen des nationalsozialistischen Wissenschaftsbetriebes mit wechselndem Erfolg und in unterschiedlichem Maße Einfluß auszuüben suchen. An den Seminaren und Inst. schwankt die Bereitschaft, mit den nationalsozialistischen Machthabern zu kooperieren oder zu kollaborieren (für Bonn [46], für Freiburg [106], für Göttingen [4; 102], für Halle [32a]; für Jena M. Simon in [108.40–76], für Münster [35]). Eine einheitliche ideologische Ausrichtung der altertumskundlichen Disziplinen ist nicht festzustellen.

3. PROFESSOREN

Ein gutes Drittel (35,3%) der dt. Hochschullehrer sind Mitte der 20er J. ordentliche Professoren (2396 von 6691). Nach den Medizinern stellen die philol.-histor. Wiss. mit 1335 Dozenten (darunter 532 Ordinarien) die zweitstärkste Gruppe. Die Universitätsprofessoren sind mehrheitlich polit. konservativ, haben Vorbehalte gegen die demokratische Verfassung der Weimarer Republik und reden einem autoritären Antiparlamentarismus das Wort. Die verfassungstreuen »Vernunftrepublikaner« sind in der Minderheit, Sozialisten und Pazifisten eine *quantité négligeable* (wichtige Fallstudien [47; 70]). Zwar gibt es an einzelnen U. (wie in Berlin, Frankfurt, Heidelberg, Jena und Leipzig) starke demokratische Strömungen, die aber den allg. antidemokratischen Trend nicht aufhalten können. Dem militanten Treiben fanatisierter Studenten am E. der Weimarer Republik stellen sich die konservativen Professoren nicht entgegen. Die ›Lebenslüge des Obrigkeitsstaates‹ (Gustav Radbruch), die vermeintliche Überparteilichkeit, ist auch in den dt. Hochschulen beheimatet.

Die nationalsozialistische Hochschul- und Rassenpolitik markiert einen tiefen Einschnitt in der personellen Entwicklung. Bis 1938 verlieren etwa ein Drittel aller Lehrkräfte ihre Stellung. Auch zahlreiche Altertumswissenschaftler werden Opfer der polit. und rassischen Verfolgung. Die dt. Wiss. wird sich von diesem Schlag nicht mehr erholen. Der qualitative Verlust ist in vielen Disziplinen, so auch in den Altertumswiss., noch gravierender als der quantitative. Von den etablierten

Gelehrten emigrieren viele ins europ. Ausland oder nach Nordamerika; gerade in den Vereinigten Staaten beeinflussen sie die Entwicklung der altertumswiss. Disziplinen nachhaltig. Für die verfolgten Assistenten und Privatdozenten bedeutet der Nationalsozialismus indes oft das E. ihrer akad. Laufbahn (allg. Überblick bei [55]; für die Altertumswiss. [58. 30 ff.]). Einzelfälle von Solidarität und Hilfe sind bezeugt; doch die Mehrzahl der dt. Hochschullehrer opponiert nicht gegen die nationalsozialistische Personalpolitik. Die Weigerung des Rostocker Gräzisten Kurt von Fritz, 1934 den Eid auf Adolf Hitler zu leisten, ist eine Ausnahme. Er verliert seine außerordentliche Professur und emigriert 1937 in die USA [58. 44].

4. STUDENTEN

Das im letzten Drittel des 19. Jh. beginnende Wachstum der Studentenzahlen setzt sich bis 1931 fort; im Sommersemester dieses J. sind 138 010 Studierende immatrikuliert (zur allg. Entwicklung vgl. [39; 50. 117–211]). Dieser Entwicklung wird zunächst durch die Weltwirtschaftskrise und die hohe Akademikerarbeitslosigkeit, dann durch die nationalsozialistische Hochschulpolitik ein E. gesetzt. Im letzten Friedenssemester werden nur noch die Zahlen der Jahrhundertwende erreicht (Sommersemester 1939: 62 000). Die Frequenz in den Altertumswiss. korreliert mit der allg. Entwicklung. Studieren im Sommersemester 1933 noch 7,88% der Studenten (= 1199) an dt. U. Klass. Phil., so sind es im Wintersemester 1939/40 nur mehr 1,96% (= 55 Studenten); ihr Anteil steigt in den folgenden Semestern wieder leicht auf über drei Prozent an (= 159–208 Studenten, vgl. [93. 124 f. und 132]). Von Mitte der 20er bis Mitte der 30er J. ist im Schnitt jeder zehnte Studierende der Alten Sprachen weiblich. Im Vergleich dazu sind in den Neuphilol. häufig mehr als die H. der Immatrikulierten Frauen [93. 196]. Das Sozialprofil der Studierenden verändert sich, auch bei den Sprachen und der Geschichte: Der »neue Mittelstand« der Beamten und Angestellten ist auf dem Vormarsch, der Anteil der Söhne von Selbständigen stagniert oder ist rückläufig, die Zahl der – allerdings sehr schwach vertretenen – Arbeiterkinder wächst langsam [93. 268 f., 276]. Universitätsbildung wird mehr und mehr zum Instrument des sozialen Aufstieges. Die manifeste Statuskonkurrenz, die unsichere wirtschaftliche Lage und die Angst vor sozialer Marginalisierung verstärken jedoch in der Weimarer Republik die Kritik an einer vermeintlich ›schrankenlosen Demokratisierung‹ des ›entarteten‹ Bildungssystems in konservativen Kreisen.

In den 20er J. haben die Studentenverbindungen großen Zulauf. Sie agitieren an den Hochschulen lautstark gegen Demokratie und Parlamentarismus, verbreiten den Mythos des Frontsoldaten und die Dolchstoßlegende und machen sich die Parolen eines völkisch-antisemitischen Nationalismus zu eigen. Der Nationalsozialismus, vertreten durch den Nationalsozialistischen Deutschen Studentenbund (NSDStB), gedeiht prächtig im autoritären Klima der studentischen

Subkultur. Schon im Wintersemester 1929/30 gewinnt der NSDStB bei den Studentenschaftswahlen in Erlangen die absolute Mehrheit. 1930 sind bereits 28 Hochschulen in nationalsozialistischer Hand. ›Die Studenten waren die erste soziale Gruppe in der dt. Gesellschaft, die sich in öffentlich wirksamer Weise für die nationalsozialistische Ideologie empfänglich zeigte‹ [94. 216].

D. AUSBLICK: DIE ENTWICKLUNG NACH 1945

Nationalsozialismus und II. Weltkrieg haben den dt. U. wichtige personelle, ideelle und materielle Ressourcen geraubt (zur allg. Entwicklung vgl. [2; 33. 239–269; 69]). In Deutschland sind nach 1945 zunächst die Wiederaufnahme von Forsch. und Lehre und der Wiederaufbau der U. die größten Herausforderungen. Personelle Kontinuität geht in den Seminaren und Inst. einher mit der Vermittlung traditioneller Inhalte, so auch in den Altertumswiss. (für die Geschichtswiss. [85]; für die Alte Geschichte [7; 77]). Angesichts der drängenden materiellen Probleme in der Nachkriegsgesellschaft steht vielen nicht der Sinn nach kritischer Auseinandersetzung mit der unmittelbaren Vergangenheit. Statt dessen führen vermeintliche oder tatsächliche Ungerechtigkeiten während der Entnazifizierung auch bei denen, die dem Nationalsozialismus ferner gestanden haben, zu Solidarisierungen mit den amtsenthobenen Kollegen, so daß die Frage nach individueller Schuld und justiziabler Verantwortung nicht mehr gestellt wird. Statt dessen werden die berufliche und soziale Rehabilitierung und finanzielle Versorgung der Entlassenen immer wichtiger (für Göttingen [91]). Vor den Spruchkammern wird der politik- und ideologiefreie Raum der reinen Wiss. konstruiert, den es an der U. gegen den nationalsozialistischen Mißbrauch zu verteidigen gegolten habe. Das Humboldtsche Universitätsideal scheint über die braune Diktatur hinübergerettet und wird in den west-dt. Neu- sowie Wiedergründungen umgesetzt (Mainz 1946; Freie U. Berlin 1948; U. des Saarlandes 1948; Gießen 1957), die an der Einheit von Forsch. und Lehre und der Praxisferne der universitären Ausbildung festhalten und auf die Rektoratsverfassung und die Selbstverwaltung durch die Ordinarien vertrauen. Das Prinzip der Forschungsautonomie wird nach den Erfahrungen des Nationalsozialismus institutionell stärker verankert. Die Altertumswiss. sind auch an den neuen U. vertreten. Die vorherrschenden restaurativen Tendenzen der altertumskundlichen Fächer in der Bundesrepublik werden durch zwei Faktoren verstärkt: Einerseits kehren nur wenige Emigranten (darunter kein Althistoriker) nach Deutschland zurück, andererseits sieht man sich nach der Teilung Deutschlands und im Kalten Krieg in einer Frontstellung gegen den histor. Materialismus. Der Rekurs auf den vermeintlichen Objektivismus wertfreier Quelleninterpretation, der in der Trad. des 19. Jh. steht, charakterisiert die Kontroversen zw. »bürgerlicher« und marxistischer Althistorie; letztere versucht in der neugestalteten Hochschullandschaft der DDR zu überleben. Dort wird seit Mitte der 50er J. die Autonomie der Hochschulen beseitigt, ein System per-manenter ideologischer Kontrolle etabliert, die führende Rolle der Partei und die Bindung an den Marxismus-Leninismus festgeschrieben, das sowjetische Vorbild beschworen und die universitäre Ausbildung auf die wirtschaftlichen Erfordernisse ausgerichtet.

Der Wiederaufbauphase folgt seit Mitte der 50er J. in der Bundesrepublik eine gewaltige Expansion des Hochschulbereichs. Die Studierendenzahlen steigen kontinuierlich: Geburtenstarke Jahrgänge drängen an die U., der »neue Mittelstand« strebt nach Bildungspatenten, und zahlreiche Berufe werden akademisiert. Das quantitative Wachstum bleibt nicht ohne Folgen für die Hochschulstrukturen. Richtungweisend werden die Empfehlungen des Wissenschaftsrates von 1960; das Gremium, dem Wissenschaftler und Politiker angehören, spricht sich für eine soziale Öffnung der Hochschulen aus und plädiert für eine finanzielle Studienförderung nach dem 1955 geschaffenen Bad Honnefer Modell. Die Folge ist der zügige Ausbau des Hochschulwesens, um eine befürchtete »Bildungskatastrophe« abzuwenden. Zunächst durch die Hochschulgesetzgebungen der einzelnen Länder, später durch das Hochschulrahmengesetz werden die traditionellen universitären Strukturen grundlegend verändert. Heftig umstritten sind die Reform der Selbstverwaltung und die Mitbestimmung der Assistenten und der Studierenden (»Gruppen-U.« statt »Ordinarien-U.«), die Neugliederung der bisherigen Fakultäten in Fachbereiche und funktionsfähige kleinere Einheiten sowie die Einführung der Präsidialverwaltung als Alternative zur Rektoratsverfassung. Neugründungen von U. dienen der Reform von Forsch. und Lehre und sollen das Humboldtsche Modell ersetzen. Von dem Ausbau der bundesrepublikanischen Hochschulen profitieren auch die altertumskundlichen Fächer. Zahlreiche neue Stellen, auch im sogenannten »akad. Mittelbau« (Wissenschaftlicher Rat, Assistent), werden geschaffen. An den neu oder wieder gegr. U. werden teils Professuren für Klass. Phil., Alte Geschichte und Klass. Arch. (wie etwa in Augsburg, Eichstätt, Mannheim, Regensburg, Trier), teils für Klass. Phil. und Alte Geschichte (Bamberg, TU Berlin, Bielefeld, Düsseldorf, Konstanz) und teils nur für Alte Geschichte eingerichtet (Aachen, Bayreuth, Braunschweig, Bremen, Darmstadt, Dortmund, Duisburg, Essen, Hannover, Kassel, Koblenz-Landau, Oldenburg, Osnabrück, Paderborn, Passau, Siegen, Wuppertal). Gleichzeitig werden an den alten U. neue Lehrstühle bewilligt, die die fortschreitende Verselbständigung einzelner Gebiete (etwa der griech. und der röm. Geschichte) widerspiegeln. Zudem wird an den Hochschulen die Didaktik der Geschichte und der Alten Sprachen institutionalisiert. Da jedem Lehrstuhlinhaber ein Inst. zugebilligt wird, erhalten die Altertumswiss. eine personelle und materielle Ausstattung, die zuvor nie erreicht worden ist. Gleichzeitig verbessern sich die Chancen des akad. Nachwuchses auf eine Dauerstelle (als Professor oder im akad. Mittelbau) in bisher unbekanntem Maße. Demgegenüber werden in der

DDR die Altertumswiss. an den traditionellen U. Berlin (Humboldt-U.), Greifswald, Halle, Jena, Leipzig und Rostock im Zuge von drei Hochschulreformen (1945–1950; 1951; 1967) zunehmend marginalisiert und spielen letztlich nur noch an den Akad., insbes. der Berliner Akad., eine, wenn auch untergeordnete, Rolle [24. 311 ff.; 27. 362 ff.; 32; 105].

Ende der 60er J. sucht die Studentenbewegung universitäre und gesellschaftliche Probleme zu lösen [5; 41; 50. 226–241; 54]. Die Unbeweglichkeit der überkommenen Hochschulstrukturen und das Restaurationsklima der Ordinarien-U., die Verdrängung des Dritten Reiches und die Tendenzen zu einer verstärkten Studienreglementierung rufen studentischen Protest hervor. Doch die programmatische Forderung nach Veränderung bleibt nicht auf die Hochschulen beschränkt. Ressentiments gegen autoritäre polit. Strukturen verbinden sich mit der Forderung nach einer weitgehenden Demokratisierung der Gesellschaft, antiamerikanische Parolen im Zeichen des Vietnamkrieges weiten sich aus zur Kritik der »kapitalistischen Leistungsgesellschaft«, und die Suche nach einem neuen Lebensstil nimmt intentionale Regelverletzungen in Kauf. Gegen die in den Hochschulgesetzen der späten 60er J. festgeschriebene, weitreichende studentische Mitbestimmung (»Drittelparität«) und weitere Reformen gründen Professoren unterschiedlicher Fachrichtungen 1970 den Bund Freiheit der Wissenschaft. Der Romantisierung des Protestes auf Seiten der Studierenden steht die Dämonisierung der »Revolution« durch konservative Hochschullehrer entgegen, die »68« in ein allg. Verfallsparadigma der Moderne einordnen. Die Bewertung der sogenannten »Studentenrevolution« ist bis h. kontrovers. Im ›langen Marsch durch die Institutionen‹ können einzelne Repräsentanten der linken Studentenbewegung, die sehr bald durch ideologische Divergenzen fragmentiert wird, an manchen Hochschulen akad. reüssieren; andere U. bleiben hingegen von den polit. Verwerfungen nahezu unberührt. Die »akad. Kulturrevolution« beschleunigt indes die Struktur- und Organisationsreformen, die einhergehen mit der lebhaften Diskussion unterschiedlicher Hochschulkonzepte (etwa der 1967 von Ralf Dahrendorf für Baden-Württemberg empfohlenen »Gesamthochschule« und stärker reglementierenden Eingriffen des Staates in die Autonomie der Universitäten. Die veränderten intellektuellen und institutionellen Rahmenbedingungen erleichtern die Übernahme international einflußreicher Konzepte und Methoden in den Altertumswiss. [24. 262 ff.; 27. 299 ff.; 88].

Seit Mitte der 80er J. werden intensive Debatten um die Modernisierung der Hochschulen geführt, die mehr und mehr Studierende besuchen (1995: 1858400; zum Vergleich 1960: 291100). Die Jahrgangsquote der Studienberechtigten lag Anf. der 50er J. bei 5%, E. der 90er J. bei 30%. Die soziale und ökonomische Effizienz, weniger die polit. und kulturelle Funktion der Hochschulen und der jeweiligen Disziplinen sind Gegenstand des öffentlichen Diskurses. In diesem Zusammenhang werden marktwirtschaftliche Bewertungskriterien – z.T. ohne ausreichende methodische Reflexion – auf Forsch. und Lehre übertragen. Durch Haushaltsrestriktionen werden den U. Sparmodelle und Prioritäten aufgezwungen, unter denen nicht zuletzt die Altertumswiss. leiden. Der staatliche Einfluß wächst – trotz gegenteiliger polit. Rhetorik. Studieninhalte, Studienabschlüsse, Studiengebühren, Studiendauer, wiss. Qualifikation (v.a. die Habilitation), Aufbau und Zusammensetzung des Lehrkörpers sowie Evaluation von Forsch. und Lehre sind häufig traktierte Themen einer Hochschulpolitik, die mehr und mehr auf europ. Harmonisierung setzt. Von den Diskussionen unberührt bleibt die Übertragung der west-dt. Hochschulstrukturen (mit gewissen Modifikationen) auf das Hochschulwesen in den neuen Bundesländern [71]. Hier wird zunächst und v.a. die Einheit von Forsch. und Lehre restituiert. Für ehemalige Hochschullehrer der DDR ist die positive wiss. und polit. Evaluation Voraussetzung für eine Weiterbeschäftigung. Die Personalüberprüfungen und die Neubesetzungen sind bisweilen höchst strittig. Die Altertumswiss. profitieren von der »Wende«. An den alten U. Berlin (Humboldt-U.), Greifswald, Halle, Jena, Leipzig und Rostock werden Klass. Phil., Alte Geschichte und Klass. Arch. (außer in Rostock) ausgebaut bzw. wieder eingerichtet; hinzu kommen altertumskundliche Professuren in Dresden und Potsdam (Klass. Phil. und Alte Geschichte) sowie in Chemnitz, Erfurt und Magdeburg (Alte Geschichte). Doch stehen die Altertumswiss. innerhalb der dt. U. unter erheblichem Legitimations- und Modernisierungsdruck. Ihr Platz innerhalb der kultur- und geisteswiss. Fakultäten und Fachbereiche ist angesichts einer restriktiven staatlichen Haushaltspolitik keineswegs mehr eine Selbstverständlichkeit. Schon werden die ersten Inst. geschlossen und Professoren versetzt (Mannheim). Deutschland scheint die Entwicklung nachzuholen, die bereits in anderen europ. Ländern wie in England und den Niederlanden zu beobachten war. In den kontroversen Debatten versuchen die einzelnen Altertumswiss. ihren jeweiligen Standort zw. »positivistischer« Quellenforsch. und (post)strukturalistischen Interpretationsmodellen und zw. Gegenwartsbezug und Wissenschaftspostulat zu bestimmen. Die Alte Geschichte wird ihre Vermittlerrolle zw. Altertumswiss. und Geschichte immer wieder verdeutlichen müssen, um der Selbstisolation entgegenzuwirken. Neue Studienabschlüsse (wie der *Bachelor of Arts*-BA/*Master of Arts*-MA) verlangen neue Konzepte. Die Alte Geschichte konnte bisher ebenso wie die Latinistik und Gräzistik auf die Ausbildung der Gymnasiallehrer zählen. Doch der Anteil der Alten Geschichte am Staatsexamen ist rückläufig und wird immer öfter ganz in Frage gestellt; und die Zahl der Studierenden der Griech. Philol. schrumpft seit Jahren. Auch der Rückgang der Sprachkenntnisse bei den Studienanfängern erfordert neue Formen der Lehre. Innerhalb vieler, bes. kleinerer U. werden die einzelnen altertumswiss. Disziplinen nur durch eine enge Kooperation miteinander und mit den benachbarten Disziplinen überleben können. Die Rezeptions- und Wissenschaftsgeschichte stellt daher eine der großen Herausforderungen und zugleich Chancen einer interdisziplinär ausgerichteten Altertumswiss. im dritten Jahrtausend dar.

1 J. C. ALBISETTI, Schooling German Girls and Women, 1988 2 S. BASKE, Das Hochschulwesen, in: C. FÜHR, C.-L. FURCK (Hrsg.), Hdb. der dt. Bildungsgesch., Bd. 6: 1945 bis zur Gegenwart; Teil 2: DDR und neue Bundesländer, 1998, 202–228 3 M. BAUMGARTEN, Professoren und U. im 19. Jh. Zur Sozialgesch. dt. Geistes- und Naturwissenschaftler, 1997 4 H. BECKER u. a. (Hrsg.), Die U. Göttingen im Nationalsozialismus, ²1998 5 T. P. BECKER, U. SCHRÖDER (Hrsg.), Die Studentenproteste der 60er J. Archivführer, Chronik, Bibliogr., 2000 6 Bibliogr. zur Universitätsgesch. Verzeichnis der im Gebiet der Bundesrepublik 1945–1971 veröffentlichten Lit., bearb. v. E. STARK, hrsg. v. E. HASSINGER, 1974 7 R. BICHLER, Neuorientierung in der Alten Gesch.? in: E. SCHULIN (Hrsg.), Dt. Geschichtswiss. nach dem II. Weltkrieg (1945–1965), 1989, 63–86 8 Bildungsbürgertum im 19. Jh., Teil I: Bildungssystem und Professionalisierung in internationalen Vergleichen, hrsg. v. W. CONZE, J. KOCKA, 1985; Teil II: Bildungsgüter und Bildungswissen, hrsg. v. R. KOSELLECK, 1990; Teil III: Lebensführung und ständische Vergesellschaftung, hrsg. v. M. R. LEPSIUS, 1992; Teil IV: Polit. Einfluß und gesellschaftliche Formation, hrsg. v. J. KOCKA, 1989 9 K. D. BOCK, Strukturgesch. der Assistentur, 1972 10 L. BOEHM, R. A. MÜLLER (Hrsg.), U. und Hochschulen in Deutschland, Österreich und der Schweiz, 1983 11 H. BOLLENBECK, Bildung und Kultur. Glanz und Elend des dt. Deutungsmusters, 1994 12 B. VOM BROCKE, Hochschul- und Wissenschaftspolitik in Preußen und im Dt. Kaiserreich 1882–1907: Das »System Althoff«, in: P. BAUMGART (Hrsg.), Bildungspolitik in Preußen zur Zeit des Kaiserreichs, 1980, 9–118 13 Ders., Wiss. und Militarismus, in: [21. 649–719] 14 Ders. (Hrsg.), Wissenschaftsgesch. und Wissenschaftspolitik im Industriezeitalter. Das »System Althoff« in histor. Perspektive, 1991 15 Ders., Verschenkte Optionen. Die Herausforderung der Preußischen Akad. durch neue Organisationsformen der Forsch. um 1900, in: J. KOCKA (Hrsg.), Die Königlich Preußische Akad. der Wiss. zu Berlin im Kaiserreich, 1999, 119–147 16 R. VOM BRUCH, Wiss., Politik und öffentliche Meinung. Gelehrtenpolitik im Wilhelminischen Deutschland (1890–1914), 1980 17 Ders., Universitätsreform als soziale Bewegung. Zur Nicht-Ordinarienfrage im späten Dt. Kaiserreich, in: Gesch. und Ges. 10, 1984, 72–91 18 Ders., Gelehrtenpolitik und polit. Kultur im späten Kaiserreich, in: G. SCHMIDT, J. RÜSEN (Hrsg.), Gelehrtenpolitik und polit. Kultur in Deutschland 1830–1930, 1986, 77–106 19 A. BUSCH, Gesch. des Privatdozenten, 1959 20 W. M. CALDER, Studies in the Modern History of Classical Scholarship, 1984 21 Ders. u. a. (Hrsg.), Wilamowitz nach 50 J., 1985 22 Ders. u. a. (Hrsg.), Wilamowitz in Greifswald, 2000 23 Ders., A. KOŠENINA (Hrsg.), Berufungspolitik innerhalb der Altertumswiss. im Wilhelminischen Preußen. Die Briefe Ulrich von Wilamowitz-Moellendorffs an Friedrich Althoff (1883–1908), 1989 24 K. CHRIST, Röm. Gesch. und dt. Geschichtswiss., 1982 25 Ders., Von Gibbon zu Rostovtzeff. Leben und Werk führender Althistoriker der Neuzeit, ³1989 26 Ders., Neue Profile der Alten Gesch., 1990 27 Ders., Hellas. Griech. Gesch. und dt. Geschichtswiss., München 1999 28 C. J. CLASSEN (Hrsg.), Die Klass. Altertumswiss. an der Georg-August-U. Göttingen. Eine Ringvorlesung zu ihrer Gesch., 1989 29 J. D. COBB, The Forgotten Reforms. Non-Prussian Universities 1797–1817, Diss. Madison/Wisconsin 1980 30 A. DEMANDT, Alte Gesch. in Berlin 1810–1960, in: R. HANSEN, W. RIBBE (Hrsg.), Geschichtswiss. in Berlin im 19. und 20. Jh. Persönlichkeiten und Institutionen, 1992, 149–209 31 P. DREWEK, »Die ungastliche dt. U.«: Ausländische Studenten an dt. Hochschulen 1890–1930, in: Jb. für Histor. Bildungsforsch. 1999, 197–224. 32 J. DUMMER, B. SEIDENSTICKER, s. v. DDR, in: DNP 13, 1999, 681–699 32a H. EBERLE, Die Martin-Luther-U. in der Zeit des Nationalsozialismus, 2002 33 T. ELLWEIN, Die dt. U. vom MA bis zur Gegenwart, ²1992 34 P. EMUNDTS-TRILL, Die Privatdozenten und Extraordinarien der U. Heidelberg 1803–1860, 1997 35 K. FAUSSER, Geschichtswiss. und Nationalsozialismus. Ein Beitr. zur Gesch. der Histor. Inst. der U. Münster 1933–1945, 2000 36 H. FLASHAR (Hrsg.), Altertumswiss. in den 20er J. Neue Fragen und Impulse, 1995 37 H. FLASHAR, K. GRÜNDER, A. HORSTMANN (Hrsg.), Philol. und Hermeneutik im 19. Jh. Zur Gesch. und Methodologie der Geisteswiss., Bd. 1, 1979 38 N. GEITZ, J. HEIDEKING, J. HERBST (Hrsg.), German Influences on Education in the United States to 1917, 1995 39 M. GRÜTTNER, Studenten im Dritten Reich, 1995 40 H. G. GUNDEL, Althistoriker in Gießen, in: Gießener Universitätsblätter 10.2, 1977, 95–105 41 J. HABERMAS, Protestbewegung und Hochschulreform, 1969 42 D. HANSEN, Die Studenten der Philol. in Greifswald im Jahr. 1876–1883, in: [22. 91–136] 43 F.-R. HAUSMANN, »Dt. Geschichtswiss.« im II. Weltkrieg. Die »Aktion Ritterbusch« (1940–1945), ²2002 44 H. HEIBER, U. unterm Hakenkreuz, 3 Bde., 1991–1994 45 A. HEUSS, Institutionalisierung der Alten Gesch., in: M. FUHRMANN (Hrsg.), Die Kaulbach-Villa als Haus des Histor. Kollegs, 1989, 39–71 (= Ders., Gesammelte Schriften, Bd. 3, 1995, 1938–1970) 46 H. HÖPFNER, Die U. Bonn im Dritten Reich. Akad. Biographien unter nationalsozialistischer Herrschaft, 1999 47 C. JANSEN, Professoren und Politik. Polit. Denken und Handeln der Heidelberger Hochschullehrer 1914–1935, 1992 48 K. H. JARAUSCH, Students, Society and Politics in Imperial Germany: The Rise of Academic Illiberalism, 1982 49 Ders., Educational Opportunity in 19th Century Germany, 1983 50 Ders., Dt. Studenten 1800–1970, 1984 51 Ders., U. und Hochschule, in: C. BERG (Hrsg.), Hdb. der dt. Bildungsgesch., Bd. 4: 1870–1918, 1991, 313–345 52 G. KAUFMANN (Hrsg.), FS U. Breslau, 2 Bde., 1911 53 D. KÖNIGS, Joseph Vogt. Ein Althistoriker in der Weimarer Republik und im Dritten Reich, 1995 54 W. KRAUSHAAR, 1968 als Mythos, Chiffre und Zäsur, 2000 55 C.-D. KROHN u. a. (Hrsg.), Hdb. der deutschsprachigen Emigration 1933–1945, 1998 56 R.-U. KUNZE, Die Studienstiftung des dt. Volkes 1925 bis heute, 2001 57 M. LANDFESTER, Human. und Ges. im 19. Jh., 1988 58 V. LOSEMANN, Nationalsozialismus und Ant. Stud. zur Entwicklung des Faches Alte Gesch. 1933–1945, 1977 59 Ders., Die Konzeption der NS-Dozentenlager, in: M. HEINEMANN (Hrsg.), Erziehung und Schulung im Dritten Reich, Bd. 2, 1980, 87–109 60 J. MALITZ, Römertum im »Dritten Reich«: Hans Oppermann, in:

P. KNEISSL, V. LOSEMANN (Hrsg.), Imperium Romanum. FS K. Christ, 1998, 519–543 **61** S. L. MARCHAND, Down from Olympus. Archaeology and Philhellenism in Germany, 1750–1970, 1996 **62** C. E. MCCLELLAND, State, Society, and University in Germany 1700–1915, 1980 **63** A. MOMIGLIANO, Jacob Bernays (1969), in: Ders., Quinto contributo alla storia degli studi classici e del mondo antico, Bd. 1, 1975, 127–158 (= Ders., Ausgewählte Schriften, Bd. 3, 2000, 203–231) **64** B. NÄF, Von Perikles zu Hitler? Die athenische Demokratie und die dt. Althistorie bis 1945, 1986 **65** Ders. (Hrsg.), Ant. und Altertumswiss. in der Zeit von Nationalsozialismus und Faschismus, 2001 **66** W. NEUGEBAUER, Das Bildungswesen in Preußen seit der Mitte des 17. Jh., in: O. BÜSCH (Hrsg.), Hdb. der preußischen Gesch., Bd. 2, 1992, 605–798 **67** T. NIPPERDEY, Dt. Gesch. 1800–1866, 1983 **68** Ders., Dt. Gesch. 1866–1918, Bd. 1: Arbeitswelt und Bürgergeist, 1990; Bd. 2: Machtstaat vor der Demokratie, 1992 **69** C. OEHLER, Hochschulen. Die Hochschulentwicklung nach 1945, in: C. FÜHR, C.-L. FURCK (Hrsg.), Hdb. der dt. Bildungsgesch., Bd. 6: 1945 bis zur Gegenwart; Teil 1: BRD, 1998, 412–446 **70** S. PALETSCHEK, Die permanente Erfindung einer Tradition. Die U. Tübingen im Kaiserreich und in der Weimarer Republik, 2001 **71** P. PASTERNACK, »Demokratische Erneuerung«. Eine universitätsgeschichtliche Unt. des ost-dt. Hochschulumbaus 1989–1995, 1999 **72** F. PAULSEN, Gesch. des gelehrten Unterrichts auf den dt. Schulen und U. vom Ausgang des MA bis zur Gegenwart, Bd. 2, ³1921 **73** H.-W. PRAHL, Hochschulprüfungen. Sinn oder Unsinn, 1976 **74** S. REBENICH, Theodor Mommsen und Adolf Harnack. Wiss. und Politik im Berlin des ausgehenden 19. Jh., 1997 **75** Ders., Die Altertumswiss. und die Kirchenväterkommission an der Akad.: Theodor Mommsen und Adolf Harnack, in: J. KOCKA (Hrsg.), Die Königlich Preußische Akad. der Wiss. zu Berlin im Kaiserreich, 1999, 199–233 **76** Ders., s. v. Historismus, in: DNP 14, 2000, 469–485 **77** Ders., Alte Gesch. zw. Demokratie und Diktatur. Der Fall Helmut Berve, Chiron 31, 2001, 457–496 **78** F. K. RINGER, The Decline of the German Mandarins: The German Academic Community 1890–1933, 1969 **79** M. RUCK, Bibliogr. zum Nationalsozialismus, 2 Bde., 2000 **80** W. RÜEGG, Der Mythos der Humboldtschen U., in: Universitas in theologia – theologia in universitate. FS Hans Heinrich Schmid, 1997, 155–174 **81** Ders., Lo sviluppo dell'Università moderna nel XIX secolo, in: Atti della Accademia Peloritana dei Pericolanti. Classe di Scienze Giuridiche, Economiche e Politiche 67, 1998, 175–189 **82** Ders. (Hrsg.), Gesch. der U. in Europa, Bd. 3: Vom 19. Jh. zum II. Weltkrieg (1800–1945), im Druck **83** W. SCHIERING, Zur Gesch. der Arch., in: U. HAUSMANN (Hrsg.), Allg. Grundlagen der Arch., 1969, 11–161 **84** M. SCHMEISER, Akad. Hasard. Das Berufsschicksal des Professors und das Schicksal der dt. U. 1870–1920, 1994 **85** W. SCHULZE, Dt. Geschichtswiss. nach 1945, 1989 **86** Ders., O. G. OEXLE (Hrsg.), Dt. Historiker im Nationalsozialismus, 1999 **87** K. SCHWABE (Hrsg.), Dt. Hochschullehrer als Elite 1815–1945, 1988 **88** E.-R. SCHWINGE (Hrsg.), Die Wiss. vom Altertum am E. des 2. Jahrtausends n. Chr., 1995 **89** C. STRAY, Classics Transformed. Schools, Universities, and Society in England, 1830–1960, 1998 **90** K. STROBEL (Hrsg.), Die dt. U. im 20. Jh., 1994 **91** A. SZABÓ, Vertreibung, Rückkehr, Wiedergutmachung. Göttinger Hochschullehrer im Schatten des Nationalsozialismus, 2000 **92** C. F. THWING, The American and the German University. One Hundred Years of History, 1928 **93** H. TITZE, Das Hochschulstudium in Preußen und Deutschland 1820–1944, 1987 **94** Ders., Hochschulen, in: D. LANGEWIESCHE, H.-E. TENORTH (Hrsg.), Hdb. der dt. Bildungsgesch., Bd. 5: 1918–1945, 1989, 209–240 **95** Ders., Wachstum und Differenzierung der dt. U. 1830–1945, 1995 **96** R. S. TURNER, U., in: K.-E. JEISMANN, P. LUNDGREEN (Hrsg.), Hdb. der dt. Bildungsgesch., Bd. 3: 1800–1870, 1987, 221–249 **97** J. UND W. VON UNGERN-STERNBERG, Der Aufruf »An die Kulturwelt!«, 1996 **98** W. UNTE, Wilamowitz als wiss. Organisator, in: [21. 720–770] **99** R. VIERHAUS (Hrsg.), Forsch. im Spannungsfeld von Politik und Ges.: Gesch. und Struktur der Kaiser-Wilhelm-/Max-Planck-Ges., 1990 **100** G. WALTHER, Adel und Ant. Zur polit. Bed. gelehrter Kultur für die Führungselite der Frühen Neuzeit, in: HZ 266, 1998, 359–385 **101** W. WEBER, Priester der Klio. Histor.-sozialwiss. Stud. zur Herkunft und Karriere dt. Historiker zur Gesch. der Geschichtswiss. 1800–1976, 1984 **102** C. WEGELER, »... wir sagen ab der internationalen Gelehrtenrepublik«. Altertumswiss. und Nationalsozialismus, 1996 **103** H.-U. WEHLER, Dt. Gesellschaftsgesch., Bd. 2: Von der Reformära bis zur industriellen und polit. »Dt. Doppelrevolution« 1815–1848/49, 1987 (Übersicht über FS zu Universitätsjubiläen 859 f.) **104** Ders., Dt. Gesellschaftsgesch. Bd. 3: Von der »Dt. Doppelrevolution« bis zum Beginn des I. Weltkrieges. 1849–1914, 1995 **105** M. WILLING, Althistor. Forsch. in der DDR, 1991 **106** E. WIRBELAUER, Zur Situation der Alten Gesch. im J. 1943, in: Freiburger Universitätsblätter 149, 2000, 107–127 **107** T. WRÓBLEWSKA, Die Reichsuniversitäten Posen, Prag und Strassburg als Modelle nationalsozialistischer Hochschulen in den von Deutschland besetzten Gebieten, 2000 **108** Zur Gesch. der klass. Altertumswiss. der U. Jena, Budapest, Kraków, 1989.

STEFAN REBENICH

Unterwasserarchäologie A. GESCHICHTE B. METHODEN C. LEISTUNG UND AUFGABEN

A. GESCHICHTE

Artefakte vom Meeresgrund hat man seit dem Alt. geborgen. Der erste mit Namen bekannte Taucher ist der Grieche Skyllis, der den persischen Offizieren ihre bei einem Sturm vor Euboia über Bord gegangenen Gold- und Silberbecher wieder hochholte. Seit hell. Zeit sind auf Rhodos gewerbliche Taucher belegt. Sie arbeiteten im Hafen und bargen die beim Verladen und Löschen der Schiffe ins Wasser gefallenen Waren. Auch Alexander d. Gr. soll selbst im Kaspischen Meer in einer Taucherglocke getaucht sein, allerdings nur zum Beobachten der Fische.

In der → Renaissance, als in It. die großen Landgrabungen unter den Päpsten begannen, sammelte der Universalgelehrte L. B. Alberti, angetan mit einem schlauchversorgten Helmanzug, im Nemi-See Dekorstücke von den beiden dort versunkenen Prunkschiffen des Caligula [13].

1900 und 1901 wurden vor Mahdia (Tunesien) und der griech. Insel Antikythera zufällig die beiden Frachtschiffe gefunden, die bis h. die reichste Ausbeute an Kunstwerken bieten. Alfred Merlin, der leitende Archäologe beim Wrack von Mahdia, sorgte neben der Bergung auch für eine arch. Dokumentation, so daß mit ihm der Beginn der U. gesetzt werden kann.

Erst ab der Mitte des 20. Jh. war man durch die Erfindung der Aqualunge, dem Vorläufer der Preßluftflasche, technisch in der Lage, vom Versorgungsboot unabhängige, längere Tauchgänge durchzuführen. Der große Pionier bei der Erschließung der Unterwasserwelt und seiner Schätze war Jaques Cousteau, der die damals bekannten arch. Plätze unter Wasser aufsuchte, zwar selbst nie grub, aber durch seine Filme ein breites und bald auch öffentliches Interesse weckte. Die ersten wiss. und noch gültigen Standards der U. setzte George Bass bei seinen Grabungen vor der türk. Südküste [2].

Bis dato haben sämtliche Anrainerstaaten des Mittelmeeres die Erforsch. und den Schutz des kulturellen Erbes unter Wasser in die Kompetenz ihrer Antikendienste aufgenommen und tragen Sorge um die Ausbildung von Unterwasserarchäologen. Bereits in den 60er J. des vorigen Jh. haben die Länder Frankreich (P. Pomey), It. (L. Bernabò Brea und N. Lamboglia), Griechenland (K. Delaporta) und Israel (A. Raban) mit der Einrichtung entsprechender Strukturen begonnen. Portugal (F. Alves), Spanien (J. M. Almagro), die Türkei und Jordanien kamen in den 80er J. hinzu, während die Ausbildung von Archäologen und die Abteilungen für U. etwa in Kroatien, auf Zypern und in den arab. Ländern Nordafrikas sowie in Ägypten noch im Aufbau sind. Die unterwasserarch. Funde werden in eigens errichteten Mus. in der Nähe des Fundortes gezeigt (Agde, La Maddalena, Marsala, Bodrum) oder in die Zentralmus. integriert (Lissabon, Marseille, Reggio di Calabria, Athen).

Wesentliche Impulse zur Erforsch. der mediterranen Ant. kamen durch ausländische arch. Schulen aus Amerika, England und Australien. Das Engagement der dt. Arch. begann in den 60er J. vielversprechend mit einem Programm zur Erforsch. ant. Häfen, es wurde jedoch 1970 durch den tödlichen Tauchunfall von Hartmut Schläger, dem damaligen zweiten Direktor des → Deutschen Archäologischen Instituts in Rom jäh unterbrochen und seitdem, bis auf vereinzelte Initiativen, nicht wieder aufgenommen.

B. METHODEN

Der methodische Ansatz der U. unterscheidet sich inhaltlich nicht von dem der Landarchäologen. Es geht um die Gewinnung histor. Daten und Materialien zum Verständnis ant. Lebens. Die technischen Mittel zur Gewinnung dieser Daten sind jedoch ungleich aufwendiger. Am einfachsten ist die Arbeit mit Tauchern, die bis 50m Wassertiefe einsetzbar sind (Abb. 1). Untergegangene Siedlungen und Häfen liegen an der Küstenlinie, aber auch die übergroße Mehrzahl von Wracks liegt im küstennahen Bereich mit Wassertiefen zw. 4 und 30 Metern. Da ein Taucher im Schnitt nicht mehr als zwei Tauchgänge pro Tag machen darf, ergeben sich pro Taucher und Tag nur maximal zwei Arbeitsstunden unter Wasser. Zur effektiveren Nutzung werden hydroakustische und optische Verfahren eingesetzt. Die derzeit wichtigsten Hilfen sind: Sidescan- und 3D-Sonar, Magnetometer, Luftbild, Photogrammetrie, Videotechnik, Tauchroboter und Mini-U-Boote.

C. LEISTUNG UND AUFGABEN

Die U. verbreitert erheblich die Basis der materiellen Hinterlassenschaft aus der Ant., mit deren Hilfe wir ein Bild von ant. Lebenswirklichkeiten gewinnen können. Nahezu alle Materialien, bes. die organischen, erhalten sich im Wasser dank der anaeroben Umgebung ausgezeichnet, im Gegensatz zu Landfunden (Abb. 2). Gerade bei Schiffswracks ist wie in einer Kapsel ein bestimmter Zeitpunkt festgehalten, während die Landarch. in der Regel zeitliche Verläufe bietet.

Abb. 1: Taucher bei der zeichnerischen Aufnahme im Kielbereich eines Holzschiffes

Abb. 2: Erhaltungsbedingungen an Land und unter Wasser

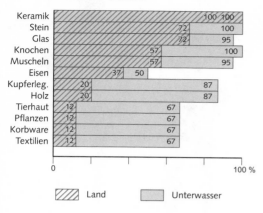

Keramik 100 / 100
Stein 72 / 100
Glas 72 / 95
Knochen 57 / 100
Muscheln 57 / 95
Eisen 37 / 50
Kupferleg. 20 / 87
Holz 20 / 87
Tierhaut 12 / 67
Pflanzen 12 / 67
Korbware 12 / 67
Textilien 12 / 67

0   100 %

▨ Land   ▢ Unterwasser

Eine Untergliederung der U. in verschiedene Disziplinen wie Schiffsarch., Siedlungsarch. oder *fresh-wa-
ter*-Arch. wird zwar gelegentlich insinuiert, kann aber in
dieser Schärfe zur Zeit noch nicht vorgenommen werden. Es lassen sich Arbeitsfelder unterscheiden, die die
Bandbreite der unterwasserarch. Themen umreißen:

1. SCHIFFE

Die Rekonstruktion ant. Schiffe und Wasserfahr-
zeuge mußte sich vor der Entwicklung der U. auf den
Abgleich der lit. erwähnten Schiffstypen mit den überlieferten Darstellungen beschränken [8; 16]. Durch
Wrackfunde wie Yassi Ada I, Lilybaeum, Kyrenia oder
Michel Ma'agan wurde die Diskussion neu belebt, und
der gesamte Bereich des Schiffbaus und der Ingenieurs-
technik kam hinzu [10]. Schließlich ist die Schiffbau-
technik eine führende ant. Technologie, im Anspruch
vergleichbar etwa mit dem röm. Brückenbau. Neben
der Dokumentation und Rekonstruktion des Fundkontextes trägt die experimentelle Arch. Wesentliches zur
Erforsch. ant. Schiffstechnologie bei: Handwerkliche
Techniken können oft erst im praktischen Experiment
wiedergewonnen werden, und die Fahr- und Segelei-
genschaften können, wie bei der Kyrenia, einem Han-
delsschiff des 4. Jh. v. Chr., nur durch den Nachbau ermittelt werden. Der Nachbau einer klass. athenischen
Triere, der »Olympias« unter der wiss. Leitung von
Morrison, Coates und Williams konnte das seit der Ren.
diskutierte »Trierenrätsel« um die Anordnung der Rie-
menreihen auf dem berühmtesten aller ant. Kriegs-
schifftypen definitiv klären [24].

Eine Diskrepanz bleibt vorerst: unter den sekundär
schriftlich oder bildlich überlieferten Schiffstypen überwiegen die Schiffe mil. Natur, also Kriegsschiffe oder
solche aus dem Flottenverband, während die erhaltenen
Schiffe fast ausschließlich Handelsschiffe sind. Ausnahmen sind vielleicht das punische Wrack von Lilybäum
und sicher die spätant. Militärflußschiffe von Mainz [17.
Nr. 661, 623–628]. Der Rekonstruktion von Kriegs-
schiffen dienen auch die Aufnahme und Unt. der

Schiffshäuser, die sich in den Polis-Häfen rund um das
Mittelmeer finden, oft nur als zum Wasser führende
schräg abfallende Parallelmauern zu erkennen [5]. Zu
dem Arbeitsfeld »Schiffe« gehört auch das Schiffszube-
hör, namentlich Anker und oft schwer deutbare metal-
lene Ausrüstungsteile der Takelage oder Lenzpumpe sowie die Erforsch. der materiellen Zeugnisse zum Leben
an Bord, wie Angelgeräte, Eßgeschirr der Mannschaft,
Spiele und private Habe von Passagieren [3].

2. SIEDLUNGEN UND HÄFEN

Durch die Änderung des Meeresspiegels oder andere
tektonische Ereignisse sind in Flüssen und Seen prähistor-
tor. Siedlungsplätze und an der Meeresküste v. a. Hafenanlagen wie Caesarea Maritima und Kenchreai, aber
auch Tempel und Villenanlagen wie das Nymphäum des
Claudius in Baiae untergegangen [4; 12; 19].

3. HANDEL

Nach A. J. Parkers letzter Aufstellung von 1992 sind
im Mittelmeer 1259 ant. Wracks ganz oder teilweise untersucht. Inzwischen mag sich die Zahl verdoppelt haben. Die Ladung, in der Regel Wein oder Lebensmittel,
war in Transportamphoren untergebracht, der arch.
Leitform zur Datierung eines Schiffsfundes. Die Bestimmung und Lokalisierung der verschiedenen Am-
phorentypen macht einen Großteil der Forschungsarbeit aus. Heinrich Dressel hat 1899 bei der Bearbeitung
der Amphorenstempel für das CIL XV, 2 die Grundlagen
gelegt mit der Klassifizierung der im Castro Praetorio
und auf dem Monte Testaccio am Tiber gefundenen
Transportamphoren. Seitdem ist die Typologie in unzähligen Spezialart. erweitert und verfeinert worden.
Abgesehen von einem Versuch von Peacock und Williams [18] fehlen jedoch zusammenfassende Arbeiten
[21; 22].

Durch die Analyse der Schiffsladungen ergeben sich
Rückschlüsse auf den Handel selbst. So ist die Tendenz
erkennbar, daß in archa. und klass. Zeit der Empori-
onshandel überwog, d. h. das Schiff fuhr nicht unbedingt eine feste Route, sondern von Hafen zu Hafen,
wo es jeweils Waren verkaufte und neue an Bord nahm.
Die gemischten Ladungen der frühen Handelsschiffe
legen dies nahe. Seit hell. Zeit hat man den *point-to-
point*-Handel bevorzugt, d. h. ein Frachtschiff wie beispielsweise das von Madrague-de-Giens, beladen mit bis
zu 7000 Amphoren mit Wein aus Latium, machte sich
von It. aus auf den Weg nach Marseille, wo es vor Erreichen des Zieles sank [18. Nr. 616].

Zur Handelsschiffahrt gibt es verschwindend wenige
schriftliche Quellen aus der Antike. So ist es eine der
Hauptleistungen der U., Material und Daten zur Han-
delsgeschichte und damit auch zur Geschichte des interkulturellen Austausches zu erbringen, und dies in statistisch relevanter Menge [11; 23]. Daneben bieten sich
nicht unerhebliche Chancen für die klass. Kunstarchäo-
logie. Der Zufall der Entdeckungsgeschichte wollte es,
daß die ersten beiden großen Schiffsfunde Antikythera
und Mahdia fast ausschließlich Kunstwerke geladen hatten. In der Regel bilden Kunstwerke, wenn sie über-

Abb. 3: Zeus, gefunden 1928 im Meer vor dem Kap Artemision. Mit der Statue ist eines der ganz wenigen Bronze-Originale aus der Zeit des Strengen Stils um 460 v. Chr. erhalten. Athen, Nationalmuseum

Abb. 4: Krieger von Riace, in ungeklärtem Kontext 1972 aus der Straße von Messina geborgen. Hervorragende Vertreter der damals führenden und heute weitgehend verlorenen Bronzebildhauerei der griechischen Klassik (5. Jh. v. Chr.). Reggio di Calabria, Nationalmuseum

haupt an Bord sind, nur die Beiladung. Dennoch sind die Statuenfunde aus dem Meer nahezu die einzige Möglichkeit, Originale der griech. Bronzebildhauerei wiederzugewinnen (Abb. 3–5), ohne die sich die Geschichte der griech. Plastik ausschließlich auf röm. Kopien stützen müßte [14].

4. Schutz des kulturellen Erbes

Wesentlich für die Arbeit des Unterwasserarchäologen sind die Aspekte zur Bewahrung und zum Schutz des kulturellen Erbes unter Wasser, wie sie in der gleichnamigen UNESCO-Konvention niedergelegt sind. Fundplätze unter Wasser werden grundsätzlich als geschlossene Archive behandelt, die zerstörungsfrei dokumentiert werden. Sie dürfen nur dann geöffnet, d. h., ergraben werden, wenn eines der folgenden Kriterien zutrifft: Gefährdung durch das Wasser (Wellenschlag, Strömung, Versandung, Pfahlbohrmuschel, Bakterienfraß), Gefährdung durch den Menschen (Schatztaucher, Schiffahrt, Bauten im Wasser) oder bei überragendem wiss. Interesse.

Die aktuelle Diskussion und häufig erste Publikation von Neufunden finden im Internet statt. Es hat jedoch noch wenig Sinn feste Internet-Adressen anzugeben, es sei auf die Suchmaschinen verwiesen. Zum Einstieg vgl. [21]. Zu den Transportamphoren suche auch unter P. Tyers und C. G. Koehler.

→ AWI Wrackfunde

1 L. Basch, Le musée imaginaire de la marine antique, 1987 2 G. F. Bass, Arch. unter Wasser, 1966 3 C. Beltrame, Vita di bordo in età romana, 2002 4 L. Bernabò Brea, A. Cardarelli, M. Cremoski (Hrsg.), Le Terramare. La piú antica civiltà Padana, 1997 5 D. J. Blackman, Ancient Harbours in the Mediterranean, in: International Journ. of Nautical Archaeology 11.2, 1982, 79–104 (Part 1); 11.3, 1982, 185–211 (Part 2) 6 L. Casson, Ships and Seafaring in Ancient Times, 1994 7 P. A. Gianfrotta, X. Nieto, P. Pomey, A. Tchernia, La Navigation dans l'Antiquité, 1997 8 A. Göttlicher, Materialien für ein Corpus der Schiffsmodelle im Alt., 1978 9 Ders., Die Schiffe der Ant., 1986 10 O. Höckmann, Ant. Seefahrt, 1985 11 M. Jurisic, Ancient Shipwrecks of the Adriatic. Maritime Transport during the first and second centuries AD (= British Archaeological Reports International Series 828), 2000 12 K. Lambeck, Sea-level change and shoreline evolution in Aegean Greece since Upper Palaeolithic time, in: Antiquity 70, 1996, 588 – 611 13 H. G. Martin, Von Skyllias bis Cousteau, in: Dt. Ges. zur Förderung der U. (Hrsg.), In Poseidons Reich. Zaberns Bildbände zur Arch. 23, 1995, 4–13 14 Ders., Versunkene Skulpturenstatuen und ihr arch. Schicksal, in: Nürnberger Blätter zur Arch. 18, 2001/02, 151–168 15 K. Muckelroy (Hrsg.), Archaeology under water. An atlas of the World's submerged sites, 1980 16 F. Moll, Das Schiff in der bildenden Kunst, 1929 17 A. J. Parker, Ancient Shipwrecks of the Mediterranean & the Roman Provinces (= British Archaeological Reports International Series 580), 1992 18 D. P. S. Peacock, D. F. Williams, Amphorae and the Roman economy, 1986 19 A. Raban (Hrsg.), Archaeology of Coastal Changes (= British Archaeological Reports International Series 404), 1988 20 Ders., The Harbours of Caesarea Maritima. Results of the Caesarea Ancient Harbour Excavation Project 1980–1985. Vol. I: The Site and the Excavation (=British Archaeological Reports International Series 491), 1989 21 I. Runde, U. im Internet, in: Skyllis 1, 1998, 66–72 22 M. Sciallano, P. Sibella, Amphores. Comment les

Abb. 5: Philosoph von Porticello, wegen des
um 425–400 v. Chr. sicher datierten Fundkontextes
muß der Beginn der individuellen Porträtkunst,
die als Errungenschaft des Hellenismus gilt,
hochdatiert werden.
Reggio di Calabria, Nationalmuseum

identifier?, ²1994 **23** A. TCHERNIA, Le Vin de l'Italie
romaine, Essai d'histoire économique d'après les amphores,
1986 **24** F. WELSH, Building the Trireme, 1988
25 T. WESKI, Vom Schiff zur arch. Quelle, in: DT. GES. ZUR
FÖRDERUNG DER U. (Hrsg.), In Poseidons Reich. Arch.
unter Wasser. Zaberns Bildbände zur Arch. 23, 1995, 39–42.

HANZ GÜNTER MARTIN

USA und Kanada s. United States of America; Brill's
New Pauly (Classical Tradition), s. v. Canada

Ut pictura poesis A. BEGRIFF   B. SACHE

A. BEGRIFF

Ut pictura poesis – »wie ein Bild, so (sei) die Dichtung«:
So die von der Spätant. über die → Renaissance bis zur
→ Aufklärung von Rhetorikern, Kunst- und Dich-
tungstheoretikern vertretene Maxime, mit der die Ver-
schwisterung von Sprach- und Bildkunst zum ästhetischen Programm gemacht wird. Der Wortlaut geht auf
Horaz' *Ars poetica* (14 v. Chr.; V. 361 ff.) zurück, ist dort
jedoch als Reflexion über die Rolle des Betrachter-
standpunkts bei der Rezeption von Kunst gemeint: ›ut
pictura poesis: erit quae, si proprius stes, / te capiat ma-
gis, et quaedam, si longius abstes; / haec amat obscurum,
volet haec sub luce videri, / iudicis argutum quae non
formidat acumen; / haec placuit semel, haec deciens
repetita placebit‹ (»Eine Dichtung ist wie ein Gemälde:
Es gibt solche, die dich, wenn du näher stehst, mehr
fesseln, und solche, wenn du weiter entfernt stehst; dieses liebt das Dunkel, jenes will bei Lichte beschaut sein

und fürchtet nicht den Scharfsinn des Richters; dieses
hat einmal gefallen, doch jenes wird, noch zehnmal betrachtet, gefallen.«).

B. SACHE

1. ENGFÜHRUNG VON TEXT UND BILD IN DER
ANTIKE

Auch wenn Horaz mit seiner Formulierung *ut pictura
poesis* vordergründig nicht auf das Verhältnis von Malerei und Dichtkunst abhebt, so ist die Tatsache, daß er
in seiner *Epistula ad Pisones*, dem Traktat über die *Ars
poetica*, an prominenter Stelle einen Musterfall aus der
bildenden Kunst anführt, nur einer von zahlreichen Belegen für die in der Ant. wie selbstverständlich vollzogene Parallelisierung beider Künste. Der Simonides von
Keos zugeschriebene *locus classicus* für diesen Gedanken
besagt, daß die Malerei stumme Poesie, die Poesie nichts
anderes als ein redendes Gemälde sei (Plutarch, *De gloria
Atheniensium*, 346 F). Kritischer betrachtet Platon die
Verwandtschaft von bildender Kunst und Dichtung. Sowohl Maler als auch Dichter, schreibt Platon im zehnten
Buch der *Politeía* (387–367 v. Chr.), verfehlen mit ihren
Nachahmungen den Wesenskern der Dinge (d. h. die
Idee) und geben lediglich wieder, wie diese erscheinen
(596d-e). Beide Kunstformen, so Platon weiter, kopieren sogar nur das äußere Bild einer Sache, die beispielsweise ein Handwerker als Nachahmung einer Idee er-
schaffen hat, operieren also strenggenommen auf einer
dem Sein doppelt entfremdeten Schwundstufe (597e).
Dieses harsche Urteil hat Platon selbst im *Phaidros* (um
360 v. Chr.; 244a–257b) entschärft; die entscheidende
Aufwertung erfährt das mimetische Verfahren aber erst
in Aristoteles' *Poetik* (um 336 v. Chr.). Auch dort werden Poesie und Malerei in einem Atemzug genannt: Ein
Dichter hat nach Aristoteles als ›Nachahmer (...) wie
ein Maler oder ein anderer bildender Künstler‹ (1460b)
zu gelten. Das Verhältnis zw. Abbildendem und Abge-
bildetem begreift Aristoteles dabei als Kardinalfall von
Ähnlichkeit, die indes nicht abbildrealistisch zu verstehen ist: ›Da die Trag. Nachahmung (→ Mimesis) von
Menschen ist, die besser sind als wir, muß man ebenso
verfahren wie die guten Porträtmaler. Denn auch diese
geben die individuellen Züge wieder und bilden sie
ähnlich und zugleich schöner ab‹ (1445b). Bildlich-op-
tische Arrangements formieren somit den Prototyp für
den ant. Begriff von Schönheit, die nach Platon als
wichtigstes Verbindungsglied zw. den irdischen Erscheinungen und dem Ideenreich fungiert: ›Was nun die
Schönheit betrifft, so strahlte sie (...) als wirklich Seiende unter jenem anderen Seienden. Und auch, als wir
hierher gekommen, erfaßten wir sie durch den hellsten
unserer Sinne als das, was am hellsten strahlte. Denn das
Gesicht ist bei uns der schärfste der leiblichen Sinne
(...)‹ (Phaidr. 250d). Schönheit wird dabei im weiten
Sinn als ›die für das Auge erkennbare Eignung (aufgefaßt); der Sinn des Wortes (*kalós*) läßt sich als »augenfäl-
lige Zweckmäßigkeit« bestimmen‹ [9]. Diesen Gedanken greift Aristoteles auf, wenn er akzentuiert, daß das
Schöne Effekt einer Anschauung sei, die sich an der

Einheit und Ganzheit des Dargestellten delektiere (1450b), womit er einen zentralen Topos des europ. → Klassizismus vorformuliert.

Auch in der ant. Rhet. gilt das »Vor-Augen-Stellen«, die *enárgeia*, mit Hilfe derer »die Zuhörer zu Zuschauern« (Nikolaos von Myra, *Progymnasmata*, vgl. [10]) gemacht werden sollen, als Wirkungsziel der Rede [22]. Für die lat. Übers. dieses auf den Begriff *enargés* (»von Glanz umgeben, aus sich selbst leuchtend«) zurückgehende Konzept [12] wählt Cicero ebenfalls Metaphern des Visuellen wie *illustratio* und *evidentia* (*e-videri* = »aus-sich-herausleuchten«). Dadurch wird nicht nur eine Orientierung, sondern – schärfer formuliert – eine Subordination der Sprache bzw. Schrift unter das sich vermeintlich von selbst, gleichsam unvermittelt präsentierende Visuelle markiert: Im Fall der *enárgeia* sei ›der Wortcharakter des Textes‹, d. h. dessen Materialität, von diesem selbst ›aufzuheben‹ [10]. Mit dieser Stilisierung als teleologischer Redevollzug rekurriert das rhet. Modell der *enárgeia* systematisch auf das fast gleichlautende, jedoch weder etym. damit verwandte, noch in der Sache zu verwechselnde Konzept der *enérgeia*, das Aristoteles in seiner *Rhetorik* als Version des ›Vor-Augen-Führens‹ (1411b) präsentiert: ›Ich verstehe aber unter Vor-Augen-Führen das, was Wirksamkeit (*enérgeia*) zum Ausdruck bringt‹ (1411b). Damit meint Aristoteles eine Beseelung oder, nüchterner gesagt, eine Dynamisierung des Dargestellten: ›In-Wirksamkeit-begriffen-sein aber ist Bewegung (Kinesis)‹ (1412a) [17]. Texttheoretisch liegt diesem Gedanken ein ›ontologisch-dynamische(s)‹ [6], d. h. ein Sprachverständnis zugrunde, das die Rede auf einen Endpunkt der Verständigung oder Bed. perspektiviert, einen Endpunkt, an dem – so die Prätention – Sprache, ganz ähnlich wie im Fall der *enárgeia*, dem wahren Sein in ihrer Zeichenmaterialität nicht mehr störend in die Quere kommt. Der entscheidende konzeptionelle Unterschied zw. *enérgeia* und *enárgeia* besteht jedoch darin, daß letztere als Beispiel eines ›repräsentationslogisch-statische(n)‹ [6] Zeichenkonzepts zu gelten hat, dessen erklärtes Ziel es zwar ebenfalls ist, Evidenz herzustellen und sich selbst überflüssig zu machen, dessen grundsätzliche Crux aber darin begründet liegt, daß seine Verfahren gleichsam vor Augen stehen bleiben oder genauer: daß deren ereignishaft-sinnliche nicht ohne entscheidende Verluste in semantisch-sinnhafte Präsenz zu überführen ist. Quintilian ist sich in der *Institutio oratoria* entsprechend unschlüssig, wie er den Status der *enérgeia* bewerten soll. Zunächst stellt er diese der *perspicuitas* gleich (Quint. inst. 4,2,31), jener Grundforderung an die *elocutio* des Gerichtsredners, nach der dieser den Sachverhalt in den eigentlichen (*verbis propriis*), nicht gemeinen (*non sordidis*), aber auch nicht gesuchten (*non tamen exquisitis*) Worten darzulegen hat (4,2,36). An anderer Stelle subsumiert Quintilian die *enérgeia* jedoch dem *ornatus*, der nach seiner Bestimmung »mehr ist als nur durchsichtig und einleuchtend« (›quod perspicuo ac probabili plus est‹; 8,3,61). Als Konsequenz daraus gewinnen die ekphrastischen Verfahren größeren Eigenwert, als es ihre af-

fekttheoretische Pragmatisierung vorgesehen hat. Während nämlich die *perspicuitas* ihrem Verständnis nach Durchblicke auf den dargestellten Gegenstand eröffnet, stellt sich der *ornatus*, wie Quintilian einräumt, selbst zur Schau (*hoc se quodam modo ostendit*; 8,3,61).

2. BILD-TEXT-RELATION IN HUMANISMUS UND RENAISSANCE

Für die human. Gelehrten steht im Zuge ihrer Reform des Lat. die Sprache um ihrer selbst willen im Zentrum des Interesses. Im Rahmen ihrer Reorientierung an den kanonischen Texten der Ant., deren Duktus weit ausgefeilter und diffiziler ist als das ma. Gebrauchslat., stoßen die Human. indessen auf ein breites Spektrum visueller Metaphern [2]. So spitzt Erasmus von Rotterdam in bezug auf Homers Deskriptionen zu, daß deren Nutzen in einer Feier poetischer Virtuosität bestehe: ›Verum quum tota res ad voluptatem spectat, quemadmodum in poematis ferme fit‹ [8]. Das ›feast of copious words‹ [7], das sich Erasmus von dem rhet. Versuch einer Repräsentation der Welt nach bildlichem Beispiel erhofft, markiert den Ausgangspunkt einer regelrechten ›fascination with the idea of illusionist representation‹ in der Ren. [19]. So räumt Leonardo da Vinci der Malerei im Rahmen des *paragone* sogar den Vorrang vor der Sprache ein. Infolgedessen rücken die handwerklichen Techniken bildlicher Illusionierung in den Mittelpunkt des Interesses. Konkret stellt sich dabei die Frage, wie ein Maler die dreidimensionale Raumordnung der Wirklichkeit ohne substantielle Verluste auf die zweidimensionale Bildfläche zu projizieren vermag. Der auf diese Weise ins Spiel gebrachte Abbildrealismus wird aber insofern konterkariert, als Mimesis ebenso in aristotelischer wie in neuplatonischer Trad. als Darstellung bzw. Teilhabe idealisierte Nachahmung meint. Bei dem Versuch, die Natur zu übertrumpfen, stehen daher für die Theoretiker der Ren. nicht nur visuelle Illusionstechniken, sondern einmal mehr die kanonischen Texte aus der Rhet. und Poetik zur Debatte: ›for the antique is already that ideal nature for which the painter strives‹ [18]. In bezug auf die Ren. ist also zu Recht von einer Umkehrung des Text-Bild-Diskurses, von *ut poesis pictura*, die Rede.

3. KONJUNKTUR DER »UT PICTURA POESIS«-DOKTRIN IM 17. UND 18. JAHRHUNDERT

In der Ästhetik der Aufklärung erfährt das Prinzip *ut pictura poesis* infolge einer auf der ganzen Breite der Wissensorganisation erfolgten Aufwertung sinnlicher Vermögen einen nachhaltigen Karriereschub: Auf dem Gebiet der → Naturwissenschaften setzen sich im Anschluß an Francis Bacons *Novum organum scientiarum* (1620) Beobachtung und Experiment als Methoden wiss. Erkenntniserwerbs durch; sinnliche Wahrnehmung tritt an die Stelle bloßer Buchgelehrsamkeit. In der bildenden Kunst kommt die gestiegene Bed. der Sinnlichkeit im 17. Jh. durch die Konjunktur des Stillebengenres insbes. in den Malerschulen Flanderns und der Niederlande zum Ausdruck, verfahren diese doch –

so Svetlana Alpers – im Unterschied zu ihren it. Konkurrenten nicht in erster Linie narrativ, mythologisierend oder allegorisch, sondern deskriptiv, d. h. orientiert an der sinnlich erfahrbaren Oberfläche der Objekte [1]. In der Philos. etabliert sich v. a. im angelsächsischen Bereich gegen E. des 17. Jh., ausgehend von John Locke der Empirismus, der sich dem vermeintlich aristotelischen Wahlspruch *Nihil est in intellectu, quod non fuerit in sensu* verschreibt [15], eine Formulierung, der Leibniz mit dem Zusatz: ›excipe: nisi ipse intellectus‹ [13] widerspricht. Aber auch der kontinentaleurop. Rationalismus, dasjenige Denken, das im Anschluß an Leibniz etwa in der Person Christian Wolffs die reine Verstandestätigkeit in den Mittelpunkt ihres Systems rückt, leugnet keineswegs die Bed. von Wahrnehmungen und Sinnesempfindungen, definiert deren Status jedoch im Unterschied zum Empirismus als verstandesaffine ›Vorstellungen‹ [20; 21].

Literarisch korrespondiert diesen Positionen die beschreibende Dichtung, wie sie in England von James Thomson (*The Seasons*, 1730), im deutschsprachigen Raum von Barthold Hinrich Brockes (*Irdisches Vergnügen in Gott*, 1721 ff.), Ewald von Kleist oder Albrecht von Haller (*Die Alpen*, 1729) praktiziert wird. Auch in den Schriften der Schweizer Dichtungstheoretiker Johann Jakob Bodmer und Johann Jakob Breitinger finden sich ebenso empiristische wie rationalistische Motive. Zum einen würdigen sie die Beschreibungspoeme als Produkte eines lit. Studiums der Objekte nach naturwiss. Vorbild [3; 4]. Zum anderen wird rationalistisch argumentiert, daß die poetischen Gemälde dem Verstand näherstünden als Sinneswahrnehmungen und daher als die differenziertere und vollkommenere Erkenntnisquelle wirklichen Bildern vorzuziehen seien [5]. Im Gegensatz dazu behauptet der Sensualismus, daß in der sinnlichen Vorstellungswelt potentiell mehr Vollkommenheit schlummert, als sich logisch mittels der zergliedernden Vernunft erfassen läßt. So führt Roger de Piles in seinem *Cours de peinture par principes* (1708) die stärkere Wirkung der Malerei im Vergleich zur Dichtung darauf zurück, daß in Gemälden die Dinge selbst zur Darstellung kämen, während die Poesie ihre Gegenstände lediglich indirekt, vermittelt durch Worte, veranschauliche. Der Repräsentationismus dieses Gedankens, d. h. die Annahme, in den Abb. komme die wirkliche Welt zum Ausdruck, wird in den *Réflexions critiques sur la poésie et sur la peinture* (1719) des Abbé Du Bos semiotisch akzentuiert. Du Bos greift die auf Augustinus zurückgehende Unterscheidung zw. natürlichen und künstlichen Zeichen auf und überträgt diese auf das Verhältnis zw. den Künsten: Die natürlichen Zeichen der Malerei seien unmittelbar zugänglich, müßten weder gelernt noch entziffert werden und präsentierten damit eine direktere und lebendigere Erfahrung als die Sprache [16]. Die Thematisierung des semiotischen Status von Sprach- wie Bildzeichen bedeutet jedoch, aller Vereinigungsrhet. zum Trotz, einen Schritt weg vom Gedanken der Repräsentation und hin zu einer Ästhetik der Darstel

lung, in der nicht mehr das Verhältnis zw. Referent und Signifikant erörtert wird, sondern zur Debatte steht, welche Zeichenprozesse Vorstellungen von wirklichem Sein modellieren. An diesem Punkt setzen die Überlegungen von Lessings Schrift *Laokoon oder über die Grenzen der Malerei und Poesie* (1766) ein, welche eine wirkungsmächtige Kritik an der *ut pictura poesis*-Doktrin formulieren. Lessing bestreitet, daß der lit. Illusionsbildung durch ein Wetteifern mit dem Bildlichen gedient sei. Zur Untermauerung seiner These bringt er ein semiotisches Argument vor: Da die Zeichen von Texten linear-sukzessiv, diejenigen von Bildern hingegen räumlich-statisch sind, habe die Lit. Zeitliches, d. h. Handlung, zu ihrem Sujet zu wählen, während sich Bilder Körpern, Objekten im Raum, zuwenden sollten: ›Wenn es wahr ist, daß die Malerei zu ihren Nachahmungen ganz andere Mittel, oder Zeichen gebrauchet, als die Poesie; jene nemlich Figuren und Farben in dem Raume, diese aber artikulierte Töne in der Zeit; wenn unstreitig die Zeichen ein bequemes Verhältnis zu dem Bezeichneten haben müssen: So können nebeneinander geordnete Zeichen auch nur Gegenstände, die nebeneinander, oder deren Teile nebeneinander existieren, aufeinander folgende Zeichen aber, auch nur Gegenstände ausdrücken, die aufeinander, oder deren Teile aufeinander folgen. Gegenstände, die nebeneinander oder deren Teile nebeneinander existieren, heißen Körper. Folglich sind Körper mit ihren sichtbaren Eigenschaften, die eigentlichen Gegenstände der Malerei. Gegenstände, die aufeinander, oder deren Teile aufeinander folgen, heißen überhaupt Handlungen. Folglich sind Handlungen der eigentliche Gegenstand der Poesie‹ [14. XVI].

Aber auch nach Lessings epochemachender Kritik bleibt das Bildliche ein entscheidender Bezugspunkt nicht zuletzt für solche Lit., die sich dem Bild weniger im Vertrauen auf dessen Illusionscharakter zuwendet, sondern aufgrund des in der Kontaktzone zw. den Künsten nachhaltig keimenden Interesses an den zeichenhaften Verfahrensweisen der unterschiedlichen Darstellungsarten. Lessings Invektive gegen Hallers Beschreibungspoem *Die Alpen*: ›Ich höre in jedem Worte den arbeitenden Dichter, aber das Ding selbst bin ich weit entfernet zu sehen‹ [14. XVII] wird dabei gleichsam in ein metapoetisches Programm umgemünzt: Wann immer Texte nach Lessing mit dem Bild interagieren, steht dabei die Erkundung ihres eigenen sowie des Zeichenterrains der Bilder im Vordergrund. In Ekphrasen wie Heinrich von Kleists *Empfindungen vor Friedrichs Seelandschaft* (1810), den erschriebenen Landschaftsbildern des Realismus und zumal in der Lit. des 20. Jh., in Texten wie Günter Eichs »Nullpunktgedicht« *Inventur* (1947) oder Peter Weiss' mit dem frz. *nouveau roman* verwandten Experimentalroman *Der Schatten des Körpers des Kutschers* (1960) überlagern sich, herausgefordert von Medien wie dem Panoramagemälde, der Photogr. oder dem Film, ein sehnsuchtsvoller Blick nach dem bildlichen Illusionspotential und nachgerade kühle Aufmerksamkeit auf die semiotischen Verfahren von Texten und Bildern.

→ AWI Mimesis

1 S. ALPERS, Kunst als Beschreibung: Holländische Malerei des 17. Jh., ²1998 2 M. BAXANDALL, Giotto and the Orators: Humanist Observers of Painting in Italy and the Discovery of Pictorial Composition 1350–1450, 1971, 17 ff. 3 J. J. BODMER, Critische Betrachtungen über die poetischen Gemählde der Dichter, I, Zürich 1741 4 J. J. BODMER, J. J. BREITINGER, Die Discourse der Mahlern I, XIX 23, 1721–1723 5 J. J. BREITINGER, Critische Dichtkunst, I, 26, Zürich 1740 6 R. CAMPE, Affekt und Ausdruck. Die Umwandlung der lit. Rede im 17. und 18. Jh., 1990, 40 7 T. CAVE, The Cornucopian Text. Problems of Writing in the French Ren., 1979, 31 8 ERASMUS VON ROTTERDAM, De Copia, Liber II, LB 78, Paris 1512 9 M. FUHRMANN, Die Dichtungstheorie der Ant. Aristoteles – Horaz – Longin. Eine Einführung, ²1992, 84 10 F. GRAF, Ekphrasis: Die Entstehung der Gattung in der Ant., in: G. BOEHM, H. PFOTENHAUER (Hrsg.), Beschreibungskunst – Kunstbeschreibung: Ekphrasis von der Ant. bis zur Gegenwart, 1995, 145 11 J. H. HAGSTRUM, The Sister Arts. The Trad. of Literary Pictorialism and English Poetry from Dryden to Gray, 1958, 136 ff. 12 A. KEMMANN, s. v. Evidentia, Evidenz, in: HWdR., Bd. 3, 1996, 33 13 G. W. v. LEIBNIZ, Nouveaux essais sur l'entendement humain, II, 1, Amsterdam/Leipzig um 1707; erstveröff. 1765 14 G. E. LESSING, Laokoon oder über die Grenzen der Malerei und Poesie, Berlin 1766 15 J. LOCKE, Essay Concerning Human Understanding, 2, 1, 2, London 1690 16 D. MARSHALL, s. v. Literature and the other Arts – Ut pictura poesis, in: The Cambridge History of Literary Criticism Vol. IV: The 18th Century, H. B. NISBET (Hrsg.), 1997, 692 f. 17 I. MÜLDER-BACH, Im Zeichen Pygmalions: Das Modell der Statue und die Entdeckung der »Darstellung« im 18. Jh., 1998, 134 ff. 18 W. RENSSELAER LEE, Ut Pictura Poesis: The Humanistic Theory of Painting, in: Art Bulletin 22 (1940), 200 ff. 19 F. RIGOLOT, The Rhetoric of Presence: Art, Literature, and Illusion, in: The Cambridge History of Literary Criticism: Vol. III. The Ren., G. P. NORTON (Hrsg.), 1999, 161 20 H.-M. SCHMIDT, Sinnlichkeit und Verstand: Zur philos. und poetologischen Begründung von Erfahrung und Urteil in der dt. Aufklärung (Leibniz, Wolff, Gottsched, Bodmer und Breitinger, Baumgarten), 1982, 21–35 21 D. C. WELLBERY, Lessing's Laocoon: Semiotics and Aesthetics in the Age of Reason, 1984, 9–42 22 G. ZANKER, Enargeia in the Ancient Criticism of Poetry, in: RhM. N. F. 124, 1981, 297–311.   HEINZ J. DRÜGH

Utopie A. DER NAME B. DAS VERHÄLTNIS DER MODERNEN UTOPIE ZUR ANTIKE
C. DER ARCHISTISCHE UND DER ANARCHISTISCHE UTOPIE-ANSATZ IN DER ANTIKE
D. DIE REZEPTION DES ANTIKEN MUSTERS IN DER FRÜHEN NEUZEIT E. DAS SPEZIFISCHE PROFIL DER MODERNEN UTOPIE

A. DER NAME

Der Begriff »Utopie« ist ein griech. Kunstwort, das von Thomas Morus als Titelbegriff seiner 1516 entstandenen Schrift erfunden wurde. Es setzt sich aus den Sil-ben *ou* = »nicht« und *tópos* = »Ort« zusammen und bedeutet so viel wie »Nicht-Ort« oder »Nirgendwo«. Die engl. Aussprache als »Eutopie« impliziert die Assoziation mit dem griech. Adverb *eú* = »wohl« oder »gut«. Demnach wäre »Nirgendwo« auch mit »Glücksland« zu übersetzen.

B. DAS VERHÄLTNIS DER MODERNEN UTOPIE ZUR ANTIKE

Morus' *Utopia* hat einem ganzen lit. Genre den Namen gegeben. Ihr Verhältnis zu den überlieferten ant. Quellen, die der jeweils kritisch betrachteten Gegenwart das Bild einer besseren gesellschaftlichen Alternative gegenüberstellen, ist umstritten. So hat Moses I. Finley darauf hingewiesen, daß von ant. U. nur reden könne, wer sie mit Mythen gleichsetze; eine Identifikation, die jeder Grundlage entbehre [7. 6 f.]. Diese Aussage hat eine beträchtliche Plausibilität, weil die U., wie Morus sie konzipierte, im Gegensatz zum → Mythos Ausfluß der säkularisierten Vernunft ist, die ihren Geltungsanspruch durch nichts anderes als durch ihre diskursive Qualität gewinnt. Sie nimmt zwar wie der Mythos ihren Ausgang von der menschlichen Phantasie. Doch geschieht dies in einer Weise, daß die fiktive Gegenwelt, die sie entwirft, in ihrer weltimmanenten Struktur durchaus möglich wäre, weil sie sich weitgehend der Kontrolle rationaler Stringenz unterwirft. Dennoch ist zu bedenken, daß im ant. Griechenland die Herrschaft des Mythos nicht absolut war. Sie rief im Namen des Logos eine Kritik hervor, die dem diskursiven Ansatz des utopischen Denkens durchaus entgegenkam. Nicht nur die rationalistische Kritik eines Euhemeros [8. 81] und eines Lukrez (Lucr. 2, 1154–1157 sowie 5, 925–926) am Mythos deutet auf eine gemeinsame Schnittmenge mit dem utopischen Denken hin. Es ist auch die Tatsache, daß z. B. Homer Odysseus Menschen begegnen läßt, ›die ihresgleichen zu sein scheinen und doch so leben, wie wir sie nur erträumen können‹ [4. 182]. Und wenn in der *Ilias* von der Heimat der Abier die Rede ist, ›der gerechtesten unter den Menschen‹ [4. 182; 5], dann wird hier eine Vervollkommnungsfähigkeit unterstellt, ohne die der »neue Mensch« der utopischen Konstruktion nicht möglich wäre. Sowohl in Homers Epen als auch in Hesiods *Werke und Tage* gründet sich der Mythos auf einer dichotomischen Struktur, die für das spätere utopische Denken charakteristisch geworden sein dürfte: Dem durch Unterdrückung, Rechtlosigkeit und harte Arbeitsfron gekennzeichneten »Eisernen Zeitalter« wird der Mythos des »Goldenen Zeitalters« gegenübergestellt, und zwar einerseits aus der Sicht der Aristokratie (Homer) und andererseits aus der Perspektive der einfachen Bauern (Hesiod).

C. DER ARCHISTISCHE UND DER ANARCHISTISCHE UTOPIE-ANSATZ IN DER ANTIKE

Andreas Voigts idealtypische Unterscheidung aus dem J. 1906 zw. archistischer und anarchistischer U. [15. 18 ff] erscheint gut geeignet, ein analytisch scharfes

Licht auf die Entstehungssituation des utopischen Denkens in der Ant. zu werfen. Seine Ursprünge verweisen nämlich auf zwei prinzipielle Möglichkeiten des Verhältnisses der Menschen zu der sie umgebenden Natur, die trotz aller Einbindung in myth. Weltbilder im ant. Denken klar ausgebildet waren. Der eine Ansatz geht von der Annahme aus, daß das Reich der Natur ein Chaos ist, das in seiner ungebändigten Elementargewalt die Menschen in ihrer Existenz bedroht. Erst dadurch, daß die Einzelnen ihre physischen und geistigen Kräfte bündeln, besteht die Chance, der Natur eine künstliche Umwelt abzuringen, die nicht nur ein Überleben, sondern auch ein »gutes« Leben ermöglicht. Zu Recht gilt als ant. Urmuster dieses archistischen Gesellschaftsentwurfs Platons *Politeía* [13. 9–45]. Doch darf nicht übersehen werden, daß sein idealer Staat seinerseits Vorläufer in ant. Idealstadt-Konzeptionen hatte, die, wie z.B. Hippodamus, sein Modell antizipierten und in Stein ausführten [8. 23]. Die ant. Idealstädte müssen in zweierlei Hinsicht als das ursprüngl. archistische U.-Modell par excellence gelten: Als Artefakt der Ratio stellen sie an geom. Basisfiguren ausgerichtetes »sekundäres System« dar, das dem Chaos der Natur entzogen und ausschließlich menschlicher Kontrolle unterworfen ist. Zugleich schaffen sie neben der sozio-polit. Verfassung die in Architektur geronnene physische Umwelt für ein »gutes Leben«. Diese Konzentration aller Kräfte im Kampf gegen die äußeren Naturgewalten macht Herrschaft zu einer nicht hintergehbaren Tatsache.

Der andere Ansatz argumentiert umgekehrt: Alle Probleme werden gelöst, wenn man sich für ein Leben nicht gegen, sondern mit der Natur entscheidet. Da der Einzelne selbst Teil der Natur ist, sorgt diese für das Menschengeschlecht dann, wenn es sich ihr ohne prometheischen Trotz überläßt und ihrer Weisheit vertraut. Das »Goldene Zeitalter«, nicht nur von Hesiod, sondern auch in der röm. Dichtung von Vergil, Horaz u. a. immer wieder beschworen, ist nichts anderes als eine mythische Überhöhung dieses Credos. In dessen Zentrum steht jenseits institutioneller Regulierung des Zusammenlebens nicht nur die Harmonie des Umganges der Menschen und der Völker miteinander, sondern auch die Abwesenheit eines äußeren Gegners in Gestalt feindlicher Naturgewalten.

D. Die Rezeption des antiken Musters in der Frühen Neuzeit

Das archistische Muster der Ant. erlebte in der Frühen Neuzeit eine erstaunliche Renaissance. An der ant. Idealstadt und ihrer Weiterentwicklung in der Ren. durch Alberti, Filarete, Patrizi, Francesco di Giorgio und Leonardo orientiert, sind Amaurotum in Morus' *Utopia*, *Christianopolis* bei Andreae und der *Sonnenstaat* Campanellas auf geom. Formen festgelegt, die der Natur von außen aufgezwungen werden: Ein instrumentelles Naturverhältnis ist erkennbar. Aber auch in dieser Hinsicht kann von einer fast ungebrochenen Kontinuität zur archistischen Trad. der Ant. ausgegangen werden, indem die »innere Natur« des Menschen gleichfalls

der permanenten Regulierung bedarf: Der Gesetzgeber Spartas, Lykurg, stellt das Vorbild für die großen Gründungsväter der frühneuzeitlichen U. dar, die von Utopos bei Morus über den Sol in Campanellas *Sonnenstaat* bis zu Salomona in Bacons *Neu-Atlantis* die idealen Verfassungen ihrer »besten Gemeinwesen« verbindlich festlegten. Erst ein »starker« Staat mit »harten« Institutionen bringt den chaotischen Demos so in Form, daß das ideale Gemeinwesen auch tatsächlich funktioniert. Auch hält die frühneuzeitliche U. aufgrund der knappen Ressourcen am ant. Luxusverbot der archistischen Trad. fest. In diesem Zusammenhang ist wichtig, daß Morus sich auf keinen ant. Autor häufiger bezieht als auf Platon. Über Morus' Platon-Rezeption hat das Muster der *Politeía* bis zu H. G. Wells und die klass. »schwarzen« U. bei Samjatin, Huxley und Orwell weitergewirkt [14. 234–293].

Doch nicht nur das archistische Fiktionsmuster der Ant., sondern auch ihre anarchistische Variante hat den frühneuzeitlichen U.-Diskurs nachhaltig geprägt. Es gehört zu den großen geistesgeschichtlichen Kontinuitäten, daß mit der zunehmenden Erforsch. der »Neuen Welt« die europ. Entdecker und Intellektuellen auf das ant. Paradigma des »Goldenen Zeitalters« zurückgriffen, um die neuen Erfahrungen mit fremden Kulturen ihrem eigenen Weltbild assimilieren zu können. An die Stelle des »Edlen Barbaren« der Ant. trat der »Edle Wilde« [9; 12], und beide, so die idealisierende Vorstellung, ›führten ein zufriedenes Leben, eng verbunden mit der Natur, unverdorben von den Mängeln und Widersprüchen einer hochentwickelten Gesellschaft‹ [8. 23]. Auch finden wir die ant. Prämisse der anarchistischen Denktrad. wieder, daß die Einführung des Gemeineigentums an sich bereits ausreicht, die gesellschaftliche Harmonie herbeizuführen. Die Notwendigkeit staatlicher Institutionen für die Erreichung dieses Ziels entfällt nicht nur; ihre Präsenz ist vielmehr außerordentlich schädlich: Bloße egalitäre Strukturen erzwingende, soziotechnische Arrangements im Stil der archistischen U. verhinderten die Befreiung der inneren Natur des Menschen von den depravierenden gesellschaftlichen Zwängen ebenso wie seine Ineinssetzung mit der Natur überhaupt. Zugleich revitalisierten utopische Autoren wie de Foigny, de Lahontan, Morelly und Diderot das ant. Automaton-Prinzip einer selbsttätigen Natur, die die Arbeit und wiss. angeleitete Technik im Kern ebenso überflüssig macht wie Institutionen, welche die Produktion, Konsumption und Distribution steuern. Der Option für die Deregulierung der gesellschaftlichen Prozesse entsprach die Absage an das Geom.-Postulat der archistischen Tradition. Im Gegensatz zur ›mathematisch-kosmischen Gesetzlichkeit und hierarchischen Staats- und Weltordnung‹ [6. 221] sollte z.B. der engl. Landschaftsgarten gerade durch seine gewollte Entgrenzung alle Naturschönheiten möglichst authentisch in sich aufnehmen: Nur so glaubte man, nachhaltig das Ideal des gesunden bäuerlichen Lebens gegen die Sittenverderbnis der Metropolen ausspielen zu können, wie Vergil und Horaz es einst ihren Mitbürgern als Wege aus der Krise der städtischen Zivilisation Roms vor Augen führten.

E. Das spezifische Profil der modernen Utopie

Trotz dieser unverkennbaren Kontinuitätslinien sind bedeutende Differenzen zw. der mod. U. und ihrem ant. Vorbild nicht zu übersehen [11. 2–9]. So nimmt Morus einen bedeutenden Paradigmenwechsel für die archistischen Denktrad. vor, wenn er den pejorativen Arbeitsbegriff der Ant. aufwertet und gleichzeitig das Gemeineigentum zur Grundlage nicht nur – wie bei Platon – der polit. Elite, sondern der Gesamtgesellschaft erhebt. Dieser Egalitarismus nivelliert das, was selbst noch bei Euhemeros außer Frage stand: die hierarchische, ständestaatliche Struktur der Gesellschaft mit ihren Privilegien und Rängen (Diod. 5,45,3). Eine zweite Trennlinie, die die mod. archistische U. von ihren ant. Vorläufern unterscheidet, wird konstituiert durch ihre jeweilige Stellung zu Wiss. und Technik. Der kontemplative Wissenschaftsbegriff Platons (rep. 484c-c, 527b, 485c) wird ersetzt durch die aktive Anwendung naturwiss. Erkenntnisse in Form einer in die Sphäre der Wirtschaft eingreifenden Technik, die dem ant. Denken fremd war. Spätestens mit Bacons programmatischem Diktum, es komme darauf an, ›die Erkenntnis der Ursachen und Bewegungen der verborgenen Kräfte in der Natur und die Erweiterung der menschlichen Herrschaft bis an die Grenze des überhaupt Möglichen‹ [1. 205] voranzutreiben, waren die Grundlagen für jene Dynamik geschaffen, die neben dem Egalitarismus des Arbeitsbegriffs das Profil der mod. U. seit der Mitte des 18. und zu Beginn des 19. Jh. von ihren ant. Vorläufern absetzte. In dem Maße, wie die naturwiss.-technische Entwicklung ins Zentrum des utopischen Denkens rückte, wurde ihr Geltungsanspruch selbst dynamisiert. Als Zeit-U. in die Zukunft projiziert [10. 1–14], avancierte sie einerseits immer mehr zum *telos* eines welthistor. Fortschritts, das das ant. Paradigma der zyklischen Wiederkehr des Gleichen ebenso obsolet erscheinen ließ wie den Primat der überschaubaren und statischen Größe der ant. und frühneuzeitlichen Idealstadt. Andererseits dynamisierte sich aber auch die Bedürfnisstruktur des »neuen« Menschen selbst. Den durch die Industrielle Revolution produzierten gesellschaftlichen Reichtum vor Augen, ersetzte die mod. U. den Tatbestand knapper Ressourcen durch den des materiellen Überflusses, der bisher außerhalb der Welt des Mythos undenkbar erschien [7. 13].

Demgegenüber hielten die Vertreter der anarchistischen U. des »Bon Sauvage« im 17. und 18. Jh. am ant. Mythos der selbsttätigen Natur fest. Aber diese Option konnte in dem Maße der Realität nicht standhalten, wie die Naturvölker mit der westl. Zivilisation in Berührung kamen. Niemand hat diesen Vorgang innerutopisch prägnanter beschrieben als Diderot [2. 202 ff.]: Die von ihm imaginierte »wohlgeordnete Anarchie« der Tahitianer stellt in der Geschichte der Menschheit deren früheste Entwicklungsstufe dar. Ihre »Unschuld« sei zugleich ihr Verhängnis, weil sie dem zivilisatorischen Fortschritt keine wirkliche Alternative entgegenzusetzen habe. Tatsächlich gelang die »Modernisierung« des anarchistischen Ansatzes erst in dem Augenblick, als er den Automaton-Mythos der selbsttätigen Natur aufgab. Oscar Wilde hat diese Umorientierung in seinem berühmten Essay *The Soul of Men under Socialism* in der zweiten H. des 19. Jh. beschrieben. Die Griechen hätten durchaus Recht gehabt, daß Kultur und Muße unmöglich seien ohne Sklaven, die die widerwärtige, abstoßende und unangenehme Arbeit verrichteten. Das, was die ältere anarchistische Trad. auf den Automatismus der Natur abwälzte – so können wir ihn interpretieren – muß von der ›Sklaverei der Maschine‹ [3. 46 f.] verrichtet werden: Erst nach der Entmythologisierung des Automaton-Prinzips ist es sinnvoll, von einer qualitativen Differenz zw. der mod. anarchistischen U. und ihrem Vorläufer in der Ant. zu reden. Unter dieser Voraussetzung ist es verfehlt, das Scheitern der Bon-Sauvage-U. des 18. Jh. mit dem E. der ›naturalisierten‹ anarchischen U.-Trad. insgesamt gleichzusetzen. Nach der Kritik der archistischen Linie des utopischen Denkens durch Autoren wie Samjatin, Huxley und Orwell scheint sie noch unausgeschöpfte Potentiale zu enthalten, an die die sog. postmateriellen U. der 1960er und 1970er J. unter ökologischen und antitotalitären Vorzeichen anknüpfen konnten [14. 294–322].

QU **1** F. Bacon, Neu-Atlantis, in: Der utopische Staat, übers. u. hrsg. v. Klaus J. Heinisch, 1996 **2** D. Diderot, Nachtrag zu »Bougainvilles Reise« etc., in: Ders., Philos. Schriften, Bd. II, hrsg. u. aus dem Frz. übertragen v. T. Lücke, 1984 **3** O. Wilde, Der Sozialismus und die Seele des Menschen, übers. v. H. Lachmann, G. Landauer, 1904

LIT **4** R. Bichler, Zur histor. Beurteilung der griech. Staats-U., in: Grazer Beitr. Zschr. für klass. Altertumswiss. 11, 1984, 179–206 **5** R. Bichler, Von der Insel der Seligen zu Platons Staat. Gesch. der ant. U., Teil I, 1995 **6** A. v. Buttlar, Der Landschaftsgarten. Gartenkunst des Klassizismus und der Romantik, 1989 **7** M. I. Finley, Utopianism Ancient and Modern, in: The Critical Spirit. Essays in Honor of H. Marcuse, ed. K. H. Wolff, B. Moore Jr., 1978 **8** R. G. Günther, R. Müller, Das goldene Zeitalter. U. der hell.-röm. Ant., 1988 **9** K.-H. Kohl, Entzauberter Blick. Das Bild vom Guten Wilden und die Erfahrung der Zivilisation, 1981 **10** R. Koselleck, Die Verzeitlichung der U., in: Utopieforsch. Interdisziplinäre Stud. zur neuzeitlichen U., hrsg. v. W. Vosskamp, 3. Bd., 1985 **11** K. Kumar, Utopia and Anti-Utopia in Modern Times, 1987 **12** J. Meissner, Mythos »Südsee«. Die Rolle des Mythos vom »Goldenen Zeitalter« bei der Konstituierung des Bildes von der »Südsee« im Zeitalter der Aufklärung, Diss. Berlin 1998 **13** R. Saage, Utopia als Leviathan. Platons »Politeia« in ihrem Verhältnis zu den frühneuzeitlichen U., in: Ders., Vertragsdenken und U. Stud. zur polit. Theorie und zur Sozialphilos. der frühen Neuzeit, 1989 **14** Ders., Polit. U. der Neuzeit, 1991 **15** A. Voigt, Die sozialen U. Fünf Vorträge, 1906.

RICHARD SAAGE

V

Vandalen A. Vandalen B. Wortgeschichte
C. Vandalismus D. Wissenschaftsgeschichte
E. Literarische Rezeption und historische
Romane

A. Vandalen

Die V. waren eine german. Völkergruppe, deren
Ethnogenese nicht restlos geklärt ist. Nach dem Eindringen ins Imperium (406 n. Chr.) durchzogen sie mit
Alanen und Sueben Gallien, gelangten nach Spanien
und errichteten dort kurzlebige Staatswesen. Nach dem
Zusammenbruch dieser polit. Gebilde schlossen sich die
silingischen V. und die Alanen, ein Stammesverband
skythisch-sarmatischer Herkunft, dem Königtum des
Hasdingen Gunderich an. Unter König Geiserich eroberte dieser Verband die afrikan. Provinzen und errichtete das *regnum* der Vandalen und Alanen. Dieses
Königreich, das später auch Sardinien und die Balearen
einschloß, bestand bis 533 n. Chr. und spielte eine bedeutende Rolle in der spätant. Mittelmeerwelt.

B. Wortgeschichte

Mittelalterliche Autoren verwendeten »Wandali«
oftmals gleichbedeutend mit dem Ethnonym »Wenden«
[18. 70, 78, 118 f.; 52], und daraus resultierte ein miß-
verständlicher Gebrauch des V.-Namens bis weit ins 18.
Jahrhundert. So erklärt sich der V.-Name in neuzeitlichen polit. Selbstbezeichnungen Dänemarks und
Schwedens. »Wenden« war seit dem 12. Jh. gebräuchlich
und ersetzte das in ahd. und lat. Quellen des 7.–9. Jh.
übliche *winden/winidi/venti*. Verwendet wurde es als un-
präziser Sammelbegriff für Slawen [42; 47]. Nachgewiesen ist der Begriff in den 1075/76 entstandenen Gesta des Adam v. Bremen, wo »Wenden« mit »Winilern«
und diese mit den V. gleichgesetzt wurden [6. II. 21; 52].
Mit dem Ethnonym V. wurden bis ins 18. Jh. sowohl
verschiedene slawische Völkergruppen als auch Territorien im »Wendenland« bezeichnet. Der Humanist Albertus Krantz (1448–1517) nahm diese in seiner 1519
posthum erschienenen *Wandalia* auf. Er verfaßte die
Geschichte verschiedener slawischer Völker, hanseati-
scher Städte und des herzoglich mecklenburgischen
Hauses, die er mit gelehrter Mühe an die ant. V. anzuschließen wußte. Seit dem 14. Jh. war die Bezeichnung
»wendische Städte« für Danzig, Lübeck, Wismar, Rostock, Stralsund, Königsberg, Riga u. a. gebräuchlich
(latinisiert als *vandalicae urbes*). Auch im Namen des
pommerschen Teilherzogtums Wenden fand sich die latinisierte Form *Ducatus Vandaliae* [2. 2003; 41. 419; 52].
Aus diesem Kontext erklärt sich der zuerst in der dänischen und seit dem Wasakönig Gustaf I. auch in der
schwedischen Königstitulatur verwendete Wen-
den/V.-Name (dänisch: *Venderne Konge*, schwedisch:
Venders konung). Der Titel *Suecorum, Gothorum Vandalo-
rumque rex* brachte den Anspruch der schwedischen

Monarchie in diesem Teil des Ostseeraums zum Ausdruck [52; 53. 70; 38. 59; 2. 509; 19. 789].

C. Vandalismus

Von it. und frz. Humanisten wurden die Goten und
V. als sprichwörtliche Kulturzerstörer stilisiert [33. 17;
53. 43]. Im Gegenzug kam es zu einer positiven Besetzung dieser german. Stämme im dt. Schrifttum etwa
durch Beatus Rhenanus: ›Nostri (…) sunt Gothorum
Vandalorum Francorumque triumphi‹ [26. 402]. Es handelte sich bei diesen Auseinandersetzungen um proto-
nationale Debatten, bei denen histor. Identitäten als
»gelehrte Aufhänger« dienten. Die große Dynamik der
Frz. → Revolution bedingte die Suche nach neuen Begrifflichkeiten. So wurden etwa aufbauend auf älteren
Bildern die histor. V. 1789 zur Negativbesetzung der
Aristokratie als Nachfahren der german. Eroberer verwendet [43. 36]. Der polit. Allgemeinbegriff *vandalisme*
diente Henri-Baptiste Grégoire, dem Bischof von Blois,
erstmals 1794 zur Abgrenzung einer idealen bürgerlichen Revolution von radikalen Elementen, denen zusätzlich die Steuerung aus dem Exil unterstellt wurde. Er
prangerte die Vernichtung von Kunstwerken durch ja-
kobinische Eiferer an. Zuerst also gegen Radikale in den
eigenen Reihen gerichtet, bezeichnete *vandalisme* nach
dem 9. Thermidor die *Terreur* als Ganzes. Ihre Propo-
nenten wie etwa Robespierre seien die neuen V., die
wie die alten im 5. Jh. die Kultur Frankreichs zerstören
wollten [14. 3, 47]. Die drei *Rapports sur le vandalisme*,
die Grégoire dem Konvent vorlegte, fixierten nicht zuletzt wegen ihrer hohen Auflage den Begriff endgültig
und bereiteten den Boden für seine Übernahme in fast
alle europ. Sprachen [51. 68 f.; 33. 13–19; 43. 38 f.]. Die
Wahl der V. als Paten des Begriffs war offensichtlich v. a.
durch die Topik der gewaltigen Zerstörungen beim
Einfall in Gallien im J. 406 n. Chr. bedingt. Darauf wollte sich die frz. Debatte der Revolutionszeit in nationa-
lem Geschichtsbewußtsein bezogen wissen, weniger auf
die Plünderung Roms im J. 455.

D. Wissenschaftsgeschichte

Dem europ. MA waren die V. v. a. durch die *Historia
persecutionis Africanae Provinciae* des Victor v. Vita [50]
und die verschiedenen theologischen Schriften wie die –
unter dem Autorennamen des Ferrandus überlieferten –
Vita des Fulgentius v. Ruspe bekannt. Beide waren Bischöfe im vandalischen *regnum* und berichteten von der
Auseinandersetzung des afrikan. Katholizismus mit den
arianischen vandalischen Königen. Victors Werk
erfreute sich im MA und in der frühen Neuzeit wegen
seines hagiographischen Charakters großer Beliebtheit.
Es enthält außerdem die ältesten überlieferten Kö-
nigsurkunden eines german. Regnums [37]. Die Vita
des Fulgentius wurde als Quelle zur Geschichte des vandalischen Reichs bisher noch zu wenig gewürdigt.

Außerhalb regionaler historiographischer Rezeption, wie bei Krantz, waren es im frühneuzeitlichen Europa zuerst Gelehrte aus dem Bereich der patristischen Lit., die sich mit den V. auseinandersetzten. Bei der *Historia* des Hugo Grotius [16] handelte es sich um eine gelehrte Zusammenstellung von edierten Quellen, wobei Prokop und Jordanes dominierten. Der benediktinische Gelehrte Teoderico Ruinart verfuhr in seinem großangelegten Komm. zu Victor v. Vita [27] ähnlich. Im mehrbändigen Werk des Lenain de Tillemont [30] aus der ersten H. des 18. Jh. überwog immer noch der kompilatorische Charakter. Bei Johann Jacob Mascov [24] fand sich jedoch bereits eine Problematisierung der Quellen; Geiserichs Zug nach Rom wurde mit einem aufklärerischen Konzept erklärt. Die röm. Eliten hatten den Fall des Imperiums selbst durch eine schlechte Regierung heraufbeschworen. Salvian mit seiner Idee einer Sendung der V. als göttl. Strafe diente zur Stützung solcher Thesen.

Charles de Montesquieu [25] brachte die Vorstellung von der Schwäche der reichszerstörenden Barbaren in die Diskussion ein. Das Eindringen der V. ins Reich wurde von ihm mehr als Flucht denn als Eroberung gezeichnet. Als Begründung diente die angebliche Verweichlichung der V. im reichen Afrika. Dieses Motiv fand sich schon bei Prokop (BV 2,6) und erfuhr seine weitere Rezeption u. a. bei Herder, wo die V. ihre urspr. Reinheit und Stärke in der dekadenten Zivilisation verloren und damit den listigen Römern unterlegen waren [17. 352 ff.]. Gibbon malte das Bild eines starken, Alarich ebenbürtigen Geiserich, der mit seinen Eroberungen eine welthistor. Sendung zu erfüllen hatte, und nahm wieder das Dekadenzbild als Grund für den Untergang auf [12. 3, 41]. Im Kontext der frz. Okkupation Tunesiens wurde 1834 von der Académie Royale des Inscriptions et Belles-Lettres eine Kommission zur Erforsch. der dortigen histor. Gegebenheiten eingesetzt, die ein umfangreiches Publikationsvorhaben teilweise verwirklichte [1] und die Geschichte des vandalischen Reichs als Preisfrage ausschrieb. Prämiert wurde der Beitr. des Berliner Historikers Felix Papencordt [45]. Parallel dazu erschien das Werk des Lyoner Professors Louis Marcus [22]. Die frz. Forschungstätigkeit gipfelte 1955 im noch h. unübertroffenen Standardwerk von Christian Courtois [32].

In der zweiten H. des 19. Jh. wurden die V. in der dt. Forsch. immer stärker in die Suche nach den Ursprüngen der eigenen Nation einbezogen [31]. So schrieb Felix Dahn in der ADB Artikel zu den vandalischen Königen [7] und zeichnete ein ideales Bild des »Meerkönigs« Geiserich in seiner verfassungsgeschichtlich orientierten Arbeit zum vandalischen *regnum* [9]. In Deutschland trugen diverse studentische Verbindungen den Namen »Vandalia«, in Frankreich trug eine Kunstzeitschrift, die die Zerstörungen im Kriegsgebiet von 1915 auflistete, den Titel *Les Vandales en France* [3].

E. Literarische Rezeption und historische Romane

Die *Tragédie* der Madame Deshoulières [10] nahm Motive aus der vandalischen Geschichte auf und baute einige Elemente nach dem Geschmack der Zeit zu einer ausufernden Liebesgeschichte aus. Auf mehrere Auflagen brachte es Jean Francois Marmontels *Bélisaire* [36. 53 f.]. Der Vielschreiber Josef Anton Gleich ließ die Liebe zw. Hunerich und Eudoxia lodern [11]. Insgesamt wurden vandalische Stoffe selten lit. verarbeitet. Erst im Umfeld der dt. Germanophilie des 19. Jh. wurde den V. mehr Aufmerksamkeit zuteil. Dahns Roman *Gelimer* [8] ist um Kunstfiguren wie die verführerische Afrikanerin Astarte als Symbol der vandalischen Dekadenz gebaut. Hans Friedrich Blunck [4] und Richard Theis [29] lieferten für die Zeit des → Nationalsozialismus ideale Bilder eines german. Führers, geprägt von den ideologischen Klischees völkischer und rassischer Überlegenheit.

→ Germanen; Goten; Völkerwanderung
→ AWI Afrika

QU **1** Académie Royale des Inscriptions et Belles-Lettres, Recherches sur l'histoire de la partie de l'Afrique septentrionale connue sous le nom de Régence d'Alger et sur l'administration et la colonisation de ce pays à l' époque de la Domination Romaine par une commission, Tome premier, Paris 1835 **2** Anonymus, s. v. Vandalen/Vandalische Städte, Zedlers Großes Universallex. 46, Halle/Leipzig 1745 **3** L'Art et les artistes, No. special, Les Vandales en France, 1915 **4** H. F. Blunck, König Geiserich, Eine Erzählung von Geiserich und dem Zug der V., 1936 **5** A. Bonne, Die V. in Rom oder Roms Eroberung, Wien 1830 **6** Adam v. Bremen, Gesta Hammaburgensis ecclesiae pontificum, ed. B. Schmeidler, MGH SSrG, 1917, übers. von W. Trillmich, AusgQ 11, 1961 **7** F. Dahn, s. v. Gelimer/ Hunerich/ Thrasamund/ Gunthamund, ADB 8, 50, 38, 49, 1878–1894 **8** Ders., Gelimer, histor. Roman aus der Völkerwanderung (a. 534 n. Chr.), Leipzig 1885 **9** Ders., Die Könige der Germanen. Das Wesen des ältesten Königthums der german. Stämme und seine Gesch. bis zur Auflösung des karolingischen Reiches. Erster Band/ Zweite Abtheilung. Die V., München 1861 **10** A. Deshoulières (A. du Ligier de la Garde), Genseric, Tragédie, Paris 1681 **11** L. Dellarosa (J. A. Gleich), Hunerich, Beherrscher der V. und seine Freunde. Ein histor. Fragment, Wien 1806 **12** E. Gibbon, The Rise and Fall of the Roman Empire, London 1776 ff. **13** H. B. Grégoire, Rapport sur les destructions opérées par le Vandalisme (31.8.1794); 2. Rapport … (29.10.1795); 3. Rapport … (14.12.1795), in: Œuvres II, Paris 1857, 256–278, 321–357 **14** Ders., in: Moniteur, Paris, 3. Sept. 1794, 7–10 **15** Ders., Mémoires I, 1837 **16** H. Grotius, Historia Gothorum, Vandalorum et Langobardorum, Amsterdam 1655 **17** J. G. Herder, Journal meiner Reise im J. 1769, in: Sämtliche Werke IV, Berlin 1878 **18** E. Herrmann, Slawisch-German. Beziehungen im südostdt. Raum von der Spätant. bis zum Ungarnsturm. Ein Quellenbuch mit Erläuterungen, 1965 **19** J. Hübner, s. v. V., in: Ders., Reales Staats- Zeitungs- und Conversationslex., Leipzig 1795 **20** A. Krantz, Wandalia in qua de Wandalorum populis et eorum patrio solo, ac in

Italiam, Galliam, Hispanias, Aphricam et Dalmatiam migratione et de eorum regibus ac bellas domi forisque gestis, Köln 1519 **21** C. MANNERT, Gesch. der V., Leipzig 1785 **22** L. MARCUS, Histoire des Vandales depuis leur premiere apparation sur la scene historique jusqu'à la destruction de leur empire en Afrique, Paris 1836 **23** J. F. MARMONTEL, Bélisaire, Paris 1767 **24** J. J. MASCOV, Gesch. der Teutschen bis zum Aussterben der Merowinger, 1750 **25** C. MONTESQUIEU, Considérations sur les causes de la grandeur des Romains et de leur décadence, Paris 1734 **26** RHENANUS BEATUS, Briefwechsel, hrsg. v. A. HORAWITZ, K. HARTFELDER, 1886, Ndr. 1966 **27** T. RUINART, Historia Persecutionis Vandalicae, Paris 1699 **28** SIGEBERT V. GEMBLOUX, Chronica universalis, ed. L. C. BETHMANN, MGH SS VI, 300–374 **29** R. THEIS, Geiserich, Beherrscher des mittelländischen Meeres, 1938 **30** L. DE TILLEMONT, Histoire des Empereurs, Bd. VI, Paris 1738 **31** E. v. WIETERSHEIM, Zur Vorgesch. dt. Nation, Leipzig 1852

LIT **32** C. COURTOIS, Les Vandales et l'Afrique, 1955 **33** A. DEMANDT, Vandalismus. Gewalt gegen Kultur, 1997 **34** H.-J. DIESNER, Das Vandalenreich. Aufstieg und Untergang, 1966 **35** J. GUILLAUME, Grégoire et le Vandalisme, 1901 **36** H. HELBLING, Goten und Wandalen. Wandlung der histor. Realität, 1954 **37** R. HEUBERGER, Vandalische Reichskanzlei und Königsurkunde im Vergleich mit verwandten Einrichtungen und Erscheinungen, in: Mitt. des Österreichischen Inst. für Geschichtsforsch. (MIÖG), Erg.-Bd. 11, 1929, 89–124 **38** H. HILDEBRAND, Det Svenska Riksvapnet, in: Antiqvarisk tidskrift 7, 1884, 59–102 **39** M. JAHN, Die Wandalen, in: H. REINERTH, Vorgesch. der dt. Stämme, Bd. 3, 1940, 943–1032 **40** A. F. KLEINSCHMIDT, Über den sog. Vandalismus, Torgau, 1875 **41** G. KÖBLER, Histor. Lex. der dt. Länder, 1988 **42** CH. LÜBKE, s. v. Wenden, in: LMA 5, 2181–2182 **43** P. MICHEL, Barbarie, Civilisation, Vandalisme, in: R. SCHMITT, E. REICHARDT (Hrsg.), Hdb. polit.-sozialer Grundbegriffe in Frankreich 1680–1820, 8, 1988, 7–51 **44** V. A. NORDMANN, Die Wandalia des Albert Krantz, Suomalaisen Tiedeakamian Toimituksia/Annales Academiae Scientiarum Fennicae, 39, 1934 **45** F. PAPENCORDT, Gesch. der vandalischen Herrschaft in Afrika, Berlin 1837 **46** E. POLASCHEK, s. v. Venedae, RE XV, 1955 **47** M. SCHÖNFELD, WB der altgerman. Personen- und Völkernamen, 1911 **48** F. SEIBT, s. v. Wenden, HWB der dt. Rechtsgesch. 5, 1259–1262 **49** L. SCHMIDT, Die Wandalen, 1901/1942 **50** A. SCHWARCZ, Bed. und Textüberlieferung der Historia persecutionis Africanae provinciae des Victor v. Vita, in: A. SCHARER, G. SCHEIBELREITER (Hrsg.), Historiographie im frühen MA, 1994, 115–140 **51** G. SPRIGATH, Sur le vandalisme révolutionnaire, in: Annales historiques de la Révolution 52, 1980, 510–535 **52** R. STEINACHER, Die Slawen als V.-Wenden. Eine frühma. pseudologische Gleichsetzung und ihr langes Nachleben, in: W. POHL (Hrsg.), Die Suche nach den Ursprüngen. Von der Bed. des frühen MA (= Forsch. zur Gesch. des MA, Bd. 9), 2004, 410–455 **53** J. SVENNING, Zur Gesch. des Goticismus, Skrifter Utgivna av K. Humanistika Vetenskapssamfundet i Uppsala. Acta Societatis Litterarum Humaniorum Regiae Upsaliensis 44:2 B, 1967 **54** H. WOLFRAM, Die Goten. Von den Anfängen bis zur Mitte des sechsten Jh. Entwurf einer histor. Ethnographie, ³2001.　　　　　　　ROLAND STEINACHER

Vasen/Vasenmalerei A. GEGENSTAND B. MITTELALTER C. RENAISSANCE D. BAROCK E. KLASSIZISMUS F. 19./20./21. JAHRHUNDERT G. IKONOGRAPHIE

A. GEGENSTAND

Die V. (lat.: *vas* = Gefäß, Geschirr, Gerät; Pl. *vasa* = Hausgerät, Haushalt), unter der man h. ein Ziergefäß, bes. eine Blumen-V. versteht, erfüllte in der Ant. differenzierte Aufgaben mit entsprechend variierenden Formen, Größen und Materialien (Stein, Metall, Ton) sowie Dekorationen (unbemalt, bemalt, reliefiert). In dieser weiten Bestimmung sind V. seit der Steinzeit in allen Kulturen ubiquitär; im folgenden geht es ausschließlich um V., die in ihrer Form und Dekoration am Vor- und Leitbild der griech. und röm. Vasen orientiert sind. Diese gibt es in nachant. Zeit in kaum überblickbarer Fülle und Funktion: als Luxus- sowie sakraler bzw. sepulkraler Kultgegenstand, Objekt der Verehrung (Kanaa-Krüge), Bildträger (somit selbständiges Kunstobjekt), als dargestelltes Objekt mit entsprechender ikonologischer Konnotation bzw. als ornamentales Ziermotiv. Die V. faszinierte wegen des idealen Zusammenspiels von Geometrie und Naturform und fügte sich in alle künstlerischen Gattungen ein (Malerei, Bildhauerei, Architektur). Im einzelnen ist die V. allgegenwärtig als Aufbewahrungs-, Koch-, Misch-, Trink- oder Transportgefäß, Eichmaß, Sport-/Preispokal, Aschenurne, Gedenk-, Grab- oder Weih-V., *vasa sacra*, Mörser, Wahlurne, Prunk- oder Zier-V., Pflanzgefäß, Brunnenschale, Weinkühler, Toilettengarnituren, Samowar, Cassolette/Duft- oder Räuchergefäß, Potpourri-V., Apotheken-/Hospitalkeramik. Ihre äußere Form stellt sie zur Verfügung für Öfen, (Pendule)-Uhren, Ofen- und Kaminaufsätze, Kaminböcke, Kerzenhalter, Kandelaber- und Tischlampenfüße usw. Die V. markiert Blickpunkte in Parks, wird plaziert in Nischen, auf Podesten, Dächern oder Brunnen, steht als Solitär oder in serieller Reihung, mitunter reduziert zum Baluster. Vom ant. Vorbild ist sie mal mehr, mal weniger weit entfernt, mal vage Anmutung, mal Imitat auf Fälschungsniveau [16].

B. MITTELALTER

Im MA wurden ant. Stein-V. aufgrund ihrer attraktiven Erscheinung gern an prominenten Stellen in christl. Kirchen als »Spolien« integriert: Vgl. die Riefel-V. über dem Eingang der Kapelle S. Zeno in S. Prassede (Rom), die V. im Vorhof von S. Cecilia (Rom) oder die zum Taufbecken umfunktionierte V. in der Kathedrale von Gaeta (h. Neapel, NM). Antike V. wurden durchaus geschätzt, gesammelt und ›pro multa summa pecuniae‹ gehandelt [12. 10, 15(16)]. Restoro d'Arezzo widmete in seiner Welt-Beschreibung (1282) den ant. V. ein ›Capitolo de le vasa antiche‹ [18. 311–315]. Die ant. Ton-V. erschienen ihm in Form, Farbe und Zeichnung so vollkommen, daß – wie er meinte – selbst Kenner annehmen müßten, diese göttl. Objekte seien vom Himmel gefallen.

C. Renaissance

In der → Renaissance begann die philol. und künstlerische Beschäftigung mit der ant. Vase. Exemplarisch: Guillaume Budé (*De Asse et partibus eius*, Paris 1516), Lazar de Baïf (*Opus de re vestimentaria*, Basel 1531) oder Tommaso Porcacchi, der die V. – aufgrund der Fundumstände – im Zusammenhang des Bestattungskultes der alten Völker untersuchte (*Funerali Antichi di diversi Popoli et Nationi*, Venedig 1574).

Es sind folgende V.-Sammlungen im 16. Jh. bekannt: Vatikan, de' Medici, Grimani, Benavides, Carpi. Ulisse Aldroandi dokumentierte in *Le antichita della citta di Roma* (Venedig 1558) u. a. ant. V. verschiedener Formen und Materialien – auch bemalte Tonvasen. Giorgio Vasari berichtet von seinem Großvater, der ant. Ton-V. ausgegraben, ihre Farben untersucht und imitiert habe [22. Bd. II. 557–558]. Die Familie Lorenzo Ghibertis habe V. unter großen Kosten aus Griechenland kommen lassen [22. Bd. II. 245]. In der *Hypnerotomachia Poliphili* (1499) huldigen Nymphen dem gefeierten Paar mit schönsten ant. V. [6. Bd. I. 332–335] (→ Park VI.).

Die ersten V.-Stichserien stammen von Marcantonio Raimondi bzw. seinem Schüler Agostino Veneziano (um 1530, Abb. 1 [2. Bd. 27. 224–235]). Inschriftlich als Werke röm. Bildhauer ausgegeben, handelt es sich jedoch um temperamentvolle Nachschöpfungen. Baïf nutzte die Stiche von Veneziano als Vorlagen. Sebastiano Serlio übernahm wiederum Vorlagen von Baïf für geom. Analysen von V. (*Libro primo d'architettura*, Venedig 1537ff.). Weitere Stichserien wurden von Enea

Abb. 1: Agostino Veneziano, Vase (1530)

Vico [2. Bd. 30. 259–272] und Cherubino Alberti nach Polidoro da Caravaggio (1582) angefertigt [2. Bd. 34. 292–301]. Durch diese Druckwerke weit verbreitet (Überblick in: [17]), wurden V. bald zum allgegenwärtigen Spielmaterial von Künstlern, Architekten und Kunsthandwerkern. In den »flachen« Künsten figurieren sie oft als Basis für stilisierte Blumenranken, die zu kompletten Ornamentbändern auswachsen können (etwa Parmigianino, Gurtbogenfresken in den Kapellen von S. Giov. Evangelista in Parma, ca. 1520). Während hier nur der Kontur der V. gefragt ist, gilt deren perspektivische Darstellung als bes. künstlerische Herausforderung, ablesbar in Akademiedarstellungen und Allegorien der Malerei (u. a. A. Veneziano, *Die Akademie Baccio Bandinellis*, 1531 [2. Bd. 27. 106]; vgl. auch Dürers *Underweysung der Messung*, 3. Ausg. 1538, anhand einer bauchigen Kanne). Das Blumenstilleben und mit ihm die V. wird zur selbständigen künstlerischen Aufgabe (Ludger tom Ring d.J., *V. mit Schwertlilien und Iris*, 1562, Münster, Westf. Landesmus. für Kunst und Kulturgeschichte). Ein manieristisches Beispiel für überbordenden V.-Einsatz (Pseudo-Urnen) findet sich im »Garten der Wunder« des Vicino Orsini in Bomarzo (1522–1584). Frühes Beispiel einer »Gelegenheits-V.« ist der Reliefkrug zur Eroberung von Tunis durch Karl V., entworfen von Jan Cornelisz. Vermeyen (1558/59, Paris, Louvre). Von hoher Wertschätzung wegen ihres Materials und der künstlerischen Ausarbeitung waren im 16. Jh. Steinschnittgefäße in V.-Form [8].

D. Barock

Zedlers Universallexikon (1732–1754) beschreibt die V. v.a. als Zierelement (u.a. in Gärten), was den Stellenwert der V. im 17./18. Jh. illustriert. Einzug in die barocke Gartengestaltung hielt die Marmor-V. in Versailles, wofür Charles Errard die Stichvorlagen aus It. lieferte: *Recueil de divers vases antiques* (um 1680). Aufgestellt wurden sowohl Kopien als auch Neuschöpfungen. Häufig kopiert wurden: Borghese-V. (Paris, LV), Medici-V. (Florenz, Uffizien), Warwick-V. (Glasgow Mus., Burrell Collection), Portland-V. (London, BM), Gaeta-V. (Neapel, NM).

Die V. als Ziermotiv aus Stein oder Stuck in profanem und kirchlichem Kontext unterstützte die im Barock gesuchte Verbindung von Innen- und Außenraum. Üblich wurde sie als Urne (Grab-, Gedenk- und Trauerattribut mit Flammen und Girlanden) in der Sepukralarchitektur (Epitaphien, Mausoleen, Pyramiden), in allen denkbaren Übertreibungen »getestet« in der ephemeren Festarchitektur und Bühnendekoration. Auch in Architekturtraktaten erhielt die V. ihren festen Platz (Vardy, Virloys, Bosboom, De Neufforge, Blondel, Barozio de Vignole [17. 129–146]). Sandrart widmete den ant. V. ein Kapitel (›Von unterschiedlichen antiquischen oder uralten Gefäßen, Gebäuden, Ruinen, Hörnern u.a.d.‹) in seiner *Teutschen Academie* (Bd. II, Nürnberg 1679); ebenso Fischer von Erlach im *Entwurff einer histor. Architectur*, 5. Buch (Wien 1721).

Abb. 2: Anonymus,
Antiquitätenladen in Neapel, 1798.
Rom, Privatsammlung

Stefano della Bella entwarf viel beachtete und oft kopierte V.-Inventionen, bei denen ant. Vorlage und barocker Zeitgeschmack bizarre Mischungen, oft mehr Skulptur denn Gefäß, eingehen (*Raccolta di vasi diversi*, um 1646); seinen Schüler, Cosimo de' Medici, porträtierte er beim Zeichnen der überdimensionierten Medici-V. in den väterlichen Gärten (1656). Stichserien gibt es von Jacques Stella, Jacques Damery, Antoine Pierretz le Jeune, Jean LePautre, Giovanni Giardini, François Boucher, Charles de Wailly, Gottlieb Friedrich Riedel [17].

Bemalte Ton-V. erfuhren zunächst wenig Beachtung. Bemerkenswerte Ausnahme ist ein im Auftrag von Nicolas-Claude de Peiresc (1580–1637) angefertigtes Buch mit hervorragenden aquarellierten V.-Zeichnungen (Paris, BN). Peiresc besaß selbst Ton-V., ebenso wie etwa François DuPerrier, Boniface Borrily, Berthier Vivot, Jean Gault oder Cassiano del Pozzo [5. 13–19].

In der Malerei hat die Relief-V. ihren festen Platz in Blumenstilleben und Gartenszenen (Adriaen van der Werff, *Hirte und Hirtin*, um 1696; Kassel, Staatliche Mus.). Sie ist ferner, v.a. bei den niederländischen Italianisanten, stellvertretende Orts- und Zeitrequisite der Ant.: Claes Berchem, Carel Dujardin, Jan Wijnants, Cornelis van Poelenburch, Jan Asselijn, Adam Pynakker, Jan Weenix pflegten ihr idealisiertes antikisches (Ruinen)Arkadien mit üppigen, überdimensionierten Relief-V. zu bestücken.

E. Klassizismus

Im Zuge der allg. Ant.-Begeisterung des 18. Jh. wurden ant. V., jetzt auch die aus Ton, systematisch gesammelt. Bemerkenswert sind die Sammlungen von William Hamilton, Giuseppe Valletta, Giovanni Carafa und Felice Maria Mastrilli [19. 31]. Die in It. ausgegrabenen Ton-V. waren für bescheidene Budgets erschwinglich,

so daß es auch Privatleuten offenstand, sich am Ant.-Studium zu beteiligen (Abb. 2). Marmor- und Ton-V., Originale, aus Fragmenten zusammengefügte Pasticci, Liebhaberkopien, modische Neuschöpfungen oder gemeine Fälschungen wurden als → Souvenirs von den Grand-Tour-Reisenden mit nach Hause genommen, wo sie (bes. in England) in adligen Wohnsitzen an prominenter Stelle aufgestellt wurden. Goethe berichtet am 9. März 1787 seiner *Italienischen Reise* von der Versuchung, ant. V. zu erstehen. Kopien oder Stichblätter ersetzten für Sparsame das Original. Bedeutende Impulse für die V.-Kopie und die antikisierende Porzellanproduktion gingen seit dem letzten Viertel des 18. Jh. von Neapel aus: z.B. die Manufaktur König Ferdinands IV. (Bsp.: *Servizio etrusco*, 1785–1787), diejenigen von Giustiniani, Migliuolo, Pasquale Mollica und Raffaele Gargiulo sowie der Brüder Colonnese. Das Porzellan als Diplomatengeschenk führte zu (beabsichtigten) europaweiten Aufträgen, aber auch zu Nachahmungen. Stilbildend waren die Produktionen der Steingutmanufaktur Josiah Wedgwood, die u.a. auf Vorlagen aus der Sammlung Hamiltons zurückgingen. Wedgwood entwickelte Techniken und Rezepturen, um ant. Gefäße in Form, Farbe, Dekor zu imitieren; führender Entwerfer war John Flaxman. Weitere Manufakturen mit Programmen *all'antique* (unter Verwendung von V.- und Stich-Sammlungen sowie Fachbibliotheken [24]) waren: Sèvres (*Service iconographique grec*, 1812–1817, Berlin, Kunstgewerbemus.), Fürstenberg, Dagoty (Paris), Meissen, Nymphenburg, Ludwigsburg, Berlin, Wien, Rotberg (Gotha). Zu den Vorbild-Beständen gehörten illustrierte Kompendien, die urspr. mehr zur wiss. Dokumentation als zur künstlerischen Nachahmung gedacht waren, wie Bernard de Montfaucons *L'antiquité expliquée et représentée en figures* (Paris 1719–1724). Wichtige V.-Werke waren: Pierre d'Hancarvilles *Collection of*

Etruscan, Greek and Roman Antiquities (...), zur Hamilton-Sammlung (Neapel 1766–67); Giovanni Battista Passeris *Picturae Etruscorum in vasculis nunc primum in unum collectae* (Rom 1767–1775); Wilhelm Tischbeins *Collection of engravings from ancient vases* (...) *in the possession of Sir Wm. Hamilton* (Neapel 1791–1795); Luigi Lanzis *De' vasi antichi dipinti volgarmente chiamati etruschi* (Florenz 1806); Aubin-Louis Millins *Peintures de vases antiques vulgairement appelés étrusques, tirées de différentes collections et gravées par Clener* (Paris 1808–1810); Henry Moses' *A collection of Antique Vases, Altars, Paterae, Tripods, Candelabra, Sarcophagi etc from various Museums and Collections* (London, ca. 1814); Carlo Antoninis *Manuale di vari ornamenti componenti la serie de' vasi antichi si di marmo che di bronzo esistenti in Roma e fuori* (Rom 1821). Vasen-Stichserien ›dans le goût de l'Antique‹ gibt es von Edmond Bouchardon (*Premier et second livre de vases* (...), 1735), Maurice Jacques (*Vases Nouveaux*, ca. 1750), Joseph-Marie Vien (*Suite des Vases*, 1760), Jean-Laurent LeGeay (*Collection de divers sujets de Vases, Tombeaux, Ruines et Fontaines, utile aux artistes*, 1770), Giov. Batt. Piranesi (*Vasi, candelabri, cippi, sarcofagi, tripodi, lucerne ed ornamenti antichi*, Rom 1778).

In der Altertumsforsch. wurde die V.-Malerei geschätzt als Quelle für alle Bereiche des ant. Lebens, für ikonographische Studien (myth. Szenen), als Ersatz für verlorene griech. Monumentalmalerei und für das Studium von Stil und Technik ant. Malerei. Die dem it. Nationalgefühl schmeichelnde Ansicht von Filippo Buonarroti und Francesco Gori, es handele sich bei den V.-Malereien um die Kunst der etr. Vorfahren, ließ sich in den 60er J. des 18. Jh. zwar nicht mehr halten [4], dennoch behielt die von den V. ausgehende Mode ihre Bezeichnung *all'étrusque*.

England und Frankreich überflügelten sich in den 60er J. des 18. Jh. gegenseitig in der V.-Manie – sowohl in der Antikenforsch. als auch in der Mode. In England produzierte z.B. Matthew Boulton V. *à la grecque* seit den 60er J. (Entwürfe von Robert Adam, James Wyatt u.a.), in Frankreich François Thomas Germain. Gearbeitet wurde in Stein, aber auch in (halbedelsteinimitierendem) Stuck (Scagliola), beides in vergoldete Bronze gefaßt (Pierre Gouthière). Scagliola, billiger als Stein, erlaubte zudem monolithübersteigende Größen der Vasen. Scagliola-Tische wurden im Stil rotfiguriger V.-Malerei gefertigt. Der neue Lebensstil (*all'antique/à la grecque*, bzw. *all'étrusque*) griff auf alle Lebensbereiche über: Architektur, Möbel, Hausrat, Innen- und Außendekoration, Stoffe, Tapeten, Gartenmöblierung, Kleidung, Schmuck usw. orientierten sich an ant. Vasenmalerei. Vorbild für die sog. etrurischen Kabinette wurde der »Adam Style« (Dressing Room in Derby House, Grosvenor Square, London, 1773–74, Etruskisches Ankleidezimmer in Osterley Park, Middlesex, 1775–76). Direkt auf d'Hancarville zurückführbar ist die Gestaltung der Eingangshalle in Newtimber Place in Sussex (1750, Abb. 3). Etrurische Kabinette finden sich u.a. im Potsdamer Stadtschloß (1804), den Palazzi Braschi, Spada, di Spagna, Borghese (alle Rom).

Die V. wurde gleichsam zum Synonym für die Ant., wie die »Vasenmenschen« in Edmond Alexandre Petitots Stichfolge *Mascarade à la Grecque* zeigen (1771, Abb. 4). Petitots V. mit Heuschreckenhenkeln und Schildkrötendeckeln in seiner phantasievollen *Suite de vases* (1764) sind ein frühes humorvolles Derivat der herkömmlichen Stichfolgen.

Abb. 3: Sussex, Newtimber Place, The Outer Hall (1750)

Abb. 4: Edmond Alexandre Petitot,
La mariée à la Grecque (1771)

Prunk- und Ansichts-V. wurden als Glückwunsch-
oder Erinnerungs-V. (eine Modifikation des urspr. sepulkralen Charakters der V.) mit passender Bebilderung
(Topographien, Porträts oder Szenen), eventuell mit
Inschr., zum beliebten Geschenk bzw. Souvenir. Herausragend aufwendige Exemplare dieser »Gelegenheits-V.« sind die beiden (an der Borghese-V. orientierten) Reliefstein-V. von Giuseppe de Fabris und Luigi
Zandomeneghi, welche die Provinz Venetien dem
österreichischen Kaiserpaar 1816 zur Vermählung
schenkte. Passend zum Anlaß zeigen die umlaufenden
Reliefs die Hochzeit Alexanders mit Roxane und (vom
Fresko auf die V. »umgelegt«) die Aldobrandinische
Hochzeit [23. 362–363]. Porzellangefäße von immensen Ausmaßen mit Goldbemalung und *trompe-l'oeil*-Ef-
fekt lassen gebackene Erde als mannshohe Edelme-
tall-V. erscheinen. Führend bei den megalomanen
Prunk-V. war die Manufaktur Sèvres. Mythologische
Szenen wichen aktuellen Geschehnissen, wie etwa bei
der prominenten V. d'Austerlitz (Sèvres, 1806, Rueil-
Malmaison, Mus. National du Château de Malmaison),
die Napoleon auf einem Siegeswagen zeigt.

Im »ästhetischen Schrifttum« des 18. Jh. wurde die V.
als ideale Form gepriesen, mit der sich folglich auch
Künstler auseinandersetzten. So etwa Johann Heinrich
Müntz, der in seinen Zeichnungen mit erläuterndem
V.-Traktat durch geom. Zirkelanalysen ›la forme
d'œufs‹ als Idealform aus der V. zu lösen suchte (unveröffentlicht; Kassel, Staatliche Mus.; London, Victoria
and Albert Mus.; London, Lewis/Walpole Library).
Hogarths *Line of Beauty* kann die nahe Verwandtschaft
zum S-Schwung des V.-Profils nicht verbergen. Die
monochromatische V.-Malerei wurde prägend für den
von Winckelmann propagierten Umrißlinienstil: ›Su-
chet die edle Einfalt in den Umrissen‹ [25. Bd. 2. 140].
Der lineare Stil, entwickelt durch die reduzierte Re-
produktionsillustration in den Stichwerken zur Ant.
(zuerst: Winckelmann, *Monumenti antichi inediti*, Rom
1767), perfektioniert in Tischbeins Kat. von Hamiltons
V.-Sammlung, hielt Einzug in die Kunst: John Flaxman,
Philipp Runge, Asmus Jacob Carstens, Anton Raphael
Mengs, Wilhelm Tischbein, Bertel Thorvaldsen u.a.
legten sich umfangreiche V.-Sammlungen an. Form
und Kontur gewannen in der Malerei – insbes. aber in
der Graphik – gegenüber Farbe, Stofflichkeit und
Räumlichkeit die Überhand. Nicht zufällig entstand
zeitgleich die Mode von Schattenriß, Silhouette und
Scherenschnitt (Johann Wilhelm Wendt, Jean Huber,
Philipp Otto Runge) [1], die wiederum auf Porzellan
appliziert wurden und damit den Kreis zur monochromen V.-Malerei schließen; so sprach man auch bei der
schwarzfigurigen V.-Malerei vom »Silhouettenstil«. In
der Person des Silhouettenkünstlers Johann Wilhelm
Wendt, der für den Grafen von Erbach zu Erbach
griech. V. zeichnete, restaurierte und kopierte, verschmolz das Interesse an der V.-Malerei mit dieser
künstlerischen Gattung [13].

Von England ausgehend wurden Musterbücher (*pattern books*) populär und sorgten für die Verbreitung der
V. als ornamentales Schmuckelement [3]. Die Vorla-
genbücher (wie Schnittmusterbücher mit Maßangaben
und Legenden für Handwerker gedacht, z.B.: *Vorbilder
für Fabrikanten und Handwerker*, Berlin 1820–1837) mit
Modellen für V., Ornamentbändern, Friesen und Verzierungen nach griech. V.-Malereien bzw. nach den
Stichserien ant. V. wollten das ästhetische Empfinden
schulen sowie Mode und Geschmack beeinflussen. Für
Architekten stellte Jean-Nicolas-Louis Durand Stich-
vorlagenwerke zusammen: *Recueil et parallèle des édifices
de tout genre* (...) (Paris 1800). Ein außerordentlich häufig rezipiertes Vorlagenwerk des Empire stammt von
den frz. Architekten Charles Percier und P. Fontaine:
Recueil de décorations intérieurs (...) (Paris 1801). Die V.
wandelte sich vom elaborierten Einzelstück zur kunst-
handwerklichen Ornamentschablone.

F. 19./20./21. JAHRHUNDERT

In der dem → Historismus eigenen Weise des kom-
binierenden Eklektizismus entstand eine Fülle von V.-
Arten und -Dekorationen, meist als Prunk-V. mit Bild-
feldern für Stadt- oder Landschaftsveduten, Porträts
oder Gemäldewiedergaben.

Kunst- und Gewerbeschulen, Handels- und Gewer-
bevereine sowie die auf Anregung Gottfried Sempers
(1851) entstehenden Mus. für Kunstgewerbe nahmen
sich mit der Präsentation von Vorlagen von der Ant. bis
zur Gegenwart der »nützlichen« Künste an. Vasen über-
schwemmten die Räume der Weltausstellungen [20].

Der Jugendstil widmete sich zwar ebenso der (Blumen)-V. als Gestaltungsgegenstand, brach aber mit der
historistischen Adaption bekannter Muster, obwohl
nach wie vor vereinzelt Bezüge zur ant. V. zu erkennen
sind.

Die Malerei der Epoche kultivierte noch einmal den
linearen Duktus der ant. V.-Malerei, so Edward Bur-
ne-Jones, Gustave Moreau, Gustav Klimt. Auf Gemälden erscheinen ant. V. gelegentlich, so bei Ferd. Georg
Waldmüller das »Porträt« eines rotfigurigen Glocken-
kraters (370 v.Chr.; Wien, KM) im *Stilleben mit Silber-
gefäßen und rotfigurigem Glockenkrater* (um 1840; Berlin,
Nationalgalerie); bei Henri Matisse (*Intérieur au vase
étrusque*, 1940; The Cleveland Mus. of Art); bei Max
Peiffer Watenphul (*Stilleben mit Nelken und griech. V.*,
1934; Privatbesitz). Vgl. ferner im Kontext der V.-For-
schung *Les Vases grecs et étrusques* (Aquarell, 1813; Paris,
LV) von Alexandre-Isidore Leroy de Barde mit 38 ant.
Gefäßen, kunstkammerartig in einem Regal gezeigt
(Abb. 5).

Designer des 20./21. Jh. greifen nach wie vor auf das
Modell V. zurück: Vgl. Gio Pontis Möbel mit V.-Mo-
tiven in den 50er J. des 20. Jh. (Kunsthandel, Sotheby's,
New York, 17./18.5.2002) oder Philippe Starcks V.-
Hocker aus transparentem, farbigem Kunststoff (2001;
München, Pinakothek der Moderne). Zur optischen
Selbstverständlichkeit geworden ist Raymond Loewys
line of beauty: die bekannte schlank geschwungene Coca-
Cola-Flasche.

Abb. 5: Alexandre-Isidore Leroy de Barde,
Vases grecs et étrusques, 1813. Paris, Louvre

G. Ikonographie

Für zahlreiche Themen der Malerei ist die V. ein festes Erkennungsattribut: etwa für Flußgötter und Quellnymphen, für Pandora, Hylas (der beim Wasserholen von Nymphen geraubt wird), Artemisia (die die in Wasser gelöste Asche ihres Gatten Mausolos trinkt, um ihm als »lebendiges« Grabmal zu dienen), für Symposien, Gastmähler, Götterbankette (wie das Hochzeitsmahl von Amor und Psyche), Bacchanalien usw. Biblische Themen mit V.-Gebrauch sind etwa: die personifizierten Paradiesflüsse, Melchisedech (der Abraham Brot und Wein bringt), der Mannaregen, Rebekka mit Eliezer am Brunnen, Aaron (der auf Geheiß seines Bruders Moses Manna in einer Truhe aufbewahrt), Abigail (mit Gaben und Wein vor David), Anbetung der Könige, das Weinwunder bei der Hochzeit zu Kanaa, Jesus mit der Samariterin am Brunnen, die Fußwaschung, das Letzte Abendmahl, *Noli me tangere* mit Salbgefäß, das Gastmahl des Herodes. Als marianisches Symbol steht die V. für Maria als Gefäß Gottes (*vas electum*) und damit des Guten, Reinen, Tugendhaften, als *fons vitae* (Ps 25,10) oder *puteus aquarum viventium* (HL 4,12), von dort in die lauretanische Litanei und damit in die Bildsprache übernommen. Die Maria zugewiesenen Blumen Lilie, Veilchen, Akelei und Rose begleiten, aufbewahrt in V., diverse Marienszenen (Verkündigung, Marientod usw.).

Die V. im Bild fungiert als Gefäß kostbaren Inhalts (Nahrung, Asche, Gebeine), lebensnotwendiger oder wertvoller Essenzen (Wasser, Wein, Salben) oder hl. Reliquien (Märtyrerblut). Das prunkvolle Behältnis bietet Platz für darin verborgene Fülle, Reichtum und damit verbundenes Wohlleben. Die Israeliten müssen ihr Hab und Gut am Roten Meer zurücklassen; V., das ant. Reisegepäck, bleiben gestapelt zurück. Dem Sieger gebührt es, die Schätze des Besiegten auf seinem Triumphzug davonzutragen: in V. (Andrea Mantegna, Zyklus *Triumphzug Caesars*, ca. 1490–1506, London, Hampton Court). Der triumphale Einzug der von Vivant Denon im Auftrag Napoleons zusammengetragenen Kunstbeute in den Louvre ist selbst wiederum Gegenstand der Darstellung auf einer Sèvres-V. (1813, Mus. Sèvres). Die zerbrochene V. mag als Metapher für den Untergang oder die verlorene Unschuld stehen (Jean Baptiste Greuze, *Der zerbrochene Krug*; Paris, Louvre). Das Ausgießen einer Flüssigkeit aus einer V. kann sowohl Segen (Flußgötter, Quelle) als auch Verlust bedeuten (Unschuld der Kallisto; vgl. Tizian, *Diana und Kallisto*, 1559; Edinburgh, National Gallery of Scotland). Im Porträt dienen beigefügte V. als repräsentatives Attribut des Ant.-Sammlers, Connoisseurs oder Grand-Tour-Reisenden (Franz Ludwig Catel, *Karl Friedrich Schinkel in Neapel*, 1824; Berlin, National Galerie).

Vasenemblematik ist in Henkel-Schönes Emblemata-Handbuch der Gruppe »Menschenwelt/Hausrat« zugeordnet [14. 1381–1397]. Die Zerbrechlichkeit der Tontöpfe steht für Vergänglichkeit, ihre Undichtigkeit für Unzuverlässigkeit, ihr guter Klang dagegen für Zuverlässigkeit oder guten Inhalt und diese wiederum für Bescheidenheit und Mäßigkeit usw.

Die Gynäkomorphie der V. ist oft »mit Händen zu fassen« und spiegelt sich in entsprechend bezeichneten (Körper)Regionen: Fuß, Körper, Bauch, Schulter, Hals, Lippe. Firenzuola mißt in den Dialogen *Delle bellezze delle donne* (1541) die weibliche Schönheit an der perfekten Proportion und Form der (ant.) V. [9. 101–102, 105–106)]. Der lit. Vergleich wird von Künstlern rezipiert, denn das (ohne Zweifel) der Natur nachempfundene Artefakt begleitet sein lebendes Vorbild auffallend häufig: Nicht selten findet Venus Halt an einer stattlichen V., Bett-, Bade- und Toilettenszenen werden von V. begleitet, auf dem Kopf getragene V. wiederholen und steigern den Schwung des weiblichen Konturs (häufig kopiertes Beispiel in Raffaels *Borgobrand*, 1514; Rom, Vatikan, Stanza dell'Incendio); Parmigianinos *Törichte und Kluge Jungfrauen* im Bogenfresko von S.M. della Steccata in Parma (1535–1539) werden durch V. auf ihren Köpfen zusätzlich in die Länge gezogen; die Schönheit der Persephone, die Psyche im Auftrag der Venus aus der Unterwelt holen soll, befindet sich in einer V. (Adriaen de Vries, *Merkur und Psyche*, 1593; Paris, Louvre); die Allegorie des Geruchssinnes versinnbildlicht eine Frau mit Blumen-V.; Antonis van Dyck gibt seinen späten Damenbildnissen V. bei, die als Metapher der weiblichen Schönheit gelten dürfen. Naheliegend ist das Spiel mit der Analogie von Frau und V.

Abb. 6: Pablo Picasso, Tanagra als Amphore, 1949.
Antibes, Musée Picasso

bei Martin Engelbrecht (*Eine Porzellanmacherin*, Kupferstich, um 1730) und Pablo Picasso (*Tanagra als Amphore*,
1949; Antibes, Mus. Picasso, Abb. 6); beide verschmelzen Frau und V. zum hybriden und zugleich vasentra-
genden Wesen.
→ Wirtschaft und Gewerbe
→ AWI Gefäße, Gefäßformen/-typen; Tongefäße

1 M. ACKERMANN, SchattenRisse, Ausstellungskat.
München 2001 2 A. BARTSCH et al., The Illustrated Bartsch,
1978 ff. 3 E. BLAAS, The Builder's Pocket Companion.
Engl. Musterbücher des 18. Jh., in: H.-W. KRUFT (Hrsg.),
»Vom Schönen gerührt ..«. Kunstlit. des 17. und 18. Jh. aus
Beständen der Bibl. Oettingen-Wallerstein,
Universitätsbibl. Augsburg., Ausstellungskat. Nördlingen
1988, 30–38 4 F. BUONARROTI, De Etruria Regali, Florenz
1723/1726 5 J. CHAMAY, Nicolas-Claude Fabri de Peiresc
(1580–1637): Der größte Raritätensammler seiner Zeit, in:
M. FLASHAR (Hrsg.), Europa à la Grecque – V. machen
Mode, Ausstellungskat. Zürich und Stendal ²2000, 13–19
6 F. COLONNA, Hypnerotomachia Poliphili, Ndr. 1980
7 U. DAVITT ASMUS, Corpus quasi vas, 1977
8 R. DISTELBERGER, Die Kunst des Steinschnitts,
Ausstellungskat. Wien 2002 9 A. FIRENZUOLA, Dialogo
delle bellezze, in: Ders., Opere, hrsg. v. D. MAESTRI, 1977
(dt. Gespräche über die Schönheit der Frauen, aus dem It.
von P. SELIGER, o.J.) 10 A. GREIFENHAGEN, Griech. Vasen
auf Bildern des 19. Jh., 1978 11 Ders., Nachklänge griech.
Vasenfunde im Klassizismus (1790–1840), in: Jb. der
Berliner Mus., N. F. 5, 1963, 84–105 12 GUILLAUME DE
TYR, Chronique, hrsg. v. R. B. C. HUYGENS, 1986, CCCM,
LXIII 13 V. HEENES, Die V. der Slg. des Grafen Franz I. von
Erbach zu Erbach, 1998 (= Peleus 3) 14 A. HENKEL, A.
SCHÖNE, Emblemata. Hdb. zur Sinnbildkunst des XVI. und
XVII. Jh., 1967 15 I. JENKINS, K. SLOAN, Vases and
Volcanoes. Sir William Hamilton and his collection,
Ausstellungskat. London 1996
16 H. KAMMERER-GROTHAUS, »Ant. Porzellan« aus dem 18.
und 19. Jh., in: Keramos, 2001, H. 173, 93–116
17 W. OECHSLIN, O. BÄTSCHMAN, Die V., Ausstellungskat.
Zürich 1982 18 RESTORO D'AREZZO, La composizione del
mondo, hrsg. v. A. MORINO, 1997 19 S. SCHMIDT, Ein
Schatz von Zeichnungen, in: M. FLASHAR (Hrsg.), Europa à
la Grecque – V. machen Mode, Ausstellungskat. Zürich und
Stendal ²2000, 31–49 20 W. SIEMEN, All Nations are
Welcome. Porzellan der Weltausstellungen 1851 bis 1910,
Ausstellungskat. Hohenberg/Eger 2002 21 M. TOMLIN,
Catalogue of Adam period furniture, 1982 22 G. VASARI, Le
vite de più eccellenti pittori (...), hrsg. v. G. MILANESI,
Florenz 1878 23 Venezia!, Ausstellungskat. hrsg. v.
J. FRINGS, Bonn 2002 24 M. VÖLKEL, Kunst für das
Gewerbe, Ausstellungskat. Hamburg 2001 25 J. J.
WINCKELMANN, Briefe, hrsg. v. W. REHM, 1954.

SABINE NAUMER

Vates s. Poeta Vates

Vatikanische Museen s. Rom VI. Museen

Venedig A. STADTGRÜNDUNG: LEGENDE UND
HISTORIE B. DOGENZEIT/MITTELALTER:
HANDEL UND KREUZZÜGE
C. RENAISSANCE: DER BUCHDRUCK

A. STADTGRÜNDUNG: LEGENDE UND HISTORIE
   Im Vergleich zu den meisten anderen städtischen
Zentren Italiens, die in einem eindeutig erkennbaren,
auch im Wissen ihrer Bewohner fest verankerten kulturgeschichtlichen Zusammenhang mit der röm. oder
gar der griech. Ant. stehen, nimmt V. eine Sonderstellung ein, da es sowohl für eine Kontinuität als auch für
eine Diskontinuität zur Ant. in Anspruch genommen
werden kann. Dies ergibt sich bereits an dem Datum
für eine histor. belegbare Stadtgründung, die in das 7.
nachchristl. Jh. fällt. Eine der wichtigen Quellen dafür
ist die vielzitierte Stiftungsinschr. der Kirche S. Maria
Assunta in Torcello aus dem J. 639, die ganz dem ant.
Vorbild verhaftet bleibt: Genannt werden dort mit einer Datierung nach Herrscherjahren und Indiktion der
regierende Kaiser, der amtierende Exarch (*patricius excellentissimus*), der für die Provinz zuständige *magister militum* (*gloriosus*) sowie der amtierende Ortsbischof (*reve-
rendissimus*) [4; 16]. Letztlich waren es die histor. Gegebenheiten der Gründungszeit nach dem endgültigen
Zusammenbruch der röm., respektive der byz. Herrschaft in Oberit. und die dadurch bedingte allg. Unsicherheit nach dem Vordringen der Langobarden zw.
568/69 und dem Fall Oderzos (Opitergium), dem bisherigen röm.-byz. Verwaltungssitz [7; 10], die die Bewohner Pavias sowie aus dem fruchtbaren Mündungs-
gebiet von Po, Etsch und Brenta dazu veranlaßten, vom

bislang sicheren Festland in die Lagune auszuweichen, die sich nordöstl. der drei genannten Flüsse erstreckt [4; 10].

Zwischen einer ersten systematischen Besiedlung der großen Inseln am Rivo Alto, die um das J. 600 anzusetzen ist [5], und der allmählichen Herausbildung eines polit., wirtschaftlichen und kulturellen Zentrums an derselben Stelle sollte man zumindest einen Zeitraum von 150 J. ansetzen. Für den Bereich Lagune läßt sich zunächst Grado als Verwaltungszentrum und Torcello als wichtigster Warenumschlagplatz belegen [21], bis über verschiedene Zwischenstufen das heutige V. diese Funktionen übernahm. Diese Entwicklung ermöglichte eine Legendenbildung um die »offizielle« Stadtgründung, die nach venezianischem Kalender am 25. März 413 mit einem ersten Kirchenbau am Rivo Alto stattgefunden haben soll [10; 19]. Durch diese Legende grenzte man sich weiterhin deutlich von den ital. Nachbarstädten ab, denn V. hätte somit von Anf. an als eine christl. Stadt zu gelten, die sich – und das wäre eindeutig ma. gedacht, im traditionellen Sinne eines *medium aevum* zw. dem Tod und der Wiederkunft Jesu Christi – um eine Kirche und nicht etwa um eine heidnische Kultstätte oder einen ant. Mythos herum konstituierte. Dieses Moment fand auch in der Kulttranslation des Evangelisten Markus von Alexandria nach V. einen konkreten Ausdruck, die der Legende nach im J. 829 erfolgte [4]. Mit der Verdrängung des urspr. Patronats des Theodoros Tiro, eines viel verehrten byz. Soltatenheiligen (obwohl sich dieser erste Kult sehr gut mit der Entstehungszeit der Stadt in Einklang bringen läßt), durch den Markuskult im 10. Jh. setzte man sich einerseits vom byz. Osten ab, andererseits knüpfte man jedoch an spätant. Trad. an, da man nun die frühere Bed. Alexandrias für das Röm. Reich ideologisch für sich in Anspruch nahm [4; 18]. Das neue Patronatsfest am 25. April, an dem neben der Ernte auch das Brot, das sog. *Marcipan* geweiht wurde, übernahm dabei die Funktion der alten röm. *robigalia*. Es mag nun überraschen, daß in einer Stadt, die ihre Bed. und ihren Reichtum in erster Linie ihrer Lage und dem daraus resultierenden Seehandel verdankte, die Feier des Hauptpatronates als Erntefest begangen wurde, auch wenn die Einrichtung des Festes noch in eine Zeit fällt, in der die Erträge aus Land- und Wasserwirtschaft für V. einen wesentlich höheren Stellenwert besaßen als etwa im 13. und 14. Jahrhundert. Aber es spricht auch nichts dagegen, in den reichen Handelserträgen insbes. aus dem östl. Mittelmeerraum eine Ernte zu sehen, der die Stadt ihre Prosperität verdankte [18].

Mit dem mythischen Gründungsjahr 413 gelangten die Venezianer in einen Zeitraum, in dem das weström. Reich nominell noch bestand. Aus diplomatischer Sicht war dieser histor. Rückgriff durchaus geschickt gewählt, da man in der Folgezeit je nach Interessenslage sowohl mit einem polit. und kulturellen Zugehörigkeitsgefühl zum westl. als auch zum östl. Kaisertum spielen konnte. Bei Bedarf konnte man sich noch im

11. Jh. als Römer und Untertanen des byz. Kaisers bezeichnen, wenn dies aus polit. oder wirtschaftlichen Gründen geraten erschien [13; 17]. Die sagenhafte Gründung der Stadt, über die u. a. Johannes Diaconus (10./11. Jh.) als einer der frühesten venezianischen Chronisten berichtet (ed. Pertz, MGH, SS VII, p. 4. 6) wurde im ausgehenden 15. Jh. durch M. Antonio Sabellico in seinem Werk *Rerum Venetarum ab urbe condita* (V. 1718) mit einer polit. Vision verbunden, in der die Gründer bereits das V. der Zeit des Sabellico als Herrschaftszentrum mit imperialem Anspruch, mit mächtigen Kirchenbauten und zahlreichen Handelsniederlassungen sehen. Hierbei handelt es sich um einen lit. Topos ant. Provenienz, in dem die bes. Rolle einer Stadt bereits in ihren ersten Anfängen über eine Vision vorhergesagt wird (vgl. etwa für Rom Cic. rep. 2,10 oder Strab. V,3,2–3; Athen: Thuk. 2,36; Magnesia: ed. O. Kern, 7–8). Ebenso werden der Stadt eine Reihe von ant. Herrschertugenden bescheinigt, durch die sie sich in bes. Weise auszeichne: *bontà, innocenza, celo di carità, pietà, misericordia* [18; 19]. Die histor. gesicherte Gründung Venedigs fällt in einen Zeitraum, in dem sich → Byzanz neu festigen konnte, weswegen die noch immer nicht genügend herausgearbeitete kulturgeschichtliche Kontinuität zw. röm. und byz. Reich auch im Selbstverständnis der Venezianer ihren Ausdruck fand [17]. Im Osten des Reiches schien nun die seit der röm. Kaiserzeit hart umkämpfte Grenze nach Persien endgültig befriedet zu sein, was dem Fortbestand eines Gesamtreiches auch im Westen neuen Auftrieb hätte geben können. Daher stand zunächst die byz., respektive röm. Oberhoheit über die Stadt in Ermangelung einer anderen polit. ernstzunehmenden Größe außer Frage [4], was es den Venezianern wiederum ermöglichte, sich ideologisch von der neuen polit. Größe in It., den mehr und mehr vordringenden Langobarden, abzugrenzen, die als »Barbaren« natürlich außerhalb der röm. Kulturtrad. standen.

B. DOGENZEIT/MITTELALTER: HANDEL UND KREUZZÜGE

Die Lagune bildete ab der Wende vom 6. zum 7. Jh. den Amtsbezirk eines mil. *dux*, der zunächst dem *magister militum* für Istrien und Dalmatien unterstand, bis ihm ab dem ausgehenden 7. Jh. – wenn zunächst auch nur vorübergehend – Selbständigkeit zugestanden wurde [5]. Aber während andere spätant.-byz. Dukate wie Benevent oder Neapel im Sog der histor. Ereignisse untergingen oder – wie im Fall Roms – die Amtsbefugnisse des *dux* von der päpstlichen Verwaltung in Anspruch genommen wurden, blieb in V. mit dem Amt des Dogen und dem großen und kleinen Senat die röm. Verwaltungstrad. dem Namen nach bis zur Auflösung der Serenissima im J. 1797 lebendig [10]. Der histor. Rückgriff auf den *dux* zeigt sich weiterhin in dem Namen, den man im J. 1284 der neuen, eigenen Währung (Dukate) gab. Erforderlich wurde dies, da die byz. Goldmünze nach entscheidenden Wertverlusten bes. ab dem 12. Jh. nicht mehr als Leitwährung für den Mittelmeerhandel dienen konnte und andere Städte wie etwa Florenz auf diesen Umstand bereits reagiert hatten. Damit verlor sich zwar ein weiteres Moment der histor. Kontinuität aus der Spätant., wiewohl sich die venezianische Münze in Gewicht und Gestaltung noch eng an das byz. Vorbild anlehnte.

Die histor. Ereignisse um die Gründung der Stadt und die weitere polit. Entwicklung führten dazu, daß sich V. gegenüber der unmittelbaren Umwelt mehr und mehr verschloß, was dem Handel positive Impulse gab, andererseits jedoch einer kulturellen Entwicklung eher hinderlich war [18]. Zwar verfügte man dank des Fernhandels – zunächst noch in größerer Konkurrenz zu weiteren it. Seestädten – über zahlreiche Kontakte nach außen, doch lagen die Interessen Venedigs v. a. in einer autarken ökonomischen Prosperität. Dies änderte sich erst durch die sukzessive Entfremdung von Byzanz in der zweiten H. des 11. Jh., die schließlich zu einer systematischen Plünderung Konstantinopels im Gefolge des von V. umgelenkten 4. Kreuzzuges führte. So kam es erstmals zu einem enormen Zufluß auch ant. Kulturgüter aus der byz. Hauptstadt. Exemplarisch sei hier die berühmte Bronzequadriga genannt, die als Beutegut nach V. verbracht wurde. Allerdings bemaß man sie dort zunächst nur am Materialwert, da sie bis zur Mitte des 14. Jh. im Arsenal gelagert wurde und für die Einschmelzung vorgesehen war. Erst nach der got. Umgestaltung der Westfassade von San Marco um 1350 wurde die Quadriga auf der neu errichteten Terrasse über dem Eingangsportal der Kathedrale aufgestellt (→ Rosse von San Marco/Quadriga). Eher beiläufig befestigte man die porphyrene »Tetrarchengruppe« an der Außenmauer derselben Kirche, und auch der Markuslöwe, der erst im 13. Jh. mit Flügeln versehen wurde und der den Abschluß des Markusplatzes zum Meer hin markiert, oder der delische Löwe an der Zufahrt zum Arsenal wurden nicht etwa wegen ihrer ant. Herkunft aufgestellt [8]. Für V. läßt sich trotz manch gezielter Sammlertätigkeit im 16. Jh., für die hier Andrea Odoni und Jacopo della Strada genannt seien [6], eine intensivere Rezeption ant. Kunstwerke erst ab dem 19. Jh. belegen, und Italienreisende wie W. Heinse oder J. W. v. Goethe, die in erster Linie die Begegnung gerade damit suchten, zeigten sich von den venezianischen → Antikensammlungen eher enttäuscht [14].

C. Renaissance: Der Buchdruck

Als wichtigster und in seiner Bed. nicht zu unterschätzender Beitr. Venedigs für die Rezeption und die Vermittlung des ant. Erbes ist jedoch der Buchdruck zu nennen, der der it. → Renaissance und dem gesamten europ. → Humanismus entscheidende Impulse gab. Die Rahmenbedingungen für einen Zuzug von Nichtvenezianern, den sog. *forestieri* in die Lagune, schuf dabei erst die große Pestepidemie der J. 1347 bis 1348, denn die starke Dezimierung der Bevölkerung zwang Venedig dazu, die strengen Immigrationsbeschränkungen zu lockern und bes. einen gezielten Zuzug von Fachkräften aus den Kolonien zu erlauben [11; 13]. Dazu gehör-

ten insbes. griechischsprachige Einwanderer, auch wenn man ihnen mit großem Mißtrauen begegnete und etwa die Feier der orthodoxen Liturgie mit harten Maßnahmen unterband. Erst der neue Zustrom aus dem griech. Osten nach dem Fall Konstantinopels im J. 1453 und eine aktive Intervention des Kardinals Isidor von Kiew zugunsten der Griechen beim Papst führte zu einer allmählichen Verbesserung der Situation. Die Auseinandersetzungen zogen sich jedoch noch bis zum J. 1498 hin, als vom »Rat der Zehn« der orthodoxe Ritus und die Gründung der griech. Scuola San Nicola bewilligt wurde [8], innerhalb derer sich die Griechen juristisch und polit. organisieren konnten.

Es ist kein Zufall, daß die Gründung der »Neakademia« des Aldus Manutius in denselben Zeitraum fiel. Manutius gründete nach 1490 in V. eine Offizin, in der er sich schon bald auf die Herausgabe ant. griech. und lat. Autoren spezialisierte. Den Anf. machte dabei eine Werkausgabe des Aristoteles, auf den mehr als 30 weitere griech. Autoren, aber auch eine griech. Gramm. folgen sollten. Die Akad. hatte zw. 36 und 39 aktive Mitglieder, von denen etwa zwei Drittel Griechen waren [1]. In den Sitzungen der Akad., in denen die zu druckenden Werke ausgewählt und die philol. Probleme eben dieser Texte erörtert wurden, durfte nur griech. gesprochen werden [6]. Zu den Mitarbeitern des Manutius, der vom Senat mit hohen Privilegien ausgezeichnet war, gehörten bekannte griech. Gelehrte wie Arsenios Apostoles, Zacharias Calliergis oder Marcus Musurus [10]. Sie verfügten über ein eigenes Reservoir an Mss., konnten bei ihren Studien aber auch auf die neu entstandene Markusbibl. zurückgreifen. Deren Handschriftenbestand ging auf eine Schenkung des Kardinals Bessarion zurück, der seine Privatbibl. (u. a. 482 griech. und 264 lat. Hss.) der Stadt V. vermacht hatte [22]. Darunter befand sich übrigens ein fast vollständiger Aristoteles, der als Grundlage für die Erstausgabe durch Manutius herangezogen werden konnte. Nicht zuletzt Erasmus von Rotterdam konnte durch seinen neunmonatigen Aufenthalt bei Manutius im J. 1508 seine Griechischkenntnisse entscheidend verbessern und im Rahmen der Akad. an eine systematische philol. Arbeit mit griech. Texten herangeführt werden, die ihm bes. für seine Kritische Ausgabe des griech. NT von großem Nutzen sein sollten [9].

Wenn auch überragende Antikensammlungen in V. fehlen, so hat die Stadt durch das Wirken des Aldus Manutius doch einen entscheidenden Beitr. zur Vermittlung ant. Kultur im ganz Westeuropa geleistet [1]. Denn die philol.-wiss. Auseinandersetzung mit ant. Texten und deren systematische Verbreitung auf dem Weg des Buchdrucks schuf erst die lit. Voraussetzungen für die große neuzeitliche Antikerezeption [2]: Paradoxerweise fand V. gerade in diesem Punkt zu seinen byz.-griech. Wurzeln zurück. Und was einen polit.-imperialen Anspruch betrifft, löste sich V. in seinen Expansionsbestrebungen wohl niemals von seinen röm. Wurzeln, was u. a. die der ant. Formelsprache verhaftete

Bauinschr. an der neu errichteten Porta Vendramina des 1509 durch Bartolomeo d'Alviano für die Serenissima eroberten Treviso nahelegt [20].

1 L. BALSAMO, Aldo Manuzio e la diffusione dei classici greci, in: G. BENZONI (Hrsg.), L'eredità greca e l'ellenismo veneziano, 2002, 171–188 **2** V. BRANCA (Hrsg.), Umanesimo europeo e umanesimo veneziano, 1963 **3** G. DIACONO, Istoria Veneticorum, hrsg. v. L. A. BERTO, 1999, 48 **4** A. CARILE, G. FEDALTO, Le origini di Venezia, 1978 **5** R. CESSI, Le origini del ducato veneziano, 1951 **6** D. S. CHAMBERS, The Imperial Age of Venice, 1380–1580, 1970 **7** G. FASOLI, F. BOCCHI, La città medievale italiana, 1973 **8** I. FAVARETTO, Sculture greche nel territorio delle Repubblica, in: G. BENZONI (Hrsg.), L'eredità greca e l'ellenismo veneziano, 2002, 123–156 **9** D. J. GEANAKOPLOS, Greek Scholars in Venice. Stud. in the Dissemination of Greek Learning from Byzantium to Western Europe, 1962 **10** M. HELLMANN, Grundzüge der Gesch. Venedigs, 1976 **11** B. IMHAUS, Le minoranze orientali a Venezia, 1300–1510, 1997 **12** J.-CL. MARGOLIN, Érasme et Venise, in: G. BENZONI (Hrsg.), L'eredità greca e l'ellenismo veneziano, 2002, 189–213 **13** D. M. NICOL, Byzantium and Venice. A study in diplomatic and cultural relations, 1988 **14** K. PARLASCA, Heinse und Goethe. Ihre Bemerkungen zu ant. Skulpturen in V., in: I. FAVARETTO, G. TRAVERSARI (Hrsg.), Venezia e l'Archeologia, 1990, 110–112 **15** A. PERTUSI, La storiografia veneziana fino al secolo XVI. Aspetti e problemi, 1970 **16** Ders., Saggi veneto-bizantini, 1990 **17** M. POZZA, G. RAVEGNANI (Hrsg.), I trattati con Bisanzio, Bd. I: 992–1198, 1993; Bd. II: 1265–1285, 1996 **18** E. S. U. G. RÖSCH, V. im Spät-MA, 1991 **19** F. SANSOVINO, Venetia città nobilissima e singolare, descritta in XIV libri, V. 1581 **20** S. SCHWEIZER, Städtische Repräsentation und Dogenikonographie. Die Selbstdarstellung der Republik V. in der spät-ma. und frühneuzeitlichen Zeit, in: Concilium medii aevi 6 (2003), 15–36 **21** E. ZANINI, Le Italie bizantine. Territorio, insediamenti ed economia nella provincia bizantina d'Italia (VI-VIII secolo), 1998 **22** M. ZORZI, Bessarione e i codici greci, in: G. BENZONI (Hrsg.), L'eredità greca e l'ellenismo veneziano, 2002, 93–121. LARS HOFFMANN

Abb. 1: Charles-Louis Müller, Le Goût, Öl auf Leinwand, ca. 1864. Paris, Musée du Louvre

Venus von Milo. Die unter dem Namen *Venus von Milo* wegen ihrer ungewöhnlichen Attraktivität zu einer »Ikone« der bürgerlichen Gesellschaft avancierte Statue der Aphrodite hat im Gegensatz zu ihren prominenten, meist bereits der Ren. bekannten »Schwestern« zwar nur eine kurze, doch umso spektakulärer zu nennende Rezeptionsgeschichte. Gefunden wurde 1820 auf der Insel Melos und gelangte als Werk des Praxiteles in den Besitz der frz. Krone, somit in den Louvre [8]: Dort stieg sie alsbald zum Glanzstück der Antikensammlung auf – wie zur Kompensation des gerade verlorenen napoleonischen Raubguts, v. a. der vielbewunderten Mediceischen Venus (vgl. die gemalte Allegorie von J.-B. Mauzaisse, 1822; Paris, LV [2. 435. fig. 11]). Die Datierungsfrage wurde erst durch Furtwängler geklärt, der in den unverkennbar klass. Zügen (vgl. Aphrodite von Capua) einen stilistischen Rückgriff aus mittelhell. Zeit (ca. 130–100 v. Chr.) erkannte [4]. Die Skulptur aus parischem Marmor (203 cm) besteht aus zwei Blöcken (Fuge in Hüfthöhe), die fehlenden Arme waren gesondert gearbeitet, wie auch der Haarknoten und der linke Fuß mit einem Stück der Plinthe.

Den neuartigen Reiz bewirken der raffiniert kalkulierte Kontrast zw. dem nackten Oberteil des Körpers und seiner tief unter der Hüfte ansetzenden, scharfgratigen Verhüllung. Die ungewohnte Torsion, das vorgesetzte linke Bein und der selbstbewußte Blick verleihen der Figur (in der frontalen Hauptansicht) eine dynamische, herausfordernde Note. Nicht zuletzt aufgrund der fehlenden Arme, die bis h. ebensowenig wie die Ikonographie eindeutig rekonstruierbar sind, hat sich die charakteristische gezackte Kontur der V. gleichsam ins kollektive Bildgedächtnis der westl. Kultur eingeprägt, gespeist durch ungezählte Reproduktionen und Adaptionen, vgl. die Verse Gottfried Kellers 1878: ›Wie einst die Medizäerin / Bist, Ärmste, du jetzt in der Mode /

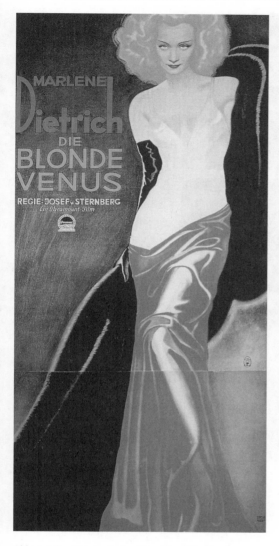

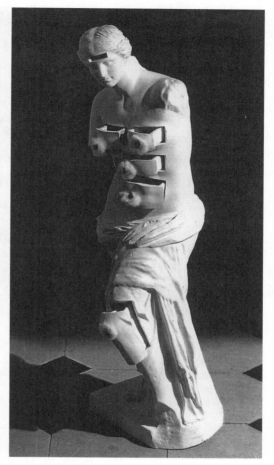

Abb. 3: Salvador Dalí, Vénus de Milo aux tiroirs,
Gips, 1936. Privatsammlung

Abb. 2: Julius Kupfer-Sachs, Filmplakat »Die blonde
Venus«, 1932. Regie: Josef von Sternberg

Und stehst in Gips, Porzlan und Zinn / Auf Schreibtisch, Ofen und Kommode‹ [6. 88].

Bereits 1822 erwarb die Preussische Akad. der Künste
in Berlin einen Abguß. Aber anders als frühere berühmte Antiken (z. B. → Torso und → Apoll von Belvedere)
wurde die V. weniger zum Objekt künstlerischer Stud.,
als eines eigenen Kunst- und Antikenkultes mit nachgerade fetischistischen Zügen. Heinrich Heine brachte
dieses auf den Begriff, als er bei seinem letzten Besuch
im Louvre im Mai 1848 von der ›hochgebenedeite(n)
Göttin der Schönheit‹, ›Unsere(r) liebe(n) Frau von
Milo‹, einem seiner ›holden Idole‹ sprach (Nachwort
zum *Romanzero*, 1851). Heines Exaltation vor der Statue
rief weitere dichterische Reaktionen hervor [6. 79–81].

Von 1827 (Wilhelm Waiblinger) bis in unsere Zeit wurden gut 70 Gedichte zur V. in mehr als einem Dutzend
Sprachen gezählt [6. 58–99].

Die eben entstehende Fotografie trug zum Idol-
Charakter nicht unwesentlich bei, z. B.: M. Huberts
Daguerreotypie *Nature Morte* von 1839 [2. Nr. 238]; H.
Bayards *Composition dite »à la Vénus de Milo«*, um 1850
[2. Nr. 240]. A. B. Braquehais pointierte seine schwül-
pompösen Aktfotografien mit Abgüssen der Statue,
1854. Adolphe Bilordeaux machte diese 1855 zum Mittelpunkt eines opulenten Stillebens [2. Nr. 242, 243].

Während des 19. Jh. dominierte bei der bildlichen
Interpretation der V. die traditionelle Ikonographie des
Idols, als exponierte Statuette: So z. B. Daumiers *Amateur* (Aquarell, ca. 1865; New York, MMA), der in seinem Lehnsessel mit seiner Trouvaille liebäugelt. Auf
Charles-Louis Müllers Bild *Le Goût* für die Dekoration
des Salons Denon im Louvre (1864/1866) trägt die betreffende weibliche Personifikation die Statuette der V.
ehrfürchtig in der Rechten [2. Nr. 250] (Abb. 1).

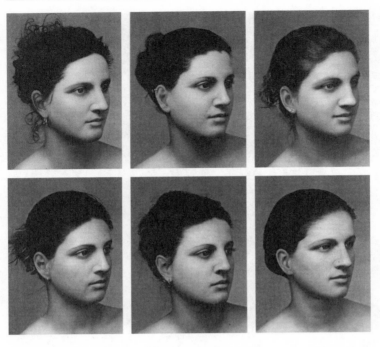

Abb. 4: LawickMüller
(Friederike van Lawick, Hans
Müller), PerfectlysuperNatural
Vénus de Milo.
Simone, Gesa, Andrea, Anna,
Isabelle, Anja, Fotographien, 2000.
Paris, Galerie Patricia Dorfmann

Der ihr zugewachsene »Ikonen«-Charakter erlaubte die bruchlose Übertragung der V. in die Welt der Reklame des 20. Jh., wo sie – wie Leonardos *Mona Lisa* – ubiquitär und meist beliebig verwendet wurde und wird – bis hin zur → Werbung für Levi's Jeans (1973) oder die Mercedes E-Klasse (1996) [2. Abb. 41–50]. In einen Vamp umstilisiert erscheint die V. in Gestalt Marlene Dietrichs auf dem Plakat von Sternbergs Film *Die blonde Venus*, 1932 (Abb. 2). Kritische Neugier auf die bourgeoise Ikone trieb 1927 den Sowjetdichter Majakowski in den Louvre; ablehnend, wie er gekommen war, schied er auch von ihr, wie er dichtete: ›ohne Händeschütteln .. infolge völligen Fehlens einer Hand‹ [9. 153–159].

Die eigentlich künstlerische Ausbeute des Rezeptionsprozesses war während des 19. Jh. eher bescheiden, wofür der Aufstieg des bürgerlichen Realismus ursächlich sein dürfte, der als Reaktion auf den Klassizismus klass. Bildern/Bildwerken wenig Interesse schenkte und ihrer »Verarbeitung« kaum Raum bot. Die V. dürfte jedoch Pate gestanden haben bei Delacroix' furioser *Freiheit, die das Volk führt* (1831; Paris, LV). Nachweislich hat Max Klinger die Statue studiert und sie für die exaltierte Minerva (!) seines *Parisurteils* (1885–1887; Wien, Österreichische Galerie) verwendet. Edouard Vuillard verpflanzte das »Kultbild« in das Porträt von Madame Valentine Synave ›pour un joli effet‹ (1917) [2. Nr. 251].

Das künstlerische Interesse gewann erst bei den Surrealisten und ihren Freunden die Oberhand, die es sich nicht entgehen ließen, mit dem ebenso hymnisch wie kommerziell übersteigerten Kult der Statue (wieder vergleichbar der *Mona Lisa*) ihr ironisches Spiel zu treiben.

Der Dadaist Joh. Theodor Baargeld setzte der Statuenbüste sein eigenes Gesicht auf (1920), der Fotograf Erwin Blumenfeld das einer jungen verträumten Frau [2. Nr. 254, 256], jeweils Fotomontagen wie auch das Bild Buster Keatons als komische V. von Clarence Sinclair Bull [3. Abb. 158]. Max Ernst verstrickte die V. mehrfach in seine pedantisch gezeichneten »Gebrauchsanweisungen«. Magritte kolorierte, d. h. »vitalisierte« eine Gipsstatuette der V.: das Gewand blau, den Körper fleischfarben, beließ ihr aber das »marmorne« Haupt (*Les Menottes de cuivre*, »Die Kupferhandschellen«, 1931; Brüssel, Musées Royaux des Beaux-Arts). Dalí thematisierte die V. jahrzehntelang. Er schuf (zusammen mit M. Duchamp) eine Skulptur der V. mit Schubladen (*Vénus de Milo aux tiroirs*, 1936; verschiedene Versionen, u. a. Rotterdam, Museum Boymans-van-Beuningen), um so die → Psychoanalyse bildhaft darzustellen (Abb. 3): Seit Freud stecke der menschliche Körper, der den ›Griechen rein neoplatonisch gewesen sei, voller Schubläden, die nur die Psychoanalyse öffnen könne, so der Künstler. Auf Dalís späterem Riesenbild *Hallozinogener Torero* erscheint eine Stierkampfarena mit zusammengebrochenem Stier und der Vision zahlreicher großer und kleiner Gestalten der V. vor dem als Schulkind ins Bild integrierten Künstler (1968–1970; St. Petersburg (Florida), Dalí Museum). Ferner gibt es von ihm eine *Vénus à la girafe* – sowohl als Gemälde (1936) wie auch als Bronzeplastik (1973) [2. 462–467] u.a.m.

Auch in der Gegenwartskunst hält das Interesse für die V. an. Jim Dine widmete sich ihr in den 80er und 90er J. des 20. Jh. geradezu obsessiv in diversen Kunstgattungen und Techniken, wobei der makellose Marmorkörper der Göttin meist eine wie mit dem Beil gehauene Oberfläche annahm, unabhängig von den verwendeten Materialien: als Holz-, Bronze-, Marmorskulptur oder als Holzschnitt und Ölgemälde [2. 468–476]. Arman arbeitete, ebenfalls über Jahrzehnte, an der skulpturalen Zerstückelung der V.; der Clou ist eine zerlegte/zerlegbare Bronzestatuette, die – mittels Scharnieren entfaltet – ihre Körperfragmente zur Anschauung stellt [2. 477–483]. Der engl. Pop-Artist Clive Barker wickelte die V. bis unter den Busen in Taue (*Roped Venus*, 1971) und in Ketten (*Chained Venus*, 1971) als visuelle Metapher der Stillstellung und der Beendigung ihrer ikonischen Macht [2. Nr. 272].

Wie zu Beginn ihrer Rezeptionsgeschichte wurde die V. in jüngster Zeit erneut Gegenstand der (experimentellen) Fotografie, so bei Joel-Peter Witkin, Mary Duffy, Ralph Gibson, Peter Brandes, Jérôme Galland [2. 489–495]. Jüngst schufen LawickMüller auf Basis von sechs weiblichen Individualphysiognomien eine digitale Synthese des Gesichts der Göttin (*Perfectlysuper Natural Venus de Milo. Simone, Gesa, Andrea, Anna, Isabelle, Anja*, 2000) [2. Nr. 283], womit sie ironisch die sechs Mädchen und die Göttin gleichsam klonten, jene »vergöttlichten« und diese vermenschlichten (Abb. 4).

1 J. Charbonneaux, Die V., 1959 2 D'après l'antique, Ausstellungskat. Paris 2000 3 A. Friedrich, Das Urteil des Paris, 1997 4 A. Furtwängler, Meisterwerke der griech. Plastik, Berlin 1893, 601 ff. 5 Fr. Haskell, N. Penny, Taste and the Antique, 1981, Nr. 89 6 G. Kranz, Meisterwerke in Bildgedichten, 1986 7 LIMC, Aphrodite Nr. 643 8 Quatremère de Quincy, Sur la statue antique de Vénus découverte dans l'Œle de Milo en 1820, Paris 1821 9 D. Wannagat, Der Blick des Dichters. Ant. Kunst in der Weltlit., 1997.   BERTHOLD HINZ

Vereinigte Staaten/Museen s. United States of America V.

Vereinigte Staaten von Amerika s. United States of America

Verfassung A. Problemlage und Definition B. Antike   C. Typik der Staatsformen im Mittelalter   D. Frühe Neuzeit   E. Die Verfassung des Alten Reiches   F. Schlossers Übersetzung der aristotelischen »Politik« G. 19. Jahrhundert   H. Das »Politische« in der Verfassung des 20. Jahrhunderts

A. Problemlage und Definition

Der Begriff der V. nahm spätestens seit dem 18. Jh. eine ständig zunehmende definitorische Breite an, die mit der Formierung des mod. Staates und der Ausweitung des »Polit.« schlechthin einherging [27. 1–59]. Seine instabile Definitionsvielfalt strahlt h. bis auf die viel diskutierte aktuelle Arbeit an einer ›V. für Europa‹ aus. Staat und V. sind h. weitgehend komplementäre Begriffe, die sich wechselseitig bedingen, so daß V. als das ›genaue Seitenstück des Staats‹ bezeichnet werden kann [41. 187]. Diese enge Verknüpfung von »V.« und »Staat« ist bereits bei Aristoteles gleichsam als zeitlose Diagnose formuliert: ›Wer untersuchen will, welches das Wesen und die Eigenschaften der verschiedenen V. sind, muß zuerst nach dem Staate fragen, was er wohl sein mag. Faktisch ist man darüber uneinig … Die V. … ist eine Art von Ordnung unter denjenigen, die den Staat bevölkern‹ (pol. 1274 b 35, Übers. nach [2]). Heute ist zw. einem juristischen und außerjuristischen V.-Begriff zu unterscheiden. Der juristische V.-Begriff zielt auf die positiv-rechtliche, normative Ordnung ab, die durch rechtliche Regeln, Institutionen und Strukturen gebildet wird, die wiederum das Gemeinwesen als Staat und Gesellschaft sowie deren polit. Raum bestimmen. Diesen Kriterien folgt auch die mod. V.-Geschichte [58. 2f.]. Der außerjuristische V.-Begriff dagegen knüpft entweder an eine überpositive Ordnung legitimer Herrschaft an oder richtet sich nach faktischen Machtverhältnissen in einer Gesellschaft aus. Im vorkonstitutionellen Staat überlagern sich beide V.-Gattungen. Fragt man danach, welche Faktoren normativer und außernormativer Art das staatliche Gemeinwesen konstituieren und seine polit. Ordnung bestimmen, so sind als Ausgangspunkt Kriterien zu benennen, die eine Identifizierung von V. in der Ant. ermöglichen, um deren Traditionsweg bis in die Gegenwart verfolgen zu können. Das ist ohne gegenwartsbezogene Definitionen nicht möglich, denn weder die griech. *politeía* oder röm. *constitutio* noch die deutschsprachige V. – in ihrer urspr. Bed. von Zustand, Ordnung sowie Verschriftlichung und Verfaßtheit – sind deckungsgleiche Termini. Grundlegende Elemente der ›V. des Staates‹ legte erstmals Art. XVI der Erklärung der Menschen- und Bürgerrechte vom 26.8.1789 fest, nach der eine Gesellschaft gar keine V. habe, in der nicht die Garantie der Rechte zugesichert und die Gewaltenteilung festgelegt sei. G. Jellinek definiert z. B. V. als Inbegriff solcher ›Rechtssätze‹, welche die obersten Organe des Staates bezeichnen, die Art ihrer Schöpfung, ihr gegenseitiges Verhältnis und ihren Wirkungskreis festsetzen, ferner die grundsätzliche Stellung des Einzelnen zur Staatsgewalt‹ bestimmen [21. 491]. Moderne Lit. weitet den Kat. der V.-Elemente noch aus: Begrenzung und Formung der Herrschaft durch Recht (Gewaltenteilung, Gesetzesbindung); Regierungsverantwortlichkeit; Individualrechte und deren Schutz; territoriale Gliederung; rechtliche Form der polit. Ordnung [33. 26f.]. Mit bis zu 16 Strukturmerkmalen – bestehend aus acht formalen und acht materialen Elementen – wird der heutige V.-Begriff zu fixieren versucht [54. 148–202]. Der äußerst differenzierte mod. Kat. findet im vergleichenden Rückblick auf den ant. Befund im wesentlichen nur in folgenden Merkmalen eine Entsprechung: im Ordnungsgedanken, in der Form des staatlichen Gemeinwesens und der Teilhabe an Entscheidungen sowie bedingt auch im Freiheitsbegriff der demokratischen Staatsform. Diese Punkte bilden den Prüfungsfall für ant. Traditionskraft und deren Anteil für die Bildung der neuzeitlichen V. sowie deren Begrifflichkeit. Somit kann nur von Teilidentitäten und funktionalen Äquivalenten ausgegangen werden.

B. ANTIKE

1. GRIECHISCHE »POLITEÍA«

Zentrale Begriffe im griech. Staats- und V.-Denken des 6. Jh. sind die *eunomía* (»Wohlordnung«) und die *isonomía*, die, mit »Gleichheitsordnung« übersetzbar, eine polit. Dimension erkennen läßt [24. 196ff.; 8. 55ff., 459f.]. Diese zielt auf eine Ordnung vermehrter polit. Teilhabe der Bürger an der Herrschaft über die Polis, die die begriffliche Fixierung der »Demokratie« als Herrschaft des Volkes möglich machte. Im klass. »Dreiverfassungsschema« mit seinen drei negativen Abweichungen bildet die Demokratie nur eine der insgesamt sechs V.-Varianten, die nach den Herrschaftssubjekten Monarch, Adel, Volk – d. h. einer regiert, einige regieren, alle regieren – und nach der Art ihrer Herrschaftsausübung gegliedert werden. Der zahlenmäßige Unterschied der Herrschenden indiziert jedoch auch soziale Kategorien nach Aristokraten und Volk bzw. nach Reichen und Armen. Aristoteles differenziert folgende V.-Typen: ›... haben wir drei richtige V-Formen unterschieden, das Königtum, die Aristokratie und die Politie, und drei Abweichungen, die Tyrannis vom Königtum, die Oligarchie von der Aristokratie und die Demokratie von der Politie‹ (pol. 1289 a 26, Übers. nach [2]). Die negativen Abweichungen – in der Übers. von Thomas von Aquin die ›transgressiones‹ – werden am ethisch-polit. Maßstab des allg. Nutzens bestimmt: ›Denn die Tyrannis ist eine Alleinherrschaft zum Nutzen des Herrschers, die Oligarchie eine Herrschaft zum Nutzen der Reichen und die Demokratie eine solche zum Nutzen der Armen. Keine aber denkt an den gemeinsamen Nutzen aller‹ (pol. 1279 b 6, Übers. nach [2]). Entscheidend für den mod. V.-Begriff wurde die *politeía*. Sie bedeutet zugleich »Bürgerschaft« – d. h. Beteiligung an Gericht und Regierung (pol. 1275 a 23) – und »V.« [24. 211]: ›V. ... ist eine Art von Ordnung unter denjenigen, die den Staat bevölkern‹ (pol. 1274 b 38, Übers. nach [2]). Platon (rep. 8,1 544 b-e) und Aristoteles verwenden *politeía* für die verschiedenen Typen des V.-Schemas. Insoweit repräsentiert die *politeía* als »V.« mehr einzelne Regierungs- bzw. Staatsformen und weniger ein geschlossenes V.-System. Das läßt sich bis in das 18 Jh. verfolgen. Aristoteles definiert *politeía* auch als Ordnungsprinzip: ›Denn V. ist die Ordnung des Staates – πολιτεία μὲν γάρ ἔστι τάξις ταῖς πόλεσιν – hinsichtlich der Fragen, wie die Regierung aufgeteilt ist, welche Instanz über die V. entscheidet und was das Ziel jeder einzelnen Gemeinschaft bildet‹ (pol. 1289 a 15, Übers. nach [2]). Als ›die gemeinsame Aufgabe‹ der Staatsformen und ›jeder V.‹ ist die Machtbeschränkung erkennbar (pol. 1308 b 10, Übers. nach [2]). Sie indiziert zugleich das Maß der Freiheit in der demokratischen Staatsform (pol. 1310 a 25–35; 1317 a 39–b 16). Die Ordnung der leitenden Magistraturen – und nicht die gesamte gesellschaftliche und staatliche Formstruktur – prägt den aristotelischen *politeía*-Begriff [2. 303]. Deshalb greift die übliche Übers. von *politeía* mit »V.« zu weit [37. 4; 27. 8].

2. RÖMISCHE »CONSTITUTIO« UND »RES PUBLICA«

Die Staatsformenlehre Ciceros basiert auf griech. Staatsphilosophie. Der zentrale röm. »V.«-Begriff ist der *mos maiorum* (»die überlieferte Handlungsweise«) im Sinne einer ›gewachsenen V.‹ [25. 56–63], die die Zuständigkeit der Staatsorgane, Amtsführung und Ämterordnung umfaßt [25. 119]. Seine rechtsnormative Bed. für die polit. Ordnung ist gewohnheitsrechtlich fundiert. Klare Definitionen für V. fehlen in der röm. Rechtssprache. Das Wort »V.« existierte in Rom nicht [16. 36], wenn es auch Teilentsprechungen gab, wie ›... rem publicam constituere‹ [16. 317ff.], wobei *res publica* das Abstraktum gemeinsamen öffentlichen Interesses repräsentierte. In der Auffassung Ciceros ist *constitutio* dem seit dem 18. Jh. gebräuchlichen Begriff der Konstitution angenähert: ›Haec constitutio primum habet aequabilitatem quandam magnam, ... deinde firmitudinem ...‹ (»Eine solche V. bietet in erster Linie ein gewisses hohes Gleichmaß ... und zweitens eine sichere Beständigkeit«, rep. 1,45,69). Autorität, Gleichmaß, Freiheit bewahrende Aufgabe und Beständigkeit bilden Elemente dieses V.-Verständnisses [27. 12], das aber in dieser Kombination offensichtlich keine Nachfolge gefunden hat [29. 11]. Bei der Beurteilung der staatlichen Verhältnisse Roms spricht Cicero auch vom ›status rei publicae‹ (»Zustand des Gemeinwesens«) und ›status civitatis‹ (»Zustand des Staates, der Bürgerschaft«), die insofern mit V. übersetzbar sind [16. 19], als in ihnen die Bed. faktischer Zuständlichkeit [51. 62–66], die den deutschsprachigen V.-Begriff bis in die Neuzeit prägt, erkennbar ist [27. 13]. Unter dem Oberbegriff ›status rei publicae‹ – vergleichbar der *politeía* im Sinne von V. – subsumiert Cicero auch die Staatsformen ›forma rei publicae‹ – Demokratie, Aristokratie und Monarchie [51. 11f.]. Ciceros Idealstaat bildet jedoch der aus mehreren Staatsformen zusammengesetzte Staat, der unter der Frage ›de optimo civitatis statu ...‹ (»des besten Zustandes des Staates«, rep. 1,46,70) behandelt wird.

3. MISCHVERFASSUNG

Die V. und Verfaßtheit repräsentierende Staatsformen waren kaum in reiner Form verwirklicht. Zur Optimierung der V. wurde die Kombination der verschiedenen Staatsformen bereits in der Ant. eine viel behandelte Ordnungsfrage, auch in bezug auf den Ausgleich sozialer Schichtung. Die Aufgabe und Wirkung der Mischung konnte somit auf Integration der Bürgerschaft, auf Stabilisierung und Machtausgleich zielen [29. 42ff.]. Die ideale Mischung (›míxis‹, pol. 1294 a 35–b 35) gilt für Aristoteles dann als erfüllt, wenn alle am Fortbestand dieser V. interessiert sind [57. 24], und zwar im Sinne eines tugendhaften Lebens. Platons Mischung von Demokratie und Monarchie (leg. 3 693 d) zielt auf die Mischung von Freiheit und Herrschaft [57. 40]. Polybios (6,11,12–13) und Cicero (›e tribus esset modice temperatum‹, »aus den drei Staatsformen maßvoll gemischt«, rep. 2,39,65) ordnen Bevölkerungsgruppen bestimmten V.-Organen zu, um so ein gemeinsames Interesse am V.-Bestand zu erreichen [57. 42f.]. Aristoteles, aber auch Polybios und Cicero, entwickeln das System der gemischten V. an histor. Beispielen. Sie dienten bis in das 19 Jh. als Grundlage für die Frage der besten V. unter jeweils geänderten polit. Zielen und Bedingungen [29. 160ff.; 57. 46ff.].

C. Typik der Staatsformen im Mittelalter

Mit der Rezeption der Werke des Aristoteles im lat. Westen wurde seit der Mitte des 12 Jh. auch die Staatsformlehre als eine Systematik zur Qualifizierung von Staatlichkeit rezipiert. Die aristotelische beste V. (ἄριστη πολιτεία) findet bei Thomas von Aquin ihre Entsprechung in der ›optima politia, bene commixta ex regno, inquantum unus praest‹ (»in der besten V., die angemessen gebildet ist aus dem Königtum, das von einer Person geleitet wird«) [53. 503]. Der ›ordo dominantium in civitate‹ (commentarium 393 in: [52. 139]) wird mit der aristotelischen »Politie« gleichgesetzt. Das entspricht dem aristotelischen Grundsatz: ›politia quidem est civitatis ordo‹ (»die Politie bildet die Ordnung des Staates«, pol. 1289 a 12), den Thomas in seinem Komm. in ›politia est ordo principatuum in civitate‹ (»die Politia – V. – bildet die Ordnung der Regierungsinhaber im Staate«, commentarium 536 in: [52. 190]) umformuliert. Damit ist der Vorrang der politia als verfassungsmäßiges Ordnungsprinzip gegenüber den Gesetzen gemeint, die sich der V. anzupassen haben: › ... leges omnes ... ferri debent secundum quod competit politiae per se, et non e converso ...‹ (»alle Gesetze müssen der »V.« an das entsprechen, und nicht umgekehrt«) (commentarium 536 in: [52. 190]). Darin wird eine Rangordnung deutlich, die durchaus der Prädominanz der V. im mod. Sinn als ein die Normen anleitendes Ordnungsprinzip nahekommt. Als Kriterium für die negativen Abweichungen vom Dreiverfassungsschema benutzt Thomas ein ethisches Prinzip, ob nämlich das ›bonum commune‹ (»gemeine Wohl«) oder die ›utilitas propria‹ (»der eigene Nutzen«) von den jeweils Regierenden verfolgt wird (commentarium 393 in: [52. 139]). Das entsprach auch dem Kriterium, das Bartolus gebrauchte, um die aristotelischen ›tres bonos et tres malos modos regendi‹ (»drei guten und drei schlechten Arten des Regierens«) unterscheiden zu können [4. II. 95, 153]. Bartolus, der sich auf Aegidius Romanus bezieht, hält wie Aristoteles – und später die Schulphilos. (Timpler) des 16./17. Jh. [14. 382ff.] – unter den sechs Regierungsformen die Monarchie für den ›regendi modus optimus‹ (»für die beste Regierungsform«) [4. II. 95, 153]. Abweichend von Aristoteles bildet Bartolus noch eine siebte Staatsformengruppe, die er aus der Beobachtung seiner röm. Gegenwart ableitet: ›Est et septimus modus regiminis, qui nunc est in civitate Romana, pessimus. Ibi enim sunt multi tyranni per diversas regiones ... Quod regimen Aristoteles non posuit ...: est enim res monstruosa ... Certe monstrum esset. Appellatur ergo hoc regimen monstruosum‹ (»Es gibt auch noch eine siebte Regierungsform, die sich jetzt im römischen Staat findet, – und zwar die schlechteste. Dort sind nämlich viele Tyrannen in verschiedenen Gebieten. Eine solche Herrschaftsform hat Aristoteles nicht aufgeführt ...: Sie ist nämlich eine monströse Angelegenheit... Mit Sicherheit würde sie ein verfassungsrechtliches Zwitterwesen sein. Deshalb wird eine solche Regierung auch als mißgebildet bezeichnet«) [4. I. 65–75, 152]. Die aristotelische Staatsformlehre war also nicht geeignet, alle vorfindbaren Staatstypen auf der Grundlage ihrer Machtverteilung zu erfassen, die somit aus dem Raster herausfielen und eine Zwitterform als ›res monstruosa‹ bildeten. Bartolus' Formulierung taucht 1667 in Pufendorfs berühmter Bewertung der alten Reichs-V. wieder auf. In der Frage, ›quis sit melior modus regendi‹ (»Welches ist die bessere Regierungsart?«), entscheidet Bartolus jeweils nach der Größe des Staates. Für den kleinen Staat gilt das ›regimen ad populum‹ (»Regierung beim Volk«) als angemessen, für den grösseren Staat das ›regi per paucos‹ (»Regierung durch Wenige«) und für den ›populus maximus‹ das ›regi per unum‹ (»für das ganz große Volk das Regieren durch eine Person«) [4. II. 295–400, 162–166]. Die V.-Frage war somit auch eine Frage der optimalen Beherrschbarkeit des Staatsgebietes und seiner Bevölkerung, die über die Angemessenheit der Staatsform entschied.

D. Frühe Neuzeit

I. Ordnungsgedanke

Der Ordnungsgedanke ist im 16./17. Jh. mit der Staatsformenlehre – und bes. mit der monarchischen Staatsform – verknüpft. Diese gilt als der ›status politicus primus et perfectus‹ (»die rangerste und vollkommene polit. V.«), um eine Vielzahl von Menschen sicher und staatszweckgerichtet in einer gefestigten einheitlichen Ordnung zu regieren [22. 7, 29–39]. Der ordo civitatis (»die Ordnung des Staates«) konkretisiert sich erst in der Definition von respublica (»Gemeinwesen«), majestas (»Hoheit«), civitas (»Staat«) und der Machtverteilung zw. Herrscher und Untertanen [7. 29, 35] und hat keinen selbständigen Gehalt. Die Lehre von den Rechten der subditi (»Untertanen«) und imperantes (»Regierenden«) nennt Besold mit Bezug auf die Aristotelische Politica die ›doctrina de civitatis constitutione‹ (»Lehre von der »V.« des Staates«) [7. 34], womit »Konstitution« als Begriff mit V.-Eigenschaft im Sinne der Staatsformenordnung in Erscheinung tritt. Solche Präzisierung verfolgt vorrangig die Politica-Lit., die ganz in der Trad. des Aristoteles operiert [48. 80–90; 104–124]. Althusius stellt in diesem Sinne ›ordo et constitutio civitatis‹ (»Ordnung und »V.« des Staates«) nebeneinander, nach denen alle Handlungen der Bürger gelenkt und geleitet werden [1. 16, 5]. Im Gedanken der Rechtsgemeinschaft (*ius symbioticum*) verbindet Althusius ausdrücklich die aristotelischen V.-Elemente αὐτάρκεια (»Unabhängigkeit«), εὐνομία (»Wohlgegeltheit«) und εὐταξία (»Wohlordnung«) zu einem staatlichen Ordnungsprinzip. Arnisaeus verknüpft den Ordnungsgedanken im ant. Vergleich mit dem Staatsbegriff, ohne jedoch beide gleichzusetzen: ›Quam Graeci πολιτείαν, Latini vocant Rempublicam. Eam plerique confundunt cum civitate ...‹ (»Was die Griechen Regierungsordnung nannten, bezeichnen die Römer als staatliches Gemeinwesen. Dieses verknüpfen die meisten mit dem Staat«) [3. 39]. Das entscheidende Wesensmerkmal der *respublica* besteht für Anisaeus nicht in ihrer *materia* (»Inhalt«), sondern in ihrer *forma*. Als Ausgangspunkt dient auch hier der aristotelische Ordnungsbegriff der τάξις (pol. 1289 a 15): ›Respublica est definienda per ordinem‹ (»das staatliche Gemeinwesen ist nach seiner Ordnung zu bestimmen«, pol. 1275 a 38, 1278 b 9 [3. 43]). Für die rechtliche Bed. der Staatsform wird jedoch entscheidend, daß die ›forma Reipublicae‹ auch durch bestimmte Gesetze umschrieben und zum öffentlichen Wohl eingegrenzt werden kann [3. 42; 27. 35]. So werden auch die Wahlkapitulationen im Alten Reich ›für den Regentenstand‹ zu den notwendigen ›Regeln und Ordnungen‹ gezählt, von denen so viel ›nutzliche Lehren bey Aristotele, Platone, Xenophone, Isocrate, Cicerone, Plutarcho ... weitläuftig zu lesen‹ sind [59. I]. C. Ziegler rechnet die Wahlkapitulationen zu den machtbegrenzenden ›leges fundamentales‹ [59. 1–6]. Diese haben zwar den europ. V.-Begriff mitgeprägt, stehen aber als Terminus nicht in der ant. Trad. [27. 62–66; 26. 121 ff.]. Entsprechend ihrer machtbeschränkenden Funktion wurde jedoch die Brücke von der *lex fundamentalis* als positivrechtlicher Norm zur polit. Theorie der Ant. geschlagen.

2. Wandel der Staatsformen

Das aristotelische Drei- bzw. Sechsverfassungsschema bildet keine statische Größe. Staatsformen können sich verändern, in andere Formen umschlagen oder zerfallen (pol. 1301 a 25, 1302 b 33, 1304 b 18). Damit waren gesetzliche Veränderungen verbunden, die wiederum die »Verfaßheit« polit. Machtstrukturen umformten. Demgemäß werden die theoretischen Möglichkeiten und realen Erfahrungen der *mutationes* (»Veränderungen«), *conversiones* (»Umwälzungen«) und des *status mixtus* (»Misch-V.«) – auch am Beispiel des ant. röm. Staates [15. §VI f.] – am Maßstab von Aristoteles, Livius, Cicero und Polybius – untersucht. Als ein Ergebnis des Wandels von der Monarchie zur Aristokratie und Demokratie wird die vermehrte Freiheit des Volkes herausgestellt, die nach der Zurückdrängung der *optimates* (»Aristokraten«) und in der Phase ›post reges sub consulatu‹ (»nach der Königsherrschaft unter dem Konsulat«) beobachtet wird [15. §XIV–XX]. Die aristotelische demokratische Staatsform war durch die Prinzipien Mehrheit und Freiheit gekennzeichnet (pol. 1310 a

30), die jedoch im 17. Jh. noch fern der aufklärerischen Emanzipationsbewegung standen, aber in diese hinüberführten [40. 10 f.; 9. 468, 299].

3. Angemessenheit der Staatsformen

Die Vielzahl möglicher Staatsformen evoziert die Frage nach der besten V. (Aristot. pol. 1288 b 22–35, 1323 a 14). Der aristotelische Maßstab dafür ist die Glückseligkeit (pol. 1328 a 37–b 1). Diese ist keine absolute Größe, sondern von ›angemessenen, materiellen Grundlagen‹ abhängig (pol. 1325 b 36–40, Übers. nach [2]), zu denen Aristoteles Bevölkerungszahl und Umfang des Staatsgebietes zählt, aber auch klimatische Bedingungen (pol. 1327 b 20 f.). Besold stellte 1641 diese aristotelische V.-Frage unter das Thema ›de Republicae forma, ad populi naturam aliasque circumstantias adaptanda‹ (»über die Staatsfrom und ihre Anpassung an die Natur des Volkes und andere Umstände«) [6. 195 f.]. Solche aristotelischen Einflußbedingungen machte Montesquieu zur Grundlage für angemessene Gesetzgebung und die V. der Staaten im Sinne der einzelnen Staats- bzw. Regierungsformen [28. B. III–VIII, XIV–XIX]. Im 18. Jh. galt oft die Größe des Landes als Maßstab für die dem Staat angemessenste Regierungsform: ›Soviel lehrt uns die Geschichte, daß kleine Staaten sehr oft eine demokratische oder aristokratische, oder aus beiden zusammengesetzte erwählet haben, und daß sie in dem bleibendsten Zustande dabey gewesen sind. Die griech. Staaten bestätigen meine Erfahrung, und auch Rom‹ [55. 30]. Der Grund für diese V.-Wahl liegt in der technischen Regierbarkeit großflächiger Staaten begründet, in denen die ›Sammlung der Stimmen und ... der Gesinnungen‹ bei ›demokratischer oder aristokratischer Regierungsform‹ Schwierigkeiten bereiten muß. Deshalb wird in Anknüpfung an Aristoteles und Montesquieu für große Staaten die Monarchie [55. 35 f.; 13. 72] als die ›beste‹ und für China die ›despotische Regierung‹ als ›die natürlichste‹ gewertet [50. 288 f.; 39. III. 29. Anm. 29]; für die kleine ›Respublica Helvetiorum‹ gilt die ›respublica mixta‹ ›ex Optimatum et populi imperio‹ (»das aus aristokratischer und demokratischer Herrschaft gemischte Gemeinwesen«) als modellhaftes Beispiel [44. 194 f.]. Die ›kluge Organisation der V.‹ war im 18. Jh. nicht nur eine Frage der Regierungstechnik, sondern die aristotelische Suche nach der »besten V.« wurde zu einer rechtlich und ethisch fundierten Frage: ›Welche Regierungsform ist nun gerecht?‹ [5. 338]. ›Ihrer Form nach‹ bezeichnet J. A. Bergk 1796 die Demokratie als die ›gerechteste Staatseinrichtung‹ [5. 343]. Uneinigkeit in der Beantwortung dieser Frage im Gefolge der Frz. → Revolution [5. 350] verlängert diese V.-Frage in das 19. Jh. des Konstitutionalismus.

E. Die Verfassung des Alten Reiches

Die Verfassung des Alten Reiches wurde unermüdlich am Maßstab der aristotelischen Staatsformenlehre gemessen, nachdem J. Bodin mit dem neuen Kriterium der Souveränität die Debatte neu entfacht und das Reich als reine Aristokratie qualifiziert hatte [48. 172 ff.;

11. 242]. So pendeln die Bewertungen [48. 214 ff.] zw. Stände-Aristokratie (Hippolithus a Lapide), Monarchie (D. Reinkingk), Misch-V. (J. Limnaeus) und bundesstaatlicher Organisation (Besold, Leibniz). Die am Beispiel des Alten Reiches überprüfte aristotelische Staatsformenlehre zeigte Unzulänglichkeiten gegenüber dem realen und empirischen Befund auf. Arnisaeus scheut nicht die Kritik an der Autorität des Aristoteles (1615): ›Ex sententia Aristotelis incertum fieri numerum rerumpublicarum‹ (»aus der Lehre des Aristoteles ergibt sich eine schwankende Anzahl von Staatsformen«) [12. 264]. Weissenborn erklärt 1782: ›Wir haben izt eine Regierungsform in Europa, die allein schon die Eintheilung des Aristoteles zu einer mangelhaften macht; ich meyne diejenige von Deutschland‹ [55. 25]. Die Aporie der aristotelischen Formenlehre in Anwendung auf das Reich belegt Pufendorfs unter dem Titel *De statu Imperii Germanici* 1667 veröffentlichte berühmte Schrift, die vom Zustand der Reichs-V. ausgeht und das Reich als ein ›irregulare corpus‹ bzw. ›systema irregulare‹ (»einen regelwidrigen Staatskörper« bzw. »eine irreguläre Ordnung«) qualifiziert. Die Regelwidrigkeit der Staatsform des Reiches bedeutete eine Zwitterstellung – ›monstro simile‹, die das Reich zw. Monarchie und Föderation schwimmen ließ (›aliquid inter haec duo fluctuans‹, Cap. VI, §9). Eine Zuordnung ›ad simplices rerumpublicarum formas‹ (»zu den einfachen Grundformen der Staaten«, Cap. VI, §1) des aristotelischen Staatsformenschemas war nicht möglich [34. 181, 199]. Das machte es schwierig, die Staatsraison in ihrer Abhängigkeit von der Staatsform zu bestimmen [27. 66–70]. Eine radikale Konsequenz zog Hegel, der Staatsform mit V. gleichsetzt, zw. 1798 und 1802: ›Es ist kein Streit mehr darüber, unter welchen Begriff die dt. V. falle. Was nicht mehr begriffen werden kann, ist nicht mehr‹ [20. 11]. Das war eine Negierung des aristotelischen Formenkanons als maßgebende Autorität. Hegel mißt Deutschland am Kriterium des Machtstaates und meint, ›daß seine V. wohl die schlechteste, sein Zustand eine Anarchie sey‹ [20. 62]. Die Frage des Aristoteles nach der besten V. war jenseits des klass. Staatsformenschemas negativ beantwortet worden.

F. SCHLOSSERS ÜBERSETZUNG DER ARISTOTELISCHEN »POLITIK«

Schlossers Übers. ist wie Hegels Schrift (vgl. oben E.) eine Reaktion auf die Frz. Revolution, aber mit umgekehrten Vorzeichen. Die Aktualisierung dient pädagogischer Ethisierung der Politik, die Schlosser durch die Frz. Revolution und vernunftwidrige ›Leidenschaft‹ in der Diskussion ›zw. den Aristokraten und Demokraten, ... Monarchomachen‹ verloren gegangen sieht [39. I. p. III]. Schlosser nennt die *Politik* des Aristoteles ausdrücklich dessen ›Lehre von den Staats-V.‹, die er gegen die ›Prahleley unsrer Aristokraten ... und Gaukeley unsrer Demagogen‹ im andauernden Streit um die ›beste Staats-V.‹ einsetzen will [39. I. p. V]. Die Aristotelische *Politik* ist für Schlosser Anlaß und Maßstab zur histor. Reflexion über die revolutionäre Mod.

und deren Streit ›über Staatsformen, Revolutionen, Bürgerrechte und Regenten-Pflichten‹ [39. I. p. III], die er unter dem Begriff der »V.« bewertet. Die Differenz zw. ant. und mod. Staat angesichts des Staatsformenwandels in Frankreich ist ihm bewußt und führt zu einem neuen »Bürger«-Begriff, denn der »Staat« verwirkliche sich nicht, wie Aristoteles sage, in einer Vielzahl von Bürgern (pol. 1274 b 41), sondern ›es muß vielmehr umgewandt der Begriff des Staatsbürgers, als ein Beziehungsbegriff, aus dem Begriff des Staats erklärt werden‹ [39. I.218; 36. 300 f.]. Die V. mit Gesetzen bewehren, ›Ruhe und Ordnung erhalten‹ sowie den ›tugendhaften Bürger‹ erziehen sind Topoi, mit denen man ›die Politik des Aristoteles liest‹ [39. I. p. XVII, XXXVII f.]. Soweit könne sich die ›neue Politik von der alten nie entfernen, daß sie auch den Grundsatz der aristotelischen Moral, die Ehrbarkeit, aus den Augen setzen dürfe‹ [39. I. p. XXXIX f.].

G. 19. JAHRHUNDERT

1. FORMELLE UND MATERIELLE VERFASSUNG

Je mehr rechtliche Elemente der individuellen und staatsbürgerlichen Freiheit im Umfeld der Frz. Revolution konkretisiert werden und mit rechtsstaatlichen Garantien der Gewaltenteilung und des jurisdiktionellen Schutzes einen materiellen V.-Begriff formieren, desto mehr wird die Staatsformenlehre zur Frage der formellen V. Das aristotelische Formenschema bleibt aber insofern bedeutsam, als danach gefragt wird, welche der aristotelischen Staatsformen und ihrer trad. Lehre am ehesten der Durchsetzung der materiellen Rechtsprinzipien zu dienen vermögen. Namentlich in bezug auf die Misch-V. werden vor dem Hintergrund von Ständestruktur und Gleichheitssatz Fragen der gesellschaftlichen Gestaltung sowie der polit. Partizipation diskutiert. Das ant. Modell von der gemischten V. konnte hier als Mittel und Zweck des Ausgleichs unter den sozial und polit. Ungleichen [47. 141–156] in Anspruch genommen werden. Die Diskussion spiegelt die konservativen, liberalen und sozialistischen Positionen wider [57. 106–196].

2. VARIANTEN DER STAATSFORMENLEHRE

Varianten der Lehre von den Staatsformen zeigen ein verändertes polit. Gesellschafts- und Staatsbewußtsein zw. Konservativismus und Liberalismus an. C.L. v. Haller reduziert das aristotelische Dreierschema auf die zwei Kategorien ›Fürstenthümer (Einzelherrschaften) oder Republiken (Vielherrschaften, Gemeinwesen) ... Ein drittes ist gar nicht denkbar‹ [18. I. 494]. Die aristotelische Einteilung wird als ›spitzfindig‹, ›unbefriedigend‹ und ›nicht genau‹ verworfen. Aristokratie und Demokratie gelten nur als ›scheinbare Unter-Abtheilungen der Republiken‹ [18. I. 496]. Damit wurde die Demokratie als eigenständige Verfassungsform ausgeklammert: › ... alle Befugniße der Fürsten und Republiken (beruhen) nicht auf anvertrauten, sondern nur auf eigenen persönlichen ... Rechten‹ [18. IV. 563]. Ableitungs- und Legitimationsprobleme konnten so gar nicht entstehen: › ... mit den Fürstenthümern und den

Republiken, ist nämlich die ganze Staats-Wissenschaft, ja wir dürfen sagen, die Theorie aller geselligen Verhältniße vollendet‹ [18. VI. 560]. Dem stellt C. T. Welcker sein modifiziertes aristotelisches Schema der ›dreifachen Verfassungszustände‹ gegenüber: 1) ›Despotie‹ (Monarchie), 2) ›Theokratie‹ (Aristokratie) und 3) ›Rechtsstaat‹ [56. 50 f.]. Er hält die aristotelische ›Eintheilung an sich (für) richtig und wichtig bis auf den heutigen Tag‹, betont 1843 jedoch zugleich, daß ›das ganze Rechtsverhältniß der dreifachen V. ein ganz verschiedenes wurde und wird‹ [56. 68, 51]. Unter Betonung der rechtlichen Kategorien hätte Aristoteles nach Welckers Auffassung ›auf diesem Wege fortschreitend, zu dem Rechtsstaat ... kommen müssen‹ [56. 69]. Aristoteles wurde so zum Vorläufer des liberalen Staatsverständnisses gedeutet und zum Argumentationshelfer für den Rechtsstaat genutzt, ›um das wirkliche Recht und Bedürfniß unserer Zeit sicher zu erfassen. So läßt sich ein gesetzlicher Gang und die Freiheit in der Geschichte vereinigen‹ [56. 73]. Diese Freiheit meinte – neben der harmonischen Ordnung des Staates und der Sittlichkeit – sowohl die privatrechtliche als auch die polit. Freiheit. In »Allg. Staatslehren« setzt sich die aristotelische Staatsformenlehre – uneinheitlich auch als V. bezeichnet – fort, aber mit erkennbarem Diskussionsbezug auf monarchische oder republikanische Parteigängerschaft im Kaiserreich. Das aristotelische ›Zahlenverhältnis‹ wird als Kriterium zur Unterscheidung der einzelnen Staatsformen beibehalten, ›die arithmetische Grenze ... auch als juristische Grenze anerkannt‹; die polit. Einteilung der Staatsformen wird jedoch nach dem ›größten thatsächlichen Übergewicht‹ im Staate beurteilt [35. 188 f.]. H. Rehm entwickelt (1899) für den von ihm favorisierten monarchischen Staat vier ›organisatorische Prinzipien‹, die sämtlich aristotelische Elemente aufnehmen: 1) Ordnung der Herrschaft, 2) Einheit der Staatsgewalt durch Monarchie, 3) Mitwirkung der Untertanen (›Prinzip des Verfassungsstaates‹), 4) soziale Mischung der Volksvertretung [35. 205]. Rehm betont die ›logische‹ Ableitung dieser Prinzipien, wenn sich auch histor. ›die Anf. des konstitutionellen Staatsgedankens schon in der griech. Staatslehre und Staatspraxis finden‹ [35. 206]. Bis in das 20. Jh. bietet die aristotelische Staatsformenlehre Argumentations- und Legitimationsgrundlagen für polit. und verfassungsrechtliche Ordnungsfragen. Noch 1909 erklärt J. Hatschek in einem *Überblick über die Staatsformen der Gegenwart:* ›... trotz aller Modifikationen herrscht bis auf den heutigen Tag Aristoteles‹ [19. 5 f.].

H. Das »Politische« in der Verfassung des 20. Jahrhunderts

Mit der Etablierung der parlamentarischen Demokratie in Deutschland 1919 verlor die ant. Staatsformenlehre als Angebot konkreter V.-Modelle an Aktualität. Die Aristotelische *Politik* galt als ›die immer von neuem ausgebeutete Fundgrube der praktischen Politik‹ [42. 49], und zwar zur Bestimmung des Polit. in der Verfassung. Die Erfahrung diversifizierter Staatlichkeit

unter der Weimarer Reichs-V. bestimmte die Diskussion. Die Staatsformenlehre bildet in der Sicht Carl Schmitts den potentiellen Raum des Polit., in dem die Entscheidungen zw. Herrschern und Beherrschten fallen. In diesem Sinne ›behält die Staatslehre des Aristoteles ihre klass. Bedeutung‹ [43. 216]. C. Schmitt sieht den bürgerlichen Staat 1928 aus zwei Bestandteilen zusammengesetzt: 1) aus dem staatsabwehrenden Schutz der bürgerlichen Freiheit und 2) aus dem ›polit. Bestandteil, aus welchem die eigentliche Staatsform (Monarchie, Aristokratie oder Demokratie oder ein *status mixtus*) zu entnehmen ist‹ [43. 41]. In der Mischung der bürgerlich-rechtsstaatlichen Prinzipien mit den ›polit. Formprinzipien‹ sah er die ›mod. V.‹ gegeben mit der Chance, ›polit. Einheit‹ zu bewirken [43. 216, 21]. R. Smend ging 1923 von der ›Unanwendbarkeit der ant. Staatsformenlehre‹ aus, deren drei Gattungen er als ›Integrationstypen‹ bzw. ›Integrationsfaktoren‹ neu qualifizierte [45. 25, 22; 46. 68]. Um den Staat zur ›Einheit, ... zum Ganzen‹ zu integrieren, wurde die ›statische Staatsform‹ des ant. Staates durch den ›dynamisch-dialektischen‹ Integrationsfaktor ersetzt. Verfassung konnte aus dieser Sicht kein ›mechanistisch objektivierter technischer Apparat‹ sein [46. 85]. Konnte die ant. Staatsformenlehre ›eine Lehre von den reinen Formen der V. sein‹, so bildete Smend diese nun im Sinne einer Misch-V. zu Typen des staatlichen Integrationsvorgangs ›im mod. staatlichen Leben‹ um [45. 25]. Insofern wirkt die Traditionskraft der ant. Formmodelle auch für die Ordnung des »Polit.« bis h. weiter: 1) Im *new constitutionalism* bildet die bürgerschaftliche Teilnahme an den staatlichen und gesellschaftlichen Entscheidungsprozessen ein wesentliches Element, das auf den aristotelischen Bürgerbegriff zurückverweist [33. 27]; 2) in den viel diskutierten Problemen für eine gerechte Gestaltung sozialer Ordnung sowie gesellschaftlicher Solidarität wird zugleich auch eine ›aristotelische Chance für den polit. Geist‹ unserer Zeit gesehen [38. 99].

→ Bürger

1 J. Althusius, Politica methodice digesta, atque exemplis sacris et profanis illustrata, ³1932 (¹1614) **2** Aristoteles, Politik, übers. und eingeleitet von O. Gigon (Bibliothek der Alten Welt), ²1973 **3** H. Arnisaeus, De Republica seu relectiones politicae libri duo ..., Frankfurt 1615 **4** Bartolus, Tractatus de regimine civitatis, in: D. Quaglioni, Politica e diritto nel trecento italiano, 1983, 149–170 **5** J. A. Bergk, Die Konstitution der demokratischen Republik (1796), in: Z. Batscha und J. Garber (Hrsg.), Von der ständischen zur bürgerlichen Gesellschaft, 1981 **6** C. Besold, Synopsis politicae doctrinae, Amsterdam ⁵1643 **7** Ders., Discursus politici, V: De Reipublicae formarum inter sese comparatione; et quaenam earum, praestantior existat?, Straßburg 1641 **8** J. Bleicken, Die athenische Demokratie, ²1994 **9** W. Burgdorf, Reichskonstitution und Nation. Verfassungsreformprojekte für das Hl. Röm. Reich Dt. Nation im polit. Schrifttum von 1648–1806, 1998 **10** Cicero, De re publica (= Werke: 16. Bd.), 1988 **11** H. Denzer, Bodins Staatsformenlehre, in: Ders. (Hrsg.),

Jean Bodin, 1973, 233–244 **12** H. DREITZEL, Protestantischer Aristotelismus und absoluter Staat. Die »Politica« des Henning Arnisaeus (ca. 1576–1636), 1970 **13** J. A. EBERHARD, Über Staats-V. und ihre Verbesserung, 1973 **14** J. S. FREEDMAN, European Academic Philosophy in the Late Sixteenth and Early Seventeenth Centuries. The Life, Significance and Philosophy of Clemens Timpler (1563–1624), Bd. I–II, 1988 **15** M. J. C. FUGMANN, Disputatio politica de mutationibus reipublicae romanae, Wittenberg 1674 **16** H. GRZIWOTZ, Das Verfassungsverständnis der röm. Republik. Ein methodischer Versuch, 1985 **17** Ders., Der mod. Verfassungsbegriff und die »Röm. V.« in der dt. Forsch. des 19. und 20. Jh., 1986 **18** C. L. v. HALLER, Restauration als Staatswiss., Bd. I–VI, Winterthur ²1820–1825 **19** J. HATSCHECK, Allg. Staatsrecht auf rechtsvergleichender Grundlage, 1909 **20** G. W. HEGEL, Über die Reichs-V., hrsg. v. H. MAIER, 2002 **21** G. JELLINEK, Allg. Staatslehre, ²1905 **22** B. KECKERMANN, Systema disciplinae politicae ... seosorsim accessit synopsis disciplinae oeconomicae, Hannover 1608 **23** W. MAGER, Respublica und Bürger. Überlegungen zur Begründung frühneuzeitlicher Verfassungsordnungen, in: Res publica. Bürgerschaft in Stadt und Staat, (= Der Staat/Beih. 8), 1988, 67–84 **24** C. MEIER, Der Wandel der polit.-sozialen Begriffswelt im 5. Jh. v. Chr., in: R. KOSSELECK (Hrsg.), Histor. Semantik und Begriffsgesch., 1978, 193–227 **25** Ders., Res publica amissa. Eine Stud. zur V. und Gesch. der späten röm. Republik, ²1980 **26** H. MOHNHAUPT, Von den »leges fundamentales« zur mod. V. in Europa. Zum begriffsgeschichtlichen Befund (16–18. Jh.), in: Ius Commune 25, 1988, 121–158 **27** Ders., D. GRIMM, V. Zur Gesch. des Begriffs von der Ant. bis zur Gegenwart. Zwei Stud. (= Schriften zur Verfassungsgesch. 47), ²2002 **28** C. d. S. MONTESQUIEU, De l'Esprit des lois, Genf 1748 **29** W. NIPPEL, Mischverfassungstheorie und Verfassungsrealität in Ant. und früher Neuzeit, 1980 **30** PLATON, Gesetze (= Werke: 8. Bd.), hrsg. v. K. SCHÖPSDAU, 1977 **31** PLATON, Der Staat (= Werke: 4. Bd.), hrsg. v. D. KURZ, 1971 **32** POLYBIUS, The histories, 1979 **33** U. K. PREUSS, Der Begriff der V. und ihre Beziehung zur Politik, in: Ders. (Hrsg.), Zum Begriff der V., 1994, 7–33 **34** S. v. PUFENDORF, Die V. des Dt. Reiches, hrsg. v. H. DENZER, 1994 **35** H. REHM, Allg. Staatslehre, Freiburg i. B. 1899 **36** N. RIEDEL, Aristoteles-Trad. am Ausgang des 18. Jh., in: Alteuropa und die mod. Ges., 1963 **37** H. RYFFEL, ΜΕΤΑΒΟΛΗ ΠΟΛΙΤΕΙΩΝ. Der Wandel der Staatsverfassungen, phil. Diss. 1949 **38** J. SCHÄFERS, Ordnungspolit. Aspekte im Wandel der sozialen Frage, in : N. ACHTERBERG et al. (Hrsg.), Recht und Staat im sozialen Wandel. FS für H. U. Scupin, 1983, 85–99 **39** J. G. SCHLOSSER, Aristoteles Politik und Fragment der Oeconomik, 1.–3. Abtheilung, Lübek und Leipzig 1798 **40** J. SCHLUMBOHM, Freiheitsbegriff und Emanzipationsprozeß, 1973 **41** R. SCHMIDT, Die Vorgesch. der geschriebenen Verfassungen, in: Zwei öffentlich-rechtliche Abh. als Festgabe für Otto Mayer, 1916 **42** Ders., Allg. Staatslehre, Bd. I, 1901 **43** C. SCHMITT, Verfassungslehre, 1928 **44** J. SIMLER, De Republica Helvetiorum, Jiguri 1734 **45** R. SMEND, Polit. Gewalt im Verfassungsstaat und das Problem der Staatsform, in: Festgabe der Berliner Juristischen Fakultät für Wilhelm Kahl, 1923, 3–25 **46** Ders., V. und Verfassungsrecht, 1928 **47** D. STERNBERGER, Drei Wurzeln der Politik, 1978

48 M. STOLLEIS, Gesch. des öffentlichen Rechts in Deutschland, I: 1600–1800, 1988 **49** G. STOURZH, Vom aristotelischen zum liberalen Verfassungsbegriff. Staatsformenlehre und Fundamentalgesetze in England und Nordamerika im 17. und 18. Jh., in: Ders., Wege zur Grundrechtsdemokratie, 1989, 1–35 **50** J. thor STRATEN, Systematische Abh. von den Regierungsformen, Flensburg 1760, 288 f. **51** W. SUERBAUM, Vom ant. zum früh-ma. Staatsbegriff, ³1977 **52** THOMAS VON AQUIN, In libros politicorum Aristotelis expositio, hrsg. v. P. M. SPIAZZI, 1951 **53** Ders., Summa theologica, in: Opera omnia, hrsg. v. R. BUSA, Tom. 2, 1980 **54** P. UNRUH, Der Verfassungsbegriff des Grundgesetzes, 2002 **55** J. WEISSENBORN, Über Staatsverfassung und Gesetzgebung, Berlin 1782 **56** C. T. WELCKER, Staats-V., in: K. v. ROTTECK, K. WELCKER (Hrsg.), Staats-Lex., Bd. 15, Altona 1843, 21–82 **57** V. WEMBER, Verfassungsmischung und Verfassungsmitte. Mod. Formen gemischter V. in der polit. Theorie des beginnenden Zeitalters der Gleichheit, 1977 **58** D. WILLOWEIT, Dt. Verfassungsgesch., ³1997 **59** C. ZIEGLER, Wahl-Capitulationes, Frankfurt a. M. 1711.

HEINZ MOHNHAUPT

Verfassungsformen A. EINLEITUNG B. SPÄTANTIKE UND MITTELALTER C. NEUZEIT BIS ZUR FRANZÖSISCHEN REVOLUTION D. 19. UND 20. JAHRHUNDERT

A. EINLEITUNG

Das Schema der V. (auch Staats-, Regierungs-, Herrschaftsformen o. ä), wie es in der Ant. von Aristoteles, Polybios und Cicero ausgebildet worden war, behielt im MA und in der Frühen Neuzeit weitgehend seine Gültigkeit. Mit ihm suchte man noch bis weit ins 18. Jh. die existierenden V. zu begreifen und systematisch zu ordnen. Kein staatsrechtliches Lehrbuch, kein polit. Traktat ist ohne eine längere oder kürzere Berücksichtigung dieses Kapitels der → Politischen Theorie denkbar. Im 16. und 17. Jh. beginnen aber auch, hervorgerufen durch die inneren und äußeren Verhältnisse der Staaten, die Differenzierungen und Modifikationen der alten V.-Lehre. Dieser Prozeß verstärkt sich im 18. Jh. und führt bis zur völligen Auflösung im 20. Jahrhundert.

B. SPÄTANTIKE UND MITTELALTER

Augustinus referiert noch ausführlich das V.-Schema aus Ciceros De re publica (Aug. civ. 2,21). Danach sind aber Aristoteles' und Ciceros Schrift nicht mehr bekannt, und so kann die V.-Lehre erst wieder mit der Aristotelesrezeption des 13. Jh. aufgenommen werden. Durch Wilhelm von Moerbeke werden die griech. Termini ins Lat. [23. 178–182] und (in der 2. H. des 14. Jh.) durch Nicolaus von Oresme erstmals in eine Nationalsprache, das Frz., übertragen [58. 127–150]. Mit Albertus Magnus haben sich die Begriffe für die drei guten V. (*monarchia* bzw. *regnum*, *aristocratia* und *politia*) und die für die drei schlechten V. (*tyrannis*, *oligarchia* bzw. *timocratia* und *democratia*) eingebürgert [3. 237–240]. Thomas von Aquin referiert die Sechs-V.-Lehre (*Summa Theologiae* 1–2,95,4) und hält die Monarchie für die beste Verfassungsform. Frieden und Stabilität werden aber am ehesten durch eine V. garantiert, die aus den drei guten V. zusammengesetzt ist (1–2,105,1). Es findet sich aber auch die uneingeschränkte Bevorzugung der Monarchie [75. 123–125]. Hierin trifft er sich mit den meisten nachfolgenden Autoren des MA, z.B. Aegidius Romanus [2. 453–458], Dante (*Monarchia* 1,12,9–13), Wilhelm von Ockham [22. 794–796], Marsilius von Padua (*Defensor pacis* 1,8) und Aeneas Silvio Piccolomini [33. 66]. Meistens wird das V.-Modell nur kurz erwähnt, damit aber wie selbstverständlich weitergegeben.

C. Neuzeit bis zur Französischen Revolution

In der Frühen Neuzeit bleibt das Schema der sechs V. noch weitgehend in Kraft. Einige Autoren bringen schon wichtige Modifikationen; diese gehen jedoch nur teilweise in die allg. polit. Theorie ein. Niccolò Machiavelli kennt zwar Polybios' Ausführungen über die gemischte V. und übernimmt sie z.T. wörtlich [47. 95–98], sein eigentliches Interesse gilt aber der Stabilität der Regierungen und der Erhaltung der Macht. Und diese letzteren sind verschieden, je nachdem ob es sich um Republiken oder Fürstentümer handelt, und zwar ererbte oder neu erworbene Fürstentümer handelt (*Il principe* 1,1–2; 1532) [47. 5]. Eine stärkere Modifikation erfolgte gegen E. des 16. Jh. durch Jean Bodin. Zunächst lehnt Bodin die Unterscheidung von guten und schlechten V. wie auch den Begriff einer gemischten V. ab. Das einzige Unterscheidungskriterium der V. bildet die Anzahl derer, die die Souveränität im Staat innehaben: ein einzelner (Monarchie), mehrere (Aristokratie) oder alle (Demokratie oder ›estat populaire‹). Ferner unterscheidet Bodin zw. der Form und der Regierung eines Staats: Eine Monarchie kann z.B. demokratisch (›populairement‹) geführt werden, wenn der König einige Ämter an andere ohne Ansehen der adligen Herkunft vergibt; oder sie kann aristokratisch ausgeführt werden, wenn die Ämter an die Adligen verteilt werden. Schließlich unterscheidet Bodin die Monarchien noch danach, ob sie ›royale ou legitime‹ ausgeübt werden, oder ob sie ›seigneuriale‹ geführt werden. Im ersten Fall herrscht der König nach festen Gesetzen und die Untertanen unterstehen nur diesen; im letzteren verfügt der König über die Person und über die Güter seiner Untertanen, herrscht also wie ein Familienvater über seine Diener. Tyrannisch wäre eine Monarchie, wenn sie nicht einmal das → Naturrecht beachtet und die Untertanen wie Sklaven behandelt [9. 252, 272f.]. Für die beiden übrigen V. ist die Unterscheidung aber nicht konsequent durchgeführt [84; 90].

Bodins Trennung von polit. und herrschaftlicher Monarchie geht über Thomas von Aquin bis auf Aristoteles zurück: Dieser unterschied den Monarchen deutlich vom Familienvater, die polit. Herrschaft von der über das Haus (Aristot. pol. 1,5,1254 b 3 f.). In der Frühen Neuzeit beansprucht aber gerade der Absolutismus, daß der König berechtigt sei, wie ein Familienvater über seine Untertanen fürsorglich zu regieren, d.h.

auch ohne die Mitwirkung von Parlament und Ständen [31. 23 f.; 19. 84–86, 93 f.].

In den zahlreichen Lehrbüchern und Abh. zur Politik, die im 16. und 17. Jh. erscheinen, wird die alte V.-Typologie in der Regel noch ungebrochen oder nur mit geringen Veränderungen tradiert, prominent z.B. bei Erasmus von Rotterdam [14. 162f.], Justus Lipsius [43. 58], Francesco Suarez [74. 184], Bartholomäus Keckermann [36. 534–595], Christoph Besold [8. 83–125] und Johannes Althusius, der Bodins Unterscheidung von Form und Regierung des Staats nicht billigt und stattdessen eine andere ›temperata et mixta Reipublicae speciem‹ befürwortet [4. 948]. Von den Reichsstaatslehrern wird das Dt. Reich oft als gemischte V. bezeichnet (z.B.[42. Additiones 95 f.; 87]), gelegentlich aber auch als Aristokratie [10. 21]. Venedig wird ebenfalls als Beispiel für eine gemischte V. angeführt [59. 440f.; 11. 276, 298]. Später erregt Samuel Pufendorf damit Aufsehen, daß er dem Reich nicht mehr eine gemischte V. zuspricht, sondern es als eine Verbindung souveräner Staaten begreift, die zwar von einem König geleitet werde, aber ein ›irregulare aliquid corpus‹ sei [62. cap. 6. §9]. Einige Autoren, die ansonsten an dem hergebrachten V.-Modell festhalten und es weiter ausbauen [7. 164–267], müssen sich aber ausführlich mit Bodin auseinandersetzen, auch wenn sie, anders als er, die herrschaftliche Monarchie (›monarchie seigneuriale‹) verteidigen [6. 550–560; 85]. Der Begriff *democratia* rückt wie bei Polybios im 16. Jh. schon gelegentlich zur Benennung der guten Herrschaftsform aller auf. Die schlechte heißt dann *ochlocratia* [41. fol. 1r]. Unter den drei guten V. wird im allg. die Monarchie eindeutig favorisiert, auch wenn man etwa die gemischte V. für die beste hält. Die »Spitze« des Staats soll nur von einem Einzigen gebildet werden [86].

Ein neuer Einschnitt in der Geschichte der V.-Lehre erfolgt mit Thomas Hobbes. Dieser beurteilt die V. nur danach, welche von ihnen am ehesten Frieden und Sicherheit garantiert, und dieses Staatsziel erfüllt am besten die ›unbeschränkteste Monarchie‹. Die »schlechten« V. sind nur Schimpfnamen für die »guten« [28. 145f.; 29. 185–187]. Bei John Locke überlagert die Frage der Gewaltenteilung die nach der besten V.: Die gesetzgebende Gewalt wird so organisiert, daß sie entweder in der Hand eines einzigen (Monarchie), mehrerer (Oligarchie) oder aller (Demokratie) liegt [44. 287f.]. So verliert im England des 18. Jh. das frühere V.-Modell allmählich an Bed., und stattdessen tritt das Problem der »Ausführung« der Regierung in den Vordergrund. Bezeichnend ist etwa, daß Adam Ferguson die beiden V. der Republik und Monarchie daraufhin untersucht, wie sie die Gleichheit und Unabhängigkeit der Bürger bei gleichzeitiger Wahrung des Gemeinwohls garantieren können [17. 351]. David Hume beobachtet an den zeitgenössischen Staaten, daß sowohl in einer Monarchie als auch in einer Republik Freiheit und willkürliche Ausübung der Macht vorkommen können. Deshalb kommt es ihm weniger auf die äußerliche V. an als auf die in ihr herrschenden Gesetze und die Verwaltung. Die absolute Monarchie und die Demokratie ohne Repräsentation jedoch garantieren die in einem Staat notwendige Freiheit und Stabilität nicht [30. 95 f., 98]. Hume wie auch seine Zeitgenossen zitieren zur Unterstreichung gern einen Ausspruch Alexander Popes: ›For forms of government, let fools contest / What'er best administer'd is best‹ [60. 74].

Im Frankreich des 18. Jh. wird die überlieferte V.-Typologie v. a. durch Montesquieu und Rousseau umformuliert. Charles-Louis de Montesquieu reduziert die früheren sechs V. auf drei bzw. vier: die republikanische, die sich in die Demokratie (wo die Souveränität in der Hand des ›peuple en corps‹ liegt) und die Aristokratie (Souveränität in der Hand eines Teils des Volkes) unterteilt, die Monarchie (Regierung in der Hand eines einzelnen nach festen Gesetzen) und die Despotie (Regierung eines einzelnen ohne Gesetze) [55. 239]. Montesquieu kombiniert also den quantitativen mit dem qualitativen Gesichtspunkt. Diese äußere Form (›nature‹) der V. muß aber durch ein je eigenes ›principe‹ erst in Tätigkeit gesetzt und mit Leben erfüllt werden: in der Demokratie durch die (polit.) Tugend, d. h. die Liebe zum Vaterland und zur Gleichheit, in der Aristokratie durch die Mäßigung, in der Monarchie durch die Ehre, d. h. das Streben nach Auszeichnung, und in der Despotie durch die Furcht (›terreur‹) [55. 250–259, 274 f.]. Jean-Jacques Rousseau nimmt weitere Umstellungen vor. Er nennt jede V. (Demokratie, Aristokratie, Monarchie) ›république‹ bzw. ›républicain‹, wenn sie an die Gesetze als den ›actes de la volonté générale‹ gebunden ist [66. 379 f.]. Die Demokratie, in der die Souveränität beim Volk liegt, ist aber nur für kleine, überschaubare Staaten geeignet; als Wahl-Aristokratie, in der nur die Weisesten regieren, wäre sie eigentlich die beste; sie verlangt aber Mäßigung der Reichen und Zufriedenheit der Armen. Die Monarchie ist für große Staaten geeignet, leidet aber darunter, daß in der Person des Königs nicht unbedingt eine gute Regierung garantiert ist [66. 404–413]. Rousseau empfiehlt also keine bestimmte V. schlechthin, sondern nur eine solche, die der Größe des Landes und dem Reichtum seiner Bewohner angemessen ist [66. 415]. Oberste Regel eines ›gouvernement légitime ou populaire‹ muß die Orientierung am Gemeinwillen sein [65. 247].

Andere Reformer, die den Absolutismus einzuschränken oder zu überwinden suchen, greifen noch auf die ant. gemischte V. als Vorbild zurück und empfehlen für Frankreich eine Mischung von Monarchie und Demokratie [5. 164] bzw. Aristokratie und Demokratie, wobei man sich entweder am ant. Rom [45. 287 f.] oder an den neu gebildeten Vereinigten Staaten von Amerika orientiert [46. 379]. Die Gründungsväter der USA selbst aber begreifen ihr Staatswesen in der Regel ohne Bezug auf das ant. V.-Modell als Republik oder repräsentative Demokratie, wenn sie auch einige Anleihen bei früheren Autoren wie z. B. Montesquieu machen (→ United States) [24. 97, 114 f., 244 f.].

In Deutschland wird bis zur Mitte des 18. Jh. die alte V.-Lehre noch oft weitergeführt, etwa bei Christian Wolff [80. 90–292; 79. 175–179], Johann Gottlieb Heineccius [27. 405–407], Georg Achenwall und Johann Stephan Pütter [1. 785–829]. Mehr und mehr verliert sie aber auch hier an Bed., so daß etwa Friedrich Carl von Moser behaupten kann, ›daß die verschiedene Regierungs-Formen nicht den richtigen Maas-Stab zu Beurtheilung der Freyheit oder Knechtschaft eines Volcks darreichen‹ [56. 179 f.]. Und Moses Mendelssohn antwortet auf die Frage nach der besten V.: ›Für jedes Volk, auf jeder Stufe der Cultur, ... ist eine andere Regierungsform die beste‹. Entscheidend sind ›Sitten und Gesittungen‹ der Bürger [50. 268]. Honoré-Gabriel de Mirabeau erwidert darauf, daß eine ›république bien constituée‹ jeder Monarchie und erst recht jeder Willkürherrschaft (Despotie oder Anarchie) vorzuziehen sei [52. 54 f.].

In der Frz. → Revolution erhalten die Begriffe »Republik« und »Demokratie« eine emphatisch positive Besetzung, gerade auch in Opposition zu »Aristokratie« und »Despotie«. Diese letzteren werden, wie ein dt. Beobachter feststellt, zu ›Beschuldigungen‹; durch den Gebrauch dieser Bergriffe mache man sich ›verdächtig‹ [71. 45 f.]. Eine breite Diskussion über eine bestimmte V. wird aber in der Revolution nicht geführt. Lediglich vor der Abschaffung der Monarchie debattiert man über sie. Jean-Joseph Mounier, der Präsident der Nationalversammlung, befürwortet eine konstitutive Monarchie, nicht zuletzt deshalb, weil sie vor dem ›Volksdespotismus‹ schützt [57. 91–96]. Und Louis-Sébastien Mercier plädiert für eine durch die Monarchie gemäßigte Demokratie, schließt also die Aristokratie ganz aus, weil diese für alle früheren Übel verantwortlich sei [51. 84]. Mirabeau wiederum sieht in der Verteilung der Gewalten den Hauptunterschied der V.; im übrigen sind auch die Monarchien ›en un certain sens ... républiques‹. Schlecht sind nur der Despotismus und die Anarchie [53. 157].

Die wohl entscheidende Durchbrechung der alteurop. V.-Typologie erfolgt durch Immanuel Kant, der damit auch die Veränderungen der Frz. Revolution in Rechnung stellt. Kant unterscheidet zunächst die V. oder ›Form(en) der Beherrschung‹, nämlich ›Autokratie‹ (dieser Begriff steht hier für ›Monarchie‹), ›Aristokratie und Demokratie‹, von der ›Form der Regierung (forma regiminis)‹; letztere entscheidet darüber, wie der Wille des Volks ermittelt wird und der Staat seine Macht ausübt. Dies kann entweder ›republikanisch oder despotisch‹ geschehen, d. h. durch gewaltenteiligen Beschluß der Gesetze oder als ›eigenmächtige Vollziehung des Staats von Gesetzen, die er selbst gegeben hat‹. Dann gilt nur der ›Privatwille‹ des Herrschenden als Gesetz. Im ›Republikanism‹ dagegen wird das Gesetz durch die Repräsentanten ermittelt, die damit nicht ihr bloßes Eigeninteresse vertreten. Weil in der Autokratie die Anzahl der Herrschenden gering ist, ist sie für Kant am ehesten republikanisch; die (nicht-repräsentative) Demokratie ist dagegen ›nothwendig ein Despotism‹, ›weil da Alles Herr sein will‹. Popes Diktum kann somit richtig sein, wenn es die Regierungsform meint (freilich ist es dann eine Tautologie); es ist ›grundfalsch‹, wenn es bloß auf die Staatsform bezogen wird. Denn es mag einzelne ›Exempel‹ von gut geführten Staaten geben; sie ›beweisen‹ aber noch ›nichts für die Regierungsart‹ [34. 352 f.]. Die Staaten müssen auf der Gewaltenteilung und Repräsentation basieren: ›Alle wahre Republik aber ist und kann nichts anders sein als ein repräsentatives System des Volks‹. Die Namen der alten V. sind ›nur der Buchstabe‹, und ›sie mögen also bleiben‹, wenn nur die ›Regierungsart‹ nach der Idee ›der einzig rechtmäßigen Verfassung, nämlich der einer reinen Republik‹ organisiert wird [35. 341 f.; 81. 350–360; 82; 83].

D. 19. UND 20. JAHRHUNDERT

Obwohl einige Autoren die ant. V. weiterhin für gültig erachten [13. 3], wird Kants Transformation der V.-Lehre von anderen rezipiert und weitergeführt, z. B. von Wilhelm Traugott Krug [38], Johann Benjamin Erhard [15] und Friedrich Schlegel [67]. Johann Gottlieb Fichte zieht noch weitergehende Konsequenzen: Wenn der Staatszweck, Freiheit und Gleichheit aller Bürger, erreicht ist, ist es eigentlich gleichgültig, ob die Regierung ›in den Händen Aller oder … mehrerer oder … in der eines Einzigen ruhe‹ [18. 315 f.]. Und Friedrich Daniel Ernst Schleiermacher stellt fest, daß die ›neueren großen Verfassungen‹ nicht mehr unter das alte V.-Schema subsumiert werden können. Die gegenwärtige Staatsform wird für Schleiermacher wesentlich im Zusammenwirken der beiden (einzig selbständigen) Gewalten, der gesetzgebenden und der vollziehenden, bestehen müssen [68. 246–286]. Auch für Georg Wilhelm Friedrich Hegel hat ›die alte Einteilung der Verfassungen‹ ihre Berechtigung verloren; die Frage nach der besten V. ist ›müßig‹ geworden; von ›solchen Formen kann nur histor. Weise die Rede sein‹, auch wenn Modifikationen daran zu ihrer Zeit wertvoll waren [26. 254, 276, 282]. Das ›Prinzip unserer Zeiten‹ ist in jeder Verfassung, die so genannt werden will, die Freiheit als die im Staat aufgehobene Entgegensetzung von Volk und Regierung. Dadurch sind die früheren Unterscheidungen der V. in Demokratie, Aristokratie und Monarchie ›abstrakt‹ geworden [25. 142 f.]. Bei Hegels Schüler Eduard Gans hat das ant. V.-Modell ebenfalls nur noch ein histor. Interesse [21. 172].

Die zahlreichen V.-Typologien, die im 19. Jh. noch entworfen werden, müssen deshalb in der Regel neue Begriffe zu Hilfe nehmen, um die polit. Wirklichkeit angemessen begreifen zu können. Bei Karl Theodor Welcker z. B. spielen die alten Bezeichnungen nur eine untergeordnete Rolle; entscheidend ist die histor. Entwicklung der V.: von der anfänglichen Despotie über die Theokratie zum Rechtsstaat als dem ›Staat der Vernunft‹ in der Gegenwart [77. 12–26, 100 f.; 78. 382, 385]. Eine ähnliche geschichtliche Bewegung kennt Robert von Mohl; sie verläuft allerdings von den ›patriarchalischen Staaten‹ des ›Familien- und Stammesle-

bens‹ über die ›Patrimonialstaaten‹, die Theokratien des klass. Alt. und die Despotien zum Rechtsstaat der Neuzeit [54. 4 f.]. Auch die von Pierre-Joseph Proudhon aufgestellten vier V. der Monarchie (d. h. des Patriarchats), der Panarchie (des Kommunismus), der Demokratie und der Anarchie (Selbstregierung) werden in einem histor. Verlaufsprozeß gedacht: Sie lassen sich nämlich auf zwei Prinzipien, die Herrschaft der Autorität und die der Freiheit zurückführen, und diese befinden sich im ständigen Kampf miteinander. Erst in einer auf dem Prinzip der Föderation beruhenden Gesellschaft kommen sie zum Ausgleich [61. 30–70].

Unterdessen wird die klass. V.-Lehre noch bei einigen liberalen Staatsrechtslehrern, wenn auch mit Modifikationen, restituiert, so bei Friedrich Christoph Dahlmann [12. 48], Carl von Rotteck [64. 208] und Wilhelm Roscher [63. 8]. Sie dient selbst Autoren wie Julius Fröbel noch zur Vorlage, die nicht, wie sonst häufig die Monarchie favorisieren, sondern die Demokratie als höchste Form im ›Reich der Sittlichkeit‹ bezeichnen [20. 63–70]. Sie kann jedoch dort nicht mehr greifen, wo man von der grundlegenden Differenz von Gesellschaft und Staat ausgeht: Lorenz von Stein erkennt in der Aristokratie und Demokratie nicht mehr nur Staats- oder V., sondern zwei große Prinzipien, die auf der Ebene der Gesellschaft miteinander kämpfen: das Prinzip der Erhaltung und Ordnung einerseits und das der Bewegung und des Neuen andererseits. Dies sind ›die beiden großen Principien, nach denen sich die ganze Menschheit … fortbewegt‹ [73. 76, 86]. Ihr Ausgleich erfolgt erst durch den Staat: das Königtum der sozialen Reform oder, für den Fall seines Scheiterns, in der die Volkssouveränität darstellenden Republik [72. 11, 134]. Damit werden bei Stein aus den früheren Staats- bzw. V. Prinzipien der gesellschaftlichen Dynamik, zu deren Versöhnung der Staat bestimmt ist [88]. Karl Marx geht noch einen Schritt weiter: Da er die Trennung von Staat und Gesellschaft nicht gelten läßt, ist für ihn die Demokratie keine V. mehr, sondern ›das Wesen aller Staatsverfassung‹, ›das aufgelöste Rätsel aller Verfassungen‹ [48. 231]. Darüber hinaus sind alle Debatten über V. überholt: ›Alle Kämpfe innerhalb des Staats, der Kampf zw. Demokratie, Aristokratie und Monarchie … (sind) nichts als die illusorischen Formen …, in denen die wirklichen Kämpfe der verschiedenen Klassen untereinander geführt werden‹ [49. 33].

Im 20. Jh. nimmt man zwar auch noch gelegentlich das alte V.-Modell zum Ausgangspunkt, muß es aber immer weiter abändern oder differenzieren, um mit ihm die staatliche und verfassungsmäßige Realität angemessen zu verstehen. Georg Jellinek will über es ›hinauskommen‹, indem er nur noch zwei Grundtypen von V., die Monarchie und die Republik, anerkennt, die dann in viele Unterformen geteilt werden. In der Identität von Staats- und V. sieht er aber ein von der Ant. her fortwirkendes Element [32. 661, 665]. Bei Max Weber jedoch treten an die Stelle der V. die drei reinen Typen der legitimen Herrschaft: die rationale (legale), traditionale und charismatische [76. 124]. Rudolf Smend hält die alte V.-Lehre für ›unanwendbar‹. Er sieht statt dessen im neueren Parlamentarismus eine ›Staatsform für sich‹, da dieser einen ›Integrationsfaktor‹ gesellschaftlicher Gegensätze bildet [70. 85 f.]. Für Carl Schmitt ist zwar die ›Verfassung des mod. bürgerlichen Rechtsstaates immer eine gemischte Verfassung‹; die Weiterentwicklung der Monarchie und Demokratie zur konstitutionellen V. bedeutet aber, daß keine der beiden V. rein verwirklicht ist, vielmehr wird sie immer ›durch die rechtsstaatlichen Prinzipien gehemmt‹ erscheinen [69. 200–202]. Selbst das Werk Hans Kelsens, das von der ant. Einteilung ausgeht und die einzelnen V. der Monarchie, Republik, Autokratie und Demokratie weitläufig untersucht [37. 320 f., 370 f.], ist eher ein Zeugnis dafür, daß die V.-Lehre keinen Anspruch auf Gültigkeit mehr erheben kann.

Nach dem II. Weltkrieg legen sie zwar noch einige Autoren zugrunde [40. 100]; die zahlreichen dann notwendig werdenden Unterscheidungen und Spezifikationen, z.B bei Erich Küchenhoff [39], bedeuten aber, daß die unterschiedlichen ›Herrschaftssysteme‹, wie es Theodor Eschenburg formuliert, sich nicht mehr in die überlieferten ›Schablonen‹ [16. 275] zwängen lassen.
→ Herrscher; Tyrannis; Verfassung; Völkerrecht
→ AWI Verfassung

QU 1 G. ACHENWALL, J. ST. PÜTTER, Elementa iuris naturae, Göttingen ²1753 2 AEGIDIUS ROMANUS (EGIDIO COLONNA), De regimine principum, hrsg. v. H. SAMARITANUS, 1607, Ndr. 1967 3 ALBERTUS MAGNUS, Commentarii in octo libros politicorum Aristotelis III, 5, Opera omnia, hrsg. v. A. BORGNET, Bd. 8, Paris 1891 4 J. ALTHUSIUS, Politica methodice digesta, ³1614, Ndr. 1961 5 R.-L. D'ARGENSON, Considérations sur le gouvernement ancien et présent de la France (1764); dt. in: Ders., Polit. Schriften, hrsg. v. H. HÖMIG, 1985 6 H. ARNISAEUS, De republica, Frankfurt a.M. 1615 7 Ders., Doctrina politica, Amsterdam ²1651 8 CH. BESOLD, Synopsis politicae doctrinae (1637), hrsg. v. L. BOEHM, 2000 9 J. BODIN, Les six livres de la république, 1583, Ndr. 1961 10 B. PH. VON CHEMNITZ, Dissertatio de ratione status, Freistad 1647 11 G. CONTARINI, De magistratibus et republica Venetorum (1543), in: Ders., Opera, 1571, Ndr. 1968 12 FR. CHR. DAHLMANN, Die Politik (1835), hrsg. v. M. RIEDEL, 1968 13 J. A. EBERHARD, Über die Freyheit des Bürgers und die Principien der Regierungsformen, in: Ders., Vermischte Schriften, Bd. 1, Halle 1784 14 D. ERASMUS VON ROTTERDAM, Institutio principis christiani (1515), in: Ders., Opera omnia, Bd. IV/1, 1974 15 J. B. ERHARD, Über freiwillige Knechtschaft und Alleinherrschaft, Berlin 1821 16 TH. ESCHENBURG, Staat und Ges. in Deutschland, 1963 17 A. FERGUSON, An essay on the history of civil society (1767); dt.: Versuch über die Gesch. der bürgerlichen Ges., hrsg. v. H. MEDICK, 1986 18 J. G. FICHTE, Die Grundzüge des gegenwärtigen Zeitalters (1804), Gesamtausgabe, hrsg. v. der BAYERISCHEN AKAD. DER WISS., Bd. I/8, 1991 19 R. FILMER, Patriarcha (1635), hrsg. v. P. LASLETT, 1949 20 J. FRÖBEL, System der socialen Politik, Bd. 2, Mannheim ²1850 21 E. GANS, Dt. Staatsrecht (1834), in: Ders., Philos. Schriften, hrsg. v. H. SCHRÖDER, 1971 22 M. GOLDAST (Hrsg.), Monarchia S. Romani imperii, 1611–1614, Ndr.

1967 23 GUILELMI DE MOERBEKA, Aristotelis Politicorum libri octo cum vetusta translatione, hrsg. v. F. SUSEMIHL, Leipzig 1872 24 A. HAMILTON, J. MADISON, J. JAY, The Federalist papers, hrsg. v. B. ZEHNPFENNIG, 1993 25 G. W. F. HEGEL, Vorlesungen über die Philos. der Weltgesch., Bd. 1: Die Vernunft in der Gesch., hrsg. v. J. HOFFMEISTER, 1955 26 Ders., Grundlinien der Philos. des Rechts (1821), Sämtliche Werke, Jubiläumsausgabe, hrsg. v. H. GLOCKNER, Bd. 7, ⁴1967 27 J. G. HEINECCIUS, Elementa iuris naturae et gentium (1738); dt.: Grundlagen des Natur- und Völkerrechts, hrsg. v. CH. BERGFELD, 1994 28 TH. HOBBES, De cive (1642), hrsg. v. G. GAWLICK, 1959 29 Ders., Leviathan (1651), hrsg. v. I. FETSCHER, 1966 30 D. HUME, Essays (1753/54), Philosophical Works, hrsg. v. TH. H. GREEN, TH. H. GROSE, 1882–1886, Ndr. 1964, Bd. 3 31 JAMES I., Basilikon doron (1599), in: Ders., Political works, hrsg. v. CH. MCILWAIN, 1965 32 G. JELLINEK, Allg. Staatslehre, 1900, ³1921 33 G. KALLEN, A. S. Piccolomini als Publizist, 1939 34 I. KANT, Zum ewigen Frieden (1795), Gesammelte Schriften, Akad.-Ausgabe, Bd. 8, 1912 35 Ders., Die Metaphysik der Sitten (1797), Gesammelte Schriften, Akad.-Ausgabe, Bd. 6, 1907 36 B. KECKERMANN, Systema disciplinae politicae, Hannover 1616 37 H. KELSEN, Allg. Staatslehre, 1925 38 W. T. KRUG, Über Staats-V. und Staatsverwaltung, Königsberg 1806 39 A. KÜCHENHOFF, Möglichkeiten und Grenzen begrifflicher Klarheit in der Staatsformenlehre, 2 Bde., 1967 40 R. LAUN, Allg. Staatslehre im Grundriß, ⁹1964 41 H. LAUTERBECK, Regentenbuch, Leipzig 1559 42 J. LIMNAEUS, Juris publici imperii Romano-Germanici libri IX, Straßburg 1629–1634, ⁴1699, Bd. 1 43 J. LIPSIUS, Politicorum sive civilis doctrinae libri sex (1589), letzte Auflage Antwerpen 1615 44 J. LOCKE, Two treatises of government (1690); dt.: Zwei Abh. über die Regierung, hrsg. v. W. EUCHNER, 1967 45 G.-B. DE MABLY, De la législation ou principes des lois (1776), Œuvres complètes 1794/95, Ndr. 1977, Bd. 9 46 G.-B. DE MABLY, Observations sur le gouvernement et les lois des états unis d'Amérique (1784), Œuvres complètes, 1794/95, Ndr. 1977, Bd. 8 47 N. MACHIAVELLI, Opere, hrsg. v. M. BONFANTINI, 1963 48 K. MARX, Kritik des Hegelschen Staatsrechts (1843), MEW, Bd. 1, 1972 49 Ders., F. ENGELS, Die dt. Ideologie (1845/4), MEW, Bd. 3, 1973 50 M. MENDELSSOHN, Jerusalem oder über rel. Macht und Judentum (1783), Gesammelte Schriften, Jubiläumsausgabe, Bd. 8, 1983 51 L.-S. MERCIER, De J.-J. Rousseau, considéré comme l'un des premiers auteurs de la révolution, Paris 1791, Bd. 2 52 H.-G. DE MIRABEAU, Sur Moses Mendelssohn, sur la réforme politique des Juifs, 1787, Ndr. 1968 53 Ders., Sur l'élection et l'institution des juges (Rede in der Nationalversammlung vom 5.5.1790), Œuvres, Bd. 2, Paris 1834 54 R. v. MOHL, Die Polizei-Wiss. nach den Grundsätzen des Rechtsstaates, Bd. 1, Tübingen ³1866 55 CH.-L. DE MONTESQUIEU, De l'esprit des loix (1748), Œuvres complètes, hrsg. v. R. CAILLOIS, 1949–1951, Bd. 2 56 F. C. V. MOSER, Beherzigungen, Frankfurt a.M. ³1763 57 J.-J. MOUNIER, Considérations sur les gouvernements (1789); dt. Betrachtungen über die Staats-V., mit Zusätzen v. G. HUFELAND, Jena 1791 58 MAISTRE NICOLE ORESME, Le livre de Politiques d'Aristote, hrsg. v. A. D. MENUT, 1970 59 P. PARUTA, Della perfettione della vita politica, neue Auflage, Venedig 1586 60 A. POPE, An essay on man (1744), engl.-dt. hrsg. v. W. BREIDERT, 1993 61 P.-J. PROUDHON, Du principe fédératif, Paris 1863 62 S. PUFENDORF,

Dissertatio de republica irregulari, Lund 1668
63 W. ROSCHER, Politik, Stuttgart ²1893 **64** C. v. ROTTECK,
Lehrbuch des Vernunftrechts und der Staatswiss., Stuttgart
²1840 **65** J.-J. ROUSSEAU, Discours sur l'économie politique
(1755), Œuvres complètes, hrsg. v. B. GAGNEBIN,
M. RAYMOND, 1959–1995, Bd. 3 **66** Ders., Du contrat social
(1762), in: Œuvres complètes, hrsg. v. B. GAGNEBIN,
M. RAYMOND, 1959–1995, Bd. 3 **67** FR. SCHLEGEL, Versuch
über den Begriff des Republikanismus (1796), Kritische
Friedrich-Schlegel-Ausgabe, hrsg. v. E. BEHLER, Bd. 7, 1966
68 FR. D. E. SCHLEIERMACHER, Ueber die Begriffe der
verschiedenen Staatsformen (1814), Sämmtliche Werke, 3.
Abteilung, Bd. 2, Berlin 1838 **69** C. SCHMITT,
Verfassungslehre, 1928, ³1957 **70** R. SMEND, Die polit.
Gewalt im Verfassungsstaat und das Problem der Staatsform
(1923), in: Ders., Staatsrechtliche Abh., ²1968, 58–88 **71** J. v.
SONNENFELS, Hdb. der inneren Staatsverwaltung, Bd. 1,
Wien 1798 **72** L. v. STEIN, Gesch. der sozialen Bewegung in
Frankreich von 1789 bis auf unsere Tage (1850), hrsg. v.
G. SALOMON, 1921, Bd. 3 **73** Ders., Demokratie und
Aristokratie (1854), in: Ders., Schriften zum Sozialismus,
hrsg. v. E. PANKOKE, 1974 **74** F. SUAREZ, Tractatus de legibus
et legislatore Deo, in: Ders., Opera omnia, Bd. 5, Paris 1856
75 THOMAS VON AQUIN, De rege, Opera omnia, editio
Leonina, Bd. 42, 1979 **76** M. WEBER, Wirtschaft und Ges.,
²1925 **77** K. TH. WELCKER, Die letzten Gründe von Recht,
Staat und Strafe, 1813, Ndr. 1964 **78** Ders., s. v.
Staatsverfassungen, in: Das Staats-Lex., hrsg. v.
C. ROTTECK, C. WELCKER, Altona ²1845–1848, Bd. 12,
363–387 **79** CH. WOLFF, Vernünfftige Gedancken von dem
gesellschafftlichen Leben der Menschen (⁴1736),
Gesammelte Werke, I. Abteilung, Bd. 5, 1975 **80** Ders., Jus
naturae (1738), Gesammelte Werke, II. Abteilung, Bd. 24,
1968

LIT **81** G. BIEN, Revolution, Bürgerbegriff und Freiheit.
Über die Transformation der alteurop. V.-Theorie, in:
Philos. Jb. 79, 1972, 1–18 **82** Ders., Die Grundlegung der
polit. Philos. bei Aristoteles, 1973 **83** Ders., s. v.
Herrschaftsformen, in: HWdPh, Bd. 3, 1974, Sp. 1096–1099
84 H. DENZER, Bodins Staatsformenlehre, in: Ders. (Hrsg.),
Jean Bodin. Verhandlungen der internationalen Bodin
Tagung in München, 1973, 233–244 **85** H. DREITZEL,
Protestantischer Aristotelismus und absoluter Staat, 1970
86 Ders., Monarchiebegriffe in der Fürstenges., 1991
87 R. HOKE, Die Reichsstaatslehre des Johannes Limnaeus,
1968 **88** G. MALUSCHKE, Lorenz von Steins
Staatsformenlehre, in: R. SCHNUR (Hrsg.), Staat und Gesell.,
1978, 223–243 **89** W. NIPPEL, Mischverfassungstheorie und
Verfassungsrealität in Ant. und früher Neuzeit, 1980
90 H. QUARITSCH, Staat und Souveränität, 1970.

ULRICH DIERSE

Vergina. Die mod. griech. Ortschaft an den nördl.
Ausläufern des Pieria-Gebirges in Makedonien wurde
durch die Entdeckung der großen intakten »maked.«
Kammergräber im Bereich des Dorfes bekannt. Am östl.
Rand von V. liegen die Ruinen des ant. Aigai, der ersten
Hauptstadt des maked. Königreichs. Dieser Ort sowie
die Reste seines Hauptmonuments, des Palastes, waren
der einheimischen Bevölkerung noch unter dem Namen Palatítsia (von τα παλάτια, »Paläste«) bekannt [8; 1],
als der frz. Archäologe L. Heuzey in der Mitte des 19. Jh.
die erste kurze Grabung durchführte. Er entdeckte ei-

nen Teil des Palastes und das erste, inzwischen nach ihm
benannte Kammergrab [8].

Nach der Befreiung Makedoniens von der türk.
Herrschaft und der Gründung der Aristoteles-Univ.
Thessaloniki im J. 1938 übernahm die Arch. Abteilung
der Univ. die Grabungs- und Forschungsarbeiten in
Vergina. Die Professoren der Arch. in Thessaloniki, K.
Romaios (1938–1950), M. Andronikos (1952–1992), G.
Bakalakis (1952–1991), D. Pantermalis (1969–1971), S.
Drougou (seit 1976), Chr. Saatsoglou (seit 1977) und P.
Phaklaris (seit 1979) arbeiteten dort und erforschten
eine große Zahl von Monumenten und anderen arch.
Materialien [2; 4; 6].

Die arch. Stätte von V. besteht aus zwei Bereichen:
der befestigten Stadt und ihrer ausgedehnten und reichen Nekropole. Die Abhänge der Pieria-Berge verlaufen in Stufen zum Aliakmon hinab und geben der Stadt
ihre Form (Abb. 1). Auf einer kleinen Terrasse oberhalb
der Stadt lag der Palast, ein Gebäude mit beträchtlichen
Ausmaßen (104,5 m × 88,5 m), dessen prunkvolle Räume sich um einen dorischen Peristylhof gruppierten.
Einige der Räume waren mit Kieselmosaikböden
(Abb. 2) und Marmorschwellen ausgestattet; die Wände
bestanden aus z. T. farbig verputzten Lehmziegeln und
standen auf einem Fundament aus porösem Kalkstein.

Neben der monumentalen Eingangspassage mit
Doppelsäulen in der Mitte des Ostflügels ist bes. das
Heiligtum des Palastes, die Tholos, hervorzuheben.
Den gefundenen Inschr. zufolge wurde hier wahr-
scheinlich der Patroos Herakles verehrt. Ein weiteres
interessantes Charakteristikum des Palastes ist ein an der
Nordseite vorgebautes Kalksteinpodium, das als eine
große Terrasse interpretiert wird, von der aus man einen
hervorragenden Blick auf die Stadt und die Ebene des
Aliakmon hatte. Der Palast selbst wird h. in die Zeit
Philipps II. (359–336 v. Chr.) datiert.

Nördlich des Palastes, in einer Entfernung von ungefähr 50 m und sehr nahe an der westl. Stadtmauer von
Aigai gelegen, wurde 1982 das Theater der ant. Stadt
entdeckt, das nach den Grabungsindizien ein frühes
Theater erkennen läßt, welches sehr wahrscheinlich
gleichzeitig mit dem Palast gebaut wurde. Der Zuschauerraum öffnet sich nach Norden und wurde bis auf
die erste Sitzreihe nie in Stein ausgeführt, obwohl er
durch schmale gepflasterte Korridore in neun Sitzrei-
henkeile (*kerkídes*) geteilt war. Aus Stein gebaut waren
auch die seitlichen Zugänge (*párodoi*) und das Bühnengebäude (*skēnē*), die nur noch schlecht erhalten sind. In
der Mitte der Orchestra ist noch h. die Basis des Dionysos-Altars (*thymélē*) zu sehen (Abb. 3). Die Datierung
der Gebäudereste sowie ihre unmittelbare Nachbarschaft zur ant. Stadtmauer lassen vermuten, daß es sich
um jenes Theater handelt, in dem Philipp II. 336 v. Chr.
ermordet wurde (Diod. 16,91–94).

Wenige Meter nördl. des Theaters wurden 1982 die
ersten Reste des Eukleia-Heiligtums gefunden, das sich
auf der Agora der Stadt befand. Es wurden dort Mar-

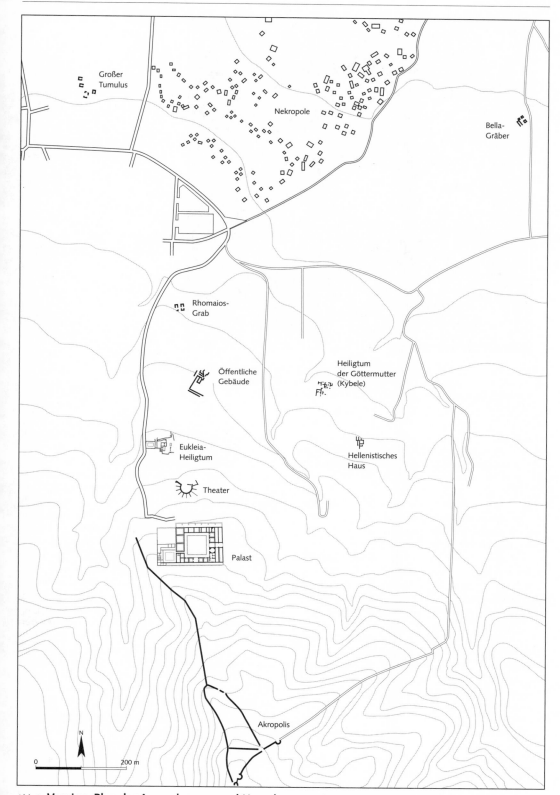

Abb.1: **Vergina. Plan der Ausgrabungen und Umgebung** (nach G. Gatsios, A. Saayah)

Abb. 2: Einige Räume des Palastes waren mit Mosaikfußböden und marmornen Türschwellen ausgestattet. Das gut erhaltene Mosaik in Raum E spielt mit komplizierten Pflanzenmotiven. Zeichnung Christos Lefakis

morbasen von königlichen Weihgeschenken entdeckt, wie die Inschr. verraten. Die freigelegten Fundamente gehören zu zwei kleinen Tempeln, einem Altar sowie kleinen Hallen. Die Baukomplexe des Heiligtums und der Agora können vom 4. Jh. v. Chr. bis in die Römerzeit datiert werden.

Eine der wichtigsten Kultstätten der Stadt wurde 1990 entdeckt und in den folgenden J. erforscht. Es handelt sich um das hell. Heiligtum der Göttermutter (Kybele). Eine entsprechende Inschr. auf einem schwarzgefirnisten Kantharos, der bei den Grabungen gefunden wurde, ermöglichte die Identifizierung, die auch durch die zahlreichen gefundenen Tonfiguren der Göttin bestätigt wird. Andere Funde wie auch die Kulträume selbst weisen auf den mystischen Charakter des Kultes der Göttermutter hin.

In den letzten J. ist die nördl. und östl. Mauer der Stadt mit beeindruckenden Ergebnissen ausgegraben worden. Ein Teil dieser Mauer wie auch die befestigte Akropolis oberhalb des Palastes waren schon im 19. Jh. bekannt und von Heuzey beschrieben worden. Insgesamt ergibt sich h. das Bild einer großen und bedeutenden Stadt.

Die Nekropole von Aigai erstreckt sich nicht nur über ein sehr weitläufiges Gebiet, sondern wurde auch über einen langen Zeitraum hinweg benutzt (10. Jh. v. Chr. bis in die röm. Kaiserzeit). In der Mitte des 20. Jh. (1952–1957) fanden die Archäologen M. An-

dronikos und Ph. Petsas eine beträchtliche Anzahl von Grabhügeln aus der Eisenzeit (10. Jh. v. Chr. bis 7. Jh. v. Chr.), die interessante neue Erkenntnisse über diese frühe Epoche des maked. Königtums lieferten.

Eine Reihe von Gräbern aus archa. und klass. Zeit mit reichen Beigaben (Schmuckstücke, Geräte, Tonfiguren und importierte Keramik) lassen die beginnende Blütezeit der maked. Kultur erkennen. Die Ausgrabung des »Großen Tumulus« (Megale Toumba) in den J. 1976–1980 durch M. Andronikos führte zur Entdeckung der beiden intakten Kammergräber (Philippsgrab und »Prinzen«-Grab) mit reichen Beigaben und bes. Kunstwerken (z. B. Wandmalereien, Metallkunst, etc.). Daneben wurden innerhalb der Megale Toumba noch ein »Kistengrab« mit Wandmalereien (das »Persephone«-Grab) und ein stark zerstörtes Kammergrab mit freistehenden Säulen vor der Fassade entdeckt.

Das größere der beiden Kammergräber wird aufgrund der gefundenen Keramik in das dritte Viertel des 4. Jh. v. Chr. datiert. Zahlreiche Indizien deuten darauf hin, daß es sich um das Grab Philipps II. handelt. Hauptmerkmal des Grabes ist das beeindruckende Wandgemälde auf der dorischen Fassade mit der vielfigurigen Darstellung einer Löwenjagd, das ein großer Meister des 4. Jh. angefertigt hat (→ Klassische Archäologie II. Neue Funde, Abb. 6). Neben Waffen und Möbeln aus Gold und Elfenbein begleitete auch reichlich verziertes Symposiumsgeschirr aus Silber und Bronze den Toten, des-

Abb. 3: Das Theater, Blick von Nordosten. Im Vordergrund sind die Reste der *skene*
zu erkennen, links der östliche Durchgang. In der Mitte der Orchestra befindet sich
die Basis des Dionysos-Altars (*thymélē*). Foto Makis Skiadaressis

sen Gebeine in eine goldene Truhe gelegt waren
(Abb. 4). Obwohl kleiner und jünger, wurden auch im
zweiten Kammergrab des Tumulus (»Prinzen«-Grab)
zahlreiche Metallgefäße, Waffen und Möbel gefunden.
Aufgrund der Wandmalerei ist der Innenraum des »Persephone«-Grabes in die Mitte des 4. Jh. v. Chr. datiert
worden.

Eine Reihe von weiteren monumentalen Kammer-
gräbern mit ausgezeichneten Malereien (u. a. »Bella«-
Gräber, »Eurydike«-Grab, »Romaios«-Grab) vermitteln
das Bild eines bedeutenden Kunstzentrums, in das
Künstler aus verschiedenen Ländern der griech. Welt
kamen und in dem die königliche Familie, die Argea-
den, ihre Residenz sowie die Gräber ihrer Vorfahren
und Verwandten hatten.

Die reichhaltigen Funde und die Existenz der Stadt
und der Nekropole über mehr als zehn Jh. hinweg erlauben es, V. als die alte Hauptstadt der Makedonen,
Aigai, zu identifizieren. Zwar hatte schon 1968 der engl.
Historiker N. Hammond diese Vermutung geäußert [7],
aber erst die späteren Grabungen in der Megale Toumba
durch M. Andronikos brachten überzeugende Hinweise für diese These.

Zahlreiche Indizien der jüngsten Ausgrabungen in
V. lassen die älteren Phasen der Stadt Aigai (6. und 5. Jh.
v. Chr.) immer deutlicher hervortreten. Ihre Gründung
verliert sich im Dunkel des Mythos und ist verbunden
mit der Bildung des maked. Königreiches. Die ältesten
Gräber der großen ant. Nekropole von V. sind bereits in
das 10 Jh. v. Chr. zu datieren und stammen wahrscheinlich aus der Zeit vor der Gründung von Aigai. Die neu-
en Funde jüngerer Gräber und der Stadtgrabung bestä-

tigen die bisherigen Ergebnisse: die große Blüte des
4. Jh. v. Chr. und den allmählichen Machtverlust des
maked. Königreiches in hell. Zeit. Grabfunde belegen
die bes. Bed. der Großen Malerei, der Toreutik und der
Kleinplastik in allen Epochen.

Über der Megale Toumba, die vollständig ergraben
wurde, hat man nach ihrer Erforsch. einen Schutzbau
aus Beton errichtet, der die ideale Belüftung, Luft-
feuchtigkeit und Temperatur für die Monumente garantiert. Dieser Bau wurde außen mit Erde bedeckt, so
daß die urspr. Gestalt des ant. Tumulus deutlich wird.
Im Inneren ist er so hergerichtet worden, daß sich die
Besucher leicht zw. den großen Grabmonumenten bewegen können. In den letzten J. sind im Inneren des
Schutzbaues Funde und Beigaben aus den Gräbern ausgestellt worden; der Besucher erhält so ein vollständiges
Bild des Grabkultes.

Das Philippsgrab und das »Prinzen«-Grab befinden
sich an zwei getrennten Stellen, und die Besucher können ihre Fassaden mit den marmornen Türen, dem herausragenden architektonischen Schmuck und dem ab-
schüssigen Dromos betrachten. Das »Persephone«-Grab
sowie das stark zerstörte Kammergrab mit den freistehenden Säulen befinden sich in einem großen Saal, der
für die Besucher um diese Monumente herum errichtet
wurde.

In dieser Halle sind h. einige Gegenstände, Möbel,
Gefäße und Beigaben aus den Gräbern ausgestellt. Die
beiden großen goldenen Truhen (*lárnakes*) aus dem Philippsgrab, die silberne Aschehydria aus dem »Prinzen«-
Grab und die goldenen Kränze, die den Toten begleiteten, sind die herausragenden Stücke der Ausstellung.

Abb. 4: Die große goldene Larnax (40,9 × 34,1 × 17 cm)
aus dem Marmorsarkophag in der Kammer des Philippsgrabes.
Der Deckel ist mit dem 16strahligen Makedonischen Stern verziert

Unter den Möbeln beeindrucken die Klinen aus Holz
und Elfenbein, die aufgrund der Fundumstände wieder
zusammengesetzt werden konnten. Dabei wurden Elfenbein, Blattgold, Glas, Stuck und eine Vielfalt von
Farben für ihre Beine und die reliefierten Friese verwendet. Zum Fries der Kline aus der Hauptkammer des
Philippsgrabes gehören die kleinen Porträtköpfe aus
Elfenbein, in denen M. Andronikos Mitglieder der maked. Königsfamilie erkannte (Philipp, Alexander,
Amyntas). Thema des Frieses ist eine Schlachten- oder
Jagdszene. In demselben Raum sind außerdem wert-
volle Waffen und Symposionsgeschirr aus denselben
Gräbern ausgestellt.

Die wichtigsten Gebäude der ant. Stadt, die der Be-
sucher h. besichtigen kann, sind der Palast und das
Theater. Diese Monumente sind ausgezeichnete Bei-
spiele ihrer Gattung und bieten zudem einen grandiosen
Blick über die Stadt und die umgebende Landschaft.
→ AWI Aigai [1]; Makedonia, Makedones; Grabbauten;
Philippos [4]

1 M. ANDRONIKOS et al., Το Ανάκτορο της Βεργίνας, 1961
2 Ders., Vergina. The Royal Tombs and the Ancient City,
1984 3 Ders., Βεργίνα II. Ο »τάφος της Περσεφόνης«, 1994
4 S. DROUGOU, CHR. SAATSOGLOU-PALIADELI et al., Der
große Tumulus, 1994 5 Dies., Das ant. Theater von V., in:
MDAI(A) 112, 1997, 281–305 5 S. DROUGOU, V. Ein
Rundgang durch das Grabungsgelände, 1999 7 N. G. L.
HAMMOND, A History of Macedonia, 1972 8 L. HEUZEY,
H. DAUMET, Mission archéologique de Macédoine, Paris
1876 9 W. HOEPFNER, Zum Typus der Basileia und der
königlichen Androner, in: Ders., G. BRANDS (Hrsg.),
Basileia, 1996, 9 ff. 10 D. PANDERMALIS (Hrsg.), Αμητός. FS
M. Andronikos, 1987, 579 ff. STELLA DROUGOU

Vergöttlichung s. Apotheose; AWI, Bd. 12/2, s. v.

Verlag A. EINLEITUNG B. MITTELALTER
C. INKUNABELZEIT D. DAS 16. UND
17. JAHRHUNDERT E. VOM 18. JAHRHUNDERT BIS
1945 F. AUSBLICK AUF DIE GEGENWART

A. EINLEITUNG

Eine Vervielfältigung lit. Texte, die sich von der aku-
ten Bedarfssituation löst und gewerblich organisiert erfolgt, setzt gesellschaftliche und kulturelle Entwicklungen voraus, von denen mit der arbeitsteiligen Differenzierung und der umfangreicheren Alphabetisierung
einer Gesellschaft nur die wichtigsten genannt sind. Aus
diesen anspruchsvollen Anforderungen erklärt sich das
Zurücktreten des gewerblichen Buchhandels in Zeiten
wirtschaftlicher und kultureller Regression. Trotz der
Existenz eines florierenden Buchhandels in einigen
Epochen der Ant. besteht daher keine Kontinuität zum
V.-Wesen der Neuzeit, da in der Spätant. der wirtschaftliche Niedergang und der Rückgang der Lesefähigkeit das weitgehende Verschwinden gewerblicher
Buchproduktion und eine Rückverlagerung in den privaten Bereich bedingen (z. B. die »Herausgabe« paganer
Klassiker im Umfeld des Symmachuskreises oder die
zunächst über private Abschriften erfolgende Vervielfältigung der patristischen Literatur).

B. MITTELALTER

1. LATEINISCHER WESTEN

Sieht man von Ausnahmen wie einzelnen in Nordit.
fortbestehenden Schreibstuben, die sich mit der Anfertigung kostbarer Prachtausgaben eine ökonomische

Nische sichern konnten, oder der am karolingischen Hof arbeitenden Werkstatt ab, war der vorherrschende Ort der Vervielfältigung von Büchern während des frühen und hohen MA das Skriptorium eines Klosters oder seltener eines Bischofssitzes. Die Herstellung von Büchern in engem räumlichen und funktionalen Zusammenhang mit einer Bibl. konnte zwar auf eine lange ant. Trad. v. a. im Osten des röm. Reiches zurückblicken, gewann aber im lat. Westen eine neue Qualität, weil spätestens seit dem Wirken Cassiodors im 6. Jh. und der Vorbildfunktion seines Klosters Vivarium das Abschreiben von Hss. zur kulturellen Verpflichtung der Mönche geworden war. Allerdings konnten auch Schreiber von außerhalb des Klosters (*peregrini*) angeworben werden. Auch verfügte nicht jedes Kloster über ein eigenes Skriptorium, so daß die Bücher für kleinere Abteien auswärts produziert werden mußten. Trotz dieser Aspekte, die als protogewerbliche Merkmale begriffen werden können, entwickelten die Klosterskriptorien auch in ihrer Blütezeit vom 8. bis zum 12. Jh. keine den ant. Verhältnissen vergleichbaren Handels- und V.-Strukturen.

Die Auswahl der vervielfältigten Autoren wurde einerseits durch das Spannungsverhältnis zw. der christl. Gedankenwelt des Klosters und dem Reiz der paganen ant. Lit. geprägt, andererseits durch die Bedürfnisse des Lehrbetriebs bestimmt. Dem entspricht das Bild, das sich aus ma. Bibliothekskat. rekonstruieren läßt: Die Abschrift der Bibel, der Schriften der Kirchenväter und liturgischer Texte hatten oberste Priorität. Darüberhinaus wurden die begrenzten finanziellen und personellen Ressourcen vorwiegend für Schriften aufgewandt, die der Vermittlung der *septem artes liberales* (→ Artes liberales) dienten (z. B. Donat, Priscian, Martianus Capella, Isidor von Sevilla). Erst an dritter Stelle erfolgte die Vervielfältigung der »zweckfreien« heidnisch-ant. Schriftsteller, die quantitativ ein eher marginales Phänomen darstellten.

Die Vorraussetzungen für einen gewerblichen Buchhandel wurden erst im 12. und 13. Jh. wieder erreicht, v. a. durch das Aufkommen der → Universitäten und das Entstehen eines breiteren Lesepublikums in den Städten, aber auch an Fürstenhöfen. Dazu traten neue inhaltliche Anreize, wie die Möglichkeit, bislang unbekannte griech. Lit. in lat. → Übersetzungen aus dem Arab. zu rezipieren. Zuerst lassen sich in Paris und It. Buchhändler (*stationarii*) nachweisen, die zunächst eng mit der Univ. zusammenarbeiteten und die Versorgung der Studenten mit Lehrbüchern gewährleisten sollten, ihre Geschäftstätigkeit jedoch bald ausweiteten. Einen enormen Aufschwung verzeichnete der Buchhandel ab dem 14. Jh. v. a. in Deutschland und den Niederlanden, u. a. durch die steigende Nachfrage in den wirtschaftlich prosperierenden Städten und durch die Verwendung des → Papiers als Beschreibstoff anstelle des wesentlich teureren Pergaments. Handschriften wurden jetzt etwa durch die im holländischen Deventer gegründete Kongregation der Brüder vom gemeinsamen Leben oder

durch den im Elsaß beheimateten Unternehmer Diebold Lauber serienmäßig hergestellt und weiträumig vertrieben. Eine weitere Entwicklung dieser Ansätze verhinderte jedoch die Erfindung des Buchdrucks, dem sie sich nach einer Phase der Konkurrenz im späten 15. Jh. als unterlegen erweisen.

2. BYZANZ

Die ant. Trad. der Buchproduktion in einer Bibl. angeschlossenen Skriptorien lebte auch in der Spätant. vereinzelt in → Byzanz fort, etwa in der 356 von Constantius gegründeten kaiserlichen Bibliothek. Daneben gewannen seit dem 8. Jh. auch die Skriptorien der großen Klöster an Bed. (z. B. das Studiu-Kloster in → Konstantinopel, das Katharinenkloster am Sinai, die Klöster auf dem Athos). Wie im lat. Westen wurde in Byzanz christl. Texten der Vorrang eingeräumt, dennoch ist auch der Beitr. der byz. Klöster zur Überlieferung der paganen griech. Lit. von großer Bedeutung. Zwar schrieben auch die byz. Mönche vorwiegend für die Bedürfnisse ihrer eigenen Bibl., doch sind auswärtige Auftragsarbeiten häufiger als im Westen bezeugt. Daneben konnten Bücher in Byzanz auch von berufsmäßigen Schreibern oder interessierten Philologen abgeschrieben werden, doch fehlen hier Anzeichen einer gewerblichen Produktion.

C. INKUNABELZEIT

Die Erfindung des Buchdrucks mit beweglichen Lettern wurde in jüngerer Zeit v. a. kultur- und medientheoretisch beschrieben [5; 9]. Auf diese Weise verstärkte sich noch einmal die Wahrnehmung dieses Ereignisses als »Revolution« und der folgenden Jh. als »Gutenberg-Zeitalter«. Die sich daraus ergebende starke Akzentuierung eines radikalen Neubeginns verstellt jedoch den Blick auf die weitreichenden Gemeinsamkeiten mit der E. des 15. Jh. blühenden manuellen Vervielfältigung lit. Texte. Eine Emanzipation des gedruckten Buches von den Hss. findet erst nach einer gewissen Übergangszeit um das J. 1480 statt. Dies gilt nicht zuletzt für die Inhalte, die mit ihrer Bevorzugung der lat. Sprache und auch in der Auswahl unter den klass. Autoren des Alt. die Trad. der letzten Jahrzehnte der Handschriftenära zunächst fortsetzen [7]. Besonders häufig gedruckt wurden während der als Inkunabelzeit bezeichneten Frühphase des Buchdrucks (bis ca. 1500) einerseits die moralisch erbaulichen Werke Aesops und Senecas, die Satiriker Horaz, Iuvenal, Petron sowie die *disticha Catonis*, andererseits die wegen ihres vorbildlichen Lat. geschätzten Briefe und rhet. Werke Ciceros. Von den röm. Dichtern erfreuten sich Ovid, Terenz und v. a. Vergil ungebrochener Wertschätzung (→ Philologie II. B.2.1) Unter den griech. Autoren, deren Druck einen erheblichen typographischen Mehraufwand erforderte [18], nahm insbes. Aristoteles eine Sonderstellung ein (→ Philologie I. B.3.).

In der Frühzeit des Buchdrucks handelte es sich bei Herausgeber, Verleger, Drucker und Händler zumeist um ein und dieselbe Person. Trotz dieser an sich günstigen Produktionsbedingungen und den durch die steigende Lesefähigkeit und -bereitschaft wachsenden Absatzmöglichkeiten, scheiterten viele Frühdrucker, da auch bei den relativ geringen Auflagen von häufig nur wenigen 100 Exemplaren das finanzielle Risiko beträchtlich war. Günstige Entwicklungsbedingungen fand der auf weiträumigen Absatz angewiesene Buchdruck zunächst weniger in den klass. Universitätsstädten als vielmehr in über gute Verkehrsanbindungen verfügenden Handelsstädten wie Straßburg oder Basel. Daneben machten sich deutliche regionale Schwerpunkte bemerkbar: Von den ca. 250 Druckorten, die bis zum J. 1500 belegt sind, lagen mehr als die H. auf deutschsprachigem und auf it. Gebiet. In It., dessen Produktion bereits um das J. 1480 die dt. übertraf, können in erster Linie Venedig, Florenz und Rom als bedeutende Orte des Frühdrucks gelten.

Als Verleger ant. Lit. traten im deutschsprachigen Raum insbes. die in Straßburg tätigen Johann Mentelin (ab 1460/61) und Johann Grüninger (ab 1483) sowie die in Basel ansässigen Johann Amerbach (ab 1478) und v. a. Johann Froben (ab 1491), der »Fürst der dt. Buchdrukker«, hervor. Daneben wurden die dt. Drucker Konrad Sweynheim und Arnold Pannartz mit ihren ab 1465 im Benediktiner Subiaco in der Nähe von Rom erschienenen Klassikerausgaben bekannt. Auch der von 1467 an in Rom tätige Ulrich Han aus Ingolstadt und Johann von Speyer, der 1469 die erste Druckerei Venedigs gründete, haben mit großem Erfolg ant. Klassiker verlegt. Am E. des 15. Jh. waren es dann mit dem in Florenz druckenden Filippo Giunta und dem in Venedig ansässigen Aldus Manutius, dem wohl bedeutendsten Druckerverleger, zwei Italiener, deren als »Iuntinae« bzw. »Aldinae« bezeichnete Ausgaben lat. und griech. Klassiker sich in ganz Europa großer Beliebtheit erfreuten. Etwas später setzten auch in Frankreich und Spanien Editionen ant. Lit. ein, wobei dem von 1488 in Lyon tätigen Johann Trechsel, seinem 1503 nach Paris übersiedelnden Schwiegersohn Jodocus Badius, der von Jakob Cromberger ab 1504 in Sevilla betriebenen Druckerei und den weitgehend anon. bleibenden Druckern von Salamanca eine bedeutende Rolle zukommt.

D. DAS 16. UND 17. JAHRHUNDERT

Bereits gegen E. des 15. Jh. macht sich eine zunehmende Arbeitsteilung im V.-Wesen bemerkbar: Nachdem sich bereits der Vertrieb von der Herstellung getrennt hatte, indem sich die zum weiträumigen Absatz der Druckwaren eingesetzten »Buchführer« zu seßhaften Sortimentsbuchhändlern entwickelten, löste sich verstärkt ab der 2. H. des 17. Jh. auch die Personalunion aus Herausgeber, Drucker und Verleger. Einzelne Druckereien begannen Auftragsarbeit zu übernehmen, und so verlagerte sich mit der Entscheidung über die Inhalte auch das finanzielle Risiko auf den Verleger. Dieser beschäftigte nun seinerseits häufig einen Herausgeber, bei dem es sich bei der Edition klass. Autoren in der Regel um einen human. Gelehrten handelte. In dieser Funktion arbeiteten z. B. Erasmus von Rotterdam und Beatus Rhenanus als Korrektoren für Johann Froben. Während diese Arbeit gut bezahlt wurde, waren Autorenhonorare weitgehend unbekannt. Eine Vergütung des Verfassers wurde erst im Laufe des 18. Jh. und im Zusammenhang mit dem rechtlichen Schutz des geistigen Eigentums üblich, der zuerst 1709 in England durch den sog. *Copyright Act* garantiert wurde. Dieser bot zugleich aber auch den Verlegern einen wichtigen Schutz gegen die weitverbreitete Gefährdung der eigenen Publikationen durch Nachdrucke und Raubkopien, wenn er in seiner Wirksamkeit zunächst auch auf das Herrschaftsgebiet der jeweiligen Obrigkeit beschränkt blieb. Auf der inhaltlichen Seite ist die Entwicklung während dieses Zeitraums v. a. von den konfessionellen Gegensätzen und dem Vordringen der volkssprachlichen Lit. geprägt: Ab der zweiten H. des 17. Jh. befinden sich die lat. Titel in den Frankfurter und Leipziger Messekat. erstmals in der Minderheit.

Für den florierenden Buchhandel des 16. Jh. und beginnenden 17. Jh. stellte der Dreißigjährige Krieg, der zu einem dramatischen Einbruch des Absatzes v. a. im deutschsprachigen Raum führte, eine tiefe Zäsur dar. In diese Phase der allg. Rezession fiel das »Goldene Zeitalter« der wirtschaftlich prosperierenden und kulturell aufblühenden → Niederlande, die sich zum führenden Zentrum der Buchproduktion im Europa des 16. und 17. Jh. entwickelten. Die intensive philol. Beschäftigung mit der ant. Lit. an den niederländischen Univ. führte dazu, daß die zunächst in Antwerpen und Löwen, später dann verstärkt in Leiden entstehenden V. auch auf dem Gebiet der wiss. Lit. das im 16. Jh. noch führende Basel überflügeln konnten. Aus der langen Reihe von Verlegern klass. Lit. seien nur die ab der Mitte des Jh. in Antwerpen und Leiden tätige Christoph Plantin und die Leidener Druckerfamilie Elzevier genannt, deren ab 1629 unter Bonaventura und Abraham Elzevier erscheinende Reihe klass. Autoren im Duodez-Format, die sog. Elzevieren, in ganz Europa Bekanntheit erlangte. Außerhalb der Niederlande ist insbes. auf die sich gleichfalls als Druckerdynastie präsentierende Pariser Familie der Étienne (bzw. Estienne) hinzuweisen, als deren bedeutendster Vertreter Robert Étienne (1503–1559) gelten kann.

E. VOM 18. JAHRHUNDERT BIS 1945

Im 18. Jh. führte u. a. die Einführung der allg. Schulpflicht und die Ausweitung bürgerlicher Lebensformen zur sog. Leserevolution und damit zur Steigerung der Nachfrage. Die wachsenden Absatzmöglichkeiten wurden durch die technischen Neuerungen des 19. Jh., wie z. B. die Zylinder- und Rotationspresse, ergänzt und führten so zu einer Revolutionierung des Buchmarktes, der sich bei sinkenden Preisen ein Massenpublikum zu erschließen begann. Wichtige Voraussetzungen hierfür waren ferner die Ablösung des auf den Messen in Frankfurt und Leipzig vorherrschenden Tausch- oder Changehandels durch den Nettohandel, die 1825 in Leipzig erfolgende Gründung des Börsenvereins der Dt. Buchhändler und die in der sog. Krönerschen Reform von 1887 eingeführte Preisbindung.

Von der gestiegenen Zahl der Neuerscheinungen und der zunehmenden Auflagenstärke profitierten zwar in erster Linie die Belletristik und sich an ein breiteres Publikum wendende Gattungen wie das Konversationslexikon. Die Ökonomisierung des Buchmarktes führte aber auch zur Ausdifferenzierung der V.-Programme und zur Herausbildung von Wissenschaftsverlagen. Diese entwickelten sich z. T. aus Universitäts-V. heraus, konzentrierten ihr Angebot jedoch v. a. ab der Mitte des 19. Jh. auf Publikationen aus ausgewählten Fachgebieten. Damit wurde auch auf der Seite der V. der Transformationsprozeß zum Abschluß gebracht, der seit dem späten 18. Jh. das allg. Angebot »gelehrter« Lit. in unterschiedliche fachwiss. Segmente gliederte.

Als Fach-V. für Klass. Philol. traten in Deutschland neben den alten Universitäts-V. Carl Winter (Heidelberg), Mohr Siebeck (Tübingen) und Vandenhoeck & Ruprecht (Göttingen) insbes. die 1680 in Frankfurt gegründete, später in Leipzig und Berlin tätige Weidmannsche Buchhandlung, der 1811 in Leipzig gegründete Verlag B. G. Teubner der 1682 in Stuttgart gegründete J. B. Metzler-V. hervor, letzterer u. a. mit der 1837 begonnenen *Real-Encyclopädie der classischen Alterthumswissenschaft*, die am E. des Jh. zu einem Großunternehmen avancierte (→ Enzyklopädie). In den gleichen Zeitraum fällt eine signifikante Ausweitung der Tätigkeiten der zumeist wesentlich älteren engl. (z. B. Oxford University Press, Cambridge University Press, University of Exeter Press) und etwas später auch der amerikanischen Universitäts-V. (z. B. Harvard University Press, Princeton University Press). In Frankreich hatte François Ambroise Didot (1730–1804) noch im Auftrag Ludwigs XVI. lat. Klassiker in der Trad. der Werke *in usum Delphini* herausgebracht. Mit dem 1919 erfolgenden Zusammenschluß verschiedener frz. Verleger zur Société Les Belles Lettres pour le développement de la culture classique, aus der der in Paris ansässige V. Les Belles Lettres hervorgegangen ist, verfügte auch der frz. Markt über einen renommierten Fach-V. für die Alten Sprachen.

F. AUSBLICK AUF DIE GEGENWART

Nach der bes. für den dt. Buchmarkt deutlich spürbaren Zäsur des II. Weltkrieges führte die Umsetzung weiterer technischer Neuerungen wie des Offsetdrucks oder des Photo- bzw. Lichtsatzes zu einer erneuten Steigerung der Produktion, die sich u. a. aufgrund der Einführung des Taschenbuches auch in sinkenden Preisen und damit deutlich erhöhten Absatzzahlen bemerkbar machte. Dazu kamen strukturelle Veränderungen in der Organisation der V., deren wichtigste das Zurücktreten des Verlegers darstellt, dessen Persönlichkeit das Programm eines V. oftmals entscheidend geprägt hatte.

Die Zahl der auf dem Feld der Klass. Philol. aktiven V. stieg zwar nach 1945, doch blieb die V.-Landschaft in diesem Bereich ansonsten relativ stabil. Der B. G. Teubner V., der ab 1952 getrennt in Leipzig und Stuttgart produzierte und seinen altertumswiss. Bereich 1999 an den K. G. Saur Verlag (München und Leipzig) verkaufte, konnte seine führende Stellung v. a. dank seiner renommierten Textausgaben behaupten. Der *Bibliotheca Teubneriana* sind v. a. die Editionen der Oxford University Press und die zweisprachigen Budé-Ausgaben des Belles Lettres-V. an die Seite zu stellen, aber auch die gleichfalls zweisprachigen Reihen der Loeb-Editionen, die h. von der Harvard University Press (London und Cambridge, Massachusetts) herausgegeben werden, und die 1923 begründete *Sammlung Tusculum* des Züricher V. Artemis & Winkler, der seit 1995 zur Patmos-Verlagsgruppe (Düsseldorf) gehört.

In Deutschland ist neben den älteren V. u. a. auf die 1949 gegründete Wiss. Buchgesellschaft (Darmstadt), den aus dem Zusammenschluß mehrerer Verleger hervorgegangenen Verlag Walter de Gruyter (Berlin seit 1919), den in enger Zusammenarbeit mit der Berlin-Brandenburgischen Akademie der Wissenschaften 1946 ins Leben gerufene Akademie-V. (Berlin), den 1958 neugegründeten und seit 1983 auch die traditionsreiche Weidmannsche Verlagsbuchhandlung umfassenden Verlag Georg Olms (Hildesheim), den Verlag Franz Steiner (Stuttgart und Wiesbaden) und die 1971 entstandene Verlagsgruppe Peter Lang (Frankfurt) hinzuweisen. Der Verlag J. B. Metzler hat mit einer neuen Enzyklopädie, dem *Neuen Pauly*, an die Trad. der *Real-Enczyclopädie der classischen Alterthumswissenschaft* angeknüpft. Daneben spielen Veröffentlichungen aus dem Bereich der Alten Sprachen innerhalb eines breiteren geisteswiss. Angebots z. B. bei C. H. Beck (München), Reclam (Stuttgart), Klett-Cotta (Stuttgart) und dem Dt. Taschenbuch Verlag (München) eine bedeutende Rolle. Außerhalb Deutschlands seien neben den unverändert relevanten angloamerikanischen Universitäts-V. stellvertretend für viele andere der 1898 gegründete V. Gerald Duckworth (London), der in London und New York ansässige Routledge-V., die 1948 von Max Bretschneider übernommene und auf die Ant. spezialisierte L'erma di Bretschneider (Rom), der die große Leidener Drucktrad. fortführende Verlag E. J. Brill und den 1936 als Société d'Études Latines de Bruxelles mit dem Ziel der Propagierung lat. Lit. in Belgien gegründeten Latomus-V. (Brüssel) genannt.

→ Bibliothek

→ AWI Buch; Skriptorium; Schreiber

1 J. BENZING, Die Buchdrucker des 16. und 17. Jh. im dt. Sprachgebiet, ²1982 **2** H. BLANCK, Das B. in der Ant., 1992 **3** M. CAHN, Der Druck des Wissens: Gesch. und Medium der wiss. Publikation, 1991 **4** G. CAVALLO (Hrsg.), Libri, editori e pubblico nel mondo antico, ²1992 **5** E. L. EISENSTEIN, Die Druckerpresse: Kulturrevolutionen im frühen mod. Europa, 1997 **6** P. FEDELI, I sistemi di produzione e diffusione, in: G. Cavallo et al., Lo spazio letterario di Roma antica, Bd. 2: La circulazione del testo, 1989, 343–78 **7** M. FLODR, Incunabula Classicorum. Wiegendrucke der griech. und lat. Lit., 1973 **8** F. GELDNER, Die dt. Inkunabeldrucker, 2 Bde., 1968/1970 **9** M. GIESECKE, Der Buchdruck in der frühen Neuzeit. Eine histor. Fallstudie über die Durchsetzung neuer Informations- und Kommunikationstechniken, 1991 **10** H. HUNGER,

Schreiben und Lesen in Byzanz. Die byz. Lesekultur, 1989 **11** G. JÄGER (Hrsg.), Gesch. des Dt. Buchhandels im 19. und 20. Jh., Bd. 1: Das Kaiserreich 1870–1918, 2001 **12** M. JANZIN, J. GÜNTNER, Das B. vom B. 5000 J. Buchgesch., 1995 **13** T. KLEBERG, Buchhandel und Verlagswesen in der Ant., 1967 **14** M. MANITIUS, Hss. ant. Autoren in ma. Bibliothekskat., ²1968 **15** O. MAZAL, Gesch. der Buchkultur I: Griech.-röm. Ant., 1999 **16** B. MUND-OLSEN, L'étude des auteurs classiques latins aux XIe et XIIe siècles, 3 Bde., 1982–1989 **17** S. PREUSS, Buchmarkt im Wandel. Wiss. Publizieren in Deutschland und den USA, 1999 **18** R. PROCTOR, The Printing of Greek in the 15th Century, 1900 **19** L. D. REYNOLDS (Hrsg.), Texts and Transmission. A Survey of the Latin Classics, ²1986 **20** Ders., N. G. WILSON, Scribes and Scholars. A Guide to the Transmission of Greek and Latin Literature, ²1974 **21** E. SCHÖNSTEDT, Der Buchverlag. Gesch., Aufbau, Wirtschaftsprinzipien, Kalkulation und Marketing, 1991 **22** P. L. SCHMIDT, Traditio latinitatis. Stud. zur Rezeption und Überlieferung der lat. Lit., 2000 **23** B. WITTMANN, Gesch. des dt. Buchhandels, 1991.   DENNIS PAUSCH

Vers mesurés. Französische Dichtung des späten 16. Jh. nach dem Vorbild der quantitierenden Metr. der Antike. Bereits um die Mitte des 16. Jh. verfolgte die Dichtergruppe »Pléiade« das Ziel einer engen Verbindung zw. frz. Poesie und Musik. Die theoretischen Grundlagen überliefern J. Du Bellay (*La Deffence et Illustration de la Langue Françoyse*, 1549) und P. de Tyard (*Solitaire Premier, ou Discours des Muses et de la fureur poétique*, 1552, und *Solitaire second, ou Prose de la musique*, 1555). Die Übertragung des V.m. auf die Musik geht im wesentlichen auf J.-A. de Baïf und den Musiker J. Thibault de Courville zurück, die diese ›musique mesurée‹ zw. 1571 und 1574 in der neu gegr. Académie de poésie et de musique unter Ausschluß der Öffentlichkeit aufführten. Der musikalische Rhythmus folgt im Verhältnis 2:1 von Längen und Kürzen den betonten und unbetonten Silben des frz. Verses, wenn auch kleinere, von Sprachaffekten ausgelöste Melismen vorkommen. Der meist vierstimmige homophone Vokalsatz konnte *colla parte* von Instrumenten begleitet werden und näherte sich durch das Hinzutreten des *ballet* der ant. Einheit von Dichtung, Musik und Tanz (z. B. bei B. de Beaujoyeulx, *Balet comique de la Royne*, 1581). Die wenigen überlieferten Kompositionen stammen u. a. von J. Mauduit, Claude Le Jeune und O. di Lasso. In erster Linie zeigen sich Wechselwirkungen mit den dt. human. → Odenkompositionen; in Frankreich hat der V.m. Einfluß auf *airs* und *ballet de cour* und das *récitatif* der *tragédie lyrique*.

1 M. GERVINK, Die musikalisch-poetischen Renaissancebestrebungen des 16. Jh. in Frankreich und ihre Bed. für die Entwicklung einer nationalen frz. Musiktrad., 1996 **2** D. P. Walker, Der musikalische Human. im 16. und frühen 17. Jh., 1949.   ULRIKE ARINGER-GRAU

Verskunst A. BEGRIFF B. GRUNDFRAGEN C. DIACHRONISCHER ÜBERBLICK D. VERSE UND FORMEN

A. BEGRIFF

Verskunst (V.) umfaßt Praxis, Beschreibung und Normierung rhythmisch regulierter Texte, die zu Gesang, Rezitation oder sprachbewußter Lektüre bestimmt sind.

Die indoeurop. Sprachen haben mehrere Systeme hervorgebracht, um Verse, d. h. durch Pause begrenzte und durch Wiederholung wiedererkennbare Perioden zu bilden [39. 1–6; 63. 253–281]: a) das syllabische System, b) das auf der Opposition von langen und kurzen Silben beruhende quantitierende, c) das auf dem dynamischen *stress*-Akzent aufbauende tonische, d) das sowohl Silbenzahl als auch dynamischen Akzent berücksichtigende syllabo-tonische System. Dazu wird aus der hebräischen V. der Bibel der »parallelismus membrorum« (von R. Lowth 1753 explizit entdeckt) rezipiert. Diese Systeme interagieren miteinander wie die zugrundeliegenden sprachlichen Phänomene [12. 517–551]. So basiert die ant. V. auf dem quantitierenden, doch in den Versen der äolischen Lyr. auch auf dem syllabischen Prinzip [106. 28]. Der musikalische Tonhöhen-Akzent, der im Griech. auf die letzten drei Wortsilben, im Lat. auf Paenultima, falls lang, oder drittletzte Silbe beschränkt war, spielte keine systematische Rolle, stand aber in latenter Spannung zur metr. Folge und tendierte durch die Akzentstruktur der Wörter zu festen Akzentmustern im Versausgang. Die (syllabo-)quantitierende V. wurde in der Spätant. durch syllabische und syllabo-tonische Formen in Griech. und Lat. sowie in den daraus entstehenden Volkssprachen abgelöst. Zudem erlangten Phänomene, die in der Ant. marginal geblieben waren, strukturbildende Funktion: Alliteration, Assonanz, Reim, Reimstrophe und Refrain. Erst die Neuzeit radikalisiert ant. und bibelsprachliche Impulse zum freien Vers.

B. GRUNDFRAGEN

Entscheidend war der in der Spätant. manifest werdende Übergang vom musikalischen zum dynamischen Akzent [8; 82; 99. 95–106;]. Für den griech. Bereich gibt es Belege des Quantitätenschwundes ab dem 1. Jh. v. Chr. [106. 163], vermutlich begann damit auch schon der Akzentwandel; für Lat. wurde sogar eine stete Koexistenz von dynamischem Akzent im Volk und musikalisch-quantitierender Aussprache auf höherer Sozial- und Bildungsebene angenommen [79]. Dies ist mehrheitlich abgelehnt worden, wenngleich offen bleibt, welche Faktoren diesen Wandel sonst bestimmten. Der erste Beleg für akzentuierende Betonung, Augustins *Psalmus contra partem Donati* (CSEL 51,3–15), richtet sich jedenfalls an wenig Gebildete [7. 1–50]. Zugleich bezeugt Augustin, daß die Quantitäten nicht mehr spontan gehört werden (*De musica* 3,5 = PL Bd. 32, Sp. 1118; vgl. 2,1 = PL Bd. 32, Sp. 1099). Die iambischen Dimeter des Ambrosius lassen sich noch quantitierend, aber auch fast schon als rhythmisch akzentuiert verstehen [2. 82–92]. Es existierte freilich in der Spätant. auch eine quantitierende Schulaussprache, die in der Traktatlit. und Schulpraxis an MA und Ren. weitergegeben wurde [66]. Das Prestige der Alten Sprachen führte wiederholt dazu, die ant. V. auf volkssprachliche Dichtung anzuwenden; antikisierende V. wurde zu einem steten Stimulus europ. Dichtung.

Zum anderen mußte vielfach erst das Verständnis der ant. V. aus den muttersprachlichen Projektionen herausgeschält werden [55. 25–46]; das Mißverständnis engl. syllabo-tonischer V. als syllabisch [28. 98 f.] oder (tonisch-)syllabischer V. in Spanien als quantitierende V. stiftete Verwirrung [27; 29]. Die Versuche, die Silbendauer zur Grundlage mod. V. zu machen, reichen von der Ren. (Cl. Tolomei 1539; F. Salinas 1577; Th. Campion 1602) bis ins 20. Jh. [18].

Eines der gravierendsten, wenn auch produktivsten Mißverständnisse war die Annahme eines metr. Iktus für die Alten Sprachen, die im dt. und teilweise im engl. Bereich zum Skandieren, d. h. zu einem vom Prosa-Akzent abweichenden dynamischen Akzentuieren der metr. Längen in klass. Texten führte, während im romanischen Sprachraum die Verse zumeist mit volkssprachlicher Prosabetonung gelesen wurden [55. 39–46]. Die Verwechslung von sprachlichem Iktus (dynamischer Akzent an markierter Versposition) mit mechanisch (Fuß, Finger etc.) markiertem Rhythmus geht bis in die Spätant. zurück [8. 394 ff.]; das iktierende Abtrennen der Versfüße hatte didaktische Funktion [97; 98; 4. 41–68]. Erst in jüngster Zeit wurde die iktusfreie Prosodie des Griech. geklärt [26] (anders noch [1]); für die komplexen Probleme der lat. Prosodie (Verhältnis von musikalischem zu dynamischem Akzent) steht eine Klärung aus. Auch ein Wandel der mod. Rezitationskonventionen ist erst in Ansätzen erkennbar.

Die Ursprünge des Reims sind ähnlich ungeklärt wie die des etwa gleichzeitigen Akzentwandels. Es liegt nahe, daß erst der dynamische Akzent die morphologische Disposition der griech. und lat. Sprache zu Reimen aktualisiert hat, die als Homoioteleuton in der Kunstprosa seit Gorgias immer eine gewisse Rolle gespielt hatte. Für → Byzanz sind zudem die syr. Vorbilder des Romanos Melodos nachgewiesen; für den erstmals bei Commodian und Augustin belegten Tiradenreim bzw. Assonanzketten sind syr. und hebräische Vorbilder plausibel [58. 39], für Spanien und Südfrankreich ist der arab. Einfluß seit dem 18. Jh. angenommen, zuletzt meist abgelehnt worden [30. 123]; für Irland ist keltischer Einfluß wahrscheinlich, da dort 2– und 3-silbige Reime zuerst auftraten. Daß der Endreim zuletzt aus Ansätzen der christl. lat. Hymnik [72. 38 f.] durch die Lateinreform Alkuins den entscheidenden Impuls erhalten habe, ist nicht unplausibel [99. 81–93]. Es ist aber wohl von einer multikausalen Genese auszugehen. Nach dem überraschenden Auftreten des Endreims in Otfried v. Weissenburgs ahd. Evangeliendichtung (zw. 863 und 871) setzt erst im 10. Jh. mit dem lat. Reim und dem

Neubeginn der provenzalischen Lyr. im 11. Jh. die Vorherrschaft des Reimes bis ins frühe 20. Jh. ein, gegen den die ant. Reimlosigkeit ständigen Einspruch erhebt.

Auch der Refrain, die Wiederholung eines Wortes, Kolons oder Verses im Gedicht, hat Vorläufer in ant. rel. Poesie und Bukolik [106. 80, 157] (dazu Verg. ecl. 8; Pervigilium Veneris), wird aber erst im MA zu einem gliedernden Konstituens vieler lyr. Texte und v. a. von Responsorien und Tanzliedern (zum möglichen orientalischen Ursprung [7. 7–9]).

Der freie Vers der Moderne hat mehrere Wurzeln: Klopstocks an der Psalmen-Dichtung orientierte freie Hymnen [60]; die durch Horaz (carm. 4,2,11 f.: ›numeris … lege solutis‹) mißverständlich interpretierte Metrik Pindars; W. Whitmans an der King James Bible Maß nehmenden freien Langverse der Leaves of Grass (1855), A. Rimbauds Illuminations (ab 1872) und die frz. Übers. Whitmans brachen der Leitform der internationalen Moderne die Bahn [65; 91; 39. 274–286].

Problematisch ist stets das Verhältnis von V. zur Musik, solange diese nicht in gesonderter Notierung vorliegt. Am besten untersucht sind die human. Mensuralmusik in Deutschland [104] und die engl. Lautenlieder des 16. Jh. [4; 15]. Von einem festen Taktbegriff, wie er in der theoretischen V. mehrfach angenommen wurde (Heusler), sollte aufgrund von dessen später Einführung abgesehen werden [56. 54 f.].

C. DIACHRONISCHER ÜBERBLICK

In Byzanz lebt nach den letzten Höhepunkten quantitierender V. bei Synesios von Kyrene und in den in Reinheit erstarrten Hexametern des Nonnos (5. Jh.) nur eine schmale Tradition metr. V. fort, die im 9. und 10. Jh. noch einmal kurz (Hexameter; Anakreonteen) aufblüht. Die mit Romanos Melodos im frühen 6. Jh. einsetzende Kirchenlyr. des Kontakion und die spätere Kanones-Dichtung ist rein akzentuierend. Auch der ab dem frühen 10. Jh. auftretende 15-Silber (»polit. Vers«) hat sich aus 8- und 7-silbigen Kola ohne ant. Bezug entwickelt [64; 59]. Erst im 18. Jh. setzt unter it. Einfluß die neugriech. V. als syllabo-tonische V. neu ein und übernimmt 11-Silber und Odenstrophen.

Rückgrat der europ. Trad. ist die lat. V., die durch Texte (Horaz, Prudenz, Prosimetra des Martianus Capella und des Boëthius [74]; ab der Ren. auch Catull), durch Handbücher (Beda, De arte metrica, CCL 123A, 81–141) und Unterricht die Möglichkeit von lat. quantitierender Dichtung im MA erhält. Die Blüte der neulat. Lyr. reicht von der Ren. (G. Pontano, C. Celtis, J. Dorat, G. Buchanan [62]) zur Gegenreformation (C Sarbiewski; J. Balde [85]). G. Pascoli ist der letzte namhafte Dichter, der noch umfangreiche lat. Werke schuf [75].

Das MA bereicherte die klass. V. um Reim (ab 10. Jh.), Binnenreim von Zäsur und Versende (»leonischer Hexameter«) und Refrain. Es bildete aber auch weitere Formen der V. aus [69. 468 nach 72. 87–135], deren wichtigste die rhythmische V. ist: Sie basiert auf Silbenzahl und dynamischem Akzent, der aber jeweils nur für die Vers- oder Kolonklausel reguliert wird. Die Vagantenzeile (*Meum est propósitum in popina móri*) läßt sich nach Norberg notieren als 7pp+6p (7Silber proparoxyton + 6Silber paroxyton; Liste rhythmischer Formen: [72. 212–217], Analyse: [86; 23. 921 f.]).

Die romanische V. setzt die rhythmische V. des MA fort; sie ist – abgesehen von frühen Formen wie dem span. Cid-Vers – silbenzählend und reguliert die Akzentverteilung nicht lückenlos, d. h. nur für das Ende von Vers und Halbvers, im Versinneren bloß tendenziell. Die Praxis der Silbenzählung wird verkompliziert durch einzelsprachliche Regeln für das Zusammentreffen zweier Vokale und das frz. *e caduc*, theoretisch durch das Faktum, daß romanische Verse nicht streng isosyllabisch sind. Französische Zählung erfaßt die Elemente bis zur letzten Akzentstelle und nur folgendes *e caduc* nicht (wie auch in der epischen Caesur); portugiesische Verse werden nach der Position des letzten Akzents benannt; it. V. zählt das erste nachtonige Element am Versschluß mit, nicht aber weitere Silben längerer Wörter. Strenggenommen ist also z. B. der it. *endecasillabo* nicht durch die Silbenzahl, sondern durch den letzten Akzent auf der zehnten Versposition definiert. Demgegenüber werden in mittellat. Rhythmik alle Silben gezählt, sofern sie nicht Synaloephe oder Elision unterliegen [10. 441–53].

Die provenzalische V. ist ausgezeichnet durch Reimstrophen, deren Verse nicht auf ant., sondern auf rhythmische lat. V. bezug nimmt. Der genetische Zusammenhang wird durch frühes gemeinsames Auftreten provenzalischer und mittellat. Rhythmik in Hss. von St.Martial/Limoges nahegelegt [69; 13. 73] (kritisch: [24. 19 f.; 10. 439 f.]).

Die frz. V. entwickelt neben den stichisch verwendeten 8– und 10–silbigen Versen ebenfalls zahlreiche Reimstrophen und ab dem 12. Jh. den 12–silbigen Alexandriner, der als Leitvers in vielen poetischen Genera Verwendung findet. Bis zum späten 19. Jh. ist die frz. V. äußerst stabil; abgesehen von den Experimenten im Umkreis der Pleïade spielt antikisierende V. eine marginale Rolle.

Die it. V. übernimmt im 13. Jh. den provenzalischen Formenschatz (Canzone, Ballata), erfindet das Sonett und bestimmt durch Petrarca die europ. Lyr. über Jahrhunderte. Als Kernland der Ren. gibt It. auch wesentliche Impulse antikisierenden Dichtens: Erste quantitierende Versuche (*Certame coronario* 1441; Cl. Tolomei 1539) ebenso wie pindarisch-triadische Gedichte (G. Trissino, L. Alamanni) und Ansätze zu Verssubstitution in Odenstrophen (B. Tasso) gehen von It. aus. Die frz. Pleïade führt diese Ansätze fort [107], von wo sie wieder nach It. zurückwirken. Im späten 19. Jh. wird in der Diskussion um die *poesia barbara* die Alternative von akzentuierender Nachbildung ant. Verse (G. Pascoli) oder Substitution durch volkssprachliche Verse (G. Carducci) erneut gestellt [11. 250–263; 13. 130–136].

Im Span. bildet antikisiernde V. einen schmalen Randbereich, doch vom Horazübersetzer Fray Luis de León zieht sich ebenso wie in Portugal vom Renaissancedichter António Ferreira [31] eine feine Spur antikisierender V. bis ins 20. Jahrhundert.

Die tonische V. der german. Sprachen ist durch starken *stress*-Akzent und relative Füllungsfreiheit zw. den Akzentstellen charakterisiert; Langzeilen bestehen aus zwei Halbversen mit je zwei Akzentstellen, die durch Stabreim verbunden sind. Indes bietet die schwer zu deutende Versform Otfrids andere Züge: Halbverse haben Endreim oder Assonanz, die Akzente tendieren zur Alternation, so daß Ähnlichkeiten zur ambrosianischen Hymnenstrophe aufscheinen [17. 96–101; 52. 31–50].

Die engl. V. erreicht nach den ma. und frühneuzeitlichen Wandlungen bereits vor 1600 ein gefestigtes syllabo-tonisches System mit kanonischen Texten und dem *blank verse* (iambischer Pentameter mit geregelten Akzenten und kunstvollen Lizenzen) als Leit-Maß. Die quantitative Bewegung ist bis zum Anf. des 17. Jh. dennoch stark. Die *Cavalier Poets* schreiben im 17. Jh. in großartigen syllabo-tonischen Odenformen, doch danach bleibt in England der Bereich antikisierender V. schmal und wird zudem in den Metriken meist spöttisch abgehandelt [46. 295–326; 50. 71–88] (→ Klassizismus II. Literatur).

Nach dem E. der mhdt. V., nach human. Dichtung in lat. [62] und dt. Sprache [101. 16–20] und nach dem Meistersang steht die dt. Dichtung lange unter dem Einfluß frz. syllabischer V., in die sich der dt. *stress*-Akzent schlecht fügt [101. 16f.; 102. 31ff.]; nach der unter niederländischem Einfluß (Daniel Heinsius [39. 192ff.]) 1624 erfolgenden Regulierung der Akzentstellen durch M. Opitz [101. 81–86; 17. 168–172] setzt sich rasch und für lange Zeit syllabo-tonische V. nach streng alternierendem Prinzip durch, das definitiv erst durch Klopstocks antikisierende V. aufgebrochen wird. In der 2. H. des 18. Jh. nützt die dt. V. den *stress*-Akzent zu Nachbildungen ant. Verse und entwickelt den freien Vers, ehe sich bis ins frühe 20. Jh. wieder gereimte syllabotonische Verse durchsetzen.

Die russ. V. stand nach frühen tonischen Anfängen ab dem 17. Jh. unter dem Einfluß der syllabischen V. Polens [40. 1–35; 87. 33–39] und erhielt erst im 18. Jh. unter dt. Einfluß syllabo-tonische Regeln [87. 40–42; 39. 229–235]. Im späten 18. und frühen 19. Jh. folgen Experimente mit dem akzentuierten Hexameter und auch mit ant. Odenmaßen, wenn auch syllabo-tonische V. überwiegt.

D. VERSE UND FORMEN

Es haben sich drei Adaptionstypen ant. V. herausgebildet: a) unmittelbare Übertragung des quantitierenden Prinzips auf die volkssprachliche Dichtung durch Interpretation der eigenen Sprache nach der Opposition von Längen und Kürzen; b) Nachbildung quantitierender V. durch Ersatz der metr. Längen durch tonische Akzentstellen und der metr. Kürzen durch unbetonte Positionen; c) Substitution von quantitierenden klass. Versen durch volkssprachliche von (annähernd) gleicher

Silbenzahl und Wortstruktur. Typ a) gelingt nur in Ungarn [12. 277ff.], die it. V. bevorzugt Typ c) [11. 198f.], die dt. Typ b).

Der Hexameter stand im Zentrum des Interesses, ist jedoch bes. ungeeignet für die Adaptierung durch mittel-lat. Rhythmik und volkssprachliche V., da die Silbenzahl stark schwankt und Äquivalenz von Daktylus und Spondeus der akzentuierenden Nachbildung widerstrebt. Mischformen von syllabisch-quantitierender Metr. und Akzentmustern finden sich bereits bei Commodian [73]; teilweise dann auch im MA, wo aber der Hexameter und das elegische Distichon ab dem 12. Jh. in quantitierender Form überwogen, oft gereimt [58. 63–92].

Die ersten quantitierenden it. Hexameter werden beim *Certame coronario*, Florenz 1441, von L. Dati und L. B. Alberti verfaßt [22. 3–18]. 1539 erscheint das unter Führung von Cl. Tolomei unternommene Projekt, quantitierende Verse auch theoretisch zu begründen [22. 413–439]. Der Impuls Tolomeis wirkt in It. fort [55. 134–140] und wird noch einmal von T. Campanella in drei quantitierenden Elegien aufgenommen [20. 442–458]. Tolomei beeinflußt aber auch J.-A. de la Baïf, der um 1574 in Frankreich eine quantitierende frz. Prosodie vertritt und durch Vertonungen propagiert [55. 147–54; 53]. Ph. Sidney kannte durch seinen Parisaufenthalt 1573 vermutlich Baïfs Versuche, doch ist die quantitative Bewegung in England autochthon [4; 15].

Nach frühen quantitierenden Theorien tritt in Spanien Sinibaldo de Mas durch eine quantitierende Nachbildung des Hexameters hervor (*Ilíade*, 1832), doch nur Rubén Daríos *Salutación del optimista* (1905) behauptet sich in span. Metriken neben den Hexametern E. M. de Villegas aus der Ren. [30. 178–83].

Die zahlreichen einsilbigen engl. Wörter und deren Akzentstufungen stehen einem akzentuierenden engl. Hexameter entgegen. G. Chapmans Homerübers. (1598) ist in iambischen Septenaren abgefaßt, deren Caesur an den Alexandriner erinnert [28. 73f.; 95. 117f.]; in neueren Homerübers. finden sich ›free six beat lines‹ (Lattimore) oder *blank verse* (Hull, *Odyssey*, 1978). S. T. Coleridges Hexameter (z.B. *Hymn to the Earth*; *Mahomet* von 1834) versuchen vergeblich, im 19. Jh. den akzentuierenden Hexameter in England heimisch zu machen. Auch H. T. Longfellows *Evangeline* hat beschränkten Erfolg.

In den german. Sprachen bietet die *Herculiade* des Schweden G. Stiernhielm (1658) die erste geglückte akzentuierende Nachbildung des Hexameters [36. 22–53]. In Deutschland fordert nach früheren Versuchen J. C. Gottscheds *Critische Dichtkunst* (1732) zum Verfassen von akzentuierenden Hexametern auf, und annähernd zeitgleich mit E. v. Kleists *Der Frühling* (1749, Hexameter mit Auftakt) gelingt Fr. G. Klopstock die systematische akzentuierende Nachbildung des Hexameters. Die ersten drei Gesänge des *Messias* (1748; vollendet 1773) machen Epoche. J. H. Voß, ausgebildet durch den Philologen C. G. Heyne, übersetzt die Homer. Gedich-

te (*Odyssee* [1]1781, [2]1793; *Ilias* [1]1793), wobei sich bei deren Überarbeitung immer stärker das Problem der Ersetzung des Daktylus durch Trochäus oder Spondeus ergibt [57; 45. 53–81]. Über die Regeln zur Lösung dieser Frage wurde intensiv diskutiert [49], über die »Tonbeugungen« viel gelästert [47]. Klopstocks Theorie des ›Mitausdrucks‹ [61. 94–96; 17. 192] zeigt jedoch, daß diese Frage auf das Verhältnis von Gedanke, Prosodie und Versform zielt [48]. Nur kurzzeitig berührt von dem Problem der »Tonbeugung« schuf Goethe seine Versepen (*Reineke Fuchs*, *Hermann und Dorothea*); in den Distichen von Goethes *Römischen Elegien*, in Hölderlins Elegien (*Brot und Wein*) und hexametrischen Dichtungen (*Der Archipelagus*) hat ant. V. gültige dt. Formen geprägt. Nach der Verfeinerung des Verses durch A. v. Platen und E. Mörike lebt der Hexameter als philol. Gebrauchsvers bis zu R. Hampes Homerübers. (1979) fort. W. Schadewaldts *Ilias*-Übertragung (1975) verbindet glücklich hexametrischen Duktus und freien Vers.

Klopstocks Hexameter wurde intensiv in Skandinavien rezipiert [34. 193ff.; 103. 136f.], ebenso in Rußland: N. I. Gnedič begann seine Übers. der *Ilias* noch in Alexandrinern (wie in Frankreich üblich), wechselte dann aber zum akzentuierenden Hexameter, nach dt. Muster und schuf die kanonische russ. Übers. (1829). W. A. Žukowskij, der auch den *Messias* übersetzte, überträgt 1842–1849 die *Odyssee* in Hexametern. A. Puškin schreibt kleinere Gedichte in Hexametern und Distichen. Das Überwiegen von rein daktylischen Versen entschärft das Problem des Trochäus weitgehend [108. 209–17; 87. 127–34].

Der griech. iambische Trimeter verwandelt sich in den byz. 12Silber, einen Vers mit fester Silbenzahl und Akzentklausel [67]. Die iambischen Senare der röm. Kom. werden in der it. Ren. versuchsweise durch *endecasillabi sdruccioli* (d. h. proparoxyton und daher 12silbig) substituiert [22. 25–31], sonst durch romanische 11Silber, Alexandriner und *blank verse* funktional ersetzt. Goethes berühmte Konfrontation ant. und mod. Metr. zu Beginn des Helena-Akts hebt mit akzentuierenden iambischen Trimetern an (*Faust*, V. 8488–8493; [42. Bd. II. 588–592]; vgl. [17. 220–227]); E. Mörikes *Auf eine Lampe* gewinnt dem Vers das schönste Gedicht ab. Die Invektive in Iamben bildet eine eigene europ. Trad. (A. Chénier; G. Carducci, R. Borchardt; zur V.: [89. 285–90]).

Als Ausgangspunkt des frz. Alexandriners wurde nicht der iambische Senar, sondern der kleine Asklepiadeus ausgemacht [6]. Der rhythmisch verstandene iambische Dimeter der Hymnenstrophe kann als Matrix des frz. 8Silbers angesehen werden. Der vom frz. *décasyllabe* abhängige it. *endecasillabo* wurde früher vom sapphischen 11Silber und dem iambischen Senar, nunmehr vom Alcmanius (daktylischer Tetrameter) hergeleitet [13. 76].

Die eigentliche Rezeption der ant. V. findet in der Ode [68; 54; 100; 37; 76; 84] statt, d. h. in Lyr., die den Vorbildern von Horaz, Catull [38], Pindar [80], Anakreon [83] folgt. Die Rezeption dieser Form seit der Ren. ist kaum überschaubar, wie allein ein Blick auf die Details der Wiederentdeckung Sapphos um 1554 zeigt [81. 31–67].

Die Lyr. Anakreons bzw. der Anakreonteen wird seit der Erstausgabe (1554) intensiv rezipiert. Die anakreontische V. [106. 56–59; 166f.] wird von R. Belleau (1546) wie später in den → Romanischen Sprachen durch 8– und 7Silber wiedergegeben; in England und Deutschland leisten dies meist vierhebige Iamben und Trochäen.

Die V. Pindars [106. 60–76] ist erst von A. Boeckh (1809/1811) geklärt worden; in älteren Pindar-Ausgaben (ab 1513/15; [92; 41]) finden sich daher meist kurze, an Anakreonteen erinnernde Verse, die auch die Nachbildungen prägen (Alamanni: 7Silber; Ronsard: meist 7– oder 8Silber); noch Fr. Hölderlin übersetzt um 1800 Pindar in der verkürzten Kolometrie von Heynes Pindar (²1798). Die Responsion von Strophe und Gegenstrophe war zwar stets bekannt und wurde auch bei der Nachbildung triadischer Gedichte befolgt, doch bisweilen schwankten die Verszahlen selbst in den Pindarausgaben [80. 289f.], was z.T. das Phänomen der engl. *irregular Pindaricks* (gereimte Langstrophen ohne Responsion) erklärt, deren Muster A. Cowleys *Pindarique Odes* (1656) bilden [54. 14–23; 88. Bd. II. 802–819]. Ben Jonson (1640) und Th. Gray im 18. Jh. schreiben reguläre pindarische Oden. Goethes pindarisierende Dithyramben (*Wandrers Sturmlied, An Schwager Chronos* um 1773) sind durch Shaftesburys Poetik des Erhabenen und Klopstocks Lyr. beeinflußt.

Die größte Wirkung übte Pindar auf P. Ronsard aus [94]; die 15 pindarischen Gedichte zu Beginn der *Odes* (1550) wirken ihrerseits in ganz Europa [71]. In Deutschland hat G.R. Weckherlin seine *Oden und Gesänge* (1618) mit triadischen Nachbildungen Ronsards eröffnet, und auch Opitz bezieht sein Pindar-Modell aus Ronsard. In It. preist G. Chiabrera im frühen 17. Jh. mit triadischen *Canzoni eroiche* Adelige und Ballspieler, in seinen *Canzoni sacre* Maria und Heilige in Strophen aus 11– und 7Silber. G. Pascoli bezieht sich auf diese Modelle [13. 306–310]. Während jedoch die Rezeption Pindars oft formal (Triaden) oder gestisch (Lobpreis) bleibt, entwickelt Fr. Hölderlin aus seiner Pindarübers. die Tektonik seiner großen Hymnen [93]. Während Hölderlins freie Einzelverse einer impliziten V. folgen [65. 210–245]), ist die pedantische Nachbildung Pindars ›in den Versmaßen der Urschrift‹ ein typisch dt. Phänomen und reicht von F. Thiersch (1820) bis zu O. Werner (1967).

Am verbreitetsten ist der Typus der horazischen Ode. Läßt man die Versuche quantitierender Nachbildung (L. Dati; Th. Campion; J. Clajus) beiseite, bleiben v.a. akzentuierende Nachbildung und Substitution. Letztere wird für die sapphische Strophe dadurch begünstigt, daß die meisten romanischen Sprachen ihre 11Silber leicht adaptieren (Akzent auf Position 4 und 8) und mit einem 5Silber verbinden können; E.M. de Villegas hat dies in

seiner Ode *Al Céfiro* (1618) für Spanien vorgeprägt [9. 267–271]; in It. sind gereimte und ungereimte Versionen zahlreich [13. 313f.], seltener in Frankreich: Ronsard (*Odes* 5,34 und 35 nach 1570) nutzt einen eigentümlichen 11Silber [43. 146]. Auch in Polen existiert die Form seit dem 16. Jh. (J. Kochanowski [40. 148]).

Akzentuierende Nachbildungen von sapphischen Strophen sind im MA [72. 77–80; 96], im Kirchenlied und in der lat. Ren. zahlreich; sie fehlen auch nicht in der engl. Dichtung bis Ch.A. Swinburne. E. Pound verfaßt das Gedicht *Apparuit* in sapphischen Strophen, W.H. Auden noch 1968 zahlreiche Oden [5. 669ff., 804ff.]. Im Dt. wird die akzentuierende sapphische Strophe nach einem langen Vorleben im dt. Kirchenlied [55. 108f.] von Klopstock erneuert, was zu ihrer raschen Verbreitung führt [35. 265–267]; Nebenformen: [35. 269–273]. Zudem regt die Übers. von Horaz, Catull und Sappho stets zu Nachbildungen an, produktiv bei J. Weinheber [105] und in Rußland [19]. Kunstgewerbliche Verbreitung führt zur Parodie (P. Rühmkorf), doch der schwedische Lyriker T. Tranströmer eröffnet noch 1954 sein maßgebliches Werk *dikter* durch drei sapphische Gedichte [103. 33].

G. Chiabrera hat das it. Äquivalent der alkäischen Strophe geschaffen [11. 201f.], G. Carducci verwendet sie oft in seinen *Odi barbare* [21]: Der 11Silber wird durch zwei 5Silber wiedergegeben, der zweite jeweils als 6silbiger *sdrucciolo*; die Muster für 9– und 10Silber variieren [13. 315f.]. In England haben sich A. Tennysons akzentuierende *Alcaics to Milton* im Bewußtsein gehalten; W.H. Auden verwendet seit *In Memory of Sigmund Freud* (1939) eine syllabische Form der alkäischen Strophe [5. 273–276]. In Deutschland hat die alkäische Strophe nach dem lat. Human. ein frühes Leben als gereimte und iambisch regulierte »Herrenhuter-Strophe« [35. 261]; seit Klopstocks ersten Oden (1747) wird die akzentuierende alkäische Strophe in Deutschland bis 1800 intensiv praktiziert [35. 259–263], in der V. Hölderlins erreicht sie vollendete Gestalt [16. 84–91]. K. Kraus, R. Borchardt, R.A. Schröder, J. Weinheber praktizieren die alkäische Strophe im frühen 20. Jh., danach J. Bobrowski; daß sie auch nach dem Holocaust als Form besteht, zeigt L. Greves *Mein Vater* [44. 7].

Auch die akzentuierenden Varianten der asklepiadeischen Strophensysteme lebten im MA fort [72. 80–82]. G. Chiabrera hat als it. Äquivalent des asklepiadeischen 12Silbers einen Vers aus zwei 5Silbern, jeweils *sdrucciolo*, entwickelt, Carducci verwendet meist einen *endecasillabo sdrucciolo* [13. 316–319]. In England finden sich Asklepiadeen früh in Ph. Sidneys *Old Arcadia*, spät in Audens silbenzählenden *The Horatians* [5. 771–773]; daß auch die engl. Sprache akzentuierende Nachbildungen zu schaffen vermag, beweist im 20. Jh. L. MacNeice. In Deutschland eröffneten die Asklepiadeen von Klopstocks *Lehrling der Griechen* (1747) die neue Dichtepoche; Hölderlin hat aus diesen Versen seine eigenste Form gefügt [16. 91–95].

Besonders folgenreich ist für die romanischen Sprachen jene freie Substitution, die als erster B. Tasso in seinen zw. 1531 und 1560 publizierten Gedichten vorgenommen hat: Aus 11– und 7Silbern formt er 4– oder 5–zeilige Strophen, die eine formale Alternative zum Petrarkismus schaffen. Die *lira* (Reimschema: aBabB) lebt in Spanien fort (Garcilaso de la Vega). Die it. Lyr. hat aus derartigen Strophen eine große Fülle an *canzone-ode* oder *canzonetta* genannten Gedichten hervorgebracht [13. 311, 321–328]. G. Leopardis Form ist die *canzone libera*, lange variierende Strophen aus 11– und 7Silbern. Als Schüler Foscolos schafft A. Kalvos für seine neugriech. *Oden* (1824/26) neue Strophen (4x7Silber, 1x5Silber). F. Pessoas *Oden des Ricardo Reis* erzeugen ant. Ton durch die Kombination von geläufigen portugiesischen *deca-* und *hexassíllabos* in einfachen Quartetten [77].

In akzentuierenden (Greve, Tranströmer) oder syllabischen (Auden) Nachbildungen, in Substitution (Pessoa/Reis) oder freiem Vers wirkt die ant. V. direkt und indirekt bis ins 20. Jh. fort [51; 12. 281–286], und mit W. C. Williams (*Paterson*, 1958, B. 5, Teil 3) läßt sich in einem irregulären Alexandriner resümieren: ›The measure intervenes, to measure is all we know‹.

→ Anakreontische Dichtung; Elegie; Lyrik; Musik; Vers mesurés

→ AWI Akzent; Epigramm, Lyrik; Metrik

1 W. S. ALLEN, Accent and Rhythm, 1973 2 AMBROISE DE MILAN, Hymnes, hrsg. v. J. FONTAINE et al., 1992 3 J. A. R. ARMOIM DE CARVALHO, Teoria general da versificaçâo, I/II, 1987 4 D. ATTRIDGE, Well-weighed Syllables. Elisabethan Verse in Classical Metres, 1974 5 W. H. AUDEN, Collected Poems, hrsg. v. E. MENDELSON, 1976 6 A. S. d'AVALLE, Le origini della quartina monorima di alessandrini, Bollettino del Centro di Studi Filologici e Linguistici Siciliani 6, 1962, 119–160 7 Ders., Le origini della versificazione moderna, 1979 8 Ders., Dalla metrica alla ritmica, in: Lo spazio letterario del medioevo, hrsg. v. G. CAVALLI et al., 1992, Bd. I, 391–476 9 R. BAEHR, Span. Verslehre auf histor. Grundlage, 1962 10 Ders., Grundbegriffe und Methodologien der romanischen Metr., in: G. HOLTUS, M. METZELIN, CHR. SCHMITT (Hrsg.), Lex. der Romanischen Linguistik, II,1, 1996, 435–528 11 F. BAUSI, M. MARTELLI, La metrica italiana, 1993 12 O. BĚLIČ, Verso español y verso europeo, 2000 13 P. G. BELTRAMI, La metrica italiana, 1991 14 W. BENNETT, German Verse in Classical Metres, 1963 15 W. BERNHART, »True Versifying«. Studien zur elisabethanischen Verspraxis u. Kunstideologie, 1993 16 W. BINDER, Hölderlins V., in: Ders., Friedrich Hölderlin, 1987, 82–99 17 D. BREUER, Dt. Metr. und Versgesch., 1981 18 R. BRIDGES, Milton's Prosody, 1901 (darin: W. J. STONE, Classical Meters in English Verse) 19 W. BUSCH, Horaz in Russland, 1964 20 T. CAMPANELLA, Le Poesie, hrsg. v. F. GIANCOTTI, 1998 21 G. CARDUCCI, Odi barbare, hrsg. v. G. A. PAPINI, 1988 22 Ders. (Hrsg.), La poesia barbara nei secoli xv e xvi, hrsg. v. G. CONTINI, 1985 (1881) 23 Carmina Burana, hrsg. v. B. K. VOLLMANN, 1987 24 M. CHAMBERS, An Introduction to Old Provençal Versification, 1985 25 H. G. COENEN, Frz. Verslehre, 1998 26 A. M. DEVINE, L. D. STEPHENS, The Prosody of Greek Speech, 1994 27 E. DÍEZ ECHARRI,

Teorias métricas del Siglo de Oro, 1949 28 H.-J. DILLER, Metr. und Verslehre (Studienreihe Engl.), 1978 29 J. DOMÍNGUEZ CAPARRÓS, Contribución a la historia de las teorías métricas en los siglos xviii y xix, 1975 30 Ders., Métrica española, 1993 31 T. F. EARLE, The Muse Reborn. The Poetry of António Ferreira, 1988 32 W. TH. ELWERT, Frz. Metrik, ⁴1978 33 Ders., It. Metrik, ²1984 34 J. FAFNER, Dansk Verskunst, I/II 1,2, 1989–2000 35 H. J. FRANK, Hdb. der dt. Strophenformen, ²1993 36 W. FRIESE (Hrsg.), Nordische Barocklyr., 1999 37 P. H. FRY, The Poet's calling in the English Ode, 1980 38 J. H. GAISSER, Catullus and his Ren. Readers, 1993 39 M. L. GASPAROW, A History of European Versification, 1996 40 M. GIERGIELEWICZ, Introduction to Polish Versification, 1970 41 J.-E. GIROT, Pindare avant Ronsard, 2002 42 J. W. v. GOETHE, Faust, I/II, hrsg. v. A. SCHÖNE, 1994 43 J.-M. GOUVARD, La versification, 1999 44 L. GREVE, Sie lacht, 1991 45 G. HÄNTZSCHEL, Johann Heinrich Voß. Seine Homer-Übers. als sprachschöpferische Leistung, 1977 46 E. HAMER, The Metres of English Poetry, ⁴1951 47 A. HEUSLER, Dt. und ant. Vers, 1917 48 H. H. HELLMUTH, Metr. Erfindung und metr. Theorie bei Klopstock, 1973 49 Ders., J. SCHRÖDER (Hrsg.), Die Lehre von der Nachahmung der ant. Silbenmaße im Dt., 1976 50 P. HOBSBAUM, Metre, Rhythm, and Verse Form, 1996 51 U. HÖLSCHER, Die »Nachahmung der Alten« und die lyr. Vers der Moderne, in: Ders., Das nächste Fremde, 1994, 282–302 52 W. HOFFMANN, Altdt. Metr., ²1981 53 R. HYATTE, Meter and rhythm in J.-A. de Baïfs Étrénes de poézie françoeze, in: Bibliothèque d'Humanisme et Ren. 43, 1981, 487–508 54 J. D. JUMP, The Ode, 1974 55 A. KABELL, Metr. Studien II, Ant. Form sich nähernd, 1960 56 W. KAYSER, Gesch. des dt. Verses, ⁴1991 (1958) 57 A. KELLETAT, Zum Problem der ant. Metren im Dt.: in: Deutschunterricht 16, 1964, 50–85 58 P. KLOPSCH, Einf. in die mittellat. Verslehre, 1972 59 J. KODER, Antikebezüge bei Romanos dem Meloden?, in: Wiener Human. Bl. 43, 2001, 106–127 60 K. M. KOHL, Rhetoric, the Bible, and the Origin of Free Verse, 1990 61 Dies., Fr. G. Klopstock, 2000 62 W. KÜHLMANN et al. (Hrsg.), Human. Lyr. des 16. Jh., 1997 63 K. KÜPER, Sprache und Metrum, 1988 64 M. D. LAUXTERMANN, The Spring of Rhythm, 1999 65 B. LAWDER, Vers le vers, 1993 66 J. LEONHARDT, Dimensio syllabarum, 1989 67 P. MAAS, Der byz. Zwölfsilber, in: Ders., Kleine Schriften, 1973, 242–288 (1903) 68 C. MADDISON, Apollo and the Nine. A History of the Ode, 1960 69 U. MÖLK, Vers latin et vers roman, in: GRLMA I, 1975, 468–482 70 T. NAVARRO TOMÁS, Métrica española, ⁴1974 (¹1956) 71 A. NILGES, Imitation als Dialog. Die Rezeption Ronsards in Ren. und Frühbarock, 1988 72 D. NORBERG, Introduction à l'étude de la versification médiévale, 1958 73 Ders., La versification de Commodien, in: J. SAFAREWICZ (Hrsg.), Munera philologica et historica Mariano Plezia oblata, FS M. Plezia, 1988, 141–146 74 B. PAPST, Prosimetrum, 1994 75 G. PASCOLI, Carmina. Poesie Latine, 1951 76 S. PÉREZ-ABADÍN BARRO, La oda en la poesía española del siglo xvi, 1995 77 F. PESSOA, Texto crítico das Odes de Fernando Pessoa-Ricardo Reis, hrsg. v. S. BÉLKIOR, 1988 78 A. PREMINGER, T. W. F. BROGAN et al., New Princeton Encyclopedia of Poetry and Poetics, 1993 79 E. PULGRAM, Latin-Romance Phonology, 1975 80 S. P. REVARD, Pindar and the Ren. Hymn-Ode: 1450–1700, 2001 81 F. RIGOLOT, Louise Labé Lyonnaise, 1997 82 A. RONCAGLIA, L'effondrement de la quantité phonologique latine, in: Romanobarbarica 6, 1981–82, 291–310 **83** P. A. ROSENMEYER, The Poetics of Imitation. Anacreon and the anacreontic Trad., 1993 **84** F. ROUGET, L'apothéose d'Orphée, 1994 **85** E. SCHÄFER, Dt. Horaz, 1976 **86** D. SCHALLER, Bauformeln für akzentrhythmische Verse und Strophen, in: MLatJb 14, 1979, 9–21 **87** B. P. SCHERR, Russian Poetry. Meter, Rhythm, and Rhyme, 1986 **88** J. SCHIPPER, Engl. Metrik, I/II, 1881/8 **89** E. A. SCHMIDT, Notwehrdichtung. Mod. Jambik von Chénier bis Borchardt, 1990 **90** G. N. SHUSTER, The English Ode from Milton to Keats, ²1964 **91** C. SCOTT, Vers libre, 1990 **92** T. SCHMITZ, Pindar in der frz. Ren., 1993 **93** A. SEIFERT, Unt. zu Hölderlins Pindar-Rezeption, 1982 **94** I. SILVER, Ronsard and the Hellenic Ren. in France, I–III, 1981–1987 **95** E. STANDOP, Abriß der engl. Metrik, 1989 **96** P. STOTZ, Sonderformen der sapphischen Dichtung, 1982 **97** W. STROH, Der dt. Vers und die Lateinschule, in: A&A 25, 1979, 1–19 **98** Ders., Arsis und Thesis, oder: Wie hat man lat. Verse gesprochen?, in: M. v. ALBRECHT, W. SCHUBERT (Hrsg.), Musik und Dichtung (FS V. Pöschl), 1990, 87–116 **99** H. L. C. TRISTRAM (Hrsg.), Metrik und Medienwechsel, 1991 **100** K. VIETOR, Gesch. der dt. Ode, 1923 **101** C. WAGENKNECHT, Weckherlin und Opitz, 1971 **102** Ders., Dt. Metrik, ²1989 **103** K. WÅHLIN, Allmän och svensk metrik, 1995 **104** E. WEBER, La musique mesurée à l'antique en Allemagne, I/II, 1974 **105** J. WEINHEBER, Sämtliche Werke, Bd. II, ³1972 **106** M. L. WEST, Greek Metre, 1982 **107** H. W. WITTSCHIER, Die Lyr. der Pléiade, 1971 **108** V. Žirmunskij, Introduction to Metrics, 1966.

THOMAS POISS

Verslehre I. LITERARISCH II. MUSIKALISCH

I. LITERARISCH
s. Verskunst

II. MUSIKALISCH

1. Auch wenn sich im Hervorbringen von Text die Komponenten von »singen« und »sprechen« idealtypisch trennen ließen, wäre neben dem »Sprechen« ein Kontinuum von »Sprechgesang« bis zu »Gesang« denkbar. In ihm läßt sich jede Art von Text unter dem Aspekt der Musik einlagern. Sie vermag Faktoren wie Länge-Kürze, Akzentfall oder Silbenzahl, welche die V. von einem Text festhält, nachzubilden: durch lange und kurze Töne, Betonungen oder durch Phasenbildung der Melodie. Musik, die beständig mit solchen Parametern arbeitet, vermag sich einem Gedicht anzupassen und dessen seitens der V. bestimmbare Eigenschaften zu betonen. Sie kann aber auch Verseigenschaften dadurch überspielen, daß sie musikalisch andere Muster formt, als die V. sie fordert. So kann sie Faktoren, welche die V. berücksichtigt, »gegen« den Text setzen – ganz abgesehen von zusätzlichen Faktoren wie Stimmgebung, Tonfarben oder Instrumentierung.

Eine systematische Ordnung der möglichen Verschränkungen von »sprachlichen« und »musikalischen« Parametern ist nicht versucht worden, noch ist klar, wie entsprechende Forsch. auszusehen hätte.

2. Sicher seit dem ausgehenden 12. Jh. werden Wiss. einander im Verhältnis der Subalternation zugeordnet

[9]. Subalterniert eine Wiss. einer anderen, übernimmt sie von ihr die Voraussetzungen (was eine Zahl ist, sagt die Metaphysik aus. Von ihr wird die Definition in der Arithmetik und dann von der Musik übernommen, da die Arithmetik von der Metaphysik und die Musik von der Arithmetik subalterniert wird). Elementare Gramm. des 13./14. Jh. halten fest, daß die Musik die Metr. (*ars metrica*) als Teil der Gramm. subalterniert. Als übergeordnete Disziplin vermag die Musik überlieferte metr. Schemata zu ändern. Dem entspricht es, daß man in der sog. Modalmusik des 12./13. Jh. mit einer Metr. arbeitet, die das Verhältnis von lang und kurz (*longa* und *brevis*) 2:1 setzt, dann aber auch anders als die Metr. eine ternäre *longa* (= 3 *breves*) kennt. Zudem wird für kleinere Teile eine Halbbrevis (*semibrevis*) eingeführt, die ein Drittel oder die H. einer Brevis ausmacht. Die in dieser Modalmusik gelehrten rhythmischen Muster werden im 13. Jh. als Verkürzung der 24 von Donat gelehrten Versfüße auf fünf bis sechs verstanden (GL 4, 369.19–370.19; für eine Übersicht [7]). In der Hs. Oxford, Bodleian Library, ms. 77, fol. 139, 15. Jh., sind die Versfüße im musikbezogenen Lehrtext eines gewissen Amerus aus der 2. H. des 13. Jh. modalrhythmisch notiert. Wiedergabe: [8. 424–427]. Durch die Veränderungen musikalischer Theoriebildung im Rahmen der Musik als einer *scientia media* (einer »mittleren«, d. h. zw. Physik und Mathematik angesiedelten Wiss., → Musik I. Ideengeschichte) wird eine Quantifizierung physikalischer Daten, also auch von Tönen, möglich. Damit läßt sich eine mit metr. Belangen debattierende Musiklehre auf eine Notation ein, welche jedes Metrum, darüber hinaus aber auch jede rhythmische Faktur abbilden kann. Die Bandbreite möglicher Längenwerte kann auf dieser Basis unbegrenzt erweitert werden; als Gegengewicht zum betonten Ton erlaubt die Synkopierung andere Wertigkeiten. Was von da an musikalisch der Fall sein kann, muß nicht mehr mit der V. zusammenhängen.

3. Wie weit Musik von der V. beobachtbare Parameter aufnimmt, sie ihrerseits gestaltet, modifiziert oder eigene Materialien dagegen stellt, ist Teil einer ungeschriebenen Geschichte des Liedes. Hier zu erwähnen ist, daß die Anf. des Problems im MA forschungstechnisch sehr schwierig sind. Allerdings haben Gunilla Björkvall und Andreas Haug gezeigt, daß scheinbar unüberwindliche Schwierigkeiten von h. her gesehen (v. a. defiziente Aufzeichnungsweise, mangelnde rhythmische Angaben) durch präzise Fallanalysen bei weitem erfolgreicher klärbar sind, als dies vermutet wurde [1–6]. Diese Analysen vermögen nun ihrerseits das in den *artes metricae* gelehrte Material wieder zu ergänzen, wodurch die ma. V. durch die Belege einer (gesungenen) Praxis erweitert wird.

1 G. BJÖRKVALL, A. HAUG, Primus init Stephanus. Eine Sankt Galler Prudentius-Vertonung aus dem zehnten Jh., in: Archiv für Musikwiss. 39, 1992, 57–78 **2** Dies., On the Relation Between Latin Verse and Music During the Early Middle Ages, in: Cantus Planus: Papers Read at the 6th meeting, Eger, Hungary 1993, hrsg. v. L. DOBSZAY,

Budapest 1995, 793–798 **3** Dies., Form und Vortrag des »Carmen Cantabrigiense« 27, in: Filologia mediolatina 3, 1996, 169–205 **4** Dies., Musik und lat. Vers im frühen MA, in: Musik als Text: Ber. über den Internationalen Kongreß der Ges. für Musikforsch., Freiburg im Breisgau 1993, hrsg. v. H. DANUSER, T. PLEBUCH, 1998, Bd. 2, 234–240 **5** Dies., V. und Versvertonung im lat. MA, in: U. SCHAEFER (Hrsg.), »Artes« im MA, 1999, 309–323 **6** Dies., Performing Latin Verse. Text and Music in Early Medieval Versified Offices, in: M. E. FASSLER, R. A. BALTZER (Hrsg.), The Divine Office in the Latin Middle Ages. Methodology and Source Stud., Regional Developments, Hagiography Written in Honor of Professor Ruth Steiner, 2000, 278–299 **7** M. HAAS, Die Musiklehre im 13. Jh. von Johannes de Garlandia bis Franco, in: F. ZAMINER (Hrsg.) Die ma. Lehre von der Mehrstimmigkeit, 1984, 89–159 (= Gesch. der Musiktheorie 5) **8** Ders., Stud. zur ma. Musiklehre I: Eine Übersicht über die Musiklehre im Kontext der Philos. des 13. und 14. Jh., in: Forum musicologicum 3, 1982, 323–456 **9** U. KÖPF, Die Anf. der theologischen Wissenschaftstheorie im 13. Jh., 1974 (= Beitr. zur histor. Theologie 49).

MAX HAAS

Vertonungen antiker Texte A. ÜBERBLICK
B. VERTONTE WERKE

A. ÜBERBLICK

Seit der Ren. ist die Musik des Abendlandes in tiefgreifender Weise von der Lit., Myth. und Historie der Ant. geprägt worden. Dies verraten bereits die Titel zahlloser Opern von Monteverdi (*L'Orfeo*, *L'incoronazione di Poppea*, *Il ritorno d'Ulisse in patria*), Purcell (*Dido and Aeneas*), Georg Friedrich Händel (*Agrippina*, *Giulio Cesare in Egitto*, *Scipione*, *Alessandro*, *Ezio*, *Atalanta*, *Semele* u. a.), Gluck (*Orfeo ed Euridice*, *Alceste*, *Paride ed Elena*, *Iphigénie en Aulide*, *Iphigénie en Tauride*), Mozart, Berlioz (*Les Troyens*) bis zu Richard Strauss (*Elektra*, *Ariadne auf Naxos*, *Die ägypt. Helena*, *Daphne*, *Die Liebe der Danae*), Braunfels (*Die Vögel*), Orff, Dallapiccola (*Ulisse*) und Henze (*Die Bassaride*). Von Mozarts 20 Opern und Singspielen sind sieben (*Apollo et Hyacinthus*, *Mitridate*, *Ascanio in Alba*, *Il sogno di Scipione*, *Lucio Silla*, *Idomeneo* und *La clemenza di Tito*) vom Stoff her der ant. Myth. oder Geschichte entnommen. Aber auch in Oratorien (Bruch: *Odysseus*, Strawinsky: *Oedipus Rex*), Kantaten, Balletten (Strawinsky: *Orpheus*), Chorwerken und Liedern, in denen ein lit. geformter Stoff verarbeitet werden konnte, ist die ant. Welt mit ihren Göttern und Helden, ihren histor. Persönlichkeiten, ihrem philos. Gedankengut und v. a. ihren immer wieder imitierten poetischen Grundmustern bis zum E. des 18. Jh., dann wieder unter neuer Perspektive im 20. Jh. bis h. präsent.

Während aber in allen diesen musikalischen Gattungen die ant. Stoffe und Texte in Um- und Neugestaltungen, Bearbeitungen und Adaptionen der jeweiligen Epoche begegnen, die nicht selten sich sehr weit von der Vorlage entfernen und sie bisweilen geradezu verfremden, ist das direkte und ungefilterte Zusammentreffen von griech. und lat. Dichtung, sowohl im Original wie in Übers. oder Nachdichtungen in einer mod. Sprache

(vorzugsweise It., Frz., Engl., Dt. und Russ.), weitaus seltener. Die V. altgriech. Texte in der Ursprache blieb dabei eher die als gelehrte Spielerei gesuchte kuriose Ausnahme (Kirnberger, Cherubini, Méhul, Loewe, Orff, Killmayer). Dagegen sind lat. Texte, z. B. die Oden des Horaz oder Didos Abschiedsworte aus Vergils *Aeneis* (in Motetten von Josquin, Willaert, Arcadelt, Lasso u. a.) vom frühen MA bzw. seit dem 16. Jh. bis h. immer wieder im lat. Urtext komponiert worden.

B. VERTONTE WERKE

Aus der Fülle der V., deren Umfang, Spannweite und lange unterschätzte musikalische Qualität erst in den letzten 20 J. erkannt und gesichtet wurde, ragen einige Textgruppen hervor. Einzelnachweise sind den Literaturangaben zu entnehmen.

1. GRIECHISCHE LITERATUR

1.1 SAPPHO UND DIE ÄLTERE GRIECHISCHE LYRIK

Sapphos Gedichte sind bis auf den *Hymnus an Aphrodite* nur in zahlreichen größeren, aber auch sehr kleinen Fragmenten überliefert. Dennoch hat ihre Poesie seit der Mitte des 18. Jh. eine bis h. anhaltende Faszination auf die Komponisten ausgeübt. Die in eine nebelhafte, vom Hauch des Skandalösen umwitterte Aura getauchte Gestalt der Dichterin wurde zu einer mythischen Figur und neben Orpheus zu einer Inkarnation der Macht von Poesie und Musik. Neben Grillparzers Trauerspiel *Sappho* behandeln zahlreiche Opern und Kantaten des 19. Jh. ihr bereits in der Spätant. anekdotisch ausgeschmücktes Leben, v. a. ihre unglückliche Liebe zu dem jungen Phaon, die sie angeblich in den Selbstmord getrieben hat. Da man außerdem wußte, daß ihre Gedichte urspr. Lieder waren, die von ihr selbst komponiert und zur Leier gesungen worden waren, konnte eine erneute V. von der Intention her den Anspruch erheben, einen urspr. Zustand, wenn auch mit neuen Mitteln, wiederherzustellen. Dies gilt, obwohl mit weitaus geringerer Wirkung, für Fragmente von Alkaios, Alkman, Anakreon, Archilochos, Ibykos, Ion von Chios und Likymnios, für Epigramme der *Anthologia Graeca*, *Carmina convivalia* (Skolien) und *Carmina popularia* sowie die Chorlyr. Pindars. Unter den Komponisten sind Blow, Kirnberger, Haydn, Neefe, Franz Xaver Mozart, Spontini, Moniuszko, Nikolai Tscherepnin, Bantock, Stanford, Elgar, Kodály, Pizzetti, Petrassi, Orff, Reuter, Dallapiccola, Madema und Killmayer zu nennen.

1.2 CARMINA ANACREONTEA

Die *Carmina Anacreontea*, die bis ins 19. Jh. fälschlich als Werke des Anakreon von Teos (6. Jh. v. Chr.) angesehen wurden, sind routiniert gemachte Nachahmungen dieses nur in ganz wenigen Fragmenten erhaltenen Lyrikers. In der Spätant. entstanden, haben sie seit dem 16. Jh. einen großen Einfluß auf die europ. Lit. ausgeübt, der von Ronsard über die dt. Anakreontiker, Lessing und den jungen Goethe bis zu Mörike reicht. Das 18. Jh. zeigte eine bes. Affinität zu dieser Art von gefälliger Poesie, deren stereotype Thematik, die fast ausschließlich um den Preis der Liebe und des Weins kreist, dem Geist des Rokoko entsprach. So finden sich in den

Gedichten dieser Zeit nicht nur zahlreiche Anklänge, sondern auch wörtliche Übers. von *Carmina Anacreontea*. Dies hat zu einer Fülle von meist anspruchslosen Kompositionen, fast immer in Liedform oder für Chor geführt, die vom frühen 18. Jh. bis ins 20. Jh. reicht und eine Reihe prominenter Namen einschließt: Telemann, Joseph Haydn, Steffan, Mozart (Kanon *Thebana bella* KV 73r), Mihul, Cherubini, Schubert (*An die Leyer* D 450), Samuel Wesley, Loewe, Reinthaler, Gade, Chausson, Kienzl, Ethel Smyth, Schillings, Schoeck und Roussel.

1.3 BÜHNENMUSIKEN ZU GRIECHISCHEN TRAGÖDIEN (AISCHYLOS, SOPHOKLES, EURIPIDES) UND KOMÖDIEN (ARISTOPHANES, MENANDER)

Mit Felix Mendelssohn Bartholdys Schauspielmusiken zu *Antigone* (1841) und *Ödipus auf Kolonos* (1845) von Sophokles begann eine neue Ära der Rezeption des ant. Dramas auf der Bühne der Neuzeit. Erstmals wurde ernsthaft versucht, die Chorlieder in musikalischer Form aus dem Geist der Ant., aber nicht mit den Mitteln der (verlorenen und nicht rekonstruierbaren) ant. Musik einzubeziehen und zugleich die Texte insgesamt weitgehend unangetastet zu lassen. Die heftigen und nicht immer sachlichen Diskussionen über die Angemessenheit von Mendelssohns Vorgehen, nämlich die Chorlieder für zwei vierstimmige Männerchöre und Orchester (mit Harfe) zu komponieren und die Dialoge gelegentlich melodramatisch zu behandeln, sind seitdem nicht verstummt. An der herausragenden Qualität von Mendelssohns Musik, die inzwischen auf Tonträgern vorliegt und in Konzerten mehrmals erfolgreich erprobt wurde, kann jedoch kein Zweifel bestehen. In der Nachahmung oder strikten Abgrenzung gegenüber Mendelssohn sind bis h. zahlreiche Bühnenmusiken (auch Hörspiel- und Filmmusiken) zu fast allen erhaltenen Trag. und Kom. entstanden. Unter den Komponisten befinden sich neben vielen Bühnenmusik-Spezialisten, deren Kompositionen nur regionale Bed. hatten, immerhin Namen wie Franz Lachner, Taubert, Saint-Saëns, Lassen, Schillings, Humperdinck, Weingartner, Bantock, Stanford, Vaughan Williams, Roussel, Koechlin, Pizzetti, Zandonai, Honegger, Milhaud, Auric, Bruno Walter, Malipiero, Frank Martin, Antheil, Toch, Messiaen, Luciano Berio, Henze, Xenakis und Boulez.

2. LATEINISCHE LITERATUR

2.1 HORAZ

Horaz besitzt von allen Dichtern Europas die längste und kontinuierlichste musikalische Rezeptionsgeschichte. Neben Texten der Bibel und der christl. Liturgie sind nur die Gedichte des Horaz seit dem frühen MA mit nur wenigen Unterbrechungen immer wieder vertont worden. Zu mehr als einem Drittel seiner Oden sind Kompositionen nachweisbar, einige wurden zw. zehn und zwanzig Mal komponiert. Daß die Geschichte der Horaz-V. bis in ihre Entstehungsgeschichte zurückreicht, ist durch eine Inschr. von der Aufführung des *Carmen saeculare* im J. 17 v. Chr. gesichert, in der es

heißt, daß je 27 Knaben und Mädchen das vom Dichter komponierte und einstudierte Lied gesungen hätten. Die Frage, ob auch die übrigen Oden des Horaz schon bei ihrer Entstehung als gesungene Lieder gedacht waren oder nicht, ist schon lange ein Gegenstand der Diskussion. Horaz selbst nennt sich ›Romanae fidicen lyrae‹ (carm. 4,3,23) und sagt von seinen Gedichten ›verba loquor socianda chordis‹ (carm. 4,9,4). Ob er damit eine tatsächliche V. meint oder nur einen als Topos übernommenen Reflex auf sein lit. Vorbild, die frühgriech. Lyr., die erwiesenermaßen gesungen wurde, bietet, bleibt umstritten. Die zu allen Zeiten lebendige Vorstellung einer einstigen Verbindung von Text und Musik bei Horaz diente jedenfalls immer wieder als Anreiz zur erneuten Komposition. Zu den Horaz-Komponisten soll auch Johann Sebastian Bach gehört haben, dessen V. nicht erhalten sind. Zu nennen sind hier aber u. a. Arcadelt, Cipriano de Rore, Hofhaimer, Senfl, Orlando di Lasso (Motette *Beatus vir*), Händel, Arne, Boyce, Marpurg, Kirnberger, Philidor (*Carmen saeculare*), Johann Christian Bach, Johann Adam Hiller, Holzbaur, Joseph Haydn (Kanon *Vixi*), Neefe, Georg Joseph (*Abbé*) Vogler (*Carmen saeculare*), Zelter, Samuel Wesley, Salieri, Loewe, Taubert, Cornelius (*O Venus regina*), Vinzenz Lachner, Saint-Saëns, Massenet, Reger (*Carmen saeculare*), Reynaldo Hahn, Kodály, Castelnuovo-Tedesco, Jan Novák und Hans Vogt.

2.2 CATULL / VERGIL / OVID

Die musikalische Rezeption Vergils ist, abgesehen von den erwähnten Motetten und Berlioz' monumentaler Oper *Les Troyens*, eine eher indirekte, durch die Idee des Pastorale entstandene, die sich von den Eklogen herleitet. Ovids Verse wurden direkt nur sehr selten vertont, während seine *Metamorphosen* ein unverzichtbares Handbuch für Opernlibretti und Kantatentexte seit dem 17. Jh. bildeten. Catull wurde erst im 20. Jh. für die Musik entdeckt, wohl noch etwas vor seiner literaturgeschichtlichen Rehabilitierung. Orffs berühmte *Catulli Carmina* (1943) sind aber keineswegs der erste und schon gar nicht der gelungenste Versuch, die explosive und pointierte Sprachkunst des Dichters adäquat in Musik umzusetzen. Hier haben u. a. Milhaud (*Quatre poèmes de Catulle*, 1926), Krása (*Die Liebe*, 1925), Pizzetti (*Epithalamium*, 1939), Henze (in *Boulevard Solitude*, 1951), Seiber (*Sirmio*, 1956), Jan Novák (*Passer Catulli*, 1962) und Huzella (*Miser Catulle*, 1967) überzeugendere V. vorgelegt.

1 J. DRAHEIM, V. ant. Texte vom Barock bis zur Gegenwart (mit einer Bibliogr. der V. für den Zeitraum von 1700 bis 1978), 1981 **2** Ders., V. ant. Dichtungen und ihre Behandlung im Unterricht, in: AU 23, 1980 Heft 5, 6–27 **3** Ders., Vergil und die Musile, in: 2000 J. Vergil. Ein Symposium, 1983, 197–221 **4** Ders., Sappho in der Musik, in: M. v. ALBRECHT, W. SCHUBERT (Hrsg.), Musik in Ant. und Neuzeit, 1987, 147–182 **5** Ders., Horaz in der Musik, in: Gymnasium 102/1995, 123–131 **6** Ders., Das Notenarchiv zur musikalischen Rezeption der Ant. in der Bibl. des Seminars für Klass. Philol. der Univ. Heidelberg,

in: Gymnasium 102/1995, 160–162 und in: International Journal of Musicology 3, 1994, 401–406 (mit erweiterter Bibl.) **7** Ders., Gutta cavat lapidem – Ein Ovid-Zitat in der Musik, in: W. SCHUBERT (Hrsg.), Ovid – Werk und Wirkung, Festgabe für Michael von Albrecht zum 65. Geburtstag, 1998, 1153–1162 **8** Ders., G. WILLE, Horaz-V. vom MA bis zur Gegenwart. Eine Anthologie, 1985 **9** H. FLASHAR, Eidola, Ausgewählte kleine Schriften, 1989 **10** Ders., Inszenierung der Ant. Das griech. Drama auf der Bühne der Neuzeit 1585–1990, 1991 **11** H. HUNGER, Lex. der griech. und röm. Myth. mit Hinweisen auf das Fortwirken ant. Stoffe und Motive in der bildenden Kunst, Lit. und Musik des Abendlandes bis zur Gegenwart, ⁸1998 **12** H. JUNG, Die Pastorale. Stud. zur Gesch. eines musikalischen Topos, 1980 **13** H. KRONES, Horaz in der europ. Musikgesch., in: Wiener Human. Bl. 35, 1993, 40–66 **14** S. KUNZE, Die Ant. in der Musik des 20. Jh., 1987 **15** F. PIPERNO, s. v. Musica, in: Enciclopedia oraziana, Vol. III, 1998, 661–677 **16** W. SCHUBERT, Prima le parole, dopo la musica? Igor Strawinsky, Sophokles und die lat. Sprache im Oedipus Rex. Zum 100. Geburtstag des Komponisten, in: A&A 29, 1983, 1–25 **17** M. STAEHLIN, Horaz in der Musik der Neuzeit, in: W. KILLY (Hrsg.), Gesch. des Textverständnisses am Beispiel von Pindar und Horaz, 1981, 195–217 **18** E. STEMPLINGER, Das Fortleben der horazischen Lyr. seit der Ren., 1906 **19** W. THOMAS, Das Rad der Fortuna. Ausgewählte Aufsätze zu Werk und Wirkung Carl Orffs, 1990 **20** G. WILLE, Musica Romana. Die Bed. der Musik im Leben der Römer, 1967.   JOACHIM DRAHEIM

Vertrag A. DER HISTORISCHE HINTERGRUND
B. DIE STELLUNG DES VERTRAGES IN DEN KONTINENTALEN KODIFIKATIONEN
C. ENTWICKLUNG UND STELLUNG DES VERTRAGSRECHTS IM ENGLISCHEN COMMON LAW

A. DER HISTORISCHE HINTERGRUND

Das mod. Vertragsrecht (VR) der kontinentalen Rechtsordnungen hat seine histor. Grundlage in der Trad. des röm. Gemeinen Rechts. Die röm. Quellen – selbst zur Zeit der justinianischen Kodifikation – kennen keine allg. V.-Theorie, sondern nur spezifische V.-Typen. Die röm. Konsensual-V. – etwa der Kauf (*emptio venditio*) oder der Werkvertrag (*locatio operis*) – stehen am Anf. einer Entwicklung, welche zu unserer mod. Vorstellung von Schuld-V. als konsensuelle Willenseinigung zweier oder mehrerer Parteien führte. Das röm. VR erfuhr im Gemeinen Recht wesentliche Veränderungen. An erster Stelle ist hier die Überwindung des röm. Systems von einzelnen V.-Typen zu nennen. Bereits in der ma. Rechtslehre, v. a. der → Kanonisten, wurden die ersten Ansätze geschaffen, um zu einem allg. V.-Begriff zu gelangen [21]. Unter dem Einfluß der Praxis, nicht zuletzt aber auch der theologischen und juristischen Theorien der Spätscholastik, gelang E. des 16. Jh. der gemeinrechtlichen Lehre die Entwicklung und Ausformung einer allg. V.-Kategorie [3; 4].

Die Autoren des Gemeinen Rechts wichen bereits seit dem 16. Jh. von dem Erfordernis einer bes. Rechtsform für das Zustandekommen eines Schuldversprechens ab. Unter dem Einfluß zunächst der ma. Kano-

nisten, später der Lehren des → Naturrechts (17.–18. Jh.) wurde angenommen, daß jede auch formlose Vereinbarung verbindliche Rechtsansprüche begründen kann [20]. Der röm. Satz *ex pacto actio non oritur* wurde so aufgegeben. Der mod. Gedanke des allg. Schuld-V. war damit geboren [7; 14]. ›Une convention ou un pacte (car ce sont termes synonymes)‹, – schrieb Mitte des 18. Jh. der frz. Jurist Robert Joseph Pothier [15] – ›est le consentement de deux ou de plusieurs personnes, pour former entre elles quelque engagement, ou pour résoudre un précédent, ou pour le modifier‹. Diese gemeinrechtliche Definition des V. [9] liest man noch, fast wortgleich, in den älteren Kodifikationen aus dem E. des 18. Jh., insbes. in Art. 1101 des frz. *Code civil* (1804) und in § 861 des österreichischen ABGB (1811). Die ähnliche Formulierung beider Vorschriften macht den gemeinsamen histor. Hintergrund des frz. und des österreichischen Gesetzbuchs deutlich. Sämtliche mod. → Kodifikationen in Kontinentaleuropa sehen eine Definition des V. als ›Willenseinigung vor. Das dt. BGB (1900) setzt sie ohne eine ausdrückliche dogmatische Definition als logisch voraus (§ 154 Abs. 1 BGB). Eine vergleichende Lektüre der einschlägigen Vorschriften zeigt zudem, daß die Gesetzgebungstechnik in den mod. Kodifikationen sich erheblich in Sprache und Stil von den ersten histor. Vorbildern entfernt hat (siehe Art. 1 des Schweizer OR (1912), Art. 1321 und 1325 des it. *Codice civile* (1942), Art. 232 des portugiesischen *Código civil* (1966), Art. 213 Abs. 1 und Art. 217 Abs.1 im 6. Buch des *Nieuw Nederlands Burgerlijk Wetboek* von 1992).

B. DIE STELLUNG DES VERTRAGES IN DEN KONTINENTALEN KODIFIKATIONEN

Der Aufbau der kontinentalen Kodifikationen und insbes. die systematische Einordnung der Rechtsfigur des V. in deren Gesamtstruktur bietet einen lehrreichen Einblick in die Entwicklung der mod. Gesetzgebung [16. 35 ff.]. In den histor. ältesten Kodifikationen, dem frz. *Code civil* und dem österreichischen ABGB, stellt das → Eigentum und nicht der V. den systematischen Orientierungspunkt des Gesetzbuchs dar. Es ist bezeichnend, daß das Dritte Buch des frz. *Code civil* den ›différentes manières dont on acquiert la propriété‹ gewidmet ist. Erst in dessen Dritten Titel werden die Vorschriften zum V. und zum → Schuldrecht vorgesehen. Die Gliederung des frz. *Code civil* ist damit noch dem Modell der justinianischen Institutionen verpflichtet. Nicht der V., sondern das Eigentum und dessen Erwerb liegt also der systematischen Anlage des *Code* zugrunde. Auch das österreichische ABGB zeigt in seinem systematischen Aufbau eine ähnliche Ausrichtung. Nach dem »Personenrecht« im ersten Teil werden im zweiten Teil die »Sachenrechte« und hier erst in einer zweiten Abteilung die »persönlichen Sachenrechte« geregelt. Der V. und die vertraglichen Schuldverhältnisse werden erst im 17. Hauptstück, also keinesfalls im systematischen Zentrum des Gesetzbuchs erwähnt und gesetzlich geregelt. Zahlreiche Kodifikationen des Zivilrechts im Europa des 19. Jh. – etwa diejenigen der it. präunitarischen Staaten oder des it. Königreichs von 1865, das erste niederländische *Wetboek* von 1838, der erste portugiesische *Código civil* von 1868 – blieben in ihrer Systematik dem Vorbild des frz. *Code civil* treu. So im Kern auch der span. *Código civil* von 1889; die span. Kodifikation zeigt jedoch in ihrer Struktur – trotz des evidenten frz. Einflusses – eine bemerkenswerte Neuerung im Vergleich zum Vorbild: Dem VR und den vertraglichen Obligationen ist nunmehr ein selbständiges Viertes Buch gewidmet.

Das dt. BGB von 1900 stellt in Aufbau und System eine vollständige Neuerung im Vergleich zu den beschriebenen histor. Vorläufern dar. Die Systematik der dt. Kodifikation wird von ihrem logischen Aufbau und insbes. von dem Ersten Buch beherrscht, wo ein »Allg. Teil« für das gesamte Gesetzbuch vorgesehen ist. Die Gliederung des Stoffes erfolgt also nicht nach einer inhaltlichen Verteilung der Materie, sondern nach logisch-begrifflichen Kriterien; an der Spitze des Gesetzbuchs steht die Lehre vom Rechtsgeschäft und der rechtsgeschäftlichen Willenserklärung. Der V. findet erst Erwähnung, nachdem man im Zweiten Titel des Dritten Abschnitts des »Allg. Teils« allg. Vorschriften über die Willenserklärung und insoweit auch über die vertragliche Erklärung (§§ 116–144 BGB) vorangestellt hat.

Die Systematik des dt. BGB stellte für die europ. Kodifikationen in der ersten H. des 20. Jh. zunächst allerdings keineswegs ein Vorbild dar [16. 35 ff.]. Die Lehre vom Rechtsgeschäft und der beschriebene streng logische Aufbau wurde von vielen als zu abstrakt und lebensfremd angesehen. Bezeichnenderweise sahen weder der Schweizer Gesetzgeber in der Revision des Obligationenrechts aus dem J. 1912 noch der österreichische bei den Teilnovellen zum ABGB der J. 1914–1916 spezifische Bestimmungen zum Rechtsgeschäft vor. Im Zentrum der gesetzlichen Regelung des Schweizer Obligationenrechts steht der Vertrag. Der österreichische Gesetzgeber ließ den histor. Aufbau des ABGB weitestgehend unangetastet. Das dt. BGB hatte lediglich hinsichtlich der zahlreichen gesetzlichen Detailregelungen, die sowohl in der Schweiz als auch in Österreich damals im VR eingeführt wurden, eine Vorbildfunktion. Auch der it. Gesetzgeber von 1942 fand sich nicht bereit, einen »Allg. Teil« in sein neues Gesetzbuch aufzunehmen. Auf eine gesetzliche Regelung der Lehre vom Rechtsgeschäft, die damals übrigens Aufnahme in die it. Doktrin gefunden hatte, wurde bewußt verzichtet. Ein Viertes Buch des neuen Gesetzbuchs wurde dem Schuldrecht gewidmet. Hier nimmt die Rechtsfigur des V. eine zentrale Stellung ein.

Erst in den jüngsten europ. Kodifikationen des Zivilrechts scheint die systematische Anlage des BGB wenigstens zum Teil Vorbild gewesen zu sein [16. 35 ff.]. Der portugiesische Gesetzgeber von 1966 – als das alte portugiesische Zivilgesetzbuch von 1868 neugefaßt wurde – sieht ein Erstes Buch mit einem »Allg. Teil« vor. Hier findet die Lehre vom Rechtsgeschäft (*negócio jurídico*) eine ausdrückliche gesetzliche Regelung. Der portugiesische *Código civil* unterscheidet insoweit, gemäß dem dt. Vorbild, zw. den Vorschriften zur rechtsgeschäftlichen Willenserklärung und der gesetzlichen Regelung zum V., die sich erst im zweiten Kapitel des »Zweiten Buches« befindet. Auch das neueste niederländische Zivilgesetzbuch von 1992 kennt einen »Allg. Teil«. Dieser wird allerdings erst im »Dritten Buch«, und zwar nur für das Vermögensrecht, vorgesehen; dabei werden bes. Vorschriften den Rechtsakten und den Rechtsgeschäften gewidmet. Systematisch davon getrennt erfährt der V. erst im »Sechsten Buch« eine ausführliche gesetzliche Regelung.

C. Entwicklung und Stellung des Vertragsrechts im englischen Common Law

Die heutige Rechtsfigur des *Contract* im engl. Recht hat sich in einem anderen histor. Kontext als dem oben aufgezeigten entwickelt. England hat bekanntlich weder im MA noch in der Neuzeit eine Rezeption des röm. Gemeinen Rechts erfahren. Das *Common Law* entwickelte seine Regeln aus der Rechtspraxis der Königlichen Gerichte in Westminster. Dies gilt auch für das Vertragsrecht. An dessen Beginn stehen unterschiedliche prozessuale *forms of action*. Das Verfahren beginnt mit dem Antrag des Klägers bei der Königlichen Kanzlei auf Gewährung eines *Writ*, d. h. einer königlichen Ladung des Gegners vor das Königliche Gericht. Das Verfahren ist stark formalisiert: ›Jedem Tatbestand entspricht eine bes. Form des Prozesses, jedem *Writ* eine »Action«‹ [18. 12]. Ausgangspunkt der Entwicklung des VR ist die deliktische Klage aus *Trespass*, die anfänglich eine rechtswidrige Schädigung von Körper und Eigentum betraf, welche gewaltsam, *vi et armis* unter Bruch des Königsfriedens stattgefunden haben mußte. Auf dem Weg der Gewährung von *writs on the Case in consimili casu* wurde diese Klageform bereits E. des 12. Jh. über einen solchen urspr. engen Tatbestand hinaus erweitert: So wurde auch Ersatz für Schäden gewährt, die jemand dem Eigentum eines anderen, welches er in irgendeiner Weise zu behandeln versprochen hatte, zufügte, etwa in einem Fall aus dem J. 1372, in welchem ein Schmied übernommen hatte, ein Pferd zu beschlagen und es dabei verwundete. Aus den genannten Fallkonstellationen entwickelten die engl. Gerichte in den darauffolgenden Jahrzehnten eine *action of Assumpsit*. Diese begründet noch nicht eine obligatorische V.-Verpflichtung im Sinne des kontinentalen Rechts, sondern nur eine Verpflichtung zum Schadensersatz für den Fall der Nichterbringung oder der fehlerhaften Erbringung der versprochenen Leistung. Aus der damaligen prozessualen Perspektive begründet insoweit die vertragliche Abrede keinen Leistungsanspruch, sondern sie ist nur die Voraussetzung für die Entstehung etwaiger Ansprüche auf Schadensersatz wegen Verletzung eines gegebenen Versprechens. Der V. selbst erscheint also zu diesem Zeitpunkt der histor. Entwicklung des *Common Law* eher als Garantie einer in Aussicht gestellten Leistung.

Eine andere Möglichkeit, einen – in unserem heutigen Sinne vertraglichen – Anspruch prozessual durchzusetzen, bot im älteren *Common Law* die sog. *action of Debt*. Sie beinhaltete den unbedingten Anspruch auf Zahlung einer ziffernmäßig genau bestimmten Geldsumme. Ein solcher Anspruch war regelmäßig durch eine Urkunde oder ein gerichtliches Dokument begründet. Ursprünglich konnte ein solcher Klageanspruch nicht durch bloßen Konsensualkontrakt begründet werden. Ihrer Natur nach erscheint insoweit die Klage auf *Debt* als ›ein Anspruch auf Geld, das von Rechts wegen dem Gläubiger gehört und das der Schuldner rechtswidrig zurückbehält‹ [18. 233]. Aus diesen beiden unterschiedlichen prozessualen Figuren entwickelten die engl. Gerichte im Laufe des 16. Jh. die Vorstellung einer vertraglichen, prozessual durchsetzbaren V.-Verpflichtung. Der endgültige Umschwung wurde in der in mehrfacher Hinsicht grundlegenden Entscheidung der Exchequer Chamber im berühmten »Slade's case« im J. 1602 eingeleitet. Durch diese Entscheidung wurden im engl. Recht bereits Anf. des 17. Jh. folgende Prinzipien verankert: Der Gläubiger einer *Debt* konnte nach seiner freien Wahl in der Form der *action of Debt* oder in der Form der *action of Assumpsit* klagen; der Gläubiger konnte also auch in der Form der Klage *of Assumpsit* auf einen ziffernmäßigen Betrag klagen und war insoweit nicht mehr wie bisher auf den Ersatz des wegen Verletzung eines Versprechens tatsächlich erlittenen Schadens beschränkt. Anfang des 17. Jh. erreichte insoweit das engl. Recht die endgültige Umwandlung der *action of Assumpsit* aus einer Delikts- in eine V.-Klage. Die *action of Assumpsit* bot grundsätzlich jedem formlosen Versprechen prozessuale Durchsetzbarkeit [16. 12–13].

Die engl. Gerichtspraxis entwickelte allerdings seit dem 16. Jh. eine Reihe von Kriterien, anhand derer entschieden werden konnte, inwieweit ein solches Versprechen als schutzwürdig anzusehen war. Man spricht seitdem im engl. VR von der Notwendigkeit einer *consideration*. So wurde bereits in einem Urteil aus dem J. 1577 eine *consideration* in der Form eines Gegenversprechens verlangt. Diese muß nach Auffassung der engl. Juristen gegenwärtig vorliegen; daher kann ein Verhalten, das auf Seiten des Adressaten bereits abgeschlossen ist, wenn diesem eine Zusage gemacht wird, nicht als *consideration* für dieses Versprechen gelten. Eine *past consideration* reicht deshalb nicht, um bei Verletzung eines Versprechens Schadensersatz zu erlangen. Dieses in den starren Formen des 16. und 17. Jh. befangene Rechtsdenken wirkt z. T. noch im heutigen engl. VR nach. Ein Versuch, die konstitutive Wirkung der *consideration* zu einer bloßen Beweiswirkung abzuschwächen und den Parteiwillen für sich allein zur Begründung der Verbindlichkeit des V. ausreichen zu lassen, geht auf den schottischen Juristen und Richter Lord Mansfield (1705–1793) – einen der berühmtesten Juristen in der Geschichte des *Common Law* – zurück. Unter dem Einfluß der Lehren der Aufklärung und des kontinentalen

Handelsrechts lehnte er die Lehre von der *consideration* als eine überflüssige, rational nicht begründbare Subtilität ab: Jede Vereinbarung sei in sich selbst rechtsverbindlich; die Willenseinigung genüge, die *consideration* diene nur als Indiz für die Ernsthaftigkeit des Parteienwillens [16. 25–27]. Diese Auffassung, die eine vollständige endgültige Annäherung an die kontinentale gemeinrechtliche V.-Lehre bedeutet hätte, konnte sich allerdings nicht durchsetzen. Das House of Lords lehnte sie wenige J. später ab.

Ende des 18. Jh. war im engl. Recht der Weg von den einzelnen, aktionsrechtlich verstandenen Tatbeständen zum materiellrechtlich gefaßten V.-Begriff vollendet. William Blackstone (1723–1780) definierte den V. in seinen *Commentaries on the Law of England* [5] mit einer Formulierung, welche – wenn man vom Formalismus der *consideration* absieht – nicht weit von der zeitgenössischen Definition von Pothier entfernt ist, die oben zitiert wurde: ›Contract is an agreement upon sufficient consideration to do or not to do a particular thing‹. Diese Entwicklung wurde gefördert und unterstützt durch die im 19. Jh. in England neu entstandene theoretische Rechtswissenschaft. Ihre Vertreter, in den Univ. tätig, waren durchweg vom kontinentalen Recht, v. a. von der dt. → Pandektistik, beeinflußt. Es ist deshalb verständlich, daß die romanistischen Kategorien in die damaligen Lehrbücher einflossen, welche nunmehr ihre V.-Definition ganz auf der kontinentalen Begrifflichkeit des *Civil Law* aufbauten. Eine Haltung, welche noch in den heutigen engl. Lehrbüchern zum VR beobachtet werden kann.

→ AWI consensus; contractus; emptio venditio; obligatio; pactum; stipulatio

1 J. BÄRMANN, Pacta sunt servanda. Considérations sur l'histoire du contrat consensuel, in: Revue internationale du droit comparé 1961, 18 ff. 2 J. BARTON (Hrsg.), Towards a General Law of Contract, 1990 3 I. BIROCCHI, Saggi sulla formazione storica della categoria generale del contratto, 1988 4 Ders., Causa e categoria generale del contratto. Un problema dogmatico nella cultura privatistica dell'età moderna, 1997 5 W. BLACKSTONE, Commentaries on the Law of England, London 1765–1769, vol. II, cap. 30, 442 6 H. CHARMATZ, Zur Gesch. und Konstruktion der V.-Typen im Schuldrecht, mit bes. Berücksichtigung der gemischten V., 1937 7 COING, Bd. I, 432 ff. 8 R. FEENSTRA, M. AHSMANN, Contract. Aspecten van de begrippen contract en contractsvrijheid in historisch perspectief, 1988 9 J.-L. GAZZANIGA, Domat et Pothier. Le contrat à la fin de l'ancien régime, in: Droits. Rev. française de théorie juridique 12, 1990, 37 ff. 10 J. GORDLEY, The Philosophical Origins of Modern Contract Doctrine, 1991 11 R. H. HELMHOLZ, Assumpsit and Fidei Laesio, in: Law Quartely Review 91 (1975), 405–432 12 M. HOHLWECK, Nebenabreden. Pacta im röm. und mod. Recht, 1996 13 M. LUPOI, Lo statuto della promessa: diritto altomedievale europeo e diritto inglese, in: L. VACCA (Hrsg.), Causa e contratto nella prospettiva storico-comparatistica, 1997, 235 ff. 14 K.-P. NANZ, Die Entstehung des allg. V.-Begriffs im 16. bis 18. Jh., 1985 15 R. J. POTHIER, Traité des obligations, n. 3, in: Ders.,

Œuvres complètes, Paris 1835, 411–412 **16** F. RANIERI, Europ. Obligationenrecht, ²2003, Kap. 1–3 (umfassende rechtshistor. und rechtsvergleichende Bibliogr.) **17** T. REPGEN, V.-Treue und Erfüllungszwang in der ma. Rechtswiss., 1994 **18** M. RHEINSTEIN, Die Struktur des vertraglichen Schuldverhältnisses im anglo-amerikanischen Recht, 1932 **19** A. W. B. SIMPSON, A History of the Common Law of Contract. The Rise of the Action of Assumpsit, 1975 **20** A. SOMMA, Autonomia privata e struttura del consenso contrattuale. Aspetti storico-comparativi di una vicenda concettuale, 2000 (umfassende rechtshistor. und rechtsvergleichende Bibliogr.) **21** R. VOLANTE, Il sistema contrattuale del diritto comune classico. Struttura dei patti e individuazione del tipo. Glossatori e Ultramontani (= Per la storia del pensiero giuridico moderno 60), 2001 **22** P. WERY, L'exécution forcée en nature des obligations contractuelles non pécuniaires, 1993, 29–81 **23** F. WIEACKER, Die vertragliche Obligation bei den Klassikern des Vernunftsrechts, in: FS für Hans Welzel, 1974, 7–22 **24** R. ZIMMERMANN, The Law of Obligations. Roman Foundations of the Civilian Trad., 1990, 537–582 **25** Ders., Konturen eines Europ. VR, in: Juristen-Ztg. 1995, 477 ff. FILIPPO RANIERI

Verwandlungen/Illustrationen von Ovid-Texten

A. GEGENSTANDSBEREICH B. DER NARRATIVE BILDTYP UND SEINE TRADITION
C. DER MONOSZENISCHE BILDTYP UND WICHTIGE VERTRETER D. DER BILDTYP DER SAMMELDARSTELLUNGEN UND SEINE VERTRETER

A. GEGENSTANDSBEREICH

Seit dem 11. Jh., verstärkt in den ersten Jahrzehnten des 14. Jh., sind miniaturierte Hs. der Verwandlungssagen nachweisbar. Relativ selten wurde das ovidische Original illustriert [26], häufig hingegen nachant. Paraphrasen, Komm. oder allegorische Bearbeitungen wie der *Ovidius moralizatus* des Petrus Berchorius oder auch der frz. *Ovide moralisé* [21; 22; 23]. Einen enormen Aufschwung nahm die *Metamorphosen*(= Met.)-Illustration ab dem E. des 15. Jh. im Medium des Buchdrucks [17; 19]. Die erste druckgraphische Serie, die 1484 bei Colard Mansion in Brügge in einem *Ovide moralisé* erschien [16; 17. 61–68; 19. 21], ist stilistisch noch stark von zeitgenössischen Handschriftenminiaturen beeinflußt. Diese Prägung ging jedoch sehr bald verloren, und die frühen Holzschnitte entwickelten eine eigene Formsprache. Ins Bild gesetzt wurden nicht nur die ovidischen Verwandlungssagen, sondern auch zahlreiche volkssprachliche Bearbeitungen mit z. T. konkurrierenden Mythenversionen oder Zusätzen zum Original. Insgesamt zeichnet sich die Met.-Illustrierung durch ein hohes Maß an Kontinuität aus. Beliebte Kompositionstypen wurden immer wieder nachgedr. und mehr oder weniger frei kopiert [17. 59–61; 19. 19–26, 29–37]. Häufig kombinierten die Illustratoren auch Versatzstücke aus früheren Serien. Durch ihre ikonographische Konstanz und die weite Verbreitung in Druckausgaben prägten diese Kompositionen bei den Zeitgenossen die visuelle Vorstellung von den betreffenden Mythen und übten einen nachhaltigen Einfluß auf andere Gattungen der Kunst und des Kunsthandwerks aus (z. B. Cassoni, Majolika, Elfenbeinreliefs, Fresken, Malerei). Besonders im 16. und 17. Jh. verstand man die Met., zumal in bebilderten Ausgaben, geradezu als »Malerfibel« [17. 59; 19. 47–54]. Freilich nahm auch die textbegleitende Druckgraphik Anregungen aus anderen Gattungen auf.

Bis ins 18. Jh. hinein erfreuten sich illustrierte Met.-Ausgaben großer Beliebtheit, und es entstanden noch einige neue, z. T. recht umfängliche, Bildzyklen. Im 19. Jh. ließ das Interesse an illustrierten Ovid-Ed. spürbar nach. Man druckte zwar gelegentlich noch vorhandene Platten nach, schuf aber nichts Neues mehr und knüpfte auch nicht an traditionelle Bildmuster an. Vielmehr ist eine Distanzierung von den überkommenen myth. Motiven zu beobachten, gelegentlich sogar eine ironische Brechung, so z. B. in Honoré Daumiers Serie *Histoire ancienne*, die in der satirischen Zeitschrift *Charivari* erschien [12; 17. 143 f.]. Im 20. Jh. schließlich lassen sich keine Traditionslinien mehr in die frühere Blütezeit der Ovid-Drucke zurückverfolgen. Die Neuorientierung bedeutet jedoch nicht das E. der Buchillustration. Das bezeugen eindrücklich die 30 Radierungen, die Pablo Picasso 1930 für die frz. Met.-Übers. von Georges Lafaye geschaffen hat [19. 42–47].

B. DER NARRATIVE BILDTYP UND SEINE TRADITION

Der narrative Typus, bei dem auf einem Bild mehrere Phasen einer Mythen-Episode aneinandergereiht werden, kennzeichnet die Frühphase der Met.-Illustration (bis zur Mitte des 16. Jh.). Ein und dieselbe Person erscheint hier, dem Gang der Handlung folgend, in verschiedenen Zusammenhängen (Abb. 1). Im wesentlichen wird dieser Typus durch die Holzschnitt-Serie vertreten, die für den 1497 in Venedig erstmals gedr. *Ovidio metamorphoseos vulgare* des Giovanni dei Bonsignori angefertigt wurde [10; 14; 17. 65–71]. Bonsignoris Mythen-Kompendium bietet z. T. von Ovid abweichende Sagenversionen, die sich auf den Holzschnitten wiederfinden [18; 19. 13–19]. Trotz dieses eindeutigen inhaltlichen Bezugs werden die urspr. Serien wie auch von ihr abhängige Zyklen mehrere Jahrzehnte lang unterschiedslos im lat. Original wie in verschiedenen it. Bearbeitungen eingesetzt. Nur selten ist auf den Nachstichen ein Bemühen zu erkennen, die Ikonographie der Ursprungsserie in den neuen Texten anzugleichen. Der it. »Prototyp« von 1497 wurde in It. erst 1553 durch Giovanni Antonio Rusconis Serie zu Lodovico Dolces *Trasformationi* abgelöst, die sich zwar stilistisch von den älteren Kompositionen unterscheidet, inhaltlich jedoch z. T. aus ihnen geschöpft hat [15].

C. DER MONOSZENISCHE BILDTYP UND WICHTIGE VERTRETER

Um die Mitte des 16. Jh. wird der narrative Typus durch monoszenische Bilder ersetzt. In der Regel werden nun nicht mehr die verschiedenen Phasen einer Mythenepisode »erzählt«. Vielmehr wählt der Künstler ein signifikantes Moment der Handlung aus, das ge-

Abb. 1: Raub der Europa,
in: Giovanni dei Bonsignori,
Ovidio methamorphoseos vulgare,
Venedig 1497, fol. XVIIIIv.
Bildarchiv Jena

eignet erscheint, diese als ganze zu repräsentieren. Der
früheste und zugleich äußerst einflußreiche Vertreter
des neuen Kompositionstyps, der von nun an der vorherrschende bleibt, ist die Serie von 178 Holzschnitten
des Bernard Salomon zur *Métamorphose d'Ovide figurée*
(Lyon: Jean de Tournes 1557; Abb. 2) [8. 198–240; 9;
13; 17. 75–81; 19. 20f.]. Salomons Inventionen wurden
in Frankreich mehrfach abgedr. und kopiert und fanden
1563 über die Nachgestaltungen des Virgil Solis [1; 2; 3;
17. 88–90; 19. 22–26] auch im dt. Buchdruck Eingang.
Der Typus Salomon/Solis hinterließ bei zahlreichen
späteren Künstlern deutliche Spuren. Zu diesen gehören etwa Antonio Tempesta [4; 11; 17. 100–104;
19. 32f.] und Pieter van der Borcht [5; 17. 112f.].

Im 17. und 18. Jh. entstanden in Europa mehrere
reich bebilderte repräsentative Met.-Ed., an deren Illu-
strierung durchweg mehrere Künstler beteiligt waren.
Als bes. kunstvoll gelten die 226 Kupferstiche, die Sébastien Le Clerc und François Chauveau für die *Métamorphose en Rondeaux* des Isaac de Benserade (Paris: Im-
primerie Royale 1676) geschaffen haben [17. 136–140;
19. 62, 24, 25]. Auch sie verraten motivisch z. T. noch
den Einfluß von Salomon/Solis, sind aber stilistisch eigenständig.

In dieser Periode der Ovid-Illustrierung werden zunehmend Einflüsse aus anderen Kunstgattungen spürbar. So diente Rembrandts *Bach der Diana* (Museum
Wasserburg Anholt) als Inspirationsquelle für die Ac-
taeon-Episode in einer Brüsseler Ausgabe von 1677, die
neben dem lat. Text die frz. Prosaübers. des Pierre Du
Ryer enthielt und mit Illustrationen längst verstorbener
Künstler wie Magdalena de Passe geschmückt war
[17. 118–125; 19. 37–39].

Nachgestaltungen dieser Serie, die auf Bernard Picart
und seine Schüler zurückgehen, zieren, um einige Motive vermehrt, eine Ausgabe mit dem lat. Text und der
frz. Übers. des Abbé Banier, die 1732 bei Wetstein &
Smith in Amsterdam erschien [17. 143; 19. 39–41].

Abb. 2: Bernard Salomon, Raub der Europa, in:
La Metamorphose d'Ovidie figurée, Lyon 1557.
Stuttgart, Württembergische Landesbibliothek

Den krönenden Abschluß der monoszenischen
Ovid-Illustration im 18. Jh. bildet die Folge von 139
Kupfern aus den J. 1767–1771 [6; 17. 142f.; 19. 41f.], an
der neben anderen Künstlern des Rokoko auch François
Boucher mitwirkte.

D. Der Bildtyp der Sammeldarstellungen und seine Vertreter

Ende des 16. Jh. kam in It. ein neuer Illustrationstypus auf, der sich auch im 17. Jh. noch großer Beliebtheit erfreute. Zur Eröffnung eines jeden der 15 Met.-Bücher dient eine Illustration, auf der die wichtigsten Mythen des jeweils folgenden Buches – rein additiv, ohne narrativen Zusammenhang – gleichsam als visuelle Inhaltsangabe zusammengestellt sind (Abb. 3). Die verschiedenen Szenen verteilen sich in einem einheitlichen Bildraum auf eine Landschaft mit perspektivischem Ausblick. Den Vordergrund beherrscht in großfiguriger Darstellung gewöhnlich diejenige Episode, mit der auch das betreffende Buch beginnt. Je weiter die Szenen in den Hintergrund rücken, desto kleiner werden sie. Der Archeget dieses Bildtyps ist der Venezianer Kupferstecher Giacomo Franco, dessen Entwürfe, die erstmals 1584 publ. wurden [7], in It. und Frankreich zahlreiche Nachfolger fanden [17. 96–99; 19. 30f.; 20]. Noch mehr als die übrigen Typen der Met.-Illustration ist der des Sammelbildes von starker Traditionsgebundenheit geprägt. So gibt es außer Francos Inventionen nur noch zwei Serien, die man zurecht als originell bezeichnen kann: die Radierungen, die der holländische Künstler

Abb. 3: Giacomo Franco, Illustration zu Buch 2, in: *Le Metamorfosi di Ovidio ridotte da Giov. Andrea Dell'Anguillara* ..., Venedig 1584, 28. München, Bayerische Staatsbibliothek

Salomon Savrij nach den Entwürfen von Franz Klein für die Oxforder Ausgabe von 1632 der engl. Met.-Übers. des George Sandys anfertigte [17. 99f.; 19. 36f.], und die Bildtafeln der Londoner Folio-Ausgabe einer engl. Ovid-Übers. von 1717, an der mehrere Künstler mitwirkten [17. 143].

→ Metamorphose; Übersetzung
→ AWI Ovidius Naso, Publius; Metamorphose; Buchmalerei; Mythos; Übersetzung

QU **1** Metamorphoses Ovidii, argumentis … illustratae, per M. Iohan. Sprengium …, Frankfurt 1563 **2** Pub. Ovidii Nasonis Metamorphoseon libri XV. … Ex postrema Iac. Micylli Recognitione, Frankfurt 1563 **3** Iohan. Posthii Germershemii Tetrasticha in Ovidii Met. Lib. XV., Frankfurt 1563 **4** Metamorphoseon sive transformationum Ovidianarum libri quindecim, aeneis formis ab Antonio Tempesta Florentino incisi, Amsterdam 1606 **5** P. Ovidii Nasonis Metamorphoses …, Antwerpen 1591 **6** Les Métamophoses d'Ovide, en latin et en françois, de la traduction de M. l'abbé Banier …, 4 Bde., Paris 1767–71 **7** Le Metamorfosi di Ovidio ridotte da Giov. Andrea Dell'Anguillara, Venedig 1584

LIT **8** G. Amielle, Les traductions françaises des Métamorphoses dOvide, 1989 **9** F. Bardon, Les Métamorphoses dOvide et l'expression emblématique, in: Latomus 35, 1976, 71–90 **10** E. Blattner, Holzschnittfolgen zu den Met. des Ovid: Venedig 1497 und Mainz 1545, 1998 **11** S. Buffa (Hrsg.), The Illustrated Bartsch 36, Antonio Tempesta. Italian Masters of the Sixteenth Century, 1983, 10–84 **12** L. Delteil, Le peintre-graveur illustré, Bd. 22: Honoré Daumier, 3, 1926, Nr. 925–974 **13** B. Guthmüller, Picta Poesis Ovidiana, in: K. Heitmann, E. Schroeder (Hrsg.), Renatae Litterae (FS A. Buck, 1973, 171–192 **14** Ders., Ovidio Metamorphoseos vulgare, 1981 **15** Ders., Bild und Text in Lodovico Dolces »Trasformationi«, in: H. Walter, H.-J. Horn (Hrsg.), Die Rezeption der »Met.« des Ovid in der Neuzeit, 1995, 58–78 **16** M. D. Henkel, De houtsneden van Mansions Ovide moralisé, Bruges, 1484, 1922 **17** Ders., Illustrierte Ausgaben von Ovids Met. im 15., 16. u. 17. Jh., in: F. Saxl (Hrsg.), Vorträge der Bibl. Warburg (1926–27), 1930, 58–144 **18** G. Huber-Rebenich, Die Holzschnitte zum »Ovidio methamorphoseos vulgare« in ihrem Textbezug, in: H. Walter, H.-J. Horn (Hrsg.), Die Rezeption der »Met.« des Ovid in der Neuzeit, 1995, 48–57 **19** Dies., Met. der »Met.«. Ovids Verwandlungssagen in der textbegleitenden Druckgraphik, 1999 **20** Dies., Visuelle »argumenta« zu den »Met.« Ovids. Die Illustrationen des Giacomo Franco und ihre Trad., in: E. Stein (Hrsg.), FS P. G. Schmidt, 2002/3 **21** C. Lord, Some Ovidian Themes in Italian Art, 1969, **22** Dies., Three Manuscripts of the Ovide moralisé, in: Art Bulletin 57, 1975, 161–175 **23** Dies., Illustrated Manuscripts of Berchorius before the Age of Printing, in: H. Walter, H.-J. Horn (Hrsg.), Die Rezeption der Met. des Ovid in der Neuzeit, 1995, 1–11 **24** M. Moog-Grünewald, Met. der »Met.«. Rezeptionsarten der ovidischen Verwandlungsgeschichten in It. und Frankreich im 16. und 17. Jh., 1979 **25** Dies., Benserades »Metamorphoses en rondeaux«. Eine emblematische Bearbeitung der ovidischen Verwandlungsgeschichten, in: H. Walter, H.-J. Horn (Hrsg.), Die Rezeption der Met. des Ovid in der Neuzeit, 1995, 225–238 **26** G. Orofino, Ovidio nel Medioevo:

liconografia delle »Metamorfosi«, in: I. GALLO, L. NICASTRI (Hrsg.), Aetates Ovidianae, 1995, 189–208.

GERLINDE HUBER-REBENICH

Verwandtschaft s. Ehe

Veterinärmedizin s. AWI, Bd. 12/2, s. v.

Villa A. GEGENSTANDSBEREICH B. ARCHITEKTUR DER VILLA »ALL'ANTICA« C. PLINIUS-REKONSTRUKTIONEN VOM 16. BIS 20. JAHRHUNDERT

A. GEGENSTANDSBEREICH

Die Anf. der nachant. V. liegen seit dem 12. Jh. in den soziologisch wie soziogeogr. noch h. landschaftsbestimmenden *villae rusticae* der *Toskana urbana*. Demgegenüber entwickelte sich der Typus der eigenständigen *v. suburbana* erst seit dem Anf. des 15. Jh. in human. geprägten Ambientes und bildete Zentren um Ferrara und Florenz, seit dem 16. Jh. im heutigen Veneto und in der Umgebung von Rom. Der maßgebliche Unterschied zw. beiden Villentypen lag in ihrer Funktion und der dementsprechenden Betonung auf der Landwirtschaft und ökonomischen Haushaltsführung einerseits, und auf Gebäude, Garten und Muße andererseits, wobei eine scharfe Trennung de facto nicht immer möglich ist, da die *v. rustica* oft Funktionen der *v. suburbana* miterfüllte.

Die toskanische *v. rustica* definiert sich nicht durch einen bestimmten Gebäudetypus, sondern durch ihre Funktion als landwirtschaftlicher Betrieb, der auf dem Landbesitz eines Stadtbürgers betrieben wurde. An diesen waren demnach keine feudalen Pflichten oder Rechte geknüpft, sondern rein wirtschaftliche Interessen des Städters, der seine Zeit zw. städtischem Palazzo und ländlicher V. – in der Zeit der *villeggiatura* – aufteilte. Dieses urbane Verhältnis von *v. rustica* zur Stadt hat konkrete histor.-polit. Ursachen in der toskanischen Stadtstaatenentwicklung des 12.–14. Jh. und läßt sich nicht bruchlos bis in die Ant. zurückverfolgen. Dennoch ist das durch die Stadt und ihren Bürger geprägte Verhältnis von V. und urbar gemachter Landschaft mit dem altröm., republikanischen V.-Verständnis, wie es insbes. Cato, Varro, Columella und Palladius in ihren landwirtschaftlichen Traktaten beschrieben haben, vergleichbar. Daß die Vergleichbarkeit der Strukturen bereits im 14. Jh. erkannt und dementsprechend ant. Quellen zur *agricultura* rezipiert wurden, belegt Piero de Crescenzis um 1300 entstandener, 1471 erstmals gedruckter und 1564 von Francesco Sansovino ins it. übersetzte Traktat *Opus ruralium commodorum*, der als Handbuch für die landerwerbende und V. unterhaltende städtische Bevölkerung geschrieben wurde und die langwährende Trad. der V.-Bücher einleitete [20].

Davon zu unterscheiden ist die stadtnah gelegene *v. suburbana* des wohlhabenden Bürgers, die keinen bzw. nicht vorrangig ökonomischen Interessen diente und

nach soziologischen und geogr. Kriterien ein Außenseiter der Institution V. war [13], während die Kunstgeschichte auf die hier entstehenden Gebäude und Gartenanlagen ihr analytisches Hauptaugenmerk richtet.

Sehr bewußt steht die *v. suburbana* in der Trad. der ant. *otium*-V., wie sie exemplarisch von Plinius d. J. (epist. 2,17 und 5,6) beschrieben wurden. Bereits in Petrarcas *De vita solitaria* tauchen Vorstellungen eines außerhalb der geschäftigen und moralisch verwerflichen Stadt liegenden Ortes auf, an dem Studium und lit. Tätigkeit überwiegen. Der auf der Basis eines mönchischen Askeseideals rezipierte, ant. – jedoch komplett entpolitisierte – *otium*-Gedanke wird von ihm mit einer intensiven Wahrnehmung der Landschaft kombiniert, womit er für die *v. suburbana* wesentliche Aspekte formuliert. Allerdings bleibt bei Petrarca dieser Ort eine lit. → Utopie und kann im 15. Jh. architektonisch sowohl im *studiolo* wie in der V. verortet werden. Noch bis in die erste H. des 15. Jh. war das architektonische Aussehen einer V. irrelevant für eine suburbane *otium*-Funktion, bzw. diese wurde auch der *v. rustica* übertragen. Mit ihren zumeist der ma. Kastellarchitektur verpflichteten Bauformen wie Binnenorientierung, Abschottung nach außen, Mittelturm, Zinnenkranz, Umfassungsmauer und ummauertem Garten waren die im Umfeld von Florenz entstandenen V. des 14. und 15. Jh. – die meisten dieser V. wurden 1530 bei der Belagerung von Florenz zerstört, ähnelten aber den noch erhaltenen medicäischen *v. rusticae* in Trebbio, Cafaggiolo und Careggi – ökonomische Zentren, an denen man dennoch die »Freuden auf dem Lande« (beispielsweise die Jagd) oder Unterhaltung (vgl. Boccaccios *Decamerone*) genoß. Für Cosimo de Medici scheint die V. in Careggi ein musischer Rückzugsort vom städtischen Geschäft (*negotium*) gewesen zu sein, in der er sich aufhielt, nicht um seine Äcker, sondern um seine Seele zu kultivieren [5].

B. ARCHITEKTUR DER VILLA »ALL'ANTICA«

Maßgebliche Überlegungen zur V., deren Architektur nicht einfach nur als »Anhäufung von Steinen«, sondern ganz im ant. Sinn als Proportions- und Symmetrieregeln unterworfenes, »schönes« Kunstwerk begriffen wird, finden sich erstmals in L. B. Albertis 1452 beendetem, 1485 publizierten und in Anlehnung an Vitruvs *De architectura libri decem* formulierten Traktat *De re aedificatoria* [1. IX. 2–4]. In seinen zehn Büchern, welche die die *civitas* bergenden städtischen Architektur gewidmet sind, wird konsequenterweise auch die zwar außerstädtische, aber dem Stadtbürger gehörende V. mitaufgenommen. Alberti thematisiert aber nicht das Gebäude eines landwirtschaftlichen Betriebes, sondern die *v. suburbana* bzw. den *ortus suburbanus* des herausragenden Bürgers, der sich in ihrer Ausstattung (*ornamentum*) ganz den städtischen Vorstellungen des »Angemessenen« (*decorum*) unterordnen muß. Gleichzeitig genießt die *v. suburbana* als bürgerliches Privatgebäude außerhalb der Stadt gewisse Freiheiten (*licentiae*) und zeichnet sich gegenüber dem Ernst und der Würde (*gravitas/dignitas*) innerstädtischer Architektur durch ihre Heiterkeit (*iocunditas/amoenitas*) aus. Neben Vitruvs summarischen Angaben zur günstigen Lage, dem gesunden Klima mit gutem Wasser und frischer Luft und einer je nach Sonnenstand und Jahreszeit vernünftigen Ausrichtung der Privathäuser, ihrer Raumeinteilung und ästhetisch befriedigenden Proportionierung (Vitr. 6,1–8) greift Alberti insbes. auf die V.-Beschreibungen Plinius' d. J. zur Formulierung seiner Vorstellungen von V. zurück. Der kaum bemerkbare Anstieg zur V., ihre die Landschaft beherrschende Lage und das hieraus folgende Verhältnis zw. Gebäude und Landschaft, das über Blickbezüge geregelt wird, ebenso wie die Bed. des zw. Gebäude und Landschaft vermittelnden Gartens verdanken sich einer aufmerksamen Lektüre der Pliniusbriefe und gelangen so in die → Architekturtheorie der Neuzeit (→ Park).

Neben das philol. Quellenstudium tritt bei Alberti aber auch die Kenntnis ant. → Ruinen, wobei gerade Beispiele ant. V. für ihn und seine Zeitgenossen nur rudimentär greifbar waren, so z. B. die Hadrians-V. in Tivoli, Podium und Zisternen der Domitians-V. in Grottaferrata [11], eventuell die Terrassierung der *horti aciliorum* auf dem Pincio und die Paläste auf dem Palatin in → Rom. Eine konkrete Vorstellung vom Aussehen einer ant. V. geschweige denn eine Differenzierung verschiedener Typen war auf der Basis des damals bekannten Materials nicht möglich. Demzufolge orientierte sich Alberti zur Rekonstruktion des von Vitruv beschriebenen Grundrisses des röm. Hauses an den ihm bekannten vielteiligen Thermengrundrissen. Albertis Formulierungen zur V. blieben für seine Nachfolger, wie z. B. Raffael oder Palladio, neben den einschlägigen ant. Quellen bindend.

Ausschlaggebend für den Schritt vom philol. motivierten Studium der ant. V.-Lit. hin zu einer baulichen Realisierung der V. »all'antica« scheinen human. Zirkel am Hofe Niccolos und Lionello d'Estes (hier entstanden die estensischen *delizie* von Belfiore und Belriguardo vor 1440) und im Umkreis Cosimo und Lorenzo de Medicis gewesen zu sein. Cosimos für Giovanni de Medici in Fiesole errichtete V. folgte erstmals in der Toskana keinen ökonomischen Erwägungen. Ihr ganz dem ant. *otium* verpflichteter Nutzen – mit Bibl., Musik- und Speiseraum ausgestattet zog sich der Dichter A. Poliziano hierher zum Schreiben zurück – wurde erstmals auch architektonisch mit Vorstellungen der ant. V. verbunden: Auf die steil terrassierten Substruktionen einer Hügelkante gesetzt, knüpfte der verhältnismäßig kleine, kubische Bau an die ant., landschaftsdominierende V. an. Zwischen Innen- und Außenraum vermittelnde Loggien gewähren ganz im plinianischen Sinne den fernsichtigen Panoramablick ebenso wie den nahsichtigen Blick in den vom Haus direkt betretbaren *giardino segreto*.

Zwei Mediciprojekte – die von Giuliano da Sangallo nach Vorgaben Lorenzo il Magnificos wahrscheinlich ab 1485 in Poggio a Caiano errichtete V. sowie die zw. 1517 und 1519 von Raffael für Papst Leo X. und Giuliano de Medici geplante V. Madama in Rom – können

für sich in Anspruch nehmen, die jeweils in ihrer Zeit komplexesten Resultate zum Thema »ant. V« zu sein.

Erstmals seit der Ant. entstand in Poggio a Caiano wieder eine eventuell aus Lit. (Cic. ad Q. fr. 3,1,5) und Anschauung (V. des Quintus Varrus, Tivoli) bekannte *basis villae*. Von G. da Sangallo zu einem architektonischen Motiv verselbständigt, hebt sie den auf ihr ruhenden, symmetrisch angelegten Baukörper zu einem Monument idealer Architektur [10]. Die hierarchisch gestaffelte Raumfolge von der Eingangsportikus (*vestibulum*) bis zur zweigeschossigen, tonnengewölbten sala (*oecus*) ist eine Rekonstruktion des röm. Hauses nach Vitruv. Das antikische Tempelfassadenmotiv des Eingangs hingegen verdankt sich nicht ant. Quellen, sondern folgt Alberti, der dem herausragendsten Bürger – in diesem Falle also Lorenzo – zugestand, den Schmuck seines Privathauses dem → Tempel entlehnen zu dürfen. Selbst die Tatsache, daß der V. in Poggio a Caiano ein wirtschaftlich bedeutender Musterbetrieb angeschlossen war, deutet darauf hin, daß hier bewußt auf ant. Vorbilder angespielt wurde und Lorenzo sich als zweiter Lucullus stilisierte.

Die nie fertiggestellte suburbane V. Madama in Rom ist das Ergebnis eines intensiven Studiums der V.-Beschreibungen Plinius d. J. und kann als einmaliger Versuch ihrer Rekonstruktion interpretiert werden. Fast kann man von einer »doppelten« Rezeption sprechen: Raffael bediente sich der von Plinius verwendeten Begriffe, um seine Architektur schriftlich zu erläutern – so wie er diese Begriffe buchstabengetreu in Architektur umzusetzen versuchte. Der nach einer Planänderung zentral eingefügte runde Hof ist ein Zitat nach der Raffael vorliegenden Pliniusedition, in der »rund« symbolisch durch *in o litteris* ersetzt war [11]. Doch nicht allein der Hof, auch die landschaftliche Lage, die auf verschiedene Bauteile (*diaetae*) verteilten Appartements, das mehrfach durchfensterte Speisegemach ebenso wie der als *xystus* bezeichnete Garten mit großem Fischbecken und aufwendigen Brunnenanlagen müssen als Versuch gewertet werden, der nur aus der Lit. bekannten ant. V. eine konkrete Gestalt zu geben. Raffaels Versuch steht in der Architekturgeschichte einmalig da, zumal sich im röm. Umland insbes. ab der zweiten H. des 16. Jh. das Gewicht der Bemühungen um die ant. V. auf die aufwendigen Gartenanlagen verschob.

Ähnlich wie in Florenz und Rom erwuchsen auch in Vicenza und auf der *terra ferma* die Überlegungen Andrea Palladios zur V.-Architektur aus dem eminent human. geprägten Ambiente eines Giangiorgio Trissino oder Daniele Barbaro. Daß die Analyse ant. V.-Lit. die Basis aller Überlegungen Palladios bildeten, belegen beispielhaft seine Äußerungen zur Wahl des Baugrundes im 1570 publizierten Architekturtraktat *I quattro libri dell'architettura* (Kap. 2 und 12 in [2]). In den ihm eigenen, konzisen Formulierungen begegnen alle wesentlichen Aspekte ant. V.-Lebens: Als Gegenpol zum städtischen Engagement für die *res publica* ist die V. Ort der privaten *agricoltura* ebenso wie der körperlichen Ertüchtigung und geistigen Erholung, die nicht nur in der gesunden Luft, den Gartenanlagen mit ihren klaren Brunnenwassern, sondern auch beim Studium und im Gespräch mit Freunden gefunden wird. Architektonisch gelang es Palladio, die beiden Lebensbereiche der V. auf die *casa di v.* (Herrenhaus) und *barcasse* (Gutshof) zu verteilen und so dennoch zu einer untrennbaren Einheit zu fassen. Dabei prägte er mit seinen axialsymmetrisch angelegten, sich auf Tempelpodien erhebenden und mit einer Tempelfassadenfront ausgezeichneten V., die über tief in die Landschaft hineinreichende Achsenbildungen patrimoniale Besitzansprüche zu verdeutlichen vermögen, einen Typus repräsentativer Architektur, der bis weit ins 19. Jh. hinein als Herrschaftsarchitektur rezipiert wurde. Prototypisch und zugleich als suburbaner Sonderfall markiert die V. Rotonda als überkuppelter Zentralbau mit vier gleichberechtigten Tempelportikusfassaden Antikenferne und -nähe zugleich (→ Renaissance, Abb. 4). Antiker V.-Architektur formal fernstehend versinnbildlicht sie für Palladio die genetische Entwicklung des ant. Hauses: Da der Tempel aus dem ant. Haus entstand, nähert sich ein dem ant. Tempel angeglichenes Haus seinem urspr. Zustand an. Zudem erweist Palladios eigene Beschreibung der Rotonda, ihre Lage und der amphitheatralisch sich öffnende Blick in verschieden strukturierte Kulturlandschaften die vom Architekten intendierte Nähe zum Tusculum des Plinius.

C. PLINIUS-REKONSTRUKTIONEN
VOM 16. BIS ZUM 20. JAHRHUNDERT

Unabhängig vom fiktionalen Charakter der V.-Beschreibungen des Plinius spielte die philol. exakte Rekonstruktion des möglichen Aussehens von Laurentinum und Tusculum in der Architekturtheorie – und seit E. des 18. Jh. in der Arch. – eine wichtige Rolle. Den Anf. machte V. Scamozzi (1552–1616) in seiner 1615 publizierten *Idea dell'architettura universale* (Kap. 3 in [4]). ihm folgten 1699 Jean-François Félibien Avaux und 1728 Robert Castell. Gemeinsam ist diesen Versuchen, daß die architektonischen Lösungsvorschläge jeweils eng ihrer Zeit verhaftet sind: Scamozzis Laurentinum bleibt im Kern eine Palladio-Paraphrase; Félibien orientierte sich ganz am frz. Schloßbau, und Castell kann seine Nähe zu Lord Burlington und zu dessen Landschaftsgarten in Chiswick nicht leugnen. Erst in den Rekonstruktionen Friedrich August Krubsacius' von 1760 wird eine quasi wiss. Objektivität dem Text gegenüber erkennbar, die ihn dazu führte, die Idealvorstellung eines geschlossenen Baukörpers aufzugeben und einen sich vom eigenen Zeitgeschmack lösenden, formalen Garten einzuplanen.

Mehr noch als die Versuche des Archäologen A. Hirt (1827) markierten die fast zeitgleichen Rekonstruktionen (Auftragsarbeit des Kronprinzen Friedrich Wilhelm anläßlich der Planungen für Schloß Charlottenhof, ab 1831, publiziert 1841) des Architekten Karl Friedrich Schinkel einen Qualitätssprung. Einerseits sahen sich beide der neuen Schwierigkeit gegenüber, das seit den ersten Grabungsfunden von → Pompeji und → Herculaneum (seit 1755 systematisch ergraben) stetig anwachsende arch. Material mit den immer kritischer gelesenen ant. Texten in Übereinstimmung bringen zu müssen. Andererseits erkannte gerade Schinkel in der idealen Beschreibung von Plinius, daß dieser nicht auf Rekonstruierbarkeit zielte, sondern auf die Korrespondenz zw. Architektur und Natur. Die auf Durch- und Fernblicke basierende kaiserzeitliche Architektur- und Landschaftsästhetik deckte sich in gewisser Weise mit der des späten 18. und frühen 19. Jh. und ermöglichte es Schinkel, nicht einfach nur die aus ihrem landschaftlichen Umfeld losgelöste Architektur zu rekonstruieren, sondern Plinius' Beschreibung insgesamt kongenial umzusetzen. Dies erwies sich auch in seinen architektonischen Entwürfen für Charlottenhof oder Glienecke, in denen Rahmungen als »ästhetische Grenzen« den Kontrast zw. betretbarem Innenraum und bildhaft gesetztem Außenraum erfahrbar machen [17]. Über das Studium Schinkels vermittelt, gelangten dessen in der Auseinandersetzung mit Plinius gewonnene Lösungen, wie die Verbindung und Durchdringung von Architektur und Natur und der architektonisch gerahmte Sehapparat mit gezielt begrenztem Landschaftsausblick, bis in die Landhausarchitektur der Moderne bei F. L. Wright, Mies v.d. Rohe und Le Corbusier.

Den Versuch, Plinius' V. exakt nachzubauen, hat es nicht gegeben; rekonstruierende Nachbauten orientierten sich insbes. im 19. Jh. am arch. erforschten Material. Dies gilt beispielsweise für das von Friedrich von Gärtner 1842–43 für Ludwig I. in Aschaffenburg errichtete Pompeijanum (→ Pompeji, Abb. 5), das direkt von dem sog. Haus der Dioskuren in Pompeji inspiriert ist. Als Sonderfall muß die 1974 von P. Getty in → Malibu errichtete V. gelten, die eine exakte Rekonstruktion der herculaneischen V. dei Papiri darstellt. Nicht nur formal, sondern auch funktional knüpft dieses Gebäude als Museumsbau an das durch seine reiche Skulpturenausstattung bekannte ant. Vorbild an.

→ Pantheon; Renaissance

→ AWI Villa

QU 1 L. B. ALBERTI, De re aedificatoria, Florenz 1485 2 A. PALLADIO, I quattro libri dell'architettura, Venedig 1570 3 RAFFAELLO SANZIO, Lettera di Rafaello su v. Madama, in: C. L. FROMMEL et al. (Hrsg.), Raffaello architetto, 1984 4 V. SCAMOZZI, Idea dell'architettura universale, Venedig 1615

LIT 5 J. ACKERMAN, The V., 1990 6 Ders., Sources of the Ren. V., in: M. MEISS (Hrsg.), Stud. in Western Art II, 1963, 6–18 7 M. AZZI-VISENTINI, Die it. V., 1997 8 R. BENTMANN, M. MÜLLER, Die V. als Herrschaftsarchitektur, 1970 9 H. BIERMANN, Lo sviluppo della v. toscana, in: Bolletino, CISA Andrea Palladio 11, 1969, 36–46 10 Ders., Das Palastmodell G. da Sangallos, in: Wiener Jb. für Kunstgesch. 23, 1970, 154–195 11 Ders., Der runde Hof, in: Mitt. des Kunsthistor. Inst. Florenz 30, 1986, 493–536 12 D. COFFIN, The V. in the Life of Ren. Rome, 1979 13 F. DÖRRENHAUS, V. und Villegiatura in der Toskana, 1976 14 C. L. FROMMEL, La V. Madama e la tipologia della villa romana al Rinascimento, in: Bolletino, CISA Andrea Palladio 11, 1969, 47–64 **15** Ders., V. Madama, in: Ders. et al. (Hrsg.), Raffaello architetto, 1984, 311–322 **16** A. LILLIE, The Humanist V. Revisited, in: A. BROWN (Hrsg.), Language and Images of Ren. Italy, 1995, 193–215 **17** K. J. PHILIPP, K. F. Schinkel, 2000 **18** P. PINON, La V. Laurentine de Pline le J., in: Ders., La Laurentine et l'invention de la Villa romaine, 1982, 65–79 **19** P. DE LA RUFFINIÈRE DU PREY, The V. of Pliny, 1994 **20** B. RUPPRECHT, V. – Zur Geschichte eines Ideals, in: H. BAUER (Hrsg.), Wandlungen des Paradiesischen und Utopischen (= Probleme der Kunstwiss. 2), 1966, 210–250.

VERONICA BIERMANN

Völkerrecht A. EINLEITUNG
B. NATURRECHT/RECHT DER VÖLKER
C. KRIEGSRECHT   D. VÖLKERRECHTLICHE
INSTITUTE   E. PRIVATRECHTLICHE INSTITUTE

A. EINLEITUNG

Das sich seit dem 13. Jh. ausbildende mod. V. als gemeinsame konsensual begründete Rechtsordnung der Staatengesellschaft hat in reicher Fülle rechtliche Konzepte und Institute, Philos., historiographische Darstellungen rechtlich relevanter Vorgänge, sowie allg. Lit. der Ant. in sich aufgenommen, die Lehren von → Naturrecht und *ius gentium*, die Lehre vom »gerechten Krieg«, Institute des h. sog. V. der Ant. auf das mod. V., Inst. des röm. Privatrechts. Jedoch veränderten sich deren Inhalte in der und durch die Rezeption ständig. Diese war rechtlich-normativ, soweit Legisten und Kanonisten im MA Röm. Recht als geltend übernahmen, und histor.-normativ, soweit v. a. in der human.-naturrechtlichen Völkerrechtslehre der Frühen Neuzeit ant. Philosophen, Historiographen, Juristen, Dichter als Autoritäten, Belege, Zeugnisse und Nachweise für die traditionsgebundenen Begründungen der sich ab dem 16. Jh. entwickelnden naturrechtlichen Völkerrechtslehre herangezogen wurden.

Bedeutung und Einfluß dieser ant. Quellen für das mod. V. sind seit Beginn der Geschichtsschreibung des V. im 19. Jh. bemerkt, aufgenommen, in Teilen dargestellt, zumindest erwähnt worden [58. 26; 42. 7; 46. 43; 47. 121; 31. 4; 45. 9, 177; 27. 108; 59; 48. 100; 61. 40, 62]. Gründlichere Unt. der Rezeption fehlen jedoch. Die Einschätzungen der Bed. der Ant. für das mod. V. reichen von lediglich ›indirekter Wirkung‹ [41. 13] bis zur Behauptung einer seit der röm. Republik ›nie unterbrochenen histor. Kontinuität‹ des Völkerrechts [59. 1]. Im heutigen V. dauern Elemente ant. Herkunft zwar fort, aber eher nicht als solche erkannt, sondern als allg. Inhalte.

B. NATURRECHT/RECHT DER VÖLKER

Die zunächst getrennten Konzepte des philos.-juristischen Naturrechts und des histor.-juristischen *ius gentium* als Recht der Völker wurden erst von Cicero, Livius [14; 35; 37] und in den Digesten [1,1,1,3; 1,1,9] miteinander verknüpft. Diese Verknüpfung, die über Isidor (*Etymologiae* 5,4,6) in das *Decretum Gratiani* [I, C

VI-VIII] einging, bestimmte die Entwicklung der Völkerrechtslehre durch Theologen, Philosophen und Juristen vom MA bis in die Frühe Neuzeit [47. Bd. 1. 54]. Das erste hatte stets einen allg., das zweite einen demgegenüber bes. Charakter [48. 104]. Ausgangspunkt bildete Ulpians Bestimmung des *ius naturale* als das Recht aller Lebewesen und des *ius gentium* als das Recht aller Menschen [Dig. 1,1,1,3²; 4]. In der Rezeption wandelten sich die Inhalte beider Konzepte aber immer wieder. Der bis in das MA zweidimensionale, völkerrechtlich und privatrechtlich gefüllte Begriff des *ius gentium* als »V.« und ›Recht aller oder bei allen Völkern‹ oder ›Recht zw. allen Menschen‹ [35. 10] verengte sich erst ab dem 16. Jh. auf die einzige Bed. »V.« [48. 108]. Thomas v. Aquin scheint weitgehend Ulpian und Gaius zu folgen [13. Bd. 18. 10]. In der Spätscholastik aber ersetzte einerseits F. de Vitoria in der Definition des *ius gentium* des Gaius: ›Was die natürliche Vernunft zw. allen Menschen festgesetzt hat, heißt Recht bei allen Völkern‹ durch ›...zw. allen Völkern festgesetzt hat‹ [15. 460]. *Ius gentium* ist daher bei ihm mit »V.« zu übersetzen. Andererseits wies F. Suarez, wie schon vor ihm Soto, Ulpians Auffassung zurück, daß das Naturrecht auch für Tiere gelte [12. 180]. Darin folgten ihm Grotius, Pufendorf u. a. [5. 52; 11. Bd. 1. 304]. In der weiteren Erörterung bestimmte Suarez das *ius gentium* in den beiden Bed. als positives menschliches Recht. In der nun immer ausgefeilter sich entwickelnden naturrechtlichen Völkerrechtslehre wurde das V. als das auf die Beziehungen der als Individuen verstandenen Staaten angewandte Naturrecht bestimmt [12. 390; 16. 4; 14. VI]. Da diese Autoren jedoch das Naturrecht eigenständig philos. aus der vernunftbestimmten Erkenntnis entwickelten, verloren die Aussagen der Digesten ihre normative Bed. und wurden gemäß der allg. human. Prägung zusammen mit der Bibel, mit den Kirchenvätern, griech. und röm. Philosophen, Historiographen und Dichtern als Argumente, Belege und Stützungen aufgenommen. Grotius übernahm mit seinem Buchtitel eine Formulierung von Cicero [Balb. VI 15] und belegte seine Entwicklungen des Naturrechts und des V. für fast alle Aussagen mit einem dichten Netz von Verweisen auf Zitate und Beispiele von ant. Autoren [5. 633]. Der engl. Autor Richard Zouche griff in dem Buchtitel seiner Völkerrechtsdarstellung auf das Fetialrecht, das von einer eigens dazu bestimmten Priesterschaft geübte röm. Recht für seine Beziehungen zu anderen Gemeinwesen [60. 99] zurück [17]. Aber diese human. geprägte Rezeption endete im Laufe des 17. Jahrhunderts. Der überlieferte Rahmen von Naturrecht und V. wurde im 18. Jh. unabhängig von ant. Vorgegebenheiten gefüllt [53. 112]. Die positivrechtliche Völkerrechtslehre wie die ab Mitte des 19. Jh. entstehende liberale Völkerrechtslehre nahmen von den naturrechtlichen und damit ant. Voraussetzungen Abschied [37. 11]. Jedoch blieb eine naturrechtliche Trad. in der philos. Völkerrechtslehre erhalten [49] und dauert noch an [55. 13].

C. Kriegsrecht

Die ma. und frühneuzeitliche Kriegsrechtslehre nahm auch röm. Überlieferungen auf [2. Bd. 1. 8; 27. 144]. Sie wurde durch das von und am Fetialritus entwickelte Konzept des ›gerechten und frommen Krieges‹ geprägt [60. 102] (→ Krieg). Sie erfuhr aber durch ihre Verchristlichung seit Augustinus [21] bis zu Thomas v. Aquin [13. Bd. 17B. 82] eine grundlegende Veränderung des materiellen Elementes des röm. rechtlichen Kriegsgrundes. Dieser wurde zum gerechten Grund, der nicht mehr nur in einem Rechtsbruch bestehen konnte, sondern im MA bis zur Reformation auch in schwerer Sünde, Ungläubigkeit und Häresie [30. 17]. Die allg. Zulässigkeit von Kriegen wurde bis in das 18. Jh. von Theologen, Philosophen und Juristen mit Berufung auf die hl. Schrift, aber auch, bes. in der human. geprägten Lit. des 16. und 17. Jh., auf philos., histor. und lit. Schriften der Ant. bejaht [9. 229; 1. 7; 4. 42; 5. 28]. Aber allmählich verlor der gerechte Grund angesichts seiner inhaltlichen Unentscheidbarkeit seine materiell legitimierende Wirkung zugunsten formaler Rechtmäßigkeit. Formal mußte schon seit Augustinus der gerechte Krieg von einer Autorität des Gemeinwesens oder einem Fürsten geführt werden. Für Bartolus konnte *de jure* nur der Kaiser als Herr des gesamten röm. Volkes, d. h. der lat. Christenheit, einen erlaubten Krieg führen, die Könige und die Fürsten konnten dies nur *de facto*, wenn sie für ihre Konflikte keinen gemeinsamen übergeordneten Richter hatten [2. Bd. 4. 236v]. Aber schon im Spät-MA selbst wurde diese Lehre bestritten [9. 234]. Nach der frühneuzeitlichen naturrechtlichen Völkerrechtslehre waren alle nach außen selbständigen Herrscher oder Staaten Träger des Kriegsrechtes [51. 116]. Der Krieg wurde so zum feierlichen [5. 439] oder formellen Krieg [14. Bd. 1. 46]. Die nach röm. Fetialrecht und Cicero notwendige formale Kriegserklärung war durch Isidor (orig. XVIII, 1) in das Decretum eingegangen (II,XIII,II,C.1). Die juristische Lit. hielt bis in die naturrechtliche Völkerrechtslehre an ihr unter Berufung auf das röm. Recht und die histor. Praxis fest [1. 1; 4. 209; 5. 441; 14. Bd. 2. 46]. Artikel 1 des Haager Abkommens über den Beginn der Feindseligkeiten von 1907 schreibt sie noch h. vor. Die Erörterungen über den Erwerb des Eigentums an der Beute und der Rechte an den Gefangenen im Kriege stützten sich auf die Digesten, wenn auch die Sklaverei zw. Christen aufgegeben wurde [9. 270; 52]. Das röm.-rechtliche Rückkehrrecht des *postliminium* wurde, wenn auch mit erheblich veränderten Inhalten, sogar bis in das 19. Jh. erörtert [1. 42v; 4. Bd. 2. 236; 4. 90; 14. Bd. 2. 185; 10. 278; 39. 296]. Grotius räumte dem Sieger nach dem Naturrecht oder internen V. unter Berufung auf ant. Autoren umfassende Rechte über die Besiegten ein [5. 447], schränkte diese dann aber ebenfalls unter Berufung auf ant. Autoren nach Grundsätzen der Gerechtigkeit, der Billigkeit und der Barmherzigkeit wieder ein [5. 502]. Bei Vattel waren diese Beschränkungen bereits im Naturrecht selbst begründet [14. Bd. 2. 104].

D. Völkerrechtliche Institute

Eine zentrale Bed. erlangte in der frühneuzeitlichen Völkerrechtslehre die Rezeption der völkerrechtlichen röm. Treue (*fides* [40]), zum einen für die Begründung der Verbindlichkeit der Verträge [5. 236; 3, 251; 16, 30, 550; 14. Bd. 1. 433; 22. 234], zum anderen als Pflicht gegenüber den Feinden [1. 54v; 5. 549; 16. 651; 14. Bd. 2. 145]. Für beides wurden röm. Quellen aller Art in großer Fülle zitiert. Bynkershoek erklärte die Treue zur Grundlage des V. überhaupt. Heute bildet *good faith* gem. Art. 2 Abs. 2 der Satzung der Vereinten Nationen (SVN) den tragenden Grundsatz für das allg. Verhalten der Staaten zueinander und bestimmt gemäß Art. 31 der Wiener Vertragsrechtskonvention die Auslegung und Anwendung von Verträgen. Die Völkerrechtslit. behandelt diesen Grundsatz ausführlich [56. 24].

Die röm. *amicitia*, ein in der Regel informell begründetes Verhältnis allg. friedlicher Beziehungen [44. 296; 61. 47], wirkt bis h. als Grundlage des Völkerrechts, wandelte aber immer wieder ihren Inhalt. Einerseits wurde sie als ein Bündnis durch Vertrag begründet [4. 632; 44. 239; 18]; andererseits wurde sie auch in modernsprachlichen Übers. zum festen Bestandteil der Friedensformeln der Friedensverträge [38; 50. 205]. Artikel 1 Abs. 1 der SVN gründet die durch sie errichtete Ordnung auf ›friendship between nations‹. Das zentrale Rechtsinst. rechtlicher Beziehungen zw. den Gemeinwesen, der → Vertrag, wurde in der Regel als *foedus* bezeichnet. Aber einerseits traten weitere Begriffe daneben, *conventio* als übergreifender Begriff [5. II, XV. 2], *contractus* [5. II, XII], *pactionum* für eher transitorische Versprechen [16. 297], *pax* für Friedensverträge [4. 286]; andererseits behielt *foedus* zwar eine weite Bed. [5. 276; 16. 297], wurde aber doch mehr und mehr für engere Sonderverbindungen, jedoch nicht ausschließlich, für Kriegsbündnisse verwendet [1. 73v; 4. 649]. Die ältere formlose röm. *sponsio* wurde als bloßes Versprechen ebenso übernommen wie die Unterscheidung des *foedus aequum* von ungleichen Verträgen [1. 77; 16. 376; 14. Bd. 1. 416]. Sowohl in den allg. Erörterungen über Verträge und Vertragsrecht als auch in den bes. Darlegungen, u. a. zur Auslegung, wurden histor. Beispiele, juristische, d. h. aber privatrechtliche, und philos. Argumente ant. Autoren rezipiert [1. 74; 5. 289; 14. Bd. 1. 433, 462]. Für das gegenwärtige V. wirken röm.-rechtliche Auslegungsregeln privatrechtlicher Verträge aber eher spurenhaft [20. 759]. Für organisatorisch-institutionell bes. ausgebildete Zusammenschlüsse von Staaten unterschiedlicher Dichte behält der Begriff *foedus* seine Bed. als »Bündnis« in den Begriffen *foederatio*, *confoederatio* und den entsprechenden Latinismen der mod. europ. Sprachen bis in die Gegenwart. Die ma. wie die frühneuzeitliche Lehre übernahmen die röm. Auffassung der *Digesten* (50,7,17), daß das Recht der Gesandten zum Recht bei allen Völkern und damit zum V. gehöre, wenn auch seit Grotius zum gewillkürten V. [1. 86v; 5. 309]. Sie folgte ant. Autoren darin, daß Legaten nur zw. polit. organisierten Gemeinwesen ausgetauscht werden konnten und von diesen grundsätzlich vorgelassen werden mußten [7. 5; 1. 87v; 5. 309; 14. Bd. 2. 293]. Vor allem die notwendige Garantie der persönlichen Sicherheit der Gesandten wurde unter Berufung auf das röm. Recht [60. 100], Historiographen und sonstige ant. Autoren begründet [1. 86v; 5. 311; 14. Bd. 2. 315].

E. Privatrechtliche Institute

Die Legisten übernahmen u. a. die Regelungen des röm. Rechts für den Erwerb von Gebietsrechten bei Veränderungen im Flußlauf, Anschwemmungen und Abbrüchen, bei Entstehung neuer Inseln etc. [35. 112; 27. 155]. Im naturrechtlichen V. wurden diese Rechtsfragen zwar naturrechtlich gelöst, aber auch auf röm. Juristen Bezug genommen [5. 159; 14. Bd. 1. 236]. Das Meer wurde im MA als gemäß dem Naturrecht gemeinsame Sache aller angesehen mit freiem Zugang zu den Ufern, soweit dort nicht Hafenanlagen und andere Bauten errichtet waren [27. 157; 35. 107]. Darauf beriefen sich auch die Verfechter des allg. Grundsatzes der Freiheit der Meere gegen die portugiesischen und span. Herrschaftsansprüche [6. 23]. Später wurde dieser Grundsatz naturrechtlich [14. Bd. 1. 243] und dann positivrechtlich begründet. Für das Recht zur Inbesitznahme neuentdeckter Landgebiete durch die europ. Staaten wurde an die *occupatio* des röm. Rechts angeknüpft, wie sie v. a. von Bartolus in seinem Traktat *De Insula* aus dem röm. Privatrecht entwickelt worden war. Herrenlose Gebiete konnten als *res nullius* okkupiert werden [16. 226; 14. Bd. 1. 192; 10. 41; 39. 98; 26. 405]. Die Frage, ob ein von Heiden, Ungläubigen, Schismatikern und Häretikern bewohntes Gebiet herrenlos sei, wurde nicht aus dem röm. Recht, sondern aus der Theologie, dem Naturrecht und auch dem kanonischen Recht beantwortet. Für den territorialen Eigentums- und Herrschaftserwerb (→ Eigentum) wurden auch die röm.-rechtlichen Inst. der Ersitzung, d. h. der Verjährung, mit herangezogen [5. 166; 16. 285; 14. Bd. 1. 357]. In der positivrechtlichen Völkerrechtslehre ist das umstritten [10. 75; 39. 159; 25]. Das gleiche gilt für die aus dem röm. Privatrecht stammenden Servituten [24]. Im Rahmen der allg. Rezeption des röm. Rechts wurden auch die verschiedenen Aussagen zur *aequitas* und zum *aequum et bonum* v. a. in der internationalen Schiedsgerichtsbarkeit aufgenommen [5. 572]. Seit 1920 kann der Internationale Gerichtshof gemäß Art. 38 Abs. 2 seines Statuts mit Zustimmung der Parteien auch *ex aequo et bono* entscheiden [34]. Es handelt sich dabei um einen Grundsatz des Rechts, nicht etwa um eine außerrechtliche Entscheidungsgrundlage.

Insgesamt erscheint die Aufnahme ant., v. a. röm. Inst., Konzepte, Theorien, Vorstellungen und Autoren bzw. deren Einwirkung auf das mod. V. erheblich. Maß und Art und Weise von Kontinuität und Diskontinuität lassen sich aber erst durch genauere Unt. der Rezeptionen, ihrer geschichtlichen Umstände und ihrer Wandlungen feststellen.

→ AWI Völkerrecht

QU 1 B. Ayala, De iure et officiis Bellicis et disciplina militari, libri III, Duaci 1582, Ndr. lat./engl. 2 Bde.,1912 2 Bartolus de Sassoferato, Commentaria digesti novi et veteri, in: Opera, 9 Bde., Lyon 1547 3 C.v. Bynkershoek, Quaestionum Juris Publici Libri Duo, Leiden 1737, Ndr. lat./engl. 2 Bde., 1930 4 A. Gentilis, De iure belli Libri III, Hannover 1612, Ndr. lat./engl. 2 Bde., 1933 5 H. Grotius, De Jure Belli ac Pacis Libri tres, in quibus Jus Naturae et Gentium, item Juris Publici praecipua explicantur, Paris 1625, dt.: Drei B. vom Rechte der Krieges und des Friedens, hrsg. v. W. Schätzel, 1950 6 Ders., De mare libero, 1608, Ndr. lat./engl., 1916 7 V. E. Hrabar, De Legatis et Legationibus Tractatus varii, hrsg. v. B. Rosagiero, M. G. Laudensis, 1905 8 Isidor v. Sevilla, Ethymologiae 9 J. Legnano, De Bello, De Represaliis et de Duello, Mss., Ndr. lat./engl. 2. Bde., 1917 10 G. F. Martens, Einl. in das positive Europ. V. auf Verträge und Herkommen gegr., Göttingen 1796 11 S. Pufendorf, De iure naturae et gentium libri octo, Lund 1672; dt. Acht B. vom Natur- und V., 2 Bde. Frankfurt a.M. 1711, Ndr. 1998 12 F. Suarez, De legibus ac deo legislatore, 1612, De triplici virtute theologica, fide, spe, et charitate, 1621, Ndr. lat./engl. 2 Bde., 1944 13 Thomas v. Aquin, Summa Theologica, in: Die Deutsche Thomas Ausgabe, hrsg. v. Albertus-Magnus-Akademie, 1953 14 E. de Vattel, Le droit des Gens ou Principes de la Loi naturelle, London 1758, Ndr. frz./engl. 3 Bde., 1983 15 F. de Vitoria, Relectio de Indis, Relectio de iure belli, in: U. Horst, H. G. Justenhoven, J. Stüben (Hrsg.), Vorlesungen II, 1997, 370–541, 542–605 16 C. Wolff, Jus gentium, Halle 1749, Ndr. 1972 17 R. Zouche, Iuris et iudicii fecialis, sive iuris inter gentes et quaestionum de eodem explicatio, Oxford 1650, Ndr. lat./engl. 2 Bde., 1911

LIT 18 G. Althoff, Amicitiae et pacta, 1992 19 A. d'Amato, s. v. Good Faith, in: R. Bernhardt (Hrsg.), Encyclopedia of Public International Law 2, 1995, 599–601 20 C. Baldus, Regelhafte Vertragsauslegung nach Parteirollen im klass. röm. Recht und in der mod. Völkerrechtswiss., 2 Bde., 1998 21 M.-F. Berouard, s. v. Bellum, in: C. Mayer (Hrsg.), Augustinus-Lex., Bd. 1, 1986–1994, Sp. 638–646 22 J. C. Bluntschli, Das mod. V. der civilisirten Staten als Rechtsbuch dargestellt, Nördlingen 1868 23 U. Eisenhardt, Dt. Rechtsgesch. 3, 1999 24 U. Fastenrath, s. v. Servitudes, in: R. Bernhardt (Hrsg.), Encyclopedia of Public International Law, Bd. 4, 2000, 387 25 C. A. Fleischhauer, s. v. Prescription, in: R. Bernhardt (Hrsg.), Encyclopedia of Public International Law, Bd. 3, 1997, 1105 26 W. Graf Vitzthum (Hrsg.), V., Berlin 1996 27 W. G. Grewe, Epochen der Völkerrechtsgesch., 1984 28 P. Guggenheim, Jus gentium, Jus naturale, Jus civile et la Communauté internationale issue de la diviso regnorum intervenue au cours du 12e et 13e siècles, in: Comunicazioni e studi dell'istituto di diritto internazionale 5, 1956, 1–31 29 A. W. Heffter, Das Europ. V. der Gegenwart, Berlin ⁵1867 30 E.-D. Hehl, Kirche, Krieg und Staatlichkeit im hohen MA, in: W. Rösener (Hrsg.), Staat und Krieg – Vom MA bis zur Moderne, 2000, 17–36 31 V. E. Hrabar, Esquisse d'une histoire littéraire du Droit International au Moyen-âge du IVe au XIIIe siècle, In: Revue de Droit International 1936, 1–101 32 A. Heuss, Die völkerrechtlichen Grundlagen der röm. Außenpolitik in republikanischer Zeit, 1933, Ndr. 1968 33 F. A. v.d. Heydte, Die Geburtsstunde des souveränen Staates, 1952 34 M. V. Janis, Equity in

International Law, in: Bernhardt 24, Bd. 2, 1995, 109–113
35 M. KASER, Ius Gentium, 1993 36 H. KIPP,
Völkerordnung und V. im MA, 1950 37 M. KOSKENNIEMI,
The Gentle Civilizer of Nations: The Rise and Fall of
International Law 1870–1960, 2001 38 R. LESAFFER,
Amicitia in Renaissance Peace and Alliance Treaties
(1450–1530), in: Journ. of the History of International Law
4, 2002, 77–99 39 F. v. LISZT, Das V. systematisch
dargestellt, ⁹1913 40 D. NÖRR, Die fides im röm. V., 1991
41 A. NUSSBAUM, Gesch. des V. in gedrängter Darstellung,
1960 42 E. NYS, Les origines de Droit International,
Brüssel/Paris 1894 43 B. PARADISI, Storia del Diritto
Internazionale nel Medio Evo I, 1940 44 Ders., Civitas
Maxima – Studi di storia del Diritto Internazionale, 1974
45 W. PREISER, Macht und Norm in der Völkerrechtsgesch.,
1978 46 R. REDSLOB, Histoire des Grands Principes du
Droit des Gens depuis l'Antiquité jusqu'à la Veille de La
Grande Guerre, 1923 47 E. REIBSTEIN, V. – Eine Gesch.
seiner Ideen in Lehre und Praxis, 2 Bde., 1958, 1963
48 H. STEIGER, s. v. V., in: O. BRUNNER, W. CONZE,
R. KOSELLECK (Hrsg.), Geschichtliche Grundbegriffe,
Histor. Lex. zur polit.-sozialen Sprache in Deutschland,
⁷1992, 97–140 49 Ders., V. und Naturrecht zw. Christian
Wolff und Adolf Lasson, in: D. KLIPPEL (Hrsg.), Naturrecht
im 19. Jh., Kontinuität – Inhalt – Funktion – Wirkung,
1997, 45–74 50 Ders., Die Friedenskonzeption der Verträge
von Münster und Osnabrück vom 24. Oktober 1648,
Rechtstheorie 29, 191–209 51 Ders., Die Träger des ius belli
ac pacis 1648–1806, in:[30. 115–135] 52 Ders., »Occupatio
bellica« in der Lit. des V. der Christenheit (Spät-MA bis zum
18. Jh.), im Druck 53 M. STOLLEIS, Gesch. des öffentlichen
Rechts in Deutschland, Bd. 1., 1988 54 A. TRUYOL Y SERRA,
Histoire du droit international public, 1995 55 A. VERDROSS,
V., ⁵1964 56 Ders., s. v. Bona fides, in: H. J. SCHLOCHAUER
(Hrsg.), WB des V., begr. v. Karl Strupp, 1. Bd., 1960,
223–224 57 Ders., Die Quellen des universellen V., 1973
58 H. WHEATON, Histoire des progrès du Droit des gens en
Europe et en Amérique depuis la Paix de Westphalie jusqu'à
nos jours, Leipzig ³1853 59 K.-H. ZIEGLER, Die röm.
Grundlagen der europ. V., in: Ius Commune 4, 1973, 1–27
60 Ders., Das V. der röm. Republik, in:
H. TEMPORINI-VITZTHUM (Hrsg.), Aufstieg und Niedergang
der röm. Welt, Bd. 1 Teil 2, 172, 68–114 61 Ders.,
Völkerrechtsgesch., 1994 62 Ders., Zum V. in der röm.
Ant., in: M. J. SCHERMAIER, J. M. RAINER, L. C. WINKEL
(Hrsg.), Iurisprudentia universalis, FS Theo Mayer-Maly,
2002, 933–944. HEINHARD STEIGER

Vorderasiatische Archäologie   I. ALLGEMEIN
II. BIBLISCHE ARCHÄOLOGIE

I. ALLGEMEIN
A. NAME UND DEFINITION   B. GESCHICHTE DES
FACHES   C. STRUKTUREN UND EINRICHTUNGEN
D. LEISTUNGEN DES FACHES   E. ZUKÜNFTIGE
AUFGABEN

A. NAME UND DEFINITION
Aus den Bemühungen um die Erforsch. der Kulturen
des alten Vorderen Orients hat sich die Vorderasiatische
Arch. (VAA) erst allmählich als eigene akad. Disziplin
herausgebildet, nachdem lange J. zwar der ausgräberi-

sche Teil der VAA in der Hand von zupackenden Laien,
Gelegenheitsausgräbern und Bauhistorikern gelegen
hatte, der interpretatorische Teil aber von denjenigen
mitverwaltet wurde, die sich vornehmlich um die
schriftlichen und histor. Nachrichten kümmerten. Die
frühe Entwicklung der VAA ist daher zunächst eng mit
der Altorientalischen Philol. und Geschichte (APG) verknüpft; dies kommt auch in der gemeinsamen Bezeichnung »Ancient Near Eastern Studies« im engl. Sprach-
gebrauch zum Ausdruck.

Die VAA beschäftigte sich zunächst nur mit den Perioden, die auch aus schriftlichen Nachrichten bekannt
waren. Seit Anf. des 20. Jh. wuchsen der VAA jedoch
immer mehr und immer schneller Arbeitsgebiete zu, die
außerhalb der Reichweite der APG lagen, sei es daß es
Regionen waren, die nur selten oder nie eine eigene
schriftliche Trad. ausgebildet hatten, oder Zeiten, die
insgesamt vor dem Auftauchen der Schrift lagen. Inzwischen ist das Arbeitsgebiet der VAA weit über das der
APG hinausgewachsen. Es umfaßt das Gebiet der heutigen Staaten Türkei, Armenien, Georgien, Iran, die
Staaten des persischen Golfes und der arab. Halbinsel,
Palästina, Israel und Jordanien, Syrien und Irak. Zwar
wird immer deutlicher, wie stark die gegenseitigen Abhängigkeiten der einzelnen Regionen waren, dennoch
wird Mesopotamien und speziell der südl. Teil in der
VAA immer wieder eine zentrale Rolle spielen, weil sich
hier anhand einer reichlichen und kontinuierlichen
arch. (und schriftlichen) → Überlieferung die kulturelle
Entwicklung durch die Jt. besser verfolgen läßt als für
die meisten anderen Gebiete, bei denen unsere Kenntnis
immer wieder durch größere oder kleinere Überliefe-
rungslücken unterbrochen wird. Zeitlich beschäftigt
sich die VAA mit der Periode ab dem 9. vorchristl. Jt., als
das Gebiet des Vorderen Orients eine von den Nach-
bargebieten unterschiedliche Entwicklung nahm, bis zu
der Zeit, in der Teile unter hell. Einfluß gerieten oder
die islamischen Eroberungen des 7. nachchristl. Jh. eine
Zäsur setzten.

Nachdem die VAA zunächst ihre Aufgabe v. a. in der
Erforsch. der Kunst, einschließlich der Baukunst sah, ist
inzwischen die Aufarbeitung sämtlicher Aspekte der
damaligen Kultur, die arch. faßbare Spuren hinterlassen
haben, gleichberechtigt hinzugetreten. Die Zielsetzung
der VAA mußte sich schon deswegen erweitern, weil
immer deutlicher wurde, daß selbst die jeweils frühesten
schriftlichen Nachrichten nur Auskunft über bereits ge-
festigte gesellschaftliche Strukturen geben. Über jeweils
ältere Zeiten und die Herausbildung dieser Strukturen
kann naturgemäß nur die VAA berichten. Das verpflichtet sie, auch Bereiche zu erforschen, die Domänen der
Wiss. zu sein scheinen, die sich auf schriftliche Nachrichten stützen können, wie z. B. wirtschaftliche, soziale, polit. oder rel. Zusammenhänge.

B. GESCHICHTE DES FACHES
1. DIE ANFÄNGE
Die vielfache Nennung von Namen, Orten und Regionen des Alten Orients (AO) im AT hatte zwar die

Kenntnis dieser Kulturen nie völlig untergehen lassen, doch dauerte es lange, bis frühe Reisende die Kunde von z.T. noch sichtbaren Ruinen nach Europa brachten. Von Spanien aus bereiste Benjamin von Tudela den VO 1160–1173 bis an die Grenzen Chinas und brachte erste authentische Nachrichten über die Ruinen von → Babylon zurück; der Arzt Leonard Rauwolff besuchte 1574 Babylon; Pietro della Valle bereiste Mesopotamien, Persien und Indien in den J. 1614–1626. Mit den Ber. über seine Reisen in den J. 1761–1767 legte schließlich Carsten Niebuhr einen wichtigen Grundstock für die Wiss. vom AO, da seine Kopien der Keilinschr. von Persepolis zur Grundlage der Entzifferung der Keilschrift wurden.

2. 1842 BIS ZUM I. WELTKRIEG

Mit dem J. 1842 setzten die ersten großen Grabungen im oberen Tigrisgebiet Mesopotamiens ein, die aus den assyrischen Palastanlagen des 9.–7. Jh. v. Chr. in Ninive, Dūr-Šarrukīn und Kalhu v. a. großflächige Wandreliefs zutage und in die europ. Mus. brachten, verbunden mit den Namen P.É. Botta und A.H. Layard. Nur wenig später, 1849, wurden durch W.K. Loftus die bedeutendsten Ruinen des südl. Mesopotamien, Uruk und Ur, identifiziert. Loftus weitete seine Forsch. auch auf Susa aus. Die folgenden Jahrzehnte sahen eine Ausdehnung der Forsch. in Mesopotamien, aber auch einen Beginn in anderen Regionen des AO. Mit den 80er J. begann schließlich die Phase der Grabungen, die die Aufdeckung größerer Bauzusammenhänge zum Ziel hatten, sowie im Bereich Mesopotamien die Bergung von Tontafeln mit der nun lesbaren Keilschrift. Zu nennen sind die Großgrabungen in Girsu (E. de Sarzec, 1877–1900), Susa (J. de Morgan, von 1884 mit Unterbrechungen bis h.), Nippur (H.V. Hilprecht, 1888–1900) und Babylon (R. Koldewey, 1899–1917). Inbesondere die Funde aus Girsu und Nippur erweiterten die Kenntnisse, da sie mit Zeugnissen der sumerischen Kultur des 3. Jt. zum ersten Mal den zeitlichen Rahmen sprengten, der aus ant. oder biblischen Quellen bekannt war. Forschungen wie in Byblos (E. Renan, 1860), Sam'al (K. Humann, 1882) oder Guzana (M. von Oppenheim, 1899) erweitern den räumlichen Horizont mit der Erkenntnis der starken kulturellen Verflechtungen der einzelnen altorientalischen Regionen. Ein entscheidend neuer Aspekt ergab sich aus dem Fund einer hochglänzend polychrom bemalten Keramik in den unteren Schichten von Guzana (Tell Halaf), denn ohne dies zunächst einmal völlig einordnen zu können, war man damit in weit zurückliegende Zeit vorgestoßen (h. in die 2. H. des 6. vorchristl. Jt. datiert). Bis zum I. Weltkrieg kamen noch die Großgrabungen von Assur (W. Andrae 1903–1914); und Hattusa (H. Winckler ab 1906) hinzu, während der zeitliche und räumliche Rahmen v. a. durch kleinere Unternehmungen erweitert wurde: In Samarra wurde eine weitere bemalte Keramikart gefunden (h. etwas älter als die Halaf-Ware angesetzt), während 1903 Fara im südl. Mesopotamien Tontafeln mit einem merklich älteren Duktus als die bis dahin bekannten Keilschrifttafeln lieferte.

3. DIE 20ER UND 30ER JAHRE DES 20. JAHRHUNDERT

Die Zwangspause durch den I. Weltkrieg endete in den 20er J. mit einer vehementen Aufnahme der Feldforsch., v. a. in Mesopotamien, aber auch in den anderen Regionen des AO. Die Grabungen in Ur oder Kiš erweiterten die Kenntnis bekannter Perioden (»Königsfriedhof von Ur«; → Philadelphia); in Uruk wurden unter den »histor.« eine Reihe von »archa.« Schichten freigelegt, die mit monumentalen Bauten, der ersten Großkunst und der ersten Schrift die Definition der »Frühen Hochkultur« (2. H. des 4. Jt.) ermöglichten; eine Tiefgrabung am selben Ort erlaubte mit ihrer langen Schichtenabfolge nicht nur die Geschichte weiter zurückzuverfolgen, sondern die direkte Anbindung der sog. Ubaid-Phase, die zwar aus Tell el-Ubaid und Ur bekannt, aber noch nicht mit der bekannten Periodenabfolge verbunden war. Mit den Funden älterer Keilschrifttafeln aus Fara, Jemdet Nasr und Uruk wurde die Geschichte der Schrift bis ins 4. Jt. verlängert. Die Grabungen in Nuzi beleuchteten mit ihren Tafelfunden eine bis dahin unbekannte Schriftprovinz aus der Mitte des 2. Jahrtausends. Wichtig wurden die Grabungen in Tepe Gawra, weil in einer langen Schichtenabfolge die Entwicklung vom ersten Jt. bis weit zurück verfolgt werden konnte, und weil durch Vergleiche mit bereits bekannten Keramikarten die ältesten Schichten als gleichzeitig mit Ubaid und – älter – mit Halaf erwiesen werden konnten. Die Parallelisierung mit der gleichfalls langen Schichtenabfolge aus Uruk ergab zum ersten Mal eine verläßliche Periodenabfolge für ganz Mesopotamien.

Grabungen im Iran galten sowohl der achaimenidischen Zeit (522/21–330 v. Chr.; Persepolis, Pasargadai) als auch den bis dahin unbekannten früheren Perioden des 2.–4. Jt. (Giyan, Hissar, Sialk), wodurch sich vielfältige Beziehungen zu aus Mesopotamien Bekanntem ergaben. Besonders die 30er J. sahen einen Aufschwung der Feldarbeit in Syrien und der Türkei, wovon hier v. a. die über die nächste Zäsur reichenden Grabungen in Mari, Byblos, Ugarit und Alalah genannt werden müssen, wie auch die Arbeiten in Alişar und Hattusa. Zahlreiche Grabungen ließen nicht nur das lokale Geflecht immer dichter zusammenwachsen, sondern durch die Funde von Keramikscherben in den tieferen Schichten von Mersin (so-anatolische Mittelmeerküste), die Affinitäten zur Ubaid- und zur Halaf-Ware aufwiesen, konnten auch Beziehungslinien über weite Distanzen geknüpft werden.

Die Grabungen des Oriental Institute der Univ. of → Chicago im Diyala-Gebiet unter Leitung von H. Frankfort verdienen gesondert angesprochen zu werden, da mit der Ausgrabung von vier eng beieinander liegenden Orten einer kleinteiligen Region (Tell Asmar, Hafaği, Tell Agrab, Iščali) zum ersten Mal die Idee einer Regionalforsch. umgesetzt wurde.

4. Die 40er und 50er Jahre des 20. Jahrhunderts

Trotz der Zwangspause des II. Weltkrieges haben in diesen J. zwei bedeutende Neuorientierungen stattgefunden. Seton Lloyd – während des II. Weltkrieges Berater des irakischen Antikendienstes – entwarf mit den irakischen Archäologen Fuad Safar, Taha Baqir und Mohammed Ali Mustafa ein problemorientiertes Grabungsprogramm. Ergebnis war die Durchführung von fünf Grabungen zw. 1940 und 1949, die wesentlich die Kenntnisse über das 2. Jt. in Mesopotamien erweiterten und insbes. durch lange Schichtensequenzen die bis dahin bekannte Periodenabfolge bis in das 6. Jt. zurück verlängerten.

Da abzusehen war, daß in der nächsten Zeit im VO keine Feldforsch. möglich sein würde, hatte H. Frankfort in Chicago ein Seminar durchgeführt, das Bilanz des bisher Erreichten ziehen sollte. Neben der Aufarbeitung bis dahin bekannter Perioden führte v. a. ein daraus erwachsenes Projekt zu neuen Erkenntnissen. Die Unmöglichkeit, den Übergang zw. den Phasen der Nahrungsaneignung und der frühen Nahrungserzeugung dingfest zu machen, führte Robert J. Braidwood zur Ausgrabung von Qal'at Jarmo. Zwar wurde die Nahtstelle nicht erreicht, da auch die untersten Schichten der Phase der Nahrungserzeugung angehörten, bahnbrechend wurde jedoch die Erkenntnis, daß diese unteren Schichten noch keine Hinweise auf Keramik enthielten. Die in der Nachfolge von V. G. Childe postulierte generelle Gleichzeitigkeit von Nahrungserzeugung, Dauerseßhaftigkeit und Keramikherstellung begann sich also aufzulösen. Das gesteckte Ziel wurde nach anderen vergeblichen Versuchen erst in den Grabungen von Çayönü (Südost-Anatolien) erreicht, die mit Unterbrechungen in den J. zw. 1964 und 1991 stattfanden, ab 1986 unter der Leitung von M. Özdogan.

5. Von den 60er Jahren des 20. Jahrhunderts bis heute

Die VAA hat in den letzten 40 J. einen tieferen Wandel durchgemacht als viele Nachbardisziplinen, u. a. verursacht durch einen ungeheuren Zuwachs an Material, v. a. aber durch neue Zielsetzungen und neue Methoden. In diese Zeit fallen z. B. die explosionsartigen Zuwächse an Kenntnissen aus dem Iran, aus Syrien und Südost-Anatolien, z. T. als Folge der großen, internationalen Rettungsprojekte in von Stauseen bedrohten Landschaften. Damit ist es nicht nur gelungen, die Informationsnetze enger zu knüpfen, die die jeweiligen lokalen bzw. regionalen Entwicklungen nachzuzeichnen gestatten, sondern die von der APG übernommene, aber bereits vorher schon angezweifelte Einstufung von Mesopotamien als Kernland und der übrigen Regionen des VO als seine Randgebiete wurde zunehmend verwischt zugunsten einer Auffassung der Gesamtgeschichte des VO als einer zeitlichen Abfolge von Netzwerken, in denen wechselnde Partner mit verschiedenen und sich verschiebenden Gewichten operierten.

Beispiele für grundlegende Veränderungen des Gesamtbildes sind, wie sich die Zeit des späteren 4. vorchristl. Jt. als ein fast den ganzen VO umspannendes Netzwerk darstellt (»Uruk-Expansion«), oder wie das akeramische Neolithikum im Westen des VO aus einer relativ unbekannten Frühphase zu einer dynamischen Phase der frühen Seßhaftigkeit wurde. Die sog. Frühdynastische I-Periode in Babylonien (um 2900 v. Chr.) wandelte von einer »chaotischen« zu einer der formativsten Phasen der mesopotamischen Kultur, in der die Bewässerungssysteme entstanden, die als ein Kennzeichen jener Kultur gelten. Die schriftlichen und arch. Zeugnisse aus Ebla und anderen Orten ließen den syr. Raum in der Mitte des 3. Jt. in einem völlig neuen Licht erscheinen.

Die Veränderungen betreffen die vorschriftliche, die frühschriftliche, die paraschriftliche (wenn es in anderen Regionen schon eine schriftliche Trad. gibt) wie auch die schriftführenden Bereiche – ein beredtes Zeichen dafür, wie sich das Betätigungsfeld der VAA erheblich erweiterte, indem es die Alte Geschichte des VO in einem weitaus größeren räumlichen und zeitlichen Bereich umfaßt als zuvor.

Für wesentliche neue Erkenntnisse sorgte die Einführung und Verbreitung einer neuen arch. Untersuchungsmethode, der arch. Oberflächenunt. (»Survey«), bei der die an der Oberfläche über jeder ehemaligen Siedlung liegenden arch. Funde zur Zeit- und Größenbestimmung der betreffenden Siedlung genutzt werden. Entsprechende Unt. ganzer Regionen führen zur Anlage von periodenspezifischen Besiedlungskarten, deren Abfolgen die Formulierung von regionalen Besiedlungsgeschichten erlauben. Solche Unt. dienen aber auch der Bestandsaufnahme der arch. Reste von Landschaften, bevor sie als Folge der großen Staudammprojekte im Wasser künstlicher Seen verschwinden, wie auch der gezielten Auswahl von Grabungsorten (→ Archäologische Methoden).

C. Strukturen und Einrichtungen

Sowohl die Anlässe als auch die treibenden Kräfte für eine Entwicklung der VAA als selbständige Disziplin waren zunächst die Museen. Im Laufe des 19. Jh. hatten sich in den größeren Mus. und Sammlungen Europas und Nordamerikas vorderasiatische Altertümer angesammelt, die mit den aus den einsetzenden Grabungen stammenden Funden einen immer größeren Bestand ausmachten. Wie bei allen Archäologien erforderte dies eine Katalogisierung, zu deren Zweck Kriterien für eine zeitliche und räumliche Zuordnung geschaffen werden mußten. Von den Mus. wurden auch zunächst alle größeren Grabungen organisiert, wobei es bisweilen weniger um die Wiss. als darum ging, mit möglichst spektakulären Ausstellungsstücken die anderen zu übertrumpfen.

Im späteren Verlauf des 19. Jh. bildeten sich zunehmend wiss. Gesellschaften, die die Verbreitung der Kenntnis über den AO und die Unterstützung der entsprechenden Forsch. als ihre Aufgabe ansahen, und hier in erster Linie die Unterstützung oder sogar Organisation von Ausgrabungen. Daneben nahmen sich in unterschiedlicher Weise die großen nationalen Forschungseinrichtungen der Erforsch. des AO an. Beispiele sind das → Deutsche Archäologische Institut mit seinen Zweigstellen in den nahöstl. Ländern, die → Deutsche Orient-Gesellschaft, das Centre National de la Recherche Scientifique (CNRS) in Frankreich, das Consiglio Nazionale delle Ricerche (CNR) in It. und die verschiedenen »Schools of Archeology« in Großbritannien und den USA. Als dann von den 30er J. des 20. Jh. an das Fach sich im akad. Rahmen etablierte, mit einem enormen Ausbau in den J. seit dem II. Weltkrieg, wurde die Organisation von Grabungen zunehmend von den universitären Einrichtungen übernommen. Damit schob sich die Beantwortung von Fragen in den Vordergrund, die sich aus der akad. Behandlung des Gegenstandes ergaben: Vernachlässigte Perioden und Regionen fanden so vermehrt Beachtung.

D. Leistungen des Faches

Die größte Leistung der VAA ist zweifellos, daß es inzwischen für die meisten Regionen des VO möglich ist, in Umrissen die gesellschaftliche und kulturelle Entwicklung von der Zeit des Übergangs zur nahrungsproduzierenden Lebensweise und Dauerseßhaftigkeit bis zur islamischen Eroberung zu zeichnen (danach übernimmt die Islamwissenschaft). Dies betrifft insbes. auch die vorschriftliche Zeit, in der sich ausgehend von den ersten Siedlungen des 8./7. Jt. schließlich im 4. Jt. – insbes. im südl. Mesopotamien – alle die Strukturen herausgebildet hatten, die gegen E. des 4. Jt. die Hilfe einer Schrift erforderten, und die den weiteren Verlauf der Entwicklung in Mesopotamien, dann auch in den übrigen Regionen beherrschten. Dabei wurden in der VAA Methoden entwickelt, um anhand von Siedlungsformen und Siedlungsverhalten oder der Verbreitung von Keramikherstellungs- und Verzierungsarten Aussagen über gesellschaftliche Verhältnisse und ihre Veränderungen machen zu können.

E. Zukünftige Aufgaben

Trotz der in den letzten Jahrzehnten intensivierten Grabungstätigkeit sind die Lücken in unserem Wissen noch sehr groß. Die Fortführung der Feldforsch. – bes. auch im Hinblick auf die vielfältige Gefährdung der arch. Reste durch landwirtschaftliche und industrielle Nutzung und v. a. durch Bautätigkeit aller Art – ist die umfangreichste Aufgabe für die Zukunft. Neben einer weiteren Optimierung der Methoden der Dokumentation muß v. a. die interpretatorische Arbeit der VAA in zweierlei Hinsicht ausgebaut werden.

1. Wie bereits oben erwähnt, ist der VAA immer deutlicher die Aufgabe zugewachsen, die Vorgeschichte der Strukturen zu erforschen, die in den jeweils frühesten Texten bereits gefestigt sind, für deren Verständnis aber die Entstehungsgeschichte essentiell ist. Um aber von arch. Materialien zu Aussagen über wirtschaftliche, soziale oder andere Aspekte zu gelangen, bedarf es der stetigen Erweiterung des interpretatorischen Instrumentariums. Gegenstand der Unt. darf nicht nur die vorschriftliche Zeit in Mesopotamien sein, sondern muß sämtliche Perioden und Regionen des VO einschließen, die über keine oder nicht zureichende eigene schriftliche Überlieferung verfügen. Darüber hinaus darf die Anwendung von Methoden, die arch. Material zu Aussagen über gesellschaftliche Zusammenhänge benutzen, nicht auf die vor- bzw. paraschriftlichen Bereiche beschränkt bleiben, sondern muß auch die Bereiche einschließen, aus denen schriftliche Nachrichten vorliegen. Denn da die Verwendung von Schrift sich zu einem großen Teil auf den öffentlichen Sektor beschränkte und zudem von Region zu Region, von Periode zu Periode verschieden, einen größeren Teil dessen aussparte, was zu einer Beurteilung der gesamtgesellschaftlichen Situation benötigt würde, muß die VAA auch Regionen und Zeiten mit schriftlicher Überlieferung in ihre Unt. über den gesamten gesellschaftlichen Kontext einbeziehen.

2. Der zweite Bereich, in dem Veränderungen nottun, ist die Auseinandersetzung mit den künstlerischen Zeugnissen der altorientalischen Kulturen. Es sind hier zwar umfassende Arbeiten der Materialzusammenstellung und der chronologischen und regionalen Zuweisung geleistet worden; nachdem die Interpretationsmuster sich aber bisher an die in der westl. Welt üblichen kunstgeschichtlichen Leitlinien gehalten haben, müssen die Ansätze erweitert werden, die die »Eigengesetzlichkeiten« der Kunstentwicklung des AO und die Besonderheiten seiner Regionen herausarbeiten.

→ Archäologische Methoden; Altorientalische Philologie und Geschichte; Entzifferungen
→ AWI Alalaḫ; Alişar; Assur; Babylon; Ebla; Ḫattusa; Kalḫu; Keilschrift; Lagaš; Mari; Ninos [2]; Nippur; Nuzi; Pasargadai; Persepolis; Relief; Samarra; Susa; Ugarit; Ur; Uruk

1 R. M. Adams, H. J. Nissen, The Uruk Countryside, 1972 2 St. Anastasio, The Archaeology of Upper Mesopotamia (Subartu 1), 1995 3 J. S. Cooper, G. M. Schwartz (Hrsg.), The Study of the Ancient Near East in the Twenty-First Century, 1996 4 F. Hole (Hrsg.), The Archaeology of Western Iran, 1987 5 M. Liverani, History and Archaeology in the Ancient Near East: 150 Years of a Difficult Relationship, in: H. Kühne, R. Bernbeck, K. Bartl (Hrsg.), Fluchtpunkt Uruk (FS Nissen), 1999, 1–11 6 H. J. Nissen, Die Frühgesch. (Mesopotamiens) als Forschungsproblem, in: Saeculum 40, 1989, 179–182 7 Ders., Gesch. Altvorderasiens, 1999 8 S. A. Pallis, The Antiquity of Iraq, 1956, insbes. Kap. II und VI 9 A. Parrot, Archéologie mésopotamienne, Bd. 1: Les étapes, 1946 10 J. Renger, Die Gesch. der Altorientalistik und VAA in Berlin 1875–1945, in: W. Ahrenhövel, C. Schreiber (Hrsg.), Berlin und die Ant., 1979, 151–192.

HANS J. NISSEN

II. BIBLISCHE ARCHÄOLOGIE
A. GESCHICHTE   B. METHODEN   C. AUFGABEN,
LEISTUNGEN   D. DOKUMENTATION
E. CHRONOLOGIE   F. AUSBLICK

A. GESCHICHTE

Die Biblische Archäologie (B. A.) ist h. sachlich und methodisch ein Teil der VAA; auf Grund des bes. Bezugs zum Text des AT und zur Geschichte Israels hat sich aber das Fach forschungsgeschichtlich eigenständig entwickelt.

Am Anf. der Forsch. stand die Wiederentdeckung des Landes und seiner Denkmäler durch die Reisenden des 19. Jahrhunderts. Diese frühe Phase der Forsch. steht im Zusammenhang mit der Entwicklung der Bibelwiss. durch die historisch-kritische Methode seit der → Aufklärung. Die ersten Reisenden, Ulrich Jasper Seetzen (†1811) und Johann Ludwig Burkhardt (†1817), besuchten v. a. erhaltene Denkmäler aus hell.-röm. Zeit in Petra, → Philadelphia (= Rabbat Ammon) und Gerasa.

Als erster Forscher hat der Amerikaner Edward Robinson (1794–1863) zusammen mit Eli Smith in den J. 1837/8 und 1851/2 Palästina bereist und zahlreiche biblische Ortsnamen auf Grund der Gleichheit mit den arab. Namen identifiziert. Mit seinen Gleichsetzungen kann Robinson als der eigentliche Begründer der Palästinawiss. gelten, die neben der Arch. auch die Oberflächenforsch. und die sonstige Landeskunde [1; 2; 9] miteinschließt. Unter Beschränkung auf die noch an der Oberfläche sichtbaren Denkmäler haben dann Forscher wie T. Tobler, E. H. Palmer und V. Guérin das Land bereist und weitere Ber. vorgelegt. Einen gewissen Abschluß der Bestandsaufnahme stellt die systematische Vermessung und Beschreibung des Westjordanlandes durch C. R. Conder und H. H. Kitchener von 1871 bis 1878 dar. Im Ostjordanland hat diese Arbeit v. a. G. Schumacher geleistet. Parallel zu dieser Oberflächenforsch. verliefen die Anf. der eigentlichen arch. Forschung. Die erste Ausgrabung fand im J. 1851 mit der Freilegung der sog. Königsgräber in Jerusalem durch de Saulcy statt. Zwischen 1867 und 1870 hat dann der vom Palestine Exploration Fund in London entsandte Charles Warren in Jerusalem weitere Forsch. durchgeführt. Um die im Lande entdeckten Inschr. hat sich der frz. Konsul M. Clermont-Ganneau bemüht, ihm ist v. a. die Rettung des Textes der sog. Mescha-Stele aus der Nähe von Diban im Ostjordanland zu verdanken (→ Paris, Louvre II. Vorderasiatische Abteilung, Abb. 6). Die grundlegende Einsicht in den durch die Siedlungsgeschichte bedingten geschichtlichen Aufbau eines Ruinenhügels und die Datierung der Schichten durch die Keramik geht auf W. M. Flinders Petrie zurück, der zunächst in Ägypten arch. gearbeitet hatte. Als erste nach dieser methodischen Erkenntnis durchgeführte Grabung kann die Erforsch. des Tell el-Hesi gelten, die 1890 durch W. M. Flinders Petrie und von 1891 bis 1893 durch J. Bliss geleitet wurde. Die Veröffentlichung der Ergebnisse erfolgte 1894 unter dem programmatischen Titel *A Mound of Many Cities*.

B. METHODEN

Trotz zunehmender Grabungstätigkeit ging die Entwicklung der Methoden nur langsam voran. Die entscheidenden Fortschritte wurden bei den Grabungen in Samaria (1908–1910) unter der Leitung von G. A. Reisner, in Megiddo (1925–1939) unter der Leitung von C. S. Fisher, P. L. O. Guy und G. Loud und auf dem Tell Bēt Mirsim (1928–1932) unter der Leitung von W. F. Albright erzielt. Die neue Grabungstechnik wird auch nach ihren Erfindern als die Reisner-Fisher-Methode bezeichnet. Entscheidend für die richtige Einordnung der einzelnen Siedlungsschichten (Straten) ist die Trennung der unterschiedlichen Erdschichten, aus denen ein Siedlungshügel besteht. Diese stratigraphische Methode datiert die jeweilige Siedlungsschicht nach der auf dem Fußboden unter einer Zerstörungsschicht (*destruction debris*) gefundenen Keramik, da die Keramik aus einer künstlichen Füllschicht immer nur einen *terminus post quem* geben kann. Wurden die Grabungen bis zum II. Weltkrieg v. a. durch Wissenschaftler aus Europa und den USA geleitet, so werden h. die meisten Projekte durch Institutionen der Nationalstaaten Israel, Jordanien, Libanon und Syrien durchgeführt.

Nach dem II. Weltkrieg entbrannte im Zuge verstärkter Ausgrabungstätigkeit ein Methodenstreit, der sich v. a. an der Anwendung prähistor. Methoden entzündete. Umstritten war bes. die in Israel geübte Form der Flächengrabung zugunsten einer stärker schichtspezifischen (stratigraphischen) Grabungsmethode. Nur die Vereinbarung beider methodischer Ansätze kann dabei den bes. Verhältnissen eines Siedlungshügels in der Levante wie im gesamten Vorderen Orient gerecht werden [8]. Auf der einen Seite ist es notwendig, durch großflächige Freilegung von Gebäudegrundrissen einen Überblick über architektonische Einheiten (Tempel, Paläste, Wohnviertel etc.) zu gewinnen. Auf der anderen Seite ist es gleichermaßen unerläßlich, durch Beachtung aller schichtspezifischen Befunde wie Begehungshorizonte (Fußböden) sowie der Unterscheidung zw. Zerstörungsschutt und künstlicher Auffüllung ein genaues Bild von der Entstehung eines Ruinenhügels zu gewinnen. Auch bei einem Ruinenhügel, der im wesentlichen aus durch Architektur gebildeten Siedlungsschichten besteht, stellen die Auffüllungen zw. den einzelnen Siedlungsschichten einen wichtigen Befund dar, der über die Lücken in der Besiedlung Auskunft geben kann. Ziel der Grabung kann und soll aber nicht die Feststellung der Entstehung eines Ruinenhügels aus Bebauung, künstlichen Aufschüttungen und natürlichen Auffüllungen sein, sondern die Ermittlung der Geschichte eines Ortes in der Aufeinanderfolge der Siedlungsschichten. Die Folge der Siedlungsschichten ergibt die Siedlungsgeschichte. Die stratigraphische Methode steht somit im Dienst der Ermittlung der geschichtlichen Abfolge der Besiedlung. Damit besteht die Aufgabe der B. A. nicht in der reinen Sammlung, sondern v. a. in der histor. Deutung von Befunden.

C. Aufgaben, Leistungen

Die B. A. trägt entscheidend zur Entwicklung des Bildes von der Geschichte Israels bei; für weite Epochen ist sie sogar die einzige Quelle. Interpretationen von geschichtlichen Vorgängen können bes. dann erheblich voneinander abweichen, wenn keine schriftlichen Quellen über histor. Ereignisse vorliegen. So sind v. a. das 3. und 2. Jt. v. Chr. verhältnismäßig arm an Quellen, so daß ein weiter Spielraum für Hypothesen gegeben ist. Aber auch für das 1. Jt. v. Chr. muß die Bibel als schriftliche Quelle erst einer Überprüfung mit Hilfe der historisch-kritischen Methode unterzogen werden, bevor die Aussagen des Textes mit dem arch. erhobenen Befund in Beziehung gesetzt werden können. Eine naive Bestätigung biblischer Aussagen in dem Sinne, daß die Bibel doch recht hat, ist dabei ebensowenig zu erwarten, wie die Widerlegung biblischer Behauptungen durch Argumente e silentio auf Grund mangelnder Ergebnisse. Gerade die Einbringung der B. A. in die Geschichtsschreibung des Landes Israel bedarf somit beständiger methodischer Kontrolle. Da die B. A. bisher nur im geringen Umfang schriftliche Zeugnisse für die histor. Forsch. zutage gefördert hat, bleibt die Bibel für das 1. Jt. v. Chr. die bei weitem wichtigste Quelle für die Geschichte Israels.

Daneben treten aber im zunehmenden Maße die Ergebnisse der B. A. mit ihrer Vermittlung der materiellen Kultur für die verschiedenen Epochen. Neben der Ausgrabungstätigkeit gehört auch die Oberflächenforsch. zu den Aufgaben der Biblischen Archäolgie. Mit Hilfe der Keramikchronologie kann die Oberflächenforsch. einen eigenständigen Beitr. zur Erforsch. der Geschichte des Landes leisten. Die hervorragenden Einzelleistungen v. a. in dem Zeitraum zw. den Weltkriegen durch W. F. Albright, A. Alt und N. Glueck sind h. abgelöst durch eine systematische Bestandsaufnahme aller arch. Überreste, wie sie v. a. im *Archaeological Survey of Israel* vorliegt.

D. Dokumentation

Neben die Ausbildung der Methoden trat im Verlauf der Ausgrabungstätigkeit die Entwicklung der Dokumentation. Mit der Einführung des Locussystems zur Bezeichnung eines bestimmten und genau definierten Grabungsbereiches wurde das Grabungstagebuch zunehmend von der Locuskarte abgelöst. Wie die einzelnen Loci, so werden auch die Funde mit einer laufenden Nummer versehen. Alle Funde und Befunde wurden in ihrer relativen Höhe bezogen auf einen Nullpunkt oder in ihrer absoluten Höhe eingemessen und auf der Locuskarte vermerkt. Für die Bauaufnahme hat sich die korrekte Stein für Stein-Zeichnung im Maßstab 1:50 durchgesetzt. Neben der Bauaufnahme ist die Zeichnung des Schnittprofils für die stratigraphische Kontrolle unerläßlich. Ziel ist die Veröffentlichung der Ergebnisse. Diese Fachpublikationen sollen alle Funde und Befunde vorlegen und einordnen, wobei auch naturwiss. Unt. aufgenommen werden. Die Einordnung erfolgt in Gestalt einer histor. Interpretation, zumal die typologische Bestimmung der Keramik wie der Architektur in der Regel kein größeres Problem darstellt. Eine vorläufige Interpretation der Ergebnisse bietet der Vorber., der überwiegend in kurzer Form vorgelegt wird. In ihm werden lediglich die wichtigsten Ergebnisse kurz benannt. Kurzberichte werden abgedruckt im *Israel Exploration Journal*, in *Excavations and Surveys in Israel*, in *Revue Biblique* und im *Archiv für Orientforschung*. Vorberichte erscheinen in verschiedenen Zeitschriften und Reihen wie *Annual of the Department of Antiquities of Jordan*, *Bulletin of the American Schools of Oriental Research*, *Eretz Israel*, *Mitteilungen der Deutschen Orient-Gesellschaft*, *Palestine Exploration Quaterly*, *Tel-Aviv* und *Zeitschrift des Deutschen Palästinavereins*. In allen Fällen kommt dem Leiter der Ausgrabung eine überragende Stellung bei der Interpretation der Ergebnisse zu, die allerdings keineswegs als endgültig und abschließend zu betrachten ist, wie die rege Diskussion zu einzelnen Fundstücken wie ganzer Siedlungsschichten in der Lit. zeigt. Eine Zusammenfassung der Ergebnisse bieten auch die verschiedenen Lexika [12; 19; 22]. Einträge zu den ausgegrabenen Orten und zu einzelnen Funden finden sich darüber hinaus auch in den verschiedenen Bibel-Lexika. Eine systematische Aufarbeitung bieten die Unt. zu einzelnen Gattungen [3; 14; 24].

E. Chronologie

Mit Hilfe der für jede Epoche typischen Keramik konnte in Anlehnung an die ägypt. Chronologie eine Epocheneinteilung erstellt werden. Die Bezeichnung der einzelnen Epochen in vorhell. Zeit erfolgt dabei nach Metallen und deren Abfolge in der Menschheitsgeschichte. Auf Grund fester Daten, die v. a. für den Verlauf der Geschichte Ägyptens gewonnen werden konnten, wurde die Epocheneinteilung im J. 1922 für den Bereich der B. A. in der südl. Levante erstmals international festgelegt. Abgesehen von den prähistor. Perioden, die einer eigenen Nomenklatur folgen, stellt sich die Epocheneinteilung folgendermaßen dar, wobei auf Grund verschiedener Forschungstrad. kleine Schwankungen auftreten können:

Frühe Bronzezeit I:	3250–2950
Frühe Bronzezeit II:	2950–2650
Frühe Bronzezeit III:	2650–2350
Frühe Bronzezeit IV:	2350–2200
Mittlere Bronzezeit I:	2200–1950
Mittlere Bronzezeit II A:	1950–1750
Mittlere Bronzezeit II B:	1750–1650
Mittlere Bronzezeit II C:	1650–1550
Späte Bronzezeit I:	1550–1400
Späte Bronzezeit II A:	1400–1300
Späte Bronzezeit II B:	1300–1200
Eisenzeit I:	1200–1000
Eisenzeit II:	1000–587
Eisenzeit III:	587–332
Hellenistische Periode:	332–63
Römische Periode:	63–324 n. Chr.
Byzantinische Periode:	324–638

Frühislamische Periode:	638–1099
Kreuzfahrerzeit:	1099–1291
Spätislamische Periode:	1291–1516
Osmanische Zeit:	1516–1917

F. AUSBLICK

Wichtigste Aufgabe der B. A. bleibt die Ermittlung histor. Abfolgen. Daraus ergibt sich wiederum die Aufgabe einer Beschreibung der Kulturgeschichte aller Epochen im Sinne eines Überblicks unter Einbeziehung aller Denkmälergattungen. Diese Aufgabe wird v. a. durch die Gesamtdarstellungen des Faches [5; 10; 13; 15; 16; 17; 18; 22] erfüllt. Weiterhin leistet die B. A. einen wesentlichen Beitr. zur Realienkunde, die ein unerläßlicher Teil biblischer Sachexegese ist. Ziel der B. A. als Kulturwiss. ist es, die geistige und rel. Lebens- und Kulturanschauung der ant. Zivilisationen im Hl. Land, die im Text der Bibel festgehalten wurde und somit der individuellen Sichtweise und Ideologie der einzelnen Verfasser unterliegt, anhand der durch Ausgrabungen und Auswertung gewonnenen Erkenntnisse der Realienkunde zu überprüfen.

→ Archäologische Methoden; Philosophia perennis

1 Y. AHARONI, M. AVI-YONAH, Der Bibel-Atlas. Die Gesch. des Hl. Landes 3000 v. Chr. bis 200 n. Chr., 1982 **2** Y. AHARONI, Das Land der Bibel. Eine histor. Geogr., 1984 **3** R. AMIRAN, Ancient Pottery of the Holy Land, 1969 **4** Y. BEN-ARIEH, The Rediscovery of the Holy Land in the Nineteenth Century, 1979 **5** A. BEN-TOR (Hrsg.), The Archaeology of Ancient Israel, 1991 **6** D. CONRAD, Hobby oder Wiss.? B. A. und ihre Stellung im Kanon der theologischen Fächer, in: ZPalV 115, 1999, 1–11 **7** W. G. DEVER, Biblical Theology and Biblical Archaeology: An Appreciation of G. Ernest Wright, in: Harvard Theological Review 73, 1980, 1–15 **8** Ders., Archaeological Method in Israel: A Continuing Revolution, in: Biblical Archaeologist 43, 1980, 40–48 **9** H. DONNER, Pilgerfahrt ins Hl. Land. Die ältesten Ber. christl. Palästinapilger, 1979 **10** R. H. DORNEMANN, The Archaeology of Transjordan in the Bronze and Iron Age, 1983 **11** V. FRITZ, Einführung in die B. A., 1985 **12** K. GALLING (Hrsg.), Biblisches Reallex., (HAT I/1), ²1977 **13** A. KEMPINSKI, M. AVI-YONAH, Syrien – Palästina II, 1978 **14** A. KEMPINSKI, R. REICH (Hrsg.), The Architecture of Ancient Israel, 1992 **15** K. M. KENYON, Archaeology in the Holy Land, 1979 **16** G. KROLL, Auf den Spuren Jesu, ⁸1980 **17** H.-P. KUHNEN, Palästina in griech.-röm. Zeit, HdArch II/2, 1990 **18** A. MAZAR, Archaeology of the Land of the Bible 10000–586 B. C. E., 1990 **19** E. MEYERS (Hrsg.), The Oxford Encyclopedia of Archaeology in the Near East, 5 Bde., 1997 **20** M. NOTH, Hat die Bibel doch recht? in: FS für G. Dehn, 1957, 7–22 = Ders., Aufsätze zur biblischen Landes- und Altertumskunde I, hrsg. v. H. W. WOLFF, 1971, 17–33 **21** N. A. SILBERMANN, Digging for God and Country. Exploration, Archaeology and the Secret Struggle for the Holy Land 1788–1917, 1982 **22** E. STERN (Hrsg.), The New Encyclopedia of Archeological Excavations in the Holy Land, 4 Bde., 1993 **23** H. WEIPPERT, Palästina in vorhell. Zeit, HdArch II/1, 1988 **24** W. ZWICKEL, Der Tempelkult in Kanaan und Israel, 1994.
                       VOLKMAR FRITZ

Vorsokratiker A. ZUM FRAGWÜRDIGEN REZEPTIONSSCHEMA »VORSOKRATIKER« B. UMRISSE DER REZEPTIONS-, WIRKUNGS- UND FASZINATIONSGESCHICHTE DER FRÜHEN GRIECHISCHEN PHILOSOPHIE C. PROGRAMMATISCHE RÜCKGÄNGE AUF DIE FRÜHE GRIECHISCHE PHILOSOPHIE SEIT DEM 19. JAHRHUNDERT D. ZWISCHEN MYTHOS UND METAPHYSIK

A. ZUM FRAGWÜRDIGEN REZEPTIONSSCHEMA »VORSOKRATIKER«

Der Ausdruck »V.«, erst im 19. Jh. geprägt, wird im 20. Jh. zum festen Bestandteil philosophiehistor. Einteilungen. Er dient als Sammelbezeichnung für alle diejenigen Denker des 6. und 5. Jh. v. Chr., die vor Sokrates Beitr. zu dem nachmals »Philos.« genannten Wissen geleistet haben. Durch Hermann Diels' *Fragmente der V.* (1903), der bis h. maßgeblichen Fragmentensammlung frühgriech. Denkens, wird der Name »V.« zu einem Begriff, der in die anderen europ. Sprachen eingeht (*the presocratics, les présocratiques, i presocratici, los presocráticos*).

Das mod. Rezeptionsschema »V.« ist das Produkt einer philol. orientierten Historiographie der Philos., wie sie sich, die alte Doxographie ablösend, seit der zweiten H. des 18. Jh. entwickelt. Friedrich Daniel Ernst Schleiermacher, der neben Georg Wilhelm Friedrich Hegel bedeutendste Archeget der philos. V.-Forsch. im 19. Jh., unterscheidet zuerst eine ›vorsokratische‹ von einer ›nachsokratischen‹ Periode der Philos. und prägt das Adjektivabstraktum ›vorsokratisches‹ [27. 19 ff.]. Über Heinrich Ritter und v. a. durch Eduard Zeller [31] wird die Rede von der »vorsokratischen Philos.« gebräuchlich. Die Fragwürdigkeit des Dispositionsschemas zeigt sich indes schon in seinen Ursprüngen. In der Orientierung am Platonischen διαλέγεσθαι (→ Nachträge: Dialektik) sieht Schleiermacher Sokrates durch eine Form wiss. Rationalität ausgezeichnet, die der früheren Philos. in markanter Weise abgeht. In gleicher Weise stellt Zeller heraus, daß erst mit Sokrates an die Stelle des dogmatischen ein dialektisches Philosophieren tritt. Schleiermacher meint, die V. negativ charakterisieren zu können: Die von ihm veranschlagte Defizienz (methodischer Selbstreflexion) soll ›unverkennbar‹ den ›gemeinsamen Typus‹ der älteren Philosophen ausmachen [28. 293].

Grundsätzlich problematisch ist nicht nur die philosophiegeschichtliche Argumentation »von später her«. Suggeriert wird fälschlich, daß die Denker vor Sokrates als Gruppe zu identifizieren seien und daß ihr Denken als solches einheitlich charakterisiert werden könne. Die temporale Markierung, die der Begriff vorschlägt, ist irreführend (was später auch John Burnet bemängelte [4. 1]), insofern er auch sog. V. wie Demokrit umfassen soll, der Sokrates um 20 J. überlebte. Fragwürdig ist es auch, die »Sophisten« wie im Schleiermacher-Zellerschen Dispositionsschema als letzte Abteilung der V. anzuführen. Bereits Friedrich Ueberweg schlug für die Periode der Denker von Thales bis Demokrit die Bezeichnung ›vorsophistische Philos.‹ vor, um zumindest den Gegenstandsbereich ihrer Überlegungen einigermaßen homogen als ›Vorherrschaft der Kosmologie‹ fassen zu können [30]. Diels selbst zählte die Sophisten nicht zu den ›eigentlichen V.‹ und präsentierte sie im Anhang; die bedeutende engl. Ausgabe von Geoffrey Stephen Kirk, John E. Raven und Malcolm Schofield stellte die *Presocratic philosophers* (²1983) ganz ohne Sophisten vor. In der Perspektive gegenwärtiger Forsch. ist aufgrund der angeführten Problemlage [52; 54] auf den Begriff der V. mitsamt seinen histor. Konstruktionen zu verzichten.

B. UMRISSE DER REZEPTIONS-, WIRKUNGS- UND FASZINATIONSGESCHICHTE DER FRÜHEN GRIECHISCHEN PHILOSOPHIE

Die Rezeption der frühen Philos. der Griechen beginnt in der Ant. und reicht bis zur Gegenwart, in der diese Philos. so aktuell wie kaum je zuvor erscheint. Die ant. Rezeption bildet die Grundlage für die wandlungsreiche und wenig kontinuierliche abendländische Wirkungsgeschichte. Da (uns) die originalen Werke nicht oder nur fragmentarisch erhalten sind, stützt sich die Kenntnis der »V.« auf Zitate, Ber. und Referate späterer Autoren. Platon, weniger an Ideengeschichte als an sachlicher Auseinandersetzung mit philos. Positionen interessiert, setzt sein Denken bes. zu dem der Pythagoreer, der Eleaten und Heraklits in Verhältnis. Aristoteles' Schriften werden zum eigentlichen Ausgangspunkt der Rezeption und Weitergabe der frühen Philosophie. Aber auch in den hell. Schulen und im Neuplatonismus fanden frühe Philosophen z. T. in großem Umfang Beachtung. Die fragmentarische und indirekte Überlieferung stellt von Anfang an eine bes. Herausforderung an die philos. Imagination.

Mit Aristoteles werden die ›ersten Philosophen‹ (metaph. 1,3,983 b 1 f.), die Wirkungsgeschichte weithin prägend, vornehmlich als Naturphilosophen (φυσικοί bzw. φυσιολόγοι, lat. *philosophici naturales*) verstanden. Aristoteles vergegenwärtigt sie, indem er sie auf sein eigenes philos. Telos verpflichtet. Gegen die Auffassung und den hermeneutischen Impuls, wonach nur die Alten das Wahre wissen (Plat. Phaid. 274 c), konstatiert er gerade deren Zurückbleiben hinter der Wahrheit (metaph. 1,3,985 a 11 f.). Als Vorgänger des Projekts Erste Philosophie stammeln sie nur wie Kinder, die das Sprechen erst noch lernen müssen (metaph. 1,10,993 a 15 f.). Aristoteles' Schüler Theophrast begründet mit der verlorenen Sammlung der Φυσικαὶ δόξαι die lit. Gattung der Doxographie. Über die ps.-plutarchische Epitome Περὶ τῶν ἀρεσκόντων φιλοσόφοις φυσικῶν (2. Jh.) wirken die aufgeführten Lehrmeinungen bis in die arab. Überlieferung hinein [42].

Auf der Basis des peripatetischen Modells der Vergegenwärtigung nimmt Cicero eine Abfolge von zuerst kosmologischer und dann ethisch-polit. Betrachtung an: Erst Sokrates habe ›die Philos. vom Himmel herunter gerufen und in den Städten heimisch gemacht (...) und sie gezwungen, nach dem Leben, den Sitten, nach dem Guten und Schlechten zu forschen‹ (Tusc. 5,10). Auch Diogenes Laertius macht eine philosophiegeschichtliche Zäsur vor Sokrates. Er verfolgt die Absicht, alles, was nach diesem kommt, als eine Folge sokratischer Schulen darstellen zu können. Die frühen Denker werden in zwei Schulzusammenhängen präsentiert: der ionischen Schule, die auf Thales bzw. Anaximander zurückgeht, und der italischen Schule, die auf Pythagoras zurückgeführt wird (*Vitae philosophorum* Buch I, 14,18; Buch II, 26). Heraklit gehört zu keiner der beiden Schulen. Diese grundlegenden ant. Situierungen frühgriech. Denkens werden bis zum E. des 18. Jh. vielfach repetiert.

In aristotelischer Perspektive bzw. in der Interpretation, die die Neuplatoniker ihnen geben, nehmen die ma. Autoren Theoreme altgriech. Philos. auf. Vor allem in den Metaphysik-Komm. ab dem 13. Jh. werden einzelne Positionen mit bestimmten Namen identifiziert [2]. Pythagoras gewinnt früh eine bes. Bed., wird er doch zunächst platonisierend ausgelegt und dann als Vorbereiter christl. Wahrheit in Anspruch genommen. Noch Ralph Cudworth stellte Pythagoras als ›the most eminent of all the ancient Philosophers‹ [5. 370] heraus. Mit der Ren. kam es zu einer ersten Phase der Wiederentdeckung früher griech. Philos., die auch die Textbasis ihres Studiums veränderte [45]. Diogenes Laertius wird ins Lat. übersetzt (1431). Die Darstellung des Atomismus durch Lukrez, wiederentdeckt durch Poggio Bracciolini (Druck 1473), führt dazu, daß die ant. → Atomistik sich in der Folgezeit auf dem Gebiet der → Naturphilosophie in neuer Weise behaupten kann. Simplikios' Komm. zur Aristotelischen *Physik* – mit einer Fülle von wörtlichen Bezugnahmen auf die frühen Philosophen – erscheinen 1527 im Druck und werden seit 1543 ins Lat. übersetzt. Originale Texte von Demokrit und Heraklit stehen aber offenbar schon Simplikios nicht mehr zur Verfügung. Die erste V.-Edition erscheint 1573 [7]. Noch die Denker des dt. Idealismus ziehen sie zu Rate und zitieren aus ihr.

Die Sparsamkeit der Nachrichten zur frühen Philos., die Handbücher und erste Darstellungen der Philosophiegeschichte hergeben, läßt schon die Einbildungskraft der Philosophen von Francis Bacon bis Giambattista Vico vielfach kompensatorisch tätig werden. Bezugnahmen auf die frühen Denker verdanken sich häufig der Intention, sich »Ahnen« zu verschaffen bzw. legitimierende »Autoritäten« für Gedanken und Methoden anzuführen. Die frühe Philos. bietet aber auch ein wichtiges Projektionsfeld, das in unterschiedlicher Weise zur philos. Selbstverständigung genutzt wird, dazu, gedankliche Alternativen zu entwickeln, Trad. zu aktualisieren und Vermittlungen herzustellen. Für den Gedanken der Einheit des Alls kann Giordano Bruno die neuplatonisch rezipierten Xenophanes, Parmenides oder Heraklit, Anaxagoras oder Empedokles anführen, weil sie ihm im wesentlichen alle dasselbe zu lehren scheinen. ›Jeder hat noch in den Alten gefunden, was er brauchte, oder wünschte‹, hält Friedrich Schlegel später fest, ›vorzüglich sich selbst‹ [25. 189].

Mit der philol. orientierten Historiographie der Philos. und mit dem neuen Interesse an einer genuin philos. Philosophiegeschichte beginnt eine weitere Phase der Entdeckung frühgriech. Philosophie. Schon im 19. Jh. konstituiert sich, wie auch die Demokrit-Dissertation von Karl Marx andeutet [18. 261 f.], die Idee einer neuen Fragmentensammlung. Die Vertiefung in die erhaltenen Texte und Überlieferungsverhältnisse führt bis zu dem Rekonstruktionsversuch, mit dem Diels a) spätere Zeugnisse, b) Zitate aus verlorengegangenen Schriften, d.h. die originalen ipsissima verba, und c) gegebenenfalls zweifelhafte oder eindeutig unechte Stücke voneinander zu scheiden unternimmt. Die von Diels etablierte Textbasis ersetzt die Testimoniensammlungen des 19. Jh. [24; 19] und fördert die wiss. Erforsch. der V. im 20. Jh. ungemein. Seine Übers. hat Breitenwirkung; ihr folgen alsbald weitere Übertragungen in die mod. Sprachen.

Die Popularität der frühen Denker wächst aber schon seit dem 18. Jh. stetig. Im Medium des spinozistischen Pantheismus findet eine Vermittlung frühgriech. Formeln an den dt. Idealismus statt. Die Auseinandersetzung mit Heraklit und Empedokles prägt Werkphasen Friedrich Hölderlins, der Rückgriff auf kosmologische Theoreme der älteren Philosophen die Entwürfe seiner ›Homburger Philos.‹ [51. 122 ff.]. Die Anfänge dialektischen Denkens vollziehen sich bei Hölderlin und Hegel wesentlich an Heraklit: ›Hier sehen wir Land; es ist kein Satz des Heraklit, den ich nicht in meine Logik aufgenommen‹, formuliert Hegel pathetisch [10. 344]. Die Dissertation von Marx macht in der Folge den ant. Materialismus eines Leukipp und Demokrit für die Trad. des dialektischen Materialismus und damit für → Marxismus attraktiv. Marx betrachtet die nachklass. Schulen aber als eigentlichen Schlüssel für die griech. Philosophie. Arthur Schopenhauer nennt Anaxagoras seinen ›direkten Antipoden unter den Philosophen‹: Die Erklärung der Welt aus einem Anaxagorischen *noũs* heraus verlange, ›zu ihrer Beschönigung notwendig den Optimismus, der alsdann, dem laut schreienden Zeugniß einer ganzen Welt voll Elend zum Trotz aufgestellt und verfochten wird‹ [29. 304 f., 665].

Erstmals mit dem Antiklassizismus Friedrich Nietzsches rücken die älteren Denker in jene Zentralposition ein, die bislang weitgehend Platon und Aristoteles reserviert war, wie Raffaels *Schule von Athen* (1509–10; → Historienmalerei, Abb. 4) paradigmatisch ins Bild setzt. Damit gewinnt die philos. orientierte Antikerezeption eine neue Gestalt. Nietzsche interpretiert die frühen Denker zunächst als ›Vorplatoniker‹. Mit der Umdeutung seines Sokrates-Bildes jedoch – Sokrates wird in der Folge als ›typischer décadent‹ erkannt – setzt er die entscheidende philosophiegeschichtliche Zäsur schon vor Sokrates an und macht die frühen Denker zu ›Vorsokratikern‹. Von den ›altgriech. Meistern‹ favori-

siert auch Nietzsche Heraklit, mit dem er sich noch im Spätwerk stark identifiziert. Im Kontext der Abgrenzung der Anaximandrischen von der Parmenideischen Phase ›vorsokratischen Denkens‹ erscheint ihm die Seinslehre, die mit Parmenides ins Zentrum des Interesses rückt und die Ontologie begründet, als eine ›durch jede Wirklichkeit ungetrübte und völlig blutlose Abstraktion‹, als ein Moment – ›ungriech. wie kein anderer in den zwei Jh. des tragischen Zeitalters‹ [21. 330].

Wichtige Impulse erhält die Rezeption der frühen Philos. im 20. Jh. sowohl durch die klass. Altertumswiss. und Philol., durch die religionsgeschichtliche Schule, durch die Heidegger-Schule und die philos. Hermeneutik [8] wie, weitgehend abgekoppelt von der dt. Forschungstrad., durch die analytisch geprägte Philos. (G. Vlastos, G. E. L. Owen, G. St. Kirk, A. P. D. Mourelatos u. a.), die sich um die Rekonstruktion und Verdeutlichung der histor. Argumentationen verdient macht [32; 58]. Wie selektiv und voraussetzungsreich die Wahrnehmung der frühen Philos. auch in der Philos. des 20. Jh. ist, zeigen einflußreiche Denker wie Martin Heidegger und Karl Popper. Die Besinnung Heideggers auf ein vermeintlich seinsnahes Denken macht Anaximander, Heraklit und Parmenides zu zentralen Gestalten der Philos. [12; 13; 14]; die Pythagoreer und die Atomistiker rücken dagegen durch Heideggers Verpflichtung der Philos. auf Ontologie überhaupt nicht ins Blickfeld. ›Back to the Pre-Socratics‹ lautet das Schlagwort, mit dem es Popper unternimmt, die angenommene ›simple straightforward rationality‹ der älteren Denker als vorbildlich zu rühmen und wissenschaftstheoretisch zu aktualisieren [23]. Was auf die kosmologischen Konzepte der Milesischen Schule gemünzt ist, gilt aber im Sinne des Autors keineswegs für die dem Dogmatismusverdacht ausgesetzte pythagoreische Schule und deren Reflexion auf die menschliche Seele und ihr Schicksal. Die Abfolge der Erklärungsmodelle frühgriech. Kosmologie deutet Nelson Goodman, ebenfalls ein führender Vertreter der analytischen Philos., als ›Prozesse der Welterzeugung‹. Die ›pre-Socratics‹ hätten bereits fast alle wichtigen ›advances and mistakes in the history of philosophy‹ gemacht [9. 97 ff.].

Auch in den Einzelwiss. sind die frühen Denker präsent. Xenophanes' Kritik der anthropomorphen Gottesvorstellung etwa gibt noch der → Religionskritik im allgemeinen und der Anthropomorphismuskritik des 20. Jh. wichtige Anregungen [47]. Empedokles' Lehre von Liebe und Haß als den bewegenden Kräften findet Eingang in die Freudsche und nachfreudsche frz. → Psychoanalyse. Die Zenonischen Paradoxien beschäftigen Mathematiker und Philosophen [46; 64], aber auch Künstler des 20. Jahrhunderts. Schriftsteller wie Samuel Beckett beschäftigen sich intensiv mit der frühen griech. Philos. und verwandeln sie sich an. An die Stelle des Stereotyps von Heraklits ewigem Fluß tritt: ›Tout suinte‹/›Everything oozes‹. ›On ne descend pas deux fois dans la même pus‹ hofft Estragon, wenn er sich, auf Godot wartend, mit Vladimir die Zeit vertreibt [3. 151].

Die Rezeptionsgeschichte der frühen Philos. verwandelt sich in Neuzeit und Moderne gleichsam unter
der Hand in die ihrer Faszinationsgeschichte. Es sind die
Faszinosa des Anfänglichen und des ewig Anfänglichen.
Der Rückgang auf den Anfang von Philos. und Wiss.
wird mit der Intention unternommen, den Ursprung
der abendländischen Rationalität und damit den Ursprung der abendländischen Kultur zu entdecken. Wo
der nüchterne Philosophiehistoriker von den Anfängen
des Denkens sprechen müßte, setzt sich der singulari-
sche, mythisch aufgeladene Gebrauch der Rede vom
Anfang durch. Virulent ist dabei der Mythos, das eigentlich Wahre sei im oder sei der Anfang.

C. PROGRAMMATISCHE RÜCKGÄNGE AUF DIE FRÜHE GRIECHISCHE PHILOSOPHIE SEIT DEM 19. JAHRHUNDERT

Alkmaion von Kroton, einer der eher wenig beachteten frühen Denker, hatte ausgeführt, daß die Menschen gerade darum vergehen, weil sie nicht die Kraft
haben, den Anfang an das Ende anzuknüpfen (24 B 2
DK). Die unterschiedliche philosophiehistor. Verknüpfung von Ende und Anfang ist signifikant für die programmatischen Rückgänge auf die frühe griech. Philos.
seit dem 19. Jahrhundert. Mit dem philos. Interesse an
Philosophiegeschichte bilden sich Positionen aus, für
die nicht nur die Absicht charakteristisch ist, die Her-
kunftsgeschichte im Philosophieren präsent zu halten.
Richtungsweisend wird der Versuch, mittels einer Besinnung auf den Ursprung eine Selbstverständigung
über das gegenwärtige Philosophieren zu erzielen. Die
jeweilige Deutung der eigenen Gegenwart (als des vorläufigen Endes) formiert dabei wesentlich die Vorstellung des Anfangs. Philosophiegeschichte zeigt sich im
Einflußbereich von Geschichtsphilosophie.

Friedrich Schlegel will ›das Primitive der Philos.
überhaupt aufsuchen‹ und damit zugleich ›die genetische Erklärung der gegenwärtigen Philos.‹ [26. 162]
verbinden. Gelten die Philosophen nach Aristoteles fast
sämtlich als ›Nachahmer‹, so firmieren die ›ionischen
Physiker‹ und die Pythagoreer als die ›ersten griech.
Selbstdenker und Erfinder‹. Philosophie *in statu nascendi*
verkörpert, was sie ›eigentlich sein sollte und am nächsten und natürlichsten ist: Philos. der reinen Anschauung‹ [26. 101, 106].

In der Orientierung an dem aristotelischen Verge-
genwärtigungsschema bleibt der Anfang der Philos. in
der Perspektive der Schleiermacher- wie der Hegel-
Schule wesentlich ein unerfüllter. Die Schleiermacher-
Schule operiert mit dem naturalen Entwicklungsschema
»Aufwachsen«, »Blüte« und »Verfall«. Die Blüte ist hier
die klass. griech. Philos., die erst entfaltet, was in dem
Anfang nur angelegt ist. Der Anfang tritt zurück hinter
dem, was aus ihm hervorgeht. Hegel leitet seinerseits die
Vorstellung, die histor. Entwicklung der Philos. entspreche in ihrer Aufeinanderfolge der Systeme der logischen Entwicklung der Idee. Dieses Theorem ver-
schafft den frühen Philosophen eine vorher unbekannte
Präsenz im Zentrum der als philos. relevant angesehe-

nen Fragen. Hegels *Wiss. der Logik* I (1812) durchmißt
in wirkmächtiger Weise das Feld der frühen Philosophie. Noch die Problemgeschichte der Neukantianer
kann hier anknüpfen. Während die neueste Philos. für
Hegel aber die ›entwickelteste, reichste und tiefste‹ ist,
erscheint die älteste dementsprechend als leer, arm und
abstrakt: ›Dies muß man wissen, um nicht hinter der
alten Philos. mehr zu suchen, als man darin zu finden
berechtigt ist‹ [10. 69 ff.]. Hegel konstruiert wie bereits
Aristoteles den Anfang aus der Sicht des Endes und relativiert ihn damit.

Nietzsche stellt nicht nur das teleologische Schema in
Frage, das die Alten als »Vorläufer« der klass. Epoche
griech. Philos. betrachtet. Er wertet vielmehr das Verhältnis von klass. und frühem, archa. Griechentum radikal um: ›(...) seit Platon fehlt den Philosophen etwas
Wesentliches im Vergleich mit jener Genialen-Repu-
blik von Thales bis Sokrates‹. Von dem ›Eigenthüm-
lich-Helleneischen‹ sei das Denken eines Platon oder
Aristoteles nichts als ein ›schattenhafter Abdruck‹
[21. 302]. Die aristotelische Perspektivierung der frühen
Philos. und ihre interpretatorischen Vorgaben hinter-
fragt Nietzsche in einer Weise wie niemand vor ihm:
›Aristoteles zumal scheint seine Augen nicht im Kopfe
zu haben, wenn er vor den Bezeichneten (sc. den älteren
»Philosophentypen« von Thales bis Demokrit) steht‹
[22. 221]. Er reißt dadurch Erkenntnisschranken nieder,
die ein physizistisch aufgefaßter Anfang der Philos. mit
sich brachte. Das übersehene oder marginalisierte Interesse der frühen Philosophen an Ethik, Psychologie,
Theologie, Erkenntniskritik und Methodenreflexion
wird im 20. Jh. neu entdeckt. Nietzsches Fokus auf der
»Persönlichkeit« der frühen Denker leistet aber auch ir-
rationalistischen Interpretationen und Aneignungen der
frühen griech. Philos. Vorschub. Und wenn Heidegger,
in der Trad. des dt. → Philhellenismus seit dem 18. Jh.
oder dt. ›Graecomanie‹ (Walther Rehm) die Wesens-
verwandtschaft griech. und dt. Philos. insinuiert, folgt
er auch hier den Spuren Nietzsches.

Wilhelm Dilthey, dem Diels seine *Fragmente der Vorsokratiker* widmet, konstatiert in seinem systematischen
Hauptwerk den Niedergang der Metaphysik. Er geht
vom Ende der Metaphysik auf ihren Anfang zurück, um
›ihren Ursprung, ihre Macht und ihren Verfall geschichtlich zu erkennen‹ [6. 125] und unter dem Vorzeichen des Lebensbegriffs neu zu explizieren. Die Me-
taphysikkritik wird fortan ein zentrales Motiv der Vergegenwärtigung frühen griech. Denkens. Heidegger
meint die abendländische Metaphysik als einen Irrweg
des Denkens zu erkennen, aus dem nur durch radikale
Ursprungsbesinnung herauszukommen ist, da hier ›das
Früheste das Späteste‹ überholt [15. 301]. Der Rückgang auf den Anfang geschieht mit der Intention, ›zu
sehen, wie ein bestimmtes Ursprüngliches zu Abfall und
Verdeckung kommt, um zu sehen, daß wir in diesem
Abfall stehen‹ [11. 76]. Die inständige Wendung zum
Anfang will hinter die behauptete Verfallsgeschichte
abendländischen Denkens zurückgreifen, deren un-

scharfes Szenario nicht zuletzt von vielfältigen Motiven des Unbehagens an der Moderne gespeist wird. Diese arch. Bewegung will zugleich ein kommendes Denken vorbereiten, daß die ›Seinsvergessenheit‹ der Metaphysik aufgehoben hat. Mit der Gedankenfigur vom ›anderen Anfang‹ will Heidegger den ersten Anfang der Philos. in seinen noch unausgeschöpften Potentialen einholen [35; 66].

D. Zwischen Mythos und Metaphysik

Heideggers ›frühe Denker‹ erscheinen ›anfänglich‹, weil Ihre Auseinandersetzung mit der Dichtung unreflektiert bleibt. Sie fallen gleichsam vom Himmel. Wo Heidegger auf Texte griech. Dichtung eingeht, wie im Falle der Interpretation des ersten Stasimons der *Antigone* [16. 112–126], bleibt der präsentierte Zusammenhang der von ihm gedeuteten dichterischen und philos. Texte völlig unklar. Einzig Nietzsches Konstruktion eines ›tragischen Zeitalters‹ bildet die notdürftige Klammer. Hinter die Philos. und zurück auf den Mythos greifen aber schon programmatisch der Hölderlin des *Hyperion* (1797–1799) wie auch der mittlere und späte Schelling. Die Trad., die Philos. auf den Mythos zurückbezieht, führt in Frankreich bis zu Jean-Pierre Vernants *Mythe et pensée chez les Grecs* (1965), in Deutschland über die *Dialektik der Aufklärung* [1] zu Hans Blumenbergs *Arbeit am Mythos* (1979). Beide widersprechen jenem vereinfachenden Schema, das griech. Denken entfalte sich, indem es vom Mythos zum Logos fortschreite, das über Wilhelm Nestle zum Schlagwort geworden ist [20]. Der → Mythos zeigt sich vielmehr selbst schon als Logos, der Logos noch als Mythos. Das Feld früher griech. Philos. kann h. in komplexer Zwischenstellung zw. Mythos und klass. Metaphysik ausgemacht werden. Als retro- wie prospektiv verfahrende Analyse geschichtlich entstehender und einander widerstreitender Denkformen und deren Erfahrungsgehalte kann die philos. Ursprungsbesinnung die Gestalt der Selbstaufklärung gewinnen.

→ Philosophie

→ AWI Aëtios [2]; Alkmaion [4] aus Kroton; Anaximandros; Anaxagoras [2]; Anaximenes [1]; Aristoteles [6]; Demokritos [1]; Diogenes [17] Laertios; Diogenes [12] von Apollonia; Doxographie; Eleatische Schule; Empedokles [1]; Herakleitos [1]; Leukippos [5]; Kosmologie; Lucretius [III 1]; Materialismus; Melissos [2]; Metaphysik B; Meteorologie II. B; Milesische Schule; Mythos; Natur, Naturphilosophie I. C; Ontologie; Parmenides; Platon [1]; Prinzip B; Pythagoras [2]; Pythagoreische Schule; Rationalität B; Simplikios; Sokrates [2]; Thales; Vorsokratiker; Xenophanes [1]; Zenon [1] von Kition

QU 1 Th.W. Adorno, M. Horkheimer, Dialektik der Aufklärung, 1944 2 Albertus Magnus, Metaphysica, 1262–1270. Opera omnia (Editio Coloniensis) Bd. 16/1–2, 1960–1964 3 S. Beckett, En attendant Godot, 1953, (dt. Warten auf Godot, 1980) 4 J. Burnet, Early Greek Philosophy, London 1892, ⁴1930 5 R. Cudworth, The true intellectual system of the universe, London 1678

6 W. Dilthey, Einl. in die Geisteswiss., Leipzig 1883. Gesammelte Schriften 1, 1914 7 H. Estienne, J.J. Scaliger, Poesis philosophica, Genf 1573 8 H.-G. Gadamer, Der Anf. der Philos., 2000 9 N. Goodman, Ways of Worldmaking, 1978 10 G.W.F. Hegel, Vorlesungen über die Gesch. der Philos. (1805/06ff., Berlin 1837). Sämtliche Werke, hrsg. v. H. Glockner, Bd. 17, 1927ff. 11 M. Heidegger, Ontologie (1923). Gesamtausgabe Bd. 63, 1988 12 Ders., Der Anf. der abendländischen Philos. (Anaximander und Parmenides) (1933). Gesamtausgabe Bd. 35, noch nicht erschienen 13 Ders., Parmenides (1942/43). Gesamtausgabe Bd. 54, 1982 14 Ders., Heraklit (1943/44). Gesamtausgabe Bd. 55, 1987 15 Ders., Der Spruch des Anaximander (1946), in: Holzwege, 1950, 296–343 16 Ders., Einführung in die Metaphysik, 1953 17 Ders., Vorträge und Aufsätze (1954). Gesamtausgabe Bd. 7, 2000, 211–288 18 K. Marx, Differenz der demokritischen und epikureischen Naturphilos. (1841), in: Marx Engels Werke (MEW), Ergänzungsbd. 1, 1968 19 F.W.A. Mullach (Hrsg.), Fragmenta philosophorum graecorum, Paris 1875ff. 20 W. Nestle, Vom Mythos zum Logos, 1940 21 F. Nietzsche, Die Philos. im tragischen Zeitalter der Griechen (1872/73), Leipzig 1896 (=KGA Bd. III/2, 1973) 22 Ders., Menschliches, Allzumenschliches 1, 261, Leipzig ²1886 (=KGA Bd. IV/2, 1967) 23 K. Popper, Back to the Pre-Socratics, 1958, in: Ders., Conjectures and Refutations, 1963, ⁴1972, 136–165 24 H. Ritter, L. Preller (Hrsg.), Historia philosophiae Graecae-Romanae ex fontium locis contexta, Hamburg 1838 25 F. Schlegel, Athenäums-Fragment 151, 1798. Kritische Friedrich-Schlegel-Ausgabe Bd. I/2, hrsg v. H. Eichner, 1967 26 Ders. Philos. Vorlesungen (1800–1807). Kritische Friedrich-Schlegel-Ausgabe Bd. II/12, hrsg. v. E. Behler, 1964 27 F.D.E. Schleiermacher, Gesch. der alten Philos., 1812. Sämmtliche Werke Bd. III/4, Berlin 1839 28 Ders., Über den Werth des Sokrates als Philosophen (1815). Sämmtliche Werke III/2, Berlin 1838 29 A. Schopenhauer, Die Welt als Wille und Vorstellung 2, 1819–1859. Sämtliche Werke Bd. 3, hrsg. v. A. Hübscher, ²1949 30 F. Ueberweg, Grundriss der Geschichte der Philos. 1, Berlin 1862/63 31 E. Zeller, Die Philos. der Griechen 1–3, Tübingen 1844–1852

LIT 32 R.E. Allen, D.J. Furley (Hrsg.), Stud. in Presocratic Philosophy, 1970–1975 33 E. Angehrn, Der Weg zur Metaphysik, 2000 34 J. Barnes, The Presocratic Philosophers, 1979 35 W. Beierwaltes, Heideggers Rückgang zu den Griechen, in: Bayerische Akad. der Wiss. Philol.-histor. Klasse, Heft 1, 1995, 3–30 36 E. Berti, L'interpretazione neoumanistica della filosofia presocratica, in: Studia patavina 6, 1959, 225–259 37 H. Blumenberg, Das Lachen der Thrakerin. Eine Urgesch. der Theorie, 1987 38 T. Borsche, Nietzsches Erfindung der V., in: J. Simon (Hrsg.), Nietzsche und die philos. Trad. 1, 1985, 62–87 39 W. Burkert, Diels' V. Rückschau und Ausblick, in: W.M. Calder III, J. Mansfeld (Hrsg.), Hermann Diels (1848–1922) et la science de l'antiquité. Entretiens sur l'antiquité classique (=Entretiens Hardt 45), 1999, 167–197 40 G. Cambiano, Il Ritorno degli Antichi, 1988 41 B. Cassin, Nos Grecs et leurs Modernes, 1992 42 H. Daiber, Aetius Arabus. Die V. in arab. Überlieferung, 1980 43 A.J. Festugière, Les origines de la pensée européenne, in: Rev. des études grecques 66, 1953, 396–406 44 H. Fränkel, Dichtung und Philos. des frühen Griechentums, 1962 45 A. Grafton, The availability of ancient works, in: CH.B. SCHMITT et al. (Hrsg.), The Cambridge History of Ren. Philosophy, 1988, 767–791 **46** A. GRÜNBAUM, Modern Science and Zeno's Paradoxes, 1968 **47** K. HEINRICH, Anthropomorphe. Zum Problem des Anthropomorphismus in der Religionsphilos. Dahlemer Vorlesungen Bd. 2, 1986 **48** S. K. HENINGER, Touches of sweet harmony. Pythagorean cosmology and Ren. poetics, 1974 **49** U. HÖLSCHER, Empedokles und Hölderlin, 1965 **50** Ders., Die Wiedergewinnung des ant. Bodens. Nietzsches Rückgriff auf Heraklit, in: Neue Hefte für Philos. 15/16, 1979 **51** H. HÜHN, Mnemosyne. Zeit und Erinnerung in Hölderlins Denken, 1997 **52** Ders., s. v. Vorsokratisch; V., in: HWdPh. 11, 1222–1226 **53** A. LAKS, C. LOUGUET (Hrsg.), Qu' est-ce que la philos. présocratique?, 2002 **54** A. A. LONG, The scope of early Greek philosophy, in: Ders. (Hrsg.), The Cambridge Companion to early Greek philosophy, 1999, 1–21 **55** J. MANSFELD, Die Offenbarung des Parmenides und die menschliche Welt, 1964 **56** Ders., Sources, in: The Cambridge Companion to early Greek philosophy, 1999, 22–44 **57** G. W. MOST, Πόλεμος πάντων πατήρ. Die V. in der Forsch. der Zwanziger J., in: H. FLASHAR (Hrsg.), Altertumswiss. in den 20er J., 1995, 87–114 **58** A. P. D. MOURELATOS (Hrsg.), The Pre-Socratics, ²1993 **59** G. MOVIA, J. BARNES (Hrsg.), Hegel e i preplatonici, 2000 **60** S. N. MOURAVIEV, Heraclitea, 1999 ff. (Bibliogr.) **61** M. MUCCILLO, Platonismo, Ermetismo e »Prisca Theologia«. Ricerche di storiografia rinascimentale, 1996 **62** CH. RAPP, V., 1997, 239–257 **63** M. RIEDEL (Hrsg.), Hegel und die ant. Dialektik, 1990 **64** W. C. SALMON (Hrsg.), Zeno's Paradoxes, 1970 **65** B. SNELL, Die Entdeckung des Geistes. Stud. zur Entstehung des europ. Denkens bei den Griechen, 1946 **66** M. THEUNISSEN, Heideggers Ant., in: B. SEIDENSTICKER, M. VÖHLER, Urgeschichten der Moderne. Die Ant. im 20. Jh., 2001, 83–97 **67** Ders., Vormetaphysisches Denken, in: U. J. WENZEL (Hrsg.), Vom Ersten und Letzten. Positionen der Metaphysik in der Gegenwartsphilos., 1998, 23–46 **68** G. WAGNER, Hölderlin und die V., Diss. Würzburg 1936.

HELMUT HÜHN

Vulgarismusforschung/Vulgarrecht. »Vulgarismus« (V.) und »Vulgarrecht« (Vr.) beschreiben in der römischrechtlichen Forsch. die Koordinaten der auf dem Osloer Kongreß 1928 entfachten Reflexion [7] über Formen und Inhalte der Rechtsentwicklung seit der Konstantinischen Epoche (also spätestens seit der Übernahme der Alleinherrschaft 324 n. Chr. und mindestens bis 527, der Thronbesteigung Justinians) v. a. im Westen des röm. Reichs. Die Erstverwendungen der noch nicht als Terminus gedachten Vr.-Bezeichnung aus dem letzten Viertel des 19. Jh. (etwa 1880 beim Germanisten Heinrich Brunner, 1891 beim Romanisten Ludwig Mitteis) vermochten eher sprachlich, durch den Wortstamm *vulgus*, als rechtsdogmatisch, durch die Definition eines abgeschlossenen, vom »klass.« abgefallenen Rechtssystems, eine negative Einstellung zu vermitteln.

Ohnehin hat sich die Forsch. im allg. schwer damit getan, eine einheitliche Konnotation für das von ihr geläufig verwendete Begriffspaar anzubieten: Die vielleicht genaueste begriffliche Präzisierung erfolgte erst in der jüngeren Vergangenheit [17]. So hat zunächst etwa M. Kaser [5] vorgezogen, für die Zeit vor Konstantin, welche bereits vom »Klass.« Divergierendes aufweist, lieber von ›laienhaften Vorstellungen‹ auszugehen, die auf ›bloßes Unverständnis‹ zurückzuführen sind, und diese dann ›vom eigentlichen Vr.‹ getrennt zu halten. Die Trennlinie vermag Kaser darin zu erkennen, daß, wer sich in der Zeit davor des Rechts bedient, ›noch den Willen oder wenigstens den Glauben erkennen läßt, am klass. Recht zu halten‹, während seit Konstantin ›eine Richtung an die Oberfläche (drängt), die sich mehr oder minder bewußt über die Denkformen der klass. Jurisprudenz hinwegsetzt, und neue, vielfach gegensätzliche Vorstellungen erkennen läßt‹. Die Feststellung von Elementen dieser Vereinfachungen bzw. Verzerrungen in den Kaiserkonstitutionen gestattet, nach der Auffassung dieses Autors, den Rückschluß, aber erst jetzt durch die Übernahme in den Erlassen, auf ein ›eigentliches Vr.‹. Die spätere (1975) Charakterisierung der betrachteten Epoche durch Kaser [6] als eine Zeit der ›Vulgarisierung‹ deutet auf die zumindest gedankliche Loslösung des »Vr.« von der Idee eines autonomen Rechtskomplexes hin zum ›rechtskulturellen Arbeitsbegriff‹, bar jeden rechtsdogmatischen Gehalts und daher nicht zu juristischen Systemzwecken verwendbar. Auf diesem Wege, vermutlich infolge der – durch die Bemühungen der frz. und it. Historiographie induzierten – Tendenzwende in bezug auf die Beurteilung der Spätant., gelingt, durch die Hervorhebung einer sich allmählich kristallisierenden, die Rechtsentwicklung des 4. Jh. charakterisierenden ›juristischen Stilhaltung‹, eine deutliche Abschwächung gegenüber den urspr., noch der Dekadenzidee verhafteten drastischen Einschätzungen Levys, des Initiators der »Vr.-Forschung« [9].

Freilich klingen bei Kaser Akzente nach, die bereits in den 50er J. des 20 Jh., (durch die Feder F. Wieackers [14] bahnbrechend vermittelt) die gespannte Aufmerksamkeit der →Romanistik auf sich gezogen hatten. Es handelt sich hier um die inzwischen in der römischrechtlichen Forsch. klass. gewordene Frage nach den in einer bestimmten Epoche jenseits der materiellen und ideellen Rechtsgrundlagen herrschenden ›rechtskulturellen Stilkategorien‹: V. und Klassizismus würden die geistigen Angelpunkte darstellen, um die sich – nicht zuletzt wegen des in der Zeit nunmehr grundsätzlich durch → Rhetorik getragenen Rechtsstudiums – die gedankliche Haltung der röm. ›Rechtskultur‹ drehen würde. In methodischer Hinsicht bleibt dennoch bei Wieacker deutlich wahrnehmbar die Trennungslinie zw. dem Gegenstand der auf den Stil bezogenen und jenem der auf die Freilegung des Vr. gerichteten Erforsch. aufrechterhalten. Somit war die Tür für eine differenziertere Betrachtung der langen Umbruchperiode zw. Diokletian und Justinian geöffnet, die jenseits einer bloß auf rechtstechnischen Elementen basierenden dekadentistischen Einschätzung, eine (rechts-) kulturelle Dimension einschloß, welche per se durchaus ein Fortleben, wenn auch in anderem Gewand, der Rechtsreflexion in der Spätant. bezeugte.

Blieb zunächst der Einfluß der Wieackerschen Gedanken auf die Dekadenzauffassung gering, so wird dies
auf die grundlegende Weigerung eines Teils der (v. a. it.)
→ Romanistik zurückzuführen sein, das Phänomen in
Zusammenhang mit dem vielfach durch die Althistorie
hervorgehobenen Homogenitätsverlust der Gesellschaft
zu überdenken. Tatsächlich verharrte jene bei der Deutung des Wandels bloß als gradueller Niveauverlust gegenüber dem Technizismus einer dagegen über die vorigen Jh. hinweg tendenziell fachlich homogen gebliebenen »klass.« Jurisprudenz. Der Einfluß rechtsformaler
Auffassungen – mit nahezu unvermeidlichen Konsequenzen im Sinne einer valutativen und konstruktivistischen Rechtshistoriographie – verstellte den Blick auf
die gesellschaftspolit. Aspekte, etwa auf die sich in den
V.- bzw. Vulgarisierungstendenzen ausdrückende Abschwächung der Unzugänglichkeit für den gemeinen
Mann – mittlerweile Bürger eines riesigen multikulturellen Imperiums – der komplexen, auf die röm. Gedankenwelt ausgerichteten begrifflichen Wendungen
des alten (»klass.«) Rechts (auch in diese Richtung sei die
jüngste Betonung der ›Effektivität‹ durch Wieacker [16]
gedeutet; s. ebenfalls Mayer-Maly [10]). Nahezu befremdlich mutet der Umstand an, daß ausgerechnet
Unt. wie die von Levy oder Kaser, welche bis jetzt die
größten Bemühungen dargestellt haben, die alten Forschungsansätze soweit zu überdenken, daß das spätant.
Recht endlich halbwegs sozusagen »salonfähig« werden
könnte, paradoxerweise ihr letztes Ziel dadurch weitgehend verfehlen, daß sie mehr oder minder direkt jene
Unterscheidung zw. großer klass. Rechtswiss. (bzw.
›Fachjurisprudenz‹) und nachklass. Dekadenz erneut
vorlegen, welche die Grundschwäche mancher vergangener, auf rechtsformalistischen Auffassungen des
→ Römischen Rechts basierender Betrachtungen darstellte: Ein Blick auf das Vorwort und die Einleitung der

letzten Ausgabe des oben angeführten Kaserschen
Handbuchs (s. aber auch manche Ausführungen Tala-
mancas [13]) möge genügen. Tatsächlich entleert sich
der Begriff des Vr. zunehmend seiner erkenntnistheo-
retischen Penetrationskraft, und die diesbezügliche
Auseinandersetzung – wie auch die numerische Abnahme der Beitr. unter Beweis stellt – hat längst aufgehört,
der Erkenntnis des spätant. Rechts zusätzliche Bereicherung einzubringen.

1 A. CANNATA, Il passaggio dall'antichità al medioevo in
Occidente, in: SDHI 30 (1964), 322–339 2 P. DE FRANCISCI,
Note critiche intorno all'uso di categorie astratte nella storia
del diritto romano, in: Studi in onore di E. Volterra, I, 1971,
1–48 3 A. GUARINO, »V.« e diritto privato postclassico, in:
Labeo 6 (1960), 97–104 4 M. KASER, s. v. Vr., in: RE, IX,
1967, 1283–1304 5 Ders., Zur Methodologie der röm.
Rechtsquellenforsch., 1973 6 Ders., RPR, II, Die nachklass.
Entwicklungen, ²1975 7 E. LEVY, Westen und Osten in der
nachklass. Entwicklungen des röm. Rechts, in: ZRG 49
(1929), 230–259 8 Ders., West Roman Vulgar Law. The
Law of Property, 1951 9 Ders., Weström. Vr. Das
Obligationenrecht, 1956 10 TH. MAYER-MALY, Pactum,
Tausch und laesio enormis in den sog. Leges Barbarorum, in:
ZRG 108 (1991), 213–233 11 B. PARADISI, Diritto volgare e
volgarismo, in: Iura 17 (1966), 27–38 12 D. SIMON,
Marginalien zur V.-Diskussion, in: FS F. Wieacker, 1978,
154–174 13 M. TALAMANCA, Besprechung von [6], in:
Bolletino dell'Istituto di diritto romano 79 (1976), 285–342
14 F. WIEACKER, V. und Klassizismus im Recht der Spätant.,
in: Sitzungsber. der Heidelberger Akad. der Wiss.,
Philol.-histor. Klasse, III, 1955 15 Ders., Allg. Zustände und
Rechtszustände gegen E. des weström. Reichs, Ius
Romanum Medii Aevi, I2a, 1963 16 Ders., Zur Effektivität
des Gesetzesrechtes in der späten Ant., in: Studi in memoria
G. Donatuti, III, 1973, 1415–1428 17 Ders., »Vr.« und ›V.«.
Alte und neue Probleme und Diskussionen, in: Studi in
onore di A. Biscardi, I, 1982, 33–51.

SANDRO-ANGELO FUSCO

W

Wagnerismus A. DAS ANTIKEBILD IN WAGNERS
WERK UND SEINE REZEPTION IM EUROPÄISCHEN
WAGNERISMUS   B. ANTIKEBILD UND
RASSENTHEORIE IM BAYREUTHER KREIS
C. POLITISCHE UND ÄSTHETISCHE DIMENSIONEN
VON WAGNERS ANTIKE IM 20. JAHRHUNDERT

A. DAS ANTIKEBILD IN WAGNERS WERK
UND SEINE REZEPTION
IM EUROPÄISCHEN WAGNERISMUS

Die Bewegung des W. seit der Mitte des 19. Jh. ist ein
internationales Phänomen. Neben der musikgeschicht-
lichen Wirkung der Wagnerschen Opern, deren The-

matik auch von der bildenden Kunst reflektiert wurde,
zeigt sich der W. v. a. als lit. Rezeption der theoretisch-
weltanschaulichen Schriften des Komponisten. Diese
nahm auch Einfluß auf den philos., philol. und histor.
Bereich, zumal bei populärwiss. Autoren. Der *wagneris-
me* in Frankreich spielte hier eine Vorreiterrolle und vermittelte auch deutschsprachigen Autoren wie Friedrich
Nietzsche und Thomas Mann wichtige Anregungen.
Während der europ. »W.« der ästhetischen Moderne
wesentliche Impulse gab, betrieb der in den Bayreuther
Festspielen institutionalisierte »Wagnerianismus« nach
dem Tode des Komponisten die Kanonisierung teilweise mißverstandener Aufführungstrad. im Sinne des
»Meisters«. Die Publizistik des »Bayreuther Kreises« ver-

knüpfte das Werk Wagners darüberhinaus mit ihren kulturkonservativen, nationalistischen, rassistischen und antisemitischen Ideen [12].

Das Theater, die Dichtung und Philos. (weniger die Kunst) der griech. Ant. waren für die künstlerische Entwicklung Richard Wagners immer wieder von wesentlicher Bed. Für Wagners Antikebild und seine Rezeption im W. sind zwei entgegengesetzte Trad. wichtig: einerseits die klass.-neuhuman. Vorstellung der überzeitlichen Normativität der griech. Kunst, die bei Wagner durch seine genaue Kenntnis der zeitgenössischen histor. Forsch. differenziert und im Sinne seiner revolutionären Anschauungen politisiert wird, andererseits die christl.-romantische Dämonisierung der heidnisch-ant. Weltsicht und ihre Überbietung durch eine biblisch inspirierte Kunstreligion. Diese ambivalente Sicht der Ant. dokumentiert v. a. Wagners romantische Oper *Tannhäuser oder Der Sängerkrieg auf Wartburg* (1845), die Heinrich Heines religionskritische Theorie der »Götter im Exil« aufgreift [8]. Der aus dem vom Christentum in die Unterwelt verdrängten Reich der ant. Göttin Venus in die ma. Gesellschaft zurückgekehrte Künstler tritt als Vertreter der Emanzipation der Sinnlichkeit im Geiste des »Jungen Deutschlands« auf. Die Seelengeschichte Tannhäusers führt aber zur Überwindung seiner erotischen Obsession und der vom Papst ausgesprochenen rel. Verdammnis, wenn sich die liebende Elisabeth opfert und den göttl. Gnadenakt erwirkt.

Charles Baudelaire hat in *Richard Wagner et »Tannhäuser« à Paris* (1861) als psychologisches Thema des Werks diesen ›Kampf der beiden Prinzipien‹ ausgemacht, ›die das menschliche Herz zu ihrem vornehmsten Schlachtfeld erkoren haben, wo das Fleisch wider den Geist, die Hölle wider den Himmel, Satan wider Gott streitet‹ [1. 108]. Salvator Dali interpretierte in seinem szenischen Entwurf zum *Bacchanal* (1939) aus dem ersten Akt der Oper (in der Pariser Fassung von 1861) den Weg aus dem Venusberg nach Rom in psychoanalytischer Perspektive als Symbol der Triebsublimation, die immer ambivalent und umkehrbar bleibe [2].

Einen Wendepunkt in der geistigen Entwicklung Wagners bildet seine Beschäftigung mit den Dramen des Aischylos zusammen mit den Komm. Johann Gustav Droysens im Sommer 1847, aus deren Deutung des Athenischen Tragödientages als kultischer Feier der polit. Einheit des »Volkes« und ihrer myth. Ursprünge er eine neue Ästhetik des Musiktheaters gewinnt. Wagner entwickelt in seinen Schriften *Die Kunst und die Revolution* (1849) und *Das Kunstwerk der Zukunft* (1850) die Theorien der griech. Trag. als ›Gesamtkunstwerk‹ [6. 17], des polit. Charakters der griech. Kunst und des griech. Mythos als Medium der kollektiven Identität. Wagners Konzeption des Musikdramas und seine Festspielidee streben die Wiedergeburt des ant. Theaters an, die in Verbindung mit einem sozial interpretierten Christentum eine Erneuerung der gesellschaftlichen Verhältnisse im Ganzen bewirken soll [7. 63–74]. Wagner leitete aus der Praxis des griech. Theaters die Beseiti-

gung der Professionalisierung und Spezialisierung des Kunstbetriebes wie auch der Trennung zw. der Produktion und Rezeption des Kunstwerks her.

Wenn Wagner das ›Volk‹ nach dem Vorbild der athenischen Bürgerschaft zum eigentlichen ›Künstler der Zukunft‹ erklärte [6. 156], formulierte er eine wirkmächtige ästhetische Utopie, auch wenn er diese in seinen Werken nicht einlösen konnte. Wagners Deutung der griech. Trag. inspirierte in starkem Maße die Theaterreformbewegung der Jahrhundertwende und die Opernprojekte von Hugo von Hofmannsthal und Richard Strauss [7. 334–357]. Auf Wagners Konzept einer demokratischen Kunst im Zeichen der griech. Polis, die das Publikum am ästhetischen Prozeß mitwirken läßt, konnte sich Joseph Beuys mit seinem »erweiterten Kunstbegriff« beziehen. Wenn die Aktionen des Künstlers eine »soziale Plastik« schaffen wollen, die Kunstwerk und Betrachter in ein spontanes interaktives Geschehen einbezieht, entspricht das Wagners Beschreibung seines Musikdramas als ›Erlösung der Plastik‹, welche die steinernen Relikte der ant. Kunst wieder zum Leben erweckt [6. 147].

Der späte Wagner gelangt unter dem Eindruck der Werke Arthur Schopenhauers und Joseph Arthur de Gobineaus, den er in der pessimistischen Perspektive Schopenhauers liest, zu einer negativen Sicht der Kultur des klass. Griechenlands. In *Religion und Kunst* (1880) sieht er die ant. Stadtstaaten und Großreiche als Ausdruck der Machtpolitik der »arischen Rasse«, die von der urspr. pazifistischen Weltsicht des Brahmanismus abgefallen sei. Diese moralische Problematik werde in der griech. Kunst verschleiert und beschönigt. Das Ethos des Mitleids und der Überwindung des Willens zum Lebens, das den Vegetarismus fordert und sich in der sexuellen Askese vollendet, hätten nur die philos. Geheimbünde der Ant. wie der Pythagoreismus bewahrt. Diese spirituelle Trad., in der auch die Lehre Jesu stehe, sieht Wagner als Grundlage einer »Regeneration« der Menschheit an. Vor allem der Philosoph und Dichter Heinrich von Stein entwickelte als autoritative Figur des »Bayreuther Kreises« diese Sichtweise fort, wenn er in *Helden und Welt* (1883) an histor. Konstellationen vom Alt. bis zur Frz. Revolution zeigt, wie die asketische Weltüberwindung zur weltverändernden Kraft wurde. Die einleitende Episode über Solon und Krösus, in welcher der Weise seine Verachtung der Macht und des Wohlstandes gegenüber dem Herrscher zum Ausdruck bringt, ist für Steins Geschichtsdeutung programmatisch.

B. Antikebild und Rassentheorie im Bayreuther Kreis

Die entgegengesetzte Tendenz einer Deutung der Ant. im Sinne der materialistischen Rassentheorie vertraten im Wagnerkreis in kontroverser Weise Houston Stewart Chamberlain und Ludwig Schemann. Nachdem der ältere Schemann zunächst als Übersetzer und Propagator von Gobineaus *Essai sur l'inegalité des races humaines* (1853–1855) hervorgetreten war, entfaltete er seine eigene Deutung der griech. Geschichte in *Die Rasse in den Geisteswiss.* (1938). Chamberlain räumte der griech. Kultur in seinem Hauptwerk *Die Grundlagen des 19. Jh.* (1899) breiten Raum ein. Das Griechentum wird von beiden Autoren als Ausdruck der »arischen Rasse« im Zeichen antisemitischer Polemik mit den »semitischen« Völkern und v. a. dem Judentum konfrontiert. Die biologische Schematisierung wird mit der Typologie des Apollinischen und Dionysischen verknüpft, die seit Karl Otfried Müllers *Die Dorier* (1824) als Deutungsschema der griech. Kultur Verwendung fand und von Wagner und Friedrich Nietzsche (*Die Geburt der Trag. aus dem Geiste der Musik*, 1872) aufgegriffen wurde. Während Wagner und Nietzsche die griech. Kultur als Synthese des formstiftenden apollinischen Maßes und der rauschhaften dionysischen Kraft verstehen, bauen Schemann und Chamberlain einen dualistischen Gegensatz dieser Prinzipien auf. Während die Grundlage der dorisch-griech. Kultur in der apollinischen Ordnungsidee gesehen wird, erscheint das Dionysische als fremder Einfluß der »orientalisch-semitischen« Kultur, den man zur Ursache des geistigen Niedergangs erklärt. Während Schemann das Charakteristische des »arisch-apollinischen« Griechentums in der Überwindung des Einzelnen durch den Staat und die Rasse erkennen will, sieht es Chamberlain gerade im Individualismus der hell. Kulturheroen. Während Schemann das »arische« Element der griech. Geistesgeschichte in der idealistischen Philos. wahrnimmt, welche die Unsterblichkeit der Seele entdeckt habe, leitet Chamberlain diese Lehre aus der »dionysisch-semitischen« Religiosität der Mysterienkulte her. Die »arisch-griech.« Weltanschauung sei von den Dichtern gestaltet worden, während die Philosophen Religion und Kunst korrumpiert hätten. In den Geschichtsbildern Schemanns und Chamberlains nimmt das Christentum die zentrale Rolle ein und gibt den Maßstab für die Bewertung der griech. Zivilisation vor. Die griech. Geistesgeschichte erscheint als Vorbereitung des Jesuanischen Evangeliums, wobei aber die Bed. des ant. Judentums selbst in der antisemitischen Sicht dieser Autoren nicht geleugnet werden kann. Schemann sieht die histor. Leistung des Hell. in einer »Arisierung« der jüd. Religion, welche die Entstehung des Christentums ermöglichte und dieses mit der metaphysischen Trad. Griechenlands zusammenführte. Chamberlain kann dagegen in der von ihm als antirel. Element bewerteten griech. Philos. keinen Gewinn für die christl. Theologie erkennen.

Eine eigenständige Interpretation der griech. Geistesgeschichte vertrat Edouard Schuré, der dem frz. W. wichtige Impulse gab. Schuré entwickelte die Regenerationslehre des späten Wagner zu einem esoterischen Human. weiter, der auf die Anthroposophie wirkte. Rudolf und Marie Steiner gaben Schurés Hauptwerk *Les grands Initiés* (1889) im J. 1909 in dt. Übers. heraus. Schuré deutet die ant. Religionsgeschichte als Kampf zw. einer matriarchalischen Naturreligion und einer von Männerbünden getragenen Geistreligion, die über

Zeit und Rassen hinaus fortwirkt. Das Apollinische wird hier mit dem Weiblichen, das Dionysische mit dem Männlichen assoziiert. Schuré deutet den Orpheusmythos als Gründungsdokument der griech. Mysterien, die in ihrer esoterischen Symbolik den Gegensatz zw. der apollinischen und der dionysischen Religiosität aufheben sollen. Der Pythagoreismus setze die orphische Trad. in der Philos. fort. Alexander d. Gr. habe die Orphik zur Grundlage seiner Politik gemacht, wenn er die Vereinigung Europas mit Asien, des apollinischen Rationalismus mit der dionysischen Mystik, anstrebte. Auch Jesus habe sich durch sein Martyrium mit dem Mythos des zerstückelten und wiedergeborenen Dionysos identifiziert, der die histor. Vereinzelung der Menschheit und die Entstehung des Gottmenschen symbolisiere. Nach Schuré nimmt Griechenland in diesem evolutionären Prozeß eine herausragende Rolle ein. Im Unterschied zum Eurozentrismus der im 19. Jh. verbreiteten »arischen« Konstruktion Griechenlands, die von Schemann und Chamberlain geteilt wurde, sieht Schuré die griech. Kultur in einem Kontinuum mit den afrikan. und asiatischen Zivilisationen.

C. POLITISCHE UND ÄSTHETISCHE DIMENSIONEN VON WAGNERS ANTIKE IM 20. JAHRHUNDERT

Das Gedankengut des Wagnerianismus und des »Bayreuther Kreises« ging in die polit. Vereinnahmung des Wagnerschen Werkes durch den → Nationalsozialismus ein. Wagners Auffassung der Ant. wurde etwa von Arthur Drews in dieser Hinsicht instrumentalisiert. Der von Schopenhauer und Eduard Hartmann geprägte Philosoph, welcher durch seine religionskritische Abhandlung *Die Christusmythe* (1910) berühmt wurde und eine Abh. *Der Ideengehalt von Richard Wagners dramatischen Dichtungen im Zusammenhang mit seinem Leben und seiner Weltanschauungen* (1931) vorgelegt hat, schrieb im J. 1933 über *Richard Wagner und die Griechen*. Der Autor ignorierte die christl. Elemente der Kunsttheorie Wagners und behauptete, dieser habe eine ›Erneuerung des griech. Heidentums aus dt. Geiste‹ als ›neue dt. Religion‹ zum Ziel gesetzt [3. 107].

Als Wieland und Wolfgang Wagner die Bayreuther Festspiele nach dem II. Weltkrieg wieder begründeten, brachen sie bewußt mit den fragwürdigen Ideen und Trad. des Wagnerianismus. Wieland Wagners Konzept wandte sich gegen die nationalistische Deutung Wagners als Propheten des Deutschtums und den traditionellen Inszenierungsstil, der seit dem späten 19. Jh. die german. Elemente der Musikdramen in Bühnenbild und Ausstattung betonte. Wieland Wagner arbeitete dagegen – gerade in seiner Inszenierung von *Der Ring des Nibelungen* – den griech. Mythos als Hintergrund des Wagnerschen Musikdramas heraus. Die Motive der ant. Göttersage in Wagners Werken wurden dabei als psychologische Archetypen interpretiert und in abstrakter Weise szenisch umgesetzt [11. 13 f., 115–119]. Diese Entmythologisierung des Wagnerschen Antikebildes kennzeichnet auch Wolfgang Schadewalds Beitr. über

Richard Wagner und die Griechen in den Programmheften der Bayreuther Festspiele, welche die ant. und forschungsgeschichtlichen Quellen des Wagnerschen Theaters aufzeigen und Motive aus der myth., poetischen und philos. Trad. Griechenlands in den einzelnen Musikdramen verfolgen. Wagners Anspruch einer »Erneuerung« der griech. Trag.‹ wird histor. relativiert, aber eine bes. Affinität seines Werkes zu den ideellen Inhalten der griech. Kultur attestiert. ›Wohl aber darf man bei nüchterner geschichtlich abwägender Darstellung sagen, daß Wagner wie kein anderer im 19. Jh. (...) aus der Distanz des neuen histor. Bewußtseins die griech. Archetypen mit unmittelbarer Leidenschaft ergriffen und in kühnen Wandlungen bewahrt hat. (...) German., Christl. und Griech., mod. Ideal-Sozialismus, Menschheitliches und Europäisches gehen mit (...) der mod. Individualität im objektiven Kunstwerk einen Bund ein, in dem das Griech. eine (...) entscheidend formende Komponente ist‹ [5. I.31].

Das Antikebild des W. bildete im Rahmen der Gesamtkunstwerks-Idee eine geistig produktive Metapher für die Seelenlandschaft der europ. Moderne, wenn es als mythopoetische Imagination der Historie verstanden und nicht ideologisch vereindeutigt wurde.

→ Oper; Tragödie, Tragödientheorie

QU **1** Ch. Baudelaire, Sämtliche Werke/Briefe, hrsg. v. F. Kemp, Bd. 7, 1992 **2** S. Dalí, Unabhängigkeitserklärung der Phantasie und Erklärung der Rechte des Menschen auf seine Verrücktheit. Gesammelte Schriften, hrsg. v. A. Matthes, 1974, 292–294 **3** A. Drews, Richard Wagner und die Griechen, in: O. Strobel (Hrsg.), Bayreuther Festspielführer 1933, 101–108 **4** G. Frommel (Hrsg.), Der Geist der Ant. bei Richard Wagner, 1933 **5** W. Schadewald, Richard Wagner und die Griechen, in: Programmhefte der Bayreuther Festspiele I. »Lohengrin« 1962, 2–32; II. »Meistersinger« 1963, 24–44; III. »Meistersinger« 1964, 3–30 **6** R. Wagner, Gesammelte Schriften, hrsg. v. J. Kapp, o.J., Bd. 10

LIT **7** D. Borchmeyer, Das Theater Richard Wagners, 1982 **8** Ders., Die Götter tanzen Cancan. Richard Wagners Liebesrevolten, 1992 **9** A. v. Graevenitz, Erlösungskunst oder Erlösungspolitik. Wagner und Beuys, in: G. Förg (Hrsg.), Unsere Wagner: Joseph Beuys, Heiner Müller, Karlheinz Stockhausen, Hans Syberberg, 1984, 11–49 **10** W.-D. Hartwich, Künstler, Arier und Mysterien: Griechenland im Wagner-Kreis, in: A. Aurnhammer, Th. Pittrof (Hrsg.), »Mehr Dionysos als Apoll«. Antiklassizistische Ant.-Rezeption um 1900, 2002, 59–87 **11** D. Mack (Hrsg.), Der Bayreuther Inszenierungsstil, 1976 **12** W. Schüler, Der Bayreuther Kreis von seiner Entstehung bis zum Ausgang der Wilhelminischen Ära. Wagnerkult und Kulturreform im Geiste völkischer Weltanschauung, 1971. WOLF-DANIEL HARTWICH

Wallfahrt A. Gegenstandsbereich
B. Geschichtlicher Überblick
C. Wallfahrtstopographie
D. Pilgerführer, Itinerare und Mirabilien
E. Wallfahrtsarchitektur
F. Wallfahrtsbrauchtum

A. Gegenstandsbereich

Das Wallfahren bzw. Pilgern ist in allen großen Kulturen nachweisbar und scheint zu den anthropologischen Konstanten zu gehören. Zugrunde liegt der Wunsch nach Kontakt mit dem Numinosen und die Vorstellung von Stätten bes. Segenskraft. Dort erhoffte man sich Hilfe in Krankheit und anderen Nöten sowie Rat bei schwierigen Entscheidungen (Orakel). Die W. ist rel. begründet und abzugrenzen gegen andere Reisemotive wie Besuch von Sehenswürdigkeiten oder Handelsreisen [26]. W. bedeutet das Verlassen der engeren Heimat. Man unterscheidet Fern-W. und regionale W. Längst nicht jeder Heiligenkult hat zu W. geführt. In der Ant. suchte man die Tempel der Gottheiten sowie die Orte ihres Erscheinens auf. Im Frühchristentum traten neben die Gedächtnisstätten des AT und NT die Apostelgräber (Rom, Edessa, Patras). Seit den großen Christenverfolgungen unter Decius und Diokletian besuchten die Gläubigen auch die Gräber von Märtyrern und Bekennern, deren Verehrung die ant. Heroenkulte allmählich ablöste.

Schon die Ant. kannte den Typus des charismatischen Wundertäters, der bereits zu Lebzeiten die Verehrung der Massen genoß. Auch die Christen pilgerten zu Asketen und Eremiten, von denen sie sich Rat und rel. Inspiration erhofften, v.a. aber Befreiung von Krankheit und Dämonen [18. 297–302]. Schon im 4. Jh. bildeten sich frühe Siedlungen von Eremiten in der ägypt. Wüste und am Sinai, die viele Gläubige anzogen. Berühmtheit erlangte der »Mönchsvater« Antonius (†356), der zahlreiche Schüler um sich versammelte, aber auch immer wieder die Einsamkeit suchte. Große Verehrung genossen die Säulenheiligen in Syrien. Simeon der Ältere (†459) lebte diese spektakuläre Form der Askese 30 J. lang (Abb. 1). Um seine Wohnsäule in Telanissos (Kalat Siman, östl. von Antiochia) bildete sich ein bedeutendes Wallfahrtszentrum mit Herbergen und Baptisterium [19]. Auch in MA und Neuzeit zog das Volk immer wieder zu frommen Einsiedlern und Reklusen, deren asketischer Lebensstil sie als Vermittler göttl. Gnade empfahl. Die röm. Amtskirche stand der Verehrung lebender Personen als »Hl.« ablehnend gegenüber und unterband W. dieser Art.

B. Geschichtlicher Überblick

Von einer christl. W. kann erst seit der Mitte des 3. Jh. gesprochen werden, obgleich schon vorher vereinzelte Reisende die biblischen Stätten in Palästina besuchten. Erst mit der Duldung und Anerkennung des neuen Glaubens durch den röm. Staat konnte sich die christl. W. als Massenphänomen entfalten. Kaiser Konstantin förderte das Christentum mit einem großange-

Abb. 1:
Der Säulenheilige Simeon d.Ä.,
Titelminiatur eines Menologions
von 1059 aus dem Dionysiu-
Kloster (Berg Athos)

legten Bauprogramm an den hl. Stätten: Grabkirche in Jerusalem (Anastasis), Erinnerungskirche am Ölberg (Eleona) und Basilika bei der Geburtsgrotte in Bethlehem. In Rom ließ er über dem Petrusgrab eine Basilika errichten und in seiner neuen Hauptstadt Konstantinopel eine Kirche zu Ehren aller Apostel. Diese kaiserliche Repräsentationsarchitektur stimulierte in bes. Weise die christl. W. [7. 69–82, 90–103].

An manchen Orten trat der neue Glaube die direkte Nachfolge vorchristl. Kulte an. Dies läßt sich jedenfalls für einige der rund 200 Asklepiosheiligtümer nachweisen. So wurde in Athen das Asklepieion unterhalb des Parthenons zu einer christl. Basilika umgestaltet (2. H. des 5. Jh.): Man integrierte den Inkubationsraum und die Heilquelle des Gottes ins nördl. Seitenschiff der neuen Kirche und setzte den neuen Altar an die Stelle des alten. Auch in Epidauros baute man im 4. Jh. im Tempelbezirk des Asklepieion eine christl. Basilika, ohne daß sich hier jedoch eine größere W. entfaltete. Im kleinasiatischen Aigai übernahmen zunächst die hl. Thekla und später die Märtyrer Kosmas und Damian die Funktion des Asklepios als Heilgottheit. Auch in Kon-

stantinopel wurden diese Brüder als Arztheilige verehrt. Die hl. Thekla hatte ebenfalls eine weitere Kultstätte; seit dem 4. Jh. wurde sie in Meriamlik bei Seleukeia am Kalykadnos verehrt. Sie verdrängte dort u. a. den Orakelgott Sarpedon. In Menuthis bei Alexandria (Ägypten), einem berühmten Kultort der Göttin Isis, organisierte der Patriarch Cyrill von Alexandria die Verehrung christl. Glaubenszeugen. Er transferierte 412 die Leiber der kaum bekannten Märtyrer Cyrus und Johannes aus der Markuskirche von Alexandria nach Menuthis. Daraus entwickelte sich eine populäre W., die die Isisverehrung allmählich verdrängte [18. 201–211].

Schon E. des 4. Jh. wurden im oström. Reichsteil Gebeine von Märtyrern aufgeteilt, was mit der speziellen Situation der neugeschaffenen Hauptstadt Konstantinopel zu erklären ist. Hier gab es keine Märtyrergräber, so daß die Kaiser auf Reliquien anderer Orte zurückgriffen. Daneben entwickelte sich hier seit dem 6. Jh. die Verehrung von Bildern. Besonders wundertätige Marienikonen zogen viele Pilger an. Diese Form der W. kam im Westen erst im Laufe des Spät-MA auf.

In Rom blieben gemäß ant. Sepulkralrecht die Märtyrergräber zunächst ungeöffnet. Freilich kam es auch im westl. Reichsteil vereinzelt zur Exhumierung von Märtyrergebeinen. Bischof Ambrosius von Mailand (†397) ließ die Überreste des hl. Nazarius in die neuerrichtete Apostelkirche (San Nazario) bringen, wo sie vor dem Altar beigesetzt wurden. Die Reliquien der Märtyrer Gervasius und Protasius ließ er in seine zukünftige Grabkirche transferieren [7. 82–88]. In dieser Zeit wurde die Bestattung *ad sanctos* für den hohen Klerus und polit. wichtige Personen üblich; in Anlehnung an das altröm. Klientelwesen wollte man sich der Fürbitte der Hl. beim Weltgericht versichern.

In den missionierten Gebieten Germaniens gab es kaum Märtyrer. Diesem Mangel suchte man in der Karolingerzeit durch Reliquienimport aus den Klöstern Galliens und auch direkt aus röm. Katakomben (→ Rom IV. Katakomben) abzuhelfen. Es entwickelte sich das Ritual der Reliquienerhebung, d. h. Gräber von lokal verehrten Personen, wie etwa eines Klostergründers oder bedeutenden Bischofs, wurden geöffnet und ihre Gebeine zur Ehre der Altäre erhoben. Diese Elevationen bzw. Translationen stellten die Frühform der Heiligsprechung dar [3. 67–182]. Solchen neuentstandenen Kultzentren kam meist nur regionale Bed. zu. Neben Jerusalem und Rom als wichtigsten Pilgerzielen der Christenheit entwickelten sich erst im Hoch-MA weitere Fern-W. wie z. B. Santiago de Compostela mit dem Grab des Apostels Jakobus Maior und Canterbury, wo der 1170 ermordete Erzbischof Thomas Becket verehrt wurde.

Die frühchristl. W. konzentrierte sich in Erinnerung an das Leiden und Sterben Christi meist auf die Karwoche. In Rom erstreckte sich die Buß- und Wallfahrtszeit über die 40tägige vorösterliche Fastenperiode. Daneben feierte man hier am 29. Juni den Festtag der Haupt-Hl. Petrus und Paulus. Auch an anderen Wallfahrtsorten gab es Festtage für die Lokalpatrone (Felix von Nola: 14. Jan., Julian von Brioude: 28. Aug., Martin von Tours: 11. Nov.). Zu diesen Terminen fanden meist mehrtägige Jahrmärkte statt (Aigai: hl. Thekla, Thessalonike: hl. Demetrios, Ephesos: Johannes Evangelista), ein Brauch, der im MA weiteste Verbreitung fand (z. B. Saint-Denis, Zurzach). Im 13. Jh. trat als neues Element neben die Reliquienverehrung der Ablaß hinzu. Die Vorstellung eines durch Christus und die Hl. aufgehäuften Gnadenschatzes ermöglichte es der Kirche, Nachlaß von zeitlichen Sündenstrafen wie Fasten, Geißelungen und Almosen zu gewähren. Papst Bonifaz VIII. verband den Ablaß mit der at. Idee des Jubiläums und gewährte zum J. 1300 allen Rompilgern einen vollständigen Ablaß, der beim Besuch der Kirchen St. Peter und St. Paul erworben wurde. Der Papst setzte einen 100jährigen Zyklus fest, der von seinen Nachfolgern aber bald auf 50, 33 bzw. auf die h. noch geltenden 25 J. reduziert wurde. An den anderen großen Wallfahrtsorten konnten die Gläubigen im Spät-MA ebenfalls umfangreiche Ablässe erlangen.

Die Periodisierung der W. ist ein typischer Zug der spätma. Frömmigkeit. Die Aachen-W. fand nur alle sieben J. in Form einer öffentlichen Präsentation von Christus- und Marienreliquien (Heiltumsweisung) statt, verbunden mit einem Ablaß. Derselbe Rhythmus läßt sich im 15. Jh. in Einsiedeln, im 16. Jh. in Limoges (St-Martial) nachweisen. Andernorts erklärte man das kalendarische Zusammenfallen von zwei Festen zu einem bes. Wallfahrtstermin und machte diesen durch einen Ablaß noch attraktiver (Santiago: Jakobsfest = 25. Juli und Sonntag; Le Puy: Mariä Verkündigung = 25. März und Karfreitag) [27].

Verschiedentlich kam es zum Anschluß neuentstandener W. an den Rhythmus bereits bestehender Kultorte. Beispielsweise gab es in → Trier Nachrichten über eine Tuchreliquie (ungeteilte Tunika Christi), deren Schenkung man seit dem 11./12. Jh. der Helena, Mutter Kaiser Konstantins des Großen, zuschrieb. Eine W. zu dieser Herrenreliquie wurde anläßlich eines Reichstags Kaiser Maximilians I. in Trier 1512 ins Leben gerufen. Papst Leo X. versah sie mit einem Petersablaß und koppelte sie an die Aachener Heiltumsfahrt: Die Wirren der Reformation und des Dreißigjährigen Krieges schadeten jedoch der Hl. Rock-W., so daß es später nur noch zu sporadischen Heiltumszeigungen kam [4].

Entsprechend der eucharistischen Frömmigkeit des Spät-MA entstanden etliche neue W. zu wundertätigen Hostien (Wilsnack) und Hl. Blut-Reliquien (Weingarten, Walldürn). Gleichzeitig intensivierte sich das Wallfahren zu Kultorten, an denen Marienstatuen verehrt wurden (Altötting, Einsiedeln, Loreto, Regensburg, Walsingham). In der Zeit der Glaubenswirren entstanden zudem Kulte um Bilder der Muttergottes, die den Bildersturm heil überstanden hatten, was als Mirakel galt (z. B. Tschenstochau). Im Zuge der katholischen Reform kam es zu einer Reaktivierung des Pilgerwesens. Der Neubau imposanter Wallfahrtskirchen im barocken Stil diente diesem Zweck ebenso wie der Erwerb von frühchristl. Märtyrerreliquien. Bewußt knüpften viele Klöster an spätant. Trad. an und betonten die Provenienz aus röm. Katakomben (Ehingen, Ochsenhausen, Salem, St. Blasien). Solche Kulte erschienen im Gegensatz zu den teilweise histor. ungesicherten Heiligengestalten des MA nicht anfechtbar, zugleich demonstrierte man damit auch seine Romtreue [25. 40–42].

Seit der → Aufklärung betrachteten viele Intellektuelle die W. mit Mißtrauen und diskreditierten sie als Aberglauben des einfachen Volkes. 1776 verbot Kaiser Josef II. seinen Untertanen sogar ausdrücklich, nach Aachen zu pilgern. Romantik und Ultramontanismus führten aber zu einem kurzzeitigen Wiederaufleben mancher W. (Trier) [4]. Die großen Fernziele (Jerusalem, Rom, Santiago) erfreuen sich auch in der Gegenwart wieder großer Beliebtheit und ziehen Massen von Pilgern an. Das Weiterleben kleinerer W. scheint hingegen von lokalen Gegebenheiten abzuhängen wie der innerkirchlichen Brauchtumspflege und der touristischen Vermarktung. Auch h. entstehen neue Wall-

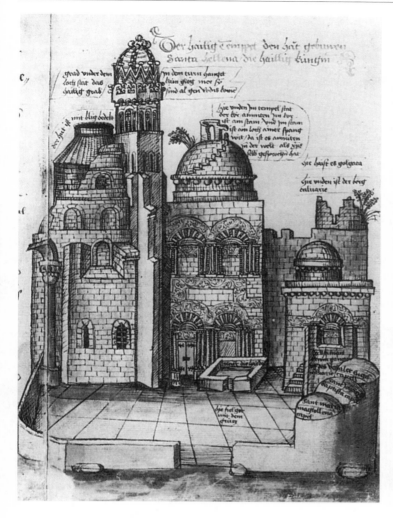

Abb. 2:
Die Grabeskirche in Jerusalem.
Lavierte Federzeichnung von 1487
aus Konrad von Grünenbergs
Beschreibung seiner Reise von
Konstanz nach Jerusalem

fahrtsstätten, v. a. an Orten mit Marienerscheinungen (Lourdes, Fatima, Medjugorie), die massenhaft Gläubige anziehen.

C. WALLFAHRTSTOPOGRAPHIE

1. JERUSALEM, PALÄSTINA, SYRIEN UND ÄGYPTEN

Die christl. W. entwickelte sich in der Mitte des 3. Jh. im Osten und Westen nahezu zeitgleich, wobei Jerusalem und den übrigen biblischen Stätten der Vorrang zukam. Für die Gläubigen war die von Kaiser Konstantin errichtete Grabeskirche (Anastasis) das Hauptziel ihrer Reise, ein Baukomplex, der die Grabeshöhle, die Hinrichtungsstätte sowie den Auffindungsort des Kreuzes umfaßte (Abb. 2). Die Pilger besuchten auch andere Erinnerungsstätten. Am Fuße des Ölbergs befand sich der Abendmahlssaal und der Garten Gethsemane; am Hang des Ölbergs lag die Grotte, in der Jesus die Jünger das *Vater Unser* lehrte (Eleonakirche); oben auf dem Ölberg erinnerte eine Rundkirche an Christi Himmel-

fahrt (Inbomon); im Haus des Kaiphas verehrte man die Säule der Geißelung, die später mit vielen anderen Reliquien in die Sionskirche auf dem Tempelberg übertragen wurde. Viele Pilger kamen nach Jerusalem, um hier zu sterben und sich im Kidrontal begraben zu lassen, wo das Jüngste Gericht stattfinden sollte [18. 83–110].

In Bethlehem hatte Konstantin über der Geburtsgrotte ein Oktogon erbauen lassen, dem sich eine Basilika anschloß. Erst im 6. Jh. wurde die Grotte mit der Krippe durch Treppen für die Pilger zugänglich gemacht. In Galiläa besuchte man den Ort Kana, den See Genesareth sowie die Taufstelle Christi am Jordan. Neben diesen in den Evangelien erwähnten Stätten pilgerten die Christen zu Orten der at. Überlieferung, so zur Stätte des Kampfs zw. David und Goliath und zum Hügel, von dem der Prophet Elias in den Himmel fuhr. In Hebron besuchte man die Gräber Abrahams und seiner Sippe. In Palästina, Syrien und Mesopotamien entstanden etwas später auch W. zu Märtyrergräbern: Diospolis/Lydda (hl. Georg), Edessa/Urfa (Apostel Thomas), Sergiopolis/Rusafa (hl. Sergios), Tripolis (hl. Leontius) [18. 131–138, 109–112].

Im Zuge der Auseinandersetzung zw. → Byzanz und dem persischen Großreich im 7. Jh. wurden die hl. Stätten in Jerusalem zerstört und geplündert, das blühende Wallfahrtswesen erlitt einen empfindlichen Einbruch. Die anschließende Eroberung großer Teile des östl. Mittelmeerraums durch die Muslime führte zu erheblichen Behinderungen des Pilgerverkehrs, wie dies etwa der Angelsachse Willibald auf seiner W. (722–724) erleben mußte. Massenhaften Zustrom erfuhren die hl. Stätten erst wieder unter den Kreuzfahrern, die sich als bewaffnete Pilger verstanden und für rund 100 J. Palästina beherrschten. Auch nach der Rückeroberung des Landes durch Sultan Saladin (1187) blieben die hl. Stätten für die christl. Pilger weiterhin zugänglich. Venedig und Genua dienten als Ausgangshäfen für die nun weitgehend durchorganisierte Wallfahrt. Die Pilger gehörten überwiegend den vermögenden Oberschichten an, die W. wurde häufig mit dem Erwerb des Ritterschlags am hl. Grab verbunden. Reiseber. aus dem byz. Raum bezeugen, daß die W. nach Jerusalem auch von orthodoxen Christen am E. des Spät-MA und in der Frühen Neuzeit unternommen wurde [22].

Verbunden mit der Palästina-W. bildeten sich weitere Pilgerziele in Ägypten: Am Berg Sinai suchte man den Ort der Gottesoffenbarung an Moses auf; hier siedelten sich schon im 3. Jh. Mönche an. Seit dem 10. Jh. verehrte man im Hauptkloster des Sinai zusätzlich die Märtyrerin Katharina. In der Nähe der Großstadt Alexandria blühten seit dem 4. Jh. die Wallfahrtsorte Menuthis (hl. Cyrus und hl. Johannes) und Menopolis/Abu Mina (hl. Menas). Diese W. erlitten durch den Abzug der byz. Schutztruppen 642 einen empfindlichen Einbruch, Menopolis wurde im 11. Jh. ganz aufgegeben. Zahlreiche Funde von Menasampullen im östl. Mittelmeerraum und Balkan bezeugen den weiten Einzugsbereich dieser W. [16]. An der nordafrikan. Küste verehrte man in Karthago den Bischof Cyprianus und in

Hippo den Erzmärtyrer Stephanus. Auch diese W. konnten unter dem Druck der polit. Umwälzungen nicht überleben [18. 189–201, 256–266].

2. GRIECHENLAND UND KLEINASIEN

Im östl. Mittelmeerraum entstanden schon im 3. Jh. zahlreiche christl. Kultstätten mit überregionaler Bedeutung. Wichtig war Ephesos mit dem Grab des Johannes Evangelista; hier verehrte man seit dem 5. Jh. zudem die Gottesmutter Maria. Seleukeia war der Hauptkultort der Märtyrerin Thekla. Erwähnenswert sind desweiteren Chalkedon (hl. Euphemia), Aigai (hl. Cosmas und hl. Damian), Euchaita (hl. Theodor), Sebaste (Todesstätte der 40 Märtyrer), Caesarea in Kappadokien (hl. Mamas, hl. Mercurius, Reliquien der 40 Märtyrer), Thessalonike (hl. Demetrios). In der Hauptstadt Konstantinopel verehrte man als wichtigste Reliquie einen Teil des Kreuzes Christi. Bedeutung erlangten dort ferner der Kult des hl. Cosmas und Damian, des hl. Demetrios, des hl. Georg sowie des Erzengels Michael. Bei der Plünderung der Stadt 1204 durch das Kreuzfahrerheer wurden zahlreiche Reliquien weggeführt. Seit der Eroberung von Konstantinopel 1453 durch die Osmanen kam die christl. W. im ehemaligen byz. Gebiet praktisch zum Erliegen [18. 222–228, 138–187].

3. ROM UND ITALIEN

Im abendländischen Bereich besaß Rom als Hauptstadt und von den Aposteln Petrus und Paulus gegründete urchristl. Gemeinde überragende Bedeutung. Die Verehrung des Petrus-Grabes auf dem Vatikanhügel ist arch. seit dem 2. Jh. belegt. Kaiser Konstantin und seine Nachfolger ließen hier und auch über dem Grab des Apostels Paulus monumentale Basiliken errichten. Seit dem 4. Jh. verehrte man in S. Croce in Gerusalemme auf dem Palastgelände der Helena, Mutter Kaiser Konstantins, einen Teil des Kreuzes Christi, ebenso in Konstantinopel und Jerusalem. Am Lateran, dem Amtssitz des röm. Bischofs, ließ Konstantin eine weitere monumentale Basilika errichten. Nach dem Zeugnis von Hieronymus, Paulinus von Nola und Prudentius besuchte man damals bereits die außerhalb der Stadtmauern gelegenen Gräber der Märtyrer in den Katakomben. Dort entstanden die für den Wallfahrtsbetrieb bedeutenden Basiliken Sant' Agnese, San Lorenzo fuori le mura und San Sebastiano. Schließlich ist die Basilika Santa Maria Maggiore zu erwähnen, die nach dem Konzil von Ephesos (431) mit der Anerkennung Marias als Gottesgebärerin wesentlich vergrössert wurde und wo seit 642 als Hauptattraktion Reliquien von der Krippe Christi zu sehen waren [6. 96].

Das Papsttum als Institution zog in der Spätant. kaum Pilger an, denn die Vorrangstellung des Bischofs von Rom, gestützt auf die Sukzession des Apostels Petrus, entwickelte sich nur langsam. Seit dem 7. Jh. begaben sich angelsächsische Mönche nach Rom: Winfried-Bonifatius ließ sich vom Nachfolger des hl. Petrus für seine Missionstätigkeit ermächtigen. Auch einige angelsächsische Könige reisten am E. ihres Lebens nach Rom,

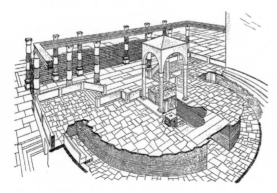

Abb. 3: Rom, St. Peter: Ringkrypta, erbaut unter Papst Gregor I. (gestorben 604)

um sich dort *ad sanctos* begraben zu lassen [6. 173]. Bedeutung als Pilgerziel erlangte die ewige Stadt auch, weil die muslimische Herrschaft die W. nach dem Hl. Land stark behinderte. Die polit. Verbindung der Päpste mit den karolingischen Herrschern und das Wiederaufleben der Reichsidee rückten Rom verstärkt ins Bewußtsein der Völker nördl. der Alpen. Die Rompilger waren in der Mehrzahl Bußwallfahrer, die den Papst als Inhaber der geistlichen Binde- und Lösevollmacht aufsuchten [32]. Manche zogen weiter zum Monte Gargano (Erzengel Michael) oder sogar nach Jerusalem [5]. Die seit der Kirchenreform des 11. Jh. gewachsene Bed. des Papsttums als Haupt der abendländischen Christenheit stimulierte erneut die W. nach Rom. Das Hl. Jahr (seit 1300) mit dem Plenarablaß führte zu einem massenhaften Zustrom in die Stadt. In der W.-Topographie Roms kristallisierte sich im Laufe der Zeit ein Kanon von sieben Pilgerkirchen heraus. In Ren. und Barock etablierte sich Rom durch den Neubau von St. Peter und vieler anderer Kirchen sowie zahlreicher städtebaulicher Maßnahmen im weiteren Sinne als Kulturmetropole. Gelehrte, Bildungsreisende und Künstler reisten an, um die ant. Ruinen ebenso wie die neuen Bauten und Kunstwerke zu bewundern (→ Rom I. Geschichte und Deutung). Heute, im Zeitalter des Massentourismus, erweist sich die Anziehungskraft der ewigen Stadt als größer denn je.

Auch im übrigen It. gab es bereits in der Spätant. einige bedeutende Wallfahrtsstätten. In Nola/Kampanien verehrte man vor der Stadtmauer das Grab des Bekenners Felix. Paulinus, wahrscheinlich Statthalter von Kampanien, errichtete nach 380 eine größere Kirche über dem Grab sowie Herbergen für die zahlreichen Pilger aus dem ganzen Mittelmeerraum. Nola konnte jedoch wegen der 455 erfolgten Zerstörung durch die Vandalen und die spätere Eroberung der Region durch Byzantiner, Langobarden und Normannen seinen Rang als internationales Wallfahrtszentrum nicht behaupten [18. 245–254]. Der Kult des Erzengels Michael in einer Grotte am Monte Gargano/Apulien, der nach der Legende in der 2. H. des 5. Jh. einsetzte, verbreitete sich schon im 6. Jh. über ganz Italien. Hauptträger des Michaelkultes waren die byz. Kaiser, zu deren Gebiet der Gargano damals gehörte. Mitte 7. Jh. geriet diese W. unter die Kontrolle der Langobarden. Aus dieser Zeit datieren die ersten Graffiti an den Höhlenwänden; die Namen lassen erkennen, daß die Mehrheit der Pilger Langobarden und Goten waren. Im 9. und 10. Jh. führten Plünderungszüge der Sarazenen immer wieder zu Störungen des Wallfahrtsbetriebs. Trotz der häufig wechselnden polit. Herrschaftsverhältnisse in MA und Neuzeit ist der Gargano bis h. ein beliebtes Pilgerziel geblieben [5].

4. Spanien und Gallien

In → Spanien verehrte man in der Spätant. in Saragossa und Valencia den Märtyrer Vincentius, in Merida die Märtyrerin Eulalia. Die frühe W. zu diesen Kultorten erlosch jedoch mit den Einfällen der Westgoten und der Muslime. Im Zuge der Reconquista (9./10. Jh.) wurde der Apostel Jakobus der Ältere, dessen Gebeine man in Santiago de Compostela verehrte, zum Symbol des Kampfes gegen die Ungläubigen. Seit dem 11. Jh. gewann dieser Kult auch nördl. der Pyrenäen große Popularität, getragen von der an der Reconquista beteiligten frz. Ritterschaft. Es bildeten sich im Laufe des Hoch-MA Kultbeziehungen entlang der Pilgerstraßen, die den an sich abgelegenen Ort Santiago rasch zu einem gesamteurop. Wallfahrtziel aufsteigen ließen [24].

Auch im spätant. Gallien entwickelten sich in Erinnerung an die letzten großen Christenverfolgungen W. zu Märtyrergräbern. Schon die älteste Fassung des *Martyrologium Hieronymianum* (E. 6./Anf. 7. Jh.) erwähnt 17 Märtyrerstätten (u.a. Marseille, Arles, Vienne, Lyon-Ainay, Dijon, Langres, St. Denis, Soissons und Köln). Diese Orte werden auch in den Werken Gregors von Tours E. des 6. Jh. als Pilgerziele aufgeführt. Besondere Popularität besaß der Kult des Märtyrers Julian von Brioude († um 250), an dessen Grab sich zahlreiche Heilungsmirakel ereignet haben sollen; eine Wallfahrtskontinuität über das Früh-MA hinaus läßt sich hier jedoch nicht nachweisen [33].

Im Gegensatz dazu erwies sich der Kult des Märtyrers Mauritius und der Thebäischen Legion als langlebig. An dem als Ort des Martyriums überlieferten Agaunum am Zugang zum Großen St. Bernhard entstand schon 515 ein Kloster. Reisende und Pilger auf dem Weg nach It. suchten diese Wallfahrtsstätte auf und verbreiteten den Ruhm der Thebäischen Legion später in ihrer Heimat. Auch die merowingischen und karolingischen Herrscher verehrten diese Märtyrergruppe. Etwas später erkoren die welfischen Burgunderkönige Mauritius zum Patron ihres Reiches. Er erfreute sich noch im Spät-MA als Ritterheiliger großer Beliebtheit, die W. nach St. Maurice erlitt jedoch durch die Eröffnung des Gotthardpasses (nach 1200) einen empfindlichen Einbruch.

Eine Ausnahmestellung im gallischen Raum erlangte der Kult des Bischofs Martin von Tours († 397), da ihn die merowingischen Herrscher zu ihrem speziellen Schutzheiligen erwählten. Die W., urspr. von den Bischöfen der Stadt propagiert, war zu Zeiten Gregors von Tours († ca. 594) bereits populär. Sie lebte, wenn auch in abgeschwächter Form, bis ins Spät-MA fort, denn die Stadt lag an einer der großen Santiagopilgerstraßen. In Arles verehrte man seit dem 5. Jh. den hl. Trophimus als ersten Bischof und legendären Petrusschüler [33]. Dieser Hl. wurde seit dem 9. Jh. über den regionalen Rahmen hinaus bekannt; im 12. Jh. trat der Kult des Bischofs Honoratus († 430), Gründer des bedeutenden Klosters Lérins, hinzu. Der Wallfahrtsort Arles war zudem als Begräbnisstätte *ad sanctos* sehr begehrt. Die Stadt profitierte von ihrer verkehrstechnisch günstigen Lage an der schiffbaren Rhone, sie lag zudem an einer der Hauptrouten nach Santiago.

D. Pilgerführer, Itinerare und Mirabilien

Die ältesten Quellen zur Wallfahrtsgeschichte sind Itinerare und Pilgerführer [1], eine Gattung, die im 4. Jh. einsetzt (Pilger von Bordeaux und Egeria) und in veränderter Form bis in die Gegenwart weiterlebt. Gegenstand der Beschreibung war Jerusalem und das Hl. Land. Distanzangaben und Reiseetappen, Verortung der biblischen Episoden und konkrete Erlebnisber. bildeten die Hauptelemente dieser Textgattung. Während diese frühen Ber. durchweg auf authentischen Reisen beruhten, entstanden im MA auch Kompilationen aus bereits existierenden Pilgerführern (um 720 Beda Venerabilis: *De locis sanctis*). Mit den Kreuzzügen und dem gestiegenen Interesse am Hl. Land nahm die Zahl der Pilgerber. zu, im Spät-MA erreichte diese Gattung, die auch im byz. Raum gepflegt wurde [22], ihren Höhepunkt. Bereits im 15. Jh. wurden gedr. Palästinaführer für abendländische Pilger in großen Auflagen vertrieben. Die streckenweise wörtliche Übereinstimmung von Beschreibungen der einzelnen Pilgerstätten in sonst persönlich gehaltenen Reiseber. erklärt sich durch Rückgriff des jeweiligen Autors auf derartige gekaufte Bücher.

Für Rom existierten schon im 5. und 6. Jh. Verzeichnisse der dort verehrten Märtyrergräber. Die ersten eigentlichen Pilgerführer (*Notitia ecclesiarum Urbis romae*; *De locis sanctis martyrum*; *De numero portarum et sanctis Romae*) datieren ins 7. Jh. Diese Zeugnisse [1] belegen, daß neben den konstantinischen Basiliken zahlreiche andere Kirchen von Pilgern besucht wurden. Im ausgehenden 8. Jh. (*Itinerarium Einsidlense*) wurden zudem heidnische Monumente wie Foren, Kapitol, Thermen und Stadtmauern in die Liste der Sehenswürdigkeiten aufgenommen. Im 10. Jh. reiste Sigerich von Canterbury nach Rom, um dort das Pallium als Zeichen seiner Erzbischofswürde in Empfang zu nehmen. Er dokumentierte den Aufenthalt mit einer Liste von 23 Kirchen, die er in Rom aufgesucht hatte. Sogar aus Island kamen Wallfahrer in die ewige Stadt: Der Abt Nikolas von Munkathvera schrieb im 12. Jh. einen Pilgerführer für seine Landsleute. Neben zahlreichen Kirchen erwähnte er auch die Festung der Crescentier (Hadriansmausoleum, h. Castel Sant' Angelo) und die Thermen des Caracalla [6. 98–110].

Um 1140 entstand mit den *Mirabilia Urbis Romae* eine neue Textgattung. Darin wurde ausdrücklich die ruhmvolle Vergangenheit der Stadt beschworen, indem man die ant. Bauwerke pries, wie dies bald auch andernorts geschah (Bergamo, Lodi, aber auch London und Chester) [6. 117]. Diese röm. Mirabilien erfreuten sich im Spät-MA wachsender Beliebtheit, häufig wurden ihnen eigentliche Pilgerführer, d.h. Listen mit den an röm. Kirchen zu erwerbenden Ablässen beigefügt. Mit dem aufkommenden Buchdruck fanden diese kombinierten Reiseführer große Verbreitung.

E. Wallfahrtsarchitektur

Die christl. Märtyrer wurden gemäß dem ant. Sepulkralrecht außerhalb der Städte begraben. Die private Totenmemoria für diese Glaubensopfer erweiterte sich bald zum Kult im Rahmen der Gemeinde. Elemente des ant. Totenbrauchtums, wie das jährliche Gedächtnismahl, wurden weitergepflegt. An den Gräbern der Märtyrer fanden jedoch zunächst keine Eucharistiefeiern statt. Dem Bedürfnis nach Gottesdiensten an den neuentstandenen Wallfahrtsstätten wurde durch die Errichtung von separaten Gebäuden in der Nähe des Grabes entsprochen [7. 72]. In einer späteren Phase näherten sich Altar und Grab baulich soweit an, daß der Raum für den Gottesdienst über der Gruft errichtet wurde; der Altar fand über dem Grab Aufstellung. Das allg. Bedürfnis nach Kontakt mit den Märtyrerreliquien veranlaßte Papst Gregor den Großen (†604), das unterirdische Apostelgrab in St. Peter durch einen halbkreisförmigen Gang den Wallfahrern besser zugänglich zu machen. Die Pilgermassen defilierten durch diese Ringkrypta und sahen in der Mitte durch einen Stollen auf das Heiligengrab (Abb. 3). Diese neue, für den Massenandrang geeignete Architekturform fand vielerorts Nachahmung [3. 176–182].

Der Wunsch, sich *ad sanctos* begraben zu lassen, führte an manchen Wallfahrtsstätten schon früh zur Bildung großer Friedhöfe (Ephesos 6. Jh., Rom: Campo Santo Teutonico bei St. Peter). Manche Pilger strebten ein kontemplatives Leben beim Heiligengrab an; mitunter entwickelten sich daraus klösterliche Gemeinschaften, was entsprechende bauliche Anlagen nach sich zog (Ägypten, Sinai, Seleukeia) [18]. Die Mönche widmeten sich meist der Betreuung der Pilger, zu deren Beherbergung vielerorts Gebäude errichtet wurden. Der spätant. Wallfahrtskirche war meist ein großzügiger Eingangsbereich (Atrium/Peristyl) vorgelagert [7]. Portalanlagen ma. Wallfahrtskirchen lassen sich als Fortsetzung dieser Architekturform verstehen. Auch sie dienten mittellosen Pilgern zuweilen als Unterkunft (z.B. Saint-Denis, E. 13. Jh.). An berühmten Märtyrergräbern entstanden zuweilen stadtartige Siedlungen mit entsprechender Infrastruktur, Herbergen, Kaufläden und Thermen (Abu Mina).

Für die meisten frühen Wallfahrtsorte des Mittelmeerraums sind Baptisterien bezeugt oder arch. nachgewiesen (Chalkedon, Euchaita, Ephesos, Seleukeia, Abu Mina, Menuthis, Thebessa, Thessalonike, Rom St. Peter). Aus der Thermenarchitektur übernahm man den Nischenzentralbau für die Symbolik des Reinigungsbades. Die häufig schlichte Rundform kann als Anspielung auf das heidnische → Mausoleum im Sinne von Tod und Wiedergeburt in der Taufe verstanden werden. Die Taufe am Märtyrergrab entsprach offenbar dem Bedürfnis breiter Bevölkerungschichten in der Spätantike. Auf diese Weise ließ sich der normale Taufritus an der heimatlichen Bischofskirche mit vorangehender Kandidatenprüfung und Glaubensunterweisung umgehen. Analog zu den allg. üblichen Taufterminen Ostern,

Abb. 4: Die Wallfahrt nach St. Wolfgang am Abersee, Tafelbild um 1500, Jan Pollak (?). Pilger vor der zur Kapelle umgestalteten Einsiedlerklause des Heiligen, die damals noch im Freien stand. Daneben der Eingang zum Chor der Kirche St. Wolfgang. Auf der Steinplatte vor der mit Votivgaben geschmückten Kapelle verehrte man die wunderbaren Fußspuren des Heiligen. München-Obermenzing, Pfarrkirche Pipping

Weihnachten und Epiphanie wurden an Pilgerorten die Menschen gruppenweise am Festtag des Hl. getauft. Seit dem Übergang zur Kindertaufe in der Karolingerzeit verschwand dieser Aspekt des Wallfahrtsbetriebs völlig [12].

F. WALLFAHRTSBRAUCHTUM

Wesentliche Elemente des Brauchtums im Wallfahrtsbetrieb sind vorchristl. Ursprungs. In den ant. Heilkulten wurde die Begegnung mit der Gottheit (z. B. Asklepios, Serapios) im Schlaf gesucht. Der Tempelschlaf (Inkubation) lebte in veränderter Form im Christentum weiter. Die Pilger nahmen am Abendgottesdienst teil und übernachteten anschließend am Märtyrergrab (später am Reliquienschrein) in der Kirche. Im christl. Kontext wurde das Schlafen zum asketischen Wachen umgedeutet [18. 392–398]. Nach Auskunft von Mirakelber. fielen jedoch v. a. Kranke dabei in einen Dämmerzustand und erblickten den Hl. im Traum. Die Hilfesuchenden fühlten sich von der Traumerscheinung entweder sofort geheilt oder erhielten Anweisung für therapeutische Maßnahmen. Ein medizinisches Behandlungsangebot direkt an der Wallfahrtsstätte läßt sich jedoch nicht nachweisen. Im Laufe der Jh. verlor das Übernachten in der Wallfahrtskirche an Bed. und fand nur noch zu bestimmten Festterminen statt. Die Heilträume verlagerten sich zunehmend in den privaten Bereich.

Schon bei den vorchristl. Kulten war es üblich, daß der Hilfesuchende der angerufenen Gottheit feierlich eine Opfergabe gelobte. Diese Form des rel. Tausches (*do ut des*) hatte in der röm. Ant. nahezu Vertragscharakter. Auch der christl. W. ging häufig ein Votum voraus, das als bindend empfunden wurde. Aus der christl. Spätant. sind Opfer- bzw. Dankesgaben wie Mz., Naturalien aller Art, lebende Tiere (Kamele, Schweine, Pferde) sowie Gegenstände aus Edelmetall mit Weiheinschr. bekannt. Landschenkungen bildeten die Ausnahme. Schon damals ließen Kranke Abb. der betroffenen Organe bzw. Gliedmassen aus Wachs, Holz oder Edelmetall an der Wallfahrtsstätte zurück [11] (Abb. 4). Solche im Sinne einer magischen Bannung eingesetzten Abbilder wurden auch in MA und Früher Neuzeit sehr häufig geopfert, daneben spielten Wachskerzen und -schnüre mit Bezug auf die Körpergrösse des Kranken eine wichtige Rolle. Zu allen Zeiten bestand die Verpflichtung, seine Heilung am Kultort bekannt zu machen und damit dem Hl. die gebührende Ehre zu erweisen. Eine bes. sinnfällige Form der Mirakelbezeugung bestand darin, nicht mehr benötigte Krücken und andere Hilfsmittel in der Wallfahrtskirche zurückzulassen. Am Übergang zur Frühen Neuzeit kamen kleine Tafelgemälde, sog. Exvotos, mit Darstellung der himmlischen Intervention in Gebrauch [20. 421]. Hingegen fand der ant. Brauch, sich durch Einritzen des eigenen

Abb. 5: Pilgerbestätigung aus Santiago de Compostela vom 25. Mai 1608
für Melchior Heingarter aus dem Wallis. Brig, Archiv der Familie Stockalper

Namens am Kultort unter den Schutz des Hl. zu stellen, kaum Fortsetzung in späterer Zeit [10].

Alle Pilger hatten den Wunsch, etwas von der Kraft des Hl. nach Hause zu nehmen. Diesem Bedürfnis wurde mit der Vergabe von Eulogien entsprochen. Meist handelte es sich dabei um Öl, das aus Lampen über dem Heiligengrab stammte und für die Pilger in Ampullen abgefüllt wurde (Grabeskirche Jerusalem, Abu Mina, Tours) [11]. Andernorts wurde in Wasser gelöster Staub vom Grab des Hl. verteilt. Man nahm auch gesegnetes Brot nach Hause; daraus entwickelte sich das spätma. Bildgebäck. Schon in der christl. Spätant. schuf man in großem Stil Sekundärreliquien aus Stoffstücken durch Berührung mit dem Kultobjekt (Brandea), ein Brauchtum, das sich noch im 18. Jh. nachweisen läßt (Loreto). Im Hoch-MA wurde es zudem üblich, am Kultort ein spezifisches Pilgerzeichen zu erwerben, das man sich an Hut oder Mantel nähte [17]. Seit dem 15. Jh. erwarb man an manchen Pilgerorten Wallfahrtsbestätigungen (Abb. 5) und andere Erzeugnisse frommer Druckgrafik [20. 391]. Hinzu kamen Wallfahrtsandenken wie Medaillen, Wimpel und Heiligenfigürchen.

→ Jerusalem; Konstantinopel; Souvenir

→ AWI Asklepios; Itinerare; Kosmas I. und Damianos; Märtyrer; Nola; Papst, Papsttum; Pilgerschaft; Reliquien; Simeon Stylites; Stylit, Stylitentum; Thekla

QU 1 Itineraria et alia geographica, 1965, 2 vols. (CCL 175–176) 2 T. TOBLER, A. MOLINIER (Hrsg.), Itinera Hierosolymitana et descriptiones Terrae Sanctae, ling. lat. saec. IV-XIe, 2 vols., Genf 1879–1882

LIT **3** A. ANGENENDT, Hl. und Reliquien: Die Gesch. ihres Kultes vom frühen Christentum bis zur Gegenwart, 1994 **4** E. ARETZ (Hrsg.), Der hl. Rock zu Trier: Stud. zur Gesch. und Verehrung der Tunika Christi anläßlich der Hl.-Rock-W. 1996, 1995 **5** M. D'ARIENZO, I segni del pellegrinaggio al santuario di S. Michele del Monte Gargano, in: E. DASSMANN, J. EGEMANN (Hrsg.), Akten des XII. Internationalen Kongresses für christl. Arch. 1991 (= JbAC, Ergbd. 20,1) 1995, 472–482 **6** D. BIRCH, Pilgrimage to Rome in the Middle Ages (= Stud. in the History of Medieval Religion 13), 1998 **7** B. BRENK, Der Kultort, seine Zugänglichkeit, seine Besucher, in: E. DASSMANN, J. EGEMANN (Hrsg.), Akten des XII. Internationalen Kongresses für christl. Arch. 1991 (= JbAC, Ergbd. 20,1), 1995, 69–122 **8** W. BRÜCKNER, Zur Phänomenologie und Nomenklatur des Wallfahrtswesens und seiner Erforsch., in: Volkskultur und Gesch., FS Dünninger, 1970, 384–424 **9** P. CAUCCI V. SAUCKEN (Hrsg.), Pilgerziele der Christenheit. Jerusalem. Rom. Santiago de Compostela, 1999 **10** W. ECK, Graffiti an Pilgerorten im spätröm. Reich, in: E. DASSMANN, J. EGEMANN (Hrsg.), Akten des XII. Internationalen Kongresses für christl. Arch. 1991 (= JbAC, Ergbd. 20,1), 1995, 206–222 **11** J. ENGEMANN, Eulogien und Votive, in: E. DASSMANN, J. EGEMANN (Hrsg.), Akten des XII. Internationalen Kongresses für christl. Arch. 1991 (= JbAC, Ergbd. 20,1), 1995, 223–233 **12** M. FALLA CASTELFRANCHI, Battisteri e pelegrinaggi, in: E. DASSMANN, J. EGEMANN (Hrsg.), Akten des XII. Internationalen Kongresses für christl. Arch. 1991 (= JbAC, Ergbd. 20,1), 1995, 234–248 **13** R. FINUCANE, Miracles and Pilgrims, 1977 **14** K. HERBERS, R. PLÖTZ, K. HERBERS (Hrsg.), Spiritualität des Pilgerns (= Jakobus-Stud. 5), 1993 **15** K. HERBERS, Der Jakobuskult des 12. Jh. und der »Liber sancti Jacobi«. Histor. Forsch., im Auftrag der Histor. Kommission der Akad. der Wiss. und der Lit., hrsg. v. K. E. BORN, H. ZIMMERMANN, Bd. 7, 1984 **16** Z. KADAR, Die Menasampulle von Szombathely (Steinermanger, Ungarn) in Beziehung zu anderen frühchristl. Pilgerandenken, in: E. DASSMANN, J. EGEMANN (Hrsg.), Akten des XII. Internationalen Kongresses für christl. Arch. 1991 (= JbAC, Ergbd. 20,2, 1995), 886–888 **17** K. KÖSTER, Pilgerzeichen und Pilgermuscheln von ma. Santiagostrassen, 1983 **18** B. KÖTTING, Peregrinatio Religiosa. W. in der Ant. und das Pilgerwesen in der alten Kirche (= Forsch. zur Volkskunde 33–35), 1950 **19** Ders., W. zu lebenden Personen im Alt., in: [20. 226–234] **20** L. KRISS-RETTENBECK, G. MÖHLER, W. kennt keine Grenzen, 1984 **21** CH. KRÖTZL, Pilger, Mirakel und Alltag, Formen des Verhaltens im skandinavischen MA (= Studia historica 46), 1994 **22** A. KÜLZER, Peregrinatio graeca in Terram Sanctam (= Stud. und Texte zur Byzantinistik 2), 1994 **23** L. MAES, Ma. Straf-W. nach Santiago de Compostela und Unserer Lieben Frau von Finisterra, in: FS Guido Kisch, 1955, 99–119 **24** R. PLÖTZ, Europ. Wege der Santiago-Pilgerfahrt, 1990 **25** A. POLONYI, Wenn mit Katakombenheiligen aus Rom neue Trad. begründet werden (= Stud. zur Theologie und Gesch. 14), 1998 **26** J. RICHARD, Les Récits de voyages et de pèlerinages (= Typologie des sources du moyen âge occidental 38), 1981 **27** B. SCHIMMELPFENNIG, Die Regelmäßigkeit ma. W., in: W. und Alltag im MA und früher Neuzeit. (= Öster. Akad. der Wiss., philol.-histor. Kl. Sitzungsber. 592), 1992, 81–94 **28** L. SCHMUGGE, Kollektive und individuelle Motivstrukturen im ma. Pilgerwesen, in: G. JARITZ,

A. MÜLLER (Hrsg.), Migration in der Feudalges. (= Stud. zur histor. Sozialwiss. 8), 1988, 263–289 **29** Ders., Die Anf. des organisierten Pilgerverkehrs im MA, in: Quellen und Forsch. aus it. Archiven und Bibl. 64 (1984), 1–83 **30** G. SCHREIBER (Hrsg.), W. und Volkstum, 1934 **31** P.-A. SIGAL, L'Homme et le miracle dans la France médiévale (XI-XII siècle), 1985 **32** C. VOGEL, Le Pèlerinage pénitentiel, in: Pellegrinaggi e culto dei Santi in Europa fino alla prima crociata, Atti del Convegno, Todi 1963, 39–94 **33** M. WEIDEMANN, Itinerare des westl. Raums, in: E. DASSMANN, J. EGEMANN (Hrsg.), Akten des XII. Internationalen Kongresses für christl. Arch. 1991 (= JbAC, Ergbd. 20,1), 1995, 389–451. CONSTANZE RENDTEL

Wandmalerei s. Klassische Archäologie III. Kontextuelle Archäologie C. Pompeji als »Idealfall«; AWI, Bd. 12/2 s. v.

Warburg Institute, The   A. EINLEITUNG B. GRÜNDUNG UND ANSPRUCH C. INSTITUTIONALISIERUNG   D. ANSPRUCH UND WIRKUNGEN   E. EMIGRATION UND ETABLIERUNG IN LONDON   F. FORSCHUNGEN UND WIRKUNGEN G. WARBURGS RENAISSANCEN   H. DER »CENSUS« I. PRÄZISION UND GRENZÜBERSCHREITUNG

A. EINLEITUNG

Die Hamburger Kulturwiss. Bibl. Warburg (KBW) und ihre Nachfolgerin, das Londoner Warburg Institute (WI), haben sich der Erforsch. des Nachlebens der Ant. verschrieben. Im Unterschied zu Versuchen, die ant. Klassik als Modell für Erziehung und Bildung zu nutzen und vornehmlich die Kunst an den Formenkanon der Klassik zu binden, zielte die Arbeit der KBW nicht allein auf eine Wiederbelebung und Stärkung des → Humanismus, sondern auf die Rekonstruktion der in der ant. Trad. ausgefochtenen Konfliktpotentiale. Die KBW widmet sich dem Fortleben der Ant. als einem Paradigma der Bewältigung künstlerischer, kultureller, psychischer und anthropologischer Konflikte.

B. GRÜNDUNG UND ANSPRUCH

Das WI hat seinen Namen von dem 1866 geborenen Aby Warburg, Sprößling einer Hamburger Bankiersfamilie, der 1879, im Alter von dreizehn J., sein Erstgeborenenrecht zugunsten des Privilegs abtrat, jeden Buchwunsch erfüllt zu bekommen. Schon während seines Studiums der Kunstgeschichte, Geschichte und Arch. in Bonn, Florenz und Straßburg tätigte Warburg umfangreiche Buchkäufe. Er war an der Gründung des Dt. Kunsthistor. Inst. in Florenz beteiligt, vermißte angesichts der Fetischisierung neuen Forschungsmaterials dort aber bald die notwendige ›Verarbeitungskraft‹ [20. 178], so daß er sich 1902 nach Hamburg zurückzog.

Untergebracht in der Hamburger Villa Heilwigstr. 114, war seine Bibl. im J. 1909 auf einen Bestand von 9000 Bänden angewachsen. Zwei J. später war sie bereits auf 15 000 Bände vornehmlich zur Antikerezeption und zur it. Kunst expandiert, was zu unablässigen Überlegungen führte, die innere Gliederung mit der Fülle der Gebiete in Einklang zu bringen.

Das wechselnde Ordnungssystem spiegelte Warburgs Bemühungen um eine Ikonologie, die nicht der topischen Bestimmung des Status von Bildformen, sondern des Zusammenspiels ihrer räumlichen und zeitlichen Wanderungen und ihrer Bindungen und Prägungen in Religion, Philos., Politik und Sozialem dienen sollte. Im J. 1912 entwickelte Warburg in einem Vortrag auf dem Internationalen Kunsthistorikerkongreß in Rom seine Methode am Beispiel der freskierten Dekansternbilder des Palazzo Schifanoia in Ferrara in allen Nuancen. Er nahm die weite, vom alten Persien bis in die it. → Renaissance reichende Wanderschaft astrologischer Bildsymbole, die er auch in der Transformation ihrer Schriftquellen verfolgte, zum Anlaß, für eine offene Ikonologie zu werben, die durch ›grenzpolizeiliche Befangenheit‹ nicht gebremst sein sollte [1. 478]. Edgar Wind lieferte die vielleicht treffendste Charakterisierung dieser Methode: ›Es ist eine Grundüberzeugung Warburgs, daß jeder Versuch, das Bild aus seiner Beziehung zu Religion und Poesie, Kulthandlung und Drama herauszulösen, der Abschnürung seiner eigentlichen Lebenssäfte gleichkommt‹ [38. 170].

C. INSTITUTIONALISIERUNG

Ausdruck und Rückgrat dieser Bestimmung des Bildes war die von Warburg in manchen Varianten erdachte Systematik der Bibl., welche die Bücher den vier thematischen Abteilungen: Orientierung – Bild – Wort – Handlung zuordnete. Diese von den Religionen und den Wiss. über alle Zeugnisse des Bildlichen und Künstlerischen sowie der sprachlichen Überlieferung bis zu den Aktionen der Politik und des Sozialen reichende Unterteilung ist darin einzigartig geblieben, daß sie die Bücher als Zellen eines kulturellen Kosmos begreift, der durch sein inneres Zusammenspiel eine stärkere Kraft entfaltet als es Ordnungsschemata erlauben, die primär alphabetisch oder numerisch gegliedert sind. Indem diese Einteilung der Bewegung des Gedankens von der Kontemplation zur Aktion zu folgen sucht, entsteht ein sich zw. den Büchern füllendes, energetisches Kontinuum. Auch und gerade für Bücher galt Warburg zufolge jenes ›Prinzip der guten Nachbarschaft‹ (Fritz Saxl in [20. 436]), das wie ein Motto für die methodischen Ansprüche seines Institutes gelten kann. Generationen von Forschern haben es vor den Regalen der KBW und des WI erfahren können.

Für Warburg, der sich von 1918 bis 1924 wegen psychischer Zusammenbrüche in verschiedenen Nervenheilanstalten aufhielt, übernahm im J. 1919f. Saxl die Leitung der Bibl., für deren Systematisierung zwei J. später auch G. Bing eingestellt wurde, nachdem die Bestände auf über 20000 Bände angewachsen waren. In den J. 1925/26 wurde schließlich neben der Privatvilla ein autonomer Bibliotheksbau des jungen Architekten G. Langmaack in der Heilwigstr. 116 hochgezogen. Damit war der entscheidende Schritt zur Institutionalisierung vollzogen [23; 32]. Bis zu seinem Tod im J. 1929 konnte Warburg das intellektuelle Leben des Neubaues, dessen elliptischer Lesesaal vermutlich auf Leibniz' Wolfenbütteler Bibl. zurückgeht [30. 150ff.], prägen.

Als Ausdruck dessen, daß mit dem Neubau auch das Forschungsprogramm einen institutionellen Rahmen erhalten hatte, wurden verschiedene Publikationsreihen gegründet. Im Sinne des weit ausgreifenden Anspruches, der die Warburgsche Ikonologie als eine definiert interdisziplinäre Methode auswies, umfaßten die neun ersten, von 1922 bis 1932 publizierten Bände der *Studien der Bibl. Warburg* neben den kunsthistor. Beitr. von E. Panofsky, F. Saxl, F. Schmidt-Degener und W. Stechow auch Unt. der Altphilologen E. Norden und R. Pfeiffer, der Mediävisten H. Liebeschütz und P. Lehmann, des Philosophen E. Cassirer, des Orientalisten R. Reitzenstein, der Philologen W. Gundel und H. Pruckner, des Historikers P. E. Schramm und des Religionsforschers J. Kroll. Die neun von 1921 bis 1932 erschienenen Bände der *Vorträge der Bibl. Warburg* bestärkten diesen interdisziplinären Ansatz [16. 163–167].

Als Besiegelung ihrer Überführung von einer privaten in eine öffentlich zugängliche Einrichtung wurde für die »Bibl. Warburg« zunächst der Name »Inst. für das Nachleben der Ant.« in Betracht gezogen, um zu betonen, daß hier erstmals ein Bibl. entstanden war, die sich ganz der Rezeptionsgeschichte der Ant. verschrieben hatte. Das gesamte Feld der an der Bibl. Warburg betriebenen Forsch. war aber zu ausgreifend geworden, um als Antikerezeption im engeren Sinn angesprochen werden zu können, und daher erhielt das neue Institutsgebäude, das bei der Einweihung bereits über 46000 Bände verfügte, den Namen »Kulturwiss. Bibl. Warburg« (KBW).

Die Zeugnisse der internen Organisation, des intellektuellen Zusammenspiels und der Wirkung dieses Arbeitsinstrumentes sind im Tagebuch der KBW bewahrt [3].

D. ANSPRUCH UND WIRKUNGEN

Für Warburg standen visuelle und sprachliche Bilder in einem spannungsgeladenen Sinn ›in der Mitte zw. Magie und Logos‹ [5. 79]. In seinem exemplarischen Essay zum Schlangenkult, den er von Bildern und Ritualen der Pueblo-Indianer Neu-Mexikos über die Ren. bis zum Laokoon (→ Laokoongruppe) zurückverfolgte, versuchte Warburg einen Zivilisationsprozeß aufzuspüren, der eine Distanzierung bedrohlicher Mächte durch den Einsatz symbolischer Bilder zu erreichen vermochte. Warburg folgte dazu evolutionären Modellen des 19. Jh. im Sinne eines zivilisatorischen Aufstieges, aber die Katastrophe des I. Weltkrieges, die dazu beitrug, ihn in seine mehrjährige geistige Verwirrung zu stürzen, bewirkte, daß er den Kampf zw. Besonnenheit und Zerstörung als eine sich täglich zu bewährende Praxis sah: Der Zivilisationsprozeß war in jedem Moment neu zu führen.

Zwei markante Beispiele einer frühen Wirkung dieses Anspruches bilden die Symbolforsch. von E. Cassirer und E. R. Curtius. Der 1919 an die Hamburger Univ. berufene Cassirer eröffnete den Zyklus der »Vorträge der Bibl. Warburg«; er widmete Warburg darüberhinaus sein Werk *Individuum und Kosmos in der Philos. der Ren.*

(1927). Cassirers Theoriegebäude der symbolischen Formen und die Gliederung der Bibl. besaßen eine nahezu deckungsgleiche Struktur [21. 5]. Seine Definition der symbolischen Form als einer ›Energie des Geistes (...), durch welche ein geistiger Bedeutungsgehalt an ein konkretes sinnliches Zeichen geknüpft und diesem Zeichen innerlich zugeeignet wird‹ [13. 175], bedeutet das weitest mögliche Eingehen auf Warburgs durch Bilder erzeugten ›Denkraum‹ [5. 59].

Auch Curtius schrieb sein Opus *Europ. Lit. und lat. MA* mit Blick auf Warburg [7]. Er bezog sich v. a. auf Warburgs unvollendet gebliebenen Bilderatlas *Mnemosyne*, in dem die Wanderschaft von Bildformen von der Ant. bis in die Gegenwart durch sämtliche Bildmedien hindurch verfolgt waren, um in den sich transformierenden ›Pathosformeln‹ die bildlichen Entäußerungen innerer Spannungen zu erkennen [3; 31; 34]. Curtius bezog sich bei dieser Unt. der Wanderschaft von Formtopoi stärker auf die Brillanz und die Verharrungskraft von Bildern als auf die Spannungen, aus denen Warburg zufolge die Formeln und deren Transmutationen entstanden. Warburgs kunsthistor. Ikonologie berücksichtigte daher stärkere kulturpsychologische Energien als jene Toposforsch., die Curtius für die Literaturwiss. entwickelte, und sie war stärker am Einzelfall orientiert als jene Symboltheorie, die Cassirer mit Blick auf Warburgs Vorhaben darlegte.

E. Emigration und Etablierung in London

Zu den konkreten Gefährdungen, vor denen das Bibliotheksgebäude als ein ›Büchertrutzkasten‹ [32. 174] schützen sollte, gehörte auch ein schwelender Antisemitismus [29], von dessen offenem Ausbruch die KBW im J. 1933 in ihrer Existenz bedroht wurde. Daß sie mit ihrem auf 60 000 Bände angewachsenen Bestand noch im Dezember desselben J. nach London überführt werden konnte, war das Verdienst der Familie wie der Freunde und Mitarbeiter der Bibl., allen voran F. Saxls, des damaligen Direktors, R. Klibanskys und E. Winds, dessen Memorandum das Programm der Bibl. für die Londoner Verhandlungspartner konzis zusammenfaßte: ›The WI was founded as an intellectual laboratory for studying the survival of classical tradition within European civilisation. In studying this problem, the Institute developed the particular method of interconnecting all those cultural sciences which are usually treated independently; namely History of Art and History of Literature, History of Science and History of Religion. Thus it serves as a connecting link between diverging fields of study, both as regards subjects matter and period‹ [12. 104].

Es war dem Weitblick von Lord Lee of Fareham, dem Vertreter der Londoner Univ., zu verdanken, daß für zunächst drei J. eine Unterbringung in Thames House, Millbank, gewährleistet war, die gegenüber den beengten Hamburger Räumlichkeiten sogar Vorteile bot [25. 212 ff.]. Schon im Mai 1934 nahm die nun »The Warburg Institute« genannte Bibl. Warburg ihre öffentliche Wirksamkeit durch Vorträge auf, zunächst auf Dt.,

dann, ab Herbst desselben J., auch auf Englisch. Unter den Vortragenden befanden sich J. Seznec, F. Saxl, E. Cassirer, E. Wind und der Berliner Kunsthistoriker A. Goldschmidt.

Aus dem Fundus der umfangreichen Fotosammlung, die h. einen Bestand von mehr als 300 000 Aufnahmen umfaßt, wurde bereits im Sommer 1934 die erste einer Reihe von Fotoausstellungen zusammengestellt, die das Manko der fremden Sprache durch die Argumentation der Bilder zu kompensieren suchte und mit großem Erfolg die Arbeit des Institutes sichtbar machte. Den größten Publikumserfolg erzielte die Ausstellung *English Art and the Mediterranean* von 1941, die in einer Zeit, in der den Engländern der Zugang zum Mittelmeer verschlossen war, die Bindungen umso stärker betonte.

Die Überzeugung, daß im Bild und durch das Bild auch polit. Aufklärung geleistet werden müßte, formulierte E. Wind in seiner Einleitung der *Kulturwiss. Bibliogr. zum Nachleben der Ant.* von 1934 in einer für die Zeit seltenen Offenheit. Für Wind führt ›die scheinbar »akad.« Frage nach der Bed. des Nachlebens ant. Elemente mitten hinein in den Kulturkampf unserer Tage, mitten hinein in den Streit um die Erhaltungs- und Wachstumsgesetze geschichtlicher Formen, in deren Bestimmung sich Historiker und Hygieniker den Rang ablaufen‹ [37. XV].

Die Erleichterung angesichts der Befreiung vom → Nationalsozialismus, aber auch der Druck, in einer fremden Umgebung eine langfristig noch ungesicherte Position zu stärken, erzeugten eine noch h. beeindruckende Produktivität [16]. Die Hamburger *Studien der Bibl. Warburg* wurden in London als *Studies of the Warburg Institute* fortgesetzt, wobei Richard Salomons zweibändiges Werk über *Die Bilderhss. des Opicinus de Canistris* den Auftakt bildete. Als Hamburger Publikation für 1934 angekündigt, erschien es in London als erstes Werk der neuen Reihe im J. 1936. Bis 1940 wurden elf Bände dieser Reihe publiziert, darunter M. Praz' *Studies in Seventeenth-Century Imagery* (1939), J. Adhémars *Influences antiques dans l'art du Moyen Age français* (1939), J. Seznecs *La survivance des dieux antiques* (1940) und E. Panofskys *The Codex Huygens and Leonardo da Vinci's Art Theory* (1940). Zudem erschien 1940 der erste Band von R. Klibanskys *Corpus Platonicum Medii Aevi*.

Die bedeutendste Wirkung erzielte aber das erstmals 1937 publizierte *Journal of the Warburg Institute* mit seinem Programm, ein Forum für Kunstgeschichte, Lit.-, Religions-, Natur-, Politik- und Sozialwiss. sowie für Philos. und Anthropologie zu schaffen, um eine Forsch. zu bestärken, die den Human. nicht als Status, sondern als Herausforderung verstand und die, um seine Stärken und Schwächen zu begreifen, ›die Wirkung klass. Symbole‹ analysieren sollte [25. 220]. Vom vierten Band an wurde es nach Vermittlung von A. Blunt gemeinsam mit dem Courtauld Institute als *Journal of the Warburg and Courtauld Institutes* fortgeführt, womit die Integration des WI in die angelsächsische akad. Welt ihren deutlich sichtbaren Ausdruck erhielt.

All diese Aktivitäten führten dazu, daß das WI, nachhaltig von S. Courtauld und der Warburg-Familie sowie der Univ. unterstützt, auch nach den zunächst konzedierten drei J. weiter existieren und im J. 1939 an das Imperial Institute in South Kensington umsiedeln konnte. Um der Bombengefahr des Krieges zu entgehen, wurde es 1941 nach Denham in Buckinghamshire transferiert. Noch während der Auslagerung, am 28. November 1944, wurde das WI von der Familie Warburg nach langen Verhandlungen an die University of London übertragen, die sich ihrerseits verpflichtete, es zukünftig zu tragen. Damit war es endgültig eine engl. Einrichtung geworden.

Noch 1945 konnte das WI nach South Kensington zurückkehren. Im J. 1958 erhielt es schließlich seinen bis h. bewahrten Sitz in dem am Woburn Square gelegenen Neubau. Die Hamburger Abfolge der inneren Bibliotheksgliederung nach den Kategorien: Orientierung – Bild – Wort – Handlung wurde auf Grund der räumlichen Gegebenheiten im neuen Gebäude dahingehend umgewandelt, daß im Erdgeschoß die Arch. und Periodika situiert sind, im ersten Stock das »Bild« mit allen Bereichen der Kunstgeschichte folgt, im zweiten Stock das »Wort« mit der gesamten ant. und auf die Ant. bezogenen Lit. des Human., der Buchwiss. und der Pädagogik untergebracht ist, im dritten und vierten Stock die »Orientierung« mit Religion, Naturwiss. und Philos. vertreten ist und schließlich im vierten Stock zusätzlich die »Handlung« mit den Feldern des Sozialen und Polit. die Ordnung abschließt.

Die letzte institutionelle Veränderung, welche die Wertschätzung des WI nochmals unterstrich, vollzog sich im August 1994, als es unter dem Direktorat von N. Mann zum Gründungsmitglied des neuen Verbundes »The School of Advanced Study« wurde. Im Rahmen der administrativen Notwendigkeit, größere Verwaltungseinheiten zu bilden, hat es damit langfristig seine Unabhängigkeit gesichert.

F. Forschungen und Wirkungen

Die Emigration hatte den Effekt, daß die Ziele der Bibl. stärker und internationaler wirken konnten als zuvor. Es wird wenige Kulturwissenschaftler von Rang geben, die nicht mit dem WI zumindest in Berührung gekommen sind. D. Wuttkes bibliogr. erschlossene Rezeptionsgeschichte Warburgs verfolgt die in alle Facetten reichenden Spuren dieses Einflusses [8]. Die Wirkungen waren v. a. in It. und Frankreich bes. nachhaltig, so daß nicht überrascht, daß herausragende historiographische und methodologische Arbeiten zum WI und zur Methode der Kulturwiss. und der Rezeptionsforsch. der Ant. durch C. Ginzburg [19] und S. Settis [31] sowie in jüngerer Zeit durch Ph.-A. Michaud [26] und G. Didi-Huberman [15] geleistet wurden.

Die Wirkung des WI ergab sich durch die glückliche Verschmelzung der in Deutschland entwickelten Fragestellungen mit angelsächsischen Prägungen. Zu den erstaunlichsten Ergebnissen dieser Verbindung gehörten Forsch. zum → Okkultismus der Neuzeit, wie sie mit D. P. Walkers *Spiritual and Demonic Magic from Ficino to Campanella* (1958) einsetzten und durch F. A. Yates' Arbeiten etwa über *Giordano Bruno and the Hermetic Tradition* (1964), *The Art of Memory* (1966) oder *The Rosicrucian Enlightenment* (1972) fortgeführt wurden. Erstmals war mit diesen Arbeiten eine Okkultismus-Forsch. jenseits esoterischer Zirkel etabliert.

Die Ausstrahlung des WI verdankt sich v. a. dem Prinzip, die Bibl. nicht allein nach den Regeln ihrer inneren Ordnung, sondern problemorientiert auch gemäß den Schwerpunkten der in ihr jeweils betriebenen Forsch. auszubauen. So stärkte der zweite Direktor, H. Frankfort (1948–1954), die Geschichte und Arch. des Vorderen Orients; G. Bing (1955–1959) und E. Gombrich (1959–1976) vertraten eine offene Kunstgeschichte, der Historiker J. B. Trapp (1976–1990) förderte speziell die Buchforsch., und der Romanist N. Mann (1990–2001) setzte einen Schwerpunkt auf romanischer Literatur. Seit 2002 wird das WI wiederum durch einen Kunsthistoriker geleitet, Ch. Hope.

Hinzu kamen die langfristigen Forsch. wie etwa Ch. Schmitts Unt. zur Geschichte des → Aristotelismus, die das platonisch geprägte Bild der Renaissancephilos. grundlegend verändert haben. Sie haben dem WI ebenso Kontur gegeben wie N. Rubinsteins Herausgabe der Briefe des Lorenzo de'Medici oder auch P. O. Kristellers Projekt des »Iter Italicum«. Diese und zahlreiche weitere Vorhaben haben nicht nur durch ihre Publikationen gewirkt, sondern auch durch die Fähigkeit des WI, Stipendiaten und Angehörige anderer Institutionen an den Forsch. teilhaben zu lassen und das Prinzip des interdisziplinären Austausches immer neu zu bewähren.

G. Warburgs Renaissancen

Seit den 1960er J. sind in den deutschsprachigen Geisteswiss. verstärkte Anstrengungen unternommen worden, Warburg und seine Bibl. als Inspiratoren einer problemorientierten Kulturwiss., die ihre Perspektiven aus der Arbeit am Detail gewinnt, zurückzugewinnen. Die Wirkungsgeschichte auch dieser Bemühungen ist über die bis in das J. 1998 reichende Warburg-Bibliogr. D. Wuttkes zu erschließen [7; 11].

Zu diesen Bestrebungen gehört auch, die Hamburger Form der Ikonologie für die Kunstgeschichte wiederzubeleben [9; 22; 27]. Frucht dieser Bemühungen war die Reaktivierung der Warburgschen Kunstgeschichte als eines nicht nur für die Hochkunst zuständigen, allg. »Bildwissenschaft«. Die Versuche, das Fach zu modernisieren und auch mit Bildformen der Alltagswelt und der neueren Medien zu befassen, haben hierdurch eine histor. bekräftigte Fundierung erfahren [10; 17. 30f.].

Im selben Zug ist die Unt. der Folgen der Übersiedlung der KBW nach London zum Anlaß genommen worden, die Emigration der dt. Kunstgeschichte insgesamt zu erschließen [28; 36]. Als ein Akt, der sowohl eine mod. Kunstgeschichte als Kulturgeschichte bestärken wie auch den 1933 zerrissenen Faden wiederaufnehmen soll, ist das Unternehmen zu verstehen, die

1933 abgebrochene Herausgabe der *Gesammelten Schriften* Warburgs neu in Angriff zu nehmen. Bis 2002 sind die *Gesammelten Schriften* von 1932 in Neuausgabe [1] und der Bilderatlas *Mnemosyne* [2] sowie das Tagebuch der KBW [3] erschienen. In den Rahmen dieser Bemühungen gehört auch die Übers. von Warburgs *Gesammelten Schriften* ins Englische [2].

Nach zahlreichen vergeblichen Versuchen ist es 1993 durch Aktivitäten v. a. des Hamburger Kunsthistorikers M. Warnke gelungen, das Hamburger Gebäude der KBW wieder in seine Forsch.- und Bildungsfunktion zurückzuführen. Seit 1995 finden dort Vorträge statt [21], es wird eine Warburg-Gastprofessur vergeben, und das Archiv für Wissenschaftsemigration wie auch das Projekt »Polit. Ikonographie«, das histor., sozial und polit. gemünzte, offen oder verschlüsselt argumentierende Bildformen nach Art des Bilderatlas *Mnemosyne* in sämtlichen Medien zu erschließen sucht, sind dort angesiedelt [35].

H. Der »Census«

Unter dem Zeichen einer neu geknüpften Kooperation steht auch der 1946 als Sammlung der in der Ren. bekannten Antiken am WI begonnene »Census of Antique Works of Art Known in the Renaissance« [33]. Er wurde initiiert, um bestimmen zu können, auf welche Monumente sich die Antikerezeption dieser Epoche zu beziehen vermochte. Zu den Angaben über die Provenienz und Auffindung der ant. Werke wurden daher die Geschichte ihrer künstlerischen Rezeption und ihrer schriftlichen Erörterungen gefügt. Das komplexe, im Rahmen einer Buchpublikation nicht mehr darstellbare Material von ca. 11000 Monumenten und ca. 23000 Ren.-Dokumenten ist seit 1982 mit Hilfe des Getty Trust (Los Angeles) digitalisiert und durch die Bibliotheca Hertziana (Max-Planck-Inst., Rom) betreut und vermehrt worden. 1996 wurde der seit 1981 durch A. Nesselrath geleitete Census an das Kunstgeschichtliche Seminar der Humboldt-Univ. zu Berlin überführt, unterstützt durch einen aus dem WI (London), dem Getty-Center (Los Angeles), der Bibliotheca Hertziana (Rom) und dem Warburg-Haus (Hamburg) gebildeten Beirat, zu dem seit 2003 auch die Berlin-Brandenburgische Akad. der Wiss. gehört, die den Census in ihre Langzeitprogramme aufgenommen hat. Die Zeitschrift *Pegasus* [33] sucht die Bestände bis in die Gegenwart problemorientiert zu erschließen. Mit der Überführung des Census aus Rom und London nach Berlin ist seit dem Exodus der KBW wieder ein Projekt, welches das Nachleben der ant. Kunst systematisch erforscht, im deutschsprachigen Raum präsent.

I. Präzision und Grenzüberschreitung

Die h. auf weit über 300000 Bände angewachsenen Buchbestände des WI verkörpern die bedeutendste Bibl. zum Nachleben der Antike. In der Hamburger Zeit lag der Schwerpunkt der Aktivitäten in der Analyse von Werken der bildenden Kunst, während in London Philol., Lit. und Geschichte gleichgewichtig hinzutraten. Uneingeholt bleibt die Warburgsche Symboltheorie,

weil ihre Energiequelle nicht instutionalisierbar war und weil sich diese vielleicht auch der Übertragbarkeit entzieht.

Das methodische Anliegen ist unverändert gültig. Als ›Inst. für methodologische Grenzüberschreitung‹ [5. Nr. 88] hat die KBW einen Anspruch formuliert, der seine Aktualität bis h. immer neu bewiesen hat. War dieses Prinzip über lange Zeit eine Herausforderung für die spezialisierten Einzeldisziplinen, so hat es in der Zeit gesuchter und bisweilen auch gewollter Interdisziplinarität die Erinnerung daran bewahrt, daß die Präzision der Einzeldisziplinen die Voraussetzung darstellt, um die Fachgrenzen zu überspielen. Der Rückblick des 2001 ausgeschiedenen Direktors N. Mann kann als ein Brückenschlag zw. der KBW und dem WI gelten: ›Die Trad. mag nicht genau die sein, die Warburg selbst gewünscht hätte, aber wenn man die intellektuellen Verbindungen überblickt, die Gestalten wie Saxl, Panofsky, Cassirer, Klibansky, Kristeller, Wittkower, Momigliano, Gombrich, Walker, Yates und Baxandall verbindet, dann wird klar, daß es in aller Individualität eine Kontinuität gibt: daß neue Fortbewegungen vornehmlich dadurch erreicht werden, daß über etablierte Disziplinen hinweg gearbeitet wird. Dies ist, wofür das WI steht, und was es weiterhin fördern wird‹ [24. 142].

QU 1 A. WARBURG, Die Erneuerung der heidnischen Ant. Kulturwiss. Beitr. zur Gesch. der europ. Ren., hrsg. v. H. BREDEKAMP, M. DIERS, 1998 (Neuausgabe der Fassung von 1932 = Aby Warburg. Gesammelte Schriften. Studienausgabe, hrsg. v. H. BREDEKAMP, M. DIERS, N. MANN, S. SETTIS, M. WARNKE, Erste Abteilung, Bde. I,1 und I,2) 2 Ders., The Renewal of Pagan History, hrsg. v. K. FORSTER, 1999 3 Ders., Der Bilderatlas MNEMOSYNE, hrsg. v. M. WARNKE unter Mitarbeit v. C. BRINK, 2000 4 Ders., Tagebuch der KBW, hrsg. v. K. MICHELS, CH. SCHOELL-GLASS, 2001 5 Ders., Schlangenritual. Ein Reiseber. (Nachwort v. U. RAULFF), 1988 6 Ders., Ausgewählte Schriften und Würdigungen, hrsg. v. D. WUTTKE, 1979 u. ö. 7 D. WUTTKE (Hrsg.), Kosmopolis der Wiss. E. R. Curtius und das WI. Briefe 1928 bis 1953 und andere Dokumente, 1989 8 Ders., Aby M. Warburg-Bibliogr. 1866 bis 1995. Werk und Wirkung. Mit Annotationen, 1998

LIT 9 H. BREDEKAMP, M. DIERS, CH. SCHOELL-GLASS (Hrsg.), Aby Warburg. Akten des internationalen Symposions Hamburg 1990, 1991 10 H. BREDEKAMP, Medien, in: H. BELTING, H. DILLY, W. KEMP, W. SAUERLÄNDER, M. WARNKE (Hrsg.), Kunstgesch. Eine Einführung, 2003 11 H. BÖHME, Aby Warburg (1866–1929), in: A. MICHAELIS (Hrsg.), Klassiker der Religionswiss. Von Friedrich Schleiermacher bis Mircea Eliade, 1997, 133–156, 379–381 12 B. BUSCHENDORF, Auf dem Weg nach England – Edgar Wind und die Emigration der Bibl. Warburg, in: [16. 85–128] 13 E. CASSIRER, Der Begriff der symbolischen Form im Aufbau der Geisteswiss., in: F. SAXL (Hrsg.), Vorträge der Bibl. Warburg, Bd. I, 1923, 169–200 14 E. R. CURTIUS, Europ. Lit. und Lat. MA, 1948 15 G. DIDI-HUBERMAN, L'Image Survivante. Histoire de l'Art et Temps des Fantômes selon Aby Warburg, 2002 16 M. DIERS (Hrsg.), Portrait aus Büchern. Bibl. Warburg und WI, 1933, 1993 **17** Ders., Schlagbilder. Zur polit. Ikonologie der Gegenwart, 1997 **18** R. GALITZ, B. REIMERS (Hrsg.), Aby M. Warburg, »Ekstatische Nymphe ... trauernder Flußgott«. Portrait eines Gelehrten, 1995 **19** C. GINZBURG, Kunst und soziales Gedächtnis. Die Warburg-Trad., in: Ders., Spurensicherungen. Über verborgene Gesch., Kunst und soziales Gedächtnis, 1993, 61–96 **20** E. H. GOMBRICH, Aby Warburg. Eine intellektuelle Biographie, 1984 **21** J. HABERMAS, Die befreiende Kraft der symbolischen Formgebung. Ernst Cassirers human. Erbe und die Bibl. Warburg, in: Vorträge aus dem Warburg-Haus I, 1997, 1–30 **22** W. HOFMANN, G. SYAMKEN, M. WARNKE, Die Menschenrechte des Auges. Über Aby Warburg, 1980 **23** M. JESINGHAUSEN-LAUSTER, Die Suche nach der symbolischen Form. Der Kreis um die KBW, 1985 **24** N. MANN, The WI: Past, Present and Future, in: [16. 133–143] **25** Ders., Kulturwiss. in London: engl. Fortleben einer europ. Trad., in: [18. 210–227] **26** PH.-A. MICHAUD, Aby Warburg et l'Image en Mouvement, 1998 **27** K. MICHELS, Vergessen und Erinnern. Zum »Nachleben« Aby Warburgs in Hamburg, in: [18. 228–240] **28** Ders., Transplantierte Kunstwiss.: deutschsprachige Kunstgesch. im amerikanischen Exil, 1999 **29** CH. SCHOELL-GLASS, Aby Warburg und der Antisemitismus. Kulturwiss. als Geistespolitik, 1998 **30** S. SETTIS, Warburg continuatus Description d'une bibliothèque, in: M. BARATIN, CH. JACOB (Hrsg.), Le Pouvoir des Bibliothèques. La mémoire des livres en Occident, 1996, 122–169 **31** Ders., Pathos und Ethos, Morphologie und Funktion, in: Vorträge aus dem Warburg-Haus I, 1997, 31–73 **32** T. v. STOCKHAUSEN, Die KBW. Architektur, Einrichtung und Organisation, 1992 **33** J. TRAPP, The Census: its Past, its Present and its Future, in: Pegasus. Berliner Beitr. zum Nachleben der Ant. 1, 1999, 11–21 **34** M. WARNKE, Vier Stichworte: Ikonologie – Pathosformel – Polarität und Ausgleich – Schlagbilder und Bilderfahrzeuge, in: [22. 53–83] **35** Ders., Polit. Ikonographie: in: Bildindex zur Polit. Ikonographie, hrsg. v. der FORSCHUNGSSTELLE POLIT. IKONOGRAPHIE UNIV. HAMBURG, 1993, 5–12 **36** U. WENDLAND, Biographisches Hdb. deutschsprachiger Kunsthistoriker im Exil: Leben und Werk der unter dem Nationalsozialismus verfolgten und vertriebenen Wissenschaftler, 1999 **37** E. WIND, Einl., in: Kulturwiss. Bibliogr. zum Nachleben der Ant., hrsg. v. der BIBL. WARBURG, Erster Band: Die Erscheinungen des J. 1931, 1934, I–XVII **38** Ders., Warburgs Begriff der Kulturwiss. und seine Bed. für die Ästhetik, in: E. KAEMMERLING (Hrsg.), Ikonographie und Ikonologie, 1984, 165–184 **39** D. WUTTKE, Aby M. Warburgs Kulturwiss., in: HZ 256, 1993, 1–30.   HORST BREDEKAMP

Weißrußland A. EINLEITUNG B. LITERATUR UND ÜBERSETZUNG C. SPRACHE D. THEATER E. RECHT F. ALTERTUMSWISSENSCHAFTEN (PHILOSOPHIE UND GESCHICHTE)

A. EINLEITUNG

Die weißruss. Kultur bildete sich unter dem sichtbaren Einfluß der Ant. durch die Wechselwirkung zweier Kulturtrad. – der byz. (→ Byzanz) und der westeurop. – heraus. Mit der Annahme des Christentums nach griech. Version schlossen sich die weißruss. Länder an einen weltweiten histor. Prozeß an. Der Einfluß der Ant. verstärkte sich nach der Entstehung des Großlitau-

ischen Fürstentums. Die Orientierung an ant. und westeurop. Kulturtrad. wurde zum unabdingbaren Teil der weißruss. Kultur ab E. des 15. Jahrhunderts. Es entstand eine sozial-polit. Lehre (Jan Zamojski, *De senatu Romano*, 1563; Andrej Volan, *De princpe et poprius eius virtutibus*, 1608; Kazimir Lyschtschinski, *De non existentia Dei*, 1686). Die Rolle der übersetzten weltlichen Lit. wuchs. Ins Altweißruss. wurden im 15. und 16. Jh. übertragen: *Alexandria, Geschichte über Attila, Geschichte über die Zerstörung Trojas, Die Legende von den drei Königswahrsagern* von Johann aus Hildesheim. Es entstand ein Interesse an Ritterromanen und Kriegserzählungen. Vom Altweißruss. ins Lat. wurde die Chronik *Origo regis* aus dem 16. Jh. übertragen. In katholischen, uniatischen und Jesuitenschulen und -kollegien wurde neben den »Sieben Freien Künsten« (→ Artes liberales) auch die griech. und lat. Sprache studiert, wobei letztere auch als Alltagssprache diente. In den orthodoxen Schulen wurde neben Kirchenslawisch und Griech. auch Lat. studiert. Dank dieses Umstandes war es weißruss. jungen Männern möglich, an lateinsprachigen Univ. Westeuropas zu studieren. Besonders vorteilhaft für die Ausbildung in lat. Sprache waren die Entwicklung des Buchdrucks und die Errichtung von Bibliotheken.

B. LITERATUR UND ÜBERSETZUNG

Der Einfluß der ant. Poesie und Poetik spiegelt sich in der lateinsprachigen Lit. W. und im *Bellum Prutenum* (1515) von Jan Vislizki (1480–1520) sowie im lyr.-epischen Poem von N. Gusovski (um 1480– nach 1533) *Carmen de statura feritate ac venatione bisontis* (1523) wider. Ein wahrer Kenner der klass. Kultur war der erste weißruss. Buchdrucker und Aufklärer F. Skaryna (1490– nicht später als 1551). In der altweißruss. Übers. der Bibel bezieht er sich auf das Erbe der Antike. Besonders verdient um die Verbreitung der lat. Ausbildung machte sich Simeon Polozki (1629–1680), in dessen Werk sich viele Beispiele aus der ant. Geschichte, Lit. und Myth. finden. Antike Sujets, die in zwei anon. Poemen des 19. Jh. benutzt wurden, stellten den Beginn der neuzeitlichen weißruss. Lit. dar (*Eneida navyvorod, Taras na Parnase*). Die Trad. der Verwendung ant. Muster und Sujets setzten weißruss. Schriftsteller und Poeten fort, z. B. M. Bagdanovitsch (1891–1917), Janka Kupala (1882–1942), I. Schamjakin (1921), V. Karatkevitsch (1930–1984) und andere. Die künstlerische Übers. aus klass. Sprachen ins Weißruss. begann mit M. Bagdanovitsch, der Vergil und Ovid übersetzte. Ebenso beschäftigte sich Julian Drejzin (1879–1942) mit der Übers. ant. Schriftsteller: der *Antigone* des Sophokles (Minsk, 1926) und des 6. Gesangs der *Ilias*. Von B. Taraschkevitsch sind Übers. Homers fragmentarisch erhalten geblieben. 1993 erschien von L. Barschtschevski eine Übers. des Aischylos zugeschriebenen *Gefesselten Prometheus*. Neulateinische Lit. (N. Gusovski, *Lied über Wisente*) wurde von J. Semeshon (Minsk 1980) und Vl. Schaton (Minsk 1994) übersetzt. Den *Preußischen Krieg* Jan Vislizkis übersetzte 1997 Shanna Nekraschevitsch.

C. Sprache

Zur Zeit der → Renaissance und auch früher vollzogen sich in der altweißruss. Sprache Prozesse, durch die sich in der Alltags- und Literatursprache eine »Makkaronisierung« bemerkbar machte. Es entstanden juristische, medizinische, diplomatische und amtssprachliche Fachbegriffe. Das Wirken der lat. Sprache im weißruss. Umfeld führte schrittweise zur Zerstörung des internationalen Standards dieser Sprache und zur Entwicklung ihrer weißruss. Spielart. Der Einfluß des Lat. und Griech. offenbart sich auch in Fremd- und Lehnwörtern.

D. Theater

Die ant. Kultur im W. des 18. Jh. wurde durch das Theater popularisiert und propagiert. Im Repertoire waren neben Werken ant. Autoren Stücke, die auf ant. Sujets basieren. Diese wurden teils in altweißruss., teils in lat. aufgeführt. Die Stücke wurden in Lehranstalten gespielt. Hierfür waren die Religionsschule Schtschutschin berühmt sowie das Jesuitenkollegium in Novogrudok, wo die Trag. *Artaxerxes* und die Kom. *Jupiter* aufgeführt wurden. In mod. weißruss. Theatern laufen mit Erfolg Stücke ant. Autoren wie z. B. die *Lysistrata* des Aristophanes, aber auch Werke mod. Autoren, die auf ant. Sujets basieren, wie z. B. *Spartakus* von A. J. Chatschaturjan, *Penelope* von A. Shurbin, *Der Fuchs und die Weintrauben* von G. Figejred und andere.

E. Recht

Die Gesetzgebung des Großlitauischen Fürstentums entstand unter dem Einfluß des → Römischen Rechts. Das bezeugt ein Statut aus dem J. 1588. Einer der Teile (Familien- und Ehebeziehungen) basiert auf dessen Prinzipien. Dieses Statut wurde 1619 ins Lat. übertragen. Die Trad. war nicht neu. So wurde ein Statut von 1529 im J. 1530 ins Lat. übersetzt, eines aus dem J. 1566 noch im selben Jahr.

F. Altertumswissenschaften (Philosophie und Geschichte)

Ein bemerkenswerter Erforscher der altgriech. Philos. war der aus W. stammende O. A. Makovelski (1884–1969). Seine Hauptwerke sind *Die Moral Epiktets* (Kazan 1912) und *Vorsokratiker* (Kazan 1914–1919). Originelle Arbeiten über altgriech. Philos. verfaßte B. B. Viz-Morgules (*Demokrit*, Moskau 1979; *Diogor Melosskij*, Grodno 1996). Das Interesse am Studium der Alten Geschichte ist in Werken von Autoren des 18. und 19. Jh. bemerkbar (M. S. Kutorga, 1809–1886: *Geschichte der Republik Athen*, St. Petersburg 1848; *Die Persischen Kriege*, St. Petersburg 1858; *Die Athener Politik*, 1896; D. N. Azarevitsch, 1848–1912: *Patrizier und Plebejer in Rom*, 2 Bände, St. Petersburg 1875). Die Gelehrten des 20. Jh. setzten die Beschäftigung mit der Alten Geschichte fort. Als Gründer althistor. Schulen in W. können folgende Professoren genannt werden: F. M. Netschaj (1905–1990; Monographien: *Rom und Italiker*, Minsk 1963; *Die Gründung des Röm. Staates*, Minsk 1972) und G. M. Livschitz (1909–1986; Monographien: *Der Klassenkampf in Judäa und der Aufstand gegen Rom*, *Herkunft des Christentums in Ber. des Toten Meeres*, Minsk 1976). Die Trad. der weißruss. Schule Alter Geschichte setzen fort: M. S. Korzun (*Soziopolit. Kampf in Athen zw. 444–425 v.u.Z.*, Minsk 1975); K. A. Revjako (*Die Punischen Kriege*, Minsk 1988). Im J. 1995 wurde an der Weißruss. Staatlichen Univ. in Minsk der Lehrstuhl für Klass. Philol. (Leitung G. Schevtschenko) eingerichtet.

1 G. I. Baryšev, Teatralnaja kultura Belorussii XVIII veka, Minsk 1992 **2** V. J. Doroškevič, Novolatinskaja poesija Belorussii i Litvy, Minsk 1979 **3** G. Ševčenko, Latyń belorusskogo srednevekov'ja, in: Echo Latina 1–2, Brno 1997, 25–30 **4** Statut Vialikaga kniastva Litovskaga 1588. Texty. Davednik. Kamentaryi, Minsk 1989 **5** S. Tomkowicz, Materiały do historyi stosunków kulturalnych w XVI w. na dworze królewskim polskim, Kraków 1915 **6** Iz istorii knigi v Belorussii. Sbornik stat'ej, Minsk 1976.   Galina Ivanovna Schevtschenko

Weltwunder A. Heidnische Antike B. Mittelalter und früher Humanismus C. Renaissance und Barock D. 18. und 19. Jahrhundert E. 20. Jahrhundert

A. Heidnische Antike

Zu einem nicht genauer bestimmbaren Zeitpunkt vor dem 2. Jh. v. Chr. wurde an einem der geistigen Zentren der hell. Welt eine Liste von sieben Bauwerken zusammengestellt, die sich durch monumentale Größe und Aufwand der Errichtung auszeichneten. Die anzunehmende Urliste der Sieben Weltwunder (S. W.) war in ihrer Zusammensetzung nicht verbindlich, sondern variierte im Laufe der Geistesgeschichte immer wieder.

Diese variable Liste von W., bestehend aus einem altägypt. Monumentkomplex (Pyramiden), aus einem oder zwei altbabylonischen Monumenten (Stadtmauern und »Hängende Gärten«), aus einem bedeutenden Tempel (Artemis-Tempel in → Ephesos), aus zwei Götterbildern (Goldelfenbein-Kultbild des Zeus von Olympia und monumentale Bronzestatue des Gottes Helios in Rhodos, »Koloß von Rhodos«), aus einem herrschaftlichen Grabmonument (Grabmal des karischen Königs Mausolos in → Halikarnaß; → Mausoleum) und schließlich aus einem Profanbau (Leuchtturm von Alexandria), läßt eine urspr. Zusammenstellung zu pädagogischen Zwecken vermuten. Sie findet sich, mit Ausnahme des Leuchtturms von Alexandria, bereits in der ältesten vollständig erhaltenen Fassung, dem Epigramm des Antipatros von Sidon (Anth. Pal. 9,58).

Die S. W. sind kein Thema der ant. Bildkunst. Für eine Bildfolge sind sie zu heterogen, aber auch einzelne Beispiele werden nur selten dargestellt: Artemis-Tempel, Zeusstatue und Leuchtturm erscheinen auf kaiserzeitlichen Münzen. Besonders schwer zu beurteilen sind die Überlieferungen zu den »Hängenden Gärten« und dem Koloß von Rhodos in Hinblick auf Standort und Aussehen, wohl weil beide am E. des 3. Jh. v. Chr. bereits in Trümmern lagen.

B. Mittelalter und früher Humanismus

Mit den ant. Texten und Textkomm. wurden Listen und Informationen zu einzelnen W. in Spätant. und MA trad. und kommentiert. Der Begriff und die Kenntnis einzelner Denkmäler der Liste gehörten zum Gelehrtenwissen. Monumente der eigenen Zeit wurden aufgenommen und die Siebenzahl teilweise überschritten. Nennungen z. B. des Colosseums in Rom [6. 87], des Salomonischen Tempels in Jerusalem [6. 111] sowie der Hagia Sophia in Konstantinopel [6. 143] verraten den jeweiligen Blickwinkel der Autoren. Allerdings geht die Trad. griech. und lat. Texte mit dem Zerfall des röm. Imperiums getrennte Wege, da die Gelehrten des einen Kulturkreises nur selten die Sprache des anderen beherrschten. Zusätzlich schlichen sich inhaltliche Verständnisschwächen und Verwechslungen ein: So kann man z. B. die Bed. der »vier gläsernen Krebse« [6. 115], auf denen der Leuchtturm gestanden haben soll, h. nur erahnen oder stiftet die Vermischung von Nachrichten zum Koloß von Rhodos und der kolossalen Statue des Nero in Rom immer noch Verwirrung.

Zur Zeit der »Maked. Ren.« (9.–11. Jh.) existierten auf byz. Herrschaftsgebiet nur noch das Mausoleum, in dem seit dem 7. Jh. arab. Ägypten die Pyramiden und der Leuchtturm. In Konstantinopel führte eine Rückbesinnung auf die eigene Vergangenheit zu Editionen ant. Texte, die illustriert sein können. Dem Text des Ps.-Nonnos (Cod. Taphon 14 fol. 312v. von 1066–1081) wurden die Darstellungen von Koloß und Mausoleum beigefügt [15. 132. Taf. 3]. Obwohl von letzterem noch ansehnliche Reste existierten, wurde es durch eine unspezifische Baldachinarchitektur charakterisiert. Der Koloß von Rhodos war im ma. Typus des nackten »Idols« auf der Säule dargestellt. Die griech. Historiker der Zeit wußten gut, daß seine Reste nach 653 n. Chr. von Arabern abtransportiert worden und damit für immer verschwunden waren. Arab. Quellen berichten über die Pyramiden [2] und den Leuchtturm. Letzterer wurde mehrfach restauriert und sogar vermessen [1; 10; 23]. Er war damit das am ausführlichsten dokumentierte unter den h. verlorenen W. (Endgültiger Einsturz 1303.)

Die Beschäftigung mit der Ant. im Konstantinopel der Palaiologenzeit (13. Jh. bis 1453) führte dazu, daß Mitte des 14. Jh. ein Autor wie Nikephoros Gregoras sich auf → Rhodos, das 1303–1523 vom Ritterorden der Johanniter beherrscht war, nach möglichen Spuren des ant. W. erkundigte. Gleichzeitig bemühten sich die westl. Humanisten verstärkt um griech. Texte. In Rhodos-Stadt war am E. des 14. Jh. ein Kontakt zw. westl. und östl. Gelehrten greifbar: Im Auftrag des aragonesischen Großmeisters J. Fernández de Heredia (in Rhodos 1379–1382) erschloß der Grieche Demetrios Kalodikes ant. und ma. griech. Texte für dessen Bibl. in Avignon. Nebenprodukt dieser Tätigkeit könnte gut die für 1395 von N. de Martoni zum ersten Mal belegte Legende vom spreizbeinigen Koloß über der Hafeneinfahrt sein [14. 585].

Wichtige Vermittler von Informationen über die S. W. waren christl. und islamische Pilger, die seit dem MA auf ihrem Weg ins Hl. Land bzw. nach Mekka an den ant. Stätten vorbeikammen. Vor allem Rhodos (für die Christen) und Alexandria gehörten regelmäßig zu den Stationen, aber auch Kairo mit den Pyramiden von Gizeh lag an der Route. Die Christen erwähnten den Leuchtturm zwar selten, sein ehemaliger Standort anstelle des 1480 errichteten Qait-Bey-Kastells war aber durchaus bekannt [3; 16. Abb. 21]. Für die Verbreitung der Legende vom spreizbeinigen Koloß im Westen sorgte aber die Geschichtsschreibung [7]: Mole und Kastell St. Nikolaus, charakterisiert als ehemaliger Standort des Koloß von Rhodos, spielten bei den türk. Belagerungen der Stadt Rhodos (1480 und 1522) eine wichtige Rolle. Ein anderes Johanniter-Kastell, St. Peter in Bodrum (→ Halikarnassos), stand in schicksalhafter Beziehung zum Mausoleum. Im Zusammenhang mit dem Ausbau der Befestigungen entdeckten die Johanniter 1494–1497 das Mausoleum, trugen seine Reste Anf. des 16. Jh. ab, verbauten sie im Kastell und entdeckten 1522 die Grabkammer, die ausgeraubt wurde [15]. Nach Abzug der Kreuzritter geriet sein Standort wie vorher schon die Lokalisierung von Olympia und der Standort des Artemis-Tempels in Vergessenheit.

C. Renaissance und Barock

In den großen Sammelwerken zeitgenössischen Wissens, der Schedelschen Weltchronik [21] und der Cosmographei des Sebastian Münster [18], werden einzelne Monumente als Etappen der Weltgeschichte bzw. als Zeugnisse für die Geschichte ihrer Standorte abgehandelt und auch illustriert. Die kleinformatigen Bilder sind zunächst schematisch, z. B. erscheinen der Koloß als »Bildsäule« [18. 688] und das Mausoleum als Sarkophag [18. 707]. In der Ausgabe der Cosmographei von 1588 reagierte die Bildredaktion dann beim Mausoleum und den »Hängenden Gärten« auf jüngere Bildvorstellungen.

Angeregt von der Beschäftigung mit den ant. Resten Roms zeichnete Maerten van Heemskerk 1570 eine Bildfolge der S. W., ergänzt um das Colosseum und begleitet von Versen des Adriaen de Jonghe [16; 6. 40–55, 146]. Bestimmte Aspekte der Überlieferung wurden dem Wissen und dem Stil der Zeit entsprechend dargestellt. So erschien mit den Monumenten von Pyramiden, Koloß, Mausoleum und Tempel eine Szene der jeweilgen Entstehungsgeschichte [16 Abb. 15, Abb. 29, Abb. 32, Abb. 36]. Die Vorstellung vom spreizbeinigen Koloß über der Hafeneinfahrt, die zum vorherrschenden Bildtypus wurde, illustrierte die 150 J. alte Legende inklusive eines Turmes am Molenzugang links als Anspielung auf die Top. des spätma. Rhodos. Obwohl in It. auch andere bildliche Vorstellungen von der Riesenstatue existierten (F. van Aelst um 1580 [16. Abb. 1] nach G. DuChoul 1556 [11] und A. Tempesta 1608 [16. Abb. 42] mit Szene vom Abtransport der Metallreste), zeigt sich die große Beliebtheit der Heemskerckschen Bildfolge nicht zuletzt darin, daß sie als Vorlage für an-

Abb. 1: Athanasius Kircher, *Turris Babel,
sive Archontologia* (Amsterdam 1679, Buch 2, Seite 89).
München, Bayerische Staatsbibliothek

dere Künstler diente, z. B. für M. de Vos 1614 [3] oder
A. Kircher [12] (Abb. 1) und J. B. Fischer von Erlach
1721. Auch die dekorative Kunst griff auf sie als Vorlage
zurück, z. B. für Brüsseler Bildteppiche [5], für reliefierte Intarsienbilder eines »Egerer Kästchens« (Abb. 2)
oder für Randillustrationen einer Karte [4].

In den Arbeiten der Philologen und Antiquare spiegelt sich seit dem 16. Jh. die Kenntnis der ständig vermehrten Anzahl ant. Textquellen in beiden Alten Sprachen wider, die in kritischen Ausgaben einem größeren
Kreis zugänglich gemacht wurden. So ging die Auseinandersetzung mit dem Text des Vitruv einher mit Überlegungen zu Rekonstruktionen speziell des Mausoleums [13. 36–40]. Die architektonischen W. wurden
Thema der Architekturtheorie (→ Architekturtheo-
rie/Vitruvianismus). Die Kenntnis des Textes *Perí tōn
heptá theamátōn* des Ps.-Philon von Byzanz, 1640 zum
ersten Mal herausgegeben, förderte die Betrachtung der
Liste als solche und ihrer Monumente im Zusammenhang (z. B. [9]). Auch die arab. Überlieferung zum
Leuchtturm rückt ins Blickfeld [9. 249].

D. 18. UND 19. JAHRHUNDERT

Die bildlichen Darstellungen vollzogen bis ins 18. Jh.
eine auch sonst in der Auseinandersetzung mit den S. W.
spürbare Entwicklung. Der Kontext, in dem die einzelnen W. illustriert wurden, wurde unwichtig, sie selbst
rückten in den Mittelpunkt, die Vorstellungen von ihnen wurden konkreter, schließlich zu Rekonstruktio-

nen. Letzteres gilt für den *Entwurff einer Historischen Architectur*, das 1721 erschienene Stichwerk des J. B. Fischer
von Erlach [13]. Die S. W. stehen nach dem salomonischen Tempel am Anf. einer Zusammenschau von histor. Monumenten (Buch 1–2), deren Standorte in einer
Karte eingetragen sind. Der Autor fügte einen zweisprachigen Text hinzu, in dem er wichtigste Überlieferungen und Sekundärlit. nennt und kommentiert. Ausgehend von der Bildfolge des M. van Heemskerk gestaltete er nach der Art mod. Bauzeichnungen die
Monumente neu, veränderte sie nach den Vorgaben zusätzlicher Schriftquellen oder Münzbilder (Zeus/Paus.
5,11, Babylon/Herodot, Artemis-Tempel/Plinius). und
aktualisierte alle architektonischen Details im Stil der
Zeit. Seine kritischen Anm. zu Unstimmigkeit von Proportionen und statischen Erfordernissen des spreizbeinigen Kolosses werden im Bild allerdings nur in der
schluchtartig hoch und eng angelegten Hafeneinfahrt
greifbar (→ Denkmal, Abb. 1). Das Buch war im 19. Jh.
weit verbreitet, und seine Bildvorstellungen wurden
häufig rezipiert.

Spätestens im Zeitalter der → Aufklärung setzte bei
Philologen und Altertumswissenschaftlern die kritische
Sicht der älteren Darstellungen der S. W. ein. Die Legende vom spreizbeinigen Koloß wurde als solche entlarvt, und es wurde nach ihrem Ursprung gefragt (z. B.
[8. 360–367]). Diese Erkenntnis wurde aber in der Regel weder von der Allgemeinheit noch von der wachsenden Anzahl der Bildungsreisenden an Ort und Stelle
wahrgenommen. Dafür gelang 1766 die Identifizierung
von → Olympia mit der Entdeckung des Zeus-Tempels
durch den Gelehrten R. Chandler. 1791 veröffentlichte
R. Dalton seine Zeichnungen der im Kastell von
Bodrum vermauerten Reliefplatten, deren Zugehörigkeit zum Mausoleum 1749 Lord Charlemont erkannt
hatte.

In der klassizistischen Architektur wurde das Mausoleum zu einem gefragten Gebäudetypus, ausgestattet
mit den überlieferten architektonischen Elementen des
Weltwunders. Auftraggeber und Hersteller interessierten sich wieder für Kolossalplastik, erst im 19. Jh. mit
Bezug speziell zum Koloß von Rhodos. So bezeichnet
eine Inschr. die Statue der Bavaria vor der Ruhmeshalle
in München (1837–1850, gegossene Bronze) als ›Diesen
Koloß‹. Bei der Freiheitsstatue in New York (1875–
1884, Kupferplatten auf Eisengerüst) sind der erhobene
rechte Arm mit Fackel und der Strahlenkranz die Motive, die ganz augenfällig den gängigen Vorstellungen
vom Koloß entnommen sind (→ Denkmal, Abb. 1–3).

Der Versuch, sich den spreizbeinigen Hafenwächter
von Rhodos zu realisieren, steigert sich in der Lit. ins
Phantastische. B. E. A. Rottiers rekonstruiert Begehbar-
keit der Statue und Befeuerung der Schale in der rechten Hand [20]. Aus statischen Gründen liegen bei ihm
Hand und Feuerschale direkt über dem Kopf mit dem
Strahlenkranz. Rottiers' Koloß wird noch h. in Varianten auf Postkarten und als plastische Souvenirs den
Touristen der mod. Ferieninsel verkauft. Aus der ori-

Abb. 2: Kabinettschrank.
Eger, um 1760/1780. 131 × 103,5
× 58,5 cm. München, Bayerisches
Nationalmuseum, Inv. R 2558.
Die Weltwunder erscheinen im
Hintergrund hinter ihren Erbauern:
links Semiramis vor Babylon,
rechts Chares vor dem Koloß
von Rhodos

ginell durchdachten Illustration der Ren.-Zeichner auf
höchstem künstlerischen Niveau ist seit dem 19. Jh. ein
Gegenstand der Allgemeinbildung geworden, der in seiner Vereinfachung lächerliche Züge trägt.

E. 20. JAHRHUNDERT

Bereits im Laufe des 19. Jh. begannen Ausgrabungen
an den mit W. verbundenen arch. Stätten, und ihre
Funde wurden teilweise in europ. Mus. gebracht.
Gleichzeitig setzten die Bemühungen um Publikation
ein. Bei den Rekonstruktionen ließ man jetzt die ant.
Formensprache anklingen, oder szenische Bilder wurden um antiquarische Details der Ant. bereichert. Bestimmend wurden die Rekonstruktionen des Leuchtturms von Thiersch [10. Abb. 71; 23] und des Zeus von
F. Adler [10. Abb. 29]. Das Aussehen von letzteren ist
weitgehend geklärt. Die Bearbeitung der Funde der
Zeus-Werkstatt durch W. Schiering brachte zusätzliche
Erkenntnisse zu den verwendeten Materialien [22].
Eine neue Rekonstruktion des Leuchtturms wird sich
mit der Bearbeitung der Funde ergeben, die J.-Y. Empereur seit dem E. des 20. Jh. bei unterwasserarch. Unt.
vor dem Qait-Bey-Kastell macht (Ber. seit 1995 im
BCH). Neuere Vorschläge für das Mausoleum werden
von den jüngeren Grabungsergebnissen und der Aus-

wertung der Skulpturen geprägt [10. Abb. 60]. Das Bild
des Artemis-Tempels hat deutliche Konturen angenommen [10. Abb. 40]. Die Rekonstruktion der Terrassen-
gärten, die Robert Koldewey über von ihm ausgegrabenen Substruktionen in Babylon vorschlug, wurde am
E. des Jh. nicht mehr allg. akzeptiert [10. Abb. 25]. Für
sie wie für den Koloß bleiben bisher eindeutige Funde
aus.

Bereits im 19. Jh. wurden die S. W. zu einem Begriff
der Allgemeinbildung, was sich in populären Bildbän-
den widerspiegelt. Da die W. auch den → Tourismus
fördern, haben die Werbestrategen der einzelnen Standorte das Thema entdeckt: Pläne zur Wiedererrichtung
von Leuchtturm und Koloß (1999) entstanden. Im September 2002 schließlich war die Erforsch. des sonst unzugänglichen Inneren der Cheopspyramide mit einer
Roboterkamera eine Direktübertragung im Fernsehen
wert.

→ Alexandria; Babylon; Byzanz; Denkmal; Griechisch;
Olympia; Orient-Rezeption; Säule/Säulenmonument
→ AWI Makedonische Renaissance; Weltwunder

1 M. ASÍN PALACIOS, Una descripción nueva de Faro de
Alfandría, in: Al-Andalus 1, 1933, 241–300 2 I. BAKR, Die
Pyramiden bei den arab. Reisenden des MA, in: Ant. Welt

32, 2001, 4, 337–344 **3** P. Belon, Les Observations de plusieurs Singularitez et choses memorables, Paris 1555 **4** J. Blaeu, Theatrum orbis terrarum, Amsterdam 1635 fol. 5 **5** G. Brett, The Seven Wonders of the World in the Ren., in: Art Quarterly 12, 1949, 339–359 **6** K. Brodersen, Philon von Byzanz, Reiseführer zu den S. W., 1992 **7** G. Caoursin, Obsidonis Rhodie urbis descriptio, Ulm 1496, fol. 5r **8** Comte de Caylus, Réflexions sur les chapitres du XXXIVe Livre de Pline …, in: Histoire de l'Academie Royale des Inscriptions et belles Lettres avec Les Mémoires de Littérature …, Bd. 25, Paris 1759, 335–367 **9** U. Chevreau, Histoire du monde, Paris 1690, Bd. 4, B. 8 **10** P. A. Clayton, M. J. Price (Hrsg.), Die S. W., 1990 **11** G. DuChoul, Discours de la religion des anciens Romains, Lyon 1556 **12** A. Kircher, Turris Babel, sive Archontologia, Amsterdam 1679 **13** G. Kunoth, Die Histor. Architektur Fischers von Erlach, 1956 **14** E. Legrand, Relation du pèlerinage à Jerusalem de N. de Martoni notaire italien (1394–1395), in: Rev. de l'Orient latin, 3, 1895, 566–669 **15** A. Luttrell, The Later History of the Maussolleion and its Utilization in the Hospitaller Castle at Bodrum, in: K. Jeppesen (Hrsg.), The Maussolleion at Halikarnassus, 1986 **16** M. L. Madonna, Septem Miracula come Templi della Virtù: Pirro Ligorio e l'interpretazione cinquecentesca delle Meraviglie del Mondo, in: Psicon 3, Nr. 7, 1976, 47–50 **17** B. de Montfaucon, Antiquitates Graecae et Romanae, Nürnberg 1757, B. 4 **18** S. Münster, Cosmographei oder beschreibung aller Länder, Basel 1550 **19** W. Oechslin, Das Geschichtsbild in der Architektur in Deutschland: Jerusalem-Idee und W.-Architektur, in: U. Schütte (Hrsg.), Architekt und Ingenieur. Baumeister in Krieg und Frieden, Ausstellungskat. Wolfenbüttel, 1984, 127–154 **20** B. E. A. Rottiers, Descriptions des Monuments de Rhodes, Brüssel 1830 **21** H. Schedel, B. der Croniken, Nürnberg 1493 **22** W. Schiering, Die Werkstatt des Pheidias in Olympia II: Werkstattfunde (= Olympische Forsch. 18), 1991 **23** H. Thiersch, Pharos. Ant., Islam und Occident, 1909.　　　　　URSULA VEDDER

Werbung I. Definition und Systematik
II. Geschichte

I. Definition und Systematik

Werbung bezeichnet ökonomisch ein Instrument der betrieblichen Absatzpolitik, kommunikationstheoretisch ein spezifisches Verfahren kommunikativer Zeichenverwendung. Sie hat die Durchsetzung des beworbenen Produkts auf dem Markt zum Ziel und ist damit von einem externen Pragma her begründet. Vor allem in jüngerer Zeit ist diese ausschließlich oder dominant heteronome Bestimmung der W. mit der Frage nach ihrem Kunstcharakter und den verstärkt von ihr in Anschlag gebrachten ästhetischen Verfahren (abhängig vom jeweils zugrundegelegten Kunstverständnis) relativiert worden.

Zu diesen Verfahren gehört die Verwertung ›unterschiedlichster‹, auch den Arsenalen der Ant. entnommener ›kultureller Elemente‹ [9. 88], die zur Kreditierung des jeweils beworbenen Produkts und zur Herausbildung eines unverwechselbaren Images herangezogen werden. Die Adaption kann offen ausgestellt sein, aber auch verdeckt erfolgen, weil die ›Erreichung des Kommunikationszieles‹, der absatzpolit. Erfolg solcher Verfahren, nicht an die ›kognitive Dechiffrierung eines Motivs‹ gebunden ist [11. 24]. Entscheidend ist nicht, ›ob alle Betrachter der Werbung‹ die jeweils adaptierten ant. ›Quellen als solche erkennen oder wiedererkennen‹, da sich W. ›nicht nur an Kenner und Fachleute, etwa ein philol. oder kunstwiss. gebildetes Publikum‹ richtet, sondern ›potentielle Käufer jedweder sozialen Provenienz und Gruppenzugehörigkeit‹ [13. 134–135] anspricht. Für den Erfolg der W. ist vielmehr ausschlaggebend, daß die ›kulturellen Elemente‹ [9. 88] als der Welt der Ant. entlehnt, mithin als »klass.«, identifiziert werden können. Ein Spezifikum der Verwertung ant. Elemente in der W. besteht demnach darin, das der gesamten Ant. enthistorisierend zugeschriebene und aus einem Stil- und Wertungsbegriff abgeleitete Epochenmerkmal »klass.« in das Qualitätsmerkmal »klass.« zu transformieren [4] und dem beworbenen Produkten, ›vorzugsweise (…) luxuriösen und expensiven Konsumgütern und Dienstleistungen‹ [11. 27], zuzuweisen [10. 41]. Wie das ant. Requisit, so gilt auch die beworbene Ware oder Dienstleistung als »klass.«, nun im Sinne von ›ersten Ranges, mustergültig (…), vollendet, zeitlos‹ [2. 2132]. Zum Einsatz kommen dabei bevorzugt myth. Personal, ant. Kunst- und Bauwerke und die sie flankierenden Ideologeme (z. B. Schönheits- oder Körpernormen). So bürgt z. B. der Diskobol des Myron (mit veränderter Haltung des Kopfes) für ein Automobil und ordnet diesem »klass.« ›Harmonie von Geist und Körper, Form und Leistung‹ zu; ›der Citroën‹ wird auf diese Weise zu einem ›Wagen von klass. Schönheit‹ (Abb. 1).

Gegenstand der Aneignung durch W. ist die Ant. indes nicht nur in einem solchen stofflich-materiellen Sinne, als diffus wahrgenommenes und histor. undifferenziert genutztes potentiell werbewirksamer Versatzstücke. Vielmehr nutzt W., um ihr Ziel zu erreichen und ihre Rezipienten zum Kauf einer Ware oder zur Inanspruchnahme einer Dienstleistung zu bewegen, ein in der Ant. entwickeltes, theoretisch fundiertes und systematisch ausdifferenziertes Konzept: das der → Rhetorik [12. 157, 165]. Vor allem die systematische Erschließung persuasiver Techniken durch die Rhet. ist für die Werbeproduktion von Interesse [3]. Allerdings werden ›Tropen und Figuren‹ ›meist unbewußt (…) eingesetzt‹ [3. 73]; ›Werbeteams sind keine Vereinigungen zur Pflege der ant. Rhet.‹ [3. 73], doch greifen sie in der Wahl der (im weitesten Sinne) sprachlichen Mittel unumgänglich auf von der rhet. Praxis seit der Ant. in Anspruch genommene und von der ant. Theoriebildung systematisierte Erfolgskonzepte zurück; ant. Erbe ist der Werbetätigkeit eingeschrieben, insofern sie rhet. ist. Da W. im engen Verbund mit Handel steht, sich aus der Erfahrung der Konkurrenz begründet, gehört sie wie der Handel ›zu den urtümlichsten Regungen des Menschengeschlechtes‹ [1. Bd. I. 11]. Sie unterliegt als anthropologische Erscheinung allerdings histor. Formung. Wie sehr sie aus dem ant. Text-,

Abb. 1: Werbeanzeige der Firma Citroën.
Der Spiegel 15, 1960, 58

Bild- und Ideologemarsenal schöpft, unterliegt histor. betrachtet starken konjunkturellen Schwankungen, für die zum einen die Kenntnis und der Stellenwert der Ant. (etwa als ästhetisches Paradigma im → Klassizismus um 1800), zum anderen die Popularität rezeptiver Verfahren (etwa in der Anspielungswut der Postmoderne) ausschlaggebend sind.
→ AWI Werbung

1 H. BUCHLI, 6000 J. W., Gesch. der Wirtschafts-W. und der Propaganda, 1962–1966 2 Duden. Das große WB der dt. Sprache, ³1999 3 U. FÖRSTER, Mod. W. und ant. Rhet., in: Sprache im techn. Zeitalter 81 (1982), 59–73 4 M. FUHRMANN, Klassik in der Ant., in: H.-J. SIMM (Hrsg.), Lit. Klassik, 1988, 101–119 5 H. KIMPEL, Von der Ware zum Kunstwerk. Das imaginäre Mus. der W., in: U. GEESE, H. KIMPEL (Hrsg.), Kunst im Rahmen der W., 1982, 43–57 6 R. KLOEPFER, H. LANDBECK, Ästhetik der W., Der Fernsehspot in Europa als Symptom neuer Macht, 1991 7 M. SCHIRNER, W. und Gesch., in: K. FÜSSMANN et al. (Hrsg.), Histor. Faszination. Geschichtskultur h., 1994, 267–281 8 C. SCHMIEDKE-RINDT, Eine verhängnisvolle Affäre, Körpersprachliche Strategien im Reich der Wünsche, in: H. A. HARTMANN, R. HAUBL (Hrsg.), Bilderflut und Sprachmagie, Fallstud. zur Kultur der W., 1992, 174–189 9 S. J. SCHMIDT, B. SPIESS, Die Geburt der schönen Bilder, Fernseh-W. aus der Sicht der Kreativen, 1994 10 U. SCHNEIDER-ABEL, Von der Klassik zum »Klass. Herrenhemd«, Ant. in der W., in: Journal für Gesch. 1 (1979), Heft 3, 41–46 11 M. SEIDENSTICKER, W. mit Gesch., Ästhetik und Rhet. des Histor., 1995 12 G. UEDING, B. STEINBRINK, Grundriß der Rhet., Gesch., Technik, Methode, ²1986 13 J. ZÄNKER, Amor & Psyche, W., Mythos und Kunst, in: H. A. HARTMANN, R. HAUBL (Hrsg.), Bilderflut und Sprachmagie, Fallstudien zur Kultur der W., 1992, 122–139.   VOLKER MERGENTHALER

II. GESCHICHTE
A. EINLEITUNG   B. ENDE 19. JAHRHUNDERT BIS ERSTE HÄLFTE 20. JAHRHUNDERT   C. AKTUELLE WERBUNG   D. ZUSAMMENFASSUNG

A. EINLEITUNG
Werbung ist durch Plakate, Zeitungen, Zeitschriften, Radio, Filmspots im Fernsehen, Kino, Internet, Leuchtreklamen, Schaufenster, Verpackungsmaterial von Konsumgütern, Aktions- und Eventmarketing, Reklamefahrzeuge und Reklamemannequins etc. allgegenwärtig. Für den dt. Sprachbereich gilt trotz der zunehmenden Bed. der elektronischen Medien die Plakat- und Zeitschriften-W. aufgrund der großen Rezipientenzahl als Gradmesser der Werbewirtschaft.

Werbung ist ein Informationsmedium mit der Hauptaufgabe der attraktiven Darstellung und des Verkaufs von Produkten. Sie muß auffallen und bei den Konsumenten Bedürfnisse wecken, deren Befriedigung gleichzeitig durch das Produktangebot versprochen wird. Erfolgreiche W. leistet psychologische Überzeugungsarbeit und beeinflußt Verhalten [49]. In Hinblick auf den inhaltlichen Pluralismus (Produkt-W., Dienstleistungs-W., Firmen-W., Finanz-W., nichtkommerzielle W. etc.) und die unerschöpflichen Möglichkeiten der Werbewelt kommt W. mit Ant. relativ selten vor. Die direkte oder indirekte Verwendung arch. Objekte und anderer Antikezitate zeigt allerdings, daß Ant. außerhalb des wiss. Diskurses der Gesellschaft einen aktuellen und universellen Bezugshorizont bietet.

Werbung hat es auch in der Ant. gegeben. Unternehmer kündigten ihre Waren und Dienstleistungen auf Ladenschildern an [38; 46]. Kaiserzeitliche Terra-Sigillata Trinkbecher waren an gut sichtbarer Stelle des Gefäßes mit der Herstellersignatur versehen [52] und derart als »Markenware« ausgewiesen.

B. ENDE 19. JAHRHUNDERT BIS ERSTE HÄLFTE 20. JAHRHUNDERT
Durch das Zusammenspiel gesellschaftlicher Veränderungen (Auflösung der Zünfte, Einführung der Gewerbefreiheit, Trennung von Produzent und Konsument, Entstehen der Großstadtkultur) und technischer Errungenschaften (Einsatz von Maschinen, Massenproduktion von Konsumgütern, Industrialisierung) entstand im 19. Jh. das Medium W. [37; 40]. Während die W. in der 1. H. des 19. Jh. auf Textanzeigen in Büchern beschränkt war, traten bebilderte W. und Plakate im deutschsprachigen Raum in der 2. H. des 19. Jh. in den Vordergrund. Die druck- und reproduktionstechnischen Grundlagen für die Herstellung von farbigen Plakaten in größerer Stückzahl und zu vertretbarem Preis

Abb. 1: R. Nachbauer, Stuttgart, Verein für Fremdenverkehr, vor 1893. Chromolithographie, 86 × 62 cm. In der frühen Plakatwerbung der 2. Hälfte des 19. Jahrhunderts werden Allegorien antiker Götter in zeitgenössischer Bildersprache wiedergegeben

waren durch Alois Senefelders 1818 veröffentlichtes *Vollständiges Lehrbuch der Steindruckerei* und durch G. Engelmanns Patentanmeldung über Chromolithographie im J. 1837 gegeben. In Berlin führte 1855 Ernst Litfaß die nach ihm benannte Säule als W.-träger ein und sicherte sich gleichzeitig die alleinige Konzession für den städtischen Plakatanschlag [54].

Für das neue Metier arbeiteten neben gewerblichen Zeichnern und Lithographen auch bildende Künstler. Sowohl die frühe für künstlerische Belange entworfene W. als auch die frühe Wirtschafts-W. waren geprägt von einer harmonisch-ästhetischen Grundhaltung. Als künstlerisches Ausdrucksmittel waren Allegorien und Idealgestalten sehr beliebt, die der Bildungsbürger dank seines Wissens entschlüsselte. Viele Firmen warben z. B. mit einer in der Art von röm. Stadtpersonifikationen als Frauen mit Mauerkrone dargestellten Personifikation ihrer Heimatstadt: 1883 warb »Wien« für ein Theaterstück, ab 1885 setzte die Kölner Firma 4711 eine »Colonia« ein, und 1893 erschien eine »Stuttgart« als Hauptfigur auf einem Plakat des städtischen Fremdenver-

kehrsvereins [5; 9; 40] (Abb. 1). Aktuelle Inhalte wurden in ant. Myth. gekleidet. Bei einer Übernahme der charakteristischen Kennzeichen der ant. Götter entsprach die Bildsprache aber vollkommen der zeitgenössischen Ausdrucksform. Die Götter wurden in ruhender majestätischer Haltung dargestellt. Beliebt war Athena [6. 144–145, Kat. Nr. 213, Farbtaf. 20; 40]. Auf einem Plakat von Ludwig von Hofmann von 1893 füttert Ganymed, Inbegriff der Schönheit, den Adler des Zeus [3. Abb. 202; 5. 140–141, Kat. Nr. 209, Farbtaf. 17], ein Gleichnis auf das Verhältnis von Kunst und Staat. In einer Odol-Mundwasser-W. von 1906 [13] wird der Blick des Betrachters in eine fiktive Amphitheaterruine gelenkt, in deren Arena aus großen Quadersteinen der Firmenname unvergänglich gesetzt ist. Für eine Schönheitsprodukte-W. aus dem J. 1919 [11] wurde unter Anleihnahme an der Formensprache att. Vasenbilder eine eigenständige häusliche Szene erfunden. Die nicht abgebildeten Schönheitsprodukte werden durch sehr viel erklärenden Text beschrieben. Das Vasenbild-Schema dient dazu, eine ideale Welt zu schaffen. Bei einer W. für »Triumph«-Bier von ca. 1910 [4] wird ein triumphierender Kaiser auf einer Quadriga gezeichnet, ein Entwurf, der wohl am ehesten an Reliefbilder kaiserzeitlicher Bogenmonumente wie den Titusbogen in Rom, den Trajansbogen in Benevent oder den Septimius Severus Bogen in Leptis Magna anschließt. Werbung der Marke Audi von 1909/1912 zeigt den Firmengründer August Horch vor seinem Automobil mit einer ans Ohr gelegten Hand im Gestus des »Horchens/Hörens« für das lat. Wort *audi* [8. Abb. 92].

Ab 1905 setzte sich für neue Errungenschaften, z.B. Autos, das Sachplakat mit der Darstellung des Produktes durch. Das Sachplakat wurde oft durch Antikezitate bereichert, die die Aufgabe hatten, die ideale Konzeption des Produktes zu verdeutlichen. So wird in einer Automobil-W. von 1928 dem Diskobol des Myron auf Höhe des Oberschenkels ein Miniaturauto in aufstrebender Fahrt mit einem Fahrer und zwei Damen im Volant beigegeben [8. Abb. 109]. Durch Kopf- und Handhaltung unterstützt der Diskobol das nach Ausweis der Geschwindigkeitsstreifen vorbeirasende Auto. An der Stelle der Diskusscheibe befindet sich ein lorbeerumkränztes Fiat-Firmenschild. In einer Opel-W. von 1932 wird die Abbildung des Autos durch die Zeichnung des → Apoll von Belvedere ergänzt [3]. Originalfotos der berühmten Statuen wurden in der frühen W. nie als Vorlagen verwendet.

Das Sachlichkeitsbestreben des Bauhauses widmete Graphik und Schrift größte Aufmerksamkeit. Ein Werbeprospekt von Herbert Bayer (1900–1985) für Dessau läßt den alten Charakter der Stadt durch eine graphisch erfaßte Säule ausdrücken, den neuen Charakter durch ein glänzendes Maschinenteil [2]. Die Antikerezeption in der W. der 30er J. war durch graphische Abstraktion und graphische Verfremdung ant. Architektur, ant. Vorlagen und Formen geprägt [10; 14; 12; 51].

C. AKTUELLE WERBUNG

Das Marketing des 20. Jh. [49] arbeitet im wesentlichen mit drei Methoden: 1) mit dem Appell an Emotionen (Erfolg, Freiheit, Freundschaft, Liebe, Erotik, Geborgenheit, Glück, Interessse, Unabhängigkeit, Sicherheit, Angst etc.) und einem umfassenden Lifestyle- und Gesamtkunstwerk-Angebot; 2) mit gedanklichen Mechanismen (Überraschung, Neuartigkeit, gedankliche Konflikte und Widersprüche). Anspruchsvolle Vorgaben müssen vom Rezipienten erst decodiert werden und vermitteln ihm das Erlebnis »ich habe begriffen, was eigentlich nur mir gesagt werden soll« [57. 211]; 3) mit physischen bzw. optischen Reizen (Farbe, Buntheit, Größe, Kontrast). Nach den Erkenntnissen der sich mit »Imagery« [47] beschäftigenden Kommunikationswiss. sind Bilder umso leichter zu memorieren, je konkreter, charakteristischer, eigenständiger und größer sie sind. Personenabbildungen, persönliche Betroffenheit und Assoziationen auslösende Bilder sind ebenfalls wirksam. Positive Konzepte haben den größeren Erfolg. Bilder sind die schnellsten Transmitter. Die Betrachtungszeit in Zeitschriften liegt im allg. unter zwei Sekunden, was für eine Aufnahme und Verarbeitung bereits ausreicht. Generell gilt, daß Bilder, somit auch Antikedarstellungen, in der W. keinen Selbstzweck erfüllen, sondern durch Abänderungen und Zitate für einen Zweck inszeniert werden und durch sprachliche Mittel zusätzlich gelenkt werden.

In der W. der Wirtschaftsberatungsfirma Ptech [25] wird einem retuschierten Detail des verfallenden → Parthenon das Computermodell eines Wolkenkratzers mit integriertem farbigen, die wesentlichen Punkte der Unternehmensstrategie aufzeigenden Strukturdiagramm gegenübergesetzt und damit klass. Ant. als Gegenwelt zur eigenen Gegenwart aufgebaut. Das Alte ist entfernt und überholt, stellt aber trotzdem ein Fundament dar. Auf demselben Prinzip beruht die Gegenüberstellung einer Höhlenmalerei und eines Autos in einer Audi-W. [23] und eine Xerox-W. mit einem bemalten Tongefäß und Schriftrollen [17], die krass den Gegensatz zu den neuen von der Firma angebotenen Technologien aufwirft. Bereits Le Corbusier hatte in seinem Aufsatz *Des yeux qui ne voient pas: les automobiles* (1920) einen Tempel aus Paestum und den Parthenon Automodellen gegenübergestellt [50], mit der Absicht, die ästhetische Verwandtschaft von Maschinenwelt und klassisch-griech. Architektur aufzuzeigen (→ Paestum, Abb. 6).

Eine Antikensammlung wird durch Einfügen von Ampeln als Ambiente vorgestellt, in dem Fahrer der Automarke Lexus [26] unterwegs sind. Ein *Business Technology*-Seminar in Israel unter dem Titel »Mosaic« [15] argumentiert mit den Vorzügen einer traditionsreichen Stätte. Syrien, der Libanon und Israel sind bes. durch die kaiserzeitlichen Mosaikfunde weiten Kreisen ein Begriff und stehen emblematisch für die kulturelle Trad. in diesen Ländern. Um den Bogen zur Gegenwart zu spannen, wurde dem in der Art eines ant. Mosaiks gemalten Bild eine aus Mosaiksteinchen gelegte Computer-Mouse eingefügt. Auf einer W. der Fluglinie Condor [29] sind drei Läufer als schwarze Silhouetten auf einen gelben Grund gesetzt. Ungewöhnlicherweise kommunizieren sie in der Art von → Comics durch Sprechblasen. Die Figuren selbst sind von einem schwarzfigurigen Vasenbild einer attischen Preisamphore [36] kopiert worden. Sie rufen die Assoziation von Schnelligkeit und Kultur hervor. Daß in der W. Bildentwürfe für einen neuen Zweck rasch umgewidmet werden können, beweist ein Plakat der Stadt Frankfurt für einen Laufwettbewerb zugunsten der Aidshilfe aus dem J. 2000 (Abb. 2). Dieselben drei Läufer sind diesmal als blaue Silhouetten auf rotem Hintergrund abgebildet. Zudem ist aus Gleichberechtigungsgründen die mittlere männliche Figur durch Andeutung einer Brust und durch das Hinzufügen eines Haarzopfes zu einer Frau umgewandelt. Ein ungewöhnliches Beispiel für die Umschöpfung eines ant. Bildschemas bildet eine W. der British Airways [28]: Ein durch die engl. Aufschrift auf der Sänfte als »Chairman« ausgewiesener sitzender Mann ist einem ausgestreckt unter einem Bal-

Abb. 2: Lauf zugunsten der Aidshilfe, Frankfurt/Main, 2000. Plakat, 30 × 42 cm. Als Vorbild für die blauen Läufersilhouetten auf rotem Hintergrund dient eine panathenäische Preisamphore spätarchaischer Zeit. Die Gefäße wurden mit Öl gefüllt als Siegespreise an die Athleten übergeben (© Originalplakat des Veranstalters: Lauf-fuer-mehr-zeit.de 2000, Frankfurt/Main)

Abb. 3: Zeitschriftenwerbung für Wertkartenmobiltelefone, Österreich, 1998. Die auf einer griechischen Insel gefundene und heute im Louvre aufbewahrte Venus von Milo/Aphrodite von Melos, eine Statue mit hohem Bekanntheitsgrad, wird als Sinnbild für Griechenland eingesetzt. Als unmittelbare Bildvorlage diente eine Gipskopie der Statue. Die Statuenbasis wurde eingespart und der linke am Original fehlende Fuß ergänzt (© PSK Sportmagazin Sonderheft 9a, Oktober 1998, S. 9. Mit freundlicher Genehmigung durch die Agentur Saatchi & Saatchi)

dachin schlafenden »Wise Man« gegenübergestellt. In der Ant. sind Ruhehaltung und Sänfte zwar Zeichen von Bequemlichkeit, allerdings ist diese Ikonographie stets im sepulkralen Kontext angesiedelt [45].

Das internationale Kreditinstitut Morgan Stanley Dean Witter & Co. möchte mit der Graphik der Reiterstatue des Kaisers Marc Aurel vom Kapitol in Rom (→ Reiterstandbild) [31] die mit philos. Einsicht gepaarte Stärke und erstrangige Rolle des röm. Kaisers auf das Unternehmen übertragen wissen. Die Frankfurter Allgemeine Zeitung überrascht mit einer zweiseitigen Aufnahme der monumentalen Säulen des Apollotempels von → Delphi [19]. In diesem Fall wird die Bed. des Heiligtums als Orakel und Stätte der Weisheit auf die Zeitung übertragen. Die Architekturdesigner M. Thun und Th. Schriefers wählten nach eigenen Angaben für ihre W.-Collagen in den 90er J. bewußt klass. Architektur, z. B. die Athener Akropolis, um die Positionierung des Produkts als ›exklusives Spitzenprodukt‹ und die Assoziation von ›klass.-mustergültig, solide und qualitätvoll‹ zu erreichen [7]. Die 1820 entdeckte und h. im Louvre befindliche hell. Statue der → Venus von Mi-

lo/Aphrodite von Melos, die bereits Prosper Merimée (1803–1870) zu der Novelle *Die Venus von Ille* (1837) [41] inspirierte und 1934 von Salvador Dali durch den Einbau von Schubladen verdinglicht, verfremdet und ironisiert wurde [35], steht in der W. für »Griechenland, Urlaub, Unabhängigkeit« (Abb. 3), für »Trad. und Kultur« und für »erotische Frau« [27; 30; 34].

In einer seit den späten 1990er J. mehrmals lancierten Werbekampagne des Radio Ö1–Club des ORF [16] wird der Kopf des Apoxyomenos des Lysipp zum idealen Hörer (Abb. 4). Die typischen, bei der Gipsausformung entstehenden Gußnähte sind stark sichtbar. Die Verwendung von Gips- und Trivialkopien in der W. erklärt sich durch die leichte Zugänglichkeit. Viele größere Antikenmus. (München, Berlin, Basel, etc.) haben Werkstätten eingerichtet, die auf die exakte Kopierarbeit der Kunstwerke spezialisiert sind und diese nicht ausschließlich an Fachinstitutionen wie → Abgußsammlungen verkaufen. Gipsabgüsse ant. Werke werden auch in der Kunst des 20. Jh. verwendet [44; 56;

Abb. 4: Zeitschriftenwerbung für einen österreichischen Kulturradiosender, 1997. Der Kopf der spätklassischen Statue des Apoxyomenos des Lysipp wird zur Verkörperung des idealen Kulturradiohörers.
Das Österreich1 Magazin 18, Juni 1997 (Titelblatt)

42. 238–239]. Werbung und Kunst tendieren zur Verwendung klass. und klassizistischer Vorlagen erprobter und ästhetisch ansprechender Objekte, in erster Linie Statuen. Die Kunst ist Experimenten wie Vervielfachung, Aufstellung in Reihen, Inserierung in einen räumlichen Bezug, der Hinzufügung von Fremdmaterialien, Färbung, Verhüllung, Negierung, Dissoziation viel eher aufgeschlossen. Während in der Kunst des 20. Jh. die Auflösung jeglichen Originalgehalts und jeglicher histor. Bed. angestrebt wird, funktioniert Ant. in der W. genau umgekehrt: als klass. Ideal, als Verkörperung von zeitlosen Werten.

Ein wesentlicher Bestandteil der W. waren und sind Markennamen. Sie geben eine Schlüsselinformation und sind Qualitätsindikator. Seit den Anf. der Werbewirtschaft werden außergewöhnliche Namen bevorzugt und Markennamen gerne aus griech.-lat. Material gebildet [48]: 1. Namen von ant. Göttern und Personen: Artemis (Verlag), und Diogenes (Verlag), Clio (Automodell) Penaten (Creme), Nike (Sportbekleidung), Merkur (Versicherung, Supermarkt). 2. Redende Namen: Audi (»Horch!«, 1. H. 20. Jh.), Volvo (»ich rolle«, 1927). 3. Wortbildungen aus sinntragenden lat. und griech. Wörtern bzw. Elementen, auch Phantasiebildungen: Kephalol heißt ein Haarerhaltungsmittel in H.

Balzacs Roman *Histoire de la grandeur et de la décadence de César Birotteau* (1838), Alete, Kaloderma (bereits 1857), Nivea (Schönheitsideal »schneeweiß«), Xerox (aus Xerographie, ξέρος/*xéros*, trocken, und γράφειν/*gráphein*, schreiben, -ox als Endsilbe exotisch und symmetrisch). 4. Allg. Prestigewörter aus den Bedeutungsfeldern von Überlegenheit, Wert und Klassik. Ihre Abstraktheit macht sie z. T. für sehr verschiedene Produkte einsetzbar: »Triumph« (Bier, Wäsche), »Olympia« (Schreibmaschinen), »Omega« (Uhren).

Auf sprachlicher Ebene sind kurze, prägnante und im Alltag leicht merkfähige Slogans zielführend. Diesem Grundsatz gemäß sind auch griech. und lat. Zitate auf → Geflügelte Worte beschränkt. Das Horaz-Wort *Carpe diem* (Horaz, Oden 1,11) machen sich eine Fluglinie [18] und die ökologisch-natürliche Wellpappe-Verpackung einer Schal- und Tuchkollektion [1] zunutze. Mit dem Ausspruch »ich kam, sah, siegte«, den u. a. die Kreditkartenfirma Visa (»veni vidi visa«) [21. 22] einsetzt, soll nach der Überlieferung des Plutarch (Caes. 50,3) Caesar seinen fulminant raschen Sieg in der Schlacht von Zela kommentiert haben. Die Eigenanzeige der Zeitschrift *Gewinn* für die Gewinner eines Wettbewerbs wählt als Überschrift ›Die Würfel sind gefallen‹ [20]. Die Wendung, die auch unter *alea iacta est* bekannt ist, soll laut Plutarch wiederum Caesar gesagt haben, indem er das griech. Sprichwort κύβος ἀνερρίφθω/*kýbos anerríphthō* (»der Würfel sei hochgeworfen«) zitierte und auf ein Wagnis ungewissen Ausgangs anspielte. *Alea iacta est* erscheint auch als Motto der strategischen Vorgangsweise der dt. Softwarefirma Veritas [29]. Die Raiffeisenbank, die für ihre Kunden immer eine Lösung der Probleme parat hat, wirbt mit dem »gordischen Knoten«, einem hier einfach in sich stark verknoteten Seil vor neutral grünem Hintergrund [33].

D. ZUSAMMENFASSUNG

Für die Umgangsweise mit Ant. ist folgendes festzustellen: 1. Sowohl die W. des 19. als auch die des 20. Jh. verwendet v. a. sehr bekannte Denkmäler mit einer bereits langen Rezeptionsgeschichte. 2. Bevorzugt werden vollständige Skulpturen mit ästhetischem Eigenwert. 3. Produktnamen werden aus griech. oder röm. Bestandteilen gebildet. 4. Die Verwendung der griech. und lat. Sprache sowie althistor. bzw. altertumskundlicher Themen beschränkt sich auf Zitate mit Sprichwortcharakter. 5. Zum Großteil werden gesellschaftlich hochbewertete, teurere Produkte/Dienstleistungen beworben, wie Autos, Flugreisen/-linien, Banken, Software und Computer, seltener Produkte des täglichen Bedarfs. 6. Im 19. Jh. vertreten Allegorien das beworbene Produkt. 7. Antike Objekte werden für ihr Alter, ihre Würde, ihren Ruinencharakter und ihren Kunstwert geschätzt. Ihnen wird die Aura des Entfernten und Entrückten zugeordnet, wodurch sie entweder als Fundament für die mod. Zeit oder als Gegenwelt zur Gegenwart fungieren können. In der W. wird ein Klassizismus gepflegt, der in der Ant. ethisch-ästhetische Maßstäbe, Ideal, Größe, Weisheit, Kultur, Qualität und hohes Sozialprestige verwirklicht sieht. 8. Den Skulpturen werden inhaltliche Werte beigemessen: Die Venus von Milo steht für Schönheit und Eros einer Frau, der Belvedere für das Idealbild eines Mannes, der Diskobol des Myron für konzentrierte Kraft. In allen Fällen wird eine Prototypwirkung und ideelle Supremität supponiert. 9. Aus irrealen Gründen werden durch die Ant. Produkte hochstilisiert und absichtlich mystifiziert. Durch eine lexikonartige Abh. zu »Rara avis« [24] und die Berufung auf einen lat. Fachterminus wird das Gefühl von »Einzigartigkeit« vermittelt. 10. Die ant. Werke werden durch Weglassungen oder Ergänzungen retuschiert, als Details abgebildet, als Zeichnungen oder Graphiken wiedergegeben und mit mod. Elementen kombiniert.

QU   1 W. K. ALBRECHT-SCHOECK, Verpackung, Design, Umwelt, 1993, 85–88   2 U. BRÜNING (Hrsg.), Das A und O des Bauhauses, 1995, 218–219   3 DT. HISTOR. MUS. (Hrsg.), Kunst Kommerz Visionen, 1992, 192   4 G. DIETRICH (Hrsg.), Litfass Bier, 1998, Abb. 176   5 E. KOLL, Art. zu Kat.-Nr. 49, in: B. DENSCHER (Hrsg.), Tagebuch der Straße. Wiener Plakate, Ausstellungskat. Wien 1981   6 C. KORTE, Das wechselvolle Bild der Ant. in der Berliner Malerei und Graphik von Adolph Menzel bis zur Gegenwart, in: W. ARENHÖVEL (Hrsg.), Berlin und die Ant., Ausstellungskat. I Berlin 1979, 132–150   7 E. KÜTHE, M. THUN, Marketing mit Bildern, 1995, 87, 147, 170   8 H. RIMMLER, Die Imagebildung des Automobils im Plakat 1900–1930, 1991, Abb. 92, 109   9 W. SCHÄFKE (Hrsg.), Oh! De Cologne. Die Gesch. des Kölnisch Wasser, 1985, 70–71   10 P. SPARKE, It. Design. Von 1870 bis h., 1988, 73   11 U. THOMS, Dünn und dick, schön und häßlich. Schönheitsideal und Körpersilhouette im der W. 1850–1950, in: P. BORSCHEID, C. WISCHERMANN (Hrsg.), Bilderwelt des Alltags, 1995, 245–247, Abb. 2   12 A. WEILL, Plakatkunst International, 1985, Abb. 408, 414   13 M. WEISSER, Dt. Reklame. 100 J. W. 1870–1970, 1985, 165, 173   14 H. WICHMANN, Design contra Art Déco (1927–1930), 1993, 158, 162

Werbebeispiele aus Zeitschrifen   15 CT Magazin für Computertechnik 18, 2000, 75   16 Das Österreich I Magazin 18, Juni 1997 (Titelblatt)   17 Der Spiegel 20, 1999, 321   18 Der Spiegel 36, 1999, 51   19 Der Spiegel 41, 2000, 44–45   20 Gewinn 2, 1995, 32   21 Gewinn 2, 1995, 167   22 Gewinn 10, 1998, 181   23 Gewinn 2, 1999, 25   24 Harvard Business Rev. 3–4, 1999, 169   25 Harvard Business Rev. 1–2, 2000, 78   26 Harvard Business Rev. 1–2, 2000, 102   27 PSK Sportmagazin Sonderheft 9a, Okt. 1998, 9   28 Profil 31, 2000, 175   29 Stern 53, 22.12.1998, 10   30 The Economist, March 11–17, 2000, 4   31 The Economist, July 8–14, 2000, 79   32 The Economist Sept. 2–8, 2000, 71   33 Trend 7–8, 1999, 51   34 Wirtschaftswoche 37, 1999, 38

LIT   35 A. BAMMER, Ant.- Moderne – Postmoderne, in: JÖAI 59, 1989, 101–109, Abb. 3   36 M. BENTZ, Panathenäische Preisamphoren. Eine athenische Vasengattung und ihre Funktion vom 6.–4. Jh. v. Chr., (= Ant. Kunst 18. Beih.), 1998, Nr. 5.184, Taf. 82   37 S. BRUNE-BERNS, Im Lichte der Großstadt – W. als Signum einer urbanen Welt, in: P. BORSCHEID, C. WISCHERMANN (Hrsg.), Bilderwelt des Alltags, 1995, 90–115   38 M. DONDERER, Weder Votiv- noch Grabrelief,

sondern Werbeschild eines Steinmetzmeisters, in: Epigraphica 56, 1994, 41–52   39 B. DOERING, Die Avantgarde und das Plakat. Künstlerplakate vom Historismus zum Bauhaus, 1998   40 C. FRIESE, Plakatkunst 1880–1935, 1994   41 G. GRIMM, Prosper Mérimées tödliche Frauen oder »Die Venus von Ille« und ihr Vorbild aus Melos, in: Antike Welt 6, 1999, 577–586   42 N. HIMMELMANN, Minima Archaeologica, 1996   43 I. JENSEN, Arch. und Computer-W., in: R. STUPPERICH (Hrsg.), Lebendige Ant., Rezeptionen der Ant. in Politik, Kunst und Wiss. der Neuzeit, Kolloquium für W. Schiering, 1995, 213–220   44 B. JUSSEN (Hrsg.), Arch. zw. Imagination und Wiss.: Anne und Patrick Poirier, 1999   45 D. E. E KLEINER, Roman Sculpture, 1992, Abb. 61, Abb. 88–89   46 P. KRUSCHWITZ, Röm. Werbeinschr., in: Gymnasium 106, 1999, 231–253   47 W. KROEBER-RIEL, Bildkommunikation. Imagerystrategien für die W., 1996   48 A. LÖTSCHER, Von Ajax bis Xerox, Ein Lex. der Produktenamen, ²1992   49 G. MEYER-HENTSCHEL, Alles was Sie schon immer über W. wissen wollten, 1996   50 S. v. MOOS, Industrieästhetik, in: Ars Helvetica 11, 1992, 198–199, Abb. 199   51 Nützliche Moderne. Graphik und Produkt-Design in Deutschland 1935–1955, hrsg. v. J. KRAUSE, Ausstellungskat. Münster 2000, 38–72   52 H. OTTOMEYER, Garantiert Qualität, in: S. BÄUMLER (Hrsg.), Die Kunst zu werben, 1996, 16–18   53 J. PICKRUN, U. SCHÄDLER, Ant. Motive in der Frankfurter Werbung gestern und h., in: M. HERFORT-KOCH, U. MANDEL, U. SCHÄDLER (Hrsg.), Begegnungen. Frankfurt und die Ant., 1994, 483–491, 569–570   54 D. REINHARDT, Vom Intelligenzblatt zum Satellitenfernsehen. Stufen der W. als Stufen der Ges., in: P. BORSCHEID, C. WISCHERMANN (Hrsg.), Bilderwelt des Alltags, 1995, 44–63   55 SCHWEIZERISCHES LANDESMS. (Hrsg.), Recycling der Vergangenheit. Die Ant. und das heutige Marketing, Ausstellungskat. Lausanne-Vidy 1997   56 M. UNTERDÖRFER, Die Rezeption der Ant. in der Postmoderne: der Gipsabguß in der it. Kunst der siebziger und achtziger J., 1998   57 D. URBAN, Kauf mich! Visuelle Rhet. in der W., 1995.   EVA CHRISTOF

Wien, Kunsthistorisches Museum

A. VORGESCHICHTE   B. DAS KUNSTHISTORISCHE MUSEUM   C. DAS EPHESOS-MUSEUM

A. VORGESCHICHTE

Erst seit dem J. 1900 wird die Antikensammlung des KM als eigene Abteilung geführt. Bis dahin zählte der Bestand an Denkmälern des Alt., ungeachtet der Gattungszugehörigkeit der einzelnen Objekte, zum k.k. Münz- und Antikenkabinett, das, im 18. Jh. durch Zusammenführung von bis dahin verstreut aufbewahrten Objekten als höfische Sammlung angelegt, auch im Rahmen des Mus. zunächst noch weiter existierte. In dem Festhalten an der überkommenen Organisationsform und seiner traditionellen Bezeichnung spiegelt sich nicht nur kulturpolit. Dominanz der Monarchie, sondern auch die gegenständliche Zusammensetzung der Sammlung: Innerhalb des herrscherlichen Kunstbesitzes in Wien hatten großformatige ant. Artefakte eine vergleichsweise geringe Rolle gespielt, hingegen war v. a. numismatischen Zeugnissen ein hoher Wert zugeordnet worden. Tatsächlich gab es bereits unter

Abb. 1: Wien, Kunsthistorisches Museum, Antikensammlung. Sarkophag mit Amazonenschlacht, aus Soloi auf Zypern, 2. Hälfte 4. Jh. v. Chr. Marmor, L: 264 cm, AS Inv.-Nr. I 169

Kaiser Maximilian I. (1459/1493–1519) eine katalogmäßig erfaßte Münzkollektion. Während dieses Sammlungsgebiet nachfolgend reichen Zuwachs erfuhr, sah man am Kaiserhof vom Aufbau einer Skulpturensammlung weitgehend ab. Maximilian II. (1527/1564–1576) und Rudolf II. (1552/1576–1612) erwarben zwar ant. Statuen, sie lassen sich jedoch nicht mehr identifizieren oder werden zumindest nicht in Wien aufbewahrt (so der Torso des sog. Ilioneus, unter Rudolf II. in der Prager Burg, h. in der Münchner Glyptothek). Für den kunstsinnigen, selbst als Goldschmied tätigen Maximilian II. fungierte als Agent in It. der auch in bayerischen Diensten stehende Antiquar Jacopo Strada (→ München, Glyptothek und Antikensammlungen). Als einzelnes herausragendes, nun im KM aufbewahrtes Marmorwerk fand der in Soloi auf Zypern entdeckte Amazonensarkophag aus dem späten 4. Jh. v. Chr. seinen Weg in die habsburgischen Bestände (Abb. 1). Zunächst war er über Venedig nach Augsburg in den Besitz der Fugger gelangt. Die wiederum einst in Augsburg befindliche, nach ihrem dortigen Eigentümer als *Tabula Peutingeriana* benannte Landkarte wurde 1717 vom Prinzen Eugen angekauft; im Unterschied zu seinen ant. Skulpturen verblieb sie nach dessen Tod in Wien, indem sie für die Hofbibl. – h. Österreichische Nationalbibl. – erworben wurde.

Neben den Mz. bildeten Kameen einen zweiten Sammlungsschwerpunkt. Sie waren wegen ihres imperialen Symbolwerts begehrt, handelte es sich doch um seltene, äußerst kostbare und häufig durch herrscherliche Thematik ausgezeichnete Werke. Die Habsburger trugen eine Kollektion geschnittener Steine zusammen, die auch nach gegenwärtigen Maßstäben noch zu den weltweit bedeutendsten zählt. Die vormals in der Schatzkammer aufbewahrten Kameen wurden unter Maria Theresia (1717/1740–1780) mit den Mz. vereint.

Zu den wichtigsten Stücken gehören die um 10 n. Chr. entstandene, von Rudolf II. für eine sehr hohe Summe erworbene *Gemma Augustea*, in deren oberem Streifen Kaiser Augustus und die Göttin Roma auf gemeinsamem Thron sitzen (Abb. 2), und die *Gemma Claudia*

Abb. 2: Wien, Kunsthistorisches Museum, Antikensammlung. Gemma Augustea, Römisch, nach 10 n. Chr. Fassung: Deutsch, 17. Jh. Zweischichtiger Onyx, H: 19 cm, Fassung: Goldreif, Rückseite in ornamentierter Durchbrucharbeit, AS Inv.-Nr. IX A 7. Im oberen Streifen der Darstellung thront Augustus in der Tracht und Pose Jupiters, in den Händen Szepter und Augurenstab haltend. Zur Rechten des Kaisers sitzt Roma, die Schutzherrin der Stadt, zur Linken des Thrones allegorische Figuren. Neben Roma steht Germanicus; von einem durch Victoria gelenkten Wagen steigt Tiberius, der Kronprinz und Stiefsohn des Kaisers. Im unteren Streifen wird ein Tropaion (Siegesmal) errichtet. Die Darstellung bezieht sich auf die Niederwerfung des Dalmateraufstandes

(auch sog. »Füllhornkameo«) aus dem mittleren 1. Jh. n. Chr. mit Darstellungen des Claudius und weiterer Angehöriger der kaiserlichen Familie (Abb. 3).

Abb. 3: Wien, Kunsthistorisches Museum, Antikensammlung. Gemma Claudia, Römisch, 49 n. Chr. (?). Fünfschichtiger Onyx, H: 12 cm, Fassung: Goldreif, AS Inv.-Nr. IX A 63. Aus zwei Füllhörnern sprießen symmetrisch vier Porträts: links Kaiser Claudius und seine Gemahlin Agrippina die Jüngere. Dem Herrscherpaar gegenüber Germanicus und seine Frau Agrippina die Ältere, die Schwiegereltern des Claudius

Ein Stich von 1735 [16. Abb. 1] zeigt das Münz- und Medaillenkabinett in der Stallburg. Falls keine Idealansicht, sondern eine verläßliche Wiedergabe des Raumes vorliegt, befanden sich dort zu jener Zeit bereits auch einige Skulpturen. Im späteren 18. Jh. stand das Kabinett unter der Leitung des bedeutenden Numismatikers Josephus Hilarius Eckhel, der gleichzeitig einen Lehrstuhl für Antiquitäten und histor. Hilfswiss. innehatte.

Im Verlauf des 18. Jh. und bes. im 19. Jh. gewann das Kabinett an Umfang. Aus verschiedenen Aufbewahrungsorten der Habsburger zusammengetragen, um Schenkungen, Stiftungen und Erwerbungen bereichert (Sammlung Rainer 1804, Sammlung J. de France 1808, Sammlung Lamberg 1815 und weitere) sowie durch Bodenfunde aus dem eigenen Reichsgebiet ergänzt, fügte sich der Aufbau der Bestände in eine Tendenz, die während des 19. Jh. allg. für Antikensammlungen mit dem Anspruch auf europ. Rang charakteristisch war, hier aber zu keiner führenden Position führte. In Konkurrenz zu Aktivitäten anderer Hauptstädte stand auch die Aufnahme von Grabungen im ägäischen Raum (Samothrake: 1873 und 1875, Ephesos: seit 1895). Eine Reihe ergrabener Objekte wurde nach Wien überführt. Diejenigen aus Samothrake galten zuerst als staatliches Eigentum, weil die Expeditionen, die die Stücke zutage gefördert hatten, aus öffentlichen Mitteln finanziert worden waren. Mit Ankauf durch Kaiser Franz Joseph gingen sie dann aber in habsburgischen Besitz über.

B. Das Kunsthistorische Museum

Verglichen mit München und Berlin oder anderen wichtigen Residenzen und europ. Hauptstädten entschied man sich in Wien erst spät, die dem Herrscherhaus gehörenden Sammlungen der Öffentlichkeit in würdigen Architekturen zu präsentieren. Ein Wettbewerb für die Gestaltung eines Naturhistor. und eines Kunsthistor. Mus. fand 1866 statt; es war festgelegt, daß die beiden Gebäude gegenüber der Hofburg zu errichten seien. Nach Ablehnung aller eingereichten Entwürfe beauftragte Kaiser Franz Joseph den prominenten Architekten Gottfried Semper, eine Konzeption zu entwickeln und für die Realisierung des Projekts mit einem lokalen Kollegen zusammenzuarbeiten. Das 1871 begonnene KM wurde, nachdem der Außenbau 1880 fertiggestellt war, 1891 eingeweiht.

In den realen Ausmaßen wie in den Renaissancezitaten signalisiert der Bau hohen Anspruch. Die repräsentative Gestaltung und die stilistische Orientierung sollten der Bed. der beherbergten Kunstwerke gerecht werden, sind zugleich auch mit der Funktion als Hofmus. in Verbindung zu bringen. Nach Sempers Idee war der Bau Teil eines ›Kaiserforums‹. Die historistische Architektur stieß nach dem I. Weltkrieg auf Ablehnung; kritisiert wurden die Räume, ›deren anspruchsvoller Prunk weder den trümmerhaften Resten ant. Skulptur noch dem intimen Charakter der Werke der Kleinkunst zuträglich ist‹ [5. 5]. Hinzu kam das Problem, daß die verfügbaren Flächen innerhalb des weitere wichtige Sammlungen umfassenden Gebäudes in keiner Weise ausreichten, um die Bestände in einem ihnen gemäßen Umfang der Öffentlichkeit zugänglich zu machen. Das gilt bes. für die Werke aus Ephesos, von denen seit 1905 eine kleine Auswahl im Mus. zu sehen war, während der weitaus größere Teil für viele Jahrzehnte an wechselnden Orten provisorisch untergebracht werden mußte, einiges auch überhaupt nicht zugänglich war [18. 38–41; 20; 21].

Die Gliederung der – gegenwärtig (Herbst 2002) wegen Umbaus geschlossenen – Antikensammlung im Hochparterre setzt mit zyprischer Keramik seit dem 3. Jt. v. Chr. an und spiegelt, was die griech. Kunst betrifft, deren Entwicklung vom 2. Jt. v. Chr. bis etwa zur Zeitenwende. Es schließen Abschnitte zur etr. und röm., auch spätant. und frühchristl. Kunst an. Zur Antikensammlung zählt ferner die materielle Kultur der Völkerwanderungszeit. Gerade sie zu dokumentieren, findet Berechtigung in außergewöhnlichen Schatzfunden, die sich der exzeptionellen Kollektion röm. Gemmen und Kameen zur Seite stellen. Das Münzkabinett gewährt im 2. Stock Einblicke in seine quantitativ wie qualitativ herausragenden, von der Ant. bis in die jüngste Vergangenheit reichenden Bestände.

Obwohl Skulpturen eine vergleichsweise geringe Rolle spielen, so man Mus. mancher europ. Hauptstädte zum Maßstab nimmt, verfügt die Antikensammlung des KM im einzelnen doch auch auf diesem Gebiet über wichtige Beispiele. Neben dem Amazonensarkophag

Abb. 4: Wien, Kunsthistorisches Museum, Antikensammlung. Bildnis des Aristoteles. Römische Kopie
nach griechischem Original des 4. Jh. v. Chr. Marmor,
H: 30,5 cm, AS Inv.-Nr. I 246

Abb. 5: Wien, Kunsthistorisches Museum, Antikensammlung. Bildnis des Eutropios (?). Frühbyzantinisch, 2. Hälfte
5. Jh. n. Chr. Marmor, H: 32 cm, AS Inv.-Nr. I 880

(Abb. 1) sei auf die seit 1882/1884 in Wien befindlichen
Reliefs von einem monumentalen Grabbau des frühen
4. Jh. v. Chr. in Gjölbaschi/Trysa (Lykien) oder ein
Bildnis des Aristoteles, eine hervorragende kaiserzeitliche Wiederholung eines Vorbildes aus dem späten 4. Jh.
v. Chr. (Abb. 4), verwiesen. Ein außergewöhnliches
Zeugnis bildet eine Bronze des 16. Jh., in der der Abguß
einer verschollenen röm. Statue – des Jünglings vom
Magdalensberg – vorliegt.

Die Vasen und Terrakotten erfuhren in den 30er J.
des 20. Jh. einen wesentlichen Zuwachs, indem die betreffenden Objekte, die bis dahin in dem 1853 gegründeten k.k. österreichischen Mus. für Kunst und Industrie aufbewahrt worden waren, hinzu kamen. Zu ihnen
zählten Werke aus der Sammlung Castellani.

C. DAS EPHESOS-MUSEUM

Die Fundstücke aus Ephesos erhielten zusammen mit
denen aus Samothrake erst 1978 eine angemessene dauerhafte Aufstellung. In der Neuen Hofburg wurde als
Teil der Antikensammlung des KM das Ephesos-Mus.
eingerichtet, das nahezu alle nach Wien gelangten
Zeugnisse der beiden ant. Stätten beherbergt; im
Haupthaus verblieben aber die spätant. und frühchristl.
Denkmäler aus Ephesos, darunter ein eindrucksvoller,
häufig interpretierter Kopf des Eutropios (?), dessen
Gestaltungsschema dem oström. Herrscherbildnis entlehnt ist (Abb. 5).

Bei der Konzeptionierung der Aufstellung nahm
man damals aktuelle Präsentationen an anderen Orten
(→ Köln, Römisch-Germanisches Museum; → Rom
VI. Museen C. Vatikanische Museen, Museo Gregoria-
no Profano) mit in den Blick. Hinsichtlich der Gruppierungen der Exponate fanden aber insofern herkömmliche Kategorien Berücksichtigung, als vornehmlich nach Gattungen sortiert wurde. Aus räumlichen
Gründen konnte das Prinzip nicht mit aller Konsequenz
angewendet werden, aber auch gegenständlich war
nicht immer die ausschließliche Zuordnung eines Objekts zu nur einer Gattung möglich, so bei Architektur-
reliefs. Eine große Fläche nimmt das im Halbstock gezeigte Parthermonument in Anspruch: Es handelt sich
um Reliefs von einem kaiserlichen Denkmal, das Lucius
Verus als siegreichen Kaiser feiert. Unter den Einzel-
skulpturen des Ephesos-Mus. findet die Bronzestatue
eines Athleten, der sich nach dem Kampf mit einer Stri-
gilis reinigt (Kopie nach Vorbild des 4. Jh. v. Chr.), bes.
Beachtung.

1 J. BANKÓ, Ausstellung von Fundstücken aus Ephesos im
Unteren Belvedere, ⁴1927 2 A. BERNHARD-WALCHER, Die
Slg. zyprischer Antiken im KM (Sammlungskat. des KM
Wien, 2), 1999 3 G. DEMBSKI, Mz. der Kelten
(Sammlungskat. des KM Wien, 1), 1998 4 F. EICHLER,
E. KRIS, Die Kameen im KM, 1927 5 F. EICHLER, Führer

durch die Antikenslg., 1926 **6** Ders., Zum Partherdenkmal von Ephesos, in: JÖAI 49, 1971, Beih. 102–136
7 R. FLEISCHER et al., Der Wiener Amazonensarkophag, in: AntPl 26, 1998, 7–54 Taf. 1–18 Beil. 1–8 **8** Götter, Heroen, Menschen. Ant. Leben im Spiegel der Kunst, Sonderausstellung der Antikenslg., KM Wien, 1974 **9** M. M. GREWENIG (Hrsg.), Ant. Welten. Meisterwerke griech. Malerei aus dem KM Wien. Ausstellung Speyer, Histor. Mus. der Pfalz, 1997 **10** K. GSCHWANTLER, Guß+Form. Bronzen aus der Antikenslg., Ausstellung des KM Wien, 1986 **11** H. KÄHLER, Alberti Rubeni dissertatio de Gemma Augustea (Monumenta Artis Romanae, 9), 1968 **12** B. KRILLER, G. KUGLER, Das KM. Die Architektur und Ausstattung, 1991 **13** A. LHOTSKY, FS des KM zur Feier des fünfzigjährigen Bestehens. I. Die Baugesch. der Museen und der Neuen Burg, 1941/II. Die Gesch. der Slgg., Hälfte 1, 1945; Hälfte 2, 1949 **14** K. MASNER, Die Slg. ant. Vasen und Terrakotten im k.k. oesterreichischen Mus., Wien 1892 **15** R. NOLL, Griech. und lat. Inschr. der Wiener Antikenslg., 1962 **16** Ders., Wiener Antikenslgg. im 18. Jh., in: H. BECK et al., Antikenslgg. im 18. Jh. (Frankfurter Forsch. zur Kunst, 9), 1981, 231–236 **17** W. OBERLEITNER, Ein hell. Galaterschlachtfries aus Ephesos, in: Jb. der Kunsthistor. Slgg. in Wien 77, 1981, 57–104 **18** Ders. et al., KM Wien, Kat. der Antikenslg II, Funde aus Ephesos und Samothrake, 1978 **19** E. v. SACKEN, Die ant. Sculpturen des k.k. Münz- und Antiken-Cabinetes in Wien, Wien 1873 **20** R. v. SCHNEIDER, Ausstellung von Fundstücken aus Ephesos im griech. Tempel im Volksgarten, 1901 **21** Ders., Ausstellung von Fundstücken aus Ephesos im Unteren Belvedere, 1905 **22** W. SEIPEL (Hrsg.), Bilder aus dem Wüstensand. Mumienporträts aus dem Ägypt. Mus. Kairo, Ausstellung KM Wien, 1998/99 **23** E. ZWIERLEIN-DIEHL, Die Ant. Gemmen des KM in Wien, I–III, 1973–1979.

DETLEV KREIKENBOM

Winckelmann-Gesellschaft A. GESCHICHTE B. KOLLOQUIEN C. FORSCHUNGEN UND PUBLIKATIONEN D. SAMMLUNGEN UND BIBLIOTHEK E. WEITERE AKTIVITÄTEN

A. GESCHICHTE

In der Geburtsstadt Johann Joachim Winckelmanns (1717–1768), dem altmärkischen Stendal, wurde im Dezember 1940 die WG gegründet, die bereits nach einem J. mehr als 1100 Mitglieder zählte. Anlaß der Gründung war der Tod eines Stendaler Sammlers, Heinrich Segelken, dessen Winckelmanniana (Erstausgaben, Briefe, Archivmaterial) die Stadt erwarb und zur Verwaltung und Vermehrung einen Träger suchte. Segelken selbst hatte durch eine über 40 J. währende kontinuierliche Vortragstätigkeit in Stendal eine breite Akzeptanz für die Winckelmann-Pflege geschaffen. So fand bereits 1938 aus Anlaß der 600-Jahrfeier des Stendaler Gymnasiums eine erste Winckelmann-Ausstellung statt, die über Stendal hinaus wirkte; u. a. setzte sich das Dt. Arch. Institut (DAI) in Berlin für eine ständige Ausstellung für den *Heros Ktistes* der klass. Arch. in Stendal und für die Gründung einer Gesellschaft ein. Dazu kam es schließlich 1940: In der Winckelmann-Halle des Refektoriums des Mönchkirchhofs war eine solche ständige Exposi-

tion möglich geworden. Daß diese Bemühungen um eine institutionelle Pflege seines Gedenkens Erfolg hatten, liegt zugleich in der Aktualität der Winckelmann-Rezeption der Zeit begründet: In den 20er bis 40er J. vollzog sich in Deutschland vor dem Hintergrund der verstärkten Hinwendung zur griech.-röm. Kultur und Kunst eine »Winckelmann-Ren.« (so 1942, [7]), die Winckelmann primär als Protagonisten der dt. Klassik sah und die an seiner Ästhetik als sichtbare Perpetuierung des klass. Ant.-Ideals festhielt; auch der → Nationalsozialismus rezipierte bekanntlich Elemente des Winckelmannschen Schönheitsideals.

Dank des Engagements des damaligen Bürgermeisters der Stadt gelang es, die WG als eine unabhängige und private Gesellschaft zu gründen und diese ›vom Einfluß des Nationalsozialismus fernzuhalten‹, wie der Geschäftsführer Rudolph Grosse rückblickend 1947 zu Recht feststellte. Zu den Mitbegründern der Gesellschaft gehörten namhafte Archäologen wie Gerhart Rodenwald und Karl Anton Neugebauer, Kunsthistoriker wie Wilhelm Waetzoldt und Germanisten wie Walther Rehm.

Nach E. des Krieges und Wiederzulassung von Gesellschaften und Vereinen betrieb Grosse, unterstützt vom Präsidenten des DAI, Carl Weickert, die Neugründung der WG, was 1947 gelang. In den folgenden J. hatte die WG unter dem Vorsitz von Arthur Schulz (1949–1963) die dt.-dt. und internationalen Kontakte neu geknüpft und ausgebaut sowie in der Dt. Akad. der Wiss., Berlin, einen Protektor gefunden, der die Gesellschaft vor mehreren Versuchen schützte, in staatliche Kulturvereinigungen übernommen zu werden oder unter direkte staatliche Kontrolle zu geraten. Sein Nachfolger wurde Gerhard Richter (1963–1968), dem es gelang, im Geburtshaus Winckelmanns ein städtisches Mus. zu gründen. Unter der Präsidentschaft von Johannes Irmscher (1968–1990) wurde die Veranstaltungs- und Publikationstätigkeit beträchtlich erweitert. Dank einer geschickten und weitsichtigen Geschäftsführung konnte die WG ihren internationalen und unabhängigen Charakter bewahren und sich, auch nach der Auflösung aller privaten Vereine in der DDR, einer Vereinnahmung durch den ostdt. Staat entziehen. Die Gesellschaft blieb ein privater Verein. Für viele Wissenschaftler bot sie eine willkommene Plattform für persönliche Begegnungen mit westlichen Freunden und Kollegen, die wiederum ihre Mitgliedschaft in der Gesellschaft zur Teilnahme an Veranstaltungen und öffentlichen Vorträgen nutzten. Seit 1990 und nach der Wahl eines erweiterten Vorstandes (Präsident: Verf.) boten sich für die Arbeit der WG neue Möglichkeiten internationaler wiss. Tagungen, übergreifender Ausstellungsthemen und Forschungsprojekte an. Sie ist h. eine internationale Gesellschaft von über 600 Mitgliedern aus mehr als 20 Ländern. Die wiss. Tätigkeit der WG ist bewusst interdisziplinär zwischen Lit., Kunst und Arch. und ihrem Bezugspunkt, der griech.-röm. Ant., angelegt. In ihrer Satzung hat sie sich zum Ziel gesetzt, ›die internationalen Forsch. zum Leben, Werk und Wirken Johann Joachim Winckelmanns zu unterstützen‹ und ›die mit seinem Wirken zusammenhängenden Disziplinen der Klass. Arch., der Kunstwiss. und der Germanistik‹ zusammenzuführen. Das unterschiedliche Verhältnis der neuzeitlichen Epochen zur Ant. und die verschiedenen Formen der Rezeption der Ant. stehen im Mittelpunkt des Interesses.

B. Kolloquien

Während es bis 1972, sieht man von den staatlichen Winckelmann-Ehrungen 1967/1968 einmal ab, nur jährliche Hauptversammlungen in Stendal gab, fanden seitdem in der Regel jährlich zwei wiss. Kolloquien an jeweils wechselnden Orten und aus verschiedenen Anlässen statt. Themen standen dabei im Vordergrund, die sich mit der Persönlichkeit Winckelmanns und seinem Werk sowie mit dem Einfluß oder Nachwirken seiner Ideen in den verschiedenen Wissenschaftsdisziplinen beschäftigten. Auch Unt. zu Zeitgenossen des 18. und 19. Jh. standen im Mittelpunkt interdisziplinärer Diskussion (Herder, Lessing, Heyne, Gleim, Francke, Wieland, Oeser, Schinkel, Casanova). Breiten Raum nahmen Veranstaltungen ein, die Fragen des Nachwirkens und der Rezeption der Ant. im 18. bis 20. Jh. behandelten. Oftmals versuchten diese Veranstaltungen auch lokalen Trad. und Gelehrtengesellschaften nachzuspüren (Nöthnitz, Köthen, Görlitz) oder auf denkmalpflegerische Gesichtspunkte oder Mißstände (Mittelalterliche Architektur in Thüringen) aufmerksam zu machen. Ebenso wurden kunsthist.-arch. Themen auf verschiedenen Kolloquien behandelt, so Fragen des ant. Realismus, der griech. Tempel oder der Antikenergänzungen seit der Renaissance.

Ein »Stendaler Arbeitskreis«, 1997 gegründet, befaßt sich auf jährlichen Treffen mit Fragen der Theorie und Geschichte der Kunstgeschichtsschreibung und Archäologie. In den 70er und 80er J. verhinderte die internationale Mitgliedschaft innerhalb der Gesellschaft die sonst in der DDR anzutreffende Dominanz von marxistischen und marxistisch-orthodoxen Darstellungen. Der geogr. Radius der Veranstaltungen der Gesellschaft hat sich seit 1990 erweitert und wichtige Partner für internationale Veranstaltungen wurden in Mus., Univ. und Wissenschaftsgesellschaften gefunden: So kooperierte die WG mit der Università degli Studi di Trieste und der Società di Minerva in Triest zum Thema *Altertumskunde im 18. Jh. – Wechselwirkungen zw. It. und Deutschland* (1993), in Paris in Kooperation mit dem Musée du Louvre und dem Dt. Histor. Inst. zum Thema *Die Freiheit und die Künste – Modelle und Realitäten von der Ant. bis zum 18. Jh.* (1996) und in Athen im Zusammenwirken mit der Univ. Athen zum Thema *Das Stadtbild von Athen von der Ant. bis zur Gegenwart* (1997), im J. 1999 mit der Kulturstiftung Dessau-Wörlitz und den Staatlichen Mus. zu Berlin, Skulpturensammlung zum Thema: *Wiedererstandene Ant. – Restaurierung ant. Kunstwerke seit der Renaissance* und 2000 mit der Berlin-Brandenburischen Akad., der Akad. Mainz und der Hum-

boldt-Univ. Berlin zu: *300 J. »Thesaurus Brandenburgicus«. Arch., Antikensammlungen und antikisierende Residenzausstattungen im Barock.*

C. Forschungen und Publikationen

Seit ihrer Gründung wurden Arbeiten zur Winckelmann-Bibl. unternommen. Vier Folgen sind bisher erschienen: Hans Ruppert, Winckelmann-Bibl. Verzeichnis der Veröffentlichungen von und über Winckelmann, 1942; Hans Ruppert, Ergänzungen zur Winckelmann-Bibl. für die J. 1942 bis 1955, 1956; Hans Henning, Winckelmann-Bibl. Folge 3 für die J. 1955–1966. Sondergabe für das Gedenkjahr 1967; Max Kunze, Winckelmann-Bibl. Folge 4 (1967–1984), 1988. Im J. 1999 erschien eine digitale Gesamtbibl., in der die gesamte internationale Winckelmann-Lit. verschlagwortet ist.

Bereits 1988 begann die WG gemeinsam mit der Freien Univ. Berlin als ein erstes dt.-dt. Wissenschaftsprojekt der Volkswagen-Stiftung: die histor.-kritische Ed. der *Geschichte der Kunst des Alterthums*, deren erster Band erschienen ist. Aus diesem Beginn erwuchs das Projekt der histor.-kritischen Gesamtausgabe, das zunächst von der WG allein betrieben und von der Landesregierung in Sachsen-Anhalt unterstützt wurde; 1996 ist es in ein Vorhaben der Mainzer Akad. mit einer Arbeitsstelle in Stendal übergegangen; als Hrsg. fungieren zudem die WG und die Erfurter Akad. Gemeinnütziger Wissenschaften (erschienen: Bd. I; II,1; II,2; II,3; IV; V,1).

1996–1999 wurde eine *Bilddatenbank zur ant. Architektur und Skulptur, die Winckelmann kannte* aufgebaut, die im Frühjahr 2000 erschienen ist. Es ist eine Bild- und Dokumentationsdatenbank zu allen von Winckelmann in den gedr. Schriften und Teilen des hsl. Nachlasses erwähnten ant. Denkmälern, die auch die relevanten Stiche nach Antiken des 17. und 18. Jh. einschließt.

Von 1940 bis 1968 gab die WG *Jahresgaben* heraus, verdienstvolle monographische Publikationen, die sich auf Winckelmanns Persönlichkeit, seine Sprache und Stil sowie seine Zeitgenossen konzentrierten. Diese Bände reflektieren insofern die allg. Winckelmann-Forsch., als daß diese vornehmlich Gegenstand germanistischer Forsch. war; selbst der Archäologe Ludwig Curtius sprach 1939 von dem auf uns gekommenen ›lit. Werk‹ und dem ›sprachschöpferischen Vermögen‹ Winckelmanns, das es zu untersuchen gelte. In den 70er J. wurden die *Jahresgaben* durch neue Schriftenreihen abgelöst. Inhaltlich standen nun die Ergebnisse der zahlreichen Kolloquien im Mittelpunkt der Verlagstätigkeit der WG, doch fehlte es auch nicht an monographischen Arbeiten (z.B. *Das it. Reisetagebuch des Prinzen August von Sachsen-Gotha-Altenburg*, 1985). Arch. und kunsthistor. Themen und die »Winckelmannschen Antiken« rückten zunehmend in den Blickpunkt. Da es erklärtes Ziel der Winckelmann-Pflege der DDR war, ›Begrenzungen niederzureißen, mit denen in der Vergangenheit die Winckelmann-Pflege ihren Heros umgeben hatte‹, entstanden zahlreiche Versuche einer populären Vermittlung der Persönlichkeit und auf ein breiteres

Publikum abzielende Leseausgaben. Bezeichnend wurde die Propagierung einer aus der Vorkriegszeit trad., von der dt. Klassik überlagerten Ästhetik Winckelmanns, die in der Formalismusdiskussion der 50er J. von offizieller Seite instrumentalisiert wurde und sich mit Thesen zur sozialrevolutionären Bed. Winckelmanns verband. Von solchen platten Meinungsäußerungen hat sich die WG zu distanzieren gesucht, auch wenn in manchen Eröffnungsreden formale Bekenntnisse zu finden sind. Sie hat auch Versuchen einer Politisierung und Ideologisierung der Wiss. widerstanden. Die von der WG herausgegebenen Arbeiten, die sich auf Winckelmann, seine Ästhetik und Fragen der Antikerezeption konzentrierten, belegen ein hohes wiss. Niveau (vgl. die 3 Bde. *Antikebegegnung, Antikeverständnis und Antikerezeption in Vergangenheit und Gegenwart*, 1988).

Fortgeführt und inhaltlich ausgebaut wurden die *Mitteilungen der WG* (jährlich seit 1940), neu hinzu kamen die *Schriften der WG* (seit 1973), die *Beitr. der WG* (seit 1975) sowie die *Akzidenzen – Flugblätter der WG* (seit 1991); letztere veröffentlichen bemerkenswerte Vorträge.

D. SAMMLUNGEN UND BIBLIOTHEK

Die Sammlung der WG umfaßt v. a. Autographen, Erstausgaben und frühe Drucke der Werke Winckelmanns, Winckelmann-Bildnisse und Bildnisse seiner Zeitgenossen, Italienansichten sowie eine kleine Antikensammlung. Die Bibl. mit der nahezu vollständigen Sekundärlit. zu Winckelmann ist ein wichtiges Instrument für die Forschung. Von großem Wert für die Stendaler Editionstätigkeit sind die Kopien des umfangreichen und zerstreuten hsl. Nachlasses Winckelmanns, die derzeit auch digital gesichert und damit für Leser zugänglich gemacht werden. Durch die laufenden Forschungsprojekte konnte die Fotothek beträchtlich erweitert werden. Schwerpunkt bilden hier v. a. die in den Stichwerken des 16. bis 18. Jh. publ. Antiken, die digital erfaßt werden. Die Bestände bilden zusammen mit den Sammlungen des 1955 gegr. Winckelmann-Mus. den Grundstock für die ständige Winckelmann-Ausstellung im Geburtshaus und für Sonderausstellungen. Die privatrechtliche Selbstständigkeit der WG bot in den 70er J. auch für das Mus. einen größeren kulturellen und künstlerischen Spielraum als es sonst möglich gewesen wäre. Zu den gemeinsamen Sammlungsprojekten gehörten Grafik und Zeichnungen zur Antikerezeption in der zeitgenössischen Kunst (bis 1990).

E. WEITERE AKTIVITÄTEN

Die seit den 90er J. im Stendaler Winckelmann-Haus angesiedelten wiss. Arbeitsgruppen (s.o.) boten Möglichkeiten für die Realisierung größerer Ausstellungsprojekte, für die inhaltlich die WG verantwortlich zeichnete und die in Stendal und weiteren Mus. Deutschlands gezeigt wurden (z.B. *Ant. in der Karikatur seit dem 18.Jh.*; *Homer in der Kunst der Goethezeit*; *Die Künstlerfamilie Riepenhausen. Ant. zw. Klassizismus und Romantik*); sie wurden begleitet von wiss. Katalogpublikationen.

Seit 1984 wird ein »Wilhelm-Höpfner-Preis der WG« vergeben. Mit dem Preis, auch als Reisestipendium für einen Aufenthalt im Mittelmeergebiet vergeben, werden junge Künstler gefördert, die in ihren Werken Themen der klass. Ant. aufgreifen oder sich von ant. Kunstwerken inspirieren lassen. In der Nachfolge des Magdeburger Malers und Graphikers Wilhelm Höpfner (1899–1968), dessen Nachlass das Winckelmann-Mus. verwaltet, bezieht sich der Preis ausschließlich auf zeichnerische und druckgraphische Arbeiten.

1 ST.-G. BRUER, T. STOLZENHAIN, Rudolph Grosse. Kunstsammler und Winckelmann-Verehrer, in: Meistergraphik der Moderne. Aus den Slgg. des Winckelmann-Mus. Stendal, 1996, 3–6 2 ST.-G. BRUER, Die WG in Stendal, in: Ant. Welt 1998, 447–451 3 J. DUMMER, Die WG auf neuen Wegen, in: Bildende Kunst 1972, 150–151 4 J. IRMSCHER, Dreißig J. WG, in: Altertum 1971, 110–119 5 Ders., 50 J. WG, in: Sileno 1994, 425–434 6 M. KUNZE, (Hrsg.), WG. 1940–2000. Gründung und Gesch., 2002 7 H. RUPPERT, Winckelmann-Ren., in: Geistige Arbeit 1942, 1–2 8 A. SCHULZ, Die WG in Stendal, in: Marginalien 1961, 42–43.   MAX KUNZE

Wirtschaft und Gewerbe A. DEFINITION B. RENAISSANCE C. 18.–19. JAHRHUNDERT D. 20. JAHRHUNDERT

A. DEFINITION

Unter dem Überbegriff »Wirtschaft und Gewerbe« werden die Produkte des »Kunstgewerbes«/»Kunsthandwerks« abgehandelt. Darunter sind die von bildenden Künstlern hergestellten bzw. entworfenen Gebrauchs-, Zier- und Schmuckgegenstände zu verstehen, ein sehr vielfältiges Material gestalteter Kulturgüter aus Glas, Keramik, Textil, Teppich, Metall etc. Neben der allg. Dimension ohne zeitliche oder materialmäßige Einschränkung bezeichnet »Kunstgewerbe« speziell die während der Industrialisierung im 19. Jh. angesichts der ästhetischen Unzulänglichkeit der Maschinenproduktion bewußt durchgeführte künstlerische Konzeption und handwerkliche Herstellung dieser Objekte. Im Gegensatz zur »freien« Kunst wird sie auch »angewandte« oder »dekorative« Kunst genannt. Im Vordergrund steht der Wunsch nach Einheit künstlerisch anspruchsvoller, ästhetischer Gestaltung von Dingen täglichen Gebrauchs und mod. Lebensgestaltung, die von Jugendstil, Wiener Werkstätte, Deutschem Werkbund und dem seit 1919 von Gropius in Weimar gegründeten Bauhaus zum Industrial Design überleitet.

Die Vorbildrolle der Ant. für das Kunstgewerbe ist von Epoche zu Epoche unterschiedlich. In der → Renaissance hat Ant. eine umfassende, sich auf die gesamte Lebensführung erstreckende Vorbildfunktion. Im → Historismus des 18. Jh. erfolgt die Übernahme von Darstellungen mittels direkter Vorlagen oder indirekt über Stichwerke und arch. Publikationen. Antike wird als ethische Wertinstanz aufgefaßt. Im 19. Jh. eröffnen sich auch andere vorbildliche Epochen und Stile. Das von Sachlichkeit geprägte 20. Jh. sieht Ant. als ein Angebot unter vielen, auf das selten, eklektisch und unter Verzicht auf die moralische Überhöhung früherer Epochen zurückgegriffen wird.

B. RENAISSANCE

Der Ren.-Mensch stellt sich auf allen Gebieten in eine fortlaufende Trad. mit den Alten, bindet die Gegenwart an die Vergangenheit an, um sie dadurch zu festigen. Die Rezeption von Ant. reicht von treuem Kopieren bis zur Adaption und zur Übertragung ant. Formen auf die eigenen Bedürfnisse. Die im 16. Jh. in It. hergestellte Bronzekleinplastik gibt in Miniatur bekannte in → Rom gefundene und aufbewahrte Kunstwerke wieder, z. B. den → Apoll von Belvedere, die Venus Felix, die → Laokoongruppe, den → Torso vom Belvedere, den Antinoos vom Belvedere, die Büsten von Mark Aurel, Antoninus Pius, Lucius Verus, Hadrian, Alexander dem Großen und Caesar, die Lupa Romana, den Dornauszieher oder das → Reiterstandbild des Mark Aurel [12. 322–359]. Für Gebrauchsgeräte, Lampen, Porzellan, Öllampen, Kerzenleuchter, Räuchergefäße, Tintenfässer und Schreibkästchen geben ant. Reliefgattungen, röm. Kandelaber und Sarkophage stilistische Vorbilder ab [17. 157–189; 12. 494–533]. Die in der Domus Aurea in Rom entdeckte Wandmalerei wird mit Enthusiasmus aufgenommen und als → Grotesken in der Malerei weitergeführt, bzw. auch auf andere Gattungen übertragen [17. 193–273].

C. 18.–19. JAHRHUNDERT

Im 18. Jh. üben sensationelle arch. Neuentdeckungen und deren Publikationen großen Einfluß auf das Kunstschaffen aus. Die im königlichen Palast in Portici aufbewahrten Funde von → Herculaneum, die Goethe nur unter dem Versprechen, keine Zeichnung anzufertigen, sehen darf, werden 1757 bis 1792 in acht Bänden der *Antichità di Ercolano* herausgegeben [20]. Über die Vermittlung von Stichen des Werks *Antiquités Etrusques, Grècques et Romaines* von François Anne David (1741–1824) werden herculanensische Bildentwürfe auf Teller der kurfürstlichen Mainzer Porzellanmanufaktur in Höchst (1746–1796) übertragen [22].

In der 2. H. des 18. Jh. baut in England Josiah Wedgwood (1730–1795) ein Unternehmen auf, dessen Keramikerzeugnisse künstlerische und industrielle Anforderungen gleichermaßen erfüllen [23; 30; 33; 36]. Seit 1750 dient Ant. als ästhetische Leitlinie verschiedener Produktlinien, ab 1760 für *Cream/Queen's Ware*, Steingut mit farblicher Wirkung von Elfenbein, und für *Black Basalt*, feinkörniges, unglasiertes schwarzes Steingut mit sehr glatter Oberfläche. 1767 erfolgt der Zusammenschluß mit Thomas Bentley, der wiss. Grundlagen und eine Bibl. einbringt. Als Gestaltungsrichtlinien dienen das Werk des Comte de Caylus (1752–1767) [1] und die Publikation der von William Hamilton [21], dem engl. Gesandten im Königreich beider → Sizilien, in Kampanien zusammengetragenen »etrurischen« → Vasen. Diese Publikation ist mit Stichen von D'Hancarville (1766–67) ausgestattet [3], auf denen die Vasen abgerollt und z. T. mit anderen Motiven als auf den Originalen gerahmt und koloriert sind (→ Etruskerrezeption).

Wedgwood und Thomas Bentley gründen am 13. Juni 1769 in Barlaston/Stoke on Trent eine Manufaktur und Werksiedlung mit dem richtungsweisenden Namen *Etruria*. Für die zu diesem Anlaß hergestellten sechs *First Day Vases* werden griech. Vasenformen gewählt, die Bemalung nach der Vorlage der Hamilton/D'Hancarville-Publikation gestaltet und mit dem Motto ARTES ETRURIAE RENASCUNTUR versehen.

Die 1774 eingeführte »Jasper Ware«, meistens hellblaues Steingut, dem hauchdünne weiße Reliefs aufgelegt werden und das damit ant. Gemmen ähnelt, wird anfangs nur für kleine Schmuckgegenstände, dann auch für größere Gefäße und Statuetten verwendet. Für dieses Material und auf Grundlage von Stichen entwirft der Bildhauer und Zeichner John Flaxman (1755–1826) die geschätzten Motive der »Sechs Musen«, »Apollo und die neun Musen« und »Apotheose des Homer« (→ Etruskerrezeption, Abb. 2). Als Markenzeichen fungiert die 1852 am Monte del Grano in Rom gefundene und 1810 von der Witwe Portland dem British Museum hinterlassene Portlandvase [18], die sich zwischenzeitlich auch im Besitz von Hamilton befand und 1810 von der Witwe Portland dem British Museum überlassen wurde. Von der Vase existiert auch eine originalgetreue Kopie in *Jasper Ware*. Weitere im 19. Jh. hergestellte Kopien offerieren die Portlandvase in verschiedenen Größen und Farbvarianten.

Neben Porträtbüsten von Homer, Vergil und röm. Kaisern in *Black Basalt* gibt es in *Cane Ware* außergewöhnlich rare »ant.« Vasen, die nach Hamilton/D'Hancarville enkaustisch im rotfigurigen Stil bemalt werden [36. 69].

Eine bedeutende Sammlung für Wedgwood-Erzeugnisse befindet sich in Schloß Wörlitz (→ Park V.), wo durch Fürst Leopold III. Friedrich Franz von Anhalt Dessau über Jahrzehnte hindurch konstant Wedgwood-Erzeugnisse angekauft werden. Das Motiv »Apoll und die neun Musen« findet sich am Kamin des klassizistischen Pavillons »Villa Hamilton« wieder [36. 21]. Die Wedgwood-Büste des Dichters Homer erscheint auf einer Wandmalerei des Schlosses Wörlitz [36. 25, Kat. Nr. 21]. Die Portlandvase ist ebenfalls in der Wandmalerei von Wörlitz kopiert [36. 29. Abb. 30]. Eine Wandmalerei im Wörlitzer Floratempel von Johann Fischer (1797) bildet eine *Black Basalt* Vase aus der fürstlichen Sammlung ab [36. Kat. Nr. 64]. Der sog. arch., streng an ant. Vorbildern orientierte Klassizismus wird mit Abwandlungen und Neufassungen aus Wedgwoods Produktpalette vermischt.

Friedrich Böttger erfindet 1707–1709 die Porzellanherstellung. Erst in den letzten zwei Jahrzehnten des 18. Jh. faßt Ant. als Form und Inhalt bestimmend in der Porzellanherstellung von Sèvres, in der königlichen Porzellanmanufaktur in Berlin und in der Real Fabbrica delle Porcellane di Napoli Fuß [9; 30. Kat. Nr. 452–455, 460, 447].

Nachahmungen und Fälschungen von Wedgwood in Porzellan werden von den Manufakturen Meissen, Sèvres, Wien, Berlin, Petersburg, Fulda und Ilmenau hergestellt. Ab 1808 gibt es Wedgwood-Nachbildungen von Christian Georg Frick, Berlin, für die Manufaktur von Rotbert, Gotha [36. Kat. Nr. 163–165]. Meissen arbeitet ab 1790 in Wedgwood-Manier und erwirbt sogar offiziell die entsprechenden Reliefformen von Wedgwood [27. 51, 55; 14. 114]. Ab Anf. des 18. Jh. verwendet Meissen ant. Gefäßformen [27. Abb. 116, 122, 124; 14. 123, 139].

Eine Serie von 12 kleinformatigen Antikenrepliken [12. Kat. Nr. 338–343] zeigt, wie neben eigenen antikisierenden künstlerischen Erfindungen klassizistischer Bildhauer die Verbreitung von Kopien von ant. Werken entscheidend zur Herausbildung des → Klassizismus als dem vorherrschenden Stil um 1800 beiträgt. Vorbildlich sind v. a. die röm. Kunst und klassizistische Formen aus Frankreich und England. Man unterscheidet Kopie, Nachbildungen von Einzelformen und Kombinationen. Beliebt sind als Schmuckelemente Perlstab, Akanthus, Architekturelemente, Sphinx, Greif, Delphin und Lyra. Die Lyra, das Instrument des Musengottes Apollo, verleiht als dekorative Verkleidung aufrechten Hammerklavieren ein ästhetisches Aussehen. Der Lyra-Flügel ist eine wichtige Berliner Erfindung der 1. H. des 19. Jahrhunderts. Er wird von Johann Christian Schleip entwickelt und in der Zeit zw. 1820 und 1850 von mindestens 12 Firmen nachgebaut [25].

Zu Beginn des 19. Jh. erhält Deutschlands Kunstgewerbe Impulse aus Frankreich und England. Karl Friedrich Schinkel und Christian Peter Wilhelm Beuth geben 1821–1837 in Berlin ihre *Vorbilder für Fabrikanten und Handwerker* heraus [28]. Das mit Tafeln versehene Werk ist als geschmacksbildendes Lehrmaterial für ihre 1821 gegründete Berliner Gewerbeschule konzipiert. Im Sinne des Historismus lehnt sich auch das Kunstgewerbe stilistisch an vergangene Epochen der Kunstgeschichte (Gotik, Ren., Barock) an. In Bezug auf Ant. finden bes. Architektur (Säulen, Kapitelle, Gesimse, Friese) sowie Gerätbronzen, Gefäßkeramik und Tonreliefs, teils treu an der Ant., teils klassizistisch ausgerichtet, Aufnahme. In der 1. H. des 19. Jh. sind Zink- und Eisenguß beliebte Verfahren zur Herstellung »ant. Bronzen« [9]. Die Bacchanalienvase aus Eisenguß entsteht 1832 als Nachbildung einer ins 1. Jh. n. Chr. datierten, 1773 in Lanuvium gefundenen, auch Hamilton bekannten und 1805 ans British Museum in London gelangten Marmorvase [9. Kat. Nr. 409]. Die 1840 in Zinkguß hergestellte Warwick-Vase ist nach einem 1771 in der Villa Hadriana gefundenen, viel größerem Marmorkrater modelliert [9. Kat. Nr. 469]. Beide Vasen sind in den *Vorbildern für Fabrikanten und Handwerker* als Modelle vorgegeben.

Auf der 1. Weltausstellung 1851 in London offenbahrt sich die ästhetische Unzulänglichkeit industrieller Produkte; als Folge entstehen Kunstgewerbemuseen. Aufgrund der Vorbildwirkung des 1852 gegründeten South Kensington Museum (Victoria & Albert Muse-

um) in London erfolgt 1864 die Gründung des Wiener Kunstgewerbemuseums. Deutsche Gründungen 1867 in Berlin, 1888 in Köln, weitere in Frankfurt, Hamburg, Köln, Dresden und Leipzig folgen. Ziel dieser Institutionen ist die Bildung von Schönheitssinn und Geschmack. Vorbildersammlungen mit Musterbeispielen für Künstler werden angelegt, Bibl. und Schulen angeschlossen. Die Schwerpunktsetzungen differieren; das Spektrum reicht beispielsweise von Leinenstoffen des 8.–9. Jh. aus → Byzanz und Syrien bis zu zeitgenössischem Material, das durch Ausstellungen dem Publikum nahegebracht wird. Owen Jones stellt 1864 in mehreren Blättern eine *Grammar of Ornament* vor [4], in der alle verfügbaren Stilrichtungen und geogr. Ausprägungen präsentiert werden: MA, Mauresk, Indisch, China, Japan, Griech.-Röm. vertreten durch pompeianische Wandmalerei, Eroten, Greifen, Ranken, Masken, griech. Vasen- und Bauornamentik, die er nach eigenen Vorstellungen farbig gestaltet.

Den geschmacklichen Vorlieben der bürgerlichen Gesellschaft des Biedermeier entsprechen die seit 1873 bei den Grabungen von Franz Winter in Böotien massenhaft gefundenen Tonfiguren kleinfiguriger, in reichfaltige Gewänder gehüllter tanzender Mädchen, die sog. Tanagrafiguren, z. T. in ihrer urspr. Farbigkeit. Der großen Nachfrage kann durch → Fälschungen Genüge getan werden. Sie sind h. entweder durch naturwiss. Altersbestimmung oder stilistisch an manierierten Details und Vollständigkeit erkennbar [13; 24; 31]. Die Tanagräerinnen werden auch in andere Materialien umgeformt, z.B. in Fayence von Théodore Deck [14].

D. 20. Jahrhundert

Während im verspielten Jugendstil Formen aus der minoischen Kunst aufgenommen werden [11; 28], schätzen Bauhaus und Werkbund klare Linien. Verzicht auf Dekor und Minimalismus lassen wenig Platz für ant. Formen und Modelle. Seit Marinetti im *Futuristischen Manifest* von 1909 die Schönheit eines Rennwagens höher schätzt als die Nike von Samothrake, ist mit dem Vorbildcharakter der Ant. im Sinn eines erhabenen Trägers von Würde, Wert und Ethik gebrochen. Zur Verfügbarkeit aller Stilformen früherer Zeiten kommt das Interesse an der Schöpferkraft des Primitiven, des unverbildeten Kindes und der Banalität. Während sich in der Zeit der Weltkriege in der Architektur der Neoklassizismus behauptet, werden im Kunstgewerbe die vom verbotenen Bauhaus und Werkbund geschaffenen zweckmäßigen, klaren und geom. Formen bevorzugt. Die Aufnahme ant. Formen im 20. Jh. schwankt zw. vereinzelten Übernahmen in klassizistischer Manier und einer neuen Sachlichkeit. Für ersteren Fall sind exemplarisch die Entwürfe der 20er und 30er J. von Gio Ponti zu nennen, ein Porzellangefäß in der Form einer etr. Bronzeciste des 4. Jh. v. Chr. und ein Textilentwurf in Seide mit Säulenmotiv [32. 124. Abb. 3, 387. Abb. 4]. Dem traditionellen klassizistischen Empfinden entspricht auch das in den 60er J. von Terence Robsjohn-Gibbings (1905–1976) in Zusammenarbeit mit der Firma Saridis in Athen produzierte Sitzmobiliar, das dem auf att. Grabstelen der Klassik nahesteht [15].

Eine Sonderstellung im Antikebezug nimmt Picassos Produktion von Tonfiguren, Fayencen und Gefäßen ein, deren Inspiration und assoziative Verwandtschaft von archa. Terrakotten aus Böotien, Gefäßen aus Zypern und Kreta abhängt [26]. Für ihn bergen diese Vorbilder Ursprung und originale Schöpferkraft.

In den 60er J. setzen sich z. T. unter dem Einfluß der amerikanischen Pop Art wieder Eklektizismus, Pluralismus, Dekor und Ornament durch, und es entsteht ein neuer postmoderner Klassizismus, der unbekümmert aus der Vergangenheit nimmt, ohne den Ballast der Gelehrsamkeit und des Wissens mitzuschleppen. Umbildungen ant. Formenguts müssen nicht mehr funktions- und materialgerecht, nicht nutzenorientiert, nicht harmonisch sein. Trix und Robert Hausmann stellen 1979/80 einen Säulenschrank »Formalismo funzionale« vor [7. Abb. 60]. 1979 fordert der Metallwarenhersteller Alessi in Crusinallo, Mailand, elf internationale Architekten auf, ein Tee- und Kaffeeservice aus massivem Silber zu entwerfen. Der Amerikaner Charles A. Jencks (geb. 1939) bringt klass. → Säulen in seine Entwürfe ein [16. 10, 82–83]. Auch in seinem übrigen Schaffen legt Jencks die griech.-röm. Architektur auf Dinge des täglichen Gebrauchs um, wie sein Kolosseum-Sessel und Hocker von 1984 beweisen [16. 139, 141, 143]. Ein weiterer Amerikaner, Stanley Tigerman (geb. 1931), nutzt bei seinen 1982–1985 angefertigten Entwürfen für Sitzmöbel dorische, ionische und korinthische Säulen [16. 168]. Bei dem 1986–1987 für Cleto Munari angefertigten Schmuck kehrt die Form des ionischen Kapitells wieder [16. 176]. Bei den Stoffentwürfen von 1984/85 für Hamano präsentiert Tigerman Muster in Anlehnung an ant. Kassettendecken und farbige Ornamentstreifen mit Mäander und Kymation [16. 177].

Lose an kaiserzeitliche Medusa-Reliefköpfe und an Goethes geschätzte Medusa Rondanini anzureihen ist das Medusa-Emblem und Markenzeichen von Gianni Versace, das als wesentliches Element auf Tafelgeschirr und Stoffwaren wiederholt wird [5]. In den 20er bis 60er J. wird in It. nahe → Pompeji in Nachahmung des röm., kräftig roten Terra Sigillata-Tafelgeschirrs des sog. Ars Arretina Ware als → Souvenir hergestellt. 1997 legt der it. Haushaltsartikel-Designer Alessi ebenfalls in Anlehnung an eine in Pompeji gefundene Terra Sigillata-Servierplatte ein ebensolches Tablett in rot gefärbtem Metall neu auf [6]. Die seit 1983 in der Schweiz als Antwort auf die asiatische Billigkonkurrenz produzierten Swatch-Uhren lassen als entfernte Ideenlieferanten spätant. Mosaiken, stiertötende Niken, Greifen, ant. Architektur und Anleihen an klass. Statuen und Vasenbildern bes. bei Fabrikaten anläßlich der Olympischen Spiele nur mehr erahnen [19. 97, 107–108, 120, 123–124, 292–295, 526].

QU 1 A. C. P. COMTE DE CAYLUS, Recueil d'Antiquité Egyptiennes, Etrusques, Grecques, Romaines et Gauloises, 7 Bde., Paris 1752–1767 2 M. GRAVES, Officina Alessi, Tea and Coffee Piazza, 1983 3 P. H. D'HANCARVILLE, Collection of Etruscan, Greek and Roman Antiquities from the Cabinet of the Hon. William Hamilton, His Britannic Majesty's Envoy Extraordinary and Plenipotentiary at the Court of Naples, 4 Bde., Neapel/Paris 1766–67 4 O. JONES, One Thousand and One. Initial Letters, London 1864 5 »Gianni Versace«: Rosenthal. studio-linie. Das Originale unserer Zeit (Werbebroschüre der Firma Rosenthal für die Produktlinie »Gianni Versace«, o.J.) 6 www.alessi.it/special/anonymous/index.htm

LIT 7 S. ANNA (Hrsg.), Global Fun, 1999, Abb. 60 8 W. ARENHÖVEL, C. SCHREIBER (Hrsg.), Berlin und die Ant. Ausstellungskat. (I) u. Ergänzungsbd. (II) Berlin 1979 9 Ders., Manufaktur und Kunsthandwerk im 19. Jh., in: [8. Bd. I. 209–250] 10 W. BAER, Der Einfluß der Ant. auf das Erscheinungsbild der Berliner Porzellanmanufaktur, in: [8. Bd. I. 251–270] 11 A. BAMMER, Wien und Kreta: Jugendstil und minoische Kunst, in: JÖAI 60, 1990, 129–151 12 H. BECK, P. C. BOL (Hrsg.), Natur und Ant. in der Ren. Ausstellungskat. Liebieghaus, Frankfurt a.M., 1985 13 K. BRAUN, Kat. der Antikenslg. des Inst. für Klass. Arch. der Univ. des Saarlandes, 1998, 87 14 R. BUSZ, P. GERCKE (Hrsg.), Türkis und Azur: Quarzkeramik im Orient und Okzident, Ausstellungskat. Kassel 1999, Kat. Nr. 297 15 M. BYARS, Design Encyclopedia 1880 to the Present, 1994, Abb. 94 16 M. COLLINS, Design und Postmoderne, 1990 17 A. GRUBER, The History of Decorative Arts. The Ren. and Mannerism in Europe, 1993 18 W. GUDENRATH, K. PAINTER, D. WHITEHOUSE, The Portland Vase, in: Journ. of Glass Stud. 32, 1990, 14–23 19 A. HENNEL, M. STRAUSS, J. BERG (Hrsg.), Bonello's Swatch Collector 2000, 1999 20 N. HIMMELMANN, Minima Archaeologica. Utopie und Wirklichkeit der Ant., 1996, 277–291 21 I. JENKINS, K. SLOAN, Vases and Volcanoes. Sir William Hamilton and His Collection, 1996 22 H. KOMNICK, Höchster Porzellan und pompeianische Wandmalerei, in: M. HERFORT-KOCH, U. MANDEL, U. SCHÄDLER (Hrsg.), Begegnungen. Frankfurt und die Ant., 1994, 45–54, Taf. 3 23 I. KRAUSKOPF, Servizi etruschi – »griech.« Vasen aus Porzellan, in: R. STUPPERICH (Hrsg.), Lebendige Ant. Rezeptionen der Ant. in Politik, Kunst und Wiss. der Neuzeit. Kolloquium für W. Schiering, 1995, 125–134 24 I. KRISELEIT (Hrsg.), Bürgerwelten Hell. Tonfiguren und Nachschöpfungen im 19.Jh., Ausstellungskat. Berlin 1994 25 W. D. KÜHNELT, Antikenrezeption im Berliner Musikinstrumentenbau der 1. H. des 19. Jh., in: [8. Bd. II. 473–480. Abb. 4–11; Bd. I. 289–291] 26 M. MCCULLY (Hrsg.), Picasso. Scolpire e dipingere. La ceramica. Ausstellungskat. Ferrara 2000, 85–111 27 R. MÖLLER, Porzellan von Meißen bis zur Gegenwart, 1995 28 B. MUNDT, Ein Inst. für den technischen Fortschritt fördert den klassizistischen Stil im Kunstgewerbe, in: [8. Bd. II. 455–472] 29 W. D. NIEMEYER, Die Utopie vom verlorenen Paradieses: Die minoische Kultur Kretas als neuzeitliche Mythenschöpfung, in: R. STUPPERICH (Hrsg.), Lebendige Ant., Rezeptionen der Ant. in Politik, Kunst und Wiss. der Neuzeit. Kolloquium für W. Schiering, 1995, 195–206 30 M. PALLOTTINO (Hrsg.), Die Etrusker und Europa, Ausstellungskat. Paris 1992, Berlin 1993, 272–482 31 C. PEEGE, Die Terrakotten aus Böotien der arch. Slg. der Univ. Zürich, 1997, 43–59 32 C. PIROVANO (Hrsg.), History of the Industrial Design 1919–1990, 1991 33 R. REILLY, Wedgwood, 1989 34 C. W. SCHÜMANN, Antikisierende Tendenzen im Berliner Silber, in: [8. Bd. I. 271–284] 35 B. SCHUSTER,

Meissen, 1993 **36** T. Weiss (Hrsg.), 1795–1995 Wedgwood. Engl. Keramik in Wörlitz, 1995. EVA CHRISTOF

Wirtschaftslehre I. Antike II. Frühe Neuzeit

I. Antike
A. Antikes Wirtschaftsleben
B. Hauswirtschaft C. Antike
Wirtschaftsethik D. Austausch
E. Chrematistik F. Ordnungsvorstellungen
und zugehörige Tugenden

A. Antikes Wirtschaftsleben

Angesichts der in der Ant. mit den wechselnden Staatsformen verbundenen polit. Kontroversen überrascht die in den philos., lit. und historiographischen Texten vorgefundene Einheitlichkeit in der Verwendung wirtschaftlicher Grundbegriffe. Von Homer bis zur Spätant. herrschte die Vorstellung, daß sich das gute Leben im wohlgeordneten Haus vollziehen müsse. In ihm bestand eine Einheit von Konsum und Produktion, mit Austausch der Überschüsse auf dem Markt (Agora). Es gab Arbeitsteilung, aber man dachte nicht an einen Gegensatz zw. Haushalten als Orten des Konsums und Unternehmen als Orten der Produktion. Die Verbreitung der → Münzen (7. Jh.) und Anf. des Bankwesens (4. Jh.) bedeuteten insofern keine Zäsur. Als die Städte in die hell. Staaten und später ins röm. Reich eingegliedert wurden, legte man die neuen Aufgaben der Verwaltung als Bestellung eines königlichen oder kaiserlichen Haushalts aus. Das ptolemäische Ägypten ist als Planwirtschaft gedeutet worden. Der *Oikonómos* kontrollierte die Durchführung der landwirtschaftlichen Bebauungspläne in des Königs Namen [23. 279]. Bei Phokylides (6. Jh.) kommt dieser Titel der Hausfrau zu [9. 174]. Auch die röm. Latifundien wurden noch als Haushalte aufgefaßt; erst in der Neuzeit traten die Betriebe neben die Haushalte [31. 226ff.]. Für sie war es legitim, das Handeln dem Gewinnstreben unterzuordnen, was für den alten Haushalt bestritten wurde.

Bürgern und Nichtbürgern wurden ökonomisch verschiedene Funktionen zugeschrieben. Es gab Reichtumsabstufungen, wobei die Lohnarbeit wenig Ansehen genoß, während die → Sklaverei ein kompliziertes Spektrum bot: Es gab die unfreie Dienerschaft im Hause, es gab Sklaven in gehobenen Aufgaben wie der Leitung von Banken, es gab sie mit der Aussicht auf Freilassung oder der Möglichkeit, durch eigene Geschäfte sich selbst freikaufen zu können, und es gab elende Formen der Sklaverei wie in den Bergwerken. Neben der Landwirtschaft bestand ein städtisches Handwerk, schon im klass. Athen existierten Manufakturen (Ergasterien) mittlerer Größe. Die Polis schuf soziale Einrichtungen wie öffentliche Speisungen. In der Kombination solcher Elemente unterschieden sich die Staaten des Altertums. Mit dem Hell. überschritten die Vorstellungen vom bürgerlichen Zusammenleben die städtischen Schranken. Ein Kosmopolitismus entstand, und schließ-

lich auch neue soziale Bewegungen, die zuweilen als → Sozialismus gedeutet worden sind [5. 116]. Von der ersten Christengemeinde in der Apostelgeschichte heißt es: ›Alle aber, die gläubig waren geworden, waren beieinander und hielten alle Dinge gemein. Ihre Güter und Habe verkauften sie und teilten sie aus unter alle, nach dem jedermann Not war‹ (Apg 2,44–45).

Spätestens seit Beginn der klass. Zeit gab es eine wirtschaftskundliche Literatur. Davon sind Schriften über den Landbau erhalten (Columella). Eine erklärende ökonomische Theorie scheint nur vereinzelt angestrebt worden zu sein, insbes. bei Xenophon [27] und im Versuch des Aristoteles, unbegrenztes Reichtumsstreben auf falsche Geldverwendung zurückzuführen.

Da die Griechen den Kanon abendländischer Wiss. mit beschreibenden und erklärenden Ansätzen begründeten und da die röm. Wirtschaft die ganze mediterrane Welt umspannte, kann das Fehlen einer selbständigen ökonomischen Wiss. in der Ant. weder auf den niedrigen Stand allg. wiss. Erkenntnis noch auf mangelnde Anschauung zurückgeführt werden. Wirtschaftliches Handeln blieb in gesellschaftliches eingebettet [22]. Die Lit., ja der Mythos beschrieb daraus erwachsene Spannungen und bestätigte überkommene Wertsetzungen, wie sie sich schon im archa. Epos und Lehrgedicht finden. Die Klass. Philos. leistete dasselbe auf dem neuen Weg der Ableitung aus Grundbegriffen, ohne die Zielvorstellungen grundlegend zu verändern [26. 13–89]. Deshalb ist das ant. Wirtschaftsdenken als relativ gesicherter Bestandteil einer in nichtökonomischen Fragen stärker variierten ethischen Philos. zu deuten und nicht, wie mod. Theorie, als Bemühen, den Funktionsmechanismus der Wirtschaft wertfrei zu begreifen.

B. Hauswirtschaft

Die urspr. Einheit von Haushalt und Betrieb im bäuerlichen Hof fand ihre Entsprechung im häuslich betriebenen Handwerk und selbst im fürstlichen Besitz, der auch zugleich eine produzierende und konsumierende Einheit war. Die Einsetzung von Sklaven als Aufsehern über Teilbesitztümer (einschließlich Ergasterien) mußte zwar zu Vergleichen ihrer relativen Rentabilität führen, die in Quellen auch beschrieben wird, aber dieser Gesichtspunkt führte nicht zu einer selbständigen Betriebswirtschaftslehre [27]. Für die mit Sklaven betriebene Hauswirtschaft der Ant. ergaben sich andere Allokationskriterien als in der mod. ökonomischen Theorie, da der Arbeitseinsatz nicht durch den Ausgleich von Reallohn und Grenzarbeitsleid gefunden wurde und der Reichtum in gesellschaftlicher Entfaltung gesehen wurde, so daß – mod. gesprochen – Verschwendung Prestigegewinn und Macht und damit eine Investition *sui generis* bedeuten konnte. Während Solon bedauerte, daß dem Menschen in seinem Streben nach Reichtum von den Göttern kein klar umrissenes Ziel gesetzt sei, behaupteten Aristoteles und die meisten späteren Philosophen, das gute, dem Wesen des Menschen gemäß auf Erkenntnis gerichtete Leben bedürfe nur eines begrenzten Besitzes, der freilich reichlich genug zu sein habe, um den höheren Zielen auch nachstreben zu können. (Die epikureische Philos. geht zwar von der Lustgewinnung als dem übergeordneten Ziel aus, der recht verstandene Hedonismus beschränkt jedoch die Begierden und damit auch die Bedürfnisse. Die Kyniker treten für radikalere Bedürfnisbeschränkung ein. Von bes. Interesse ist die Schrift des späten Epikureers Philodem [13] über die Haushaltung, weil er nur fragt, was die richtige Haushaltsführung für den Philosophen sei und damit den Geltungsanspruch seiner Normen mit der Toleranz des Epikureers einschränkt).

Das Haus bedarf der Lenkung. Sie ist bei Platon, Aristoteles und Philodem eine Einzelherrschaft, jedoch mit Vorbehalten. Von den drei uns unter dem Namen des Aristoteles überlieferten Haushaltsschriften stammt die erste nach dem Zeugnis Philodems von Theophrast, Aristoteles' Nachfolger. Die zweite, gewiß unechte, aber an Sachinformationen reiche, betrifft die Haushaltsfinanzierung des Staates. Die dritte, nur in lat. Übers. aus dem MA erhaltene, befaßt sich primär mit dem nach der *Politik* des Aristoteles am Anf. der Haushaltsführung stehenden Thema, dem Eheleben. Der Gattin steht die innerhäusliche Herrschaft zu; sie gibt aus, was er erwirbt. Gepriesen werden Treue und Nachkommenschaft.

Sklaven: Die Philosophen, mit der Aufgabe konfrontiert, das Leid der Unfreiheit zu rechtfertigen, helfen sich mit der Einsicht, daß ohne Sklaverei ein würdiges Leben unmöglich sei – nur automatisierte Produktion, so deutet Aristoteles (pol. 1253 b 38) an, könnte sie entbehrlich machen, und tatsächlich finden wir in der *Ilias* (18,417–420) ›künstliche Jungfrauen‹, die sich der Gott Hephaistos zu seiner persönlichen Bedienung schmiedet. Aristoteles fragt, wer von Natur zur Herrschaft geboren sei, und fordert, die Sklavendienste sollten von Nicht-Griechen geleistet werden. Aber nicht immer herrscht der von Natur dazu Ausgestattete – das philos. Problem läßt sich nicht befriedigend lösen (Aristot. pol. 1255 b 5). Andererseits können den Sklaven auch verschiedene Aufgaben zugewiesen werden – ehrenvolle und weniger ehrenvolle (Aristot. pol. 1255 b 28) –, und schließlich erhalten Sklaven Lohn wenigstens in Form der Nahrung (Aristot. oec. 1 1344 b 4). Sie sollen nach absehbarer Zeit freigelassen werden (Aristot. oec. 1 1344 b 15), und man soll ihnen erlauben, Familie zu haben.

Die Haushaltsschriften gehen meist von landwirtschaftlichem Erwerb aus. Philodem erachtete es jedoch als für des Philosophen nicht unwürdig, wenn er von der Sklavenvermietung lebte, so wie er auch die Vermietung von Mietshäusern für passend hielt – besser aber sei es für den philos. Menschen, Land zu besitzen, noch besser, wenn er als Philosoph wie Epikur von den Zahlungen seiner Studenten für Unterricht in ›nicht schmähsüchtigen, aufrichtigen und keine Unruhe stiftenden Worten‹ leben könne [13. 54].

Die Hauswirtschaft gründete sich urspr. auf die sog. natürlichen Erwerbsformen wie Jägerei, Fischerei und Bauerntum. Zwischen Hesiod, der das karge Leben des Kleinbauern in der Furcht vor den Elementen, aber gestützt auf die Hilfe der Nachbarn beschreibt, und Columella, der Anleitungen zur besten Nutzung eines agrarischen Großbesitzes in Rom gibt, liegt eine große Spanne; manche Prinzipien, wie etwa die Risikoaversion, ziehen sich jedoch durch. Ein Bild des häuslichen Handwerks gibt Xenophon in den *Memorabilia*, wo Sokrates einem Hausherrn in wirtschaftlicher Not rät, die Freigeborenen in seinem Haushalt, die Verwandten und die Sklaven heranzuziehen, um sich mit Hauswerk über Wasser zu halten. In der Verwaltung der Haushalte zeichnete sich eine Entwicklung ab, die bei Columella bis zu einer die Zinskosten einbeziehenden Investitionsrechnung reicht. In der unter des Aristoteles Namen überlieferten, Theophrast zugeschriebenen Haushaltsschrift werden verschiedene Verwaltungssysteme beschrieben; danach hätten beispielsweise die armen athenischen Kleinbauern – anders als der sich gegen Ernteschwankungen absichernde Bauer in der Naturalwirtschaft – ihre Produktion ohne Vorratshaltung gegen Geld verkauft (Aristot. oec. 1 1344 b 34) und waren in den Markt integriert.

C. ANTIKE WIRTSCHAFTSETHIK

Trotz der Entstehung umfassender Marktbeziehungen übertrugen sich gesellschaftliche Ideale aus aristokratischer Zeit in die demokratische Periode. Obwohl die Bürger der zahlreichen griech. Städte, überwiegend selbst arbeitende Bauern, im Austausch standen, war damit das Ziel einer wirtschaftlichen Unabhängigkeit (Autarkie) gesetzt, die sich bei begrenzten Mitteln nur durch bescheidene Lebensführung vermitteln ließ. Zum guten Leben gehörte auch sorgfältige handwerkliche Arbeit, wobei beispielsweise beim Tempelbau Freie und Sklaven ihr Werk nebeneinander und miteinander verrichteten. Die Hingabe zum guten Handwerk ist im Mythos und dichterisch belegt. Sie spiegelt sich im philos. Wirtschaftsdenken, wenn Platon das Bild des guten Hirten heranzieht, der sich seinen Schafen widmet und dabei nicht an das Verkaufen oder Verschmausen derselben denkt, oder wenn Aristoteles betont, der Schuh entstehe um des Gebrauches willen und nicht, um verkauft zu werden, der Feldherr habe an den Krieg zu denken, nicht an die Ehre, der Arzt an die Gesundheit, nicht an seinen Verdienst. Zwar erkennen die Philosophen – so Platon –, daß die Arbeitsteilung die Produktivität steigert, und Xenophon weiß, daß ihr Grad von der Marktgröße abhängt – es gibt mehr Spezialisierungen in der persischen Metropole als in den kleinen Städten Griechenlands (*Kýru paideía* 8,22,5) – aber stets wird hervorgehoben, daß die Arbeitsteilung v. a. der besseren Qualität der Produkte wegen da sei.

Realgeschichtlich traten die Griechen der Vermassung durch Koloniebildung entgegen. Philosophisch sahen sie die Polis als das autarke (sich selbst genügende) Gebilde, in welchem die Haushalte durch Austausch ihrer Überschüsse zusammenwirkten. Der Gefahr, daß die Marktbeziehungen das gesellschaftliche Gleichgewicht in der Stadt stören könnten, wollte Platon in der *Politeía* durch rigorose Gesetzgebung entgegentreten. Vor allem befürchtete er, zu starke Reichtumsgegensätze könnten die Stadt in Tyrannis, Pöbelherrschaft oder Oligarchie führen. Die in den *Nómoi* vorgeschlagenen Regelungen lassen zwar den Markt zu, sehen aber vor, daß der Austausch überwacht wird, so daß er, wenn durch ihn zu große Ungleichheiten zustande kommen, durch Umverteilung korrigiert werden kann. Aristoteles suchte ebenfalls Regeln des Tausches theoretisch zu bestimmen, welche die Prinzipien der vorgelagerten verteilenden Gerechtigkeit nicht verletzen sollten. Angesichts der Proletarisierung in den großen Städten des Hell. und der röm. Periode entstanden Forderungen nach Umverteilung (z. B. Verteilung von Getreide), die mit allg. Menschenfreundschaft (Philanthropie) begründet wurden.

D. Austausch

Zunächst ist der Gabentausch vom Warentausch zu unterscheiden. Aristoteles geht von der Gegenseitigkeit (ἀντιπεπονθός, eth. Nic. 1132 b 24) als einer selbständigen Kategorie aus; sie ist weder der austeilenden noch der ausgleichenden Gerechtigkeit zugeordnet, da sie auch ungerecht sein kann. Gerechtes Handeln in Gegenseitigkeit ist das, was die Polis eigentlich zusammenhält (eth. Nic. 1132 b 35; pol. 1261 a 32), indem der Freie Gleiches mit Gleichem vergilt, also beispielsweise ein Geschenk mit einem Gegengeschenk erwidert und – hierauf kommt es an – jeder immer wieder seine Bereitschaft beweist, mit einer Spende, auch dem Staat gegenüber, voranzugehen. Deshalb werden nach Aristoteles den Chariten, den Göttinnen der Anmut und des Dankes, Altäre errichtet: damit man lerne, dankbar zu nehmen, aber auch immer wieder im Geben der Erste zu sein.

Gabe und Gegengabe spielen allgemein bei primitiven Völkern eine große Rolle [18; 19]. Der Gabentausch unterscheidet sich vom Warentausch, indem für eine Gabe nicht ein gleichwertiges, sondern ein gleichartiges oder, noch besser, gleichrangiges Geschenk zurückgegeben wird – oft erst nach einiger Zeit –, wodurch die mit der Annahme des Geschenkes verbundene Verpflichtung eingelöst wird. Bei Homer finden sich eine Fülle von Beispielen des Gabentausches: Ein Held kann sich damit brüsten, daß er von seinen Anhängern Geschenke empfangen wird (Menelaos, Od. 15,79–84), die Gesetze der Gastfreundschaft sind mit den Verpflichtungen des Gebens und Nehmens verknüpft (Glaukon und Diomedes, Il. 6,234), und die Sprachforsch. hat erschlossen, daß in den Homerischen Epen ein reiches Vokabular des Gabentausches verwendet wird, das auf noch ältere Sitten in indoeurop. Zeiten zurückverweist. Aristoteles denkt also in überlieferten Kategorien.

Der Spende (μετάδοσις) im Gabentausch schließt sich ohne scharfe Abgrenzung der Warentausch an: Genauer, es wird das Gesetz eines Gabentausches beschrieben, der dann als Warentausch gedeutet wird. Aristo-

teles sagt nämlich, daß für die Spende eine ›Gegengabe‹ erfolgt ›gemäß einer Proportionalität‹, die durch ›kreuzweise Zuordnung‹ ›bewirkt‹ wird (ποιεῖ δὲ τὴν ἀντίδοσιν τὴν κατ᾽ ἀναλογίαν ἡ κατὰ διάμετρον σύζευξις, eth. Nic. 1133 a 6–7). In Aristoteles' Beispiel ist A ein Baumeister, B ein Schuster, a ein Haus und b ein Schuh. Die unmittelbare Zuordnung ist also A zu a und B zu b. Aristoteles sagt dann: ›Wenn nun zuerst das gemäß der Proportion Gleiche da war, dann entsteht Gegenseitigkeit‹ (1133 a 10–12). Eine Illustration dieser etwas rätselhaften Passage kann der *Eudemischen Ethik* des Aristoteles entnommen werden, wo gleichfalls eine Zuordnung übers Kreuz besprochen wird (1242 b 17). Hier soll Freunden, von denen einer der Überlegene ist, etwas zukommen. Angemessenheit oder Proportionalität – ἀναλογία – besteht, wenn der Überlegene mehr erhält, also wenn die Zuordnung A zu a, B zu b erfolgt, mit A > B und a > b. Die Zuordnung übers Kreuz bedeutet, daß A b und B a erhält – dann, sagt Aristoteles, wird die Freundschaft bei solchen Größenverhältnissen allerdings zur Dienstleistung (λειτουργία, 1242 b 18).

Welche Proportion ist aber gemeint beim Austausch auf Gegenseitigkeit? Zusammenfassend kann man feststellen (ausführlicher bei [25]), daß Aristoteles vorab der ausgleichenden Gerechtigkeit, die der Richter anwendet, wenn er bei zivilrechtlichen Forderungen einen Kompromiß sucht, symbolisch das arithmetische Mittel (das im Griech. ebenfalls »Proportion« heißt) zuordnet, sodann der verteilenden Gerechtigkeit, bei der jedem nach dem Rang zugeteilt wird, die gewöhnliche Proportionalität, wie dies auch im obigen Freundesbeispiel angedeutet ist, sofern der Überlegene mehr bekommt. Es gilt dann A : B = a : b. Man kann nach der Zuteilung symbolisch deshalb auch sagen A : B = (A + a) : (B + b) = a : b; die um das Zugeteilte vermehrten Personen stehen im selben Verhältnis wie sie selbst und wie die Sachen (Strahlensatz). Es handelt sich um symbolische Vergleiche, wie sie nicht nur in der Philos., sondern auch in der griech. Dichtung häufig vorkamen (Aristoteles gibt in seiner *Poetik* Beispiele des Typs: Das Alter verhält sich zum Leben wie der Abend zum Tag; poet. 1457 b). Im mathematisch-physikalischen Sinn gelten die Proportionen nicht, denn die Personen und die ihnen zuzuordnenden Güter sind nicht kommensurabel. Bei Warentausch aber liegt nicht nur eine Kommensurabilität der Waren vor, sondern sie sind, wie wir wissen, als Werte sogar gleich, was von den austauschenden Personen nicht behauptet werden kann. Es ist deshalb vorgeschlagen worden, im Falle der beim Warentausch vorliegenden Gegenseitigkeit eine bei Euklid belegte [28] Proportion von Proportionen zur Deutung des Tausches bei Aristoteles heranzuziehen. Das Verhältnis der Personen zu den ihnen zugeordneten Dingen ist bei Gegenseitigkeit vor und nach dem Tausch dasselbe, also (A : a) : (B : b) = (A : b) : (B : a). In diesem Fall ist für beliebige A, B diese Proportion der Proportionen dann und nur dann erfüllt, wenn a = b; die Gegenseitigkeit ist zum Tausch von Äquivalenten geworden. Diese Deutung wäre schon deshalb elegant, weil Aristoteles von Gegenseitigkeit nur spricht, wenn ›zuerst‹ die auszutauschenden Objekte ›gleich‹ sind (eth. Nic. 1133 a 10). Aber es scheint fraglich, ob dem Aristotelischen Text etwas anderes als eine gewöhnliche Proportion unterlegt werden darf.

Es sind ungleiche Personen wie der genannte Baumeister und der Schuster, die tauschen und dadurch ›gleich gestellt werden‹ (eth. Nic. 1133 a 19). Aber wie kann man von der vorausgehenden Gleichheit der Dinge sprechen? Das Problem stellt sich Aristoteles ausdrücklich, wenn er sagt, daß durch ein gewisses Eines alles gemessen werden muß (ἐνί τινι πάντα μετρεῖσθαι, eth. Nic. 1133 a 26). Dieses Eine ist für ihn ›in Wahrheit der Bedarf‹ (χρεία, 1133 a 28). Damit ist aus einer Gegenseitigkeit, bei der wir zuerst an Geschenk und Gegengeschenk dachten, unversehens der ökonomische Austausch der Waren geworden, und richtig fährt Aristoteles fort, indem er vom Geld als konventionellem, aus Übereinkunft entstandenem Maß spricht und insofern ein nominalistisches Geldverständnis anklingt, wie es auf die Scheidemünzen angewandt werden konnte.

Man hat, da die Personen in die Proportion einbezogen werden, die von Aristoteles angedeutete Äquivalenz arbeitswerttheoretisch deuten wollen, obwohl von Arbeit in weitem Umkreis der betrachteten Stelle keine Rede ist, während der »Bedarf« für andere auf die Nutzentheorie vorausweist, obwohl auch der Nutzenbegriff im betrachteten Zusammenhang völlig fehlt, den Aristoteles doch an anderen Stellen mit anderen Zielsetzungen ausführlich diskutiert. Am ehesten würde es in sein Denkbild passen, sich hier einen Austausch von Überschüssen der Haushalte vorzustellen, die eben durch den Bedarf – wenn er wirklich wechselweise besteht – als äquivalent gesetzt werden. Sicher ist, daß Aristoteles die Stelle nicht mit dem Ziel anführt, ökonomische Theorie im Sinne einer Kausalerklärung der Tauschrelationen zu treiben; vielmehr handelt es sich ausdrücklich um die Diskussion bes. Beispiele seiner Gerechtigkeitstheorie, also um das Suchen einer ethischen Norm für den Tausch. Sein Ziel ist, das Prinzip der Gegenseitigkeit durch den ihm selbstverständlichen Äquivalententausch zu illustrieren, nicht umgekehrt den Äquivalententausch durch Gegenseitigkeit zu erklären. Der Tausch auf Gegenseitigkeit fügt sich in sein Bild der Polis.

E. Chrematistik

Aristoteles beschreibt allerdings auch noch die unnatürliche Erwerbskunst, die »Chrematistik« – ein die Grenzen des Natürlichen sprengender Erwerb, der durch die Erfindung des Geldes möglich wurde. Ursprünglich wurden die Edelmetalle nur nach dem Gewicht als Tauschmittel verwendet, dann wurden sie gestempelt und zu Geld; an dieser Stelle klingt seine Geldtheorie metallistisch und paßt zum Fernhandel mit Münzen aus Edelmetall (pol. 1257 a 40). Nun entstand das Mißverständnis, das Geld als den Reichtum zu betrachten. Dieser Reichtum hat seine Grenze nicht in sich selbst. Daher sind die mit chrematistischem Erwerb Befaßten versucht, ihr Geld ins Unbegrenzte zu vermehren (pol. 1257 b 35). Die Chrematistik ist nicht notwendig, anders als die natürliche Erwerbskunst, einschließlich des Tausches, soweit er den naturgemäßen Verkehr zw. den Haushalten ermöglicht. Aristoteles entwickelt die Formen des unnatürlichen Erwerbs systematisch. Der Bergbau steht an der Grenze zw. natürlichem und unnatürlichem Erwerb; spezifisch unnatürlich aber sind der Kleinhandel, der Großhandel, der Wucher und die Lohnarbeit. Obwohl sie grundsätzlich unnötig sind, spricht er nicht von ihrer Abschaffung – vielmehr bedürfen die Staaten durchaus des Gelderwerbs (pol. 1259 a 35). Die praktischen Studien dazu, für die er uns nicht tradierte Bücher empfiehlt, stehen jedoch nicht in hohem Ansehen. Und in der Tat wiederholt er mit diesem Urteil, mit philos. Begründung, die alten aristokratischen Wertsetzungen, die von den Bürgern der Demokratie übernommen wurden; es sind in agrarischen Gesellschaften verbreitete Vorurteile (so sagt er, der Wucher werde ›höchst lobenswerterweise gehaßt‹, pol. 1258 b 4).

Die Philosophen brachten Wertungen zum Ausdruck, denen wohl nur die wenigsten konsequent nachleben konnten. Die röm. Philos. war vielleicht nicht ebenso originell wie die griech., gab aber der Moral gelegentlich eine Wendung zur Praxis, die auf die von der Wirklichkeit erzwungenen Kompromisse schließen läßt. Cicero spricht z.B. in *De officiis* von möglichen Konflikten zw. Ehrlichkeit und Nutzen. Er erwähnt einen guten Händler, der von Alexandria nach Rhodos Getreide bringt, der weiß, daß auf Rhodos infolge einer schlechten Ernte Hunger herrscht und daß, ihm nachfolgend, noch Handelsschiffe aus Alexandria nach Rhodos mit Getreideladungen unterwegs sind. Soll er nun die Rhodier darüber aufklären, daß sich der Mangel bald in ein Überangebot verkehren wird oder soll er schnell die eigene Ladung zu Höchstpreisen verkaufen (off. 3,12,50)? Cicero läßt zwei Stoiker den Fall diskutieren. Der eine meint, modern gesprochen, es käme der Aufhebung des Privateigentums gleich, wenn der Verkäufer nicht unter Ausnutzung seines Informationsvorsprunges verkaufen dürfe, der andere hält solches Verhalten für eine Aufkündigung der menschlichen Gemeinschaft. Schließlich entscheidet Cicero, solches Wissen zu verbergen sei gewiß nicht die Sache eines offenen, einfachen gerechten Mannes, sondern eines verschlagenen, betrügerischen Schurken, und er fügt in einer typischen Wendung hinzu: ›haec tot et alia plura nonne inutile est vitiorum subire nomina?‹/»ist es nicht unnütz, mit so vielen Bezeichnungen von Lastern und noch anderen belegt zu werden?« (off. 3,13,57). Das Gute und der Nutzen stehen im Einklang, weil der ehrliche Umgang mit asymmetrischer Information durch Reputation gestützt wird.

F. Ordnungsvorstellungen und zugehörige Tugenden

Die demokratische Phase ist nur eine in der von der griech. Philos. durchdachten Abfolge der Staatsformen; ihr Wechsel trug zur Relativierung der Werte bei. Ein tragisches Grundverständnis des Lebens und rel. Scheu standen einem Fortschrittsdenken, das aus der Entwicklung der Technik, der wirtschaftlichen Integration und der Eroberung neuer Räume hätte erwachsen können, entgegen. Die rivalisierenden Stadtstaaten bekundeten durch ihre Redner ein starkes, je eigenes Identitätsbewußtsein, und die Historiker ergingen sich bei der Darstellung der Konflikte zw. den Staaten in ausführlichen polaren Vergleichen der Lebensstile, die man auch als Vergleiche der Wirtschaftsstile lesen kann (so Herodot in der Gegenüberstellung der orientalischen Despotie Persiens und der griech. Demokratie, Thukydides in der Gegenüberstellung von Athen und Sparta). Aus dem Wechsel der Staatsformen ergab sich die Frage, welche ethischen Grundsätze überhistor. Geltung besaßen und welche man als bedingt anzusehen hatte. Platon neigt zur ökonomischen Gleichheit und dem polit. Vorrang für den geistig Überlegenen, Aristoteles zur polit. Gleichheit und größerer Toleranz von Reichtumsgegensätzen. Die Aristotelische Ethik wendet sich von der platonischen Bestimmung des Guten zu der des Guten Lebens oder der Glückseligkeit (εὐδαιμονία, eth. Nic. 1095 a 21). Es ist die Natur des Menschen, nach Erkenntnis zu streben und sich die dazu nötigen Mittel zu sichern. Das Nützliche wird von Aristoteles nicht als Selbstzweck gesetzt; es ist nicht ein Gut, das aus sich selbst heraus gut ist, sondern eines, das einem anderen Guten dient. Was nützlich ist, bestimmt sich daher aus übergeordneten Prinzipien; es ist allerdings beim Menschen nicht so leicht zu finden wie etwa bei einem Tier, dessen Natur nach ganz bestimmter Nahrung verlangt. Der Hedonismus, den Platon im *Protagoras* und im *Philebos* einer Kritik unterwirft, untersucht Aristoteles im zehnten Buch der *Nikomachischen Ethik*. Zwar ist ein gut geführtes Leben auch befriedigend; die Befriedigung ist jedoch nicht die Ursache oder das Kennzeichen der richtigen Lebensorientierung (eth. Nic. 1099 a 8). Zum Maßstab wird der gute Mensch (1176 a 18). Er entfaltet sich, indem er die höchsten menschlichen Möglichkeiten verwirklicht. Für ihn ist das Vergnügen nicht ein Ziel, sondern ein Mittel: eine Art des Ausruhens, um Kraft für höhere Bestrebungen zu gewinnen (eth. Nic. 1176 b 34).

Der gute Mensch zeichnet sich durch seine Tugenden aus. In der Tugendlehre scheint auch die wirtschaftliche Dimension auf, bezogen auf die dem Stadtstaat angemessenen Lebensformen. Zwar läßt sich im Sinne des Aristoteles eine durch das Gute strukturierte Präferenzordnung für die materiellen Güter denken – wenn man will, mit einem endlichen Nutzenmaximum bei der besten, weder zu ärmlichen, noch zu reichen Ausstattung des Hauses (so daß Kraus in Aristoteles einen Vorläufer der Nutzentheorie sah [16]; für eine Andeu-

tung des Wertparadoxons bei Aristoteles vgl. [26. 74]), aber es ist im Hinblick auf wirtschaftsethische Fragen interessanter, konkrete Tugenden zu konkreten Institutionen in Beziehung zu setzen.

In der realen athenischen Demokratie stand dem Anspruch auf formale Gleichheit der Bürger (angestrebt mit der Ämterverlosung statt der Besetzung durch die Wahl des Besten, auch mit dem Scherbengericht – dazu Aristot. pol. 1284 a 18) die sich aus Stellung, den Vermögen oder Verdiensten ergebende Rangordnung gegenüber. Die Polis nahm die Bürger bei ihren Leistungen (Liturgien) an den Staat in der Regel nach ihrem Vermögen in Anspruch. Ursprünglich waren solche Leistungen freiwillig und verschafften dem Spender nichts als ein bes. Ansehen, später nahmen sie Zwangscharakter an. Man unterschied nun sichtbaren Reichtum und unsichtbaren. Der sichtbare, z.B. ein Landgut, wird für die anderen Bürger der Anlaß, den Besitzer zur Spende aufzufordern. Daraus ergab sich der Anreiz, das Vermögen in »unsichtbarer« Form anzulegen, also es z.B. zu verleihen, um sich der Verpflichtung zu entziehen – auch dies ein Grund für das festsitzende, von den Philosophen begründete Mißtrauen gegen die Kreditwirtschaft (hierzu und zum Vermögenstausch als einer Sanktion vgl. die gegensätzlichen Deutungen bei [7; 20]). Die Liturgien wurden durch entsprechende Tugendvorstellungen gestützt.

Die Tugend ist ein Mittelmaß zw. Extremen. Theophrast (*Charakterbilder*) deutet sie durch Karikierung der Extreme an; er schildert etwa, wie der kleinliche reiche Mann in der Volksversammlung aufsteht und still beiseite geht, wenn er fühlt, daß die Debatte bald die Notwendigkeit zusätzlicher Spenden (ἐπίδοσις, char. 22) aufwerfen könnte. So bringt die att. → Komödie auch den Geizhals und den Verschwender auf die Bühne. Eine Tabelle der Tugenden findet sich in der *Eudemischen Ethik* des Aristoteles (1220 b 40), die z.B. das Gerechte als Mitte zw. Gewinn und Verlust, die Tapferkeit zw. Übereilung und Feigheit, die Freigebigkeit zw. Verschwendung und Knauserigkeit, die Seelengröße zw. Eitelkeit und Kleingeisterei einordnet. Da der Freigebige gern gibt, ist er leicht betrogen, und es fällt ihm schwer, den Reichtum zu bewahren (eth. Nic. 1120 b 16, 1121 a 6). Eine Steigerung der Freigebigkeit ist die Großzügigkeit, der hohe Sinn oder die Prachtliebe (μεγαλοπρέπεια). Wer über diese Tugend verfügt, ist ein Künstler der Verausgabung großer Summen mit gutem Geschmack, bereitwillig in der Spende für öffentliche Zwecke – Aristoteles nennt den Gottesdienst und öffentliche Gebäude (eth. Nic. 1122 b 20) –, er weiß, die rechten Geschenke zu geben und Gastfreundschaft zu üben, er ist der Ehre gewiß. Die große Seele schließlich fordert viel und verdient viel. Wer diese Tugend besitzt, muß ein guter Mensch sein; sie tritt hinzu, insoweit in einer Tugend überhaupt Größe liegt (eth. Nic. 1123 b 30). Aristoteles vermutet, daß die Tugenden der Freigebigkeit und Prachtentfaltung am ehesten in den Generationen der Kinder und Enkel der Unternehmer, die ein Vermögen erwerben, vorkommen. Er kennt also die Generationentheorie; wo aber die frühe Neuzeit die Tugend auf der Seite der Gründergeneration sieht, die Sparsamkeit übt, sieht sie Aristoteles bei den Nachfahren, denn deren Großzügigkeit fördert das städtische Zusammenleben.

Im Wirtschaftsdenken der Stoa fördert die Verfolgung eines recht verstandenen Eigennutzens das Ganze, weil sich die Welt so vorgeordnet findet; auch an der Bekämpfung des Übels kann der Mensch wachsen. ›Überhaupt hat er (Zeus) die Natur des vernünftigen Wesens so eingerichtet, daß es keines seiner ihm eigentümlichen Güter bekommen kann, wenn es nicht etwas zum allg. Nutzen beiträgt‹ (Epiktet, *Lehrgespräche* 1,19). Von den Römern wurde insbes. der privatrechtliche Rahmen der Wirtschaftstätigkeit fester gefügt und naturrechtlich begründet.

→ AWI Agora; Banken; Columella; Epikur; Hesiodos; Kynismus; Philodemos; Phokylides; Polis; Solon [1]; Theophrastos; Wirtschaft; Wirtschaftsethik; Xenophon [2]

1 M. Austin, P. Vidal-Naquet, Économies et sociétés en Grèce ancienne, 1972 2 Ch. Baloglou, Η οικονομική σκέψη των αρχαίων Ελλήνων, 1995 3 Ders., H. Peukert, Zum ant. ökonomischen Denken der Griechen. Eine komm. Bibliogr., 1992 4 W. Braeuer, Urahnen der Ökonomik, 1981 5 K. Bücher, Die Aufstände der unfreien Arbeiter 143–129 v. Chr., Frankfurt 1874 6 A. Bürgin, Zur Soziogenese der Polit. Ökonomie. Wirtschaftsgeschichtliche und dogmenhistor. Betrachtungen, 1993 7 E. E. Cohen, Athenian Economy and Society. A Banking Perspective, 1992 8 A. Demandt, Ant. Staatsformen, 1995 9 J. H. Edmonds (Hrsg.), Greek Elegy and Iambus, Bd. I, 1982 (1931) 10 E. Egner, Der Verlust der alten Ökonomik, 1985 11 M. I. Finley, The Ancient Economy, ²1975 12 Ders. (Hrsg.), The Bücher-Meyer Controversy, 1979 13 J. A. Hartung, Philodems Abh. über die Haushaltung ..., Griech. und Dt., Leipzig 1857 14 H. Kloft, Die Wirtschaft der griech.-röm. Welt, 1992 15 J. X. Kraus, Die Stoa und ihr Einfluß auf die Nationalökonomie, 2000 16 O. Kraus, Die aristotelische Werttheorie in ihren Beziehungen zu den Lehren der mod. Psychologenschulen, in: Zschr. für die gesamte Staatswiss. 61, 1905, 573–592 17 S. Todd Lowry, Archaeology of Economic Ideas, 1987 18 B. Malinowski, Argonauts of the Western Pacific, 1972 (1922) 19 M. Mauss, Sociologie et anthropologie, 1983 (1950) 20 P. Millett, Lending and Borrowing in Ancient Athens, ²1994 21 W. Nippel, Griechen, Barbaren und »Wilde«, 1990 22 K. Polanyi, The Livelihood of Man, 1977 23 M. Rostovtzeff, The Social and Economic History of the Hellenistic World, 1972 (1941) 24 E. Salin, Polit. Ökonomie. Gesch. der wirtschaftspolit. Ideen von Platon bis zur Gegenwart, 1967 25 B. Schefold, Platon und Aristoteles, in: J. Starbatty (Hrsg.), Klassiker des ökonomischen Denkens, 1989, 15–55 26 Ders., Spiegelungen des ant. Wirtschaftsdenkens in der griech. Dichtung, in: Ders. (Hrsg.), Stud. zur Entwicklung der ökonomischen Theorie XI. Schriften des Vereins für Socialpolitik, Neue Folge 115/XI, 1989, 13–89 27 Ders., Xenophons »Oikonomikos«: der Anf. welcher Wirtschaftslehre?, in: Ders. et al. (Hrsg.), Vademecum zu

einem Klassiker der Haushaltsökonomie. Kommentarband zum Ndr. v. 1734 in der Reihe »Klassiker der Nationalökonomie«, 1998, 5–43 28 J. Soudek, Aristotle's theory of exchange, in: Proceedings of the American Philosophical Society 96, 1952, 45–75 29 G. Vivenza, Benevolenza pubblica, benevolenza privata e benevolenza reciproca: la virtù del dono e dello scambio dall' antichità al settecento, in: Studi Storici Luigi Simeoni 46, 1996, 15–37 30 F. Wagner, Das Bild der frühen Ökonomik, 1969 31 M. Weber, Wirtschaft und Gesellschaft, ⁵1976.

BERTRAM SCHEFOLD

II. Frühe Neuzeit

A. Generelles   B. Haushaltsökonomik in Mittelalter und Früher Neuzeit C. Adam Smith und die Entstehung der Nationalökonomie   D. Ausblick: Aristotelismus in der deutschen Nationalökonomie des 19. Jahrhunderts

A. Generelles

Wie es in der Ant. eine Ökonomie als eigene Wiss. nicht gab, sondern diese Teil der Philos. war und insbes. im Rahmen ethischer Fragestellungen behandelt wurde, so lehrte man im MA Ökonomie als einen Teil der → Praktischen Philosophie, zu der in Anlehnung an die aristotelische Wissenschaftseinteilung auch Ethik und Politik gehörten. Erst durch die Entstehung der Nationalökonomie im 18. Jh. entwickelte sich die Ökonomie als eigene Wiss., indem sie sich von ethisch-philos. Fragestellungen emanzipierte und Fragen von Markt, Verteilung und Erwerbswirtschaft in den Mittelpunkt rückten. Mit ausschlaggebend für diese Entwicklung war der Umstand, daß die Aristotelische Verurteilung der Chrematistik bis zu Beginn der Neuzeit Geltung hatte. Erst dann werden Gelderwerb und Reichtumsmehrung, auch auf »nationaler« Ebene, als etwas Positives an sich angesehen. Bis zu dieser Zeit der prinzipiellen Umbewertung wurde die alteurop. Ökonomik durch die Haushaltsökonomik geprägt [4; 10. 50].

B. Haushaltsökonomik in Mittelalter und Früher Neuzeit

Unter Haushaltsökonomik versteht man diejenige W., die sich auf die Haushalte als »Betriebseinheiten« bezieht, sie stellt also eine Art von »betriebswirtschaftlicher« Theorie für eine Subsistenzwirtschaft dar. Allerdings wird die über ihre Funktion als Selbstversorgereinheit hinausgehende Bed. der Haushalte für eine von Arbeitsteilung geprägte Verkehrs- und Marktwirtschaft gerade in den letzten Jahrzehnten von der Forsch. verstärkt entdeckt und herausgearbeitet [1; 11; 12]. Dieser Bed. entspricht die Relevanz der auf sie angewandten Theorie, für deren adäquate Würdigung der Begriff »Haushaltsökonomik« der syn. Bezeichung »Hausväterlit.«, die eine zu enge Vorstellung dieser W. weckt, vorzuziehen ist [12. 11 f.]. Die Haushaltsökonomik war ein wichtiger Bereich für den Einfluß ant. Lehren über die Wirtschaft des *oíkos*, des Hauses, zu denen v. a. Xenophons *Oikonomikós*, die Aristotelischen Vorstellungen über den *óikos*, die ps.-aristotelischen *Oikonomiken* und hell. ps.-pythagoreischen *Oikonomiken* gehörten. Sie wurden über die lat. Landwirtschaftsschriftsteller wie Cato d. Älteren (234–149 v. Chr.), Varro (118–27 v. Chr.), Columella (1. Jh. n. Chr.), über frühma. Enzyklopädien wie die des Isidor von Sevilla (ca. 550–636) sowie durch ma. Übers. ins Lat. [9. 546 f.] und wohl auch durch islamische »Oikonomiken« [12. 30 f.] dem MA vermittelt. Die Schriften der Haushaltsökonomik übernehmen die aus der Ant. überlieferte Zweiteilung des Hauses in Personenrelationen auf der einen und Besitz des Hausherrn auf der anderen Seite und gehen – mit christl. Ausrichtung und jeweils unterschiedlicher Schwerpunktsetzung – auf alle Aspekte einer wirtschaftlich und ethisch vollkommenen Haushaltsführung ein. Zu den ersten dieser im Umfeld der Pariser Univ. entstandenen Schriften der Haushaltsökonomik gehört die spätma. Schrift *Yconomica* des Konrad von Megenberg (1309–1374), in der er neben vielen anderen ant. und frühma. Autoren [1. XXXIIff.] auch ausgiebig den ›hervorragenden‹ (I, 1. Traktat, 1. Kap.: 1,23 f.) Philosophen Aristoteles benutzte, dessen *Politik* seit der Mitte des 13. Jh. in lat. Übers. und Kommentierung durch Albertus Magnus und Thomas von Aquin vorlag. Konrads Anschauung über die Personenrelationen und Herrschaftsformen im Haus zeigen sich v. a. durch die aristotelischen und ps.-aristotelischen Behandlungen des *óikos* beeinflußt, wobei er aber zeitgenössische Gepflogenheiten (Lehnsverhältnis, Lohndienerschaft) integriert. Den Aristotelischen *óikos*-Begriff erweitert er, insofern er vom Haus des einfachen Menschen das fürstliche und das göttl. Haus unterscheidet [5. 17 ff.]. Über Aristoteles hinaus führt er als Form des Tausches auch den Tausch von Dienst oder Arbeit gegen Sachen und Geld sowie den Tausch von Materiellem gegen Geistiges an (I, 4. Traktat, 14. Kap.: 1,338). Gegenüber Aristoteles' negativer Bewertung der Chrematistik zeigt Konrad eine positivere Einschätzung des Handels [12. 57].

Vom 16.–18. Jh. entstanden die neuzeitlichen Standardwerke der dt. Haushaltsökonomik, die einerseits in der Trad. der alteurop. Ökonomik stehen, andererseits die neuen Gedanken der → Aufklärung und neue Gesellschaftstheorien erkennen lassen [12. 161 ff.]. Zu diesen gehören die Standardwerke *Oeconomia oder Hausbuch* von M. Johann Coler (1566–1639), *Georgica Curiosa* (1682) von Wolff Helmhard von Hohberg und *Oeconomus prudens et legalis* von Franz Philipp Florin (1699).

C. Adam Smith und die Entstehung der Nationalökonomie

Im geistigen Umfeld der schottischen Aufklärung entwickelte Adam Smith (1723–1790), der als Begründer der Nationalökonomie gilt, seine Wirtschaftstheorie. Vorausgegangen war – in Abkehr von aristotelischen Vorstellungen – die merkantilistische Aufwertung der Chrematistik, so daß nun ein möglichst großer Nationalwohlstand als oberstes Ziel gelten konnte [7. 163 ff.]. Erst die Forsch. der letzten zwei Jahrzehnte hat begon-

nen, die ant. Wurzeln von Smiths Wirtschaftstheorie systematischer zu untersuchen [15. V.]. Diese sind, entsprechend dem Status der Ökonomik als Teil der Moralphilos., in der Philos. zu finden. Hierbei spielt die stoische Moralphilos. eine bes. Rolle [8. 174 ff.; 14. 158 ff.]. Dies liegt zum einen an der allg. Bed. der stoischen Philos. für die Frühe Neuzeit [7. 245 ff.]. So war Smith etwa von Hugo Grotius (1583–1645) beeinflußt, der für seine Theorie eines universellen und allen Rechten zugrundeliegenden Rechtssystems von der stoischen Vorstellung einer allen Menschen gemeinsamen Vernunft ausgegangen war und mit dem → Naturrecht das → Völkerrecht und auf dessen Grundlage die Handelsfreiheit begründet hatte [8. 138 f.]. Zum anderen hegte Smith, der seinem Glasgower Lehrer Frances Hutchinson eine umfassende klass. Bildung verdankte [13. 102 f.], ein individuelles Interesse an dem Gedankengut der Stoa, deren Ansichten er ausführlich zitiert (etwa in *The Theory of Moral Sentiments*, Part VII). Ihre Auffassung eines harmonischen und von Naturgesetzen gelenkten Universums bildete – zusammen mit dem Newtonschen Gesetzesbegriff – die Basis seiner Ansicht über das Funktionieren der freien Marktwirtschaft, die er in *An Inquiry into the Nature and Causes of the Wealth of Nations* (1776) entwickelte [13. 166] und derzufolge in der Marktwirtschaft den Naturgesetzen vergleichbare Gesetzlichkeiten gelten. Insbesondere übernahm Smith [3. VII. ii.1.15, VI. ii.1.1, II. ii.2.1] als Grundlage seiner ökonomischen Theorie die stoische Anschauung von der menschlichen Eigenliebe – »Oikeiosislehre« – [7. 272 ff.; 8. 174 ff.; 15. 61 ff.] und wohl ebenso die Auffassung, daß das am Eigeninteresse ausgerichtete Handeln des Menschen dem Gemeinwohl diene [8. 175; 15. 61 ff.]. Sie ist komprimiert in der berühmten Formulierung [2. ii.2]: ›It is not from the benevolence of the butcher, the brewer, or the baker, that we expect our dinner, but from their regard to their own interest‹. Diese Anschauung bildet auch die Basis von Smiths Theorie der »unsichtbaren Hand« (›invisible hand‹), die besagt, daß der Mensch, indem er seine eigenen Interessen verfolgt, gleichzeitig (unbeabsichtigt) das Gemeinwohl fördert [2. IV. ii.9; 3. IV. i.10]. Sie bildet die geistige Grundlage seines Konzeptes der »Freien Marktwirtschaft«.

Im Bereich der Werttheorie ist es eine in der mod. Forsch. umstrittene Frage, ob sich Smiths Arbeitswerttheorie auf Aristoteles zurückführen läßt [6. 109 ff.; 15. 146 ff.], doch scheint es eher unwahrscheinlich zu sein, daß Aristoteles bereits an einen Arbeitswert dachte [15. 147].

D. Ausblick: Aristotelismus in der deutschen Nationalökonomie des 19. Jahrhunderts

Eine Rückbesinnung auf Aristoteles findet sich in einer Strömung der dt. Nationalökonomie des 19. Jahrhunderts. Ihr Ziel war es, die Ökonomie aus einer Lehre von Produktion, Markt und Tausch zu einer Wiss. umzugestalten, die den Menschen in den Mittelpunkt stellt, und sie so höheren sittlichen Zielen dienstbar zu machen [10]. In kritischer Auseinandersetzung mit der »individualistischen« Markwirtschaftslehre Smith'scher Prägung und in Rückbesinnung auf Aristoteles' Kritik der Chrematistik forderte man die »Tugend« als Staatsgesinnung, um eine beständige staatliche Wohlfahrt zu ermöglichen [10. 47ff.].

→ AWI Aristoteles [6]; Cato [1]; Chrematistike; Cicero; Columella; Isidorus [9]; Oikeiosis; Oikos; Stoizismus; Varro [2]; Wirtschaft; Wirtschaftsethik; Xenophon [2]

QU 1 K. v. MEGENBERG, Werke: Ökonomik (B. I), hrsg. v. S. KRÜGER, 1973 2 A. SMITH, An Inquiry into the Nature and Causes of the Wealth of Nations, hrsg. v. R. H. CAMPBELL, A. S. SKINNER, W. B. TODD, 1976 3 Ders., The Theory of Moral Sentiments, hrsg. v. D. D. RAPHAEL, A. L. MACFIE, 1976

LIT 4 O. BRUNNER, Das »ganze Haus« und die alteurop. »Ökonomik«, in: Ders., Neue Wege der Verfassungs- und Sozialgesch., 1956, 33–61 5 G. DROSSBACH, Die »Yconomica« des Konrad von Megenberg, 1997 6 O. ISSING, Aristoteles – (auch) ein Nationalökonom?, in: B. SCHEFOLD, Aristoteles. Der Klassiker des ant. Wirtschaftsdenkens, 1992, 95–125 7 T. KOPP, Die Entdeckung der Nationalökonomie in der schottischen Aufklärung – Natur- und sozialphilos. Grundlagen der klass. W., Diss. St. Gallen 1995 8 J. X. KRAUS, Die Stoa und ihr Einfluß auf die Nationalökonomie, Diss. St. Gallen 2000 9 S. KRÜGER, Zum Verständnis der Oeconomica Konrads von Megenberg. Griech. Ursprünge der spätma. Lehre vom Haus, in: Dt. Archiv für Erforsch. des MA 20, 1964, 475–561 10 B. P. PRIDDAT, Der ethische Ton der Allokation, 1991 11 I. RICHARZ, Herrschaftliche Haushalte in vorindustrieller Zeit im Weserraum, 1971 12 Dies., Oikos, Haus und Haushalt. Ursprung und Gesch. der Haushaltsökonomik, 1991 13 I. S. ROSS, Adam Smith. Leben und Werk, 1998 14 A. RÜSTOW, Das Versagen des Wirtschaftsliberalismus, ³2001 15 G. VIVENZA, Adam Smith and the Classics, 2001 (it. Original: 1984). SABINE FÖLLINGER

Xenion s. Epigrammatik

Z

Zeichentheorie s. Sprachphilosophie/Semiotik

Zeitrechnung I. KLASSISCHE ARCHÄOLOGIE
II. KRETISCH-MYKENISCHE KULTUR
III. GRIECHISCHE LITERATUR IV. LATEINISCH

I. KLASSISCHE ARCHÄOLOGIE
A. RELATIVE ZEITREICHNUNG B. ABSOLUTE ZEITRECHNUNG UND »CHRONOLOGISCHES NETZ«

A. RELATIVE ZEITRECHNUNG
Bevor Artefakte in der histor. Zeitskala verankert werden, ist es sinnvoll, ihr zeitliches Verhältnis zueinander zu bestimmen (relative Z.), was anhand von Stratigraphie und Beobachtungen von morphologischen Veränderungen an Objekten erfolgt.

Grundlagen der Stratigraphie waren in der ersten H. des 19. Jh. von Geologen gelegt worden; 1847 übertrug J. Boucher de Perthes die an den Erdschichten gemachten Beobachtungen auf die darin gefundenen arch. Überreste; die Erkenntnis, daß die Lage der Schichten deren zeitlicher Abfolge entsprach, war bahnbrechend. Schichtbeobachtungen machte schon L. Ross auf der Athener Akropolis (s.u.); im späten 19. Jh. begannen dann G. Fiorelli in It., A. Conze und E. Curtius in Griechenland Schichten genau zu dokumentieren; wirklich geläufig wurde die Stratigraphie in der Klass. Arch. aber erst im späteren 20. Jh.

Winckelmann war der erste, der Kunst als Teil geschichtlicher Ereignisse begriff u. die Typologie als spezifisches Werkzeug der Klassifikation schuf. Stilistische Vergleiche (Beobachtungen von Veränderungen in Technik, Form und Typus) beruhen auf der von ihm geprägten Auffassung, daß einfachere Ausführungen am Anf. eines Entwicklungsprozesses stehen und sich zu immer komplizierteren Gestaltungen steigern. Die Grundlagen für die relative Z. der Skulptur schuf Mitte des 19. Jh. Heinrich Brunn (*Geschichte der griech. Kunst*), der alle in der ant. Lit. überlieferten Mitteilungen über Schaffenszeit, Werke und Stil der bildenden Künstler sammelte und davon ausgehend mit einer profunden Formanalyse die Entwicklung der griech. Kunst beschrieb. Ende des 19. Jh. entwickelte Adolf Furtwängler (*Meisterwerke der griech. Plastik*) diese Methode weiter. Die Stilforsch. wurde v. a. in der ersten H. des 20. Jh. in Deutschland ausgebildet; problematisch blieb dabei immer das implizit zugrundeliegende Konzept eines »biologistischen« Modells, das wenig Raum für das Erscheinen von gleichzeitig entstandenen, aber stilistisch verschiedenen Kunstwerken läßt. Für die Keramik hat in der ersten H. des 20. Jh. der Oxforder Gelehrte John D. Beazley die Basis für die relative Z. geschaffen, indem er über 65000 Vasen und Keramikfrg. untersuchte und 17000 davon einzelnen Meistern bzw. Werkstätten zuordnete [2].

Eine erst im Zeitalter des Computers aufgekommene Methode, deren Potential immer noch zu wenig ausgeschöpft wird, ist die Seriation, die davon ausgeht, daß Objekte in einem geschlossenen Fund (Grab) etwa gleichzeitig entstanden und somit auch Gräber mit gleichen Beigaben etwa gleichzeitig sind. Bei einer genügend großen Anzahl Gräber läßt sich deren wahrscheinliche zeitliche Reihenfolge ermitteln und mit der sog. Korrespondenzanalyse graphisch darstellen.

B. Absolute Zeitrechnung und »chronologisches Netz«

Die in den letzten Jahrzehnten in Gebrauch gekommenen naturwiss. Methoden haben mit Ausnahme der Dendrochronologie (s. u.) für die Klass. Arch. keine große Bedeutung. Die Genauigkeit der 1949 in Amerika entwickelten Radiokarbon-Datierung, die die Überreste des radioaktiven Isotops C14 mißt, das in jedem Organismus existiert und nach dessen Tod zu zerfallen beginnt, nimmt nach 1000 v. Chr. rapide ab; auch die Thermolumineszenzmethode, die, vereinfacht gesagt, die Strahlung mißt, die Tonobjekte nach dem Brand aufnehmen, weist eine Fehlermarge von bis zu 10% auf und wird daher v. a. verwendet, um die Echtheit von Objekten festzustellen.

Die Verknüpfung arch. Befunde mit histor. Ereignissen ermöglicht die Verankerung der relativen Z. in der absoluten Zeitskala; Vorteil und bisweilen gleichzeitig Problem (s. u.) der Klass. Arch. ist es, daß diese Verbindung nicht nur durch Angaben auf den Objekten selbst, sondern oft auch durch lit. Texte ermöglicht wird.

1. Geometrische und archaische Zeit

Die Periode vor der Einführung offizieller Archive und Geschichtsschreibung ist und bleibt problematisch; auch in der Ant. selbst waren sich Historiker und Chronographen uneinig über frühe Daten, die von klass. Zeit an rekonstruiert wurden. Gleichzeitig lassen sich hier auch exemplarisch die methodischen Probleme vorführen.

Ein Versuch, eine solide äußere Verankerung für die frühe Zeit zu finden, deren Keramik v. a. durch die 1870 begonnenen Ausgrabungen im Kerameikos von Athen bekannt wurde, waren die Importe griech. geom. Keramik im Nahen Osten, v. a. in Tell Abu Hawam, Samaria und Megiddo, wo man Scherben in fest datierten Stratigraphien bzw. Zerstörungsschichten gefunden zu haben glaubte, die das Gerüst für J. N. Coldstreams immer noch grundlegende Chronologie bilden [5], vgl. [6]. Seither hat allerdings die Chronologie Palästinas immer wieder Revisionen erfahren; allein die Zerstörungsschicht in Tell Abu Hawam wurde dem Pharao Sheshonk I. (um 926 v. Chr.), dem syr. König Hazael (815 v. Chr.) sowie Jehu, dem König von Israel (ca. 840 v. Chr.) zugewiesen; zuletzt wurde für eine Dauer der Schicht bis 750 v. Chr. argumentiert. Ebenso bilden auch Stratigraphie und Chronologie von Samaria Gegenstand heftiger Debatten [11]. Als feste Datierungsgrundlage können diese Orte damit nicht mehr gelten. Sicherer scheint Hama in Syrien zu sein, das von den Assyrern 720 v. Chr. zerstört und laut den Ausgräbern bis in die hell. Zeit nicht mehr aufgebaut wurde (anders allerdings [10]), so daß die att. spätgeom. Keramikfrg. vor die Zerstörung datiert werden müßten. Jüngste Forsch. [23] betonen die Bed. der drei israelischen Orte Ashkelon, Tel Miqne-Ekron und Tel Batash-Timnah, wo die Zerstörungsschicht, in der v. a. ostgriech. Keramik (ionische Schalen) gefunden wurde, mit dem in der babylonischen Chronik verzeichneten Feldzug Nebukadnezars II. zw. 605 und 595 v. Chr. in Verbindung gebracht wurde; läßt diese Verbindung sich halten, so bestätigt sie die herkömmliche Chronologie des 7. Jh. v. Chr.

Die h. meist als »orthodox« bezeichnete absolute Chronologie für die archa. korinthische Keramik, die die Basis für die ganze Chronologie der archa. griech. Keramik bildet, wurde von H. Payne 1931 erarbeitet [18] mit der einfachen Methode, daß Thukydides (6,3–5) die Gründungsdaten der griech. Kolonien in Sizilien angibt; die früheste am entsprechenden Ort gefundene Keramik zeigt, welcher Stil damals in Gebrauch war, so daß sich von dort aus ein System erarbeiten läßt. Unterstützt wurden diese Daten durch die Funde in einem Grab des späten 8. Jh. v. Chr. in Pithekussai vor Ischia, das mehrere griech. Vasen, u. a. drei protokorinthische Aryballoi, zusammen mit einem Skarabäus des Pharao Bochoris (ca. 720–715 v. Chr.) enthielt. Ein methodisches Problem liegt darin, daß Thukydides keine absoluten Daten gibt, sondern die Kolonien in einer chronologischen Sequenz in Beziehung zueinander setzt, wobei der Ausgangspunkt für die absolute Chronologie die Nachricht ist, daß Megara Hyblaea nach 245 J. zerstört wurde. Ein anderes Problem ist, daß nicht nur alle Kolonien unvollständig ausgegraben und publiziert sind, sondern auch Ereignisse bzw. ihre Widerspiegelung im arch. Befund nicht unbedingt eindeutig sind: Die komplexen demographischen Prozesse können kaum auf eine einzige Jahresangabe festgelegt werden, Material konnte auch bereits vor der Kolonisation z. B. durch Handel an die entsprechenden Orte gelangen, und wie lange Material im Umlauf war, bis es in die Gräber gelangte, läßt sich nicht ermitteln [17. 54–58]. Akut wurden diese Fragen 1958 in Selinus, wo frühere als die bis dahin als früheste und mit der Koloniegründung 628 v. Chr. datierte Keramik gefunden wurde, was zu der unbefriedigenden Lösung führte, allein für diese Gründung einen Irrtum des Thukydides anzunehmen und auf das Datum des Eusebius (650 v. Chr.) auszuweichen [20. 54–56; 9].

Dennoch stützen sich die für sich allein stehend nicht immer überzeugenden Datierungen gegenseitig genug, um eine sinnvolle Interpretation der Funde zu ermöglichen; bis h. wurde jedenfalls keine überzeugende Alternative angeboten (s. u.). Auch neueste Forsch. [13. 98] haben als einzige Modifikation vorgeschlagen, das E. der athenischen spätgeom. Vasen von ca. 700 v. Chr. auf 675 v. Chr. zu verlegen, was wohl ohnehin ein Spielraum ist, den man in dieser Zeit akzeptieren muß; auf jeden Fall sollte man sich aber bewußt sein, daß letztlich alle festen Daten in dieser Zeit auf die lit.

Überlieferung (v. a. Thukydides) zurückführen und es keine »unabhängige« arch. Z. gibt [3]. Diese Unsicherheiten setzen sich in archa. Zeit durch die eher geringe Anzahl Monumente und den Mangel an außerstilistischen Kriterien fort.

Schon L. Ross, der seit 1834 Oberkonservator in Athen war, machte als erster regelrechte Schichtbeobachtungen auf der Akropolis, bei denen er den »Perserschutt« (s. u.) und darin einen rotfigurigen Teller mit Brandspuren sah, womit belegt war, daß die Anf. der rotfigurigen Vasenmalerei vor den Perserkriegen liegen mußten. Studnicka verankerte 1887 die att. Vasenmalerei in der zeitgenössischen Geschichte, indem er Lieblingsinschr. mit histor. Personen verband (zur Problematik vgl. [14. 78–93]). Langlotz [15. 9f.; 14. 28–30] brachte die älteste erh. Panathenäische Preisamphore mit dem Einsetzungsdatum der Großen Panathenäen 566/565 v. Chr. in Verbindung; er entwickelte auch das System stilistischer Vergleiche verschiedener Medien, von denen als Beispiele genannt seien: die *columnae caelatae* am Artemision von Ephesos, wo Säulentrommeln mit Frg. von Inschr. die bei Herodot (1,92,1) überlieferte Nachricht vom Lyderkönig Kroisos als Stifter bestätigen, was sie zw. seinen Regierungsantritt 561/560 und Sturz 547/546 datiert; ähnlich stilisierte Mantelfig. und schräge Faltenzüge lassen sich z. B. auch auf Vasen von Amasis und Exekias finden. Der zweite Fixpunkt, von dem aus Langlotz solche Querverbindungen aufbaute, die bis h. für die att. rotfigurigen Keramik, die Hydrien von Caere und die Klazomenischen Sarkophage gelten, ist die Bauplastik des Siphnierschatzhauses von Delphi, das höchstens wenige J. vor Siphnos' Zerstörung 525 v. Chr. durch die Samier (Hdt. 3,57f.) von der einstmals so reichen Insel erbaut worden sein kann (zu weiteren Fixpunkten für die frühe Z. vgl. [14]).

Wird der sog. Perserschutt als chronologischer Fixpunkt und Epochengrenze betrachtet, wie das schon Winckelmann tat, so geht dies davon aus, daß die Akropolis nach ihrer Zerstörung sehr schnell aufgeräumt und terrassiert wurde. Allerdings waren die Grabungen Mitte des 19. Jh. oft unsystematisch, da die Schichten in Schatzgräbermentalität bis auf den nackten Felsen durchwühlt und schlecht dokumentiert; bereits für Langlotz [15. 99] ›verlor (der Perserschutt) an datierender Kraft‹ (ebenso [22. 581–583]). Heute wird weitgehend akzeptiert, daß die Füllschichten auch nachpersisches Material enthalten; die Aufräumarbeiten zogen sich wohl bis in die 40er J. des 5. Jh. v. Chr. hin, außerdem wurde zusätzliches Material aus der Umgebung herantransportiert. Sichere Indizien für die Zugehörigkeit zum Perserschutt bleiben damit Brandspuren sowie, in beschränkterem Maße, mechanische Beschädigungen [16].

Die Unsicherheiten, mit denen die Z. der Klass. Arch. v. a. für die frühe Periode behaftet ist, das oft sehr positivistische Vorgehen, mit dem Material mit konkreten Jahreszahlen zusammengebracht wurde und die (auch schon von Langlotz selbst [15. 6f.] bemerkte)

Voraussetzung, daß eine einheitliche und gleichzeitige Stilentwicklung in den verschiedenen Medien stattfand, führten v. a. in den 80er J. des 20. Jh. zu dem Versuch von E. D. Francis und M. Vickers, die gesamte Z. um ca. 60 J. zu senken [7]. Es wird z. B. argumentiert, Herodot habe sich bezüglich der Erbauung des Siphnierschatzhauses geirrt; die verläßlichere Quelle sei Vitruv (1,4), der die Erfindung der Karyatiden (als Personifikation des Schicksals, das Perserfreunden drohe) nach 479 v. Chr. datiert; Siphnos sei auch zu diesem Zeitpunkt noch reich gewesen. Ein anderes Argument ist, die Brand- und Zerstörungsspuren des »Perserschutts« müßten nicht zwingend von der persischen Invasion stammen; die Korai seien Zeichen des »Nachkriegs-Wohlstandes« in Athen gewesen und erst in der »Kulturrevolution« von 462/461 v. Chr. zerstört worden. Schon diese zwei Beispiele machen die methodischen Schwächen dieser Z., die sich denn auch nie durchsetzen konnte, deutlich: Im ersten Fall muß das Zeugnis eines Autors, der immer noch relativ nahe an den Ereignissen war, zugunsten eines viel späteren und unzuverlässigeren aufgegeben werden; im zweiten wird eine völlig überzeugende Annahme durch die Postulierung eines nirgends belegten Ereignisses ersetzt.

Einen nicht immer überzeugenden Kompromiß versuchte Tölle-Kastenbein [22], die zw. umstrittenen Daten das arithmetische Mittel vorschlug (so z. B. für das Alter, das der als Jüngling auf Vasen gefeierte Leagros z. Z. seines von Hdt. 9,75 für 465/464 v. Chr. überlieferten Strategenamtes hatte).

2. Klassische und hellenistische Epoche

Für die Z. des 5. und 4. Jh. v. Chr. bilden zahlreiche gut datierte Denkmäler einen festen Rahmen; bes. günstig ist die Situation bei der att. Marmorskulptur, da die Namen der eponymen Archonten, die fast vollständig überliefert sind, auch auf den Bau- und Abrechnungsurkunden erscheinen, die die Bautätigkeit auf der Athener Akropolis dokumentieren und datieren (Parthenon: Metopen 448–442 v. Chr., Fries 442–438 v. Chr., Giebel 438–432 v. Chr.; Propyläen: 437–432 v. Chr.; Erechtheion: Koren 421–413 v. Chr., Fries 409–407 v. Chr.; Nike-Balustrade 408 v. Chr.; zur Forschungsgeschichte → Athen). Auch die Urkundenreliefs enthalten die Namen der Archonten.

Ein fester Punkt ist das seit 1875 systematisch ausgegrabene Zeusheiligtum von → Olympia, da Thukydides (1,108) und Pausanias (1,29,9) überliefern, daß die Spartaner nach ihrem Sieg bei Tanagra 457 v. Chr. aus dem Zehnten der Kriegsbeute einen vergoldeten Schild am First des Zeustempels anbrachten; wie aus Pausanias (5,10,4) hervorgeht, muß zu diesem Zeitpunkt die reiche Bauplastik vollendet gewesen sein. Die Grabungen im Kerameikos (seit 1870) und in der Agora lieferten zahlreiche weitere Fixpunkte (Grabrelief des Dexileos 394 v. Chr.; Staatsgrab der Lakedaimonier 403 v. Chr.). Von Städtezerstörungen (z. B. Olynth 348 v. Chr.; Gela 405 v. Chr.) ist h. klar, daß sie nicht immer ein so radikales E. bedeuteten, wie früher angenommen, und das

Leben oft, wenn auch auf sehr viel bescheidenerem Niveau, weiterging; als feste Punkte der Z. sind sie also nur mit Vorbehalt zu betrachten.

Die hell. Zeit zeigt trotz zahlreicher fester histor. Daten (Gründung Alexandrias 331 v. Chr.; Grabluxusgesetz in Athen 317 v. Chr.; Inschr. der regierenden Ptolemäer auf den Hădrahydrien von 271–209 v. Chr.; Zerstörung von Korinth 146 v. Chr. u. v. a.) große Schwierigkeiten bereits bei der relativen Z. wie auch beim Versuch, sie mit Hilfe schriftlicher Nachrichten fester zu verankern. Bei dem Eklektizismus in der hell. Plastik, den Rückgriffen und Zitaten früherer Stile einerseits, den gleichzeitigen kühnen Innovationen andererseits, werden die Grenzen der Stilforsch. rasch deutlich (deren ›Zuverlässigkeit‹ ausgerechnet in [1] postuliert ist, wo heftig gegen die zahlreichen abweichenden Interpretationen und zeitlichen Einordnungen polemisiert wird). Eine zusätzliche Schwierigkeit bilden die bisweilen widersprüchlichen oder unklaren Angaben über hell. Künstler und Kunstwerke bei Plinius, für den die Kunst in dieser Zeit ohnehin ›aufhörte‹ (Plin. nat. 34,52). Wie wenig Abschließendes sich über die Z. im Hell. sagen läßt – außer daß die korrekte Interpretation der Schriftquellen für die Gewinnung außerstilistischer Kriterien auch hier ihre entscheidende Rolle bewahrt –, zeigen die Debatten um die Gruppen von Sperlonga [12. 66–71] oder den *Laokoon*, wobei letztere seit Winckelmann und Lessing andauert.

3. RÖMISCHE EPOCHE UND SPÄTER

Für die Z. der röm. Epoche liefern histor. Reliefs (Triumphbögen), Inschr., Kaiserporträts und Mz. wichtige Eckpfeiler; dies und Verbindungsmöglichkeiten mit lit. Angaben wurden bereits im It. des 14. Jh. erkannt, wo teilweise schon recht treffende Datierungsvorschläge für bekannte Monumente gemacht wurden. Ein Rahmen für die röm. Z., der auch eine feinere Unterteilung in Epochen wie »augusteisch«, »flavisch« etc. ermöglichte, wurde aber erst seit dem Beginn des 19. Jh. geschaffen durch das CIL und die Chronologie röm. Keramik durch großflächige Ausgrabungen von Orten, die durch histor. Ereignisse datiert werden; bes. wichtig sind dabei die augusteischen und tiberianischen Grenzbefestigungen in Germanien, die während der Hauptexportzeit der ital. Terra Sigillata besetzt waren (einige auch noch in der Frühphase der südgallischen Werkstätten). Grundlegend waren u. a. die Arbeiten von S. Loeschcke in Haltern und E. Ritterling in Hofheim [21]. H. Dressel erkannte schon 1891 [4] den Nutzen gestempelter Ziegel, die in der frühen Kaiserzeit weit verbreitet waren und seit der trajanischen Zeit neben den Namen der Kaiser auch Konsulardaten tragen; problematisch ist bisweilen, daß Ziegel lange gelagert und auch wiederverwendet werden können, wie z. B. in der aurelianischen Stadtmauer.

Aus den röm. Provinzen sind beträchtliche Mengen an Holz erhalten, deren Wert als Quelle für die Z. erst seit kurzem genutzt wird; ein Beispiel für das Potential dieses Materials ist die röm. Brücke bei Trier, bei der mittels Dendrochronologie festgestellt wurde, daß die benutzten Bäume 119 n. Chr. gefällt wurden [8].

Grundsätzliche Kritik an der traditionellen Methode der Z. kam v. a. von Snodgrass [20. 36–66]; der Einwand, daß sich histor. Ereignisse, die von den ant. Autoren für wichtig gehalten werden, oft nicht im arch. Material wiederspiegeln, weil das Alltagsleben unberührt davon weiterging, ist berechtigt; Katastrophen wie in → Pompeji und → Herculaneum 79 n. Chr., die einen wirklich geschlossenen Befund hinterlassen, sind selten (zu anderen methodischen Problemen vgl. o.). Überzogen ist aber die Folgerung, es gebe kaum Berührungspunkte zw. Geschichte und Arch., die in verschiedenen Realitäten wirken würden, was allein schon durch die zahlreichen histor. bzw. durch histor. Anlässe veranlaßten Monumente widerlegt wird.

Die »New Archaeology« sieht Z. insgesamt als wenig relevant für einen breit angelegten sozialwiss. Ansatz an und wirft der traditionellen Z. auch vor, sie vertrete ein zu mod. (und der Ant. fremdes) Konzept von Zeit, das soziale Kontexte und Praktiken, die Zeit konstituierten, außer acht lasse, was auch die angebliche Neutralität typologischer Schemata in Frage stelle. Dennoch benutzen auch die Vertreter der »New Archaeology« die traditionelle Z. als Referenzrahmen, die daher auch weiterhin ein mit der gebotenen Vorsicht zu benutzendes, aber verläßliches Gerüst darstellt.

→ Inschriftenkunde, griechische; Tongefäße; Triumph- und Ehrenbogen

→ AWI Inschriften; Keramikherstellung; Kolonisation IV; Korinthische Vasenmalerei; Panathenäische Preisamphoren; Relief; Triumph- und Ehrenbogen; Zeitrechnung

1 B. ANDREAE, Fixpunkte hell. Chronologie, in: H.-U. CAIN, H. GABELMANN, D. SALZMANN (Hrsg.), FS für N. Himmelmann, 1989, 237–244 2 W. R. BIERS, Arts, Artefacts and Chronology in Classical Archaeology, 1992 3 H. BOWDEN, The Chronology of Greek Painted Pottery: Some Observations, in: Hephaistos 10, 1991, 49–59 4 CIL XV,1 fasc. 1 5 J. N. COLDSTREAM, Greek Geometric Pottery, 1968 (v. a. 302 ff.) 6 R. M. COOK, A Note on the Absolute Chronology of the Eighth and Seventh Centuries BC, in: The Annual of the British School at Athens 64, 1969, 13–15 7 Ders., The Francis-Vickers Chronology, in: JHS 109, 1989, 164–170 8 H. CÜPPERS, Vorröm. und röm. Brücken über die Mosel, in: Germania 45, 1967, 60–69 9 J. DUCAT, L'archaisme à la recherche de points de repère chronologiques, in: BCH 86, 1962, 165–182 10 E. D. FRANCIS, M. VICKERS, Greek Geometric Pottery at Hama and Its Implications for Near Eastern Chronology, in: Levant 17, 1985, 131–138 11 L. HANNESTAD, Absolute Chronology: Greece and the Near East c. 100–500 BC, in: [19. 39–49] 12 N. HIMMELMANN, Sperlonga. Die homer. Gruppen und ihre Bildquellen, 1995 13 P. JAMES et al., Centuries of Darkness. A Challenge to the Conventional Chronology of Old World Archaeology, 1991 14 J. KLEINE, Unters. zur Chronologie der att. Kunst von Peisistratos bis Themistokles, 1973 15 E. LANGLOTZ, Zur Zeitbestimmung der strengrotfigurigen Vasenmalerei und der gleichzeitigen Plastik, 1920 16 A. LINDENLAUF, Der Perserschutt der

Athener Akropolis, in: W. Hoepfner (Hrsg.), Kult und Kultbauten auf der Akropolis, 1997, 46–115 **17** I. Morris, The Absolute Chronology of the Greek Colonies in Sicily, in: [19. 51–59] **18** H. Payne, Necrocorinthia, 1931 **19** K. Randsborg (Hrsg.), Absolute Chronology. Archaeological Europe 2500–500 BC (Acta Archaeologica 67) 1996 **20** A. M. Snodgrass, An Archaeology of Greece, 1987 **21** M. Todd, Dating the Roman Empire: The Contribution of Archaeology, in: B. Orme (Hrsg.), Problems and Case Studies in Archaeological Dating, 1982, 35–56 **22** R. Tölle-Kastenbein, Bemerkungen zur absoluten Chronologie spätarcha. und frühklass. Denkmäler Athens, in: AA 1983, 573–584 **23** J. C. Waldbaum, J. Magness, The Chronology of Early Greek Pottery: New Evidence from Seventh-Century B. C. Destruction Levels in Israel, in: AJA 101, 1997, 23–40.   BALBINA BÄBLER

II. Kretisch-mykenisch
A. Forschungsgeschichte B. Relative Chronologie C. Absolute Chronologie

A. Forschungsgeschichte
Bereits 1906, wenige J. nach Beginn der Unt. im Palast von → Knossos (März 1900), die der Wiss. die Welt der bronzezeitlichen Hochkultur Kretas eröffneten, entwarf der Ausgräber A. J. Evans [9] ein chronologisches Gliederungsschema, das die minoische Entwicklung anhand der wechselnden Keramikstile in drei Hauptstufen gliederte: eine früh-, mittel- und spätminoische Periode (abgekürzt FM, MM, SM). Jede dieser Hauptperioden unterteilte er in drei mit den röm. Ziffern I–III gekennzeichnete Phasen, einige dieser Phasen im späteren Verlauf seiner Arbeiten zusätzlich mit Buchstaben in feinere Unterstufen (z. B. SM I A und SM I B). Die grundsätzliche, vielfach erhobene Kritik, daß Evans, ausgehend von Evolutionsvorstellungen des 19. Jh., ein an biologischen Abläufen von Wachsen, Blüte und Verfall orientiertes System entworfen habe, darf durch die differenzierenden Unterteilungen und Evans' eigene Bewertungen der Stufen (etwa MM III und SM I als Höhepunkte minoischer Kultur – also Perioden außerhalb zahlenmäßiger Symmetrie) als hinfällig gelten. Einwände, daß keramische oder generell künstlerische Stile naturgemäß keine scharfen Periodengrenzen ausbilden, sondern gleitende Übergänge zu eigen haben, sind grundsätzlich richtig, treffen letztlich aber auf alle Chronologieschemata der Arch. (auch auf die Gliederung griech. Kunst in eine geom., archa., klass., hell. Periode mit ihren jeweiligen Untergliederungen) zu. In der praktischen arch. Arbeit hat sich Evans' System mit seinen nachträglichen Differenzierungen als sinnvolles Klassifikationsinstrument erwiesen.

Alternativ hat N. Platon [21] in den 50er J. eine Gliederung der minoischen Kultur in eine Vor-, Alt-, Neu- und Nachpalastzeit (mit feineren Unterperioden) vorgeschlagen, ein nomenklatorisches System, das sich stark an den Bauhorizonten der Paläste und an histor. Perioden orientiert, daher Wert für die Charakterisierung der großen Entwicklungsstufen besitzt, sich aber fol-

gerichtig nur bedingt zur Datierung konkreter Befunde eignet.

Für das bronzezeitliche griech. Festland haben, dem Vorbild von Evans folgend, A. J. B. Wace und C. W. Blegen [24] die kulturelle Entwicklung in eine früh-, mittel- und späthelladische (oder myk.) Periode geteilt (FH, MH, SH, jeweils mit Unterstufen). Die Gliederung der späthelladischen Periode ist durch A. Furumark [10–12] noch verfeinert worden. Ein analoges Schema ist schließlich nach und nach für den Bereich der Kykladen [3] entwickelt worden (FKykl., MKykl., SKykl.).

B. Relative Chronologie
Die relative Abfolge der minoischen, griech.-festländischen und kykladischen Kulturstufen scheint aufgrund stratigraphischer Beobachtungen wie aufgrund der Abfolge geschlossener Grabinventare h. gesichert; auch die Korrelation der Regionalstufen zueinander ist durch zahlreiche keramische Importbeziehungen zw. den Landschaften weitgehend geklärt [28].

Zu den Zeitperioden:

Kreta [4; 23; 25–27]: FM I wird durch Politurmusterkeramik, graue monochrome Ware, rot oder braun auf hellem Grund bemalte Gattungen charakterisiert, FM II (A–B) zunächst durch entwickelte bemalte Gattungen, dann durch sog. Vassiliki-Keramik, FM III durch Weißmalerei auf dunklem Grund. MM I (A–B) kennzeichnen Barbotinekeramik und frühe Kamaresmalerei; im Verlauf von MM I entstehen die minoischen Paläste. MM II (A–B) umfaßt den Höhepunkt der klass., weitgehend abstrakten, kurvo-linear geprägten Kamareskeramik, MM III (A–B), die Phase der Zerstörung der älteren und des Beginns der jüngeren Paläste, die Spätstufe der Kamaresware mit einer wachsenden Vorliebe für pflanzliche Motive, dazu dunkle Firnismalerei auf hellem Grund. In SM I A setzt sich die Firnismalerei durch (Spiralornamentik, pflanzliche Motive, sog. *rippled ware*); SM I B ist eine Stufe verfeinerter, palatial geprägter Firnismalerei mit Pflanzen- und Meeresmotiven (Florastil, Meeresstil, sog. *alternating style*); am E. dieser Periode werden die minoischen Paläste – mit Ausnahme von Knossos – und zahlreiche Siedlungen Opfer eines inselweiten Zerstörungshorizontes. In SM II erscheinen Palaststil und der von festländischen Vorbildern abgeleitete ephyräische Stil. SM III A – C charakterisieren spätere Entwicklungen der Firnismalerei in unterschiedlichen Stufen der formalen Entwicklung, mit Tendenz zu ornamentalisierten Dekorationssystemen; der kunsthandwerkliche Austausch mit dem Festland steigert sich; wohl in SM III A, in den Übergang von SM III A 1 zu 2 oder früh in III A 2, fällt die Zerstörung des Palastes von Knossos (gelegentlich auch später, in SM III B, datiert). Eine kurze subminoische Periode als Übergang zur protogeom. Entwicklung des 1. Jt. v. Chr. schließt an.

Griechisches Festland [7; 10–12; 18–20]: Die frühhelladische Periode ist eine Zeitphase überwiegend monochromer Gattungen; FH II: Urfirniskeramik, Leitform der »Saucière«, in FH III bemalte Gattungen, erste

Drehscheibenware. Das anschließende Mittelhelladikum (MH) charakterisieren Mattmalerei, minysche Keramik und neuartige monochrome Waren. Mit dem Beginn der myk. Kultur erscheint die Firnismalerei minoischer Provenienz, die ersten SH Stufen stehen noch unter starkem minoischem Einfluß (SH I und II A, parallel zu SM I A und B). Die Schachtgräber von Mykene, die den Beginn myk. Hochkultur illustrieren, gehören in das E. der mittelhelladischen Periode und in SH I. In SH II B (parallel zu SM II) setzen sich eigenständigere kunsthandwerkliche Konzepte durch; in der Folge erlauben formale Veränderungen von Gefäßformen und Dekorationssystemen, die eine steigende Tendenz zur Abstrahierung kennzeichnet, feinere Untergliederungen (SH III A 1 – 2 und B 1– 2). In SH III A entwickeln sich die großen myk. Palast- und Burgzentren, am E. von SH III B erfolgt ihre Zerstörung. SH III C – mit mehreren Unterstufen – charakterisieren ausgeprägte Regionalstile. Die submyk. Periode leitet zur proto-geom. Zeit über.

Die Gliederung der kykladischen bronzezeitlichen Entwicklung [3] ist noch stärker in der Diskussion, was die Benennung und Abgrenzung der einzelnen Stufen wie auch ihre Korrelation mit der minoischen und helladischen Abfolge (etwa am E. der frühkykladischen Periode) angeht. Die frühkykladische Periode, bislang nur durch eine unzureichende Zahl von Grabfunden und sehr geringes Siedlungsmaterial bekannt, so daß die Abfolge der Stilgruppen wahrscheinlich noch lückenhaft ist, zeichnet sich durch eine eigenständige lokale Kulturform aus (FKykl. I: Pelos-Kampos-Stufe, II: Syros-Stufe, III: Beginn der Mattmalerei). In der mittelkykladischen und beginnenden spätkykladischen Phase dominieren Gattungen der Mattmalerei (neben monochromen und weißbemalten Gattungen), die in unterschiedlicher Gewichtung lokale Eigenheiten wie minoische Einflüsse erkennen lassen. Im Verlauf der spätkykladischen Periode werden die Inseln in die myk. Kulturwelt integriert.

C. ABSOLUTE CHRONOLOGIE

Zur Gewinnung absoluter Daten [1; 2; 6; 15; 16; 28] hat sich die Arch. zunächst der traditionellen Methode der Unt. der Querverbindungen des ägäischen Raumes mit den histor. datierten Kulturen des Vorderen Orients und Ägyptens bedient, die Aussagemöglichkeiten ägypt. und nahöstl. Objekte in Grabfunden und stratigraphischen Kontexten in der Ägäis ebenso untersucht wie ägäische Exporte im östl. Mittelmeergebiet. Zu berücksichtigen ist dabei, daß die histor. Chronologie Vorderasiens erhebliche Spielräume zuläßt und auch die ägypt. Folge von Dynastien und Pharaonen durchaus noch – allerdings geringeren – Schwankungen unterliegt. Ein grundsätzliches Problem bietet die nicht immer genau einzuschätzende Laufzeit von Importgegenständen: Sie ist sicherlich gering bei Keramik, u.U. erheblich bei Skarabäen, Siegeln und anderen wertvollen Objekten. Seit einigen Dezennien sind Möglichkeiten naturwiss. Datierungen hinzugetreten, vornehmlich die Radiocarbon- oder C14-Methode, deren Daten allerdings vielfach einen erheblichen Unsicherheitsgrad aufweisen, neuerdings die Dendrochronologie und andere Hilfsmittel [16; 22]. Ein zentrales Problemfeld war dabei in der jüngsten Diskussion die absolutchronologische Bestimmung des Vulkanausbruchs, der die spätbronzezeitliche Siedlung von Akrotiri auf der Insel → Thera im entwickelten SM I A zerstört hat. Derzeit haben sich zwei arch. Schulen herausgebildet, von denen die eine weitgehend den arch. Befunden selbst vertraut, während die andere sehr viel stärker die naturwiss. Daten berücksichtigt. Die Zeitansätze gerade für die beginnende Spätbronzezeit differieren erheblich.

Die Stufen der frühminoischen, frühhelladischen und frühkykladischen Kulturentwicklung lassen sich – trotz erkennbaren Handelsaustausches mit dem Osten – kaum mit Hilfe von präzise datierbaren Import- und Exportbeziehungen festlegen, so daß die C14-Methode hier eine größere Rolle spielt [15]. Die Frühe Bronzezeit dürfte das gesamte 3. Jt. v. Chr. umfassen, vielleicht noch in das 4. Jt. hinaufreichen. Exakte Daten scheinen schwierig.

Für die mittelminoische Periode stehen kretische Keramikexporte nach Ägypten (Qubbet el Hawa, Kahun, Abydos, Tell Dab'a) ebenso zur Verfügung wie ägypt. Skarabäen in kretischen Kontexten. Sie erlauben eine Korrelation von MM I mit der frühen XII. Dynastie (20. Jh. v. Chr.), von MM II mit der entwickelten XII. (19 Jh.) und mit der XIII. Dynastie (18. und erste H. des 17. Jh.). MM III (A) scheint durch einen Alabasterdeckel mit der Kartusche des Hyksos-Pharaos Chian (nach der Mitte des 17. Jh. v. Chr.) in Knossos datiert (MM I: ca. 2000–1900 v. Chr., MM II: 1900–1700, MM III: 1700–1600/1550).

Erhebliche Unsicherheiten herrschen für den Beginn der spätminoischen und späthelladischen Periode, da die meisten der ägäischen Keramikexporte nach Ägypten und Vorderasien nicht aus eindeutig stratifizierten Kontexten stammen. Ein SH II B Kännchen im Grab des Maket in Kahun läßt eine Gleichzeitigkeit mit der Regierung Thutmosis' III. (ca. 1479–1425) anzudeuten. Traditionell wird der Beginn der ägäischen Spätbronzezeit um 1600/1550 v. Chr. angesetzt (SM I A/SH I: ca. 1600/1550–1500, SM I B: 1500–1450, SH II A: 1500–1460, SM II: 1450–1400, SH II B: 1460–1400). Ph.P. Betancourt, S. Manning u.a. [5; 16] haben neuerdings versucht, die Endkatastrophe von Akrotiri (in SM I A) mit Hilfe von C14-Daten, die tendenziell höher scheinen, und weiterer naturwiss. Indizien zu datieren, indem sie eine 1628 v. Chr. in den dendrochronologischen Kurven der nördl. Hemisphäre sichtbare Klimaschwankung mit dem Vulkanausbruch von Thera [8; 13] ebenso verbunden haben wie Spuren vulkanischer Aschen in Packeisablagerungen Grönlands (1645 ±20) – danach SM I A: 1675–1600/1580, SM I B: 1600/1580–1500/1490, SM II: 1500/1490–1440/25, SM III A 1: 1440/25–1390/70. Daß der Vulkanausbruch weltweite Klimaveränderungen zur Folge gehabt habe, scheint jedoch Spekulation, und die Übereinstimmung der Aschen mit solchen der theräischen Eruption ist von naturwiss. Seite bestritten worden. Gegen eine Verbindung sprechen neuere arch. Befunde: In Tell Dab'a, dem ant. Avaris im Nildelta, begegnet Keramik der Periode Spätzyprisch I (zeitlich parallel mit SM I A/SH I) erst im Kontext des beginnenden Neuen Reiches (XVIII. Dynastie, etwa Mitte des 16. Jh. v. Chr.), ebenso Funde theräischen Bimssteins [2]. Darstellungen von metallenen Prunkgefäßen als Geschenke minoischer Abgesandter (Keftiu) in den Gräbern ägypt. Würdenträger des 15. Jh. zeigen aufgrund ihrer typologischen Merkmale zudem deutlich, daß der Übergang von SM I B zu SM II (bzw. SH II A zu SH II B) sich nicht vor der späten Regierung Thutmosis' III. (Mitte des 15. Jh.) vollzogen haben kann [17].

Die unterschiedlichen Systeme kommen im Verlauf der Periode SM III/SH III wieder zusammen. SM III A 1 wird durch Skarabäen Amenophis' III. (beginnendes 14. Jh. v. Chr.) zeitlich fixiert, SH III A 2 durch myk. Keramik in Amarna, der Residenz Amenophis' IV.-Echnatons (1351–1334); SH III B dürfte der Regierung Ramses' II. (1279–1213) weitgehend entsprechen, jedoch früher einsetzen. Die exakte absolutchronologische Definition von SM/SH III C wie der folgenden subminoischen/submyk. Phase bedarf noch weiterer Unt. – SM/SH III A: ca. 1400–1340/30, SM/SH III B: 1340/30–1200, SM/SH III C: 1200–1100, Subminoisch/Submyk.: 1100–1050/1000.

→ AWI Amenophis [3] III., [4] IV.; Ramses [2] II.; Thutmosis [3] III; Zeitrechnung.

1 P. ÅSTRÖM (Hrsg.), High, Middle or Low? Acts of an international colloquium on absolute chronology held at the University of Gothenburg 1987, vol. 1–3, 1987–1989 2 M. S. BALMOUTH, R. H. TYKOT (Hrsg.), Sardinian and Aegean chronology, 1998 (Beitr. von Ph.P. Betancourt, S. W. Manning, M. H. Wiener, M. Bietak, P. Warren) 3 R. L. BARBER, The Cyclades in the Bronze Age, 1987 4 PH.P. BETANCOURT, The history of Minoan pottery, 1985 5 Ders., Dating the Aegean Late Bronze Age with radiocarbon, Archaeometry 29, 1987, 45–49 6 M. BIETAK (Hrsg.), The synchronisation of civilisations in the Eastern Mediterranean in the second millennium B.C., 2000 7 O. T. P. K. DICKINSON, The origins of Mycenaean civilisation, 1977 8 T. H. DRUITT et al., Santorini volcano. Geological Society Memoir 19, 1999 9 A. J. EVANS, Essai de classification des époques de la civilisation minoenne, revised ed. 1906 10 A. FURUMARK, Mycenaean pottery. Analysis and classification, 1941, ²1972 11 Ders., The Chronology of Mycenaean pottery, 1941, ²1972 12 Ders., Mycenaean Pottery. Plates, 1992 13 D. A. HARDY, A. C. RENFREW (Hrsg.), Thera and the Aegean World III, 1990 14 V. KARAGEORGHIS (Hrsg.), The White Slip Ware of Late Bronze Age Cyprus, 2001 15 S. W. MANNING, The absolute chronology of the Aegean Early Bronze Age, 1995 16 Ders., A test of time: the volcano of Thera and the chronology of the Aegean and East Mediterranean in the mid second millennium B.C., 1999 17 H. MATTHÄUS, Representations of Keftiu in Egyptian tombs and the absolute chronology of the Aegean Late Bronze Age, in: BICS 40, 1995, 177–186 18 P. A. MOUNTJOY, Mycenaean decorated pottery, 1986 19 Dies., Mycenaean pottery, 1993 20 Dies., Regional Mycenaean decorated pottery, 1999 21 N. PLATON, La chronologie minoenne, in: CHR. ZERVOS, L'art de la Crète néolithique et minoenne, 1956, 509–512 22 M. SCHOCH, Die minoische Chronologie, 1996 23 V. STÜRMER, MM III. Stud. zum Stilwandel der minoischen Keramik, 1992 24 A. J. B. WACE, C. W. BLEGEN, The Pre-Mycenaean pottery of the mainland, ABSA 22, 1916–1918, 175–189 25 G. WALBERG, Kamares. A study of the character of palatial Middle Minoan pottery, 1976 26 Dies., Provincial Middle Minoan pottery, 1983 27 Dies., Middle Minoan III – a time of transition, 1992 28 P. WARREN, V. HANKEY, Aegean Bronze Age chronology, 1989 (grundlegend).   HARTMUT MATTHÄUS

III. GRIECHISCH

A. ENTWICKLUNG DER CHRONOLOGIE
B. METHODIK UND PROBLEMATIK DER DATIERUNG

A. ENTWICKLUNG DER CHRONOLOGIE

Der dt. Begriff »Zeitrechnung« ist seit Anf. des 18. Jh. als Übers. des überhaupt erst von Joseph Justus Scaliger (1540–1609) geprägten lat. Fachbegriffes *chronologia* in Gebrauch [3. 86 ff.]. Scaliger begründete unter diesem neuen Namen eine neue Wiss., indem er in seinen Werken *Opus de emendatione temporum* (1583) und *Thesaurus temporum* (1606) akribisch aus den von möglichst alten Geschichtsschreibern überlieferten Ereignissen ein festes Datengerüst rekonstruierte. Der *Thesaurus* enthält zugleich die Erstedition von Eusebs und Hieronymus' *Chronik* und deren Fortsetzern. Die Angaben Eusebs wurden mithilfe weiterer Quellen durch Kombination und textkritische Emendation teilweise korrigiert. Damit schuf Scaliger die Grundlage für jegliche spätere Beschäftigung mit der Chronologie der Alten Geschichte und ant. Literatur [2. 92 ff.]. Die Olympiadenzählung der ant. Vorlagen wurde in die von ihm so genannten »Julianischen Jahre« umgerechnet. Die fortlaufende Jahreszählung begann 4713 v. Chr. und konkurrierte mit der von Dionysius Exiguus 525 vorgeschlagenen, aber erst spät in der Geschichtsschreibung (Beda venerabilis) genutzten Jahreszählung »anno domini«. So sollte die Chronologie von jeglicher rel. motivierten Zählung gelöst werden. Scaligers Chronologie ist im Kontext eines allg. Interesses des 16. Jh. an Fragen der Kalenderreform und Zeitberechnung zu sehen (vgl. 1582 die Gregorianische Kalenderreform). Die Chronographie Scaligers setzt im Grunde die ant. chronographische Methode unkritisch fort und übernimmt auch Angaben aus mythischer Zeit wie etwa die Datierung des Trojanischen Krieges. Im 17./18. Jh. wurde sie durch verbesserte Chronologien und Literaturgeschichten (v. a. Dionysius Petavius, *Opus de doctrina temporum*, 1672; Henry Dodwell, *De veteribus Graecorum Romanorumque cyclis*, 1701) und Ersteditionen ant. chronographischer Werke (*Chronicon Alexandrinum*, ed. Matthaeus Rader 1615; *Historicae poeticae scriptores*, ed. Thomas Gale 1675) sowie durch die Funde von Fragmenten des *Mar-*

mor Parium 1627 (ed. John Selden 1628) und eine Edition von Archontenlisten (*Fasti Attici*, ed. Eduardo Corsini 1744–56) weiter vervollständigt. Die ant. Olympiadenrechnung und die julianischen Daten Scaligers wurden im 18. Jh. durch die Zählung »nach« und (seit August von Schlözer) v. a. »vor Christi Geburt« ersetzt. Die Chronographie löste sich erst ab der 2. H. des 18. Jh., bedingt durch → Aufklärung und → Romantik, von der sklavischen Nachahmung der ant. Methodik. In Anlehnung an J. J. Winckelmanns *Geschichte der Kunst des Alterthums* (1764) versuchte man auch in der Literaturwiss. mithilfe einer histor.-kritischen Methode selbständige Datierungen, so etwa J. G. Herder (*Von der Griech. Litteratur*, 1766), die Gebrüder Schlegel und der Philologe August Boeckh (1785–1867) [4. 311–28]. Jedoch gab es mit Jacob Perizonius (Voorbroek; 1651–1715) einen frühen Vorläufer. Insbesondere der Archeget aller Poesie Homer und die Bibel wurden zunehmend auch in ihrer Geschichtlichkeit begriffen; allerdings nahmen Richard Bentley und Friedrich August Wolf bei Homer noch eine Entstehung der »Lieder« in vorhistor. Zeit an. Die ant. Texte wurden nun auch zueinander in Bezug gesetzt, um – etwa bei den Evangelien – aufgrund textinterner Kriterien eine relative Chronologie zu ermitteln (G. E. Lessing, F. Schleiermacher). Eduard Woelfflin entwickelte die zur Datierung nutzbare Sprachstatistik. Den entscheidenden Wissenszuwachs erfuhr die Altertumskunde in dem von → Historismus und Positivismus geprägten 19. Jh. mit der nun umfassenden Sammeltätigkeit auf arch. und epigraphischem Gebiet, der Entzifferung von Keilschrift (altpersisch 1802–1837 durch Grotefend und Rawlinson; babylonisch-assyrisch allmählich ab ca. 1850 durch Talbot u. a.) und ägypt. Hieroglyphen (seit 1821 durch Champollion) und zuletzt durch die einsetzenden massenhaften Papyrusfunde. Die nun zugänglichen ägypt. und orientalischen Quellen (Königslisten, Chroniken) ermöglichten eine unabhängige kritische Überprüfung ant. Chronologien (z. B. Manetho und Berossos). Erst jetzt konnte die ganze Fülle verschiedener Datierungsmethoden nicht nur nach z. T. spekulativen textinternen Kriterien zur Anwendung kommen. Für die Alte Geschichte griff B. Niebuhr (1776–1831) die neu gewonnenen Instrumentarien auf. In der Gräzistik waren die Schüler von Boeckh wegweisend, bes. Karl Otto Müller mit seiner *History of the Literature of Ancient Greece* (1840) und Adolf Kirchhoff, der über die Geschichte des griech. Alphabets, Epigraphik und die Chronologie« Homers und Herodots arbeitete. Im 19. Jh. erhöhte sich auch rein quantitativ das ant. chronographische Material ganz erheblich durch den Fund etwa von Didaskalien-Inschr. zum griech. Drama, ant. Biographien oder der *Athēnaíōn politeía* des Aristoteles, die u. a. einen Abriß der Geschichte Athens enthält. Das 20. Jh. brachte trotz anhaltender Neufunde weiterer Quellen (v. a. Papyri) keinen methodischen Fortschritt mehr, wenngleich im einzelnen die Datierung durch Neufunde verbessert werden konnte (z. B. Roman) bzw. noch Gegenstand lebhafter Diskussion ist (frühgriech. Literatur).

B. METHODIK UND PROBLEMATIK DER DATIERUNG

1. FRÜHGRIECHISCHE LITERATUR

Epos: Schon in der Ant. galten Homer und Hesiod als die ältesten griech. Dichter (z. B. Hdt. 2,53), wobei Aristoteles (metaph. 983b28) die beiden sogar weit vor jeglicher Datierungsmöglichkeit ansetzt. Heute ist die genaue Datierung umstritten, da eine eindeutige textexterne Evidenz wie etwa die Erwähnung gleichzeitiger histor. Ereignisse fehlt. Versucht wird eine relative Chronologie zum zeitlichen Verhältnis der beiden Epiker untereinander. In der Ant. wurden Homer und Hesiod häufig zusammen genannt und galten als Zeitgenossen, wie z. B. das Gedicht vom Wettkampf zw. Homer und Hesiod (*certamen Homeri et Hesiodi*) zeigt. Heute wird meist die Priorität Homers vor Hesiod angenommen; anders [38]. Zur absoluten Datierung Hesiods dient die Erwähnung der Leichenspiele des Amphidamas, eines Aristokraten aus Chalkis, in den *Erga* (654). Diese Person wird sonst nur bei dem kaiserzeitlichen Autor Plutarch (mor. 153f–154a) erwähnt, der seinen Tod in die Zeit des h. von Archäologen um 700 v. Chr. datierten Lelantinischen Krieges setzt [26; 34]. Als *terminus ante quem* gilt für Homer häufig der von Archäologen und Epigraphikern ins 8., aber auch ins 6. Jh. v. Chr. datierte spätgeom. Nestorbecher von Ischia mit einer Inschr., die die *Ilias*-Handlung (11,632–637) voraussetzen soll. Als *terminus post quem* ist die nicht sicher zu datierende, aber meist um 800 v. Chr. angesetzte Einführung der Alphabetschrift in Griechenland anzunehmen, da die Komplexität der Homer. Epen in der uns vorliegenden Form wahrscheinlich schriftliche Fixierung voraussetzt. Von arch. Seite wird zudem die Darstellung von Ilias-Szenen auf geom. Vasen ab ca. 625 zur Datierung herangezogen [11; 10; 38]. Im einzelnen weichen die Ergebnisse bei verschiedenen Forschungsrichtungen auch h. noch erheblich voneinander ab: Eine Mehrheit nimmt eine Entstehung der Homer. Epen im 8. Jh., z. B. [18; 22; 23; 31], eine Minderheit eine Spätdatierung im 7. Jh. an. Das in der *Ilias* erwähnte »hunderttorige Theben« in Ägypten kann man nach Burkert nur auf die Blüte der Stadt unter äthiopischer Herrschaft 715–663 beziehen [5]. Allgemein angenommen wird bei Homer wiederum die Priorität der *Ilias* vor der *Odyssee*. Grundlage hierfür ist das postulierte archaischere Weltbild der *Ilias* mit seiner aristokratischen Heldenethik gegenüber den bürgerlicheren und humaneren Zügen, dem Besitzdenken und weiterer geogr. Horizont der *Odyssee*. Versucht wird der Erweis des Prioritätsverhältnisses zudem durch vermeintliche *Ilias*-Zitate in der *Odyssee*, z. B. [37].

Lyrik: Schwierig und unsicher ist die Datierung der frühgriech. Lyriker und vorsokratischen Philosophen, obgleich oder gerade weil ihre erhaltenen Werke nichtfiktionale biographische Angaben wie Kriegsereignisse (Archilochos, Tyrtaios), polit. Unruhen mit Verbannung (Sappho, Alkaios), Synchronismen mit nichtgriech. Persönlichkeiten (Kroisos) oder Sonnenfinsternisse enthalten; gut gesichert ist immerhin für Archilochos die Datierung anhand der von ihm erwähnten und wohl auch erlebten Sonnenfinsternis von 648. Chronologische Fixpunkte urkundlicher Art wie z.B. Archonten- oder Olympioniken-Listen sind aus diesem Zeitraum nicht bekannt. Fast alle frühgriech. Autoren sind bei Herodot erwähnt, der seine biographischen Angaben direkt den Gedichten selbst entnimmt. Diese lassen sich anhand seiner – für das 6. Jh. abwärts z. T. fiktiven – Königslisten und außergriech. Persönlichkeiten synchronisieren. Von Herodot wiederum hängt ein Teil späterer ant. Autoren mit biographischen Angaben zur frühgriech. Lit. ab [33]. Eine zweite, von Herodot signifikant abweichende ant. Trad. beginnt mit Aristoteles und wird durch das *Marmor Parium*, Eusebs Chronik und das Suda-Lex. fortgeführt. Diese Trad. setzt frühgriech. Persönlichkeiten etwa zwei bis drei Generationen früher als Herodot an. Die meisten Forscher und Handbücher folgen der zweiten Trad., obgleich die herodoteische Spätdatierung teilweise direkt oder indirekt durch Zeugnisse bei Isokrates oder Platon näher liegt.

Instruktiv ist die Datierung des athenischen Lyrikers und Politikers Solon, der nach Aristoteles (pol. 5,2; 13,1) 594/3 Archont war und anschließend zehn J. auf Reisen ging. Dabei soll er nach Herodot (1,29–33) dem lydischen König Kroisos begegnet sein, der allerdings laut Herodot und der neubabylonischen Nabonid-Chronik erst deutlich später (ca. 560–547) geherrscht hat. Herodots Spätdatierung ist hier durch Angaben bei Platon (Charm. 157e6; Tim. 20e2f.) plausibler, wonach Solon noch der Großvater und Urgroßvater des um 460 geb. Kritias persönlich bekannt war (ähnlich Isokr. or. 12,148f.) [30]. Im übrigen erwähnt kein Autor vor Aristoteles ein Archontat Solons. Somit bleibt die Angabe der Handbücher, Solon sei ca. 640 geb. und 594/3 Archont gewesen, Spekulation. Das Geburtsjahr wiederum errechnet sich aus der *akmé* im Lebensalter, das nach griech. Auffassung bei ca. 40 J. lag. Ähnliche Probleme gelten für den → Vorsokratiker Thales, der einerseits laut Herodot (1,74) eine Sonnenfinsternis vorhergesagt haben soll, die erst Plinius d. Ä. (nat. 2,12,53) mit derjenigen des J. 585 identifiziert. Andererseits soll Thales nach Herodot 50 J. später noch Berater von Kroisos gewesen sein. Ungeklärt ist, wie Thales bei den damaligen astronomischen Kenntnissen diese Sonnenfinsternis hätte vorausberechnen können. Wahrscheinlich ist daher eine erst nachträgliche Zuweisung dieser Voraussage für eine spektakuläre histor. Sonnenfinsternis an den Berühmtesten der Sieben Weisen. Sichere biographische Daten für Thales lassen sich jedenfalls hieraus nicht gewinnen.

Insgesamt wurde [9] eine ganze Reihe frühgriech. Persönlichkeiten gegen die ältere Trad. erst sekundär seit Aristoteles an den Anf. des 6. Jh. (582 »Proklamation« der Sieben Weisen nach Demetrios von Phaleron: Diog. Laert. 1,22) datiert, um so einen Synchronismus insbes. der sog. Sieben Weisen zu erzielen. Es handelt sich bei dem Treffen der Sieben Weisen in Delphi um eine scherzhafte Fiktion Platons (Prot. 343a1–c5); einschränkend [28]. Da aber eine ganze Reihe Dichter anhand von Pittakos, Solon etc. datiert werden, wären diese dann ebenfalls sekundär früher als nach der älteren, Herodoteischen Trad. üblich datiert worden. In der altertumskundlichen Forsch. hat diese These bislang nur wenig Einfluß, offenbar auch aus arbeitspraktischen Gründen, um nicht auf das gewohnte, von den späten Quellen gelieferte feste Zahlengerüst verzichten zu müssen.

2. KLASSISCHE LITERATUR

Klarer wird die Chronologie erst in klass. Zeit, wo überlieferte Daten seit den Perserkriegen als gesichert gelten können: Bei Herodot (8,51) ist die Schlacht von Salamis 480 mit erstmaliger Archontenangabe (Kalliades) in der griech. Lit. das erste exakt fixierte Datum und zugleich chronologischer »Anker«, von dem aus alles weitere ab 500 bestimmt wird. Dazu stehen vielfältige Möglichkeiten des außerlit. Vergleichs mit histor. Ereignissen und bei Theaterstücken z. B. genaue Angaben zur Aufführung eines jeweiligen Stückes zur Verfügung. In Athen wurden zudem seit dem 5. Jh. Archontenlisten geführt und archiviert, nach denen exakte chronologische Zuordnungen auch für Spätere möglich waren. Seit dem letzten Quartal des 5. Jh. kamen für den lit. Gebrauch zudem Olympioniken-Listen auf, mit denen lokale histor. Ereignisse synchronisiert werden konnten und die daher auch panhellenisch nutzbar waren. In der Lit. wurde die Rechnung nach Olympiaden auch nach dem Verbot der Olympischen Spiele 393 n. Chr. durch Kaiser Theodosius fiktiv weitergeführt.

Für wichtige klass. Autoren wie die Tragiker oder Sokrates und Platon sind die exakten Geburts- und Sterbedaten auf dem hell. *Marmor Parium* verzeichnet. Speziell für das att. Drama des 5. Jh. wurden urspr. alle für die Aufführung der Stücke relevanten Informationen wie Aufführungsdatum, Sieg, Dichter, Titel, Chorege etc. in den Didaskalien verzeichnet. Diese bei den zuständigen Behörden archivierten Didaskalien benutzte Aristoteles als Grundlage für seine (verlorenen) Werke *didaskalíai* und *níkai Dionysiakaí astikaí kaí Lēnaikaí* (»Siege bei den städtischen Dionysien und Lenäen«) [27]. Hiervon wiederum hängen ab die peripatetische Forsch. (z. B. Aristoteles' Schüler Dikaiarch), die fragmentarisch erhaltenen Didaskalien-Inschr. ab der 2. H. des 4. Jh. (z. B. IG 2², 2318–2325 und [7]), das *Marmor Parium*, die *hypothéseis* und Scholienangaben sowie das Suda-Lexikon.

Die genaue Chronologie der klass. Prosaschriften war für die ant. Philol. nicht von Interesse, so daß genaue Zeugnisse fehlen. Die relative Entstehungszeit der Werke von Platon [6; 35], Xenophon oder Isokrates wird erst seit E. des 18. Jh. (1792 W. G. Tennemann für Platon) mithilfe textinterner, d. h. stilistischer, sprachstatistischer und entwicklungsgeschichtlicher Kriterien heraus ermittelt und z. T. noch kontrovers diskutiert (z. B. Xenophon). Für einige Werke wie die *historíai* von

Thukydides, aber auch die *Hellēniká* Xenophons liefern ins Werk eingestreute autobiographische Fakten Angaben zur Entstehungszeit: Thukydides war z. B. Stratege zur Zeit des Mißerfolgs vor Amphípolis 422 (5,26,5; vgl. Xenophon, *Hellēniká* 6,4,37 > Entstehung nach 358/7). Das Werk Herodots muß wegen einer Parodie desselben in den *Acharnern* des Aristophanes (523 ff.) bereits 424 bekannt gewesen sein. Bei den att. Rednern wie Lysias, Isokrates, Demosthenes etc. sind Biographie und Werkchronologie den Reden selbst entnehmbar, die häufig aus Anlaß bestimmter histor. Ereignisse verfaßt wurden. Aus den Reden schöpften auch die ant. Biographen der Redner wie Dionysios von Halikarnaß und Plutarch.

3. HELLENISTISCHE LITERATUR

Im Hell. blühte das Interesse an allg. und speziell auch literaturhist. Chronographie auf. Dies bezeugen neben der umfänglichen Sammeltätigkeit der alexandrinischen Philologen auch Chronographen wie der Begründer der ant. kritischen Chronographie Eratosthenes (3. Jh.) mit seinen Werken *olympioníkai* (Rekonstruktion der olympischen Siegerlisten) und *chronographíai* mit einer Übersicht der griech. Geschichte seit dem Fall Trojas mithilfe der Listen der Olympioniken und der spartanischen Könige. Schon zuvor hatte Timaios von Tauromenion (3./4. Jh.) in der Historiographie der Olympiadenrechnung zum Durchbruch verholfen. An Eratosthenes schloß Apollodor (ca. 180–110) mit seinen *chroniká* an. Die berühmte, 1627 entdeckte, nicht ganz vollständig erhaltene Inschr. von Paros, das sog. Marmor Parium von 264/3 (FGrH 239) enthält in Form einer Universalchronik neben histor.-polit. Fakten auch viele kulturhist. Ereignisse [16]. Die Chronik beginnt in mythischer Zeit mit Kekrops (1581/0) und endet 264/3.

Paradoxerweise sind jedoch genaue biographische Daten der großen hell. Dichter und eine absolute oder relative Chronologie ihrer Werke nur unzureichend gesichert, da sich die chronographischen Forsch. des Hell. auf die archa. und klass. Lit. bezogen.

Von dem att. Komödiendichter Menander ist zum einen nur Weniges und Unzuverlässiges aus viel späteren Quellen wie dem Kompendium des Suda-Lex. und dem Anon. *perí kōmōdías* (CGF 1,9) bekannt [19]. Die Inschr. IG 14,1184 gibt – in sich widersprüchlich – die Geburt Menanders unter dem Archontat des Sosigenes (342/1) und seinen Tod unter dem Archontat des Philipp (293/2) im Alter von 52 J. an. Nach Strabo 14,638 waren Menander und sein Vater 342/1 geb. Epikur allerdings in derselben Ephebie (*synéphēboi*) und damit gleichaltrig, so daß das Geburtsdatum gesichert ist. Weiteres bleibt wieder unsicher: Nach dem Anon. *perí kōmōdías* begann Menander seine Komödienproduktion unter dem Archontat des Philokles (322/1); sein erstes Werk soll nach Eusebs *Chronik* die *Orgḗ* gewesen sein; sein erster Sieg nach dem *Marmor Parium* im J. 316/5. Dagegen soll Menander nach der *hypóthesis* der erst 1959 gefundenen Papyri mit dem ersten vollständigen Stück *Dýskolos* auch mit diesem Stück bereits unter dem Archontat des Demogenes 317/6 gesiegt haben.

Einige Gedichte des Theokrit verdanken ihre Entstehung konkreten Ereignissen und können so zeitlich eingeordnet werden: *Eidyllion* 17 auf Ptolemaios II. ist 274–270 entstanden. Ebenso kann Kallimachos' *Locke der Berenike* aufgrund histor. und astronomischer Anspielungen auf 246/5 datiert werden. Ansonsten finden sich erst im Suda-Lex. chronographische Angaben zu beiden Autoren (außer Gell. 17,21,41 zu Kallimachos). In den Hss. der *Argonautiká* sind hingegen in sich widersprüchliche und spekulative Viten zu Apollonios Rhodios mitüberliefert, die wiederum auf Theon (1. Jh. v. Chr.) zurückgehen können. Weitere Angaben stammen aus dem P Oxy. 1241 (2. Jh. n. Chr.). Als terminus post quem für die *Argonautiká* gelten die darin benutzten *Phainómena* Arats (ca. 276). Aus dichtungstheoretischen Überlegungen gelten Kallimachos und Apollonios Rhodios zudem als Zeitgenossen.

4. KAISERZEITLICHE LITERATUR

Für die bekannten Autoren der Kaiserzeit erlauben im allg. autobiographische Angaben innerhalb der Werke eine ungefähre oder doch relativ exakte Festlegung der Lebenszeit, während auch hier wieder die Chronologie der Werke schwierig ist. Dies gilt etwa für die Redner Dion Chrysostomos und Ailios Aristeides, deren zu bestimmten Anlässen gehaltene Reden chronologische Fixierungen zulassen.

Plutarch macht verstreut über seine gesamten Schriften viele Angaben zu seiner Person und Familie, während die Angaben des Suda-Lex. dürftig bleiben. Gegenstand der Forsch. wurde Plutarchs Leben schon in der Edition von Rualdus von 1624. Die Geburtszeit kann durch Plutarchs Angabe, er habe als Jüngling (*néos*) den Ammonios während Neros Aufenthalt in Griechenland 66/67 gehört (de E 385b), auf die Zeit zw. 45 und 50 n. Chr. angesetzt werden. Das Sterbedatum muß nach Eusebs *Chronik* zum J. 2135 nach Abraham (= 119 n. Chr.), in dem er ein Greis war, demzufolge nach 119 gelegen haben. Da er in der Ps.-Lukianischen Schrift *macrobii* nicht unter die »langlebigen« (*makróbioi*) gerechnet wird, wurde er keine 80 J. alt, starb also zw. ca. 120 und 129. Aufgrund dieser Euseb-Angabe, die ferner eine Bekanntschaft Plutarchs mit den Philosophen Sextus Empiricus und Oinomaos erwähnt, spekulierte später der *Chronik*-Bearbeiter Hieronymus (armenische Übers. der *Chronik*) fälschlich auf die *akmḗ* dieser drei Personen um 119, d. h. Plutarch wäre zu dieser Zeit ca. 40 J. alt gewesen. Die Chronologie der Schriften läßt sich nicht ermitteln, da sie nur selten einen Hinweis auf die Entstehungszeit enthalten; so erwähnt Plutarch z. B. in der Sulla-Biographie (cap. 21), daß die Schlacht von Orchomenos (85 n. Chr.) fast 20 J. zurückliege; weiteres bei [41. 708 ff.]. Zum Forschungsgegenstand wurde v. a. die relative Chronologie der Biographien: Hier liegen zum einen Angaben Plutarchs darüber vor, daß Demosthenes-Cicero als 5., Perikles-Fabius Maximus als 10. und Dion-Brutus als 12. Biographien-Paar und Theseus-Romulus als eins der letzten Paare geschrieben wurden (Demosthenes 3,1; Perikles 2,5; Dion 2,7; Theseus Einl.); daneben finden sich 48 Selbstzitate innerhalb der Viten, wobei einige wechselseitige Zitate eine gleichzeitige Entstehung mehrerer Biographien nahelegen. Vergleichbar ist die Lage für Lukian, der in seinen Werken zeitgenössische Ereignisse und Personen erwähnt.

Besonders komplex ist die Chronologie des griech. Romans, der von Rohde urspr. in die Spätant. datiert wurde [29]. Innerhalb der Gattung Roman datierte er wiederum Xenophon von Ephesos und Chariton wegen ihres als rhet. Manieriertheit gedeuteten schlichten Stils später als die übrigen Romane, nämlich ins 5. Jahrhundert. Hier führten Papyrusfunde zu einem völligen Umsturz der Chronologie: Danach kann Chariton in der Zeit um Christi Geburt entstanden sein; vom Ninos-Roman sind Papyri aus dem 1. Jh. n. Chr. (P Berol. 6926; PSI 1305) gefunden worden; für Achilleus Tatios ergibt sich eine Datierung ins 2. Jh. (P Oxy. 3836) [21]. Weiteres Kriterium für eine relative Chronologie ist die zunehmende narrative Komplexität der Romane, so daß Chariton und Xenophon als frühe Gattungsvertreter gelten, der bukolisch eingefärbte Longos und der teilweise selbstironische Achilleus Tatios in die Zweite Sophistik (2. Jh. n. Chr.) datiert werden. Als narratologisch ausgereiftester und damit spätester Liebesroman gilt im allg. Heliodor, wenngleich die aufgrund vermeintlicher histor. Anspielungen bzw. rel. Tendenzen vorgenommene Datierung zw. dem 3. und dem 4. Jh. schwankt [14].

5. CHRISTLICHE LITERATUR

Für die Chronographie der griech. christl. Literatur ist zu unterscheiden zw. a) den Schriften des NT, b) der übrigen frühchristl. Lit. bis Euseb (v. a. Apologetik), und c) den verbleibenden patristischen Schriften.

a) Sehr komplex ist die schon mit G. E. Lessing E. des 18. Jh. einsetzende wiss. Chronographie der nt. Schriften, da bis auf die authentischen Paulusbriefe die Verfasser entgegen der Nennung von Autoren in der altchristl. Trad. unbekannt bzw. anon. bleiben. Eine relative Chronologie der Evangelien läßt sich durch die Aufdeckung gegenseitiger Benutzung ermitteln: Mk steht am Anf. und wird von Mt und Lk benutzt, letzterer wiederum von Johannes. Zudem wirkt Mk theologisch durch die Naherwartung der Parusie früh, während Jo durch seine weit entwickelte Christologie relativ spät entstanden sein dürfte. Für eine absolute Chronologie dient zum einen die Frage, ob die Evangelien schon unter dem Eindruck der Zerstörung des Tempels 70 n. Chr. geschrieben wurden: Für Mt (22,7) und Lk (21,20–24) wird dies angenommen, für Mk (13: Jesu »apokalyptische« Rede) ist es strittig. Weiter scheint Lk das Martyrium Jesu schon unter dem Eindruck von Verfolgung und verschärften Religionsgesetzen (ab 92) Kaiser Domitians geschrieben zu haben. Mt muß vor 110 entstanden sein, da Ignatius die Schrift kennt. Für Jo bezeugen inzwischen mehrere aufgrund der Schrift datierte Papyri einen *terminus ante quem* von ca. 100 (P 52, 66, 75). Die von Lukas stammende Apg schließt an Lk an

und dürfte kurze Zeit später entstanden sein [32; 36; 39]. Für die Paulinischen Briefe kann durch viele interne Hinweise auf die Reisestationen des Paulus eine relative Chronologie erstellt werden, an deren Beginn 1 Thess steht. Für die absolute Chronologie von Paulus' Wirken dient die Amtszeit des Gallio als Verwalter von Korinth 51/2; umstritten ist, ob die Briefe in den J. davor oder danach (so meistens) entstanden sind [15; 39].

b) Für die übrige altchristl. Lit. (z. B. Apologeten, Clemens von Alexandria, Origenes) stehen zum einen die Angaben innerhalb der Werke selbst, zum anderen die Daten des ersten christl. Chronographen und Kirchenhistorikers Euseb von Cäsarea aus dem 3./4. Jh. zur Verfügung. Gesammelt sind solche Angaben in der tabellarisch alle universalhistor. Ereignisse seit Abraham bis 303 (zugleich *terminus post quem* für das Werk) synoptisch darstellenden *Chronik* und in der *Kirchengeschichte* (10 B.); vgl. [25; 39]. Aus der *Kirchengeschichte* lassen sich wiederum auch Angaben über Eusebs Leben gewinnen (z. B. 3,28,3 und 7,28,3: Geburt vor 265); er erlebte noch Konstantin d. Gr., auf den er eine Lobschrift (*laus Constantini*) verfaßte.

c) Für die Chronographie der meisten anderen patristischen Autoren wie etwa Gregor von Nazianz, Basileios d. Gr., Gregor von Nyssa, Athanasios, Johannes Chrysostomos etc. gelten ähnliche Kriterien wie für die pagane kaiserzeitliche Lit.: Textinterne Hinweise, die oft autobiographischen Charakter haben, müssen mit externen histor. Daten kombiniert werden. Eine genaue Chronologie der Werke selbst ist in der Regel nicht sicher bekannt, was gerade auch für die bes. umfänglichen Werke wie etwa des Johannes Chrysostomos gilt.

→ Epochenbegriffe; Homerische Frage; Philologie

→ AWI Archontes; Chronik; Didaskaliai; Eusebios [7] von Kaisareia; Herodotos [1]; Homeros [1]; Marmor Parium; Roman; Suda; Zeitrechnung

1 K. J. BELOCH, Griech. Gesch., Bd. 1,2, ²1913 2 J. BERNAYS, Joseph Justus Scaliger, Berlin 1855 3 A. BORST, Computus, 1990 4 E. BRATUSCHECK (Hrsg.), Enzyklopädie und Methodologie der philol. Wiss. von August Boeckh, Leipzig 1877 5 W. BURKERT, Das hunderttorige Theben, in: WS 89, 1976, 5–21 6 L. BRANDWOOD, The Chronology of Platon's Dialogues, 1990 7 E. CAPPS, Greek Inscriptions, in: Hesperia 12, 1943, 1–11 8 S. DÖPP, W. GEERLINGS (Hrsg.), Lex. der ant. christl. Lit., 1998 9 D. FEHLING, Die sieben Weisen und die frühgriech. Chronologie, 1985 10 Ders., Die urspr. Gesch. vom Fall Trojas, 1991 11 K. FITTSCHEN, Unt. zum Beginn der Sagendarstellungen bei den Griechen, 1969 12 A. v. HARNACK, Gesch. der altchristl. Lit., ²1958 13 R. HELM, s. v. Lukianos, in: RE 13,2, 1725–1777 14 N. HOLZBERG, Der ant. Roman, 1986 15 H. HÜBNER, s. v. Paulus, in: TRE 26, 133–153 16 F. JACOBY, Apollodors Chronik, 1902 17 Ders., Das Mamor Parium, 1904 (Ndr. 1980) 18 R. JANKO, Homer, Hesiod and the Hyms, 1982 19 A. KÖRTE, s. v. Menandros, in: RE 15,1, 707 ff. 20 Ders., s. v. Menandros, in: RE Suppl. 12, 854 ff. 21 R. KUSSL, Papyrusfr. griech. Romane, 1991 22 J. LATACZ, Homer, ²1989 23 A. LESKY, s. v. Homeros, in: RE Suppl. 11, 687–846 24 F. MILLAR, A Study of Cassius Dio, 1964, 5–72 25 A. MOSSHAMMER, The

Chronicle of Eusebius and Greek Chronographic Trad.,
1979 **26** V. PARKER, Unt. zum Lelantinischen Krieg, 1997
27 REISCH, s. v. Didaskalíai, in: RE V,1, 394–403
28 W. RÖSLER, Die Sieben Weisen, in: A. ASSMANN (Hrsg.),
Weisheit. Arch. der lit. Kommunikation, Bd. 3, 1991,
357–365 **29** E. ROHDE, Der griech. Roman und seine
Vorläufer, ⁴1914 **30** E. RUSCHENBUSCH,πάτριος πολιτεία, in:
Historia 7, 1958, 398–424 **31** W. SCHADEWALDT, Homer
und sein Jh., in: Ders., Von Homers Welt und Werk, ³1959,
87–129 **32** W. SCHMITHALS, s. v. Evangelien, in: TRE 10,
570–626 **33** H. STRASBURGER, Herodots Zeitrechnung, in:
W. MARG (Hrsg.), Herodot, 1965, 688–736
34 K. TAUSEND, Der Lelantinische Krieg – Ein Mythos?, in:
Klio 69, 1987, 499–514 **35** H. THESLEFF, Stud. in Platonic
Chronology, 1982 **36** H. THYEN, s. v. Johannesevangelium,
in: TRE 17, 200–225 **37** K. USENER, Beobachtungen zum
Verhältnis der Odyssee zur Ilias, 1992 **38** M. L. WEST, The
Date of the Iliad, in: MH 52, 1995, 203–219
39 A. WIKENHAUSER, J. SCHMID, Einl. in das NT, ⁶1973
40 F. WINKELMANN, Eusebios von Kaisareia, 1991
41 K. ZIEGLER, s. v. Plutarchos, in: RE 21, 639 ff. (Leben),
708 ff. (Chronologie), 899 ff. (Biographien).

                        PETER KUHLMANN

IV. LATEINISCH

A. GRUNDLAGEN B. METHODEN
C. MITTELALTERLICHE TRADIERUNG DER DATEN
D. KRITISCH-PHILOLOGISCHE LEISTUNGEN DER RENAISSANCE-HUMANISTEN
E. CHRONOLOGISCHE FRAGEN IN DER NEUEREN FORSCHUNG

A. GRUNDLAGEN

1. TESTIMONIEN, DIE UNSER QUELLENMATERIAL ÜBER DAS WERK HINAUS ERWEITERN

Didaskalien: Für das altröm. Drama stehen uns Didaskalien zur Verfügung, öffentliche Aufzeichnungen,
denen wir neben Nachrichten über Verf. und Titel v. a.
die genaue Angabe des Festes sowie der Konsuln des J.
der Erstaufführung verdanken. Zu den Plautinischen
Kom. sind von diesen Festurkunden zwar zwei (im *Cod.
Ambrosianus*) erh., die eine Datier. des *Stichus* und *Pseudolus* ermöglichen. Dagegen sind alle sechs Terenz-
Kom. durch die hsl. erh. Didaskalien und Angaben im
Donatkomm. datierbar [30].

Inschriften: Unter den zeitgenössischen Dokumenten können Inschr. Anhaltspunkte für die Rekonstruktion von Daten geben. Aus dem Protokoll über die Sä-
kularfeier des J. 17 v. Chr. auf der 1890 gefundenen
Inschr. [1] z. B. erfahren wir, daß ein Chor das von Horaz verfaßte *Carmen saeculare* am dritten Tag (= 3. Juni)
als feierlichen Abschluß vortrug.

Selbstzeugnisse gehören zu den wichtigsten Quellen
für die Erforsch. der Biographie und Werkchronologie.
Neben dem Werk eines Autors als – oft einzige – Erkenntnisquelle für seine Vita und die Abfassungszeit seines Œuvres kann auch die Sekundärüberlieferung, d. h.
Zeugnisse zeitgenössischer oder späterer Autoren, Anhaltspunkte zur Datier. bieten (z. B. Plin. epist. 3,5 über
Leben und Reihenfolge der einzelnen Werke des älteren Plinius).

2. CHRONOLOGISCHE UNTERSUCHUNGEN RÖMISCHER LITERARHISTORIKER

Das Grundgerüst unserer Chronologie der lat. Lit.
basiert auf literarhistor. Forsch. röm. Gelehrter. Die
Anf. der röm. Dichtung wurden in Rom erst rund ein
Jh. nach der ersten Aufführung des Dramatikers Livius
zum Gegenstand antiquarischer Erforsch. erhoben. Der
Tragödiendichter L. Accius (170–ca. 85 v. Chr.) behandelte in seinen *Didascalica*, einem (wenigstens z. T.) in
Versform abgefaßten literarhistor. Werk, auch Datierungsfragen. Seine (verfehlten) Datier. röm. Dramatiker
(Livius Andronicus, Naevius, Pacuvius) sind noch indirekt aus Varros kritischer Auseinandersetzung in der
nur noch fragmentarisch erh. Schrift *De poetis* zu erschließen [12]. Varros Leistung besteht in der chronologischen Fixierung des Beginns dramatischer Aufführungen in Rom auf das J. 240 und – mit dieser Datier.
eng verbunden – der Würdigung des Livius Andronicus
als des Archegeten der röm. Dichtung. Varro, dessen
literarhistor. Forsch. ferner die Datier. des Naevius, Ennius und der ἀκμή des Plautus zu verdanken ist, errech-
nete seine Daten durch Auswertung von Angaben der
Dichter in ihren Werken, aber auch aufgrund amtlicher
Akten (v. a. didaskalische Aufzeichnungen und Senats-
beschlüsse).

Auf diese wenigen exakten Daten der älteren röm.
Dichter konnten die nachfolgenden Chronisten und
Biographen, allen voran Sueton mit seinem teilweise
noch rekonstruierbaren Werk *De poetis*, rekurrieren. Für
seine Sammlung von Viten röm. Autoren (*De viris illustribus*) bis zum E. des 1. Jh. konnte Sueton, der (jedenfalls bis 122 n. Chr.) Zugang zu den in kaiserlichen Archiven hinterlegten originalen Quellen hatte, zudem
auf eigene Forsch. zurückgreifen.

Mehrere literarhistor. Traditionslinien münden in
das synchronistische Kap. der *Noctes Atticae* (17,21), in
dem Gellius eine mit Daten der polit. Geschichte verknüpfte Übersicht über die griech.-röm. Chronologie
der Lit. von der Gründung Roms bis zum E. des 2.
Punischen Krieges gibt [25].

3. DIE LITERARHISTORISCHEN SCHRIFTEN DES HIERONYMUS

Für die Überlieferung biographischer Daten lat. Autoren kommt der Universalchronik des Hieronymus
eine bedeutende Rolle zu, bilden doch die Zusätze, die
Hieronymus in seine Bearbeitung der (größtenteils verlorenen) zweiteiligen Chronik des Eusebios eingefügt
hat, für die Rekonstruktion einiger Daten sogar die
Hauptgrundlage. Hieronymus übersetzte um 380 die
Canones, den sog. 2. Teil des Chronikons des Eusebios
von Kaisareia (†339), das bis 325/326 n. Chr. reichte,
führte es bis zum J. 378 n. Chr. fort und ergänzte die
Datenkolumnen des Eusebios um vorwiegend literarhistor. Daten der lat. Überlieferung, die er insbes. aus
Sueton exzerpiert hat. Wie Eusebios legte auch Hieronymus sein Werk tabellarisch an: Zw. die nebeneinander in mehreren Spalten angeordneten synoptischen
Jahrestabellen verschiedener Ären von der (2016 v. Chr.

datierten) Geburt Abrahams an ist die chronologisch
wichtige Kolumne kurzer polit. und lit. Notizen zu den
einzelnen J. eingefügt [2]. Hieronymus wollte einerseits
seine Angaben jeweils auf ein bestimmtes J. bezogen
wissen, fand aber andererseits in seiner suetonischen
Vorlage oft keinen Anhalt zu einer genauen chronologischen Fixierung vor [18], so daß seine Zuweisung der
Nachrichten zu bestimmten J. in einigen Fällen zu of-
fensichtlichen Fehldatier. führte. Daher mahnen kritische Philologen seit der Ren. (Petrarca, J. J. Scaliger) bis
in unsere Zeit [18. 95] zu größerer Skepsis gegenüber
den Datier. des Hieronymus, dessen lange unangefoch-
tene Autorität im Laufe der mod. Forsch. zunehmend –
gipfelnd im Vorwurf der ›notorischen Unzuverlässigkeit‹ [33. 31] – erschüttert wurde.

Festen Halt für die Chronologie der griech. und lat.
christl. Schriftsteller verdanken wir seiner kleinen
Schrift *De viris illustribus*. Hieronymus stellte 392 oder
393 n. Chr. einen Kat. von Kirchenschriftstellern in
chronologischer Reihenfolge zusammen; zu Hieronymus und seinen Nachfolgern, insbes. zu Gennadius von
Marseille (E. des 5. Jh.), Isidor von Sevilla († 636) und
Ildefons von Toledo († 667), s. [9. 98–130].

B. METHODEN

1. METHODEN ZUR BESTIMMUNG DER LEBENSZEIT EINES AUTORS

1.1 Ἀκμή UND SYNCHRONISMEN – GENUIN ANTIKE METHODEN

Nach dem Vorbild philol. Gelehrsamkeit des Hell.
bemühten sich die röm. Gelehrten bei fehlenden Infor-
mationen, die Lebenszeit eines Autors aufgrund seiner
Blütezeit (ἀκμή) festzulegen. Diese zeitlich dehnbare
Datier., für die vage Formulierungen wie *floruit, insig-
nis/clarus habetur*, etc. typisch sind, wurde jedoch von
Hieronymus in seiner Chronik auf einen bestimmten
Zeitpunkt fixiert.

Synchronismen, die den Tod des einen Dichters mit
dem Heranreifen eines nachfolgenden Talents zeitlich
verknüpfen, gab es nach dem Modell des berühmten
Synchronismus der ant. Literarhistoriker, welche die
drei großen att. Trag. in verschiedener Weise zur
Schlacht bei Salamis in Beziehung setzten, auch in den
röm. biographischen Tradition. Mehrfach, v. a. in der
ältesten ant. Vergil-Vita, ist die Nachricht bezeugt, daß
Vergil an genau dem Tag die *toga virilis* anlegte, an dem
der Dichter Lukrez gestorben sei.

1.2 REKONSTRUKTION DES TODESZEITPUNKTES EINES AUTORS

Bei fehlenden Angaben zur Lebenszeit ist es ein ge-
läufiges Verfahren, aus dem E. der lit. Produktion eines
Autors auf dessen Tod zu schließen. Daß aber das Fehlen
lit. Erzeugnisse nicht gleichbedeutend mit dem Tod des
Autors sein muß, lehrt z. B. die Festlegung des Todes-
jahres des Rhetors M. Cornelius Fronto: Da die datierbaren Briefe ungefähr im J. 166 aufhören und Fronto
sich in einem Brief zum Tod des Enkels (165) dem Tod
nahe fühlt (*De nepote amisso* 2,8 = p. 238 Van den Hout),
lag der Schluß nahe, Frontos Tod in dieser Zeit anzu-

nehmen. Die Erwähnung von Commodus-Mz. (deren
Emission 176 begann) in einem Brief an M. Aurel (p.
159,12 Van den Hout) spricht jedoch für eine spätere
Datier. [28. 486]; zudem ist die publ. Korrespondenz
nicht vollständig erh. [29].

1.3 AUTOBIOGRAPHISCHE AUSSAGEN

Das Spektrum autobiographischer Aussagen kann
von überall im Werk zu findenden Äußerungen bis zum
autobiographischen Gedicht (Ov. trist. 4,10) reichen.
Während die Skepsis gegenüber der Historizität autobiographischer Äußerungen mit Recht zunimmt [31;
20], lassen sich Lebensdaten, Anspielungen auf histor.
Ereignisse, Dedikationen und Gedichtadressen an Zeitgenossen jedoch zur Rekonstruktion einer Vita heranziehen.

2. METHODEN, DIE ABFASSUNGS- BZW. PUBLIKATIONSZEIT EINES WERKS ZU BESTIMMEN

Anspielungen auf datierbare Ereignisse oder Personen erlauben in der Regel eine Bestimmung der Entstehungszeit, die freilich vom Publikationsdatum verschieden ist. Größere Schwierigkeiten bereitet die zeitliche Einordnung anon. überlieferter Werke oder eines
Werkes, dessen Autor zwar genannt wird, der aber über
das Werk hinaus nicht bekannt ist. Ein in der mod.
Forsch. zunehmend angewandtes und immer weiter
verfeinertes Verfahren zur annähernden Bestimmung
der Abfassungszeit ist eine auf sprachlich-stilistische Kriterien gestützte Analyse des Textes. Bereits seit den ant.
Philologen und insbes. seit den it. Humanisten wurden
im Zusammenhang der lit. Echtheitskritik aufkommende Fragen der Datier. und Bestimmung des Verf. auf
stilistische Argumente gestützt. So führte Coluccio Salutati (1331–1406) für seinen Beweis, daß Seneca die
unter seinem Namen überlieferte *Octavia* nicht geschrieben haben könne, neben Anachronismen insbes.
stilistische Gründe ins Feld [37]. In neuerer Zeit ist es
Bertil Axelson in einer – in erster Linie methodisch
wichtigen – Unt. gelungen, aufgrund lexikalischer und
stilistischer Indizien und insbes. durch eine Analyse der
Klauseltechnik, die Entstehungszeit eines anon. überlieferten Werkes zu umgrenzen und dadurch die für Firmicus Maternus in Anspruch genommene Autorschaft
auszuschließen [7]. Zur Methode, Anhaltspunkte für
die relative Chronologie der Dramen Senecas zu gewinnen, [41]; zur Prioritätsbestimmung bei Plautus [40].
Allerdings führen stilistische Unt. und Beobachtungen
der verstechnischen Entwicklung eines Autors oft über
Wahrscheinlichkeiten nicht hinaus. Als Musterbeispiel
für die Umkehrbarkeit der Argumente in Fragen der
relativen Chronologie können die *Carmina Priapea*, eine
anon. überlieferte Sammlung von 80 Epigrammen, gelten: Neben der Klärung der Verfasserschaft ist v. a. die
Abfassungszeit des *Corpus Priapeorum* nach wie vor umstritten. Die Vorschläge zur Datier. reichen von augusteischer, frühkaiserzeitlicher und neronischer Zeit bis
in die Zeit bald nach Martial [17; 39].

C. Mittelalterliche Tradierung der Daten

Die von Hieronymus gepflegten Formen der Vermittlung wissenswerter Angaben zu Leben und Werk berühmter Autoren, die mit literarhistor. Daten angereicherte Universalchronik und der chronologisch angeordnete Kirchenschriftstellerkat. wurden Grundlage und Vorbild für die ma. Überlieferung der ant. Autoren (zur Genese ma. Literaturgeschichtsschreibung: [14. 53–57; 6. 58–61]). Wenn überhaupt Interesse an einer literarhistor. Darstellung pagan-röm. Autoren bestand, wurde Fragen der Chronologie wenig Aufmerksamkeit gewidmet; oft begnügte man sich mit einer ungefähren Datier. der Blütezeit, manchmal wird nicht einmal die Zeit angegeben, in der die Verf. gelebt haben (grundlegend noch immer P. Lehmann [24; 9. 137–202]). Diesen Aspekt der Vernachlässigung des chronologischen Kontextes hat P. L. Schmidt mustergültig an der Cicero-Vita des Johannes Vallensis (auch John of Wales), eines engl. Franziskaners des späten 13. Jh., gezeigt [32].

Vinzenz von Beauvais († 1264) berücksichtigte in seinem *Speculum historiale*, Hauptstück des *Speculum maius*, der größten Enzyklopädie des Spät-MA, im Kontext der Weltgeschichte auch die klass. lat. Autoren. Die grobe zeitliche Einordnung der Autoren lieferte dem Dominikaner Vinzenz lediglich den Rahmen, in den er seine Blütenlese popularphilos.-ethischer Sentenzen einfügen konnte [34]. Das mangelnde Interesse an einer exakten Chronologie und das Fehlen einer kritischen Sichtung überlieferter Daten sind Merkmale, die in den literarhistor. Partien ma. Weltchroniken allenthalben anzutreffen sind. Eine intensivere Beschäftigung mit literarhistor. Fragen der heidnischen Ant. läßt sich in dem von Johannes Vallensis beeinflußten Werk *De vita et moribus philosophorum* des engl. Scholastikers Walter Burley (Burleigh, geb. um 1274/75, † nach 1344) erkennen, in dem nicht nur Philosophen, sondern allg. Schriftsteller behandelt werden (nach [23] stammt das vor 1326 entstandene Werk allerdings nicht von Walter). Im Spät-MA entstanden zahlreiche kompendienartige Sammelwerke, die auch die Lebensdaten und Hauptwerke berühmter ant. Autoren verzeichneten. Besondere Erwähnung verdienen der zw. 1332 und 1338 geschriebene *Liber de viris illustribus* des Dominikaners Giovanni Colonna [10. 533–563] und der um 1350 verfaßte Schriftstellerkat. des Guglielmo da Pastrengo.

D. Kritisch-philologische Leistungen der Renaissance-Humanisten

Wie in Fragen der Textüberlieferung und Echtheit ant. und christl. Lit. übten die human. Philologen auch in chronologischen Fragen selbständig Kritik an der Trad., durchmusterten das reichlich zusammengetragene Material auf Widersprüche und griffen im Vertrauen auf das eigene kritische Vermögen verbessernd ein. Nach der langen Phase der meist ungeprüft übernommenen Überlieferung der von röm. Literarhistorikern ermittelten biographischen Daten, die sich von Gellius über Hieronymus bis zu den ma. Chronisten erstreckt, knüpften die Humanisten der Ren. an die kritischen Methoden Varros oder Suetons an, hatte sich die Quellensituation für die Ermittlung einer exakten Chronologie doch nicht grundlegend geändert.

Für Francesco Petrarca (1304–1374) bildete das *Chronicon* des Eusebios in der lat. Übers. des Hieronymus den Ausgangspunkt seiner Behandlung chronologischer Probleme der lat. Literatur. G. Billanovich zeigte anhand des mit scharfsinnigen Bemerkungen versehenen Exemplars der Chronik, wie Petrarca aufgrund seiner unmittelbaren Kenntnis der Quellen widersprüchliche Angaben über die Lebenszeiten von Autoren erkannte [8]. Zu der Hieronymus-Notiz über den Tod des M. Terentius Varro *prope nonagenarius moritur* (164a H.) z. B. annotiert Petrarca eine höhere Zahl an Lebensjahren: *imo prope centenarius*; die abweichende Altersangabe entnahm er vermutlich Val. Max. 8,7,3 [8. 44]. Kennzeichnend für Petrarcas Zweifel an der Glaubwürdigkeit überlieferter Daten ist eine kritische Äußerung in seinem historiographischen Werk *De viris illustribus* 2,12 [3].

Sicco Polenton(e), ein it. Humanist (1375/6–1447), der sein oft als erste Geschichte der lat. Lit. bezeichnetes *magnum opus* über die lat. Schriftsteller von Livius Andronicus bis Petrarca in 18 B. zw. 1433 und 1437 vollendete, widmete seine Aufmerksamkeit oft biographischen Daten röm. Autoren. Die gegenüber kompendienartigen Sammelwerken und ma. Chroniken ganz andere Methode der chronologischen Einordnung eines Autors besteht im kritischen Umgang mit den Quellen in Verbindung mit selbständiger Kombination. Ein instruktives Beispiel für Siccos unabhängiges Urteil findet sich in seiner Behandlung der Vergil-Vita: D. R. Stuart hat gezeigt, wie (und aus welchem Grund) Sicco Polenton unter ausdrücklicher Kritik an Servius und Donat einem von der biographischen Vergil-Trad. abweichenden Zeitansatz zum Sieg verhelfen will [38. 8f.].

Ansätze zu ästhetischer Literaturkritik finden sich im literarhistor. Werk *De poetis Latinis libri V* (zuerst Florenz 1508) des Petrus Crinitus (Pietro Crinito, Ricci oder Riccio, 1465–ca.1505), der die lat. Dichter von Livius Andronicus bis Sidonius Apollinaris in mehr oder weniger chronologisch angelegten kurzen Kap. darstellte. Der Trad. stand er nicht unkritisch gegenüber, gelegentlich richtete er seine Aufmerksamkeit auch auf das biographische Detail (vgl. seine Ausführungen zur Lebenszeit des Lukrez im 2. B., Kap. 19).

Während die Chronik des Hieronymus dem Humanisten Petrarca als chronologisches Hilfsmittel bei seiner Lektüre lat. Autoren diente, hat sich der Akzent in der Spätren. verlagert: Joseph Justus Scaliger (1540–1609) leistete durch seine Wiederherstellung der Chronik des Eusebios einen fundamentalen Beitr. zur Begründung der mod. Chronologie als einer Teildisziplin der Altertumswiss., die das für eine histor.-kritische Quellenforsch. erforderliche Spezialwissen systematisch zusammenstellt; vorausgegangen war ihm Carlo Sigonio (1523/4–1584), der sich um eine Rekonstruktion der röm. Z. auf der Grundlage der 1546 auf dem Forum Romanum entdeckten Trümmer der *Fasti Capitolini* bemüht hatte [36; 27]. Für Scaliger bildete das Werk des Eusebios in der Übers. des Hieronymus den Ausgangspunkt seines Versuchs einer Rekonstruktion und Koordination der biblischen und ant. Zeitrechnungssysteme. Gleichsam als Nebenprodukt seiner antiquarischen Forsch. revidierte Scaliger auch chronologische Irrtümer des Hieronymus, wie sich exemplarisch an seiner Kritik der Datier. Catulls zeigen läßt. Scaliger erkannte, daß die Festsetzung des Sterbejahrs nicht richtig war, und führte in seinem *Thesaurus temporum* (Leiden 1606, Amsterdam ²1658) Anspielungen auf histor. Ereignisse aus den Gedichten Catulls an, die nach dem von Hieronymus angegebenen Todesjahr liegen [16. 621 f.; 18. 37–39].

E. Chronologische Fragen in der neueren Forschung

Zeittafeln mit Daten zur lat. Lit., die häufig Literaturgeschichten beigegeben werden [5; 15], sind das Ergebnis eines langen Prozesses, in dessen Verlauf neben zuverlässigen auch unsichere Daten eruiert und überliefert wurden, so daß Fragen, welche die Biographie eines Autors, die Entstehungszeit eines Werkes und die Werkchronologie betreffen, noch immer Gegenstand der wiss. Diskussion sind. In der mehrfach aufgelegten Geschichte der röm. Lit. M. von Albrechts z. B. nimmt die Rubrik ›Leben, Datier.‹ in den analog aufgebauten Autorenkap. breiten Raum ein.

Spezialuntersuchungen zu Datierungsproblemen röm. Autoren, die v. a. im Laufe des 19. Jh., bes. in seiner zweiten H., entstanden [35; 13], sind bis in neueste Zeit anzutreffen; selbst einem so gut erforschten Gebiet wie der Chronologie Ciceros ist eine ganze Monographie gewidmet [26].

Es seien einige Beispiele für umstrittene Datierungsfragen angeführt: So ist eines der meistdiskutierten Probleme der Lucilius-Forsch. die Bestimmung des Lebensalters, insbes. des Geburtsjahres des Satirikers [11. 71–74; 19]. Die Abfassungszeit des Lehrgedichts des Lukrez ist wiederum Gegenstand einer neueren Untersuchung [21]. Ein vielerörterter Problemkreis ist die Entstehungszeit von Claudians myth. Epos *De raptu Proserpinae* [22. 12–14]. Angesichts der Unsicherheiten behalten folgende Postulate bei chronologischen Fragen der lat. Lit. nach wie vor ihre Gültigkeit: Tradierte Daten müssen kritisch überprüft, auf Widersprüche hin analysiert, gegebenenfalls auch korrigiert werden, fehlende durch Kombination verschiedener Zeugnisse approximativ (*Terminus ante/post quem*), bisweilen mit einem gewissen Spielraum, rekonstruiert werden. Wenn man die Genese der chronographischen Darstellung der lat. Lit. näher verfolgt, wächst die Skepsis gegenüber einer allzu großen Zuversicht in die Verläßlichkeit der eruierten und trad. Zeitangaben. In vielen Fällen ist es nur zu berechtigt, die Daten mit einem Fragezeichen zu versehen, um die lückenhafte Überlieferung und Widersprüche sichtbar zu machen.

→ Literaturkritik
→ AWI Hieronymus; Suetonius [2]; Varro (Reatinus); Chronik

QU 1 CIL 6, 32323 (= ILS 5050) 2 R. Helm (Hrsg.), Eusebius, Werke, 7. Bd., GCS 47, ²1956 3 Petrarca, De viris illustribus, hrsg. v. G. Martellotti, 1964 4 B. L. Ullman (Hrsg.), Sicconis Polentoni »Scriptorum illustrium Latinae linguae libri XVIII«, 1928

LIT 5 Albrecht, 1457 ff. 6 K. Arnold, De viris illustribus. Aus den Anf. der human. Literaturgeschichtsschreibung..., in: Humanistica Lovaniensia 42, 1993, 52–70 7 B. Axelson, Ein drittes Werk des Firmicus Maternus? Zur Kritik der philol. Identifizierungsmethode, 1937 8 G. Billanovich, Un nuovo esempio delle scoperte e delle letture del Petrarca, L'»Eusebio-Girolamo-PseudoProspero«, 1954 (Notizen in Petrarcas Abschrift veröffentlicht auf S. 26–56) 9 R. Blum, Die Literaturverzeichnung im Alt. und MA., 1983 10 W. Braxton Ross Jr., Giovanni Colonna, Historian at Avignon, Spec. 45, 1970 11 J. Christes, Lucilius senex – vetus historia – Epilog zu XXVI-XXX, in: Philologus 142, 1998, 71–79 12 H. Dahlmann, Stud. zu Varro »De poetis«, 1963 (= AAWM 10, 1962, 557–676) 13 J. Dürr, Das Leben Juvenals, Gymn.-Progr., Ulm 1888 14 M. Fuhrmann, Die Gesch. der Literaturgeschichtsschreibung von den Anf. bis zum 19. Jh., in: B. Cerquiglini, H. U. Gumbrecht (Hrsg.), Der Diskurs der Lit.- und Sprachhistorie, 1983, 49–72 15 F. Graf (Hrsg.), Einl. in die lat. Philol., 1997 (als Beilage: »Synopse der röm. Lit.«) 16 A. Grafton, Joseph Scaliger. A Study in the History of Classical Scholarship, II Historical Chronology, 1993 17 F. Grewing, Martial, B. VI, 1997, 459–464 18 R. Helm, Hieronymus' Zusätze in Eusebius' Chronik und ihr Wert für die Literaturgesch. (= Philologus, Suppl.-Bd. 21,2), 1929 19 G. Herbert-Brown, Jerome's dates for Gaius Lucilius, »satyrarum scriptor«, in: CQ 49, 1999, 535–543 20 N. Holzberg, Ovid. Dichter und Werk, 1997, 31–37 21 G. O. Hutchinson, The Date of »De rerum natura«, in: CQ 51, 2001, 150–162 22 T. Kellner, Die Göttergestalten in Claudians »De raptu Proserpinae«, 1997 23 M. Laarmann, Art. Walter Burley, LMA VIII, 1999, 1994 f. 24 P. Lehmann, Literaturgesch. im MA, in: Erforsch. des MA, Bd. 1, 1941 (urspr. 1912), 82–113 25 O. Leuze, Das synchronistische Kap. des Gellius (Noct. Att. XVII 21), in: RhM 66, 1911, 237–274 26 Nino Marinone, Cronologia ciceroniana, 1997 27 W. McCuaig, The Fasti Capitolini and the Study of Roman Chronology in the Sixteenth Century, in: Athenaeum 79, 1991, 141–159 28 Th. Mommsen, Die Chronologie der Briefe Frontos, in: Hermes 8, 1874, 198–216 (= Schriften IV, 469–86) 29 K. Sallmann, M. Cornelius Fronto, in: HLL 4, 1997, 283 f. 30 Schanz/Hosius, Bd. 1, 104–107 31 E. A. Schmidt, Catull, 1985, 11–15, 53 f. 32 P. L. Schmidt, Das »Compendiloquium« des Johannes Vallensis – die erste ma. Gesch. der ant. Lit.?, in: D. H. Green, L. P. Johnson, D. Wuttke (Hrsg.), From Wolfram and Petrarch to Goethe and Grass. Stud. in honour of Leonard Forster, 1982, 109–123 (= Traditio Latinitatis, 2000, 247–258) 33 Ders., C. Suetonius Tranquillus (Literarhistor. Schriften), in: HLL 4, 1997, 27–44 34 S. Schuler, »Excerptoris morem gerere«. Zur Kompilation und Rezeption klass.-lat. Dichter im »Speculum historiale« des Vinzenz von Beauvais, in: FMS 29, 1995, 312–348 35 L. Schwabe, Quaestionum Catullianarum liber I: De vita Catulli, de personis

Catullianis, de temporibus carminum Catullianorum,
Gießen 1862 **36** C. SIGONIUS, Regum, consulum,
dictatorum ac censorum Romanorum Fasti, Modena 1550
37 W. SPEYER, It. Humanisten als Kritiker der Echtheit ant.
und christl. Lit. (= AAWM 3), 1993, 16 f. **38** D. R. STUART,
Biographical Criticism of Vergil since the Ren., in: Stud. in
Philology 19, 1922, 1–30 **39** H. TRÄNKLE, Entstehungszeit
und Verfasserschaft des Corpus Priapeorum, in: ZPE 124,
1999, 145–156 **40** E. WOYTEK, Sprach- und Kontext-
beobachtung im Dienste der Prioritätsbestimmung bei
Plautus, in: WS 114, 2001, 119–142 **41** O. ZWIERLEIN,
Prolegomena zu einer krit. Ausgabe der Trag. Senecas, 1983,
233–248.　　　　　　　　　　　　CHRISTINE SCHMITZ

Zensur A. EINLEITUNG　B. STAATLICHE ZENSUR IN DER ANTIKE　C. KIRCHLICHE ZENSUR UND ZENSURANALOGE VERFAHREN　D. MORALISCH MOTIVIERTE ZENSUR　E. INSTITUTIONALISIERUNG DER ZENSUR IN DER NEUZEIT　F. WELTLICHE ZENSUR

A. EINLEITUNG

Zensur als ›silencing‹ und Praxis ›kultureller Regulierung‹ [9] nimmt Bezug auf das seit 366 v. Chr. bestehende röm. Staatsamt des Censors. Als Sittenrichter
schützt dessen neuzeitlicher Nachfolger die Allgemeinheit vor Pornographie und Gewaltdarstellung, die Herrschenden vor Subversion und Kritik. Öffentliche Äußerungen auf ihre Zulässigkeit zu prüfen, ›damit nichts
der Religion und dem Staat nachtheiliges darinne ge-
lassen werde‹ [36. Bd. 5. 1817], unterliegt rel., später
konfessionellen, polit., fallweise auch mil. Kriterien.
Zensur kontrolliert Diskurse und konstituiert gerade
über die hierfür notwendigen Differenzierungen die
Autonomisierung der Kunst mit. Im Dienst von Autorität oder Tyrannei richtet sie sich unmittelbar gegen
oppositionelles Denken wie gegen emanzipatorische
Überlieferung. Auch gesellschaftliche oder ökonomische Pressionen lassen sich im weiteren Sinn als indirekte Z. deuten. Als vorauseilende Reaktion greift
Selbst-Z.; umgekehrt provozieren Texte den Zensor als
impliziten Leser. Die Z.-Institutionen wirken auf partielle oder völlige Elimination von Einzeltexten oder
ganzen Autorenkorpora hin, von der Publikation unter
Auflagen oder gar permanenter Kontrolle – prinzipieller
Sinn der Vor-Z. ist die Genehmigung der Publikation –
bis hin zur Bücherverbrennung. Das Verbot richtet sich
z. T. speziell an Heranwachsende; entsprechend gilt die
Expurgation, die Bearbeitung *ad usum delphini* bes. der
Schullektüre. Komplementär wirken Grammatiker
(bzw. Lit.-Historiker, Kritiker, Editor) und Zensor
[30. 179], indem sie Textstellen als »falsch« bzw. »schädlich« tilgen. Zu unterscheiden ist die Unterdrückung des
griech. oder lat. Urtexts, einer Neuedition oder einer
→ Übersetzung. Zensur findet statt durch Regelung
und Limitation von Textauslegung, ist also der Hermeneutik verwandt. Die Wechselbeziehung zur positiven Selektion, wie sie im Kanon vorliegt, läßt die Z. als
dessen Negativ erscheinen; doch besetzt gerade die An-

tikerezeption weitgehend und traditionell eine breite
intermediäre Zone zw. explizit Erlaubtem und radikal
Verbotenem und ist so für die wesentlichen mod. Z.-
Felder Presse, Theater und Film selbst in freizügigen, ja
obszönen Varianten, kaum relevant.

B. STAATLICHE ZENSUR IN DER ANTIKE

440 v. Chr. wurde Protagoras wegen Gottlosigkeit
bestraft. Platon empfahl, Homer zu zensieren (rep. 387
b) und bes. der Jugend vorzuenthalten. Die hell. Herrscher konnten Kritik mit dem Tod bestrafen; in Rom
richtete sich das Zensorenamt auf die öffentlichen Formen der Lit.: Theater und polit. Verse. Tacitus hatte den
Reiz des Verbotenen thematisiert [22. 47]. So waren
magische und astrologische Schriften in der Kaiserzeit
z. T. geächtet. Die röm. Kaiser – Tiberius und Domitian
am strengsten – ahndeten Majestätsbeleidigung, wobei
Exilierungen Z. als Nebeneffekt bewirkten. Die vielfach aktuell diskutierten antizipatorischen Schreibweisen sind für die Rezeption folgenarm, wenngleich
Selbst-Z. [3] etwa bei Ovid vorkam. Spätestens um die
Zeitenwende wurden in Rom ›Buchhinrichtungen‹
[22. 134] gegen republikanische Schriften üblich. Diokletian ließ christl. Schrifttum verbrennen; nach der
Christianisierung wurde diese Praxis mit umgekehrtem
Ziel gegen »Irrlehren« fortgesetzt. Auch das ›Nachlassen
der Abschreibetätigkeit‹ zuungunsten der ›Überliefe-
rungsfrequenz der hebräischen, griech. und lat. Texte‹
[15. 1035] ist als Z.-Folge zu deuten.

C. KIRCHLICHE ZENSUR UND ZENSURANALOGE VERFAHREN

Zur staatlichen Z. seit Justinian trat eine kirchliche
(5. Jh.), die ab dem MA an den Univ. praktiziert wurde.
In → Byzanz löste die Totalsekretierung aller Hss. das
Verbrennen ab [22. 137]. Seit dem 1. Nizäischen Konzil
wurden in der West- und Ostkirche immer wieder »häretische« Schriften verboten. Ihre Lektüre, die Erstellung von Abschriften und deren Weiterverbreiten wurden unter Strafe gestellt. Die Hss. selbst, heidnische
(Zauberrituale, laszive Texte), häretische und jüd. Texte, waren zu vernichten, was als Maßnahme umstritten
blieb. Arnobius trat dem wahrheitsfeindlichen ›interci-
pere scripta et publicatam velle submergere lectionem‹
(»Schriften abfangen und veröffentlichten Text unterschlagen«, Arnob. 3,7) entgegen. Allerdings stand der
theologische Charakter des Schrifttums so im Vordergrund, daß poetisch-fiktionale Lit. nur ausnahmsweise
in den Bereich der Z. gelangte. Die Z. histor. ferner
Texte ist insofern ein völlig anderes Phänomen, als sämtliche oft ästhetisch fruchtbaren Strategien der auktorialen Auseinandersetzung mit den Z.-Instanzen entfallen
bzw. sich auf sekundäres Engagement von Editoren und
Druckern reduzieren, welche durch Vorwort, Komm.
oder verlegerische Tricks – bes. gegenüber der polit. Z.
im 19. Jh. – Diktate erfüllen und Verbote umgehen. Die
Hauptvorwürfe ›Gotteslästerung‹, ›Verrat‹, ›Verleum-
dung‹, ›Sittenlosigkeit‹ [2. 19] können bei ant. Texten
nur mittelbar zutreffen. Während Hieronymus die Lektüre paganer Autoren ablehnte, setzte sich als ein Modus

produktiver Z. die → Interpretatio christiana durch (*Ovide moralisé* u.v. a.). Die → Allegorese v. a. Ovids und Vergils war zunächst ein Mittel, deren Texte und die bei ihnen, aber auch z. B. in Ciceros *De natura deorum* behandelten Mythen als rezipierbar zu bewahren. Die zensorische Aktivität richtete sich also statt auf den Ausgangstext, der, wie bei Theodulf von Orléans, nunmehr als bloße »Einhüllung« der christl. Wahrheit aufgefaßt wurde, auf das Interpretat. Je weiter das Auslegungsregelwerk bis zu einer ausdifferenzierten Hierarchie der Schriftsinne formuliert wurde, desto wirksamer wurde freilich die performative Z. in Form von Umdeutungen. Paradoxerweise blieb gerade dadurch unterhalb allegorischer Sinnebenen die Vermittlung auch des *sensus litteralis* gewahrt. Seit Johannes von Salisbury (*Policraticus* 2,26) gilt Gregor d. Gr. als Zerstörer der heidnischen Bibl. auf dem Palatin. Noch 1413 wurde in Padua ein vermeintlicher Livius-Schädel unter Bezug auf jenes Vorbild geschändet [5. 52]. Entgegen solch extremen Fällen kam Z. im MA eher indirekt zustande: durch Wahl der zu kopierenden Codices, wobei der Grad der Unterdrückung von Obszönitäten beim Abschreiben durch Mönche umstritten ist [28. 104–107], und durch Aufsichtsmaßnahmen, die auf die Beschränkung des Zugangs zu Hss. zielten. In diesem Sinn wurde z. B. 1215 Aristoteles' *Metaphysik* an der Pariser Univ. verboten [24. Bd. 1. 17]. Faktische Z. konnte auch in sperriger, exklusiver Katalogisierung bestehen. Die Schlüsselgewalt über die Bücher hatte ohnehin bis in die Neuzeit der Bibliothekar in Abstimmung mit dem Abt: ›Noxii libri & vetiti in pluteo clave obsignato custodiantur a Superiore; nec cuiquam, sine ipsius licentia, legi permittantur‹ (»Schädliche und verbotene Bücher sollen im Wandschrank vom Superior unter Verschluß gehalten werden und von niemandem ohne seine Erlaubnis gelesen werden«, *Constitutiones Congregationis S. Mauri*, XII).

D. Moralisch motivierte Zensur

Auf ant. Texte bezogen, kommt nur Nach-Z. in Frage, auf deren Neudrucke auch Vor-Zensur. Welche Autoren ganz oder teilweise zensiert wurden, war primär eine Frage des Images. Erotische Erzähllit. und Lyr. (»Priapea«) konnten unter das Verdikt fallen. Plautus und der beliebtere Terenz wurden zwar von klerikaler Seite beargwöhnt [23. 31 f.], aber mit großer Intensität tradiert, bearbeitet und aufgeführt. Lukrez war schwer durchzusetzen, es sei denn, die theologische Widerlegung seines Materialismus wurde im Komm. mitveröffentlicht [24. Bd. 2. 159]. Am problematischsten war die Rezeption Ovids [29. 131–139, 146]. Fiskale kassierten dessen Werke als ›schmutzig‹ oder ›sittenwidrig‹ [17. 79]. Einige von Ch. Marlowe übersetzte Elegien wurden 1599 in England verbrannt [16. 4]. Zensoren schritten ein gegen ›anzügliche‹, ›schmähsüchtige‹ Druckschriften, z. B. 1777 in Augsburg gegen den Druck von *De amore*, indem sie die Exemplare einzogen [34. 81 f.]. Die Ovid-Ikonographie veranlaßte den Patriarchen von Venedig 1497 zu Verboten bzw. Auflagen

gegen indezente Abbildungen (Koitus von Mars und Venus, Verführung der Lotis durch Priapus), letztlich wohl erfolglos, so daß die Klage über *inhonestates tam mulierum quam aliter* (»Unsittlichkeiten der Frauen und auch sonst«) sich erneuerte [12. 184]. Der Index Pauls IV. unterdrückte sogar eine Ovid-Allegorese von 1484 [24. Bd. 1. 285]. Der span. Index 1612 verbot die volkssprachliche *Ars amatoria*, die immerhin schon unter Augustus aus den röm. Bibl. entfernt worden war [26. 58]. Daß *Metamorphosen*-Bearbeitungen wie die von Anguillara (1563) auch in die Gegenrichtung wirken konnten, sei nicht verschwiegen [18. 44]. 1776 wurde in Köln ›Unmoralisches‹ von Voltaire und Ovid verbrannt [36. 234]. Speziell Übers. Ovids und Anakreons ins It. wurden Anf. des 18. Jh. auf den Index gesetzt [24. Bd. 2. 158]. Noch in den 20er/30er J. des 20. Jh. wird in den USA die Einfuhr von Aristophanes' *Lysistrata*, Ovids *Ars amandi* oder Apuleius' *Goldenem Esel* verboten [16. 4].

E. Institutionalisierung der Zensur in der Neuzeit

Übte schon die Inquisition keine totale Kontrolle aus, so erschwerte der Buchdruck zensorische Maßnahmen, zu deren Ziel zunächst primär human. Autoren wurden. Den *bruciamenti* (»Bücherverbrennungen«) Savonarolas (1497/98) in Florenz fielen unmoralische Werke Catulls und Ovids zum Opfer [22. 142]. 1486 wurde in Mainz und Frankfurt eine Z.-Behörde gegründet. Vor allem in katholischen Regionen trat die Z. nach der Reformation verstärkt auf. Positives Kriterium war oft die Provenienz aus einer katholischen Druckerei; Z.-Enthaltung förderte also Druckorte. Universitäten (z. B. Paris, Löwen), Akad. und Orden hatten lokales oder regionales Z.-Recht. Eine erste päpstliche Bulle kodifizierte 1501 die Vor-Z. durch die Bischöfe. 1559 wurde erstmals der *Index librorum prohibitorum* erstellt (publ. 1564), in dem ant. Autoren aber kaum eine Rolle spielten. Eine Aufarbeitung der Indizes, wie sie für die Zensierung volkssprachiger Autoren wie Petrarca, Pulci oder Boccaccio vorliegt [6. 18–51, 67–88], fehlt. Das Tridentinum formalisierte das Verfahren, verfügte unter Strafe das Verbot schlüpfriger Texte, gestattete aber pagane Schriften ›wegen der Eleganz und Schönheit der Darstellung‹, wobei diese Bücher im Schulunterricht ausgeschlossen blieben [24. Bd. 1. 338]. Bis 1596 wurde bei der Indizierung nur ausnahmsweise einzeln geprüft. Nicht selten enthalten die Indizes positive Listen, die Verbote nur als Ausnahme dekretieren, z. B. verfügte die Kölner Diözesansynode 1550: ›In rhetoricis (tradi conveniet) ... Virgilium, Horatium, Ovidium, praeterquam de arte amandi et Epistolas Heroidum‹ (»Von den Dichtern schickt sich die Verbreitung des Vergil, Horaz, Ovid, mit Ausnahme von dessen *Liebeskunst* und *Heroiden*«) usw. [25. 80]. Zum Problem wurde in Einzelfällen → Nacktheit in Buchillustrationen der Ren. (vgl. zur Bild-Z. an einer venezianischen Metamorphosen-Ausgabe 1497: [13. 11–36]). Neben Ovid, Catull und Properz sollte Vergil im → Spanien des 16. Jh. dekanonisiert werden [13. 117]. Der span.

Grammatiker Juan L. Vives geißelt in *De tradendis disciplinis* (1531) röm. Autoren als giftige Verführer u. a. zu *luxuria* (Ovid), *superbia* (Martial), *impietas* (Lukrez) [13. 116]. Auch die ›unkritische Lektüre von Cicero‹ könne zu ›Prahlerei und Selbstlob führen‹ [30. 187]. Der Jesuit Mariana riet 1579 zum Verbot u. a. der Ritterromane (was dann 1605 Cervantes im sechsten Kapitel des *Don Quixote* als parodistisches Autodafé inszeniert), aber auch von ›Vergil, Ovid, Martial, Catull, Tibull und Properz‹ [30. 190]. Zensur konnte durch explizite Gegenempfehlungen konkretisiert werden. Eine bayrische Schulordnung verfügt 1569, statt Vergil Hieronymus Vida und Baptista Mantuanus, statt Horaz den Prudentius, Falminius und Joh. Pedioneus, statt Ovid den Ambrosius Novidius zu lesen, statt der Briefe des Cicero und Plinius die des Hieronymus [24. Bd. 1. 470].

F. Weltliche Zensur

Auch weltliche Verbotslisten kamen im 16. Jh., etwa per Bücherkommissionen und Ratsdekrete, in Gebrauch. In Frankreich kontrollierte die Z. zunehmend das weltliche → Theater, nachdem die geistlichen Spiele z. T. ganz verboten worden waren. Allgemein reagierten die Staaten auf den Buchdruck durch Vor-Z. und Lizenzpflicht. Zunehmend wurde erst aufgrund von Beschwerden eingeschritten; juristische Ahndung ersetzte die Prävention. Nachdem im 18. Jh. die rel. und sittliche durch polit. Z. abgelöst worden war, verfolgte v. a. das Bürgertum zw. dem 17. und dem 19. Jh. deren Abschaffung als Ziel, letztlich erfolgreich durch das in den meisten mod. Demokratien wirksame verfassungsmäßige Verbot der Zensur. Die Globalisierung von Datennetzen macht nationale Z. vollends wirkungslos, so daß dem 21. Jh. eine permanente ethische und technische Diskussion über Basis und Grenzen der Z. im Internet bevorsteht [37].

→ AWI Zensur

1 P. S. Boyer, Purity in Print. Book Censorship in America from the Gilded Age to the Computer Age, ²2002 2 D. Breuer, Gesch. der lit. Z. in Deutschland, 1982 3 P. Brockmeier, G. R. Kaiser (Hrsg.), Z. und Selbstz. in der Lit., 1996 4 S. Buchloh, »Pervers, jugendgefährend, staatsfeindlich«. Z. in der Ära Adenauer als Spiegel des gesellschaftlichen Klimas, 2002 5 T. Buddensieg, Gregory the Great, the Destroyer of Pagan Idols, in: JWI 28, 1965, 44–65 6 A. Coseriu, Z. und Lit. in der it. Ren. des 16. Jh., in: A. Noyer-Weidner (Hrsg.), Lit. zw. immanenter Bedingtheit und äußerem Zwang, 1987, 1–121 7 D. Fellmann, The Censorship of Books, 1957 8 J. Fessler, Das kirchliche Bücherverbot, Wien 1858 9 L. Gil, Censura en el mundo antiguo, 1961 10 P. Godman, Weltlit. auf dem Index. Die geheimen Gutachten des Vatikan, 2001 11 W. K. Gotwald, Ecclestical Censure at the End of the 15th century, 1927 12 B. Guthmüller, Ovidio Metamorphoseos vulgare. Formen und Funktionen der volkssprachlichen Wiedergabe klass. Dichtung in der it. Ren., 1981 13 J. Jankovics, S. Katalin Németh (Hrsg.), Freiheitsstufen der Literaturverbreitung, 1998 14 D. Jones (Hrsg.), Censorship. A World Encyclopedia, 4 Bde., 2001 15 K. Kanzog, s. v. Z., lit., in: Reallex. der dt.

Literaturgesch., Bd. 4, ²1984, 998–1049 16 A. Lyon Haight, Banned Books, ³1970 17 J. A. McCarthy, W. v. d. Ohe (Hrsg.), Z. und Kultur, 1995 18 M. Moog-Grünewald, Metamorphosen der »Metamorphosen«, 1979 19 A. Parkes, Modernism and the Theater of Censorship, 2002 – 20 J. Plamper, Abolishing Ambiguity. Soviet Censorship Practices in the 1930s, in: The Russian Review. An American Quarterly Devoted to Russia Past & Present 60, 4, 2001, 526–544 21 R. C. Post (Hrsg.), Censorship and Silencing, 1998 22 H. Rafetseder, Bücherverbrennungen, 1988 23 K. v. Reinhardstoettner, Plautus. Spätere Bearbeitungen plautinischer Lustspiele, Leipzig 1886 24 F. H. Reusch, Der Index der verbotenen B., 2 Bde., Bonn 1883–1885 25 Ders. (Hrsg.), Die »Indices librorum prohibitorum« des sechzehnten Jh., Tübingen 1886 26 H. J. Schütz, Verbotene B. Eine Gesch. der Z. von Homer bis Henry Miller, 1990 27 R. Seim, J. Spiegel (Hrsg.), »Ab 18.« Zensiert, diskutiert, unterschlagen – Beispiele aus der Kulturgesch. der Bundesrepublik Deutschland, 2001 28 W. Speyer, Büchervernichtung und Z. des Geistes bei Heiden, Juden und Christen, 1981 29 W. Stroh, Ovid im Urteil der Nachwelt, 1969 30 Ch. Strosetzki, Zensor und Grammatiker im Siglo de Oro, in: H.-J. Niederehe (Hrsg.), Schwerpunkt Siglo de Oro, 1986, 177–194 31 V. Wehdeking, Die lit. Auseinandersetzung mit dem Themenkomplex Staatssicherheit, Z. und Schriftstellerrolle, in: Ders., Mentalitätswechsel in der dt. Lit. zur Einheit (1990–2000), 2000, 43–55 32 S. Weinstock, Die platonische Homerkritik und ihre Nachwirkung, in: Philologus 82, 1927, 121–153 33 H. Wolf (Hrsg.), Inquisition, Index, Z. Wissenskulturen der Neuzeit im Widerstreit (= Röm. Inquisition und Indexkongregation, Bd. 1), 2001 34 W. Wüst, Censur als Stütze von Staat und Kirche in der Frühmoderne, 1998 35 S. Zala, Gesch. unter der Schere polit. Z. Amtliche Aktensammlungen im internationalen Vergleich, 2001 36 J. H. Zedler, Großes vollständiges Universallex. aller Wiss. und Künste, Bd. 5, Leipzig 1733 37 Ch. Zelger, Z. im Internet, 1999.

ACHIM HÖLTER

Zeremoniell s. Festkultur/Trionfi

Zoologie A. Tierkunde vom Hellenismus bis zur Spätantike   B. Zoologie im Mittelalter

A. Tierkunde vom Hellenismus bis zur Spätantike

1. Auseinandersetzung mit der aristotelischen Tierkunde im Hellenismus

Die Auseinandersetzung mit den tierkundlichen Schriften des Aristoteles und mit einer durch Aristoteles begonnenen und im Peripatos weitergeführten, jedoch nie veröffentlichten Materialsammlung Ζωικά/*Zōiká* begann bei hell. Gelehrten [50. 513]. Die hauptsächlich in Alexandreia wirkenden Grammatiker und Schriftsteller führten die schriftliche Trad. unter verschiedenen Aspekten weiter, ohne nennenswerte eigene Studien an den Objekten selbst anzustellen. Der durch sein prosaisches Hauptwerk Πίνακες/*Pínakes*, den ersten umfassenden, durch biographische Zusätze einer Literaturgeschichte der Hellenen gleichkommenden Kat. der alexandrinischen Bibl., bekannt gewordene Schriftsteller und Dichter Kallimachos aus Kyrene (zw. 320 und 303 bis nach 246 v. Chr.) stellte im Rahmen einer Sammlung von Glossen mit den Benennungen von Objekten in verschiedenen Gegenden auch Benennungen von Fischen Περὶ μετονομασίας ἰχθύων/ *Perí metonomasías ichthýon* (lat. *De piscium appellatione*) zusammen. Mehr naturkundliche Einzelheiten enthielt seine sich auf die aristotelische Tierkunde stützende Schrift Περὶ ὀρνέων/ *Perí ornéon* (auch ὀρνίθων/ *orníthon*; lat. *De avibus*) [63. Sp. 403]. Hauptsächlich aus der Tierkunde des Aristoteles, vermutlich bes. aus der Sammlung Ζωικά/ *Zōiká* stellte einer der Nachfolger des Kallimachos als Bibliothekar in Alexandreia, der Grammatiker und Schriftsteller Aristophanes aus Byzanz (zw. ca. 265 – ca. 190 bzw. ca. 257–180 v. Chr.), Auszüge in vier Büchern zusammen, τῶν Ἀριστοτέλους περὶ ζῴων ἐπιτομή/ *Tōn Aristotélous perí zṓiōn epitomé* (lat. zitiert als *De animalibus*). Dieses in byz. Exzerpten erhaltene Werk wurde in der Ant. bes. durch Plinius und Plutarch ausgewertet [45. Sp. 1004; 131. 421–445; 50. 513]. Nicht nur durch Bearbeitungen von aristotelischen Tierbeschreibungen sondern auch durch die im Hell. beliebte poetische Darstellungsform von Lehrgedichten wurden spärliche Grundkenntnisse über Namen und wahrnehmbare oder vermeintliche Eigenschaften einzelner Tiere verbreitet. Mehrere naturkundlich-medizinische Lehrgedichte verfaßte Nikandros aus Kolophon (um die Wende vom 3. zum 2. Jh. v. Chr.). Neben mehreren nur in Fr. oder als Titel erhaltenen Texten wie eine *Geōrgiká*, ein Fr. über Bienenzucht, *Melissurgiká*, und ein solches über Schlangen, *Ophiaká*, wurden zwei umfangreiche Lehrgedichte, *Thēriaká*, über giftige Tiere und die Wirkungen von Giften und Gegengiften, und *Alexiphármaka*, über tierische, pflanzliche und mineralische Gifte, deren Zubereitungen und Antidota, überliefert. Seine Hauptquelle für diese beiden Gedichte waren inhaltlich ähnliche Schriften eines Arztes Apollodoros (Anf. 3. Jh. v. Chr.). Nikandros führte neben wenigen, mehrheitlich eindeutig zu bestimmenden Wirbeltieren wie Eidechsen, Schildkröten, Fröschen, Kröten und Fischen jeweils eine größere Anzahl von Schlangen, Skorpionen, Spinnen, Giftspinnen und einige weitere Insekten auf, die sich selten eindeutig oder nur bis zur Gattung identifizieren lassen [11. 18–23, 144–147, 215, 228–237]. Der Inhalt dieser beiden Lehrgedichte erfreute sich in der Ant. und im MA beachtlicher Beliebtheit und wirkte bis zur Frühen Neuzeit im → Humanismus.

Tierkundliche Kompilationen des 1. Jh. v. Chr. wirkten in der Spätant. weiter und beeinflußten über Werke wie die Naturkunde des Plinius Secundus die Fachlit. bis in die Frühe Neuzeit hinein. Eine mindestens drei Bücher umfassende Tierkunde Περὶ ζῴων/ *Perí zṓiōn* mit naturkundlichem und paradoxographischem Inhalt verfaßte Alexandros aus Myndos (bis in die Zeit nach 50 v. Chr. lebend), der an seinen Quellen sogar Kritik übte. Das Werk war nach einzelnen Tieren geordnet und behandelte im 2. Buch überwiegend oder ausschließlich Vögel. Seine Hauptquellen waren Aristoteles und Theophrastos; ihre Schriften wurden durch solche von Schriftstellern wie Herodotos, Sostratos aus Nysa (1. Jh. v. Chr.), Antigonos aus Alexandreia (1. H. des 1. Jh. v. Chr.), Istros (Schüler des Kallimachos in Alexandreia, Mitte 3. Jh. v. Chr.) und andere sowie durch myth. Notizen ergänzt [148]. Die v. a. durch Athenaios, Ailianos und Plinius überlieferten Fragmente weisen darauf hin, daß selbst die Tierkunde des Aristoteles um die und nach der Zeitenwende im allg. nicht mehr im Original benutzt wurde [90; 147]. Den Schriftstellern zu Beginn unserer Zeitrechnung standen auch Kompilationen zu zoologischen Spezialgebieten zur Verfügung. In 34 Fr. im 7. Buch der Schrift *Deipnosophistaí* (»Gelehrte beim Gastmahl«) von Athenaios aus Naukratis in Ägypten (um 190 n. Chr., s. u.) sind Überreste einer alphabetisch angeordneten Fischkunde (Περὶ ἰχθύων/ *Perí ichthýon*) überliefert, die Dorion (2. H. des 1. Jh. v. Chr., vielleicht in Alexandreia wirkend) zugeschrieben wird. Aus den Fr. geht hervor, daß außer den verschiedenen Namen einzelner Fische ihre Arten mit Merkmalen, Eigentümlichkeiten der Lebensweise, das Vorkommen und die Art und Weise der Verwendung und Zubereitung ausführlich beschrieben wurden. Als Quellen dienten Dorion Euthydemos, Arzt aus Athen, vielleicht 2. Jh. v. Chr., vermutlich auch Archestratos von Gela (2. H. des 4. Jh. v. Chr.), Ärzte wie Glaukos (um 190 n. Chr.), Erasistratos (4.–3. Jh. v. Chr.) und Verfasser von Kochbüchern [146].

2. Ergänzung der aristotelischen und hellenistischen Tierkunde durch römische Schriftsteller

Im Imperium Romanum lebende Schriftsteller ergänzten die Trad. naturkundlicher Schriften durch ein mehr oder minder kritisches Sammeln von Kenntnissen über die Existenz, die Namen, das Vorkommen, naturkundliche, für den Menschen nützliche, mantische und fabulöse Eigenschaften einzelner, bes. höherer Tiere. Diesen widmeten sie eigene Schriften oder fügten längere tierkundliche Teile in dichterische Werke ein. Aus solchen Schriften ist ein großes Interesse an Naturgegenständen und am Sammeln, Einarbeiten und Verbreiten von Einzelkenntnissen ersichtlich, wenn auch wenig eigentliche Naturforsch. betrieben wurde.

In augusteischer Zeit verfaßte der röm. Historiker Pompeius Trogus eine in Fr., v. a. bei Plinius erhaltene Schrift *De animalibus* in mindestens 10 Büchern, die weitgehend Textstücke aus den zoologischen Schriften des Aristoteles wiedergab. Zu derselben Zeit schrieb der Rhetor und stoische Philosoph Papirius Fabianus (um 30 v. Chr. – um 30 n. Chr.) eine mindestens teilweise aus griech. Vorlagen übernommene lat. Naturkunde und *De animalibus* (in mindestens zwei Büchern), in die er moralisierende Äußerungen einfließen ließ. Aus einer größeren Anzahl von naturkundlichen Schriften, von der Himmels- über die Erd- bis zur Menschen- und Tierkunde hinterließ der röm. Grammatiker, den Cicero auch als Naturforscher rühmte, Nigidius Figulus (um 100 v. Chr. −45 v. Chr.) Fragmente. Seine ebenfalls die aristotelische Trad. aufnehmende Schrift *De animalibus* beschrieb Lebens- und Verhaltensweisen, Haltung, Zucht und Krankheiten von Land- und Wassertieren, während in *De hominum natura* (»Über die Natur der Menschen«) und *De extis* (»Über die Eingeweide«) auch die Mantik (→ Naturwissenschaften V. Astrologie) einbezogen wurde.

Einer weiteren, gänzlich auf den Menschen bezogenen Betrachtungsweise der Tiere verhalf der röm. Arzt Pedanios Dioskurides aus Anazarbos (Kilikien; 1. Jh. n. Chr.) zu einer nachhaltigen Verbreitung durch seine Schrift Περὶ ὕλης ἰατρικῆς/*Perí hýlēs iatrikḗs* (*De materia medica*, »Über Heilmittel«). Hierin wurden neben zahlreichen pflanzlichen Produkten und Mineralien auch über 100 tierische Produkte, deren Zubereitungen als Arzneimittel dienten, behandelt, u. a. Schnecken, Muscheln, Krebse, Fische Frösche, Vögel, Insekten, einzelne Organe von Säugetieren und deren Produkte wie Fette und Milch. Im Gegensatz zu den Traktaten über Pflanzen enthalten die Kap. über einzelne tierische Heilmittel mit wenigen Ausnahmen wie beim Biber, bei der Haubenlerche, beim Salamander und beim Apotheker-Skink keine Angaben über naturkundliche Merkmale oder das Vorkommen der Tiere. Daraus ist zu schließen, daß die Kenntnis der genannten Tiere bei den des Lesens Kundigen vorausgesetzt werden konnte. Dagegen wurden die Eigenschaften (*dynámeis*) und Zubereitungen der anzuwendenden Drogen, die Indikationen und Formen der Applikation ausführlich beschrieben. Einige dem Menschen schädliche Tiere wie Skorpione wurden deswegen aufgeführt, weil sie auch Stoffe lieferten, die als Gegengifte gegen ihre eigenen toxischen Wirkungen angewandt wurden. Im Übrigen erfolgte die Therapie nach dem Prinzip der Gegensätze der vier Elementarqualitäten (→ Säftelehre). Diese Betrachtungsweise einzelner Tiere vorzüglich nach ihren Qualitäten als Nutzobjekte für den Menschen war auf Grund einer breiten, vielsprachigen Textüberlieferung bis zur Frühen Neuzeit in ganz Europa verbreitet. Die durch Dioskurides einbezogene Gruppe von Gifte liefernden Tieren, wurde in Ant. und MA oft in eigenen Schriften behandelt, da Gifte als polit. Waffen eingesetzt wurden. Hierzu lieferte Philumenos im 3. Jh. n. Chr. eine kompilatorische griech. Schrift (*De venenatis animalibus eorumque remediis*), in der auch die Tollwut erörtert wurde, die, ins Lat. durch byz. Ärzte und anschließend ins Arab. übersetzt, im MA in Umlauf kam.

Teile des Inhalts der genannten ausführlicheren Texte wirkten in einer Reihe von Lehrgedichten sowie kürzeren Schriften über spezielle Themen der Tierkunde und bes. der Anwendungsgebiete wie der Jagd oder des Fischfangs bis zur Frühen Neuzeit weiter. Unter Aufnahme der von Nikandros zusammengestellten Lehrgedichte über Gifte und Gegengifte verfaßte Macer, Dichter aus Verona (gest. 16 v. Chr.), die in Fr. erhaltenen Gedichte *Ornithogonia* und *Theriaca*. Ein früher auf Grund eines Zitats bei Plinius dem röm. Dichter

Publius Ovidius Naso (43 v. Chr. −17/18 n. Chr.) zugeschriebenes Gedicht *Halieuticon* (»Fischerei«) muß einem anderen, unbekannten Autor zugewiesen werden; es fußte auf der ant. zoologischen Trad., hat sich jedoch nur in Ms. des 8./9. und 10. Jh. erhalten. Dem Fischfang widmete Oppianos aus Korykos in Kilikien im 2. Jh. n. Chr. das Lehrgedicht Ἁλιευτικά/*Halieutiká*. Hierin wurden als Lebensmittel verwendete Fischarten und die Verfahren des Fischfangs beschrieben, wobei durch Vergleiche mit der menschlichen Gesellschaft ethische Lehren vermittelt wurden. Nachdem Grattius in augusteischer Zeit in einem unvollständig erhaltenen Lehrgedicht die Jagd mit den Jagdtieren (bes. Hunde und Pferde), den Geräten und Verfahren sowie vermutlich mit den jagdbaren Tieren unter Einarbeitung gelehrter griech. (bes. alexandrinischer) und lat. Quellen in der Dichtung Vergils vergleichbarer poetischer Form besungen hatte [144. Sp. 1841−1846], bearbeitete der röm. Philosoph und Historiker Flavius Arrianos von Nikomedeia (zw. 85 und 90 n. Chr. − um 160 n. Chr.) als Bewunderer Xenophons dessen Schrift über die Jagd neu. Sowohl an diese Trad. als auch an die zoologischen Schriften von Aristoteles und von Peripatetikern knüpfte Oppianos aus Apameia (Syrien) mit seinem Lehrgedicht κυνηγετικά/*Kynēgetiká* (»Über die Jagd«), nach 198 n. Chr. geschrieben, an. Außer den Qualitäten der als Jäger beteiligten Tiere und Menschen wurden Aussehen und Verhalten der wilden Jagdtiere geschildert, wobei Beschreibungen des Tierlebens mit Mythen und Mirabilien sowie mit ethischen Werten durchsetzt wurden.

Ein großes Interesse an der Naturkunde und beträchtliche Kenntnisse über einzelne Tierformen bezeugt das höchst gelehrte, paradoxographische Werk in griech. Sprache des Sophisten Athenaios aus Naukratis in Ägypten (um 190 n. Chr.) *Deipnosophistaí* (»Gelehrte beim Gastmahl«), in dem viele der oben erwähnten Schriften, bes. die Tierkunde des Alexandros aus Myndos, ausgewertet wurden. Das mehrtägige Gastmahl veranlaßte den Autor, insbes. Fische und Wassertiere ausführlich zu behandeln. Die paradoxographische Richtung in der Schriftstellerei naturkundlichen Inhalts führte der Römer Claudius Ailianos (um 175−235 n. Chr.) weiter. Da er viele Einzelheiten über vermeintliche, jedoch selten naturkundliche Eigenschaften von ungefähr 1000 Tieren in Περὶ ζῴον ἰδιότητος/*Perí zóiōn idiótētos* (*De natura animalium*) anführte, indem er sich auf Alexandros aus Myndos, Aristoteles und Homer stützte, wurden seine mehr der Unterhaltung als der Belehrung dienenden Tiergeschichten vielfach ausgewertet und in verschiedenen Bearbeitungen bis zur Zeit des Humanismus überliefert. Eine ähnlich nachhaltige, bes. im MA verbreitete Wirkung erzielte die urspr. in griech. Sprache verfaßte Sammlung erbaulicher Geschichten über Tiere und einzelne Edelsteine *Physiologus* (φυσιολόγος/*Physiológos*), die in der 2. H. des 2. Jh. n. Chr. in Alexandreia entstand und bis zu 48 Kapitel über einzelne Naturgegenstände umfaßte. Hierin wurden wenige naturkundliche Kennzeichen und Eigentümlichkeiten der Tiere mit myth., fabelhaften Ber. und mit der neuen Thematik einer christl. Symbolik verbunden.

Sowohl über für die menschliche Kultur und das Alltagsleben bedeutsame als auch über einige auffallende naturkundliche Eigenschaften der Tiere berichtete Plinius Secundus (23/24–79 n. Chr.) in seiner sämtliche naturkundlichen Fächer und die Arzneikunde (→ Medizin) umfassenden Gesamtdarstellung *Naturalis historia*. Hierin verwertete er viele der oben genannten und weitere griech. (sicherlich Aristoteles und Theophrastos, Hippokratiker) und lat. Fachbücher (bis Cato und Varro) und deren Epitomai, Ber. von Zeitgenossen sowie als früherer Reiteroffizier und in vielen verschiedenen röm. Provinzen als hoher Verwaltungsbeamter Tätiger gerade in der Tier- und Pflanzenkunde auch eigene Erfahrungen. Ohne sich um eine Klassifikation und um eine systematische Beschreibung einzelner Arten zu bemühen [43; 133], unterschied Plinius größere Gruppen der Tiere nach den längst eingeführten, bekannten Klassen der Lebensräume und innerhalb dieser Gruppen die Tiere nach der Größe, wie er auch bei anderen Naturgegenständen verfuhr. Er behandelte in Buch 8 Landtiere, in Buch 9 Wassertiere, die durch ein Verzeichnis von (32) Meerestieren ergänzt wurden, in Buch 10 Vögel und in Buch 11 Insekten sowie einzelne Krustazeen und Mollusken, indem er neben einigen Merkmalen wie Aussehen und Vorkommen viele Mirabilien erwähnte. Manche Verwechslungen von Tieren der ausgeschriebenen Ber. erschweren die Identifizierung, z. B. eines als gefährlichen Räuber beschriebenen, aber nicht im Mittelmeer vorkommenden Schwertfisches, mit dem er ein im Hafen von Ostia gestrandetes großes Seetier verwechselte (Plin. nat. 9,10–12), das jetzt als Pottwal gedeutet wird [83. I. 413; 115. 120, 132]. Als zuvor nicht beachtete Objekte ergänzte Plinius vermutlich aus eigener Anschauung Tiere des Alpenraums. In den Büchern 29 und 30 wurden für die Heilkunde wichtige, an Land lebende Tiere aufgeführt, aus deren Produkten Heilmittel gewonnen wurden. Unter ihnen finden sich außerdem dem Menschen schädliche Tiere. Daß Plinius dabei trotz seiner gedrängten sprachlichen Ausdrucksweise naturkundliche Eigenschaften genau treffen konnte, wurde für seine »Hornissen-Spinne« (Plin. nat. 29,27), eine asiatische Walzenspinne, nachgewiesen [103].

Außer der oben erwähnten, im Hell. verbreiteten Speziallit. über die auf für den Menschen nützliche Tiere bezogenen Gebiete der Jagd und der Fischerei brachten röm. Schriftsteller eine Reihe lange nachwirkender Werke zu einer wiss. begründeten → Landwirtschaft hervor, in denen auch die Tierhaltung und die Tierzucht dargelegt wurden. Neben einer gewissen Vorbildwirkung von Xenophons *Oikonomikós* wirkte v. a. das Lehrbuch in 28 Büchern des Mago von Karthago (um 250 v. Chr.) anregend, das in einer lat. Übers. (unter D. Silanus nach dem Fall von Karthago angefertigt) und in einer griech. Bearbeitung (20 Bücher) von Cassius

Dionysius aus Utica (im 1. Jh. v. Chr.) vorlag [62]. In den sich daran anschließenden umfangreichen lat. Prosatexten *De agricultura* oder *De re rustica* des Censors M. Porcius Cato (234–149 v. Chr.), des Universalschriftstellers und Gelehrten M. Varro Terentius (116–27 v. Chr.) und des L. Iunius Moderatus Columella (1. Jh. n. Chr.) sowie in dem Gedicht *Georgica* des Publius Vergilius Maro (70–19 v. Chr.) werden auf Grund der Fachlit. (u. a. hist. an. des Aristoteles) und aus eigener Anschauung Eigenschaften und Lebensgewohnheiten wie die Ernährung, die Zucht und Pflege (ein Aviarium bei Varro) von Zugvieh, Stallvieh, Kleintieren mit Fisch- und Bienenzucht geschildert. Das als Anweisung für die Praxis, die der Autor selbst auf Landgütern Nordafrikas kennengelernt hatte, aus den vorangegangenen Schriften zusammengestellte *Opus agriculturae* (13 Bücher und ein Buch über Veterinärmedizin) des Palladius Rutilius Taurus Aemilianus (E. 4. oder 5. Jh.) trug die röm. Lehren ins MA (mehrere Hss. des 9. Jh. und eine Exzerptensammlung *Geoponika* von Kassianos Bassos Scholastikos aus der Mitte des 10. Jh. [56]) und bis zur Zeit des Humanismus weiter (1533) [18]. Gleichermaßen auf reicher eigener Erfahrung aufbauend und an die Werke der röm. Agrarschriftsteller anknüpfend sowie ma. Schriften, bes. von Albertus Magnus, einbeziehend, schuf der it. Mediziner und Jurist Petrus de Crescentiis (Pietro de Crescenzi, 1230/1233–1320/21) ein lat. landwirtschaftliches Handbuch, *Ruralium commodorum libri XII*, das bis gegen Ausgang des 16. Jh. als Standardwerk galt. Es ist in mindestens ungefähr 100 Hss. erhalten, ab der Mitte des 14. Jh. wurden it., frz. und dt. sowie weitere landessprachliche Übers. angefertigt. Sämtliche Fassungen wurden früh und jeweils mehrmals gedruckt; wie einige Mss. wurden die Drucke durch Illustrationen ergänzt. Der erste lat. Druck erschien in Augsburg 1471. Die ältere dt. Übertragung knüpfte an eine hsl. Trad. an, während in fünf, durch Peter Drach d. J. (Speyer) zw. 1493 und 1531 verlegten Ausgaben eine jüngere dt. Übers. vorliegt (vgl. 1548). In diesen Texten wurden die Pflege und Zucht der Nutztiere, Groß- und Kleinvieh, Bienenzucht, Fischfang und Jagdwesen ausführlich betrachtet [21; 33; 95].

3. Antike Zoologie in Verbindung mit dem Christentum in der Patristik

Die wiss. Begründer der Lehren des frühen Christentums setzten sich nicht nur mit den Trad. der Philos. sondern auch mit der ant. Naturkunde auseinander. Nachdem Quintus Septimius Florens Tertullianus (ca. 160/170– nach 212) zu einer Zeit, als das Christentum noch verfolgt wurde, in der durch ihn ausgearbeiteten Ethik eine Beschäftigung mit Lit. und Künsten abgelehnt hatte, jedoch immerhin eine klass. philos. Bildung gelten ließ, betrachtete Titus Flavius Clemens von Alexandreia († vor 215/221) auch die griech. Philos. als ein Ergebnis »göttl. Vorsehung«. Deren Werke wurden dann beim Aufbau einer christl. Theologie herangezogen und in der Bibelexegese benützt. Auf eingehendere Naturkenntnisse mit eigenen Beobachtungen berief sich der aus Nordafrika stammende Lucius Caelius Firmianus Lactantius (um 250– um 325), der entgegen Aristoteles die embryonale Entwicklung eines Wirbeltiers mit den Augen statt mit dem Herz beginnen lassen wollte. Unter seinen Schriften, die entstanden, als er sein Amt als Rhetoriklehrer wegen der Christenverfolgung seit 303 niedergelegt hatte, enthält *De opificio Dei* eine sich mit der aristotelischen und der alexandrinischen Trad. auseinandersetzende Anatomie und Physiologie des Menschen (→ Physiognomik) [105. 101 f.]. Der höchst gelehrte, in griech. Sprache schreibende Basileios der Große (um 330–379), ab 370 Bischof von Caesarea (Kappadokien), dessen Werke im MA viel gelesen wurden, erörterte auf Grund eines Medizinstudiums biologische und naturkundliche Probleme eingehend. Die übrigen Patristiker setzten sich mit solchen rein lit. auseinander. Sie hoben bes. Themen der Naturkunde, die mit theologischen Fragen zusammenhingen, hervor. Die Auslegung der Schöpfungsberichte über das »Sechstagewerk« (*Hexaemeron*), dem bes. Basileios [3] und Ambrosius, Bischof von Mailand (ca. 340–397) [2], ausführliche Schriften widmeten, gab Anlaß, sich insbes. mit den Werken von Aristoteles, Plinius und Galenos zu befassen.

Die unter dem Einfluß des hell.-jüd. Philosophen Philon von Alexandreia (um 25 v. Chr.–50 n. Chr.) im frühen Christentum durch griech. Patristiker vertretene Annahme einer Simultanschöpfung wurde bei lat. Kirchenvätern durch eine chronistische, realhistor. Deutung abgelöst. Dieser wurde jedoch wiederum die allegorische Interpretation durch den für Jh. einflußreichen Augustinus, Bischof von Hippo, (354–430) entgegengestellt [20]. Die aus dieser Deutung erwachsende Schwierigkeit, die Entstehung der plötzlich in großer Mannigfaltigkeit auftretenden Pflanzen und Tiere zu erklären, löste er unter Aufnahme der stoischen Lehre von allerorts verbreiteten λόγοι σπερματικοί/*lógoi spermatikoí* (»Keimkräfte«). Er unterschied zw. den durch Gott beim Schöpfungsakt »keimhaft eingepflanzten Vernunftgründen« (*rationes seminaliter insitae*) als »Ursamen« vor und neben den Organismen in den irdischen Elementen und den empirisch wahrnehmbaren Samen. Auch wahrnehmbare Entwicklungsvorgänge ließen sich dadurch auf eine innere, unsichtbare Wirksamkeit Gottes zurückführen [101]. Während sich diese Vorstellung von dem technomorphen Entwicklungsmodell des Aristoteles grundsätzlich unterschied, erlaubte sie zugleich, dessen verbreitete Hypothese der Urzeugung beizubehalten. Die bei Aristoteles nur beiläufig geäußerte Annahme der Artkonstanz wurde durch die Patristiker gefestigt und blieb über Carl von Linné hinaus ein viel erörterter Gegenstand bis zum 19. Jahrhundert.

B. Zoologie im Mittelalter

1. Tierkunde in der byzantinischen Überlieferung

Die ant. Gelehrsamkeit und ihre Werke wurden unmittelbar in dem 395 abgetrennten Oström. oder Byz. Reich weitergetragen. Während in der Anfangsperiode auch nach dem Niedergang des *Museion* Alexandreia der geistige Mittelpunkt blieb, verlagerte sich dieser nach der Eroberung Alexandreias durch die Araber im 7. Jh. nach der Kaiserstadt Konstantinopel. In dem multiethnischen, das Christentum annehmenden Universalreich wurden die Naturkunde und ihre Anwendungsgebiete unter Aufnahme des hell. und des spätröm. Erbes in griech. Sprache bis zum Untergang 1453 gepflegt. Obwohl manche Schriften byz. Gelehrter verlorengingen, entfalteten ihre Hand- und Lehrbücher ihre Wirkung vom MA bis zum Humanismus. Umfassende Darstellungen der menschlichen, auf Sektionen von Säugetieren beruhenden Anatomie und der physiologischen Theorien nach Galenos stellte Oreibasios von Pergamon (um 325– um 400) zusammen: Συναγωγαὶ ἰατρικαί/*Synagōgaí iatrikaí* (»Ärztliche Sammlungen«, urspr. 72 Bücher) und Σύνοψις/*Sýnopsis* (»Übersicht«, 6 Bücher). In der Embryologie folgte er der Zweisamenlehre des Galenos und dessen Annahme einer hämatogenen Entstehung des Samens. Die biologischen Lehren des Galenos übernahmen weitere byz. Ärzte, die auf den Werken des Oreibasios aufbauten, selbst aber mehr den praktischen medizinischen Aufgaben, dem Erkennen und Heilen von Krankheiten dienen wollten [59]: Aëtios aus Amida (Anf. 6. Jh.) mit Βιβλία ἰατρικὰ ἑκκαίδεκα/*Biblía iatriká hekkaídeka* (»Sechzehn medizinische Bücher«), Alexandros aus Tralleis (um 525– um 605) mit Θεραπευτικά/*Therapeutiká* (12 Bücher) und Paulos aus Aigina (1. H. 7. Jh.) mit seiner ins Arab. und Lat. übersetzten Schrift *Pragmateía* (»Pragmatie«, lat. *Epitome medicinalis*, »Medizinischer Abriß«, 7 Bücher). Während Paulos hierin bei der Betrachtung von Wurmkrankheiten u. a. den Medinawurm (*Dracunculus medinensis*) beschrieb (4,58), widmete Alexandros aus Tralleis den Eingeweidewürmern, Maden-, Spul- und Bandwurm, die durch Urzeugung in den Verdauungsorganen entstehen sollten, eine frühere Quellen einbeziehende eigene Abh. Περὶ ἑλμίνθων/*Perí helmínthōn* (»Über die Würmer«) [6; 23]. Die Tierbeschreibungen des Aëtios aus Amida im 13. Buch seiner »medizinischen Bücher«, in dem Bißwunden giftiger Tiere und ihre Behandlung erörtert wurden, gehören zu den ältesten im MA, indem er sich auf Nikandros, Aristoteles und Philumenos stützte. Von den 52 Tieren lassen sich 41 bestimmten Arten oder Tiergruppen zuordnen, während drei Fabelwesen waren [136]. Grundkenntnisse über Tiere des Mittelmeergebiets schlugen sich in naturnahen Abbildungen einzelner Tiere nieder, die in einigen, in diesem Kulturbereich erstmals illustrierten Mss. von *Perí hýlēs iatrikḗs* des Pedanios Dioskurides, in dem um 512 entstandenen Cod. Vindobonensis Medicinalis Graecus 1 und in einem Ms. des 10. Jh. in der Biblioteca Vaticana auftreten [136]. Mehrere Bearbeitungen der *Historia animalium* des Aristoteles aus dem 10. und 11. Jh. sowie ein Komm. von Ioannes Tzetzes (12. Jh.), die teilweise auch ins Arab. übersetzt wurden, trugen zur Verbreitung der ant. Z. bei [115. 183; 142].

Zoologische Schriften des Aristoteles lagen auch einigen speziell zoologischen Texten zu Grunde. Seine Ansichten über den Körperbau, die Physiologie der Tiere, über einige Krankheiten mit Behandlungsmethoden sowie bemerkenswerte Eigenschaften von Tieren nach Plinius und Ailianos stellte der Patriarch Kyrillos von Alexandreia († 444) in *De plantarum et animalium proprietate* zusammen [55. 49]. In dem unvollständig erhaltenen Werk Περὶ ζῴων τετραπόδων/ *Perí zóiōn tetrapódōn* (»Über vierfüßige Tiere«, urspr. 4 Bücher, vermutlich in Versen, die um 1050 durch einen unbekannten griech. Autor paraphrasiert wurden) schilderte Timotheos aus Gaza (um 500) von ungefähr 60 Landtieren, darunter mehrere, ihm z. T. aus dem Circus bekannte aus Indien und Nordafrika, bemerkenswerte Eigenschaften, wie etwa ihr Vorkommen, ihre Reproduktions- und Lebensweisen, Migration etc. Neben Aristoteles' *Historia animalium*, die ein Drittel des überlieferten Textstücks ausmacht, wurden weitere 14 lit. Quellen, am häufigsten Texte von Oppianos aus Korykos (*Halieutiká*), Ailianos, Plutarch und Plinius, ausgewertet. Aus diesen Autoren stammen auch Mirabilia. Timotheos' Schrift ist ein Dokument dafür, daß Aristoteles' *Historia animalium* um 500 in Palästina in weitgehend vollständigen Textversionen bekannt war. Aus seinen verschiedenartigen Quellen schuf Timotheos einen eigenen Text »Über das, was ein gelehrter Philosoph über Tiere wissen sollte«, der als Lehrbuch bis zur → Renaissance verbreitet war [4]. Viele Fr. des damals noch vollständig bekannten Textes des Timotheos wurden zusammen mit weiteren tierkundlichen Exzerpten in die im 10. Jh. auf Veranlassung von Konstantinos VII. Porphyrogennetos angefertigte Sammlung (*Syllogḗ*) aufgenommen, die hauptsächlich auf der *Epitomḗ* aus Aristotelischen Schriften des Aristophanes aus Byzanz fußte [115. 183]. Zoologische Kenntnisse hielt Ioannes Tzetzes (um 1110– um 1180) außer in dem erwähnten Aristoteles-Komm. in Scholien zu mehreren Lehrgedichten fest: zu *Thēriaká* und *Alexiphármaka* des Nikandros und zu *Halieutiká* des Oppianos aus Korykos [105. 106]. In eigenen Lehrgedichten besang Manuel Philes (um 1295–1345) »die Eigenart der Tiere« (Περὶ ζῴων ἰδιότητος/ *Perí zóiōn idiótētos*), wobei er auf moralisierende Hinweise verzichtete [22], und in »Kurze Beschreibung« (Σύντομος ἔκφρασις/ *Sýntomos ékphrasis*) den Elefanten [80. 266f.]. Tierkundliche Beobachtungen aus fernen Ländern, Ostafrika, Arabien, Indien und Ceylon, von denen der ehemalige Kaufmann Äthiopien und Arabien selbst bereist hatte, teilte der nestorianische Mönch Kosmas Indikopleustes (6. Jh.) in einer Reisebeschreibung mit [30; 152]. Die Tierkunde des Aristoteles, physiologische und medizinische Lehren des Galenos, Kenntnisse ant. Agrarschriftsteller und eigene Erfahrungen gingen in zahlreiche Schriften der angewandten Z. des byz. Kulturgebiets ein [115. 185f.]. Sie behandelten bes. die landwirtschaftliche Tierzucht (eine nur arab. erhaltene »Sammlung« des Vindanios Anatolios aus Berytos, 4. Jh., und *Geōrgiká* des Didymos aus

Alexandreia, 4. Jh.) [108. Sp. 1223] und die seit der Spätant. lit. dokumentierte Tierheilkunde [49. 31–39]. Zahlreiche seit dem 2.–3. Jh. entstandene Schriften [109] wurden im 10. Jh. unter Konstantinos VII. Porphyrogennetos in *Hippiatriká* gesammelt [105. 108f.]. In die Lit. über die Jagd wurde als neuer Gegenstand die Falknerei eingeführt [102]. Ziemlich genaue Kenntnisse, bes. über Vögel, schlugen sich in als → Tierepen getarnten, satirischen, gesellschaftskritischen Streitgesprächen nieder, die im 13.–14. Jh. entstanden. Am bekanntesten wurde das »Vogelgespräch« (Πουλολόγος/ *Pulológos*) [17; 37; 81].

2. Rezeption der antiken Zoologie im westlichen Frühmittelalter

Im westl. Süd- und Mitteleuropa wurde die Trad. der ant. Wiss. infolge der polit. Wirren während der Völkerwanderung und des wirtschaftlichen Niedergangs unterbrochen. Neue Keimzellen einer Gelehrsamkeit wurden die nach dem Vorbild des Klosters auf dem Montecassino (um 530 gegr.) nach und nach errichteten christl. Bruderschaften, unter denen sich bes. die Benediktiner der Pflege der Haus-, Landwirtschaft und Heilkunde sowie ihrer lit. Hilfsmittel widmeten. Literatur mit naturkundlichem und kosmologischem Inhalt verfaßten nach der Ausbreitung des Christentums auch weitere Kleriker und geistliche Lehrer bes. im Zusammenhang mit der Bibelexegese und als Begleittexte zur Bereicherung von Predigten. Von dem durch Flavius Magnus Aurelius Cassiodorus (um 490– um 585) [99] als eine theologische Hochschule 555 in Kalabrien gegründeten Monasterium und von dem die weltlichen Wiss. betreffenden Teil seines Lehrbuchs *Institutiones divinarum et De artibus ac disciplinis liberalium litterarum* gingen auch die Naturkunde im Anschluß an die ant. Trad. fördernde Impulse aus. Diese wurden durch das Wirken des irischen Benediktinermönchs Alkuin (um 730–804) für die → Karolingische Renaissance weitergetragen.

Erste Anstöße zu einer lit. Dokumentation und Bearbeitung der Naturkunde erwuchsen aus Bedürfnissen der Nutzung von Naturobjekten. Wie ihre Bereitstellung in guter Qualität und ausreichender Menge für verschiedene Zwecke planmäßig zu gewährleisten war, wird für das Frühe MA durch das von Karl d. Gr. erlassene *Capitulare de villis vel curtis imperatoris* (»Hof- und Landgüterordnung des Kaisers«) dokumentiert. Hierin werden die zahlreichen Lebens- und Heilmittel liefernden Pflanzen und Tiere sowie Lasttiere und kleinere Haustiere aufgeführt. Der Haltung und Zucht der Pferde galt die bes. Fürsorge (Cap. 13–15). Am Hof Karls d. Gr. verfaßte der Gestütsmeister Johannes Appolonius eine eigene Hippologie [104]. Im Hoch-MA entstanden im Umkreis von Friedrich II. Schriften zur Pferdeheilkunde, die, in Landessprachen übersetzt, zusätzlich über das Werk von Petrus de Crescentiis nachhaltig in ganz Europa bis in die Frühe Neuzeit verbreitet waren: Der Oberhofmarschall Friedrichs II. Jordanus Ruffus beendete um 1250 ein sechsteiliges Handbuch *Hippiatria*, in dem die Biologie, Haltung, Zähmung und Heilkunde des Pferdes unter Einbeziehung ant. Quellen dargestellt wurden. Das dem Inhalt und Umfang nach hohe Niveau des Werks wirkte in der veterinärmedizinischen Fachsprache und Lit. bis in die Neuzeit hinein [82]. Der ihm untergebene, aus Deutschland stammende Marstaller Meister Albrant (auch Albrecht) wirkte im 2. Viertel des 13. Jh. in Neapel und beschrieb seine Therapieerfahrungen in einem *Roßarzneibuch* über 36 Pferdekrankheiten [10; 51; 49]. Trotz des Zwangs zur Ausübung der Heilkunde beim Menschen nahmen die erforderlichen biologischen, insbes. anatomischen Kenntnisse, die hauptsächlich an höheren Säugetieren gewonnen werden konnten, nur langsam zu. Daß Sektionen von Schlachttieren wie dem Schwein v. a. zur Demonstration bei der Ausbildung der Ärzte dienten, geht aus einem frühen Begleittext *Anatomia porci* zum Unterricht an der Ärzteschule von Salerno hervor [25], der vermutlich zw. 1080 und 1090 entstand. Hierin weist die Beschreibung der großen Herzgefäße auf eine Wirkung der *Historia animalium* des Aristoteles hin [46; 107; 118].

Das Bedürfnis nach Lehrbüchern und der Drang, die Wiss. mittels der Aneignung früheren Wissens weiterzuentwickeln, regte zur Bearbeitung ant. und frühma. Schriften an [89]. Grundlegende Impulse vermittelte der als einer der wenigen des Griech. mächtige, von Montecassino kommende Alphanus (um 1015–1085), 1057 Abt und seit 1058 Erzbischof von Salerno. Er schuf eine lat. Übers. *De natura hominis* der philos. Anthropologie des Bischofs Nemesios von Emesa (um 400), die auf den physiologischen Lehren des Galenos beruhte [128]. Alphanus förderte den aus Nordafrika stammenden, nach einem bewegten Leben als muslimischer Kaufmann in das Kloster Montecassino eingetretenen Constantinus Africanus (Blütezeit 1065–1085), der erste bearbeitete lat. Übers. medizinischer Schriften aus dem Arab. anfertigte, die inhaltlich auf hippokratischen und auf Galens Werken fußten und bis zur Ren. wirksam blieben [40]. An dem nach der Rückeroberung 1087 zw. 1135 und 1150 aufblühenden Übersetzerzentrum in Toledo begann der Archidiakon Dominicus Gundissalinus (um 1150) einen neuplatonisch beeinflußten → Aristotelismus zu vertreten. Dessen Auffassungen drangen vermittelt durch Bearbeitungen muslimischer Gelehrter, deren Werke Gerhard von Cremona (um 1114–1187) übersetzte (über 80 Titel), in das Hoch-MA ein; denn mit den medizinisch-arzneikundlichen Schriften von ar-Rāzī, al-Kindī, Abu l-Qāsim az-Zahrāwī und Ibn Sīnā wurden auch aristotelische und hippokratisch-galenische Lehren übermittelt [121]. Für die Rezeption der aristotelischen Z. waren die lat. Übers. aus arab. Texten der drei umfangreichsten tierkundlichen Schriften des Aristoteles von hervorragender Bed., die Michael Scotus (vor 1200– um 1235) in Toledo [138; 151] vor 1220 beendete: *Historia animalium* (10 Bücher), *De partibus animalium*, *De generatione animalium* (Ausgabe unter dem Titel *De animalibus* im Corpus des Aristoteles Latinus vorgesehen)[111; 67]. Zwischen 1227 und 1232 entstand in Palermo seine lat. Übers. des von Ibn Sīnā

verfaßten Kompendiums der Tierkunde *Abbreviatio de animalibus* (19 Kap.); die Friedrich II. gewidmete Schrift wertete dieser in seiner eigenen Tierkunde *De arte venandi cum avibus* aus. Im Rahmen seiner Übers. fast des gesamten aristotelischen Werks und wichtiger spätant. Kommentatoren erfaßte der im griechischsprachigen Orient als Dominikaner tätige Wilhelm von Moerbeke (um 1215–1286) nach griech. Texten die zoologischen Schriften einschließlich der beiden Texte über die Fortbewegung der Tiere in einer Ausgabe von 21 Büchern (1260) [67]. Das im 12. Jh. steigende Interesse an der Naturkunde ließ einen anon. Auszug aus der *Naturalis historia* des Plinius in Clairvaux entstehen (MS 478 der Medizinischen Hochschule in Montpellier) [75. Sp. 773]. Die durch diese Bearbeitungen und Übers. erschlossenen Texte bildeten die Grundlage der Z. vom Hoch-MA bis zum Humanismus.

3. Tierkundliche Werke im lateineuropäischen Kulturkreis

Seit dem 10. Jh. verbreitete sich eine bes. Gattung von Tierbüchern, die Bestiarien (lat. *bestia*, wildes Tier), in denen die Eigenschaften der Tiere mit christl. Lehren in moralisierender Absicht verknüpft wurden. Ausgehend vom lat. *Physiologus* [51; 60; 106. 10–16] flossen Mitteilungen aus Plinius (nat.), Caius Julius Solinus (*Collectanea rerum memorabilium*, 3. Jh.) und Isidor von Sevilla (s. u.) sowie aus Schriften der Kirchenväter Ambrosius, Augustinus und den *Moralia in Iob* (35 Bücher) von Gregor d. Gr. (um 540–604) ein. Bestiarien wurden in vielen europ. Landessprachen bis zum 17. Jh. erstellt. Die seit karolingischer Zeit auftauchenden Illustrationen erlebten in Bestiarien vom 12. bis zum 15. Jh. ihren Höhepunkt [61].

Von dieser allegorisierenden Z. hebt sich die Naturkunde (*Physica*, 8 oder 9 Bücher) der Hildegard von Bingen (1098–1179), Äbtissin der Benediktinerklöster Disibodenberg, dann Rupertsberg, deutlich ab, in diesem *Liber simplicis medicinae secundum creationem* (1150–1160) v. a. die durch die Schöpfung in der Umwelt des Menschen gegebenen »einfachen« Heilmittel und deren Wirkungen zusammengestellt hat [13; 14]. Vier Bücher dieses Werks sind den Tieren, deren Aufenthaltsorte, einzelne Merkmale des Körperbaus, des Verhaltens, bei Fischen die Laichgewohnheiten und bes. die arzneiliche und diätetische Bed. beschrieben werden, gewidmet. Neben gelehrten lat. Namen werden volkstümliche Bezeichnungen angegeben. Dementsprechend bezog sich Hildegard außer auf medizinische Lehren des Galenos, wie etwa die Lehre der vier nach »Graden« abgestuften Elementarqualitäten, auf Angaben von Plinius und Isidor von Sevilla, auf die eigene Anschauung der einheimischen Tiere und auf Mitteilungen von Fischern, Jägern und Bauern an Rhein, Mosel, Nahe und Glan. Ausführlich behandelte sie Süßwasserfische (ungefähr 30) und drei Meerestiere, dann 61 Vogelarten neben der Fledermaus und fliegenden Insekten. Die 41 Säugetierarten wurden nach der Größe, vom Elefanten und dem Kamel bis zu den Mäusen geordnet. Davon gehörten 33 der Lokalfauna an. Jedoch vergaß sie das legendäre Einhorn nicht. Zoogeographisch bemerkenswert ist die Erwähnung von inzwischen in Deutschland ausgestorbenen Tieren, des Bison, des Fischotters und des Luchses. In dem Buch über die »kriechenden Tiere« oder das vermeintlich schädliche Gewürm finden sich in bunter Mischung die scheinbar »minderwertigen«, erst nach dem Sündenfall erschaffenen Objekte wie der Regenwurm, Spinnen, Reptilien und Amphibien [115. 153].

Die deutlichste Wirkung entfaltete die Z. des Aristoteles im Werk des hochgelehrten Dominikaners Albertus Magnus (1193–1280), der in mehreren naturwiss. Schriften die → Naturphilosophie und Naturkunde des Aristoteles rezipierte [36; 84], unter Ergänzung eigener Beobachtungsergebnisse erörterte und mit anhaltender Wirksamkeit an die folgenden Jh. übermittelte. Auf der Grundlage der lat. Übers. der Z. von Aristoteles durch Michael Scotus [111] und dessen Ausgaben des zoologischen Kompendiums und des Kanons der Medizin (al-Qānūn) von Ibn-Sīnā verfaßte Albertus De animalibus in 26 Büchern [1; 19]. Als Fachbegriffe und Tiernamen treten aus dem Arab. stammende Bezeichnungen auf. Seine physiologischen Auffassungen, etwa die der Ernährung, entsprechen denen des Galenos [44]. Außerdem übernahm Albertus manche Materialien aus vorangegangenen ma. Enzyklopädien (s.u.). Seine Tierkunde läßt sich in drei Teile gliedern. Der erste Teil mit den Büchern 1–19 lehnt sich an die drei zoologischen Hauptschriften des Aristoteles in Alberts Vorlage an: Buch 1–10 *Historia animalium*, Buch 11–14 *De partibus animalium*, Buch 15–19 *De generatione animalium*; deren Inhalt ergänzte Albertus. Der zweite Teil, Buch 20–21, enthält einen eigenständigen Versuch, eine vergleichende Anatomie der Tiere und des Menschen darzustellen [73. 114], wobei Albertus versuchte, die Tiere nach dem Grad der »Vollkommenheit« ihrer Körperstrukturen einzustufen. Im dritten Teil, Buch 22–26, werden die einzelnen Tierarten mit ihren kennzeichnenden Eigenschaften beschrieben. Auf den Menschen und die Vierfüßler folgen die Vögel, unter denen der Falke bes. eingehend betrachtet wird [110], und »Eierlegende Vierfüßler« (*quadrupedia ovantia*, d.h. Kleinsäuger); dann handelte Albertus im oder am Wasser lebende Tiere ab, Fische, Reptilien und Amphibien, Wirbellose wie Tintenfische, Krebse, Muscheln, Schnecken, Stachelhäuter (*animalia durae testae*); schließlich betrachtete er als *vermes* Insekten, Tausendfüßler, Spinnen und Eingeweidewürmer. Dieser dritte Teil lehnt sich an die Enzyklopädie des Thomas von Cantimpré (s.u.) an [32]. Dabei versuchte Albertus zw. Ber. »in den Historien« (*in historiis*) und solchen, die »durch die Erfahrung« (*experimento*) und »durch die Natur« (*per physicam*), mittels Beobachtung zu bestätigen sind, zu unterscheiden [66; 73]. Sein Schüler Thomas von Aquin (1224/25–1274), der aristotelische Ideen in die Theologie einbrachte, bezog sich für die Z. des Aristoteles sowohl auf die Übers. von Michael Scotus als auch auf solche von Wilhelm von Moerbeke. Thomas erörterte Themen der Z. nur hinsichtlich ihrer theologischen Bed. [130], indem er Fragen der hierarchischen Ordnung der Tierwelt erörterte, wobei wie bei Albertus Tiere nach dem Grad ihrer »Vollkommenheit« unterschieden wurden, und Erscheinungen der nach dem aristotelischen technomorphen Modell interpretierten Zeugung, auch Urzeugung, darlegte [101; 70]. Ebenfalls von den Übers. von Michael Scotus ging Kaiser Friedrich II. von Hohenstaufen (1194–1250) aus, der sich von zeitgenössischen westl. und muslimischen Gelehrten beraten ließ und lat. Übers. weiterer zoologischer Schriften muslimischer Gelehrter einbezog, u.a. ein Falknereibuch von al-Ghiṭrīf b. Qudāma al-Ġassānī (8. Jh.) [140. 44]. Außerdem brachte er Ergebnisse eigener Beobachtungen und sogar einfacher Experimente in das in einem unter seinem Sohn Manfred kopierten Ms. erhaltene Werk *De arte venandi cum avibus* (»Über die Kunst mit Vögeln zu jagen«) ein. Es enthält nicht nur das Wissen über die Falknerei, über Haltung und Einsatz der Falken, sondern auch Kenntnisse über die Fortpflanzungs- und Brutbiologie der Vögel, über Struktur des Gefieders, die jährliche Mauser, die unterschiedliche Ernährungsweise der Vogelarten und über den Vogelzug [29].

Außer der Beizjagd, die noch in vielen Traktaten [93] dargestellt wurde, wurden der Jagd auf Rotwild (*De arte bersandi*, 13. Jh. [92; 94]), Haarwild, Federwild [91; 95] und der Fischerei (*Tiroler Fischereibuch*, 1504) [27; 65] in den folgenden Jh. mehr und mehr Abh. in Lat. und in Landessprachen gewidmet [51; 91; 96; 97; 124; 125]. In diesen, weitgehend unabhängig von der gelehrten Lit. entstandenen Schriften wird ohne Rücksicht auf die unter dem Einfluß des Christentums verbreitete allegorisch-rel. Interpretation der Naturgegenstände eine Fülle von Erfahrungen über die Eigentümlichkeiten und Lebensweisen einzelner Tierarten gesammelt. Die ohne Beziehung zu ihrem Nutzen oder zur Symbolik naturkundliche Beobachtungen über Haustiere und Stubenvögel festhaltenden Aufzeichnungen des Freisinger Domherrn Diepold von Waldeck von 1480 [51. 32] bekunden, daß diese rein empirische Betrachtungsweise in der Ren. aufgegriffen und weiterentwickelt wurde.

4. TIERKUNDE IN LATEINISCHEN ENZYKLOPÄDIEN

Da der Mensch und seine natürliche Umwelt im MA als Ergebnis der göttl. Schöpfung betrachtet wurden, sollte eine gelehrte Beschäftigung mit den Naturgegenständen der Vertiefung des Verständnisses für den in der Hl. Schrift offenbarten Heilsplan Gottes mit der Welt dienen [71]. Um sich das bereits in umfangreichen Werken niedergelegte Wissen der Trad. anzueignen, in der Lehre zu vermitteln und weiterzuverbreiten, schienen zusammenfassende, übersichtlich geordnete Kompendien hervorragend geeignet zu sein. Daher bildete sich eine ausgedehnte Trad. von meist aufeinander aufbauenden enzyklopädischen Darstellungen, in welche die Naturkunde einbezogen wurde, aus [68; 69]. Auf diesem Gebiet knüpfte man dadurch an die Ant. an, daß die erste und am weitesten verbreitete ma. Enzyklopädie vom Anf. des 7. Jh. sich an ein ähnliches spätantik. Werk des 3. Jh. anschloß. Der als »Sammlung wissenswerter Dinge« (*Collectanea rerum memorabilium*, um 250) aus der *Naturalis historia* des Plinius Secundus zusammengestellte Auszug des röm. Schriftstellers Caius Julius Solinus war neben Dichtungen von Horatius, Vergilius und Lucretius die wichtigste Quelle für die *Etymologiarum sive originum libri XX*, eine Art Realenzyklopädie, des Isidorus Hispalensis, Bischof von Sevilla (um 560–636)[15]. Zu den außer den → Artes liberales abgehandelten *artes mechanicae* gehörten auch die Anatomie des Menschen (B. 11) und die Z. (B. 12). Die naturkundlichen Kenntnisse waren jedoch dürftiger als bei Plinius, wenn Spuren auch eindeutig auf diesen zurückführen, und die oft allegorisierenden Wortdeutungen Isidors sind als »Etymologien« im mod. Verständnis nicht haltbar. Im MA schätzte man sie jedoch derart, daß auch didaktisch brauchbare Versifikationen wie die des Konrad von Mure (um 1210–1281), Leiter der Stiftsschule am Großmünster in Zürich, angefertigt wurden, dessen *Libellus de naturis animalium* (ca. 1255) die Bücher XI und XII bearbeitete [100]. Plinius und Isidor wurden von dem angelsächsischen Benediktiner Beda Venerabilis (um 673–735) in einer kürzeren kosmologischen Schrift *De natura rerum* und dem Mainzer Bischof Hrabanus Maurus (um 780–856) in seiner Naturkunde *De rerum naturis* (22 Bücher) verwertet. Hrabanus betrachtete die menschliche Anatomie, die Lebensphasen, Reproduktionsweisen und einzelne Tiere einschließlich einiger Wirbelloser in acht Klassen, von denen er zwei, *serpentes* (»kriechende Tiere«) und *aquatica* (»Wassertiere«), jeweils in fünf bzw. sechs Unterklassen unterteilte.

Die oben erwähnte anon. Plinius-Epitome aus Clairvaux vom 12. Jh. weist auf wachsendes Interesse an Naturkunde hin, die in den umfangreichen Enzyklopädien des 13. Jh. eingehend dargestellt wird. Sie unterscheiden sich von der beschriebenen Gruppe der Enzyklopädien dadurch, daß sie im Gegensatz zu den in gedrängter Fassung Mitteilungen des Plinius überliefernden frühma. Schriften nun inhaltlich an die aristotelische Trad. anknüpfen. Aus Zitaten in der Enzyklopädie des Thomas von Cantimpré (s.u.) konnten zwei anon. enzyklopädische Werke aus dem ersten Drittel des 13. Jh. erschlossen werden. Das wahrscheinlich umfangreichere wurde als »Experimentator« (d. h. Praktiker) exzerpiert und konnte in einer ›nahezu (…) identischen‹ Version in 12 Hss. nachgewiesen werden, deren Vorrede mit *Cum proprietates rerum* (…) beginnt. Zusätzliche Inhalte in den Zitaten finden sich teilweise in einer Kurzversion in einer Wolfenbütteler Hs. des 13. Jh. wieder. Ein zweiter, durch Thomas als *Liber rerum* zitierter Text erwähnte Einzelheiten über das Aussehen und die Lebensweise der Tiere sowie viele etymologisch-allegorisierende Deutungen. In der frühen naturkundlichen Enzyklopädie des zeitweilig in Paris lehrenden Engländers Alexander Neckam (um 1157–1217), *De naturis rerum* (in Buch 1–2), begann eine Aristoteles-Rezeption. Tiere, Vertreter der Wirbeltiere und der Wirbellosen, von

Vierfüßlern, Reptilien, Wassertieren mit Mollusken und Vögeln bis zu Insekten, wurden entsprechend ihren Lebensräumen dreien der vier Elemente zugeordnet. Seine Betrachtungsweise der Mitgeschöpfe brachte Alexander Neckam außerdem in seiner poetischen Schrift *Laus divinae sapientiae* zum Ausdruck [65. 189]. Dieselbe Intention der die Tiere einbeziehenden Naturdeutung kommt in der moralisierenden Enzyklopädie *Liber de naturis rerum* (»Buch über die Naturen der Dinge«) von Ps.-John Folsham zum Ausdruck, die zw. 1230 und 1250 vermutlich durch einen angelsächsischen Mönch verfaßt wurde. Sie wird als ›Predigthilfe für reisende Mönche‹ aufgefaßt, die der Vorbereitung von ›sermones ad religiosos‹ dienen sollte [31. 151 ff.]. Mit allegorisierenden Interpretationen verband auch der Franziskaner Bartholomaeus Anglicus (vor 1200– nach 1250) die Tierbeschreibungen in Buch 18 seines Handbuchs *De proprietatibus rerum* vom Anf. des 13. Jh. [126]. Im Wesentlichen aus den neuen Aristoteles-Übers. (s.o.) stellte Arnoldus Saxo seine fünfteilige, auf Allegorese weitgehend verzichtende Enzyklopädie *De floribus* (Konjektur für *finibus*) *rerum naturalium* um 1225 zusammen, deren zweiter Teil *De naturis animalium* vorwiegend das Aussehen und die Lebensweise von Tieren schildert. Als weitere Hauptquelle für 66 Fr. diente ihm der vom *Physiologus* [60] beeinflußte Traktat *De animalibus* eines bis jetzt nicht identifizierten Jorath oder Jorach. Zitate dieses Textes treten wie solche aus Arnold bei Bartholomaeus, Vinzenz von Beauvais (s.u.) und Albertus Magnus (s.o.) zw. zehn und 15 Mal auf [47; 48]. Die durch letzteren ebenfalls ausgewertete, aber auch kritisierte Enzyklopädie *De natura rerum* (Thomas, I. und II. Fassung, 19 bzw. 20 B.) des Thomas von Cantimpré (1186–1270 oder 1272) entstand um 1225/26–1241 [143]; eine dritte Fassung wurde um 1250 in Wien kompiliert [78]. Innerhalb den oben erwähnten Gruppen werden die Tiere in alphabetischer Reihenfolge aufgeführt [64; 74; 77; 79]. Hauptsächlich aus Thomas I/II, weniger aus Thomas III, zudem aus Kirchenvätern und anderen Enzyklopädikern zitierte ebenfalls der frz. Dominikaner Vinzenz von Beauvais (lat. Vincentius Bellovacensis, um 1190–1264), der eine »Summe« aller Wiss., beginnend mit dem *Speculum maius* (»Größerer Spiegel«, zw. 1256 und 1259), das als einen der beiden Teile das *Speculum naturale* enthielt, bis zu dem durch einen anon. Autor nach dem Vorbild der *Summa Theologiae* des Thomas von Aquin ergänzten *Speculum morale*, zusammenstellte [28; 113]. In der Tierkunde griff er außer Aristoteles auch Plinius und Isidor auf, während er sich in der Humananatomie überwiegend auf muslimische Autoren [121], bes. Avicenna, Rhazes und den persischen Mediziner Haly Abbas (gest. 994), stützte, ohne Galenos zu erwähnen. Wenig kritisch identifizierte er einzelne Tiere philol. nach ihren Bezeichnungen. In den Büchern 16–22, 24–28 werden die Tiere, die in Gruppen den Elementen Luft, Wasser und Erde zugeordnet werden, und die Naturkunde des Menschen behandelt. Von sämtlichen Animalien werden Körperteile, äußere Kennzeichen, physiologische Leistungen und bei tierischen Produkten die Nutzung als Nahrungs- oder Heilmittel ausführlich geschildert [76]. Aus den Kapiteln über Tiere aus Thomas III (a) zusammen mit entsprechenden Kapiteln aus Bartholomaeus stellte der Zisterzienser Heinrich von Schüttenhofer vor 1299 einen naturkundlich-allegorisierenden Text *Moralitates de naturis animalium* (»Lehrreiches über die Naturen der Animalien«) zusammen [72]. Die Thomas-Texte entfalteten eine anhaltende Wirkung auch in volkssprachlichen Bearbeitungen; die Fassung Thomas III (b) wurde die Hauptquelle für das lange weiterwirkende »Buch von den natürlichen Dingen« (1348/1350) des Konrad von Megenberg [106; 131; 143; 145].

5. TIERKUNDLICHE WERKE IM MUSLIMISCHEN KULTURKREIS

Nachdem die vorislamischen Araber als Beduinen sicherlich über ein reiches empirisches Wissen über Pflanzen und Tiere als ihre wesentlichsten Lebensgrundlagen verfügt hatten, erwuchs unter den veränderten kulturellen und sozialen Bedingungen infolge der Islamisierung aus der Überzeugung, daß sich die Einheit des Schöpfergottes aus der Mannigfaltigkeit seiner Schöpfung erkennen lasse, ein Ansporn, die natürliche Umwelt zu erkunden [34] (→ Arabisch-Islamisches Kulturgebiet; → Arabische Medizin; → Pharmakologie II.). Einzelne Tiere und Arten wie Pferde mit ihren Rassen wurden daher früh in Dichtungen erwähnt. Einen höheren Reflexionsgrad erreichte man in der Tierkunde, die meist mit der Tierheilkunde verknüpft war, als man sich mit dem Wissen ant. Autoren, der Byzantiner, Perser und Inder auseinanderzusetzen begann. Die muslimischen Autoren ergänzten diese über sie nach Europa tradierten Überlieferungen zudem durch viele Einzelkenntnisse über in der gemäßigten Klimazone wenig oder nicht bekannt gewordene Tiere. Auf den zusätzlich ausgelösten Überlieferungsstrom weisen aus dem Arab. stammende Tiernamen hin wie Giraffe (> zirāfa), Gazelle (> ġazāl) und Marabu (> murābiṭ) [98; 105. 126; 89].

Im Zusammenhang mit der rel. Unterweisung entstanden Schulen, und es wurde nach und nach ein höheres Bildungsniveau erreicht. In den erhaltenen spätant. Wissenschaftszentren in Alexandreia und in Vorderasien wie in Damaskus, Antiochia, Gondēšāpūr und Baġdād [88. 272] waren mehrsprachige Gelehrte tätig [123]. Besonders syr. Gelehrte, die sich als Anhänger des 431 aus Konstantinopel vertriebenen Nestorius (gest. nach 451) im Sassanidenreich niedergelassen hatten, konnten griech. und persisches Wissen an die Araber übermitteln [53. 407–412]. Unter den Abbasiden (749–1258) wurde eine planmäßige Übersetzertätigkeit, seit 762 in Baġdād, gefördert. In dem durch den Kalifen Hārūn ar-Rašīd um 800 gegründeten »Haus der Wiss.« (Bait al-ḥikma) wurden Werke aller Disziplinen aus dem Griech., teilweise über das Syr. ins Arab. übertragen. Eine Übersetzerschule hoher Qualität bildete sich um den Mediziner Ḥunain b. Isḥāq (808–873), in der durch

die medizinischen Texte [134; 139] auch naturkundliche und biologische Inhalte erfaßt wurden.

Die wichtigste griech. Quelle für die Z. im muslimischen Kulturkreis war die Tierkunde des Aristoteles. Die früheste bekannte Übers. ins Arab. lieferte der Arzt Yaḥyā b. al-Biṭrīq (gest. um 815), der eine syr. Übers. zugrunde legte [5]. Eine spätere, in einem arab. Ms. erhaltene Übers. (wahrscheinlich 10. Jh.) eines ps.-aristotelischen Tierbuchs *Kitāb Naʿt* (oder Nuʿūt) *al-ḥayawān*, für das eine Anlehnung an Timotheos aus Gaza und an ein anon. syr. tierkundliches Buch nachgewiesen wurde, und das auf das 5. oder 6. Jh. n. Chr. datiert wird, wurde außerdem viel benützt [127. III. 225, 349–352; 140. 8f., 19]. In Anlehnung an Aristoteles betrachtete der Philosoph und Mediziner al-Fārābī (gest. 950), der selbst ein Ms. über die Tierorgane hinterließ, in einer Wissenschaftsklassifikation die Z. als ʿilm al-ḥayawān, »Lehre von den Animalien«, die auch die Lauteren Brüder von Basra ein selbständiges Wissensgebiet nannten, als ein Zweig der Naturwiss., die ihrerseits als Teilgebiet der Philos. aufgefaßt wurde [127. III. 298–300, 343]. Dementsprechend wurden die zoologischen Schriften des Aristoteles auch durch Philosophen wie Ibn Sīnā, Ibn Bāǧǧa (lat. Avempace) und Ibn Rušd kommentiert. Eine viel benützte Quelle war eine griech. Tierheilkunde des Militärveterinärs Theomnestos (um 320 n. Chr.), die nur in einem arab. Ms. in Istanbul erhalten ist. Der urspr. griech. Text überlieferte hauptsächlich Kenntnisse und Rezepte zur Pferdeheilkunde nach dem in der Praxis erfahrenen griech. Veterinär Apsyrtos aus Klazomenai, der auf Grund dieser lit. Beziehung in die Zeit zw. 150 bis 250 datiert wird [7; 54]. Die arab. Übers. stammt wahrscheinlich von dem oben genannten Ḥunain aus dem 9. Jh. [127. III. 353]. Von griech. Quellen, die unter den Byzantinern verbreitet waren, entnahm man der Tierkunde des Timotheos aus Gaza und dem Physiologos zudem paradoxographische Inhalte für viele der im folgenden genannten Schriften, die neben nützlichen Mitteilungen unterhaltsame Belehrung über einzelne Tiere lieferten, indem sie meist einleitend einige Grundzüge der hauptsächlichen zoologischen Lehren ant. Herkunft darlegten und im Hauptteil einzelne Tiere mehr oder minder ausführlich beschrieben. Dabei gab man sogar die aristotelischen Ansätze, anatomische und physiologische Merkmale zu einer Klassifikation zu berücksichtigen, auf und unterschied nur größere Gruppen wie kriechende oder geflügelte Tiere, Wildtiere, Raubtiere, Vögel und Fische. Dagegen behandelten Autoren [139], welche die Z. als Grundlage der Medizin betrachteten, auch die traditionellen Teilgebiete, Anatomie, Physiologie, Embryologie, unter allgemeineren Gesichtspunkten.

Zu den früh und wiederholt bearbeiteten Themen gehören Tierzucht und Tierheilkunde. Im Anschluß an die arab. Übers. des Theomnestos entstanden eine Reihe hippologischer Schriften. Das umfangreiche Werk über Pferdezucht und -heilkunde *Kitāb al-Ḫail wa-l-baiṭara* (»Buch der Pferde und der Pferdeheilkunde«) des

Ibn Aḫī Ḥizām al-Ḫatbī aus der 2. H. des 9. Jh., das der Autor selbst mit Galens Hauptwerk über die Heilkunst (θεραπευτικὴ μέθοδος) verglich [105. 133; 127. III. 375], wertete einer der Vertreter der westarab. (span.) Schule der Agronomie Ibn al-ʿAwwām al Išbīlī in dem Kap. über die Nutztiere in seinem umfangreichen Werk über die Agrikultur *Kitāb al-Filāḥa* (»Landwirtschaftsbuch«) in der 1. H. des 13. Jh. aus [39; 140. 447f.; 105. 133, 140]. Von dem hervorragenden Mediziner und Philosophen Ṯābit b. Qurra (836–901), der sich eingehend mit Werken Galens auseinandersetzte, ist zudem eine Abh. über Veterinärmedizin (*Kitāb al-Baiṭara*) überliefert [117. 832; 127. III. 261, 377]. Das dem Sultan von Ägypten und Syrien um 1300, Nāṣir b. Qalāwūn, gewidmete hippologische, *K. an-Nāṣirī* genannte Werk des Abū Bakr b. al-Mundir vom Anf. des 14. Jh. bezog sich außer auf die erwähnten veterinärmedizinischen Quellen auf Hippokrates, Aristoteles, Galenos und muslimische Mediziner und übermittelte außerdem viele Erfahrungen des Autors und seines ebenfalls als Veterinär tätigen Vaters [119. III,1. 828f.; 49. 55].

Eine der frühesten, jedoch verlorene tierkundliche Schrift wird dem vielseitigen Alchemist und Naturphilosoph Ǧābir b. Ḥaiyān (vermutlich 8. Jh.) zugeschrieben, der an verstreuten Stellen Tiere verschiedener Länder wie Schakal, Schlangen, Skorpione und Eulen sowie Heilmittel tierischer Herkunft behandelte [127. III. 358f.; 140. 22]. Als ein bedeutender Ansatz zur Lösung einer theoretischen Fragestellung mittels einer Experimentreihe an einem Tier wird ein im MA bis zu Albertus Magnus erörterter Bericht über eine Studie des Naturphilosophen An-Naẓẓām (gest. zw. 835 und 845) gedeutet. Nachdem er die Behauptung, ein Vogel Strauß könne heiße Kohlen unbeschadet verdauen, überprüft hatte, versuchte er zu ermitteln, ob dieser auch festere Materien von höherer Temperatur, wie heiße Kieselsteine und glühende Eisenstücke, im Sinn der aristotelischen und galenischen Physiologie mittels der inneren Wärme von Magen und Darm auflösen könne; zwecks Feststellung des Ergebnisses wollte der Naturforscher das Tier nach einigen Tagen schlachten, um den Zustand der verschluckten, festen Körper zu untersuchen. Obwohl diese letzte Phase des Experiments wegen einer dem Tier durch vorzeitige Messerstiche zugefügten tödlichen Verletzung nicht durchgeführt werden konnte, werden bereits die Versuchsplanung und die das Wesen der Wärme und die spezifische Dichte betreffende theoretische Fragestellung des Naturphilosophen als beachtliche Leistungen bewertet. Abgesehen von der wissenschaftshistor. Interpretation haben die ma. Naturforscher den Bericht als bemerkenswerte Besonderheit überliefert und erörtert [112; 127. III. 360f.].

Diese und eine Reihe weiterer muslimischer Autoren des 9. Jh., die Schriften über einzelne Tiere wie Kamele, Pferde, Falken, Tauben, kriechende und fliegende Tiere hinterlassen oder in Sachwörterbüchern und in histor.-beschreibenden Werken zoologische Themen philol. behandelt hatten, wie der arab. Philologe ʿAbd

al-Malik b. Quraib b. ʿAlī al-Aṣma ʿī (um 740–831 in Basra) [119. I. 534f.; 127. III. 364f.; 140. 7] oder die Tieranekdoten überliefert hatten, zitierte Al-Ǧāḥiz (um 780–868) zusätzlich zu den griech. Quellen in seinem kompilatorischen, stellenweise auch kritischen Werk *Kitāb al-Ḥayawān* (»Buch der Animalien«, 7 B.) [38; 141; 114. 210–298 (Teilübers.); 127. III. 357–375; 140. 19f., 51]. Der als Literat sich einer gehobenen Sprache befleißigende Autor, der theologische und naturphilos. Lehren in einem Beitr. zum Lobpreis des vielseitigen Schöpfergottes zu verbinden trachtete, schuf eine in kunstvoller Form belehrende und unterhaltende Darstellung über ein zur »feinen Bildung« (*adab*) gehörendes Wissensgebiet. Er stellte eine Sammlung von Gedichten und Anekdoten über die Tierwelt (210 oder 397 einzelne Tiere wurden gezählt), den Menschen und Dämonen (*ǧinn*) zusammen, die er durch weitschweifige Komm., mitunter unter Hinweis auf eigene Erfahrungen, ergänzte. Verbreitete Erzählungen über Fabeltiere erregten seine Kritik. Bei der ausführlichen Erörterung der Kreuzung verschiedener Arten, Tier- und Menschenrassen wandte er sich gegen eine Verbindung von Mensch und *ǧinn*. Mit den Themen der Fortpflanzung und Kreuzung von Tieren befaßte sich Al-Ǧāḥiz auch in seiner Schrift *Kitāb al-Biǧāl* (»Buch über die Maultiere«) [114. 299–304 (Teilübers.); 127. III. 368–375; 105. 128]. Von dem aus Persien stammenden Mediziner Aḥmad Ibn abi l-Aš ʿaṭ (gest. um 970), der in seinen medizinischen Büchern Werke Galens kommentierte, ist ein *Kitāb al-Ḥayawān* (»Buch der Animalien«) in einer Hs. überliefert (Ms. Bodleian Library, Oxford, MS Hunt, No. 534, B 9038) [127. III. 301f., 378; 140. 25]. In seiner, eine eigene, über die bei muslimischen Autoren übliche Einteilung der Tiere nach ihren Organen und Arten der Fortbewegung (laufende, fliegende, schwimmende, kriechende Tiere) hinausgehende, weitere physiologische Leistungen berücksichtigende Klassifikation darbietenden Schrift wird die Nützlichkeit der Naturobjekte hervorgehoben [105. 129]. In einem umfangreichen Kapitel zur Z. des zur *adab*-Lit. gehörenden *Kitāb al-Imtāʿ wa-l-muʾ ānasa* (»Buch der Anregung und der guten Gesellschaft«) von Abū Ḥayyān at-Tauḥīdī (gest. um 1010) wurden weniger bekannte tierkundliche Einzelheiten mitgeteilt, die außer aus dem aristotelischen Tierbuch, dem ps.-aristotelischen *Kitāb Nuʿūt al-ḥayawānāt* und aus Timotheos aus Gaza aus weiteren frühen muslimischen Texten stammen [85; 86; 127. III. 379; 140. 26]. Neben den griech. schöpfte aus persischen Quellen ein anon. Werk *al-Kitāb al-Mutawakkilī* aus dem 9. Jh., das dem Kalifen (bis 861) al-Mutawakkil gewidmet war, und aus dem Nachrichten über Falken, Hunde und Geparden anschließend zitiert wurden [127. III. 377]. Ein umfassendes, teilweise noch nicht identifizierte muslimische Quellen auswertendes Buch verfaßte der am Hof des Seldschuken-Sultans (1072–1092) Malikšāh als Arzt wirkende Šaraf az-Zaman Ṭāhir al-Marwazī (1056/57–1124/25): *Kitāb Ṭabāʾiʿ al-ḥayawān(āt)* (»Buch über die natürlichen Eigenschaften der Animalien«), das sowohl persische Tiernamen als auch Ereignisse der persischen Kulturgeschichte erwähnt. Deutlich lassen sich die aristotelischen Grundlagen nachweisen, die aus verschiedenen Quellen (in den oben erwähnten arab. Übers.) flossen: Ein großer Anteil des Textes stammt aus Aristoteles' *Historia animalium*, (bis jetzt) eine Textstelle aus *De partibus animalium*; Anlehnungen an Timotheos aus Gaza und an das Kompendium nach Aristoteles' Tierkunde von Ibn Sīnā wurden festgestellt [140. 29 f.; 87; 105. 130]. Für das auch auf den Menschen bezogene Gebiet der Embryologie der Säugetiere, das viele Mediziner wie ar-Rāzī, aṭ-Ṭabarī, al-Kindī und Ibn Sīnā in Sammelwerken betrachteten [139], wurden griech. Quellen stark wirksam. Die einzige embryologische Monographie *al-Maqāla fī'l-ǧanīn wa-kaūnihī fī'r-raḥim* (»Traktat über den Embryo und seine Entwicklung im Uterus«) stammt von Abū Zakariyyā' Yūḥannā b. Māsawaih (um 777–857), der als Sohn eines christl. Arztes in dem syr.-persischen medizinischen Zentrum in Gondēšāpūr geboren und in Baġdād ausgebildet wurde, wo er Direktor des Krankenhauses und Leibarzt des Kalifen wurde; dann wirkte er in Sāmarrā'. Von seinem Tierbuch sind nur Fr. erhalten [140. 19]. Die Hauptquellen des embryologischen Textes waren embryologische Traktate der Hippokratiker und des Galenos, mit dessen Lehren die aristotelische *materia-forma*-Theorie in einigen Punkten verbunden wurde. Unter Aufnahme neupythagoreischer Zahlenspekulation und Harmonielehre wurden mehrere Phasen der Entwicklung unter Abwandlung der Angaben in den Quellen unterschieden; indem seine Ausführungen hierzu denen des im 10. Jh. schreibenden al-Baladī, der sich auf Paulos aus Aigina berief, entsprechen, sind die Angaben beider auf diesen zurückzuführen. Dabei ist es wahrscheinlich, daß die ermittelten Quellen nicht direkt, sondern über embryologische Kompendien in syr. oder arab. Sprache verwendet wurden. Indem die hell. Zahlensymbolik in embryologischen Lehren späterer muslimischer Gelehrter wie ar-Rāzī und Ibn Sīnā, die außerdem physiologische Aspekte stärker berücksichtigten, zurückgedrängt wurde, näherten sich diese wiederum mehr Galens Ansichten [146].

Angaben über die menschliche Gesundheit gefährdende Tiere finden sich in verbreiteten und einflußreichen Werken hervorragender Mediziner. Von den griech. Autoren Philumenos und Nikandros war ein ps.-galenisches Giftbuch abgeleitet, das der an iranischen Fürstenhöfen wirkende Philosoph und Mediziner Ibn Sīnā (ca. 975–1037) neben anderen Quellen benützte, der in dem Werk *Al-Qānūn fi-t-tibb* (»Kanon der Medizin«, *Canon medicinae*) das Aussehen, Vorkommen und die Einteilung von Giftspinnen und -schlangen beschrieb. Außerdem unterschied er nach der Größe und Gestalt vier Typen von Eingeweidewürmern wie den Medinawurm, für dessen Auffassung als Tier sich Ibn Sīnā nicht entscheiden konnte, die durch Urzeugung entstehen sollten [119. I. 709–712; 35; 140. 13;

105. 132]. Der u. a. durch einen (verlorenen) Komm. zum Al-Qānūn hervorgetretene christl. Mediziner Yaʿqūb ibn Isḥāq b. al-Quff (1232/33–1286) aus Karak, Jordanien, warnte in einer Art Gesundheitsratgeber *Ǧāmiʿ al-ġaraḍ fī ḥifẓ aṣ-ṣiḥḥa wa-dafʿ al-maraḍ* (»Kompendium dessen, was auf die Erhaltung der Gesundheit und die Abwehr der Krankheit gerichtet ist«) vor Giftschlangen. Von 17 Vertretern beschrieb er einige Merkmale, Verhaltensweisen, das Vorkommen und Giftwirkungen; in diesem Text finden sich Einflüsse derselben griech. Quellen und solche von Plinius' *Naturalis historia* [149; 119. II. 1098 f.; 140. 33; 12]. In den früh in hebräischen [153] und lat. Übers. (vor 1260 in It. bekannt) verbreiteten medizinischen Werken des westarab., in Sevilla lebenden Mediziners und Universalgelehrten Ibn Zuhr (Abū Marwān ʿabd al-Malik b. abī'l-ʿAla' b. Zuhr, lat. Avenzoar, auch Abhomeron, 1091/1094–1162) sind zahlreiche tierkundliche Mitteilungen enthalten [119. II. 231–234; 135]. In den oben genannten Werken zur Z. wurden viele kleinere, seit dem 9. Jh. entstandene Schriften über einzelne Tiere, wie Tauben mit ihrer Zucht (von Muṭannā b. Zuhair), Hunde u. a. (in zoologischen Lehrgedichten von Ibn Abī Karīma) sowie Jagdtiere (mehrere Schriften von Kušāǧim), in denen eigene Erfahrungen mit lit. Berichten durch die muslimischen Autoren vermengt wurden, ausgewertet [127. III. 359–379; 140. 35–50; 105. 132 f.]. Den bereits Aristoteles und dann den röm. Dichter Vergilius fesselnden Haustieren, den Bienen, widmete der Historiker Aḥmad b. ʿAlī al-Maqrīzī (1364–1441) im Spät-MA eine ausführliche Beschreibung [58; 140.42; 105.131]. Über das Vorkommen von Tieren in verschiedenen Ländern und Regionen wird in vielen Werken der Lit. über Reisen, Landeskunde, Geogr. und Geschichtsschreibung berichtet; Tiernamen werden oft zusammen mit Erzählungen über Tiere durch Grammatiker und Schriftsteller wie al-Asmaʿī (740–831) in lexikographischen Werken seit dem 9. Jh. behandelt [127. III. 363–379; 140. 59 f.; 105. 127, 131].

Der Vater von Avenzoar, ein erfolgreicher Arzt und medizinischer Schriftsteller am Hof von Sevilla, schließlich als Wesir, Abū'-l-ʿAlā' b. Zuhr (gest. 1130/31 in Cordoba) trug mit seinem *Kitāb al-Ḥawāṣṣ* (»Buch über die spezifischen Eigenschaften«) zu der Literaturgattung bei, die den »Nutzen« (*manāfiʿ*) von tierischen Organen und Produkten als magisch-sympathetische Mittel in der Heilkunde beschrieb. In diesem alphabetisch geordneten Werk werden entsprechende Nutzanwendungen der Produkte von vierfüßigen Tieren und Vögeln beschrieben [119. II. 230 f.; 140. 28 f.]. Sympathetische Wirkungen menschlicher und tierischer Organe und Substanzen hatte bereits in der 2. H. des 9. Jh. ʿĪsā b. ʿAlī, Arzt, Naturphilosoph und Mathematiker, in seiner Schrift *Manāfiʿ aʿḍā' al-hayawān* (»Nutzen der Körperteile der Animalien«) aufgeführt, der als griech. Quellen Ps.-Schriften des Demokrit, Hippokrates und Hermes angab [127. III. 250, 377; 140. 21 f.]. Ein nur in lat. Übers. bekannter Text *De facultatibus partium animalium*

(»Über die Wirkkräfte der Teile der Animalien«), kurz als *Liber sexaginta animalium* (»Buch sechzig der Animalien«) zitiert, wird ar-Rāzī (um 865–925) zugeschrieben [140. 22 f.; 127. III. 274–278]. Außerdem trug der vielseitige persische, auch in Ägypten und Damaskus tätige Gelehrte ʿAbd al-Laṭīf b. Yūsuf al-Baġdādī (1162–1231/32) zu diesem Thema den in Fr. bekannten *Kitāb Ṭabāʾiʿ al-ḥayawān* (»Buch über die Naturen der Animalien«) bei [119. II. 599 f.; 140. 31; 105. 131].

6. Tierkunde in muslimischen Enzyklopädien

Unter Aufnahme früherer, überwiegend arab. Texte trug Abū ʿUbaid al-Qāsim b. Sallām al-Harawī (gest. 837/838) eine umfangreiche, sachlich geordnete Enzyklopädie *al-Ġarīb al-muṣannaf* (»nach Sachgruppen geordnete (sprachliche) Besonderheiten«) zusammen, in der er zoologische Themen in mehreren Kapiteln philol. behandelte [127. III. 367, VIII. 81–85]. Außer in Texten über einzelne Themen brachte Ibn Qutaiba (gest. 889) in sein enzyklopädisches, übersichtlich geordnetes Werk *Kitāb ʿUyūn al-aḫbār* (»Quellen der Nachrichten«, 10 B.), in dem er ein eigenes Kapitel *Kitāb aṭ-Ṭabāʾiʿ wa-l-aḫlāq al-maḏmūma* (»Buch der natürlichen Eigenschaften und der tadelnswerten Charaktere«) den Animalien, Mensch, Wild-, Jagd- und Haustiere, kriechende und fliegende Tiere sowie ǧinn (Geister oder Dämonen), widmete, vielseitige naturwiss. Kenntnisse, aber auch unkritisch übernommene, z. T. aristotelische Lehrmeinungen ein [16; 127. III. 376 f., VIII. 161–165; 140. 21; 105. 128 f.]. In der 51 Abh. umfassenden philos. ausgerichteten Enzyklopädie der *Iḫwān aṣ-Ṣafāʾ*, der »Lauteren Brüder« von Basra, aus dem 10. Jh. werden in einem umfangreichen Teil zur Z. in der 22. Abh. ›die Klassen und die Beschaffenheiten der Tiere, ihre Fortpflanzung und ihre Lebensweise‹ dargelegt und anschließend in einer längeren Tierfabel ihre angeblichen Charaktereigenschaften betrachtet [8; 9; 57; 127. III. 379 f.; 140. 24,51 f.]. Zur Z. trug Ibn Sīnā (um 975–1037) ein eigenes umfangreiches Kap., *Kitāb Ṭabāʾiʿ al-ḥayawān* (»Buch der natürlichen Eigenschaften der Animalien«), das durch Michael Scotus als *Abbreviatio* ins Lat. übersetzt wurde, in seinem philos. Hauptwerk *Kitāb aš-Šifāʾ* bei [122]. Seine Darstellung einer vergleichenden Anatomie, Physiologie und Entwicklungsgeschichte mit Beschreibungen einzelner Tiere und Tiergruppen lehnte sich stark an Aristoteles an, ergänzte ihn aber auch und erweiterte bes. die humanbiologischen Teile [26; 35; 140. 26 f.; 105. 126]. Eigene naturkundliche Forsch. und eine kritische Einstellung zur Trad. brachte der herausragende, aus Baġdād stammende, in Damaskus, in Ägypten und wiederum in Damaskus tätige ʿAbd al-Laṭīf (1162–1231/32) ein. In seinem Hauptwerk über »die Denkwürdigkeiten Ägyptens« widmete er ein ganzes Kap. den Tieren im Nilland. Dabei berichtigte er mehrfach frühere Autoren; entgegen der Behauptung des Aristoteles, daß das Nilpferd im Aussehen (es sollte eine Mähne tragen) und in der Anatomie einem Pferd gleiche, stellte er zutreffend

eine größere Ähnlichkeit mit einem Schwein fest. Als Besonderheit der Tierhaltung beschrieb er die bereits im 1. Jh. v. Chr. durch den griech. Historiker Diodoros aus Agyrion (Sizilien) erwähnte künstliche Bebrütung von Hühnern in Ägypten. Bei der anatomischen Unt. einer großen Anzahl von menschlichen Skeletten in einem ägypt. Massengrab stellte er fest [120], daß der menschliche Unterkiefer nicht aus zwei sondern nur aus einem Knochen besteht; am *Os sacrum* (»Kreuzbein«) eines Kindes bemerkte er mehrere, wenn auch noch nicht die zutreffende Anzahl von fünf Knochen [119. II. 599 f.; 140. 31; 116]. Mehrere zu der adab-Lit. gehörende Werke ägypt. Schriftsteller bezeugen beträchtliche Kenntnisse in der Z., wenn sie auch von früheren Texten hergeleitet waren und poetische Einschübe zw. den naturkundlichen Mitteilungen enthielten; ihre Verfasser waren: der Kanzleivorsteher Šihāb ad-Dīn an-Nuwairī (1279–1332) und die Literaten al-Qalqašandī (1355–1418) und al-Ibšīhī (1388–1446) [140. 42 f.; 52. 44; 105. 131; 119. III,2. 1785–1788].

Der Inhalt der früher erwähnten muslimischen Werke, insbes. die Z. des al-Ǧāḥiẓ wurde in enzyklopädischen Schriften [42] des Hoch- und Spät-MA, die teilweise stärker paradoxographische Züge aufwiesen, weitergetragen. Eine verbreitete Kosmographie, *ʿAǧāʾib al-maḫlūqāt* (»Wunder der Geschöpfe«) des im Irak lebenden, arab. schreibenden Zakarīyāʾ b. M. b. Maḥmūd al-Qazwīnī (um 1203–1283), stellte das Tierreich in alphabetischer Anordnung ausführlich dar, wobei der Autor bes. die die Vielseitigkeit des Schöpfers widerspiegelnde Mannigfaltigkeit unscheinbarer oder teilweise schädlicher Tiere, wie manche Insekten und kriechende Tiere, pries [24; 150; 119. II. 868–870; 140. 32 f.]. Wie al-Qazwīnī verband der ägypt. Theologe und Enzyklopädist ad-Damīrī (1344–1405), der 1379–1399 in Mekka lebte, in seinem umfangreichen *Kitāb Ḥayāt al-ḥayawān al-kubrā* (»Das Leben der Animalien«; 1372 vollendet) mit der Aufnahme der aristotelischen Trad. diejenige von Wundergeschichten [129; 119. III,2. 1639–1641; 52. 132–142]. Mirabilien nebst neuen Berichten nahm Šams ad-Dīn ad-Dimašqī (gest. 1327) in seine Kosmographie *Nuḫbat ad-dahr fī ʿaǧāʾib al-barr wa-l-baḥr* (»Auslese der Ewigkeit in den Wundern des Festlandes und des Meeres«) auf [140. 34 f.]. Ibn abī al-Ḥawāfir (gest. 1301) teilte in einer Schrift zur speziellen Z. außer den üblichen auch Heilwirkungen und neue, teilweise sogar eigene Beobachtungen mit [140. 33 f.]. Anwendungsgebiete der Z., Veterinärmedizin, Jagdvögel und Falkenzüchtung, ordnete der aus dem Irak stammende, in Kairo wirkende Arzt Ibn al-Akfānī (gest. 1348/49) in seiner enzyklopädischen Einführung in höhere Studien *Iršād al-qāṣid ilā asnāʾ-l-maqāṣid* (»Führer für den, der nach dem höchsten Ziel strebt«) unter die Naturwiss. (*aṭ-ṭabāʾiʿ*) ein [119. III,1. 899–901]. Einige der erwähnten, im muslimischen Kulturkreis entstandenen Schriften, bes. die Werke des Ibn Sīnā, wurden in lat., z. T. hebräischen [153] Übers. im Spät-MA im lateineurop. Kulturgebiet bis zu Frühdrucken verbreitet [121], so daß sich auch Gelehrte im Human. mit ihnen auseinandersetzten.

→ AWI Agrarschriftsteller; Ailianos [2]; Ambrosius, Bischof von Mailand; Antigonos [8]; Apsyrtos [2] aus Klazomenai; Archestratos [2]; Aristophanes [4]; Arrianos [2]; Athenaios [3] aus Naukratis; Augustinus, Bischof von Hippo; Basileios [1]; Cato [1]; Clemens [3]; Columella; Diodoros [18] aus Agyrion; Erasistratos; Euthydemos [5]; Geoponika; Galenos; Halieuticon; Herodotos; Hippokrates [6]; Istros [4]; Kallimachos [3]; Lactantius; Nidigius Figulus; Nikandros [4]; Oppianos [1] aus Korykos; Oppianos [2] von Apameia; Palladius [1]; Papirius [II 3] Fabianus; Pedanios Dioskurides aus Anazarbos; Pergamon; Philon von Alexandreia; Philumenos; Physiologus; Plinius; Plinius Secundus; Plutarch; Pompeius [III 3] Trogus; Publius Ovidius Naso; Solinus; Sostratos [3]; Tertullianus; Theomnestos [2]; Theophrastos; Varro [2] Terentius; Vergilius Maro; Xenophon [2]

QU 1 ALBERTUS MAGNUS, De animalibus libri XXVI. Nach der Cölner Urschrift hrsg. v. H. STADLER, Bd. 1–2 (= Beitr. zur Gesch. der Philos. im MA, Bd. 15–16), 1916–1920 2 AMBROSIUS, Sancti Ambrosii Mediolanensis Episcopi Hexaemeron libri sex (= J. P. MIGNE (Hrsg.), Patrologiae Cursus Completus, Series Latina, 14), Paris 1822, col. 133–288 3 BASILEIOS, Basilius: Homilien zum Hexaemeron, hrsg. v. E. A. DE MENDIETA, S. Y. RUDBERG (= Die griech. christl. Schriftsteller der ersten Jh., N.F Bd. 2), 1997 4 F. S. BODENHEIMER, A. RABINOWITZ (Hrsg.), Timotheus of Gaza on Animals (= Collection de travaux de l'Académie Internationale d'Histoire des Sciences, No. 3), 1949 5 J. BRUGMAN, H. J. DROSSAART-LULOFS (Hrsg.), Aristotle, Generation of Animals. The Arabic Translation commonly ascribed to Yaḥyā Ibn al-Biṭrīq (= Publication of the De Goeje Fund, Nr. XXIII), 1971 6 F. BRUNET, Œuvres médicales d'Alexandre de Tralles, Bd. 1–4, 1933–1937 7 Corpus Hippiatricorum Graecorum, hrsg. v. E. ODER, K. HOPPE, Bd. 1–2, 1924–1927 8 F. DIETERICI, Die Naturanschauung und Naturphilos. der Araber im zehnten Jh., aus den Schriften der lauteren Brüder übersetzt, 1861 (Ndr. Die Philos. bei den Arabern im X. Jh. n. Chr., Gesamtdarstellung und Quellenwerke, Bd. 5, 1969) 9 Ders., Die Philos. der Araber im X. Jh. n. Chr., Teil 1–2, 1876–1879 (Ndr. Die Philos. bei den Arabern im X. Jh. n. Chr., Gesamtdarstellung und Quellenwerke, Bd. 1–2, 1969) 10 G. EIS (Hrsg.), Meister Albrants Roßarzneibuch, 1966 11 A. S. F. GOW, A. F. SCHOLFIELD (Hrsg.), Nicander, The Poems and Poetical Fragments, 1953 12 S. KH. HAMARNEH (Hrsg.), Ibn al-Quff, Ǧāmiʿ al-ġaraḍ fī ḥifz-aṣ-ṣiḥḥa wadafʿ al-maraḍ, 1989 13 HILDEGARD V. BINGEN, Opera (J. P. MIGNE (Hrsg.), Patrologiae Cursus Completus, Series Latina, 197), Paris 1855–1888 14 Dies., Naturkunde, ins Dt. übersetzt und erläutert v. P. RIETHE, 1952 15 ISIDOR V. SEVILLA, Isidori Hispalensis Episcopi Etymologiarum sive Originum Libri XX, hrsg. v. W. M. LINDSAY, Bd. 1–2 (= Scriptorum Classicorum Bibliotheca Oxoniensis) 1911, Ndr. 1957 16 L. KOPF, F. S. BODENHEIMER (Hrsg.), The Natural History Section from a 9th Century »Book of Useful Knowledge«: The ʿUyūn al-akhbār of Ibn Qutayba (= Collection de travaux de l'Académie Internationale d'Histoire des Sciences, No. 4), 1949 17 S. KRAWCZYNSKI (Hrsg.), Der Pulologos, 1960

18 Libri de re rvstica. M. Catonis Liber I/M. Terentii Varronis Libri III/L. Ivnii Moderati Columellae Libri XII/Palladii Libri XIII, Venedig 1533 19 F. PELSTER, Die beiden ersten Kap. der Erklärung Alberts des Großen zu De animalibus in ihrer urspr. Fassung, in: Scholastik 10, 1935, 229–240 20 C. J. PERL (Übers.), Augustinus, Über den Wortlaut der Genesis. Der große Genesiskomm. in zwölf B., Bd. 1–2, 1961–1964 21 PETRUS DE CRESCENTIIS, De omnibus agriculturae partibus, & de plantarum animaliumque natura & utilitate liber XII. (...), Basel 1548 22 MANUEL PHILES, Περὶ ζῴων ἰδιότητος, hrsg. v. F. DÜBNER, F. S. LEHRS, in: Poetae bucolici et didactici, Abt. 3, Paris 1862, 1–48 23 TH. PUSCHMANN (Hrsg.), Alexander v. Tralleis. Werke, griech. und dt., Bd. 1–2, Wien 1878–1879 24 al-Qazwīnī, Zakariyā, ʿAǧāʾib al-maḫlūqāt: (...) (Kosmographie, Teil 1, Die Wunder der Schöpfung), hrsg. v. F. WÜSTENFELD, 1849, Ndr. 1967 25 S. DE RENZI (Hrsg.), De anatomia porci, in: Ders., Collectio Salernitana, Bd. 2, Neapel 1853, 388–390 26 IBN SĪNĀ, Kitāb aš-Šifāʾ (II:) fann 8: al-Ḥayawān, hrsg. v. ʿA. MONTAṢIR et al. (Nebentitel frz. La physique VIII: Les animaux), 1970 27 F. UNTERKIRCHER (Hrsg.), Das Tiroler Fischereibuch Maximilians I., Teil 1–2, 1968 28 VINCENTIUS BELLOVACENSIS, Speculum quadruplex sive Speculum maius Vincentii Burgundi, (...), Dvaci 1624, Faksimile 1964–1965 29 A. WILLEMSEN (Hrsg.), Kaiser Friedrich der Zweite, Über die Kunst mit Vögeln zu jagen, Bd. 1–5, 1964 30 W. WOLSKA-CONUS (Hrsg.), Cosmas Indicopleustès, Top. chrétienne, Bd. 1–3 (= Sources chrétiennes, No. 141, 159, 197), 1968–1973

LIT 31 D. ABRAMOW, Die moralisierende Enzyklopädie »Liber de naturis rerum« v. Ps.-John Folsham, in: C. MEIER (Hrsg.), Die Enzyklopädie im Wandel vom Hoch-MA bis zur Frühen Neuzeit (= Münstersche MA-Schriften, Bd. 78), 2002, 123–154 32 P. AIKEN, The Animal History of Albertus Magnus and Thomas of Cantimpré, in: Speculum 22, 1947, 205–225 33 T. ALFONSI et al. (Hrsg.), Pier de' Crescenzi (1233–1321), Studi e documenti (Societa Agraria di Bologna), 1933 34 A. A. AMBROS, Gestaltung und Funktion der Biosphäre im Koran, in: ZDMG 140, Nr. 2, 1990, 290–325 35 G. C. ANAWATI, A. Z. ISKANDAR, Ibn Sīnā, in: R. ADAMS, L. ZEJSZNER (Hrsg.), Dictionary of Scientific Biography, Bd. 15, 1978, 494–501 36 H. ANZULEWICZ, Die aristotelische Biologie in den Frühwerken des Albertus Magnus, in: C. STEEL, G. GULDENTOPS, P. BEULLENS (Hrsg.), Aristotle's Animals in the Middle Ages and Ren. (= Mediaevalia Lovaniensia, Series I/Studia XXVII), 1999, 159–188 37 N. CH. APOSTOLIDES, Wiss. Bestimmung der im »Pulológos« aufgeführten Vögel, Athen 1897 (griech.) 38 M. ASIN PALACIOS, El »Libro de Los Animales« de Jâhiz, in: Isis 14, 1930, 20–54 39 B. ATTIÉ, L'ordre chronologique probable des sources directes d'Ibn al-Awwām, in: Al-Qanṭara 3, 1982, 299–332 40 G. BAADER, Die Schule v. Salerno, in: Medizinhistor. Journ. 13, 1978, 124–145 41 P. BEULLENS, A 13th-Century Florilegium from Aristotle's Books on Animals: Auctoritates extracte de libro Aristotilis de naturis animalium, in: C. STEEL, G. GULDENTOPS, P. BEULLENS (Hrsg.), Aristotle's Animals in the Middle Ages and Ren. (= Mediaevalia Lovaniensia, Series I/Studia XXVII), 1999, 69–95 42 H. H. BIESTERFELDT, Arab.-islamische Enzyklopädien: Formen und Funktionen, in: C. MEIER (Hrsg.), Die Enzyklopädie im Wandel vom Hoch-MA bis zur Frühen Neuzeit (= Münstersche MA-Schriften, Bd. 78), 2002, 43–84 43 L. BODSON, Aspects of Pliny's Zoology, in:

R. French, F. Greenaway (Hrsg.), Science in Early
Roman Empire. Pliny the Elder, his Sources and Influence,
1986, 98–110 **44** J. Cadden, Albertus Magnus' Universal
Physiology: the Example of Nutrition, in: J. A. Weisheipl
(Hrsg.), Albertus Magnus and the Sciences, 1980, 321–339
45 L. Cohn, s. v. Aristophanes (14) Aus Byz., in: RE Halbbd.
3, Sp. 994–1005 **46** R. Creutz, Der Magister Copho und
seine Stellung in Hochsalerno, in: Sudhoffs Archiv 33, 1941,
249–338 **47** I. Draelants, La transmission du De
animalibus d'Aristote dans le De floribus rerum naturalium
d'Arnoldus Saxo, in: C. Steel, G. Guldentops, P.
Beullens (Hrsg.), Aristotle's Animals in the Middle Ages
and Ren. (= Mediaevalia Lovaniensia, Series I/Studia
XXVII), 1999, 126–158 **48** Dies., Introduction à l'étude
d'Arnoldus Saxo et aux sources du »De floribus rerum
naturalium«, in: C. Meier (Hrsg.), Die Enzyklopädie im
Wandel vom Hoch-MA bis zur Frühen Neuzeit (=
Münstersche MA-Schriften, Bd. 78), 2002, 85–121 **49** A. v.
den Driesch, Gesch. der Tiermedizin. 5000 J.
Tierheilkunde, 1989 **50** I. Düring, Aristoteles, 1966
51 G. Eis, Ma. Fachlit., ²1967 **52** H. Eisenstein, Einführung
in die arab. Zoographie. Das tierkundliche Wissen in der
arab.-islamischen Lit., 1991 **53** G. Endress, Die wiss. Lit.,
in: H. Gätje (Hrsg.), Grundriß der Arab. Philol., Bd. 2:
Literaturwiss., 1987, 400–506 **54** K.-D. Fischer, Ancient
Veterinary Medicine, in: Medizinhistor. Journ. 23, 1988,
191–209 **55** R. Froehner, Kulturgesch. der Tierheilkunde,
Bd. 1, 1952 **56** W. Gemoll, Unt. über die Quellen, den
Verfasser und die Abfassungszeit der Geoponica (= Berliner
Stud. für classische Philol. und Arch., Bd. 1,1, Berlin 1883),
Ndr. 1972 **57** A. Giese (Hrsg.), Iḫwān aṣ-Ṣafāʾ. Mensch und
Tier vor dem König der Dschinnen. Aus den Schriften der
Lauteren Brüder v. Basra, 1990 **58** G. Guldentops, The
Sagacity of the Bees. An Aristotelian Topos in
Thirteenth-Century Philosophy, in: C. Steel, G.
Guldentops, P. Beullens (Hrsg.), Aristotle's Animals in
the Middle Ages and Ren. (= Mediaevalia Lovaniensia,
Series I/Studia XXVII), 1999, 275–296 **59** G. Harig, Byz.
Medizin, in: A. Mette, I. Winter (Hrsg.), Gesch. der
Medizin, 1968 **60** N. Henkel, Stud. zum Physiologus im
MA, 1976 Ders. et al., s. v. Bestiarium, in: LMA, Bd. 1,
1980, Sp. 2072–2080 **62** G. Hentz, Les sources grecques
dans les écrits des agronomes latins, in: Ktema 4, 1979,
151–160 **63** H. Herter, Kallimachos aus Kyrene, in: RE,
Suppl. V, Sp. 386–452 **64** C. Hünemörder, Die Bed. und
Arbeitsweise des Thomas v. Cantimpré und sein Beitr. zur
Naturkunde des MA, in: Medizinhistor. Journ. 3, 1968,
345–357 **65** Ders., Die Gesch. der Fischbücher v. Aristoteles
bis zum E. des 17. Jh., in: Dt. Schiffahrtsarchiv I, 1975,
185–200 **66** Ders., Die Z. des Albertus Magnus in:
G. Meyer, A. Zimmermann (Hrsg.), Albertus Magnus
Doctor Universalis 1280/1980 (= Walberger Stud., Philos.
Reihe, Bd. 6), 1980, 235–248 **67** Ders., Aristoteles B. I., in:
LMA, Bd. 1, 1980, Sp. 939f. **68** Ders., Ant. und ma.
Enzyklopädien und die Popularisierung naturkundlichen
Wissens, Sudhoffs Archiv 65, 1981, 339–365 **69** Ders., Die
Vermittlung medizinisch-naturwiss. Wissens in
Enzyklopädien, in: N. R. Wolf (Hrsg.),
Wissensorganisierende und wissensvermittelnde Lit. im MA
(= Wissenslit. im MA, Bd. 1), 1987, 255–277 **70** Ders.,
Thomas v. Aquin und die Tiere, in: A. Zimmermann
(Hrsg.), Thomas v. Aquin (Miscellanea mediaevalia), 1988,
192–210 **71** Ders., Zur empirischen Grundlage geistlicher
Naturdeutung, in: B. K. Vollmann (Hrsg.), Geistliche

Aspekte ma. Naturlehre (= Wissenslit. im MA, Bd. 15),
1993, 59–68 **72** Ders., Des Zisterziensers Heinrich v.
Schüttenhofen »Moralitates de naturis animalium«, in:
J. Domes et al. (Hrsg.), Licht der Natur. Medizin in Fachlit.
und Dichtung, FS für Gundolf Keil (= Göppinger Arbeiten
zur Germanistik, Nr. 585), 1994, 195–224 **73** Ders.,
Hochma. Kritik am naturkundlich Wunderbaren durch
Albertus Magnus, in: D. Schmidtke (Hrsg.), Das
Wunderbare in der ma. Lit. (= Göppinger Arbeiten zur
Germanistik, Nr. 606), 1994, 111–135 **74** Ders., Thomas v.
Cantimpré, in: Die dt. Lit. des MA. Verfasserlex., begründet
v. W. Stammler, hrsg. v. K. Ruh et al., Bd. 9, ²1995, Sp.
839–846 **75** Ders., Tierkunde, in: LMA, Bd. 8, 1997, Sp.
772–774 **76** Ders., Vinzenz v. Beauvais, in: LMA, Bd. 8,
1997, Sp. 1706f. **77** Ders., Der Text des Michael Scotus um
die Mitte des 13. Jh. und Thomas Cantimpratensis III, in:
C. Steel, G. Guldentops, P. Beullens (Hrsg.), Aristotle's
Animals in the Middle Ages and Ren. (= Mediaevalia
Lovaniensia, Series I/Studia XXVII), 1999, 238–248
78 Ders., Ist der Text v. Thomas III mehr als eine bloße
Kombination aus mehreren naturkundlichen
Enzyklopädien?, in: C. Meier (Hrsg.), Die Enzyklopädie im
Wandel vom Hoch-MA bis zur Frühen Neuzeit (=
Münstersche MA-Schriften, Bd. 78), 2002, 155–168
79 Ders., Thomas v. Cantimpré, in: Theologische
Realenzyklopädie, hrsg. v. G. Müller et al., Bd. 33, 2002,
477–480 **80** H. Hunger, Die hochsprachliche profane Lit.
der Byzantiner, Bd. 2 (= Byz. Hdb., Teil 5, Bd. 2), 1978
81 H. R. Jauss, Unt. zur ma. Tierdichtung (= Beih. zur
Zschr. für romanische Philol., H. 100), 1959 **82** G. Keil,
Ruffus, Jordanus, in: Die dt. Lit. des MA. Verfasserlex.,
begründet v. W. Stammler, hrsg. v. K. Ruh et al., Bd. 8,
²1992, Sp. 377f. **83** O. Keller, Die ant. Tierwelt, Bd. 1–2,
1909–1913, Ndr. 1963 **84** T. W. Köhler, Die
wissenschaftstheoretische und inhaltliche Bed. der
Rezeption v. De animalibus für den
philos.-anthropologischen Diskurs im 13. Jh., in: C. Steel,
G. Guldentops, P. Beullens (Hrsg.), Aristotle's Animals in
the Middle Ages and the Ren. (= Mediaevalia Lovaniensia,
Series I/Studia XXVII), 1999, 249–274 **85** L. Kopf, The
Zoological Chapter of the Kitāb al-Imtāʿ wa-l-Muʾānasa of
Abū Ḥayyān al-Tauḥīdī (10th century), in: Osiris 12, 1956,
390–466 **86** Ders., The Zoological Chapter of the Kitāb
al-Imtāʿ wa-l-Muʾānasa of Abū Ḥayyān al-Tauḥīdī, in:
L. Kopf, Stud. in Arabic and Hebrew Lexicography, hrsg. v.
M. H. Goshen-Gottstein, 1976, 47–125 **87** R. Kruk, On
Animals: Excerpts of Aristotle and Ibn Sînâ in Marwazî's
Ṭabâʾiʿal-Ḥayawân, in: C. Steel, G. Guldentops, P.
Beullens, Aristotle's Animals in the Middle Ages and
Ren. (= Mediaevalia Lovaniensia, Series I/Studia
XXVII), 1999, 96–125 **88** P. Kunitzsch, Über das
Frühstadium der arab. Aneignung ant. Gutes, in: Saeculum
26, 1975, 268–282 **89** Ders., Das Arab. als Vermittler und
Anreger europ. Wissenschaftssprache, in: Berichte zur
Wissenschaftsgesch. 17, 1994, 145–152 **90** A. Lesky, Gesch.
der griech. Lit., ²1966 **91** K. Lindner, Gesch. des dt.
Weidwerks, Bd. 1–2, 1937–1940 **92** Ders., De arte bersandi.
Ein Traktat des 13. Jh. über die Jagd auf Rotwild (= Quellen
und Studien zur Gesch. der Jagd, Bd. 1), 1954, ²1960
93 Ders., Die dt. Habichtslehre. Das Beizbüchlein und seine
Quellen (= Quellen und Stud. zur Gesch. der Jagd, Bd. 2),
1955 **94** Ders., Die Lehre v. den Zeichen des Hirsches (=
Quellen und Stud. zur Gesch. der Jagd, Bd. 3), 1956
95 Ders., Das Jagdbuch des Petrus de Crescentiis in dt.

Übers. des 14. und 15. Jh. (= Quellen und Stud. zur Gesch. der Jagd, Bd. 4), 1957 **96** Ders., Dt. Jagdtraktate des 15. und 16. Jh. (= Quellen und Studien zur Gesch. der Jagd, Bd. 5 und 6), 1959 **97** Ders., Dt. Jagdschriftsteller. Biographische und bibliographische Stud. (= Quellen und Stud. zur Gesch. der Jagd, Bd. 9), 1964 **98** K. LOKOTSCH, Etymologisches WB der europ. Wörter orientalischen Ursprungs, 1927 **99** G. LUDWIG, Cassiodor. Über den Ursprung der abendländischen Schule, 1967 **100** W. MAAZ, s. v. Konrad v. Mure, in: LMA, Bd. 5, 1991, Sp. 1362 f. **101** A. MITTERER, Die Entwicklungslehre Augustins im Vergleich mit dem Weltbild des hl. Thomas und dem der Gegenwart, 1956 **102** D. MÖLLER, Stud. zur ma. arab. Falknereilit. (= Quellen und Stud. zur Gesch. der Jagd, Bd. 10), 1965 **103** F. P. MOOG, Zur »Hornissen-Spinne« des Plinius, in: Sudhoffs Archiv 86, 2002, 220–228 **104** L. MOULÉ, Histoire de la médecine vétérinaire. Deuxième période: la médecine vétérinaire au Moyen Âge (476 à 1500), in: Bulletin de la Société Centrale de Médecine Vétérinaire 54, 1900, 44–64, 93–128, 243–256, 285–298 **105** R. NABIELEK, Biologische Kenntnisse und Überlieferungen im MA (4.–15. Jh.), in: I. JAHN et al. (Hrsg.), Gesch. der Biologie, ³1998, 2000, 88–160 **106** T.-M. NISCHIK, Das volkssprachliche Naturbuch im späten MA, 1986 **107** Y. V. O'NEILL, Another Look at the »Anatomia porci«, in: Viator 1, 1970, 115–124 **108** E. ODER, s. v. Geoponika, in: RE Halbbd. 13, Sp. 1221–1225 **109** Ders., Lebensbild des bedeutendsten altgriech. Veterinärs, in: Veterinärhistor. Jb. 2, 1926, 121–136 **110** R. S. OGGINS, Albertus Magnus on Falcons and Hawks, in: J. A. WEISHEIPL (Hrsg.), Albertus Magnus and the Sciences, 1980, 441–462 **111** A. M. I. VAN OPPENRAAY, Michael Scot's Arabic-Latin Translation of Aristotle's Books on Animals. Some Remarks Concerning the Relation Between the Translation and Its Arabic and Greek Sources, in: C. STEEL, G. GULDENTOPS. P. BEULLENS (Hrsg.), Aristotle's Animals in the Middle Ages and Ren. (= Mediaevalia Lovaniensia, Series I/Studia XXVII), 1999, 31–43 **112** R. PARET, An Nazzām als Experimentator, Islam 25, 1939, 228–233 **113** M. PAULMIER-FOUCART, Le plan et l'évolution du »Speculum maius« de Vincent de Beauvais: de la version bifaria à la version trifaria, in: C. MEIER (Hrsg.), Die Enzyklopädie im Wandel vom Hoch-MA bis zur Frühen Neuzeit (= Münstersche MA-Schriften, Bd. 78), 2002, 245–267 **114** C. PELLAT, Arab. Geisteswelt, 1967 **115** G. PETIT, J. THÉODORIDÈS, Histoire de la zoologie des origines à Linné (Histoire de la pensée, Bd. 8), 1962 **116** PH. PROVENÇAL, Observations Zoologiques de 'Abd al-Laṭīf al-Baġdādī, in: Centaurus 35, 1992, 28–45 **117** H. RITTER, R. WALZER, Arab. Übers. griech. Ärzte in Stambuler Bibl., in: Sitzungsber. der Preußischen Akad. der Wiss., philol.-histor. Klasse, 26, 1934, 801–846 **118** M. H. SAFFRON, Salernitan Anatomists, in: C. C. GILLISPIE (Hrsg.), Dictionary of Scientific Biography, Bd. 12, 1975, 80–83 **119** G. SARTON, Introduction to the History of Science, Bd. 1–3,2, 1927–1948 **120** E. SAVAGE-SMITH, Attitudes toward Dissection in Medieval Islam, in: Journal of the History of Medicine 50, 1995, 67–110 **121** H. SCHIPPERGES, Die Assimilation der arab. Medizin durch das lat. MA (= Sudhoffs Archiv, Beih. 3), 1964 **122** Ders., Arab. Medizin im lat. MA (Sitzungsber. der Heidelberger Akad. der Wiss., mathematisch-naturwiss. Klasse, 2. Abh.), 1976 **123** H. H. SCHÖFFLER, Die Akad. v. Gondischapur. Aristoteles auf dem Wege in den Orient (= Logoi, Bd. 5), ²1980 **124** S. SCHWENK et al. (Hrsg.), Et Multum et Multa,

Festgabe für Kurt Lindner, 1971 **125** Dies., s. v. Jagdtraktate, in: LMA, Bd. 5, 1991, Sp. 272–274 **126** G. E. SE BOYAR, Bartholomaeus Anglicus and his Encyclopedia, in: The Journ. of English and Germanic Philology 19, 1920, 168–189 **127** F. SEZGIN, Gesch. des arab. Schrifttums, Bd. 3: Medizin – Pharmazie – Z. – Tierheilkunde bis ca. 430 H., Bd. 8. Lexikographie bis ca. 430 H., 1970 (jeweils mit bibliographischen Angaben zu den einzelnen Autoren) **128** E. SKARD, Nemesiosstud., Teil 1–5, in: Symbolae Osloenses 15/16, 1936, 23–43; 17, 1937, 9–25; 18, 1938, 31–41; 19, 1939, 46–56; 22, 1942, 40–48 **129** J. DE SOMOGYI, Ad Damīrī's Ḥayāt al-ḥayawān: An Arabic Zoological Lexicon, in: Osiris 9, 1950, 33–43 **130** C. STEEL, Animaux de la Bible et animaux d'Aristote. Thomas d'Aquin sur Béhémoth l'éléphant, G. STEEL, G. GULDENTOPS, P. BEULLENS (Hrsg.), Aristotle's Animals in the Middle Ages and Ren. (= Mediaevalia Lovanensia, Series I/Studia XXVII), 1999, 11–30 **131** G. STEER, Das »Buch v. den natürlichen Dingen« Konrads v. Megenberg – ein »Buch der Natur«?, in: C. MEIER (Hrsg.), Die Enzyklopädie im Wandel vom Hoch-MA bis zur Frühen Neuzeit (= Münstersche MA-Schriften, Bd. 78), 2002, 181–188 **132** E. L. DE STEFANI, Per l'Epitome Aristotelis De animalibus di Aristofane di bizanzio, in: Studi italiani di filologia classica 12, 1904, 421–445 **133** A. STEIER, Die Tierformen des Plinius, in: Zoologische Annalen 5, 1912, 1–66 **134** G. STROHMAIER, »Von Alexandrien nach Bagdad« – eine fiktive Schultrad., in: J. WIESNER (Hrsg.), Aristoteles Werk und Wirkung. Paul Moraux gewidmet, Bd. 2, 1987, 380–389 **135** J. THÉODORIDÈS, La Parasitologie et la Z. dans l'œuvre d'Avenzoar, in: Revue d'Histoire des Sciences et de leur Application 8, 1955, 137–145 **136** Ders., Sur le 13ième Livre du Traité d'Aétios d'Amida, médecin byzantin du VIième siècle, in: Janus 97, 1958, 221–237 **137** Ders., L'iconographie zoologique dans les manuscrits médicaux byzantins, in: Actes 17ième Congrès International d'Histoire de la Médecine, 1, 1960, 331–335 **138** L. THORNDIKE, Michael Scot, 1965 **139** M. ULLMANN, Die Medizin im Islam (Hdb. der Orientalistik, 1. Abteilung. Der Nahe und der Mittlere Osten, Ergänzungsbd. VI, 1), 1970 (mit Spezialbibliogr.) **140** Ders., Die Natur- und Geheimwiss. im Islam (Hdb. der Orientalistik, 1. Abteilung. Der Nahe und der Mittlere Osten, Ergänzungsbd. VI, 2), 1972 (mit Spezialbibliogr.) **141** G. VAN VLOTEN, Ein arab. Naturphilosoph im 9. Jh. Dt. Übertragung aus dem Holländischen mit Zusätzen v. O. RESCHER, 1918 **142** K. VOGEL, Byzantine Science, in: J. M. HUSSEY (Hrsg.), Cambridge Medieval History, Volume IV Part II: Government, Church and Civilization, 1967, 264–305 **143** B. K. VOLLMANN, Enzyklopädie im Wandel: Thomas v. Cantimpré, De natura rerum, in: C. MEIER (Hrsg.), Die Enzyklopädie im Wandel vom Hoch-MA bis zur Frühen Neuzeit (Münstersche MA-Schriften, Bd. 78), 2002, 169–180 **144** VOLLMER, s. v. Grattius (2), in: RE, Halbbd. 14, Sp. 1841–1846 **145** M. WEBER, Konrad v. Megenberg, Leben und Werk, in: Beitr. zur Gesch. des Bistums Regensburg 20, 1986, 213–324 **146** U. WEISSER, The Embryology of Yūḥannā ibn Māsawaih, in: Journ. for the History of Arabic Science 4, 1980, 9–22 **147** M. WELLMANN, Dorion, in: Hermes 23, 1888, 179–193 **148** Ders., Alexandros v. Myndos, in: Hermes 26, 1891, 481–566 **149** E. WIEDEMANN, Beschreibung v. Schlangen bei Ibn Quff, in: Sitzungsber. der Physikalisch-Medizinischen Sozietät zu Erlangen 48/49,

1916/17, 61–64 (Ndr. in: Ders., Aufsätze zur arab. Wissenschaftsgesch., hrsg. v. W. FISCHER, Bd. 2, 1970, 275–278) **150** Ders., Über die Kriechtiere nach al-Qazwînî nebst einigen Bemerkungen über die zoologischen Kenntnisse der Araber, in: Sitzungsber. der Physikalisch-Medizinischen Sozietät zu Erlangen 48/49, 1916/17, 228–285 (Ndr. in: Ders., Aufsätze zur arab. Wissenschaftsgesch., hrsg. v. W. FISCHER, Bd. 2, 1970, 314–371 **151** S.D. WINGATE, The medieval Latin versions of the Aristotelian scientific corpus, with special reference to the biological works, 1931 **152** W. WOLSKA, La topographie chrétienne de Cosmas Indicopleustes (= Bibliothèque byzantine, Études 3), 1962 **153** M. ZONTA, The Zoological Writings in the Hebrew Trad. The Hebrew Approach to Aristotle's Zoological Writings and to their Ancient and Medieval Commentators in the Middle Ages, in: C. STEEL, G. GULDENTOPS, P. BEULLENS (Hrsg.), Aristotle's Animals in the Middle Ages and Ren. (= Mediaevalia Lovaniensia, Series I/Studia XXVII), 1999, 44–68. 　　　　　　　　　　　　BRIGITTE HOPPE

Zoroastres/Zoroastrismus A. ANTIKE B. MITTELALTER C. RENAISSANCE D. 17. JAHRHUNDERT E. AUFKLÄRUNG F. ROMANTISCHE DICHTUNG G. (PANTHEISTISCHE) NATURPHILOSOPHIE H. NIETZSCHE UND DIE FOLGEN I. BILDER J. SPEZIALFORSCHUNG

A. ANTIKE

Die westl. Rezeptionsgeschichte der Z.-Gestalt und der sich auf sie berufenden rel. Traditionen, die Religion Zarathustras, auch Zoroastrismus oder Mazdaismus genannt, beginnt mit den griech. Berichten [2; 6]. Frühe Beispiele sind Herodots Beschreibung der *nomoi* der Perser und die bei Diogenes Laertios (1,2) überlieferte Nachricht von Xanthos dem Lydier, wonach Zoroastres (Zaraθuštra) – es gibt mehrere griech. Varianten des Namens – 6000 J. nach Xerxes' Überquerung des Hellesponts gelebt habe. Die Mag(i)er bzw. die Magie waren ein Themenbereich, bei dem sich griech. Diskurse mit Informationen über die persische Religion überlagerten: Die entsprechenden Termini beziehen sich schon früh sowohl auf die persischen Ritualexperten – die Mager (Magi) – und ihre Tätigkeiten (so etwa bei Herodot) als auch auf die Handlungen von Magiern, Zauberern und Scharlatanen (so etwa bei Aischylos, Sophokles und Euripides). Alteritätsbegründende Heterostereotype über die Perser, die von der griech. Lit. bis in die mod. europ. Geschichte tradiert werden, sind die anikonische Götterverehrung, die Verehrung der Elemente und der Himmelskörper, die Bestattungspraktiken und die Eheschließungen zw. Geschwistern, Mutter und Sohn sowie Vater und Tochter, die in mittelpersischen zoroastrischen Quellen unter dem Begriff *xwēdōdah* als rel. Tugend gepriesen werden [6. 424 ff.]. Z. wird von mehreren Quellen mit Platon und Pythagoras in Verbindung gebracht. Bei jüd. Autoren begegnen Identifikationen mit Ezechiel, Nimrod, Balaam,

Baruch, Jeremiah. Diese und ähnliche Identifikationen sind ein Topos auch der späteren europ. Rezeptionsgeschichte, wobei oft mehrere Träger des Namens unterschieden werden [11. 328 ff.]. Schon im 2. Jh. v. Chr. waren Z.-Pseudepigraphen im Umlauf [1]. In der europ. Neuzeit sind weitere Z.-Pseudepigraphen entstanden [11. 962 ff.].

B. MITTELALTER

In den Texten der Kirchenväter (z. B. Hieronymus, Augustinus) und ma. Chroniken (z. B. bei Isidor von Sevilla, Hrabanus Maurus, Gregor von Tours, Hugo von Sainct Victor, Petrus Comestor, Otto von Freising, Gottfried von Viterbo, Roger Bacon, Vinzenz von Beauvais) [11. 439 ff.] beschränkt sich die Z.-Rezeption auf ein topisches Inventar folgender, aus der ant. Überlieferungsgeschichte entnommener Informationen, die überwiegend negativ konnotiert werden: Z., der bei seiner Geburt gelacht habe, wird mit einem Individuum noahidischer Abstammung (Ham, Mizrajim, Kusch, Nimrod) identifiziert, er gilt als baktrischer König, der gegen Ninos Krieg geführt habe und dabei ums Leben gekommen sei. Er steht für die Erfindung der Magie und des Feuerkults, habe zwei Millionen Verse verfaßt und die → Artes liberales auf 14 Säulen niedergeschrieben. Er habe sich als Gott darstellen wollen, sei aber von dem Dämon, den er dabei übermäßig konsultiert habe, verbrannt worden.

C. RENAISSANCE

Mit der Ren. gewinnt die Z.-Rezeptionsgeschichte deutlich an Treibkraft. Das liegt nicht zuletzt an der (Wieder-) Entdeckung ant. Quellen (v. a. Plutarch und Eusebios). Darüber hinaus schreibt Gemistos Plethon († 1454) [11. 35 ff.] die Chaldäischen Orakel dem Z. zu, der damit sein wichtigstes neuzeitliches Pseudepigraph erhält. Die Geschichte der Chaldäischen Orakel läuft mit der der Hermetica weitgehend parallel, und mit Hermes Trismegistos teilt der im Vergleich mit ihm ältere, weil prä-abrahamitische Z. weite Strecken der neuzeitlichen Rezeptionsgeschichte (bis hin zur mod. Esoterik). Z. ist dabei ein fester Bestandteil der philos. Exegese des it. Neoplatonismus, der, von Ficino (1433–1499) [11. 93 ff.] ausgehend, bei Patrizi (1529–1597) [11. 291 ff.] seinen Höhepunkt erreicht. Das apologetische Modell der *prisca theologia* hat zwar eine lange Nachgeschichte, die affirmative Rhet. des Neoplatonismus, die mit Spekulationen über das Verhältnis von christl. Trinität und »zoroastrischer« Triadik [11. 397 ff.] sowie einer Faszination für die Magie [11. 503 ff.] einhergeht, kann sich aber in der Folge gegenüber dem Diskurs der Gegenreformation nicht mehr behaupten. Dementsprechend wechselt die emphatische Z.-Rezeption – auch im protestantischen Umkreis, etwa bei Franckenberg (1593–1652) [11. 393 ff.] – in den Bereich der Heterodoxie.

D. 17. JAHRHUNDERT

Im Rahmen der »Paganologie« (J. Assmann) des 17. Jh. nimmt die apologetische Tendenz, verstärkt durch den aufkommenden Orientalismus und Antiqua-

rianismus, eine negative Wendung [15]: Die Zuschreibung der Chaldäischen Orakel an Z. wird in Frage gestellt, Z. gilt als Betrüger (oder auch als ein Double des
Moses), seine Lehre als »Idololatrie« und Feueranbe-
tung. Ein neuer Problembereich ist die Zweiprinzipi-
enlehre (»Dualismus«): Zumeist vehement abgelehnt,
nimmt sie bei P. Bayle (1647–1706) die Form eines mit
rationalen Mitteln allein nicht widerlegbaren Gedan-
kenexperiments an [12]. Thomas Hyde (1636–1703),
der Verfasser der ersten Monographie über die altiranische Religionsgeschichte (1700), rehabilitiert demgegenüber die »alten Perser«: sie seien »orthodox«, und Z.
sei die Geburt des Messias prophezeit worden
[11. 581 ff.; 15]. Eine neue Komponente in der Rezeptionsgeschichte sind seit dem 17. Jh. die Ber. europ.
Orient-Reisender (Händler, Missionare, Abenteurer
usw.) [5].

E. AUFKLÄRUNG

Die kritische Auseinandersetzung mit dem Zoroastrismus setzt sich auch bei Gelehrten der Aufklärungszeit fort. Bei mehreren Aufklärern (z.B. Diderot, Voltaire) stoßen Z. und seine Religion auf ein neues ideo-
logisches Interesse. Voltaire (1694–1778) verweist in
vielen lit. und philos. Texten auf Z., wobei die Wertungen zw. Verherrlichung bzw. Identifikation und abschätzigen Bemerkungen variieren [11. 901 ff.; 16]. Im
18. Jh. begegnet der Rekurs auf Z. in einer Vielzahl von
Textgattungen, u. a. in Vatizinien [11. 837 f.], polit. Pro-
pagandaschriften [13], → Tragödien und der → Oper
[11. 869ff; 9. 85 ff.], so etwa – mit durchaus gegensätzlichen Rezeptionsweisen – in Händels *Orlando* (1732–
33: Z. als Magier) oder in Rameaus *Zoroastre*
(1749/1756: Z. als Vertreter einer Religion der Liebe).
Die Gestalt des Sarastro in Mozarts *Zauberflöte*, bei der
sich nicht mit Sicherheit sagen läßt, ob sie auf »Z.« zurückgeht (zu den Quellen: [9. 124ff.]) – Mozart hatte
im Wiener Karneval 1786 »Bruchstücke aus Zoroasters
Fragmenten« zur moralischen Erbauung verteilt
[9. 201 ff.]! – exemplifiziert die Dialektik von Aufklärung und Geheimnis [16. 137ff.].

F. ROMANTISCHE DICHTUNG

Mit Anquetil Duperrons *Zend-Avesta* (1771) [11
790 ff.] – das Werk enthält u. a. die erste frz. Übers. zoroastrischer Schriften – begann eine neue Phase der
Auseinandersetzung mit dem Zoroastrismus. Während
die wiss. Relevanz des *Zend-Avesta* zunächst verkannt
wurde [11. 809ff.], stimulierte es rasch die poetische
Phantasie. Insbesondere die engl. Romantiker machten
ausgiebig von dem Buch Gebrauch. Zoroastrische Einflüsse auf W. Blake (1757–1827) werden in der Forsch.
diskutiert [9. 155ff]. Explizite Verweise auf Z. bzw. Zo-
roastrisches begegnen bei Lord Byron (1788–1824), Th.
Moore (1779–1852; *The Fire Worshippers*, in *Lalla Ro-
okh*), Th.L. Peacock (1785–1866), P.B. Shelley (1792–
1822) und J. Keats (1795–1821) [9. 157ff.]. Dabei ist ein
neues Interesse an Ahreman, dem finsteren Gegenspieler des Gottes Ohrmazd, zu vermerken: Peacock schrieb
ein unvollendetes Gedicht *Ahrimanes* (1813–14), und G.

Leopardi (1798–1837) verfaßte 1833 ein Gedicht *Ad
Arimane* (›Re delle cose, autor del mondo, arcana/Mal-
vagità . . .‹), in dem sich der Dichter als ›l'apostolo della
tua religione‹ ausgibt [7. 685 f.]. In der Prosasatire *Ormus
och (und) Ariman* (in *Törnrosens Bok*, 1832–1851) identifiziert sich C.J.L. Almqvist (1793–1866) mit der Figur
des aufsässigen, aber fortschrittlichen »Ariman«, wohingegen »Ormus« als dummer, langweiliger Formalist gezeichnet wird.

G. (PANTHEISTISCHE) NATURPHILOSOPHIE

Anquetils Indien-Expedition und die daraus resultierende Publikation des *Zend-Avesta* wurden von Herder
(1744–1803) begeistert aufgegriffen [4]. Von hier aus
führen rezeptionsgeschichtliche Linien zu den Mytho-
graphen Creuzer, Görres und Rhode, und es entsteht
eine inhaltliche Nähe zu naturphilos. bzw. pantheistischen Theoremen. In den *Noten und Abhandlungen zum
besseren Verständnis des West-östl. Divans* schreibt J.W.
Goethe (1749–1832) in der Sektion *Ältere Perser*: ›Auf
das Anschauen der Natur gründete sich der alten Parsen
Gottesverehrung‹. Diese ›edle reine Naturreligion‹ sei
wohl von Z. ›zuerst in einen umständlichen Kultus verwandelt worden‹, für den Goethe wenig Sympathie auf-
bringen kann. Im *Parsi Nameh * Buch des Parsen* des *Divans* begegnen Motive wie Sonnenverehrung, Fleiß und
Reinheit [9. 150ff.]. Der Philosoph G.Th. Fechner
(1801–1887) konzediert in Hinblick auf sein dreibän-
diges *Zend-Avesta oder über die Dinge des Himmels und des
Jenseits* (1851): ›Man mag die Grundansicht dieser Schrift
eine pantheistische nennen‹ [3. XI.]. Er spricht von der
›Naturreligion des Zend-Avesta‹ und bezeichnet sein
Werk als ›ein neuer Zend-Avesta‹ [3. V.].

H. NIETZSCHE UND DIE FOLGEN

Friedrich Nietzsches (1844–1900) *Also sprach Zarathustra* (1883–1885) markierte einen folgenschweren
Einschnitt: Die Z.- bzw. Zarathustra-Rezeption verwandelte sich in eine Nietzsche-Rezeption. Nietzsche
stand eine Vielzahl ant. und mod. Quellen zur Verfügung [9. 173ff.], die er teilweise in seinen *Zarathustra*
eingearbeitet hat. Das Buch greift einige zoroastrische
Motive auf, u.a. zoroastrische Z.-Legenden [9. 181ff.;
10. 1ff.], die es einer grundlegenden »Umwertung« unterzieht. In *Ecce homo* schreibt er rückblickend: ›Man hat
mich nicht gefragt, man hätte mich fragen sollen, was
gerade in meinem Munde, im Munde des ersten Im-
moralisten, der Name *Zarathustra* bedeutet: denn was
die ungeheure Einzigkeit jenes Persers in der Geschichte
ausmacht, ist gerade dazu das Gegenteil. Zarathustra hat
zuerst im Kampf des Guten und des Bösen das eigentliche Rad im Getriebe der Dinge gesehn, – die Übers.
der Moral ins Metaphysische, als Kraft, Ursache, Zweck
an sich, ist *sein* Werk. Aber diese Frage wäre im Grunde
bereits die Antwort. Zarathustra *schuf* diesen verhäng-
nisvollsten Irrthum, die Moral: folglich muss er auch der
erste sein, der ihn *erkennt*. Nicht nur, dass er hier länger
und mehr Erfahrung hat, als sonst ein Denker – die ganze Geschichte ist ja die Experimental-Widerlegung vom
Satz der sogenannten »sittlichen Weltordnung« –: das

Wichtigere ist, Zarathustra ist wahrhaftiger als sonst ein Denker (...)‹ [8.367]. Nietzsches Werk hat eine ganze Reihe von Nach- bzw. Weiterdichtungen (z.B. von H. Hesse) angeregt (Angaben bei [10.Anm. 2]). Durch die Tondichtung von R. Strauss erhielt die Faszinationsgeschichte eine akustische Dimension. Nietzsches Buch wurde anscheinend auch als rel. Text verwendet. Zoroastres bzw. Zarathustra begegnet darüber hinaus in Texten mod. rel. Bewegungen (Anthroposophie, Theosophie, OHASPE, Gralsbewegung, Osho) sowie in der Fantasy-Lit. (H.W.Franke, *Zarathustra kehrt zurück*, 1977).

I. BILDER

Eine optische Rezeptionsgeschichte der Z.-Figur ist seit dem MA, verstärkt seit der Ren. zu beobachten, wobei Z. als König, Magier, Astrologe, Weiser und Satanskämpfer in den Blick gerät [14.341ff.]. Folgenreich war Bendemanns Gemälde im Thronsaal des Dresdener Schlosses [14.351ff.], da dieses Porträt auch bei den Zarathustriern lebhaft rezipiert wurde.

J. SPEZIALFORSCHUNG

Seit ihren Anfängen bei Hyde (1700) und Anquetil Duperron (1771) hat die Erforsch. der altpersischen, altiranischen oder zoroastrischen Religionsgeschichte einerseits an allg. rezeptionsgeschichtlichen Entwicklungen partizipiert und diesen andererseits neue Impulse verliehen sowie neue Materialien vermittelt. Das Berufsethos insbes. der seit der zweiten H. des 19. Jh. einsetzenden philol. Spezialforsch. ist von der Attitüde geprägt, der methodisch-»objektive« Blick auf die Texte könne diese selbst zum Sprechen bringen. Unter veränderten methodischen Vorzeichen erweist sich der Diskurs der Spezialforsch. jedoch als ein eigenes rezeptionsgeschichtliches Genre, das ebenfalls an den faszinationsgeschichtlichen Mythen mitstrickt.

→ Iranistik; Magie; Naturphilosophie; Okkultismus; Paganismus

→ AWI Avestaschrift; Dämonologie D. Chaldäische Orakel; Iran; Magie; Magier; Mani, Manichäer C. Grundgedanken und Nachwirkung; Religion V. Iran D. Zarathustra; Zoroastres; Zoroastrismus

1 R. BECK, Thus Spoke not Zarathuštra, in: M. BOYCE, F. GRENET (Hrsg.), A History of Zoroastrianism III, 1991, 491–565 2 J. BIDEZ, F. CUMONT, Les mages hellénisés I–II, 1938 (=1973) 3 G. TH. FECHNER, Zend-Avesta oder über die Dinge des Himmels und des Jenseits, Leipzig 1851 4 U. FAUST, Myth. und Religionen des Ostens bei Johann Gottfried Herder, 1977, 103–145 5 N. K. FIRBY, European Travellers and their Perceptions of Zoroastrians in the 17th and 18th Centuries, 1988 6 A. DE JONG, Traditions of the Magi, 1997 7 G. LEOPARDI, Poesie e prose, 1988 8 F. NIETZSCHE, Ecce homo, § 2, Kritische Studienausgabe Bd. 6, 1986 9 J. ROSE, The Image of Zoroaster, 2000 10 M. STAUSBERG, Die Religion Zarathushtras I, 2002 11 Ders., Faszination Zarathushtra I–II, 1998 12 Ders., Pierre Bayle (1647–1706) und die Erfindung des europ. Neomanichäismus, in: R. E. EMMERICK, W. SUNDERMANN, P. ZIEME (Hrsg.), Studia Manichaica, 2000, 582–590 13 Ders., The Revolutions of an Island, in: D. LÜDDECKENS (Hrsg.): Begegnung von Religionen und Kulturen, 1998, 157–169 14 Ders., Über religionsgeschichtliche Entwicklungen zarathushtrischer Ikonographien, in: P. SCHALK (Hrsg.), Being Religious and Living through the Eyes, 1998, 329–360 15 Ders., Von den Chaldäischen Orakeln zu den Hundert Pforten und darüber hinaus, in: Archiv für Religionsgeschichte 3, 2001, 257–272 16 Ders., Zoroaster im 18. Jh., in: M. NEUGEBAUER-WÖLK (Hrsg.), Aufklärung und Esoterik, 1999, 117–139.

MICHAEL STAUSBERG

Zypern　I. ALLGEMEINES: ALTERTUM UND MITTELALTER　II. BILDUNG UND WISSENSCHAFT

I. ALLGEMEINES: ALTERTUM UND MITTELALTER

Die Insel Z. war aufgrund ihrer strategischen Lage immer ein Ort, an dem die Vormachtansprüche verschiedener Mächte des östl. Mittelmeeres aufeinandertrafen. Neben den seit dem 12. Jh. v. Chr. zunehmend prägenden Griechen hinterließen im Alt. Phönizier, Assyrer, Ägypter, Perser und Römer, im MA Araber, Franken und Venezianer sowie in der Neuzeit Türken und Briten in unterschiedlichem Maße Spuren in der Kultur der Insel und bestimmten weitgehend deren histor. Schicksal. Das Aufkommen und die Verbreitung einer nationalbewußten Ideologie unter der griech. Bevölkerung im 19. Jh., die streckenweise auch nationalistische Formen annahm (wie in der Vorstellung von Z. als einem geogr. und histor. rein griech. Gebilde ohne Kontinuitätsbruch), erzeugten die Forderung nach einer Vereinigung mit dem griech. Nationalstaat (Enosis). Hauptträger dieser Ideologie, die auch mit der Antikerezeption eng zusammenhing, war die orthodoxe Kirche. Die zunächst auf die Befreiung vom Osmanischen Reich gerichtete Bewegung nahm nach 1878 allmählich die Form eines Aufstands gegen die britische Kolonialherrschaft an, hatte jedoch schließlich den Ausbruch ethnischer Konflikte zur Folge. Diese konnten auch durch die Ausrufung der unabhängigen Republik im J. 1960 nicht gedämpft werden, sondern kulminierten in dem durch die griech. Militärdiktatur (1967–1974) initiierten Putsch und der dadurch verursachten Intervention der Türkei (1974), die de facto zur Spaltung der Insel in zwei Teile führte. Die dadurch begründeten Umsiedlungen sowie die Zerstörung und der Raub von Antiquitäten haben das (mit Ausnahme weniger Gemeinden) praktisch vollständige Verschwinden der griech. Kultur und Sprache im besetzten Nordteil der Insel bewirkt, was im Süden – in der nach internationalem Recht allein anerkannten Republik Z. – die Stellung der griech. Kultur als ausschließlich nationales Identitätskonzept vollständig verfestigt hat.

Das Fortbestehen der griech. Sprache von der myk. Epoche bis zur Gegenwart und das Bekenntnis zur Orthodoxie sind für die heutige griech. Bevölkerung Z. die bestimmenden Faktoren für das griech. Identitätsgefühl. Die Insellage und die Entfernung vom griech. Festland wiesen Z. eine Randposition zu, die je nach der herrschenden Obrigkeit zu der langen Dauer der unterschiedlichen Akkulturationsprozesse führte. Die seit dem 3. Jt. erfolgte Anbindung an die ägäische Welt prägte das griech. Element Z. auf sprachlicher und kultureller Ebene tiefgreifend (z. B. das Fortbestehen der kyprischen Silbenschrift bis zum 3./2. Jh. v. Chr. oder die archa. polit. Struktur mit halbautonomen Lokalherrschaften, die bis in die ptolemäische Zeit reichten). Einige Inschr. bezeugen die Existenz nicht-griech. Idiome bis in den Hell. hinein und spiegeln eine bis dahin fortdauernde ethnische Vielfalt wider, obgleich das griech.-sprachige Element immer vorherrschte und in hell. und osmanischer Zeit das Griech. zugleich die Hauptsprache der Insel blieb. Das Verschwinden des Systems der autonomen Königtümer öffnete den Weg für das Modell des Stadtstaates. Zypern wurde mit seiner Annexion durch Rom (58 v. Chr.) zu einer senatorischen Provinz; diesen Status behielt es bis zur Regierung Diokletians. In der Spätant. war Z. eine Provinz der östl. Reichspräfektur, und mit Justinian fiel es unter die Jurisdiktionsgewalt des *quaestor exercitus* (536). Justinian erklärte die Autokephalie der zypriotischen Kirche, die sich auf das Bestehen einer frühen kirchlichen Lokalhierarchie (325) und die Trad. der Evangelisierung durch den Apostel Barnabas beruft. Die Autokephalie wird seitdem als Garantie der Unabhängigkeit und Hauptkennzeichen der griech. Identität auf der Insel empfunden. Z. wurde in byz. Zeit mit kolonialem Status verwaltet; es galt als reines Agrargebiet. Die lat. Herrschaft (1191–1489) vermochte es trotz der in der *Bulla Cypria* diktierten Unterwerfung unter Rom nicht, das griech.-byz. Identitätsgefühl der orthodoxen Kirche Z. zu beseitigen, die ihre Autokephalie mit der osmanischen Eroberung von 1571 wiedererlangte. Die byz. Elite und ein Teil ihrer lokalen Anhängerschaft emigrierten nach der Eroberung durch Richard Löwenherz (1191) nach Konstantinopel. Der Exodus verstärkte sich nach dem vierten Kreuzzug (1204) – in diesem Falle in Richtung Nizäa, wie der Patriarch Gregorios von Z., eine der entscheidenden Gestalten in der Überlieferung der klass. Texte während der Paläologen-Renaissance, bezeugt.

→ AWI Zypern

1 C. N. Constantinides, R. Browning, Dated Greek Manuscripts from Cyprus to the Year 1570, 1993
2 B. Englezakis, Stud. on the History of the Church of Cyprus 4th–20th Centuries, 1995 3 A. Gazioğlu, The Turks in Cyprus, 1990 4 J. Hackett, A History of the Orthodox Church of Cyprus, 1901 (Ndr. 1972) 5 G. Hill, A History of Cyprus, Cambridge, 4 Bde., 1940–1952 6 C. P. Kyrris, Greek Cypriot Identity, Byzantium and the Latins 1192–1489, ByzF 19, 1993, 229–248 7 T. B. Mitford, Roman Cyprus, in: ANRW II, 1980, 1285–1384 8 I. Pérez Martín, El patriarca Gregorio de Chipre y la transmisión de los textos clásicos en Bizancio, 1996.

P. BÁDENAS DE LA PEÑA / Ü: PETER KUHLMANN

II. BILDUNG UND WISSENSCHAFT

Unter der türk. Herrschaft hatte die orthodoxe Kirche allein die Verantwortung für die Bildung der Griechen. Der Einfluß der lat. Kirche auf Z. nahm allmählich ab, dennoch ließen der starke Rückgang der Bevölkerung der Insel (Mitte des 17. Jh.) sowie soziale und polit. Unruhen, die sich in der 2. H. des 18. Jh. zuspitzten, kein nennenswertes kulturelles Leben vor den Anf. des 19. Jh. entstehen. Einen neuen Aufbruch signalisiert die Gründung (1812) des ersten griech. Gymnasiums in der Hauptstadt Nikosia auf Initiative des Erzbischofs Kyprianos (1810–1821), der in der Walachei studiert hatte. Seit dem griech. Freiheitskampf und der Gründung des griech. Nationalstaats (und trotz wiederholter Enttäuschungen aus der griech. Diplomatie in der Frage der polit. Zukunft der Insel) empfängt Z. aus Griechenland reichlich ideologische Anregungen, die für das Nationalbewußtsein der Zyprioten maßgebend sind. Wie in Griechenland blieben auch auf Z. die Bildungsideale im 19. Jh. weitgehend human. und klassizistisch orientiert – auch gegen die mehr praktisch orientierten Tendenzen der Briten. Der im Zusammenhang des griech. Irredentismus entstandene Wunsch nach Vereinigung mit Griechenland (Enosis), der nach der Ankunft der Briten (1878) verstärkt zum expliziten Ziel der Kirche und konservativer, zeitweise aber auch liberaler und sozialistischer Politiker wurde, machten das Bildungssystem zu einem Feld, wo die entgegengesetzten Interessen von Briten und Zyprioten aufeinandertrafen.

Die in Venedig entstandene und veröffentlichte *Chronologische Geschichte der Insel Z.* (1788) des Archimandriten Kyprianos, die erste synthetische histor. Monographie in griech. Sprache aus der Zeit der Türkenherrschaft überhaupt, gehört zu den wichtigen Werken der griech. Aufklärung. Eine der Geschichte der Lusignan-Zeit von L. de Mas Latrie entsprechende Darstellung der zypriotischen Ant. gab es bis zu A. Sakellarios' *Kypriaka (oder Geographie, Geschichte und Sprache der Insel Z. seit der Ant. bis zur Gegenwart*, Athen 1891; die ersten zwei von insgesamt drei Bänden waren bereits 1854/55 veröffentlicht worden) nicht. Ganz im Sinne seines Zeitgenossen Paparigopoulos versuchte Sakellarios alle Perioden der zypriotischen Geschichte in einer einheitlichen Darstellung zu behandeln, zugleich aber den »Volksgeist« der griech. Bevölkerung der Insel zu erfassen. Er trug dadurch zur Entstehung der zypriotischen Volkskunde bei, in deren Weiterentwicklung später die beiden Zeitschriften *Kypriaka Chronika* (1923–1937) und *Kypriakai Spoudai* (1937–1968) eine wichtige Rolle spielten.

Während das Interesse für die Insel bereits vor ihrer Übergabe an die Briten zur Anfertigung von Landkarten führte, die weit über das Niveau der damaligen Kartographie des Mittelmeers hinausgingen, genügten die ersten arch. Forsch. nicht einmal den Kriterien der Arch. des 19. Jahrhunderts. Für Luigi Palma di Cesnola, den amerikanischen Botschafter auf Z. (1865–1876), waren die Entdeckung und der Verkauf von Antiquitäten ein Mittel zur persönlichen Bereicherung; der größte Teil seiner Sammlung befindet sich h. im Metropolitan Museum of Art in New York. Auch die Tätigkeit des Amateurarchäologen Max Ohnefalsch-

Richter (1878–1890) und die britischen Ausgrabungen des 19. Jh. hatten eher die Entdeckung von materiellen Funden als die Erforsch. der Vergangenheit zum Ziel. Eine Katalogisierung der Funde im Metropolitan Museum und im 1883 gegründeten Archäologischen Museum (Cyprus Archaeological Museum) erfolgte auf Initiative von John Myres (1899 bzw. 1914). Die erste organisierte Mission, welche die Grundlage für weitere systematische Forsch. legte, war die Swedish Cyprus Expedition unter der Leitung von E. Gjerstad (1927–1931), die auf systematische Weise die Dokumentation der Geschichte der Insel seit der Spätsteinzeit bis zur Kaiserzeit anstrebte. Eine Typologie der zypriotischen Keramik der frühen Bronzezeit wurde von J. Stewart entwickelt und bereitete den Weg für weitere Forsch. zur zypriotischen Keramik und Plastik, die in der 2. H. des 20. Jh. das Verständnis der histor. und kulturellen Entwicklung der Insel in der Vor- und Frühgeschichte förderten. Die systematische arch. Forsch. auf der Insel wurde bes. durch die Gründung des Department of Antiquities (1935) unterstützt, welches durch die Einladung zahlreicher Missionen aus dem Ausland zur raschen Entwicklung und Internationalisierung der zypriotischen Arch. beitrug. Zu seinen Leitern zählen A. H. S. Megaw (1935–1960), P. Dikaios (1960–1963; zuvor Kurator des Arch. Museums) und V. Karageorghis (1963–1989), der sich durch rege Ausgrabungstätig-keit und zahlreiche Publikationen, nicht zuletzt durch organisatorische Arbeit und die regelmäßige Ausgabe des *Report of the Department of Antiquities, Cyprus* auszeichnete. Unter den Privatanstalten, die sich um die zypriotische Altertumsforsch. verdient machten, sind bes. die A. G. Leventis Foundation, welche Forsch. und Restaurationsarbeiten reichlich unterstützt, die Pieridis Foundation und das Pieridis Museum in Larnaca, daneben auch das Numismatische Museum der Kulturstiftung der Bank of Cyprus (gegr. 1995) zu erwähnen.
→ AWI Zypern

1 P. Aström, A Century of International Cyprological Research, Nikosia 2000 2 V. Karageorghis, Cypriote Archaeology Today. Achievements and Perspectives, 1998 3 Ders. (Hrsg.), Archaeology in Cyprus 1960–1985, Nikosia 1985 4 P. Kitromilidis, Trad., Enlightenment and Revolution, Diss. Harvard 1978 5 Archimandrit Kyprianos, Ἱστορία χρονολογικὴ τῆς νήσου Κύπρου, Ndr. Nikosia 1971 6 G. Loukas, Φιλολογικαὶ ἐπισκέψεις τῶν ἐν τῷ βίῳ τῶν νεωτέρων Κυπρίων μνημείων τῶν Ἀρχαίων, Athen 1874 7 Th. Papadopoullos (Hrsg.), Ἱστορία τῆς Κύπρου, Nikosia 1995 ff. 8 P. Persianis, Πτυχὲς τῆς ἐκπαίδευσης τῆς Κύπρου κατὰ τὸ τέλος τοῦ 19ου καὶ τὶς ἀρχὲς τοῦ 20 αἰ., Nikosia 1994 9 A. Sakellarios, Κυπριακά, ἤτοι γεωγραφία, ἱστορία καὶ γλῶσσα τῆς νήσου Κύπρου ἀπὸ τῶν ἀρχαιοτάτων χρόνων μέχρι σήμερον, Ndr. Nikosia 1991 10 A. und J. Stylianou, The History of the Cartography of Cyprus, Nikosia 1980.   ANTONIS TSAKMAKIS

Nachträge

zu den Bänden 13–15/2

Hinweise zur Benutzung der Nachträge

Die Nachträge umfassen neu aufgenommene Artikel und ergänzte Textabschnitte zu bereits gedruckten Artikeln (jedoch keine Corrigenda, dazu siehe Spalte 1345 ff.).

1. Neue Artikelabschnitte: Wenn neue Unterkapitel zu einem bereits gedruckten Artikel nachzutragen sind, werden sinngemäß die Überschriftenzahlen weitergezählt: Auf den bisher letzten Abschnitt von *Australien und Neuseeland E.* folgt jetzt *Australien und Neuseeland F.*

A

Akkulturation A. BEGRIFFSGESCHICHTE
B. AKKULTURATION IN DEN HISTORISCHEN
WISSENSCHAFTEN

A. BEGRIFFSGESCHICHTE

Das Konzept der A. (engl. *acculturation*) stammt urspr. aus dem Begriffsinstrumentarium der → Kulturanthropologie amerikanischer Prägung und gründet auf dem im wesentlichen von S. Tylor entwickelten Kulturbegriff, der im Laufe des 20. Jh. allmählich das bis dahin vorherrschende normativ-wertende Kulturkonzept abgelöst hat. Als Alternative zu letzterem, das menschliche Gemeinschaften auf einer Skala zw. Naturvolk und komplexen Zivilisationen klassifizierte, entwickelte E. des 19. Jh. die *Cultural Anthropology* das Modell einer nichtwertenden Gegenüberstellung einzelner Kulturen. Der zugrundeliegende Kulturbegriff umfaßt sämtliche Bereiche menschlichen Wirkens (also auch Politik, Wirtschaft, Religion) [4]. Die Erforsch. von *acculturation* nimmt nun Modus und Resultate des kulturellen Wandels, der Folge eines Kulturkontaktes ist, in den Blick. 1936 wurde von R. Redfield, R. Lindon und M. Herskvits die noch jetzt weitgehend gültige Definiton entwickelt: ›Acculturation comprehends those phenomena which result when groups of individuals having different cultures come into continous first-hand contact, with subsequent changes in the original patterns of either or both groups‹ [14. 149]. Im Zentrum der Überlegungen dieser Autoren standen dabei die Mechanismen und Kontexte des Kontaktbereichs, wie z. B. Begegnungssituation und Selektionskriterien des Austausch. 1953 wurde in einem Workshop das Konzept präzisiert, indem soziale Strukturen stärker berücksichtigt und die möglichen Reaktionen auf den Kulturkontakt klassifiziert wurden [16]. Da A. auch ein willkommenes Erklärungsmodell für kulturellen Wandel bot, fand der Begriff bald Anwendung in zahlreichen anderen Disziplinen wie der Soziologie [11], Arch. [15] und den histor. Wissenschaften.

B. AKKULTURATION IN DEN HISTORISCHEN WISSENSCHAFTEN

Die Übertragung des anthropologischen A.-Modells, das zunächst für Kulturbegegnungen in der Kolonialsituation konzipiert wurde, auf histor. Gesellschaften (speziell ant. Kulturen) deckte allerdings eine Reihe von Problemen auf. So verliert nämlich das Konzept an Prägnanz, da die Quellenlage die genaue Beobachtung der Begegnung (*first-hand contact*) und des allmählichen Wandels selten erlaubt. Ferner erweist sich die Vorstellung einer Homogenität der betroffenen kulturellen Entitäten als sehr problematisch, denn sie läßt die Komplexität histor. Kulturen außer Acht und berücksichtigt ebensowenig die histor. Entwicklung [7].

Diese Probleme haben zu verschiedenen Modifikationen des A.-Modells geführt: z. B. U. Bitterlis Typologie von Kulturkontakten [1] (vorwiegend mit Blick auf den Kontakt von Europa zu außereurop. Kulturen); das darauf aufbauende flexiblere Konzept der »kulturellen Grenze« von J. Osterhammel [13] und die von M. Espagne und M. Werner etablierte »Kulturtransfer-Forsch.« [3] (bes. zugeschnitten auf intereurop. Kulturaustausch); schließlich das von U. Gotter speziell für die Altertumswiss. entwickelte flexibilisierte A.-Modell. Gotter versteht kulturelle Entitäten als Identitätsgruppen und schränkt die Möglichkeit, relevante Aussagen über A. zu treffen, auf die Fälle ein, in denen (1) die Gruppen zu fassen und zu begrenzen sind, (2) die Fremdheit zw. den Gruppen bestimmt werden kann (speziell auch mit Blick auf die Wahrnehmung), (3) die Rezeptionsdynamik beschrieben werden kann, (4) die Veränderung der »original patterns« beobachtet werden kann. Da dies für ant. Kulturen, von denen manche nur auf der Ebene der Artefakte zu fassen sind (dies gilt v. a. für die ant. »Randkulturen« wie Germanen, Kelten, Iberer), oft nicht möglich ist, sollte nach Gotter in diesen Fällen das A.-Modell nicht angewandt werden [7]. Exemplarisch hat Gotter sein Konzept in einer Arbeit zum Hellenisierungsprozeß der Priesterstadt Olba in Kilikien demonstriert [6]. Wichtige und gut bezeugte A.-Prozesse in der Ant. sind die Hellenisierung (z. B. Ägyptens [8], Süditaliens [10], Phönikiens [17] und Kleinasiens [12]), die Orientalisierung Griechenlands in archa. Zeit [2] und die Romanisierung [9]. Ein bes. komplexer Fall sind die A.-Prozesse zw. Griechenland und Rom [5; 18]. Auch die Übernahme kultureller und institutioneller Errungenschaften der unterworfenen hellenisierten Bevölkerung durch den Islam läßt sich als A.-Prozeß deuten.

→ AWI Hellenisierung; Olba; Romanisierung

1 U. BITTERLI, Alte Welt – Neue Welt. Formen des europ.-überseeischen Kulturkontakts vom 15.–18. Jh., 1986 2 W. BURKERT, The Orientalizing Revolution, 1995 3 M. ESPAGNE, M. WERNER, Dt.-frz. Kulturtransfer im 18. und 19. Jh. Zu einem interdisziplinären Forschungsprogramm des CNRS, in: Francia 13, 1985, 502–510 4 J. FISCH, s. v. Zivilisation; Kultur, in: O. BRUNNER et al. (Hrsg.), Geschichtliche Grundbegriffe, Bd. 7, 1992, 679–774 5 U. GOTTER, Griechenland in Rom? Zur polit. Bed. von A. in der klass. und späten röm. Republik. Unveröffentlichte Habilitationsschrift, Freiburg i.Br. 2002 6 Ders., Tempel und Großmacht: Olba/Diokaisareia, in: E. JEAN (Hrsg.), La Cilicie: espaces et pouvoirs locaux, 2002, 286–366 7 Ders., A. als Methodenproblem der histor. Wiss., in: W. ESSBACH, wir/ihr/sie. Identität und Alterität in Theorie und Methode, 2001, 373–406 8 S. GRALLERT, A. im ägypt. Sepulkralwesen. Der Fall eines Griechen in der 26. Dyn., in: U. HÖCKMANN, D. KREIKENBOM (Hrsg.), Naukratis. Die Beziehungen zu Ostgriechenland, Ägypten und Zypern in archa. Zeit. Akten der Table Ronde in Mainz, 25.–27. November 1999, 2001, 183–196 9 A. HAFFNER (Hrsg.), Internationales Kolloquium zum Schwerpunktprogramm Romanisierung 1998, 2000 10 K. LOMAS, Rome and the Western Greeks, 350 B. C.-A. D. 200, Conquest and Acculturation in Southern Italy, 1993 11 E. LONG, Engaging Sociology and Cultural Studies: Disciplinary and Social Change, in: Ders. (Hrsg.), From Sociology to Cultural Stud. New Perspectives, 1997, 1–32 12 ST. MITCHELL, Ethnicity, Acculturation and Empire in Roman and Late Roman Asia Minor, in: Ders. (Hrsg.), Ethnicity and Culture in Asia Minor, 2000, 117–150 13 J. OSTERHAMMEL, Kulturelle Grenzen in der Expansion Europas, in: Saeculum 46, 1995, 101–138 14 R. REDFIELD et al., Memorandum for the Study of Acculturation, in: American Anthropologist 38, 1936, 149–152 15 J. SLOFSTRA, An Anthropological Approach to the Study of Romanization Processes, in: R. BRANDT, J. SLOFSTRA (Hrsg.), Romans and Natives in the Low Countries. Spheres of Interaction, 1983, 71–104 16 The Social Science Research Council Summer Seminar on Acculturation on 1953, in: American Anthropologist 56, 1954, 973–1002 17 R. A. STUCKY, Acculturation et retour aux sources: Sidon aux époques perse et hellénistique, in: R. FREI-STEBA (Hrsg.), Recherches récents sur le monde hellénistique, 2001, 247–258 18 G. VOGT-SPIRA, Auseinandersetzung Roms und Griechenlands als europ. Paradigma, 1998.

ISABEL TORAL-NIEHOFF

Australien und Neuseeland

F. ERGÄNZUNGEN

1. BESIEDLUNG UND POLITISCHE ENTWICKLUNG

C. G. Heyne äußerte 1791 in Göttingen den Gedanken, aus der Strafkolonie New South Wales könne ein ›cultus generis humani novus‹ entstehen, so wie Rom von den Verbrechern und Flüchtlingen, die dort Zu-

flucht gesucht hatten, abstammte. Möglicherweise sei sogar der Keim für ein großes Weltreich, das ›post plura saecula‹ seine Sträflinge nach Großbritannien schicken würde, gelegt worden [1].

Die Expedition, die 1788 unter Captain Arthur Phillip die Botany Bay erreichte, stellte eine Reaktion auf die amerikanische → Revolution dar. Die Illusion eines neuen Amerika im »fünften Erdteil« verblaßte angesichts der ungünstigen demographischen Entwicklung langsam im Laufe des nächsten Jahrhunderts. Die Nähe zu Großbritannien (→ United Kingdom) dagegen besteht auch nach zwei Jh. noch fort und ist nirgends deutlicher als in den Altertumswissenschaften. Geschäftliche und künstlerische Beziehungen konzentrieren sich weiterhin auf London. Die Monarchie wurde durch einen Volksentscheid beibehalten. Nur im Bereich des Sports ist Heynes Traum in Erfüllung gegangen.

2. SCHULEN UND UNIVERSITÄTEN

Auf Universitätsebene werden weiterhin enge Wechselbeziehungen mit Großbritannien deutlich. Von Anf. an wurden Studiengänge nach dem Vorbild von London, der Queen's University of Ireland und den schottischen Univ. konzipiert; letztere waren v. a. in N. sehr einflußreich. Die Dozenten (oft Kolonialbürger, die in Cambridge den *Tripos* (Studiengang) in Klass. Philol. als Aufbaustudium absolviert hatten) kamen größtenteils aus Großbritannien. Ein neuseeländischer Professor für Klass. Philol., der seine Ausbildung ausschließlich in seiner Heimat absolvierte, war E. M. Blaiklock, der gemeinsam mit R. Syme in Auckland studierte und selbst dort zahlreiche Klass. Philologen ausbildete (1927–1968), die er dann nach Großbritannien schickte (der erste war A. H. McDonald). Ein australischer Professor für Klass. Philol., der seine Ausbildung ausschließlich in seiner Heimat absolvierte, war K. H. Lee, der erst 1992 einen Ruf nach Sydney erhielt. Umgekehrt haben und hatten Antipoden mit altertumswiss. Ausbildung mehrere Lehrstühle im Ausland inne, so zum Beispiel H. W. Bailey (Sanskrit, Cambridge), V. G. Childe (Arch., Edinburgh), R. G. G. Coleman (Vergleichende Sprachwiss., Cambridge), R. E. Emmerick (Iranistik, Hamburg), H. D. Jocelyn (Lat., Manchester), G. B. Kerferd (Griech., Manchester), E. T. Salmon (Geschichte, McMaster).

Die Migration beschränkt sich jedoch nicht nur auf Großbritannien. Die Söhne von europ. Flüchtlingen der 1930er J. studierten zunächst in N., so z. B. E. Badian (Geschichte, Harvard) am Canterbury University College (Christchurch) und E. P. M. Dronke (Mittellat., Cambridge) am Victoria University College (Wellington). Der geborene Grieche A. Cambitoglou rief das Australian Archaeological Institute in Athen ins Leben, das australische Ausgrabungen und andere Forsch. in Griechenland unterstützt. Es wurde an der University of Sydney gegründet, erhält jedoch Unterstützung aus allen australischen Bundesstaaten, v. a. aus der griech. Diaspora. An der Macquarie University (Sydney) rief N. Kanawati das Australian Centre for Egyptology ins Leben, das mehrere Ausgrabungen unterstützt.

Vier der gegenwärtig acht Univ. in N., Auckland, Victoria, Canterbury und Otago (Dunedin), verfügen über Lehrstühle und Promotionsstudiengänge in Klass. Philol., die jeweils mit einem halben Dutzend Mitarbeitern ausgestattet sind. In A. bietet etwa die H. der 40 Univ. altertumswiss. Studiengänge an, eine Promotion ist jedoch nur an zwölf Univ. möglich. Nur acht haben einen *departmental professor* (Ordinarius): Sydney, Melbourne, Queensland (Brisbane), Western Australia (Perth), Adelaide (eine vakante Stiftungsprofessur), New England (Armidale), Newcastle und Macquarie (Alte Geschichte). Sydney hat außerdem zwei Stiftungsprofessuren für Archäologie. Zur Stellung der klass. Sprache an den sich wandelnden mod. Univ. siehe [2].

3. KULTURELLE INSTITUTIONEN

Ein Dutzend Univ. in A. sowie einige in N. bauen Sammlungen auf, z. T. mit Unterstützung des Australian Institute of Archaeology in Melbourne, einer privaten Stiftung für biblische Arch. (→ Vorderasiatische Archäologie II. Biblische Archäologie). Einige dieser Sammlungen verfügen über fachlich qualifiziertes Personal und werden von Stiftungen unterstützt. Macquarie besitzt 700 Papyri und einige Tausend Münzen; das dort ansässige Australian Centre for Ancient Numismatic Studies (eine private Stiftung) schreibt regelmäßig Studienstipendien aus. Das A.D. Trendall Research Centre an der La Trobe University (Melbourne) besitzt eine ausgezeichnete arch. Bibl. und ein einzigartiges Fotoarchiv mit dem Schwerpunkt auf südital. Vasenmalerei. Im Museum of Antiquities der University of New England befindet sich die Stewart Collection zyprischer Töpferware.

Einige staatliche Mus. erhalten Mittel für Anschaffungen aus dem Bereich der Ant., so v. a. die National Gallery of Victoria und das Powerhouse Museum in Sydney. Die National Library of Australia und die Bibl. der Australian National University (beide Canberra) konnten auf diesem Gebiet Ressourcen aufbauen und so die etablierten Bestände der Fisher Library (Sydney) und anderer Univ. ergänzen. Leistungsfähige Fernleihdienste und mod. Kommunikationsmittel haben bis zu einem gewissen Grad J. Enoch Powells Aussage bei seinem Amtsantritt auf dem Griech.-Lehrstuhl in Sydney 1938 entkräftet, altertumswiss. Forsch. – mit Ausnahme vielleicht der → Papyrologie – sei in A. unmöglich.

4. KLASSISCHE WISSENSCHAFT

Beschränkt man diesen Begriff nicht strikt auf »Philol.«, sondern faßt ihn weiter im Sinne von »Altertumswiss.«, so hat es in den letzten 30 J. bemerkenswerte Entwicklungen gegeben. 1969 wurde die Australian Academy of the Humanities durch königliches Privileg gegründet. Ihre Mitglieder wurden auf Grundlage »höchster wiss. Auszeichnung« gewählt. Von 467 Mitgliedern bis 2001 kommen etwa 60 aus altertumswiss. Fächern von altorientalischer bis byz. Zeit. Ihre Arbeiten werden oft international publiziert, so daß die Altertumswiss. in A. und N. kaum ein eigenes Profil ent-

wickelt haben. Hier wie in den meisten anderen Wiss. fehlte in diesen Ländern mit nicht einmal 24 Millionen Einwohnern und einer internationalen Verkehrssprache sowohl der Wunsch als auch die Notwendigkeit, die eigenen Strukturen zu verfestigen. Erst 1965 wurde die Australian Society for Classical Studies gegründet. Ihre Zeitschrift, *Antichthon*, beschränkt sich auf internationale Vorbilder. Nach 25 J. gab die Gesellschaft eine Liste mit etwa 200 Monographien ihrer Mitglieder aus dieser Zeitspanne heraus [3.113–119]. Zu den Fachzeitschriften, die in A. und N. herausgegeben werden, gehören außerdem *Prudentia, Ramus, Apeiron, Mediterranean Archaeology* und *Ancient History. Resources for Teachers* (ausgerichtet auf den anspruchsvollen Sekundarstufenunterricht).

5. ANTIPODISCHE KULTUR UND KLASSISCHE ANTIKE

Manchmal verbindet sich die ant. Vorstellungswelt mit einer fremden Landschaft, die den Siedlern unberührt erscheint. In beiden Ländern gibt es einen Fluß namens Styx. E.M Blaiklock verfaßte wie ein Sophist des 2. Jh. n. Chr. sein ganzes Leben lang Rundfunksendungen und Art. (wöchentlich erscheinende Leitart. sowie eine Kolumne unter dem Namen »Grammaticus« im *New Zealand Herald*), in denen er eine enge Verbindung zw. seiner Wahlheimat N. und der christl. und paganen ant. Lit., die er verehrte, schuf. Im 19. Jh. schrieb Samuel Butler, ein Enkel des gleichnamigen Schuldirektors von Shrewsbury in England, der sich ganz den Alten Sprachen verschrieben hatte, über ein Odyssee-artiges Utopia (*Erewhon*, 1872), in das er sich im Hochland von Canterbury in N. zurückgezogen hatte. Im späten 20. Jh. thematisiert David Malouf, Sohn eines libanesischen Einwanderers in A., anhand von Ovids Exil (*An Imaginary Life*, 1978) das Problem der geistigen Heimat, die man am anderen E. der Welt sehnsüchtig vermißt, selbst wenn man sie bisweilen nach außen hin verachtet.

1 C. G. HEYNE, Opuscula Academica IV, Göttingen 1796, 268–285; Ndr. mit engl. Übers. v. P. M. McCALLUM und Einl. (behandelt auch Heynes Verhältnis zu G. Forster) hrsg. v. E. A. JUDGE, in: Ancient History: Resources for Teachers 29.2, 1999, 118–158 2 G. H. R. HORSLEY, E. MINCHIN, K. H. LEE, The teaching of Latin and Greek in universities in Australia and New Zealand. Present and future, Antichthon 29 (1995) 78–105 (enthält Randbemerkungen zu anderen Ländern) 3 R. K. SINCLAIR (Hrsg.), Past, Present and Future: Ancient World Stud. in Australia, Sydney 1990 (umfaßt 14 Aufsätze zur australischen Arbeit auf diesem Gebiet; zusätzlich Listen von Präsidenten und anderen Amtsträgern der Australian Society for Classical Stud. sowie der Hrsg. ihrer Zschr. »Antichthon«).

EDWIN ARTHUR JUDGE/Ü: BARBARA KUHN-CHEN

D

Dialektik A. Logik und Rhetorik
B. Spekulative Philosophie: Hegel und die
Folgen C. Das Sokratische Gespräch

A. Logik und Rhetorik

Von den nachant. Epochen bis h. steht das Wort D. für eine Vielzahl z. T. scharf voneinander unterschiedener Konzepte. Sie alle knüpfen mehr oder weniger direkt an ant. Vorstellungen an. In der Ant. kann D. das Denken in Gegensätzen bedeuten, das auf Zenon oder Heraklit zurückgeführt wird, ein methodisches Prüfungsverfahren, die Kunst eines geregelten Gesprächs, wie sie uns in den Platonischen Dialogen überliefert ist, oder Philos. bzw. Wiss. im allgemeinen. Über die Aristotelische Topik mit ihrer syllogistischen Systematisierung der Prüfung und Rechtfertigung von Thesen ist die D. das Gerüst jeglicher → Argumentationslehre der Folgezeit geblieben. Sie wird ein Teil der → Logik oder mit ihr gleichgesetzt [12] und ist ein fester Bestandteil des Triviums in den → Artes liberales der universitären Ausbildung.

Mit der *Topik* des Aristoteles wird die D. bzw. der dialektische Schluß für die Fragen und Probleme reserviert, deren Prämissen nicht im strengen Sinne beweisbar, sondern nur allg. anerkannte Meinungen (*éndoxa*), deren Ergebnisse also nur probabel (»wahrscheinlich«) sind. Ciceros Rhetorisierung der Topik macht die D. zu einem Teil der → Rhetorik. Die Grundfrage, ob die D. formal oder inhaltlich angewendet wird, ob sie der Wahrheit oder dem rhet. Sieg dient, gabelt die Trad. der D. nicht nur in eine aristotelische und ciceronianische Grundausrichtung, sondern spaltet sie innerphilos. auch in Dialektiker und Antidialektiker. Der Vorwurf, D. führe zu bloßen Spiegelfechtereien und verleite zur Schwatzhaftigkeit statt zur Wahrheit, nimmt der Sache nach den Vorwurf Platons gegen die Sophisten wieder auf, der der Streitkunst (Eristik), der es nur um den Schein geht, seine Konzeption der D. entgegensetzt, die metaphysisch an die Erkenntnis der Idee des Guten geknüpft ist. Wenn auch die Geschichte der D. in ihrer ersten Phase bis zur Neuzeit weitestgehend den methodischen Aspekt der Argumentationslehre und Logik ausschöpft, so taucht doch in der Trad. des Platonismus auch das metaphysisch-kontemplative Moment Platons wieder auf, wenn die D. als ›vera rerum contemplatio‹ (Iohannes Scotus Eriugena, *De divisione naturae* 1,44) definiert wird.

Mit der Beschränkung der Logik auf rein formale Operationen wird im 17. Jh. die Bezeichnung der Logik als D. aufgegeben. Andererseits gelangt die rhet. D. und der Gebrauch der → Loci communes mit der Rhet. der Humanisten zu neuer Blüte. Doch mit der neuzeitlichen Kritik an der D., kein neues Wissen zutagezufördern und somit für die Wiss. untauglich zu sein (Bacon), hat die D. als vormalige »Wiss. der Wiss.« (*scientia scien-tiarum*) ausgedient und kann nach I. Kant eine gänzlich andere Bed. erlangen. Kant entwickelt in Abhebung von der logischen eine transzendentale D., die die Aufgabe einer Kritik des Scheins übernimmt, die der menschlichen Vernunft ›unhintertreiblich‹ anhängt [4. B 354].

B. Spekulative Philosophie: Hegel und die Folgen

Einen Einschnitt in der Geschichte des D.-Begriffs bedeutet G. W. F. Hegels genetische Logik, die Widersprüche nicht allein im Denken, im Begriff, sondern auch in der Wirklichkeit selbst wirksam sieht. Dialektik wird entwicklungstheoretisch konzipiert als Bemühen, den Erkenntnisvollzug als Gang der Sache selbst darzustellen und das Wirkliche als das Vernünftige zu erweisen.

Der Gedanke der Real-D. wird – bei aller Absetzung von Hegel – auch für die Gesellschaftstheorie des dialektischen und histor. Materialismus bei K. Marx und F. Engels leitend. Die materialistisch orientierte D. unternimmt eine ideologiekritische Analyse der bürgerlichen Ökonomie und Gesellschaft. Engels definiert weitestmöglich D. als ›Wiss. von den allg. Bewegungs- und Entwicklungsgesetzen der Natur, der Menschengesellschaft und des Denkens‹ [3. 132]. Als eine Methode, die die Starrheit der herrschenden Ordnung in eine Bewegung auflöst, kann D. als ›subversiv‹ (Marx), als ›Algebra der Revolution‹ (A. Herzen) selbst in den kritischen Modifikationen oder Abwendungen zum Grundpfeiler marxistischen Selbstverständisses werden [10].

Die Hegelsche Konzeption von D. bleibt – bei aller Distanzierung – ein wesentlicher Bezugspunkt bis zur Kritischen Theorie und zur frz. Differenz-Philosophie. In Absetzung von Hegel faßt Th. W. Adorno die ›negative D.‹ als ›konsequentes Bewußtsein von Nichtidentität‹ [1. 17]. Die Kritik-Funktion des dialektischen Bewußtseins zeigt sich nicht nur in der Kritik an den Voraussetzungen philos. Systembildung. Auch die »negative D.« Adornos intendiert Gesellschaftskritik als Kritik an der geschichtlich wirksamen Gestalt kollektiver Verblendungszusammenhänge.

Auf die D. der Griechen selbst greifen andere zurück, wie z. B. A. Schopenhauers Manual zur Rechthaberei [8] auf den eristischen Charakter, auf die Logik der Neukantianismus des frühen 20. Jh. [2], der sich insgesamt stark an der Logik der Griechen orientiert, oder K. R. Popper, der in der D. eine frühe Form der wiss. Methode von »Versuch und Irrtum« (*trial and error*) sieht [8]. Der späte Schelling und Schleiermacher [6] heben als Kritiker Hegels im Rückgriff auf Platon den Gesprächsaspekt der D. hervor [7].

C. Das Sokratische Gespräch

Die D. hat zwar ihren Ursprung im sokratischen Gespräch des Platonischen Dialogs, doch bleibt zunächst der reale Gesprächscharakter in der weiteren Ausprägung des D.-Begriffs untergeordnet. Abgesehen von lit. Nachahmern in allen Jh. (→ Dialog) lebt das Gespräch als Weise des Philosophierens im »Miteinandersprechen«

zunächst mit Schleiermacher auf. Im 20. Jh. wird an das sokratische Gespräch für eine ethisch-moralische Orientierung wieder angeknüpft als eine Weise ›Philosophieren zu lehren‹ und nicht Philosophie als Sachwissen zu vermitteln [5. 271]. Bis h. wird in Anlehnung an Leonard Nelson das »sokratische Gespräch« mit explizitem Bezug auf Platon und Sokrates innerhalb der alltäglichen Vollzüge für die Einübung in eine ›Kommunikationskultur‹ [11. 7] und zur Ausbildung einer »moralischen Haltung« gepflegt.

→ AWI Dialektik; Widerlegung

QU 1 TH.W. ADORNO, Negative D., (= Gesammelte Werke, hrsg. v. R. TIEDEMANN, Bd. 6), 1973 2 J. COHN, Theorie der D., 1923 3 F. ENGELS, Anti-Dühring (= Marx-Engels Werke (MEW), Band 20), 1975 4 I. KANT, Kritik der reinen Vernunft, Berlin ²1787 5 L. NELSON, Die sokratische Methode (1922), in: Ders., Ges. Schriften, 1970ff., Band 1, 269–316 6 F.D.E. SCHLEIERMACHER, Vorlesungen über D., hrsg. v. A. ARNDT (= Kritische Gesamtausgabe II/10), 2002 7 Ders., Einl. in die Übers. der Dialoge Platons, Ndr. in: Das neue Platonbild, hrsg. v. K. GAISER, 1969, 1–32 8 A. SCHOPENHAUER, Eristische D. oder die Kunst, Recht zu behalten, in: Ders., Handschriftlicher Nachlaß, hrsg. v. A. HÜBSCHER, 1970, 3, 666–700 9 K.R. POPPER, What is dialectic (1940), in: Ders., Conjectures and Refutations, ⁴1972, 312–335

LIT 10 W.F. HAUG, s.v. D., in: Histor.-Kritisches WB des Marxismus, Bd. 2, 1995, 657–693 11 D. HORSTER, Das Sokratische Gespräch in Theorie und Praxis, 1994 12 L. OEING-HANHOFF, s.v. Dialektik III., in: HWdPh 2, 175–184 13 N. RESCHER, Dialetics. A controversy-oriented approach to the Theory of Knowledge, Albany 1977 14 M. RIEDEL (Hrsg.), Hegel und die ant. D., 1990 15 N. WASZEK, Bibliogr. zu Hegel und die ant. D., in: [14. 275–283].   MARGARITA KRANZ

F

Frankreich IV. 19. UND 20. JAHRHUNDERT
A. GESCHICHTE, POLITISCHE, SOZIALE UND KULTURELLE BEDINGUNGEN   B. BILDUNG UND WISSENSCHAFT   C. DICHTUNG UND LITERATUR D. MUSIK

A. GESCHICHTE, POLITISCHE, SOZIALE UND KULTURELLE BEDINGUNGEN

Nach der → Revolution findet F. lange Zeit innenpolit. keine Ruhe: Auf J. von Auseinandersetzungen innerhalb der Revolutionsparteien, Aufständen in den Provinzen (*chouanneries*) und Schreckensherrschaft (*terreur*) folgt die Übernahme der Macht durch Napoléon Bonaparte (1769–1821), zunächst als »Erster Konsul« (19. Brumaire VIII = 10. November 1799), von 1804 an als Kaiser. Außenpolitisch gelingt es F. nach den schwierigen Kämpfen gegen eine Koalition antirevolutionärer Staaten in den napoleonischen Kriegen, die Herrschaft über weite Teile Europas zu erringen, doch endet die Episode mit den Niederlagen in der Völkerschlacht von Leipzig (Oktober 1814) und bei Waterloo (18.6.1815, nach den »100 Tagen« der Rückkehr des bereits verbannten Napoleon nach F.). Der Wiener Kongreß stellt 1815 die Königsherrschaft der Bourbonen wieder her, doch die Julirevolution von 1830 beendet diese Restauration und bringt den *roi citoyen* Louis Philippe (1773–1850) auf den Thron. Die in der Revolution von 1848 etablierte Zweite Republik ist von kurzer Dauer; 1851 bemächtigt sich der Neffe Napoleons, Louis-Napoléon (1808–1873), zunächst als Präsident, von 1852 an als Kaiser der Macht. Nach der Niederlage im Krieg gegen Deutschland erheben sich 1871 in Paris die Arbeiter; der in Kriegsgefangenschaft geratene Kaiser wird gestürzt, die (Dritte) Republik ausgerufen. Obwohl immer wieder von Skandalen und Affären erschüttert, bleibt diese nach der blutigen Niederschlagung des Aufstands der Pariser Kommune etablierte Präsidialrepublik lange Zeit stabil.

Außenpolitisch kann F. unter der Restauration und der Julimonarchie seinen nach den napoleonischen Kriegen verlorenen Platz als europ. Großmacht wiedergewinnen und im Lauf des 19. Jh. v.a. in Westafrika und Südostasien ausgedehnte koloniale Besitztümer erobern. Der I. Weltkrieg (1914–1918) bringt das Land bis an die Grenzen seiner Belastbarkeit, doch gelingt es F. und seinen Verbündeten (»Entente«), unter großen Opfern die Achsenmächte niederzuringen. Im II. Weltkrieg (1939–1945) bringt die Niederlage gegen das nationalsozialistische Deutschland (22.6.1940) und die Übertragung der Macht auf Philippe Pétain (1856–1951) das E. der Republik. Frankreich wird zunächst teilweise, dann (1942) insgesamt von dt. Truppen besetzt. Nach der Niederlage Deutschlands (25.8.1944 Befreiung von Paris) wird in F. 1946 eine neue Verfassung eingerichtet; die durch sie etablierte Vierte Republik endet bereits 1958 in der wegen des Status Algeriens ausbrechenden Krise. Die Fünfte Republik (seit 28.9.1958) sieht wieder eine stärkere Stellung des Präsidenten vor, die 1958–1969 Charles de Gaulle (1890–1970) ausfüllt. Frankreich schließt in diesen J. den Prozeß der Entkolonialisierung ab (1962 Unabhängigkeit Algeriens); die zunächst zögernde Integration in europ. supranationale Strukturen scheint am E. des 20. Jh. unumkehrbar.

B. BILDUNG UND WISSENSCHAFT

Die Bestrebungen der Revolution, breiteren Bevölkerungsschichten Zugang zu schulischer Bildung zu ermöglichen, bringen v.a. eine Ausbreitung der Alphabetisierung mit sich, doch gelingt es nicht, das aus dem *Ancien Régime* überkommene Schulsystem grundlegend zu reformieren. Insbesondere bleibt bis in das 20. Jh. dessen Heterogenität erhalten: Private, bes. katholische Schulen unterrichten nach der Restauration zeitweise bis zu 50% der Schüler. Auch innerhalb der staatlichen Schulen existieren konkurrierende Formen: *Lycée* und *école primaire* bauen nicht aufeinander auf, sondern bieten beide eine vollständige Schullaufbahn vom Beginn der Schulpflicht bis zu ihrem E. (sog. *petites classes* der *lycées*; *écoles primaires supérieures*). Problematisch bleiben auch die Bildungsinhalte. Aus dem *Ancien Régime* boten sich für höhere Schulbildung zwei Modelle an: zum einen das human. der alten *Collèges* mit Schwergewicht auf Lit. und Alten Sprachen, zum anderen die stärker naturwiss. orientierte Trad. der → Aufklärung, exemplarisch repräsentiert in der *Encyclopédie* (1750–1772). Zwischen beiden Idealen einen befriedigenden Kompromiß zu finden, gelingt lange Zeit nicht; Auseinandersetzungen über die beste Gewichtung beider Aspekte bestimmen die bildungspolit. Diskussion über weite Perioden des 19. und 20. Jh. [26. 504–507]. Die polit. Restauration bringt zunächst eine Wiederherstellung der uneingeschränkten Vormacht der Alten Sprachen, insbes. des Lat., auf den höheren Schulen, wobei auf formale sprachliche Ausbildung größter Wert gelegt wird. Der Unterricht in den Alten Sprachen nimmt im 19. Jh. bis zu 50% der gesamten Unterrichtszeit ein [26. 510–511]. In dieser Epoche bilden sich auch bis in das 20. Jh. fortwirkende polit. Konstellationen: Die wiedererstarkte katholische Geistlichkeit und polit. konservative Kreise fördern die Vorherrschaft des Lat. an den Schulen; Progressive begegnen ihr mit Mißtrauen [3. 365]. Solange das *baccalauréat* als Eintrittskarte in die Welt des gehobenen Bürgertums einer kleinen Elite vorbehalten bleibt (E. des 19. Jh. pro J. etwa 6000–7000 Prüflinge [27. 145]), ändert sich nichts Grundlegendes an dieser Vorherrschaft. Bestrebungen nach dem I. Weltkrieg, in einer für alle einheitlichen weiterführenden Schule (*école unique*) die Rolle der Naturwiss. zu stärken, führen nicht zum Erfolg; noch 1941 bekräftigt der Althistoriker Jérôme Carcopino (1881–1970) als Bildungsminister des Vichy-Régimes Lat. als Pflichtfach an allen auf das *baccalauréat* hinführenden Schulen.

Nach dem II. Weltkrieg setzt in F. dieselbe Entwicklung wie in allen industrialisierten Ländern ein. Aus demographischen und soziologischen Gründen drängen Massen von Schülern in die weiterführenden Schulen: Die Zahl der *bacheliers* beträgt 1930 etwa 15000, 1979 fast 150000 [32. 389]. Das überlastete System sieht sich darüber hinaus mit der Forderung konfrontiert, diesen Massen nicht mehr eine weltabgewandte Elitekultur, sondern eine in der mod. Welt unmittelbar nützliche naturwiss. Ausbildung zu vermitteln. Daß die die Alten Sprachen unterstützenden konservativen Kreise sich häufig jeglicher Reform des Bildungswesens widersetzen und das Abitur auch sozial exklusiv halten wollen, fügt ihrer Sache auf lange Sicht Schaden zu [34. 306–310]. Das J. 1968, in dem sich in F. die Krise des Schul- und Universitätssystems zu einer veritablen Staatskrise entwickelt, markiert den Wendepunkt: Der Lateinunterricht ab der 6. Klasse wird abgeschafft; in seiner Rolle als Selektionsinstrument wird Lat. von der Mathematik abgelöst; mehr und mehr Schüler drängen in die mathematisch-naturwiss. Zweige der Abiturprüfungen [5. 232–234]. Damit verlieren die Alten Sprachen ihren Rückhalt gerade in den am schulischen Erfolg ihrer Kinder bes. interessierten Bevölkerungsschichten des gehobenen Bürgertums, in denen Kenntnisse der ant.

Kultur selbstverständlicher Bestandteil des human. Bildungsideals waren [32. 525–526].

Die → Universitäten waren von der Revolution 1795 zunächst aufgelöst worden; ihre bis in das 20. Jh. wirksame Gestalt gibt ihnen 1808 Napoleon. Entsprechend den niedrigen Schülerzahlen an höheren Schulen sind auch sie zunächst klein. Im Gegensatz zu den medizinischen und rechtswiss. Fakultäten verstehen sich die *facultés de lettres* nicht als Vorbereitung für bestimmte berufliche Karrieren, sondern als Übermittler einer traditionellen human. Bildung. Neben Abnahme des *baccalauréat* besteht die Hauptaufgabe ihrer Professoren daher im Abhalten von Vorlesungen für ein breites, nicht-spezialisiertes Publikum; Forsch. spielt für ihr Selbstverständnis keine entscheidende Rolle [20. 223]. Tendenzen, diesen Zustand nach dem Vorbild der preußischen Univ. zu ändern, an denen Spezialisierung und Professionalisierung der Lehrenden weiter fortgeschritten sind, lassen sich seit der Mitte des 19 Jh. feststellen; sie verstärken sich nach der Niederlage im Krieg 1870/71, die auch auf die Überlegenheit der dt. Forsch. zurückgeführt wird. Eine wichtige Rolle in diesem Vergleich der Systeme spielt gerade die → Altertumskunde, die in Deutschland zu dieser Zeit Leitdisziplin ist. In einer Reihe von Reformen versucht man, das frz. Universitätssystem auf ein höheres Niveau zu heben; so wird neben den traditionellen Univ. 1868 die École pratique des Hautes études gegründet, die spezialisierte Wiss. ermöglichen soll; sie kann die in sie gesetzten Erwartungen jedoch zunächst nicht erfüllen. Die frz. Univ. leiden auch an der Konkurrenz durch die elitären Grandes Écoles, die ihnen gerade den begabtesten Teil der Studenten entziehen. Wichtig für die Altertumswiss. in F. ist insbes. die 1808 wiedergegründete École normale supérieure: Nahezu alle bedeutenden Forscher des 19. Jh. haben an ihr studiert [18].

Wie in den höheren Schulen ruft die Explosion der Studentenzahlen nach 1945 auch in den Univ. immer neue Reformpläne hervor, deren Notwendigkeit im Mai 1968 der gesamten Nation dramatisch vor Augen geführt wird. Eine alle Gruppen zufriedenstellende Lösung, die vor dem Hintergrund der sozialen und technologischen Entwicklungen des 20. Jh. zw. Öffnung der Univ. für weitere Bevölkerungskreise einerseits und Elitebildung und Beibehaltung wiss. Standards andererseits einen Ausgleich schaffen könnte, wurde auch in F. bis h. nicht gefunden, so daß die Reformbemühungen weiter anhalten.

Im Ganzen gesehen liegen die Leistungen der frz. Altertumskunde des 19. und 20. Jh. mehr auf den Randgebieten und Hilfswiss. als in der Edition, Kommentierung und Interpretation der kanonischen Texte der ant. Literatur. Eine Ausnahme bilden lediglich die Kirchenväter: Seit der gigantischen (die lat. und griech. Serie des *Patrologiae cursus completus* umfassen zusammen beinahe 400 Bde.), wenn auch wiss. problematischen Edition aller Texte von der Ant. bis in das MA durch den Abbé Jacques-Paul Migne (1800–1875) liegt hier eine bes.

Stärke der frz. Forsch., die im 20. Jh. mit der 1942 gegründeten Serie *Sources chrétiennes* auf wiss. hohem Niveau fortgesetzt wird. Als bes. fruchtbare Gebiete zu nennen sind die Paläographie, die im 17. und 18. Jh. in F. von Gelehrten wie Jean Mabillon (1632–1707) und Bernard de Montfaucon (1655–1741) initiiert wurde, die Kodikologie sowie die Epigraphik, in deren Bereich frz. Gelehrte Herausragendes geleistet haben; erwähnt seien exemplarisch die Entzifferung des Steins von Rosetta durch Jean-François Champollion (1790–1832), die die Grundlage der Kenntnis der Hieroglyphen schuf, sowie die zahlreichen Arbeiten Louis Roberts (1904–1985). Einflußreich in der 2. H. des 20. Jh. waren die Arbeiten von Gelehrten wie Jean-Pierre Vernant (geb. 1914) und Pierre Vidal-Naquet (geb. 1930), gelegentlich als »Pariser Schule« bezeichnet, die sich mit den Methoden der Kulturanthropologie und Religionswiss. um ein Verständnis bes. der griech. Ant. bemüht haben.

C. Dichtung und Literatur

Die lit. Rezeption der Ant. im 19. Jh. muß in vielfacher Hinsicht verstanden werden als Auseinandersetzung mit dem normativen, oft starren Antikebild, das durch das klassizistische 17. Jh. geprägt und vom 18. Jh. tradiert worden war. Bis in die 2. H. des 19. Jh. entstanden weitere Werke in diesem klassizistischen Stil; insbes. auf dem Theater wurden ant. myth. und histor. Stoffe in der Nachfolge der großen Dramen Corneilles und Racines gestaltet. Die Einhaltung der aristotelischen Einheiten, der Ständeregel, eine durch Vermeidung »gewöhnlicher« Wörter gereinigte Sprache, gereimte Alexandriner und eine sich in fünf Akten entfaltende Intrige sind in diesen Werken die Regel; die Figuren des ant. Mythos oder der (zumeist röm.) Geschichte wirken in ihren rhet. perfekten Deklamationen wie Höflinge des *grand siècle*. Von diesen h. meist vergessenen Autoren seien etwa genannt: Antoine-Vincent Arnault (1766–1834), *Scipion* (1804; Napoléon im ant. Gewand) und *Germanicus* (1817); Jean-Charles-Julien Luce de Lancival (1764–1810), *Hector* (1809; nimmt Motive von Giraudouxs *La Guerre de Troie* vorweg); Pierre Lebrun (1785–1873), *Ulysse* (1814); Jean-Pons-Guillaume Viennet (1777–1868), Oper *Aspasie et Périclès* (1820); Alexandre Soumet (1788–1845), *Clytemnestre* (1822) und *Cléopâtre* (1825); Alexandre Dumas père (eigentlich Alexandre Dumas Davy de la Pailleterie, 1802–1870), *Caligula* (1841); François Ponsard (1814–1867), *Lucrèce* (1843). Noch im Zweiten Kaiserreich genossen diese Werke bei der Kritik hohes Ansehen, während sie heutigen Lesern oft uninspiriert und epigonal vorkommen. Selbst Epen werden noch geschrieben, so etwa Népomucène Louis Lemerciers (1771–1840) frostige Gedichte *Homère* und *Alexandre* (1800). Hingegen wenden sich die lit. Avantgarden schon früh von dieser Art der Antikerezeption ab. So läßt sich die → Romantik zu großen Teilen als Auflehnung gegen die als einengend empfundenen Normen der Regelpoetik verstehen. Der Kult des Gefühls und des Individuums, der Ausbruch aus den strikten Regeln der sprachlichen Wohlanstän-

digkeit (*bienséance*) mit ihren oftmals lächerlichen Periphrasen, die Aufhebung der traditionellen Gattungsgrenzen sind bewußt antiklassisch. Schon den romantischen Dichtern selbst war klar, daß dieser Kampf gegen den → Klassizismus nicht mit einer völligen Abwendung von der Ant. verwechselt werden darf: Alfred de Musset (1810–1857) stellt in seiner ersten *Lettre de Dupuis et Cotonet* (1836) ironisch fest, schon Aristophanes sei Romantiker gewesen, ›si on le lisait davantage, on se dispenserait de beaucoup parler, et on pourrait savoir au juste d'où viennent bien des inventions nouvelles qui se font donner des brevets‹ (»läse man ihn häufiger, so könnte man sich viel Reden ersparen und genau wissen, woher zahlreiche neue Erfindungen stammen, die sich jetzt Patente ausstellen lassen«). Obwohl bei der Stoffwahl andere Bereiche in den Vordergrund rücken (christl. Stoffe aus der »nationalen« Geschichte, insbes. des MA, die Welle der Shakespeare-Begeisterung und der Einfluß der dt. Lit. und Philos.), haben doch fast alle Romantiker in ihrer Schulbildung die ant., bes. die lat. Lit. gründlich kennengelernt und verarbeiten sie auch in ihren Werken immer wieder. So setzt sich etwa Victor Hugo (1802–1885) in seinem lyr. Werk wiederholt mit Vergil auseinander: In *À Virgile* (*Les Voix intérieures*, 1837) redet er den ant. Dichter als ›mon maître divin‹ (»mein göttl. Meister«) an; ›Mugitusque boum‹ (im 4. Buch der *Contemplations*, 1856) ist eine Reverenz an das ant. Vorbild. Alfred de Vigny (1797–1863) fügt in seine *Poèmes antiques et modernes* (1826) von Theokrit beeinflußte Idyllien. Wie sich romantisches Lebensgefühl und ant. Stoffe harmonisch miteinander verbinden, zeigen auch die antikisierenden Erzählungen Théophile Gautiers (1811–1872), *Une Nuit de Cléopâtre* (1838), *Le Roi Candaule* (1844), *Arria Marcella, souvenir de Pompéi* (1852) und der das ägypt. Alt. evozierende *Roman de la momie* (1857). Deutlich erkennbar ist vielfach das Bemühen, sich auch in auf die Ant. verweisenden Werken dezidiert von einer klassizistischen Sicht abzusetzen. Dies kann durch die Themenwahl geschehen: François-René de Chateaubriands (1768–1848) Prosaepos *Les Martyrs* (1809) in 24 Büchern spielt in der Welt der Christenverfolgungen des frühen 4. Jh., teilweise in Gallien, und schlägt damit eine Brücke von typisch romantischen zu ant. Themen; Vignys Fragment gebliebener Roman *Daphné* schildert in einer Rahmenhandlung, die Pariser Unruhen des J. 1831 vor Augen führt, die Auffindung ant. Briefe, die die letzten Tage des Kaisers Julian Apostata beschreiben, wobei Schauplatz nicht die klass. ant. Welt ist, sondern der exotische Nahe Osten (Antiochia), in dem sich ant. Philos., pagane Religionen und christl. Sekten begegnen. Auch können bekannte Themen und Motive ungewöhnlich gestaltet werden: Alphonse de Lamartine (1790–1869) dramatisiert etwa in *La Mort de Socrate* (1823) die Rahmenerzählung aus Platons *Phaidon*, läßt aber Sokrates kurz vor seinem Tod das Kommen Christi weissagen (ein ähnliches Motiv findet sich bereits bei Guez de Balzac). Dieser Synkretismus der Religionen, insbes. von

Christentum und Ant., ist ein beliebtes romantisches Thema, das sich ähnlich auch in Edgar Quinets (1803–1875) *Prométhée* (1838) findet, in dem die Erzengel Prométhée die Ankunft des neuen Gottes verkünden. Schließlich kann die Wahl einer Form die antiklassizistische Tendenz der Rezeption unterstreichen: Zwar drückt Maurice de Guérin (1810–1839) die romantischen Themen der Erfahrung von Todesnähe und rel. Begeisterung in seinen 1840 postum gedruckten *Le Centaure* und *La Bacchante* mit Hilfe des ant. Mythos aus, bedient sich aber der Form des Prosagedichts, die in der klassizistischen Poetik keinen Platz hatte. Verglichen mit den gleichzeitigen klassizistischen Schriftstellern gelingt es so der Romantik, eine frische Sicht auf die Ant. zu erhalten und sie wieder zu einer Quelle dichterischer Inspiration zu machen, allerdings um den Preis einer Distanzierung – die Ant. wird nun nicht mehr ausschließlich als Teil der eigenen Trad. begriffen, sondern als fremdes Gegenüber, in dem man die Gegenwart spiegeln kann. Beide Aspekte, sowohl die Amalgamierung der Ant. in eine überzeitliche, bes. durch das frz. *grand siècle* vertretene Klassik, als auch eine bewußt unkonventionelle, antiklass. Perspektive auf die Ant., werden sich in den nächsten 100 J. ständig wiederfinden. Einen ersten ästhetischen Höhepunkt erreicht die verfremdende Rezeption mit Gérard de Nerval (eigentlich Gérard Labrunie, 1808–1855), in dessen bis h. rätselhaftem Zyklus von 12 Sonetten *Les Chimères* (in *Les Filles du feu*, 1854) sich ant., biblische, ägypt. und okkulte Elemente zu einem unlösbaren Knoten verbinden.

Auch der lit. Realismus und Naturalismus gibt sich mit seinem Wunsch, die Gesellschaft der Gegenwart abzubilden, und mit seiner ausschließlichen Verwendung des Prosaromans und der Alltagssprache betont unklassisch. Dennoch schlägt sich die gründliche human. Bildung, die fast alle Autoren auf der Schule erhielten, in den Werken immer wieder nieder: So zeichnet zwar Stendhal (eigentlich Henri Beyle, 1783–1842) in seinem autobiographischen Romanfragment *Vie de Henry Brulard* (geschrieben 1835–1836) ein düsteres Bild des Lateinunterrichts seiner Zeit [24], zeigt jedoch in den zahlreichen lat. Epigraphen in *Le Rouge et le noir* (1830), wie präsent ihm die ant. Lit. war [36]. Jules Vallès (eigentlich Vallez, 1832–1885) stellt seinem Roman *Le Bachelier* (1879) die ironische Widmung voran ›A ceux qui nourris de grec et de latin sont morts de faim‹ (»All denen, die, gesättigt an griech. und lat. Bildung, Hungers starben«). Gustave Flaubert (1821–1880) führt mit *Salammbô* (1862) das Genre des histor. Romans zu einem Höhepunkt [33]: Auch in dieser Szene aus der Geschichte Karthagos (der von Hamilkar blutig niedergeschlagene Aufstand der karthagischen Söldner nach dem 1. Punischen Krieg) findet man die Vorliebe für eine dezidiert unklass., exotische Ant. wieder, die sich insbes. in der Darstellung von blutigen und grausamen Details gefällt (so die minutiöse Darstellung im 15. Kapitel, wie der Anführer der Aufständischen Mâtho zu Tode gefoltert wird); obwohl von der zeitgenössischen Kritik zunächst ablehnend beurteilt, sollte der Roman damit großen Einfluß auf die Antikerezeption der nächsten Jahrzehnte gewinnen. Im Stil ähnlich ist Flauberts Evokation des biblischen Alt. in *Hérodias* (in *Trois contes*, 1877). Zum Programm erhoben wird die antiklassizistische Sicht auf die Ant. in Joris-Karl (eigentlich Charles-Marie-Georges) Huysmans' (1848–1907) *À rebours* (1884). Des Esseintes, die Hauptfigur des Romans, wurde für eine ganze Generation von »dekadenten« Dandys zum Vorbild. Im 3. Kapitel des Romans werden seine lit. Vorlieben breit dargestellt: Während er kanonische Autoren wie Cicero oder Horaz als fade ablehnt, begeistert er sich etwa für Petron und Lucan, insbes. aber für die lat. Lit. der Spätant. und der Völkerwanderungszeit.

In der Lyr. entsteht um die Jh.-Mitte eine Gegenbewegung gegen die romantische Dichtung, die man zunehmend als formlosen Ausdruck von Gefühlsüberschwang empfindet. Demgegenüber verlangen die Dichter des sog. Parnasse sorgfältiges Ausfeilen der Verse und legen größeren Wert auf genau kalkulierte Klangeffekte als auf pathetische Ausbrüche (*impassibilité*). Gegenüber epischer Breite und dramatischer Handlung werden, in an die alexandrinische Dichtung des 3. Jh. v. Chr. erinnernder Manier, die Ausarbeitung kleiner Szenen oder minutiöse Beschreibungen bevorzugt. Einer als banal, utilitaristisch und häßlich empfundenen Umwelt ziehen die Anhänger dieser »l'Art pour l'Art«-Bewegung das Seltene und Fremdartige vor, wobei die Ant. als ästhetisches Vorbild und nostalgisch verklärte poetische Frühzeit der Menschheit eine wichtige Rolle spielt. Auch hier liegt nicht lediglich die Rückkehr zu klassizistischen Mustern vor: Wiederum sucht die Rezeption das Ungewöhnliche und verfremdet die Antike. So fertigt Charles Leconte de Lisle (1818–1894) zum Broterwerb einflußreiche Übers. einer Reihe kanonischer ant. Autoren (Homer, Hesiod, die griech. Tragiker, Theokrit, die *Carmina Anacreontea*, Horaz), bemüht sich aber in seinen *Poèmes antiques* (1852) um einen unmittelbaren, frischen Zugang insbes. zur griech. Antike. Obwohl sein Stil bisweilen maniriert und allzu gelehrt wirkt, spricht der gegenwartspessimistische Ton einiger Gedichte auch den heutigen Leser noch an, so etwa in *Hypatie*: ›Toujours des Dieux vaincus embrassant la fortune, / Un grand cœur les défend du sort injurieux: / L'aube des jours nouveaux le blesse et l'importune, / Il suit à l'horizon l'astre de ses aïeux‹ (»Ein großes Herz stellt sich auf die Seite der besiegten Götter und verteidigt sie gegen das feindliche Geschick; das Morgengrauen der neuen Tage verletzt und belästigt es, und es folgt am Horizont dem Sterne seiner Vorfahren«). Leconte de Lisle verfremdet die Ant. nicht nur, indem er bewußt exotische Namen und Schreibweisen wählt (»Khirôn«; »Bakkhos«), sondern auch durch Einbeziehung des indischen Alt. (die erste frz. Übers. der vedischen Hymnen war 1848–1851 erschienen). Ähnlich läßt Catulle Mendès (1841–1909) in der von Jules Massenet (1842–1912) vertonten → Oper *Bacchus* (1909) Dionysos mit Ariadne in ein bereits buddhistisches Indien gelangen, wo er die Königin Amahelli in seinen Dienst zwingt. Verflacht finden sich die Motive des Parnasse in *La Flûte de Pan* (1861) des Lukrez- und Vergilübersetzers André Lefèvre, wo die ant. Myth. lediglich als Dekor für recht banale Gefühlsergüsse dient. Zu einem letzten Höhepunkt führt den Parnasse José-Maria de Heredia (1842–1905), der an der Schwelle zu einem neuen lit. Zeitalter 1893 *Les Trophées* veröffentlicht, eine Sammlung von 118 größtenteils zuvor schon einzeln publizierten Sonnetten von perfekter formaler Schönheit, die insgesamt einen Gang durch die Geschichte der Menschheit bilden. Die Abschnitte »La Grèce et la Sicile« und »Rome et les barbares« machen mehr als die Hälfte der Sammlung aus; eines der Grundthemen ist der unwiederbringliche Untergang der Alten Welt und die Gleichgültigkeit der Moderne, so im Eingangsgedicht *L'Oubli*: ›Mais l'Homme indifférent au rêve des aïeux / Écoute sans frémir, du fond des nuits sereines, / La Mer qui se lamente en pleurant les Sirènes‹ (»Doch der Mensch, gleichgültig gegen den Traum der Vorfahren, hört reglos, aus der Tiefe der heiteren Nächte, dem Klagen des Meeres zu, das die Sirenen beweint«). Doch die gleichzeitigen Werke der Symbolisten öffnen den Weg in die poetische Moderne und räumen der Ant. nur noch geringen Platz ein: Schon Charles Baudelaire (1821–1867) verwendet in seinen *Fleurs du mal* (1857) lat. Gedichttitel (*Sed non satiata, Mœsta et errabunda; Franciscæ meæ laudes* ist ganz lat. geschrieben) und ant. Allusionen (etwa die Vergilanspielung ›Ce Simoïs menteur‹ in *Le Cygne*) lediglich als intertextuelle Glanzlichter. Stéphane Mallarmé (1842–1898) schreibt in seiner Jugend zwar einige konventionell antikisierende Gedichte (*Rêve antique, Lœda* und das Bekenntnis zum Paganismus in *Pan*); in seinen reifen Werken (v. a. *Hérodiade*, 1871, eine Szene aus einem nie vollendeten Drama, und *L'Après-midi d'un Faune, Églogue*, 1876) sind die ant. Elemente so sehr in seinen eigenen poetischen Stil amalgamiert, daß konkrete Einflüsse kaum faßbar sind [11]; ähnlich die zahlreichen antikisierenden Gedichte Paul Valérys (1871–1945): *Album de vers anciens* (1920); *La jeune Parque* (1917); *La Pythie* und *Fragments de Narcisse*, in *Charmes* (1922); *Amphion* (1931) wurde in Musik gesetzt von Arthur Honegger (1892–1955).

Wie bereits im 17. Jh. mit den burlesken Travestien, so reizt auch im 19. Jh. das allzu hohe Podest, auf das die Ant. in Schule und Dichtung oft gestellt wird, zum Spott. Félix-Auguste Duverts (1795–1876) Farce *Actéon et le centaure Chiron* (1835) verlegt einen Liebesreigen à la Musset in die Myth. (Actéon stellt sich vor als ›Jean Actéon, petit-fils de Cadmus, qui a inventé les accents circonflexes‹ (»Johann Aktaion, Enkel des Kadmos, der den Zirkumflex erfunden hat«). Théodore de Banvilles (1823–1891) *Socrate et sa femme* (1885) ist eine liebenswürdige kleine Kom., die Socrate und Xanthippe als bürgerliches Ehepaar der Gegenwart auf die Bühne bringt; derselbe Autor hatte bereits 1842 mit *Les Cariatides* eine lyr. Sammlung publiziert, die viele ästhetische Prinzipien des Parnasse vorwegnimmt. Besonders po-

pulär werden im Zweiten Kaiserreich durch die Musik Jacques Offenbachs (1819–1880) die Burlesken *Orphée aux enfers* (1858/1874) von Hector Crémieux (1828–1892) und Ludovic Halévy (1834–1908) sowie *La Belle Hélène* (1864) von Henri Meilhac (1831–1897) und Halévy. Zum übermütigen, von geistreich bis platt reichenden Spott über die ant. Mythen und ihre klassizistischen Bearbeitungen, oftmals durch das Mittel des burlesken Anachronismus, tritt hier auch Satire auf die gesellschaftlichen Verhältnisse der Zeit [28]. Wenn im *Orphée* etwa Jupiter (der sich selbst ›papa Piter‹ nennt) seinen chaotischen Hofstaat mit den Worten zur Ordnung ruft ›Prenons pour mot d'ordre: Hexamètre et maintien‹ (»Unsere Parole sei: Hexameter und Haltung!«; 3. Akt, 4. Bild, 1. Szene), so wird mit dem offiziösen Klassizismus zugleich auch das Kaisertum dem Spott preisgegeben. Noch 1900 schreibt Alfred Jarry (1873–1907) eine Operette *Léda* in ähnlichem Geist.

Um die Jh.-Wende gibt es bes. auf dem Theater eine Reihe von Werken, die mit ant., meist myth. Themen experimentieren und ihnen neue Seiten abzugewinnen suchen; diese Welle erreicht in den Jahrzehnten nach dem 1. Weltkrieg ihren Höhepunkt. Der ant. Mythos wird paradigmatisch aufgefaßt: Die von der Trad. vorgegebenen Situationen und Figuren erlauben, sich ganz auf die menschlichen Konflikte zu konzentrieren; im Mythos sieht man, wie es Marguerite Yourcenar (eigentlich Marguerite de Crayencour, 1903–1987) im »Avant-Propos« ihres Dramas *Électre ou la chute des masques* (1954) ausdrückt, ›cette espèce d'admirable chèque en blanc sur lequel chaque poète, à tour de rôle, peut se permettre d'inscrire le chiffre qui lui convient‹ (»diesen wunderbaren Blankoscheck, auf dem jeder Dichter, der Reihe nach, die Summe eintragen darf, die ihm paßt«). Wenn die Autoren mit den ant. Vorgaben oft sehr frei verfahren, so folgen sie damit nicht nur dem Vorbild des frz. 17. Jh., sondern auch der ant. Trag., in der Innovationen, die nicht den eigentlichen Kern des Mythos betreffen, ebenfalls nicht selten sind. In beinahe allen zu besprechenden Stücken unterstreichen gezielte Anachronismen die paradigmatische Geltung der mythischen Konflikte [16]; Verwendung der Alltagssprache (die sich etwa bei Giraudoux jedoch poetisch steigern kann) läßt keinen Gedanken an leblosen und starren Klassizismus aufkommen; auch diese stilistischen Mittel lassen sich als Verfremdungen der Ant. verstehen.

André Gide (1869–1951) hat während seines gesamten Schaffens immer wieder auf griech. Mythen zurückgegriffen [35]; sein respektloser Umgang mit diesen Stoffen ist in F. einflußreich, setzt ihn aber auch dem berechtigten Vorwurf frivoler Spielerei aus. Genannt seien die Dramen *Philoctète ou le traité des trois morales* (1898), *Le Roi Candaule* (1901), *Œdipe* (1931) und die Oper *Perséphone* (1934), zu der Igor Strawinsky (1882–1971) die Musik schreibt. Mendès' *Médée* (1898) lehnt sich zwar eng an Euripides an, betont jedoch v. a. die grausigen und exaltierten Elemente des Mythos (Geisterbeschwörung im 3. Akt); vergleichbar ist André Suarès' (1868–1948) *La Tragédie d'Élèktre et d'Oreste* (1905) mit ihrer dumpfen Atmosphäre und ihren Geistererscheinungen. Émile Verhaerens (1855–1916) Leidenschaftsdrama *Hélène de Sparte* (1912) führt das Motiv des Inzests in den Helenamythos ein (Hélène wird von ihrem Bruder Castor begehrt, der Ménélas tötet und seinerseits von Élèctre umgebracht wird). Dem Parnasse verpflichtet sind die kurzen dramatischen Szenen von Francis Vielé-Griffin (1864–1937) in *La Lumière de la Grèce* (1912). Mehrfach wendet sich Jean Cocteau (1889–1963) von Sophokles bearbeiteten Tragödienstoffen zu. Er adaptiert *Antigone* für die mod. Bühne (1922) und befaßt sich zweimal mit dem Ödipus-Mythos. Sein *Œdipe Roi* (publiziert 1928) dient Strawinsky als Textvorlage zu seinem Oratorium *Oedipus Rex* (1927); in *La Machine Infernale* (1934) wird in eindringlichen Bildern vorgeführt, wie nichts verhindern kann, daß Ödipus in sein Verderben rennt. Die bei der Erstaufführung von Cocteau selbst gespielte »Voix« erläutert das Geschehen als ›une des plus parfaites machines construites par les dieux infernaux pour l'anéantissement mathématique d'un mortel‹ (»eine der vollkommensten Maschinen, gebaut von den Göttern der Unterwelt zur mathematischen Vernichtung eines Sterblichen«; 1. Akt, 1. Szene). *Orphée* (1926; nicht identisch mit dem gleichnamigen Film von 1950) spielt mit Motiven des Orpheusmythos. Paul Claudel (1868–1955) veröffentlicht 1896–1920 eine Übers. von Aischylos' *Orestie* [25], für die Darius Milhaud (1892–1974) Bühnenmusik komponiert; der überlieferte Titel *Proteus* des die Tetralogie abschließenden verlorenen Satyrspiels inspiriert Claudel zu seinem eigenen Satyrspiel *Protée* (1914/1927), das Motive aus Euripides' *Helena* und dem 4. Buch der *Odyssee* verwendet. *Sous le rempart d'Athènes* (1927) ist ein antikisierender Dialog zu Ehren des Chemikers Marcelin Berthelot (1827–1907). Die wohl beeindruckendsten Bearbeitungen ant. Mythen dieser Epoche lieferte Jean Giraudoux (1882–1944). Ihm geht es v. a. darum, das seelische Leben der Figuren plastisch hervortreten zu lassen: In *Amphitryon 38* (1929) steht neben der sogar auf die angebotene Unsterblichkeit verzichtenden Alcmène Jupiter im Mittelpunkt des Interesses: Kann ein Gott bei Menschen Liebe oder Freundschaft wecken? In *La Guerre de Troie n'aura pas lieu* (1935) können alle verzweifelten Versuche von Hector und Ulysse nicht verhindern, daß die Kriegstreiber beider Seiten den fast schon verhinderten Trojanischen Krieg zuletzt doch ausbrechen lassen. In *Électre* (1937) ist die Titelheldin zu Beginn im Unwissen über die Verbrechen ihrer Mutter und Égisthes; das Stück wirft die Frage auf, ob sich in einer Welt des Kompromisses Électres fanatische Gerechtigkeitsliebe, die selbst den Untergang der Stadt in Kauf nimmt, rechtfertigen läßt. Einen ähnlichen Konflikt gestaltet Jean Anouilh (1910–1987) in seiner *Antigone* (1942): Auch die reine und kompromißlose Antigone ist fanatisch von ihrer Aufgabe überzeugt; Créon ist der Mann der Pflicht, der alles tut, um sie zu retten, aber an ihrer Intransigenz scheitert. Er kann nicht

anders, als sie zum Tode zu verurteilen, weiß aber, daß das Leben weitergehen muß: ›Il faut pourtant qu'il y en ait qui disent oui. Il faut pourtant qu'il y en ait qui mènent la barque‹ (»Und doch sind Menschen nötig, die Ja sagen. Und doch sind Menschen nötig, die den Kahn steuern«) [1]. Weitere antikisierende Dramen Anouilhs sind *Eurydice* (1941; der Orpheus-Mythos wird in die Gegenwart versetzt), *Œdipe ou le roi boiteux* (1978) und die archa.-düstere *Médée* (1946). Henry de Montherlant (1896–1972) zeigt in seiner *Pasiphaé* (1938) die Titelheldin als Symbol der schuldigen Leidenschaft; *La Guerre civile* (1965) dramatisiert die Situation der Schlacht bei Dyrrhachium [12]. In Jean-Paul Sartres (1905–1980) *Les Mouches* (1943) [23] wird der Muttermord des Oreste zum Symbol des authentischen Akts, der die Freiheit des Menschen begründet: Während Électre auf das Angebot Jupiters eingeht, die Verantwortung für die Tat abzulehnen, und damit in die zuvor von ihr verschmähte Welt der Kompromisse und Halbheiten zurückkehrt, weigert sich Oreste, diese Ausflucht zu nehmen; er ist auf schmerzhafte Weise frei, denn er hat das Geheimnis entdeckt, ›le secret douloureux des Dieux et des rois: c'est que les hommes sont libres‹ (»das schmerzhafte Geheimnis der Götter und Könige: daß die Menschen frei sind«; 2. Akt, 5. Szene). Sartre kehrt 1965 mit einer Adaption von Euripides' *Troerinnen* noch einmal zur griech. Trag. zurück. Ähnliche Bed. verleiht Albert Camus (1913–1960) dem Sisyphos-Mythos in *Le Mythe de Sisyphe* (1942); in seinem Drama *Caligula* (1944) wird der Titelheld zum Symbol der Absurdität des menschlichen Lebens. Noch freier als Sartre geht M. Yourcenar [31] mit dem überlieferten Elektra-Stoff um: In ihrer *Électre ou la chute des masques* (1954) ist Oreste der Sohn Égisthes, der schon vor Agamemnons Abreise nach Troja ein Verhältnis mit Clytemnestre hatte; Pylade ist Égisthes Agent. Électre tötet zwar ihre verhaßte Mutter, aber ihre Tat ist sinnlos: ›Ta mère, Électre, souffrait depuis deux ans d'un mal incurable. Tu lui as épargné quelques mois d'horrible agonie‹ (»Deine Mutter, Elektra, litt seit zwei Jahren an einer unheilbaren Krankheit. Du hast ihr einige Monate schrecklicher Qualen erspart«; 2. Akt, 4. Szene). Obwohl Oreste erfährt, wie sein wahres Verhältnis zu Égisthe ist, tötet er ihn; sterbend verhilft dieser Électre, Pylade und Oreste zur Flucht. *Le Mystère d'Alceste* (1963) ist eine Bearbeitung von Euripides' *Alkestis; Qui n'a pas son Minotaure?* (1963) stellt einen eitlen und selbstsüchtigen Theseus auf Kreta und Naxos dar. Jacques Audibertis (1899–1965) *Le Soldat Dioclès* (1961) zeigt den Aufstieg Diocletians zum Kaiser und seine Christenverfolgungen und arbeitet mit raffinierten Verschiebungen der zeitlichen Perspektive.

Wenngleich weniger ausgeprägt, läßt sich auch in anderen Genres ein wiedererstarkendes Interesse an der Ant. feststellen. Im Roman kann man, ähnlich wie bei der psychologisierenden Ausdeutung ant. Mythen auf dem Theater, von einer Verfremdung der Ant. durch Nähe sprechen: Dadurch, daß die ant. Figuren bewußt unheldisch dargestellt und zu Menschen »wie du und ich« werden, entsteht eine ebenfalls antiklassizistische, befreiende, aber gelegentlich auch banalisierende Sicht auf die Antike. Besonders ausgeprägt ist diese Tendenz in den Romanen Gides. *Le Prométhée mal enchaíné* (1899) zeigt einen spielerischen Umgang mit Motiven des Mythos: Prometheus kommt samt seinem Adler in das zeitgenössische Paris, verursacht einen Skandal (›Mais nous ne le portons pas à Paris. À Paris c'est très mal porté. L'aigle gêne‹, »Aber wir tragen so etwas nicht in Paris. In Paris ist das unerträglich. Der Adler stört«) [13] und hält Vorträge; in *Thésée* (1946) erzählt der mythische Held selbst sein Leben: Trotz allen Schwächen und Eitelkeiten hat er in der von ihm gegründeten Stadt Athen ein unsterbliches Werk hinterlassen. Um die Jh.-Wende wird die Ant. gern als Dekor für schwül-erotische Romane benutzt, so etwa in Catulle Mendès Novelle *Lesbia* (1887). Dezenter ist die Erotik in Anatole Frances (eigentlich Anatole-François Thibault, 1844–1924) Roman *Thaïs* (1890), der die Leser, Vignys *Daphné* vergleichbar, in die Welt des spätant. Ägypten mit ihren christl. Asketen und philos. Diskussionen entführt. Anschauliche Schilderungen davon, was es am E. des 19. Jh. bedeutet, das bürgerliche Leben eines Professors der Klass. Philol. zu führen, geben Frances Roman *Le Crime de Sylvestre Bonnard, membre de l'Institut* (1881) und die zu der Tetralogie *Histoire contemporaine* zusammengefaßten Romane *L'Orme du mail* (1897), *Le Mannequin d'Osier* (1897), *L'Anneau d'améthyste* (1899) und *M. Bergeret à Paris* (1901), deren Held Bergeret an einem *Virgilius nauticus* arbeitet. Hugues Rebells (eigentlich Georges Grassal, 1867–1905) Roman *La Saison à Baïa* (1899) mutet streckenweise wie eine Parodie auf *Quo vadis* an; so tritt etwa Paulus hier als pompöser Prediger auf. Pierre Louÿs (1870–1925) präsentiert in seinem Roman *Aphrodite* (1896) die Geschichte der Hetäre Chrysis im ptolemäischen Alexandria; ähnlichen Geschmack zeigt die Novellensammlung *Le Crépuscule des nymphes* (1925). Seine *Chansons de Bilitis* (1894) geben sich als Übers. von Gedichten einer Schülerin Sapphos; sie verursachten zu ihrer Zeit Skandal (Wilamowitz schrieb eine philiströse Rezension der *Bilitis*) und waren Bestseller; den heutigen Leser muten sie fade an. Interessanter ist Jarrys *Messaline* (1900), ein Sittenbild des »dekadenten« Rom unter Claudius, aus der Sicht Messalinas erzählt. Auch Antonin Artaud (1896–1948) zeigt sich in seinem gelehrten, auf genauem Quellenstudium basierenden *Héliogabale ou l'anarchiste couronné* (1934) von Gewalt, Erotik und Religiosität des spätant. Rom fasziniert und rehabilitiert Elagabal als ›un esprit indisciplené et fanatique, un vrai roi, un rebelle, un individualiste forcené‹ (»ein undisziplinierter und fanatischer Geist, ein wahrer König, ein rasender Individualist«) [2]. Spielerischen Umgang mit Themen der *Odyssee* bieten zwei Romane: Hauptfigur von Giraudouxs *Elpénor* (1919) ist der Gefährte des Odysseus, ›nicht allzu wehrhaft im Kampf noch auch so recht gefügt in seinen Sinnen‹ (Od. 10,552 f.; Übers. Schadewaldt), der in der *Odyssee* bei der Abfahrt von Kalypsos Insel zu Tode

stürzt (10,511–560) und Odysseus in der Unterwelt um seine Bestattung bittet (11,51–83). Um diese Figur, ›le Charlot de l'Odyssée‹ (»der Clown der Odyssee«) [15. 450], spinnt Giraudoux eine Reihe phantastischer Abenteuer, läßt den Toten noch einmal aufleben und zu den Phaiaken gelangen, wo er für Odysseus gehalten wird. Der Stil ist preziös, oft auch parodistisch (etwa die Schilderung in Nonsense-Wörtern, wie sich Odysseus nach dem Schiffbruch rettet: ›il arga une conasse dans le virempot, puis, la masure ayant soupié, bordina l'astifin: il était sauvé!‹ [15. 437]). In Jean Gionos (1895–1970) *Naissance de l'Odyssée* (1930) ist Ulysse ein bescheidener Bauer, der sich nach seiner Teilnahme am Trojanischen Krieg viele J. in Hafenstädten der griech. Inseln mit einer Reihe von Frauen vergnügt. Von Heimweh gepackt kehrt er nach Ithaka zurück, wo er erfährt, daß seine Frau Pénélope mit dem athletischen Antinoüs ein Verhältnis hat. Die von ihm erfundenen Lügengeschichten eilen ihm voraus, und er findet sich schließlich in ihrem Netz gefangen: ›Ulysse! Ce ne serait plus désormais ce nez de goupil, ces minces lèvres, ces yeux que l'habitude du rêve mensonger creusait de regards insondables, mais un hétéroclite amalgame de géants, de déesses charnelles, d'océans battant la dentelle des îles perdues‹ (»Odysseus! Das würde von nun an nie mehr diese Fuchsnase sein, diese dünnen Lippen, diese Augen, deren tiefliegenden Blick die Angewohnheit der Lügenträume unergründlich gemacht hatte, sondern eine wunderliche Ansammlung von Riesen, fleischgewordenen Göttinnen, Ozeanen, die an die Gestade von verlorenen Inseln schlugen«) [14]. Die Erzählung fesselt nicht nur wegen ihres raffinierten Umgangs mit homer. Motiven, sondern v. a. wegen ihrer beeindruckenden Darstellung mediterraner Natur. M. Yourcenars *Mémoires d'Hadrien* (1951) ist einer der Höhepunkte der Antikerezeption im Roman: Es gelingt der Autorin, in der Lebensbeschreibung des sich selbst suchenden, resigniert resümierenden Hadrien eine histor. vertretbare Darstellung des Kaiserreichs des 2. Jh. zu geben, zugleich aber den Zauber dieser Persönlichkeit und ihrer Zeit auf mod. Leser unmittelbar wirken zu lassen. Auf die experimentelle Prosa des *Nouveau Roman* übt die Ant. nur noch ausnahmsweise Einfluß aus: Claude Simons (geb. 1913) *La Bataille de Pharsale* (1969) verzichtet auf eine durchgängige Erzählung; ein Strang der vielstimmigen Montage aus erzählenden Partien, Gesprächen und innerem Monolog beschreibt einen Besuch des Schlachtfelds von Pharsalos; in ihn sind immer wieder Passagen über die Schlacht aus Caesars und Lucans *Bellum ciuile* und Plutarchs Caesarbiographie eingefügt. Einer konventionellen Erzählweise bedient sich Roger Peyrefitte (1907–2000) in den drei Bänden seiner romanesken *Histoire d'Alexandre* (*La Jeunesse d'Alexandre*, 1977; *Les Conquêtes d'Alexandre*, 1979; *Alexandre le Grand*, 1981). Henry Bauchau (geb. 1913) hat sich in mehreren Romanen mit dem Ödipusmythos auseinandergesetzt (*Œdipe sur la route*, 1990; *Antigone*, 1997). Was die Breitenwirkung angeht, ist sicherlich im F. der Zeit nach dem II. Weltkrieg ein Rezeptionsphänomen unübertroffen: 1959 erscheinen in der Jugendzeitschrift *Pilote* die ersten Folgen eines → Comics *Astérix le Gaulois*, Texte von René Goscinny (1926–1977) und Bilder von Albert Uderzo (geb. 1927), die 1961 als Sammelband herausgegeben werden. Die in den folgenden J. publizierten Bände der Abenteuer um den listigen gallischen Krieger Astérix und seinen Freund Obélix erreichen ein Millionenpublikum nicht nur in Frankreich. Geschickt werden in den Bänden immer wieder anachronistische Seitenhiebe auf das mod. F. und Anspielungen auf die Ant. gemischt. Als bes. gelungen seien genannt *Astérix légionnaire* (1967), *Astérix en Hispanie* (1969), *Les Lauriers de César* (1972) und *Astérix en Corse* (1973).

1 J. ANOUILH, Nouvelles Pièces Noires, 1947, 184
2 A. ARTAUD, Œuvres complètes, Bd. 7, 1967, 134
3 S. BALLESTRA-PUECH, La »Question du Latin« en France dans la seconde moitié du XIXe siècle, in: [10. 235–244]
4 J.-J. BECKER, S. BERSTEIN, Victoire et frustrations 1914–1929, 1990 **5** S. BERSTEIN, J.-P. RIOUX, La France de l'expansion, Bd 2: L'Apogée Pompidou 1969–1974, 1995
6 J. BOLLACK, Pour une histoire sociale de la critique, in: [8. 17–24] **7** Ders., M. de W.-M. (en France), in: W. M. CALDER, H. FLASHAR, T. LINDKEN (Hrsg.), Wilamowitz nach 50 J., 1985, 468–512 **8** M. BOLLACK, H. WISMANN (Hrsg.), Philol. und Hermeneutik im 19. Jh. II, 1983
9 M. BRIX, Quelque chose d'énorme, de sauvage et de barbare. Le romantisme français et les tragédies d'Eschyle, in: Les Études classiques 60 (1992) 329–343 **10** G. CREBRON, L. RICHER (Hrsg.), La Réception du Latin au XIXe siècle, 1996 **11** G. COHN, Mallarmé and the Greeks, in: [22. 81–88] **12** P. DUROISIN, Montherlant et l'antiquité, 1987
13 A. GIDE, Romans, récits et soties, œuvres lyriques, 1958, 315 **14** J. GIONO, Œuvres romanesques complètes, Bd. 1, 1971, 53 **15** J. GIRAUDOUX, Œuvres romanesques complètes, Bd. 1, 1990 **16** E. C. HICKS, Anachronism in the Modern Theater of Myth, in: [22. 175–192] **17** G. HIGHET, The Classical Trad., 1949 **18** P. HUMMEL, Humanités normaliennes, 1995 **19** M. JACOB, Ét. comparative des systèmes universitaires et place des ét. classiques au 19e siècle en Allemagne, en Belgique et en France, in: [8. 108–141] **20** A. JARDIN, A. J. TUDESQ, La France des notables, Bd. 1: L'Évolution générale 1815–1848, 1973 **21** P. JUDET DE LA COMBE, Champ universitaire et études homériques en France au 19ème siècle, in: [8. 25–61] **22** W. G. LANGLOIS (Hrsg.), The Persistent Voice, 1971 **23** L. W. LEADBEATER, Greek Patterns in Sartre's »Les Mouches«, in: Classical and Modern Literature 16 (1995/96) 107–118 **24** A. LÉONARD, La Formation au Latin dans le souvenir de Vallès (»L'Enfant«) et de Stendhal (»Vie de Henry Brulard«), in: [10. 143–153] **25** W. H. MATHESON, Claudel and Aeschylus, 1965 **26** F. MAYEUR, De la révolution à l'école républicaine, 1981 **27** J.-M. MAYEUR, Les Débuts de la IIIe République 1871–1898, 1973 **28** H.-J. NEUSCHÄFER, Die Mythenparodie in »La Belle Hélène«, in: Romanistische Zschr. für Literaturgesch. 5 (1981) 63–73
29 P. PETITMENGIN, Deux têtes de pont de la philol. allemande en France: le »Thesaurus Linguae Graecae« et la »Bibliothèque des auteurs grecs« (1830–1867), in: [8. 76–98]
30 H. PEYRE, L'Influence des littératures antiques sur la littérature française moderne, 1941 **31** R. POIGNAULT, L'Antiquité dans l'œuvre de Marguerite Yourcenar, 1995
32 A. PROST, L'École et la famille dans une société en mutation, 1981 **33** H. RIIKONEN, Die Ant. im histor. Roman des 19. Jh., 1978 **34** J.-P. RIOUX, La France de la Quatrième République, Bd. 2: L'Expansion et l'impuissance, 1983 **35** H. WATSON-WILLIAMS, André Gide and the Greek Myth, 1967 **36** G. DE WULF (Hrsg.), Stendhal 1783–1842. Cultures antique et médiévale, 1992.

THOMAS A. SCHMITZ

D. MUSIK
1. VORAUSSETZUNGEN
2. 19. UND 20. JAHRHUNDERT

1. VORAUSSETZUNGEN

Antike Sujets sind in der frz. Musik, bes. nach dem Dt.-Frz. Krieg 1870/71, der eine Rückbesinnung auf die klass. frz. Tradition zur Folge hatte, in auffallender Weise präsent. Obgleich auch Kompositionen von R. Strauss, Nielsen, Mussorgsky, Tscherepnin und Respighi Stoffe der Ant. aufgriffen, handelt es sich bei der Rezeption ant. Themen in der europ. Musik vorrangig um ein frz. Phänomen.

Diese Ausprägung ist zunächst darauf zurückzuführen, daß die Ant. seit der Ren. in der frz. Kultur tief verwurzelt war und Rückbezüge auf ant. Vorbilder das frz. Selbstverständnis grundsätzlich beeinflußt haben. Die in bildender Kunst, Lit. und Musik im 17. und 18. Jh. behandelten ant. Themen wurden im 19. und 20. Jh. wiederholt aufgegriffen und erlangten durch eine solche Rezeption der Rezeption eine neue Bed.; dabei wurden durchaus eigenständige Akzente gesetzt, und in der Musik wurden Ausdrucksformen gefunden, die auf eine Neuinterpretation des ant. Stoffes zurückzuführen sind.

Nach 1870/71 orientierten sich frz. Komponisten immer wieder an der den griech. Mythos rezipierenden *Tragédie lyrique* von Lully und Rameau und knüpften so bewußt an die Trad. des Classicisme an. Es setzte eine Rückbesinnung auf die Ars gallica ein, die bis ins 20. Jh. hinein diese Form der frz. Oper und deren sprachlich-musikalische Deklamation mit dem ant. Sujet verband. Diese Rezeption reicht von Saint-Saëns, Fauré über Debussy bis hin zu Séverac, Magnard und Mariotte.

Bei der Beurteilung der Antikerezeption um 1900 ist das kulturhistor. Moment zu berücksichtigen: Sie war im → Fin de siècle mit der Vorstellung von Ursprünglichkeit, Primitivität, Humanität und Dekadenz konnotiert, besaß also einen komplexen geistesgeschichtlichen Hintergrund, der keineswegs auf die Bewunderung der Ant. als klass. Vorbild für die Moderne reduziert werden darf. Die Rezeption der Ant. ist in der Musik weitgehend über das Sujet vermittelt; nur in wenigen Fällen versuchten Komponisten auch die Form der wenig gekannten ant. Musik zu imitieren.

2. 19. UND 20. JAHRHUNDERT

Zu Beginn des 19. Jh. begegnet der ant. Stoff zunächst im Œuvre von Hector Berlioz (1803–1869): Seine Kantate *La Mort d'Orphée* (1827) ist ein Versuch, die Einswerdung von Mensch und Natur mit musikalischen

Abb. 1: Lucienne Bréval, Bühnenbild zu *Pénélope* von G. Fauré, 2. Akt, Théâtre des Champs-Elysées (Bühnenbild: Ker-Xavier Roussel, Kostüme: Henri-Gabriel Ibels)

Mitteln zu erfassen, wohingegen seine Kantate *La Mort de Cléopâtre* (1829) das Psychogramm einer Sterbenden darstellt. Mit seiner Grand Opéra *Les Troyens* (1856–1858) gelang Berlioz ein wichtiger Beitr. zur Antikerezeption in der Musik. Als musikalisches Epos mit teilweise übernommenen Passagen aus Vergils *Aeneis* ist sie in dieser Zeit jedoch eher singulär. Weitere Stoffe aus der ant. Lit. etwa aus Homer oder Sappho, sowie aus dem klass. Mythos sind vereinzelt in Kompositionen von Auber, Bizet, Delibes, Dubois, Gounod und Reicha aufgegriffen worden; für die Mitte des 19. Jh. scheinen sie jedoch weniger signifikant und haben keinen Einfluß auf die musikalische Sprache.

Im Gegensatz zur Malerei und Lit. trat das ant. Sujet in der frz. Musik bis 1870/71 zugunsten des Exotismus in den Hintergrund. Vor der Präsentation außereurop. Kulturen auf der Weltausstellung von 1889 wurde das Fremde in Frankreich, v.a. auch in Paris, in der Orientoper dargestellt. Die durch die Kenntnis von Reiseber. angereicherte Pseudo-Authentizität der Couleur locale entsprach dem Zeitgeschmack und erfreute sich einer großen Beliebtheit. Das hatte zur Folge, daß der bis dahin nur selten rezipierte ant. Stoff schließlich in Anlehnung an die üblichen Vorstellungen über den Orient interpretiert wurde. Noch im 20. Jh. griffen vereinzelt Werke Themen des Orients auf, der als lebendes Relikt der Ant. gesehen wurde.

Ein wichtiger Repräsentant der vom Lokalkolorit geprägten Oper ist Jules Massenet (1842–1912), der sich jedoch dem ant. Stoff zuwandte. In vielen seiner zumeist opulenten, im Stil Meyerbeers angelegten Opern arbeitete er mit musikalischen Kontrasten, um die aufeinandertreffenden Sphären und Kulturen voneinander abzusetzen; dabei orientierte sich Massenet in seiner Stoffwahl an einer publikumswirksamen Dramaturgie. Koloristische Effekte erzielte er zumeist durch die Imitation orientalischer oder liturgischer Zitate, die er als melodische, rhythmische Fragmente verwendete oder in das harmonische Gewebe integrierte. Massenets

Abb. 2: Serge Lifar als Apollo mit Musen in *Apollon musagète* von Strawinsky

Historienopern wie *Hérodiade* (1881), *Roma* (1912) und *Cléopâtre* (1912), seine auf frz. Lit. beruhenden Werke wie die *Comédie lyrique Thaïs* (1894) nach A. France und *Phèdre* (1900) nach Racine sowie die mythischen Stoffe wie die *Idylle Antique Narcisse* (1877) oder die Opern *Ariane* (1906) und *Bacchus* (1909) zeigen, in welch differenzierter Weise ant. Themen rezipiert wurden

Bewußt griff Camille Saint-Saëns (1835–1921), der sich dem damals dominierenden Einfluß Wagners widersetzte, die Maximen des frz. Classicisme des 17. und 18. Jh. auf. Die Rezeption des ant. Stoffes war in den Opern von Saint-Saëns gleichzeitig mit einem Rückgriff auf die lit. Form der griech. Trag. verbunden. Nach Tiersot war ihm in *Antigone* (1893) eine Annäherung in der Behandlung der Melodik (Monodie) und Rhythmik gelungen. In der *Tragédie lyrique Déjanire* (1898) hat Saint-Saëns den Versuch unternommen, die ant. Trag. durch die schlicht gesprochenen, prosodischen Passagen der Chöre nachzuahmen. Die Authentizität versuchte er auch dadurch zu erhöhen, daß er *Déjanire und Parysatis* (1902) in den Ruinen des röm. Amphitheaters zu Béziers uraufführte.

Gabriel Fauré (1845–1924) setzte mit seiner *Tragédie lyrique Prométhée* (1900) zunächst den Stil seines Lehrers Saint-Saëns fort. Zu einer neuen Ausdrucksform gelangte er mit der Oper *Pénélope* (1912; Abb. 1), in der er durch die Angleichung der Gesangsstimmen an die Sprache eine Reduktion der Stilmittel erreichte und das klass., ant. Ideal der Schlichtheit für die Moderne neu formulierte.

Von Rolland als Erneuerer der frz. Musik bezeichnet, hatte Claude Debussy (1862–1918) durch seine pantheistische, assoziative Interpretation der Ant., die eine seiner wichtigsten Inspirationsquellen war, der frz. Musik eine neue Ausdrucksform gegeben. Seine Idee einer freien Musik fand ihre Umsetzung auch durch die Wahl mythischer Stoffe und Gestalten, die als Inkarnation der Natur bezeichnet werden können. Der *Prélude à l'après-midi d'un faune* (1894) nach Mallarmé, *Sirènes* (1899) und *Syrinx* (1913) sind Beispiele für den innovativen Umgang mit den musikalischen Parametern. In den *Trois Chansons de Bilitis* (1898), der Vertonung einiger fiktiver ant. Gesänge von P. Louÿs, versuchte Debussy die ant. Atmosphäre musikalisch zu erfassen, indem er Melodik, Rhythmik und Harmonik unabhängig voneinander behandelte und sie in ein neues Verhältnis zueinander setzte. Über das Medium Mythos gelang es ihm, eine irrationale Kompositionstechnik zu entwickeln. Ungezähmtheit und Naturgewalt wurden um 1900 oftmals durch den Einsatz von Kompositionsmittel wie Polyrhythmik, Bitonalität, dissonante Akkordparallelen und Pentatonik gekennzeichnet, so auch in Ravels Ballett *Daphnis et Chloé* (1912) nach Longos und in Kompositionen von L. Boulanger, Dukas, Koechlin, Schmitt sowie später in den Werken von Roussel.

Eine für das Fin de siècle insgesamt typische Tendenz war das Interesse an Phänomenen ant. Dekadenz, das sich auch in der frz. Musik um 1900 zeigt. In diesem Kontext finden sich Kompositionen verschiedenster Sujets und musikalischer Gattungen. Beliebte Themen waren vornehmlich histor. Gestalten wie die röm. Kaiser, Salome sowie einzelne Heilige. Oftmals wurden Ant. und frühes Christentum gegenübergestellt, wobei auch hier orientalische und liturgische Stilzitate es ermöglichten, diesen Gegensatz musikalisch umzusetzen. Massenets *Marie-Magdeleine* (1873), Chabriers *Briséis* (1891), Lalos *Néron* (1891) und d'Indys *La Légende de Saint Christophe* (1915) sind hierfür Beispiele. Fauré hatte bereits in seiner Bühnenmusik *Caligula* (1888) nach Dumas die dekadente Atmosphäre mit der Mixtur zweier Tonskalen zu evozieren versucht, was Debussy 1911 fortführte, indem er in seinem *Martyre de Saint Sébastien* nach d'Annunzio die Verschmelzung des Adonis-Kultes mit der christl. Heiligenlegende durch den Einsatz chromatisch geprägter Harmonik charakterisierte.

Mit Erik Satie (1866–1925) setzte im 20. Jh. eine andere Art der Antikerezeption ein: Die durch das ant. Sujet motivierte radikale Reduktion des musikalischen Ausdrucks zeigt sein *Socrate* (1918), der nach Dialogen aus Platons *Symposion*, *Phaidros* und *Phaidon* in der nüchternen Übers. von V. Cousin Sokrates huldigt. Satie konnotierte die Ant. mit der Farbe »Weiß«, die Reinheit und Schlichtheit symbolisiert. Als Rekonstruktion des klass. Ideals ist der lineare, rezitative Gesang zu einer kubistisch aufgebauten Klavierbegleitung komponiert.

Im Neoklassizismus fungierte die Ant. als ein Medium, auf dessen Projektionsfläche die traditionellen musikalischen Formen abstrahiert, verfremdet und parodiert wurden. Der griech. Mythos sowie die Ant. als Epoche boten einen Zustand der Entrücktheit und ein hohes Maß an Fremdheit, die Nüchternheit und Klarheit als Attribute dieser Ästhetik hervorbrachten. Igor Strawinskys *Oedipus Rex* (1927) nach Cocteau basiert als rituelles Spiel auf der ant. Trag. und karikiert durch die harte Artikulation der lat. Sprache und die bewußte Emotionslosigkeit die traditionelle Oper.

Viele Kompositionen, die z. T. für die Ballets Russes entstanden sind, zeigen diese Abstraktion und Verfremdung, wie etwa *Antigone* (1927) von Honegger, *Les Choéphores* (1915), *Plutus* und *Médée* (1938) von Milhaud, *Apollon musagète* (1928; Abb. 2) und *Persephone* (1934) von Strawinsky. In *Amphion* (1929) läßt Honegger, dem Mythos folgend, die Stadt Theben aus einem Geräusch entstehen, das sich langsam zu Musik entwickelt und sich bis zur Tripelfuge steigert.

Neben der künstlerischen Auseinandersetzung mit der Ant. existierte um 1900 auch eine intensive musikhistor. Erforsch. der ant. Musik. In diesem Zusammenhang ist Faurés *Hymne à Apollon* (1894) zu erwähnen, die nach der Entdeckung zweier delphischer Hymnen und in Zusammenarbeit mit Archäologen ein Rekonstruktionsversuch ant. Hymnen war. Der Musikforscher M. Emmanuel war Verfasser verschiedener Unt. zur griech. Musik und zum Tanz; gleichzeitig komponierte er Opern mit ant. Stoffen, denen er seine wiss. Kenntnisse zugrunde legte. Louis Laloys Arbeit über Aristoxenos v. Tarent (1904) sowie ein Aufsatz von Saint-Saëns über ant. Saiteninstrumente (1921) sind weitere Belege für ein genuines Interesse an der authentischen ant. Musik.
→ Musik; Oper; Orient-Rezeption; Tanz

QU **1** C. DEBUSSY, Monsieur Croche et autres écrits, 1987 **2** P. DUKAS, Les Écrits sur la musique, 1948 **3** P. LOUŸS, Les Chansons de Bilitis, 1936 **4** I. STRAWINSKY, Chroniques de ma vie, 1935

LIT **5** S. BAUD-GOVY, Maurice Emmanuel et la Grèce, in: La Revue Musicale 410/411, 1988, 109–115 **6** H. BECKER (Hrsg.), Die Couleur locale in der Oper des 19. Jh., 1976 **7** M. COOPER, French Music, 1951 **8** M. FAURÉ, s. v. Frankreich, in: MGG, Bd. 3, 1995, 770–776 **9** Th. Hirsbrunner, Debussy und seine Zeit, ²2001 **10** Ders., Die Musik in F. im 20. Jh., 1995 **11** ST. KUNZE, Die Ant. in der Musik des 20. Jh., 1987 (=Thyssen-Vorträge, Auseinandersetzungen mit der Ant., Bd. 6) **12** L. LALOY, La musique retrouvée, 1928 **13** J.-M. NECTOUX, Gabriel Fauré: a musical life, 1991 **14** R. ROLLAND, Musiciens d'aujourd'hui, 1922 **15** V. SCHERLIESS, Neoklassizismus, 1998 **16** H. SCHNEIDER, s. v. Tragédie lyrique, in: MGG, Bd. 9, 1998, 703–726 **17** K. M. SCHNEIDER-SEIDEL, Ant. Sujets und mod. Musik, 2002 **18** E. DE SOLENIÈRE, Massenet, 1897 **19** J. TIERSOT, Un demi-siècle de Musique française entre les deux guerres, 1918 **20** O. VOLTA (Hrsg.), Erik Satie, Écrits, 1988. KERSTIN M. SCHNEIDER-SEIDEL

H

Handschriftenkataloge s. Register: Handschriften-Sammlungen

M

Museum A. Begriff und Entstehung
B. Geschichte   C. Kategorien
D. Präsentation   E. Sonderausstellungen
F. Funktionen   G. Ausblick

A. Begriff und Entstehung

Museum, von griech. *museíon* »Ort der Musenverehrung«, bezeichnet öffentliche Sammlungen von kulturellen, insbesondere künstlerischen Gegenständen und deren Gebäude. Die Definition des Weltverbandes »International Council of Museums« erläutert die Kurzdefinition: ›Ein M. ist eine nicht auf Gewinn ausgerichtete, dauerhafte Einrichtung im Dienste der Gesellschaft und deren Entwicklung. Es ist der Öffentlichkeit zugänglich. Ein M. erwirbt, bewahrt, erforscht, vermittelt und stellt materielle Zeugnisse der Aktivitäten der Menschheit und ihrer Umwelt zum Zwecke des Studiums, der Erziehung und Unterhaltung aus‹ [8].

Sammlungen kultureller Gegenstände, die dieser Definition entsprechen, gibt es seit dem 18. Jahrhundert. Vor allem durch die Eigenschaft der Öffentlichkeit unterscheiden sie sich von älteren Sammlungen, die insbesondere als Antikensammlungen (→ Antikensammlung) seit der Ren. entstanden sind und nur einem kleinen Kreis zugänglich waren. Durch den Begriff der Öffentlichkeit wird das M. als gesamtgesellschaftliches Phänomen verstanden, das keine schichtenspezifischen Interessen bedient. Die Gründung des British M. in London 1753 (Eröffnung: 1759) durch einen Act of Parliament bedeutete den entscheidenden Wendepunkt, denn das British M. wurde durch Vertreter des Staates ins Leben gerufen, um drei wichtige Sammlungen für die Nation zu erhalten (→ London, British Museum). Durch die Frz. Revolution wurde dieser Impuls verstärkt: Das Musée Central des Arts im Louvre in Paris wurde 1793 programmatisch der Öffentlichkeit zugänglich gemacht und in die staatliche Organisation eingegliedert (→ Paris, Louvre). Mit dem Anspruch der Erziehung wurde eine Leitidee der → Aufklärung realisiert. Napoleons anschließende gewaltsame Akquisition von Kunstwerken in den eroberten europ. Gebieten machte vorübergehend den Louvre – ab 1804 das M. Napoleon Bonaparte – zu einem gewaltigen Schaukasten der europ. Kunstgeschichte, bis 1815 die Rückkehr der Raubstücke beschlossen wurde. Aber mit seiner zielgerichteten Systematik und der Verankerung des M.-Wesens als Bestandteil staatlicher Aufgaben hinterließ das napoleonische Zeitalter in der europ. M.-Geschichte tiefe Spuren [17. 82]. Nicht weniger wichtig

war, daß dadurch das M.-Wesen in die nationale Idee integriert wurde. Im Zeitalter der Nationen, dem 19. Jh., wurde das M. ein bedeutender Faktor zur Gewinnung und Sicherung einer nationalen Identität.

Als Gegenstände des neuen M.-Typus spielten die Antiken von Anf. an eine bes. Rolle. Zwar umfaßte das British M. in der Nachfolge des Enzyklopädismus der Aufklärung eine → Bibliothek und eine Naturkundeabteilung, aber Antiken waren bereits ein wichtiger Teil der Gründungssammlungen, der seit 1772 (→ London, British Museum I. C.) gesteigert wurde und den besonderen Rang unter den Antiken-Sammlungen der Welt begründete. Als ausgeprägtes Kunst-M. favorisierte der Louvre von Anf. an Ausstellung und Sammlung von Antiken (→ Paris, Louvre I. D.) und konzentrierte sich auf ästhetisch herausragende Einzelstücke. Nach der Rückführung der durch Napoleon angehäuften Antiken (1815) wurden große Anstrengungen unternommen, den Verlust durch Neuerwerbungen zu kompensieren.

Die Privilegierung der Antiken in den neuen M. ist bedingt durch die von → Klassik und → Klassizismus geprägte moralische und ästhetische Weltsicht der gebildeten Eliten. In der Sammlungstätigkeit des Louvre wird darüber hinaus der Bezug zur nationalen Geschichte sichtbar. Etruskische und röm. Funde (→ Paris, Louvre I. D.) wurden unter diesem Aspekt integriert.

B. Geschichte

Unter dem Eindruck des British M. und des Louvre entstanden in Europa zentrale M., deren Gründung der Aufklärung und dem Nationalismus gleichermaßen verpflichtet war. Solche M.-Gründungen geschahen aus verschiedenen Anlässen. Zum Teil entstanden sie durch königliche Dekrete: 1835 im jungen Königreich Belgien (Brüssel) oder 1852 im zaristischen Rußland (→ Sankt Petersburg, Eremitage). Durch öffentlichen Willen wurden M. in Budapest (1807), in Prag (1823) oder in Warschau (1867) errichtet – oft ein Ergebnis mit langer Vorgeschichte, bei dem stets das Herausstellen der nationalen Leistung eine große Bed. bekam. Häuser mit zentraler Funktion wie der Louvre oder das British M. fehlen in Deutschland, ein Ergebnis der lange herrschenden Kleinstaaterei. Versuche, eine Institution von nationaler Bed. zu schaffen, finden sich v. a. unter den Vertretern der ersten Generation dt. M. aus dem frühen 19 Jh. [17]. Als Beispiele sind unter dt. M. mit wichtigen Antikenabteilungen z. B. das Badische Landes-M. in Karlsruhe (→ Karlsruhe, Badisches Landesmuseum, Antikensammlungen) und die Staatlichen Kunstsammlungen in Kassel (→ Kassel, Staatliche Kunstsammlungen – Antikenabteilung) zu nennen. Das gleiche gilt für das Alte M. in → Berlin im Wettbewerb mit der Glyptothek in München (→ München, Glyptothek) [17. 32–67].

Antiken-M. haben dabei die Funktion von National-M. als zentralen Einrichtungen v. a. in Ländern mit entsprechender Vorgeschichte übernommen. So haben das National-M. Griechenlands in Athen (→ Athen V.) und entsprechende Institutionen in Heraklion oder

Thessaloniki (→ Griechenland III.) ebenso wie National-M. in Italien (→ Italien VI.) oder das span. Museo Arqueológico Nacional aus der Sicht der einheimischen Gesellschaft einen anderen Charakter, denn sie beziehen sich auf indogene histor. Strukturen und sind somit das Ergebnis eines anders ausgerichteten Rezeptionsprozesses.

Von den Antiken-M. in Deutschland wurde nur das Röm.-German. Zentral-M. (RGZM) in Mainz (→ Mainz II.) – Pendant des German. National-M. in Nürnberg – als nationale übergreifende Institution konzipiert (1852). Die urspr. Aufgabe lag v. a. in der Erforschung der dt. Altertümer, sowohl röm. als auch germanischer. Heute wirkt das RGZM als Stiftung als gesamtstaatliche Forschungseinrichtung auf dem Gebiet der vorgeschichtlichen, provinzial-röm. und frühgeschichtlichen Arch. mit weltweiter Tätigkeit und ist ein Beispiel für ein erfolgreiches Anpassen des dt. Konzeptes des Forschungs-M. an veränderte Bedingungen. Zu dieser Kategorie der M. gehört in Frankreich das im Zweiten Kaiserreich gegründete Musée des Antiquités National in Saint-Germain-en-Laye, das Ausdruck der Begeisterung für die Ant. auf heimischem Boden war.

In anderen Ländern sind in den nationalen M. meist Antiken-Abteilungen eingerichtet, so im dänischen National-M. → Kopenhagen, im British M. in London oder dem Louvre in Paris. Aber es handelt sich dabei – abgesehen von dem auch im nördl. Europa teilweise vorhandenen röm. Kulturhorizont – um extrinsische Inhalte, die der jeweiligen Nationalkultur erst unter dem Aspekt des zugleich Nachahmenswerten wie auch Exotischen zugeführt wurden.

Museen entstanden auf allen Kontinenten, und in vielen Fällen gehörten Zeugnisse der Ant. zum urspr. Sammlungsbestand, auch wenn h. der Fokus dieser M. ein ganz anderer sein kann. Die M.-Gründungen in den USA sind dabei meist eine Domäne wohlhabender Privatpersonen gewesen. Davon zeugen das Metropolitan M. of Art (1870) in New York (→ New York, Metropolitan Museum) und das M. of Fine Arts (1870) in Boston (→ Boston, Museum of Fine Arts). Unter den Gründungen des 20. Jh. sind bes. das Getty M. in Malibu (1967) (→ Malibu, J. Paul Getty Museum) zu nennen.

Von geringerer Reichweite und geringerem Anspruch sind die M. mit regionaler Begrenzung. Dazu gehören in Deutschland v. a. die Landes-M.: in Bonn das Rheinische Landes-M. (→ Bonn, Rheinisches Landesmuseum und Akademisches Kunstmuseum), in Karlsruhe das Badische Landes-M. (→ Karlsruhe, Badisches Landesmuseum, Antikensammlung), das Landes-M. Mainz (→ Mainz II. C.) und in Trier das Rhein. Landes-M. (→ Trier I.). Die → Schweiz hat vergleichbare M. z. B. im Römer-M. Augst, im M. Romain Avenches und im Rhätischen M. in Chur.

Bei M.-Neugründungen seit dem II. Weltkrieg haben nur wenige Institutionen noch Antikenabteilungen erhalten. Der Grund ist einmal das abnehmende Interesse an der Antike. Vor allem aber ist das Sammeln von Antiken heute legal kaum noch möglich, denn die Grundsätze der UNESCO Convention von 1970 setzen eine strenge Richtschnur [19; 3; 42]. Dem schwerwiegenden Problem des legitimen Kulturgüter- [6; 19] bzw. Antikenbesitzes am E. des 20 Jh. wird wachsende Bed. beigemessen und zahlreiche M. und Institutionen, v. a. im Ausland [13. 175–176], haben Richtlinien für den Umgang von M. mit diesen Kulturgütern entwickelt.

Die bedeutendste Neugründung ist zweifellos das J. Paul Getty M. in Malibu. Bemerkenswerte Porträts enthält die Sammlung für ant. und mod. Kunst der Ruhr-Univ. Bochum (1976).

C. KATEGORIEN

Die Antiken-M. sammeln die Hinterlassenschaften des gesamten griech.-röm. Kulturkreises von der Prähistorie bis zum frühen Byzanz. Den traditionellen Kern bilden die Länder des Mittelmeerraumes, v. a. Griechenland (→ Griechenland III.), It. (→ Italien VI.) und die westl. Türkei (→ Türkei II.); hinzu kommen die Bereiche der hell. Kultur und des Imperium Romanum. Heute sind auch die vorgeschichtlichen Kulturen Griechenlands und It. eingeschlossen. Bei letzteren handelt es sich um eine Erweiterung, die erst im späten 19. Jh. im Zusammenhang mit Schliemanns und Grabungen anderer begann. Sie baut auf der Wissensoffenheit des Bürgertums auf und spiegelt eine breite Forschungsneugier wider, die der aristokratischen Zeit des Sammelns fremd war. Hier entsteht auch in den Antiken-M. ein deutlich arch. Akzent, der sich von der kunstgeschichtlichen Betrachtungsweise absetzt. Historisch gesehen zeichnet sich eine Entwicklung ab, in deren Verlauf sich mehrere unterschiedliche M.-Arten ausprägen.

Anfänglich entstehen Antiken-M., die dem Sammeln von Kunst der Ant. mit seinen in der Ren. verankerten Trad. [5] verpflichtet sind (→ Antikensammlung). Zu deren prominenten Vertretern in Deutschland gehören h. noch die Antikensammlungen in Berlin (→ Berlin I.) [60], der urspr. viel umfassendere Bestände zugeteilt waren [17. 86ff.], daneben v. a. die Glyptothek in München (→ München, Glyptothek).

Aber auch kleinere Sammlungen stehen in dieser Trad., so die Antikenabteilung der Staatlichen Kunstsammlungen in Dresden (→ Dresden, Staatliche Kunstsammlungen, Skulpturensammlung), des Liebieghauses in Frankfurt (→ Frankfurt am Main, Liebieghaus – Museum alter Plastik), des Schloß-M. in Gotha (→ Gotha, Schloßmuseum), in Kassel (→ Staatliche Kunstsammlungen – Antikenabteilung) und Antikensaal und Antiquarium in Mannheim (→ Mannheim, Antikensaal und Antiquarium). Außerhalb Deutschlands gehören dazu die Antikensammlungen aller großen M., deren Grundbestände vor 1800 erworben wurden, so die Sammlungen in Wien (→ Wien, Kunsthistorisches Museum), Neapel (→ Neapel, Archäologisches Nationalmuseum), Rom (→ Rom VI.), Paris (→ Paris, Louvre), London (→ London, British Museum), → Kopenhagen, die

→ Uffizien in Florenz, dann die jüngeren amerikanischen Einrichtungen in Boston (→ Boston, Museum of Fine Arts), Malibu (→ Malibu, J. Paul Getty Museum) und New York (→ New York, Metropolitan Museum).

Eine zweite, jüngere Ausprägung sind »arch.« ausgerichtete Einrichtungen, die »Altertümer« im weitesten Sinne, d. h. auch solche, die nicht der Klassik zugerechnet werden, sammeln. Ein typischer Vertreter, der ant. wie auch lokale Geschichte vereint, ist das Röm.-German. M. in Köln (→ Köln III.), das europ. und rheinische Urgeschichte, röm. Kunst-, Kultur- und Stadtgeschichte, auch angewandte Kunst der Ant. und der europ. Völkerwanderungszeit und fränkische Funde aus Köln und dem Rheinland beherbergt. Weitere Beispiele sind die Landesmuseen. Auch in anderen mod. Staaten auf dem Gebiet des ehemaligen Röm. Reiches bilden zahlreiche vergleichbare Institutionen ein fundiertes System des Sammelns und Forschens im einheimischen prähistor. und frühgeschichtlichen Bereich. Oft erfüllen sie auch Aufgaben des Denkmalschutzes. Durch eigene Grabungen und Sammelexpeditionen versuchen sie die vorhandenen Bestände zu erweitern und selbst aktiv zur Bewahrung der Geschichtsreste beizutragen.

Daneben steht als dritte Kategorie das Grabungs-M., das eine einzelne Grabungsstätte und deren Inhalte präsentiert. Urtyp dieser M.-Art ist das M. in → Olympia (1879). Grabungs-M. umfassen normalerweise den Grabungsort sowie ein direkt angeschlossenes Museum. Die Zahl solcher Einrichtungen ist v. a. im Gefolge des → Tourismus stark gewachsen, und in zahlreichen Ländern des Mittelmeerraumes bilden diese M. einen wichtigen Teil des Systems zur öffentlichen Darstellung der Ant. und sind h. integraler Teil der Infrastruktur des Tourismus geworden.

Eine weitere Kategorie wird durch den Typus des Arch. Parks gebildet (→ Archäologischer Park).

Schließlich ist noch die Abguß-Sammlung (→ Abguß/Abgußsammlung) zu erwähnen, deren Wert sich v. a. aus ihrer didaktischen Verwendbarkeit erklärt [51]. Das Akad. Kunst-M. in Bonn (→ Bonn, Rheinisches Landesmuseum und Akademisches Kunstmuseum) ist ein gutes Beispiel für diese Kategorie.

D. PRÄSENTATION

Zur Darbietung und Interpretation ihrer Sammlungsinhalte nutzen mod. Antiken-M. fast ausnahmslos eine diachronische Darstellungsweise. So wird dem Betrachter ein linearer Zeitpfad zurück in die Vergangenheit gebaut. Doch hat diese Präsentationsart ihre Schattenseiten, da sie einen recht hohen allgemeinen Wissensstand über die Ant. voraussetzt. Oft werden daher die Ausstellungsgegenstände in einen größeren thematischen und kontextuellen Bezug gesetzt. Die dem Prinzip h. zugrunde liegende Methode ist das Ergebnis einer Vermischung verschiedener Einwicklungen, die sich aus der Geschichte der Wiss. wie der der M. gleichermaßen erklärt. Ein Teil der Interpretationsmechanik leitet sich noch von der vergleichenden kunstgeschichtlich-ästhetisierenden Methode Winckelmanns ab. Ein an-

deres Instrument wurde aus den Beobachtungen arch. Schichtenabfolgen herausgefiltert und für M.-Zwecke nutzbar gemacht. Wieder andere Komponenten heutiger Ausstellungen beruhen auf kommunikationstechnischen und museumspädagogischen Prinzipien. Die Effektivität von Ausstellungen wird durch den Einsatz computerisierter Technik gestärkt, zugleich können diese sog. »Kioske« helfen, dem Publikum nötiges Grundwissen auf Abruf zu vermitteln.

E. SONDERAUSSTELLUNGEN

Am Erfolg der M. haben publikumswirksame Sonderausstellungen (sog. »Blockbusters«) oft einen wesentlichen Anteil. Solche großen, oft internationalen Wanderausstellungen, die publikumswirksam bestimmte Themen vorstellen, sind verstärkt seit den 60er J. zu beobachten. Heute sind in vielen M. Sonderausstellungen und die mit ihnen verbundenen Kat. ein wichtiges Instrument für Forsch. zu den Sammlungsbeständen geworden, denn für solche Projekte lassen sich neue Ergebnisse gezielt erarbeiten und präsentieren. Von manchen Sonderausstellungen können langfristig wichtige Impulse für die Forsch. ausgehen, so z. B. im Bereich der klass. Ant. für die Bronze und die Goldforschung [4; 7].

Erfolgreich in Deutschland waren in den letzten Jahren etliche solcher Ausstellungen: Polyklet. Der Bildhauer der griech. Plastik (Frankfurt, Liebieghaus, 1990); Odysseus. Mythos und Erinnerung (München 1999); Troia. Traum und Wirklichkeit (Bonn, Braunschweig, Stuttgart, 2001); Die griech. Klassik. Idee und Wirklichkeit (Berlin, Bonn 2002).

F. FUNKTIONEN

Museales Sammeln beruht erstens auf dem Prinzip des dauerhaften Herauslösens von Gegenständen aus ihrem Kontext und zweitens auf ihrem Einfügen in einen Bedeutungsrahmen, der aus den Bedürfnissen der sammelnden Periode heraus definiert wird. Heute wird unter dem Eindruck jeder Zeit sofort verfügbarer Informationen und des leichten Reisens oft vernachlässigt, daß beim Aufbau von Sammlungen urspr. die Idee des »Exotischen«, d. h. des Fernen und schwer zu Erreichenden eine Hauptrolle spielte. Auch h. noch erfahren Objekte mit ihrem Eintritt in eine M.-Sammlung eine Transformation, die den M.-Besucher berührt: Sie sind nicht länger dem normalen Lebensraum eines Betrachters zugehörig. Dadurch werden selbst alltägliche Gegenstände aufs neue bestaunenswert und erhalten eine überhöhte Bed., die aus der abgrenzenden »Vitrinen-Darbietung« erwächst. Das betrifft auch Gegenstände des täglichen Gebrauchs, sei es eine schwarzgefirniste Tasse der klass. Zeit oder ein mod. Küchengerät.

Antiken-M. erfuhren bis in die ersten Jahrzehnte nach dem II. Weltkrieg durchaus eine besondere Form der Achtung, die aus mehreren Wurzeln gewachsen war. Einerseits benutzen Antiken-M. Materialien, die vor dem Beginn des Massentourismus a priori als exotisch, d. h. originär nicht dem eigenen Kulturkreis angehörend betrachtet werden konnten. Andererseits wurde das ant. Erbe in Wort, Schrift und physisch greifbarem ant. Kulturgut dazu benutzt, für die Gesellschaft moralisch wertvolle Vorstellungen zu illustrieren, so daß durch die vielfache Wiederholung Gegenstände in generischer Weise auch vertraut erschienen.

Im 19. Jh. war teilweise ein Abbild der im M. gezeigten ant. Kunst im antikisierenden Repertoire der zeitgenössischen Kunst, Architektur und des Kunsthandwerks mannigfach vorhanden. So deckte sich die im M. gezeigte Bildwelt bis zu einem gewissen Grad mit dem, was das Auge an Architektur und Fassadendekoration in den Städten v. a. an öffentlichen Gebäuden täglich wahrnahm. Daraus entwickelte sich im 19. Jh. in der öffentlichen Vorstellung geradezu eine Wechselbeziehung zw. dem kühlen klassizistischen Menschenbild der Ant. und dem Inhalt und Sinn der Antikenmuseen. Zugleich verschafften Antiken mit ihrer Aura hoher ethischer Bed. eine legale Möglichkeit, sich in restriktiven Zeitaltern an nackten Menschenkörpern zu erfreuen [9].

Mit der grundlegenden Umstrukturierung der visuellen Lebenswelt – z. B. durch Bauhaus, dänisches Design, moderne Reihenbauten – zusammen mit der Einführung neuer Lehrinhalte in Schulen und Hochschulen trat nach dem II. Weltkrieg die Bed. der ant. Kultur als ein Grundpfeiler des Allgemeinwissens zurück. Auch die üblichen Sehgewohnheiten haben sich tiefgreifend geändert, und an Stelle der für die Objekte der ant. Kultur erforderlichen statisch-ruhenden Betrachtungsweise wird h. der bewegten Abfolge von Bildern der deutliche Vorzug gegeben.

G. AUSBLICK

Am Beginn des dritten Jt. haben M. eine mehrschichtige Aufgabe. Sie bleiben weiterhin Horte dessen, was als bewahrenswürdig ausgewählt und gesammelt wird. Museen werden mehr und mehr integraler Teil von Erziehungssystemen, und ebenso dienen sie als Foren für Zerstreuung und Unterhaltung – sog. »Edutainment«. Ihre hergebrachte Struktur wird auch im Gefolge des Internet-Booms immer mehr verändert, v. a. erfaßt die tiefgreifende Änderung des Informationsflusses und die Nutzung von vorhandenen Kenntnissen die M.-Welt. Im Rahmen dieser Umwandlung erscheinen z. B. auf Dauer angelegte Einrichtungen auch mit dem Titel »M.«, obwohl sie keine permanente Sammlung mehr aufbauen, sondern von Fall zu Fall für ihre – häufig auf Kinder und Jugendliche abzielende – Tätigkeit sich Materialien aller Epochen und Themen für einen bestimmten Zeitraum ausleihen, u. a. der Ausstellungsort Martin Gropius Bau in Berlin und die Kunst- und Ausstellungshalle der BRD in Bonn. Auch rein »virtuelle« M., die nur auf elektronisch verarbeitetem Bildmaterial aufbauen, treten auf [18].

1 S. R. BERNECKER, Mitteilungsblatt. M.-Verband für Niedersachsen und Bremen e.V. Nr. 61, Okt. 2001, 61–64 2 G. CALOV, Nationalbestimmte M.-Gründungen in Rußland, in: B. DENEKE, R. KAHSNITZ (Hrsg.), Das kunst- und kulturgeschichtliche M. im 19. Jh., 1977 3 Ders., M. und Sammler des 19. Jh. in Deutschland, in: M.-Kunde, 3.

Reihe, 38, 1973, 10, 4–195 4 S. DOERINGER, D. MITTEN, Master Bronzes from the Ancient World, 1966 5 L. GUILIANI, Antiken-M.: Vergangenheit und Perspektiven einer Institution, in: A. BORBEIN, T. HÖLSCHER, P. ZANKER (Hrsg.), Klass. Arch. Eine Einführung, 2000, 77–80 6 A. HIPP, Schutz von Kulturgütern in Deutschland (= Schriften zum Kulturgüterschutz), 2000 7 H. HOFFMAN, P. DAVIDSON, Gold from the Age of Alexander, 1967 8 http://www.icom.org/statutes.html 9 R. JENKYNS, The Victorians and Ancient Greece, 1980 10 Journal for the History of Collections, seit 1989 11 B. MUNDT, Die dt. Kunstgewerbe-M. im 19. Jh., Stud. zur Kunst des 19. Jh., Bd. 22, 1974 12 D. MURRAY, Museums. Their History and Their Use, 3 Bde., 1904 13 B. NEIL, J. DOOLE, C. RENFREW (Hrsg.), Trade in Illicit Antiquities: the Destruction of the Worlds Archaeological Heritage. McDonald Inst. Monographs, 2001, 111 ff. 14 S. M. PEARCE, On Collecting. An Investigation into Collecting in the European Tradition (= Collecting Culture Series Bd. 2), 1995 15 Ders., Museums, Objects and Collections. A Cultural Study, 1992 16 ST. SAMIDA, Überlegungen zu Begriff und Funktion des »virtuellen« M. Das arch. M. im Internet, in: Museologie Online 4, 2002, 1–58 17 J. J. SHEEHAN, Gesch. der dt. Kunstmuseen. Von der fürstlichen Kunstkammer zur mod. Slg., 2002 18 C. STEPHENSON, P. McCLUNG (Hrsg.), Delivering Digital Images. Cultural Heritage Resources for Education (= The M. Educational Site Licensing Project, (MESL) Bd. 1), 1998 19 R. THORNES, Protecting Cultural Objects in the Global Information Society. The Making of Object ID 1997 20 F. WAIDACHER, Hdb. der Allgemeinen Museologie, ³1999, 2995. WOLF RUDOLPH

N

Nationale Forschungsinstitute I. AMERICAN SCHOOL OF CLASSICAL STUDIES XII. DAS ÖSTERREICHISCHE ARCHÄOLOGISCHE INSTITUT (ÖAI)

I. AMERICAN SCHOOL OF CLASSICAL STUDIES
A. GRÜNDUNG UND KONSOLIDIERUNG
B. WISSENSCHAFTLICHE MITARBEITER UND MITGLIEDSCHAFT C. AKADEMISCHE PROGRAMME
D. AUSGRABUNGEN UND SURVEYS
E. FORSCHUNGSMITTEL F. PUBLIKATIONEN

A. GRÜNDUNG UND KONSOLIDIERUNG

Unter der Ägide von Charles Eliot Norton von der Harvard University gründeten Wissenschaftler von neun amerikanischen Colleges mit Unterstützung einer kleinen Gruppe einflußreicher Geschäftsleute 1881 die American School of Classical Studies (ASCA) in Athen. Ihr Ziel war es, eine Institution zu schaffen, in der, so Norton, ›junge Wissenschaftler das Studium der Denk- und Lebensweise der Griechen mit größtmöglichem Nutzen fortsetzen könnten und in der diejenigen, die Griech. unterrichten wollten, eine Vertrautheit mit dem Land und eine Kenntnis seiner ant. Denkmäler erlangen sollten, die ihrem Unterricht eine ohne diese Erfahrung unerreichbare Qualität verschaffen sollte‹ [4]. Sie bildeten einen Vorstand, der die wiss. Leitung übernehmen sollte. Dieser beschloß, die Schule sofort zu eröffnen und von den kooperierenden Colleges Zuschüsse für den laufenden Betrieb einzuholen, während Fördermittel angeworben wurden. Auch h. noch ist die ASCSA eine privat finanzierte gemeinnützige Bildungseinrichtung, so wie es ihre Gründer vorsahen.

Von diesen bescheidenen und unsicheren Anfängen ausgehend, hat sich die ASCSA zu einem der führenden Forschungszentren in Griechenland entwickelt. Sie steht den Studenten und Mitarbeitern der 155 angeschlossenen Colleges und Univ. in Nordamerika zur Verfügung. In wiss. Fragen untersteht sie einem Vorstand, der sich aus Fachvertretern der angeschlossenen Institutionen zusammensetzt. Unter seiner Führung hält die ASCSA an ihren urspr. Zielen fest: die Arch., Kunst, Geschichte, Sprache und Lit. Griechenlands von ihrer frühesten Zeit bis in die Gegenwart zu vermitteln, Surveys und Ausgrabungen arch. Stätten in griech. besiedelten Gebieten vorzunehmen und die Ergebnisse dieser Ausgrabungs- und Forschungsarbeiten zu publizieren. Etwa 350 Studenten und Wissenschaftler aus Nordamerika nutzen jedes J. die Einrichtungen der ASCSA.

Das Hauptgebäude der ASCSA wurde 1887 auf einem von der griech. Regierung gestifteten Grundstück am Südhang des Lycabettus-Berges errichtet, einem Gebiet, das damals außerhalb der Stadt lag, h. jedoch unter dem Namen Kolonaki zu den elegantesten Vierteln im Zentrum der mod. Stadt gehört. Das urspr. Gebäude wurde 1913–1916 um einen Ostflügel erweitert. 1958–1959 wurde der nach seinem Stifter benannte Arthur Vining Davis-Flügel im Norden angefügt; 1992 kam ein weiterer Anbau im Süden hinzu. Das Hauptgebäude und seine Anbauten beherbergen die Blegen Library, das Wiener-Labor, Büros, Archive, Computerräume und die Wohnung des Direktors.

Auf der dem Hauptgebäude gegenüberliegenden Straßenseite befindet sich die Gennadius Library. Dieses denkmalgeschützte klassizistische Gebäude, das 1926 errichtet und 1999 vollständig restauriert wurde, wird von Mitarbeiterwohnungen eingerahmt. An den Ostflügel des Gennadeions wird derzeit Cotsen Hall, die dringend benötigte Aula, angebaut; das nach seinem Stifter Lloyd Cotsen, dem Präsidenten des Kuratoriums (1996–1999) benannte Gebäude dürfte 2003 fertiggestellt sein. In der nahegelegenen, aus dem J. 1930 stammenden Loring Hall sowie in ihrem Anbau und einem angeschlossenen Gebäude befinden sich Unterkünfte, Gemeinschaftsräume und ein Speisesaal für etwa 30 Studenten, Gastwissenschaftler und Angestellte.

Büros, eine Bibl., wiss. Hilfsmittel und Unterkünfte befinden sich außerdem im ant. Korinth, wo die ASCSA seit 1896 eine Grabungsstätte betreibt (es handelt sich um das längste kontinuierlich betriebene Grabungsprojekt der ASCSA). Das nach Bert Hodge Hill, dem Direktor der ASCSA (1906–1926) benannte Hauptgebäude steht neben den Bungalows der Studenten und Mitarbeiter. Auch an der Grabungsstätte der ASCSA an

der Stoa des Attalos auf der alten Agora in Athen befinden sich Büros, eine Bibl. und wiss. Hilfsmittel.

B. Wissenschaftliche Mitarbeiter und Mitgliedschaft

Das wiss. Personal der ASCSA besteht aus dem Direktor, dem Mellon Professor, dem Assistant Professor, dem Geschäftsführer, dem Direktor der Ausgrabungen auf der Agora, dem Direktor der Ausgrabungen in Korinth, dem Bibliothekar der Blegen Library, dem Direktor der Gennadius Library, dem Direktor des Wiener-Labors und dem Archivar. Darüberhinaus benennt der Vorstand jedes J. zwei Elizabeth A. Whitehead-Professoren, einen für griech. Lit. und Geschichte, den anderen für Archäologie. Der Vorstand benennt außerdem jedes J. zwei Direktoren für die Sommerprogramme der ASCSA.

Für Studenten und Wissenschaftler aus Nordamerika gibt es drei Möglichkeiten, Mitglied der ASCSA zu werden: als ordentliches Mitglied, als studentisches oder graduiertes assoziiertes Mitglied und als Mitglied des Sommerprogramms. Jedes J. gibt es 15–20 ordentliche Mitglieder, die einen BA in den Altertumswiss. oder verwandten Gebieten abgelegt haben. Die meisten von ihnen haben zusätzlich ein J. oder länger Graduiertenforsch. betrieben. Die Zulassung zur ASCSA und die Vergabe der gegenwärtig 13 von der ASCSA ausgeschriebenen Stipendien beruht auf Prüfungen in griech. Sprache und Geschichte sowie entweder Lit. oder Archäologie. Auf Empfehlung des wiss. Personals in Athen werden sieben Graduiertenstipendien in Form von *advanced fellowships* vergeben.

Der Status als studentisches assoziiertes Mitglied steht üblicherweise Graduierten offen, die eigene Forschungsarbeit, oft für eine Dissertation, leisten. Wissenschaftler, die bereits promoviert sind, können graduierte assoziierte Mitglieder werden. Die ASCSA beherbergt jedes J. 50 oder mehr assoziierte Mitglieder für unterschiedliche Zeitspannen.

Die beiden Sommerprogramme haben jeweils 20 Mitglieder und stehen Sekundarstufenlehrern und Collegedozenten ebenso wie graduierten und nicht-graduierten Studenten offen.

C. Akademische Programme

Die ASCSA ist eine echte Bildungsinstitution und unterhält sehr erfolgreiche Programme für ein Studienjahr sowie für den Sommer. Ein großer Prozentsatz der gegenwärtigen Dozenten für Klass. Philologie, Alte Geschichte, Kunstgeschichte und Arch. an amerikanischen Colleges und Univ. hat ein J. oder mehr an der ASCSA verbracht. Derzeit gibt es über 1700 lebende Ehemalige der ASCSA.

Das Ein-Jahres-Programm umfaßt drei Trimester und geht von September bis Juni. Es stellt sowohl physisch als auch intellektuell höchste Anforderungen. Im Herbsttrimester (September bis November) müssen die ordentlichen Mitglieder an vier ausgedehnten Exkursionen teilnehmen, die eine intensive Einführung in die Stätten, Baudenkmäler und Top. Griechenlands vermitteln sollen. Auf diesen Fahrten von jeweils 10–12 Tagen Dauer reisen die Studenten mit Bus und Schiff oder zu Fuß bei jedem Wetter zu Stätten und Mus. in ganz Griechenland. Die Abfolge und die Reiseroute können sich von J. zu J. ändern, aber üblicherweise umfassen die Exkursionen Zentralgriechenland, Nordgriechenland und die Peloponnes unter bes. Berücksichtigung von Delphi, Olympia und Korinth. Die Stätten reichen von prähistor. Zeit bis in die Neuzeit. Für jede Studienfahrt ist ein Referat vor Ort obligatorisch.

Das Wintertrimester (November bis März) konzentriert sich auf Stätten und Baudenkmäler in Athen und Attika, auf Seminare, die das wiss. Personal der ASCSA hält, und auf eigene Forschungsarbeit. Ordentliche Studenten müssen an einem Kursus über die Top. und Baudenkmäler von Athen und Attika teilnehmen. Diese Veranstaltung findet an zwei Vormittagen pro Woche an Stätten und Mus. in Athen statt, ein dritter Tag ist Fahrten zu Stätten in Attika gewidmet, darunter Marathon, Rhamnous, Sounion und Eleusis. Ordentliche Mitglieder müssen außerdem an einem der Seminare der Whitehead-Professoren teilnehmen. Darüberhinaus können sie an weiteren Mini-Seminaren, Kursen und Workshops teilnehmen, die von den Dozenten der ASCSA angeboten werden. Sie konzentrieren sich häufig auf die reichhaltigen epigraphischen, numismatischen oder keramischen Sammlungen in Athen. Das Wintertrimester kann außerdem Studienfahrten nach Kreta, zum Saronischen Golf und zu anderen Zielen umfassen.

Das Frühlingstrimester (Mitte März bis Juni) ist eigenen Studien, Reisen und Forsch. gewidmet. Obwohl die Teilnahme nicht verpflichtend ist, nehmen die Studenten üblicherweise an einer der Ausgrabungsübungen in Korinth teil, die eine Einführung in die Methoden und Techniken der arch. Feldforsch. bieten. Sie können auch an einer der Studienfahrten teilnehmen, die die ASCSA anbietet – üblicherweise nach Ionien (E. März) und Zentralanatolien (Mitte Mai). Von den Studenten, die an diesen Aktivitäten nicht teilnehmen, wird erwartet, daß sie ihre eigene Forschungsarbeit vorantreiben und die Ergebnisse schriftlich in angemessener Form vorstellen.

Die beiden Sommerprogramme dauern sechs Wochen und finden parallel statt. Während eine Gruppe sich auf Reisen befindet, bleibt die andere in Athen. Nach dem Vorbild des regulären Studienplans sollen die Sommerprogramme die Studenten mit den bedeutendsten arch. Stätten und Mus. in Athen, Attika und Griechenland bekannt machen.

Die ASCSA vergibt keine akad. Abschlüsse und keine Leistungsnachweise für ihre Veranstaltungen. Das Studium ist jedoch höchst anspruchsvoll und wird von vielen nordamerikanischen Univ. anerkannt.

D. Ausgrabungen und Surveys

Die ASCSA blickt zurück auf eine lange und bedeutende Geschichte wiss. Arbeit in Griechenland und Kreta. Zu den zahlreichen herausragenden Feldforschern

Abb. 1: Korinth, Tempel des Apoll,
Blick von Nordwesten. Alison Frantz Collection,
American School of Classical Studies at Athens

gehören etwa Carl Blegen, Oscar Broneer, John Caskey, Harriet Boyd Hawes, Bert Hodge Hill, Richard Seager, Homer Thompson und Eugene Vanderpool, um nur einige zu nennen. 1892 begannen die Arbeiten am argivischen Heraion in der Argolis. 1896 begann Rufus Richardson die Ausgrabungen in Korinth im Namen der ASCSA (Abb. 1); das zweite große Ausgrabungsprojekt der ASCSA, die Agora von →Athen, begann 1931 unter der Leitung von T. Leslie Shear, Sr. Beide Grabungen werden noch h. fortgeführt, und zwar unter der Leitung von John Camp II (Agora) bzw. Guy Sanders (Korinth). Darüberhinaus bezuschußt die ASCSA Arbeiten angeschlossener Institutionen, etwa des Institute of Fine Arts der New York University in Samothrake und der University of California (Berkeley) in Nemea. Die Ausgrabungen der ASCSA haben auf vielen Gebieten beachtliche Fortschritte gebracht, nicht zuletzt die Gründung einer blühenden amerikanischen epigraphischen Schule, die im Zusammenhang mit der Entdeckung von Tausenden von Inschr. auf der athenischen Agora entstand. Sterling Dow, Benjamin D. Meritt, James Oliver und W. Kendrick Pritchet begannen dort ihre Karriere. Bedeutende Studenten der Architektur (Gorham Philips Stevens, William Bell Dinsmoor, John Travlos), des spätant. und ma. Griechenlands (Alison Frantz), der Keramik (Dorothy Thompson, Virginia Grace) und Skulptur (Rhys Carpenter, Brunilde Ridgway, Evelyn Harrison) haben der

Abb. 2: Stoa von Attalos, Athen. Agora Grabungen,
American School of Classical Studies at Athens

ASCSA zu Ruhm verholfen. In jüngster Zeit haben
Mitglieder der ASCSA die Surveyarch. in Griechenland
vorangetrieben; Beispiele hierfür sind die Arbeiten von
William McDonald in Messenia und von John Cherry
und Jack Davis in der Gegend von Pylos. Surveyarbeiten
werden in vielen Gebieten betrieben, darunter West-
Kreta und Korinthia.

Um die Funde auszustellen und Raum für Arbeit
und Forsch. zu schaffen, hat die ASCSA Mus. und Ar-
beitsräume im ant. Korinth und auf der Agora in Athen
errichtet. Das Mus. in Korinth von 1931 wurde 1958
erweitert. Die Stoa des Attalos, die der Stadt Athen im
2. Jh. v. Chr. durch den König von → Pergamon ge-
schenkt wurde, wurde 1956 mit Hilfe der Rockefeller
Stiftung als Mus. auf der Agora rekonstruiert (Abb. 2).
Andere amerikanische Institutionen unter den Auspi-
zien der ASCSA haben Mus., Arbeits- und Lagerräume
in Isthmia, Nemea, Pacheia Ammos in Ost-Kreta und
Samothrake errichtet.

E. FORSCHUNGSMITTEL

Zusätzlich zu den Forschungsmitteln, die im Zusammenhang mit den arch. Projekten der ASCSA stehen,
betreibt die ASCSA auf ihrem Campus in Athen zwei
herausragende Forschungsbibl. und ein wiss. Labor. Das
1992 eröffnete Malcolm H. Wiener-Labor ist der Idee,
Initiative und Unterstützung von Malcolm Wiener, einem Mitglied des Kuratoriums der ASCSA, zu verdanken. Es spielt angesichts der stetig wachsenden Bedeutung naturwiss. Arch. bei Ausgrabungen eine zentrale
Rolle an der ASCSA. Die ASCSA vergibt durch das
Kommittee des Wiener-Labors an Wissenschaftler, die
das Labor nutzen wollen, eine Reihe von Forschungs-

stipendien und auf kurze Zeit befristete Stipendien. Die
nach dem berühmten Ausgräber von → Troja und Pylos
benannte Carl W. und Elizabeth P. Blegen Library beherbergt über 85 000 Bände, die praktisch das gesamte
Gebiet der Altertumswiss. abdecken: Arch., Kunst und
Architektur, Religion und Myth., griech. und lat. Sprache und Lit., Anthropologie, Alte Geschichte und Philosophie. Die Präsenzbibl. steht Mitgliedern der ASCSA
24 Stunden am Tag zur Verfügung, zu Bürozeiten auch
Angehörigen anderer ausländischer Schulen, griech.
Univ., Museen und des Arch. Dienstes. Als Ergänzung
zur Blegen Library bietet die Gennadius Library einen
reichen Schatz von Originalquellen für das Studium des
byz., ottomanischen und zeitgenössischen Griechenlands. Das Herzstück der Sammlung wurde der ASCSA
von John Gennadius, einem bibliophilen Diplomaten
und ehemaligen griech. Minister am engl. Hof, ge-
schenkt. Diese Schatzkammer, die gegenwärtig etwa
110 000 Bände umfaßt, enthält seltene Ausgaben und
kostbare Einbände, fesselnde Ber. von Reisenden der
Vergangenheit, über 200 Aquarelle griech. Landschaften von Edward Lear und einzigartige Archive wie etwa
die Papiere von Heinrich Schliemann sowie der Nobelpreisträger Georgios Seferis und Odysseas Elytis. Die
große Bandbreite an Forschungsmöglichkeiten macht
diese großartigen Bibl. zu einem Mekka für Wissenschaftler aus aller Welt.

F. PUBLIKATIONEN

Die ASCSA hat sich der raschen Publikation der Ergebnisse ihrer Ausgrabungs- und Surveyprojekte verschrieben. Die seit 1932 vierteljährlich erscheinende
Zeitschrift *Hesperia* bringt sowohl Art. über Projekte,

die von der ASCSA geleitet und finanziert werden, als auch über andere Forschungsarbeiten. Die Ergebnisse der Ausgrabungen auf der athenischen Agora füllen über 30 Bände; die Zahl der Bände über die seit mehr als 100 J. andauernden Arbeiten in Korinth liegt über 35. Für die Ausgrabungen in Isthmia, Kea, Kommos, Lerna, Pylos und Samothrake gibt es jeweils eine eigene Serie. Zu den Monographien gehören *The Archons of Athens in the Hellenistic Age, The Athenian Tribute Lists, Byzantine Mosaics in Greece: Hosios Lucas and Daphni, The Erechtheion, The Propylaea, The Temple of Apollo at Bassae* sowie *The Temple of Zeus at Nemea.* Die ASCSA hat Führer zu Lerna, Pylos und zur athenischen Agora herausgegeben. Ein neuer Führer zu Korinth ist in Vorbereitung. Für den interessierten Laien gibt es zwei stetig wachsende Serien namens *Agora Picturebooks* und *Corinth Notes.* Darüberhinaus stehen informative Internetseiten zu den Arbeiten in Isthmia, Nemea, Korinth und auf der athenischen Agora zur Verfügung, die stets auf den neuesten Stand gebracht werden.

Insgesamt kann die ASCSA herausragende Belege für ihre Arbeit vorweisen; darüberhinaus bildet sie eine bedeutende Quelle für das Studium der griech. Kultur. Die Leitung der ASCSA hat es sich zum Ziel gesetzt, in Zukunft ihre wachsenden Ressourcen, ihre Bibl., Archive sowie die Ergebnisse ihrer Ausgrabungen und Surveys Wissenschaftlern in digitalisierter Form zugänglich zu machen. Mit ihren wiss. Programmen und Aktivitäten verfolgt die ASCSA nicht nur die Absicht, die Kenntnis der griech. Kultur aller Epochen zu vertiefen, sondern auch die griech.-amerikanischen Beziehungen zu fördern.

1 Greek Towns and Cities: A Centennial Symposium, in: Hesperia 50, 1981, 303–458 2 E. LORD, A History of the ASCSA 1882–1942, 1947 3 L. S. MERITT, History of the ASCSA 1939–1980, 1984 4 C. E. NORTON, in: AJA 2nd Series 7, 1903, 351.   STEPHEN TRACY

XII. DAS ÖSTERREICHISCHE ARCHÄOLOGISCHE INSTITUT (ÖAI)
A. EINLEITUNG   B. GESCHICHTE   C. STRUKTUR
D. PUBLIKATIONSORGANE   E. KOOPERATIONEN

A. EINLEITUNG
Das Österreichische Arch. Inst. (ÖAI) ist seit seiner Gründung 1898 die nationale Einrichtung für die Organisation und Durchführung arch. Forschungen. In Geschichte, Wirkungskreis und Aufgabenprofil des Inst. spiegelt sich nicht nur die Geschichte Österreichs, sondern auch die Entwicklung der Klass. Arch. vom klassizistischen Modellfach des 19. Jh. hin zu einer umfassenden Kulturwiss., die auf Basis breitgefächerter Feldforsch. empirisch arbeitet.

B. GESCHICHTE
Mit A. Conze, dem ersten Ordinarius (1869) für Klass. Arch. an der Univ. Wien, und den Ausgrabungen auf Samothrake trat Österreich in den Kreis europ. Großreiche, welche die arch. Erforsch. ant. Kulturen im

ägäischen und levantinischen Raum gestalteten. O. Benndorf hat in den Expeditionen nach Lykien diese Entwicklung weitergeführt, die 1895 mit dem Beginn der österreichischen Forsch. in → Ephesos einen Höhepunkt fand. Schon 1894 waren die Stationen in Athen, Konstantinopel und Smyrna entstanden. Sie waren Vorläufer des ÖAI, welches nach internationalem Vorbild 1898 gegründet wurde: Anlaß war die Durchführung arch. Reisen, Expeditionen und Grabungen im In- und Ausland; zu den Aufgaben zählten weiterhin die Herausgabe wiss. Publikationen, die Leitung der staatlichen Antikensammlungen, die Überwachung aller staatlich subventionierten Grabungen auf dem Gebiet der Donaumonarchie und die Förderung österreichischer Stipendiaten im Ausland. Mit dem E. der Monarchie verlor das ÖAI wesentliche Teile seines Arbeitsgebietes, u. a. mußte die Zweigstelle Smyrna aufgegeben werden; ihre Bibl. wurde teils verkauft, teils der Athener Zweigstelle zugeschlagen, deren Auflösung der persönliche Einsatz O. Walters verhinderte. Erst 1926 konnten die Ausgrabungen in Ephesos fortgesetzt werden. Trotz erfolgreicher Tätigkeit war das Inst. 1933 mit dem Tod von E. Reisch, Direktor seit 1909, in seinem Bestand gefährdet: Am 24.9.1934 beschloß der Ministerrat die Auflösung des Inst. als selbständige wiss. Anstalt und die Angliederung an die Univ. Wien. Die Publikationstätigkeit wurde fortgesetzt, Feldarch. aber auf Kooperationen beschränkt; erhalten blieben der Name »Österreichisches Arch. Inst.« und das »Sekretariat in Athen« unter der Leitung von O. Walter. 1938 wurde das ÖAI zur »Abteilung Wien« des → Deutschen Archäologischen Instituts, das Athener Institutsgebäude blieb durch Glück und kollegiale Nachsicht bestehen. Nach 1945 kehrte das ÖAI in die Philos. Fakultät der Univ. Wien zurück – die Erneuerung war mühsam, neben den wirtschaftlichen Ressourcen fehlte es auch an Personal. Nach dem Tod von C. Praschniker 1949 leiteten zunächst J. Keil und O. Walter das Inst.; schließlich wurde der pensionierte Direktor der Antikensammlung des Kunsthistor. Mus., F. Eichler, Ordinarius und zugleich Direktor. Während die nationalen Forsch. in Zusammenarbeit mit dem Bundesdenkmalamt (BDA) und den Landesmus. bzw. Geschichtsvereinen raschen Aufschwung nahmen (z. B. Carnuntum, Loich, Salzburg, Aguntum), war die Wiederaufnahme der Aktivitäten im Ausland erst nach Unterzeichnung des Staatsvertrages möglich. F. Miltner übernahm 1955 die Grabung Ephesos und konnte z. B. die Kuretenstraße, Arterie der hell.-röm. Stadt, freilegen. Nach seinem Tod 1959 übernahm F. Eichler auch die Grabungsleitung von Ephesos und behielt diese Funktion bis 1969: Die Entdeckung des Artemisionaltars und der Grabungsbeginn am Hanghaus 1 waren wiss. Höhepunkte. Unter Eichlers Nachfolger H. Vetters, für den 1969 eine Lehrkanzel für Feldarch. eingerichtet worden war, wuchs Ephesos zu einem Großunternehmen mit intensiver Grabungstätigkeit und entsprechendem öffentlichem Interesse: Anastylose der Celsusbibl. und des Südtors der Tetragonos-Agora sowie flächige Ausgrabung der Hanghäuser 1 und 2, die Vetters persönlich leitete. 1964 war die Zweigstelle in Athen wieder eingerichtet worden, das Stipendienwesen wurde neu organisiert und die Grabungen Aigeira und Lousoi reaktiviert. 1973 wurde die Außenstelle Kairo des Inst. für Ägyptologie der Univ. Wien dem ÖAI als Zweigstelle angeschlossen. Im Inland blieb Carnuntum Forschungsschwerpunkt mit der Freilegung der als »Palastruine« benannten Thermenanlage und des Auxiliarkastells. Einzelne Forschungsprojekte wurden den früheren Kooperationspartnern überlassen (Magdalensberg dem Kärntner Landesmus., Lauriacum dem BDA, Aguntum dem Inst. für Klass. Arch. der Univ. Innsbruck). 1986 wurde mit G. Langmann ein Direktor ernannt, der nicht Ordinarius der Univ. Wien war: Gedacht war dies als Chance für die selbständige Entwicklung des Instituts. Nach einer interimistischen Leitung des Inst. durch D. Knibbe wurde im November 1994 f. Krinzinger mit der Direktion betraut, die Personalunion zw. Universitätsprofessur und Institutsdirektion damit erneuert. Trotz extremer Sparbudgets gelang es, den Personalstand des Inst. auszubauen; strukturelle Bereinigungen und Konzentration der Forschungsaufgaben führten zu einer intensivierten Publikationstätigkeit einzelner Unternehmungen. Jüngste Entwicklung ist die Übernahme des Forschungsplatzes Limyra (Südtürkei) durch das ÖAI.

C. STRUKTUR

Mit dem Forschungsorganisationsgesetz (FOG) 1981 sollte die Struktur des Inst. den erweiterten Aufgaben angepaßt werden – leider gelang nur ein halber Schritt: Das ÖAI wurde zwar aus der Univ. Wien ausgegliedert und erhielt seine Eigenständigkeit als direkt dem Bundesministerium für Wiss. unterstelltes Forschungsinst. zurück, erhalten blieb aber eine rechtlich unklare Anbindung an das Universitätsorganisationsgesetz (UOG). Nach Entlassung aller österreichischen Univ. aus der Hoheitsverwaltung des Bundes (UG 2002) ist eine strukturelle Neuorientierung zu finden, die noch nicht abgeschlossen ist. Das ÖAI wird von einem Direktor geleitet, der vom zuständigen Minister ernannt wird. Seit 1994 gehören der Institutskonferenz mit der Ministerium zugeteilten Professoren der österreichischen Univ. an, die Vertreter der zweiten Kurie werden aus dem Kreis des wiss. Personals gewählt; das nichtwiss. Personal entsendet einen Vertreter. Die im FOG 1981 definierten Aufgaben des Inst. sind Feldforsch. im In- und Ausland, die Herausgabe wiss. Publikationen des Fachgebietes, die Durchführung wiss. Veranstaltungen im In- und Ausland, die Betreuung des wiss. Nachwuchses durch Vergabe von Stipendien und die Dokumentation von Konservierungsmaßnahmen an arch. Bodenkmalen. Der aktuelle Personalstand von 27 Mitarbeiter/innen wird durch zahlreiche Angestellte auf Zeit ergänzt. Neben dem vom Bundesministerium zugeteilten Budget erfreut sich das Inst. der Unterstützung des Fonds zur Förderung der wiss. Forsch., des Jubiläumsfonds der Österreichischen Nationalbank, der Hoch-

schuljubiläumsstiftung der Stadt Wien und privater Sponsoren, letztere von der »Gesellschaft der Freunde von Ephesos« organisiert.

Die Zweigstelle Athen (gegr. 1898) ist im Institutsgebäude Leoforos Alexandras 26 eingerichtet, welches nach den Plänen von E. Ziller auf einem vom griech. Staat geschenkten Grundstück erbaut wurde. Seit 1947 ist in dem Gebäude auch die Österreichische Botschaft provisorisch untergebracht. Der griech. Antikendienst erteilt jährlich die Genehmigung für drei Grabungen, aktuell: Aigeira (Leitung: G. Ladstätter), Lousoi (Leitung: V. Mitsopoulos-Leon), Ägina (Leitung: F. Felten und S. Hiller, Inst. für Klass. Arch. Univ. Salzburg). Hinzu kommen Gemeinschaftsunternehmungen österreichischer Univ. mit dem griech. Antikendienst in Elatia, in Ostkreta, auf der Peloponnes und in Plataiai; Forschungstrad. besitzt das ÖAI auch in Elis. Als Leiter folgte 2002 G. Ladstätter Frau V. Mitsopoulos-Leon nach.

Die Zweigstelle Kairo wurzelt in der 1966 begonnenen Tätigkeit von M. Bietak in Ägypten, die sich nach Forsch. in Luxor auf den Grabungsort Tell el-Dab'a im östl. Nildelta konzentriert: Zunächst als wiss. Sekretariat am Österreichischen Kulturinst. Kairo und 1971 als eigene Forschungsstelle eingerichtet, die dem Inst. für Ägyptologie und Afrikanistik der Univ. Wien unterstand, entstand 1973 eine Zweigstelle des ÖAI. Hauptunternehmung blieb bis h. die Grabung Tell el-Dab'a. Enge Zusammenarbeit besteht zw. dem ÖAI Kairo, dem Inst. für Ägyptologie der Univ. Wien, vorgegeben durch die Personalunion des Leiters beider, und der ÖAW – hier ist ein internationaler Spezialforschungsbereich zur Synchronisation der Hochkulturen des 2. Jt. im östl. Mittelmeer (SCIEM 2000) eingerichtet. Die *Unt. der Zweigstelle Kairo des ÖAI* und die Zeitschrift *Ägypten und Levante* werden gemeinsam mit der ÖAW herausgegeben.

Die Abteilung für Konservierung und Technologie von Bodendenkmalen erwuchs aus der Verpflichtung zur nachhaltigen Konservierung und Restaurierung der Bodenfunde und Ruinen, sie wurde 1990 in der Zentrale errichtet. Modern ausgerüstet hat sie den Schwerpunkt in der restauratorischen Betreuung der Grabungen Carnuntum und Ephesos; Expertise und Organisation werden allen Forschungsprojekten geboten. Gemeinsam mit der Univ. für angewandte Kunst werden Restauratoren ausgebildet, womit ein hohes Maß theorieorientierter Dokumentation einhergeht.

Die Bibl. der Zentrale umfaßt zur Zeit knapp 70000 Bände, davon 620 Reihen und Zeitschriften, und ist als Präsenzbibl. gemeinsam mit der Fachbibl. des Inst. für Klass. Arch. der Univ. Wien aufgestellt. Annähernd 15000 Bände verteilen sich auf die Zweigstellen.

Archive: Neben dem Dokumentationsarchiv (Unterlagen zur Forsch.- und Verwaltungstätigkeit, wiss. Material und Nachlässe) verfügt das ÖAI über ein umfangreiches Bildarchiv (fotografische Dokumentation der Grabungen) von der Institutsgründung bis in die Gegenwart. Historisch wertvoll sind bes. die annähernd

10000 histor. Glasplattennegative, die derzeit digitalisiert werden. Zudem sind ca. 70000 Negativfilme sowie 60000 Diapositive vorhanden. Seit dem J. 2002 werden vorrangig digitale Aufnahmetechniken verwendet, was mit der Anschaffung eines großen Bilddatenbank-Systems verbunden ist. Kostbare Bleistiftoriginale und wertvolle Aquarelle gehören zu den ältesten Beständen des Planarchivs; auch der Planbestand wird zur Schonung in digitale Form gebracht. Das epigraphische Archiv beherbergt Abklatsche in Papier und Latex, bedeutend sind v. a. die ephesischen Bestände.

D. PUBLIKATIONSORGANE

Seit seiner Gründung gibt das ÖAI die *Jahreshefte des Österreichischen Arch. Inst. in Wien* (ÖJh) heraus, seit Band 69 (2000) gemeinsam mit dem Verlag der ÖAW. Die *Ergänzungshefte zu den Jahresheften des Österreichischen Arch. Inst.* (ErghÖJh) sind eine neugegründete Reihe zur Materialvorlage. Die *Sonderschriften des Österreichischen Arch. Inst.* (SoSchrÖAI) hingegen sind monographischen Darstellungen eines abgeschlossenen Forschungsstandes vorbehalten. Darüber hinaus erscheinen kleinere Publikationen, Ausstellungskat. und Führer im Selbstverlag. *Forsch. in Ephesos* (FiE) als monographisch abschließende Publikation der Ergebnisse aus Ephesos und *Der röm. Limes in Österreich* (RLÖ) werden wiederum mit dem Verlag der ÖAW realisiert.

E. KOOPERATIONEN

Von bes. Bed. sind die Kontakte mit wiss. Institutionen und staatlichen Autoritäten jener Länder, in denen das ÖAI Forschungsunternehmungen bzw. Zweigstellen unterhält – leider war es bisher aber nicht möglich, die seit langem beantragte, neue Zweigstelle im Gastland Türkei einzurichten. Auf nationaler Ebene besteht neben den Bundes- und Landesmus. enge Zusammenarbeit mit der ÖAW, die 1995 zudem eine neu formulierte Patronanz von Ephesos übernommen hat. Mit dem Bundesdenkmalamt (BDA) wie auch mit Gebietskörperschaften wird bei Denkmalschutzgrabungen kooperiert. Neben Carnuntum (Thermen und Auxiliarkastell) und Mautern ist auf die Grabungen in St. Pölten, Bruckneudorf, Flavia Solva und Frauenberg hinzuweisen. Zunehmend bedeutender erweist sich die Zusammenarbeit mit den naturwiss. und technischen Disziplinen, die wegen der digitalen Dokumentation für die Mengenbewältigung der Funde und verdichteten Aussagemöglichkeiten zu histor. Vorgängen unabdingbar ist. Altersbestimmung und Materialunt. spielen v. a. in der Fundbearbeitung und Keramikforsch. eine bes. Rolle. Für die kontinuierlich notwendige Methodenentwicklung und -standardisierung kommt hier dem Großunternehmen Ephesos ein bes. Stellenwert zu.

1 100 J. ÖAI 1898–1998, SoSchrÖAI 31 (1998) 2 V. MITSOPOULOS-LEON (Hrsg.), Hundert J. ÖAI Athen 1898–1998, 1998 3 Jahresber. 2001 des ÖAI, ÖJh 71, 2002, 347 ff. 4 http://www.oeai.at. FRITZ KRINZINGER

Österreich III. 20. JAHRHUNDERT

A. SCHULBILDUNG B. KLASSISCHE PHILOLOGIE IN LEHRE UND FORSCHUNG C. PSYCHOANALYSE D. LITERATUR

A. SCHULBILDUNG

Die Bemühungen der Hochschulpolitik und Gymnasialreformen im Kaisertum Ö. waren nach 1848 v. a. darauf ausgerichtet, die Defizite gegenüber den erreichten Standards im Bildungswesen in Preußen und ab 1871 im dt. Kaiserreich zu beheben. Das bedeutete im wesentlichen eine modifizierte Übernahme der Humboldtschen Reformen, eine stärkere Ausdifferenzierung des naturwiss.-technischen mittleren Schulwesens (10 bis 17 bzw. 18 J.) z. B. einerseits durch die Gründung des »Technischen Gewerbemus.« (1879) und andererseits durch die Forcierung des Lat.- und Griechischunterrichts an den Gymnasien (im Schnitt acht bis sechs Stunden Lat.), in der Unterstufe mit einer Ausschließlichkeit auf die Übers. aus dem Dt. ins Lat. bzw. Griech., die auch noch bei der Maturitätsprüfung gefordert wurde. Heftige Debatten über den Wert des → Altsprachlichen Unterrichts im letzten Jahrzehnt des 19. Jh. führten auch zu einer Rücknahme dieser Anforderung und zu einer allmählichen Reduktion der Stundenzahlen. Kennzeichnend für den Stand der Debatte ist die 1898 von Robert Scheu herausgegebene Sammlung von Stellungnahmen unter dem Titel *Was leistet die Mittelschule?*, worin sich neben bedeutenden Philologen auch Naturwissenschaftler zu Wort meldeten, die entschieden für eine Zurückdrängung des human. Bildungsanspruches plädierten. Der unbeschränkte Zugang zur Univ. war bis zum I. Weltkrieg nur über das human. Gymnasium möglich. Nach 1918 wurde das Bildungswesen grundlegend durch die Schulreformen Otto Glöckels (1874– 1935) verändert; diese verdienstvollen Reformen nahmen ihren Ausgang von der Aktivierung der Schüler, was die Ausbildung philol. Fertigkeiten in den Hintergrund drängte. Latein und Griech. blieben in den human. Gymnasien erhalten; beliebtester Schultyp wurde zw. den Weltkriegen das Realgymnasium, in dem Lat. ab der dritten Klasse verpflichtend war und das den Zugang zu den meisten Studienrichtungen (einschließlich Jus (= Jura) und Medizin) ermöglichte. Dieser Zustand hielt auch in der sog. Zweiten Republik nach 1945 vor, wobei bis zur Schulreform von 1965 an den human. Gymnasien in West-Ö. (Ober-Ö., Salzburg, Steiermark, Kärnten, Tirol und Vorarlberg) Lat. ab der ersten und Griech. ab der dritten Klasse, während in Ost-Ö. Lat. ab der dritten und Griech. ab der fünften Klasse in einem Curriculum über acht J. unterrichtet wurde; ab Mitte der 60er J. galt die ostösterreichische Lösung für ganz Österreich. Bis zum E. des Jt. haben mehrere Schulreformen zu einer deutlichen Verringerung des altsprachlichen Unterrichts geführt, doch wird dieser in Ö. selbst zu Beginn des 21. Jh. immer noch in einem europaweit überdurchschnittlichen Ausmaß gepflegt.

B. Klassische Philologie in Lehre und Forschung

Für den Aufschwung der Klass. Philol. in Ö. in der zweiten H. des 19. Jh. waren v. a. Hermann Bonitz (1814–1888) und Wilhelm von Hartel (1839–1907; 1900 bis 1905 Minister für Kultus und Unterricht) verantwortlich, die sich um eine Reform des Studiums der Klass. Philol. an der Univ. bemühten. Besonderes Interesse galt der christl. Lit. in lat. Sprache, das zur Gründung der Reihe des *Corpus Scriptorum Ecclesiasticorum Latinorum* führte. Das Wiener Inst. für Klass. Philol. erlangte v. a. durch Theodor Gomperz Bed. (1832–1912), der sich zunächst als Papyrologe einen Namen machte, später v. a. als Verf. seines Standardwerkes *Griech. Denker*, das in erster Auflage von 1893 bis 1909 in Fortsetzungen erschien und weit über die Fachgrenzen hinaus wahrgenommen wurde. Gomperz' Vielseitigkeit wird durch sein Engagement für die Sozialphilos. John Stuart Mills unterstrichen, dessen Werke er in dt. Sprache herausgab (u. a. wurde ein Band von S. Freud übersetzt, der die *Griech. Denker* zu den für ihn zehn wichtigsten B. zählte). Für die Analyse der griech. Naturphilosophen suchte Gomperz das naturwiss. Denken seiner Zeit (u. a. Helmholtz und Mach) fruchtbar zu machen und zeigte sich einem für die österreichischen Denktraditionen typischen antiidealistischen Zug verpflichtet. Daß Ernst Mach mit einer Lehrkanzel für »Geschichte und Theorie der induktiven Wissenschaften« in Wien betraut wurde, ging wesentlich auf eine Initiative Gomperz' und seines Sohnes Heinrich zurück. Gomperz, der aus einer wohlhabenden jüd. Familie aus Mähren stammte, war eine Zentralfigur des intellektuellen und gesellschaftlichen Lebens seiner Zeit. Sein Sohn Heinrich Gomperz (1873–1942), der später Professor für Philos. in Wien wurde, kann als einer der wichtigsten Anreger für die Mitglieder des sich im Gefolge von Ernst Mach bildenden Wiener Kreises gelten. Zu seinen zahlreichen Schülern gehörte auch Karl R. Popper, dessen epochemachendes Werk *Die offene Gesellschaft und ihre Feinde* (1945/1958) wiederum weniger in bezug auf die vehemente Platon-Kritik als auf die Platon-Interpretation den *Griech. Denkern* von Th. Gomperz verpflichtet war und dessen Parmenides-Studien ebenfalls darauf Bezug nehmen. Auch der österreichische Nobelpreisträger für Physik Erwin Schrödinger berief sich in seiner Schrift *Die Natur und die Griechen* (1956) auf Gomperz und trat gegen Ernst Mach für die Wichtigkeit und Sinnhaftigkeit der Auseinandersetzung mit den gleichwohl im naturwiss. Sinne überholten Texten der Vorsokratiker ein.

Daß Heinrich Gomperz in jungen J. eine *Grundlegung der Neusokratischen Lehre* (1897) verfaßt hatte, ist für die philos. Einstellung der jungen Intelligenz im Wien der Gründerzeit signifikant: Es gab in der Tat einen Klub der Neusokratiker, dessen Grundhaltung zwar an einen Penälerscherz erinnert, dessen oberste Maxime aber darin bestand, überhaupt nichts ernst zu nehmen, da alles Ergebnis des Spieles sei und Gott die Welt überhaupt nur des Spieles halber geschaffen habe. Weil er wie die Wiener auch ein Bummler gewesen sei, wurde Sokrates zum Patron dieses Vereins. Das verdankt sich einer Wendung gegen Nietzsche, der ja Sokrates verächtlich als Buffo und Karikatur bezeichnet hatte. Heinrich Gomperz bemühte sich später auch um die Interpretation der Frühsokratiker unter psychoanalytischen Gesichtspunkten.

Wichtige Vertreter der Philol. waren zw. den beiden Weltkriegen die aus Deutschland berufenen Gelehrten Ludwig Radermacher (1867–1952) und Hans von Arnim (1859–1931), der sich u. a. mit der ant. Trag. auseinandersetzte. Auf diesem Gebiete exzellierte auch Albin Lesky (1896–1980), dessen *Griech. Literaturgeschichte* ([1]1957) in mehrere Sprachen übersetzt wurde und der sich auch für die Pflege des altsprachlichen Unterrichts an den Gymnasien in kritischen Phasen verdient gemacht hat.

C. Psychoanalyse

Die Neuinterpretation ant. Mythen im 20. Jh. ist meist mit einer Signatur versehen, die aus dem Denkhaushalt der Psychoanalyse stammt. Umgekehrt ist die Frage nach dem, was diese dem ant. Denken und der ant. Lit. verdankt, nicht abwegig. Vor allem ihr Gründer Sigmund Freud (1856–1939) konnte auf eine solide klass. Bildung verweisen, die auch in seinen Schriften zum Ausdruck kommt. Der Verweis auf das Ödipus-Modell (Neigung des Sohnes zur Mutter und Eifersucht gegen den Vater) findet sich zum ersten Mal 1897 in einem Brief an W. Fließ, mit einer Selbstanalyse Freuds. Veröffentlicht wurde diese Epoche machende These mit einer einläßlichen Interpretation des sophokleischen Dramas in der *Traumdeutung* (1899; recte 1900). Für Freud war – wie mehrfach dargetan – Ödipus die Identifikationsfigur schlechthin. Eine andere war der (semitische) Held Hannibal, dessen Haß auf Rom Freud seiner Aversion gegen die Katholische Kirche mit ihrem Sitz in Rom in Analogie setzte. Seine Abneigung gegen christl. Jenseitsvorstellungen belegte er u. a. in der Schrift *Zeitgemäßes über Krieg und Tod* (1915) mit dem Verweis auf die Worte Achills aus der *Odyssee*, denen zufolge er lieber ein Tagelöhner auf Erden als ein Fürst der Schatten sein wolle. Freud, ein leidenschaftlicher Sammler arch. Objekte, bewunderte Schliemann und verglich seine Aufgabe oft mit der eines Archäologen, der Schicht für Schicht freilegt und sich spekulativ um die Rekonstruktion des Zerstörten bemüht. Bezeichnend ist, daß Wilhem J. Jensens Novelle *Gradiva*, der Freud seine ausführlichste Literaturinterpretation widmete ([1]1907), v. a. in → Pompeji spielt. Auch Termini wie »Elektra-Komplex« und »Narzißmus« gehören in den Zusammenhang dieser engen Bindung der → Psychoanalyse an die Antike. Daß die Vorstellung von der grundsätzlichen männlichen wie weiblichen Veranlagung jedes Menschen, von der Otto Weininger (1880–1903) in seinem ebenso problematischen wie überaus erfolgreichen Werk *Geschlecht und Charakter* (1903) ausgeht, von ihm bewußt aus der Erzählung des Aristophanes in Platons *Symposion* aufgenommen wird, belegt einmal mehr Kenntnis und Verbreitung ant. Philos. und Lit. im Wien der Jahrhundertwende.

D. LITERATUR

Die intensive Auseinandersetzung mit der ant. → Mythologie und Lit. ist nicht zuletzt auf die durch die Schuldbildung erworbene Vertrautheit zu erklären: Sigmund Freud, Hugo von Hofmannsthal (1874–1929), Richard Beer-Hofmann (1866–1945), Arthur Schnitzler (1862–1931), Rudolf Kassner (1873–1959), Karl Kraus (1874–1936), Egon Friedell (1878–1938) und auch Stefan Zweig (1881–1942) waren Absolventen des human. Gymnasiums; dies war die letzte Schriftstellergeneration, die diesem Bildungsideal verpflichtet war. Zwar orientierten sich viele Autoren an neueren Einsichten der → Altertumskunde, doch wird Antikes meist in mehrfacher Brechung wahrgenommen. Vor allem Nietzsches Begriff des Dionysischen und Freuds Psychoanalyse haben deutliche Spuren hinterlassen. Dionysos gehörte bereits vor Nietzsches *Geburt der Trag. aus dem Geiste der Musik* (1872) zu jenen Gottheiten, derer sich die Phantasie der Dichter bes. annahm, wie etwa Robert Hamerling (1830–1889) in seinem Versepos *Ahasver in Rom* (1866), das in einer Orgie mündet, in der Nero als Dionysos auftritt. Unter der Herrschaft des Dionysos als Gott der Entgrenzung werden sittliche Normen aufgehoben, eine Vorstellung, die auch in A. Schnitzlers Einakter *Das Bacchusfest* (1915) zu finden ist, worin der Dichter Felix Staufner ein ant. Fest erfindet, in dem jeder und jedem nur für eine Nacht zügellose Promiskuität erlaubt war. Kehrte man in den Alltag zurück, so mußten die Partner dieser Nacht jede Erinnerung daran unterdrücken und durften die Beziehung nie wieder aufnehmen. Diese Fiktion dient dem Dichter nur dazu, sowohl seine eigene Untreue wie auch die seiner Frau stilvoll zu bemänteln. Ein düsteres Fest, das der Göttin Astarte gewidmet und von beklemmender sexueller Freizügigkeit geprägt ist, gestaltet Richard Beer-Hofmann im zweiten Kap. seines Kurzromans *Der Tod Georgs* (1897/00), wobei er auf die über C. J. Burckhardt vermittelte Schrift Lukians *De Dea Syriaca* zurückgreift.

Die differenzierteste Auseinandersetzung mit ant. Vorlagen findet sich bei Hofmannsthal, der schon als Gymnasiast eine Nachdichtung der euripideischen *Alkestis* anfertigte (1893), wobei er den wegen des Opfers seiner Frau oft beschuldigten Admet dadurch entlastete, daß dieser als ein Märchenkönig erscheint, der durch den Tod seiner Frau seinen Untertanen eine wunderbare Zukunft verspricht. Hofmannsthals Fassung diente Egon Wellesz als Grundlage für ein Opernlibretto (1923). Die sehr freie Bearbeitung der sophokleischen *Elektra* wurde 1903 in Berlin zu einem Bühnenerfolg und konnte in der Vertonung durch Richard Strauss (1909) auf den Opernbühnen heimisch werden. In der Regieanweisung forderte Hofmannsthal den Verzicht

auf ›jene antikisierenden Banalitäten, welche mehr geeignet sind, zu ernüchtern als suggestiv zu wirken‹. Die Archaik, mit deren Hilfe jeder Anflug von → Klassizismus gemieden werden sollte, verlieh der Darstellung der Hysterie eine bes. Wirkung. Der Einfluß Freuds war schon für die zeitgenössische Kritik mit Händen zu greifen. Antike Myth. bot sich bes. an, um Archetypisches zu erfassen. Vom ›verborgenen schuldigen Fluß-Gott des Bluts‹ liest man in Rainer Maria Rilkes dritter *Duineser Elegie*; dessen *Sonette an Orpheus* sowie zahlreiche seiner Gedichte künden von einer fundamentalen Auseinandersetzung mit der klass. Mythologie. Die markanten Eingriffe in Kafkas Prosaskizzen *Prometheus* und *Das Schweigen der Sirenen* sind knappe, doch eindrucksvolle Zeugnisse der ›Arbeit am Mythos‹ (H. Blumenberg). Der Demeter-Mythos bildet das Substrat von Hermann Brochs (1886–1951) in den 30er J. begonnenem Bergroman (erschienen erstmals als *Der Versucher* 1954), worin es um die Vorgänge in einem Alpendorf am Vorabend des → Nationalsozialismus und um den Kampf guter und böser chthonischer Mächte geht. Brochs Roman *Der Tod des Vergil* (1945) hingegen handelt vom Verhältnis des Dichters zur Macht: Kaiser Augustus fordert vom Dichter, der seinen Tod nahen fühlt, das Werk ein, das sein Schöpfer noch ›als erschreckend ungetan‹ empfindet und daher vernichten will. Ein ähnliches Motiv nimmt auch Christoph Ransmayrs (geb. 1954) Roman *Die letzte Welt* (1988) zum Augangspunkt: Ovid hat seine Metamorphosen, bevor er Rom verläßt, vernichtet; in Tomi findet Maximus Cotta zwar nicht den Dichter, sehr wohl aber die Figuren (z. B. Arachne, Ceyx usw.) aus seinem Werk vor. Die urspr. über Wunsch von Hans Magnus Enzensberger geplante Nacherzählung der Ovidischen Metamorphosen erwies sich als unmöglich. Der Roman, der als eines der bedeutendsten Zeugnisse der Postmoderne im dt. Sprachraum gilt, verdankt seine eigentümliche Spannung der Darstellung der Exilproblematik (der Dichter wird vom Staatsapparat auf Grund uneinsichtiger Vorwürfe verbannt und entzieht sich als Figur allen Nachforschungen) und dem Prinzip, die Erzählungen von den Verwandlungen einer neuerlichen Verwandlung zu unterziehen. Der Erfolg dieses Romans läßt sich auch durch das neu erwachte Interesse an der Myth. in den 80er J. des 20. Jh. erklären. Populär wurden in Ö. durch den Hörfunk die deutlich in Opposition zu Gustav Schwab angefertigten Nacherzählungen der Sagen des Klass. Alt. (*Das große Sagenbuch des klass. Alt.*, 1999) durch Michael Köhlmeier (geb. 1949); derselbe versuchte auch in einem als vierteilig geplanten Romanzyklus den Stoff der *Odyssee* zu gestalten, doch lassen die derzeit vorliegenden Partien die Vermutung zu, daß die Fülle des Stoffes vom Autor kaum in dem vorgesehenen Umfang bewältigt werden kann. Die ersten zwei Teile *Telemach* (1995) und *Kalypso* (1997) folgen den entsprechenden Partien der Homer. Vorlage, verzichten aber – hierin Ransmayr nicht unähnlich – u. a. durch prononcierte Anachronismen auf eine Rekonstruktion der archa.

Welt des Mythos. In nicht umstrittenen Nachdichtungen aus Sappho, Archilochos, Catull und Properz hat Schrott unter dem Titel *Die Erfindung der Poesie* (1997) ant. Lit. in einem Gegenwartskontext zur Diskussion stellen wollen. Anders sind die sich am Original abarbeitenden Übers. aus Aischylos (*Prometheus gefesselt*, 1986) und des Sophokleischen *Oidipus auf Kolonos* (2003) von Peter Handke (geb. 1942), dessen Reflexionen immer wieder ihren Ausgang von der klass. Lit. nehmen, wobei Pindar, Lukrez, Homer und v. a. Vergil beschworen werden. Besonders dieser erhält mit seinen *Georgica* kanonische Verbindlichkeit für eine Aneignung der Natur, die sowohl ihre Gestalt bewahrt aber auch dem menschlichen Maß gerecht wird (vgl. den Roman *Die Wiederholung*, 1986). Mit der emphatischen Ablehnung Kafkas als Gegenspieler Vergils und seinem Bekenntnis zu Homer konnte Handke auch provozieren: ›Kein Jesus soll mehr auftreten, aber immer wieder Homer‹ [4. 7].

1 K. G. ESSELBORN, Hofmannsthal und der ant. Mythos, 1969 2 H. GOTTWALD, Mythos und Mythisches in der Gegenwartslit. Stud. zu Ch. Ransmayr, P. Handke, B. Strauß, G. Steiner, 1996 3 R. HANK, Mortifikation und Beschwörung. Zur Veränderung ästhetischer Wahrnehmung in der Moderne am Beispiel des Frühwerkes Richard Beer-Hofmanns, 1984 4 P. HANDKE, Phantasien der Wiederholung, 1983 5 R. HANSLIK, Das österreichische human. Gymnasium in seinem Werden und gegenwärtigen Sein, 1951 6 G. A. HÖFLER (Hrsg.), M. Köhlmeier, 2001 7 W. JENS, Hofmannsthal und die Griechen, 1955 8 R. A. KANN (Hrsg.), Th. Gomperz. Ein Gelehrtenleben im Bürgertum der Franz-Josefs-Zeit, 1974 9 H. POLITZER, Hatte Ödipus einen Ödipus-Komplex? Versuche zum Thema Psychoanalyse und Lit., 1974 10 K. R. POPPER, Ausgangspunkte. Meine intellektuelle Entwicklung, 1979 11 M. ROHRWASSER (Hrsg.), Freuds pompejanische Muse: Beitr. zu Wilhelm Jensens Novelle »Gradiva«, 1996 12 W. SCHMIDT-DENGLER, Decadence and Antiquity: The Educational Preconditions of Jung Wien, in: E. NIELSEN (Hrsg.), Focus on Vienna 1900, 1982, 32–45 13 R. SCHEU (Hrsg.), Was leistet die Mittelschule?, Wien 1893 14 CH. ZINTZEN, Von Pompeji nach Troja: Arch., Lit. und Öffentlichkeit im 19. Jh., 1998.

WENDELIN SCHMIDT-DENGLER

P

Papyrus- und Ostraka-Editionen s. Register: Editionen von Papyri und Ostraka

Philologie I. GRIECHISCH II. LATEINISCH

I. GRIECHISCH

D. MODERNE INTERNATIONALE PHILOLOGIE
1. ÄUSSERE ENTWICKLUNGSFAKTOREN

Die demographischen, sozialen und ökonomischen Entwicklungen seit dem E. des II. Weltkriegs haben mit den höheren Schulen und den Univ. auch die Praxis der philol. Lehre und Forsch. tiefgreifend verändert. Am

unmittelbarsten greifbar wird dies in der seit Etablierung der Disziplin im 19. Jh. feststellbaren, durch den Forschungs- und Lehrbetrieb in den mod. Industriegesellschaften immer weiter sich verstärkenden Spezialisierung und Zersplitterung. Kaum ein Forscher kann h. noch den Anspruch erheben, auf so divergenten Feldern wie der Sprachwiss., der Editionstechnik, der → Kodikologie, → Paläographie und → Papyrologie, der Literaturwiss. und Literaturgeschichte, der → Rhetorik, der ant. Philos. und Wiss., der Religions- und Kulturwiss. und Anthropologie, der Überlieferungs-, Wirkungs- und Wissenschaftsgeschichte kompetent zu sein; die an den meisten Univ. durchgeführte mehr oder weniger klare Trennung der Altertumskunde in Klass. Philol., Alte Geschichte und Arch. bewirkt, daß eine Reihe von Bereichen der Ant. als gar nicht mehr in das Ressort der Klass. Philol. gehörig empfunden wird. Auch die Binnendifferenzierung in Gräzistik und Latinistik ist so weit fortgeschritten, daß sich inzwischen nur noch wenige Forscher auf beiden Gebieten gleichermaßen betätigen. Zu dieser Entwicklung einer Spezialisierung, die jedem einzelnen nur noch auf eng begrenzten Gebieten Vertrautheit mit der wiss. Produktion erlaubt, tritt eine explosionsartige Vermehrung der Forschungslit. insbes. seit den 1960er J.: Mit der Vermehrung der Studentenzahlen in den meisten Ländern der westl. Welt ging die Vergrößerung der Anzahl der Lehrer und Forscher einher; neue Univ. wurden gegründet, bestehende erweitert (das Zahlenmaterial in [51. 60–67]). Seit den 1980er J. muß die weiterhin hohe Anzahl an Nachwuchskräften auf dem nunmehr stagnierenden Markt ihre Chancen auf eine Anstellung durch erhöhte Produktivität (»publish or perish«) vermehren. Ein rasch wachsender Buchmarkt gibt dieser Publikationsfülle Raum [51. 72]; die Zahl der Zeitschriften und Reihen wächst mit immer neuen, teils hochspezialisierten Titeln explosionsartig. Obwohl sich die Klagen über die kaum mehr überschaubare Literaturfülle allenthalben häufen und der wachsende Ausstoß nicht immer auch qualitativ überzeugen kann, ist eine Umkehrung dieser Tendenzen nicht absehbar.

Den zentrifugalen Kräften dieser Zersplitterung steht eine sich immer weiter verstärkende Internationalisierung gegenüber. In den 30er und 40er J. des 20. Jh. waren es v. a. die histor. und polit. Ereignisse in Europa, bes. dem zu diesem Zeitpunkt wiss. führenden Deutschland, die gewaltsam ein Aufbrechen der alten nationalen Strukturen bewirkten. Als Folge der nationalsozialistischen Verfolgungen emigrierten viele Gelehrte aus Deutschland und den dt. besetzten Gebieten [12; 54]; insbes. in Großbritannien und den USA gelang es vielen von ihnen, auch weiterhin wiss. tätig zu bleiben. So verbreiteten sich dt. Vorstellungen von Philol. als exakter Wiss. und positivistischer Altertumskunde auch in diesen Ländern, wo einige der Emigranten durch ihre Lehrtätigkeit einflußreich wurden; erinnert sei etwa an Eduard Fraenkel (1888–1970), Paul Maas (1880–1964), Felix Jacoby (1876–1959) und Rudolf

Pfeiffer (1889–1979) in Oxford, Hermann Fränkel (1888–1977) in Stanford, Paul Friedländer (1888–1977) in Los Angeles, Friedrich Solmsen (1904–1989) in Cornell und Wisconsin, Kurt von Fritz (1900–1985) in New York oder Werner Jaeger (1888–1961) in Chicago und Harvard. Daher entstanden und erschienen manche der wichtigsten Werke dt. Philologen im Ausland; genannt seien etwa Fraenkels monumentaler Komm. zu Aischylos' *Agamemnon* [24], Pfeiffers Kallimachosausgabe [66], Fränkels Interpretationen der frühgriech. Lit. [25] oder die Bände 2 und 3 von Jaegers *Paideia* [43]. Gefördert durch eine Vielzahl nationaler und supranationaler Institutionen (etwa die Fulbright-Stipendien, die Humboldt-Stiftung oder das Erasmus-Programm; genannt sei auch das Center for Hellenic Studies in Washington, D. C.), nahm in der 2. H. des Jh. der friedliche internationale Austausch von Studenten und Lehrenden zu. An den meisten größeren Institutionen findet man inzwischen Studenten aus einer Vielzahl von Ländern; Einladungen zu Gastprofessuren, Gastvorträgen und Forschungsaufenthalten über nationale Grenzen hinweg sind zu einer Selbstverständlichkeit geworden. Es gibt kaum ein wiss. Großprojekt, das nicht von Gelehrten unterschiedlicher Nationalität vorangetrieben würde; die Zahl der größeren und kleineren internationalen Konferenzen zu Themen der Klass. Philol. läßt sich nicht einmal annähernd abschätzen. Obwohl die nationalen Forschungstrad. in den meisten Ländern stark bleiben, hat global gesehen Engl. inzwischen als Wissenschaftssprache die Rolle eingenommen, die in der → Renaissance Lat. innehatte. Ihren sichtbarsten Ausdruck fand diese internationale Zusammenarbeit 1948 in der Gründung der Féderation Internationale des Associations d'Études Classiques (FIEC), die unter der Schirmherrschaft der UNESCO h. rund 82 Mitgliedsverbände aus 67 Ländern beherbergt.

Ein demographischer Faktor, der das Gesicht der Klass. Philol. (wie aller akad. Disziplinen) entscheidend veränderte, ist eine allmähliche Öffnung zunächst der Studenten-, dann auch der Dozentenschaft hinsichtlich sozialer und nationaler Herkunft und Geschlecht. Waren es bis zum II. Weltkrieg noch überwiegend Männer aus dem gehobenen Bürgertum der reichen Nationen Europas und (in geringerem Maße) Nordamerikas, die das Fach studierten und vertraten, endete dieser Zustand mit dem Zustrom breiterer Bevölkerungsschichten in die höheren Schulen und Universitäten. Es ist kaum überraschend, daß vor dem Hintergrund dieser Veränderungen die sich in den ant. Texten widerspiegelnden ethnischen, sozialen und geschlechtlichen Vorurteile schärfer als jemals zuvor in den Blick gerieten; zugleich macht diese Diversität der Interpreten jedoch auch die Verständigung über scheinbar Selbstverständliches schwieriger als in früheren Zeiten.

Eine weitere charakteristische Eigenart des 20. Jh., die deutliche Spuren in der Klass. Philol. hinterlassen hat, ist die Beschleunigung des technischen Fortschritts. Die durch den Einsatz des Computers in den letzten Jahrzehnten in Gang gesetzte technische Revolutionierung steht wahrscheinlich erst an ihrem Anfang. Bereits seit den 70er J. gab es Versuche, griech. ant. Texte in maschinenlesbarer Form zu speichern und so für elektronische Suchprogramme aufzubereiten. Das bedeutendste Unternehmen, der 1972 in Irvine (Kalifornien) gegründete *Thesaurus linguae Graecae*, gab erstmals 1985 seine Datenbank ant. Texte als CD-ROM heraus; inzwischen ist eine Reihe neuer Auflagen erschienen, die mittlerweile fast alle griech. Texte der Ant. umfassen; neuerdings stellt der TLG seine Datenbanken Abonnenten auch über das Internet zur Verfügung [81]. Durch solche Instrumente werden viele Formen philol. Arbeit, die vergangenen Generationen noch selbstverständlicher Teil des Handwerks waren, auf eine gänzlich neue Grundlage gestellt; erst allmählich lernt die Klass. Philol., die daraus resultierende Vielfalt an Möglichkeiten einzuschätzen und zu nutzen. Angesichts der immer weiter wachsenden Geschwindigkeit der Rechner und des Datentransfers wird es bald möglich sein, auch große Text- und Bilddateien in Sekunden weltweit abzurufen; die freie, unmittelbare Verfügbarkeit beispielsweise von Forschungslit. aus allen Epochen, Bildquellen (von arch. Zeugnissen, aber etwa auch von Papyri, Mss. und Inschr.) und umfangreichen Datenbanken mit allen Möglichkeiten der Querverknüpfung und Weiterlenkung (Hypertext) rückt immer näher; eine Reihe von Zeitschriften, die entweder online erscheinen oder ihre älteren Jahrgänge über das Netz elektronisch zur Verfügung stellen, sowie auf CD-ROM oder im Internet verfügbaren Nachschlagewerken, Quellensammlungen (wie etwa das Perseus-Projekt [65] oder das Beazley Archive [5]) und bibliographischen Datenbanken (wie etwa die *Année Philologique* [1]) geben einen ersten Eindruck davon, was in Zukunft alles möglich sein wird.

2. DIE INNERFACHLICHEN TENDENZEN

Trotz solchen Veränderungen ist die wiss. Arbeit auf einer Reihe von Gebieten von Kontinuitäten gekennzeichnet. Die großen Editionsreihen (etwa die *Bibliotheca Teubneriana*, *Oxford Classical Texts*, *Collection des Universités de France*, *Loeb Classical Library* oder *Sources chrétiennes*) ergänzen und erneuern ständig ihr Programm; insbes. die Fragmentsammlungen wurden unter Einbeziehung neuer Funde modernisiert und perfektioniert (z. B. Iambus und Elegie [87], Tragiker- [77] und Komikerfragmente [46], hell. Neufunde [53]). Zu den meisten bedeutenderen Texten der griech. Lit. sind neue Komm. erschienen und haben ältere ersetzt; entstanden solche Projekte zunächst überwiegend im engl. Sprachraum (zu nennen sind bes. Cambridge und Oxford University Press), ist in den letzten Jahrzehnten ein starkes Ansteigen von exzellenten Komm. aus It. zu verzeichnen (hier können nur exemplarisch ganz wenige Beispiele für Werke aus verschiedenen Epochen der griech. Lit. genannt werden: [4; 30; 31; 36; 55; 86]).

Großprojekte wie das *Corpus Medicorum Graecorum* [15], die Fragmente der griech. Historiker [42], der *Diccionario Griego-Español* [18], das *Lex. des frühgriech. Epos*

[76], die Neubearbeitung der Philosophiegeschichte von Überweg-Prächter [22] oder das *Reallex. für Ant. und Christentum* [69] werden weitergeführt; die monumentale *Realencyclopädie* [64] konnte durch Kriegswirren hindurch fortgesetzt und mit einer Reihe von Supplementbänden nach dem Krieg beendet werden. Kontinuität läßt sich auch dort konstatieren, wo Neufunde mit den etablierten Regeln der Zunft behandelt werden: Weiterhin werden lit. Papyri, v. a. aus Ägypten, publiziert (bes. [61], dokumentiert in [62]), darunter einige spektakuläre Funde (etwa der *Dyskolos* Menanders, 1959, Reste von Elegien des Simonides, 1992 [8], oder der Derveni-Papyrus [48]). Mit der Entzifferung der myk. Linear-B Täfelchen entstand ein ganz neues Forschungsfeld, das insbes. die Erforsch. der griech. Sprache auf eine völlig neue Grundlage stellte.

Hatte die Klass. Philol. im 19. Jh. den Neuen Philol. bei der Entwicklung ihrer Methoden und Fragen den Weg gewiesen, bes. auf den Gebieten der Editionstechnik und der sprachhistor. Forsch., so verlor sie diese Vorreiterstellung im 20. Jh. und reagierte bei der Aufnahme neuer Anregungen oft erst spät [34; 38; 45; 73]. Dennoch haben einige neuere Ansätze die Forsch. entscheidend beeinflußt. So griffen im französischsprachigen Raum Forscher wie Jean-Pierre Vernant (geb. 1914) und Pierre Vidal-Naquet (geb. 1930) die von Claude Lévi-Strauss (geb. 1908) geprägte strukturale Anthropologie auf und entwickelten daraus insbes. neue Betrachtungsweisen mythischer und ritueller Phänomene der griech. Kultur [83; 84]. Einigermaßen unproblematisch in traditionelle Verfahren der Textinterpretation integrieren ließen sich die v. a. in Deutschland starke Rezeptionsästhetik [3], manche Erkenntnisse einer in ihrer Radikalität abgeschwächten Theorie der Intertextualität [68] sowie viele Ergebnisse der Narratologie [2; 44]. Seit den 70er J. werden die Anregungen aus den Arbeiten des russ. Wissenschaftlers Michail Bachtin (1895–1975) aufgegriffen, bes. seine Überlegungen zur menippeischen Satire und zur Karnevalisierung der Lit. [20]. Die beiden Bände aus Michel Foucaults (1926–1984) geplanter Geschichte der Sexualität [23], die die Ant. behandeln, haben auf die wiss. Beschäftigung mit ant. Sexualität als gesellschaftlichem Phänomen ungeheuer belebend gewirkt [33] und eine Vielzahl von Unt., insbes. in den USA, angeregt, teilweise in selbstbewußt-kritischer Auseinandersetzung mit Foucaults Thesen [17; 50]. Dieses neue Forschungsinteresse für Sexualität koinzidiert teilweise mit dem Anliegen der → Gender Studies, die Produktion von sozial sanktionierten Geschlechterrollen und ihre Wichtigkeit für das Funktionieren der ant. Gesellschaften zu analysieren [56]; auch dieser Ansatz ist bes. in den USA auf fruchtbaren Boden gefallen und hat dort eine Vielzahl von Unt. zu den verschiedensten Bereichen der griech. Kultur beeinflußt.

Eine der die Ausrichtung der Gräzistik entscheidend prägenden Entwicklungen beginnt sich seit den 60er J. des 20. Jh. abzuzeichnen und gewinnt danach ständig an

Einfluß. Nach dem II. Weltkrieg stand die Klass. Philol. (wie fast alle Literaturwiss.) in den meisten Ländern der westl. Welt stark unter dem Einfluß textimmanenter Interpretationsmodelle, etwa in Form des New Criticism amerikanischer Prägung oder der Lektüremodelle Emil Staigers (1908–1987) im deutschsprachigen Raum. Eine solche ostentativ überzeitliche und unpolit. Umgehensweise mit den ant. Texten erklärt sich z. T. aus den restaurativen, privatistischen Tendenzen der Nachkriegszeit; unverkennbar ist jedoch auch eine Fortsetzung von Entwicklungen, die bereits in den 20er J. mit der Suche nach Relevanz und Aktualität des Klass. eingesetzt hatten. Doch spätestens seit den 60er J. verraten verschiedene Phänomene ein wachsendes Unbehagen an solchen Interpretationsmodellen: Zum einen läßt sich ein stetig wachsendes Interesse für die in der auf Harmonie und Stabilität bedachten Sicht des New Criticism ausgeklammerten Seiten der Ant. konstatieren. Bahnbrechend in der englischsprachigen Welt war hier die Arbeit von E. R. Dodds (1893–1979) [19], die nach anfänglichem Zögern eine Welle des Forschungsinteresses für die kultisch-rel. Seite der griech. Kultur auslöste; im deutschsprachigen Raum ist bes. Walter Burkert (geb. 1931) [10] einflußreich. Ein weiterer wichtiger Faktor, der das Aufkommen der → Kulturanthropologie innerhalb der Klass. Philol. mitbestimmte, war die Erkenntnis, daß die griech. Kultur bis mindestens zum E. des 5. Jh. v. Chr. nicht mit unseren mod. Schriftkulturen gleichgesetzt werden darf. Das revolutionäre Potential von Milman Parrys (1902–1935) grundlegenden Unt. zur Traditionalität und Oralität der Homer. Epen [63] wurde erst nach dem II. Weltkrieg wirklich umgesetzt. In ihrer Konsequenz bedeutete die Auffassung, die Epen seien als *oral poetry* zu verstehen, daß konventionelle Verfahren der Interpretation auf diese Texte nicht mehr anwendbar waren. Erst allmählich setzte sich die Erkenntnis durch, daß dies nicht nur auf die Homer. Epen, sondern auf weite Teile der frühgriech. Lit. zutraf [35], die infolgedessen v. a. als Performance in ihrer sozialen Wirkung verstanden werden müsse. Diese Ansicht wurde in It. nachdrücklich von Bruno Gentili [29] und seinen Mitarbeitern in Urbino vertreten; in Amerika hat etwa Gregory Nagy in zahlreichen Publikationen [59] sowie in von ihm angeregten Dissertationen und Arbeiten diesen Zweig der Forsch. zu einem der lebendigsten und produktivsten der Klass. Philol. gemacht. Neben der Interpretation der frühgriech. Lyr. [11; 70] ist bes. die Erforsch. des att. Dramas von dieser Betrachtungsweise befruchtet worden; die stärkere Berücksichtigung der rituellen Aspekte sowie die Betrachtung der dramatischen Performance als Selbstdarstellung des freien Bürgertums haben neue Sichtweisen ermöglicht und sind inzwischen selbstverständlicher Bestandteil der Forsch. [89]. Zu nennen ist in diesem Zusammenhang auch der vieldiskutierte »Tübinger Platon«, die Auffassung, Platon habe seine wichtigsten philos. Lehren niemals niedergeschrieben, sondern sie den mündlichen Ausführungen der »ungeschriebenen Lehre« vorbehalten [27; 47].

Ferner ist die Entwicklung der Klass. Philol. geprägt nicht nur durch die Aufnahme neuer methodischer Anregungen, sondern auch durch eine deutlich merkbare Erweiterung der Themen, mit denen sich die Zunft ernsthaft zu beschäftigen bereit ist. Die kulturanthropologischen Interessen haben dazu geführt, daß die griech. Kultur im Rahmen der ant. Mittelmeerwelt betrachtet wird und ihre Beziehungen zum Nahen Osten intensiv studiert werden [85; 9]. Untersuchungen zur Wirkungsgeschichte und Rezeption ant. Texte, Motive und Themen vom MA über die Ren. bis in die Moderne werden nicht mehr als Parerga betrachtet, sondern spielen in der Forsch. eine erhebliche Rolle [58; 75; 78]. Ähnliches gilt auch für die Beschäftigung mit der Wissenschaftsgeschichte, die sich allmählich von einem biographisch-anekdotischen Ansatz befreien konnte und die Klass. Philol. als Phänomen der geistigen und kulturellen Entwicklung ihrer jeweiligen Epoche versteht [32; 37; 49]. All diese Forschungsaufgaben lassen sich nur in engem Kontakt zu Nachbardisziplinen lösen; die Bereitschaft zu interdisziplinärer, komparatistischer Zusammenarbeit ist ein weiteres distinktives Merkmal der Klass. Philol. am E. des 20. Jahrhunderts. Schließlich hat die Gräzistik auch in ihrem eigenen Bereich den Kanon des Schrifttums erweitert, dem sie ernsthafte Forschungsanstrengungen widmet. Zwei Felder seien beispielhaft genannt: Der griech. Roman galt lange Zeit als vernachlässigenswerte Triviallit.; seine Erforsch. nahm in den letzten Jahrzehnten des 20. Jh. einen beispiellosen Aufschwung, der die Texte nicht nur als soziologische Dokumente ihrer Epoche, sondern auch in ihrer narrativen Raffinesse wahrnimmt (dokumentiert etwa in [39]). Ähnliches gilt für die gesamte griech. Lit. der Kaiserzeit: Auch sie wurde zuvor oft lediglich als derivatives Verfallsphänomen angesehen oder als Steinbruch histor. Informationen genutzt; seit dem letzten Jahrzehnt des 20. Jh. ist kaum ein Forschungsgebiet der Gräzistik lebendiger, wobei (teilweise unter dem Einfluß der *postcolonial studies*) Fragen der Identitätsfindung eine wichtige Rolle spielen [79; 88].

Nicht nur für die universitäre Lehre, sondern auch für die Publikationsmöglichkeiten und damit für wiss. Projekte und die Außendarstellung der Klass. Philol. insgesamt belangreich sind die Veränderungen im Bereich der weiterführenden Schulen. Nachdem im 19. und frühen 20. Jh. ein großer Prozentsatz von Schülern in den europ. Ländern, bes. in Deutschland, bis zum Abschluß der höheren Schule Lat. und Griech. erlernt hatte und bereits mit umfangreichen Sprachkenntnissen das universitäre Studium beginnen konnte, sank dieser Anteil in den Jahrzehnten nach dem Krieg beständig und ist in den meisten Ländern inzwischen verschwindend gering. Vor allem in den USA reagierten die Univ. darauf durch das (hochschulpolit. nicht unumstrittene) Angebot von Kursen *classics in translation*. Dies veränderte die Lage auf dem Publikationsmarkt grundlegend: Es entstand ein Bedarf nach neuen Übers. der ant. Texte, aber auch nach Komm. und Monographien, die sich

bei hohem wiss. Anspruch auch oder ausschließlich an den *Greekless reader* wenden (als Beispiel seien etwa die Komm. des Verlags Aris & Phillips genannt). In der englischsprachigen Welt bieten fast alle Institutionen inzwischen solche Kurse an und erreichen damit Studenten, die sonst mit der Ant. überhaupt nicht in Berührung gekommen wären; in anderen Ländern, in denen Klass. Philol. an den Univ. etabliert ist, wird über Vorteile und Gefahren einer solchen Öffnung diskutiert. Angesichts von in der gesamten Welt immer lauter werdenden Forderungen nach unmittelbarer Nützlichkeit des universitären Studiums und nach Effizienz und Ökonomie in seiner Organisation scheint es unvermeidlich, daß die relativ lange Phase eines auf die Behandlung wiss. Probleme überhaupt erst hinführenden Spracherwerbs drastisch verkürzt werden wird. Den durch diese Entwicklungen aufgeworfenen Problemen (Lage des wiss. Nachwuchses, drohende Zweiteilung der Disziplin in immer spezialisiertere Forscher und sprachunkundige Popularisierer) zu begegnen, wird eine der größten Herausforderungen der Klass. Philol. im 21. Jh. sein.

Zwei am E. des 20. Jh. aufflammende, unter reger Beteiligung nicht nur der Fachwelt, sondern auch der Massenmedien geführte Kontroversen zeigen exemplarisch, daß die griech. Kultur der Ant. auch jetzt noch als in bes. Weise affiner, der eigenen kulturellen Welt zugehöriger Bereich empfunden wird, dem man sich mit einer gewissen Emotionalität nähert. Martin Bernals These [7], ein großer Teil der griech. Kultur sei aus Ägypten importiert (»gestohlen«), fand in den USA großes Echo; von der Fachwelt ganz überwiegend abgelehnt [52], wurde sie von Teilen der »afrozentristischen« Bewegung begeistert angenommen [72]. Eine 2001/02 in mehreren Städten Deutschlands gezeigte Ausstellung über die neuen Ausgrabungen Manfred Korfmanns (dokumentiert in [80]) und die sich anschließende intensive Diskussion um die Interpretation der Ergebnisse (wie bedeutend und groß war die Stadt → Troja?) erreichte bes. in Deutschland eine große Öffentlichkeit auch außerhalb der Univ.; hier faszinierte die seit Heinrich Schliemann (1822–1890) virulente Vorstellung, einen histor. Kern der Homer. Gedichte auch materiell fassen zu können.

Daß die Klass. Philol. (wie viele andere Geisteswiss.) sich in einer Krise befindet, ist in den letzten Jahrzehnten immer wieder vorgebracht worden [16; 40; 67]. Immerhin verhindert diese Krise eine Rückkehr zum marmornen Klassizismus ebenso wie die Flucht in einen betriebsblinden Positivismus und hat zu beeindruckenden Ansätzen der Legitimation und Selbstvergewisserung der Disziplin geführt (zusammengestellt [51. 86–89]). Zweifelsohne ist uns die Ant. fremder geworden als den Generationen zuvor, und durch die neu gewonnene Distanz ist der Blick für vieles geschärft worden, was zuvor nicht bemerkt wurde oder nicht erwähnenswert schien. Dieser Prozeß des »Fremdwerdens« ist freilich nicht unendlich fortführbar, ohne die Spezität des Verhältnisses der heutigen westl. zur ant. Kultur aus den

Augen zu verlieren. Vor etwas mehr als 20 J. monierte Ada Neschke, ›daß wir die Ant. immer noch nicht genug verfremden, noch immer allzu schnell ihre Deutungen aus dem Rahmen unserer eigenen Erfahrungen zu verstehen suchen‹ [60. 429]. Inzwischen sind wir wohl mit dem entgegengesetzten Problem konfrontiert: In einer Zeit, in der das Wissen um die ant. Kulturen nur noch in Resten existiert, scheint die Gefahr eines vorschnellen Verständnisses gering. Die ant., bes. die griech. Kultur mit dem interesselosen Blick des Anthropologen zu sezieren und das »Eigene« in ihr auszuklammern, verhindert jede affektive Aneignung und damit auch jede Chance auf ein wirkliches Verständnis; so postuliert etwa Hans-Georg Gadamer [26. 300]: ›Die Hermeneutik muß davon ausgehen, daß wer verstehen will, mit der Sache, die mit der Überlieferung zur Sprache kommt, verbunden ist und an die Trad. Anschluß hat oder Anschluß gewinnt, aus der die Überlieferung spricht‹. Vielfach mag sich hinter den Tendenzen einer sich selbst ständig überbietenden Verfremdung auch eine gewisse Bequemlichkeit verbergen, die sich dem provokativen Potential der ant. Texte verweigert und es damit verharmlost, sich zugleich auch die Möglichkeit der Begründung ihres eigenen Tuns nimmt. Es hat den Anschein, als werde von Uvo Hölschers oft zitiertem Wort, die Ant. sei das ›nächste Fremde‹ [40. 81], ausschließlich die zweite H. rezipiert. Heute darf man die These wagen, die Klass. Philol. brauche in Zukunft nicht noch mehr Verfremdung, sondern mehr Mut, auch diese Nähe zur Ant. wahrzunehmen und in ihren Deutungen fruchtbar zu machen.

1 L'Année philologique, http://www.annee-philologique.com/aph/ 2 Atti del convegno internazionale »Letterature classiche e narratologia« (= Materiali e contributi per la storia della narrativa greco-latina 3), 1981 3 W. BARNER, Neuphilol. Rezeptionsforsch. und die Möglichkeiten der Klass. Philol., in: Poetica 9, 1977, 499–521 4 W. S. BARRETT, Euripides, Hippolytos, 1964 5 The Beazley Archive, http://www.beazley.ox.ac.uk 6 A. BENJAMIN (Hrsg.), Post-Structuralist Classics, 1988 7 M. BERNAL, Black Athena. The Afroasiatic Roots of Classical Civilization, 2 Bde., 1987–1991 8 D. BOEDEKER, D. SIDER (Hrsg.), The New Simonides. Contexts of Praise and Desire, 2001 9 W. BURKERT, Da Omero ai Magi. La tradizione orientale nella cultura greca, 1999 10 Ders., Homo necans. Interpretationen altgriech. Opferriten und Mythen, 1972 11 C. CALAME, Les Chœurs de jeunes filles en Grèce archaïque, 2 Bde., 1977 12 W. M. CALDER III, The Refugee Classical Scholars in the USA: An Evaluation of their Contribution, in: Illinois Classical Stud. 17, 1992, 153–173 13 Ders. (Hrsg.), Werner Jaeger Reconsidered (= Illinois Classical Stud. Suppl. 3), 1992 14 CONSIGLIO NAZIONALE DELLE RICERCHE (Hrsg.), La Filologia greca e latina nel secolo XX: atti del Congresso Internazionale Roma, 17–21 settembre 1984, 3 Bde., 1989 15 CMG 16 P. CULHAM, L. EDMUNDS (Hrsg.), Classics: A Discipline and Profession in Crisis?, 1989 17 W. DETEL, Macht, Moral, Wissen. Foucault und die klass. Ant., 1998 18 Diccionario Griego-Español, hrsg. v. F. R. ADRANOS, 1980ff. 19 E. R.

DODDS, The Greeks and the Irrational, 1951 20 S. DÖPP (Hrsg.), Karnevaleske Phänomene in ant. und nachant. Kulturen und Literaturen. Stätten und Formen der Kommunikation im Alt. 1 (= Bochumer Altertumswiss. Colloquium 13), 1993 21 Fifty Years (and Twelve) of Classical Scholarship, hrsg. v. M. PLATNAUER, 1968 22 H. FLASHAR (Hrsg.), Die Philos. der Ant., 1983ff. 23 M. FOUCAULT, Histoire de la sexualité, 3 Bde., 1976–1984 24 E. FRAENKEL, Aeschylus Agamemnon, 3 Bde., 1950 25 H. FRÄNKEL, Dichtung und Philos. des frühen Griechentums, 1951 26 H. G. GADAMER, Wahrheit und Methode (= Gesammelte Werke Bd. 1), ⁵1986 27 K. GAISER, Platons ungeschriebene Lehre. Stud. zur systematischen und geschichtlichen Begründung der Wiss. in der Platonischen Schule, 1963 28 K. GALINSKY (Hrsg.), The Interpretation of Roman Poetry: Empiricism or Hermeneutics? (= Stud. zur Klass. Philol. 67), 1992 29 B. GENTILI, Poesia e pubblico nella Grecia antica, ³1995 30 A. W. GOMME, A. ANDREWES, K. J. DOVER, A Historical Commentary on Thucydides, 5 Bde., 1945–1981 31 A. S. F. GOW, D. L. PAGE, The Greek Anthology: Hellenistic Epigrams, 1968 32 A. GRAFTON, Defenders of the Text. The Trad. of Scholarship in an Age of Science, 1991 33 D. M. HALPERIN, J. J. WINKLER, F. I. ZEITLIN (Hrsg.), Before Sexuality. The Construction of Erotic Experience in the Ancient Greek World, 1990 34 S. J. HARRISON (Hrsg.), Texts, Ideas, and the Classics. Scholarship, Theory, and Classical Literature, 2001 35 E. A. HAVELOCK, Preface to Plato, 1963 36 E. HEITSCH, C. W. MÜLLER (Hrsg.), Platon Werke. Übers. und Komm., 1993ff. 37 A. HENTSCHKE, U. MUHLACK, Einführung in die Gesch. der Klass. Philol., 1972 38 R. HEXTER, D. SELDEN (Hrsg.), Innovations of Antiquity, 1992 39 H. HOFMANN (Hrsg.), Groningen Colloquia on the Novel, 9 Bde., 1988–1998 40 U. HÖLSCHER, Die Chance des Unbehagens. Zur Situation der klass. Stud., 1965 41 J. T. HOOKER, Linear B. An Introduction, ²1983 42 F. JACOBY (Hrsg.), Die Fr. der griech. Historiker, 1923ff. (= FGrH) 43 W. JAEGER, Paideia. The Ideals of Greek Culture, 3 Bde., 1939–1944 44 I. J. F. DE JONG, Narratological Commentary on the Odyssey, 2001 45 Ders., J. P. SULLIVAN (Hrsg.), Modern Critical Theory and Classical Literature (= Mnemosyne Suppl. 130), 1994 46 R. KASSEL, C. AUSTIN, Poetae Comici Graeci, 8 Bde., 1983ff. (= PCG) 47 H.-J. KRÄMER, Arete bei Platon und Aristoteles. Zum Wesen und zur Gesch. der platonischen Ontologie, 1959 48 A. LAKS, G. W. MOST (Hrsg.), Stud. on the Derveni Papyrus, 1997 49 M. LANDFESTER, Human. und Ges. im 19. Jh., 1988 50 D. H. J. LARMOUR, P. A. MILLER, C. PLATTER (Hrsg.), Rethinking Sexuality. Foucault and Classical Antiquity, 1998 51 J. LATACZ, Die Gräzistik der Gegenwart. Versuch einer Standortbestimmung, in: [74. 41–89] 52 M. R. LEFKOWITZ, G. M. ROGERS (Hrsg.), Black Athena Revisited, 1996 53 H. LLOYD-JONES, P. PARSONS (Hrsg.), Supplementum Hellenisticum, 1983 54 W. LUDWIG, Amtsenthebung und Emigration, in: WJA 12, 1986, 217–239 55 G. MASSIMILLA, Callimaco Aitia, Libri Primo e Secondo, 1996 56 B. F. McMANUS, Classics and Feminism. Gendering the Classics, 1997 57 G. W. MOST (Hrsg.), Disciplining Classics. Altertumswiss. als Beruf, 2002 58 M. MUND-DOPCHIE, La Survie d'Eschyle à la Ren.: Éditions, traductions, commentaires et imitations, 1984 59 G. NAGY, Pindar's Homer. The Lyric Possession of an Epic Past, 1990 60 A. NESCHKE, Noch einmal: Philol. und

Gesch. Überlegungen zur Stellung der Klass. Philol., in: Gymnasium 88, 1981, 409–429 **61** P OXY. **62** R. A. PACK, The Greek and Latin Literary Texts from Greco-Roman Egypt, ²1965 **63** M. PARRY, The Making of Homeric Verse, 1971 **64** Paulys Realencyclopädie der classischen Altertumswiss., hrsg. v. G. WISSOWA et al., 1893–1980 (= RE) **65** The Perseus Digital Library, http://www.perseus.tufts.edu/ **66** R. PFEIFFER (Hrsg.), Callimachus, 2 Bde., 1949–1953 **67** W. PRINZ, P. WEINGART, Die sog. Geisteswiss: Innenansichten, 1989 **68** P. PUCCI, Odysseus Polytropos. Intertextual Reading in the Odyssey and the Iliad, 1987 **69** RAC **70** W. RÖSLER, Dichter und Gruppe. Eine Unt. zu den Bedingungen und zur histor. Funktion früher griech. Lyr. am Beispiel des Alkaios, 1980 **71** R. SCHLESIER, Kulte, Mythen und Gelehrte. Anthropologie der Ant. seit 1800, 1994 **72** T. A. SCHMITZ, Ex Africa Lux? Black Athena and the Debate about Afrocentrism in the US, in: Göttinger Forum für Altertumswiss. 2, 1999, 17–76 **73** Ders., Mod. Literaturtheorie und ant. Texte. Eine Einführung, 2002 **74** E.-R. SCHWINGE (Hrsg.), Die Wiss. vom Alt. am E. des 2 Jt. n. Chr., 1995 **75** B. SEIDENSTICKER, M. VÖHLER (Hrsg.), Mythen in nachmythischer Zeit. Die Ant. in der deutschsprachigen Lit. der Gegenwart, 2002 **76** B. SNELL (Hrsg.), Lex. des frühgriech. Epos, 1979 ff. (= LFE) **77** Ders., R. KANNICHT, S. RADT (Hrsg.), Tragicorum Graecorum Fragmenta, 5 Bde., 1981–2003 **78** W. B. STANFORD, The Ulysses Theme. A Study in the Adaptability of a Traditional Hero, ²1963 **79** S. SWAIN, Hellenism and Empire. Language, Classicism, and Power in the Greek World AD 50–250, 1996 **80** Studia Troica, 1991 ff. **81** Thesaurus linguae Graecae, http://ptolemy.tlg.uci.edu/~tlg/ **82** R. THOMAS, Literacy and Orality in Ancient Greece, 1992 **83** J.-P. VERNANT, Mythe et pensée chez les Grecs. Études de psychologie historique, 1965 **84** P. VIDAL-NAQUET, Le Chasseur noir, 1981 **85** M. L. WEST, The East Face of Helicon. West Asiatic Elements in Greek Poetry and Myth, 1997 **86** Ders., Hesiod, Theogony, 1966 **87** Ders. (Hrsg.), Iambi et Elegi Graeci ante Alexandrum cantati, 2 Bde., ²1989–1992 **88** T. WHITMARSH, Greek Literature and the Roman Empire. The Politics of Imitation, 2001 **89** J. J. WINKLER, F. I. ZEITLIN (Hrsg.), Nothing to Do with Dionysus? Athenian Drama in Its Social Context, 1990.

THOMAS A. SCHMITZ

II. LATEINISCH

D. MODERNE INTERNATIONALE PHILOLOGIE
1. VORBEMERKUNGEN

Eine Darstellung der internationalen Latinistik nach ihren Leistungen und Aufgaben wird traditionell von der Beschreibung der Gegenstände der Forsch. ausgehen und methodischen Erwägungen nur soweit stattgeben, wie sie der schärferen Erfassung der philol. Fragen, Probleme und Einsichten dienen. Wenn im folgenden methodischen Fragen scheinbar mehr Raum zugestanden wird als den Gegenständen, so deshalb, weil schon die Bestimmung der Gegenstände der neueren Latinistik eine methodische Vorentscheidung voraussetzt, die die Objekte der Forsch. nicht unberührt läßt. Nicht um ihrer selbst willen also werden die me-

thodischen Dinge erörtert, sondern weil sich in der Verhandlung der Methodik am leichtesten die Art und Weise des Gegenstandsbezuges verrät. Ohnehin sind in der philol. Praxis im Idealfall Sachbezogenheit und Methode nicht voneinander zu trennen, indem es der Text ist, der dem Philologen Fragen aufgibt, die ihn zur methodischen Reproduktion dessen anhalten, was ihm als seine spezifische Komplexität erscheint. Beschreibungsintensität ist es danach, die – als kleinster gemeinsamer Nenner philol. Theoriebildung – Gegenstand und Methode vermitteln kann. Je nach Standpunkt markiert sie Anf., Mitte oder Zielpunkt philol. Arbeit.

Die Sprach- und Literaturwiss. hat im Beschreibungszeitraum (etwa 1970–2000) international die allmähliche Durchsetzung mindestens zweier Paradigmenwechsel erlebt: seit Beginn der 70er J. den sog. *linguistic turn*, seit etwa Mitte der 80er J. den *cultural turn*. Beide Wenden brachten Momente von Philol. zur Geltung, die in der Klass. Philol. seit jeher stärker als in anderen Philologien ausgeprägt waren. Seit ihren Anf. hat sich die Klass. Philol. jene *thick description* angelegen sein lassen, die der Ethnologe und Kulturtheoretiker Clifford Geertz seit Mitte der 70er J. [34] programmatisch gefordert hat. Im frühen 19. Jh. sind Arch. und Alte Geschichte noch nicht deutlich von der Klass. Philol. geschieden, Kritik und Exegese der Texte werden als kulturwiss. Verfahren entwickelt. Der Primat der textlichen vor den monumentalen Quellen der Überlieferung ist unangetastet. Es ist Nietzsche, der noch als Klass. Philologe in der *Rhet.-Vorlesung* [72] wie in *Über Wahrheit und Lüge im außermoralischen Sinne* [73] die Grundlagen der linguistischen Wende formuliert. Sowohl die kulturwiss. Interdisziplinarität als auch die Verabsolutierung des Textbezuges haben in der Klass. Philol. eine lange Vorgeschichte. Es ist vermutlich diese doppelte Affinität zur Herstellung kultureller Kontexte wie zur textgeleiteten Hermeneutik, die die Resistenz, mindestens Dezenz der aktuellen Klass. Philol. im Streit der Fachprofile und Methoden erklären kann. Die Zurückhaltung ist aber gewiß nicht selbstverständlich. Gerade die an epistemischer Erfahrung wie an innovatorischen Wendemarken reiche Fachgeschichte (Heyne, Wolf, Müller, Lachmann u. a.) hätte stärkere Mitwirkung an der zeitgenössischen Theoriebildung erwarten lassen. In die Annalen neuerer Theoriegeschichtsschreibung haben Vertreter der lat. Lit.- und Sprachwiss. nicht Eingang gefunden. Im einzelnen haben sich in Forsch. und Lehre freilich zahlreiche Zonen der Kontiguität mit anderen Fachkulturen herausgebildet.

Es liegt nahe, die beiden epistemischen Wenden der jüngeren internationalen Sprach- und Literaturwiss. auf das Grundmuster der in der Klass. Philol. seit der Wolf-Schule obwaltenden Dichotomie der Wort- und Sachphilol. abzubilden (Hermann, Böckh). Der *cultural turn* erscheint in dieser Perspektive als jüngste Verlängerung und Radikalisierung der Methodensequenz (als Reihe zeittypischer, z. T. lokal begrenzter Ausformungen einer methodischen Grundtendenz) von Antiquarismus,

Alter Geschichte und Kunstgeschichte (Arch.), Religions- und Stammesgeschichte, → Historismus, Kultur- und Sittengeschichte, Psychologie, Geistesgeschichte, Sozialgeschichte, Mentalitätsgeschichte und hat neuestens → Gender Studies, New Historicism und Postkolonialismusstudien hervorgebracht. Der *linguistic turn* liegt am Scheitelpunkt einer Entwicklung, die mit der Begründung einer autonomen Ästhetik bei Kant und Moritz begann und über Fortsetzungen in Hermanns Wortphilol. und Metr., Humboldts Sprachtheorie, Lachmanns und Ritschls Textkritik, dem Ästhetizismus Walter Paters, Mallarmés und des George-Kreises, dem Russ. und Prager Formalismus, der deskriptiven Phänomenologie, dem *New Criticism*, der textimmanenten Methode und der strukturalistischen Semiotik einmündete in die Volten der poststrukturalistischen Dekonstruktion. Es hängt vom Grade der Selbstvergewisserung aktueller lat. Philol. in den vorgezeichneten Traditionslinien ab, wieweit sie noch jüngste Fortsetzungen der alten Dispositionen und Lager reflektiert. Einsicht in die Strukturgesetzlichkeit wissenschaftshistor. Entwicklung kann die Bereitschaft zu gelassenem Umgang mit avancierten, randständigen und Minderheitspositionen erhöhen.

2. Institutionen

Beurteilungsgrundlage zur Einschätzung neuerer Entwicklungen der internationalen lat. Philol. ist die notwendig unvollständige Verzeichnung institutioneller Veränderungen. Das Fach hat seine institutionelle Basis im Berichtszeitraum bedeutend erweitert. So sind allein in It. mehr als 30 Zeitschriftenneugründungen zu verzeichnen, darunter etliche, die sich international durchgesetzt haben: so die *Materiali e discussioni* (*M&D*, Pisa 1978), der *Bollettino di studi latini* (Neapel 1971), der *Eikasmos* (Bologna 1990), der *Elenchos* (Neapel 1980), der *Prometheus* (Florenz 1975), der *Sileno* (Catania 1975) und *Lexis* (Venedig/Trient 1988). Im iberoamerikanischen Sprachraum sind rund zwei Dutzend Neugründungen zu vermerken, zuletzt in Brasilien *Clássica* (1988) und *Phaos* (2002). In Afrika und Asien bleibt die Klass. Philol. in der Diaspora mit kleinen Schwerpunkten in → Südafrika, den frankophonen Gebieten (Senegal, Tunesien) und → Japan (Kyoto, mit Zeitschrift *Classical Studies* seit 1980, und Tokyo). In den USA, Frankreich und Deutschland ist das Spektrum der Fachzeitschriften um wichtige Nuancen erweitert worden: *Classical and Modern Literature* (CML, Columbia/Missouri 1980), *International Journal of the Classical Tradition* (Boston/Massachusetts 1994); *Études de Littérature Ancienne* (Paris 1979), *Lalies* (Aussois/Paris 1980); *Zeitschrift für Semiotik* (Tübingen 1979), *International Journal of Musicology* (Frankfurt a.M. 1992), *Zeitschrift für ant. Christentum* (Berlin/New York 1997).

Institutsneugründungen sowie die Einrichtung klass.-philol. Fachverbände sind v.a. aus Südamerika, Australien und Osteuropa zu vermelden: So erlebten in den 70er und 80er J. Argentinien (1970), Chile, Brasilien (1985), Peru, Bolivien (1998), Venezuela, Mexiko, Costa Rica und Cuba (1996) die Einrichtung nationaler Berufsverbände. Vor allem in Argentinien und Brasilien sind auf der Grundlage verbesserter Infrastrukturen (im Hochschul- und Verlagswesen) deutliche Innovationsschübe (zunehmende Beschäftigung mit Methodenfragen, bes. der Klärung der kulturellen Umschmelzung europ. Traditionslinien) zu beobachten [56]. In Australien wurden Anf. der 70er J. im Zuge der Gründung neuer Univ. einige *Departments of Classics* neu eingerichtet (auch Zeitschrift *Ramus*, seit 1972). Die Orientierung an den britischen und nordamerikanischen Univ. ist nach wie vor bestimmend (ähnlich in Neuseeland [6]; → Australien und Neuseeland); umgekehrt lehren nicht wenige australische Spitzenforscher an Univ. des Mutterlandes (H.D. Jocelyn, J.N. Adams). In Mittel- und Osteuropa wurden die z.T. lange vernachlässigten human. Studien nach der »Wende« beherzt aufgegriffen: So erlebt → Rußland derzeit eine Ren. der klass. Studien an Oberschule und Universität. Davon zeugen etwa die Einrichtung eines neuen *Department of Classics* an der Russian State University for the Humanities, des *Graeco-Latin-Cabinet* sowie des *Musaeum Graeco-Latinum* in Moskau, der *Bibliotheca Classica Petropolitana* und der Zeitschrift *Hyperboreus* (seit 1994) in Sankt Petersburg [75; 37]. Im Rahmen eines polnisch-ukrainischen Kooperationsabkommens wurde 1996 in Warschau die East-Central European School in the Humanities begründet, die den Aufbau eines Netzwerkes slavischer und baltischer, der altertums- und kulturwiss. Grundlagenforsch. verpflichteter Hochschuleinrichtungen betreibt. In → Polen (Krakau, Posen, Thorn, Warschau), → Ungarn (Budapest, Szeged) und Ostdeutschland (bes. Ostberlin, Halle, Leipzig, Greifswald, Jena) haben sich, oft unter schweren Bedingungen, leistungsfähige Stätten philol. Arbeit entwickelt.

Die mediale Vernetzung einer fast weltweit agierenden Philol. ist hoch (u.a. Internetportale wie »Kirke« und »Perseus«; bibliogr. Recherche via *L'Année Philologique* und *Gnomon*); eine gewisse Häufung von Synergieeffekten ist evident. Internationale Fachkonferenzen sind nicht auf die Stammländer des Faches beschränkt, sondern finden zunehmend im überseeischen Ausland statt, so die nächste Weltaltphilologenverbandstagung (FIEC) in Ouro Preto (Brasilien 2004). Die Einrichtung international besetzter Forschergruppen kommt gut voran. Der internationalen Durchmischung des Hochschullehrerpersonals sind in den meisten Ländern noch immer enge, in der Regel sprachliche Grenzen gesetzt. Die meisten ausländischen Forscher lehren nach wie vor in den Vereinigten Staaten sowie – anteilig gewertet – in den → Niederlanden. Französische, it., span., dt. Berufungs- und Auswahlverfahren sind zwar prinzipiell offene Wettbewerbe, verlaufen jedoch in der Regel als nationale Konkurrenzen. Weiter vorangekommen ist die Internationalisierung des Lehrbetriebes auf studentischer Ebene. Die in den 80er und 90er J. eingerichteten europ. und internationalen Studienförderungs- und Austauschprogramme erfreuen sich wachsender Beliebtheit (z. B. Erasmus, Sokrates). An Spitzenseminaren in England, Deutschland und den Niederlanden liegt der Anteil der ausländischen Studierenden bei bis zu 25%. Das Internet ist zu einer weithin akzeptierten Publikationsform wiss. Schrifttums geworden. Das amerikanische Rezensionsorgan *Bryn Mawr Classical Review* (seit 1990) publiziert im Tagesrhythmus aktuelle Besprechungen aus internationalem Rezensentenkreis.

3. METHODOLOGIE

Wenn die im Berichtszeitraum erfolgte Neugründung klass.-philol. Text- und Buchreihen, Zeitschriften, Diskussionsforen etc. als Indikator für Veränderungen dienen darf, wird man verstärkte Betriebsamkeit in Methodenfragen nicht leugnen können. Im Berichtszeitraum sind mehrere Arbeiten, bes. Sammelbände erschienen, die ein in der Regel zeitlich und räumlich fixiertes methodisches Spektrum dokumentieren [92; 48; 33; 54; 84; 88; 44; 53; 86; 46; 89].

Wenn der Eindruck nicht trügt, hat sich das Fach kulturwiss. Neuerungen aufgeschlossener gezeigt als der Fortentwicklung genuin literaturwiss. Verfahren. Letztere, die noch in den 50er und 60er J. die meisten europ. und amerikanischen Hochburgen beherrschten, werden v. a. in einzelnen Zentren in den USA, in England, Deutschland, Frankreich, It. und den Niederlanden weiter gepflegt. Nicht überall ist der Anschluß an das interpretatorische Niveau einzelner mod. Philologien gelungen. Man mag dies auf die lange Vorherrschaft des *New Criticism* und seiner europ. Artverwandten und die nach seiner Zurückdrängung spürbare *reservation mentale* gegenüber textimmanenten Interpretierweisen zurückführen. Auch hat der überall gewachsene Legitimationsdruck der klass. Studien zu einer rapiden Öffnung gegenüber kultur- und sozialwiss. Verfahren geführt. Die in den latinistischen Studien traditionell verankerten Engbeziehungen zu den anderen Altertumswiss. (einschließlich der Philos. und Kirchengeschichte) einerseits und den neueren Philologien andererseits wurden in rascher Folge ergänzt um Kooperationen mit der neueren Ethnologie, Anthropologie, Religionssoziologie, aber auch empirisch-statistisch verfahrenden Wissenschaften. In zahlreichen Ländern (bes. der Romania) hat sich die lat. (und griech.) Sprachwiss. – nach dem Vorbild der neueren Philol. – auch institutionell als eigener Forschungszweig (mit entsprechend denominierten Lehrstühlen) etabliert. In Mittel-, Nord- und Osteuropa wird die Sprachwiss., soweit sie sich nicht als systematische, Varietäten- oder Soziolinguistik der allg. Sprachwiss. oder als histor. Linguistik der vergleichenden Sprachwiss. angenähert hat, noch weithin als Teil einer Literatur- und Sprachwiss. gleichermaßen berücksichtigenden lat. Philol. betrieben.

Aus naheliegenden Gründen haben in der jüngeren Latinistik über den zuletzt unterrepräsentierten textwiss. Ansatz hinaus bes. jene Theorieansätze gewirkt, die sich der histor. Stellung der lat. Lit. zwischen vorgängiger griech. und nachfolgender europ. Lit. akkommodieren ließen: Intertextualität und Interkulturalität.

3.1 TEXTUALITÄT

Wenn textwiss. Ansätze die Klass. Philol. im bes. repräsentieren sollen, dann ist es wenigstens um die Latinistik methodologisch eher schlecht bestellt. Schon Anf. der 80er J. – noch in der Hochphase der sozialgeschichtlichen und empirisch-materialistischen Literaturforsch. – gab es mahnende Zwischenrufe, die die Rückbesinnung auf die Textarbeit forderten. Bereits 1979 wurde in New York die Society for Textual Scholarship begründet (http://www.textual.org); die Zeitschrift *Poetica* dokumentierte 1984 (Bd. 16, 307–355) eine Diskussion »Positionen der Textwiss.«, in deren Verlauf L. Hay Leitlinien einer nicht psychologisch, sondern empirisch verfahrenden ›critique génétique‹ entwickelte, die auf die ›quasi-arch.‹ Rekonstruktion der ›Vielfalt der tatsächlich überprüfbaren Schreibprozesse‹ bedacht sein müsse [46a. 308], während K. Maurer auf die geistes- und mentalitätsgeschichtliche Bed. einer umfassenden Dokumentation des Überlieferungsbestandes (also auch abwegiger Lesarten) verwies (vgl. auch Themenheft *Le texte et ses représentations*, *Étude de Littérature Ancienne* 3, 1987). Die ersten Bände des it. Großunternehmens *Lo spazio letterario di Roma antica* (Bd. 1–3, 1989/90) und die Bände 1–4 der Schriftenreihe *Aporemata* (1997/1999) sind textwiss. Problemen gewidmet.

Vom weltweiten Aufschwung der rhet. Studien, wie er seit Mitte der 70er J. mit der zunehmenden Problematisierung des universellen Geltungsanspruches hermeneutischer Ansätze verbunden war, zeugt nicht zuletzt das kurz vor dem Abschluß stehende lexikalische Großunternehmen des *Histor. WB der Rhet.* (Tübingen seit 1992), an dem Klass. Philologen mitgewirkt haben. Im einzelnen freilich steht die Forsch. noch vor beträchtlichen Problemen, wenn es etwa um die kategoriale Abgrenzung des Rhet. vom Poetischen (Cicero *poeta*, Ovid, Lucan) einerseits und vom Hermeneutischen (juristische Fachlit., Divination, christl. Poesie) andererseits geht. Von der Poetik darf man umgekehrt feststellen, daß auf fast allen Gebieten der Lit. bemerkenswerte Versuche zur Erarbeitung einer Autoren- und Gattungspoetik unternommen, übergreifende systematische und transdisziplinäre Darstellungen (unter Einbezug des histor. Wandels der Exegeseverfahren [35]) jedoch noch kaum versucht worden sind. Vorbildlich sind die Beitr. des im deutschsprachigen Raum bedeutendsten Forums für die Theorie der Lit.- und Sprachwiss., der Reihe *Poetik und Hermeneutik* (Fuhrmann, Herzog; seit 1964). Der Budé-Kongreß 2003 ist dem Thema »La poétique, théorie et pratique« gewidmet. Einzelne Aspekte der Rhet. und Poetik sind besser aufgearbeitet als andere (unentbehrliches Material liefert nach wie vor das *Archiv für Begriffsgeschichte*), am besten die Erzählstrukturen in lat. Dichtung und Prosa. Aus der 1988 von H. Hofmann begründeten Reihe *Groningen Colloquia on the Novel* (9 Bde. bis 1998) ist 2000/2001 die Zeitschrift *Ancient Narrative* hervorgegangen. Entstehung und Entwicklung lit. Fiktionalität ist auch in der Latinistik, angeregt durch die gräzistische

Debatte um die pragmatischen Komponenten frühgriech. Lyr., ein vielbehandeltes Thema. Hiervon nicht zu trennen ist die Erforsch. ant. Persönlichkeitskonzeptionen und innertextlicher Subjektskonstruktionen (zum *persona*-Begriff zuletzt [19; 71]). Nachholbedarf besteht international in der Stil-Forsch. [3; 58]. Wichtige Anregungen sind auch hier von der literatur- und sprachwiss. Theoriebildung ausgegangen [39]. Wenig entwickelt ist in der Latinistik die genuin ästhetische Forsch. [67], zu der international zahlreiche Anstöße gegeben worden sind (Danto, Deleuze, Lyotard, Blumenberg, Bohrer). Ein gewisses Interesse hat das Begriffsfeld Phantasie und Imagination gefunden [82; 9; 25]. Die Verbindungslinien zur Entstehung eines ant. Literaturbegriffs sind noch kaum gezogen. Viel erwartet werden darf von der bisher unterrepräsentierten Zeichentheorie [32]. Ihre Erkenntnisse sind bislang fast ausschließlich der Unt. der Kommunikationsstrukturen in lat. Rede zugute gekommen (Adressatenbestimmung, Publikum [18]). Von der → Semiotik und → Sprachphilosophie laufen indes spannende Verbindungen zu konstruktivistischen wie dekonstruktiven Ansätzen (Themenheft *Semiotics and Classical Studies*, *Arethusa* 16, 1/2, 1983).

3.2 INTERTEXTUALITÄT

Die wichtigsten latinistischen Arbeiten zu Problemen der Intertextualität werden G. B. Conte und seinen Schülern, bes. A. Barchiesi, verdankt. Aufruhend auf den narratologischen Arbeiten G. Genettes, den semiotischen Studien von U. Eco, den poststrukturalistischen Poetiken von Kristeva, Lachmann und Riffaterre wurde ein sensibles Instrumentarium zur Beschreibung und Bewertung lit. Abhängigkeit und Entwicklung geschaffen [20; 4; 5]. Von frühen Auseinandersetzungen um die Durchsetzung der Intertextualitätsforsch. zeugt die Debatte zw. Conte und La Penna (*M&D* 6, 8 und 9, 1981/82). Weiterführende Studien vorgelegt haben – mit je verschiedener Akzentsetzung – u. a. A. Deremetz, D. Fowler, P. Hardie, S. Hinds, A. Schiesaro und R. F. Thomas [22; 31; 42; 49; 41; 98]; wegweisend waren die 1995 am Corpus Christi College (Oxford) bzw. an der Univ. of Washington/Seattle veranstalteten Kolloquia zu »Intertextuality and Latin Poetry« bzw. »Allusion and the Limits of Interpretability« (*M&D* 39, 1997). Mit der Zeitschrift *Materiali e discussioni* sowie den *Nuova serie* der *Bibliotheca Nazionale*. *Testi con commento filologico* (Florenz, seit 1992) verfügt die Conte-Schule über vielbeachtete Theorieforen.

Bald motivgeschichtlich, bald an Intertextualitätsmodellen orientiert ist die Rezeptionsforsch., die der Latinistik einträgliche Schnittmengen mit den neueren Philol. beschert hat. 1988 wurde in Boston die Society for the Classical Tradition ins Leben gerufen, die seit 1994 mit der Zeitschrift *International Journal of the Classical Tradition* (IJCT) über ein einflußreiches Publikationsorgan verfügt. Breiteste Wirkung war seit ihren Anf. der Konstanzer Rezeptionsästhetik und ihrem amerikanischen Pendant, dem *reader response criticism*, beschie-

den (s. Diskussion »Rezeptionsästhetik – Zwischenbilanz III«, in: *Poetica* 9, 1977). Die von ihrem Gründer W. Iser inzwischen eingeleitete anthropologische Wendung (die in der Erforsch. der Appellstrukturen, Leerstellen und Leserrollen immerhin angelegt war) hat die Latinistik noch nicht mitvollzogen. Die Partizipation latinistischer Forschungseinheiten an komparatistischen wie allg.-literaturwiss. Projekten ist noch längst nicht überall die Regel (Segal, Martindale [90; 66]).

Auf der Grenze zw. eher text- und eher kontextbezogenen Theorieansätzen liegen diverse Forsch. zu medien-, geschichts-, handlungs- und kommunikationstheoretischen Problemen. Prominente Arbeitsfelder latinistischer Medienwiss. sind der Problemkreis Mündlichkeit/Schriftlichkeit und die Bild-Text-Debatte. Die Freiburger Forsch. zur Oralität der frühröm. Lit. sind dokumentiert in der altertumswiss. Reihe der *Script-Oralia* (Tübingen seit 1989, s. auch [64; 102]); in der Bildwiss. werden der Warburg-Schule einerseits, der amerikanischen (Goodman, Danto), frz. (Deleuze, Lyotard) und dt. Kunsttheorie (Imdahl, Boehm) andererseits wichtige Impulse verdankt ([12; 13] und Themenheft *Images Romaines*, *Études de Littérature Ancienne* 9, 1998). Ein Ableger der Medienwiss. ist der in der Mitte der 90er J. virulente Körperdiskurs, der in Verbindung mit der Erforsch. von Inszenierungs- und Performanzkonzepten gelegentlich auch die Latinistik beschäftigt hat (Themenheft: *Arethusa* 31, 3, 1998, und [78]). Vermittelt durch die Geschichtskonzeptionen der *Annales*-Schule (*Nouvelle Histoire*), des Strukturalismus und Poststrukturalismus, aber auch einflußreiche Universitätshistoriker wie R. Kosseleck und H. White hat sich die lat. Literaturwiss. zögernd neuen Sicht- und Darstellungsweisen geöffnet, am merklichsten in der seit Mitte der 80er J. lebhaft geführten Kanon-Debatte ([2] und Themenheft *Rethinking the Classical Canon*, *Arethusa* 27, 1, 1994), noch kaum in der Frage lit.- und kulturgeschichtlicher Epochenabgrenzung (*Poetik und Hermeneutik* 12, 1987, und [101]). Einzelne Autoren haben bereits von der Kritik monolithischer geschichtsphilos. (in der Regel aristotelisch-hegelianischer) Konzepte profitiert (Themenheft: *Arethusa* 20, 1/2, 1987, und [93]). Handlungstheoretische Konzepte haben am ehesten in der linguistischen Pragmatik (Austin/Searle) und hier v. a. in der Erforsch. des Dramas Fuß gefaßt (Diskussion »Dramentheorie – Handlungstheorie«, in: *Poetica* 8, 1976; Speech Act Theory und Plautus [54. 171–205]). Von Bakhtins Arbeiten zur Dialogizität hat v. a. die Erforsch. der fiktionalen Prosa reiche Anregung empfangen (Sonderheft *Bakhtin and Ancient Studies: Dialogues and Dialogics*, *Arethusa* 26, 2, 1993).

3.3 INTERKULTURALITÄT/KONTEXTFORSCHUNG

Die kulturwiss. Forsch. hat sich weltweit zu einem fleißig bestellten Feld latinistischer Arbeit entwickelt. Dabei sind erhebliche, womöglich nationaltypische Divergenzen feststellbar. In Amerika richtet sich das Interesse bes. häufig auf Fragen von Identität und Alterität [55], Geschlecht und Hautfarbe (seit Pomeroy [77]; s.

auch Themenheft: *Arethusa* 34, 2, 2001, und Schriftenreihe *Iphis*, Trier seit 2002), auf Ethnologie und Postkolonialismusstudien (Themenheft *The Challenge of
»Black Athena«*, *Arethusa* 1989; s. auch [60]). In Frankreich und It. liegen Schwerpunkte in der strukturalen
Anthropologie ([79]; mit linguistischem Akzent [8]) sowie der Alltags- und Mentalitätsgeschichte (Jahreskon-
gresse Budé: *La vigne et le vin dans la lit.*, 1988, und *Le
loisir dans l'Antiquité*, 1993, sowie École Francaise de
Rome: *Spectacles sportifs et scéniques dans le monde Étrus-
co-Italique*, 1991, und Kolloquium *Didacticum Classicum:
Le monde classique et la Méditerranée*, Bari 1992). Mit
Frankreich teilt Deutschland die Obsession für die *Me-
moria*-Forschung. Jan Assmanns Theorie des kulturellen
Gedächtnisses hat für die Deutung der interkulturellen
Phänomene Griechenland-Rom [100], Polis-Weltstaat,
pagane und christl. Lit., mündliche und schriftliche
Überlieferung Erklärungsansätze bereitgestellt, die die
Latinistik noch längst nicht ausgeschöpft hat. Bedeutend
sind die Arbeiten des Assmann-Kreises zur *Arch. der lit.
Kommunikation* (München, seit 1983). An der Sozialgeschichte der lat. Lit. wird v. a. dort gearbeitet, wo die
Impulse der Emanzipationsbewegung der späten 60er
und frühen 70er J. auf fruchtbaren Boden fielen. Aber
auch der Zusammenschluß der verschiedenen altertumswiss. Disziplinen hat an vielen Forschungsstätten
sozialgeschichtliche Fragestellungen begünstigt. Vor allem die röm. Historiker, Buntschriftsteller, Satiriker
und Epigrammatiker haben merklich von der kulturwiss. Offensive profitiert. Die bessere Kenntnis der kulturgeschichtlichen Voraussetzungen hat nicht immer zu
besserem Verständnis der Werke geführt. Offen bleiben
schwierige Fragen der Transposition und Repräsentation kultureller Substrate in der »Literatur« [41; 40]. Als
überaus fruchtbar haben sich sozialgeschichtliche Fragen in der Religionswiss. erwiesen. Von der soziologischen Analyse der röm. Religion, ihrer Kulthandlungen
und Bildwelten führt ein direkter Weg zu stringenteren
Systemanalysen der röm. Kultur und Gesellschaft (Graf,
Rüpke, Scheid). Bourdieus lit. Feldforsch. (*Le champ
littéraire*), H. R. Maturanas kognitionsbiologische Unterscheidung auto- und heteropoietischer Systeme und
T. Parsons und N. Luhmanns Systemtheorie haben ihre
Wirkung in der Latinistik noch kaum entfaltet. Wertvolle Einsichten und Anregungen vermitteln die Beitr.
der von H. U. Gumbrecht in den 80er J. organisierten
Dubrovniker internationalen Kolloquien zur sprach-,
lit.- und kulturwiss. Theoriebildung (Tagungsbände:
Frankfurt a.M. 1983/1985/1986/1988/1991).

4. TEXT UND KONTEXT

Es scheint methodisch geboten, von der Kontext-
forsch. kulturwiss. Prägung jene Kontextualisierungs-
verfahren abzusetzen, die jede Textarbeit und schon die
Textherstellung begleiten müssen. Jede Textkritik setzt
die Kenntnis eines hypothetischen Ganzen voraus, wie
umgekehrt das hypothetische Ganze nur in der Summe
aller Einzelentscheidungen erscheinen kann.

4.1 TEXT

Im Berichtszeitraum ist ein mäßiger Zuwachs an
Texten, bes. inschr. fixierten, zu verzeichnen, am bedeutendsten vielleicht die Gallus-Papyri (ed. pr.: JRS 69,
1979, 125–155), die *Alcestis Barcinonensis* (Pap. des 4. Jh.;
ZPE 52, 1983, 1–36), der P Oxy. 3723 (2. Jh. n. Chr.; P
Oxy. 54, 1987, 58–64), der die Kontroverse um die Existenz eines hell. Vorläufers der röm. subjektiv-eroti-
schen Elegie neu entfacht hat, und einige Briefe und
Predigten des Augustinus (ed. Divjak, 1981, bzw. Dol-
beau, 1996). Die Freilegung mutmaßlich noch unter
Schutt vergrabener Reste einer lat. Bibl. in der sog. villa
Pisonis zu → Herculaneum kommt wegen bürokrati-
scher Hindernisse und finanzieller Engpässe nicht voran
[1].

In der Textkritik lat. Autoren hat sich der Trend zum
Konservatismus in den letzten J. noch verstärkt. Philologen, die selbst über wenig oder keine Erfahrung mit
der Ed. von Texten verfügen, neigen in der Regel zu
überlieferungsstabilisierenden Auffassungen. Auch unter den Editoren und Textkritikern überwiegen die auf
Dokumentation des überlieferten Wortlautes bedachten. Die vielleicht spektakulärsten nicht-konservativen
Projekte in der Echtheits- und Konjekturalkritik lat.
Autoren wurden in den letzten J. von O. Zwierlein und
D. R. Shackleton Bailey verfolgt: Zwierleins → Interpolationsforschung erstreckt sich bisher bes. auf die
Plautinische Kom., auf Vergils *Aeneis* und ausgewählte
Werke des Ovid [104]; Shackleton Bailey hat seine Konjekturalkritik v. a. an Horaz und dem Corpus der Ciceronischen Briefe erprobt. Hilfreiche methodische
Beitr. zur Interpolationsforschung werden R. Tarrant
verdankt ([94; 95]; s. auch Nisbet [74]). Wertvolle Einsichten vermitteln die von L. D. Reynolds [80] sowie
von O. Pecere und M.D Reeve [76] herausgegebenen
Sammelbände. Wieviel noch selbst für solche Texte zu
tun ist, die stets im Blickpunkt editorischen Interesses
gestanden haben, lehren die Ausführungen von Tränkle
(zu Horaz [99. 1–40]) und Harrison (zu Catull [43]).
Eine exemplarische Textgeschichte als Wirkungs- und
Kulturgeschichte wird A. Borst (zu Plinius maior [15])
verdankt.

In den international nach wie vor führenden Text-
Reihen OCT, Teubner, Budé und Loeb wurden im Be-
richtszeitraum wichtige Lücken geschlossen, etwa C.
Nepos, Livius, Seneca maior, Ovid, Velleius Paterculus,
Manilius, Hygin, Valerius Maximus, Senecas *naturales
quaestiones*, Petron, Lucan, Ps.-Quintilianische *declama-
tiones*, Flavische Epiker, Tacitus, Martial, Frontin, Fron-
to (Teubner), Ciceros Briefe und einzelne philos.
Schriften, Sallust, Livius, Seneca, Quintilian, Statius'
Silven, Ausonius (OCT), Varro, Plinius maior, Historia
Augusta (Budé), Catull, Seneca maior, Ovid, Valerius
Maximus, Quintilian, Statius, Apuleius (Loeb).

4.2 KONTEXT/INTERPRETATION

Noch immer fehlt es an Komm. zu wichtigen Autoren. Von Quintilians *Institutio oratoria* sind – ungeachtet des Rhet.-Booms – die meisten Bücher, der äl-

tere Seneca ganz unkommentiert. Wichtige Cicero-Reden harren einer mod., wiss. Standards genügenden Kommentierung. An den Fachschriftstellern (Vitruv, Pomponius Mela, Plinius maior, Columella) ist mit unterschiedlicher Intensität gearbeitet worden; doch sind sie eher annotiert (bes. Budé) als eindringlich kommentiert worden. Eine Ausnahme bilden die Mediziner, deren Sprache wir besser kennen als jedes andere Fachidiom [59]. Vermehrte Tätigkeit an den Fragmenten röm. Dichtung, den Epigrammatikern und Satirikern, an Roman und jeder Art fiktiver Prosa. Eine gewisse Schwerpunktbildung um die Autoren der tiberianischen bis flavischen Zeit ist nicht zu verkennen. Die Mittler-Autoren (Sueton, Gellius, Martianus Capella, Boëthius), auch die Grammatiker, rücken langsam, aber sicher ins Blickfeld. Nachholbedarf gibt es in bezug auf Fronto, Macrobius, Cassiodor und Isidor; hingegen zeichnen sich vermehrte Bemühungen ab um zentrale christl. Autoren (so zu Cyprian, Lactanz, Hieronymus, Prudentius, Augustinus).

Häufigste Form der interpretierenden Darstellung ist nach wie vor der wiss. Aufsatz oder Essay. Die Bed. der Fachzeitschriften hat gegenüber den wild ins Kraut schießenden Sammelbänden geringfügig, aber doch merklich abgenommen. Monographien sind in der Regel das Ergebnis einer innerfachlichen Qualifikationsleistung. Die Erfolgsverpflichtung, die Förderergesellschaften auferlegen, begünstigen den Trend zur wiss. Kurzform wie zum polit. erwarteten interdisziplinären Anschluß. Auf der Strecke bleibt die Textarbeit an den Autoren. Vermißt wird ein mod. Standards genügendes systematisches Buch selbst zu bedeutenden Autoren wie Caesar, Horaz (beste Arbeitsgrundlage die Aufsatzsammlung von E. A. Schmidt [85]) oder Seneca dem Jüngeren. Von avancierter monographischer Behandlung profitiert haben zuletzt bes. Ovid und Vergil. Wertvolle Einzelstudien finden sich u. a. in der Reihe ANRW sowie der *Enciclopedia Virgiliana* (6 Bde., 1984–1991) und der *Enciclopedia Oraziana* (3 Bde., 1996–1998).

Bedeutende Fortschritte sind erzielt worden auf dem Feld der Gattungstheorie (Cairns-Schule [16] mit Zeitschrift *Papers of the Liverpool* bzw. *Leeds International Latin Seminar*, seit 1977 bzw. 1990; s. auch [21]). Zu allen größeren Gattungen verfügen wir mindestens über brauchbare Einführungen (Epik, Drama, Philos., Rhet., Historiographie, Epigramm, → Fabel, → Roman). Subgattungen und Gattungsfermente wie Märchen, Anekdote, Graffiti werden allmählich erschlossen.

Die latinistische Literaturgeschichtsschreibung ist von der zeitweiligen Krise der Gattung nicht erkennbar in Mitleidenschaft gezogen worden, hat aber noch kaum vom Erkenntnisgewinn neuerer Theoriebildung profitiert. Dessenungeachtet handelt es sich bei der Neubearbeitung des »Schanz/Hosius«, dem HLL (seit 1989), der *Cambridge History of Classical Literature* (CHCL-L, 1982), Contes *Letteratura latina* (1987, engl. 1994) und von Albrechts *Geschichte der röm. Lit.* (²1994) um bemerkenswerte Leistungen. Das HLL liefert die umfassendste verfügbare Zusammenstellung des Materials, bereichert um wertvolle Einführungen; das Gemeinschaftsunternehmen der CHCL-L bietet eine vorzüglich ausgewogene Darstellung, die bald nach Epochen, bald nach Gattungen, bald nach einzelnen Autoren und Werken strukturiert ist. Conte reflektiert stärker als vergleichbare Literaturgeschichten die lit.-historiographische Arbeit; von Albrecht bringt eine interpretierende Darstellung der lat. Lit. nach Gattungen. Von Albrecht wie Conte setzen einen deutlichen Schwerpunkt in der Rezeptionsgeschichte. Fantham unternimmt den Versuch einer Sozialgeschichte der röm. Lit. [27]; die griech.-röm. Lit. in ihrer bilingualen, kaiserzeitlichen Phase ist umsichtig behandelt von A. Dihle [26].

Vermißt werden begrifflich präzise gefaßte Darstellungen der »Lit.« wie der Geschichtsvorstellungen der Römer (zu letzteren s. einzelne Beitr. in der Zeitschrift *Storia della storiografia*). Den literaturimmanenten Selbsthistorisierungsstrategien sind die *Entretiens* der *Fondation Hardt 2000* (Bd. 47, 2001) gewidmet. Mit welchem Recht wir wann und wo von »Lit.« sprechen dürfen und welches die Mittel und Wege seien, wie dieser zentralen Frage beizukommen wäre, ist ungeklärt. Transepochale Stilphänome wie Manierismus, Avantgardismus und Epigonalität harren der genaueren Untersuchung. Archaismus und Klassizismus sind – auch wegen des neu erwachten Interesses an der Zweiten Sophistik – besser erforscht. Klärungsbedarf besteht weiterhin und dringlicher denn je in vielen systematischen Fragen, auf die die literaturwiss. Probleme unmittelbar führen können. An Konzepte von Autorschaft knüpfen sich Grundfragen der histor. Psychologie: nach der Entstehung und intratextuellen Entfaltung von (Selbst-)Bewußtsein, Subjektivität, Rationalität, Emotionalität. Von der Behandlung von Kommunikationsverhältnissen und Leserschaft sind die Probleme objektionaler und intersubjektiver Bezüge nicht zu trennen. Die sog. Genfer Schule um G. Poulet und J. Starobinski hat in der Klass. Philol., anders als in anderen Literaturwiss., keine nennenswerte Wirkung entfaltet (s. jedoch [52]). Zeit- und Raumauffassungen werden nur ausnahmsweise nicht nach ihren motivischen Konkretisationen (*occasio/carpe diem/ultimus dies*; *locus amoenus* etc.), sondern ihrer konstruktiven, poetologischen Leistung aufgefaßt. Die Dokumentation, Beschreibung und Auswertung innerlit. Semiose- und Verstehensprozesse (von der Bildbeschreibung und -deutung bis zur Selbstreflexion) ist noch kaum in Angriff genommen. Auch fehlt es an grundsätzlichen Abh. des Antike-Moderne-Verhältnisses, wie sie etwa A. Schmitt für die griech. Philol. gefordert und z.T. auch schon vorgelegt hat (s. zuletzt [70. 13–38]) und wie sie R. Herzog in seinen kleineren Arbeiten so glänzend begonnen hat [47]. Es fehlen noch immer wichtige Bausteine zur Grundlegung einer Hermeneutik der Traditionsbildung, vom jungen Nietzsche schon in frühen Schriften als Desideratum benannt.

5. Gegenstand und Methode. Ausblick

Während die neuere Theoriebildung in den geistes- und kulturwiss. Fächern wiederholt auf Phänomene und Theoreme des griech.-röm. Altertums rekurriert, hat die Wiss. vom Alt., deren Arsenalen die Keime modernster Erkenntnisreihen entnommen sind, zuletzt kaum zur Verfeinerung des international geläufigen Methodenrepertoires beigetragen. Ohne Not begibt sie sich damit in die doppelte Gefahr: daß sie ein Schatzhaus an Beobachtungen und Einsichten bereithält, dessen Nutzung sie anderen, weniger Sachkundigen überläßt; daß sie zuletzt den Schlüssel zu ihrem Schatzhaus verliert, wenn es die Deuter zweiter Ordnung, die »User« sind, die ihr die Gegenstände der Beleihung verändert zurück- und neue in Auftrag geben. Doch es fehlt nicht an Beispielen, wo souveräne, oft eigenwillige Antikeinterpretationen neuerer Theoretiker als Leistungen gelten dürfen, die im Sinne des oben festgestellten Zusammenhangs von Gegenstand und Methode epistemische Weiterungen gebracht und zugleich der philol. Forsch. wichtige Anstöße vermittelt haben. Für die latinistischen Studien könnten ihre Relevanz erweisen die Arbeiten zur Rhetorikgeschichte von Roland Barthes [7], die von Lukrezischer Atomistik inspirierte geschichtsphilos. Kategorie des *clinamen* bei Harold Bloom [10], Hans Blumenbergs aus röm. Redelehrern schöpfende ästhetische und metaphorologische Schriften (bes. [11]), Karl Heinz Bohrers auf Aischylos und ovidisch-lukanische Szenarien zurückgreifende Ästhetik des Schreckens [14], Italo Calvinos an Lukrez und Ovids *Metamorphosen* entwickelte Poetik der Leichtigkeit [17; 87], Jacques Derridas Lektüren des Ciceronischen *Laelius de amicitia* [23] und der Senecanischen Abh. *de brevitate vitae* [24], die – von der Altertumsforsch. noch kaum bemerkt – Derridas sozialphilos. Wende begleiteten, Foucaults Unt. zur Mentalitäts- und Institutionengeschichte (Konzeption der *navis stultifera*, *Surveiller et punir*) sowie zu Klossowskis *Le Bain de Diana* (das ant. Trugbild als Ursprung der lit. Sprache) [29; 30], Anselm Haverkamps Theorie der lit. Latenz [45], Isers auf ant. und Ren.-Bukolik rekurrierende lit. Anthropologie [51], Thomas S. Kuhns Studien zur Struktur der Wissenschaftsgeschichte [57], S.C. Levinsons linguistische Pragmatik, durch die noch manche Dispositionen der röm. Rhet. durchscheinen [61], Clemens Lugowskis ästhetische Theorie des »formalen Mythos«, von neueren Literaturwissenschaftlern längst auf Texte der griech. Lit. zurückgelesen [68], Jean-François Lyotards Augustinus-Studien [63] und die Analytik des Erhabenen [62], Paul de Mans dekonstruktive Lektüre der Nietzscheschen *Rhet.-Vorlesung* [65], Paul Ricœurs mimesis-theoretische Unt. zur aristotelischen und augustinischen Zeitauffassung [81], die jüngst entdeckten hsl. Weiterungen zu Ferdinand de Saussures *Cours de linguistique générale* [83], Michael Theunissens Melancholie-Studien und die an Pindar paradigmatisch vollzogene Zeitanalytik [96; 97] und Edgar Winds kunsttheoretische Essays [103].

Von der Grundlagenwiss. zur Hilfsdisziplin ist es oft nur ein Schritt – und umgekehrt. Noch verfügt die Lat. Philol. über die institutionellen Ressourcen, Schritt zu halten mit der Entwicklung der mod. Lit.-, Sprach- und Kulturwissenschaften. Wenn der Anschein nicht trügt, ist in den nächsten J. eine Rückwendung der kulturwiss. Sprach- und Literaturstudien zur Philol. zu erwarten. Noch sind es Einzelstimmen, die die Rephilologisierung der Humaniora beschwören [38]. Dabei ist es keine gewagte Prognose, wenn man die künftige Entwicklung der Lat. Philol. abhängig sieht von der Rolle, die sie dann einzunehmen bereit und fähig ist. Ihrer Selbstbestimmung zw. den Exegesebedürfnissen der ant. Lit. und der mod. Welt muß dies keinen Abbruch tun.

1 G. Arrighetti, M. Gigante (Hrsg.), Trent' anni di papirologia ercolanese, 2001 2 A. u. J. Assmann (Hrsg.), Kanon und Zensur, 1987 3 W. Ax, Probleme des Sprachstils als Gegenstand der lat. Philol., 1976 4 A. Barchiesi, La traccia del modello, 1984 5 Ders., Il poeta e il principe, 1993 (engl. 1997) 6 J. Barsby, Latin Studies in New Zealand, in: Acta selecta Octavi Conventus Academiae Latinitati Fovendae, 1995, 683–695 7 R. Barthes, L'ancienne rhétorique, in: Communications 16, 1970, 172–229 8 M. Bettini, Su alcuni modelli antropologici della Roma più arcaica: designazioni linguistiche e pratiche culturali I, in: M&D 1, 1978, 123–175; II in: M&D 2, 1979, 9–41 9 U.J. Beil, Rhet. »Phantasia« – Ein Beitr. zur Arch. des Erhabenen, in: Arcadia 28, 1993, 225–255 10 H. Bloom, The Anxiety of Influence, 1973 11 H. Blumenberg, Paradigmen zu einer Metaphorologie, 1998 (1960) 12 G. Boehm, H. Pfotenhauer (Hrsg.), Beschreibungskunst – Kunstbeschreibung, 1995 13 G. Boehm (Hrsg.), Homo Pictor, 2001 14 K. H. Bohrer, Das absolute Präsens. Die Semantik ästhetischer Zeit, 1994 15 A. Borst, Das Buch der Naturgesch. Plinius und seine Leser im Zeitalter des Pergaments, 1994, ²1995 16 F. Cairns, Generic Composition in Greek and Roman Poetry, 1972 17 I. Calvino, Lezione americane. Sei proposte per il prossimo millenio, 1988 18 M. Citroni, Poesia e lettori in Roma antica, 1995 19 D. Clay, The Theory of the Literary Persona in Antiquity, in: M&D 40, 1998, 9–40 20 G.B. Conte, The Rhetoric of Imitation, 1986 21 M. Depew, D. Obbink (Hrsg.), Matrices of Genre. Authors, Canons, and Society, 2000 22 A. Deremetz, Le Miroir des Muses. Poétiques de la Réflexivité à Rome, 1995 23 J. Derrida, Politiques de l'amitié, 1994 24 Ders., Apories, 1996 25 T. Dewender, T. Welt (Hrsg.), Imagination – Fiktion – Kreation. Das kulturschaffende Vermögen der Phantasie, 2003 26 A. Dihle, Die griech. und lat. Lit. der Kaiserzeit, 1989 27 E. Fantham, Roman Literary Culture, 1996 28 R.L. Fetz (Hrsg.), Gesch. und Vorgesch. der mod. Subjektivität, 2 Bde., 1998 29 M. Foucault, La prose d'Actéon, in: Nouvelle Revue Française 135, 1964, 444–459 30 Ders., Folie et déraison. Histoire de la folie à l' âge classique, 1961 31 D.P. Fowler, Roman Constructions. Readings in Postmodern Latin, 2000 32 M. Franz, Von Gorgias bis Lukrez. Ant. Ästhetik und Poetik als vergleichende Zeichentheorie, 1999 33 K. Galinsky (Hrsg.), The Interpretation of Roman Poetry: Empiricism or Hermeneutics?, 1992 34 C. Geertz, Thick Description: Toward an Interpretive Theory of Culture, in: Ders., The

Interpretation of Cultures, 1973, 3–30 **35** R. F. GLEI, Von
Probus zu Pöschl. Vergilinterpretation im Wandel, in:
Gymnasium 97, 1990, 321–340 **36** F. GRAF (Hrsg.), Mythos
in mythenloser Ges. Das Paradigma Roms, 1993 **37** N. P.
GRINTSER, Structuralizing Classics: Modern Theories in
Contemporary Russian Classical Philology (2002),
http://casnovi.cas.muohio.edu/havighurstcenter/
papers/grintser.pdf **38** H. U. GUMBRECHT, Die Macht der
Philol. Ein verborgenes Potential in der Trad. der Textwiss.,
2003 **39** Ders., K. L. PFEIFFER (Hrsg.), Stil, 1986 **40** T. N.
HABINEK, The Politics of Latin Literature, 1998 **41** Ders.,
A. SCHIESARO (Hrsg.), The Roman Cultural Revolution,
1997 **42** P. R. HARDIE, Ovid's Poetics of Illusion, 2002
43 S. J. HARRISON, The need for a new text of Catullus, in:
C. REITZ (Hrsg.), Vom Text zum B., 2000, 63–79 **44** Ders.
(Hrsg.), Texts, Ideas, and the Classics. Scholarship, Theory,
and Classical Literature, 2001 **45** A. HAVERKAMP, Figura
Cryptica, 2002 **46** M. HEATH, Interpreting Classical Texts,
2002 **46a** L. HAY, Die dritte Dimension der Lit. Notizen zu
einer »critique génétique, in: Poetica 16, 307–323
47 R. HERZOG, Spätant. Stud. zur röm. und lat.-christl. Lit.,
hrsg. v. P. HABERMEHL, 2002 **48** R. HEXTER, D. SELDEN
(Hrsg.), Innovations of Antiquity, 1992 **49** S. HINDS,
Allusion and Intertext. Dynamics of Appropriation in
Roman Poetry, 1998 **50** G. O. HUTCHINSON, Latin
Literature from Seneca to Iuvenal. A Critical Study, 1993
51 W. ISER, Das Fiktive und das Imaginäre, 1991
52 M. JAKOB, »Schwanengefahr«. Das lyr. Ich im Zeichen
des Schwans, 2000 **53** H. JAUMANN, J. KLEIN, B. ROMMEL,
G. VOGT-SPIRA (Hrsg.), Domänen der Literaturwiss., 2001
54 I. J. F. DE JONG, J. P. SULLIVAN (Hrsg.), Modern Critical
Theory and Classical Literature, 1994 **55** G. A. KENNEDY,
Shifting Visions of Classical Paradigms: The »Same« and the
»Other«, in: IJCT 1, 1994, 7–16 **56** D. KONSTAN et al., The
Classics in the Americas, in: Classical Bulletin 77, 2001,
209–244 **57** T. S. KUHN, The Structure of Scientific
Revolutions, 1962, ²1970 **58** M. LANDFESTER, Einführung
in die Stilistik der griech. und lat. Literatursprachen, 1997
59 D. LANGSLOW, Medical Latin in the Roman Empire,
2000 **60** M. R. LEFKOWITZ, G. M. ROGERS (Hrsg.), Black
Athena Revisited, 1996 **61** S. C. LEVINSON, Pragmatics,
1983 **62** J.-F. LYOTARD, Leçons sur l'Analytique du sublime,
1991 **63** Ders., La Confession d'Augustin, 1998 **64** E. A.
MACKAY (Hrsg.), Signs of Orality. The Oral Trad. and its
Influence in the Greek and Roman World, 1999 **65** P. DE
MAN, Rhetoric of Tropes, in: Ders., Allegories of Reading,
1979, 103–118 **66** C. MARTINDALE, Redeeming the Text:
Latin Poetry and the Hermeneutics of Reception, 1993
67 Ders., The Aesthetic Turn: Latin Poetry and the
Judgement of Taste, in: Arion 9/2, 2001, 63–89
68 M. MARTINEZ (Hrsg.), Formaler Mythos. Beitr. zu einer
Theorie ästhetischer Formen, 1996 **69** P. A. MILLER, The
Classical Roots of Poststructuralism: Lacan, Derrida, and
Foucault, in: IJCT 5, 1998, 204–225
70 M. MOOG-GRÜNEWALD (Hrsg.), Das Neue. Eine
Denkfigur der Moderne, 2002 **71** R. R. NAUTA, »Lyrisch
ik« en »persona« in de bestudering van de Romeinse poezie,
in: Lampas 35, 2002, 363–386 **72** F. NIETZSCHE,
Rhet.-Vorlesung §§ 1–7, in: P. LACOUE-LABARTHE, J. L.
NANCY (Hrsg.), Friedrich Nietzsche: Rhétorique et
langage, in: Poétique 2, 1971, 99–142 **73** Ders., Über
Wahrheit und Lüge im außermoralischen Sinne, in: Ders.,
Kritische Gesamtausgabe (KGA) III 2, 1973, 367–384
74 R. G. M. NISBET, How Textual Conjectures are made,

in: M&D 26, 1991, 65–91 **75** D. PANCHENKO, Teaching the
Classics. Private Education in the USSR, in: Brown Classical
Journal 8, 1992 (Suppl.) **76** O. PECERE, M. D. REEVE
(Hrsg.), Formative Stages of Classical Trad.: Latin Texts
from Antiquity to the Ren., 1995 **77** S. B. POMEROY,
Goddesses, Whores, Wives, and Slaves, 1975 **78** J. I. PORTER
(Hrsg.), Constructions of the Classcial Body, 1999
79 J. REDFIELD, Classics and Anthropology, in: Arion 1/2,
1991, 5–23 **80** L. D. REYNOLDS (Hrsg.), Texts and
Transmission, 1983 **81** P. RICŒUR, Temps et récit, 1983
82 T. G. ROSENMEYER, Phantasia und Einbildungskraft. Zur
Vorgesch. eines Leitbegriffs der europ. Ästhetik, in: Poetica
18, 1986, 197–248 **83** F. DE SAUSSURE, Écrits de linguistique
générale, hrsg. v. S. BOUQUET, R. ENGLER, 2002 **84** E. A.
SCHMIDT, New Approaches to Ancient Poetry – Theory
and Practice, in: IJCT 4, 1998, 433–449 **85** Ders., Zeit und
Form, 2002 **86** TH. SCHMITZ, Mod. Literaturtheorie und
ant. Texte. Eine Einführung, 2002 **87** M. SCHMITZ-EMANS,
Metamorphosen der Metamorphosen: Italo Calvino und
sein Vorfahr Ovid. Calvinos Poetik und Ovids
Metamorphosen, in: Poetica 27, 1995, 433–469 **88** J. P.
SCHWINDT (Hrsg.), Zw. Trad. und Innovation. Poetische
Verfahren im Spannungsfeld Klass. und Neuerer Lit. und
Literaturwiss., 2000 **89** Ders. (Hrsg.), Klass. Philol. »inter
disciplinas«. Aktuelle Konzepte zu Gegenstand und
Methode eines Grundlagenfaches, 2002 **90** C. SEGAL,
Classics and Comparative Literature, in: M&D 13, 1984,
9–21 **91** B. SEIDENSTICKER, M. VÖHLER (Hrsg.),
Urgeschichten der Moderne. Die Ant. im 20. Jh., 2001
92 D. L. SELDEN, Classics and Contemporary Criticism, in:
Arion 1/1, 1990, 155–178 **93** Ders., Cambyses' Madness or
the Reason of History, in: M&D 42, 1999 **94** R. TARRANT,
Toward a Typology of Interpolation in Latin Poetry, TAPhA
117, 1987, 281–298 **95** Ders., The Reader as Author: Itp. in
Latin Poetry, in: J. N. GRANT (Hrsg.), Editing Greek and
Latin Texts, 1989, 121–162 **96** M. THEUNISSEN,
Vorentwürfe von Moderne. Ant. Melancholie und die
Acedia des MA, 1996 **97** Ders., Pindar. Menschenlos und
Wende der Zeit, 2000 **98** R. F. THOMAS, Reading Virgil and
His Texts. Stud. in Intertextuality, 1999 **99** H. TRÄNKLE et
al., Horace, Genf 1992 (= Entretiens 39)
100 G. VOGT-SPIRA, B. ROMMEL (Hrsg.), Rezeption und
Identität. Die kulturelle Auseinandersetzung Roms mit
Griechenland als europ. Paradigma, 1999 **101** W. VOSSKAMP
(Hrsg.), Klassik im Vergleich. Normativität und Historizität
europ. Klassiken, 1993 **102** J. WATSON (Hrsg.), Speaking
Volumes. Orality and Literacy in the Greek and Roman
World, 2001 **103** E. WIND, Art and Anarchy, 1963
104 O. ZWIERLEIN, Ant. Revisionen des Vergil und Ovid,
2000.   JÜRGEN PAUL SCHWINDT

R

Rhodos   I. GRABUNGSGESCHICHTE BIS 1948
II. 1948 BIS ZUR GEGENWART

I. GRABUNGSGESCHICHTE BIS 1948

Bei den ersten Sondierungen, durchgeführt in der
zweiten H. des 19. Jh. von E. Biliotti und A. Salzmann
mit dem einzigen Zweck, Sammelobjekte zu bergen,
kamen die Nekropolen von Kamiros und Ialysos ans
Licht. Erst 1902, noch vor der Ankunft der Italiener,

begann man mit systematischen arch. Forschungen. In diesem J. nämlich förderte eine dänische arch. Expedition, geleitet von K. F. Kinch unter Mithilfe von Chr. S. Blinkenberg und M. P. Nilsson, die Akropolis von Lindos zutage, erforschte sie und entfaltete parallel dazu weitere Forschungsaktivitäten in den Gebieten von Lardos und Kattavia. Im Anschluß an die Besetzung der Dodekanes durch die it. Armee im Mai 1912 beauftragte die Generaldirektion für Ant. und Schöne Künste des Erziehungsministeriums Giuseppe Gerola, einen renommierten Spezialisten für ma. Arch., damit, ein erstes Inventar der Denkmäler auf den besetzten Inseln zu erstellen. Der Generaldirektor bat darüberhinaus um die Kooperation der kurz zuvor eingerichteten It. Arch. Schule Athen (SAIA) bei der arch. Sondierung der Insel. Luigi Pernier, Direktor der Schule, schickte seinen Schüler Gian Giacomo Porro nach Rhodos. Dieser durchreiste während des Sommers die ganze Insel und begleitete Gerola bei seinen Expeditionen, die die Liste der Hinterlassenschaften von Rh., Syme und Kos vervollständigen sollten. Im Januar 1913 erwog das Erziehungsministerium außerdem, die Schule von Athen die Forsch. in Rh. vertiefen und Grabungsberichte anfertigen zu lassen. Im Februar 1913 unternahm Pernier gemeinsam mit seinen Schülern Gian Giacomo Porro, Gaspare Oliverio und Biagio Pace eine erste Erkundungstour im Inselinneren. Als vielversprechend für künftige Forsch. galten die Stätten von Phileremos, Trianda, Cremastì, Villanova und das Territorium des ant. Kretinai, Kimissala, Vassilikà und Marmaroulia. Darüber hinaus ergaben Forsch. in Rh.-Stadt, auf dem Gelände der ant. Akropolis, eine ausgedehnte Präsenz hell. und röm. Bauten. Daraufhin führte Porro ab März 1913 einige Grabungen in der Nekropole von Keraghi, Papatislures und Kaminakuilures auf dem Gebiet von Kamiros durch; sie brachten datierbares Material von myk. bis hell. und röm. Zeit ans Licht und trugen so wesentlich zum Erkenntnisfortschritt bei. Er selbst führte gemeinsam mit B. Pace auch Forsch. in der Nekropole von Villanova und Ialysos und in der Folge zusätzlich auf dem Hügel von Hagios Phokas durch.

Im Februar 1914 wurde auf Beschluß des Außen- und des Erziehungsministeriums eine arch. Mission auf Dauer etabliert. Ihre Leitung wurde Amedeo Maiuri (ein früherer Mitarbeiter der Athener Schule) anvertraut; er behielt sie bis 1924. Die Aufgabe dieser Mission bestand darin, die Forschungsaktivitäten auf Rh. und den Dodekanes-Inseln voranzutreiben und, gemeinsam mit dem Besetzungsoberkommando, Schutzmaßnahmen zu koordinieren; in einer Region wie Rh., wo die ausgedehnten Nekropolen von Kamiros und Ialysos seit einiger Zeit von wilden Grabungen heimgesucht wurden, war das von entscheidender Bedeutung. Außerdem erhielt die Mission den Auftrag, ein histor.-arch. Mus. (eingerichtet am 23. September 1914) zu organisieren. Es wurde im Ritterhospiz untergebracht, das man restauriert und am 1. Januar 1915 für den Publikumsverkehr geöffnet hatte. Die Schutz-

maßnahmen bestanden u. a. in umfangreichen Restaurierungsarbeiten an den ma. Gebäuden zw. 1914 und 1918; sie wurden in Rh.-Stadt, auf dem Hügel von Phileremos, auf der Akropolis von Lindos und in der Stadt Koos in Kooperation mit Pioniertruppen vorgenommen.

Im J. 1915 begannen Grabungskampagnen von Seiten der arch. Mission. In der Gegend des ant. Kimissala wurden die Nekropole und die Akropolis von Hagios Phokas ausgegraben: Es kamen die Überreste eines kleinen *oikos* aus hell. Zeit zum Vorschein sowie Umfassungsmauern in Polygonalarbeit und Keramik aus archa. Zeit. Weitere Ausgrabungen wurden auf dem Territorium von Apollona vorgenommen; dabei kam die myk. Nekropole von Lelos ans Licht.

In Ialysos begannen die systematischen arch. Forsch. ab 1914 mit der Erkundung der Nekropole; sie zogen sich in verschiedenen Kampagnen hin und förderten Material von myk. Zeit bis zum 5. Jh. v. Chr. zutage. Auch die Erkundung des Hügels von Phileremos im selben Zeitraum förderte bedeutsame Zeugnisse ans Licht, etwa bei der Freilegung des Tempels der Athena Polias mit seiner Votivgrube (*stips votiva*), eines monumentalen dorischen Brunnens am Abhang des Hügels, griech. und byz. Befestigungsanlagen und frühchristl. Kultbauten sowie aus der Kreuzritterzeit. An mehreren Stellen der Stadt wurden Reste des Mauergürtels gefunden; diese Funde erlaubten es Maiuri schon 1916, die Anlage des Verteidigungssystems des hell. Rh. und das komplexe Wasserversorgungsnetz nachzuzeichnen. In derselben Periode begann man mit einer Ausgrabung auf der Akropolis, wo man die Sphendone (gekrümmte Seiten) eines hell. Stadions fand und, in unmittelbarer Nähe, ein Odeion und ein Gymnasium ausmachen konnte (Abb. 1 + 2). 1922 wurde ein Forschungsprojekt auf dem Terrain des Arsenalplatzes durchgeführt, das die Ruinen eines Tempels zum Vorschein brachte, den man – aufgrund einer *stips votiva* und einer Inschr. – dem Aphrodite-Kult zuordnen konnte. 1919 leitete Alessandro della Seta, Direktor der Arch. Schule Athen, im Auftrag des Erziehungsministeriums eine Expedition in die Dodekanes, um die bisher durchgeführten Forschungs- und Restaurierungsarbeiten zu evaluieren. Ziel war es, in It. wie auch im Ausland bekannt zu machen, wieviel geleistet worden war, um das arch. Erbe dieser Inseln auszuwerten.

Mit dem Vertrag von Lausanne vom Juli 1923 standen die südl. Sporaden unter it. Protektorat. Im Anschluß daran wurde die Rh.-Mission 1924 in eine Aufsichtsbehörde für Monumente und Ausgrabungen umgewandelt. Ihre Leitung übernahm nach der Abreise Maiuris nach Neapel Giulio Iacopi, ebenfalls ein ehemaliges Mitglied der SAIA. Zu den Früchten der Forschungstätigkeit dieser Zeit zählt die Entdeckung des Athena-Polias- und Zeus-Polieus-Tempels auf der Akropolis, dessen Ausgrabung sich bis 1926 hinzog. 1925 machte Iacopi in der Ritterkapelle von Piossasco die ersten Bruchstücke eines monumentalen Tetrapy-

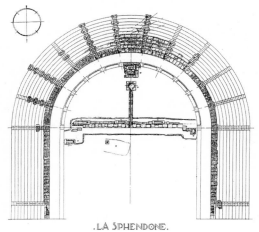

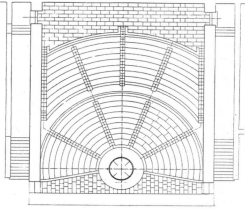

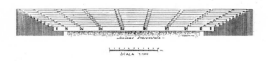

Abb. 1: Akropolis, Plan der Sphendone des Stadions,
mit Darstellung der vorderen Sitzreihen.
Ansicht von Norden nach M. Paolini, 1937

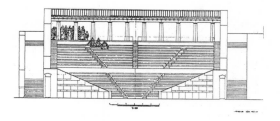

Abb. 2: Akropolis, Odeion.
Rekonstruktion der Cavea nach M. Paolini, 1937

los-Bogens aus. Man hielt ihn zunächst auf der Grundlage eines Inschriftenfragments für einen Dionysostem-
pel.

Im Herbst 1924 wurden bei der Kirche St. Stefan in
Lindos Forsch. unternommen, die darauf abzielten, einige Probleme zu klären, die sich hinsichtlich der Top.
der ant. Siedlung stellten. Bereits im Sommer hatte man
auf dem Gipfel des Atabyrios Grabungen zur Auffindung eines Zeus-Heiligtums unternommen. Es kamen
ein weiter Peribolos zum Vorschein, umgearbeitet in
byz. Zeit, ein monumentaler Eingang und einige Inschr.
und Votivgegenstände. In derselben Periode nahm man
auch die Forsch. in Ialysos wieder auf, wo Iacopi in
mehreren Kampagnen ausgedehnte Nekropolen aus-
grub.

1927 wurde auf Anordnung der Gouverneurs Mario
Lago das Histor.-arch. Inst. von Rh. (FERT) gegründet.
Es förderte mittels der Einrichtung einer Bibl. und Jah-
resstipendien für it. Nachwuchswissenschaftler genuin
histor. und arch. Forsch. auf den Inseln und in Anatolien. Die Ergebnisse dieser wiss. Tätigkeit und die Erwerbungen der Aufsichtsbehörde aus neuen Grabungen
fanden ein angemessenes Forum in der Instituts-
zeitschrift *Clara Rhodos*, der sich bald für unfangreichere
Beitr. die Monographienreihe *Memorie dell'Istituto Sto-
rico-Archeologico di Rodi* beigesellte.

In Kamiros, bekannt für seine ausgedehnten Nekropolen und deren reichhaltige Ausstattung, begann
die systematische Ausgrabung der ant. Stadt im J. 1928.
Die Arbeiten gingen ohne Unterbrechung voran und
brachten Wohnquartiere, das Sakralgelände der Unterstadt und die Akropolis mit dem Athenatempel ans
Licht, dessen Votivgrube zahlreiche Gegenstände aus
geom. und archa. Zeit enthielt. Wichtige Grabungen
wurden von Iacopi auch in Ialysos unternommen. Dort
fand man eine Nekropole aus myk. Zeit bei Moschou
Vounara. In Damatria, in der Umgebung der kleinen
Kirche von Stavrì, fand man im selben J. außerdem die
Trümmer eines kaiserzeitlichen Gebäudes, das als Ther-
me gedient hatte. 1931 grub Iacopi in Theologos auf
dem schon 1843 von Ross ausgemachten Gelände ein
kleines Theater und einen dem Apoll Erethymios geweihten Tempel aus. Ende 1933 ging die Leitung der
Aufsichtsbehörde auf Luciano Laurenzi über. Wie Maiuri und Iacopi hatte auch er schon für die SAIA gearbeitet und war seit 1928 für die Ausgrabungen von Koos
verantwortlich. In dieser Zeit konnten für Rh. außerdem noch Fragen geklärt werden, die das Wasserver-
sorgungssystem der Stadt betrafen. Auch die Anlage der
ant. Festungsanlagen wurde nun besser bekannt, und
man konnte nun außerdem die hell. Nekropolen loka-
lisieren. Die Erforsch. der Nymphäen auf dem Stefans-

berg, begonnen von Iacopi, ging ebenfalls weiter; dieser Berg hatte schon in der Ant. als Tempel- und Temenos-Zone gegolten und wurde 1934 durch Gouverneursdekret 187 in seiner Gesamtheit zu einem → Archäologischen Park erklärt. Auch in Trinada gingen die Ausgrabungen weiter. Dort fand man 1936 unter der Leitung von Giorgio Monaco eine wichtige Siedlung aus myk. Zeit. Zwischen 1938 und 1940 beschränkte sich die Tätigkeit der Aufsichtsbehörde auf die großräumige Restaurierung der wichtigsten arch. Komplexe von Rh. und Koos. Der Architekt Mario Paolini realisierte in diesen J. eine ausgedehnte Kampagne zur Freilegung der ant. Monumente, die die Ausdehnung der Restaurierungsprojekte zum Ziel hatte. Heute befinden sich die restaurierten Objekte im Archiv der SAIA.

In der Folge wurden unter der neuen Aufsicht (Renato Bartoccini und Luigi Morricone) die Ausgrabungen des Denkmalkomplexes des Tetrapylos in Rh. fortgesetzt; u. a. holte man die ant. Toranlagen ans Licht. Morricone, der sich außerdem die Erforsch. der Nekropolen im Süden der Stadt vorgenommen hatte, war aus dem benachbarten Koos herbeigerufen wurden, wo er die wiss. Verantwortung seit Sommer 1934 innegehabt hatte.

Während des II. Weltkrieges konzentrierte sich die Aufsichtsbehörde darauf, die ant. Denkmäler zu schützen und zu bewahren. Sowohl in Rh. als auch in Koos, wo Morricone seine vertrauenswürdigen Mitarbeiter (den Zeichner Traiano Finamore, den Restaurator Vittorio Toti und den Grabungsassistenten Giovanni Lazzara) zurückgelassen hatte, wurden Notmaßnahmen ergriffen, um die Keramiksammlungen, die Münzsammlungen und die Skulpturensammlungen der Mus. in geeigneten Räumlichkeiten unterzubringen, etwa den weitläufigen Räumlichkeiten der »Casa Romana« in Koos oder dem Souterrain des Ritterhospizes in Rh.-Stadt. Als 1948 Morricone sein Amt offiziell dem ersten griech. Aufseher, Ioannis Kondis, übergab, wurde ersichtlich, wie effizient die Schutzmaßnahmen gewesen waren, die it. Beamte und Techniker getroffen hatten, als Kriegshandlungen und mil. Besatzung das überaus reiche kulturelle Erbe der Dodekanes bedrohten.

1 A. Di Vita, Luciano Laurenzi a Coo (1928–1934): nascita di un archeologo, in: XLIV Corso di Cultura sull'arte ravennate e bizantina, Ravenna 1998, 2001, 1–20 2 Ders., Alessandro Della Seta e la Scuola Archeologica Italiana di Atene, in: M. Harari (Hrsg.), Della Seta oggi: Da Lemno a Casteggio, 2001, 61–65 3 M. Livadiotti, G. Rocco (Hrsg.), La presenza italiana nel Dodecaneso tra il 1912 e il 1948. La ricerca archeologica. La conservazione. Le scelte progettuali, 1996 (mit Bibliogr. bis 1996), 10–12, 5 f. (Ausgrabungen prähistor. Schichten), 20, 23, 26, 31, 33, 38 (Monumente von Rh.-Stadt), 45–50 (Ialysos), 58–60 (Lindos), 65 f. (Kamiros).

ANTONIO DI VITA, MONICA LIVADIOTTI/
Ü: VERA BINDER

II. 1948 BIS ZUR GEGENWART

Nach dem II. Weltkrieg wurde Rh. zusammen mit den übrigen Dodekanes-Inseln im J. 1947 unter griech. Verwaltung gestellt und im nächsten J. (1948) offiziell in den griech. Staat eingegliedert. Ioannis Kondis übernahm sein Amt als erster Leiter des neuen Arch. Dienstes für die Dodekanes vom letzten it. Aufseher, Luigi Morricone.

Außer den Reparatur- und Schutzmaßnahmen für die während des Krieges beschädigten ma. Monumente der Stadt Rh. ist Kondis' größtes wiss. Verdienst die während der ersten Jahrzehnte nach dem Krieg verwirklichte arch. Erfassung des hippodamischen Straßensystems der Stadt Rh., die 408/407 v. Chr. am nördl. E. der Insel gegründet wurde. Es war schon aus lit. Quellen bekannt, daß die Stadt von Hippodamos aus Milet oder zumindest nach dessen System geplant war. Der arch. Nachweis gelang Kondis durch Oberflächenbeobachtungen, Sondagen und systematische Ausgrabungen im Gebiet der mod. Stadt. Der erste Plan der ant. Stadt wurde schon zu diesem Zeitpunkt veröffentlicht und von Kondis' Nachfolgern aufgrund neuer Entdeckungen infolge der Expansion der mod. Stadt fortgesetzt. Mindestens zwei neue Stadtpläne erschienen in den folgenden Jahren. Wir wissen h., daß die Straßen der Stadt gerade von Norden nach Süden und von Westen nach Osten verliefen. Normale Straßen hatten eine Breite von 5,5 m und wechselten in regelmäßigen Abständen mit breiteren (ca. 8–10 m) ab, während zwei Hauptstraßen die außergewöhnliche Breite von 16–16,5 m hatten. Eine ebenfalls breite Straße, die zugleich als unbebaute Fläche auf der Innenseite der Stadtmauer gedient hatte, war rund um die befestigte Stadt geführt. Nach neuester Auffassung [8] hatte eine normale insula eine Fläche von ca. 47 x 26 m und umfaßte urspr. drei gleiche Privathäuser (Typenhäuser). Diese Gliederung wurde mit der Zeit aufgegeben. Natürlich waren auch von Anf. an größere Flächen für öffentliche Gebäude und Heiligtümer vorgesehen. Das sehr gut organisierte Wasserversorgungs- und Abwasser-System der Stadt wurde durch zahlreiche neue Funde besser bekannt. Ein großer offener Kanal leitete das Regenwasser vom Inneren der Stadt ins Meer in der Nähe des Akandia-Hafens, eines der fünf Häfen, ab. Mit den Häfen waren Schiffshäuser und andere Hafenanlagen verbunden. Rhodos war für seine sehr starken und von technischer Perfektion charakterisierten hell. Mauern berühmt, die nach der Belagerung von 305/304 v. Chr. durch Demetrios Poliorketes angelegt und in späteren J. repariert wurden. Viele neue Abschnitte der hell. Mauern wurden in den letzten 50 J. entdeckt. Der Verlauf dieser Mauern ist jetzt zum größten Teil bekannt. Ein neues Ergebnis der Forsch. ist, daß vor ca. 300 v. Chr. eine schwächere klass. Mauer eine kleinere Stadt umfaßte. Die hell. Stadt wurde danach nach Osten erweitert und von der neuen Befestigungsmauer umschlossen.

Abb. 1:
Mosaikfußboden mit Darstellung
von Bellerophon und Chimaira,
frühes 3. Jahrhundert v. Chr.
Rhodos, Museum

Das Plateau der Akropolis im Westen bildete den bedeutendsten Teil der Stadt, die durch künstliche Terrassen theaterförmig nach Süden und Westen angelegt war. Die Akropolis war nur für öffentliche Gebäude und Haine bestimmt. Dort wurden schon vor dem II. Weltkrieg das berühmte große Gymnasion, das Stadion, das Apollon-Heiligtum, das Zeus-und-Athena-Heiligtum und die Nymphäen entdeckt und teilweise ausgegraben und restauriert. In der Unterstadt wurde auch schon damals ein Aphrodite-Tempel zw. Mandraki, dem ant. Militärhafen, und dem Handelshafen ausgegraben. Viele neue Gebäude und Heiligtümer der Unterstadt wurden in der Nachkriegszeit entdeckt, so ein Demeter-Heiligtum im Norden der Stadt und ein anderes Heiligtum im Westen, in der Nähe der Akropolis, wo viele Statuenbasen ehemaliger Helios-Priester gefunden wurden. Zwischen zwei Hauptstraßen, die von der Unterstadt und den Häfen auf die Akropolis führten, wurde ebenfalls im Westen ein bedeutendes Heiligtum entdeckt, das als Pantheon identifiziert wurde. Mit diesem Heiligtum war eine Werkstatt für die Herstellung von überlebensgroßen Bronzestatuen (*kolossoí*) verbunden (→ Weltwunder). Eine glückliche Entdeckung der 1990er J. war die des Heiligtums des Asklepios (Asklepieion) südwestl. der befestigten ma. Stadt, dessen Existenz aus lit. Quellen und Inschr. schon gut bekannt war. Von öffentlichen Anlagen werden noch die im südl. Teil der späteren ma. Stadt vermutete Agora und das große Theater im Südosten der Akropolis gesucht. Im östl. (hell.?) Teil der ant. Stadt wurde durch mehrere Rettungsgrabungen an verschiedenen Stellen und zu verschiedenen Zeitpunkten ein großer quadratischer Bau von ca. 200 m Seitenlänge identifiziert. Es handelt sich um ein zweites Gymnasion, das vermutlich auch mit dem aus Diodor bekannten Ptolemaion identisch ist, das die Rhodier dem Ptolemaios Soter als Dank für

seine Hilfe gegen Demetrios geweiht hatten. Um das Gymnasion-Ptolemaion herum wurden in frühhell. Zeit reiche Privathäuser mit Mosaikfußböden errichtet. Noch größere und reichere Häuser entstanden im 2. Jh. v. Chr. und später, als die Stadt nach dem großen Erdbeben von 227/226 v. Chr. noch umfangreicher und prächtiger wiederaufgebaut wurde. Die röm. Phase wurde durch neuere Funde im Zentrum der Stadt bei den Häfen besser bekannt. Die spätröm. und frühchristl. Stadt erstreckte sich noch über einen großen Teil der ant. Stadt. Erst im 7. Jh. n. Chr. wurde die bisherige Stadt aufgegeben, und es entstand eine anfangs sehr kleine Stadt mit einem Kastell im Kern der ma. Stadt, die dann in byz. Zeit erweitert wurde, ohne jedoch die Ausdehnung der uns bekannten spätma. Stadt zu erreichen.

Die entsprechend der Größe und Bed. der Stadt ausgedehnten Nekropolen lagen im Süden und umgaben die Stadt von Nordwesten nach Südosten. Teile der Nekropolen befinden sich auch in einem Umkreis von bis zu 5–7 km von der Stadt. Besonders in den letzten 20 J. hat die Ausweitung der mod. Stadt auf das Gebiet der ant. Nekropolen Gelegenheit zu zahlreichen Ausgrabungen geboten und damit zu einer viel besseren Kenntnis der Stadtnekropolen geführt. In der westl. Nekropole waren schon früher Gräber aus den ersten Jahrzehnten des Bestehens der Stadt (E. 5. bis Anf. 4. Jh. v. Chr.) in der Nähe der Befestigung südl. der Akropolis entdeckt worden. Entlang dem arch. bereits bekannten Makry Steno (h. M. Petridis-Straße) und Dokuz Sokak (Parthenopis-Straße) wurden zahlreiche Gräber ausgegraben. Das wichtigste Grabmonument gibt die Fassade eines hell. Privathauses wieder und ist mit einem Schild in Relief (*aspís*) versehen. Eine dicht belegte Nekropole befindet sich im Zentrum, auf dem Hügel Kizil Tepe, der h. vom Stadtbezirk Agia Triada und Analipsi überdeckt ist. Zahlreiche Gräber wurden auch hier ausge-

Abb. 2:
Hellenistischer Grabkomplex.
Rhodos, Stadtnekropole

graben. Einige der monumentalen Grabanlagen konnten inmitten der mod. Bebauung bewahrt werden, so das sog. hell. Karyatidengrab und ein Grabkomplex, der sich in der Nähe von Rhodini, nicht weit von dem schon bekannten monumentalen sog. Ptolemäer-Grab befindet. Der Grabkomplex hat eine rechteckige Form, mit einem Hof, der in seiner ersten Bauphase von einer Säulenstellung umgeben war, mit Gräbern auf der südl. Schmalseite und einem Grabnaiskos auf der Westseite. Interessante Skulpturen schmückten das Grabmonument. Sehr wichtige Gräber sind auch in der zentralsüdl. Nekropole entlang der Straße, die nach Lindos führt, entdeckt worden. In der Südost-Nekropole (Korakonero) wurden frühe Gräber westl. der Straße, die nach Kallithea führt, gleich jenseits des Rhodini-Baches und der dort befindlichen hell. Brücke gefunden. Weitere Gräber wurden, immer auf der Westseite derselben Straße, oberhalb des Felsens mit dem schon bekannten Relief einer Reiterfigur (Hephaistos) ausgegraben. In der Nähe von Kallithea wurden zwei bedeutende Grabreliefs gefunden, von denen das eine schon in das zweite Viertel des 5. Jh. v. Chr. zu datieren ist, also aus einer Nekropole stammt, die vor der Gründung der Stadt gegen E. desselben Jh. angelegt worden sein muß. Das zweite Relief ist späthellenistisch.

Obwohl die Masse der Gräber der hell. Periode angehört, finden sich sowohl ältere als auch jüngere Gräber. Die Entdeckung von Gräbern des 4. Jh. v. Chr. in beträchtlicher Entfernung von der Stadtmauer verweist einerseits auf eine planmäßige Anordnung und Verteilung der Nekropolen und andererseits auf eine mehrfach festgestellte frühe Bewohnung des Gebiets, wo die spätere Stadt systematisch geplant wurde, und dessen Umgebung. Die Grabarchitektur von Rh. zeigt Einflüsse aus verschiedenen Teilen der hell. Welt, die dem kosmopolitischen Charakter der Stadt entsprechen. Reiche Beigaben wurden in den zahlreich ausgegrabe-

nen Gräbern gefunden, während eine große Anzahl von Inschr. den bisherigen Bestand wesentlich bereichert hat.

Im Gebiet der Stadt und ihrer Nekropolen ist es endgültig gelungen, zwei große Areale als arch. Zonen und → Archäologische Parks unbebaut zu bewahren, und zwar die Akropolis (Agios Stephanos, Monte Smith) und einen Teil der Nekropole im Gebiet des Rhodini-Tals. Auch kleinere Flächen wurden an verschiedenen Stellen der Stadt und der Nekropolen, andere unterhalb von mod. Bauten sichtbar bewahrt.

Auf der übrigen Insel sind die wichtigsten arch. Ergebnisse der letzten 25 J. einerseits die systematische Erforsch. der Vorgeschichte der Insel und andererseits die Wiederaufnahme und Fortsetzung der Ausgrabungen der minoisch-myk. Siedlung in der Ebene von Trianda (Ialysos). Bis vor wenigen Jahrzehnten war die Vorgeschichte der Insel nur bruchstückhaft bekannt. In den letzten J. ist die neolithische Phase durch neue Funde und systematische Forsch. hauptsächlich in Höhlen erfaßt worden. Die Frühbronzezeit ist durch die Ausgrabung von Asomatos (Kremasti, Gebiet von Ialysos) vertreten. Zu jener Zeit stand Rh. gleichwertig neben den bekannten kulturellen Zentren der Ägäis, bes. Lemnos, sowie Anatoliens (→ Troja), der Kykladen und des griech. Festlands. Die Mittel- und Spätbronzezeit ist h. durch die Ausgrabungen von Trianda gut bekannt. Diese Ausgrabungen haben die Bed. der minoisch-myk. Siedlung als eine der wichtigsten Kulturstätten der Ägäis bestätigt. In der frühen spätminoischen Zeit umfaßte die Siedlung, die am Meer lag, eine Fläche von ca. 17 ha. Im Zentrum der Ereignisse dieser Zeit stand der große Ausbruch des Vulkans von Thera (Santorin), der mit mehreren Erdbeben verbunden war. In der gegenwärtigen prähistor. Forsch. werden diese Ereignisse teilweise vom 16. ins 17. Jh. v. Chr. hinaufdatiert. Die Ausgrabungen von Trianda, wo eine gut erkennbare

Schicht von Vulkanasche zutage kam, leisten h. einen wesentlichen Beitr. zur Erforsch. dieser Periode in der Ägäis. Die Siedlung weist einen starken Einfluß der Kultur des minoischen Kreta in den meisten ihrer Aspekte auf. Nach dem großen Erdbeben und dem Vulkanausbruch wurde sie in kleinerem Umfang am Meer neugebaut. Seit E. des 15. Jh. v. Chr. hatte sie einen myk. Charakter, was die Anwesenheit von Achäern auf der Insel schon zu dieser Zeit beweist. Die Siedlung in der Ebene wurde verhältnismäßig früh verlassen und das Leben in größerer Nähe zur Akropolis von Ialysos (Filerimos) fortgesetzt, wo sich im 1. Jt. v. Chr. auch die spätere Stadt Ialysos mit ihren Nekropolen entwickelte. Diese histor. Phase von Ialysos ist von den it. Archäologen systematisch erforscht worden. Interessante Funde aus dieser Periode wurden in den letzten J. auch zw. Trianda und Kremasti entdeckt. Die zahlreichen spätmyk. Nekropolen, die seit vielen J. bekannt sind, verweisen auf eine Expansion der myk. Kultur über die ganze Insel. Unsere Kenntnis der myk. Nekropolen wurde in den letzten J. ebenfalls bereichert. Der wichtigste Fund ergab sich in der Nähe des Dorfes Pilona, nicht weit von Lindos.

Im Nordwesten der Insel, noch im Gebiet von Ialysos, ist die Ausgrabung im Heiligtum des Apollon Erethimios seit 1989 in Zusammenarbeit mit dem arch. Seminar der Univ. Ioannina erneut aufgenommen worden. Interessante prähist., geom. und archa. Funde wurden unterhalb des klass. Tempels entdeckt, was auf eine frühere Nutzung des Platzes hindeutet. In der Nähe des Theaters wird ein großes, langgestrecktes, hallenförmiges Gebäude aus späthell. Zeit ausgegraben. Nicht weit davon entfernt wurden ein reiches Depot mit hell. Amphoren sowie die Reste einer frühchristl. Kirche mit einem Baptisterium und Gräbern aus derselben Periode ausgegraben.

In Lindos, wo ein systematisches Projekt für die Konsolidierung der it. Restaurierungen auf der Akropolis noch im Gang ist, waren die Reste einer Festungsmauer der spätarcha.-frühklass. Periode in der Unterstadt der wichtigste arch. Fund der letzten Jahre. Im Südosten der Insel, im Gebiet von Lindos, wurde in der Nähe des Dorfes Vati eine kleine Nekropole entdeckt; zwei Gräber aus geom. Zeit sind hier von bes. Bedeutung.

Viele Ausgrabungen werden weiterhin sowohl in der Stadt Rh. und ihren Nekropolen als auch in Ialysos und auf der übrigen Insel durchgeführt bzw. fortgesetzt.

1 M. BENZI, Rodi e la Civiltà micenea, 1992
2 N. BONACASA, s. v. Ialiso, in: EAA, Bd. IV, 1961, 65 ff.
3 S. DIETZ, I. PAPACHRISTODOULOU (Hrsg.), Archaeology in the Dodecanese, 1988 4 S. DIETZ, L. WRIEDT-SØRENSEN, P. PENZ, Lindos, Bd. IV, Hefte 1 u. 2, 1984–1992
5 J. FEDAK, Monumental Tombs of the Hellenistic Age, 1989 6 P. FRASER, Rhodian Funerary Monuments, 1978
7 CH. GATES, Burial Practices at Ialysos and Kameiros during the Mid-Archaic Period, 1984 8 W. HÖPFNER, L. SCHWANDNER, Haus und Stadt im klass. Griechenland, ²1994, 51 ff. 9 CH. KAROUSOS, Rh., ²1973 10 I. KONDIS, Zum ant. Stadtbauplan von Rh., in: MDAI(A) 73, 1958, 146 ff. 11 G. KONSTANTINOPOULOS, Archaia Rh., 1986 (griech.) 12 H. LAUTER, Die Architektur des Hell., 1986
13 T. MARKETOU, Excavations at Trianda (Ialysos) on Rh. New Evidence for the Late Bronze Age I Period, in: Atti della Accademia nazionale dei Lincei, Rendiconti, serie 9, 1998, Heft 1, 39 ff. 14 CH. PAPACHRISTODOULOU, Istoria tis Rhodou, ²1994 (griech.) 15 I. PAPACHRISTODOULOU, s. v. Rodi, in: EAA, Secondo Dupplemento IV, 1971–1994, 766 ff. 16 A. SAMPSON, The Neolithic of the Dodecanese and Aegean Neolithic, in: ABSA 79, 1984, 239 ff. 17 Ders., Die neolithische Periode in der Dodekanes, 1987 (griech.).

IOANNIS PAPACHRISTODOULOU

Corrigenda zu Band 13 – 15/2

DNP-Spalten haben – je nach Seitenlayout – etwa 55–59 Zeilen. Die Zeilenzählung in der folgenden Liste geht jeweils vom Beginn der Spalte aus; Leerzeilen werden nicht mitgezählt. Die korrigierten Wörter sind durch Kursivierung hervorgehoben.

Stichwort   Spalte, Zeile   *neu* (im Kontext)

BAND 13

BERICHTIGUNG DER KARTEN- UND ABBILDUNGSNACHWEISE (XII-XVIII)
Athen V. XIII Bildnachweis 1, 2, 3 *Αρχαιότητες*
    XIII Bᴉʟᴅɴᴀᴄʜᴡᴇɪs 4 *Καββάδιας*
Babylon XIII ersetze Bildnachweis 1 durch: *1. J.* Wᴀɢɴᴇʀ *, Weltkarten der Antike, 1.2 Tabula Peutingeriana (Segmente VIII–XII nach der Bearbeitung von* Kᴏɴʀᴀᴅ Mɪʟʟᴇʀ *), TAVO B S 1, 1984 © Dr. Ludwig Reichert Verlag, Wiesbaden*
    XIII ersetze Bildnachweis 2 durch: *2. H.* Gᴀᴜʙᴇ, *E.* Vᴏʟʟᴇ *, Die Karten des Ibn Ḥauqual, ca. 988 n. Chr., TAVO B S 2, 1982 © Dr. Ludwig Reichert Verlag, Wiesbaden*
Delos XVI ersetze Bildnachweis 1 durch: *1. Delos. Archäologischer Lageplan. Nach: Exploration archéologique de Délos, 1902–1985 (35 Bände) sowie* Pʜ. Bʀᴜɴᴇᴀᴜ, *J.* Dᴜᴄᴀᴛ, *Guide de Délos,* ³*1983*
    XVI ersetze Bildnachweis 5 durch: *5. Die Insel Delos. Nach: Exploration archéologique de Délos, 1902–1985 (35 Bände). Beilage in Band 1 (1909)*
Delphi XVI Bildnachweis 1, 2 und 3: École Française *d'*Athènes,

BERICHTIGUNG DER LEMMATA IN BAND 13
    XIX ergänze: *Affektenlehre (musikalisch)*

ERGÄNZUNG DES ABKÜRZUNGSVERZEICHNISSES (XXI-LVI)
Allgemeine Abkürzungen
    XXI ergänze: *bes. besonders*
    XXI byz. *Byzanz, byzantinisch*
    XXII ergänze: *insbes. insbesondere*

Antike Autoren und Werktitel LVI ergänze:

Xen. Ag.	*Xenophon, Agesilaos*
an	*anabasis*
apol.	*apologia*
Ath. pol.	*Athenaion politeia*
equ.	*de equitandi ratione (περ/¹ ἱππικῷ)*
hell.	*hellenica*
Hier.	*Hieron*
hipp.	*hipparchicus*
kyn.	*cynegeticus*
Kyr.	*Cyrupaideia*
Lak. pol.	*Lakedaimonion politeia*
mem.	*memorabilia (ἀπομνημονεύματα)*
oik.	*oeconomicus*
symp.	*symposium*
vect	*de vectigalibus (πόροι)*
Xenophan.	*Xenophanes*
Zen.	*Zenon*
Zenob.	*Zenobios*
Zenod.	*Zenodotos*
Zeph.	*Zephania*
Zon.	*Zonaras*
Zos.	*Zosimos*

BERICHTIGUNG DER STICHWÖRTER

Afrika 23, 49 *Sen-ghor*

Albanien 62, 41 streiche: *Vepra,*

Altsprachlicher Unterricht 115, 53 *Human.* Gymnasium

Apophtegma 158, 55 ***Apophthegma***

Apotheose 161, 12 *Consecratio*

Arabische Medizin 185, 26 *Dǧibril ibn Bakhtišuʿ*

185, 29 und 30 *Isaq*

185, 31 *Hubaiš*

Archäologischer Park 219, 13 (Abb. *3*)

220, 8 streiche: *, Abb. 3*

220, 11 ergänze: Tempelbezirks, *Abb. 4*

Aristotelismus 265, 3 *ΝΟΥΣ ΠΟΙΗΤΙΚΟΣ*

Artes Liberales 273, 55 *bezeichnen*

Athen 283f., Abb. 2 ersetze die Legende durch: *Die in München und Athen 1833 veröffentlichte Lithographie zeigt eine Version des Planes von Stamathios Kleanthes und Eduard Schaubert für ein klassizistisches Neu-Athen. Griechische Beschriftung. Dekorative Einrahmung mit einzelnen Veduten von Monumenten. Nordung nach unten, Maßstab des Originals 1:8000, hier ca. 1:3000. Staatliche Graphische Sammlung München*

285, 22f. Unersetzt ist nach wie *vor*

285 f., Abb. 3 ersetze die Legende durch: *Titelblatt des ersten neuzeitlichen Standardwerks zur Geschichte des athenischen Staates: De republica Atheniensium des Carolo Sigonio, erstmals 1564 in Bologna erschienen und wiederholt nachgedruckt, hier mit einer Illustration am Anfang des Werkes in den Opera omnia, Band 5, Mailand 1736*

287 f., Abb. 4 ersetze die Legende durch: *Leo von Klenze, Ansicht der Propyläen in München von Westen, 1848. Öl, auf Sperrholz übertragen. Stadtmuseum München*

290, 42 *Μιχαήλ*

321, 10 *Ἀπό τόν Ἀθηναϊκό Κεραμεικό του 8ᵒᵘ π. Χ. αἰώνα*

321, 26 *ΕΛΕΥΘΕΡΟΥΔΑΚΗΣ, Ἐγκυκλοπαιδικόν*

321, 37 *S. KARUSU*

321, 38 *τοῦ Ἐθνικοῦ*

321, 39 *Μουσείου*

322, 4 *Αἱ παρά τοῦ Διπύλου ἀνασκαφαί*

322, 10 *Β.Χ. ΠΕΤΡΑΚΟΣ*

322, 11 *Ἐταιρεῖα*

333, 11 *ΚΑΡΟΥΖΟΣ, Ἀρχαία Τέχνη, in: Ὁμιλίες-Μελέτες*

333, 14 *Ἡ νέα Ἔκθεση τῶν Ἑλληνικῶν Ἀγγείων στό »Αὐστριακό*

333, 16 *Ἐθνικοῦ Μουσείου*

333, 17 *Ἡ μέριμνα γιά τίς*

333, 18 *ἀρχαιότητες στήν Ἑλλάδα καί τά πρῶτα Μουσεῖα*

Aufklärung 341, 46 (*1714–1780*); J. *Le* Rond d'Alembert

341, 52 *J.-A.-N.* de Condorcet

343, 4 *Essai*

349, 20 GG Ph² Bd. 2/1

Barberinischer Faun 393, 7 *Winckelmanns*

393, 39 *WINCKELMANN*

Barock 396, 29 *Übertragung*

Bayern 444, 27 *Walter Otto*

Boeckh-Hermann-Auseinandersetzung 526, 47 *Nietzsche-Wilamowitz-Kontroverse*

526, 58 1988, *39–75*

527, 17 *Schulpolitik*

Botanik 536, 57 *botaniké (sc. epistémē)*

Byzanz 592, 8 *I. GESCHICHTE*

Caesarismus 629, 47f. streiche: *und Jens Köhler*

Deutsche Orient-Gesellschaft 745, 27 *Habūba*

Deutschland 793, 8 *Helmstedt*

794, 1 *Melanchthon*

805, 28 *V. RIEDEL*

Digesten/Überlieferungsgeschichte 845, 6 ersetze: 1. CODEX FLORENTINUS durch: *1. CODEX FLORENTINUS DIGESTORUM*

846, 15   ersetze: 2. WEITERE SPÄTANTIKE TEXTZEUGNISSE durch: 2. *HANDSCHRIFTENFRAGMENTE*
846, 44   ersetze: 3. BASILIKEN durch *3. WEITERE SPÄTANTIKE TEXTZEUGNISSE*
847, 2   Wien, NB 2160
Domschule   867, 45   *dem* pädagogisch richtungweisenden Erlaß
867, 46   Erlaß Karls des *Gr.,*
Eleusis   952, 30   τῆς
Enzyklopädie   973, 35   durch *den*
974, 53   *U. Diese*
974, 57   *1966*
Estland   1045, 24   *I. Lateinische Sprache*
Fälschung   1084, 3   christl. Lit., *1993.*
Faschismus   1105, 24   Ü: *Brigit Lienert*

BAND 14

Gnosis   230, 25   *Kabbala*
Greek Revival   252, 53   streiche: *Dorischer Eckkonflikt*
Humanismus   544, 10   Manuel *Chrysoloras*
Island   652, 18   *Harðarson*
Italien   697, 38   *das* Erfordernis
Jesuitenschule   752, 21   *Lukács*
Kampanien   787, 28   *Anth. Latina*
788, 31   und *Ecloga* XII
790, 32   *Oestreich*
791, 52   Les *»antiquités« des Champs*
Karthago   848, 40   *IM KULTURELLEN GEDÄCHTNIS*
Klassische Archäologie III. Kontextuelle Archäologie   943 f. Abb. 1 ersetze die Legende:
1. Pompeji: Repräsentative Häuser des 2. bzw. 1. Jh. v. Chr.
Stark frequentierte Straßen nach der Dichte der Graphitti
Plangrundlage nach: L. Richardson, Pompeii. An architectural history, 1988, XXIV
Repräsentative Häuser des 2. Jh. v. Chr.
nach: H. Lauter, Zur Siedlungsstruktur Pompejis in samnitischer Zeit, in: B. Andreae, H. Kyrieleis (Hrsg.), Neue Forschungen in Pompeji und den anderen vom Vesuvausbruch 79 n. Chr. verschütteten Städten, 1975, 147–52, hier 150 Abb. 136
»Hanghäuser« des 1. Jh. v. Chr.
nach: P. Zanker, Pompeji. Stadtbild und Wohngeschmack, 1995, 81 Abb. 30
Stark frequentierte Straßen
nach: R. Laurence, Roman Pompeii. Space and Society, 1994, 98 Abb. 6.5; 6.6
945 f. Abb. 2 ergänze die Legende: *nach: B. Bergmann, Rhythms of recognition. Mythological encounters in Roman landscape painting, in: F. de Angelis, S. Muth (Hrsg.), Im Spiegel des Mythos. Bilderwelt und Lebenswelt, Symposium, Rom 19.–20. Februar 1998 (= Palilia 6), 1999, 81–107, hier 100 Abb. 14*
947 f. Abb. 3 ergänze die Legende: *nach: C. Bérard, L'Héroon à la porte de l'ouest (= Eretria 3), 1970, Beilage III*
949 Abb. 4 ergänze die Legende: *nach: B. d'Agostino, Tombe »principesche« dell'orientalizzante antico da Pontecagnano, in: Monumenti Antichi 49, Ser. Misc. 2, 1977, 1–110, hier 91 Abb. 13*
950 Abb. 5 ergänze die Legende: *nach G. Maddoli, Diversità e unità del mondo greco. L'occidente, in: S. Settis (Hrsg.), I. Greci. Storia, cultura, arte, società 2. Una storia greca I. Formazione, 1996, 995–1034, hier 1012 Abb. 4*
Klassizismus   976, 48   ζῷον

BAND 15/1

Lykanthropie   245, 49   streiche: *→AWI Lykanthropie*
Makedonien/Mazedonien   279, 57   *Oddel.*
Metapher/Metapherntheorie   407, 42   streiche: *W.* Nietzsche
Mischverfassung   446, 10   Republik*; Verfassung; Verfassungsformen*
Mnemonik/Mnemotechnik   481, 15   Schmidt-*Biggemann*
Moldova   535, 22   *Chişinau*
Nacktheit in der Kunst   650, 3   *Fürst der Welt*

Naturwissenschaften   830, 43   T. Lucretii *Cari* de rerum natura libri sex.

852, 41   *spekulativen*

Neuhumanismus   925, 3   *1750–1970*

Nietzsche-Wilamowitz-Kontroverse   1070, 24   *1994, 200–225*

Notar   1091f., Abb. 1   Der Priester *Octavianus*

1093f., Abb. 2   ergänze die Legende: *(Lucca, Archivio Archivescovile, perg. *J39)*

1097f., Abb. 3   ersetze Zeile 1 und 2 der Legende: *Abb. 3: Ausschnitt einer frühmittelalterlichen Pergamenturkunde (es fehlt rechts ein Streifen von ca. 3 mm).*

Deutlich sind die eigenhändigen Unterschriften des Schreibers Perterad (Z. 25; das Ende ist abgeschnitten),

1099f., Abb. 4 ersetze Zeile 1 und 2 der Legende: *Abb. 4: Ausschnitt einer Seite aus einem Imbreviaturbuch von 1238 (am linken Rand ist das F von FCC fast ganz abgeschnitten).*

Okkultismus   1149, 21   →Philosophia perennis

BAND 15/2

Pakistan/Gandhara-Kunst   36, Abb. 4   6. Jh. n. *Chr.*

40, 5   *Ethnographisch*

Paläographie, griechischische   41, 26   *griechische*

Papyri, literarische   72, 28   der *Neuen* Komödie

Papyrussammlungen   97, 10   *1902–1914*

Paris, Louvre   112, Abb. 3   Aus Theben (*Griechenland*)

Park   160, 49   *hugenottische*

Philologie   313, 43   *betreiben*

Religionsgeschichte   696, 3   einer *indoeurop.* Religion

Republik   728, 5   mit *Pilos* auf der Stange

Revolution   741, 29   I. ENGLISCHE, AMERIKANISCHE, *FRANZÖSISCHE* REVOLUTION

741, 31   I. ENGLISCHE, AMERIKANISCHE, *FRANZÖSISCHE* REVOLUTION

Rom I.   849f., Abb. 3   (oben rechts) ersetze: Via del Cassco durch: *Via del Portico d'Ottavia*

849f., Abb. 3 (rechter oberer Bildrand)   streiche: Circo Flaminio

Rom IV.   909, 32   füge ein: **6a** *K.-D. DORSCH, H. R. SEELIGER, F. BISCONTI, Römische Katakombenmalereien im Spiegel des Photoarchivs Parker: Dokumentation von Zustand und Erhaltung, 1864–1994, 2000*

Rußland   1017, 51   *Grečeskie*

1022, 12   *Nežin*

1027, 12   (Kryptonym von *Ja. S. Lurie*)

CORRIGENDA ZU KARTEN UND ABBILDUNGEN

BAND 13

Briefkunst/Ars dictaminis   547f.   vgl. den korrigierten Neuabdruck unten

Deutschland IV. 19. Jahrhundert, bis 1918   807f.   vgl. den korrigierten Neuabdruck unten

Briefkunst / Ars dictaminis

Abb.1: Das Schema verdeutlicht die Korrespondenzen zwischen den kanonischen Textteilen des *dictamen* (Spalten II/III) und denjenigen der spätantiken/frühmittelalterlichen Tradition der Urkunde bzw. des offiziellen Briefes einerseits (Spalte I) sowie denjenigen der Redeteile nach der antiken Rhetorik andererseits (Spalte IV). Dabei wird deutlich, daß die kanonische »Kompromiß«-Terminologie für das *dictamen* (Spalte III) stärker von der antiken Rhetorik beeinflußt ist als die ältere »experimentelle« Terminologie (Spalte II). Außerdem deutet der Verlauf der Pfeile im unteren Teil der Spalte III und IV an, daß die Terminologie eine Parallele zwischen *conclusio* im Sinne der antiken Rede (IV) und *conclusio* im Sinne der *ars dictaminis* (III) nahezulegen scheint, obwohl, qua »pragmatisches Zentrum« des Textes, eher die *conclusio* der antiken Rede (IV) und die *petitio* des *dictamen* (III) zu parallelisieren wären

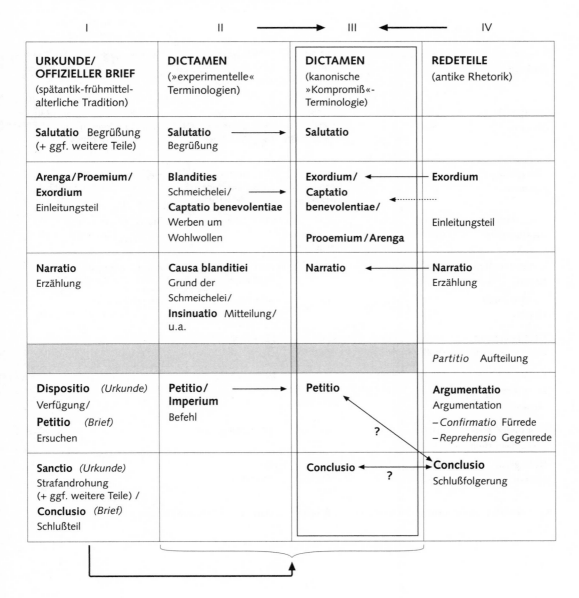

Deutschland IV 19. Jahrhundert, bis 1918

Land	Abitur	Lehramts-prüfung	Lehrplan	philologisches Seminar	Antiken-Sammlungen/-Museen
Königreich Preußen	1812, 1834	1810, 1831	1812, 1837	1787 Halle 1812 Berlin 1810/1822 Königsberg 1812 Breslau 1819 Bonn 1821 Dorpat 1822 Greifswald 1824 Münster	Tegel: Sammlung Humboldt 1824 Berlin: Altes Museum 1830, Neues Museum 1855 Beynuhnen (Ostpreußen): Museum Fahrenheid 1852 Mainz: Römisch Germa-nisches Zentral-Museum 1852
Königreich Sachsen	1829/30	1848	(1773), 1846	1809 Leipzig 1817 Jena (Großherzogtum Sachsen-Weimar)	Dresden 1785
Königreich Bayern	1809, 1824, 1830	1809	(1808), 1816, 1824-1838	1777 Erlangen 1812 München 1848 Würzburg	München: Glyptothek 1830 Würzburg: Sammlung Martin v. Wagner 1858
Königreich Hannover	1829	1831	ohne gesetzliche Regelung	1738 Göttingen 1779 Helmstedt (-1810)	Hannover: Sammlung Kestner 1889
Königreich Württemberg	(1811), 1854	1853	ohne gesetzliche Regelung	1838 Tübingen	Stuttgart: Sammlung Dannecker 1811
Großherzogtum Baden	1823, 1832	1837	1837	1807 Heidelberg 1830 Freiburg	Karlsruhe: Kunsthalle 1846
Kurfürstentum Hessen	1820, 1832	1832	1832	1811 Marburg	Kassel: Museum Fridericianum 1779
Großherzogtum Hessen-Darmstadt	keine Angaben	keine Angaben	keine Angaben	1812 Gießen	
Großherzogtum Mecklenburg-Schwerin	1820, 1833	nicht vorhanden	ohne gesetzliche Regelung	1829 Rostock	
(Schleswig) Her-zogtum Holstein	(1814), 1858	1857	1814, 1848	(1777), 1810 Kiel	
Herzogtum Nassau	(1817), 1830	1845	1817, 1846, 1855	nicht vorhanden	

Abb. 1: **Institutionalisierung der Klassischen Bildung in deutschen Flächenstaaten**

Alphabetisches Verzeichnis der Lemmata mit Namen der Autorinnen und Autoren

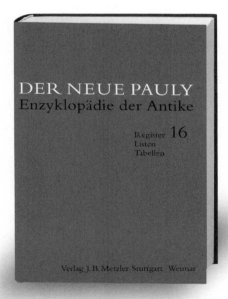

BY Suzzy Chalfant Payne and Susan Aylsworth Murwin

Quick and Easy Patchwork on the Sewing Machine
The Quick and Easy "Giant Dahlia" Quilt
Creative American Quilting Inspired by the Bible

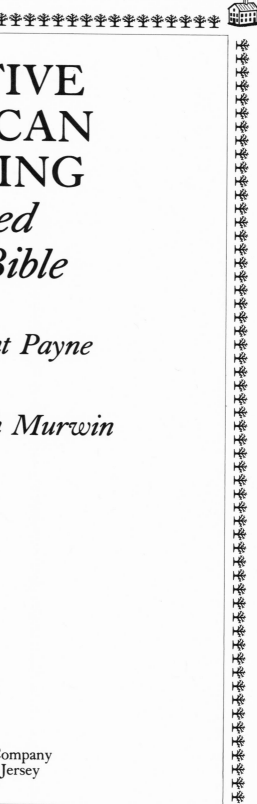

CREATIVE
AMERICAN
QUILTING
Inspired
by the Bible

Suzzy Chalfant Payne

and

Susan Aylsworth Murwin

Fleming H. Revell Company
Old Tappan, New Jersey

Scripture quotations are based on the King James Version of the Bible.

Photo credits
Jacob's Ladder, The Dove quilts, and Three Crosses wall hanging by Myron
Miller for *Good Housekeeping*.
Used by permission
David and Goliath, King David's Crown, Solomon's Puzzle, Rose of Sharon, Star
of Bethlehem, and Crown of Thorns quilts, Tree of Life wall hanging, and Ho-
sanna banner by Edward Carenza.
Children of Israel and Caesar's Crown quilts by Michele Rankin.
Front cover and interior photographs of Job's Tears quilt and of Joseph's Coat pil-
lows taken by Myron Miller at the Bush-Holley House in Cos Cob, Connecticut.

Interior book design by Gregory Eaton Clark.

Library of Congress Cataloging in Publication Data

Payne, Suzzy Chalfant.
Creative American quilting inspired by the Bible.

1. Quilting.   2. Bible crafts   I. Murwin, Susan Aylsworth.   II. Title.
TT835.P39   1983   746.9'7041'0973   82-12354
ISBN 0-8007-1322-2

TO
Our Children
Elizabeth Ashley and Margaret Gerry Payne
and
Thad Christian, Stephen David, Wendy Suzanne, Whitney Elizabeth,
Courtney Teresa Jeanette, and Melinda Emily Kathleen Murwin

·C·O·N·T·E·N·T·S·

·P·R·E·F·A·C·E·

The idea for this book was almost discarded the first time it was discussed. Surely a study had been made of traditional American quilting patterns with biblical inspiration. We examined the quilting books in our local libraries and in our own collections; as expected, we found that nearly every work on American quilts included a chapter or a few pages on patchwork inspired by the Bible. No book, however, was devoted entirely to the subject.

There are hundreds of American quilt patterns, and their names describe the political and cultural enthusiasms and values of their creators. Our list of about twenty-five biblical pattern names seemed to play only a small part in the history of American quilting. But we found that about a dozen biblical patterns were used for a large number of quilts in every section of the country for at least one hundred and fifty years. The tradition of American patchwork inspired by the Bible did appear to be important enough for further study.

Many quilt-patch names recall the everyday life of Colonial and pioneer times—Chips and Whetstones, Hole in the Barn Door, Dusty Miller. Hundreds of pieced-work and appliquéd designs depict the flowers and fields and forests of this immense land—Prairie Lily, Corn and Beans, Oak Leaf and Acorn. Some American patchwork patterns reflect the optimism and sense of humor of their makers—Fruitful Vine, Crazy Ann. Others express the pervading dangers and worries—Bear's Paw, Indian Hatchet, Lost Ship.

A number of patterns commemorate significant events and heroes in the developing years of the nation: Whig's Defeat, Fifty-Four—Forty or Fight, Lincoln's Platform. Similarly, the heroic characters and memorable stories of the Old Testament inspired the majority of the patterns with biblical names. The New Testament patterns are named predominantly for the dramatic events of the last week of Jesus' life.

Our first task was to choose the patterns we wanted to research and to make into quilts. We eliminated some maverick designs and the patterns whose names were religious but were not strictly biblical, such as Heavenly Steps, Golden Gates, and World Without End. When more than one pattern illustrated the same biblical event, we chose the design that was the most attractive to us.

We have arranged the patterns in biblical sequence. Each chapter begins with the particular passage from the Bible that most likely inspired the name of the quilt pattern. The King James Version of the Bible is used because that was the English translation of Holy Scriptures in popular use during the years when quilt patterns originated.

Three phases of our project began at the same time and took a year to complete: the research into biblical and American history for the essays in each chapter; the instructions, drawings, and templates for the quilt patterns; and the designing and sewing of the quilts. Sorting our data and writing the chapters consumed many more months.

Our main goal in writing instructions for patchwork is to make them readable and clear. We think that directions for sewing written in paragraph style are very difficult to follow. Therefore, we have evolved a two-column format for these patterns, similar to a cookbook layout. Annotated diagrams of the basic units for making the quilt blocks are in the left-hand column. Numbered sewing instructions and accompanying fabric drawings are in the right-hand column.

As soon as we had drafted the patterns for this book and made the templates, we began working on the instructions. In our experience, the best way to catch fuzzy or misleading directions is to allow a lapse of six to eight weeks between drafts so that we can evaluate them repeatedly with fresh interest. A pattern usually goes through several complete sets of instructions before one set is approved for publication. In addition, all of the patterns in this book were tested by our students.

Our sewing methods offer tricks and shortcuts for making traditional patchwork on the sewing machine. The fundamental skills for sewing patches made from any geometric form can be learned quickly. We hope our readers will be like our students, who begin to feel like quilters with their first quilt block and who become speedy and confident after a little practice. Even though some of the patterns in this book have complex combinations of geometric forms, we believe they can be sewn by anyone who is willing to work with precision and to give attention to details.

It is only when the technique is mastered for

any art or craft that self-consciousness can be abandoned and the creative self released. With our methods the freedom to express oneself in the creation of beautiful quilts can be achieved in an amazingly short time.

In the summer of 1978 we were faced with the nearly overwhelming job of having to design and complete fifteen quilts in one year. Naturally, there were some conditions. The quilts had to be planned for a broader appeal than our personal home decorating schemes. Many varieties of colors and fabrics should be included. Several types of quilt sets should be represented. Furthermore, the quilts had to be photogenic.

At first we felt almost paralyzed in awe of the responsibility to our publisher, who was placing such faith in us. In our view, we had a two-fold problem. On the one hand, we had to create fifteen quilts and meet a deadline. On the other hand, we had *only* fifteen quilts with which to illustrate a reasonable sampling of contemporary design and color approaches for America's biblical heritage in patchwork.

The pressure of passing time was a daily burden. We live three hundred miles apart and could meet for only occasional working weekends. These quilts could not be doodled over or pondered and discussed in leisurely consultation. Instead, we had to use the United States mail—and the telephone. Fabric swatches and graph paper layouts arrived in the mail for each of us every day for several months. More than one quilt border was designed during a telephone conversation. This was the only process available to us, and through it we learned that sometimes quilts must be discovered as much as they must be designed.

How the Quilts Were Designed

One quilt was inspired by a fabric that does not appear in the quilt. A drapery material with thin stripes of white and stripes of orange, yellow, and green in varying shades and widths expressed exactly the color impact we wanted for Caesar's Crown. The crowns are appliquéd onto a cotton satin of deep burnt orange. The edge-to-edge set of the plain background blocks creates a flower-shaped cross wherever four blocks meet. This secondary design is lost if lattice strips are used in a Caesar's Crown quilt. We think a dark background color strengthens this flower-cross design as well.

The border is a simple picture frame for the boldly colored quilt. Its quilting design is an interpretation of the spiral forms in the decorative relief on the Altar of Peace, erected by Augustus Caesar in Rome, 13–9 B.C.

David was Israel's greatest king. We knew King David's Crown had to look rich and royal, but it could not be purple. We had to save purple for the Crown of Thorns quilt. In the Old Testament, blue and scarlet and gold are mentioned as often as purple as the most glorious colors to dress God's priests and tabernacle. A remnant of multi-striped and figured polished chintz, in gold and deep blue, controlled the design of this quilt. Different sections of it were cut for the inner borders, the border of twenty large triangles, and the binding border. Not a usable scrap remained. The gold and white French chintz and other blue and scarlet prints were also lucky remnant finds.

There are two versions of the King David's Crown pattern. We used an eight-inch block of the older version in the center of the center medallion. An outline of that pattern became the quilting design in the white squares of the sixteen small crowns surrounding the medallions.

We wanted this quilt to reflect the ancient Near East in the era of David, the tenth century B.C., and all of the quilting designs were planned for that effect. The regularly spaced rosettes on the white border are similar to rosette motifs on fragments of low relief sculpture that were uncovered in the Mesopotamian Valley by archaeologists in this century. On the red border we used an interlocked double zigzag design. This rigidly symmetrical pattern is reminiscent of designs found on the metalwork and pottery of many ancient cultures.

Of all the quilt patterns with biblical names, Jacob's Ladder may be the most widely known. It is the easiest to sew of those in our collection. It was perhaps our most troublesome quilt to design. Jacob's Ladder quilts have been made frequently by quilters in our time, and many photographs of these quilts have appeared in modern publications. It seemed to us that almost every set variation of the block had been tried in recent years. We finally decided to do our Jacob's Ladder without any alterations. We have used a straight set and have made the border the dominant interest in the quilt. The vigorous outlines of the patches of the pieced border contrast with the delicate rose and pink flowered fabrics used in the quilt.

The quilting in the body of the quilt emphasizes the diagonal lines of Jacob's Ladder. Branches of almond leaves decorate the outer border, because Jacob used rods of the almond tree in one of his attempts to outwit his father-in-law, who cheated him so often. In the corners of the quilt, the branches curve into pairs of rams' horns, the two-toned trumpet used by the Israelites as a signaling instrument.

Every reader of the Bible has his own mental image of Joseph's coat of many colors. This pattern seemed the perfect choice for the only set of pillows in the collection: Joseph's Coat could be interpreted six ways.

We had used the Joseph's Coat pattern in our advanced classes long before we thought of a book about patterns with biblical names. Our students were given papers with line drawings of Joseph's Coat so that they could experiment with various colorings. Becky Herdle's talent for manipulating patches to create optical illusions led us to ask her to design the pillows. We have enjoyed displaying these pillows as much as any full-size quilt in the book. Even experienced patchwork artisans pause to contemplate the totally different results that are possible from one quilt block of squares and triangles.

The fabric colors are harsh and hot; perhaps observers will imagine the heat of the desert sun and remember that the child was thrown into a pit, without water. One pillow has twenty patches of silver cloth, to symbolize the price for which Joseph was sold—twenty pieces of silver.

A suitable caption for the Solomon's Puzzle quilt might read: "After the manner of an Amish quilt." For some years both of us had admired antique Amish quilts with their exquisite quilting designs and stunning, often startling, colors. We thought we might try one, too. The quilt in this book is our second version of the same idea. Our first attempt conformed to the Amish guidelines for their quilts as we understand them, but it was a visual failure. Our children were quick to tell us that we had "created a monster." After much humbling analysis, we realized that our anxiety to make a correct Amish quilt had led us to become imposters in imitation of Amish boldness. We are not Amish; we could never create an authentic Amish quilt.

Our children approved the second version when the lavender prints and patches of cotton satin were being pieced for the Solomon's Puzzle pattern. Still, none of them want to inherit the quilt; they say the black border ruins it. We are confident that someday they will appreciate that border, because of its elaborate quilting designs. They are Ruth Mettler's interpretation of the open flowers, lily work, and pomegranates that decorated the cedar walls and the brass pillars of Solomon's temple, as described in the Book of 1 Kings.

Three of the quilts fit our term "random-planned-scrap." Following the tradition for much of American patchwork, scraps of many different fabrics are collected. The fabrics are sorted into themes of color, however, instead of being used together indiscriminately.

The Tree of Life is the Pine Tree pattern, and it is expected to be green and white. But God's world overflows with colors, so we decided to paint four trees, like the four seasons. We began with the skies, using four shades of blue in cloth having the glow of cotton satin. Multiple fabrics, cut into small triangles, illustrate the foliage changes of one hardwood tree throughout a year.

Nature and history were the realms of revelation for the ancient Hebrews. The figure of the vine signified abundance and the relationship of joy and responsibility between God and His people. The embroidery of the grapevine, with its leaves and fruit, on the altar hangings of Christ Episcopal Church, Pittsford, New York, inspired the quilting designs for the Tree of Life wall hanging. We used nonwoven interfacing and blunt pencils to make rubbings over the heavy stitches. Transferring the rubbings to cloth and balancing the designs in the center square and corner triangles of the quilt were not such easy tasks. In fact, our most tedious and nerve-racking work in the entire project was the marking of our quilting designs onto the patchwork top of every quilt.

Forty print fabrics in earth and sky tones are used in Children of Israel. We think of the quilt as the landscape of Palestine. The grids of quilting lines are the plowed furrows of the earth.

Prints of almost every color were used in the curved strips of Job's Tears. Finding small-scaled prints with a variety of designs was the challenge for this quilt, because of the narrowness of those curved strips.

Once the fabrics are chosen and the basic units are pieced, a quilt like this is designed as it is sewn. The overall effect of the quilt must be visualized every time a unit is added, and some units are eliminated as the sewing progresses.

Quilts having a lot of white background material frequently need dramatic borders. We remember one long telephone conference about the borders and binding for Job's Tears. The fan in the corners is a design that was used on a much smaller scale in several American patchwork patterns.

We think the tear-drop quilting designs on the white border and in the body of the quilt look like splashed tears. The blue border has a crisscrossed design of checkerwork, mentioned in the Bible as ornamentation on the pillars of the temple and as embroidery on the holy garments of the high priest.

Two American patchwork patterns honor David of Israel: One commemorates David as king, and the other recalls David as a shepherd lad. We decided we would make the David and Goliath quilt for a young boy, and we would color it red, white, and blue.

A dozen red prints and two blue prints were chosen for the quilt blocks. Bits of yellow, orange, and green enrich the prints and give the fabrics an appearance of texture, preventing the flat or one-dimensional effect of some red, white, and blue quilts. Quilts using a diagonal set must be squared by a border of large triangles. Another lively red print was found for the triangular border of this quilt.

The young David was King Saul's court musician, so lyres were quilted into the white squares of the nine-patch unit in each block. Saul tried to persuade David to wear a soldier's armor and helmet and coat of mail when the boy faced Goliath. But David refused. ". . . The Lord saveth not with sword and spear . . . the battle is the Lord's. . . ." The chain of linked squares on the lattice strips of the quilt represents David's invisible armor of faith.

There are almost as many rose patterns in the history of American patchwork as there are star patterns. The most popular variation has been the Rose of Sharon. It was the classic choice for the "Bride's Quilt," the last and most important quilt planned for a young girl's hope chest.

The pattern was done traditionally in shades of pink and green, and we wanted our quilt to have vivid tones of those colors, rather than the usual pastels. The problem was that we did not want to do the quilt. Our specialty is pieced-work patterns, and the Rose of Sharon is an appliqué block. But we could not omit such an important pattern from a book on biblically inspired patchwork.

We delayed working on the quilt-top design as long as we could. Then, during our final major planning weekend for these quilts, we learned that Jan Harper, who had taken our quilt class, was being visited by her sister, Isobel Andrus, who had won blue ribbons for her quilts in Florida. Furthermore, Isobel's next quilt was going to be the Rose of Sharon!

With a daring born of weariness, we invited ourselves for a half-hour visit and somehow persuaded the two sisters to do the quilt together for our book. This is the only quilt in the book for which we are not entirely responsible from original concept to binding.

Jan and Isobel have used imaginative skill to create a family heirloom. They chose a graceful variation of the Rose of Sharon, and their quilting designs followed the traditions for wedding quilts. The white outer border is quilted with entwined rings, symbols of love and marriage, in the symbolic language of American quilting designs. On the cranberry border a twisted-rope motif trails into tiny hearts at the mitered corners.

Star of Bethlehem had to be a cradle quilt, and it had to be in Christmas colors. We could not picture it any other way. Three of the red and green prints were scraps left from one of our teaching quilts. White stars twinkle from the green fabric used in the centers of the six pieced stars. The well-known American quilting design of crescents, drawn with a compass, seemed appropriate for the border of this quilt.

We planned Hosanna to demonstrate our theories about many quilts made with fabrics of white and one main color. When there are no accent colors in a quilt, a monotonous effect can be averted by other means. We believe there should be as many scales of prints as the number and size of patches in a block will allow. Having every possible shade of the main color distributed among those prints will brighten the surface of the quilt. White fabric is usually needed in abundance to provide adequate background for the prints. Finally, having at least two solid-color fabrics in different tones of the main color adds important contrast. Hosanna is a green and white quilted banner; six types of prints and every shade of green are represented.

One night when her mother was stumped trying to visualize a palm branch, Elizabeth Ashley Payne, at the age of ten, drew the natural palm-leaf design that became the quilting pattern for the outer border. It relieves the starkness of the narrow angular leaves in the patchwork blocks.

The scene of Jesus Christ's mockery is described in every Gospel. The details vary, but evidently He was paraded about in a gorgeous robe of purple or scarlet. Those two colors are almost offensive in the Crown of Thorns quilt. Who could live with them on their master-room bed? But the gold of His glory and the white of His purity are plaited into the crowns. And the lights and shadows of a more fitting crown—with rounded, not jagged, edges—reflect from each open center.

We always knew the Good Friday quilt would have to be black, but it could not be despairing. The fabrics for the crosses of the two thieves are actually dark green, with a tiny black figure. The two materials for the reverse shadow box around each cross are prints in beige and green and gray and make us think of the earthquake and the storm that happened that day. The red border symbolizes His sacrifice.

Squares and small triangles meet at the corners of the blocks. We colored them like chips of stained glass. The patches for Jesus are intended to blaze triumphantly.

We have never seen another Three Crosses quilt. The diagram of the quilt block in quilting books made us ask, "Where are the three crosses?" We did not see them until we sketched a nine-patch of crosses. The quilting follows the full lengths of the three main crosses and the outlines of the small muslin crosses. Hidden in the flowered border are sixteen quilted Gothic roses, whose five petals symbolize our Lord on His Cross.

Blue and white are the only colors we ever imagined for The Dove quilt. To us, the quilt is the sky. There are twelve white doves soaring upward, signifying the response of the apostles on the Day of Pentecost. The Dove of the Holy Spirit beams downward.

Straight diagonal lines are quilted to follow the flights of the doves. The circle can be whatever the viewer wants it to be—the moon, the earth. Perhaps the darkness in the upper right-hand corner is a black hole in space. No additional border was added—to suggest the infinity of the heavens.

* * *

These two years have been the most intense of our lives. Our souls and minds and energies were stretched, sometimes almost too taut to bear. We tried to be like the Psalmist, and "bless the Lord at all times," but often we failed. From time to time we experienced unexpected setbacks in some aspect of the project; and we started over. But we also received

unimagined surprises; and we believed they were signs to continue. How easy it was to praise Him then!

For the entire period we chased the rainbow of balanced living. We found that there is never a perfect day to start a quilt or write an essay—and that some days are suited only for cleaning house. We are ready to welcome normalcy to our lives again. Perhaps there will be homemade cookies occasionally, but no doubt our families will be happy to settle for clean clothing on a regular schedule.

Our partnership combines opposite working styles toward the same goals. One of us seizes life. She expects more of her strength and time than everyone else knows is possible. In her view any project worth doing is worth finishing six months ahead of schedule. The other savors experiences. She could spend half a lifetime happily developing one concept, making one quilt, endlessly seeking the telling trifles of thought or design. Somehow, we work together peaceably. Almost all of the time we respect the limits of each other's tolerance. Then one pushes the other; and surprisingly, each of us grows a bit in the process.

Our dreams for this book continually replenished our enthusiasm and straightened our direction. As we worked, we learned that progress is often measured by what is omitted as much as by what is completed. And with struggles, we abandoned treasured ideas, interesting designs, and whole paragraphs—if they would not fit.

Now our deepest prayer is that *Creative American Quilting Inspired by the Bible* might be used as one servant for God, for His love and His plans, in this generation.

·H·O·W· ·T·O· ·U·S·E·
·T·H·E·
·P·A·T·T·E·R·N·S·

This book contains templates and instructions for fifteen American patchwork patterns inspired by the Bible. All of the pattern pieces are given in actual-size templates in the template section on pages 133 to 174. Because our methods are intended for sewing-machine piecing only, the templates include the one-quarter-inch seam allowance.

The glossary of our "Techniques for Machine Sewing" is found on pages 123 to 131. Read this section first. Become familiar with the new terms. Even practice a few of the techniques. These pages are intended to be your handy reference guide to time-saving ideas. We tried to save visual confusion on the pattern pages by not repeating these hints every time they occur in individual blocks; instead we have referred you by number and page to the various techniques in the glossary.

When you have selected your pattern, read the instructions given with that pattern. The pattern directions are arranged in two columns. On the left are the unit drawings for the quilt blocks, with notations indicating how many of each unit to make. On the right are the sewing instructions for each unit, in a numbered, step-by-step format. Some patterns require more detailed instructions than others. Trust us. We want to eliminate hocus-pocus, mystique, and unnecessary tasks from the craft of quilt making; therefore, we give extra details only when we believe that they are absolutely necessary. Follow the directions carefully, and we think you will have excellent results.

For every quilt block we suggest light, medium, or dark shadings for fabrics, rather than specific colors. Sometimes we add a print fabric in order to clarify an illustration. Substitute your own color selections for our shading or fabric suggestions as you plan and sew the patterns. You can reverse our suggestions, as long as you maintain sharp contrast where indicated.

Fabrics that are 100 percent cotton are the most satisfactory. Synthetic-cotton blends will work if they feel like cotton. Fabrics with a silky feeling or with a loose weave will not feed smoothly under the presser foot of the sewing machine. Such fabrics cause seam edges to slip, and then your joints, angles, and curves will not match perfectly. We strongly suggest that you wash all of your fabrics before cutting out the pattern pieces for your quilt blocks.

Many generations of American quilters have made these biblically inspired patchwork designs, usually by hand piecing. The quilts in this book are our renditions of these fifteen patterns, for this time in our lives. All quilters know there is never a final version of any quilt pattern. Another possibility always can be envisioned, or at least glimpsed. We hope that our modern methods and shortcuts will enable you to sew these patterns accurately, easily, and quickly. Then you can create, and re-create, quilting projects using your own interpretations and join us in the challenging search for beauty through the craft and art of quilt making.

·O·N·E·

Tree of Life
WALL HANGING

And God said, Let us make man in our image, after our likeness: and let them have dominion over the fish of the sea, and over the fowl of the air, and over the cattle, and over all the earth, and over every creeping thing that creepeth upon the earth.

So God created man in his own image, in the image of God created he him; male and female created he them.

And God blessed them, and God said unto them, Be fruitful, and multiply, and replenish the earth, and subdue it: and have dominion over the fish of the sea, and over the fowl of the air, and over every living thing that moveth upon the earth.

And God saw every thing that he had made, and, behold, it was very good. . . .

GENESIS 1:26–28, 31

And the Lord God planted a garden eastward in Eden; and there he put the man whom he had formed.

And out of the ground made the Lord God to grow every tree that is pleasant to the sight, and good for food; the tree of life also in the midst of the garden, and the tree of knowledge of good and evil.

And a river went out of Eden to water the garden; and from thence it was parted, and became into four heads.

And the Lord God took the man, and put him into the garden of Eden to dress it and to keep it.

GENESIS 2:8–10, 15

God had one purpose in creation. He wanted loving, trusting, intimate, and eternal relationships with human beings. He would do anything to achieve that, and He would never give up. "Hast thou not known? Hast thou not heard? That the everlasting God, the Lord, the Creator of the ends of the earth, fainteth not, neither is weary? . . ." (Isaiah 40:28). The Bible is one story, a history of God's countless efforts to reach His goal.

"In the beginning God created the heaven and the earth," and everything in it, and He gave it all to Adam and Eve. When "everything," even world dominion, was not enough to satisfy them, God looked for others He could trust. He found Noah, Abraham, and Abraham's heirs, Isaac and Jacob, and finally He found Moses. Through them He called the Hebrews, a Semitic people in the ancient Near East, to be the special agents of His message of love and goodness for all mankind. To each leader He gave the same promise, in different words: "I am thy shield" . . . "I will be with thee, and bless thee, and thy seed after thee" . . . "I will deliver thee" . . . "Is anything too hard for God?"

He even gave them signs, tokens of His cove-nants with them, to help them remember. There was a rainbow in the clouds for Noah, circumcision in the flesh of the foreskin for Abraham and his sons, and a tablet of laws for Moses and the Children of Israel. God's first heroes were not sinless, but they responded as He wished. They loved Him, and obeyed Him, and in faith waited for Him.

Throughout the Bible God is active and involved in the particular events of Israel's history. He is always the initiator. He always expects His elect will prove fit for revelation. But He is consistently disappointed. In age upon age, His chosen community behaves like the primeval couple. They do as they please.

For centuries scholars, historians, and men of faith have tried to locate the Garden of Eden. The three continents of the Old World have been searched rigorously, but all attempts to harmonize the biblical account with scientific geography have failed. Only the third and fourth rivers mentioned in the story have been identified to the satisfaction of all: the Phrat as the Euphrates River and the Hiddekel as the Tigris River. Philo Judaeus, the Jewish philosopher of the first century, was the first of many theologians to regard the creation story as divine allegory. Philo believed the tree of life represented religion, and Origen, the third-century Christian writer, believed that Eden was heaven, the rivers were wisdom, and the trees were angels. Martin Luther, in the sixteenth century, taught that angels protected Eden from discovery until it was destroyed by God in the Flood.

The Bible has been interpreted and misinterpreted ever since it was written. We can be sure only that it was never intended to be secular or scientific or political or philosophical history. Rather, the Bible is world history, told according to the world view of the Hebrew people, which means the whole of life is perceived only in relation to God. Every book in the Bible is based on the never-ending encounters of God with people and people with God.

Herodotus of Greece wrote the first secular world history in the fifth century B.C., a study of the Asiatic and Mediterranean regions, the known world at the time. When Christianity triumphed in the Western world in the third century A.D., human history was again told from the biblical or Hebrew perspective. Historical attention did not broaden until the Renaissance, when the achievements of the Greeks and Romans were rediscovered, the production of books was multiplied by the printing press, the Bible was translated into several national languages, and scholars and businessmen began to emphasize things of this world rather than the next. At the same time, the geographical discoveries of gentlemen-adventurers like Vespucci, Columbus, Magellan, Verrazano, Cartier, de Soto, and Coronado caused a world-wide explosion of interest in the history of mankind. There was by then a considerable world to describe. The ancient but endless problem of reconciling reason and science with the teachings of the Bible became even more complex. But Western civilization had been molded by its biblical heritage, and for most people the New World was inserted into a biblical scheme of thought.

The geography of any land affects the development of its people and the history and culture and literature they evolve. Canaan was a Promised Land indeed from the viewpoint of the conquering, nomadic Hebrew clans who entered from the desert and saw the opportunity for a settled life. The land of Canaan, or Palestine, an area about the size of Vermont or New Hampshire, encircled by sea and mountains and desert, has more variety of topography and climate than any area of its size in the world. But the amount of level arable land is small, the total annual rainfall is low, and the climate is semiarid, dominated by two seasons, the wet and the dry. An agricultural life would never be easy. It is not surprising that the primeval paradise was conceived of as an oasis of water and garden and trees.

The addition of another continent to the maps of the known world at the end of the Middle Ages seemed like a second Eden to developing national states, cramped and troubled in the Old World. America was a new frontier for all of Europe; but the English were the first to establish lasting colonies.

Elizabethan England supplanted Spain and Portugal as the leading world power and was determined to claim the "mountains of bright stones," of gold and silver, for her rising empire. English Protestants wanted to replace the "Spanish papists" and win the "purged mindes" of the "Heathen red man" to their interpretation of the "sweet and lovely liquor of the gospel." Commercial and colonial expansion to the New World seemed the perfect remedy for England's most pressing problems: overpopulation and the lack of enough natural resources to make her economically self-sufficient.

England was rid of the old feudal order. The middle class was flourishing. But the former peasants were dispossessed, in effect, and suffered extreme economic distress. A pamphlet published in 1609 complained, "Idle persons swarm in lewd and naughty practices." Forced to become petty thieves and beggars, they filled the jails. John Winthrop, one of the first leaders of the emigration to America wrote: "This land grows weary of her inhabitants. . . . Children, servants and neighbors (especially if they be poor) are considered the greatest burden . . . in the meantime (we) suffer a whole continent as fruitful and convenient for the use of man to lie waste."

America offered a chance to escape. Those who came left behind dissatisfaction with something. There were multiple motives for daring the trip, but becoming a landowner was probably an ambition in many a heart. America was space, an unknown void, but it was not empty. It was occupied by Indians, beasts, and above all, by trees. What a paradox for newcomers from English and continental cities, where wood was so scarce that every stick was scavenged! In this virgin land the woods was the enemy, a black wall of weeds.

Only impatient men and women of action, who were determined to ax their way through nearly impenetrable timber, would create the basic condition for survival—a clearing for farmland. Although they did not realize it at the time, the earliest coastal settlers acted out the first resistance to the mother country when they chose to farm rather than to starve. Certainly the London promoters for the New World were not interested in establishing an agricultural civilization. Instead, they wanted immediate timber supplies for maintaining British naval power—lumber, pitch, tar, fibers, and resin. In a subtle way, the process of Americanization began with the first arrivals on the Atlantic shores.

The white pine built northeastern North America. It was exported around the globe for three centuries, the world's primary lumber tree, until the original immense tracts had been cut. In the midst of such obvious forest abundance it was impossible for Colonial Americans to feel a sense of waste. Nevertheless, a growing perception that the American experience was unique in world history prompted various attempts at symbolic preservation.

The pine tree appeared on the flag of the Continental navy in 1775—General Washington's fleet of six schooners, which were actually armed merchant vessels, fast enough to overtake Britain's cumbersome supply ships and light enough to flee her warships. Colonial legislatures also commissioned privateers, that "in great numbers infest the Bay of Boston," complained England's General Howe. The standard for the Massachusetts navy displayed a pine tree entwined by a rattlesnake, and the warning Don't Tread on Me. American pride extended to the inhabitants of her wilderness, and the twenty-eight species of venomous rattlesnakes, found only in the Americas, figured prominently in American folklore.

The Tree of Life, or Pine Tree, quilt pattern may be the earliest pictorial patchwork, originating in Colonial Massachusetts. As the years passed, geometric pieced-work patterns resembling the Tree of Life design were named for distinctive trees such as the sweet gum, the maple, and the live oak. The names of two similar patterns reflected biblical influence, the Tree of Paradise and Forbidden Fruit. In addition, the leaf shapes of the oak, the hickory, and the tulip tree inspired appliqué quilt patterns.

From 1652 to 1682, without British sanction, New England minted the famous Pine Tree shilling, and there were also Willow Tree coins and Oak Tree coins.

Perhaps the first live individual tree to be venerated in this country was the Charter Oak of Hartford, Connecticut. Tradition says the charter of Connecticut was hidden in the oak's hollow in 1687, when the king of England wished to make Connecticut part of a consolidated New England and demanded surrender of her charter. The seven-foot-diameter tree blew down in a storm in 1856; and the center of the American quilt pattern called the Charter Oak looks like a tree stump.

Also in 1856, the City of New York decided to create Central Park in the middle of the Borough of Manhattan, the first predesigned landscape park in America. The northern colonies had tried to set aside lands for common use in their towns. The oldest park in America is the Boston Common and Public Gardens, purchased in 1634. And William Penn tried to enforce a decree that one acre in every five should remain in forest in Pennsylvania. The first alarm calling for timber reserves in the United States may have come in the mid-nineteenth century when there was a shortage of white oak for whiskey-aging barrels. The whiskey industry was revolutionized when one businessman bought used barrels which had shipped fish and then charred the interiors to destroy the odor. The resulting whiskey was so mellow that the method of charcoal-aging was born.

In general, however, concern for preservation of lands and forests did not appear in America until the late nineteenth century when the westward march was over. Up to that time land was too abundant to protect, and forests were simply in the way.

Trees have had symbolic significance for every civilization since the beginning of history. In the Bible they are a symbol of plenty, goodness, wisdom, and the ideal relationship of work and trust between man and God—in short, the full life. The third chapter of Proverbs explains:

> Trust in the Lord with all thine heart; and
>   lean not unto thine own understanding. . . .
> Happy is the man that findeth wisdom. . . .
> She is a tree of life to them that lay hold
>   upon her. . . .
> The Lord by wisdom hath founded the
>   earth. . . .

INSTRUCTIONS

Tree of Life — 16″ Block

Unit 1

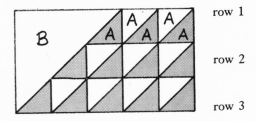

row 1

row 2

row 3

Unit 2

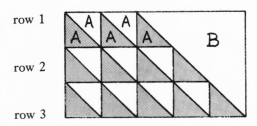

row 1

row 2

row 3

Unit 3

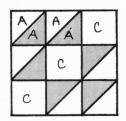

Six templates (pages 135–38).

Layer cut (#4 page 125).

A triangle:	Cut 24 in light fabric.
	Cut 32 in dark fabric.
B triangle:	Cut 2 in light fabric.
C square:	Cut 3 in light fabric.
D trapezoid:	Cut 2 in light fabric.
Single cut	
E long hexagon:	Cut 1 in dark fabric.
F triangle:	Cut 1 in light fabric.

Chain sew (#6 page 126) 24 light *A* triangles and 24 dark *A* triangles into squares.

Open, and press seam allowances toward dark fabric.

1. Following unit 1 diagram, lay out dark *A* triangles and assembled *A/A* squares in horizontal rows to form pattern.
2. Join the rows.
   Butt the seam allowances (#8A page 127), use the *hold pin technique* (#8C pages 127–28), and *stitch through the* **V**'s (#8B(1) page 127).
3. Add a light *B* triangle, *stitching through the* **V**'s (#8B(2) page 127).

1. Following unit 2 diagram, lay out the assembled *A/A* squares and the dark *A* triangles in horizontal rows.
2. Join the rows. *Butt the seam allowances*, use the *hold pin technique*, and *stitch through the* **V**'s.
3. Add a light *B* triangle, *stitching through the* **V**'s.

1. Follow unit 3 diagram, and *chain sew* (#7 pages 126–27) the assembled *A/A* squares and *C* squares to form pattern.
2. *Butt the seam allowances*, use the *hold pin technique*, and *stitch through the* **V**'s.

Unit 4

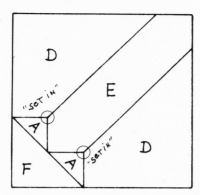

Finishing the Block

1. Sew a *D* trapezoid to *E* long hexagon *setting in* ¼ inch as shown. See *Setting In* (#9 pages 128–29).

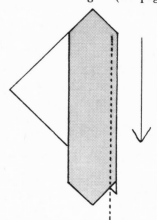

2. Following unit 4 diagram, add second trapezoid to long hexagon, *setting in* ¼ inch.
3. Sew 2 dark *A* triangles to this unit, *setting in* ¼ inch on each seam.
4. Following diagram, add light *F* triangle.

1. Follow the block diagram, and arrange units 1, 2, 3, and 4.
2. *Chain sew the entire block* (#7 pages 126–27). *Butt seams* at seam joints. Use the *hold pin technique,* and *stitch through the V's.*

·T·W·O·

Jacob's Ladder
QUILT

And Jacob went out from Beersheba, and went toward Haran.

And he lighted upon a certain place, and tarried there all night, because the sun was set; and he took of the stones of that place, and put them for his pillows, and lay down in that place to sleep.

And he dreamed, and behold a ladder set up on the earth, and the top of it reached to heaven: and behold the angels of God ascending and descending on it.

And, behold, the Lord stood above it, and said, I am the Lord God of Abraham thy father, and the God of Isaac: the land whereon thou liest, to thee will I give it, and to thy seed;

And thy seed shall be as the dust of the earth, and thou shalt spread abroad to the west, and to the east, and to the north, and to the south: and in thee and in thy seed shall all the families of the earth be blessed.

And, behold, I am with thee, and will keep thee in all places whither thou goest, and will bring thee again into this land; for I will not leave thee, until I have done that which I have spoken to thee of.

And Jacob awaked out of his sleep, and he said, Surely the Lord is in this place; and I knew it not.

And he was afraid, and said, How dreadful is this place! this is none other but the house of God, and this is the gate of heaven.

GENESIS 28:10–17

The history of Jacob and his family was recorded in rich detail in the second half of the Book of Genesis. He was the son of Isaac and Rebekah, grandson of Abraham and Sarah, and father of Joseph—one of his twelve sons who would head the twelve tribes of Israel.

Jacob's life was one of contrast and conflict. The inconsistencies of his nature are clearly documented in this straightforward account. He was a complex person who could be weak and deceitful, a plotting opportunist—or he could be contrite and industrious, manifesting love, honor, and loyalty to his God and family.

Jacob's parents were nomadic tent dwellers who moved frequently to provide water and grass for their flocks. His mother, Rebekah, was childless for many years, until Isaac entreated God on her behalf, and she conceived twin sons. Even as she carried them, their turbulent activity forewarned her of conflicts to come.

Then followed the familiar story of two brothers: Esau, the rough, hirsute hunter, who looked only to his immediate needs and readily forfeited his responsibility of birthright; and Jacob, the gentle, smooth herdsman, a futuristic schemer, who connived for the power of seniority and blessing.

Jacob's story had an unpromising beginning. He withheld food from his famished brother until Esau sold him his birthright. He lied and, with his mother's aid and encouragement, impersonated his brother in order to steal the blessing of his sick and blind father. He made an unlikely hero.

Finally, fearing death at the hands of his enraged brother, Jacob fled from home. One evening he stopped to rest and using a stone for a pillow, he slept. He dreamt of angels of God ascending and descending on a ladder stretching from heaven to earth. God spoke to him and renewed the promise He gave to Abraham and Isaac of a great nation of their descendants and assured Jacob of His presence and protection.

At the time of this experience Jacob was a young man, still unmarried. Arriving at his uncle's home, he met and fell in love with the beautiful Rachel. In order to marry her, he agreed to serve his uncle for seven years. But instead of Rachel, the elder and less attractive daughter, Leah, was substituted, and Jacob was tricked into serving an additional seven years for his beloved Rachel.

When Jacob's service to his uncle was completed, and after much trickery on both sides, he journeyed with his large family back to the land of Canaan. He needed to make peace with his brother so he could live again in the land God had promised to him.

To win back the friendship of Esau, he sent before him herds of livestock, followed by his wives, women servants, and sons, instructing them to say that the gifts were from "his brother's servant Jacob." And Jacob was left alone. During the night he wrestled with God in the form of man. Jacob was equal to this struggle, and God blessed him and changed his name to Israel. Generations of his descendants would be called the Children of Israel, and God's promise of a new nation would be realized in him.

In today's society we find it difficult to understand how a man like Jacob could serve a master for fourteen years. However, in the 1700s, a contract like Jacob's with his uncle would be customary employment for a young man. Colonial America had many classes of people: the gentry, tradesmen, indentured servants, bondsmen, and slaves. The indentured servant was willing to work for a given number of years to offset the expense of traveling and becoming established in a new land. As was true with Jacob, movement from servant to owner or master could be accomplished by diligent work and strong ambition.

Benjamin Franklin, as a boy, was apprenticed to his elder brother to learn the trade of printing. This was a common educational method. After the apprenticeship, the young man would receive land or the tools of his trade to begin his own business. Franklin learned his trade well; and his insatiable quest to discover practical answers to everyday problems led to many other areas of expertise. He was a publisher, author, civic leader, inventor, scientist, and statesman. He was a signer of the Declaration of Independence and the Constitution. Concerned with the health, safety, comfort, and spiritual well-being of his fellow man, he improved the postal service, started the first library, fire house, and city hospital. He charted the movement of the Gulf Stream in the Atlantic Ocean and found a solution to the flow of waste water in the streets. He lengthened the summer days with daylight saving time and warmed the winter nights with his Franklin stove.

Franklin is often remembered for his experiments with lightning. One can imagine him, in the summer of 1752, as he stood under a slight shelter in a windswept field. The leaves turned over in the growing storm, and darkness preceded the coming thunder. As the clouds grew heavy, far-off bolts of lightning could be seen. Franklin released his kite to the wind, a key attached near his hand. The kite reached the low clouds and became electrified. The current traveled down the wet string to reach the key

with a tingling spark. Lightning and electricity were shown to be one.

Benjamin Franklin, notwithstanding many accomplishments, is probably best remembered for his kite-flying adventure. Biblical personalities, too, are often recalled by the most visual aspect of their lives: Noah's ark, Samson's hair, Solomon's temple, Daniel's lions, Jonah's whale. Jacob, with his long and varied life, is best remembered by his vision of a heavenly ladder.

The women of Colonial America could hardly imagine the glorious splendor of a celestial ladder or staircase leading to the very gateway of heaven. The pictorial dream would have to be recreated in squares and triangles of cloth to satisfy the individual imagination of each woman. Light and dark fabrics were used for contrast in the brilliant staircase sparkling in the night sky.

To a quilter, the same squares and triangles of Jacob's Ladder could look like a kite with flapping tails soaring in the wind. This basic patchwork pattern, with small color or set changes, had several names, based on the geographic location of the quilter. One name in eastern United States was Tail of Benjamin's Kite.

Thus Colonial Americans named a quilt pattern for an episode from the story of Jacob, and this same pattern was also used to describe an event in the life of one of their contemporaries, Benjamin Franklin.

Benjamin Franklin, one of America's Founding Fathers, was involved in every aspect of presenting a new nation to the world. This government, conceived by men of vision and intellect, sought to guarantee rights and liberties to all men as equals in the sight of their creator. Franklin, born when America was an English colony, was eighty-one years of age at the time of the signing of the Constitution and lived to see an established and flourishing democracy, the United States of America.

Thousands of years before, in a distant land, Jacob established a new nation on the banks of the Jabbok River, with only one witness, God. Jacob's name was changed to Israel when he received a reaffirmation of the covenant God had made with Abraham and Isaac. He lived to old age, long enough to see his children and grandchildren multiply and prosper and to bless his twelve sons who would head the twelve tribes of Israel. He was the link that carried the covenant from the old patriarchs to the people of a new nation, one that was founded on a promise—a solemn agreement of faith between two parties, the Lord God and the Children of Israel.

INSTRUCTIONS

Jacob's Ladder — 12″ Block

Two templates (page 139).

Layer cut (#4 page 125).
A square: Cut 10 in light fabric.
            Cut 10 in dark fabric.
B triangle: Cut 4 in light fabric.
            Cut 4 in medium fabric.

Unit 1

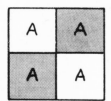

Make 5

1. *Chain sew* (#6 page 126) light A squares to dark A squares.
   Open, and press seam allowance toward dark fabric.
2. Make 5 "four-patch" units, following diagram. *Butt seams* (#8A page 127) at seam joints.

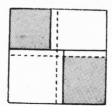

Unit 2

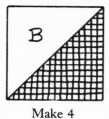

Make 4

1. *Chain sew* light and medium B triangles into squares.
   Open, and press seam allowance toward darker fabric.

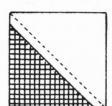

Finishing the Block

1. Arrange units 1 and 2, following the block diagram.
2. *Chain sew the entire block* (#7 pages 126–27). *Butt seams* at seam joints. Use the *hold pin technique* (#8C pages 127–28), and *stitch through the V's* (#8B$_{(1)}$ page 127).

·T·H·R·E·E·

Joseph's Coat
PILLOWS

These are the generations of Jacob. Joseph, being seventeen years old, was feeding the flock with his brethren; and the lad was with the sons of Bilhah, and with the sons of Zilpah, his father's wives: and Joseph brought unto his father their evil report.

Now Israel loved Joseph more than all his children, because he was the son of his old age: and he made him a coat of many colors.

And when his brethren saw that their father loved him more than all his brethren, they hated him, and could not speak peaceably unto him.

And Joseph dreamed a dream, and he told it to his brethren: and they hated him yet the more.

And he dreamed yet another dream, and told it to his brethren: and said, Behold, I have dreamed a dream more; and, behold, the sun and the moon and the eleven stars made obeisance to me.

And he told it to his father, and to his brethren: and his father rebuked him, and said unto him, What is this dream that thou hast dreamed? Shall I and thy mother and thy brethren indeed come to bow down ourselves to thee to the earth?

And his brethren envied him; but his father observed the saying.

And his brethren went to feed their father's flock. . . .

. . . And Joseph went after his brethren. . . .

And when they saw him afar off, even before he came near unto them, they conspired against him to slay him.

And they said one to another, Behold, this dreamer cometh.

Come now therefore, and let us slay him, and cast him into some pit, and we will say, Some evil beast hath devoured him: and we shall see what will become of his dreams.

And [Reuben] said unto them, Shed no blood, but cast him into this pit that is in the wilderness, and lay no hand upon him; that he might rid him out of their hands, to deliver him to his father again.

And it came to pass, when Joseph was come unto his brethren, that they stript Joseph out of his coat, his coat of many colors that was on him;

And they took him, and cast him into a pit: and the pit was empty, there was no water in it.

And they sat down to eat bread: and they lifted up their eyes and looked, and behold, a company of Ishmeelites came from Gilead with their camels bearing spicery and balm and myrrh, going to carry it down to Egypt.

And Judah said unto his brethren, What profit is it if we slay our brother, and conceal his blood?

Come, and let us sell him to the Ishmeelites, and let not our hand be upon him; for he is our brother and our flesh. And his brethren were content.

Then there passed by Midianites merchantmen; and they drew and lifted up Joseph out of the pit, and sold Joseph to the Ishmeelites for twenty pieces of silver: and they brought Joseph into Egypt.

And [Reuben] returned unto his brethren, and said, The child is not; and I, whither shall I go?

And they took Joseph's coat, and killed a kid of the goats, and dipped the coat in the blood;

And they sent the coat of many colors, and they brought it to their father; and said, This have we found: know now whether it be thy son's coat or no.

And he knew it, and said, It is my son's coat; an evil beast hath devoured him; Joseph is without doubt rent in pieces.

And Jacob rent his clothes, and put sackcloth upon his loins, and mourned for his son many days.

And all his sons and all his daughters rose up to comfort him; but he refused to be comforted; and he said, For I will go down into the grave unto my son mourning. Thus his father wept for him.

See GENESIS 37:2–35

The story of Joseph, which concludes the account of Abraham, Isaac, Jacob, and the twelve sons of Jacob, the "Fathers" of Israel, is the immediate prologue in the Bible to the culminating events of the Exodus and the inheritance of the Promised Land by the Israelites. In the stories of the patriarchs, the Old Testament writers personify the history of early Israel. Faith is dramatized in the lives of vivid, singular persons—and in their relationships to the chosen community.

God's promise for all mankind was given to Abraham: "I will make of you a great nation, and I will bless thee. . . . and in thee shall all families of the earth be blessed" (Genesis 12:2, 3).

God moves through history toward that goal by His involvement with men in their daily lives and by His acts of judgment, often tempered by compassionate individual concern. The faith of Israel is recounted with dramatic suspense in story after story, but no Old Testament narrative involves more of the passions of life than the story of Joseph.

We can be sure the American settlers knew well the entire Joseph saga, which covers nearly a third of the Book of Genesis. In pioneer America, the Bible was read as God's Word, but also for entertainment. A complete oral reading of Genesis 37–50 would occupy a long evening. And pictorial images in the story are so vivid that even the little ones probably would be quiet and listen intently.

American families were large, often composed of multi-families, when fathers or mothers died and the survivor remarried. Did the horrors of the jealousy of Joseph's brothers have a private message of warning for young siblings in the 1800s? A child

being torn to pieces by wild animals was not an unheard of tragedy in early American life. Did some American father, perhaps harboring a special love for one special son, identify, beyond measure, with the unspeakable grief of Jacob at the sight of the bloody cloak?

Almost every American family experienced separation during the years of the migration across the land. Did Joseph's cry in Genesis 45:3 when he announced himself to his brothers, "Doth my Father yet live?" have a poignant meaning to every listener who knew the bereavement of separation from a loved one—of extended gaps of time without news?

It is not difficult to believe that Joseph's story might have offered considerable hope to the struggling American settlers in their new land. Joseph, the youthful grand dreamer, experienced harrowing events in his life. But each time he was rescued at the crucial moment until, finally, he became master of his adopted land. There must have been comfort in the themes of the story—that the outcome of life is not always decided by the designs of evil men or by the severe economic distress of famine and migration but, sometimes, by the providential intervening acts of God.

We can imagine that the biblical reference to the "coat of many colors" inspired countless American women to arrange geometric patterns, fabrics, and colors in dazzling displays in their heads as they listened to the adventures of Joseph. Certainly, at least one did just that and shared her design, and today we have this authentic American quilt pattern, Joseph's Coat.

INSTRUCTIONS

Joseph's Coat — 16″ Block

Assembling the Star

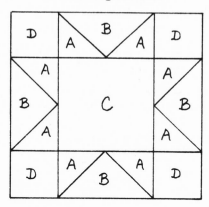

Five templates (pages 140–41)

Layer cut (#4 page 125)

A triangle:	Cut 32 in dark fabric.
	Cut 4 in light fabric.
B triangle:	Cut 16 in medium fabric.
D square:	Cut 4 in light fabric.
E square:	Cut 4 in print fabric.

Single cut

C square:	Cut 1 in print fabric.

The straight lines of the pattern can be seen by looking at the diagram on the diagonal. Construct the center star first, and then the corner units.

1. Sew a dark *A* triangle to a medium *B* triangle as shown.
   Open, press seam allowance toward *A* triangle.

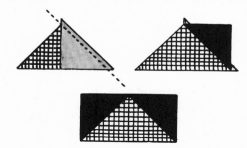

2. Add second *A* triangle to *B* triangle, making rectangle unit.
   Open, press seam allowance toward *A* triangle.
3. Make 3 more rectangle units.
4. Follow the diagram, and arrange *A/B/A* rectangles, *C* center square, and *D* squares.
5. *Chain sew the entire unit (#7 pages 126–27). Butt seams (#8A page 127) at seam joints, and stitch through the V's (#8B(2) page 127).*

Assembling Corner Units

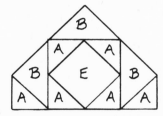

1. Sew a dark *A* triangle to each side of *E* square, following numbered order.
   Open each *A* triangle after sewing, and press seam allowance toward outside of block.

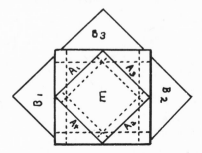

2. Add 3 *B* triangles to this unit, following diagram. Keep unit wrong side up as you sew. *Stitch through the V's.*
3. Sew 2 dark *A* triangles to this unit as shown in unit drawing.
4. Repeat above instructions making 3 additional corner units.

Finishing the Block

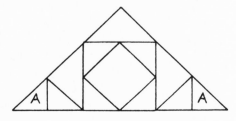

1. Sew a corner unit to the top and bottom of the center star. Use the *hold pin technique* (#8C pages 127–28), and *stitch through the V's.*
2. To the remaining 2 corners, add light *A* triangles as shown.
3. Sew these corner units to the long sides of the center-star unit.

·F·O·U·R·

Children of Israel
QUILT

Now Moses kept the flock of Jethro his father in law, the priest of Midian: and he led the flock to the backside of the desert, and came to the mountain of God, even to Horeb.

And the angel of the Lord appeared unto him in a flame of fire out of the midst of a bush: and he looked, and, behold, the bush burned with fire, and the bush was not consumed.

And Moses said, I will now turn aside, and see this great sight, why the bush is not burnt.

And when the Lord saw that he turned aside to see, God called unto him out of the midst of the bush, and said, Moses, Moses. And he said, Here am I.

And he said, Draw not nigh hither: put off thy shoes from off thy feet, for the place whereon thou standest is holy ground.

Moreover he said, I am the God of thy father, the God of Abraham, the God of Isaac, and the God of Jacob. And Moses hid his face; for he was afraid to look upon God.

And the Lord said, I have surely seen the affliction of my people which are in Egypt, and have heard their cry by reason of their taskmasters; for I know their sorrows;

And I am come down to deliver them out of the hand of the Egyptians, and to bring them up out of that land unto a good land and a large, unto a land flowing with milk and honey; unto the place of the Canaanites, and the Hittites, and the Amorites, and the Perizzites, and the Hivites, and the Jebusites.

Now therefore, behold, the cry of the children of Israel is come unto me: and I have also seen the oppression wherewith the Egyptians oppress them.

Come now therefore, and I will send thee unto Pharaoh, that thou mayest bring forth my people the children of Israel out of Egypt.

And Moses said unto God, Who am I, that I should go unto Pharaoh, and that I should bring forth the children of Israel out of Egypt?

And he said, Certainly I will be with thee; and this shall be a token unto thee, that I have sent thee: When thou hast brought forth the people out of Egypt, ye shall serve God upon this mountain.

And Moses said unto God, Behold, when I come unto the children of Israel, and shall say unto them, The God of your fathers hath sent me unto you; and they shall say to me, What is his name? what shall I say unto them?

And God said unto Moses, I AM THAT I AM: and he said, Thus shalt thou say unto the children of Israel, I AM hath sent me unto you.

And God said moreover unto Moses, Thus shalt thou say unto the children of Israel, The Lord God of your fathers, the God of Abraham, the God of Isaac, and the God of Jacob, hath sent me unto you: this is my name for ever, and this is my memorial unto all generations.

EXODUS 3:1–15

On the first pages of the Book of Exodus the scattered clans of ancient Hebrews are called to be one people. A series of family traditions becomes a national drama, as the sons of Abraham, Isaac, and Jacob are chosen to be the Children of Israel.

The leader is Moses, but the hero is God. He is Yahweh, "I am He Who causes to be," above nature, beyond man, underived. No other ancient religion had such a God, and the greatest difference would be this God's need to be near His people. He reveals His name. Israel can call upon Him, can live in His Holy Presence. Indeed, it may be said, this relationship between One God and One People becomes the heart of the Old Testament faith.

Moses, the Hebrew raised by Pharaoh's daughter, is commissioned by God to be His instrument for

Israel's deliverance. No wonder that Moses is aghast at his selection. Even more difficult than asking the Pharaoh to let the people go would be trying to convince the Hebrews themselves that God had spoken out of a burning bush, had promised to deliver them out of slavery, and to carry them to a dream land flowing with milk and honey. The greatness of Moses is that he accepted God's challenge. Like Abraham, he trusted ahead of time.

In event after event, God proves Himself to the Israelites. After mighty acts of horror for the Egyptians and protection for the Hebrews, the final deliverance occurs at the Red Sea when a "cloudy pillar" becomes a shield, and a "strong east wind" makes the waters a "wall unto them on their right hand and on their left." Israel is redeemed that day. Moses and Miriam and the Children of Israel burst into song: "Sing to Yahweh, for he has triumphed gloriously, The horse and the rider he has thrown into the sea." The purpose and power of God in the nation of Israel are established forever.

Although not a well-known patchwork pattern, Children of Israel appeared often enough for several quilt-pattern historians to document it by this name or as Jew and Gentiles. Children of Israel is neither an elegant nor a graceful design. The lines are thin and straight and the corners oddly angular. But it is simple to draw and to piece and can use the narrowest scrap fabrics, which gives substance (but not proof) to our theory that this pattern was created by the earliest Colonial women who needed quickly made covers for their family beds. To some, the pattern looks like farmers' fields. Perhaps the original designer thought so, too. Nine-tenths of the population of Colonial America were farmers, even in New England where the natural handicaps of the land made farming so difficult.

The economic and social upheavals of the Old World in the sixteenth and seventeenth centuries, with the accompanying religious turmoil of that post-Reformation era, led to the settlement of America. The first arrivals in New England were the radical English Protestants, the Puritans. Two colonies settled in Massachusetts: the battered, weather-beaten Pilgrims at Plymouth in 1620 and the financially sound entrepreneurs of the Massachusetts Bay Company at Salem and Boston by 1630. Most were middle-class—and industrious. The leaders were educated men of affairs and scholarly clergy, cultured and articulate. In spite of the hardships of clearing a coastal wilderness, this first generation left an astonishing amount of writings: journals, sermons, even poetry.

The Puritan mission was Christian, but a close reading of the original sources reveals that their scriptural guidelines were as often from the Old Testament as from the New. The Puritan writers in the first century of Colonial life repeatedly recalled the stories of the conquest of the Promised Land and compared them to the experiences of the newly arrived migrants in the American wilderness. Often using biblical language, they praised "the singular providence of God bringing so many shiploads of His people through so many dangers, as upon eagles' wings," or protested "the discontents and murmurings that arose amongst some."

John Winthrop, governor of Massachusetts Bay, seems to have thought of himself as a modern Moses leading another Exodus. In his sermon delivered aboard the flagship *Arbella* during the passage to America, he announced "the God of Israel is among us," and closed with his own paraphrase of Moses' last farewell to Israel:

> Beloved . . . we are commanded this day
> to love the Lord our God . . . and to walk
> in His ways, and to keep His command-
> ments . . . our covenant with Him, that
> we may live and be multiplied, and that the
> Lord our God may bless us in this land
> whither we go to possess it.

The concepts of deliverance from the bonds of the past and of a covenant for the future were central to the faith of Moses and his Israelites and to the Puritan leaders and their congregations. God promised His presence, and was "strong to save," but He demanded and expected His people to obey His voice and keep His laws.

The Israelites had managed their covenant responsibilities with a detailed community organization led by Moses and others as judges and elders. Nearly 3,000 years later the earliest settlements in New England lived under a similar government. Civil and church leaders were the same. Only the "elect," who had experienced inner spiritual awakening, could be church members, and only church members could vote, but every inhabitant was expected to contribute to the support of the church.

This era of rigid religious controls was brief in American history. It could not last in a country where people could escape simply by leaving the neighborhood. As the power of the church declined in New England, the Puritans became obsessed with justifying their beginnings and their destiny. Like Winthrop, they hoped "that men shall say of succeeding plantations . . . the Lord make it like that of New England."

INSTRUCTIONS

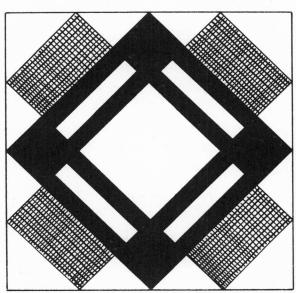

Children of Israel — 14″ Block

Six templates (pages 142–44).

Single cut
B square: Cut 1 in light fabric.
Layer cut (#4 page 125).
A rectangle: Cut 8 in dark fabric.
               Cut 4 in light fabric.
C square: Cut 4 in dark fabric.
D rectangle: Cut 4 in medium fabric.
E triangle: Cut 8 in light fabric.
F triangle: Cut 4 in light fabric.

Center of Block

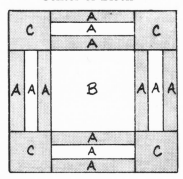

1. *Chain sew* (#6 page 126) 4 dark *A* rectangles to 4 light *A* rectangles, matching the long sides.
2. Add a dark *A* rectangle to each unit in the same manner.
   Press seam allowances toward dark fabric.

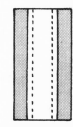

3. Following the diagram, arrange *A/A/A* rectangles, *B* center square, and *C* squares.
4. *Chain sew the entire unit* (#7 pages 126–27), *butting the seam allowances* (#8A page 127) as you match seam joints.

Corner Units

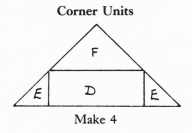

Make 4

Finishing the Block

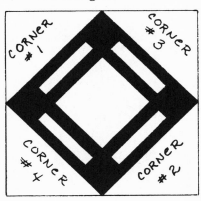

1. Sew an *E* triangle to each short side of *D* rectangle. Open.
2. Add an *F* triangle to the top of this unit. Open.
3. Make 3 more corner units.

Sew a corner unit to each side of center unit, following numbered order on diagram.

Open each unit after sewing and press seam allowance toward outside of block.

·F·I·V·E·

David and Goliath
QUILT

Now the Philistines gathered together their armies to battle. . . .

And Saul and the men of Israel were gathered together. . . .

And there went out a champion out of the camp of the Philistines, named Goliath, of Gath, whose height was six cubits and a span.

And he had an helmet of brass upon his head, and he was armed with a coat of mail. . . .

And the staff of his spear was like a weaver's beam. . . .

And he stood and cried unto the armies of Israel. . . . Choose you a man for you, and let him come down to me.

If he be able to fight with me, and to kill me, then will we be your servants: but if I prevail against him, and kill him, then shall ye be our servants, and serve us. . . .

When Saul and all Israel heard those words of the Philistine, they were dismayed, and greatly afraid.

Now David was the son . . . of Jesse; and he had eight sons. . . .

And David was the youngest: and the three eldest followed Saul.

And Jesse said unto David his son, take . . . this parched corn, and these ten loaves, and run to the camp to thy brethren;

. . . and look how thy brethren fare. . . .

And David . . . went, as Jesse had commanded him. . . .

. . . and saluted his brethren.

And as he talked with them, behold, there came up the champion . . . Goliath. . . .

And all the men of Israel, when they saw the man, fled from him, and were sore afraid.

And David said to Saul, Let no man's heart fail because of him; thy servant will go and fight with this Philistine.

And Saul said to David, Thou art not able to go against this Philistine to fight with him: for thou art but a youth, and he a man of war from his youth.

And David said unto Saul. . . . Thy servant slew both the lion and the bear: and this uncircumcised Philistine shall be as one of them seeing he hath defied the armies of the living God.

The Lord that delivered me out of the paw of the lion, and out of the paw of the bear, he will deliver me out of the hand of this Philistine. And Saul said unto David, Go, and the Lord be with thee.

And Saul armed David with his armour . . . helmet . . . coat of mail . . . and sword. . . .

And David said unto Saul, I cannot go with these; for I have not proved them. And David put them off him.

And he took his staff in his hand, and chose him five smooth stones out of the brook, and put them in a shepherd's bag . . . and his sling was in his hand: and he drew near to the Philistine.

And when the Philistine looked about, and saw David, he disdained him: for he was but a youth. . . .

And the Philistine cursed David by his gods.

Then said David to the Philistine, Thou comest to me with a sword, and with a spear, and with a shield: but I come to thee in the name of the Lord of hosts, the God of the armies of Israel, whom thou has defied.

This day will the Lord deliver thee into mine hand; and I will smite thee, and take thine head from thee . . . that all the earth may know that there is a God in Israel.

And David put his hand in his bag, and took thence a stone, and slang it, and smote the Philistine in his forehead . . . and he fell upon his face to the earth.

So David prevailed over the Philistine with a sling and with a stone, and smote the Philistine, and slew him; but there was no sword in the hand of David.

Therefore David ran, and stood upon the Philistine, and took his sword, and drew it out of the sheath thereof, and slew him, and cut off his head therewith. And when the Philistines saw their champion was dead, they fled.

See 1 SAMUEL 17:1–51

The victory of the boy David over the giant Goliath has had a compelling appeal for every age. Basically, it is the heroic theme: "The little guy can beat the big guy." Contemporary American children with even slight exposure to the Judeo-Christian tradition probably know this Bible story better than any other. If the troubadour-shepherd David, with his handful of smooth stones, could slay the professional soldier Goliath, with his weapons of iron, can others also achieve victory in similarly unbalanced circumstances?

Various daring exploits followed this one in the life of David. He succeeded Saul as king of Israel, united the clans of the old tribal confederacy, freed his country forever from the aggression of the Philistines, and expanded her territory into all surrounding lands. For the first time in her history, Israel was "like all the nations." The conquest of Canaan was completed. The Israelites possessed their Promised Land.

Numerous parallels could be made between this epoch in the history of Israel and the settlement of thirteen diverse colonies nearly 3,000 years later and their rise to a powerful United States of America. However, the dominant allure of the story of David for Americans is not David the king, but David the boy shepherd, meeting his giant.

Throughout the development of this country, Americans have repeatedly confronted some form of "giant." From the earliest coastal settlements in the seventeenth century through the westward-expansion years of the nineteenth century, every male colonist had to be family protector and soldier as well as settler. The threat of wild animals in the wilderness, four wars with the French, and incessant hostilities from the Indians all influenced the evolution of New World fighting techniques. The rigid formations of massed volleys and bayonet charges of European military practice were abandoned and replaced by Indian-style individual combat, guerilla ambush techniques, and the superior aim and accuracy of a uniquely American firearm, the Kentucky rifle. Women, and children as well, were trained in the use of the rifle.

We believe the inspiration for the David and Goliath patchwork pattern came from those beginning days of our country, when all the land was a frontier. David and Goliath has other names, and each one reminds us of the hunt: Doe and Darts, The Bull's Eye, Flying Darts, and The Four Darts. As David and Goliath, or as The Bull's Eye, was this pattern one of those on the quilting frame at Colonial or frontier quilting bees, when a loaded rifle was always balanced beside a quilter, ready for immediate use?

The Continental army of the American Revolution, a motley combination of militia, "minutemen," and often-unwilling regulars, must have been a pitiful spectacle at many battle sites. For long periods of time unpaid, half-clothed, and threatened by mutiny, this army frequently numbered only one-quarter the strength of the British, awesome and glittering in their red coats, plumes, and gold braid. Yet a hard-core, dependable element of patriots exhibited enough shrewdness, enough times. We recall the Battle of King's Mountain and Ethan Allen and his Green Mountain Boys. It was the delight of these frontier-trained Americans to harass British border detachments or to use clever delaying tactics against a formidable army such as that of General Burgoyne. The cunning of these patriots is reminiscent of the military genius and success of David of Israel.

And success came to the Americans, too, at Yorktown, when a disheartened England gave up. Thirteen struggling colonies had beaten their oppressive "giant," the strongest nation in the world. The significance of that victory in 1781 has continued to influence this nation and other peoples all through modern times.

INSTRUCTIONS

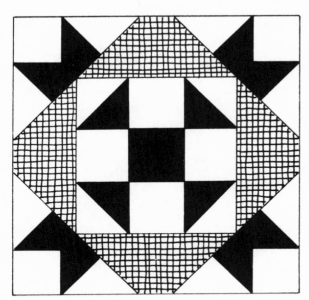

David and Goliath — 16″ Block

Center of Block

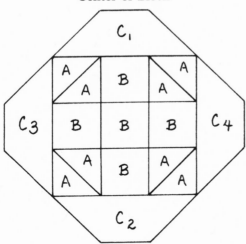

Corner Units

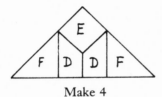

Make 4

Finishing the Block

Six templates (pages 145–47).

Layer cut (#4 page 125).
A triangle:	Cut 4 in light fabric.
	Cut 4 in dark fabric.
B square:	Cut 4 in light fabric.
	Cut 1 in dark fabric.
C trapezoid:	Cut 4 in medium fabric.
D trapezoid:	Cut 8 in dark fabric.
E square:	Cut 4 in light fabric.
F triangle:	Cut 8 in light fabric.

1. *Chain sew* (#6 page 126) light and dark *A* triangles into squares.
   Open, press seam allowance toward dark fabric.
2. Following diagram, lay out assembled *A/A* squares and *B* squares to form pattern.
   Chain sew (#7 pages 126–27) squares to make "nine-patch."
3. Sew a *C* trapezoid to each side of the "nine-patch," following numbered order on diagram. Open each *C* trapezoid after sewing, and press seam allowances toward outside of block.

1. Following the diagrams in the glossary for *setting in* (#9 pages 128–29), seam 2 *D* trapezoids, right sides together, *setting in* ¼ inch. Open.
2. *Set in E* square as shown.
3. Sew an *F* triangle to each side of this unit.
4. Make 3 more corner units.

Sew a corner unit to each of the 4 long sides of the center unit, using the *hold pin technique* (#8C pages 127–28) and *stitch through the* **V**'s (8B₍₂₎ page 127).

·S·I·X·

King David's Crown
QUILT

And the Lord said unto Samuel, How long wilt thou mourn for Saul, seeing I have rejected him from reigning over Israel? fill thine horn with oil, and go, I will send thee to Jesse the Bethlehemite: for I have provided me a king among his sons.

And call Jesse to the sacrifice, and I will shew thee what thou shalt do: and thou shalt anoint unto me him whom I name unto thee.

And Samuel did that which the Lord spake, and came to Bethlehem. . . .

. . . And he sanctified Jesse and his sons, and called them to the sacrifice.

And it came to pass, when they were come, that he looked on Eliab, and said, Surely the Lord's anointed is before him.

But the Lord said unto Samuel, Look not on his countenance, or on the height of his stature; because I have refused him: for the Lord seeth not as man seeth; for man looketh on the outward appearance, but the Lord looketh on the heart.

Again, Jesse made seven of his sons to pass before Samuel. And Samuel said unto Jesse, The Lord hath not chosen these.

And Samuel said unto Jesse, Are here all thy children? And he said, There remaineth yet the youngest, and, behold, he keepeth the sheep. And Samuel said unto Jesse, Send and fetch him: for we will not sit down till he come hither.

And he sent, and brought him in. Now he was ruddy, and withal of a beautiful countenance, and goodly to look to. And the Lord said, Arise, anoint him: for this is he.

Then Samuel took the horn of oil, and anointed him in the midst of his brethren: and the Spirit of the Lord came upon David from that day forward. . . .

See 1 SAMUEL 16:1–13

Then came all the tribes of Israel to David unto Hebron, and spake, saying, Behold, we are thy bone and thy flesh.

Also in time past, when Saul was king over us, thou wast he that leddest out and broughtest in Israel: and the Lord said to thee, Thou shalt feed my people Israel, and thou shalt be a captain over Israel.

So all the elders of Israel came to the King to Hebron; and King David made a league with them in Hebron before the Lord: and they anointed David king over Israel.

David was thirty years old when he began to reign, and he reigned forty years.

In Hebron he reigned over Judah seven years and six months: and in Jerusalem he reigned thirty and three years over all Israel and Judah.

And the king and his men went to Jerusalem unto the Jebusites, the inhabitants of the land: which spake unto David, saying, Except thou take away the blind and the lame, thou shalt not come in hither: thinking, David cannot come in hither.

Nevertheless David took the strong hold of Zion: the same is the city of David.

And David went on, and grew great, and the Lord God of hosts was with him.

And David perceived that the Lord had established him king over Israel, and that he had exalted his kingdom for his people Israel's sake.

See 2 SAMUEL 5:1–12

We do not have to read the Bible in this century in order to know about David of Israel. Hollywood and television have made him a living personality for people of all backgrounds. We know the stories: David and his lust for Bathsheba, his engineering of the murder of Uriah, her husband; his acceptance of the prophet Nathan's rebuke from the Lord God of Israel: "I anointed thee King over Israel . . . Wherefore has thou despised the command of the Lord to do evil in his sight . . . I will raise up evil against thee out of thine own house. . . ." But Hollywood did not create this man, David. He can be found in the Books of Samuel, as the political father of his people.

The problem for the reader of the Bible is trying to reconcile the different pictures of David. The history of his court in 2 Samuel 9:20 through 1 Kings 2 reveals David in all his contradictions: ruthless and shrewd, yet conscience stricken, forgiving, and ultimately, bereft. He is no ideal—but human, and therefore appealing. The biblical David may be the only David we have, but the portrait is at least many colored and as complete as the history of any ancient king.

The reader of American history has a different set of problems when trying to find the man we call the Father of Our Country. There is almost too much information about George Washington. During the Colonial years Americans were careless in their record keeping, but after the Revolution a sense of national, even world, importance prompted them to save every letter, document, and scribbled journal. Their emptied attics now fill universities and the Library of Congress. The task of sifting these mountains of papers was not fully tackled until this century when microfilm made it feasible. George Washington as a real person simply got lost beneath the pile of facts. Two hundred years of legends easily grew and nearly hid him.

Most of us hold a granitelike image of him; he is expressionless and certainly old. It is startling to realize that Washington was only forty-two when he was unanimously elected commander-in-chief of the Continental army. The many written descriptions of Washington's appearance agree that he was of massive build, over six feet three inches tall. Yet this athletic, virile man walked and gestured with surprising grace, and his speech and manners were gentle, open, and engaging. On horseback, he was truly a commanding, majestic figure. The dramatic good looks of Washington and David must have been significant in

their amazing ability to delight the imaginations of their peoples.

Both began their military careers as mere youths. David slew Goliath; George Washington, at the age of 22, fired the first shots of the French and Indian War when he attacked a French force in the Ohio Valley, which the French claimed was a diplomatic escort. In the view of the mortified British, Washington was the typical incompetent Colonial officer, but in the eyes of Virginia he was a hero. Other battles of that war spread his reputation for great personal bravery and the talented shepherding of his men, even in the midst of panic. David's fame as a warrior also grew quickly—too quickly to suit King Saul. The stripling David was "set over the men of war," and soon the women were singing in the cities, "Saul hath slain his thousands, but David his ten thousands." David's battles were Yahweh's battles; the "Spirit of the Lord was with him."

All their lives, both men seemed invulnerable to personal harm. Twice David foiled Saul's attempts to pin him to the wall with a javelin. He survived two civil wars and, near the end of his life, the murderous rebellion of his own son. Over the years Washington lost to bullets his coat, hat, and the horses from under him. Seemingly indifferent to death and danger, he often took brash risks. Once he rode between his own firing contingents, who had mistaken each other for the enemy, shoving up their rifles with his sword. His towering presence on a white mount at the front of the lines always inspired his men, while horrifying his officers. But his body was never touched by bayonet or bullet.

Both David and Washington, as charismatic leaders, understood the principle of Benjamin Franklin's recruiting slogan, Join or Die. This choice was crucial for any group in peril.

As the dashing outlaw captain in his years of flight from Saul, David first led merely "the distressed and discontented." In the face of the threat to all from the Philistines, allegiance to him grew, and the magnetic young man was able to weld the twelve rival tribes of Israel and Judah into a united kingdom. He then displayed his political genius when he selected a neutral fortress as the capital of the land. Jerusalem, which had belonged to neither northern Israel nor southern Judah, has been known through history as the City of David. Washington, D.C., on the Potomac River, would be a similar compromise choice between northern and southern factions when another new nation needed a capital city almost 3,000 years later.

When George Washington was chosen to command the Continental forces in defense of American liberty, the thirteen colonies had no plans to become a united nation in the end; Washington, although its chief, was the army's only member. Britain doubted the "outlaw" populace could overcome their sectional jealousies and raise a viable fighting force. General Washington never had enough soldiers, but his extraordinary tenacity during military and civil distrust and conflict, through eight years of war, forged a new psychological union of Americans.

David, the king, lived like other ancient oriental rulers. He could slaughter in blood revenge the innocent grandsons of Saul and have his harems of wives and concubines and multiple children, because barbarism and promiscuity were standard for kings in the tenth century B.C. But he was also David of Israel. The spirit of Israel, as revealed through Moses, did not permit murder and adultery. "But the thing which David had done displeased the Lord." Yahweh was the real king of Israel. He demanded, He expected, He judged. In his last days, David experienced the betrayal and death of one son and a palace revolt between two others.

Crowns as quilt-pattern names were most common before the Revolution when America still had a king and queen. But in the late eighteenth century, a new United States of America was trying desperately to establish the first democracy in modern history. The experiment nearly collapsed in 1783 when the crisis of war was past and cooperation among the states foundered, threatening financial chaos for citizen and soldier alike. There was even a conspiracy of national leaders from the military and business communities to urge America's major national symbol, General Washington, to use the army to force a stronger central government. Other nations had kings. Why shouldn't America also? History had shown that rule by the people only succeeded in times of national crisis, followed inevitably by anarchy or tyranny. If Washington did not want to be king, he could be an enlightened dictator until the government was steadied. These were the arguments the conspirators tried.

The average American in the countryside was unaware of the plots stirring in the centers of power, but it is reasonable to suppose that the undercurrents of struggle in the young republic affected the naming of America's patchwork. It would be understandable to name a design, which so naturally resembled a crown, after King David of the Bible.

Of course, George Washington also inspired a quilt pattern. The evolution of names for his pattern reflects the development of a nation: Coronation, The King's Crown, The President's Quilt, Washington's Own, and finally, Potomac's Pride.

Americans must be forever thankful for George Washington's vigorous response in that most dangerous period in United States history. "I must view with abhorrence" a scheme "big with the greatest mischief that can befall my country." He would later thank the Ruler of the Universe, "The Greatest and Best of Beings," for having led him "to detest the folly and madness of unbounded ambition."

INSTRUCTIONS

King David's Crown — 15″ Block

Five templates (pages 148–49).

Single cut
A square: Cut 1 in light fabric.
Layer cut (#4 page 125)
B trapezoid: Cut 4 in dark fabric.
C triangle: Cut 12 in light fabric.
                Cut 8 in dark fabric.
D triangle: Cut 8 in light fabric.
                Cut 8 in dark fabric.
E square: Cut 4 in light fabric.

Unit 1

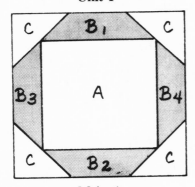

Make 1

1. Sew a *B* trapezoid to each side of *A* square, following numbered order on diagram.
   Open each *B* trapezoid after sewing, and press seam allowance toward outside of block.
2. Following diagram, sew 4 light *C* triangles to this unit, keeping wrong side of unit up as you sew, *stitching through the* **V***'s* (8B$_{(2)}$ page 127). Open.

Unit 2

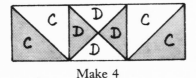

Make 4

1. *Chain sew* (#6 page 126) the remaining 8 light *C* triangles to the 8 dark *C* triangles, to make 8 squares.
   Open, and press seam allowances toward dark fabric.

2. *Chain sew* the light and dark **D** triangles, with light triangles on top, matching right-angle sides to make larger triangles.

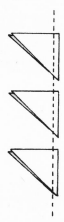

Open, and press seam allowances toward dark fabric.

When **D/D** triangles are opened, they will have a dark triangle on the left and a light triangle on the right as shown.

3. Sew two **D/D** triangle units together to make a square, *butting seams* (#8A page 127). Open.
4. Following diagram, sew a square made from 2 **C** triangles to a square made from 4 **D** triangles to a square made from 2 **C** triangles.
5. Repeat the above instructions, making 3 additional units.

Four light squares made from template **E**.

Unit 3

E

Make 4

Finishing the Block

1. Follow the block diagram, and arrange units 1, 2, and 3.
2. *Chain sew the entire block* (#7 pages 126–27). *Butt seams* at seam joints.
   Use the *hold pin technique* (#8C pages 127–28) and *stitch through the* **V**'s (#8B$_{(1)}$ page 127).

·S·E·V·E·N·

Solomon's Puzzle
QUILT

Then came there two women, that were harlots, unto the king [Solomon], and stood before him.

And the one woman said, O my lord, I and this woman dwell in one house; and I was delivered of a child with her in the house.

And it came to pass the third day after that I was delivered, that this woman was delivered also: and we were together; there was no stranger with us in the house, save we two in the house.

And this woman's child died in the night; because she overlaid it.

And she arose at midnight, and took my son from beside me, while thine handmaid slept, and laid it in her bosom, and laid her dead child in my bosom.

And when I rose in the morning to give my child suck, behold, it was dead: but when I had considered it in the morning, behold, it was not my son, which I did bear.

And the other woman said, Nay; but the living is my son, and the dead is thy son. And this said, No; but the dead is thy son, and the living is my son. Thus they spake before the king.

Then said the king, The one saith, This is my son that liveth, and thy son is the dead: and the other saith, Nay; but thy son is the dead, and my son is the living.

And the king said, Bring me a sword. And they brought a sword before the king.

And the king said, Divide the living child in two, and give half to the one, and half to the other.

Then spake the woman whose the living child was unto the king, for her bowels yearned upon her son, and she said, O my lord, give her the living child, and in no wise slay it. But the other said, Let it be neither mine nor thine, but divide it.

Then the king answered and said, Give her the living child, and in no wise slay it: she is the mother thereof.

And all Israel heard of the judgment which the king had judged; and they feared the king: for they saw that the wisdom of God was in him, to do judgment.

1 KINGS 3:16–28

Israel had not wanted a king in the first place. In the 200 years between the Exodus and the elevation of Saul from rustic farmer to chieftain-king, "every man did what was right in his own eyes." Solomon was only the third king of Israel, but he soon "exceeded all the kings of the earth for riches" and "all the earth sought to hear his wisdom." Even the Queen of Sheba, who came to investigate the rumors of such wisdom and prosperity, was astounded: "The half was not told me." There was more to Solomon's kingdom than glory, however, and the careful reader of the Books of 1 and 2 Kings can discern the true nature of that rule.

The reign of Solomon was as oppressive as it was splendid. His passion for magnificent buildings and opulent display overcame his youthful desire for an understanding heart to guide his people. The court glittered, and the cities vibrated with the rumble of horses and chariots, the bustle of merchants and embassies. No doubt this new cosmopolitanism was pleasing to the emerging upper classes, urbane and fashionable. But the extravagance of Solomon's projects was greater than the economic strength of the empire. By requiring one month's supply of crops from each district for his tables and horses and by drafting the farmers into forced labor, he ruined the agricultural base of the land. After twenty years, outlying towns had to be mortgaged; the nation was bankrupt.

Nevertheless, Solomon's reputation for great wisdom has survived in tradition and in the enduring story of his clever judgment that the baby disputed by two harlots should be cut in two and a half given to each. An isolated cultural and religious sect in America, the Old Order Amish, gave the name Solomon's Puzzle to a famous patchwork design called

Drunkard's Path by the more worldly. The pattern is easy to sew. Curved chunks are cut from squares and pieced to other squares, from which curved chunks have also been cut. The problem for the quilter is to keep from becoming confused while arranging the assembled squares of cloth into the tortuous design. The seamstress is "too close" to the patches and sometimes cannot see her way through the maze. The mothers in the biblical story were also "too close" to their grief and could not see a fair solution. The Amish quilt maker must have noted a natural identification between the puzzle in the scriptures and the riddle of patchwork in her hands.

It is somewhat perplexing that Solomon should be remembered as "wiser than all men," until we realize that history is often selective in its memories of the characters who cross its pages. For example, if Americans remember Elbridge Gerry at all, it is only as the author of the infamous "gerrymander," any drawing of election-district boundaries for partisan advantage. In 1812, while Gerry was governor, the counties of Massachusetts were redistricted. Because one revised district was shaped grotesquely, like a salamander, the newspapers invented a new term, the "gerrymander." Yet Elbridge Gerry was a true American statesman, a leader in the first three administrations, respected by every national faction. From the earliest days of Colonial unrest he was as radical a patriot as Samuel Adams. At the age of thirty-two he was one of the youngest signers of the Declaration of Independence. In 1814, Elbridge Gerry died in office, vice-president of the United States. In any event, gerrymandering was only a new name for a practice that may have originated with Solomon of Israel, who organized twelve new districts to cut deliberately across the old and cherished tribal boundaries, thus forcing the centralization of power in Jerusalem.

In fairness to Solomon, possibly he should not receive all blame for his insensitivity to the democratic spirit of the independent Israelite. Solomon's father, David, youngest of the eight sons of Jesse, was born in the rural community of Bethlehem and raised in the ways of the wilderness. Solomon, son of Bathsheba, David's favorite wife, was born "to the purple," and raised in the royal harem. The young prince never lived among the Children of Israel, so he could not fathom the heart of their faith: the rights of the weak, the dispossessed, and the underprivileged before God and man.

The days of Solomon did mean peace for Israel, however, and the stimulation of a national self-consciousness, which security brings to any nation.

The cultural expansion of Solomon's era created a profound intellectual awakening in the little land. The king demonstrated one kind of national pride by constructing the temple, the house of the Lord, using architectural and decorative styles more Canaanite than Hebrew. Others were quickened with insight into the significance of Israel's unique mission for mankind. In the religion of Israel, God could not be portrayed, but He could be described. The leisure and optimism allowed by secure frontiers encouraged a scribal class with the talent and faith to preserve in writing the involvement of the Lord in the concrete events of Israel's past, the dialogue between One God and His people.

In the quarter century after the American Revolution, the new United States had to concentrate on the practical business of managing a continent, rather than imaginative probing into the delights of the mind. However, the common experience of the Revolution did spur the development of some immediate national symbols. John Adams had foreseen in July, 1776 that Independence Day would be "solemnized with Pomp and Parade . . . with Guns, Bells, Bonfires, and Illuminations from one End of this Continent to the other from this Time forward forever more." Americans had "Yankee Doodle" to sing, the Stars and Stripes to salute, and enough Americanisms in their speech to prompt a London magazine to roar, "Oh spare, we beseech you, our mother-tongue!" But it would take a generation beyond the war to develop a unified tradition deep enough to inspire a national literature. As Benjamin Franklin aptly said, "To America, one schoolmaster is worth a dozen poets."

Nevertheless, the evolving American man sensed that he was a fresh type on the world scene. Perhaps he could not yet write more than ballads or political tracts about his experiences and beliefs, but he could preserve the faces and events of the time with oils and brushes. American portrait painters recorded the New World idea of the "natural rights" of the individual through their accurate likenesses of statesmen, soldiers, women, and children. From John Singleton Copley we have Paul Revere in his work clothes as a silversmith. From Charles Willson Peale we have Benjamin Franklin wearing the silver-rimmed bifocals that would become his trademark. And John Trumbull left us our corporate memory of the "Signing of the Declaration of Independence" and the portrait of Alexander Hamilton on the ten-dollar bill.

In the Near East of the ninth century B.C., Israel was like a New World in her exceptional self-conviction as a community chosen for the purposes of God. But Solomon had never understood the need to consolidate the fragile unity of tribes and foster the spirit of oneness. At his death, the northern tribes broke away. The nation of Israel was divided forever. Yet, over the space of centuries, Solomon's era would be extolled in memory as the ideal Israel, the golden age of "Solomon, in all his glory."

INSTRUCTIONS

Solomon's Puzzle — 14″ Block

Two templates (page 150).

Layer cut (#4 page 125).
A crescent square: Cut 8 in light fabric.
                       Cut 8 in dark fabric.
B wedge: Cut 8 in light fabric.
                       Cut 8 in dark fabric.

Constructing the Squares

Make 8

Make 8

Finishing the Block

Make 16 squares, in 2 combinations of light and dark:

1. Clip *A* crescent square on curve.
2. Following the instructions in the glossary for *sewing curves* (#11 page 130), pin *A* crescent square to *B* wedge, with clipped *A* on top.
3. Sew, easing to fit, using a short, #15 stitch. Press seam allowance toward dark fabric.

1. Arrange the assembled squares, following the block diagram.
2. *Chain sew the entire block* (#7 pages 126–27). *Butt seams* (#8A page 127) at seam joints.

Tree of Life

Jacob's Ladder

Joseph's Coat

Children of Israel

David and Goliath

Solomon's Puzzle

Rose of Sharon

King David's Crown

This quilt, named for David, Israel's greatest king, was pieced in blue, scarlet and gold—mentioned in the Old Testament as glorious colors for the dressing of God's priests and tabernacle. The multi-striped and figured polished chintz, in gold and deep blue, controlled the design of the quilt. The quilting designs were planned to reflect the ancient Near East in the era of David—the tenth century B.C. The regularly spaced rosettes on the white border are similar to rosette motifs on fragments of low-relief sculpture uncovered in the Mesopotamian Valley by archaeologists in this century. The interlocked double zigzag design on the red border is reminiscent of designs found on the metalwork and pottery of many ancient cultures.

Job's Tears

Star of Bethlehem

Hosanna

Caesar's Crown

Crown of Thorns

Three Crosses

The Dove

·E·I·G·H·T·

Job's Tears
QUILT

There was a man in the land of Uz, whose name was Job; and that man was perfect and upright, and one that feared God, and eschewed evil.

And there were born unto him seven sons and three daughters.

His substance also was seven thousand sheep, and three thousand camels, and five hundred yoke of oxen, and five hundred she asses, and a very great household; so that this man was the greatest of all men of the east.

Now there was a day when the sons of God came to present themselves before the Lord, and Satan came also among them.

And the Lord said unto Satan, Whence comest thou? Then Satan answered the Lord, and said, From going to and fro in the earth, and from walking up and down in it.

And the Lord said unto Satan, Hast thou considered my servant Job, that there is none like him in the earth, a perfect and an upright man, one that feareth God, and escheweth evil?

Then Satan answered the Lord, and said, Doth Job fear God for nought?

Hast not thou made an hedge about him, and about his house, and about all that he hath on every side? thou hast blessed the work of his hands, and his substance is increased in the land.

But put forth thine hand now, and touch all that he hath, and he will curse thee to thy face.

And the Lord said unto Satan, Behold, all that he hath is in thy power; only upon himself put not forth thine hand. So Satan went forth from the presence of the Lord.

And there was a day when his sons and his daughters were eating and drinking wine in their eldest brother's house:

And there came a messenger unto Job, and said, The oxen were plowing, and the asses feeding beside them:

And the Sabeans fell upon them, and took them away; yea, they have slain the servants with the edge of the sword; and I only am escaped alone to tell thee.

While he was yet speaking, there came also another, and said, The fire of God is fallen from heaven, and hath burned up the sheep, and the servants, and consumed them; and I only am escaped alone to tell thee.

While he was yet speaking, there came also another, and said, The Chaldeans made out three bands, and fell upon the camels, and have carried them away, yea, and slain the servants with the edge of the sword; and I only am escaped alone to tell thee.

While he was yet speaking, there came also another, and said, Thy sons and thy daughters were eating and drinking wine in their eldest brother's house:

And, behold, there came a great wind from the wilderness, and smote the four corners of the house, and it fell upon the young men, and they are dead; and I only am escaped alone to tell thee.

Then Job arose, and rent his mantle, and shaved his head, and fell down upon the ground, and worshipped.

And said, Naked came I out of my mother's womb, and naked shall I return thither: the Lord gave, and the Lord hath taken away; blessed be the name of the Lord.

In all this Job sinned not, nor charged God foolishly.

JOB 1:1–3; 6–22

Job was middle-aged. He had raised his large family, built a substantial home, and prospered as a rancher and farmer. He was described as "perfect and upright." Job paid meticulous attention to God's laws and prayed earnestly for his children lest they sin in their hearts without his knowledge. He deserved some peace, time to enjoy his grandchildren and to sit in the sun.

Suddenly, with terrifying speed, he loses everything, as flocks of cattle, sheep, and camels are stolen or destroyed and servants and family are killed, down to the last child.

Job is horrified at these swiftly moving events and is completely anguished in pain and misery. He tears his clothes, shaves his head, and falls to the ground humbled in the face of his helplessness. His love and faith in God are his only hope.

Again, Satan plots against him. Job, given a loathsome disease, is brought in great pain and suffering to the very edge of death but is refused this final comfort. We see him with only his wife left to taunt him and so disfigured his friends hardly recognize him. And now he is a bitter man.

This begins the long, tortured, poetic struggle of Job and three friends to perceive a God who is above all understanding.

The story concludes with a dramatic confrontation, when God speaks to Job out of a whirlwind. It is a caring God who answers Job and gives him recognition and respect. This firsthand experience is enough. Job puts his trust in God's power and wisdom. He can accept the will of God in his life.

This story of reward and punishment, hope and despair, leaves us feeling somewhat uncomfortable in its lesson. It exposes man's greatest fear, that the God of love we trust might intentionally bring misfortune to test our loyalty and faith. But thoughtful reasoning ultimately brings us to the realization that faith is a gift we must pray for and that we cannot judge all events from our perspective of limited understanding.

A reading of Job does not answer all our questions concerning the suffering of the righteous. We still say "unfair" when we are touched with unexplained adversity. Early American life was often "unfair": Indians pushed off ancestral land; innocent people slaughtered in battles of retaliation; homesteaders' dreams of a new life lost to dust, locust, fire, or fatigue.

We learn of these hardships through both folklore and written history. One such writer who described her difficult times and how they were endured was Anne Bradstreet, a seventeenth-century poet, who lived the Puritan life in Colonial America. Her poetry, often written like a diary of her innermost thoughts, is of great literary and historical interest. Anne Bradstreet wrote sensitive, clear narrations of her emotional response to crisis. She spoke with authority as a woman and mother in early Colonial times, as may be seen by the excerpt from her poem "Some Verses Upon the Burning of Our House, July 10, 1666." She was the personification of the lesson in Job. When physical and emotional pain, both actual and feared, become too great, our only solace is in God who gives us life and love.

> In silent night when rest I took
> For sorrow near I did not look
> I waken'd was with thundring noise
> And Piteous shrieks of dreadful voice.
> That fearful sound of fire and fire,
> Let no man know is my desire.
>
> I, starting up, the light did spye,
> And to my God my heart did cry
> To strengthen me in my Distresse
> And not to leave me succorless.
> Then coming out beheld a space,
> The flame consume my dwelling place.
>
> And when I could no longer look,
> I blest his Name that gave and took,
> That layd my goods now in the dust:
> Yea so it was, and so 'twas just.
> It was his own: it was not mine;
> Far be it that I should repine;

Many events or repeated stories could have led the first woman to name a quilt patch Job's Tears. Perhaps her mind was prompted by a tall grass of the same name, imported from India. The ornamental grass grows a shiny, pearl-gray seed in the shape of a teardrop. This bead, about the size of a cherry stone, is very hard and was used to make rosaries, jewelry, and other ornaments. The formed teardrop would recall Job's cry in Job 16:20, "Mine eye poureth out tears unto God," and could be expressed in the oval chains of her quilt top.

After 1800 the great wilderness was formed into new states asking to be admitted to the Union. The slavery question was heavily debated in 1818 when Missouri applied as a slave state. This would upset the balance of power in the Senate, which was then half-free and half-slave. The Missouri Compromise solved the immediate problem by admitting Maine as a free state—and balance was restored.

The quilt pattern Job's Tears bent with the times and came to be known as The Slave Chain. But more than politics must have inspired this evolution of a name. Conflicting views on the slavery issue were widespread, but there was a growing awareness of the desperate struggle of a people, seemingly forgotten, as they, like Job, "sat down among the ashes."

In Texas, in 1836, western heroes Davy Crockett and Jim Bowie were among the men who died at the Alamo fighting for freedom from Mexico. This stormy period of Texas history was symbolized in an old quilt pattern with a new name: The Slave Chain became Texas Tears.

During this period, a woman's day was spent dipping and molding, grinding and churning, dyeing and carding, spinning and weaving. Quilting was perhaps the most relaxing of her many activities. The names she chose for her designs often reflected a social or political consciousness that may surprise us. The name Job's Tears was revised many times. As America grew and concerns shifted, Texas Tears became The Rocky Road to Kansas, Kansas Troubles, and Endless Chain. Each name symbolized a situation of conflict, desperation, or frustration. But the name Job's Tears is personal. It echoes the private troubles and worries that plague the most virtuous of men. It can still bring comfort to those who have been tested and have truly suffered in their search for acceptance of the great mystery and sovereignty of God in their lives.

INSTRUCTIONS

Job's Tears — 16″ Block

1/4 of Block

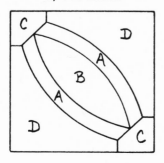

Four templates (pages 151–52).

Layer cut (#4 page 125).
A curved strip: Cut 8 in dark fabric.
B oval: Cut 4 in light fabric.
C pentagon: Cut 8 in medium fabric.
D crescent square: Cut 8 in light fabric.

Assemble ¼ of the block at a time.

Oval Unit

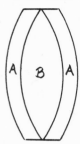

Adding Pentagons

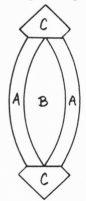

1. Sew *A* curved strip to *B* oval as shown.

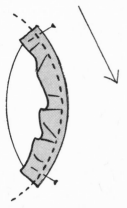

Ease curved strip to fit oval with curved strip on top. See *Sewing Curves* (#11 page 130).
Open and finger press seam allowance toward strip.

2. Add second curved strip to opposite side of oval. Open and finger press seam allowance toward strip.

Sew a *C* pentagon to each end of oval unit, with oval unit on top.

Set in ¼ inch (#9 pages 128–29) at the beginning and end of this seam and *stitch through the* **V**'s (#8B page 127).

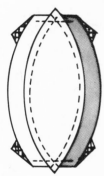

Setting In Crescent Squares

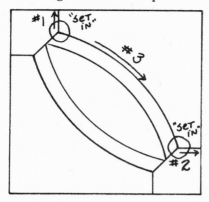

Follow the numbered order in the diagram for sewing the seams of this unit.

See the glossary for *Setting In* (#9 pages 128–29).

1. Seam #1—match *C* pentagon and narrow end of *D* crescent square as shown.
   Set in ¼ inch, and sew in the direction of arrow.
2. Seam #2—match *C* pentagon and narrow end of *D* crescent square.
   Set in ¼ inch, and sew in direction of arrow.
3. Seam #3—sew *D* crescent square to oval unit with crescent square on top, easing to fit.
   Set in ¼ inch at the beginning and end of this seam.
4. Add second *D* crescent square in same manner, completing ¼ of block.

Repeat the above instructions for the remaining ¾'s of the block.

Finishing the Block

Arrange the 4 quarters of the block, following the block diagram.

Butt seams (#8A page 127) at seam joints.

·N·I·N·E·

Rose of Sharon
QUILT

The song of songs, which is Solomon's.
Let him kiss me with the kisses of his mouth: for thy love is better than wine.
I am the rose of Sharon, and the lily of the valleys.
As the lily among thorns, so is my love among the daughters.
As the apple tree among the trees of the wood, so is my beloved among the sons. I sat down under his shadow with great delight, and his fruit was sweet to my taste.
He brought me to the banqueting house, and his banner over me was love.
His left hand is under my head, and his right hand doth embrace me.
My beloved is mine, and I am his: he feedeth among the lilies.

SONG OF SOLOMON 1:1, 2; 2:1–6, 16

Four thousand years ago our earth was largely undiscovered, uncharted, and unknown. It was a vast world, when its size was compared to the sparse population and limited means of transportation and communication. On different continents, in lands of contrasting climate and resources, there were small pockets of civilization with diverse cultures in various stages of development. One area, with a rich oral and written history, has had several names: Canaan, Palestine, Israel. During its development this small land has experienced many changes in the boundaries, races, and religions of its people. It is the heart of three major religions and has known powerful days of glory and been scarred with countless wars and conflicts.

On the eastern sandy shores of the Mediterranean Sea lies a fertile stretch of land known as the Plain of Sharon. Sharon is one of the coastal plains, that along with the mountain hillsides, plateaus, and deserts, make up the contrasting terrain of the Holy Lands. It is a narrow strip of lush soil that begins at the beach of Mount Carmel in the north and is bordered on the west by the sand dunes of the sea and to the east by the Carmel Mountain Range and the hills of Samaria.

The area has been occupied since antiquity, and enough history has been preserved for us to imagine it in the time of the men and women of the Bible. King David's flocks grazed there, perhaps near the dense forests of oak trees that once covered much of this land. After heavy rains, the rapid flow of the streams coming down from the mountain ranges stripped the soil of many nutrients, leaving the earth better suited for grazing of livestock than for farming. Due to modern irrigation and farming techniques, the geographical characteristics of the plain have changed from the forest-jungle of biblical times to today's fertile farmland.

The verse in Song of Solomon "I am the rose of Sharon, and the lily of the valleys" must refer to this fruitful land. In the spring and summer, areas of the plain were covered with glowing red flowers, a variety of tulip or crocus. Contrasted with the sea and rocky hillsides, the flow of waving red flowers and silver green leaves of the Sharon tulip was of stunning beauty.

In the 1700s, a flowering bushy plant, native to China, was imported from Europe and established in the gardens of early America. It had many varieties, and one was named Rose of Sharon. This Rose of Sharon had five-petaled flowers, three to four inches in diameter, ranging in color from white and blue to violet and purple. It would grow large and dense as a screen or hedge and was ornamental in the garden, flowering in late summer when most other woody plants finished blooming.

The phrase Rose of Sharon is part of the beautiful language and imagery of the book Song of Solomon. King Solomon's name is mentioned several times in Song of Solomon, and perhaps his renown as husband and lover encouraged the practice of giving him credit for this sensual work of poetry.

The Bible described Solomon's parents as exceptional in appearance. His father, David, was said to have had "a beautiful countenance, and goodly to look to"; his mother, Bathsheba, was portrayed as a vision of loveliness bathing in the moonlight. It is not difficult to imagine Solomon, the son, as a handsome, robust, princely man.

His reputation as a husband and lover was well documented. His first wife was the daughter of an Egyptian pharaoh. He is later credited with having seven hundred wives and princesses and three hundred concubines. "King Solomon loved many strange women." He did not heed God's warning that these foreign wives would "turn away" his "heart after their gods." His fabled riches enabled him to support and enjoy this large harem into his old age.

For centuries questions have been raised concerning the inclusion of the Song of Solomon in the Bible. It would not have been considered Holy Scripture had not tradition endorsed Solomon as its author. The collection of love songs and poems may be understood to be symbolic language with diverse interpretations. The verses were interpreted as representing worldly love, before Song of Solomon was formally accepted into the Bible. Later, they were thought to be an allegory describing God's love for His people Israel. Early Christians believed this book described Christ's love for His Church.

Today it is enjoyed as an example of Hebrew folk literature, expressing the natural sexuality of an ancient culture. It is a dazzling declaration of human love, the joy and passion between man and woman, and it honors the sacrament of marriage.

Why did this Rose of Sharon mentioned so briefly in the Bible become so popular as a bride's quilt pattern now and in Colonial times? Did it become a tangible expression of a young woman's love and expectations for her future? Perhaps it expressed her hopes for fertility and fidelity in her marriage. And which Rose of Sharon was the Colonial woman thinking of when she imagined this pattern? Was it the newly imported flowering bush from Europe or was it her original creation inspired by reading her Bible?

There were many variations of the Rose of Sharon quilt pattern and its appliquéd layered rose, complete with stems, buds, and leaves. Rose of Sharon, being a free-form design, was not restricted by geometric shapes and allowed each developer great latitude for creative interpretation.

In 1940 John Steinbeck won the Pulitzer Prize for his novel *The Grapes of Wrath*. It described the desperate struggle of migrant farm workers fighting for life and dignity in a depression-torn America. A central character was a sensual pregnant girl always called by her full name, Rose of Sharon. Her many hopes and dreams were never realized, but she experienced a satisfying fulfillment in a most unexpected manner, by being in touch with the realities of life and responding in a loving, giving way.

The Rose of Sharon quilt was made with great expectations. The wedding quilt, with girlish thoughts sewn into every seam, was so beautiful and precious that it was saved for best. A special person or occasion would be honored by its presence on a bed. Years later, the girl, now a woman with the cares and concerns of children, perhaps wearied by the routines or disenchantments of life, would smooth the quilt of her youth and remember the passion of her young marriage and smile as she reflected on her memories.

INSTRUCTIONS

Rose of Sharon — 12″ Block

Six templates (pages 153–57).

Cut:

A outer ring:	Cut 1 in dark fabric.
B middle ring:	Cut 1 in light fabric.
C inner circle:	Cut 1 in dark fabric.
D stem:	Use ½-inch-width bias tape in medium color, cut to size.
E bud:	Cut 3 in dark fabric.
F budcase:	Cut 3 in medium fabric.
G leaf:	Cut 8 in medium fabric.

Cut one 12½-inch square of light fabric for backing.

Six Pressing Templates (pages 154–57).

AA outer-ring pressing template
BB middle-ring pressing template
CC inner-circle pressing template
EE bud pressing template
FF budcase pressing template
GG leaf pressing template

1. To prepare pieces to be appliquéd:
   a. Trace template onto fabric and cut out accurately.
   b. Use pressing template and hot steam iron to press under ¼-inch seam allowance.
      See *Appliqué Techniques—Pressing Template* (#12A pages 130–31).
      Note: Raw edges that will be covered by an overlapping piece are not turned under.

   Example: *D* stem

   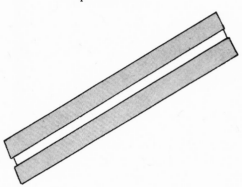

   E bud

   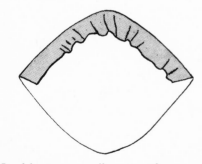

   c. Hand baste seam allowance if necessary.
2. Following diagram, position prepared pieces following alphabetical order of templates.
3. Pin or baste in place onto background fabric.
4. Hand appliqué with matching thread using the *invisible appliqué stitch* (#12B pages 130–31).

·T·E·N·

Star of Bethlehem
QUILT

Now when Jesus was born in Bethlehem of Judaea in the days of Herod the king, behold, there came wise men from the east to Jerusalem,

Saying, Where is he that is born King of the Jews? for we have seen his star in the east, and are come to worship him.

When Herod the king had heard these things, he was troubled, and all Jerusalem with him.

And when he had gathered all the chief priests and scribes of the people together, he demanded of them where Christ should be born.

And they said unto him, In Bethlehem of Judaea: for thus it is written by the prophet,

And thou Bethlehem, in the land of Juda, art not the least among the princes of Juda: for out of thee shall come a Governor, that shall rule my people Israel.

Then Herod, when he had privily called the wise men, inquired of them diligently what time the star appeared.

And he sent them to Bethlehem, and said, Go and search diligently for the young child; and when ye have found him, bring me word again, that I may come and worship him also.

When they had heard the king, they departed; and, lo, the star, which they saw in the east, went before them, till it came and stood over where the young child was.

When they saw the star, they rejoiced with exceeding great joy.

MATTHEW 2:1–10

The writer of the Gospel According to Matthew presents the message of the good news from God of salvation through Jesus Christ—carefully, convincingly, and artistically. Central to Matthew is his belief in the unlimited power of One God to enter history through miracles and man's corresponding power to reach God through personal prayer and faith. Like the writers of the other Gospels, Matthew writes to strengthen the faith of the early Christian community. But he wants especially to establish that Jesus is the true Messiah and the fulfillment of the Old Testament prophecies. The rich detail of his text gives us our most complete knowledge of Jesus' life and teachings.

The story of the Magi is Matthew's alone in the New Testament. Matthew's narrative can be received as his offering to mankind of a sign from God of the eternal significance of that night of the Baby's birth. The sign is high in the sky, seemingly beyond man's grasp. But it represents our longing for answers, for hope—and the daring willingness of a few to journey, and finally to reach journey's end, and "exceeding great joy."

In its classic form, the Star of Bethlehem design is one huge multi-pieced star covering the quilt top, edge to edge. So many Star of Bethlehem quilts have survived that we could mistakenly assume the quilt pattern is simple to execute. The opposite is true. A Star of Bethlehem quilt is one of the most difficult patterns to cut and sew. Hundreds of diamond patches, each having two to four bias sides, must be handled with precision. The technical and creative skill of American women is confirmed also by the color arrangement of the patches. Although usually composed of many different scrap fabrics, circles of delicate tone-on-tone color appear to ripple— or explode—toward the eight points of the design.

The desire to create such a masterpiece quilt had to be intense. A quilt maker who simply wanted to do a star pattern could have selected from more than fifty simpler versions. Choosing the Star of Bethlehem was deciding to pursue perfection. It would be an all-or-nothing pilgrimage. Only the most self-assured could begin without some trembling. The number of completed Star of Bethlehem quilts in our museums is evidence of how many artisans successfully reached the end of that journey. It is for us to wonder how many quests were abandoned half-done, as stacks and stacks of diamond patches strung together by color and neatly laid away in boxes.

Over the centuries students of the Bible have raised similar questions about the Magi. Were these three, recorded in the Gospel of Matthew, the only astrologers in the entire ancient Near East who noticed something different in the sky that year and followed? Or were there others who sighted the star, perhaps plotted its course, and pursued it partway? And were there still others who observed it and commented, but soon returned to their customary surveys of the heavens?

INSTRUCTIONS

Star of Bethlehem — 18″ Block

Diamond

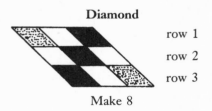

row 1
row 2
row 3

Make 8

Three templates (pages 158–59).

Layer cut (#4 page 125).
A diamond: Cut 32 in light fabric.
              Cut 16 in medium fabric.
              Cut 24 in dark fabric.
B triangle: Cut 4 in light fabric.
C square: Cut 4 in light fabric.

Eight large diamonds, each composed of 9 smaller diamonds, make this version of the Star of Bethlehem.
The assembled diamonds, triangles, and squares are sewn like the classic Eight-Pointed Star.

1. Sew light, medium, and dark *A* diamonds in 3 rows, following diagram.
2. Position diamonds so they are offset by the ¼-inch seam allowance, as shown. See *Offset Seams* (#10 page 129).

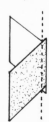 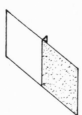

Press seam allowances of diamonds in each row as shown in drawing.

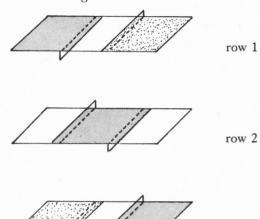

row 1

row 2

row 3

3. Join row #1 to row #2 so they are offset by the ¼-inch seam allowance.
4. Add row #3 in same manner.
   Press seam allowances of row #2 toward outside edges of diamond.
5. Make 7 more diamonds.

1. Sew assembled large diamond #1 to diamond #2, beginning at the middle angle, and *setting in* ¼ inch. See *Setting In* (#9 pages 128–29).
   Sew to the end of the seam. Open.
2. Add diamond #3, *setting in* ¼ inch. Sew to the end of the seam. Finger press the seam allowance of diamonds #1 and #2 to your left as you sew across it. Open.
3. Add diamond #4, setting in ¼ inch. Sew to the end of the seam. Finger press the seam allowance of diamonds #2 and #3 to your left as you sew across it.
4. The third seam allowance will fall to the right naturally, so that all stitching lines of diamond #3 will be visible on the back of the block.

The Star
Top Half of Star

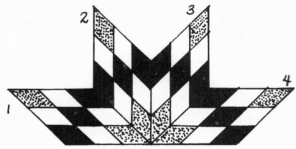

Bottom Half of Star

Construct the bottom half of the star in the same manner as the top half.

Finishing the Star

Join the top and bottom halves of the star, *setting in* ¼ inch at the beginning and end of this center seam. See *Matching Horizontal Seam Joints* (#8A, 8B$_{(1)}$, and 8C pages 127–28).

Setting in **Triangles and Squares**

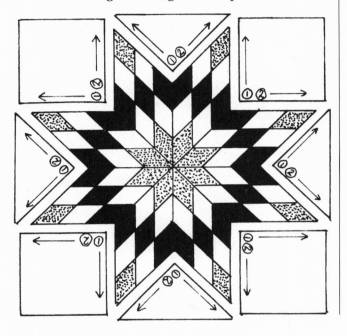

1. *Set in* the **B** triangles and **C** squares around edges of star, until block is completed: Observe numbered order of seams as you *set in* each patch. Sew all seams from the inside toward the outside edges of the block.
2. *Set in* the 4 triangles first.
   a. Seam 1: Wrong side of the star will be face upward as you sew.
   b. Seam 2: Right side of the star will be face upward as you sew.
3. *Set in* the four squares, following the above instructions.
4. The seam allowances of the *set in* joints are free and will fan in any direction. However, the seam allowances of the diamonds should be pressed toward the triangles and squares.

·E·L·E·V·E·N·

Hosanna
BANNER

And when they drew nigh unto Jerusalem, and were come to Bethphage, unto the mount of Olives, then sent Jesus two disciples,

Saying unto them, Go into the village over against you, and straightway ye shall find an ass tied, and a colt with her: loose them, and bring them unto me.

And if any man say ought unto you, ye shall say, The Lord hath need of them; and straightway he will send them.

All this was done, that it might be fulfilled which was spoken by the prophet, saying,

Tell ye the daughter of Sion, Behold, thy King cometh unto thee, meek, and sitting upon an ass, and a colt the foal of an ass.

And the disciples went, and did as Jesus commanded them,

And brought the ass, and the colt, and put on them their clothes, and they set him thereon.

And a very great multitude spread their garments in the way; others cut down branches from the trees, and strawed them in the way.

And the multitudes that went before, and that followed, cried, saying, Hosanna to the Son of David: Blessed is he that cometh in the name of the Lord; Hosanna in the highest.

And when he was come into Jerusalem, all the city was moved, saying, Who is this?

And the multitude said, This is Jesus the prophet of Nazareth of Galilee.

MATTHEW 21:1–11

The colt was small and untrained. This was the first time it had carried a man—a gentle man—who did not prod and hurry it. The colt, bearing its rider, picked its stumbling, halting way along the hilly road, from the Mount of Olives down into the city of Jerusalem. The crowd grew large as the children ran to spread the news of their arrival. The women cut palm branches and sprays of willow to lay in the dust before this humble man. As He drew near, the men dramatically swept the cloaks from their shoulders, settling them in the swirling dust, making a path of bright fabric and green leaves.

The people praised and blessed Him, and as He passed they cried, "Hosanna: Blessed is the King of Israel that cometh in the name of the Lord."

And Jesus—was He smiling, did He wave or acknowledge the adoration surrounding Him? Or, was His face reflective, His mouth thin with sadness; were His eyes heavy with unshed tears as He rode into the midst of the cheering crowd bowing before Him and exalting His name? Was He thinking that this last trip into Jerusalem would mark the beginning of the end of His earthly ministry and that soon the cheers of praise would turn to cries of hate, murder, and revenge?

Jesus was a man of deep emotion and would show every extreme of human feeling. He could communicate with men at all levels of society. He made no distinction among persons by class: the priest and harlot, soldier and thief, were all beneficiaries of His deep love and intense interest.

Tenderly He drew the children close to Him as He spoke in a soft voice and manner to capture their attention. Compassion and pity for the sick, lame, and blind would overwhelm Him. He could not resist their pleas, even when He was exhausted from crowds pushing and pressing, demanding and begging His time, His touch, His love. His sensitivity was so great He would feel His healing powers drawn by the specific touch of one woman of faith amidst a huge crowd jostling and beseeching Him.

As a teacher, Jesus was direct and authoritative. He gave detailed instructions on how to love, how to pray, and where to put values and priorities. He could show impatience and even rage. Wearied by His disciples' lack of faith, He cited their apparent dullness as the reason for their failure to grasp the meaning of His parables. He was enraged to see the money changers defile God's temple.

He had so little time. After three years, the days now seemed to shorten from dawn to sunset to dawn, until time was a blur of rushing events leading to its ultimate conclusion.

But this day had been well planned. The colt was tied and waiting. The timing was arranged so He would enter Jerusalem just before Passover when the city would be crowded and His entry could not go unnoticed.

The details of this procession would fulfill the prophecy written in the Old Testament Book of Zechariah (9:9):

> Rejoice greatly, O daughter of Zion; shout,
> O daughter of Jerusalem: behold, thy King
> cometh unto thee: he is just, and having
> salvation; lowly, and riding upon an ass,
> and upon a colt the foal of an ass.

Jesus entered the city of Jerusalem, not with the military might of King Saul or the magnificence of King Solomon, but with the reserved dignity befitting a king assured of His credentials, His identity, and His destiny.

To praise Jesus as Lord would lead some men to develop their special talents to their greatest ability. Religious art and music were at their peak of development during the late Middle Ages and early Renaissance. It was European art. America was still a wilderness, and the early colonists were chiefly concerned with their own day-to-day survival.

In Europe artists transformed empty canvases and blank walls into paintings of unearthly beauty. Leonardo da Vinci painted the *Annunciation* and the large fresco *The Last Supper.* Michelangelo adorned the ceiling of the Sistine Chapel with his magnificent scenes of the creation.

Sculptors captured the sense of a moment in marble as in Michelangelo's ethereal *Pietà.* Architects built steepled churches worthy of God's presence. The Cathedral of Notre Dame in Paris, Westminster Abbey in London, and Saint Peter's Basilica in Rome are examples of the excellent workmanship and design characteristic of that era.

Musical instruments were perfected to fill the world with the music of Handel's *Messiah,* Haydn's *The Creation,* and Mozart's famous sacred work, *Requiem.*

But hymns—words of praise combined with melody—gave all men and women means to express the joyful love they had for their God. They were an emotional release, lifting the voice and spirit, in their active response to God's Word.

The Psalms had been chanted or sung for hundreds of years. Some of the earliest Christian hymns

were recorded in the Gospel of Luke. When Mary, the mother of Jesus, visited her cousin Elizabeth to share her blessed news, she sang a hymn, the "Magnificat" (Luke 1:46–55) that begins: "My Soul doth magnify the Lord, and my spirit hath rejoiced in God my Saviour."

Zacharias, the husband of Elizabeth and father of John the Baptist, praised the Lord after "his mouth was opened" from his punishing silence. He sang the "Benedictus" (Luke 1:68–79): "Blessed be the Lord God of Israel; for he hath visited and redeemed his people. . . ."

In Jerusalem there was a devout and just man named Simeon. He had been promised by the Holy Spirit that he would not die until he had seen the Lord's Christ. When the infant Jesus was first taken to the temple, Simeon held Him in his arms and blessed God and sang: "Lord, now lettest thou thy servant depart in peace, according to thy word: For mine eyes have seen thy salvation, Which thou hast prepared before the face of all people; A light to lighten the Gentiles, and the glory of thy people Israel" (Luke 2:29–32).

Throughout the centuries after Christ's death and Resurrection, hymns took varied forms but usually followed biblical Scripture.

Isaac Watts, born in 1674, was an English minister and author of over 700 hymns. He was not a casual writer of verse; for him hymn writing was a lifelong study and work. He approached his task from a scholar's knowledge of the Bible combined with an unlimited love and devotion for his God. Perhaps his frail health and the lack of wife and children enabled him to devote all his energy into composing hymns of unexcelled beauty.

In the 1700s it was believed that only God's inspired biblical writings should be sung as hymns. Watts theorized that hymns were a human offering to God and should be composed of man's own words and feelings. He examined the use of hymns in the church and developed two separate forms for his hymns.

First were his hymns of "human composure." They were his original thoughts and words, but were biblical in nature. He took an event in the Bible and enlarged on it, flooding it with emotion, using song to glorify the intensity of his response to God's Word. Two well-known examples are: "When I Survey the Wondrous Cross" and "There is a Land of Pure Delight."

Watts described his second type of hymn as "imitations of the Psalms." He eliminated what he felt were obsolete and unchristian ideas in the early hymns and modernized them, making them Christian in interpretation. The hymns "Joy to the World" and "O God, Our Help in Ages Past," were taken from the Psalms and recomposed to reflect the Christian thought of his time.

Early colonists in America considered themselves to be inhabitants of far-off "suburbs" of their mother countries. For many years the cultural aspect of their lives was European in nature. Americans were singing the same hymns in their log churches as English gentlemen were singing in Westminster Abbey. The hymns of Watts and other European composers were the main fare in American churches for 200 years. It took decades for America's identity to solidify, and for its culture to become unique to itself.

In 1823 the hymn "Ride On! Ride On In Majesty!" was written specifically for Palm Sunday by Henry Hart Milman:

Ride on! ride on in majesty! Hark! all the tribes hosanna cry;
Thy humble beast pursues his road With palms scatter'd, garments strowed.
Ride on! ride on in majesty! In lowly pomp ride on to die;
O Christ, Thy triumphs begin O'er captive death and conquer'd sin.

Milman's praise was poetic. Perhaps an early-American woman was inspired to transfer *her* praise into the fabric art of her quilt top. The pattern of palm leaves known as Hosanna was pre-Revolutionary in origin; it was considered difficult to piece, with its long angular triangles and sharp points. The original inspiration for this quilt pattern came from the biblical account of Jesus' welcome into Jerusalem. Few patterns can rival Hosanna for its graphic and realistic representation, and it is a most fitting tribute to welcome Christ into one's heart and home.

INSTRUCTIONS

Hosanna — 16″ Block

Seven templates (pages 160–62).

Layer cut (#4B page 125).
A triangle: Cut 8 in light fabric.
B triangle: Cut 8 in dark fabric.
C triangle: Cut 8 in light fabric.
D triangle: Cut 8 in dark fabric.
E triangle: Cut 8 in light fabric.
F triangle: Cut 8 in dark fabric.
Layer cut (#4A)
G triangle: Cut 8 in light fabric.

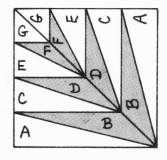

side one   side two

Side One

Start all seams
from outside edge

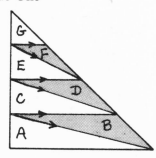

Assemble ¼ of the block at a time.

(Right side of block will be face upward as you sew.)

1. Position a dark *B* triangle over a light *A* triangle so they are offset by the ¼-inch seam allowance. See *Offset Seams* (#10 page 129).

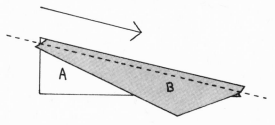

Following diagram, sew in direction of arrow. Press seam allowance toward *B* triangle.

2. Add light *C* triangle as shown, and sew in direction of arrow. Press seam allowance toward *C* triangle.

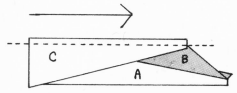

3. Add dark *D* triangle. Follow directions in step 1, and press seam allowance toward *D* triangle.
4. Add light *E* triangle. Follow directions in step 2, and press seam allowance toward *E* triangle.
5. Add dark *F* triangle. Follow directions in step 1, and press seam allowance toward *F* triangle.
6. Add light *G* triangle. Follow directions in step 2, and press seam allowance toward *G* triangle.

Side Two

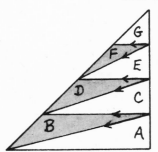

Start all seams
from outside edge

(Wrong side of block will be face upward as you sew.)

Position light *A* triangle over dark *B* triangle. Sew in direction of arrow.

Follow instructions for side one, and continue adding triangles in order.

Join side one and side two in a long diagonal seam, completing ¼ of the block. Use the *hold pin technique* (#8C pages 127–28).

Repeat the above instructions for the remaining ¾'s of the block.

Finishing the Block

Arrange the 4 quarters of the block following the block diagram.
Butt seams (#8A page 127) at seam joints, and *stitch through the* **V**'s (#8B(1) page 127).

·T·W·E·L·V·E·

Caesar's Crown
QUILT

And the chief priests and the scribes the same hour sought to lay hands on him; and they feared the people: for they perceived that he had spoken this parable against them.

And they watched him, and sent forth spies, which should feign themselves just men, that they might take hold of his words, that so they might deliver him unto the power and authority of the governor.

And they asked him, saying, Master, we know that thou sayest and teachest rightly, neither acceptest thou the person of any, but teachest the way of God truly:

Is it lawful for us to give tribute unto Caesar, or no?

But he perceived their craftiness, and said unto them, Why tempt ye me?

Shew me a penny. Whose image and superscription hath it? They answered and said, Caesar's.

And he said unto them, Render therefore unto Caesar the things which be Caesar's, and unto God the things which be God's.

And they could not take hold of his words before the people: and they marvelled at his answer, and held their peace.

LUKE 20:19–26

Submit yourselves to every ordinance of man for the Lord's sake: whether it be to the king, as supreme;

Or unto governors, as unto them that are sent by him for the punishment of evildoers, and for the praise of them that do well.

For so is the will of God, that with well doing ye may put to silence the ignorance of foolish men:

As free, and not using your liberty for a cloak of maliciousness, but as the servants of God.

Honour all men. Love the brotherhood. Fear God. Honour the king.

1 PETER 2:13–17

At the time of Jesus' ministry the known world around the Mediterranean and Aegean seas was politically controlled by the Empire of Rome and culturally affected by the continuing influence of ancient Greece in art and architecture, language and literature, religion and philosophy. Jewish Palestine had been captured by the Roman general Pompey in 63 B.C. and was ruled by Herod the Great, puppet king for Rome, until his death, when the country was subdivided. Troublesome Judea became a province under a Roman procurator, responsible directly to the emperor.

Rome did not try to Romanize her provinces. Local customs were acknowledged, and the power of government was shared. In Judea, the central governing body was the Sanhedrin, a council composed of the priests from the aristocratic, conservative party of the Sadducees; the scribes, from the popular liberal party of the Pharisees, who were experts on the law (the Torah); and the elders, outstanding Jewish citizens.

Much of the tax revenue in Judea was used to better the province, but the annual poll tax collected from every adult male was hated by the populace because it symbolized Jewish subjection to a foreign power. An important factor in the unity of the Roman Empire was the system of uniform imperial coinage, based on the silver coin, the denarius. Portraits of a deified emperor were on one side, with political and religious symbols on the reverse, making coins a medium of propaganda as well as exchange.

The advantages of Greco-Roman culture could not satisfy the yearning of many Jews for the golden age of independence under David and Solomon. Some of these enthusiasts were only restless nationalists; but others were belligerent revolutionaries, feared by both the Roman and Jewish leaders.

To believe in the humanity of Jesus is to be certain He was a man of His times. Jesus moved among the people of His land. Considered a rabbi, He taught in the synagogues of every town and was expected to hold definite views on the issues of the day. Thus, He was in constant contact with the scribes and Pharisees and Sadducees, and "grieved for the hardness of their hearts."

The Gospels of Matthew, Mark, and Luke record the story of the payment of tribute money to Caesar. Jesus knew the dangers of the political situation; He knew the suspicions of subversion that He aroused; He was aware the opposition was mounting against Him. Yet He answered the tribute question in a manner that satisfied none of His critics. The scribes and Pharisees felt He had dodged their tricks again. The revolutionaries, no doubt listening in the background, would have been angered by His support of the rights of the state, proving He was not concerned with claiming political power.

Only those "who had ears to hear" understood the dimensions of Jesus' answer. Service to the state is part of life, but service to God is supreme. Jesus had defined Christian duty when He summarized all the commandments: "Thou shalt love the Lord thy God with all thy heart, and with all thy soul, and with all thy mind, and with all thy strength . . . and thy neighbor as thyself." Our relationships in this world would be chaos unless we loved God first.

The problem of balancing civil and divine powers has entrapped men and nations throughout Western history. In the first century the Apostle Peter, in his letter to the scattered Christians of Asia Minor, described in detail how God's own people should behave, even under oppressive rule. In America the solution has evolved from the tyranny of one church over all of life to the total separation of church and state of modern times.

The original Puritan settlers in Massachusetts were confident they knew the exact truth of God's plan for society, that every person is called by God to a particular class and vocation for the glory of God. Those "called" to govern would rule, therefore, by divine decree. To the Puritans, religious freedom and separation of church and state were absurd notions.

Roger Williams, a Puritan himself, was the first to experience Puritan intolerance, when he was banished from both Plymouth and Massachusetts Bay in 1635 because he insisted "all nations are merely civil, without any holy respect upon them as was upon Israel." Williams dared to believe that Indians had rights, so he purchased land from them for his new settlement, Providence. From the beginning, "soul liberty" for all those "distressed of conscience" was the guiding principle of government; Providence Plantations, and later the Colony of Rhode Island, became the first haven for religious fugitives from Massachusetts Bay. The Baptists were the earliest to benefit, when the First Baptist Church in America was founded in Providence in 1638. The Quakers also found refuge. They were another radical wing of Puritanism and were so persecuted in Boston that three men and one woman of their number were hanged there.

Rhode Island was the first "little corner of the earth" in world history to be established solely for civil and religious liberty, but other "corners" were soon founded in the New World. East and West Jersey and Pennsylvania were opened for colonization and gladly received the Quakers, and in the late 1600s the German and Dutch Mennonites followed the Friends into Pennsylvania. And Maryland, the only English colony founded by Roman Catholics, experimented with mutual toleration between Catholics and Protestants.

The pattern of religious freedom was not uniform, however. Roger Williams specifically "disclaimed our desires and hopes for the Jewes conversion to Christ," so that a Jewish colony took early root in Newport, Rhode Island, where the first synagogue in North America was built. The constitution of Charleston, South Carolina, also promised to refuse no "Jews, heathens, and other dissenters." But Savannah, Georgia, while sponsoring a Jewish community, curiously refused "papists," rum, and lawyers. And the famous Toleration Act of Maryland was restricted to those who believed in the divinity of Christ, but provided the death penalty for those who did not.

The arrivals of these various religious traditions on the American shores assured the development of an American culture quite different from the expectations of the founders.

How do we date and place the Caesar's Crown quilt pattern? The complexities of American history give only intriguing hints. From the earliest Colonial times, study of the classics, Latin and Greek, was the foundation of a fine education among the upper classes. In the eighteenth century sophisticated ladies and gentlemen sprinkled their letters and conversations with Latin puns and references and adorned their parlor mantelpieces with statues of Greek gods and heroes. They named their hunting hounds and spaniels for Pompey, Homer, or Cicero, and in the tobacco colonies, they named their slaves after Jupiter, Caesar, or Cato. After the middle of the eighteenth century, however, the classical influence affected every level of American society. Particularly in the Revolutionary years the Roman virtues of self-sacrifice, self-mastery, love of liberty, and love of country were generally admired, and the political pamphleteers found illustrations from the classics for almost any point they wished to make. Even the ballad makers made classical allusions with ease. One year before the Declaration of Independence, George Washington rode with his cavalcade from Philadelphia to the American camp at Boston, and the words of a new song hailed him along the way:

We have a bold commander, who fears not sword nor
    gun,
The second Alexander—his name is Washington.

A satisfying answer as to the source of the Caesar's Crown design will probably continue to elude us. The pattern uses all of the most difficult geometric forms for quilters—diamonds, ovals, circles, and crescents—and balances them in exact proportions. We wonder if the original draft was done by tracing around teacups and bowls and by folding and cutting paper in the imaginative fashion used for many quilt designs. Or did one ingenious woman borrow the drawing instruments of her draftsman or artisan husband and handle them herself with expertise?

INSTRUCTIONS

Caesar's Crown — 16″ Block

Four templates (pages 163–65).

Single cut
A center: Cut 1 in light fabric.
Layer cut (#4 page 125).
B oval: Cut 4 in medium fabric.
C diamond: Cut 8 in dark fabric.
D wedge: Cut 8 in print fabric.

Cut one 16½-inch square of light fabric for backing.

Center of Crown

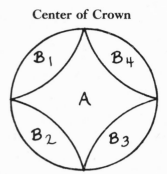

The Crown

1. Clip concave curves of *A* center.
2. Sew *B* ovals to center, following numbered order in diagram.

Ease center curve to fit oval curve with center on top.

See *Sewing Curves* (#11 page 130).

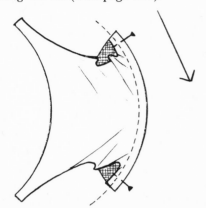

Press seam allowances toward ovals.

Sew *C* diamond to *D* wedge to *C* diamond, etc., until outside edge of crown is completed.

Set in ¼ inch at the beginning of each seam. See *Setting In* (#9 pages 128–29).

Fit wedge and diamond angles as shown.

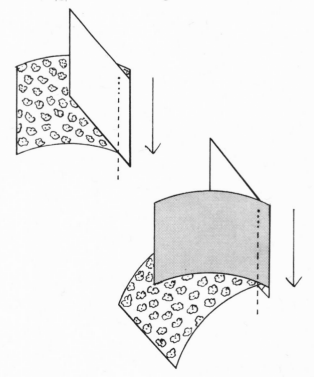

Finishing the Crown

1. Match and pin 4 *C* diamonds to points of *A* center.
2. Pin remaining 4 diamonds to the centers of *B* ovals.
3. Sew the circle, *stitching through the* V's (#8B$_{(1)}$ page 127).
4. Press under ¼-inch seam allowance of outside edge of crown.
5. Hand sew crown to 16½-inch background square using the *invisible appliqué stitch* (#12B pages 130–31).

·T·H·I·R·T·E·E·N·

Crown of Thorns
QUILT

And as they did eat, Jesus took bread, and blessed, and brake it, and gave to them, and said, Take, eat: this is my body.

And he took the cup, and when he had given thanks, he gave it to them: and they all drank of it.

And he said unto them, This is my blood of the new testament, which is shed for many.

Verily I say unto you, I will drink no more of the fruit of the vine, until that day that I drink it new in the kingdom of God.

And when they had sung an hymn, they went out into the mount of Olives.

MARK 14:22–26

And straightway in the morning the chief priests held a consultation with the elders and scribes and the whole council, and bound Jesus, and carried him away, and delivered him to Pilate.

And Pilate asked him, Art thou the King of the Jews? And he answering said unto him, Thou sayest it.

And the chief priests accused him of many things: but he answered nothing.

And Pilate asked him again, saying, Answerest thou nothing? behold how many things they witness against thee.

But Jesus yet answered nothing; so that Pilate marvelled.

Now at that feast he released unto them one prisoner, whomsoever they desired.

And there was one named Barabbas, which lay bound with them that had made insurrection with him, who had committed murder in the insurrection.

And the multitude crying aloud began to desire him to do as he had ever done unto them.

But Pilate answered them, saying, Will ye that I release unto you the King of the Jews?

For he knew that the chief priests had delivered him for envy.

But the chief priests moved the people, that he should rather release Barabbas unto them.

And Pilate answered and said again unto them, What will ye then that I shall do unto him whom ye call the King of the Jews?

And they cried out again, Crucify him.

Then Pilate said unto them, Why, what evil hath he done? And they cried out the more exceedingly, Crucify him.

And so Pilate, willing to content the people, released Barabbas unto them, and delivered Jesus, when he had scourged him, to be crucified.

And the soldiers led him away into the hall, called Praetorium; and they call together the whole band.

And they clothed him with purple, and platted a crown of thorns, and put it about his head,

And began to salute him, Hail, King of the Jews!

And they smote him on the head with a reed, and did spit upon him, and bowing their knees worshipped him.

And when they had mocked him, they took off the purple from him, and put his own clothes on him, and led him out to crucify him.

MARK 15:1–20

It was horseplay and the whole battalion came into the palace for the sport of spitting and bowing. But the victim was a bore; He showed no spirit. He stood there and received their salutes, "Hail, King of the Jews." But was He even able to stand? He had just been flogged, the Roman way. The Romans were proud of their method of scourging, the worst in the ancient world. The whip had leather thongs tipped with balls of metal or bone. The criminal, stripped, was struck on the shoulders, across the body and legs, down to the ankles, and back up to the shoulders again. There was a rhythm to the swings, especially if two soldiers with two whips worked together.

He wore a royal robe; but it was not His own. Perhaps it was the crimson cloak of a centurion, thrown around His neck so that the heavy fabric scraped at the freshly raw skin. He wore a crown. But it was not the golden diadem of prince or priest; nor was it the garland of olive leaves, the prize for victors in the games. This crown was made of thorns, and it was jammed upon His head.

Throughout, He was silent. A similar grisly burlesque had gone on the night before at the palace of the high priest. And He had held His peace during that mock trial also, refusing to defend Himself against the taunts and slaps and hostile questions. This man, Jesus, had frustrated the Jewish authorities to near madness, particularly this last week in Jerusalem. "By what authority are you doing these things?" had been their repeated demand. But His three years of teaching and healing and speaking against the religious playacting of the chief priest, scribes, and Pharisees, up and down the countryside of Palestine, had attached the masses to Him so deeply that He seemed beyond the control of the hierarchy. Now, the events of one day had placed Him in their hands. They needed accusations that would stick. But the hastily gathered witnesses could not agree even on the damning charge that Jesus was planning to destroy their magnificent temple, their only source of national pride in those years under Rome. Then, unexpectedly, He spoke and gave them all they needed against Him—"I am the Son of Man." He would sit beside God and share His throne. Blasphemy! The Sanhedrin had lost power to carry out a sentence of death, but the Romans could do it for them. Wasn't this man claiming to be king of a subject people? That would be supreme insurrection against Rome.

Only a few days before, the multitudes in Jerusalem had hailed Him as their Messiah, their national leader, their Son of David and King of Israel, who would deliver them from the hated pagan domination. Now Jesus seemed only a fool. They were a crowd deceived, and their exquisite disappointment burst forth in a rage for destruction—"Crucify him!"

At that moment Jesus was utterly alone. In the incredible night just past He had been denied by one of His own and betrayed by another. Now, not one of the twelve was to be seen. "They all forsook him and fled." But He had known they would. For days He had tried to prepare them—"There is much to tell you, but you cannot bear it now."

By all human standards He had failed at His job. For three years He had captured the attention of the entire land. But, He realized now, no one had really understood what He had been trying to tell them—that the Kingdom of God was not of politics and nations, but in the kindness they showed the needy and suffering, the love and forgiveness they gave to each other. God was not the Divine Legislator, preached by temple and synagogue leaders, who could be bribed by rules and rituals. He was God the Father, who had delivered His people out of the land of Egypt, who had spoken through the prophets, who was watchful and loving and eager to save every "lost sheep" from the bonds of hurt and hate, if they would only ask and believe. Even a tiny belief, no bigger than a mustard seed, was enough. The seed only had to be planted in some small act of faith. Then God Himself could break its shell and expand its heart, until the mountain of trouble was crumbled.

Most of all, Jesus had wanted to give them His special experience of God as Father. He declared that He was the fulfillment of the prophecies of Moses, Isaiah, and Jeremiah. True, this was an astounding claim. When He preached this message in Nazareth, where He had been brought up, He was thrown out of the city. And His own relatives thought He was "beside himself." But He persisted. When He sent His disciples out, two by two, to preach the ways of God, He assured them, "He that receiveth you receiveth me, and he that receiveth me receiveth Him that sent me." He had many confrontations with the scribes and Pharisees, the elders and priests, and bested them in technical arguments about the law, but they came into mortal conflict when He challenged, "You search the scriptures because you think that in them you have eternal life; but it is they that bear witness of me; yet you refuse to come to me that ye may have life."

A neutral response to Jesus was not possible. "He that is not with me is against me." Faith must be affirmed. Either He was a madman, dangerously obsessed with delusions of divinity, or truly He was "the Son of God."

Jesus was not all talk, though. God had not sent

Him empty-handed, but had "anointed Jesus of Nazareth with the Holy Spirit and with power; who went about doing good, and healing all that were oppressed . . . for God was with Him." He never refused to heal anyone who came to Him. Yet, Jesus always explained that He had been sent to show what God is like: "For the works which the Father hath given me to finish, the same works that I do, bear witness of me, that the Father hath sent me," and "If I do not the works of my Father believe me not. But if I do, though ye believe not me, believe the works. . . ." The miracles of healing the blind, the lame, and the brokenhearted were simply the ordinary, daily "works of my Father." Even more, they were a promise for all time: "My Father is working still."

Jesus' calm bearing during those final scenes in Jerusalem shows He accepted His destiny. His own faith had never stood still. After every mission into the provinces He had retreated for a time of prayer and reflection and struggle. Ever since the forty days in the wilderness at the start of His ministry, temptation and anxiety had always been waiting, "for an opportune time."

The hours in Gethsemane were certainly the worst. He felt nearly overwhelmed. Treachery and panic were imminent. His apostles were confused to distraction. Could they recover and continue His ministry? Would they remember the signs He had given them only hours earlier in the upstairs room of that house in the city? "The Son of Man came eating and drinking." Would they realize their last meal together was meant to seal a new relationship between God and the family of man? It was a New Covenant, with the same terms as the Old Covenant established on Mount Sinai between God and the Children of Israel: "Thou shalt love the Lord thy God . . . and thy neighbor as thyself." But it was a bigger covenant, more than the Law, because Jesus had come to complete the Law. "In burnt offerings and sin offerings, thou hast had no pleasure."

And there was an added promise, greater than any man's imagining: This world is not the end. Yet God's plan was leading a way the disciples had not expected. Jesus' body would be broken, His blood poured out. No other solution would fit. A perfect offering—a perfect obedience—was needed. Nothing else could prove a perfect forgiveness.

Few American pieced-work patterns are as unmistakably like their name as the Crown of Thorns. The spiked wreathlet of triangles is no abstraction. We see the intent immediately and understand. Crown of Thorns is the pattern's oldest name. But it was most often made as Memory Wreath, to memorialize the life and death of a loved one. Clothing of the dead mother or aunt, husband or child was cut into triangles for the design. The open center of the wreath was a ready field for embroidery of names and dates, Scripture, or personal letters of poetry.

Memory quilts were a significant type, if only a small group, in the total of American patchwork. Sometimes called coffin quilts, they might be made of pieced stars as well as crowns or wreaths. However, when casket shapes stitched with the names of the dead were appliquéd around quilt borders, the effect became bizarre indeed. Morbidity was almost fashionable in our country in the late nineteenth century, as it was in Victorian England. But American women of an earlier era found that needlework was the most acceptable creative expression for the griefs which dogged them relentlessly.

The American frontier was a world full of dangers, whether it was the frontier of western Massachusetts in the seventeenth century, or Kentucky in the eighteenth century, or Missouri, Texas, and California in the nineteenth century. Disaster always lurked in ambush—from capricious elements, from untamed woods or broad wastes of prairie, from brush fire or forest fire, and from hostile Mohawks, Sioux, Comanche, or Apache. However, from the first Colonial settlements to the close of the period of westward movement, the most dread threat to life in town and country alike was epidemic disease.

The Puritans' first attempt to settle in America, in 1618, failed because 130 of the 180 passengers died on board ship. The Pilgrims survived their voyage in 1620, but after three months on shore, only half remained of the 101 who landed, and only six or seven were sound enough to nurse the rest.

The first physicians in America were clergymen. Because they owned books, they were expected to know a little about everything. Later, medical education advanced when the apprentice method was applied to the training of young practitioners. Medicine, like everything else in America, was learned the practical way. Although doctors with authentic medical degrees were graduated in 1771 from America's first medical school in Philadelphia, a yellow-fever epidemic in that city in 1793 caused such panic that treatments devised through insane rumors were preferred to those dispensed by physicians. Gunpowder was burned like incense, women and children smoked cigars, and nearly everyone chewed garlic all day long. Still, thousands fell to yellow fever. In the meantime, smallpox almost decimated many Colonial towns, leaving survivors who were blind or disfigured for life. Smallpox was carried to the New World by the Spaniards soon after the discovery of America, and for three centuries the "white man's disease" contributed as much as firearms to the near annihilation of the native American Indians.

Until 1890 when antitoxin was discovered, however, diphtheria, with a mortality rate of 90 percent, was a mother's greatest fear. Her younger children were particularly vulnerable. In a week she might watch every one of them suffocate to death. As the years went by, she would euphemistically speak of "my first family" and "my second family."

Some women had the extraordinary stamina to give birth a dozen times. Nevertheless, for over 200 years, the mysterious childbed fever, certain killer of mothers, haunted every lying-in in the land. The cause was not known until 1843, when the poet-physician Oliver Wendell Holmes published his immortal essay on the subject. It was physicians who spread the disease with their contaminated hands and instruments.

Anne Bradstreet, America's first woman poet, used her pen to express her joys and fears in life, instead of the needle and cloth chosen by most women of the time. In a poem written to her husband before the birth of one of their children, we feel her poignant anxiety and yet detect that glint of self-detracting humor which many of those courageous women may have displayed:

How soon my dear, death may my steps attend . . .
We both are ignorant; . . .
The many faults that well you know I have,
Let be interred in my oblivion's grave; . . .
Yet love thy dead, who long lay in thine arms . . .
Look to my little babes, my dear remains.
And if thou love thyself, or loved'st me,
These O protect from stepdame's injury.
And if chance to thine eyes shall bring this verse,
With some sad sighs honor my absent hearse;
And kiss this paper for thy love's dear sake,
Who with salt tears this last farewell did take.

The verses of Anne Bradstreet show that a Puritan woman of the seventeenth century could be sensual and charming as well as devout. However, in other writings she tells us "the word of life, it is my meat." Surely as her labor drew near, she held onto the words of Jesus: "A woman when she is in travail hath sorrow, because her hour is come: but as soon as she is delivered of the child, she remembereth no more the anguish, for joy that a man is born into the world" (John 16:21).

INSTRUCTIONS

Crown of Thorns — 16″ Block

Four templates (pages 166–68).

Single cut
A square: Cut 1 in light fabric.
Layer cut (#4 page 125).
B triangle: Cut 4 in print fabric.
C triangle: Cut 12 in light fabric.
              Cut 4 in print fabric.
              Cut 8 in medium fabric.
              Cut 8 in dark fabric.
D square: Cut 4 in medium fabric.

Unit 1

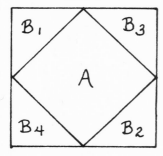

Unit 2

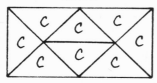

Make 4

Sew a *B* triangle to each side of *A* square, following numbered order on diagram.

Open each *B* triangle after sewing, and press seam allowance toward outside of block.

1. *Chain sew* (#6 page 126) 4 light *C* triangles to 4 print *C* triangles to make 4 squares.

   Open, and press seam allowance toward print fabric.

2. Add 2 medium *C* triangles to each *C/C* square as shown. Open.

3. *Chain sew* the remaining light and dark *C* triangles, matching right-angle sides to make larger triangles.
   Make 2 combinations: 4 with light triangle on left and 4 with light triangle on right. Open.

4. Following the diagram, sew the *C/C* triangles to unit. *Butt seams* (#8A page 127) and *stitch through the V's* (#8B$_{(1)}$ page 127). Open each *C/C* triangle after sewing and press seam allowance toward outside of unit.

Unit 3

D

Four medium squares made from template *D*.

Finishing the Block

1. Follow the block diagram, and arrange completed units 1, 2 and 3.
2. *Chain sew the entire block* (#7 pages 126–27). *Butt seams* (#8A page 127) at seam joints. Use the *hold pin technique* and *stitch through the* **V***'s* (#8B$_{(2)}$ page 127).

·F·O·U·R·T·E·E·N·

Three Crosses
WALL HANGING

And they compel one Simon a Cyrenian, who passed by, coming out of the country, the father of Alexander and Rufus, to bear his cross.

And they bring him unto the place Golgotha, which is, being interpreted, The place of a skull.

And they gave him to drink wine mingled with myrrh: but he received it not.

And when they had crucified him, they parted his garments, casting lots upon them, what every man should take.

And it was the third hour, and they crucified him.

And the superscription of his accusation was written over, THE KING OF THE JEWS.

And with him they crucify two thieves; the one on his right hand, and the other on his left.

And the scripture was fulfilled, which saith, And he was numbered with the transgressors.

And they that passed by railed on him, wagging their heads, and saying, Ah, thou that destroyest the temple, and buildest it in three days,

Save thyself, and come down from the cross.

Likewise also the chief priests mocking said among themselves with the scribes, He saved others; himself he cannot save.

Let Christ the King of Israel descend now from the cross, that we may see and believe. And they that were crucified with him reviled him.

And when the sixth hour was come, there was darkness over the whole land until the ninth hour.

And at the ninth hour Jesus cried with a loud voice, saying, Eloi, Eloi, lama sabachthani? which is, being interpreted, My God, my God, why hast thou forsaken me?

And some of them that stood by, when they heard it, said, Behold, he calleth Elias.

And one ran and filled a spunge full of vinegar, and put it on a reed, and gave him to drink, saying, Let alone; let us see whether Elias will come to take him down.

And Jesus cried with a loud voice, and gave up the ghost.

And the veil of the temple was rent in twain from the top to the bottom.

And when the centurion, which stood over against him, saw that he so cried out, and gave up the ghost, he said, Truly this man was the Son of God.

MARK 15:21–39

"The Word became flesh and dwelt among us." Language cannot say it. Only the Person of Christ can relay the message that God walked into history. He humbled Himself to be born, to be hungry and thirsty, to weep; to question and anguish and die. His name was Jesus. He came from Nazareth in Galilee of Palestine. He was a real man, and He died a real death on an unspeakable gallows. "And they crucified him." All four Gospels are this terse. The shame of the Cross was too great to describe. It was a scandal the Jews could never explain. The Messiah, naked, and nailed on a tree? It was foolishness to the Gentiles, "as they passed by."

There were three crosses on Golgotha that Friday. The temple leaders thought they had the last word, in that gleeful grim joke of final rejection. "He ate with sinners!" Let Him die with them too! Probably nothing enraged the aristocrats of Israel as much as Jesus' association with ordinary people—even the unwashed and unclean, the religious derelicts of the day. By living His love daily, in "seeking that which is lost," He aroused the people to think for themselves. No establishment can bear such a threat; comfortable routines must always be protected. Thus, chained by their pride, the leaders of God's Chosen tried to imprison God. "The Law is perfect. Revelation is

111

over!" they were proud to announce. So they killed the troublemaker because He dared to criticize, to interpret the Scriptures another way. "It is finished!" they thought.

"And Jesus cried with a loud voice," and surrendered His spirit—"Father, into thy hands. . . ." This was not the whine of defeat, but the voice of victory, of certainty beyond hope. For God was planning an opened tomb. And the Christian faith was born that weekend.

Only the women had watched, from afar. The disciples had scattered. But the Risen Christ found them and ordered them all to wait in Jerusalem. While they waited, they remembered, and finally they understood. When "the veil of the temple was torn in two," the Holy of Holies was exposed to all eyes. God became visible so tradition could die. The Scriptures revealed meanings they had not dreamed of, and Jesus' own words rushed back into their hearts: "For verily, I say unto you, that many prophets and righteous men have desired to see those things which ye see and have not seen them, and hear those things which ye hear and have not heard them."

Many years passed before they wrote it all down. But the history of Christ's passion was the starting point for every Gospel and the center of the New Testament faith.

Paul was the first Christian writer to leap over the offense of the Cross and use the word as a sacred metaphor for the power and love of God. By the second century the Cross had become the supreme symbol of the new Christian faith. However, representations of the Cross were rare before the fourth century because of the Christian abhorrence of images inherited from the Mosaic faith and the fear of persecution. Early Christians used pagan symbols, such as the Egyptian ankh ($\female$), the Greek Tau (T), or the Anglo-Saxon swastika (卍) to disguise their Cross. Sometimes the Cross was hidden in other figures—a ship, an anchor, or a bird in flight.

In A.D. 312, the Roman Emperor Constantine had a vision of a flaming cross in the heavens, bearing the inscription "In this sign thou shalt conquer." Constantine converted to Christianity, and in A.D. 313 the Edict of Milan proclaimed equal rights for all religions. Traditional paganism still flourished in the Empire, but from that time the Cross appeared in art undisguised.

The Crucifixion of Christ inspired a number of American quilt patterns. At least two are called Golgotha, but most include a *Cross* in their titles. Three Crosses is called Golgotha, but it is also known as Cross and Crown, Crowned Cross, and Cross upon Cross. And each of these names belongs to other designs as well. Even the Oddfellows, the Romans, the Greeks, and Grandmother have a Cross pattern assigned to them.

The patchwork name Crosses and Losses, however, may illustrate best why the suffering of Christ was a creative stimulus to the artistic talents of American women. Although collective courage and optimism were forces that conquered this continent, the endurance of loss upon loss, or Cross upon Cross, certainly devastated the lives of many individuals in the process. The pain of life's evils can be dulled by hard work, or distracted by shining memories, but can be healed only when the heart and mind become the servant of a creative vision. Perhaps such healing happened for some women in American history through the loving creation of a quilt whose pattern name symbolized the hope that faith guaranteed. The Cross was the visible sign of the God who had suffered at the hands of His people and loved them anyway. Surely those who loved Him back could trust His promises of power and competence to get through this life, and of joy and peace in the life everlasting.

Unshakable faith was not the strength of everyone, though, particularly in the eighteenth century Age of Enlightenment, and sometimes minds broke under burdens too great to bear alone. Although tantalizing details about nameless people do emerge from journals of the time, most of our information concerns those major families who led American history, especially the Founding Fathers, their close associates, and later presidents. All we know of one Virginia innkeeper and his wife in the 1770s is that they had fourteen children and not one lived beyond the age of two. However, we do know that Thomas Jefferson and his wife, Martha, lost her son by her first marriage only six months after their own wedding in 1772 and their eighteen-month-old second daughter, Jane Randolph, three years later, followed in 1776 by a miscarriage for Mrs. Jefferson. In 1777 a son lived only two weeks, and in 1781 their third daughter, Lucy Elizabeth, died at the age of four months. Mrs. Jefferson was gravely ill after several births and deeply depressed for long periods of time with the loss of each child. Thirty-three years old, ten years married, Martha Jefferson died in 1782, four months after the birth of her seventh child, another Lucy Elizabeth.

Those were the Revolutionary years in America, and Thomas Jefferson was torn between the needs of his country and the needs of his wife and family. Many of the patriots were young men, like Jefferson, and their wives and children and farms needed their attentions also. Nevertheless, it is heart-rending to read some of their letters to Jefferson, scolding him for his long absences from the Congress in Philadelphia, accusing him "of retreating for the delights of Domestic life" for "private enjoyments," or to the "Pleasures of Mrs. Jefferson's Company."

When her mother died, Jefferson's oldest daughter, Martha, assumed a maturity beyond her ten years and became Jefferson's steady and lifelong companion. In 1784 the family was reduced again when little Lucy Elizabeth, age two, died of whooping cough. In that period of his life, Thomas Jefferson could write, in truth: "The human heart knows no joy which I have not lost, no sorrow of which I have not drank." Maria, his only other surviving child, lived until Jefferson's first term as president, when she died of childbirth complications similar to those of her mother. And then he wrote, "Others may lose in their abundance, but I, of my want, have lost even half of all I had."

Many of Jefferson's political friends and foes in the founding years of the nation suffered severe personal trials also. His cousin, John Marshall, America's first great jurist and chief justice of the Supreme Court for thirty-four years, endured the death of two children and the insanity of his wife. When Patrick Henry made his famous "Give me Liberty or give me Death" speech that inflamed the passion for independence, his young wife, Sarah, was restrained by a straight-jacket and confined to a basement room beneath a trapdoor, having lost her mind soon after the birth of her sixth child. John Hancock and his wife, Dolly, had only two children: Lydia died when she was nine months old; their son, George Washington Hancock, died at nine years, when he fell and struck his head while ice skating.

George Washington was a devoted, if indulgent, stepfather to his wife's children, Patsy and Jack Custis. Patsy had a fall at the age of twelve and developed symptoms of epilepsy. At the age of sixteen, she collapsed after dinner one evening and died. Jack was a constant worry, lazy in his habits and studies. He avoided the war until one month before Yorktown when he enlisted as an aide to the general. As soon as he arrived at headquarters, he fell to camp fever and died two weeks after the victory.

The Washingtons also suffered the special heartache of being childless in their marriage, as did James and Dolley Madison. At forty-two, James Madison, prime engineer of the Constitution, was the most eligible bachelor in the government when he fell in love with twenty-six-year-old Dolley Payne Todd, whose husband and baby son had died in the yellow-fever epidemic of 1793. We do not know if the cou-

ple were aware of the concern of their friends through the years that "Madison is not yet a father."

Betsey Schuyler Hamilton suffered the loss of every promising dream of her marriage in 1780 to the dashing, brilliant Alexander Hamilton, twenty-three years old, and chief of staff to General Washington. Although Hamilton later held great power as the first secretary of the treasury, it was not enough to fulfill him, and his abrasive style made him many enemies. Betsey endured years of humiliating gossip about her husband and her own sister. In 1797, came Hamilton's public admission, in a ninety-five page pamphlet, of blackmail payments to hide another affair. In 1801 when she was pregnant with her eighth child, their eldest son died in a duel defending his father on a charge of political abuse, and their eldest daughter went permanently insane with grief over his death. Two and one-half years later, Alexander Hamilton died in a duel with Aaron Burr, vice-president of the United States. The duelists fought with the same weapons and at the same location on the New Jersey Palisades where the Hamiltons' son had died. Betsey Hamilton was a widow for fifty years and seemed to find personal healing in her efforts to sponsor a reverent biography of her husband.

These are only a few examples of the personal tragedies experienced by the first American statesmen and their families. Their lives were often oddly intertwined into a complex mixture of old friendships from the independence struggles and subsequent distrusts and disagreements about how to make the new government succeed.

Three generations later the United States survived its greatest test: secession. April 9, 1865—Palm Sunday—The War Between the States was spent. The news spread across the country in the night, and the nation went berserk. Washington awoke at dawn to a five-hundred-gun salute. Bands played all day, alternating between "Dixie," the "Doxology," and the "Star Spangled Banner." James Russell Lowell wrote, "There is something magnificent in having a country to love." And when asked what should be done in the South now that the war was over, President Abraham Lincoln quoted King David of Israel, who had experienced civil rebellions in his reign and had responded with mercy to cries for revenge. Everyone knew of the president's reconstruction policy, based on peace and unity and forgiveness, and many, even in his own party, did not like it. Lincoln would not attack the extremists, but he meant to speak his hopes so clearly that the American people would be with him. Once he told an audience, "Public opinion, at bottom, settles every question."

April 14, 1865—Good Friday. Churches everywhere were filled in thanksgiving and for the vigil of Christ's Crucifixion. Henry Ward Beecher preached in Charleston, South Carolina, and offered to the president of the United States "solemn congratulations that God has sustained his life and health under the . . . burdens of four bloody years."

The same day, Ford's Theatre, 9:00 P.M. The audience rose and applauded and cheered when the president entered his box. The metropolitan policeman assigned to guard the presidential party enjoyed hearing the play from his post outside the box door. Two years before, he had been tried by the department for falling asleep on duty. This night the sounds of the comedy were so enticing that he slipped quietly into the theatre and found a seat. With the greatest ease, the one who was waiting stepped into the box and fired one shot. Cain, Brutus, Judas. Now a fourth name—John Wilkes Booth—was added to history's list of most infamous traitors.

That single act made revenge a national cry. Herman Melville understood the babblings in the streets and wrote:

The Martyr

"Indicative of the Passion of the People
on the 15th of April, 1865"

Good Friday was the Day
    Of the prodigy and crime,
When they killed him in his pity,
    When they killed him in his prime. . . .

. . . they killed him in his kindness,
In their madness in their blindness,
And they killed him from behind. . . .

He lieth in his blood—
    The father in his face;
They have killed him, the Forgiver—
    The Avenger takes his place. . . .

There is sobbing of the strong,
    And a pall upon the land;
But the People in their weeping
    Bare the iron hand:
Beware the People weeping
    When they bare the iron hand.

Abraham Lincoln was already a legend. Everyone claimed him, the blacks most of all. To them he was Father Abraham, Uncle Sam, the savior of the land.

April 16, 1865—Easter Sunday. Sermons, all hastily rewritten the day before, had one theme: Abraham Lincoln, like Jesus the Christ, had died for mankind. Many had the same text that year:

And Jesus said unto them, Can the children of the bridechamber mourn, as long as the bridegroom is with them? But the days will come when the bridegroom shall be taken from them; and then shall they fast.
MATTHEW 9:15

INSTRUCTIONS

Three Crosses — 16″ Block

Eight templates (pages 169–73).

Layer cut (#4 page 125).
A rectangle:	Cut 2 in dark fabric.
B triangle:	Cut 4 in light fabric.
C triangle:	Cut 2 in light fabric.
D long pentagon:	Cut 4 in medium fabric.
E rectangle:	Cut 2 in dark fabric.
G triangle:	Cut 8 in light fabric.
	Cut 8 in dark fabric.
H square:	Cut 4 in light fabric.
Single cut	
F square:	Cut 1 in dark fabric.

Unit 1

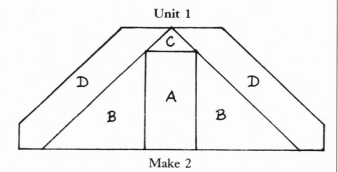

Make 2

1. Sew a *B* triangle to each long side of an *A* rectangle as shown. Open.
2. Add a *C* triangle to the top of this unit. Open.
3. Following diagram, sew a *D* long pentagon to each right-angle side of this unit, offsetting the pentagon by the ¼-inch seam allowance. See *Offset Seams* (#10 page 129).

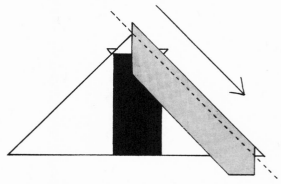

Open each long pentagon after sewing and press seam allowance toward outside of block.

4. Make another unit 1.

Sew *E* rectangles to opposite sides of *F* square. Open.

Unit 2

E | F | E

Make 1

115

Combining Units 1 and 2

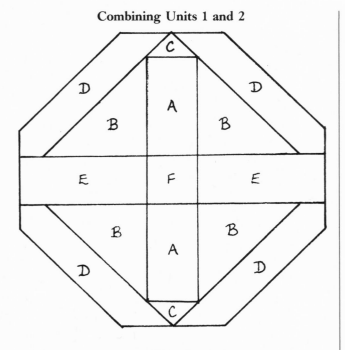

Sew a unit 1 to each long side of unit 2, *butting seams* (#8A page 127) at seam joints. Open.

Unit 3

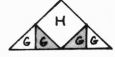

Make 4

1. *Chain sew* (#6 page 126) light and dark *G* triangles, matching right-angle sides to make larger triangles.
   Make 2 combinations: 4 with light triangle on left and 4 with light triangle on right.
2. Following the diagram, sew a *G/G* triangle to *H* square. Open.

Sew a second *G/G* triangle to this unit as shown.

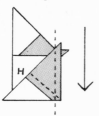

3. Make 3 more unit 3's.

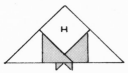

Finishing the Block

Sew a unit 3 to each of the 4 short sides of combined units 1 and 2. Use the *hold pin technique* (#8C pages 127–28) and *stitch through the V's* (#8B₍₂₎ page 127).

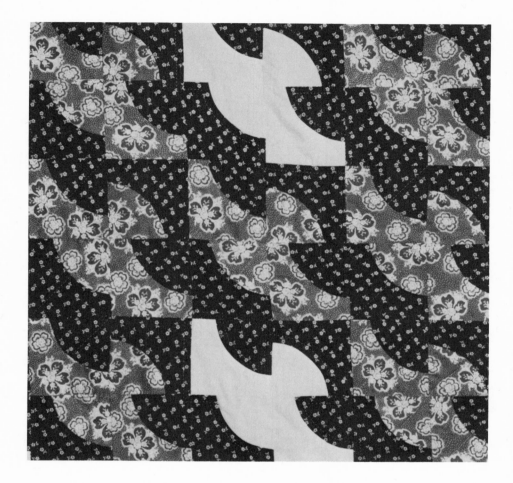

·F·I·F·T·E·E·N·

The Dove
QUILT

And as the people were in expectation, and all men mused in their hearts of John, whether he were the Christ, or not;

John answered, saying unto them all, I indeed baptize you with water; but one mightier than I cometh, the latchet of whose shoes I am not worthy to unloose: he shall baptize you with the Holy Ghost and with fire:

Now when all the people were baptized, it came to pass, that Jesus also being baptized, and praying, the heaven was opened,

And the Holy Ghost descended in a bodily shape like a dove upon him, and a voice came from heaven, which said, Thou art my beloved Son; in thee I am well pleased.

LUKE 3:15, 16, 21, 22

And as they thus spake, Jesus himself stood in the midst of them, and saith unto them, Peace be unto you.

And he said unto them, These are the words which I spake unto you, while I was yet with you, that all things must be fulfilled, which were written in the law of Moses, and in the prophets, and in the psalms, concerning me.

Then opened he their understanding, that they might understand the scriptures,

And said unto them. . . . behold, I send the promise of my Father upon you: but tarry ye in the city of Jerusalem, until ye be endued with power from on high.

And they worshipped him, and returned to Jerusalem with great joy:

And were continually in the temple, praising and blessing God. Amen.

See LUKE 24:36–53

And when the day of Pentecost was fully come, they were all with one accord in one place.

And suddenly there came a sound from heaven as of a rushing mighty wind, and it filled all the house where they were sitting.

And there appeared unto them cloven tongues like as of fire, and it sat upon each of them.

And they were all filled with the Holy Ghost, and began to speak with other tongues, as the Spirit gave them utterance.

And there were dwelling at Jerusalem Jews, devout men, out of every nation under heaven.

Now when this was noised abroad, the multitude came together, and were confounded, because that every man heard them speak in his own language.

But Peter, standing up with the eleven, lifted up his voice, and said unto them. . . .

These are not drunken, as ye suppose, seeing it is but the third hour of the day.

But this is that which was spoken by the prophet Joel;

And it shall come to pass in the last days, saith God, I will pour out of my Spirit upon all flesh: and your sons and your daughters shall prophesy, and your young men shall see visions, and your old men shall dream dreams:

And it shall come to pass, that whosoever shall call on the name of the Lord shall be saved.

Ye men of Israel, hear these words; Jesus of Nazareth, a man approved of God among you by miracles and wonders and signs, which God did by him in the midst of you, as ye yourselves also know:

Therefore let all the house of Israel know assuredly, that God hath made that same Jesus, whom ye have crucified, both Lord and Christ.

Then Peter said unto them, Repent, and be baptized every one of you in the name of Jesus Christ for the remission of sins, and ye shall receive the gift of the Holy Ghost.

For the promise is unto you, and to your children, and to all that are afar off, even as many as the Lord our God shall call.

See ACTS 2:1–39

Jesus was not a mere human memory to His beloved disciples in those days after the Crucifixion. He was their Risen Lord, God's Only Child, whom death had not bound. They saw Him, touched Him, questioned Him, and believed Him. And then they obeyed Him and gathered in Jerusalem to adore Him. Rapturous joy pervaded that first Christian fellowship. "And they were continually in the temple, praising and blessing God."

On the day of the Jewish "Feast of Harvest," the Spirit of God came upon the waiting company like the wind, just as Jesus had hinted it would. "The wind blows where it wills, but you know not whence it comes or whither it goes; so is everyone who is born of the Spirit." It was the sound of power, and it filled their hearts and lapped like flames at their minds and wills.

The gift of the Holy Spirit that day was God reaffirming His world. Jesus had prayed for His apostles, "These are in the world . . . Holy Father, keep through thine own name those whom thou hast given me . . . I pray not that thou shouldst take them out of the world, but that thou shouldst keep them from the evil." In the same prayer, He added, ". . . Neither pray I for these alone, but for them also which shall believe on me . . . That they all may be one; as thou, Father, art in me, and I in thee, that they also may be one in us: that the world may believe that thou hast sent me." And Jesus taught His followers how to pray, ". . . thy will be done, on earth as it is in heaven."

Now God's dreams for mankind would be supported by His invisible practical presence. Men and women could be "labourers together with God." On the night He was betrayed Jesus illustrated the partnership between master and servant. His last act for His friends was to wash their feet. "If I wash thee not, thou hast no part with me." The true follower would accept God's help.

Adam and Job had objected to their finite human condition before God. The first Christians, like Abraham, the first patriarch, realized God sought them first. The longing in their souls was God reaching for them. "You have not chosen me, but I have chosen you," Jesus explained. Indeed, the evidence of the Spirit on earth was the lives of those faithful ones. By acting as if they had the very ability of God, they proved they did.

Sometimes that earliest Christian community experienced such overwhelmingly intense feelings of faith and love that even the walls around them were "shaken when they were assembled together." They were not weak or casual or sentimental Christians. They were bold and obedient and commanding. Jesus had assured them, "All power on heaven and earth has been given to me." Then He transferred His power to all who believed Him and promised that the use of His name was sufficient authority to heal the sick, speak with new tongues, and cast away evil.

Strengthened by loving companionship in their house-churches and prepared through disciplined and trusting attention to God's Word in the law and the psalms and the prophets, the new believers were eager and expectant. They "had ears to hear" God's every call to serve. And armed with the "sword of His Spirit," God's written and spoken promises, they answered every opportunity.

They began as God's voices. "We cannot but speak the things which we have seen and heard." They became His hands and feet. After witnessing first to the Israelites in Jerusalem, Christians spread into the hill country of Judea and Samaria and then "preached His name among all nations . . . unto the uttermost parts of the earth . . . the Lord working with them and confirming the word with signs following."

The new faith offered moral strength and spiritual power to multitudes in the cosmopolitan centers of Greco-Roman culture around the Mediterranean basin. The superstitions and immorality of polytheism and the hopelessness of impersonal philosophies could not meet human needs as they were emerging in the "fulness of time" of the ancient world.

The promise of the Spirit was personal, available to every individual. "For as many as are led by the Spirit of God, they are the sons of God. For ye have not received the spirit of bondage again to fear; but ye have received the Spirit of adoption, whereby we cry, Abba, Father." Moreover, God's program of forgiveness and fellowship and everlasting life was universal. "There is neither Jew nor Greek, there is neither bond nor free, there is neither male nor female . . . For ye are all the children of God by faith in Jesus Christ."

A religious symbol is more than an image. It represents an invisible reality, and it must interpret the meaning of that reality and even evoke its power for the faithful observer. In the history and faith of the Bible there are symbolic words, names, people, places, objects, visions, rituals, actions, and events. The dove has played several symbolic roles in that faith.

In the Old Testament, turtledoves and young pigeons symbolize purity and are sacrificed in the temple as purification and sin offerings. A dove carries an olive leaf to Noah, waiting in the ark for the waters to recede, and heralds a new era of peace and blessings upon the earth from God. The Psalms speak of the dove's swiftness of flight. And in the Song of Solomon the dove becomes a name of endearment for the beloved because of its well-known devotion to its mate and young.

In the New Testament, Mary makes the traditional dove offering for purification after the birth of Jesus, "according to the law of Moses." Many years later, at the height of His ministry, Jesus refers to the gentleness of doves and urges His disciples to be like them when they go among the people of Israel to preach God's ways and "to heal all manner of disease." All four Gospels relate the baptism of Jesus, and all use the imagery of a dove to describe the Spirit of God descending upon Him with tender approval.

The American patchwork pattern called The Dove is one of the numerous variations of the Drunkard's Path design. Only two curved patches are used for any of the variations, and the names for the patterns are often as creative as the arrangements of the patches. Country Husband, Pebbles in a Pond, Robbing Peter to Pay Paul, Falling Timbers, and Dirty Windows are some of the more whimsical names. The figure of a bird in flight appears in several of the variations. Once more in American patchwork design the arrangement of abstract shapes creates a natural form. Available historical data is inadequate to explain whether the realistic form was created deliberately or accidentally, but it seems that the bird figure was always identified as a dove.

The Drunkard's Path variation known as Snake's Trail and Vine of Friendship was usually made with one solid color and many varieties of print fabrics having different color values. The scraps were collected from family and friends in the tradition followed for friendship patterns. In the Vine of Friendship the prints ramble and twist across the quilt top and dominate the overall design. Perhaps one quilt maker decided to accent the secondary bird shape in the solid-colored areas by using white fabric against uniformly dark prints and named her pattern The Dove.

She may have been inspired by the common pigeon or rock dove nesting in the family barn and silo or by the mourning dove whose doleful coo is heard in every state. We would like to believe that the original inspiration for The Dove quilt pattern was the artistic response to God's Holy Spirit from the heart of one American woman.

INSTRUCTIONS

The Dove — 14″ Block

Constructing the Squares

Make 6

Make 6

Make 2

Make 2

Finishing the Block

Two templates (page 174).

Layer cut (#4 page 125).

A crescent square: Cut 2 in light fabric.
                       Cut 6 in medium fabric.
                       Cut 8 in dark fabric.

B wedge: Cut 2 in light fabric.
                       Cut 6 in medium fabric.
                       Cut 8 in dark fabric.

Make 16 squares, in 4 combinations of colors:

1. Clip *A* crescent square on curve.
2. Follow the instructions in the glossary for *sewing curves* (#11 page 130), and pin *A* crescent square to *B* wedge, with clipped *A* on top.
3. Sew, easing to fit, using a short, #15 stitch. Press seam allowance toward darker fabric.

1. Arrange the assembled squares, following the block diagram.
2. *Chain sew the entire block* (#7 pages 126–27). *Butt seams* (#8A page 127) at seam joints.

·G·L·O·S·S·A·R·Y·

TECHNIQUES FOR MACHINE SEWING

1 TEMPLATES

All of the pattern pieces include the ¼-inch seam allowance and are given in actual-size templates printed in the template section of this book. Locate the designated template. Use carbon paper and trace the outline of the template onto heavy cardboard, such as a medium-weight illustration board. Use a ruler as a guide for tracing straight lines. Then cut precisely on the template cutting lines. Use sandpaper to smooth any rough edges.

2 SEWING MACHINE

Use a # 11 American-made sewing-machine needle or a # 10 European-made sewing-machine needle. Change to a new needle from time to time, to ensure smoother sewing.

A stitch length equal to 12 stitches to the inch is recommended.

Begin every seam with the needle down in the machine and with the bobbin and needle threads held back out of the way.

Choose a thread in a neutral color. Cotton covered polyester works best.

3 SEAM ALLOWANCE

Use ¼-inch seam allowances on all seams. Use whatever method is most convenient for you, but it is essential to have a dependable method of following the ¼-inch seam allowance on your sewing machine.

Stitching Line ⟶

← Raw Edge of Seam

$\frac{1}{4}$"

1
1

The ¼-inch seam allowance, measured from the center of the stitching line to the raw edge of the seam.

In general, seam allowances should be pressed to one side and not opened.

Triangular-shaped tails form when many patchwork units are opened, and the seam allowances are pressed to one side. These tails should be clipped, as shown in the diagram.

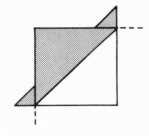

124

4   LAYERED CUTTING

Straighten the grain of the fabric. Fold the fabric lengthwise, wrong sides together as it comes off the bolt. Turn the fold edge to meet the selvage edges, making 4 layers. On the crosswise grain, measure and cut a strip of cloth large enough to accommodate a given template, with ¼ inch to spare on either side. For example, for a 2½-inch square, cut a 3-inch by 11-inch strip as shown in the diagram. Fold this strip as many times as the template will allow (from 4 to 16 layers). Grain lines are indicated on each template. Lay the template on the fabric grain. Hold the template firmly. (The template and multiple fabric layers may be steadied in the hand by clipping them together with 1 or 2 pinch clothespins.) Use heavy-weight, extra-sharp scissors and cut flush against the cardboard template, on all sides. When layered cutting is done correctly, all of the fabric layers of patchwork pieces will match exactly the template that was used.

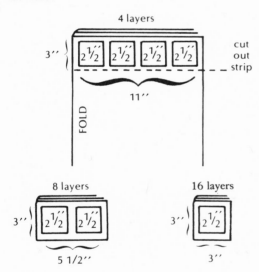

Extra hints for cutting specific geometric shapes:

A. **Half-Square Triangles:** Cut the 2 right-angle edges first and the long side last.

B. **Long Right-Angle Triangles and Obtuse Triangles:** These are asymmetrical figures having right and left sides. This is not a problem for the layered method of cutting, because half of the layers of material within each folded strip are right side up and half are wrong side up.

C. **Diamonds:** Carefully observe the grain lines on the templates to ensure 2 bias sides and 2 straight sides for diamond patches.

D. **Trapezoids:** The trapezoid template *D* in Tree of Life and the trapezoid template *D* in David and Goliath are asymmetrical figures having right and left sides. This is not a problem for the layered method of cutting, because half of the layers of material within each folded strip are right side up and half are wrong side up.

E. **Curves:** Cut the straight edges first and the curve last.

F. **Large or Irregular Shapes:**
   Examples • the long hexagon in Tree of Life
   • the ovals and curved strips in Job's Tears
   • the large petals in Rose of Sharon
   • the center and ovals in Caesar's Crown
   • the rectangles and long pentagons in Three Crosses

Trace the outline of the template onto the fabric. Pin the layers. Keep fabric flat and carefully cut along your marking lines, as you would cut a dress pattern.

5   ACCURATE PIECING

Accurate piecing is easier when corners and edges of pieces are matched perfectly before seaming. For example, the right-angle edges of a triangle matched exactly to the right-angle edges of a square.

6 CHAIN SEWING SMALL UNITS

When combining the pieces of all the small units required to complete a block (such as sewing the 2 small triangles into squares in Tree of Life), simply fit these pieces right sides together and feed all the needed units through the machine, assembly-line fashion, without clipping any threads, so that an approximate 1-inch chain connects each unit. Cut the chain to separate the units and proceed with the pattern instructions.

7 CHAIN SEWING THE ENTIRE BLOCK

When assembling a block of squares (such as the assembled squares in Solomon's Puzzle or Jacob's Ladder), lay out all the pieces to form the pattern, following the diagram of the pattern. Sew all the rows vertically, chain fashion, as described in #6 *Chain Sewing Small Units.*

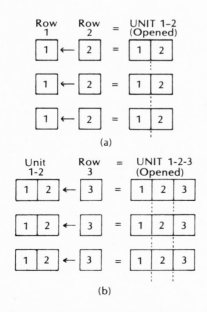

(a) Vertical row 1 joined to vertical row 2 making a chain of vertical units 1–2. (b) Vertical row 3 added to all units 1–2. Continue adding vertical rows until the block is completed.

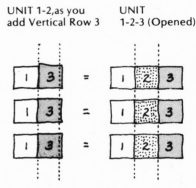

The chain in fabric as you add vertical row 3.

There are two acceptable ways to do this:

A. With a visible chain of about 1 inch connecting each unit, as in the above diagrams. This allows you to fold back the top edges when seaming the long horizontal rows, in order to "butt" the seam joints and then pin the seam allowances on each side of the joint (as described in #8A *Butting Seams*) for perfectly matched seams.

B. With no visible chain at all connecting each unit, as in the following diagrams. Stop the machine a few stitches before finishing the short seam joining row A-1 to row A-2 (unit 1-2). Fit pieces B-1 and B-2 right sides together, and slide them under the presser foot so that they exactly touch the unit just sewn. Continue with the other rows.

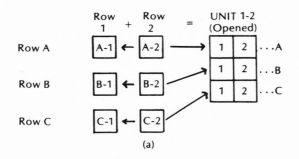

(a)

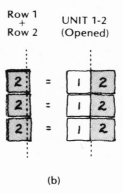

(b)

(a) Chain sewing the entire block with no visible chain connecting units.

(b) How the invisible chain looks in fabric as you add vertical row 3. Note that the vertically connected rows of units 1–2 will dangle strangely because they are not yet joined by the horizontal seams.

8   MATCHING HORIZONTAL SEAM JOINTS

A. BUTTING SEAMS

When four or more fabrics meet in a seam, fit the fabric units right sides together and fold back the top edge of the seam allowance so you can see the seam joint on the inside. Butt the vertical seam allowances of the center of the joints of the matching units against each other perfectly. Finger press and pin the center seam allowance of the joint on one fabric unit in one direction and the center seam allowance of the joint on the matching fabric unit in the opposite direction. Pin only through the vertical, center seam allowances, not through the seam joint itself.

A correctly butted seam joint will feel flat, without ridges or bumps.

For perfectly matched joints, it is more important to have the center seam allowances go in opposite directions than to have the seam allowances go toward the darker fabric.

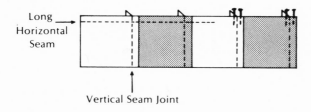

B. STITCHING THROUGH THE V's
(1) *Acute Angles*

When geometric forms with acute angles (such as triangles and diamonds) meet in 4 to 8 points in a long horizontal seam, have the seam lines of one full geometric form face up, so you can sew through the exact inverted **V** (∧) point of the acute angle.

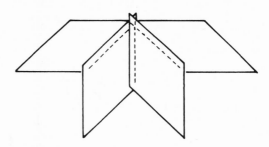

(2) *Right Angles*

When the right angles of geometric forms (such as squares and right-angle triangles) are face up in a long horizontal seam, it is necessary to sew one thread above the inverted **V** (∧) of the right-angle corner (rather than through the exact inverted **V** point as required for joints with acute angles).

C. HOLD PIN TECHNIQUE

When triangles or diamonds meet in 4 to 8 points in a long horizontal seam, align the exact centers of the 2 halves right sides together and *butt seams* as described. Insert a *hold pin* through the (∧) point of the visible triangle or diamond, being sure it emerges precisely through the (∧) of the visible triangle or diamond on the back, and that it holds the 2 halves level.

Finger press the vertical center seam allowances in opposite directions and pin both. Remove the *hold pin*. Stitch the seam.

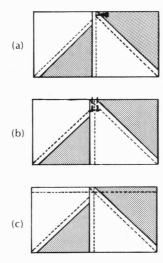

(a) Right sides together, *butt* the seams and insert *hold pin* through the Λ. (b) Pin seam allowances in opposite directions. (c) A correctly sewn long horizontal seam.

D. PINNING TAILS

When sewing pieces with long tails, such as diamonds or triangles, place a pin about ½ inch from the tip of the tail. This prevents slippage of the pieces when sewing, making these narrow angles more accurate; thus, a more perfect match of 4 to 8 points in any long seam will be possible.

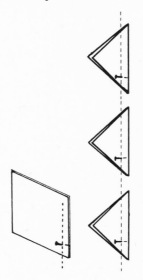

9   SETTING IN

Setting in is necessary whenever angled pieces are being inserted and the design of the block prohibits sewing across seam allowances. The seam allowances at the corner of any *set in* seam are free and will fan in any direction.

A. BACKSTITCH METHOD

Drop the sewing machine needle into the pieces that are being seamed, exactly ¼ inch from both raw edges. Lock this seam by sewing forward 2 stitches, then backstitching 2 stitches. Sew forward to the end of the seam.

B. FINE-STITCH METHOD

The beginning of the *set in* seam can also be locked by changing the stitch length to "fine," sewing a few stitches, then returning the stitch to its customary size for the remainder of the seam.

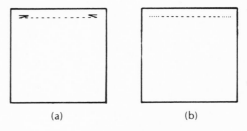

(a) Backstitch method. (b) Fine-stitch method.

Seams that end with *setting in* also must be locked by one of the above methods.

Example: The *setting in* technique as used in the corner unit of the David and Goliath pattern.

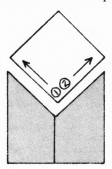

Observe numbered order of seams as you *set in* the square.

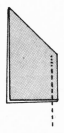

Seam 2 *D* trapezoids, right sides together, *setting in* ¼ inch.

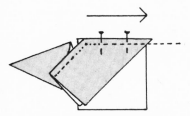

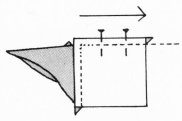

Setting in the square—seam 1

Setting in the square—seam 2

10   OFFSET SEAMS

Certain geometric forms with oblique edges (such as diamonds, parallelograms, long obtuse triangles, etc.) must be sewn together in offset seams. When these shapes are offset correctly, the tails of the 2 pieces will form a **V** and the sewing machine needle will fall in the center of that **V**.

The length and shape of the overhanging tails in an offset seam will vary according to the shape and size of the patch. The measurement from the inner point of the **V** to the raw edge of the seam allowance, however, is always ¼ inch.

11 SEWING CURVES

When sewing curves, always have the patch with the clipped, concave curve on top, because you are easing this to fit the smaller convex patch (which is on the bottom). Match the right-angle corners of the 2 patches and pin as shown.

Example: Technique for sewing curves as used in Solomon's Puzzle and The Dove.

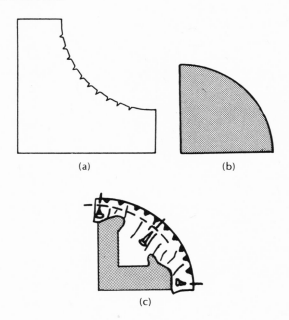

(a)   (b)

(c)

(a) "Crescent square" patch with clipped concave curve. (b) "Wedge" patch with convex curve. (c) "Crescent square" eased and pinned on top of "wedge."

12 APPLIQUÉ TECHNIQUES

A. PRESSING TEMPLATE
Example: the Rose of Sharon pattern

The easiest way to prepare a curve for appliqué is to use a pressing template, which is the finished size of the patchwork piece. Trace the pressing templates onto index cards or similar-weight paper.

Center the pressing template on the corresponding patch to be appliquéd. Use a hot steam iron and press the ¼-inch seam allowance of the curved edge of the patch over the curved edge of the pressing template.

Rose of Sharon template *B*, prepared for appliqué.

B. INVISIBLE APPLIQUÉ STITCH

The invisible appliqué stitch is a running stitch on the back of the backing fabric, and a running stitch in the crease of the fold of the piece being appliquéd. Both the running stitch on the back and the running stitch in the crease of the fold are the same length. When done correctly, both stitches are invisible on the front.

Use a single thread with a knot. Bring the needle and thread through the backing fabric, from back to front. Take a small stitch in the crease of the fold of the top piece. Then, insert the point of the needle into the backing, exactly behind the spot where the thread emerged in the fold, and *below* the level of the top fold. Take another running stitch in the back; then a running stitch in the fold on the top; and so forth. Every 3 or 4 stitches, gently tug the thread, and all the stitches will disappear.
- Never angle your stitch, or the thread will show like a hemming stitch.
- Never have fabrics of both backing and top on the

needle at the same time, or your stitches will show like a hemming stitch.

- Be sure the running stitches on the back of the backing fabric, and the running stitches in the crease of the fold of the appliquéd fabric, are the *same length*. This ensures the strength of the *invisible appliqué stitch*, as well as its invisibility. The ideal stitch length is about 2 millimeters, or a little less than ⅛ inch.

- Use commercial quilting thread, which is stronger than polyester-cotton thread and is coated to prevent knotting.

·T·E·M·P·L·A·T·E·S·

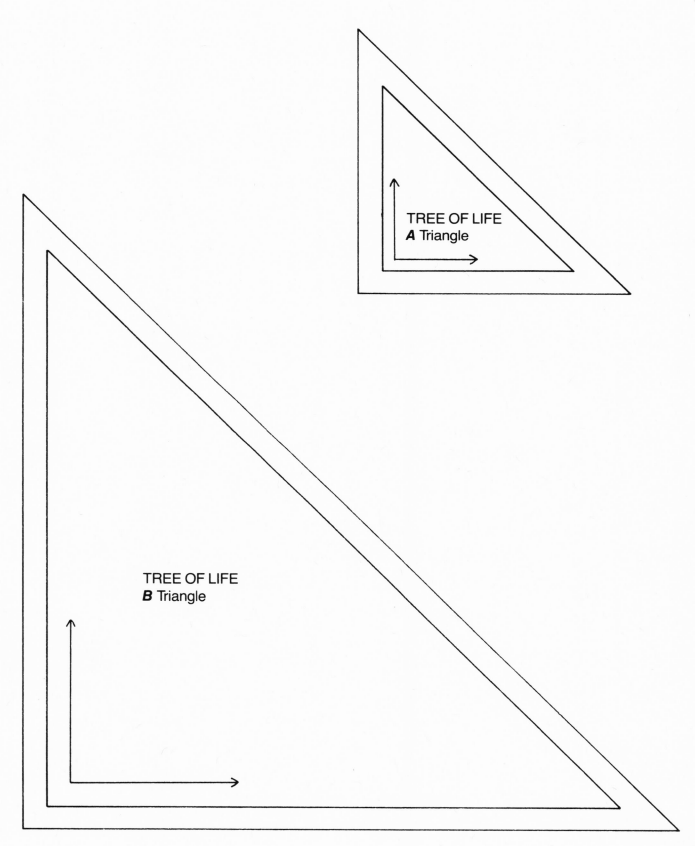

TREE OF LIFE
A Triangle

TREE OF LIFE
B Triangle

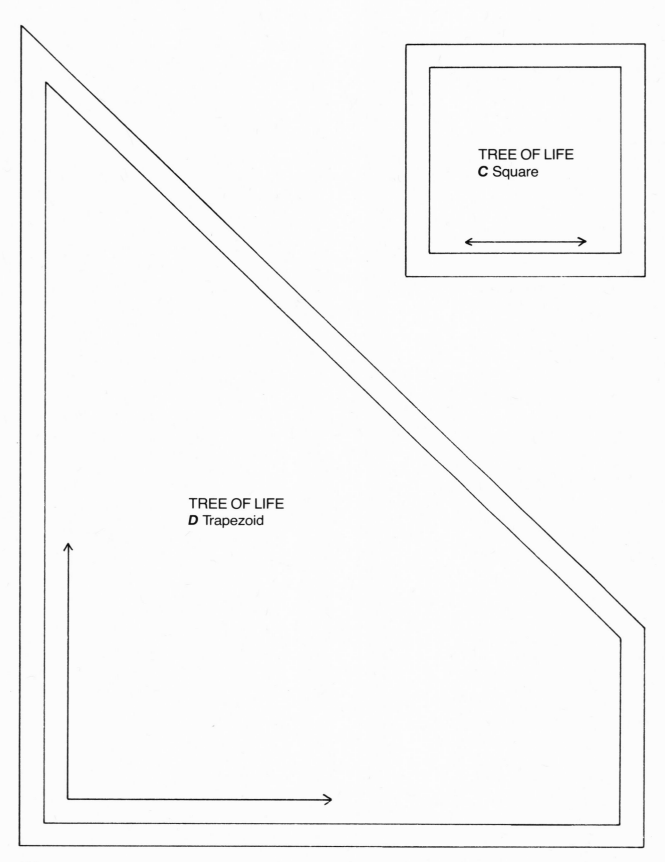

TREE OF LIFE
C Square

TREE OF LIFE
D Trapezoid

136

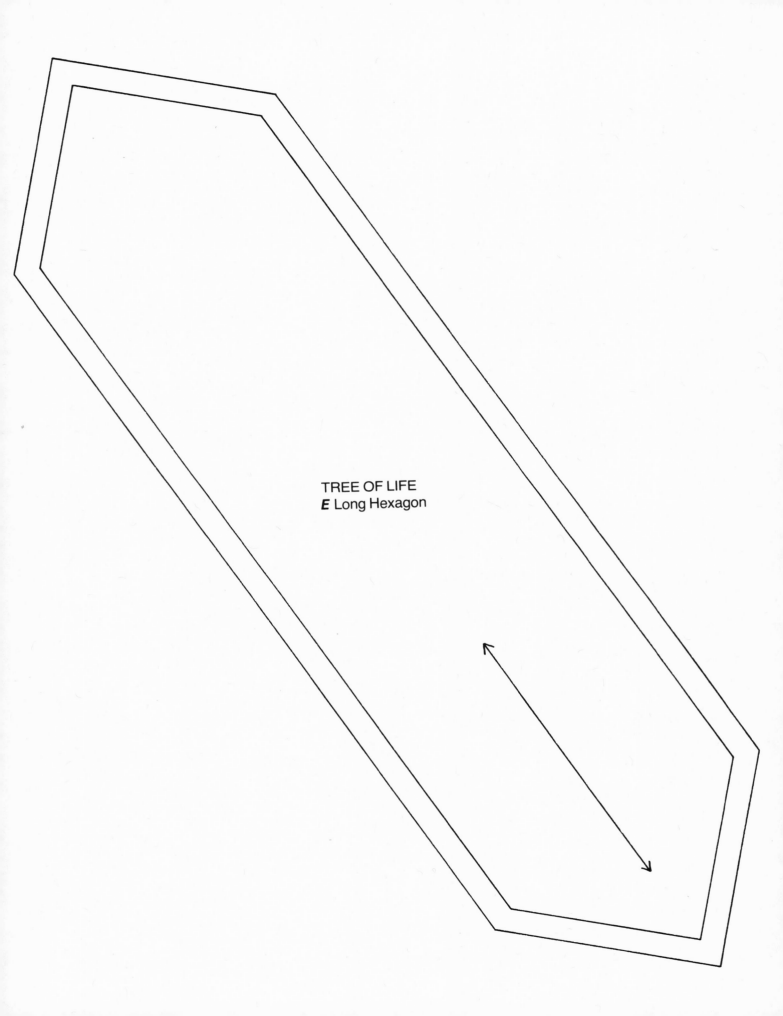

TREE OF LIFE
E Long Hexagon

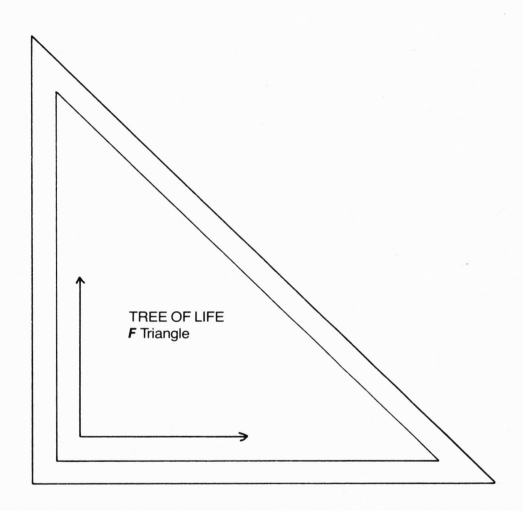

TREE OF LIFE
F Triangle

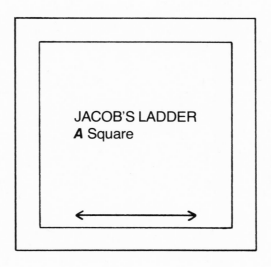

JACOB'S LADDER
A Square

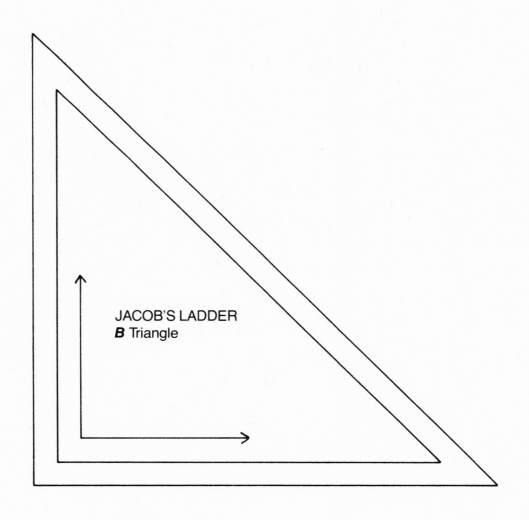

JACOB'S LADDER
B Triangle

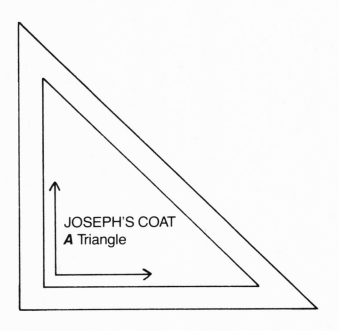

JOSEPH'S COAT
A Triangle

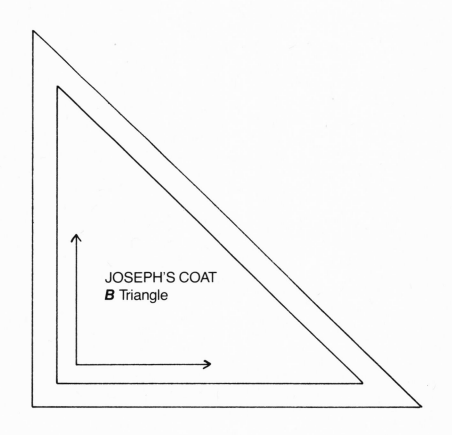

JOSEPH'S COAT
B Triangle

JOSEPH'S COAT
C Square

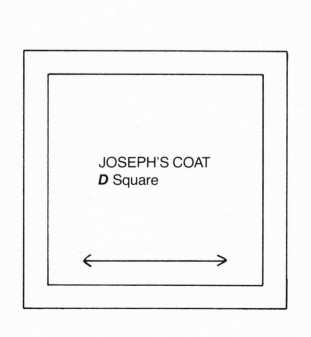

JOSEPH'S COAT
D Square

JOSEPH'S COAT
E Square

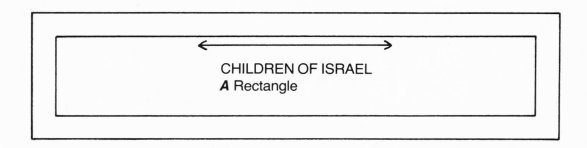

CHILDREN OF ISRAEL
A Rectangle

CHILDREN OF ISRAEL
B Square

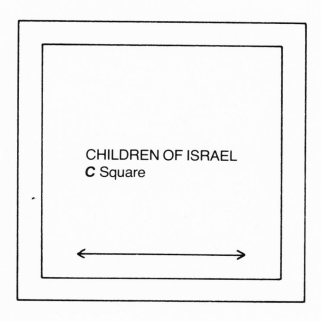

CHILDREN OF ISRAEL
C Square

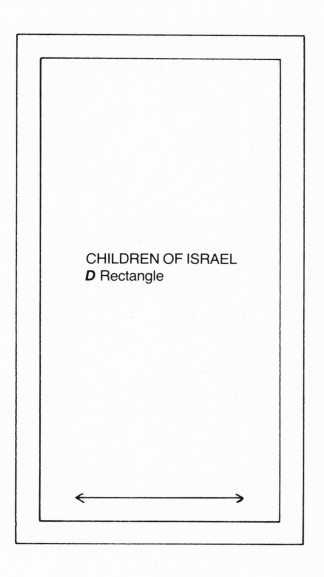

CHILDREN OF ISRAEL
D Rectangle

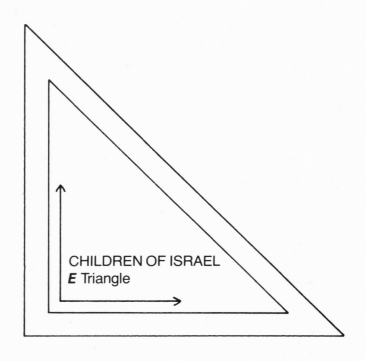

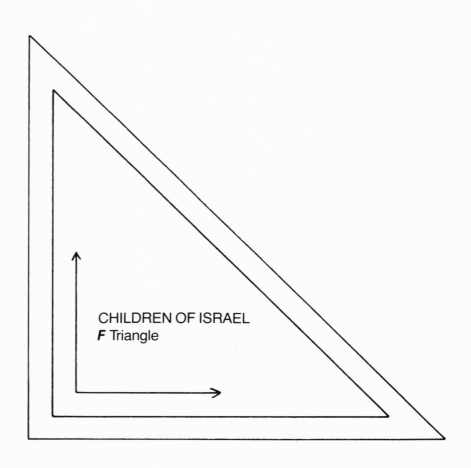

144

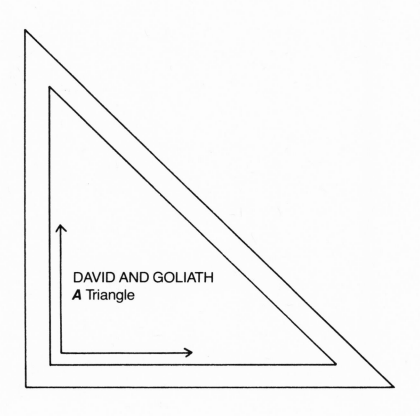

DAVID AND GOLIATH
A Triangle

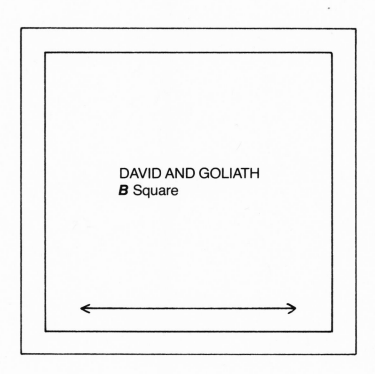

DAVID AND GOLIATH
B Square

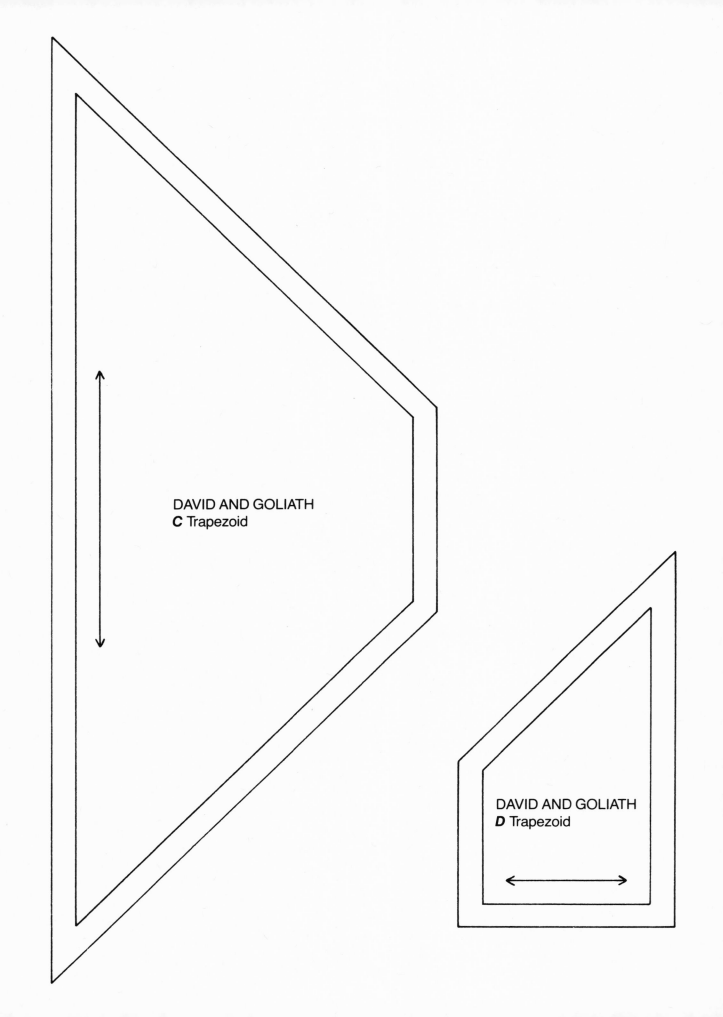

DAVID AND GOLIATH
C Trapezoid

DAVID AND GOLIATH
D Trapezoid

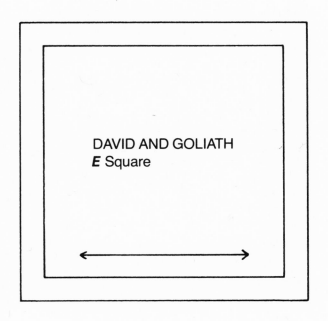

DAVID AND GOLIATH
E Square

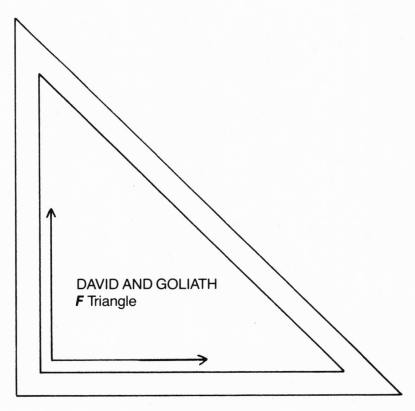

DAVID AND GOLIATH
F Triangle

KING DAVID'S CROWN
A Square

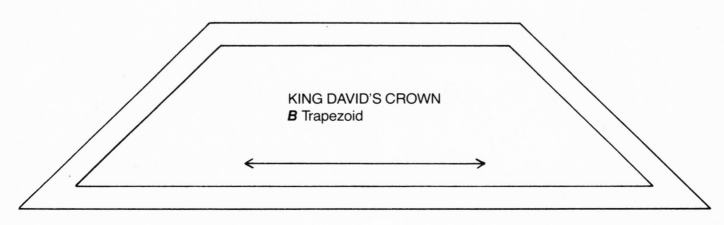

KING DAVID'S CROWN
B Trapezoid

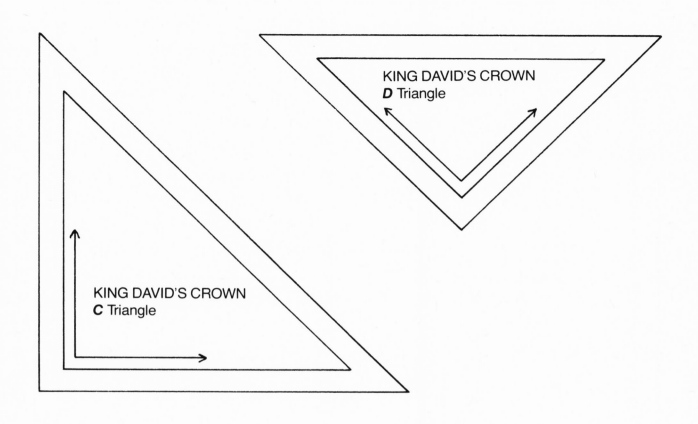

KING DAVID'S CROWN
D Triangle

KING DAVID'S CROWN
C Triangle

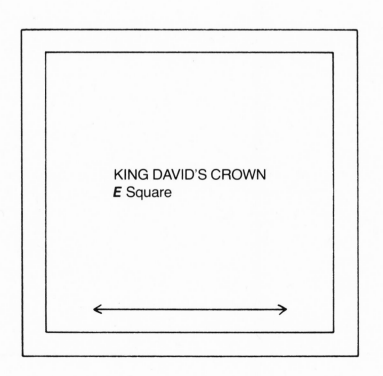

KING DAVID'S CROWN
E Square

149

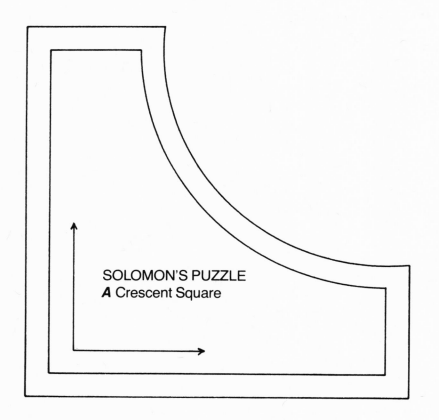

SOLOMON'S PUZZLE
A Crescent Square

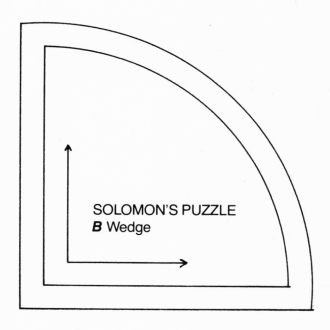

SOLOMON'S PUZZLE
B Wedge

150

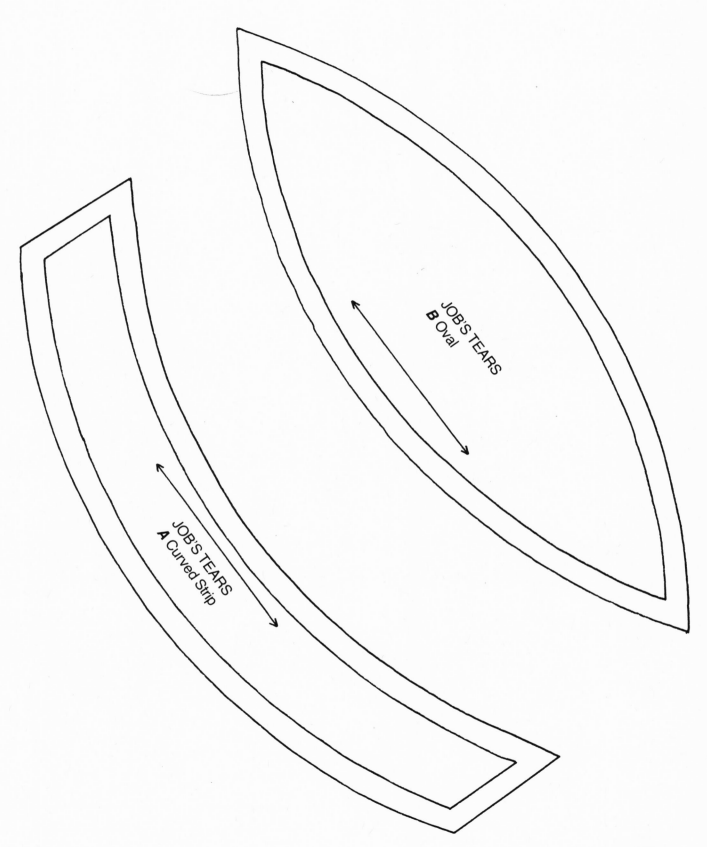

JOB'S TEARS
B Oval

JOB'S TEARS
A Curved Strip

151

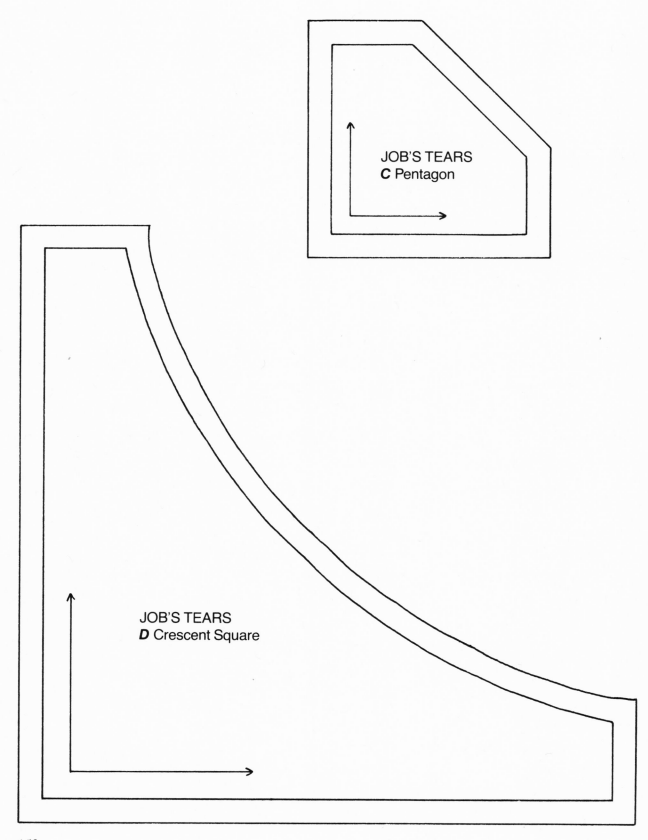

JOB'S TEARS
C Pentagon

JOB'S TEARS
D Crescent Square

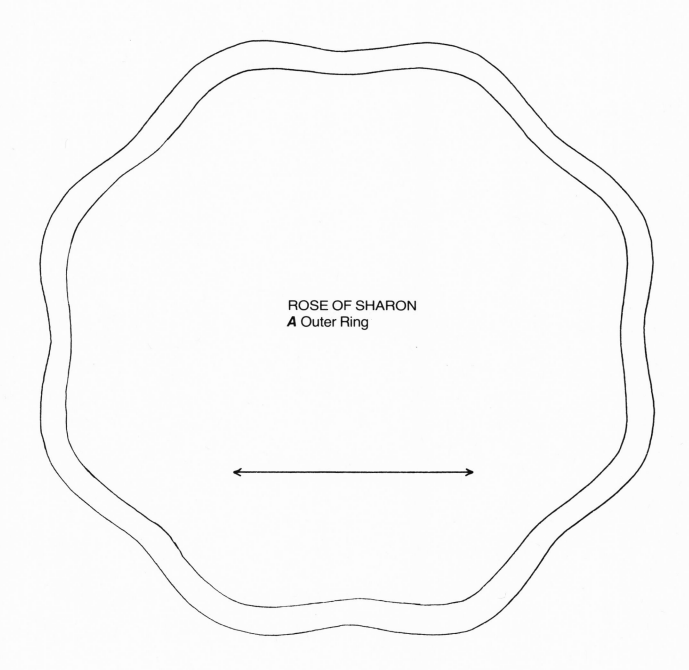

ROSE OF SHARON
A Outer Ring

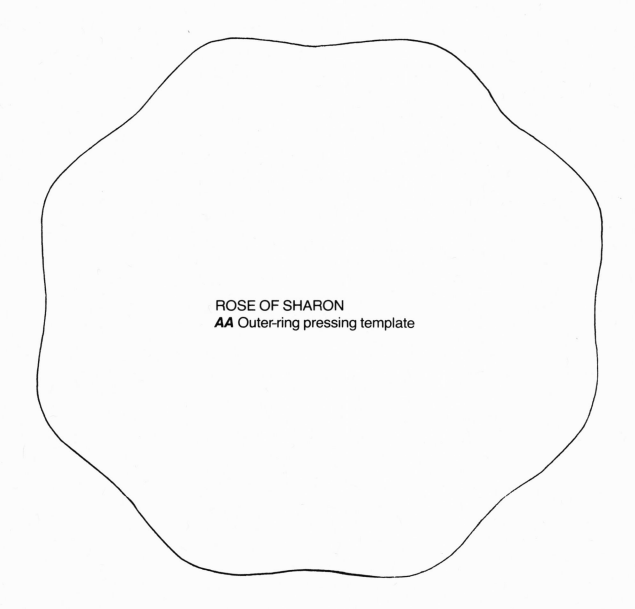

ROSE OF SHARON
AA Outer-ring pressing template

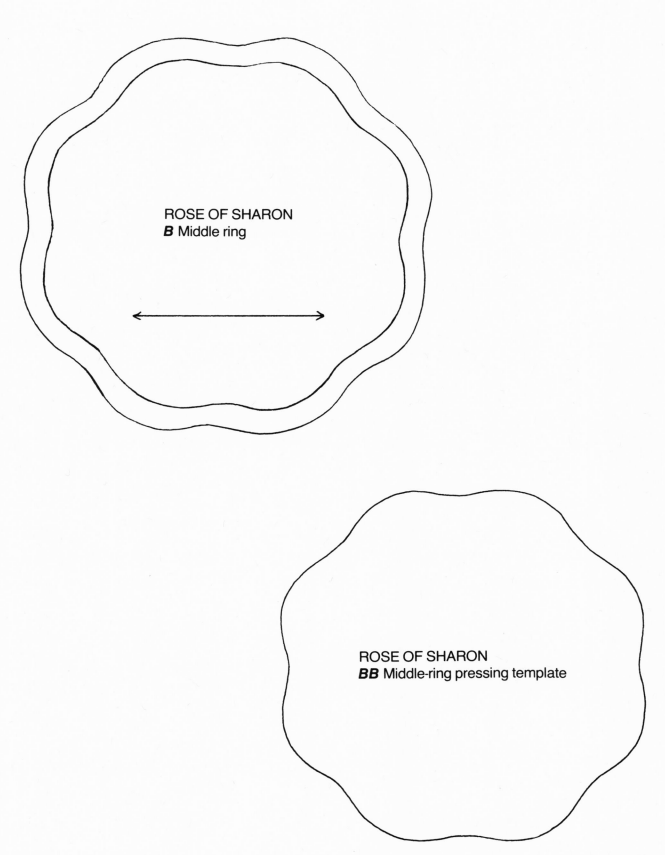

ROSE OF SHARON
B Middle ring

ROSE OF SHARON
BB Middle-ring pressing template

155

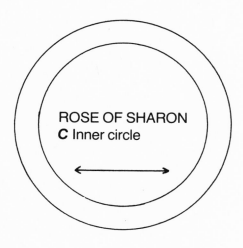

ROSE OF SHARON
C Inner circle

ROSE OF SHARON
CC Inner-circle
pressing template

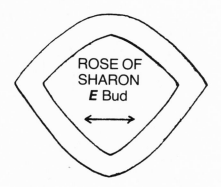

ROSE OF
SHARON
E Bud

ROSE OF SHARON
EE Bud pressing
template

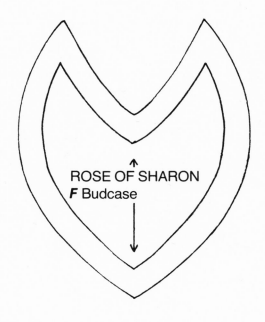

ROSE OF SHARON
F Budcase

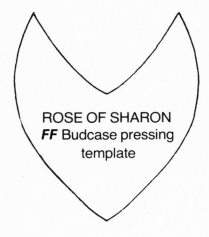

ROSE OF SHARON
FF Budcase pressing
template

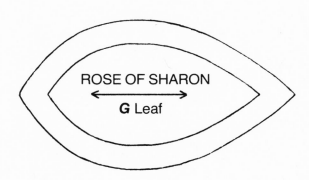

ROSE OF SHARON
G Leaf

ROSE OF SHARON
GG Leaf pressing template

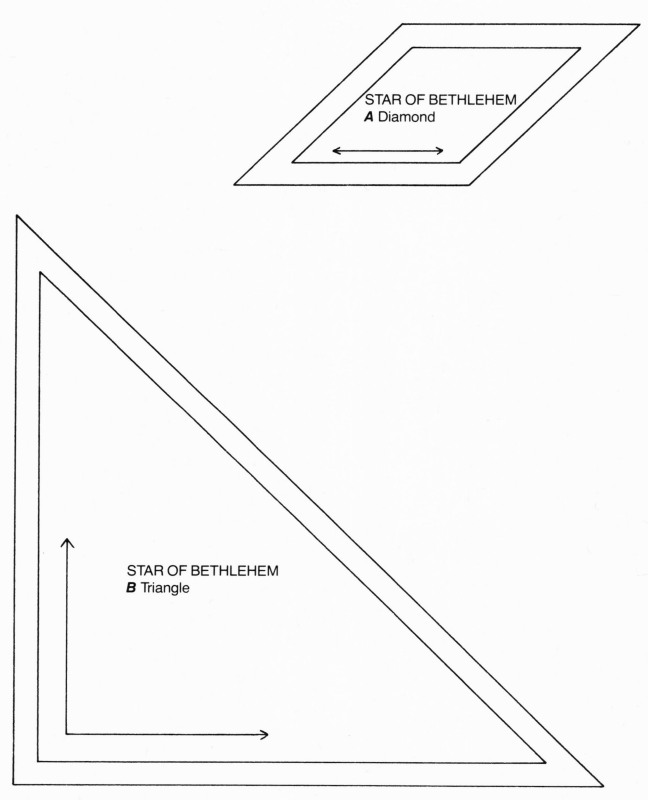

STAR OF BETHLEHEM
A Diamond

STAR OF BETHLEHEM
B Triangle

STAR OF BETHLEHEM
C Square

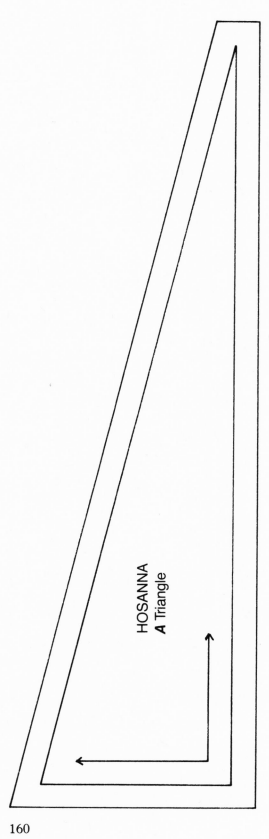

HOSANNA
A Triangle

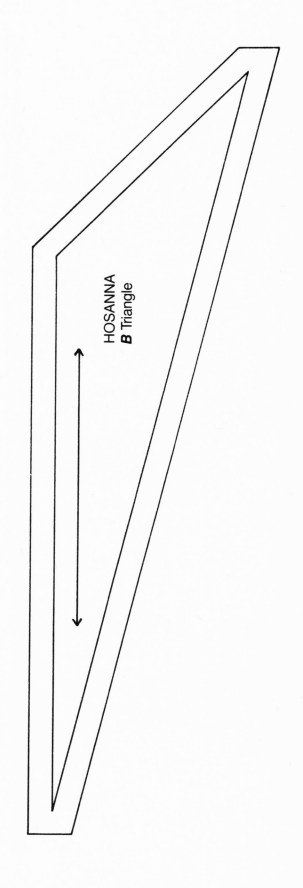

HOSANNA
B Triangle

160

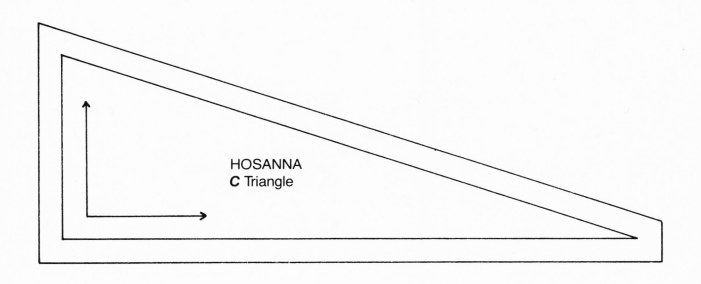

HOSANNA
C Triangle

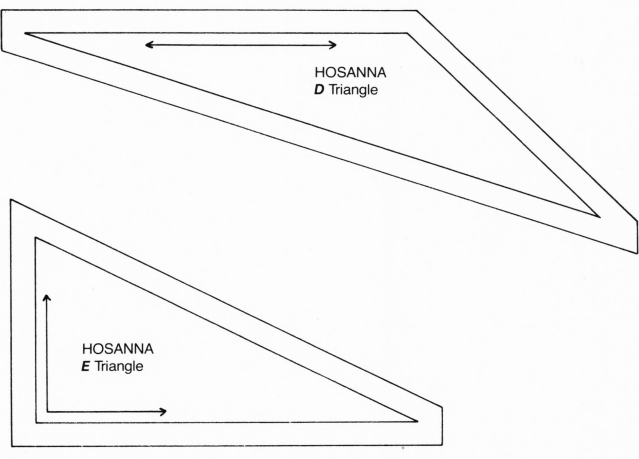

HOSANNA
D Triangle

HOSANNA
E Triangle

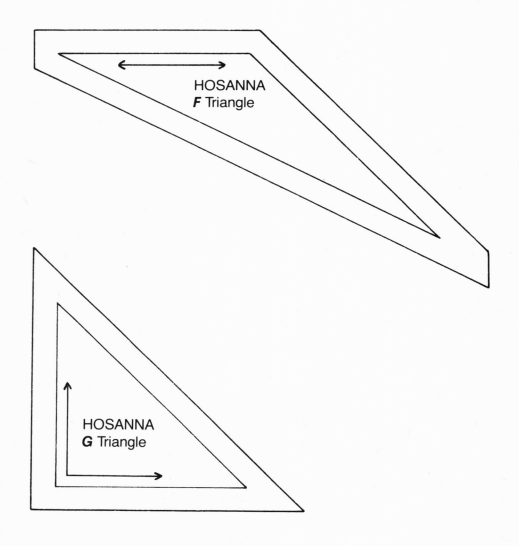

HOSANNA
F Triangle

HOSANNA
G Triangle

162

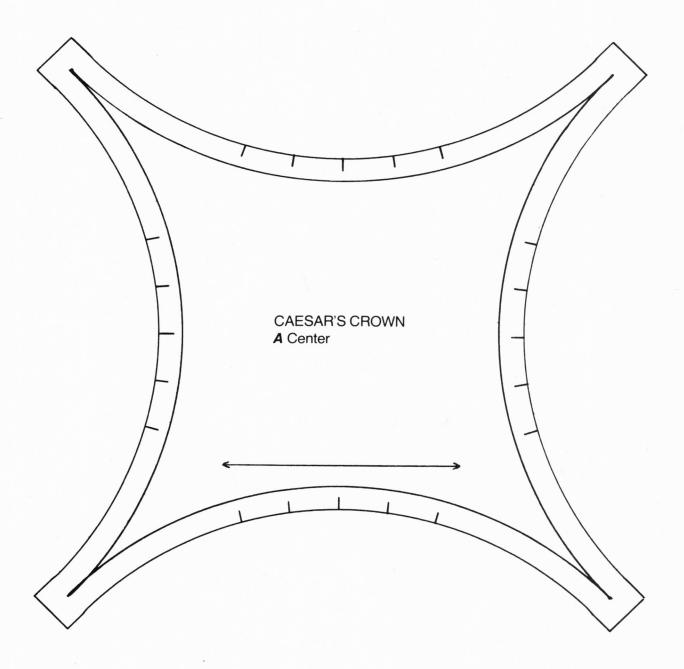

CAESAR'S CROWN
A Center

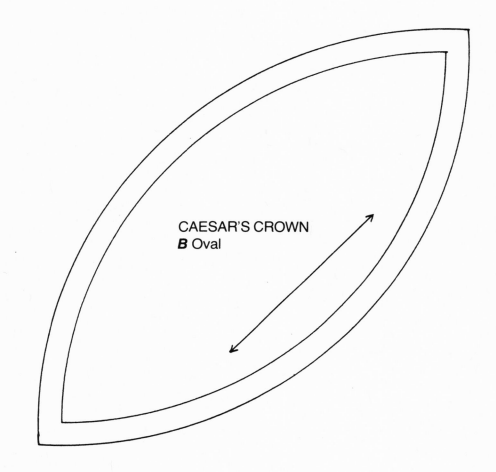

CAESAR'S CROWN
B Oval

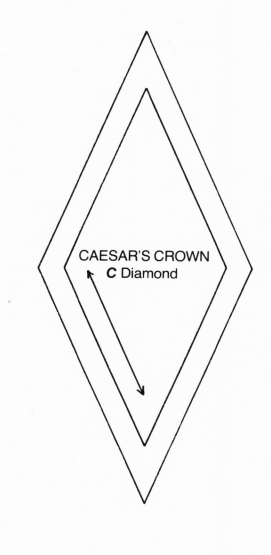

CAESAR'S CROWN
C Diamond

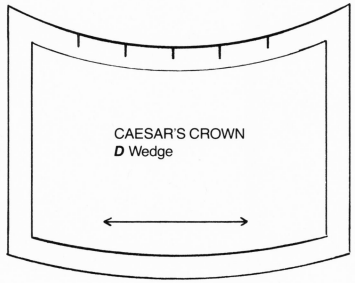

CAESAR'S CROWN
D Wedge

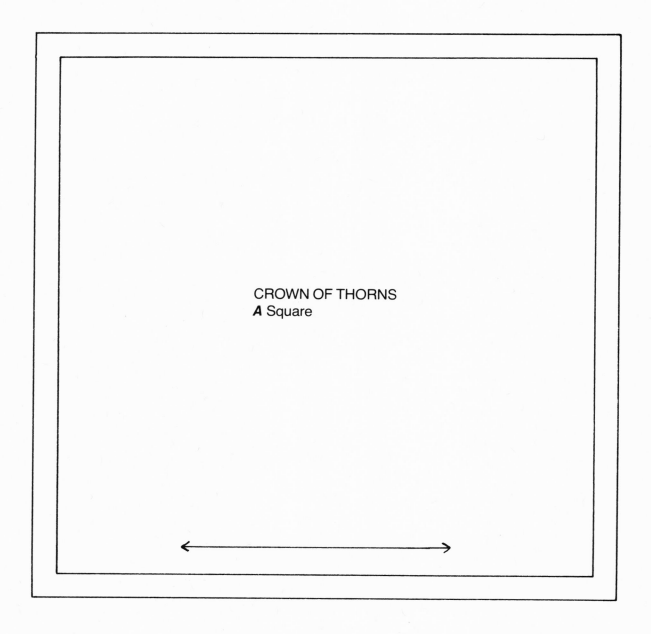

CROWN OF THORNS
A Square

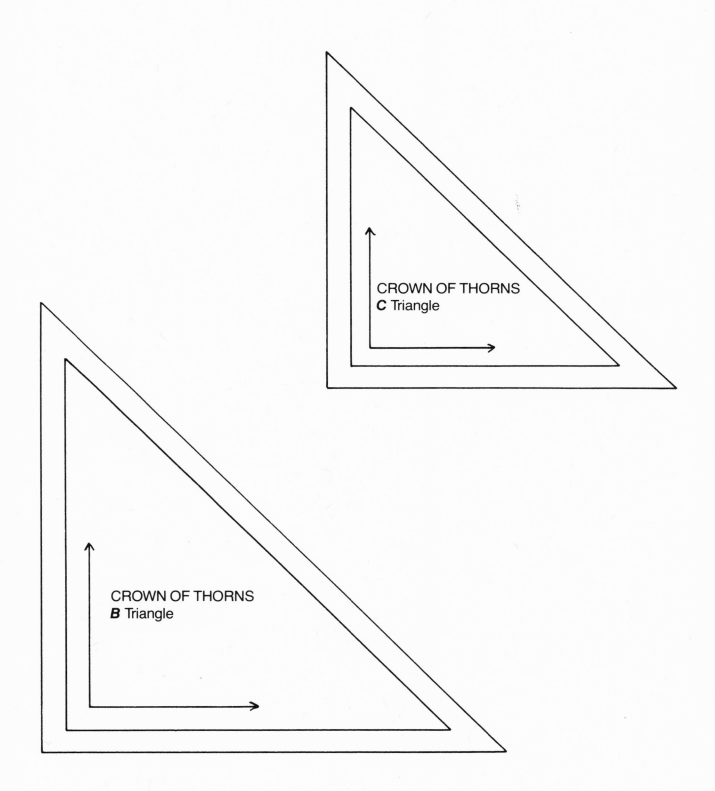

CROWN OF THORNS
C Triangle

CROWN OF THORNS
B Triangle

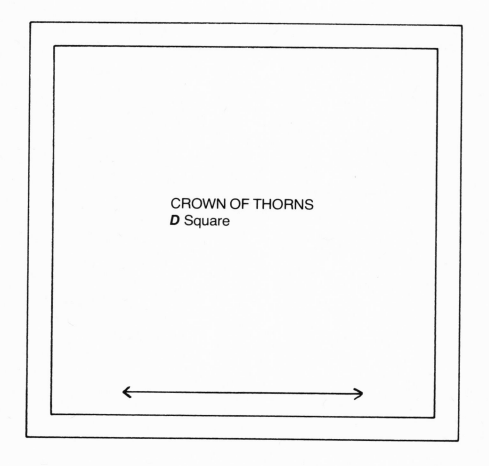

CROWN OF THORNS
D Square

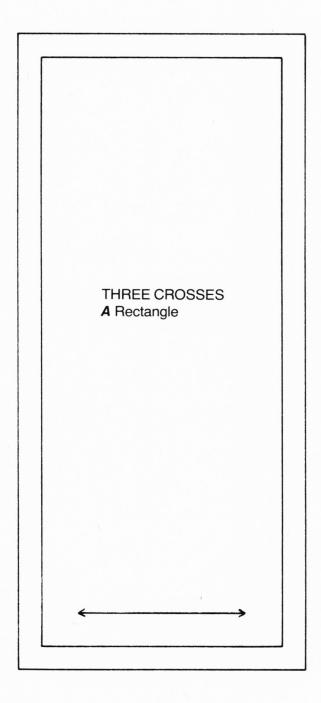

THREE CROSSES
A Rectangle

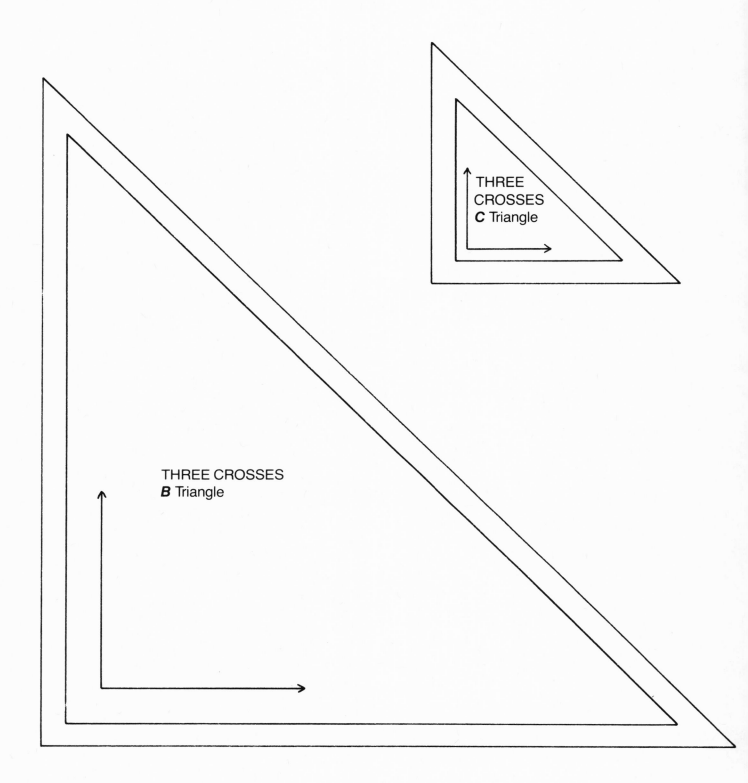

THREE CROSSES
B Triangle

THREE
CROSSES
C Triangle

170

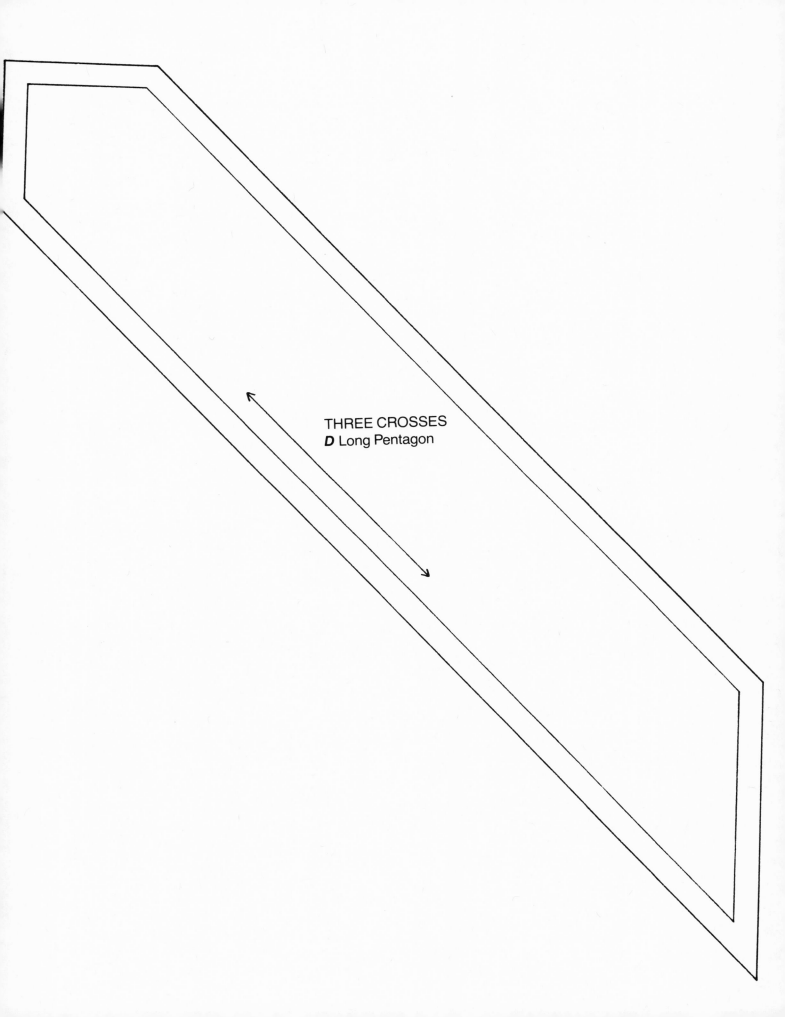

THREE CROSSES
D Long Pentagon

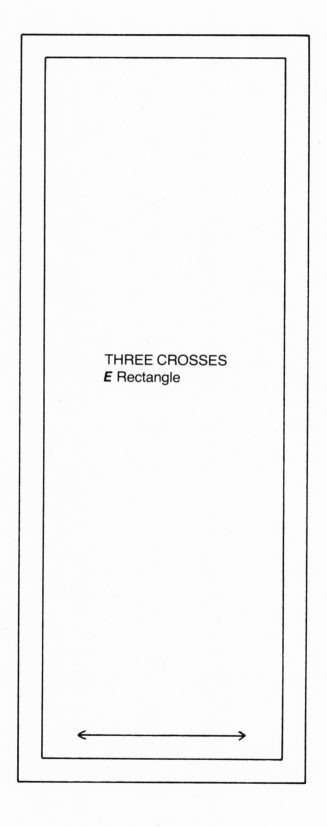

THREE CROSSES
E Rectangle

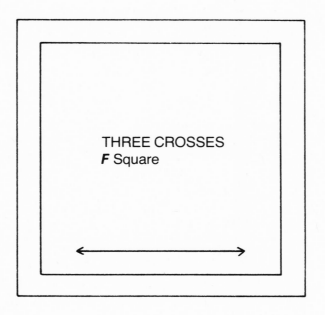

THREE CROSSES
F Square

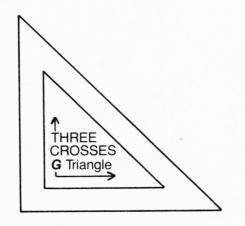

THREE
CROSSES
G Triangle

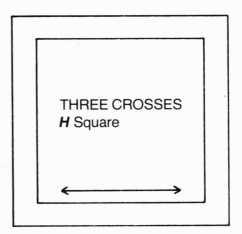

THREE CROSSES
H Square

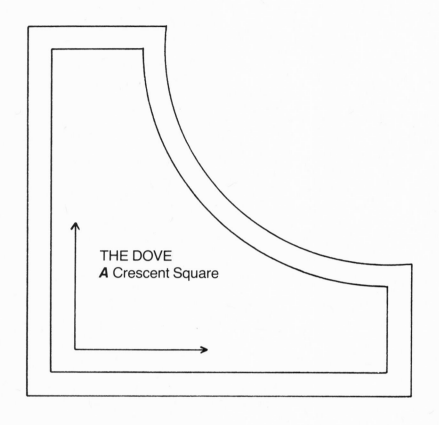

THE DOVE
A Crescent Square

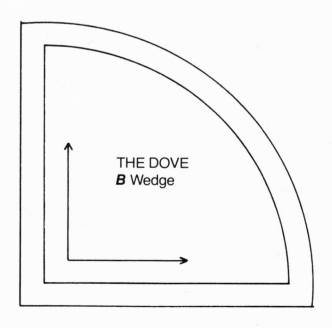

THE DOVE
B Wedge

·ACKNOWLEDGMENTS·

It was in the spring of 1978 that we first envisioned a book devoted to America's biblical heritage as reflected in the folk art of patchwork and quilting. The challenges ahead seemed enormous. We had less than one year to design, piece, and quilt fifteen assorted quilts, wall hangings, banners, and pillows. It would not have been possible without the help of nine talented women.

They were friends and former students who let us direct large quantities of their time, making our project their top-priority commitment for that year. The consistent quality and dependability of their work helped us immeasurably to create quilts of uniform excellence and craftsmanship.

To each of these women we extend our sincere thanks: Isobel Mooney Andrus, Judy Fontanella, Sumi K. Gottshall, Janis Mooney Harper, Becky Herdle, Bertha Rush, Shigeko Kurosawa Shibata, Peg Warner, and Josephine Emy Whang.

Special acknowledgment should be given to Bertha Rush. She offered to quilt one quilt for us, but her work was so fast and her stitch so beautiful that we prodded and begged her into doing six more. She became our dear friend and associate, to whom we owe special recognition.

Ruth Mettler once told us she would do anything to help in the Lord's work. She has used her artistic talents to reach others with her beautiful quilting designs for the quilts Solomon's Puzzle and Job's Tears. We are very grateful.

Two members of the staff of Fleming H. Revell must be cited particularly: Norma Chimento, managing editor, and Ed Carenza, art director. Throughout the trials and years leading to publication, they remained resolute in their faith and vision and tenacious in their efforts for the best for this project—and patient and kind with us.

We owe our appreciation to two organizations that have come to our aid frequently. The members of the Perinton Quilt Club in Fairport, New York, basted three of our quilts. The Thursday Morning Prayer Group in Pittsford, New York, gave us steady and prayerful support, not only for our work but for our private lives.

We are fortunate to have several valued friends with uplifting and enthusiastic natures. To each one we give our thanks. Diana Etzler has praised our quilts, typed many pages, and photocopied many more—but most of all she has freely given her joyful reinforcement to our project. In the last two years we have leaned heavily upon Otis Harvey for much of our spiritual growth. She has always been supportive in prayer and in providing gracious accommodations for our yearly trips south. Sara Ann Freed unselfishly gave her time to advise us about the business aspects of publishing a book. Jacqueline David, for sixteen years, has been our mutual friend. She has given her love and encouragement to every phase of our lives.

We have had the opportunity to teach our courses in patchwork and quilting in two fine fabric stores managed by two innovative and industrious women. Patty Souder, owner of The Souder Store in Souderton, Pennsylvania, and Kitty Keller, owner of Patricia's Fabric House in Pittsford, New York, have provided us with home bases for our classes and consistently beautiful selections of materials and supplies with which to work.

We acknowledge the love and concern expressed for us by our parents. Both of us were privileged to be raised in Christian homes, and we are thankful for the ideals we learned there. Our parents, our grandmothers, and our husbands' parents have made their own special contributions to this book. We appreciatively thank each one: Marjorie and Joseph Aylsworth, Jessie Mae and John Chalfant; Margaret Aylsworth and Mannie Kessinger Leake; Dorothy and William Murwin, Florence and Glenn Payne.

Our precious children have given us their most priceless gift—their time. Whether it was minutes, hours, or days, the time needed for work was drawn from the shortest span of their lives—childhood. With all our hearts, we thank our children: Elizabeth Ashley and Margaret Gerry Payne; and Thad Christian, Stephen David, Wendy Suzanne, Whitney Elizabeth, Courtney Teresa Jeanette, and Melinda Emily Kathleen Murwin.

We especially thank our loving husbands, Keith Payne and Thad Murwin. Both have been tender, instructive, and understanding. We have gone to them for their advice, their opinions, and their expertise. This book would not have been possible without their love and the security they furnish in our lives.

But most of all we praise our Lord for His many blessings. It was certainly through His Grace that we were given this opportunity to serve Him.